7th Edition

치주과학

PERIODONTOLOGY

전국치주과학교수협의회

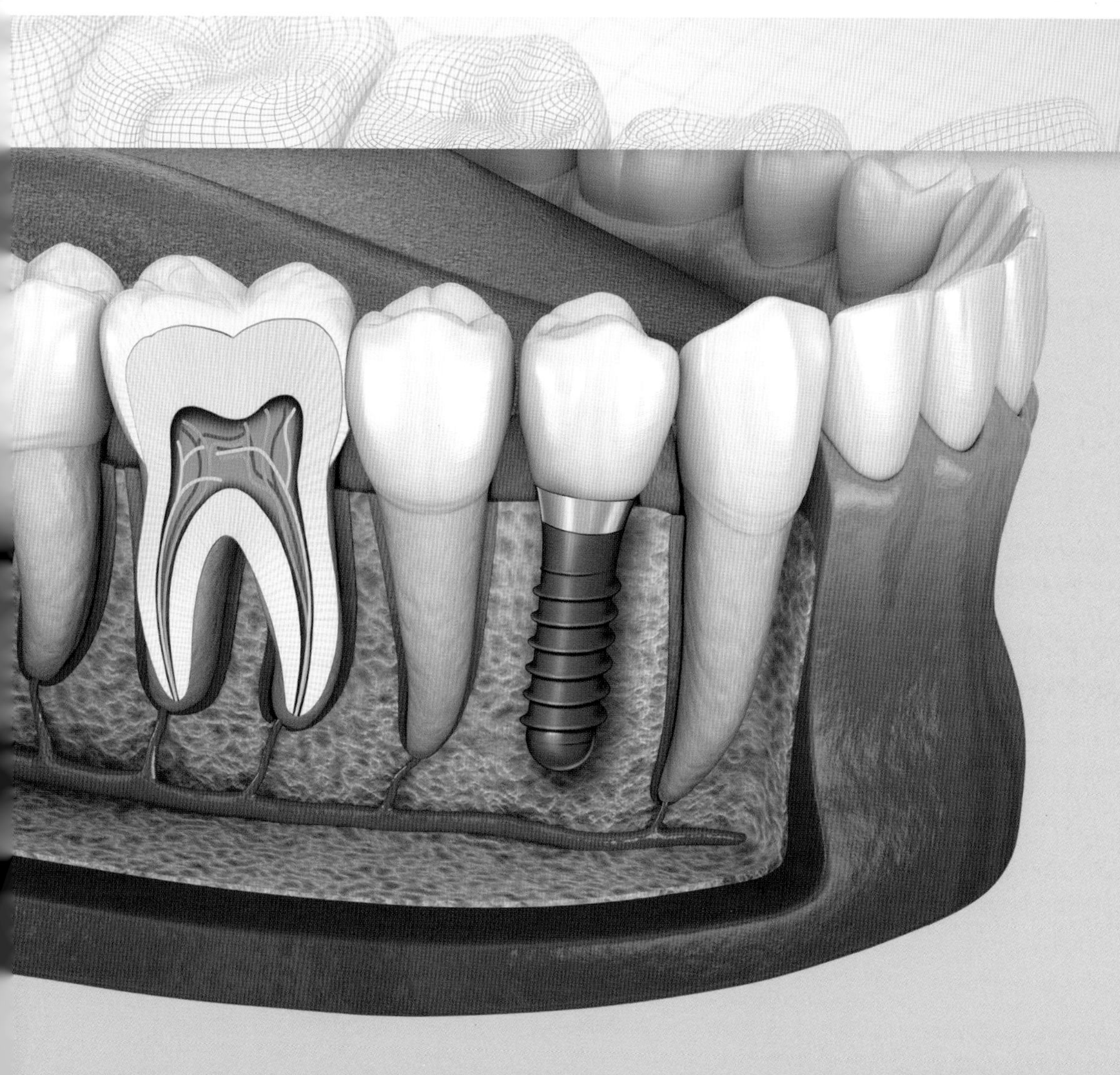

군자출판사

치주과학 7판

초판 발행 | 1988년 9월 15일
재판 발행 | 1991년 2월 15일
개정판 발행 | 1992년 9월 15일
제3판 발행 | 1996년 7월 10일
제4판 발행 | 2004년 3월 11일
제5판 발행 | 2010년 9월 10일
제6판 발행 | 2015년 3월 05일
제6판 2쇄 발행 | 2016년 9월 05일
제6판 3쇄 발행 | 2017년 10월 20일
제6판 4쇄 발행 | 2019년 2월 22일
제7판 1쇄 인쇄 | 2020년 8월 24일
제7판 1쇄 발행 | 2020년 9월 04일
제7판 2쇄 발행 | 2021년 8월 23일
제7판 3쇄 발행 | 2022년 12월 30일

지 은 이 전국치주과학교수협의회
발 행 인 장주연
출판기획 한수인
책임편집 이경은
편집디자인 군자 편집부
표지디자인 김재욱
일러스트 유시연
발 행 처 군자출판사(주)
등록 제 4-139호(1991. 6. 24)
본사(10881) **파주출판단지** 경기도 파주시 회동길 338(서패동 474-1)
전화 (031)943-1888 팩스 (031)955-9545
홈페이지 | www.koonja.co.kr

ISBN 979-11-5955-599-2
정가 110,000원

Periodontology

치·주·과·학 7th

집필진 | 가나다순

강경리 경희대학교 치과대학·치의학전문대학원 치주과학교실
구기태 서울대학교 치의학대학원 치주과학교실
구 영 서울대학교 치의학대학원 치주과학교실
김병옥 조선대학교 치과대학·치의학전문대학원 치주과학교실
김성조 부산대학교 치의학전문대학원 치주과학교실
김성태 서울대학교 치의학대학원 치주과학교실
김영준 전남대학교 치의학전문대학원 치주과학교실
김옥수 전남대학교 치의학전문대학원 치주과학교실
김용건 경북대학교 치과대학 치주과학교실
김윤상 원광대학교 치과대학 치주과학교실
김창성 연세대학교 치과대학 치주과학교실
김태일 서울대학교 치의학대학원 치주과학교실
류인철 서울대학교 치의학대학원 치주과학교실
문익상 연세대학교 치과대학 치주과학교실
박정철 단국대학교 치과대학 치주과학교실
박주철 서울대학교 치의학대학원 구강조직발생생물학교실
박준봉 경희대학교 치과대학·치의학전문대학원 치주과학교실
박진우 경북대학교 치과대학 치주과학교실
서조영 경북대학교 치과대학 치주과학교실
설양조 서울대학교 치의학대학원 치주과학교실
신승윤 경희대학교 치과대학·치의학전문대학원 치주과학교실
신승일 경희대학교 치과대학·치의학전문대학원 치주과학교실
신현승 단국대학교 치과대학 치주과학교실
양승민 성균관대학교 의과대학 치과학교실 삼성서울병원 치주과
엄흥식 강릉원주대학교 치과대학 치주과학교실
유상준 조선대학교 치과대학·치의학전문대학원 치주과학교실
유형근 원광대학교 치과대학 치주과학교실
윤정호 전북대학교 치과대학 치주과학교실
이동원 연세대학교 치과대학 치주과학교실
이성조 단국대학교 치과대학 치주과학교실
이영규 서울아산병원 치주과
이용무 서울대학교 치의학대학원 치주과학교실
이원표 조선대학교 치과대학·치의학전문대학원 치주과학교실
이재관 강릉원주대학교 치과대학 치주과학교실
이재목 경북대학교 치과대학 치주과학교실
이재홍 원광대학교 치과대학 치주과학교실
이주연 부산대학교 치의학전문대학원 치주과학교실
이중석 연세대학교 치과대학 치주과학교실
임현창 경희대학교 치과대학·치의학전문대학원 치주과학교실
장범석 강릉원주대학교 치과대학 치주과학교실
장희영 원광대학교 치과대학 치주과학교실
정성념 원광대학교 치과대학 치주과학교실
정의원 연세대학교 치과대학 치주과학교실
정종혁 경희대학교 치과대학·치의학전문대학원 치주과학교실
정현주 전남대학교 치의학전문대학원 치주과학교실
조규성 연세대학교 치과대학 치주과학교실
조인우 단국대학교 치과대학 치주과학교실
주지영 부산대학교 치의학전문대학원 치주과학교실
채중규 연세대학교 치과대학 치주과학교실
최성호 연세대학교 치과대학 치주과학교실
최점일 부산대학교 치의학전문대학원 치주과학교실
피성희 원광대학교 치과대학 치주과학교실
허 익 경희대학교 치과대학·치의학전문대학원 치주과학교실
허경석 연세대학교 치과대학 구강생물학교실
허석모 전북대학교 치과대학 치주과학교실
홍지연 경희대학교 치과대학·치의학전문대학원 치주과학교실

전국치주과학교수협의회 교과서편찬위원회

위원장	허 익	경희대학교
간 사	신승일	경희대학교
위 원	강경리	경희대학교
	김성태	서울대학교
	김옥수	전남대학교
	김용건	경북대학교
	윤정호	전북대학교
	이동원	연세대학교
	이원표	조선대학교
	이재관	강릉원주대학교
	이재홍	원광대학교
	이중석	연세대학교
	조인우	단국대학교
	주지영	부산대학교

머리말

20세기 초·중반에 걸쳐 치주질환과 관련된 자료를 살펴보면, 한국 성인의 90% 이상이 치주질환을 지니고 있으나 적절한 치료나 교육도 받아보지 못한 채 잇몸에서 고름이 나오는 치조농루증으로 인해 치아를 빼는 경우가 많았습니다. 안종서 선생님께서는 '치조농루'에 대한 논문(1930)을 발표하셨는데, 1950년대 후반의 치주치료는 '스케일링을 하고 J.G.같은 소독약을 발라주는 정도'였다고 기록되어 있습니다.

그러나, 1 세기가 지난 오늘날에는 치주질환으로 진료를 받고 있는 환자의 수가 급증하고 있는 상황이며, 일반인들도 삶의 질을 향상 시키기 위한 방편으로 개인별 평생유지관리 프로그램을 통해 건강한 치주조직을 유지하도록 많은 관심을 가지고 있어 우리 치주과의사의 역할이 그 어느 때보다도 더 중요하다고 할 수 있습니다.

'교과서는 그 시대를 반영한다'라는 말이 있듯이, 이번 개정판은 기존의 '기초치주', '치주질환의 치료', '복합 및 특수치료'라는 대단원의 기본틀을 유지하면서, 그동안 필자들마다 다르게 기술했던 용어들을 통일하였으며, 색인에서는 한글과 영어를 동시에 기술하여 그 이해를 도왔으며, 전세계적인 관심사인 만성비전염성질환(non-communicable diseases, NCD)과 치주질환과의 연관성에 관한 내용을 포함시켰습니다. 이 교과서가 치주치료에 관심있는 모든 의료인들의 궁금증을 해결할 수 있는 지침서가 되고, 이를 통해 우리나라 국민의 치주건강을 증진시키는 신뢰받는 의료인이 되시길 기원합니다.

전국치주과학교수협의회에서는 7판 출간 과정에서 논의되었던 '치주질환의 새로운 분류법'의 기술, 그리고 'e-Book 발행'에 관한 내용 등을 포함하여 우리나라 연구진들의 연구 자료가 더 많이 수록될 수 있도록 창의적인 노력을 계속하겠습니다.

이 7판이 발행될 수 있도록 약 2년여에 걸쳐 헌신적으로 기여해 주신 허 익 편집위원장님과 신승일 간사님을 비롯한 12분의 편집위원님들, 그리고 초판부터 계속해서 출판을 맡아 주신 군자출판사의 장주연 사장님과 임직원 여러분께 감사의 말씀 올립니다.

2020년 9월

전국치주과교수협의회 회장 김 병 옥

치주과의사의 치주낭 측정기 끝에는 눈이 달려 있어야 합니다.

(명예 교수 권영혁: 전 전국치주과학교수협의회 회장)

머리말

1년이 넘는 기간에 걸쳐 각 주제를 맡은 여러 교수님들께서 헌신적으로 그리고 열정적으로 수고하여 주셔서 치주과학 6판이 나오게 되었습니다. 5판부터 시작된 임상사진의 컬러화 작업이 이번 개정작업을 통해 양과 질적인 측면에서 대폭적인 향상을 가져오게 되었습니다. 이번 개정판에서는 기초치주학에 관련된 주제들에 최신 분자생물학과 세포생물학적 측면을 접목하는 시도가 돋보입니다. 특히 임상치주학의 경우 탁월한 국내 교수진들의 독창적인 임상증례들을 많이 첨가하여 실제적인 적용점을 상향시킨 점이 독특하다고 할 수 있습니다. 급속히 변모하는 임플란트 관련 치주과학의 이론과 실제를 대폭 증대시키는 혁신적인 면이 다채롭습니다. 전체적인 구성과 미적인 감각을 살린 디자인도 독자들로 하여금 쾌적하게 학문을 습득할 수 있는 환경을 부여한 점도 돋보입니다.

이 책은 학부학생, 치주과학을 전공하는 전공의, 그리고 대학원생들에게 치주과학 및 임플란트의 기초와 임상적인 측면을 심도있게 탐구하는 데 훌륭한 지침서가 될 뿐 아니라, 포괄적인 치과치료에서 치주과학이 담당하는 측면에 대한 탁월한 지침서가 될 것으로 기대합니다. 나아가서 치과위생사와 일반 개원의에게도 실제적인 도움이 될 동반자가 될 것입니다.

이 개정판이 완성되는 데 혼신을 다해 땀을 흘리신 최성호 편집위원장님과 설양조 간사님을 비롯한 편집위원 여러분, 그리고 출판을 맡아주신 군자출판사 장주연 사장님과 임직원 여러분께 깊은 감사의 말씀을 드립니다.

2015년 2월

전국치주과학교수협의회 회장 최 점 일

유난히도 추웠던 지난 겨울부터 유난히도 더웠던 이번 여름까지 많은 교수님들께서 수고하여 주셔서 치주과학 5판이 나오게 되었습니다. 그동안 여러 차례에 걸쳐 편집위원회 회의와 교수협의회 회의를 하였고, 많은 좋은 의견들이 이번 개정판에 반영되었습니다.

이번 개정판의 핵심은 임플란트 관련 내용을 대폭 증면하였고, 컬러 인쇄로 바뀌었다는 점입니다. 임플란트 관련 내용은 지난 몇 년 사이에 급속하게 발전하였습니다. 임플란트학이 치주학의 일부로 인식되는 현실에서 치주과학 교과서에 새로이 규명된 임플란트 관련내용을 반영하였습니다. 그러므로 임플란트 관련 내용을 치주학과 비교하면서 자연스럽게 공부할 수 있게 하였습니다. 또한 4판까지는 흑백 인쇄였는데, 이번 판은 컬러 인쇄를 하였습니다. 그래서 삽화뿐 아니라 임상증례들이 훨씬 이해하기 쉬워졌습니다. 이 과정에서 많은 그림과 사진이 교체, 추가되었고, 교과서의 내용이 훨씬 풍성해졌습니다. 또한 전체 디자인과 편집도 훨씬 공부하기 편하게 고안하였습니다.

이 책은 치의학을 공부하는 학부학생과 치주과학을 전공하는 수련의와 대학원생들에게 좋은 길잡이가 될 뿐만 아니라, 치과위생사와 일반 개업의에게도 실제 임상에서 좋은 동반자가 될 것입니다. 이 책을 통해 배운 지식으로 지역사회 치주건강증진에 큰 도움을 주셔서 지역사회에서 존경받는 치과의사가 되시기를 바랍니다.

4판 교과서가 나온 지 6여년이 흘러 그동안 치주학의 발전이 상당히 많았음에도 불구하고, 그것을 모두 반영하기에는 현실적으로 어려운 점이 많아서 그 부분에 아쉬움이 있습니다. 앞으로도 저를 비롯한 전국의 치주과 교수들은 항상 더 좋은 내용을 담을 수 있도록 최선을 다하겠습니다.

이 개정판이 다시 나오기까지 많은 헌신을 해주신 류인철 편집위원장님과 설양조 간사님을 비롯한 편집위원 여러분들, 그리고 출판을 맡아주신 군자출판사 장주연 사장님과 임직원 여러분께 감사드립니다.

2010년 8월

전국치주과학교수협의회 회장 채 중 규

치주과학 교과서 제4판을 집필하기 위하여 전국의 치과대학에서 치주과학을 담당하시는 교수님들께 각 장을 의뢰 드려 각고의 노력 끝에 책이 만들어 지게 되었습니다. 각 장을 집필하신 교수님들은 그 분야에서 많은 연구를 하셨고, 또한 임상경험이 풍부하신 것으로 정평이 나 있어 모시게 되었습니다.

이 책은 가장 최근의 지견 및 연구결과를 총괄하여 만들어 졌습니다. 치과대학이나 치과위생학과에 다니는 학생으로부터 치주과학을 전공하는 석, 박사 대학원생, 치주과에서 수련을 받으시는 전공의, 지역구강보건을 위하여 최선을 다 하시는 개업의, 임플란트를 공부하는 선생님들에 이르기 까지 이 책을 통하여, 지식을 습득하고 나아가서는 환자진료에 응용할 수 있도록 잘 정리되어 있습니다.

이번 판은 제 3 판과 비교하여 최근에 연구가 활발히 되고 있는 심미치주, 조직재생술식, 임플란트 및 노인치주학등의 부분을 더욱 보강하여 집필하여 기존의 책과 비교하여 새로운 장이 추가되었습니다.

이 책을 통해 지식을 얻고, 그것을 바탕으로 지역사회 치주건강발전에 기여하는 훌륭한 치주과의사 및 치과의사가 되시길 기원합니다. 치주과학 교과서는 현재에 만족하지 않고 계속적으로 발전해 나갈 것이며 그를 위하여 저를 비롯한 전국의 치과대학 치주과의 모든 교수가 일심동체가 되어 노력을 경주하겠습니다.

이 책이 나오기 까지 헌신적으로 수고해 주신 치주과학 교과서 편집위원 여러분들. 특히간사를 맡아주신 구영 교수님과 출판을 맡아주신 군자출판사 장주연 사장님께 감사드립니다.

2004년 2월

전국치주과학교수협의회 회장 권 영 혁

초판 발행을 위하여 귀한 시간을 할애하여 애쓰시던 교수님들의 모습이 엊그제 같이 선한데 9년 가까이의 세월이 흘렀습니다.

그 동안 한 번의 재판과 개정판이 있었고, 그럴 때마다 전국 각지의 교수님들이 한 데 모여서 많은 횟수의 토론회를 가졌습니다. 그러나 치주학은 하루가 다르게 엄청난 속도로 발전해나가고 있기 때문에 이를 다 소개한다는 것은 무척 어려운 일이었습니다. 이번의 개정판도 이런 점에서 여전히 미흡합니다만 교수님들 각자가 최선을 다해 집필한 것으로 알고 있습니다. 그리고 보다 완벽한 "치주과학"을 만들기 위한 작업이 다시 시작될 예정이며, 새로운 학설과 진보된 치료방법을 빠짐없이 이 책에 담기 위해 전국의 치주과 교수님들이 계속 노력할 것입니다.

이 개정판이 다시 나오기까지 간사로써 헌식적으로 노력해 주신 박준봉 교수님과 출판을 맡아주신 군자출판사 장주연 사장님께 감사드립니다.

1996년 6월

전국치주과학교수협의회 회장 한 수 부

치주과학이라는 학문이 이땅에 들어온지 어언 30년이 되었습니다만 신학문으로서의 치주과학이 이땅에 들어오기 전까지 우리사회에서 많은 사람들이 치주질환으로 인하여 고통을 받았었으며, 아직도 치과학문에 대한 일반적인 인식부족과 국가적인 정책부족으로 성인의 80% 이상이 치주질환을 가지고 있으며, 그로 인한 치아상실과 전신쇠약, 이차 질환감염 등이 엄청나다는 사실은 충격적이 아닐 수 없습니다.

이러한 치과 학문 중 가장 큰 비중을 차지하고 있는 치주과학을 불모의 시대에서부터 오늘에 이르기까지 끊임없이 발전시키기에 전념하신 교수 여러분께 새삼 심심한 감사의 말씀을 드립니다.

최근 우리나라의 정치, 경제, 사회가 선진화 되어가면서 모든 학문이 급속도로 발전하게 되었고, 따라서 이러한 시대적 요구에 부응하여 첨단의 학문으로의 교육과 연구가 필요하다고 하겠습니다. 지난 수십년을 우리는 우리말로 통일된 용어와 교과서를 갖지 못하여 학문의 전달과 지식의 습득에 많은 불편함을 느껴왔습니다.

지난해 9월초부터 전국의 모든 치주과학 교수님들이 바쁘신 중에도 다섯 차례의 워크샵을 통하여 교과서 만드는 작업을 하여 우리말 "치주과학" 교과서가 탄생하게 되었으며 이로써 치과대학 학생들이나 임상가들에게 보다 많은 도움을 줄 책이 만들어졌다고 생각합니다.

처음 시작하는 일들이 다 그러하듯이 아직 흡족하다고 하기엔 부족함이 많으나 전국의 모든 교수님들이 힘을 합쳐서 만들어낸 노고의 산물이라 생각할 때 뿌듯한 마음 없지 않으며 앞으로 보다 더 알찬 "치주과학" 교과서가 되도록 더욱 힘쓸 것을 약속드립니다.

무진년 백로날에

전국치주과학교수협의회 회장 손 성 희

목차

제1편 기초치주

PART 1 치주조직

PART 2 치주조직의 병변

목차

제2편 치주질환의 치료

PART 1 치주치료의 기본 개념

목차

목차

01

기초치주

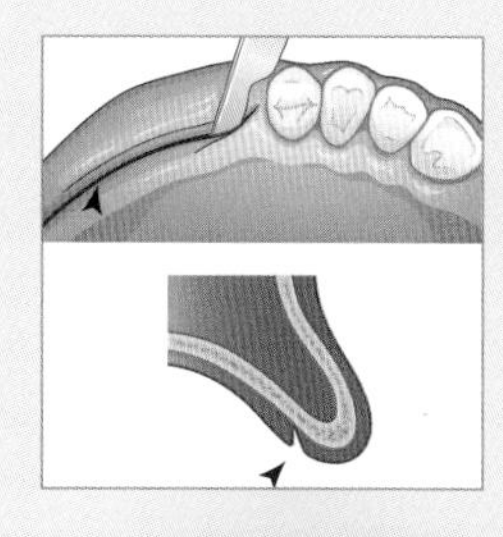
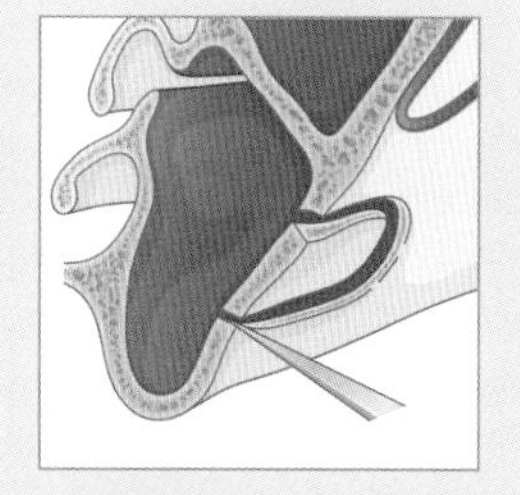
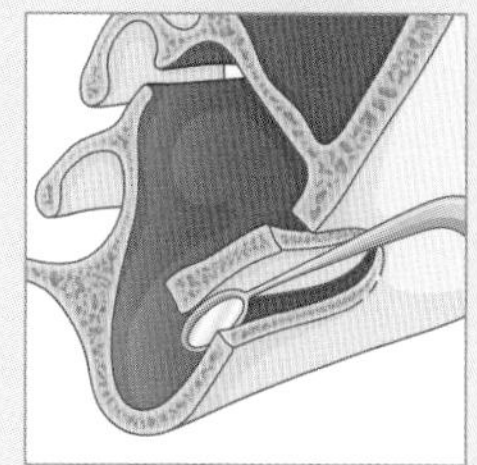
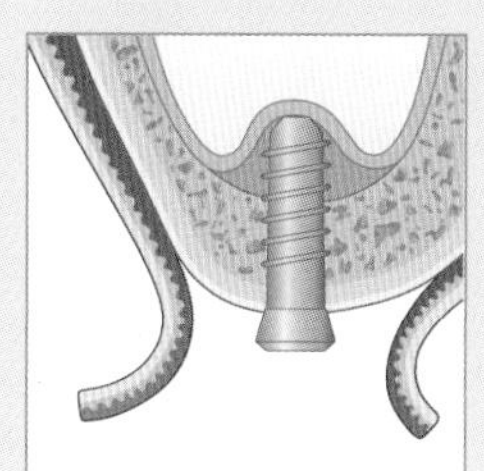

PART 01

치주조직

치주조직이란 치아를 둘러싸고 있는 조직들을 총칭한다. 치주조직은 치아를 악골 내에 지지하는 치조골, 치조골과 치아를 악골 내에 연결하는 치주인대, 치주인대의 섬유를 함유하는 백악질, 치조골을 덮고 있는 연조직인 치은 등으로 이루어져 있다(그림 1-1).

치은은 구강점막의 일부로서 해부학적으로 변연치은, 부착치은, 치간유두로 구분된다. 치은의 약 40%는 상피조직(구강상피 30% 접합상피 10%)으로, 60%는 결합조직으로 구성되어 있다.

그림 1-1. 치주조직의 모식도. G: 치은(gingiva) PL: 치주인대(periodontal ligament) ABP: 고유 치조골 (alveolar bone proper) RC:치근 백악질(root cementum) AB: 치조골(alveolar bone)

1. 치은의 형태학적 구분

1) 변연치은(Marginal gingiva)

변연치은은 유리치은(free gingiva), 비부착치은(unattached gingiva)이라고도 하는데, 산호빛 핑크색을 띠며 치경부를 둘러싸고 있는 견고한 옷깃(collar) 모양의 치은으로 보통 1 mm 정도의 폭경을 갖고 있다. 부착치은과는 선상의 얕은 구인 유리치은구(free gingival groove)에 의해 경계를 이루는데 유리치은구는 백악–법랑 경계부의 위치와 상응하며 임상적 검사 시 성인의 약 50% 경우에만 관찰된다(그림 1-2).

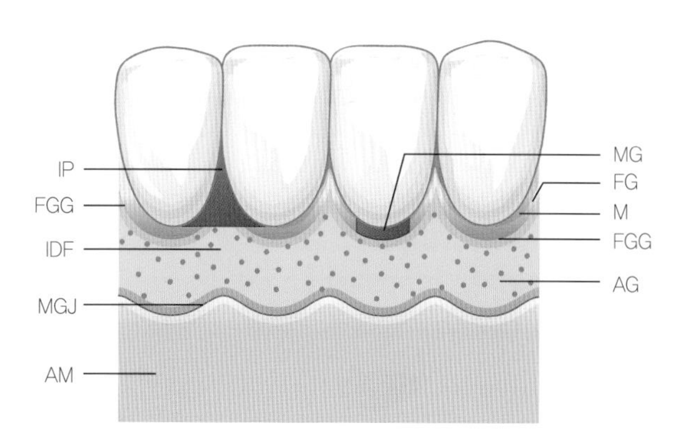

그림 1-2. 치은의 형태학적 구조. IP: 치간유두(interdental papilla) FGG: 유리치은구(free gingival groove) IDF: 치간구(interdental folds) MGJ: 치은점막 경계부(mucogingival junction) AM: 치조점막(alveolar mucosa) MG: 변연치은(marginal gingiva) FG: 유리치은(free gingiva) M: 치은변연(margin of the gingiva) AG: 부착치은(attached gingiva)

변연치은은 치주탐침에 의한 검사 시 치아로부터 분리될 수도 있다. 변연치은 내면과 치아의 치근면으로 형성되는 V자 형태의 공간을 치은열구(gingival sulcus)라고 하며, 0~3 mm 깊이를 정상으로 인정한다. 치아가 완전히 맹출한 뒤에 유리치은변연부는 백악-법랑 경계부에서 치관부측으로 대략 0.5~2 mm 상방의 법랑질 표면에 위치한다.

2) 부착치은(Attached gingiva)

부착치은은 변연치은에서 연속되는 부분으로 단단하고 탄력성이 있으며 하부 치조골에 견고하게 부착되어 있다.

순측면에서 보면 치은점막 경계선에 의해 유동성 있는 치조점막과 경계를 이루며 이 경계를 치은점막 경계부(mucogingival junction)라 한다. 부착치은은 산호빛 핑크색(coral pink)을 띠며 견고한 구조로 되어 있고, 표면의 점몰(stippling)은 마치 귤껍질과 같은 모습을 보이나 이러한 표면 점몰은 성인의 약 40%에서만 나타난다.[1] 부착치은의 폭경은 동일인의 경우에도 각 부위별로 다르다. 일반적으로 전치부에서 가장 넓고(상악 3.5~4.5 mm, 하악 3.3~3.9 mm), 구치부에서 좁으며 제1소구치에서 가장 좁다(상악 1.9 mm, 하악 1.8 mm). 또한 연령이 증가할수록 폭경이 증가하고 부위에 따라서는 1~9 mm 정도로 차이가 있다. 치은점막 경계부가 하악골의 하연에 대해 일생동안 일정한 위치에 존재하고 연령이 증가함에 따라 교합면 마모에 의해 치아가 일생을 통해 서서히 계속적으로 맹출하므로 부착치은의 폭경도 증가한다.[2-4] 하악 설측의 부착치은은 혀 밑 구강점막에서 이어지는 치조점막과 경계되며 상악 구개측 부착치은은 단단하고 탄력성 있는 구개점막과 경계가 분명치 않게 되어 있다. 이와 같은 부착치은은 치조골에 단단히 부착되어 비이동성이므로 치주임상에서 부착치은의 폭경은 임상적으로 아주 중요한 의의를 갖는다. 부착치은과 치조점막과의 차이는 표 1-1과 같다.

표 1-1. 부착치은과 치조점막의 차이

	부착치은	치조점막
각화상태	각화 또는 착각화	비각화
상피돌기	있음	없음
유동성	치조골에 단단히 부착	유동성
세포층	4개층	3개층
색	분홍색	붉은색
점몰	있다	없다

3) 치간치은(Interdental gingiva)

유두치은(papillary gingiva)이라고도 하며 변연치은 중 치아와 치아 사이의 삼각형의 공간(치간공극, embrasure)을 채우고 있는 피라미드 형태의 치은을 말한다. 치간치은은 순설측으로 각각 하나씩 두개의 유두와 이 두 부위를 연결하는 계곡 모양의 함요부인 "col"로 이루어져 있다. 치간치은의 외형은 치아 간의 접촉 관계, 인접하는 치아면의 폭경, 백악-법랑 경계부의 양상, 치은퇴축의 정도에 의해 좌우된다(그림 1-3).

치아가 접촉되지 않는 부위에는 col이 대부분 없으며 어떤 경우에는 치아간의 접촉이 있는 부위에도 col이 없는 경우도 있다. 협설측 두 유두 간에 형성되는 함요부인 col은 하나의

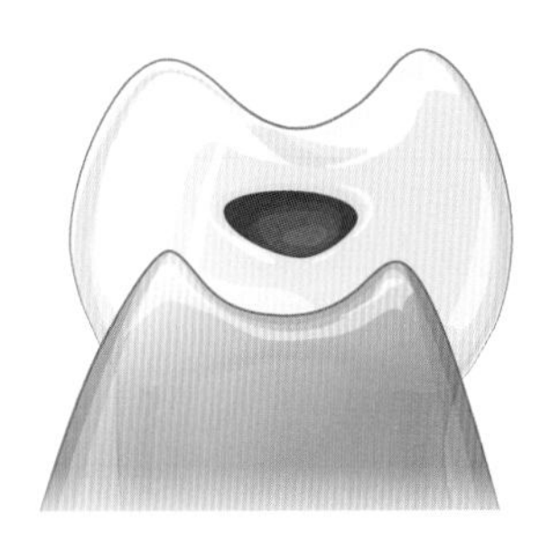
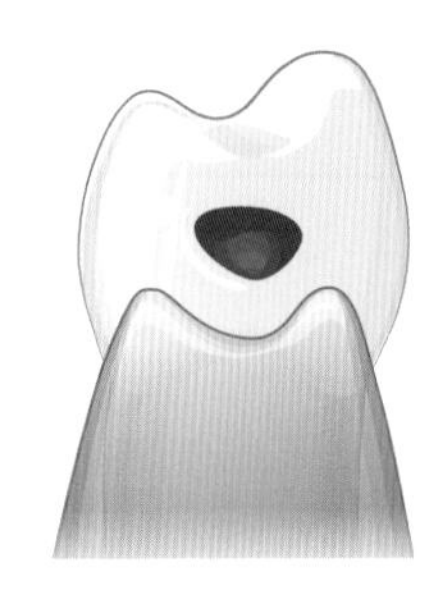
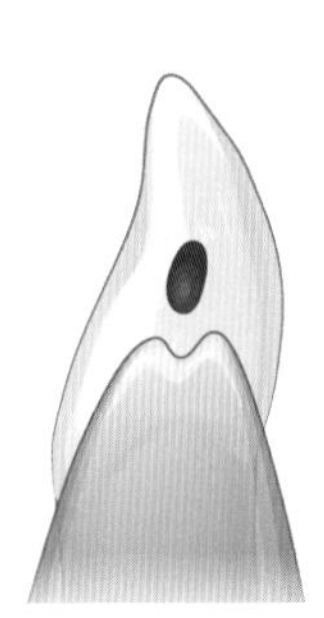
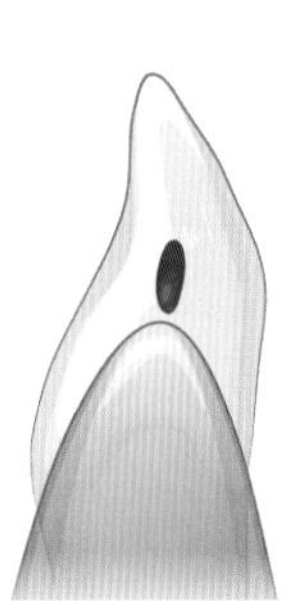

그림 1-3. 치아접촉의 변화에 따른 다양한 col의 형태

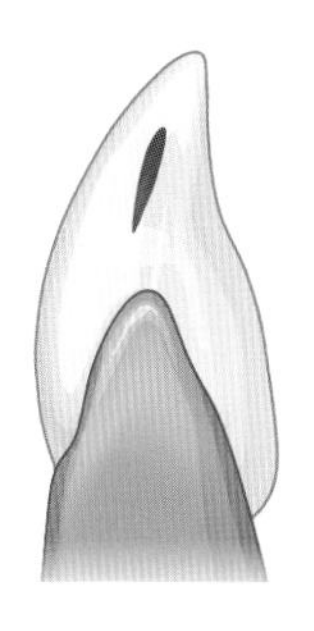
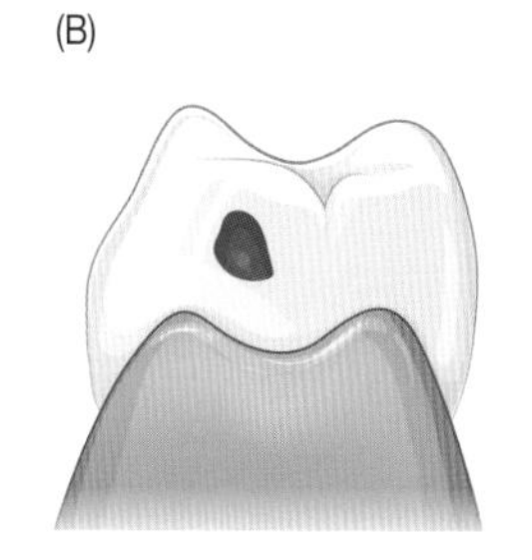
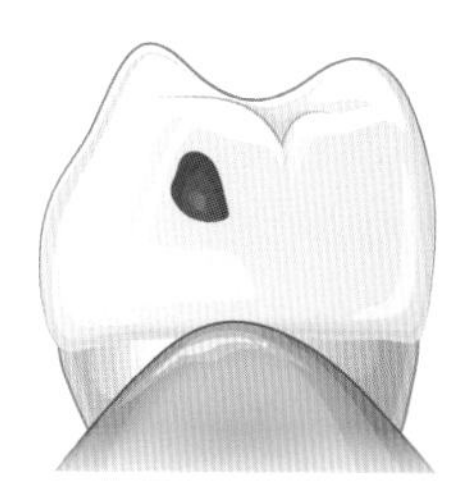

그림 1-4. 정상치은과 치은퇴축 시 치간 col의 형태변화. (A) 하악전치부 (B) 하악구치부

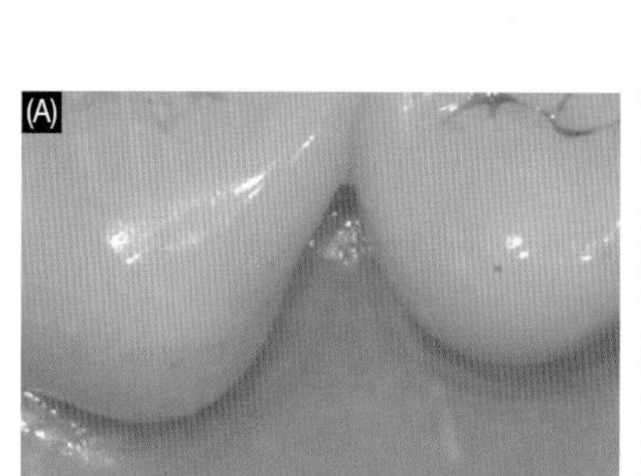
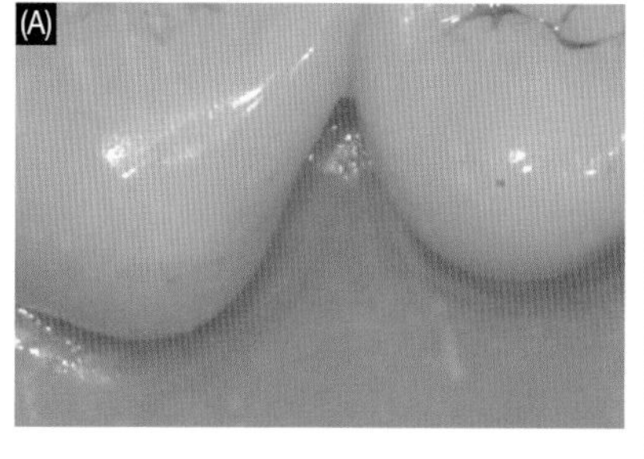
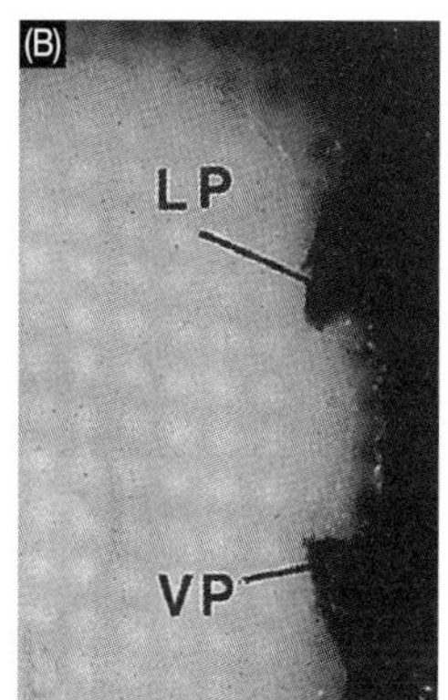

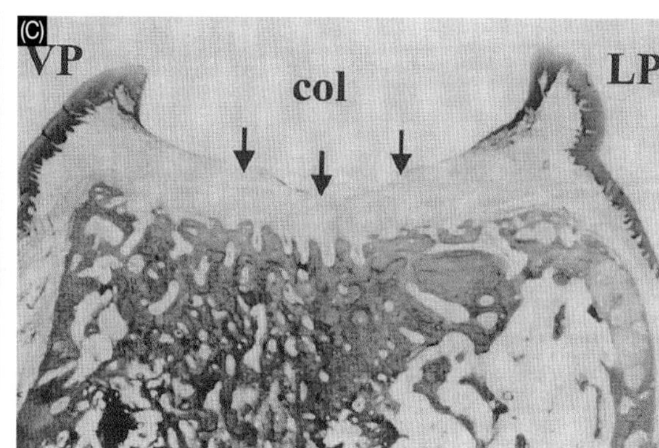

그림 1-5. 구치부 col의 임상적·조직학적 소견

접촉점을 이루는 부위보다는 오히려 접촉면을 갖는 소구치부와 구치부에서 쉽게 볼 수 있다(그림 1-4).

이 부위에서는 주로 오목한 형태의 col이 형성되어서 소구치와 대구치의 치간유두는 이 col에 의해 분리되어 협측 부분과 설측/구개측 부분의 치간유두가 각각 생긴다(그림 1-5). 치간치은은 표면이 각화되어 있지 않으므로 세균에 쉽게 침범당할 수 있어 염증이 시작되는 부위로서 임상적으로 중요한 곳이다. 각 치간유두는 피라미드 모양으로 순설면은 치간 접촉부를 향해서 좁아지며 근원심쪽에서 치아간의 접촉이 없는 경우엔 치은이 치조골 상부에 견고히 부착되어 있으며 치간유두는 결여되어 둥근면을 이룬다.

4) 치은열구(Gingival sulcus)

치은열구는 한쪽으로는 치아면과 다른 한쪽으로는 치은 변연의 상피부에 의해 경계되는 치아 둘레의 얇은 공간이나 틈을 말하며 V자 형태로 되어있다(그림 1-6).

치은열구의 깊이를 임상적으로 측정하는 것은 치주조직

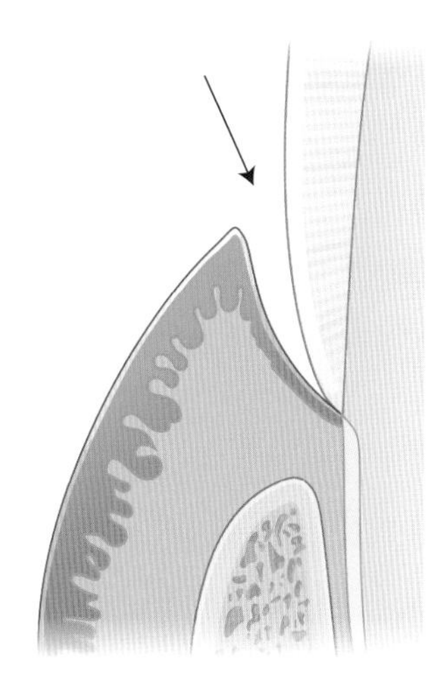

그림 1-6. 치은열구의 모식도

의 상태를 파악할 수 있는 중요한 진단학적 기준이 된다. 완전 무결하게 정상적인 상태에서는 치은열구의 깊이는 0 mm거나 거의 0 mm에 가깝지만 임상적으로 건강한 치은에선 사람이나 동물에 있어서 다소간의 치은열구 깊이가 있으며 실험동물의 조직학적인 검사에 의하면 평균 깊이가 1.8 mm로 보고되어 있으나 0~6 mm로 다소 차이가 심하다. 또한 다른 연구에 의하면 1.5 mm와 0.69 mm로 보고된 바도 있다. 치은열구의 깊이는 치주낭 측정기(periodontal probe)라는 금속 기구로 열구 내에 삽입되는 거리로서 측정하기 때문에 조직학적 깊이와 임상적 깊이 간에는 차이가 있으며 임상적으로 정상 치은열구의 측정 깊이는 2~3 mm이다.

5) 치은열구액(Gingival crevicular fluid)

치은열구에는 얇은 열구상피벽을 통해서 치은결합조직으로부터 스며 나온 액인 치은열구액이 존재하며 구성성분으로는 세포성분인 상피세포, 백혈구, 세균 및 전해질, 유기화합물, 대사산물 및 세균산물과 효소 및 효소억제제 등이 포함되어 있다.[5]

이들 치은열구액은 건강한 치은에서 보다 염증상태의 치은에서 그 분비량이 증가되며 하루의 주기성을 보면 저녁 무렵에 최대이고 이른 아침에 그 양이 최소가 된다. 이들 치은열구액의 방어기전 기능은 다음과 같다.

치은열구 내의 이물질을 세척하고, 치아에 대한 상피부착의 유착을 증가시키는 혈장단백(plasma protein)을 함유하고 있고, 백혈구에 의한 항세균성을 가지며, 열구액 내의 면역글로블린 등에 의한 항체활성을 보인다.

2. 정상 치은의 임상적 소견 (Clinical features of normal gingiva)

1) 색상(Color)

부착치은 및 변연치은의 색은 산호빛 분홍색(coral pink)이며 이는 인종, 나이, 혈관분포, 상피의 두께, 각화정도, 색소침착에 따라 다소 차이가 있다. 치조점막은 치은점막경계(mucogingival junction)에 의해 부착상피와 뚜렷이 구분되며 붉고 활택하며 윤이 난다(그림 1-7). 그러나 구개부측에선 경구개 및 상악치조돌기가 동일한 형태의 저작점막으로 피개되어 치은경계부가 나타나지 않는다.

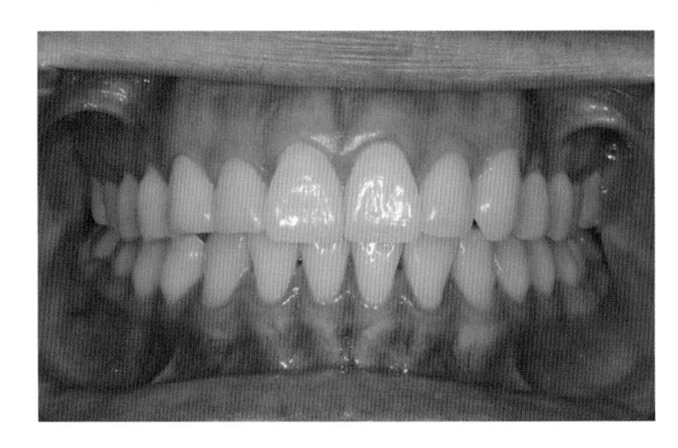

그림 1-7. 치은의 색상 및 치은점막 경계

2) 멜라닌 색소침착(Melanin pigmentation)

치은의 색소침착은 원인별로 크게 내인성과 외인성으로 구분하며, 내인성은 주로 혈액의 헤모글로빈과 멜라닌(melanin)의 침착에 의한 것으로 알려져 있다. 멜라닌으로 치은이 검게 나타나는 경우는 모든 정상인에게 나타날 수 있으나, 흔히 임상적으로 관찰될 정도로 다량 함유되어 있지는 않다. 멜라닌 색소침착은 백인에게는 결여되 있거나 극소량이 존재하고 흑인의 구강 내에서는 흔하다. 멜라닌은 치은상피의 기저층에 존재하는 멜라닌 세포(melanocyte)에 의해 형성되며,[6] premelanosome 또는 melanosome이라고 불리는 세포내 기관에서 합성된다. 이들 소기관(organelles)은 tyrosinase를 함유하고 있어 이 효소에 의하여 tyrosin을 dihydroxyphenylalanine (dopa)으로 hydroxylation화하여 점진적으로 멜라닌으로 전환시킨다. 멜라닌 과립은 형성된 후 인접 상피 내로 유입되어 상피세포 내에 존재하거나, 이를 탐식한 결합조직의 melanophage에 존재하게 된다.

Dummett (1946)에 의하면 흑인 구강내 색소 침착 분포는 치은 60%, 점막 22%, 혀 15%인 것으로 보고 되었다.

3) 크기(Size)

치은의 크기는 세포와 세포간 성분, 혈관분포의 총합체

에 따라 차이가 있으나 크기의 변화는 치은질환에서 흔한 소견이다.

4) 외형(Contour)

치아의 형태와 악궁 내의 치아배열, 인접 접촉부의 크기와 위치, 순설측의 치간공극에 따라서 다양하나 변연치은은 순설측에서 보면 옷깃(collar)과 같은 모양으로 치아를 둘러싸고 있으며 치경부를 따라서 부채꼴 모양(scalloped)으로 되어 있다(그림 1-2). 외형의 변화는 치아의 위치이상이나 순설측의 경사도에 따라 변할 수 있다. 치간치은의 형태는 치간공극의 형태 및 위치와 치아 인접면의 외형에 따라 다르며 순설로는 비교적 편평하고 근원심으로는 얇다.

5) 견고도(Consistency)

치은은 부착치은 부위에서 치조골에 견고하고 탄력성 있게 부착되어 있고 변연치은은 유동적이다. 견고성은 부착치은과 치조골의 골막(periosteum) 간의 교원섬유(collagen fiber)의 연속성에 기인하며 치은섬유는 치은변연부를 제 위치에 견고하게 유지시켜 준다.

6) 표면 구조(Surface texture)

치은 표면은 점몰(stippling)이라는 오렌지 껍질 같은 형태의 올록볼록한 상을 보인다. 점몰은 변연치은에는 나타나지 않고 부착치은에 존재하며 치간유두부의 중심에 나타난다. 점몰의 양상은 사람에 따라 부위별로 다양하고 설측에는 순측보다 덜 두드러지며 어떤 사람에게는 나타나지 않는다. 또한 점몰은 나이에 따라서 변화를 보이는데, 유아기에는 보이지 않고 5세 정도가 되어 일부 어린이에게 나타나기 시작하며, 성인이 될 때까지 증가되고 나이 들면 흔히 사라진다(그림 1-8). 점몰은 치은의 기능적 작용에 의해 강화된 건강한 치은의 생리적 형태이다. 치은염 상태에서는 점몰이 감소되거나 없어지나 치료 후 건강하게 되면 다시 나타난다. 현미경 소견은 결합조직의 유두부 돌기와 상피의 상피돌기(rete peg)로 이루어진 것으로 보인다(그림 1-9). 점몰의 융기도와 각화의 정도는 서로 연관성이 있다. 변연치은 및 부착치은상피의 특징적인 형태로서 상피돌기가 나타나나 치조점막 및 치은열구상피에는 상피돌기가 나타나지 않는다.[7] 주사 전자 현미경의 관찰에 의하면 점몰의 형태는 다양하나 비교적 일정한 깊이를 가지며, 저배율 하에선 50 μm의 불규칙한 깊이를 나타낸다. 치은의 표면 구조는 상피의 각화유무 및 각화정도와 연관되어 있다. 각화는 외부의 자극에 대한 방어기능을 갖고 있으며 칫솔질 등에 의해 각화가 증가된다. 각화의 유무, 각화 정도 등 상피 성질의 유전적 결정은 상피 하부의 결

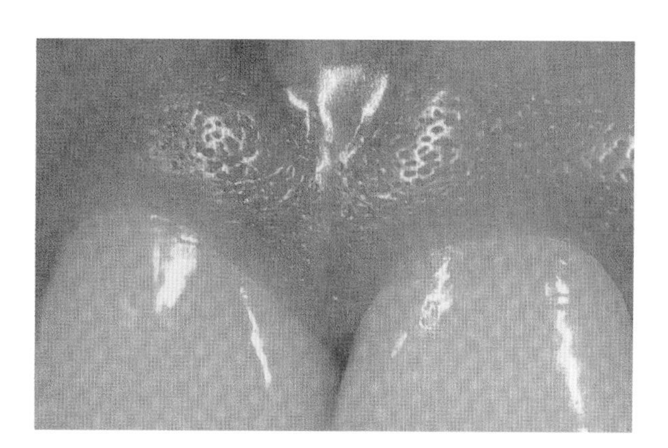

그림 1-8. 치은표면의 점몰 소견. 치간유두의 중앙부와 부착치은에서 점몰이 관찰되며 치은변연은 매끈하다.

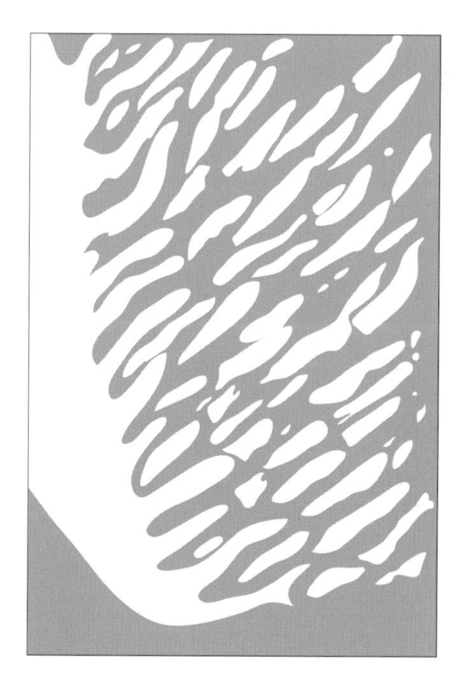

그림 1-9. 결합조직의 돌기를 나타낸 모식도. 결합조직의 형태로서 치아는 이 그림의 좌측에 위치하며 상피는 배제된 상이다.

합조직에 의해 결정되는 것으로 추측된다.

그 예로 비각화 상피부위에 각화부위의 상피조직을 이식하는 경우 각화상피로 치유됨은 이식편의 결합조직이 유전적 정보를 가지고 있다는 좋은 증거이다.

7) 위치(Position)

치은의 위치는 치은변연이 치아에 부착된 정도를 말한다. 치은의 상부에는 유리치은과 부착치은이 구분되어 있으며, 하부에는 치은점막경계(mucogingival junction)로 부착치은과 치조점막이 구분된다(그림 1-2).

3. 치은의 현미경적 소견 (Microscopic feature of the gingiva)

1) 치은상피(Gingival epithelium)

치은상피는 형태학적으로나 기능적으로나 구강상피, 열구상피, 접합상피로 구분할 수 있으며 이들 상피들은 기능 및 형태의 차이가 있다(그림 1-10).

(1) 구강(치은) 상피 (Oral epithelium, Gingival epithelium)

부착치은 및 변연치은 등의 외부에 위치한 상피를 말하며 각화(keratinized) 및 착각화(parakeratinized)되는 중층편평상피(stratified squamous epithelium)로 구성되어 있다.

이 상피의 기본 구성세포는 주로 각화세포(keratinocyte)며 이외에 비각화세포(non-keratinocyte) 혹은 "clear cell"이라 불리우는 랑거한스세포(Langerhans cell), 머켈세포(Merkel cell), 멜라닌세포(melanocyte) 등이 있다.

하부 결합조직과는 일직선으로 연결되어 있지 않고 결합조직의 일부가 상피 쪽으로 돌출되어 파상으로 연결되어 있으며 이런 형태를 상피돌기(rete peg, rete ridge)라 하고, 이런 형태로 인해 치은상피와 결합조직은 많은 부위에서 연결되어 교합이나 기타 외력에 저항할 수 있다. Scanning electron microscopic (SEM)을 통한 관찰 시 세포의 표면 형태는 미세융기가 pitted appearance를 이루어 벌집모양과 같은 양상(honeycomb appearance)을 이룬다.[8]

또한 치은상피는 신체 다른 부위의 상피와 구조적으로 유사하여 외부자극이나 기계적, 화학적 및 세균학적 물질의 침입을 방지하는 방어막 역할을 한다. 전자현미경적 관찰에 의하면 치은상피의 세포들은 각 세포의 주위에서 소위 교소체(desmosome)라고 불리는 구조에 의해 상호 연결되어 있

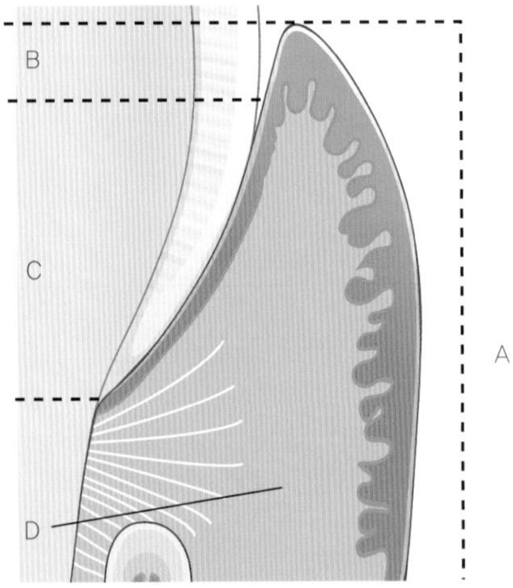

그림 1-10. 부위별 치은상피. (A) 치은상피(gingival epithelium) (B) 열구상피(sulcular epithelium) (C) 접합상피 (D) 결합조직

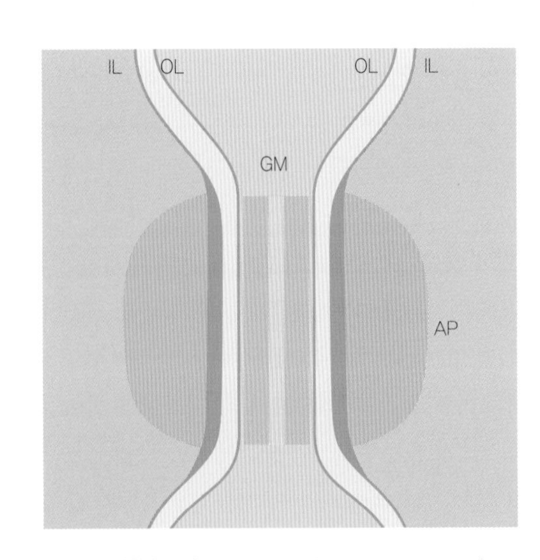

그림 1-11. 교소체의 모식도. AP: 부착판(attachment plaques), GM: 과립물질(granulated material), IL: 내막(inner leaflets), OL: 외막(outer leaflets)

다(그림 1-11). 이들 교소체는 두 개의 부착판(attachment plaque)이 세포외 공간의 중간선인 "protein cementing substance"로 생각되는 물질에 연결되어서 이것이 두 세포를 연결시켜주는 것으로 생각되며, 장원섬유(tonofibril)가 부착판으로부터 솔모양으로 퍼져 나와 세포질 내로 뻗어 있다.

치은 구강상피는 중층 편평상피의 일반적 형태로서 크게 4가지의 특수한 형태 및 기능을 갖는 세포층으로 구성되어 있는데(그림 1-12, 13) 세포들은 성숙되어 상부층으로 이동하면서 각화되어 구강 내로 탈락되며, 상피 기저층의 아래에 위치하는 40~200 nm 두께의 기저판(basal lamina)에 의해 하부 결합조직과 연결되어 있다(그림 1-14).

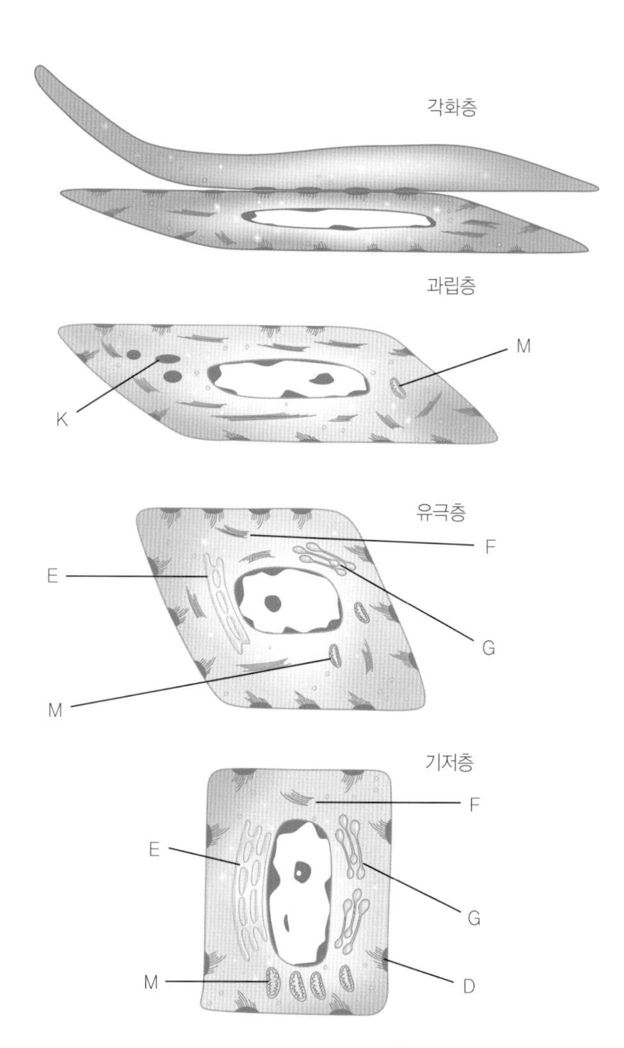

그림 1-12. 구강 상피의 4가지 세포층. K: keratohyalin granule, M: mitochondria, E: rough endoplasmic reticulum, F: tonofilament, G: Golgi complex, D: desmosome

① 기저층(Stratum basale, basal layer)

치은결합조직과 기저판(basal lamina)이 연결되는 부위에서부터 유극층까지의 세포층으로서 세포들의 크기가 비교적 작으며 중앙에 둥글거나 계란 형태의 핵을 가지며 세포외형은 입방형(cuboidal)이나 다각형(polygonal)의 형태이다.[9] 이들 세포들은 기저판에 수직으로 연결되어 있으며 세포가 성숙함에 따라서 세포의 형태가 편평해지고 넓적해지며, 기저부에서 표면쪽으로 이동하여 각화층에 도달하여 탈락하는 시기까지의 주기는 10~12일 걸린다.

또한 정상적인 상태에서는 새로운 세포의 생성 및 세포탈락의 완전한 평형이 유지된다. 세포끼리는 교소체와 gap junction의 방법으로 연결되어 있고 기저막과는 반교소체로 연결되어 있다. 기저층 세포의 세포질 내에서는 유리 리보솜이 있고 rough endo-plasmic reticulum (RER)이 약간 있으며 사립체(mitochondria)도 간간이 존재한다. 골지체는 최소한의 기능만 하며 10~20 nm 직경의 장세사(tonofilament)가 전 세포질의 19%를 차지한다.[9] 기저층의 세포들은 왕성한 성장과 함께 분열하는 능력을 갖고 있어 끊임없이 분화하여 새로운 세포를 생성한다. 또한 기저판 형성물질을 분비함으로써 결합조직과 상피세포들의 계속적인 연결을 유지하는

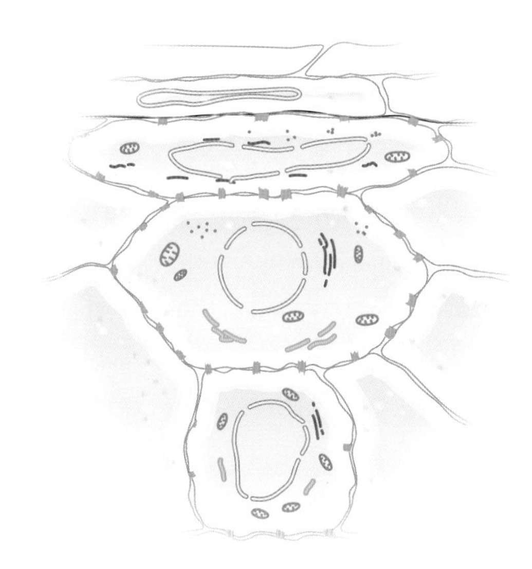

그림 1-13. 중층편피상피의 모식도. 전자현미경에 의한 관찰 시 중층편평상피는 서로 다른 특징과 형태를 가지는 여러 세포층을 보인다.

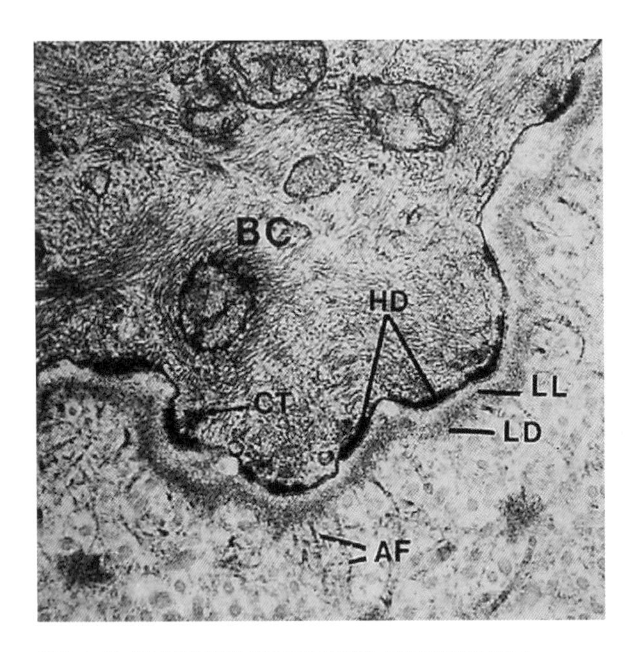

그림 1-14. 치은상피와 결합조직간의 연결부위에 대한 모식도
BC: basal cell, HD: hemidesmosomes, CT: cytoplasmic tonofilaments, LL: lamina lucida, LD: lamina densa, AF: anchoring fiber

데 기여한다. 즉 상피가 새로이 형성되는 부위가 바로 기저층이므로 이 층을 발아층(stratum germinativum)이라고도 한다. 기저판은 광학 현미경 하에서 대략 1 μm 두께의 대(zone)로 보이며 PAS 염색법(periodic acid Schiff stain)에 양성 반응을 보인다. 이와 같은 양성반응은 기저판이 당단백(glycoproteins)을 함유하고 있음을 나타내며, 상피세포도 단백-다당 복합체(protein polysaccaride complex)를 함유하는 세포의 기질에 둘러싸여 있다. 또한 기저판은 광학 현미경하에선 하나의 구조물로 보이지만 전자현미경에선 기저세포의 직하부에 대략 20~100 nm 두께의 전자희소대(electron lucent zone)가 존재하며 이를 "lamina lucida"라고 부른다. 그 하부에 대략 동일한 두께를 가진 전자밀집대(electron dense zone)가 존재하며 이를 "lamina densa"라고 부른다(그림 1-14).

② 유극층(Stratum spinosum, prickle cell layer)

치은상피의 4개 세포층 가운데 가장 넓은 층을 이루며 기저층보다 좀더 성숙된 별모양의 세포들로 구성되어 있다. 10~20층의 비교적 큰 다면체의 세포로 구성되고 가시(spine)와 유사한 짧은 세포돌기를 가진다. 교소체의 수도 거의 배로 증가되어 세포간의 연결이 긴밀하며 세포질의 양이 기저층보다 증가되고 유리 리보솜이 많이 존재하는 것으로 보아 단백질 합성기능이 왕성하며, 장세사(tonofilament)의 양도 전체 세포질의 40%를 차지한다.

과립층과의 인접 세포에서는 글리코겐과 막으로 쌓여진 과립(membrane coating granule, MCG)이 관찰된다. 유극층 하부에는 멜라닌세포가 존재한다. 각화세포와는 대조적으로 이들 세포는 멜라닌과립을 함유하며 장원섬유나 반교소체(hemidesmosome)는 가지지 않는다.

③ 과립층(Stratum granulosum, granular layer)

이 층의 세포들은 편평해지고 옆으로 길어진 상태이며 핵도 길어지고 기저층 세포 크기의 3~4배 가량이다. 세포질 내에 사립체나 RER 등은 감소되어 있어 세포의 기능이 감소하는 것을 보여주며 유리 리보솜과 장세사는 증가되고 세포질 내에 keratohyaline granule (KHG)과 membrane coating granule (MCG)이라는 특수한 과립들이 다수 관찰된다.

KHG는 직경이 0.5~1.0 nm 크기의 불규칙한 형태로 내용물은 단백질, 적은 양의 지방, hexosamine과 유황 성분일 것으로 생각되며, 상피 각화에 작용하는 것으로 알려져 있으나 필수적으로 관련되는 것은 아니라는 연구보고도 있다. MCG는 두겹의 막으로 둘러싸여 있으며 내부는 동전을 차곡차곡 쌓아놓은 모양의 구조물로 된 과립으로 차 있으며 과립 직경은 100~300 nm이다. 이 층판 과립은 "acid phosphatase", " hydrolytic enzyme" 등으로 구성되어 있으며 이 과립은 세포막과 융합하여 내용물을 세포간격 내로 배출하여 투과장벽을 형성한다. 이 과립을 케라티노좀(keratinosome) 또는 Odland body라고 부르기도 한다.

④ 각화층(Stratum corneum, cornified layer)

완전한 각화로 핵이 보이지 않는 현상을 각화라 하고, 각화가 되었지만 핵의 잔사가 관찰되고 다른 세포소기관의 잔재들이 남아있는 경우를 착각화라 하는데 이 층에는 각화 및 착각화 세포들이 공존한다. 세포들의 구조적 특성은 교소체의 수가 현격히 감소되며 형태도 변하고 내부 세포막은 두꺼워져 외부 세포막 두께의 3배 정도가 된다. 세포간극은 구부구불한 모양으로 MCG에서 유래된 것으로 보이는 층판 구조물이나 당단백이 꽉 차 있는 것처럼 보이며, 세포 내용물은 섬유단백질이나 각화질의 양상이 대부분이고 사립체, RER, 골지체나 핵 등은 보이지 않고 간혹 핵의 잔사가 관찰되기도 한다. KHG에서 유래된 것으로 보이는 무정형 물질들이 장세사 사이사이에 쌓여있다. 각화는 변성이라기보다는 오히려 하나의 분화 과정으로서 간주된다. 세포 각화 과정을 요약하면 각화세포는 기저층에서 상층으로 이행되면서 계속적인 과정이 진행된다. 각화세포는 기저층에서 떨어지게 되면 더 이상 분화하지 못하고 단백질 합성 능력만을 가진다. 과립층에서 각화세포는 에너지와 단백질을 합성하는 세포 내 소기관들이 사라지고 세포 내에는 케라틴(keratin)으로 가득차고 각화층에서 상피표면 쪽으로 세포가 탈락하게 된다. 또한 케라틴을 형성하는 각화세포 이외에도 구강 상피에는 비각화세포인 멜라닌세포, 랑거한스세포, 머켈세포들을 포함한다. 이들 세 가지 세포는 모두 성상이며 다양한 크기 및 형태의 세포질돌기(cytoplasmic extension)를 갖는다. 이들은 또한 케라틴을 형성하는 주변세포보다 조직학적 표본에서 밝게 보이므로 "clear cell"이라고도 한다. 멜라닌세포는 색소를 함유하는 세포이며, 랑거한스세포는 기저층 상부의 각화세포 사이에 위치하며 구강점막의 방어기전에서 중요한 역할을 하는 것으로 여겨진다. 이 랑거한스세포는 항원이 상피 내로 침입하는 과정에서 항원에 대해 탐식세포와 같은 탐식작용에 의한 반응을 하는 것으로 알려져 있으며 초기 면역반응이 시작되면 조직 내에 보다 진전된 항원 침투를 억제하는 것으로 알려졌다. 랑거한스세포는 정상치은의 치은상피에서는 쉽게 보이나 열구상피에서는 드물고 접합상피에서는 관찰되지 않는다.

머켈세포는 상피의 심층에 위치하며 신경섬유의 터미널로서 인접 세포들과 교소체에 의해 연결되어 있다. 이 세포는 접촉감을 인지하는 기능이 있는 것으로 알려져 있다.

(2) 열구상피(Sulcular epithelium)

치은열구의 내면을 이루고 있는 상피를 말한다. 특징은 상피돌기가 없는 얇은 세포층으로 되어 있고 세포들은 각화를 하지 않는 비각화 중층편평상피로 구성되며 세포층이 얇다.

이 상피는 치아에 부착되어 있지 않으며 치근단 쪽으로는 접합상피와 연결되고, 상부로는 변연치은의 끝과 명확한 구분으로 경계한다. 이들 상피는 인위적으로 칫솔질이나 기계적 자극을 주거나 구강 내로 노출되면 각화되려는 경향을 보이며 세포간극이 치은상피보다 넓고 호중구 등 염증세포들도 간혹 보인다.[10,11] 결국 열구상피는 해로운 세균이나 조직액 등의 반투과성 구조로 말미암아 세균이 직접 침투하거나 해로운 세균 생성물이 치은열구를 통해 치은이나 조직액에 스며들어 치은염증 발생에 중요한 역할을 담당하는 것으로 보인다.[12] 열구상피는 보통 기저층, 중간층, 그리고 착각화 또는 비각화 상층의 3층으로 구성되어 있다.

(3) 접합상피(Junctional epithelium)

치은열구 직하부에서 시작하는 옷깃(collar) 모양의 비각화 중층 편평상피로 구성되며 치아에 부착되어 있는 것이 특징이다(그림 1-15). 초기에는 3~4층 두께의 세포로 구성되나 나이가 듦에 따라 차차 10~20층의 세포를 이루며 상피부착은 lamina densa와 lamina lucida로 구성된 기저판(basal lamina)으로 이루어지는데 기저판의 lamina densa는 법랑질과 부착되고 lamina lucida는 상피세포의 반교소체와 부착된다. Saglie 등의 연구에 의하면 접합상피는 기능 및 형태학적으로 다른 특징을 갖고 있는 치관부, 중간부, 치근부의 3부위로 구분된다. 치관부위에는 세포간극이 넓어져 있으므로 투과성이 풍부하여 분자량이 작은 물질들이 접합상피 내외로의 통과가 용이하게 되어 있으며 치근부위는 반교소체가 아주 적고 세포의 활성이 지극히 발달되어 세포 분열이 왕성한 것이 특징이다. 상피 부착부에 있어서 중성 다당류(neutral polysaccharide)의 존재가 조직학적으로 입증되어져

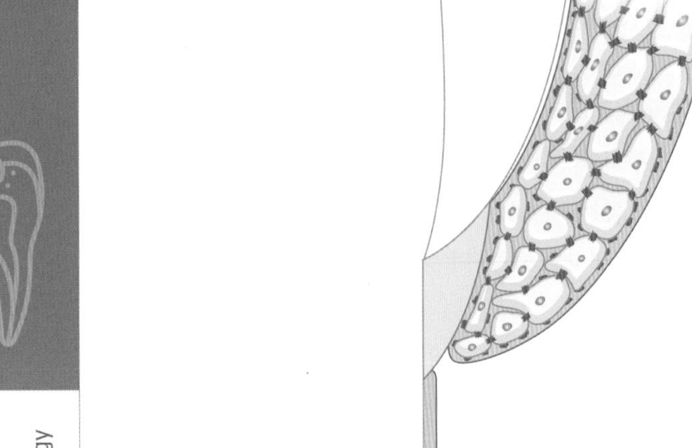
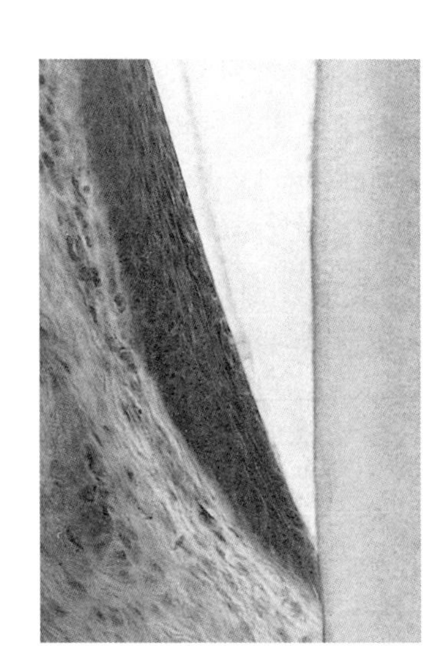

그림 1-15. 접합상피의 모식도와 조직 소견

왔으며 접합상피의 기저층은 당단백 성분이 내피 및 상피세포와 유사함을 보이고 이것이 부착기전에서 중요한 역할을 하는 것으로 알려져 있다. 또한 접합상피가 치아에 부착하는데 있어서는 치은섬유도 보충적인 역할을 하며 이런 이유로 인해 접합상피와 치은섬유는 하나의 기능적 단위로 고려되어 치아 치은 집합체(dentogingival unit)로 언급된다. 접합상피의 한쪽은 치아에 부착되고 다른 한쪽은 구강열구상피나 결합조직과 연결되며 세포는 치아면을 따라서 비스듬히 이동하여 상부로 올라가서 치은열구로 탈락되어 버린다. 이 부위의 세포들은 넓은 세포간극과 KHG, MCG 결여로 인해 열구 내의 세균생성물과 기타 유독한 물질이나 조직 내의 염증세포나 조직액 등이 접합상피를 통해 왕래할 수 있으므로 치은염증이 이곳을 통해 확산된다고 말할 수 있으며 치은열구에 인접한 세포들은 탐식작용의 가능성이 있는 것으로 보여진다. 열구상피, 구강상피, 접합상피 간에는 다음과 같은 뚜렷한 차이점이 있다.

- 접합상피의 세포 크기가 조직부피에 대해 상대적으로 구강상피의 세포보다 크다.
- 접합상피의 세포간 공간이 조직부피에 대해 상대적으로 구강상피의 세포간 공간보다 넓다.
- 교소체의 수가 접합상피에 있어서 구강상피보다 적다.

(4) 상피의 분화(Epithelial differentiation)

① 치은열구의 발생

치은열구는 치아가 구강 내로 맹출함에 따라 형성된다. 이때 접합상피와 잔존 법랑상피(reduced enamel epithelium)가 치관 정상 부위로부터 백악법랑 경계부까지의 치면에 부착되는 넓은 띠를 형성한다(그림 1-16).

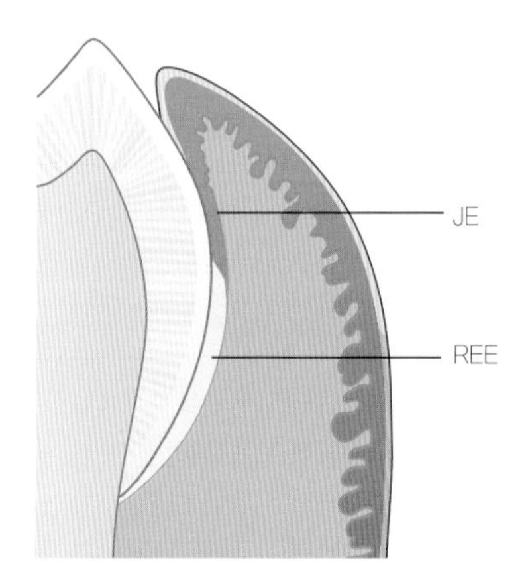

그림 1-16. 치아 맹출 시 치은열구 하부의 모식도. JE: 접합상피(junctional epithelium), REE: 잔존 법랑상피(reduced enamel epithelium)

② 접합상피의 형성

법랑질 형성이 완료된 후에 법랑질은 기저판을 이용하여 치아에 부착하는 잔존 법랑상피(reduced enamel epithelium)에 의해서 감싸이게 된다. 치아가 구강점막을 통과하여 맹출될 때 잔존 법랑상피는 구강상피와 결합하여 소위 Gottlieb가 말하는 상피부착(epithelial attachment)을 형성하며 초기에는 법랑질에 부착하는 것으로 여겨져 왔다. 결합된 상피(united epithelium)를 접합상피라고 부르며 상피부착(epithelial attachment)은 치아면에 상피세포가 결합되는 것을 말한다. 치아가 맹출됨에 따라서 이 접합상피는 치관을 따라서 밀집되며 얇은 층의 잔존 법랑질 상피를 형성하는 잔존 법랑아 세포는 사라지고 점차 편평상피세포에 의해 대체된다. 접합상피는 모든 세포층에서 세포분열이 일어나서 계속적인 재생이 일어나는 구조이며 재생성 상피세포는 치아면을 향해서 치은열구 쪽에서 치관방향으로 이동하여 탈락된다(그림 1-17).

경조직인 치아와 연조직인 접합상피간의 연결은 특수한 경우로 Gottlieb의 "organic unite"설이나 Waerhaug 등에 의해 주장된 "epithelial cuff" 등의 학설은 Stem에 의해 쥐에서 상피세포와 치아가 반교소체에 의해 연결되어 있음이 발표되고 Schroeder와 Listgarten에 의해 사람과 원숭이에서도 이것이 관찰됨이 보고된 이래 확실한 결론에 도달하게 되었다. 즉 치아가 맹출하기 전에 법랑질이 성숙되면서 상피부착판(epithelial attachment lamina)이라 불리는 기저판을 형성하여 이것이 법랑질에 직접 접촉되면서 상피세포와 반교소체에 의해 부착된다. 접합상피의 기저세포는 법랑질 표면에 직접 접촉되지 않는다. 법랑질과 접합상피 간에는 전자희소대(electron lucent zone)와 전자밀집대(electron dense zone)가 있으며 이중 전자희 소대가 접합상피세포와 접촉된다. 이들 두 대는 기저판의 "lamina densa"와 "lamina lucida"와 유사한 구조를 갖는다. 더구나 법랑질과 결합조직 쪽을 향하는 접합상피세포의 세포막이 모두 반교소체로 고정되어 법랑질과 접합상피간의 인접 양상은 접합상피와 결합조직간의 인접 양상과 유사하다(그림 1-18).

치아와 치은조직 간의 연결방식은 다음의 여러 가지 형태를 생각할 수 있다.

- 법랑질+기저판+반교소체
- 법랑질+치성소피(dental cuticle)+기저판+반교소체
- 법랑질+무섬유성 백악질+기저판+반교소체
- 법랑질+무섬유성 백악질+치성소피+기저판+반교소체
- 치근 백악질+치성소피+기저판+반교소체
- 치근 백악질+기저판+반교소체
- 백악질+치성소피+결합조직
- 백악질+결합조직

치아와 연결되어 있는 치은의 위치에 따라 치아의 맹출은

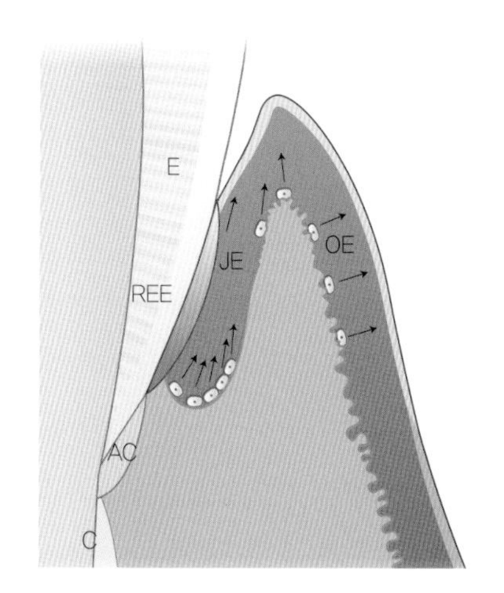

그림 1-17. 맹출과정중의 접합상피 모식도. JE: junctional epithelium, OE: oral epithelium, REE: reduced enamel epithelium, AC: afibrillar cementum, E: enamel, C: root cementum

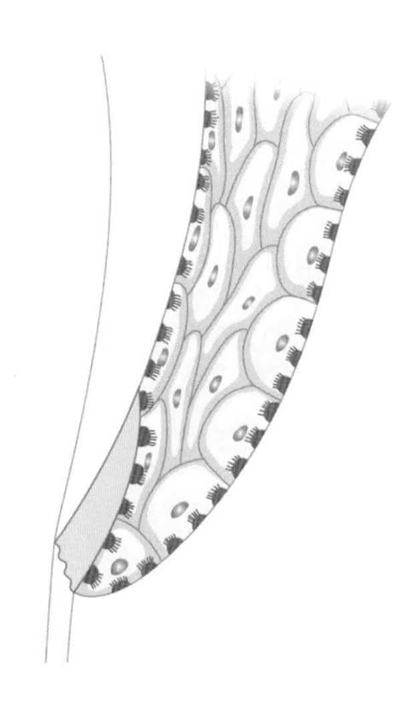

그림 1-18. 치아-치은결합의 모식도

능동적(active), 수동적(passive) 맹출로 구분할 수 있다. 능동적 맹출이란 치아가 교합면 쪽으로 계속 이동하는 것이며 치아마모 등으로 해부학적 치관의 길이가 짧아졌을 때 수직 거리를 보상하려고 일어나는 경우가 많은 반면, 수동적 맹출은 접합상피가 법랑질에서부터 치근 백악질 쪽으로 이동하여 치근이 노출되는 것을 말한다. 해부학적 치관이란 법랑질에 싸여있는 치관을 말하며 해부학적 치근은 백악질에 싸여있는 치근을 말한다. 이에 비해 임상적 치관이란 접합상피 상부에서부터 구강 내에 노출된 치관을 말하며 치주조직에 덮여 있는 치근을 임상적 치근이라 한다. 수동적 맹출은 생리적 과정으로 생각되었으나 지금은 병변으로 인식되며 접합상피가 치근 쪽으로 이동되어 치은퇴축과 함께 나타나는 현상으로 정도에 따라 그 위치를 4가지 단계 유형으로 구분하고 있다(그림 1-19).

- 1단계(stage 1): 정상적으로 맹출이 완료된 상태로 접합상피와 치은열구 기저부가 법랑질 위에 있는 상태이다.
- 2단계(stage 2): 접합상피가 증식되면서 근단쪽으로 이동하여 일부는 법랑질 위에 있으며 일부는 백악질 위에 있게 된 상태이며 치은열구의 기저부는 아직 법랑질 위에 있다.
- 3단계(stage 3): 접합상피가 근단쪽으로 이동하여 완전히 백악질 위에 있으며 치은열구의 기저부는 백악법랑 경계부에 있다.
- 4단계(stage 4): 접합상피와 치은열구 기저부 모두가 백악질 위에 있는 상태이며, 이때 임상 치관의 길이는 그만큼 길어진 상태이다. 수동적 맹출의 결과 치은의 근단쪽 이동으로 인하여 치근이 노출되는 상태를 치은퇴축이라 하며 치은퇴축은 백악법랑 경계부부터 치은변연까지의 거리를 말한다.

③ 각화(Keratinization)

상피세포층의 기저부에서 외부면을 향해 세포가 이주하면서 세포의 생화학적, 형태학적인 일련의 변화과정을 각화라고 한다. 이 과정을 통해 세포의 형태는 점진적으로 편평해지고 장원섬유와 세포 간 결합이 증가하며 핵의 감소와 keratohyaline granule의 생성이 된다. 치은상피에서 볼 수 있는 표면분화에는 다음과 같이 3종류가 있다.

- 각화: 표면세포에서 핵이나 세포소기관을 찾아볼 수 없고 케라틴으로 가득 차 있으며 keratohyaline granule이 과립층의 세포에서 나타난다.
- 착각화(parakeratinization): 표층의 세포에 핵의 잔사를 함유하고 있으나 각화된 상을 보인다.
- 비각화: 표면층의 세포가 핵을 가지며 각화된 양상이 보이지 않는다.

변연치은 및 부착치은의 외면을 둘러싸는 상피는 각화되어 있거나 착각화 또는 두 가지가 복합된 양상을 보인다. 그

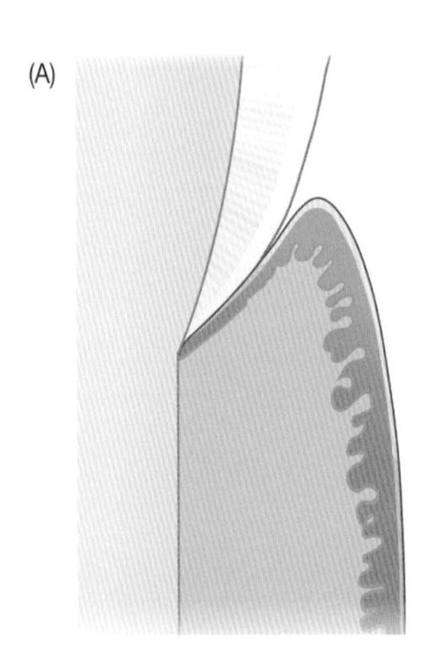

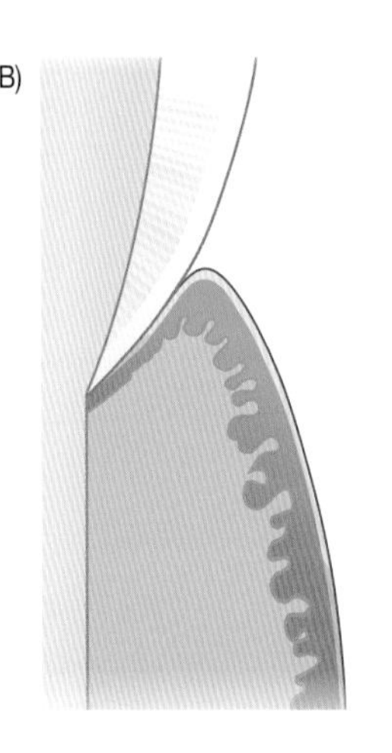

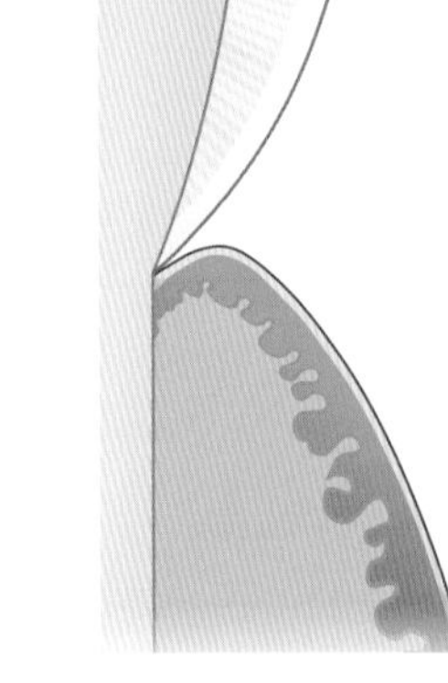

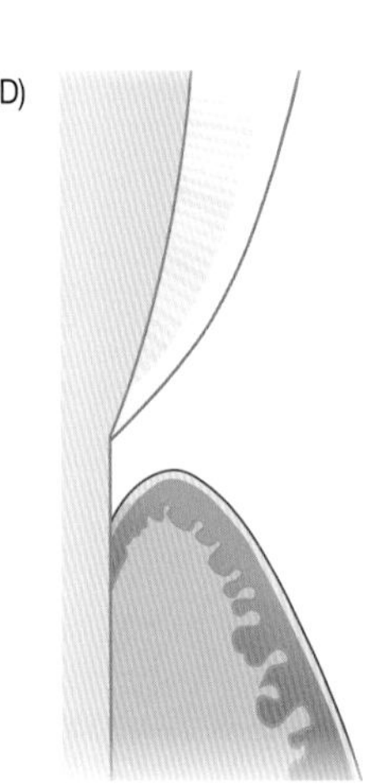

그림 1-19. 수동적 맹출의 모식도. (A) 1단계 (B) 2단계 (C) 3단계 (D) 4단계

러나 이 부위에서 가장 흔한 양상은 착각화이며 구강점막의 각화된 정도는 부위에 따라 다르며 구개부, 치은, 혀, 뺨의 순서로 나타난다. 치은열구상피는 정상적으로 비각화이나 구강 내에 노출되거나 치은열구의 세균층이 제거된다면 각화가 일어날 수도 있다.

④ 치은상피의 재형성

구강상피는 계속적인 재형성 과정이 일어나며 그 두께는 표면의 세포가 탈락하는 것과 기저층 및 유극층의 세포 신생간의 평형으로 인해 일정하게 유지된다. 세포분열 활성은 24시간의 주기성을 가지며 아침에 가장 활성도가 높고 저녁에 활성도가 가장 낮다. 뚜렷한 성별의 차이는 없으며, 비각화 부위에서 크며 치은염 시에 증가된다. 실험동물에서의 세포분열 활성은 부위별로 다르며 내림차순(descending order)으로 협측점막, 경구개부, 열구상피, 접합상피, 변연치은의 외면, 부착치은의 순이며, 또한 실험동물에서 각 부위별로 재생 순환시간(turnover time)도 다르며 접합상피는 1~6일, 구개부, 혀, 뺨 등은 5~6일, 치은은 10~12일이 소요된다.

⑤ 상피조직과 결합조직 간의 연결

치은상피와 결합조직 간의 연결부위는 상피돌기가 결합조직 내로 깊숙이 침투된 상태로 마치 파상(波狀)과 같은 모습을 보인다. 전자현미경 관찰에 의하면 이 연결 부위인 기저판(basal lamina)은 각각 20~100 nm 정도의 넓이를 가진 "lamina lucida"와 "lamina densa"로 이루어져 단단하고 편평한 형태를 보이며 반교소체와 연결되어 있다.

이것의 부착판(attachment plaque)에 장세사(tonofilament)가 박혀있고 1 μm 길이의 결합조직내 고정섬유(anchoring fiber)가 고리(loop) 모양으로 연결되어 있으면서 교원섬유가 그 사이로 얽혀 부채살 모양으로 결합조직과 연결된다. 상피세포들과 결합조직 간에는 영양, 가스 등의 교환이 이루어지고 만일 치은열구 내에 해로운 물질이 있을 때 이들이 상피를 통하여 결합조직으로 침범 후 신체의 염증 및 면역반응을 통해 조직의 변화를 초래한다.

4. 치은결합조직 (Gingival connective tissue)

치은결합조직은 고유층판(lamina propria)으로 명명되며 상피돌기(epithelial rete peg) 사이의 유두상 돌기로 된 유두층(papillary layer)과 치조골의 골막과 인접한 망상층(reticular layer)으로 이루어져 있다. 그 구성 성분은 55~60%가 섬유성 물질로서 교원섬유(collagen fiber), 탄성섬유(elastic fiber), 망상섬유(reticular fiber), 옥시탈란 섬유(oxytalan fiber)로 구성되고, 5~8%가 세포성분인 섬유모세포(fibroblast), 호중구(neutrophil), 비만세포(mast cell), 대식세포(macrophage), 임파구(lymphocyte)로, 35%가 비섬유성 물질과 혈관, 신경 등으로 구성되어 있다.[7]

1) 결합조직의 구조

(1) 섬유성분(Fibers elements)

결합조직섬유는 섬유모세포(fibroblast)에 의해 합성되며, ① 교원섬유(collagen fibers) ② 망상섬유(reticular fibers) ③ 옥시탈란 섬유(oxytalan fibers) ④ 탄성섬유(elastic fibers)로 구성되어 있다.

① 교원섬유(Collagen fibers)

교원섬유는 치은 및 치주조직 구성에서 매우 중요하며 전자현미경하에서 횡문 형태의 주기성을 가지며, 1,000개의 glycine, proline, hydroxyproline 등의 아미노산으로 구성된 3개의 polypeptide가 새끼처럼 꼬아져서 형성된 300 nm의 길이와 1.5 nm의 직경을 가진 트로포 콜라겐(tropo−collagen)이 섬유모세포에서 만들어져서 분비되고, 이것이 중합되어 교원섬유를 형성한다(그림 1−20).

백악모세포(cementoblasts) 및 골모세포(osteoblasts)도 교원섬유 합성능이 있다.

교원섬유는 그 주행방향에 따라서 몇 가지 섬유군으로 나누어진다(그림 1−21, 22).

- 치아−치은 섬유군(dento−gingival fiber group)
  치아와 치은열구의 기저부 인접 부위 직하의 백악질에서 치은의 위쪽으로 부채살 모양으로 주행하는 섬유군

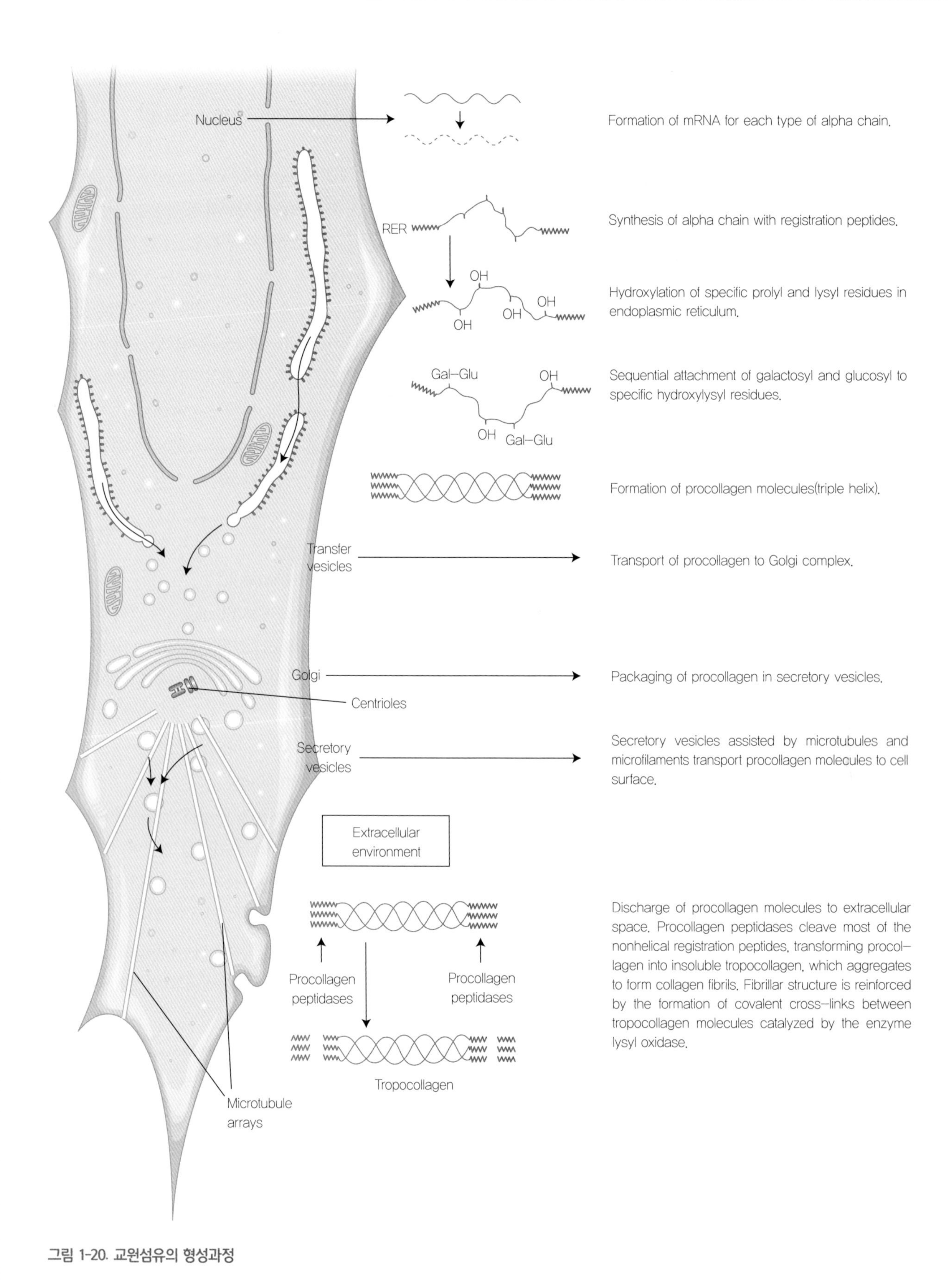

그림 1-20. 교원섬유의 형성과정

을 말한다.

- 치조-치은 섬유군(alveolo-gingival fiber group)
  치조 정상에서부터 변연치은쪽을 향해 주행하는 섬유군을 말한다.

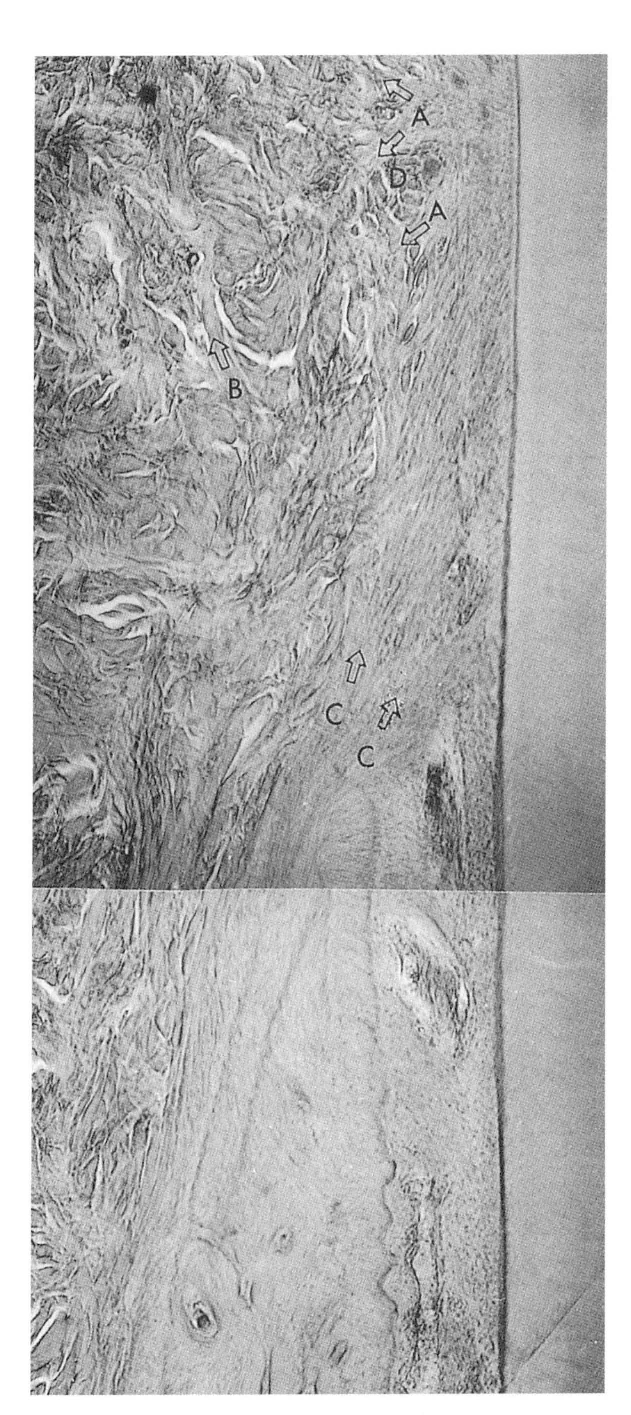

그림 1-21. 치은섬유의 조직표 사진 (A) 치아-치은섬유군 (B) 치조-치은 섬유군 (C) 치아-골막섬유군 (D) 환상 섬유군

- 치아-골막 섬유군(dento-periosteal fiber group)
  치아와 치은열구의 기저부 인접 부위 백악질에서부터 주행하여 치조골을 따라 주행하여 근단쪽으로 구부러져서 협설측 골막까지 주행하는 섬유군을 말한다.
- 환상 섬유군(circular fiber group)
  유리치은을 빙그르 돌면서 치아를 싸고 있는 섬유군을 말한다.
- 횡중격 섬유군(transseptal fiber group)
  치조 중격 위로 주행하여 이웃하고 있는 두 치아 사이의 백악질에 삽입되고 있는 섬유군을 말한다.

② 망상섬유(Reticular fiber)

호은성(argyrophilic) 염색특성을 가지며 기저막 인접조직에 많이 존재하지만 혈관 주변의 느슨한 결합조직에도 다수 분포되어 있다.

③ 옥시탈란 섬유(Oxytalan fiber)

15~16 nm 정도의 직경을 갖고 있으며 치아의 장축에 평행하게 배열되어 있는 것이 특징이며 교합성 외상 시 양이 증가한다는 보고도 있으나 아직 기능에 대해서는 논란의 여지가 있다.

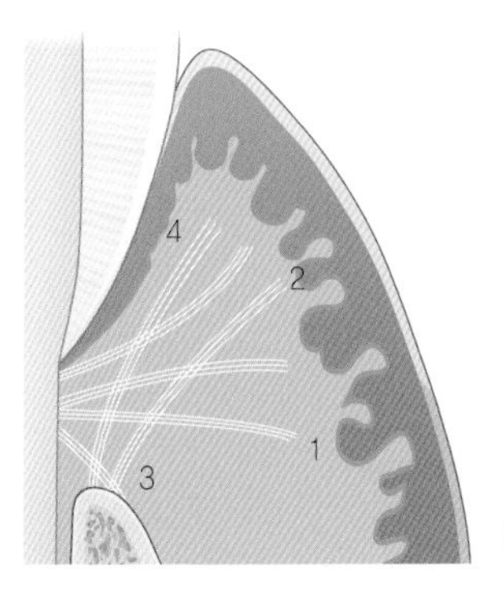

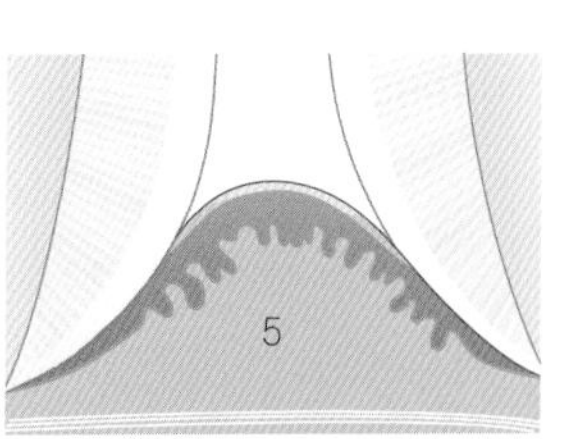

그림 1-22. 치은섬유의 모식도 (1) 치아-치은 섬유군 (2) 치조-치은 섬유군 (3) 치아-골막 섬유군 (4) 환상 섬유군 (5) 횡중격 섬유군

④ 탄성섬유(Elastic fiber)

치은과 치주인대의 결합조직에는 혈관주변부에만 나타나지만, 치조점막의 결합조직 내엔 다수 분포된다.

(2) 기저물질, 기질(Ground substance, Matrix)

결합조직내 기질은 비교원성 물질(noncollagenous materials)로서 일차적으로 섬유모세포에 의해 합성되며 일부는 비만세포에 의해 합성되고 혈액으로부터도 유래된다.

기저물질의 주성분은 단백-다당고분자(proteinpolysaccaride macromolecule)이며 단백당(proteoglycan)과 당단백(glycoprotein)으로 구분된다. 기질은 치은결합조직 세포들이 생활할 수 있는 배지로 작용하여 수분, 전해질, 영양분, 대사물 등의 성분들이 정상기능 유지에 이바지한다. 또한 점성을 갖고 있어 치은 등에 가해지는 압박 등에도 저항하여 치은의 탄력성을 유지하는 데 큰 역할을 한다.

① 단백당(Proteoglycan)

다당으로 "glycosaminoglycan"을 함유하며 이것에 하나 또는 수개의 단백질이 연결되어 있다. 그러나 다당류가 항상 대부분을 이룬다. 단, chondroitin sulfate, hyaluronic acid 등은 단백질과 연결되지 않고 수분이나 전해질들과 반응하여 삼투압을 유지하고 수분함량을 유지시켜 각종 세포들의 조직 내에서의 이주를 조절한다.

② 당단백(Glycoprotein)

다당류와 단백의 화합물로 단백성분이 대부분을 이루는 것이 특징이다.

(3) 세포성분

결합조직 내에는 섬유모세포, 비만세포, 대식세포, 호중구, 임파구, 형질세포 등이 있다.

① 섬유모세포(Fibroblast)

치은결합조직 내에 존재하는 세포의 약 65~85%를 차지한다. 섬유모세포는 여러 가지 섬유와 결합조직의 기질을 생성한다. 세포형태는 방추형이나 성상형이며, 난원형태의 핵을 갖고 잘 발달된 과립성 리보솜과 골지체, 수와 크기가 증가된 미토콘드리아와 많은 장세사(tonofilament)가 세포질 내에 포함되어 있다. 세포막의 주변부를 따라서는 많은 수의 소포(vesicle)가 관찰된다(그림 1-23).

② 비만세포(Mast cell)

비만세포는 기질의 특정성분의 합성에 관여하며 또한 vasoactive substances를 합성하여 미세혈관의 기능에 영향을 줌으로써 조직 내 혈류량을 조절한다. 주로 혈관 주변에서 발견되며 세포질 내 다양한 전자밀도를 갖는 많은 과립을

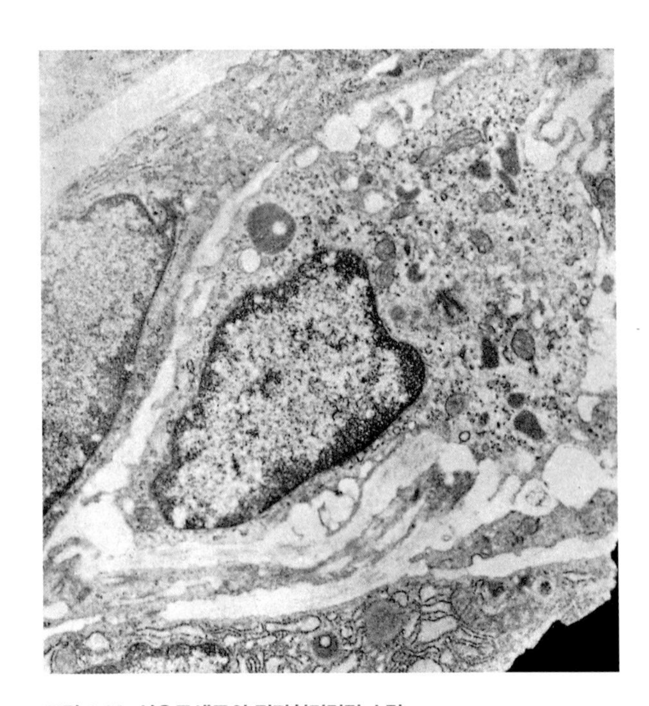

그림 1-23. 섬유모세포의 전자현미경적 소견

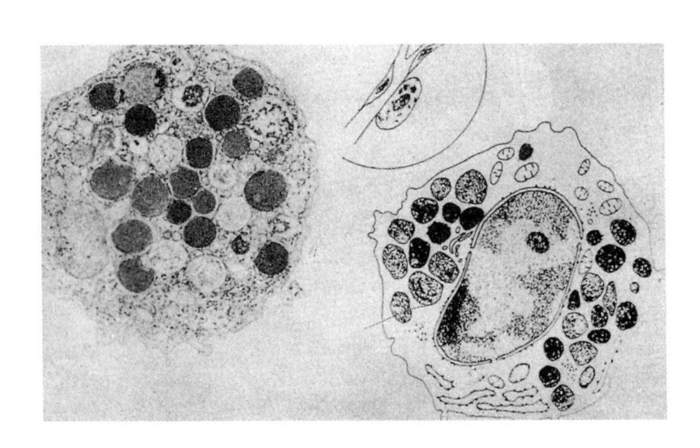

그림 1-24. 비만세포의 모식도 및 전자현미경적 소견

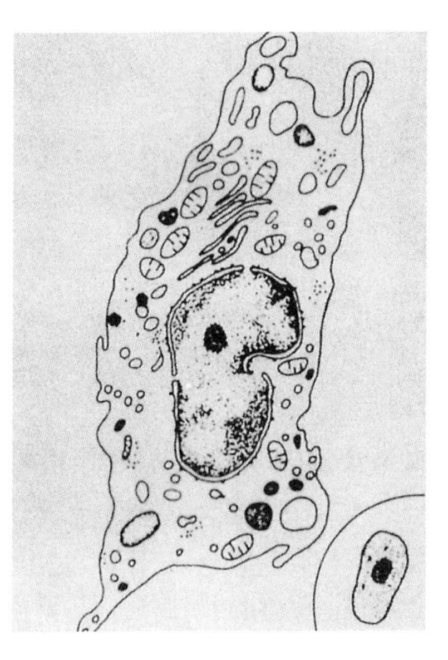

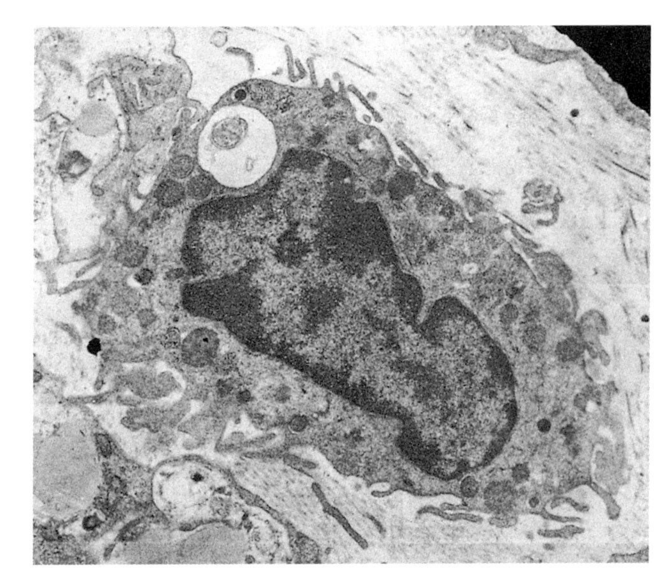

그림 1-25. 대식세포의 모식도 및 전자현미경적 소견

함유하고 있다. 이런 과립들은 히스타민과 헤파린을 비롯하여 여러 개의 단백질 분해효소를 함유하고 급성 염증을 일으키는데 중요한 역할을 한다. 세포질 내 골지체는 잘 발달되어 있으나 RER은 거의 볼 수 없고 세포 가장자리는 많은 미세융모로 이루어져 있다(그림 1-24).

③ 대식세포(Macrophage)

정상 시에 접합상피 직하에 존재하며 조직 내에서 다양한 탐식(phagocytic) 및 합성(synthetic) 기능을 가진다. 전자현미경 소견으로는 핵의 특징으로 함입부가 있으며 골지체가 잘 발달되어 있고 다양한 크기의 많은 소포들이 세포질 내에 존재한다. RER은 드물지만 유리 리보솜이 세포질 내에 균일하게 분포되어 있다. 비만세포뿐 아니라 대식세포도 이물질이나 자극물질에 대한 조직방어 기전에 활발하게 관여한다. 이물질을 탐식하려는 특징 때문에 청소부(scavenger)라는 별명을 갖고 있다(그림 1-25).

④ 다형핵 백혈구(Polymorphonuclear leukocyte)

여러 개의 엽(lobe)으로 이루어져 있는 핵을 가지며 많은 리보솜을 갖는다. 치은결합조직과 부착상피에 있으며 외부 자극이나 염증시 가장 먼저 자극부위로 이동하여 탐식작용을 하므로 최전방 방어선을 구축한다(그림 1-26).

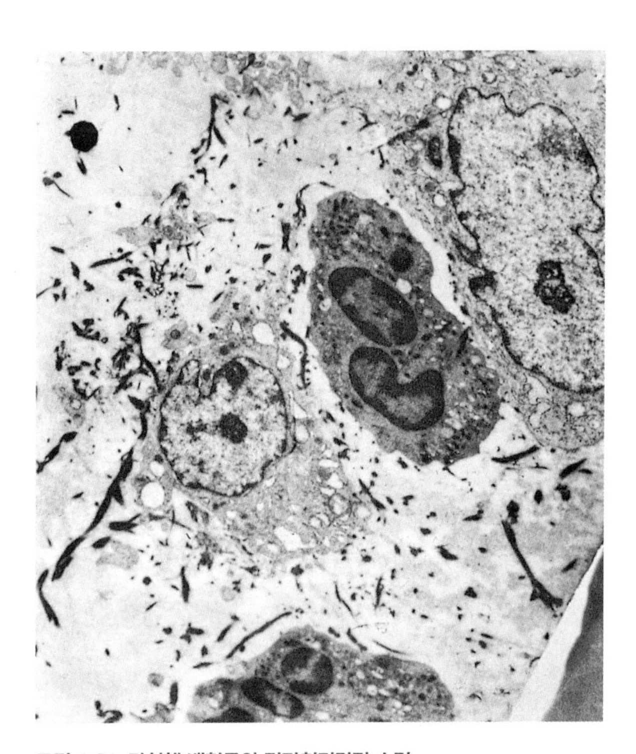

그림 1-26. 다형핵 백혈구의 전자현미경적 소견

⑤ **임파구(Lymphocyte)**

난원형에서 구형의 커다란 핵을 갖고 있으며 유리 리보솜이 산재해 있고 미토콘드리아는 적으며 리소솜(lysosome)도 역시 존재한다. 치은염증 및 치주염의 발생과 진행에 가장 중요한 역할을 한다(그림 1-27).

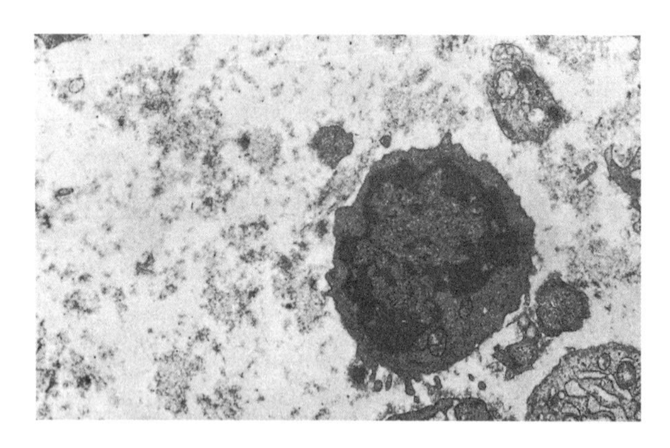

그림 1-27. 임파구

⑥ **형질세포(Plasma cell)**

한쪽으로 치우쳐진 구형의 차륜모양(cart wheel appearance)의 핵을 갖고 있으며 매우 많은 리보솜을 동반한 내형질세망(endoplasmic reticulum)이 있고 많은 사립체와 잘 발달된 골지체를 갖는다(그림 1-28). 이 세포는 항체를 형성하여 면역반응에 중요한 역할을 한다.

(4) 혈관 및 신경 분포

치은은 서로 다른 세 통로를 통해 혈관공급을 받는다.

① 골막 상부를 따라서 공급되는 혈관

② 치주인대강을 통한 혈관

③ 치간 치조정을 뚫고 나오는 혈관

치은의 신경지배는 치주인대에 존재하는 신경과 순측, 협측 및 구개부에서 유래되는 신경의 지배를 받는다. 결합조직에는 terminal argyrophilic fiber의 meshwork와 같은 신경의

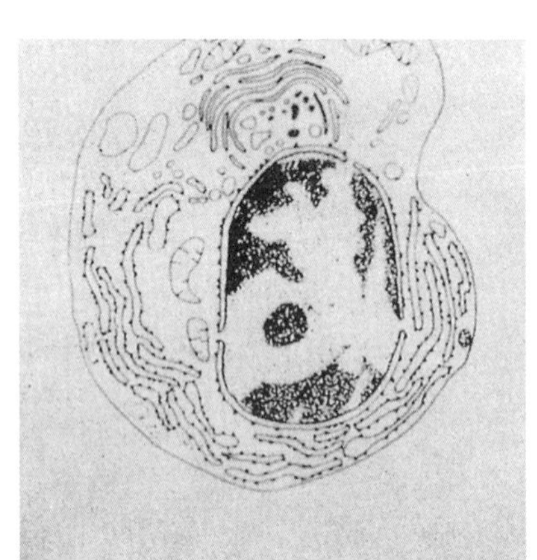

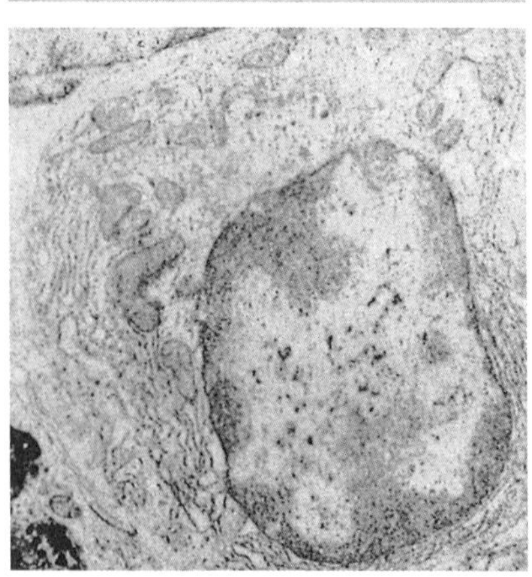

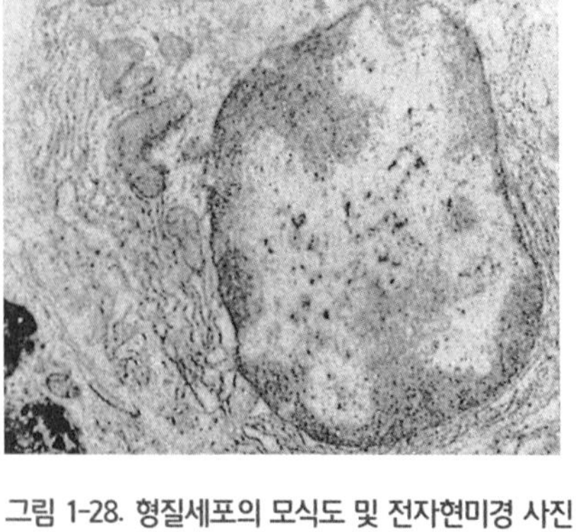

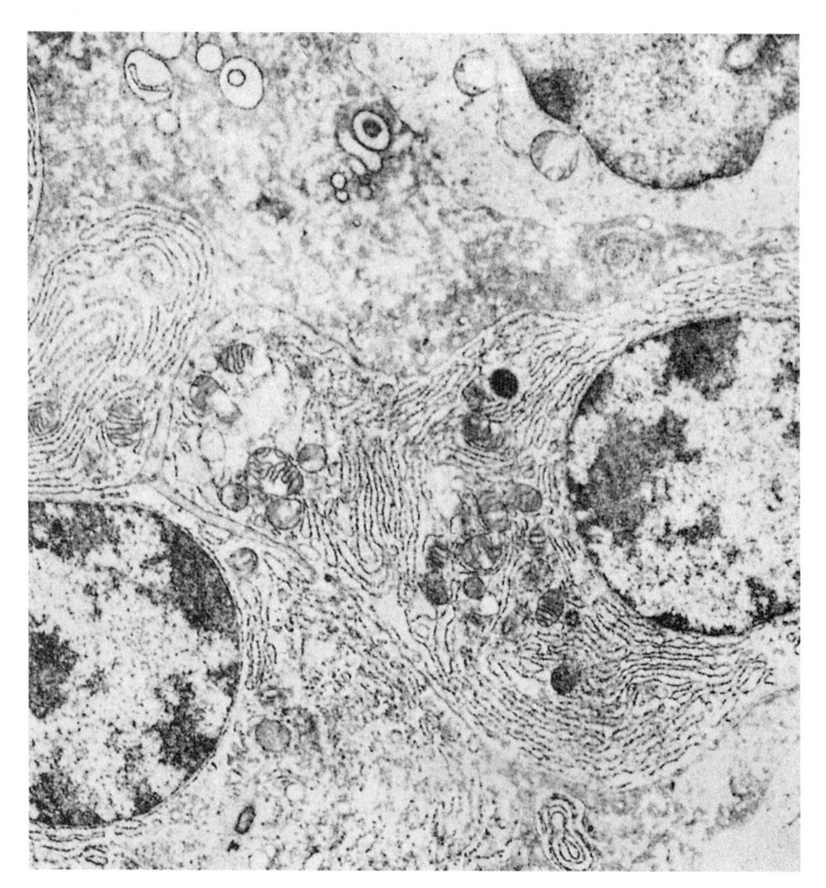

그림 1-28. 형질세포의 모식도 및 전자현미경 사진

구조가 나타나며 상피조직에 있어서는 이들의 일부가 연장 된다.

참고문헌

1. Cleaton–Jones P, Buskin SA, Volchansky A. Surface ultrastructure of human gingiva. J Periodont Res 1978;13:367.
2. Ainamo A. Influence of age on the location of the maxillary mucogingival junction. J Periodont Res 1978;13:189.
3. Ainamo A, Ainamo J. The width of attached gingiva on supraerupted teeth. J Periodont Res 1978;13:194.
4. Ainamo J, Talari A. The increase with age of the width of attached gingiva. J Periodont Res 1976;11:182.
5. Cimasoni G. The crevicular fluid. Monographs in Oral Science 1974;3.
6. Jong Woo Oh. The ultrastructure of the melanocyte in normal human gingival epithelium. Journal of Korean Academy of Periodontology 1979;9:256.
7. Attstrom RM, Grafde Beer, Schroeder HE. Clinical and histologic characteristics of normal gingiva in dogs. J Periodont Res 1975;10:115.
8. Sook Ah Rhee. Scanning electron microscopic study of the gingival surface characteristic of several types of periodontal disease. Journal of Korean Academy of Periodontology 1988;18:366.
9. Sang Mook Choi. An electron microscopic study of normal human gingival epithelium. Journal of Korean Academy of Periodontology 1976;6:244–244.
10. Bral MM, Stahl SS. Keratinizing potential of human crevicular epithelium. J Peridontol 1977;48:381.
11. Caffesse RG, Karring T, Nasjleti CE. Keratinizing potential of sulcular epithelium. J Periodontol 1977;48:140.
12. Caffesse RG, Karring T, Nasjleti CE. The effect of intensive antibacterial therapy on the sulcular enviromment in monkery II. Inflammation, mitotic activity and keratinazation of the sulcular epitherium. J Periodontol 1980;51:155.

치주인대

구 영 · 김성태

치주인대는 치근부의 백악질과 치조골을 연결시켜 주는 섬유성 결합조직을 말한다. 이것은 치은의 결합조직과 연결되어 있으며 치조골의 혈관통로인 Volkmann's canal을 통하여 치조골의 골수강(marrow space)과 연결되어 있다(그림 2-1). 치주인대의 양끝은 치근부의 백악질과 치조골에 매입되어 있으며 이렇게 치조골이나 백악질 내로 매입되어 있는 부위를 샤피섬유(Sharpey's fiber)라 한다(그림 2-2).[1] 치주인대 공간은 치근단 쪽과 치경부 쪽이 비교적 넓고 중간 부위가 좁은 모래시계 모양을 나타내며 치주인대 폭경은 약 0.25 ± 0.1 mm이다(그림 2-3).[2]

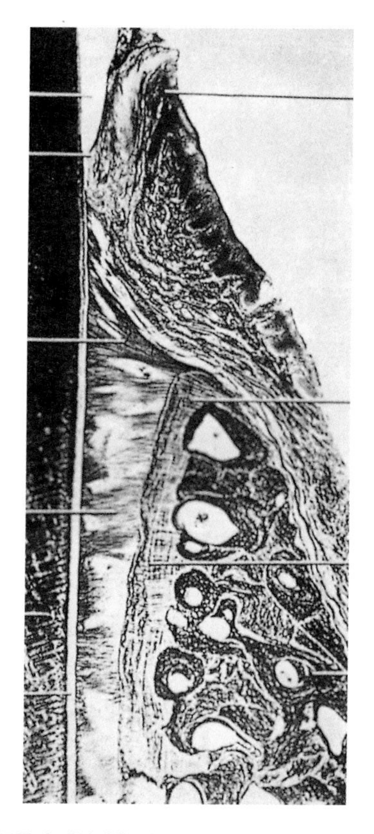

그림 2-1. 치조골과 백악질을 이어주는 치주인대

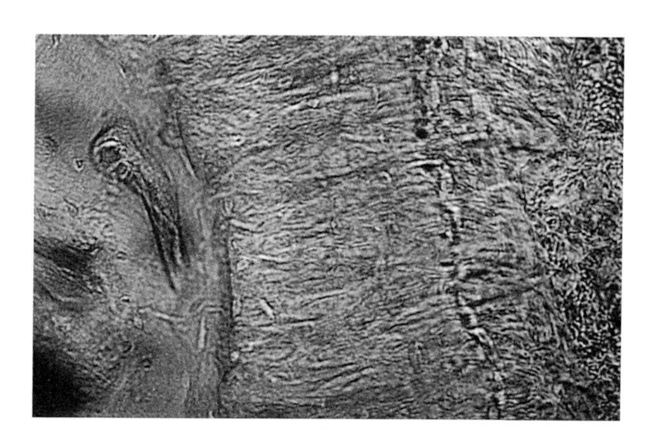

그림 2-2. 샤피섬유

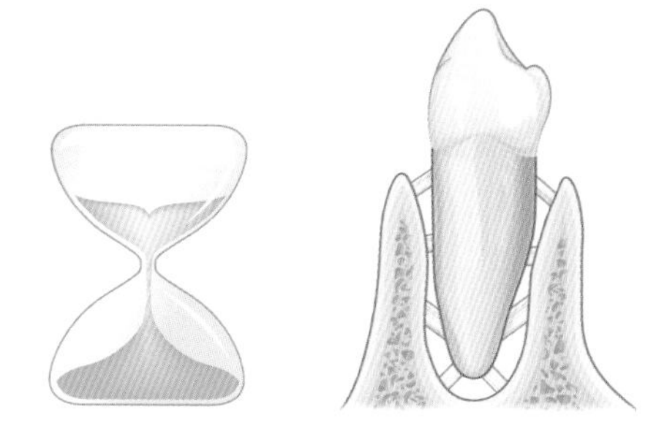

그림 2-3. 모래시계 형상의 치주인대공간

1. 치주인대의 구성

1) 섬유 성분

섬유들은 치주인대에서 결합조직 세포들을 제외한 대부분을 차지하며 치주인대가 갖는 물리적 특성을 나타낸다. 다른 대부분의 결합조직과 마찬가지로 치주인대에서도 가장 많이 존재하는 섬유형태는 교원섬유이고, 그 외에 망상섬유, 옥시탈란 섬유, 탄성섬유 등이 존재한다.

(1) 교원섬유와 망상섬유

교원섬유는 치은 및 치주조직 구성에서 아주 중요한 역할을 하는 것으로서 전자현미경으로 관찰하면 횡띠(cross–banding) 형태의 주기성을 갖는 섬유이다. 특별한 굴절상황(refraction condition) 때문에 약 700 Å 간격의 주기적 횡띠가 현미경 상에서 나타난다. 이런 교원섬유들이 서로 모여서 다발(bundle) 형태를 이루고 있다. 치주인대에 존재하는 교원질은 거의 Type I이나 때때로 Type Ⅲ도 나타난다.[3]

치주인대에 존재하는 교원질의 직경은 55 nm로, 직경이 100~250 nm인 인대(tendon)와 비교해서 직경이 상당히 가는데, 이것은 치주인대의 교원질 교체(collagen turnover)가 높은 비율로 이루어지기 때문이다.[4] 치주인대에 방대하게 존재하는 교원섬유들의 정확한 배열에 관하여 논란은 있지만 다발 혹은 속(bundle)을 형성하기 위하여 서로 뭉쳐져 있다. 교차된 교원섬유들이 서로 뭉치지 않은 형태로도 발견되는데 이러한 섬유들은 Type Ⅲ 교원질로 구성되어 있고 망상질(reticulin)로 알려진 물질을 형성하는 풍부한 기질과 관련되어 있다.

비록 망상질이 임파–망상체계(lympho–reticular system)에서 전체골격을 이룬다 할지라도 망상(reticulum)의 역학적 특성은 응집된 교원섬유들의 역학적 특성보다는 주된 역할을 하지 못한다. 망상섬유는 혈관주위에 분포되어 있고 특히 기저막 부위에 분포되어 있다. 망상질과 형성중인 교원질은 모두 호은성(argyrophilic)이고 같은 장소에서 발생되기 때문에 종종 혼동되는 경우가 많다.

한편, 아직 기능에 대한 완전한 규명이 되어있지 않지만 Type Ⅴ, Ⅵ 교원섬유 등도 치주인대 내에서 발견된다고 보고되었다.[5]

- 주섬유(principal fiber): 치주인대에서 가장 중요한 구성요소는 주섬유이며, 이들은 주로 교원섬유들이 다발 혹은 속(bundle)을 이루면서 배열되어 있다. 이러한 개개의 다발 혹은 속(bundle)들은 물결모양(slight wave course)으로 주행하여 치조와(socket) 내에서 치아의 충격흡수를 가능하게 만든다(그림 2–4).[6]

주섬유의 한쪽 끝은 백악질에, 다른 한쪽 끝은 치조골에 매몰되게 되는데 백악질에 매몰된 주섬유들의 직경은 작으나 숫자는 훨씬 많다. 주섬유들은 주행방향에 따라 다음과 같이 분류할 수 있다(그림 2–5).

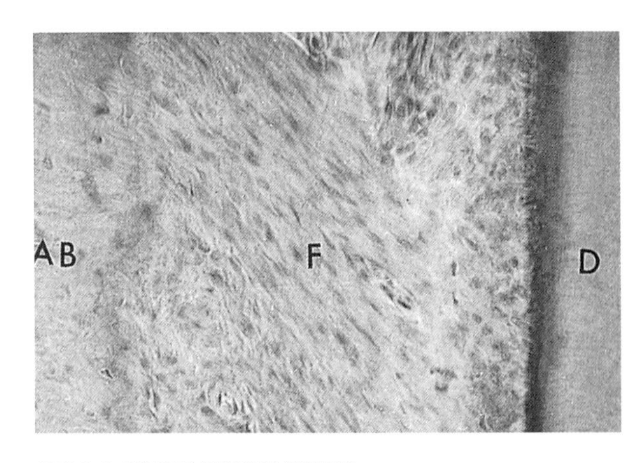

그림 2-4. 치주인대 주섬유의 주행방향
AB: alveolar bone, F: pincipal fiber, D: dentin

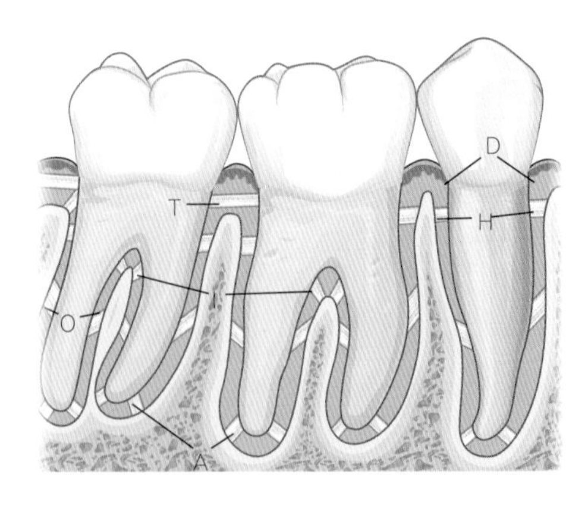

그림 2-5. 치주인대 섬유배열
T: transseptal fiber, D: alveolar crest fiber, A: apical fiber H: horizontal fiber, O: oblique fiber, I: interradicular fiber

① 횡중격 섬유군(Transseptal fiber group)

치아와 치아 사이에 치조골 상부를 횡으로 주행하는 섬유군이다.

② 치조정 섬유군(Alveolar crest fiber group)

부착상피 직하 부위의 백악질에서부터 치조정까지 비스듬히 주행하는 섬유군을 말한다. 이 섬유군은 치아가 측방운동에 저항하여 치조와 내에서 안정을 유지하게 하는 작용을 한다.[7]

③ 수평 섬유군(Horizontal fiber group)

치아와 치조골 사이에 치아의 장축에 직각으로 주행하는 섬유군으로 기능은 치조정 섬유군과 비슷하다.

④ 사주 섬유군(Oblique fiber group)

치주인대 섬유군 중 가장 주된 섬유군으로 백악질에서 비스듬히 치관방향으로 치조골과 연결되어 있는 것이며 수직교합압에 저항하는 역할을 한다.

⑤ 근단 섬유군(Apical fiber group)

치근단 부위에서 치조와로 주행하는 섬유군으로 치아 탈락을 방지하는 기능을 수행하며 근단이 완성되어야 만들어진다. 이들 주섬유 다발 혹은 속의 방향은 항상 원칙대로 주행하는 것은 아니다. 즉, 여러 종류의 섬유들이 약간 빗나가고 서로 얽혀져 주행할 수도 있다. 이러한 이유로 인해 섬유들간 지지력이 강화된다(그림 2-6).

- 중간총(Intermediate plexus): 주섬유 다발 혹은 속들은 개개의 섬유들로 구성되어 계속적인 문합 망상체(anastomosing network)를 이룬다. 이들 문합 망상체는 계속하여 연결된 개개의 섬유들이 아니라 백악질과 치조골 사이의 중간에서 분리된 부분이 연결되어 구성되는 것으로 이를 중간총(intermediate plexus)이라 부른다.

  중간총은 계속 성장하는 동물 전치의 치주인대에서는 관찰되나, 구치부에서는 관찰되지 않는다.[8] 그리고 사람과 원숭이의 맹출 중인 치아 내에서는 보이나, 맹출이 완료된 후에는 관찰되지 않는다. 중간총 안에서 섬유끝이 재정렬(rearrangement)하는 것은 치근면이나 골면에 새로운 섬유들이 매몰될 필요 없이 치아가 맹출되도록 도와주는 것이라 추측하고 있으며, 많은 연구가 진행되고 있다.

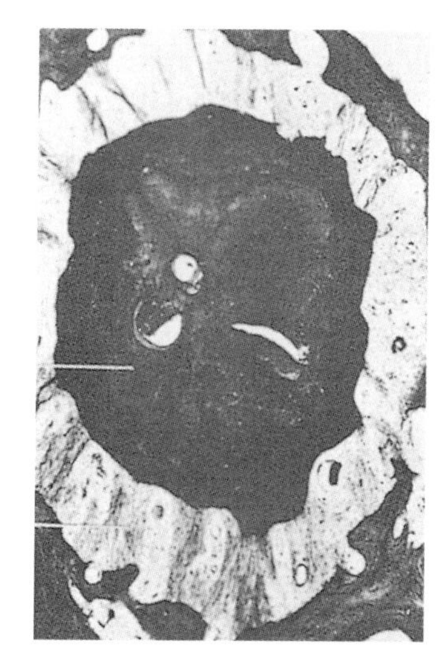

그림 2-6. 치주인대의 절단면

(2) 옥시탈란 섬유(Oxytalan fiber)

옥시탈란 섬유는 1958년 Fullmer와 Lillie[9]에 의하여 명명되었으며 사람, 원숭이 등의 치주인대에서 발견되는 특이한 결합조직 섬유이다.

옥시탈란 섬유들은 적당한 산화인자(oxydizing agent)로 산화시킨 후에만 알데히드 훅신(aldehyde fuchsin)으로 염색되는 특성을 가지고 있다.

이 옥시탈란 섬유와 전탄성(pre-elastin) 섬유들은 비슷한 초미세구조 형태를 가지고 있기 때문에 옥시탈란 섬유들이 엘라스틴(elastin)으로 채워지지 않은 변형된 전탄성섬유인지 아닌지 혹은 옥시탈란 섬유들이 완전히 다른 형태의 섬유인지 아닌지 분별하기는 거의 불가능하다.

이 옥시탈란 섬유는 150 Å 정도의 직경을 가지고 치아의 장축에 평행하게 배열되어 있으며, 치조 1/2 부위에 특징적으로 나타난다. 외상성 교합 시 옥시탈란 섬유의 양이 증가한다는 보고가 있다.[10]

(3) 탄성섬유(Elastin fiber)

치은치조점막의 결합조직에 존재하고 치주인대에서는 혈관 주위에 분포한다. 탄성섬유들은 당단백 미세섬유(glycoprotein microfibrilla) 성분과 단백고무(protein rubber)와 엘라스틴(elastin)의 무정형 성분으로 구성된다.

초기에 탄성섬유들은 혼합되어 보이나 성숙 중에는 엘라스틴이 미세섬유의 안에서 보이며 완전히 형성되면 미세섬유에 의하여 둘러싸인 엘라스틴으로 구성된 섬유를 이룬다.

풍부한 탄성섬유들이 토끼, 개, 양 등의 치주인대의 치조부위에 존재한다. 그러나 사람과 포유동물들의 치주인대에서는 존재하지 않는다.

2) 세포 성분

치주인대 안에 존재하는 세포 성분은 크게 4가지로 분류된다. 결합조직 세포, 상피조직 세포, 방어 세포와 이에 관련된 신경, 혈관 세포 성분들이다.[11,12]

결합조직 세포들에는 섬유모세포, 골모세포, 백악질세포, 파골세포, 미분화 중배엽 세포들이 있고 이중 섬유모세포는 혈관을 제외한 치주인대의 50%를 차지하고 있다(그림 2-7, 8).

섬유모세포는 전교원질(procollagen)이라 불리는 전구물질(precursor molecule)로부터 교원질을 합성하는 능력이 있다. 또한 치주인대 섬유모세포들은 오래된 교원섬유를 탐식하는 능력을 갖고 있어 가수분해효소에 의해 오래된 교원섬유를 분해한다.[13] 따라서 교원질의 교체는 섬유모세포에 의하여 조절된다고 알려져 있다.

한편, 상피세포들의 집합체들도 치주인대에서 관찰되는데, 이는 지극히 정상적인 소견으로, 치근 상피초(epithelial root sheath)의 잔사로서 나타나게 된다. 즉, 치주인대의 섬유다발 혹은 속 사이의 느슨한 결합조직에 상피조직이 매몰되어 존재하는데, 이것은 치근발육 중 소실되는 허트위그 상피초(epithelial sheath of Hertwig)의 잔사로서 말라세즈 상피잔사(Malassez's epithelial rest)라 부른다(그림 2-9, 10).

이들은 현미경 관찰 시, 표본을 만들 때 자른 방향에 따라 격리된 세포의 덩어리(isolated cluster of cell) 혹은 연결된 줄기 형태로 나타난다. 이들 상피잔사는 치주인대에 격자 구

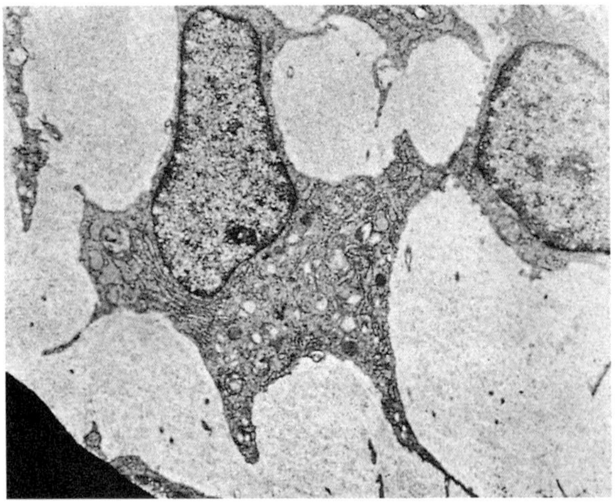

그림 2-7. 섬유모세포의 투과전자현미경 사진

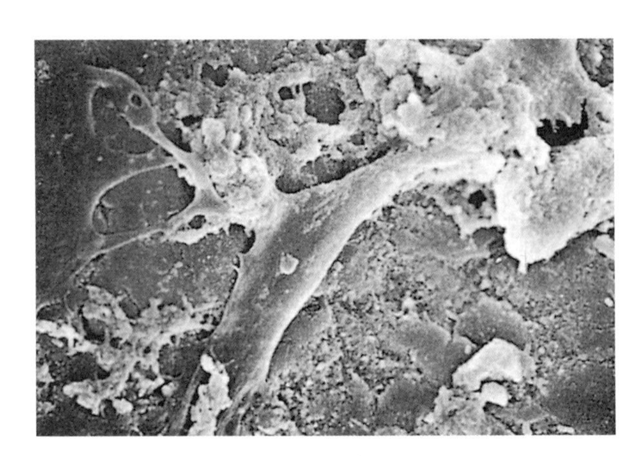

그림 2-8. 섬유모세포의 주사전자현미경 사진

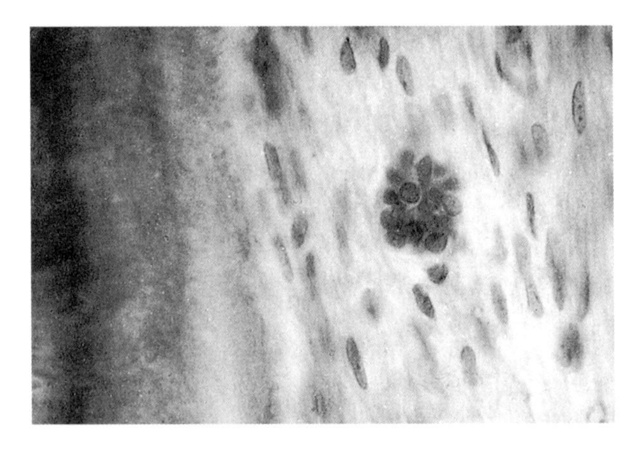

그림 2-9. 말라세즈 상피잔사

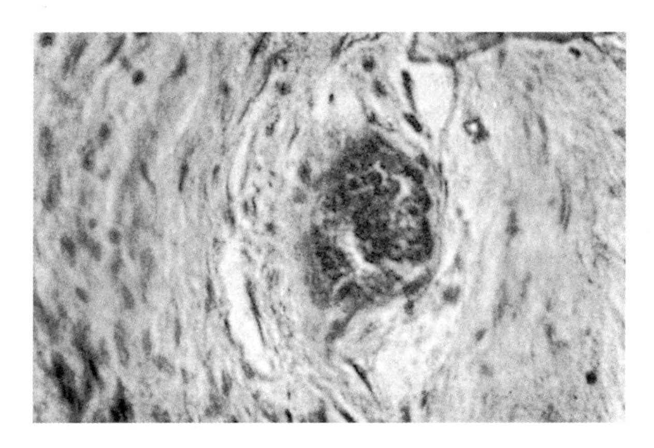

그림 2-10. 말라세쯔 상피잔사의 전자현미경 소견

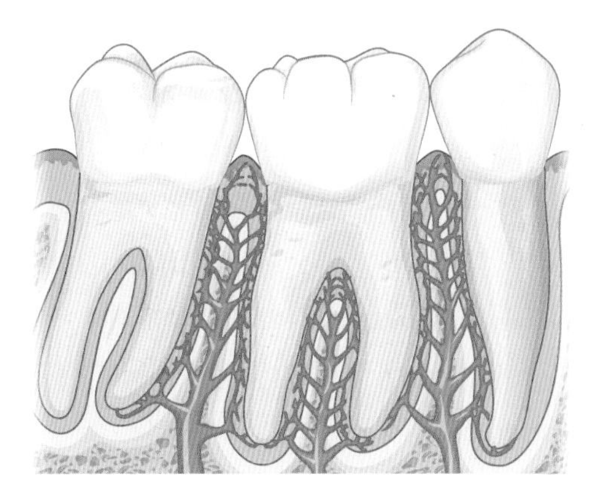

그림 2-11. 치주인대 혈관분포

조를 형성하며 백악질에 근접하여 분포하며, 치근단 부위와 치경부에 많이 분포한다.[14-16]

그리고 나이가 들면서 숫자가 감소되거나 사라지며 혹은 석회화되어 백악과립(cementicle)을 형성하기도 한다.[17,18]

또 이 상피잔사는 자극이 있을 때 증식하여 치근단 낭종(periapical cyst)이나 측방 치주 낭종(lateral periodontal cyst)을 형성하기도 한다.

이 상피잔사를 전자현미경으로 조사해보면 주위는 기저막(basement membrane)으로 둘러싸여 있고, 상피의 세포막과 기저막 사이에는 교소체와 미토콘드리아가 발견된다. 또 이곳에는 적은 미토콘드리아와 발달이 안 된 내형질세망(endoplasmic reticulum)이 보이기도 한다. 이것은 이들 상피잔사가 미미한 신진대사(minute metabolism)를 보이는, 살아 있으나 휴식중인 세포들임을 나타내 준다(그림 2-10).

방어세포의 형태로는 대식세포, 호산구, 비만세포들이 있으며, 이는 질환에 이환된 치주조직에서 관찰된다.

3) 혈관, 림프, 신경계

(1) 혈관 분포

치주인대의 혈관분포는 하부와 상부 치조 동맥(inferior and superior alveolar arteries)에 의하여 이루어지고 3가지 방법으로 치주인대에 도달하게 된다(그림 2-11).

치근 혈관들은 치근단에서 치주인대로 들어와 치은으로 확장되어 백악질과 치조골에 측방가지를 낸다. 치주인대 안의 혈관들은 백악질보다 치조골에 더욱 근접하여 수행하는 망상총(net–like plexus)과 연결되는데, 치조골을 통과하는 혈관에 의하여 혈액 공급을 받는다. 이들 공급원으로부터의 혈액 혈액 공급은 다음과 같다.

- 전치에서 구치로 갈수록 증가한다.
- 단근치에서는 교합면 1/3 부위에서 가장 많고, 중앙 1/3 부위에서 가장 적다.
- 다근치에서는 치근단 부위나 중간 부위 모두에 동일하다.
- 협면과 설면보다 근원심면에서 많다.
- 하악구치에서는 원심보다 근심면에 많다.

치은으로부터의 혈관 공급은 치은결합조직의 고유층판(lamina propria) 안에 심부 혈관(deep vessel)의 가지로부터 공급된다. 치주인대의 정맥은 동맥 분포와 유사하게 나타난다.

(2) 림프

림프는 정맥 배수계(venous drainage system)와 같이 이루어진다. 부착상피 바로 밑의 지역에서 이러한 배수(drainage)는 치주인대로 넘어가고 치근단에서는 혈관과 같이 주행한다. 여기서부터 치조골을 통하여, 하악에서는 하치조관(inferior alveolar canal), 상악에서는 하안와관(infraorbital canal)으로 이동되고 혹은 림프결절(lymph node: submaxillary group)로 이동된다.

(3) 신경

치주인대는 3차 신경 경로에 의하여 촉감, 압박감, 동통을 전달할 수 있는 감각 신경섬유가 분포되어 있다. 신경다발은 치근단 부위에서 치주인대로, 치조골에서 치주인대로 전달된다. 즉 신경다발은 혈관경로를 따르며 유리신경말단(free nerve ending) 또는 긴 방추형 구조로서 끝이 이루어지게 된다. 후자의 경우가 치아의 위치감각을 확인시켜 주는 고유수용체(proprioceptive receptor)이다.

2. 치주인대의 형성

치주인대의 구조와 기능은 조직학적 발생을 이해함으로써 알 수 있다. 치주인대와 백악질은 치배를 둘러싸고 있는 소성(loose) 결합조직, 즉 배(follicle)로부터 다음과 같이 형성된다(그림 2-12).

- 치배는 치조골의 소낭(crypt)에서 형성된다. 치배의 소성결합조직 안에 섬유모세포에 의하여 만들어진 교원섬유는 백악법랑경계부(CEJ)에서 치근쪽으로 새로 형성되는 백악질에 매몰된다.
- 치조골 소낭의 치관부위에서 발생된 섬유들이 나중에 치은의 섬유로 나타나는 치아치근 섬유군(dentogingival fiber group), 치아골막 섬유군(dentoperiosteal fiber group), 횡중격 섬유군(transseptal fiber group)을 형성한다.
- 치주인대 섬유의 대부분을 차지하는 주섬유가 치아맹출과 함께 형성된다. 처음 형성되는 섬유들은 치조골의 가장 상부에서 제일 먼저 나타난다.
- 시간이 지남에 따라 교원섬유가 치근단 쪽으로 가면서 형성된다.
- 교원섬유 다발의 형태는 맹출 동안에 계속 변형되며, 치아가 교합을 하게 되면 주섬유가 고유기능을 하게 된다.[19]

치주인대가 주섬유를 형성하면서, 백악질과 치조골을 연결시키는 과정을 자세히 살펴보면 다음과 같다.

미세한 솔 형태의 섬유소가 치근 백악질쪽에서 나타난다. 동시에 치조골 쪽은 조골세포들이 밀집해 있으며 단지 적은 수의 얇은 섬유소들이 보일 뿐이다.

치조골 쪽의 섬유들이 수적으로나 양적으로 증가하여 부채꼴 모양으로 밖으로 뻗어서 중간 부위까지 빠른 속도로 전진한다. 치근 백악질 쪽의 섬유들은 아직 짧으며 서서히 길어진다. 끝은 마치 손가락 같은 모양을 나타낸다.

백악질로부터 형성된 섬유들도 크기와 두께가 증가되어 양쪽의 섬유들이 서로 만난다. 치아가 맹출이 끝나고 교합 기능이 시작되면 주섬유들은 다발을 형성하여 더욱 단단하고 탄력성 있게 배열된다(그림 2-13).

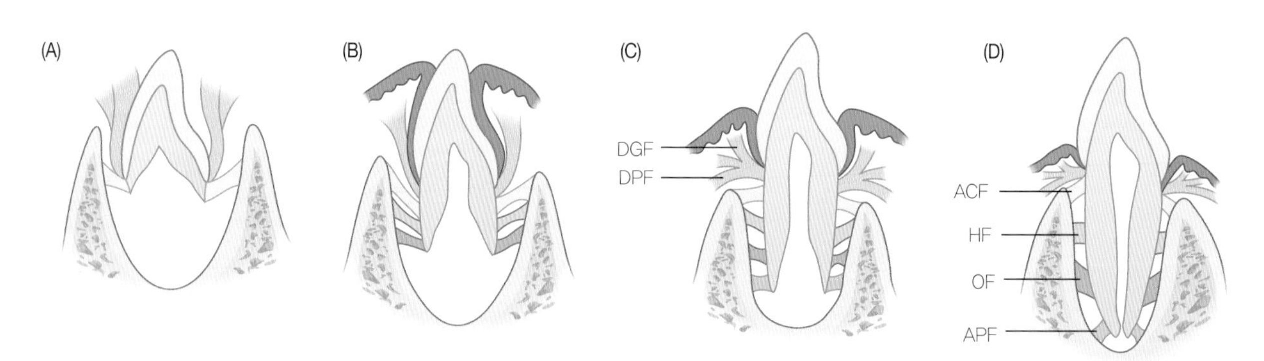

그림 2-12. 치주인대의 발생 단계

CEJ: cementoenamel junction DGF: dentogingival fiber group DPF: dentoperiosteal fiber group ACF: alveolar crest fiber group HF: horizontal fiber group OF: oblique fiber group APF: apical fiber group

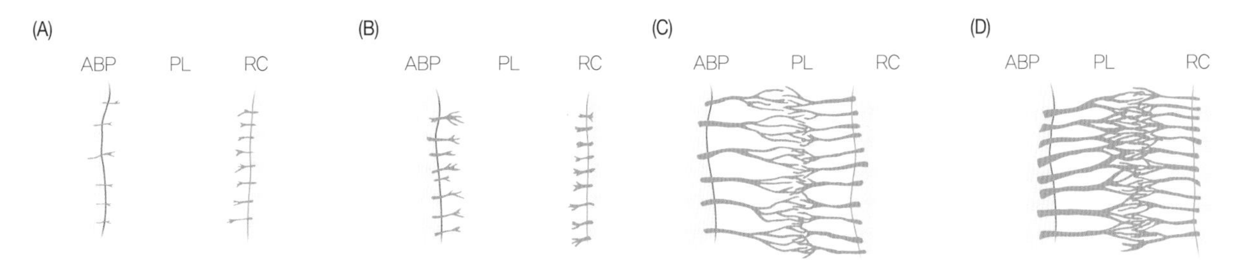

그림 2-13. 치주인대 주섬유의 증식. ABP: alveolar bone proper, PL: periodontal ligament, RC: root cementum

3. 치주인대의 기능

치주인대의 기능으로는 물리적(physical), 형성(formative), 영양공급(nutritional), 감각(sensory) 기능이 있다.

1) 물리적 기능(Physical function)

치주인대의 물리적 기능은 교합압을 치조골에 전달하고 치아와 치조골을 연결하며 치은조직을 유지시켜 준다. 또한 교합압의 충격에 저항하며 손상으로부터 혈관과 신경같은 연조직을 보호한다.

(1) 충격 흡수 기전

① 장력 이론(Tensional theory)

이 이론은 치주인대의 주섬유가 치아를 지지하고 교합압을 치조골에 전달하는 역할을 한다는데 그 근거를 둔다. 교합압이 치아에 가해졌을 때 먼저 주섬유들이 곧게 펴져 치조골에 교합압을 전달시켜 치조와의 탄력 변성을 야기시키게 된다. 치조골의 탄력 변성이 한계 범위에 도달하면 교합력은 기저골(basal bone)에 전달된다. 그러나 이러한 이론의 실험적 증거로는 충격흡수기전을 설명하기 어렵다는 것이 과학자들의 중론이다.

② 점탄성계 이론(Viscoelastic system theory)

치아의 위치 변화는 조직액의 이동에 의하여 주로 조절되고 섬유는 단지 2차적 역할만 한다는데 그 근거를 둔 이론이다.[20,21] 교합압이 치아에 전달될 때 세포외 체액이 치주인대에서 피질골판소공을 통하여 골수강(marrow space)으로 이동된다. 조직액이 고갈됨에 따라 섬유다발들은 느슨해지지 않고 빳빳해지는데, 이것이 혈관을 협착시키고 동맥 내의 압력이 증가하여 혈관을 부풀게 하여 체액이 혈관 밖으로 여과되어 조직 내에 조직액이 다시 채워지게 됨으로써, 충격 흡수 기능을 한다는 것이다.[20]

③ 요변성 이론(Thixotropic theory)

흔들거나 저어주면 액체로 존재하다가 다시 반고형화되는 성질을 지닌 요변성 젤(gel)의 특성을 치주인대에 적용시킨 이론이다.[22]

치주인대의 생리적 반응은 생물학적 체계(biological system)의 점성이 변화됨으로써 설명되고 있다.

(2) 교합압의 치조골 전달

주섬유의 배열은 현수교(suspension bridge)나 접의자(hammock)와 비슷하다. 치아장축 방향으로 수직력이 치아에 가해지면 치근은 치조하방으로 움직이게 된다. 이때 사주섬유들은 긴장되어 완전히 펴져 수직력에 견디게 된다. 수평력이나 경사력(tipping force)이 가해지면, 두 단계를 거쳐 치아의 이동이 일어나게 된다.

첫 단계로 치주인대 안에서 이동이 한정되지만 다음 단계로는 순설측의 치조골의 변화를 초래한다.[23] 치아는 회전축에 의해 회전한다. 따라서 치근의 치근단 부위와 치관부위는 서로 반대로 작용한다. 한쪽의 긴장부위(tension area)에서 주섬유다발들이 팽팽히 배열된 모양을 갖게 되면, 다른 쪽의 압박부위(pressure area)에서는 섬유들은 압축되어 치아가 이동된다.

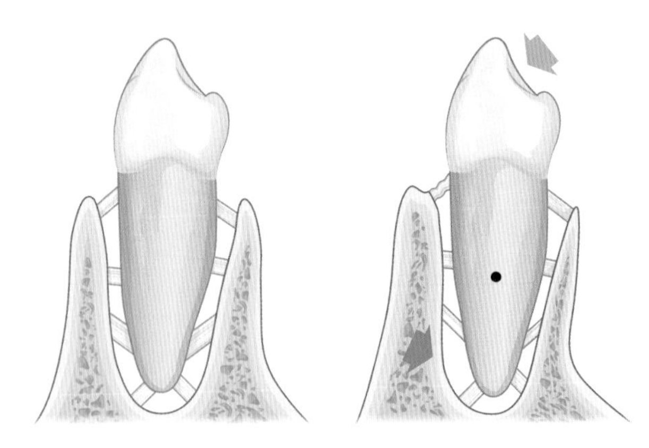

그림 2-14. 회전축을 중심으로 한 치주인대의 변화

단근치에서 회전축은 치근의 중앙 1/3보다 약간 치근쪽에 위치한다(그림 2-14).

다근치에서 회전축은 치근 사이의 치조골에 위치한다. 생리적인 치조골의 근심이동이 일어남에 따라 원심면보다 근심 치근면의 치주인대가 훨씬 얇아진다.

(3) 치주인대의 구조와 교합기능

치주인대의 기능이 증가되는 경우 치주인대는 생리적인 범위 안에서 폭경을 증가시키고, 섬유다발 혹은 속이 두터워지고 샤피섬유(Sharpey's fiber)의 지름과 숫자가 증가됨으로써 그 기능을 수용한다.[24]

치주인대가 저항할 수 있는 범위를 넘는 교합압으로 발생되는 손상을 교합성 외상(trauma from occlusion, TFO)이라 한다. 기능이 감소되거나 없어질 때 치주인대는 위축된다. 즉 치주인대는 얇아지고 섬유의 숫자와 밀도가 감소되고 섬유의 방향은 일정치 않다가 결국 치근면에 평행하게 정렬된다. 백악질에는 기능의 감소가 영향을 주지 못하나 두께가 두꺼워지기도 한다.

치주질환에 의한 치주인대와 치조골의 파괴는 치주인대와 교합압 간의 균형을 깨뜨린다. 질환으로 인해 지지조직들이 파괴되어 감소되면 남아 있는 조직에 가해지는 교합압은 상대적으로 증가하기 때문에 정상 치주조직에 해가 없던 교합압도 손상을 끼치게 된다.

2) 형성 기능(Formative function)

치주인대 내의 세포들은 백악질과 치조골의 형성과 흡수에 관여하여 생리적인 치아이동을 유발하고 치주조직이 교합압에 적응되도록 하며 손상을 회복시키는 기능을 갖고 있다.[25] 치조골 형성 부위에서는 골모세포, 섬유모세포, 백악모세포들의 염색소견이 뚜렷이 나타나는데, 이는 nonspecific alkaline phosphate, glucose–6–phosphate, thiamine, pyrophosphate 등과 같은 물질을 함유하고 있는 것으로 보인다. 치조골 흡수 부위에서는 파골세포, 섬유모세포, 골세포, 백악세포가 염색되는데 이는 nonspecific acid phosphatase의 염색소견을 나타낸다. 치주인대도 지속적인 재형성(remodelling)의 과정을 거치는데, 오래된 세포와 섬유가 파괴되어 새로운 것으로 대체되며, 유사분열 활성이 섬유모세포와 내피세포에서 관찰된다.[26] 섬유모세포는 교원섬유를 형성하며 골모세포나 백악모세포로 분화될 수도 있다. 따라서 섬유모세포의 형성과 분화속도는 교원질, 백악질, 골의 형성 속도에 영향을 미친다.

3) 영양공급과 감각기능 (Nutritional and sensory function)

치주인대는 백악질, 치조골, 치은에 혈액 공급과 림프기능을 수행한다. 치주인대의 신경지배는 삼차신경경로를 통해 고유수용(proprioceptive) 감각과 촉각(tactile) 및 통각을 전달하고, 개개 치아들에 가해지는 외부 압력을 감지하여 조절하고 저작근육계를 조절하는 신경근육(neuromusculature) 기전에 중요한 역할을 한다.

참고문헌

1. Quigley MB. Perforating (Sharpey's) fibers of the periodontal ligament and bone. The Alabama journal of medical sciences 1970;7:336–342.
2. Richardson ER. Comparative thickness of the human periodontal membrane of functioning versus non-functioning teeth. Journal of oral medicine 1967;22:120–126.
3. Berkovitz BK. Periodontal ligament: structural and clinical correlates. Dent Update. 2004;31(1):46–50.
4. Melcher AH, Chan J. The relationship between section thickness and the ultrastructural visualization of collagen fibrils: importance in studies on resorption of collagen. Archives of oral biology 1978;23:231–233.
5. Everts V, Niehof A, Jansen D, Beertsen W. Type VI collagen is associated with microfibrils and oxytalan fibers in the extracellular matrix of periodontium, mesenterium and periosteum. Journal of periodontal research 1998;33:118–125.
6. Kvam E. Topography of principal fibers. Scandinavian journal of dental research 1973;81:553–557.
7. Gillespie BR, Chasens AI, Brownstein CN, Alfano MC. The relationship between the mobility of human teeth and their supracrestal fiber support. Journal of periodontology 1979;50:120–124.
8. Beertsen W, Everts V, van den Hooff A. Fine structure of fibroblasts in the periodontal ligament of the rat incisor and their possible role in tooth eruption. Archives of oral biology 1974;19:1087–1098.
9. Fullmer HM, Lillie RD. The oxytalan fiber: a previously undescribed connective tissue fiber. Journal of Histochemistry and Cytochemistry 1958;6;425–430.
10. Hamed Mortazavi and Maryam Baharvand. Review of common conditions associated with periodontal ligament widening. Imaging Sci Dent. 2016;46(4): 229–237.
11. Berkovitz BK SR. Cells of the periodontal ligament In: Berkovitz BK, Moxham BJ, Newman HE, ed. The periodontal ligament in health and disease. London: Pergamon 1982.
12. Cate AR, Deporter DA. The degradative role of the fibroblast in the remodelling and turnover of collagen in soft connective tissue. The Anatomical record 1975;182:1–13.
13. Reeve CM, Wentz FM. The prevalence, morphology, and distribution of epithelial rests in the human periodontal ligament. Oral surgery, oral medicine, and oral pathology 1962;15:785–793.
14. Valderhaug JP, Nylen MU. Function of epithelial rests as suggested by their ultrastructure. Journal of periodontal research 1966;1:69–78.
15. Valderhaug J, Zander HA. Relationship of "epithelial rests of Malassez" to other periodontal structures. Periodontics 1967;5:254–258.
16. Simpson HE. The Degeneration of the Rests of Malassez with Age as Observed by the Apoxestic Technique. Journal of periodontology 1965;36:288–291.
17. Mikola OJ, Bauer WH. Cementicles and fragments of cementum in the periodontal membrane. Oral surgery, oral medicine, and oral pathology 1949;2:1063–1074.
18. Eastoe FW. Collagen chemistry and tissue organization. The eruption and occlusion of teeth. DFG Poole and MV Stack(eds) London:Butterworths 1976;247.
19. Bien SM. Hydrodynamic damping of tooth movement. J Dent Res 1966;45:907–914.
20. Kardos TB, Simpson LO. A theoretical consideration of the periodontal membrane as a collagenous thixotropic system and its relationship to tooth eruption. Journal of periodontal research 1979;14:444–451.
21. Picton DC, Davies WI. Dimensional changes in the periodontal membrane of monkeys (Macaca irus) due to horizontal thrusts applied to the teeth. Archives of oral biology 1967;12:1635–1643.
22. McCulloch CA, Lekic P, McKee MD. Role of physical forces in regulating the form and function of the periodontal ligament. Periodontology 2000 2000;24:56–72.
23. Deporter DA, ten Cate AR. Fine structural localization of acid and alkaline phosphatase in collagen–containing vesicles of fibroblasts. Journal of anatomy 1973;114:457–461.

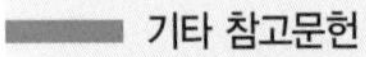

기타 참고문헌

- Beertsen W, McCulloch CA, Sodek J. The periodontal ligament: a unique, multifunctional connective tissue. Periodontology 2000 1997;13:20-40.
- Carranza FA. Glickman's clinical periodontology. Saunders 7th, 1990.
- Carranza FA, Newman MG. Clinical periodontology. 8th ed. Chap. 2. Saunders 1996.
- Strahan F, Waite IM. Color atlas of periodontology. 2nd, 1990.
- Goldman H, Cohen DW. Introduction to periodontics. 6th edition,. Mosby 1980.
- Goldman H, Cohen DW. Periodontal therapy. 6th edition. Mosby 1980.
- Sicher H, Bhaskar SN. Orban's oral histology and embryology. 11th edition,. St Louis:CV Mosby 1991.
- Lindhe J. Textbook of clinical periodontology, . Munksgaard 2nd, 1989.
- Lindhe J. Clinical periodontology and implant dentistry. Munksgaard 5th, 2013.
- Bear PN. Textbook of Periodontics. JB Lippincott 1977.
- Rateitschak EM, Wolf HF, Hassel TH. Color Atlas of periodontology. Thieme 1985.
- Ramfjord SD. Periodontology and Periodontics. Saunders 2nd, 1989.
- Mac Phee T, Cowby G. Essential of periodontology and periodontics. Blackwell 3nd, 1981.

CHAPTER 03

백악질

최성호 · 박주철 · 정의원 · 이중석

백악질은 치근표면을 덮고 있는 광화된 특수 결합조직이다. 백악질에는 골에 존재하는 신경이나 혈액, 림프관이 없다.[1] 백악질은 개조(remodeling)는 일어나지 않으나, 일생 동안 새로운 층이 침착되어 두께가 증가하는 경우가 있다. 이러한 점진적인 침착을 통해 치근면에 인접해 있는 주섬유의 일부가 광화된다.[2] 백악질에는 치주인대의 섬유들이 함입, 부착되어 있어 치근에 손상이 있을 때 치주인대 섬유가 치유에 관여한다.[3,4]

1. 백악질의 형성

Hertwig 상피근초(Hertwig's epithelial root sheath)가 증식하면서 그 두께가 얇아질 때 치수쪽에 존재하는 치유두(dental papilla)의 미분화간엽세포들이 상아모세포(odontoblast)로 분화(分化)하여 전상아질(predentin)을 생성한다.[5] 전상아질의 두께가 3~5 μm가 되면 무정형 물질에 둘러 싸여 광화(mineralization)되어 치근상아질이 형성된다. 치근상아질이 형성되면, 곧이어 치근상아질을 덮고 있는 Hertwig 상피근초가 붕괴되어 상피세포들 사이에 간격이 생기게 되고, 그 사이 공간으로 치낭(dental follilcle)의 미분화 간엽세포가 이주해 들어와 백악모세포(cementoblast)로 분화하여 백악질을 형성한다. 최근에 밝혀진 또 다른 이론으로, Hertwig 상피근초를 구성하는 상피세포들이 직접 상피–중간엽 변환(epithelial–mesenchymal transformation, EMT) 과정을 통해 백악모세포로 분화하여 백악질을 형성한다는 이론이 있다.[6,7] 결론적으로 백악모세포는 치낭의 외배엽성 중간엽세포 또는 Hertwig 상피근초를 구성하는 상피세포에서 유래한다.

2. 백악질의 현미경적 구조

1) 무세포성 외인성 섬유 백악질, 일차 백악질 (Acellular extrinsic fiber cementum, primary cementum)[3,4,8,9]

무세포성 백악질이란 치아의 형성과 맹출시에 형성되는 백악질을 말하는데, 세포 성분을 함유하지 않으며 상아질에 바로 인접해 있고 치아의 치경부 쪽에 주로 위치한다. 이것은 치아가 완전히 맹출하기 전에 치근 형성 시 상아질 바로 옆에 형성되므로 일차 백악질(primary cementum)이라고도 한다.

일차 백악질은 주로 미세하고 자유롭게 배열된 교원섬유가 과립기질(granular matrix)에 매입되어 있는 상태이다. 치아가 맹출된 다음 치근표면에 직각으로 매입된 치주인대의 주섬유를 샤피섬유(Sharpey's fiber)라고 하며, 이것들이 주가 되어 외인성 섬유계(extrinsic fiber system)를 이룬다. 샤피섬유는 주가 되어 치주인대의 섬유모세포(fibroblast)에 의해 생성된다. 무세포성 백악질의 대부분은 석회화된 샤피섬유 다발로 이루어져 있다. 샤피섬유의 직경은 기능에 따라 변하지만 평균 4 μm 정도이다. 백악질은 치아 장축에 평행하게 층판구조들이 배열되어 있는데, 이것을 성장이 정지되었을 때와 성장이 진행될 때를 알려주고 표시하는 발육선(incremental line)이라 부른다. 현미경 사진에서 이것은 백악상아경계(cementodentinal junction) 가까이에서 시작되는 것이 보이기도 한다. 무세포성 백악질에서 층판 구조들은 치조골에서보다 폭경이 더 작고 더 단단하게 채워져 있다. 무세포성 백악질이 계속 형성되는 동안 치근에 인접한 치주인대 섬유는 석회화 결정으로 들어가게 된다. 따라서 백악질에서 샤피섬유는 치조골 상방의 결합조직과 치주인대에서의 교원질섬유가 직접적으로 연결되는 구조를 이루게 된다. 무세포성 백악질로 주입되는 주섬유에서 교원섬유의 특징적인 횡띠는 인회석(apatite) 결정이 석회화 기간 동안 섬유다발에 축적되기 때문에 백악질에서 보이지 않게 된다(그림 3-1, 2, 3).

표 3-1. 무세포성 백악질과 세포성 백악질의 비교

무세포성, 일차 백악질	세포성, 이차 백악질
외인성 섬유, 분명한 구조	내인성 섬유, 백악질세포가 존재
층판으로 배열된 발육선이 분명함.	발육선이 덜 확실함
치근 장축에 평행	치근 장축에 평행
대부분이 샤피섬유로 구성	불규칙하게 배열된 내인성 교원섬유로 구성
주로 치관부 1/2에 위치	주로 치근단 1/2에 위치
Turnover rate가 느림	Turnover rate가 더 빠름
치아 형성 전 형성	치아 맹출 후 기능에 따라 생성
치아를 지지하는 역할	치근을 보호하는 역할

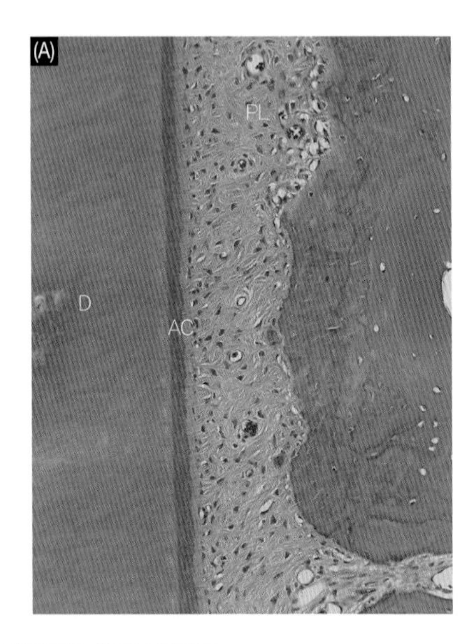

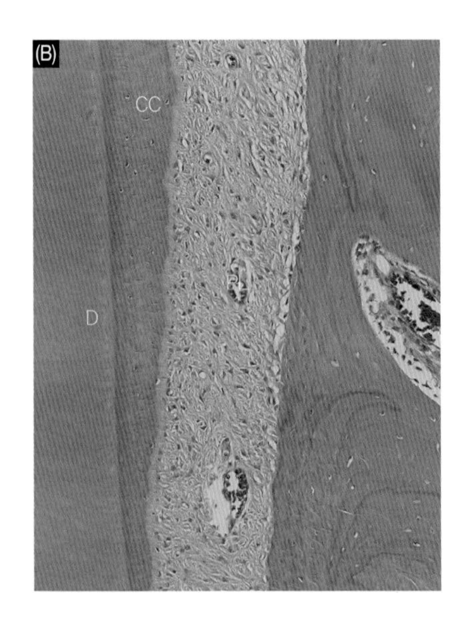

그림 3-1. 무세포성 백악질과 세포성 백악질

(A) 무세포성 백악질. 발육선(incremental line)이 치주인대에 수직으로 배열되어 있다. (B) 세포성 백악질. 소와내에 백악세포(cementocyte)가 부분적으로 있고 발육선(incremental line)이 흐리게 보이며 무세포성 백악질보다 두껍다. D: 상아질, AC: 무세포성 백악질, PL: 치주인대, CC: 세포성 백악질

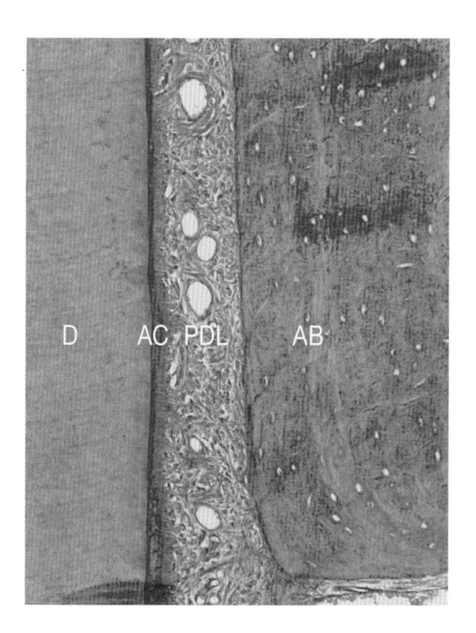

그림 3-2. 무세포성 백악질(AC)과 치조골(AB) 사이에 치주인대(PDL) 섬유가 삽입되어 있다.

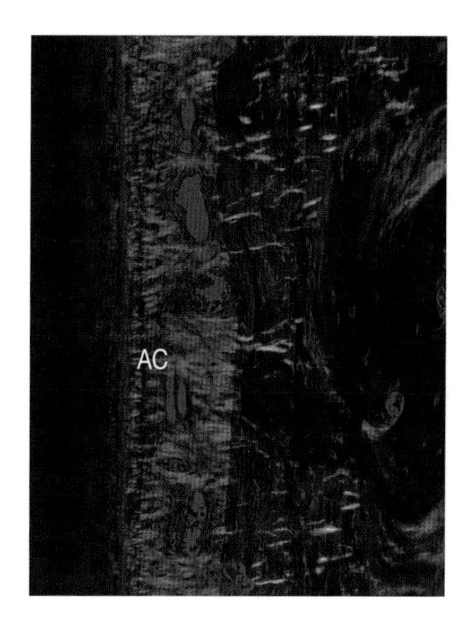

그림 3-3. 무세포성 백악질(AC)로 샤피섬유가 들어가 있다.

2) 세포성 내인성 섬유 백악질, 이차 백악질 (Cellular intrinsic fiber cementum, secondary cementum)[2,4,5,10,11]

이차 백악질(secondary cementum)은 기능에 적응하려고 생성되는 백악질로서 치아가 기능하는 동안 일차 백악질 위에 축적된다. 치근의 중간부분과 근단 쪽을 덮고 있으며, 구성성분은 무세포성 백악질과 비슷하지만 자신의 기질에 백악세포(cementocyte)를 함유하고 있어 세포성 백악질(cellular cementum)이라고도 한다. 세포성 백악질도 백악모세포에 의해 만들어진다. 백악모세포 중 어떤 것은 백악질을 형성한 후 자신이 만든 석회화된 기질에 묻히게 되는데 이 세포를 백악세포라 한다. 백악세포들은 소와(lacunae) 내에 존재하고 세관(canaliculi)으로 주행하는 세포돌기(cytoplasmic process)로 서로 연결되며, 세관을 통해 외부와 연결된다. 또한 이를 통해 백악모세포와 백악세포가 연결되기도 한다. 백악세포는 백악질을 통해 영양분이 이동하고 이런 광물화된 조직이 생활력을 유지할 수 있도록 한다. 세포성 백악질에서는 무세포성 백악질과 다르게 백악전질(cementoid)라고 불리는 광화되지 않은 기질층이 백악모세포와 광화된 백악질 사이에 존재하고 이 두 층 사이에 광화전선이

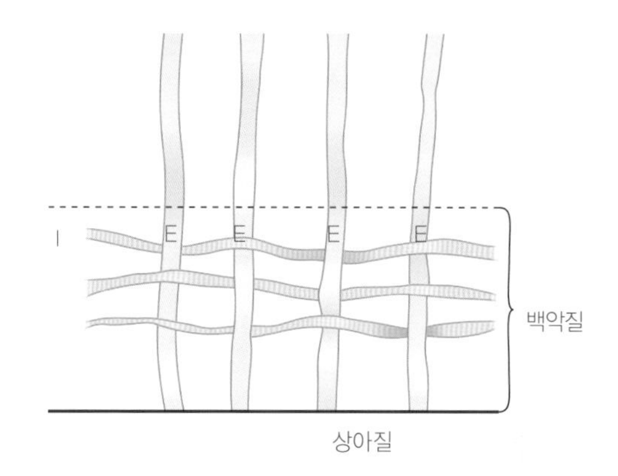

그림 3-4. 외인성 섬유계(E)와 내인성 섬유계(I)

형성된다. 백악전질은 상아전질(predentin)이나 뼈전질(osteoid)과 달리 일정하게 나타나는 것도 아니고 쉽게 구별되지도 않는다.

백악질의 섬유는 백악모세포(cementoblast)에 의해 생성되어 치근과 평행하게 배열된 내인성 섬유계(intrinsic fiber)와 치주인대의 섬유모세포에 의해 생성된 외인성 섬유계(extrinsic fiber)로 구분할 수 있다(그림 3-4). 또한 Schroeder는 백악질을 다음과 같이 분류하였다.[11]

① 무세포성·무섬유성 백악질
(Acellular·afibrillar cementum, AAC)

세포나 내·외인성 교원섬유를 함유하지 않으며, 백악모세포의 산물로 여겨진다. 사람에서는 백악법랑 경계부(CEJ) 근처에서 치관백악질로 나타난다.

② 무세포성·외인성 섬유계 백악질
(Acellular·extrinsic fiber cementum, AEFC)

전체에 걸쳐 샤피섬유가 치밀하게 분포하며 섬유모세포와 백악모세포의 산물로 사람에서는 치근의 치경부 1/3 또는 근단 측에도 존재한다.

③ 세포성 혼합 섬유계 백악질
(Cellular mixed stratified cementum, CMSC)

내인성 섬유와 외인성 섬유를 모두 함유하며 세포성분도 존재한다. 섬유모세포와 백악모세포의 공동 산물이며 사람에서는 주로 치근단 1/3 부위와 치근이개부에 존재한다.

④ 세포성 내인성 섬유계 백악질
(Cellular intrinsic fiber cementum, CIFC)

세포는 함유하나 교원섬유가 없는 백악질이다. 백악모세포에 의해 형성되며 사람에서는 흡수와 내에 형성되어 있다.

3. 백악질의 구성성분

치조골과 비슷하지만 수산화인회석(hydroxyapatite) 형태의 무기염 함량에 차이가 있다. 즉, 골(bone)의 경우 무기염 함량이 70%이지만 백악질은 40%에 지나지 않는다. 그 외 단백당(proteoglycan), 중성·산성점액다당류(neutral·acid mucopolysaccharide) 등의 기질 물질 등을 함유하고 있다.

4. 백악질과 법랑질의 연결상태 [12,13]

백악질과 법랑질은 다음의 세 가지 형태로 서로 연결된다(그림 3-5).

- 만나지 못하여 상아질이 노출되는 경우: 5~10%
- 서로 맞닿아 있는 경우: 30%
- 백악질이 법랑질을 덮고 있는 경우: 60~65%

  만일 백악질과 법랑질이 만나지 못하여 상아질이 노출되는 경우, 치주질환이나 기타 이유로 이 부분이 구강 내로 노출되게 되면 냉온자극에 과민 반응을 보이는 경우가 많다.

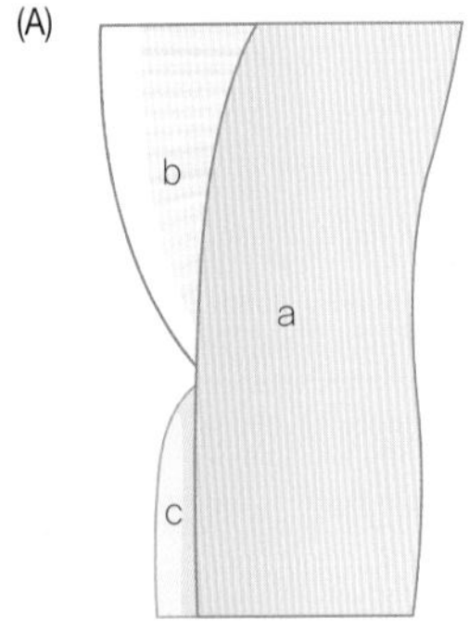

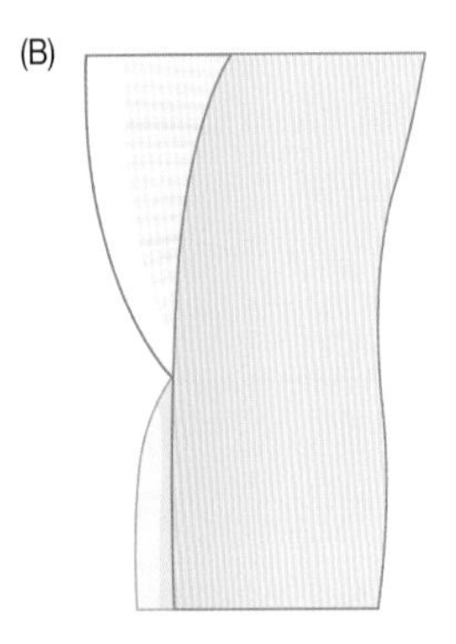

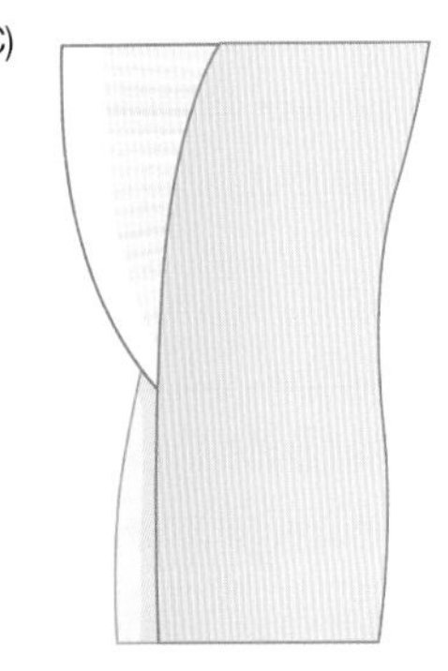

그림 3-5. 백악질과 법랑질의 연결상태
(A) 만나지 못하여 상아질이 노출되는 경우(5~10%) (B) 서로 맞닿아 있는 경우(30%) (C) 백악질이 법랑질을 덮고 있는 경우(60~65%) a: 상아질 b: 법랑질 c: 백악질

5. 백악질의 두께

백악질은 평생을 통하여 침착되지만 부위와 나이, 요구되는 기능에 따라서 두께가 달라진다. 즉 치경부위 쪽은 16~60 μm이며, 치근단 쪽은 150~200 μm이다. 또한 20세 때는 평균 95 μm이며, 60세 때는 215 μm으로 연령증가에 따라 증가하는 경향이 있다.

6. 백악질의 기능

치주인대 섬유를 치아에 연결, 부착시켜 주며,[8] 교합력을 하부 조직에 균일하게 분포시켜 준다.[10,14] 백악질은 자체 세포성분을 통하거나 치주인대 내의 세포를 통해 일생 동안 침착되므로, 치근 파절 시 치유(repair) 역할을 할 뿐만 아니라, 치주조직의 항상성을 유지시켜 준다.[8] 이 예의 하나로 무수치(non−vital tooth)의 치근단부(apical part)를 폐쇄하는 등 치유 기능을 가지고 있다. 또한, 상아질을 둘러싸고 있어 상아세관을 통한 감염으로부터 치수를 보호하는 기능도 있다.

7. 백악질의 병리학적 양상

1) 과백악질증(Hypercementosis)

지나치게 백악질이 두꺼워지는 경우로 한 치아에 국소적으로 존재할 수도 있고 전체 치열에 나타날 수도 있다. 과백악질증의 정확한 원인은 알려지지 않았는데, 침상 형태의 과백악질은 일반적으로 교정장치 사용에 의한 과다한 견인력, 교합력에 의해 야기된다. 또한 대합치가 없는 치아에서 과도한 치아맹출에 의해 나타나기도 하고, 치주질환 때문에 만성의 경미한 치근단부 자극이 존재하는 치아에서는 치아로의 섬유부착 파괴에 대한 보상으로 나타나기도 한다. 전체 치열의 과백악질증은 Paget's disease 환자에서 나타난다.

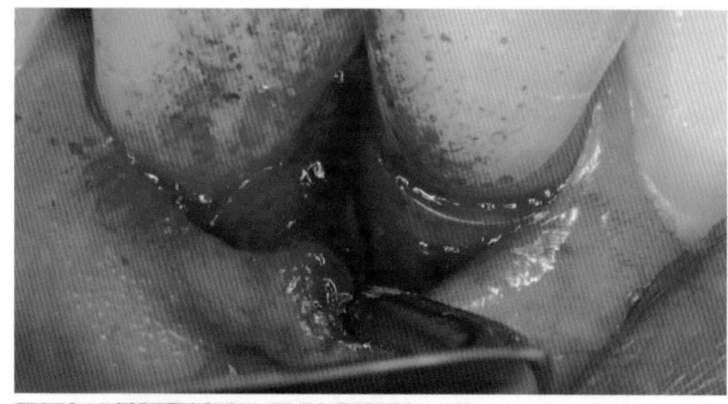

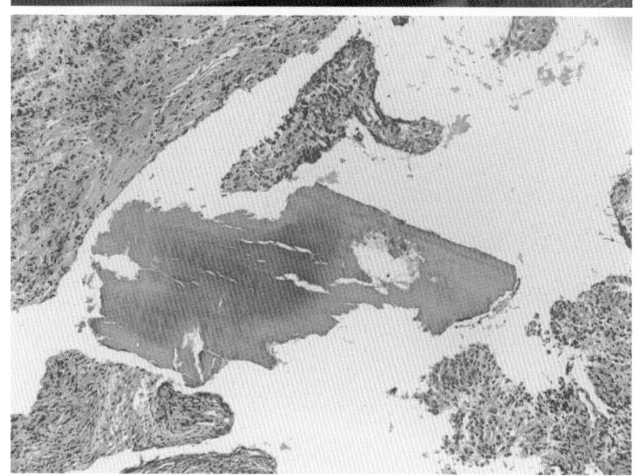

그림 3-6. 백악질 열상(cemental tear)

2) 백악과립(Cementicle)

치주인대 부위나 인접 치근면에 백악질의 둥근 덩어리로 나타난다.

3) 백악질 열상(Cemental tear)

백악질이 치근에서 백악상아경계를 따라 완전히 분리되거나 백악질의 틈을 따라 부분적으로 떨어져 나가는 증상으로 [15,16] 구강 악습관에 의한 교합외상, 노화로 인한 조직 재생력 감소,[17] 또는 국소부위에 대한 외상에 의해 야기된다.[18,19] 일반적으로 60대 남성에서 호발하고 절치, 소구치와 같은 단근치에서 잘 발생하며 무수치(non−vital tooth) 또는 생활치(vital tooth) 여부에 상관없이 나타난다.[20]

임상적 증상 없이 비정상적인 치주낭이 형성되거나 농양이 생기거나, 방사선 사진으로 확인 가능한 경우도 있다. 구강 내로 노출되지 않을 경우 자연적으로 치유되기도 하나

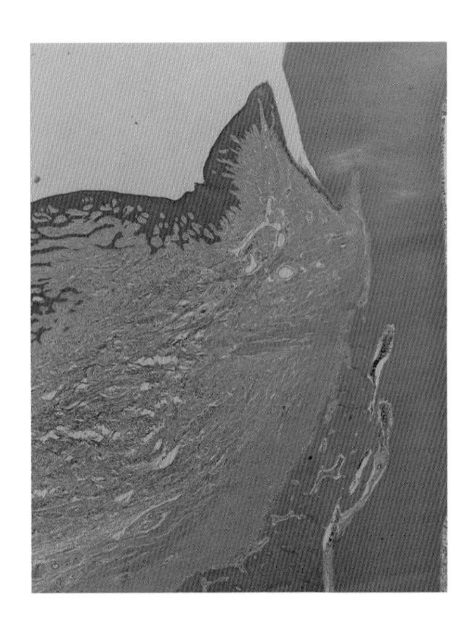

그림 3-7. 골유착과 함께 나타난 백악질 흡수

그렇지 않을 경우 치주인대에 의한 부착이 급격히 소실되고 부종이 생기거나 치태 또는 치석의 침착이 증가한다(그림 3-6).

4) 백악종(Cementoma)

증식된 백악질이 치근에서 떨어져 있는 경우가 있다. 일반적으로 하악 치아에 많으며 여성에게 더 많이 발생한다.

5) 흡수(Resorption)

백악질은 맹출된 치아에서뿐만 아니라 미맹출 치아에서도 흡수될 수 있다. 이러한 흡수는 국소적 또는 전신적 원인에 의해 나타날 수 있으나 일반적으로 국소적 원인에 의해 주로 나타난다. 국소적인 원인으로는 교합외상, 교정적 치아 이동, 부적절하게 배열된 치아, 낭종 혹은 종양으로부터의 압력, 대합치가 없는 치아, 매복치, 재식치와 이식치, 치근단 병소, 치주질환 등이 있다. 백악질의 흡수는 항상 지속적으로 일어나는 것이 아니라 새로운 백악질 형성이 일어나는 회복기와 교대로 나타난다. 새로이 형성된 백악질은 진한 염색선에 의해 이전의 흡수 부위와 경계가 구별이 되는데, 이 선을 회복선이라 부른다(그림 3-7).

백악질 재생은 생활성 결합조직을 필요로 하며 만약 상피가 흡수 부위로 자라들어가게 되면 재생은 일어나지 않는다.

6) 유착(Ankylosis)

치주인대의 파괴로 백악질과 치조골이 융합된 것이 유착이다. 유착은 백악질이 흡수된 치아에서 나타나는데, 이것으로 유착이 비정상적 재생의 한 형태임을 추정할 수 있다. 또한, 유착은 만성 치근단 염증병소, 치아재식, 외상성 교합, 매복치에서 일어나기도 한다.

참고문헌

1. Bosshardt, DD. Are cementoblasts a subpopulation of osteoblasts or a unique phenotype? JDR 2005;84: 390–406.
2. Bosshardt, D.D.& Shroeder, H.E. Establishment of acellular extrinsic fiber cementum on human teeth. A light and electron-microscopic study. Cell Tissue Research 1991;263, 325–336.
3. Deporter DA, Cate A, Cate AR. Fine structual localization of acid and alkaline phosphatase in collagen-containing vesicles of fibroblasts. J Anat 1973;114:457.
4. Kvan E. Topography of principal fibers Scand J Dent Research 1973;81:553.
5. Ten Cae AR. Formation of supporting bone in association with periodontal ligament organization in the mouse. Arch Oral Biol 1975;20:137.
6. Zeichner et al. Role of Hertwig's epithelial root sheath cells in tooth root development. Developmental Dynamics 228(4):651–653.
7. Sonoyama W, Seo BM, Yamaza T, Shi S. Human Hertwigs epithelial root sheath cells play crucial roles in cementum formation. J Dent Res 86(7):594–599.
8. Bosshardt, D.D.& Selvig, K.A. (1997). Dental cementum : the dynamic tissue covering of the root. Periodontology 2000;13:41–75.

9. Hammarstrom. L, Enamel matrix, cementum development and regeneration. Journal of Clinical Periodontology 1997;24:658–77.
10. Sims MR. Oxytalan fiber response to tooth intrusion and extrusion in normal and lathyritic mice. A statistical analysis. J Periolont Res 1978;13:199.
11. Schroeder. H.E. Biological problems of regenerative cementogenesis: synthesis and attachment of collagenous matrices on growing and established root surfaces. Int Rev Cytol 1992;142:1–59 or 1993;103:550–60.
12. Schroeder et al. Cemento-enamel junction—-revisited. JPR 1998;23:53–9.
13. Listgarten. A light and electron microscopic study of coronal cementogenesis. Arch Oral Biol 1968 Jan;1311:93–114.
14. Gillespie BR, Chaseus AF, Broownstein CN, Alfano MC. The relationship between the mobility of human teeth and their supracrestal fiber support. J Periodontol 1979;50:120.
15. Carranza,1990, Glickman's Clinical Periodontology, 7th edn. Pp. 60–1
16. Haney. Cemental tear related to rapid periodontal breakdown: a case report. J Periodontol 1992;63:220–4.
17. Ishikawa. Cervical cemental tears in older patients with adult periodontitis. Case reports. J Periodonol 1996.
18. Stewart ML, McClanahan SB. Cemental tear: a case report. Int Endod J. 2006 Jan;39(1):81–6.
19. Barbara J. Atypical localized deep pocket due to a cemental tear: case report. Journal of Contemporary Dental Practice 2003 Aug 15;4(3):52–64.
20. Chou J, et al. Cementodentinal tear : A case report with 7-year follow up. JOP 2004 75:1708–13.

치조골은 치근을 둘러싸고 치아를 지지하는 역할을 하는 상악 및 하악골의 일부로서 치아의 형성이나 맹출에 따라 발달하고, 치아가 상실되면 서서히 흡수된다. 그러므로 치조골은 치아가 존재할 때만 필요한 치아의존 구조물이다.[1,2] 치조골은 치주인대와 치근백악질과 함께 치아의 지지조직을 이루고 있으며 저작 등 교합압, 발음, 연하 시 일어나는 치아에 대한 압력의 분산, 흡수에 중요한 역할을 한다.[2]

1. 치조골의 발생

치조골은 태생 초기부터 형성되기 시작한다. 치배를 둘러싸고 있는 중배엽 기질에 있는 작은 부위에 광물질이 침착되면서 형성되기 시작한다. 이 작은 석회화 부위들이 성장하고 서로 융합하여 흡수와 재형성을 계속하면서 치아가 맹출 할 때까지 성장한다. 골의 외부에는 미석회화 기질인 골양조직(osteoid)으로 둘러싸여 있고 이것은 골막(periosteum)으로 덮여 있다. 골막에는 교원섬유, 골모세포, 파골세포 등이 함유되어 있다. 또한 골의 내부는 골내막에 의해 둘러싸여 있다. 성장을 계속하면서 골막 내의 세포들은 석회화 기질에 파묻혀 골세포(osteocyte)로 변한다. 이 세포는 소와(lacuna) 내에 존재하며 세관(canaliculi)을 통해 돌기를 내고 있다. 세관은 혈액 공급에 관여하며 골모세포들은 이 관을 통하여 세포돌기들을 서로 연결하고 있다.[3,4]

2. 치조골의 형태

치조골은 치아가 박혀있는 곳으로, 내면을 이루고 있는 피질골인 고유 치조골(alveolar bone proper)과 지지골(supporting bone)로 크게 구별될 수가 있다. 지지골은 치조골의 협면과 설면을 이루고 있는 피질골(cortical bone)과 고유 치조골 사이에 망상소주로 구성되어 있는 망상골(cancellous bone, spongy bone: 망상골)로 구별된다.[5] 치간중격은 양면에 피질골로 덮이고 가운데는 망상지지골로 구성되어 있으며 이런 모든 치조골은 각기 하나의 단위로 기능하고 있다. 치간중격의 모양은 양측의 치아 위치나 형태, 맹출정도에 따라 사선 혹은 둥근 형태를 나타낸다.[6] 이것은 정상적 백악법랑경계(CEJ)에서 0.75~1.49(1.08 mm) 정도 떨어져 있으며

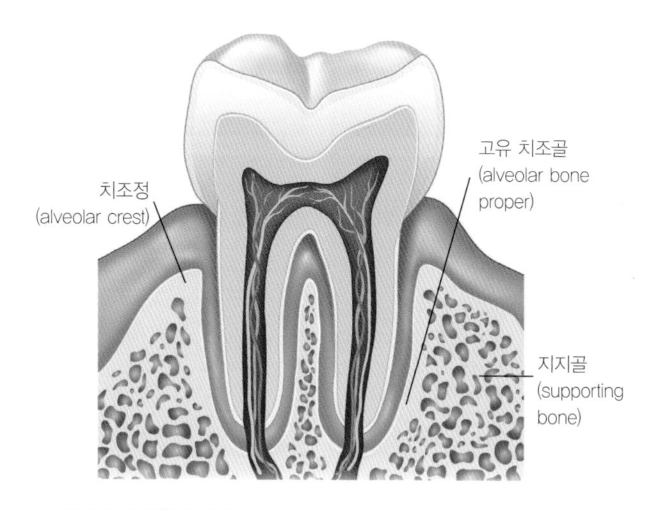

그림 4-1. 치조골의 구조

치주염 시 흡수되어 이 길이가 증가한다.[7] 또한 연령이 증가하면 증가한다.

치조돌기(alveolar process)는 치아의 치조와를 형성하고 지지하는 상악 및 하악골의 한 부분으로서 치아의 발육, 맹출과 동반해서 발달한다. 상·하악 치조돌기에서 치근면을 덮고 있는 골이 협측보다는 구개측에서 상당히 더 두껍다. 치조와 벽은 피질골로 덮여 있고, 치조와 사이와 피질골 벽 사이에는 망상골로 채워져 있다. 치조돌기의 협측, 구개측 골

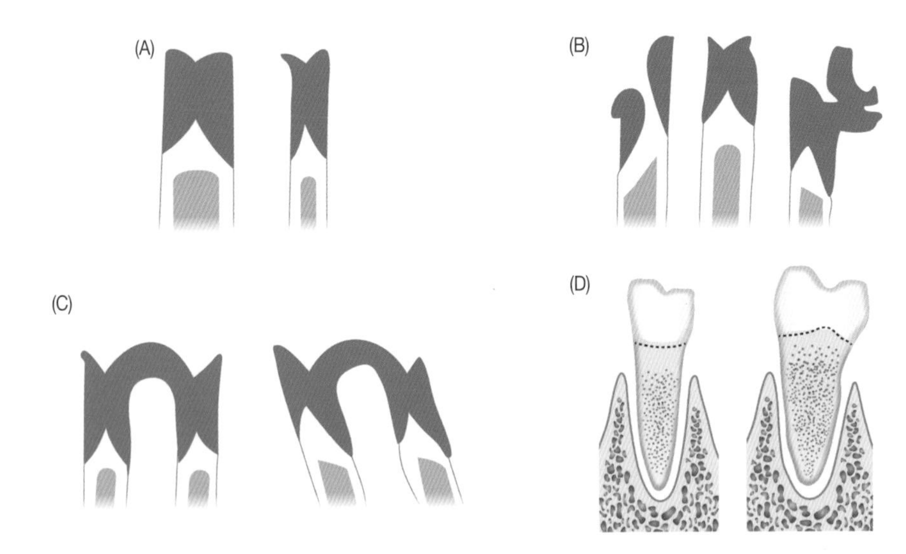

그림 4-2. 치간중격 형태의 도해 치간중격은 (A) 법랑질의 형태와 치간 사이에 의해서 (B) 맹출상태 (C) 치아의 위치 (D) CEJ형태에 따라서 좌우된다.

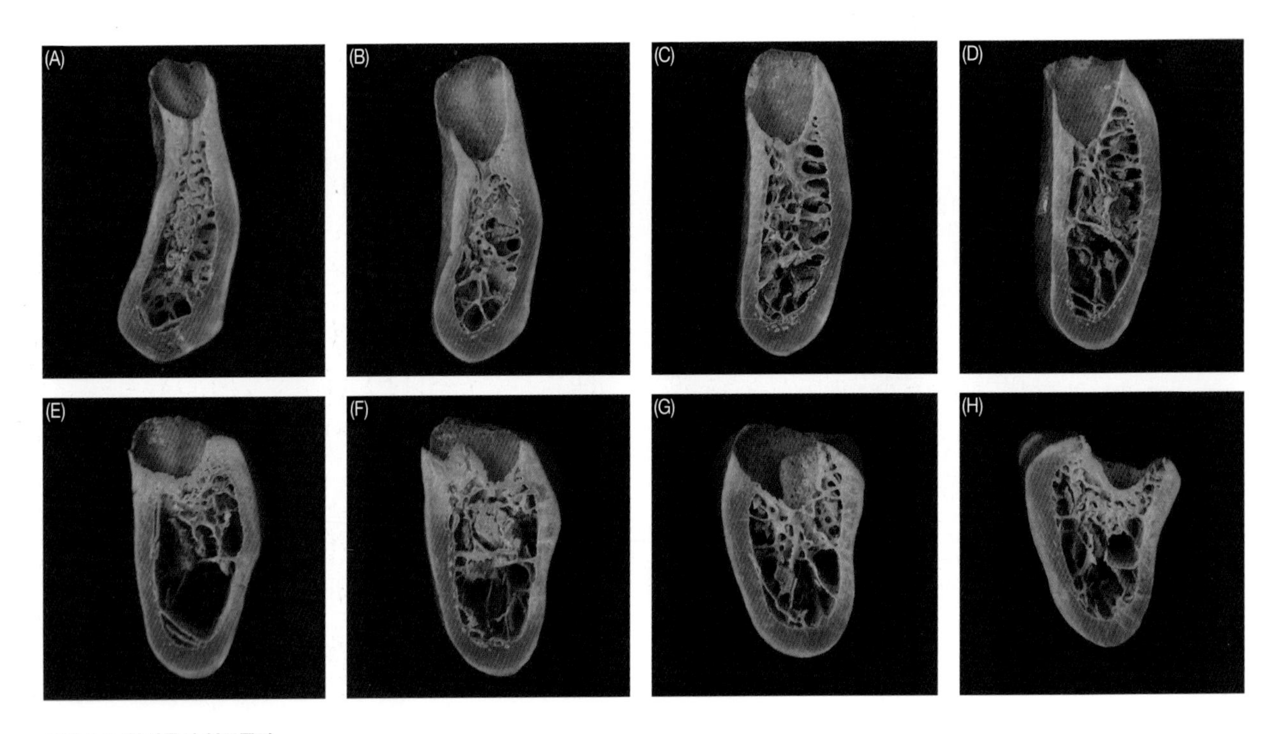

그림 4-3. 하악골의 치조돌기
부위에 따라 다양한 치조돌기의 협설측 골 두께를 보여준다. 구개측과 대구치부 협측은 두껍지만 전치부 협측에서는 얇다. A: 전치 B: 견치 C, D: 소구치 E, F, G, H: 대구치

이 부위에 따라 두께가 차이가 나며 일반적으로, 구개측과 대구치부 협측에서는 두껍지만 전치부 협측에서는 얇다(그림 4-3).[8]

1) 고유 치조골(Alveolar bone proper)

고유 치조골은 피질골로 이루어져 있으며 방사선상으로 하얀 백선을 나타내어 치조백선(lamina dura)이라고도 하며, 신경, 혈관 등이 치주인대 내로 통하는 구멍이 뚫린상태이므로 망상판(cribriform plate)이라고도 한다(그림 4-4). 치주인대의 주섬유가 이곳에 연결, 매입되어 있는데 이것을 샤피섬유라고 한다. 이러한 샤피섬유가 매입되어 있고 치아와 평행하게 치밀한 층판구조를 보이는 골 구조부위를 다발골(bundle bone)이라고 하며 치조와의 골벽 내면에 놓인다(그림 4-5). 따라서 기능적인 관점에서 이런 "다발골"은 치근면의 백악질층과 같은 점이 많을 뿐만 아니라 같은 발생 기전에 의해 형성된다.[9]

2) 지지골(Supporting bone)

(1) 피질골(Cortical bone, Compact bone)

치조골의 협설측 외벽을 이루고 있는 골로서 그 외측에는 골외막이 덮여 있다. 이 골외막은 두 층으로 구성되어 있어서 내측 세포층(inner cellular layer)은 골모세포, 파골세포, 신경섬유, 모세혈관으로 구성되어 있고 외측 섬유층(outer fibrous layer)은 치밀한 교원섬유로 구성되어 있다. 피질골은 조직학적으로 하버시안 시스템(Haversian system, osteon)이 발달되어 이 구조 내에 혈관이 지나가게 되며 층판골(lamellar bone)도 잘 발달되어 있다(그림 4-6).

(2) 망상골(Cancellous bone, Spongy bone)

고유 치조골을 둘러싸고 있는 망상소주로 구성된 망상골을 말하며 치아를 지지하는 기능을 한다. 이것은 설면과 협

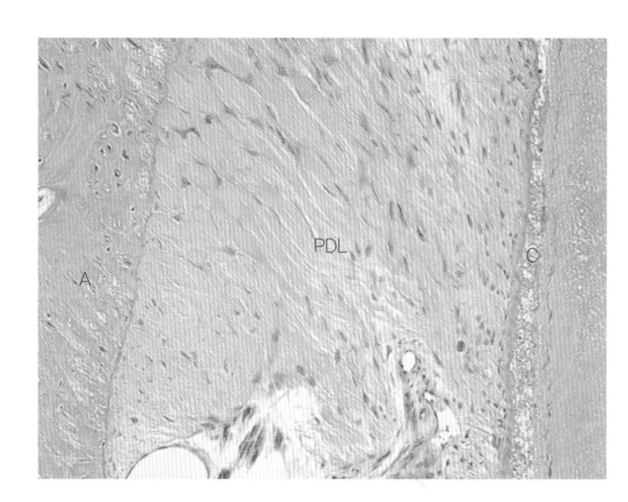

그림 4-5. Bundle bone 내의 샤피 섬유 매입
A: alveolar bone, PDL: periodontal ligament C: cementum

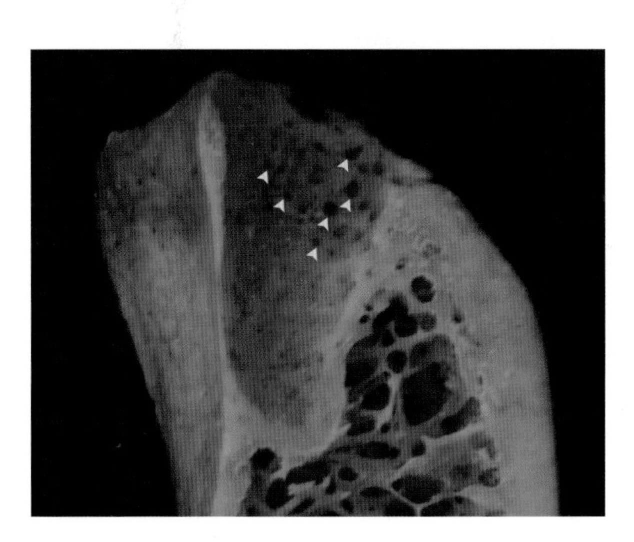

그림 4-4. 고유 치조골의 표면
신경, 혈관 등이 치조골에 분포하기 위하여 조그만 구멍이 뚫어져 있다. 이것을 망상판이라고 한다.

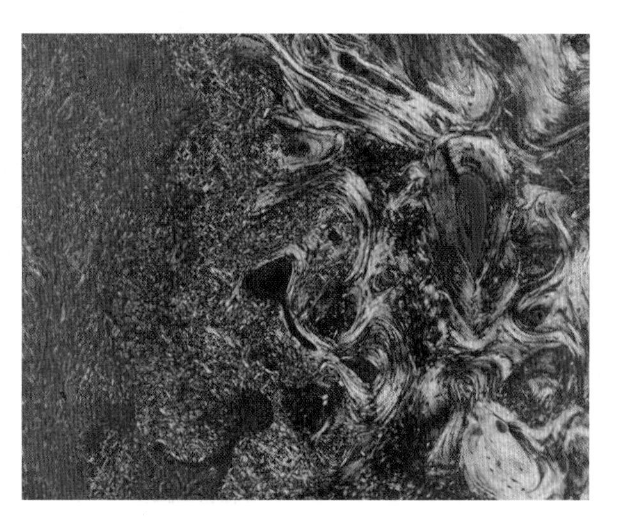

그림 4-6. Haversian canal과 osteon

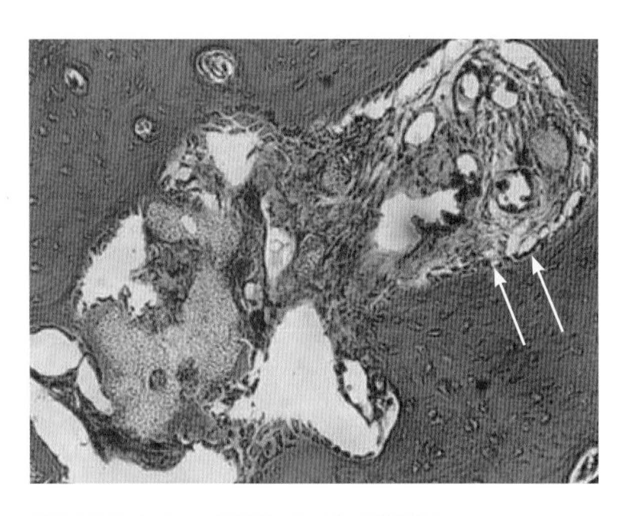

그림 4-7. Endosteum 부위의 osteoblast (화살표)

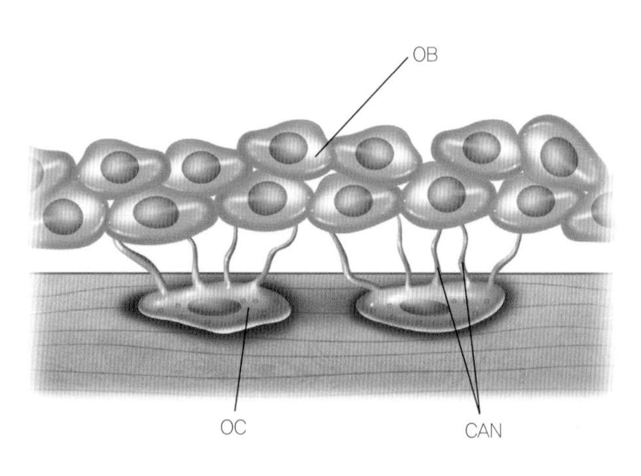

그림 4-8. 골세포(osteocyte). Lacuna 내에 있으며 세관을 통하여 이웃세포 및 외부와 연결되어 있다. OB: osteoblast, OC: osteocyte, CAN: canaliculi

면의 피질골판과 고유 치조골 사이의 스폰지 형태의 골로 구성되어 있다. 망상골 사이에는 골수강(marrow cavity)이 있으며 이 골수강은 혈관 분포를 위한 통로를 제공하고, 골내막을 따라서 골모세포, 파골세포가 존재하며 골수는 칼슘의 저장고 역할을 하며 혈액 내의 칼슘 농도를 조절하는 역할을 한다(그림 4-7). 골수는 태생 초기에는 붉은 색이나 나이가 들수록 노란색으로 변한다.[10]

3. 치조골의 구성 (Composition of alveolar bone)

치조골은 치아의 기능적, 생리적 이동, 교정 치료 등에 적응하며 활발한 흡수와 형성을 나타내고 있다. 이에 관여하는 세포 성분은 골세포, 골모세포, 파골세포로 구성되며 골모세포와 파골세포는 망상골에서 골소주의 표면, 피질골의 외면, 치조와의 치주인대측, 피질골 내면의 골수측에 존재한다.

1) 세포성분

(1) 골세포(Osteocyte)

소와내에 있으며 돌기가 세관을 통하여 이웃세포 및 외부와 연결되어 있어 영양공급 및 대사물질을 교환한다. 골모세포와도 연결된다(그림 4-8, 9, 10).

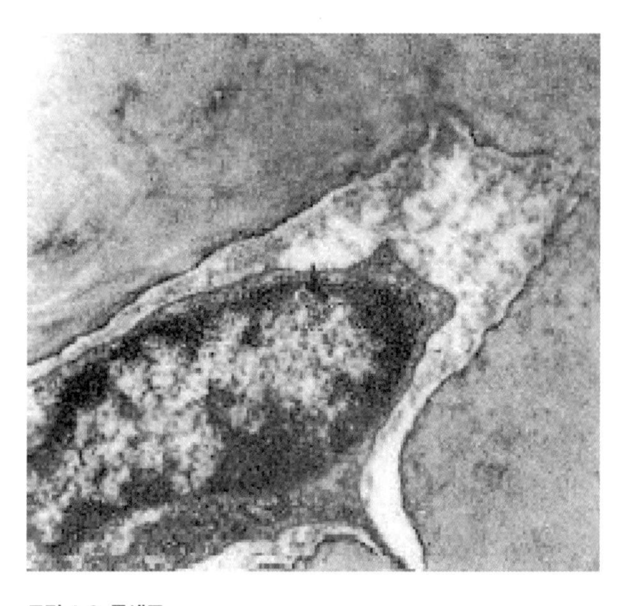

그림 4-9. 골세포
canaliculi로의 cytoplasmic process를 보인다.

(2) 파골세포(Osteoclast)

골의 흡수 시 파골세포가 출현한다. 이것은 유사분열을 하지 않으며 핵을 여러 개 갖고, 흡수되는 골 표면의 하우쉽 소와(Howship's lacunae)에서 발견된다(그림 4-11).

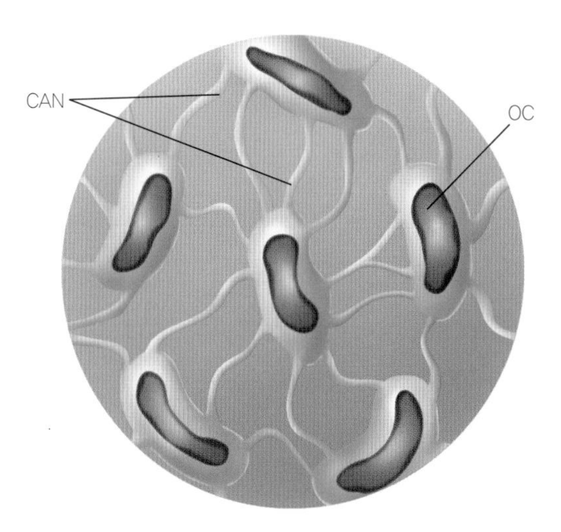

그림 4-10. 골세포의 연결. OC: osteocyte, CAN: canaliculi
광화된 골 안에 있는 골세포가 세관을 통해 골면에 있는 골모세포와 어떻게 소통하는지를 보여준다.

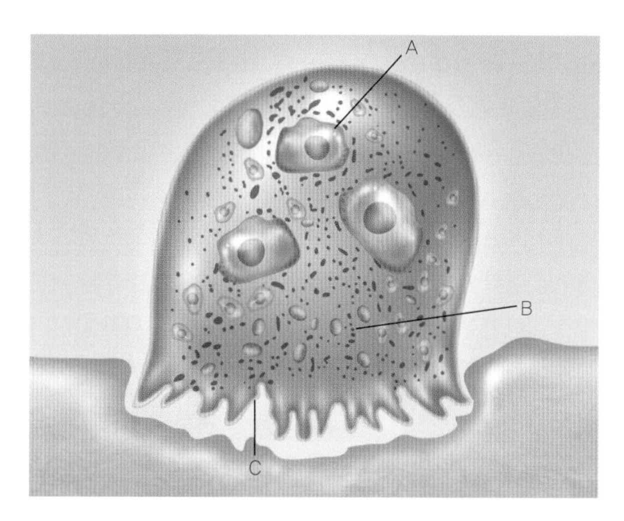

그림 4-11. 파골세포의 도해
(A) nucleus (B) clear zone (C) ruffled border

(3) 골모세포(Osteoblast)

자체가 분화하지는 않고 조면소포체(rER), 골지체가 발달되어 여기에서 프로콜라겐(procollagen)을 형성한 후 분비과립에 의해 이것을 세포표면으로 이동시켜 여기서 트로포콜라겐(tropocollagen)으로 변화시켜서 세포 외로 방출하면 이것에 당단백 등이 덮여서 교원섬유소가 되고, 광물화(mineralization)된다.

2) 세포간질(Intercellular matrix)

(1) 무기물질(Inorganic substance)

전체의 65~70%로서 hydroxyapatite 형태로 존재하는데, 칼슘(Ca)과 인(P)이 주종을 이루며 나트륨(Na), 마그네슘(Mg), 불소(F)도 소량 존재한다.

(2) 유기물질(Organic substance)

90% 이상이 교원질(collagen)이며, 특히 type I 이고, 그 외 비교원성 단백질(osteocalcin, osteonectin, bone morphogenetic protein), 당단백, 인단백, 지질, 단백당 등으로 구성된다.

4. 치조골의 불안정성(Liability)

치조골은 단단하지만 안정된 상태는 아니고 끊임없이 변화하는 상태이다.[5] 골의 성분은 끊임없이 소실되고 다시 첨가되어 흡수와 침착이 균형을 이루고 있다. 여기에 한쪽이 우세하게 되면 치조골의 흡수나 과잉침착을 나타내게 된다. 보통 압력을 받으면 흡수되고 장력이 있는 곳은 형성된다(그림 4-12).[11]

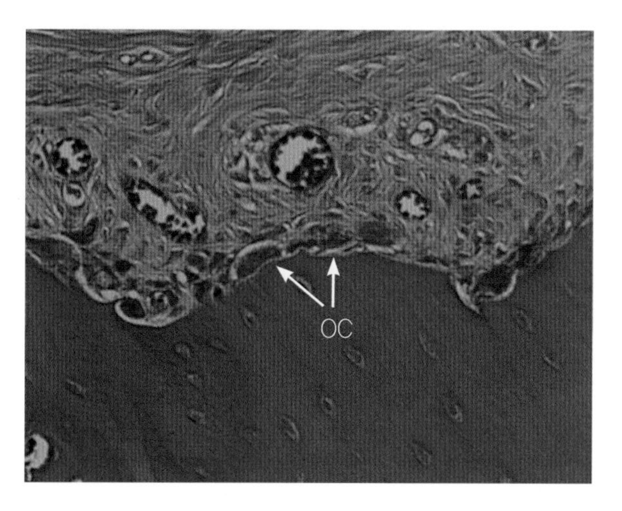

그림 4-12. 파골세포
흡수가 일어나는 치조골 표면에서 관찰되는 파골세포(osteoclast). OC : osteoclast

5. 치조골의 흡수(Alveolar bone resorption)

치조골의 흡수는 치조골의 생성과 흡수의 균형이 파괴되어 일어나는 것이지 치조골의 괴사를 의미하는 것은 아니다. 치주낭 내의 치태세균이 치조골 흡수에 중요한 영향을 끼치지만 어떠한 기전으로 흡수가 일어나는지는 자세히 알려져 있지 않다. 세균은 직접 골에 작용하여 파골세포를 분화시켜 흡수를 야기시키기도 하고 림프구나 대식세포 같은 세포들을 활성화시킴으로써 이들 세포로 하여금 골 흡수에 관여하는 물질들을 분비하게끔 하는 것으로 추정된다.

골의 흡수는 항상 파골세포와 관계가 있다. 파골세포는 거대세포로 석회화 기질(골, 상아질, 백악질)을 파괴하는 특화된 세포로서 혈관의 단핵세포에서 유래된다.

골 흡수는 파골세포에 의한 능동적 과정으로, 활동 중인 파골세포는 골 표면에 붙어 하우쉽 소와를 형성한다. 이들은 골 표면을 따라 이동이 가능하다. 파골세포는 유기질뿐 아니라 무기질도 흡수한다. 파골세포는 젖산 등의 산성물질을 분비함으로써 골조직에 무기염류가 용해될 수 있는 산성 환경을 형성한다. 남은 유기질은 가수분해 효소와 파골세포의 대식작용에 의해 제거된다. 피질골과 망상골은 지속적인 치아의 교정력, 치아에 가해지는 기능력에 반응하여 재형성된다. 침착성 성장(appositional growth) 기간 중 일차 골원(osteon)이 형성되며, 재형성 기간 중 이차 골원이 형성된다. 먼저 파골세포에 의해 흡수관이 형성되고 나중에 골모세포가 나타나 동심원적 층판 구조로 관을 채우기 시작한다. 골소주의 재형성은 파골세포에 의한 골 흡수로부터 시작된다. 짧은 기간이 지난 후 골모세포는 새로운 골을 축적시키기 시작한다.[11]

치조골의 흡수양상에 따라, 치아의 치경부에서부터 골이 흡수되어 내려가 파인 형태로 치근이 노출되는 경우를 열개(dehiscence)라고 하며 피질골 판에 구멍이 생긴 형태의 골 흡수를 천공(fenestration)이라고 한다. 치조골의 피질골판은 일반적으로 하악이 상악보다 두껍고 순면이 설면보다 두껍다. 또한 상악견치, 소구치쪽이 가장 얇고 망상지지골이 거의 없으며 구치부로 갈수록 두껍다. 따라서 견치나 소구치 부위에 치근노출이 많이 나타난다. 이것의 원인은 명확하지 않으나 교합외상 등에 의하여 기인하는 것으로 추측된다. 그리고 돌출된 치근의 외형, 치아의 위치이상, 치아가 순측으로 돌출 시 이러한 현상이 나타날 수 있다(그림 4-13).[12]

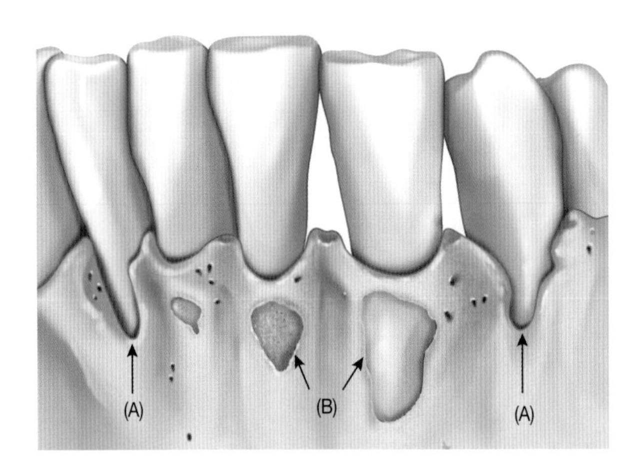

그림 4-13. (A) 열개(dehiscence) (B) 천공(fenestration)

6. 발치 후 치조돌기의 변화

단일치 발거 후 치조제에서 일어나는 변화는 서로 관련된 2가지 과정(치조돌기 내부와 치조돌기 외부의 변화)으로 나타난다.[13]

1) 치조와 내부의 변화

Amler (1969)와 Evian (1982) 등은 발치와의 치유에 관하여 연구하였다. Amler가 제시한 "사람의 발치와에서 조직재생의 순서(The time sequence of tissue regeneration in human extraction wounds)"에 대한 그림이 그림 4-14에 제시되어 있다. Amler에 의하면 발치 후 처음 24시간 이내에 발치와 내에서 혈병 형성이 일어나고 혈병은 2~3일 이내에 점차 육아조직으로 대체된다. 4~5일 후 연조직의 변연에서 상피가 증식하여 발치와 내의 육아조직을 피개하기 시작한다. 발치 1주일 후 발치와는 육아조직인 신생 결합조직으로 채워지고,

발치와의 근단측에서 골양 조직(유골)이 형성되기 시작한다. 3주 후에 발치와는 결합조직으로 구성되며 골양 조직의 광화가 일어난다. 상피가 창상을 피개하고 6주 후에 발치와 내의 골형성이 현저해지며 새로 형성된 골소주를 관찰할 수 있다. 그러나 Amler의 연구는 단기간으로 진행되어 발치와의 치유 중 변연부에서 일어나는 변화만을 평가할 수 있었다. 그의 실험 결과는 발치와의 후기 치유단계, 즉 치조골의 여러 부위에서 새로 형성된 조직의 모델링과 리모델링 과정을 포함하지 않는다. 따라서 이 연구에서는 완전히 치유된 발치와에 대해 서술되지 않았다.[14,15]

Cardaropoli (2003) 등은 개를 대상으로 하여 모델링과 리모델링 과정을 포함한 발치와 치유의 여러 단계에 관해 보고하였다. 이 결과에 따르면 발치와는 처음에 혈액으로 채워져 혈병이 형성된다. 염증세포가 응괴 내로 이주하며 괴사조직 성분을 탐식하기 시작하면서 창상정화(wound cleansing)과정이 시작된다. 새로 형성된 혈관과 간엽세포

(A)

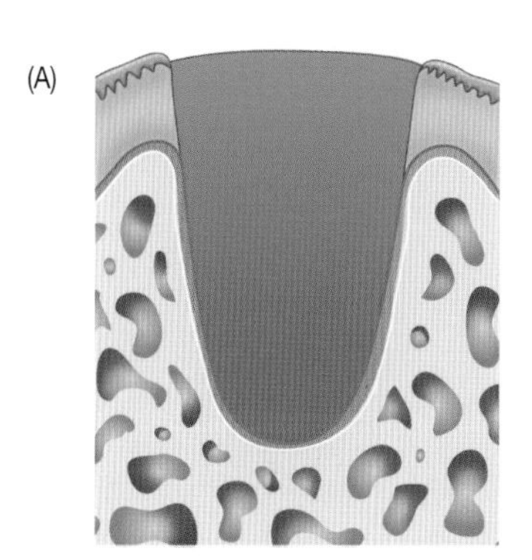

발치 직후
출혈
혈병

(B)

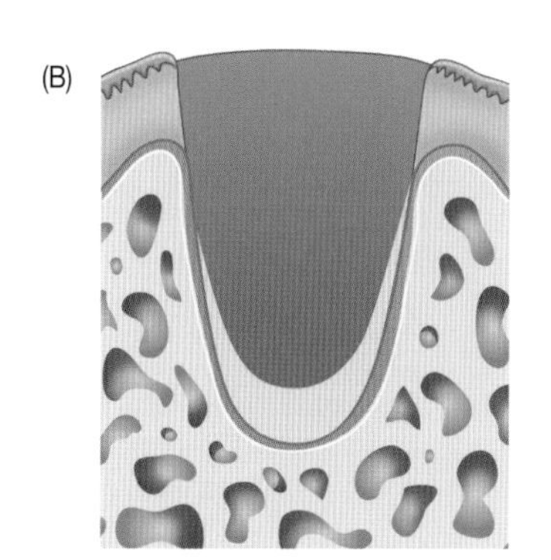

발치 후 48~72시간
혈병
육아조직 형성시작

(C)

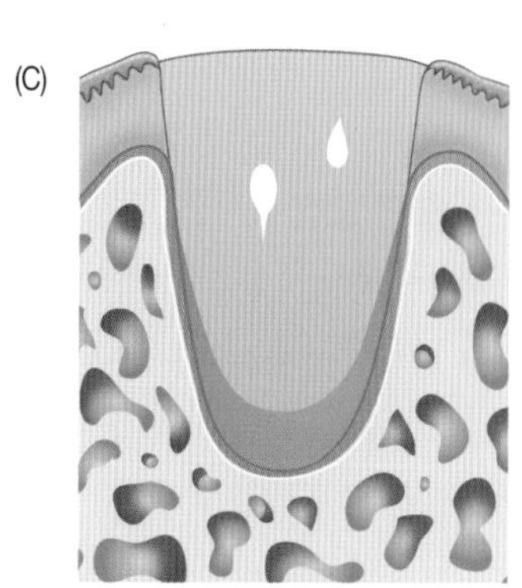

발치 후 96시간
혈병잔존
육아조직
상피 증식

(D)

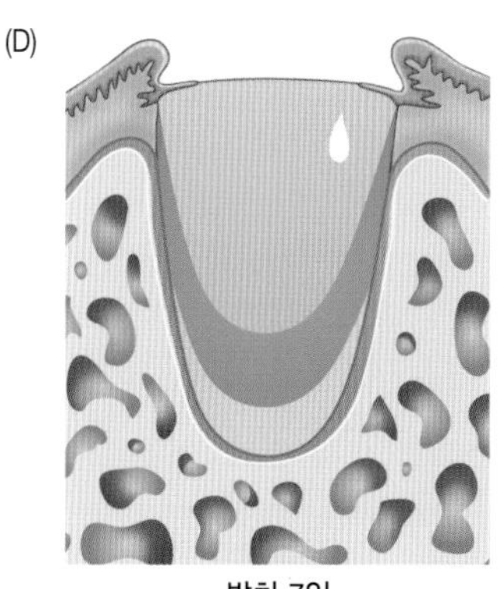

발치 7일
신생결합조직
1차 골양조직(유골) 형성
상피증식

(E)

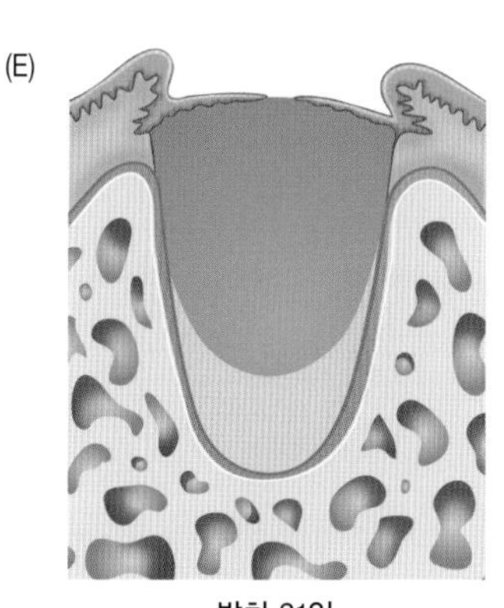

발치 21일
결합조직
유골의 광화시작
재상피화

(F)

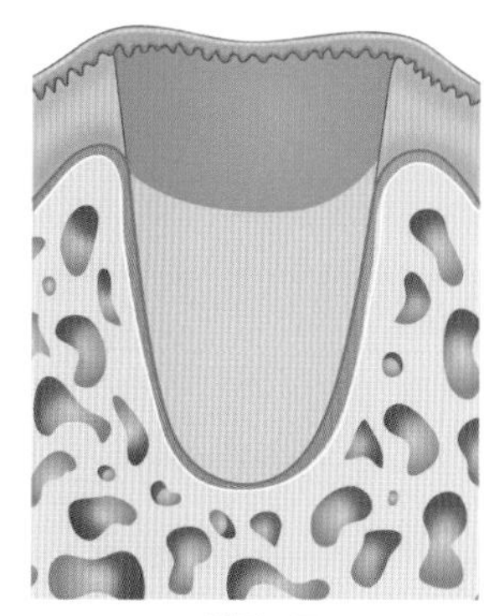

발치 6주
결합조직
교직골, 골소주
재상피화

그림 4-14. Amler(1969)에 따른 사람의 발치와에서 조직재생의 순서[14]

(A) 발치 직후 출혈과 혈병 형성. 혈관은 혈전으로 막히게 되고 섬유소 망이 형성된다. (B) 48시간 이내에 이미 호중구, 단핵구, 섬유모세포가 섬유소 망 내부로 이동하기 시작한다. (C) 혈병이 서서히 육아조직으로 대체된다. (D) 치조와의 치근단 1/3 위에 육아조직 형성이 현저해진다. 섬유모세포의 밀도가 증가한다. 4일 후 혈병 감소와 구강상피 증식이 관찰된다. 파골세포가 치조와 변연부에서 관찰된다. 골모세포와 유골(osteoid)이 치조와 기저부에 나타나기 시작한다. (E) 유골 소주(osteoid trabeculae)의 형성을 통해 육아조직이 재조직화된다. 새로 형성된 결합조직 상부의 창상 변연에서 상피가 증식한다. 또한 유골소주의 형성은 치관측 치조와벽에서 현저하다. 3주 후 골소주의 일부가 광화되기 시작한다. (F) 방사선 사진에서 골 형성을 관찰할 수 있다. 6주 후 연조직 창상부가 폐쇄되고 상피화된다. 그러나 치조와 내의 골충전에 4개월이 소요되지만, 인접치아 수준에는 못 미친다.

가 응괴 내로 들어와 육아조직이 형성된다. 육아조직이 점차 임시 결합조직(provisional connective tissue)으로 대체되고 그 후에 교직골이 배열된다(그림 4-15A). 발치와의 경조직 벽(고유 치조골 또는 다발골)이 흡수되며 발치와 창상은 교직골로 채워진다(그림 4-15B). 그 후의 단계에서 교직골은 점차 층판골과 골수로 리모델링된다(그림 4-15C).[16]

(1) 발치와 치유의 주된 단계

발치와 치유는 혈병 형성, 창상 정화, 조직 형성, 조직 모델링과 리모델링으로 크게 네 개의 단계로 나누어질 수 있다.[16,17,18]

① 혈병 형성

혈병은 세포이동을 지시하는 물리적 기질로 작용하며 앞으로 진행되는 치유과정에 중요한 성분을 포함한다. 혈병에는 ① 간엽세포에 영향을 주는 성분(예: 성장인자)과, ② 염증세포의 활성을 향상시키는 성분이 포함되어 있다. 이러한 물질들은 혈액응괴 내부에서 여러 가지 세포의 증식, 분화, 합성, 그리고 창상 내부로의 세포의 이동을 유도하고 증진시킨다. 발치 후 수일 이내에 혈병이 붕괴되며 섬유소 용해(fibrinolysis)과정이 시작된다.

② 창상 정화(Wound cleansing)

호중구와 대식세포는 창상으로 이동하여 세균과 손상된 조직을 탐식하고 새로운 조직 형성이 시작되기 전에 그 부위를 정화한다. 호중구는 초기에 창상부로 이주하는 반면 대식세포는 나중에 이주해 온다. 대식세포는 창상부 정화에 관여할 뿐만 아니라 간엽세포의 이주, 증식, 분화를 증진시키는 성장인자와 사이토카인을 방출한다.

③ 조직 형성

치주인대, 인접한 골수 부위에서 유래한 간엽성 섬유모세포 유사세포(fibroblast-like cell), 절단된 치주인대에서 기원한 혈관구조 증식부가 발치와 내로 들어온다. 간엽세포가 증식하고 세포 외 부위에 기질 성분을 침착하기 시작하며 새로운 조직은 점차 혈병을 대체하게 된다. 섬유모세포 유사

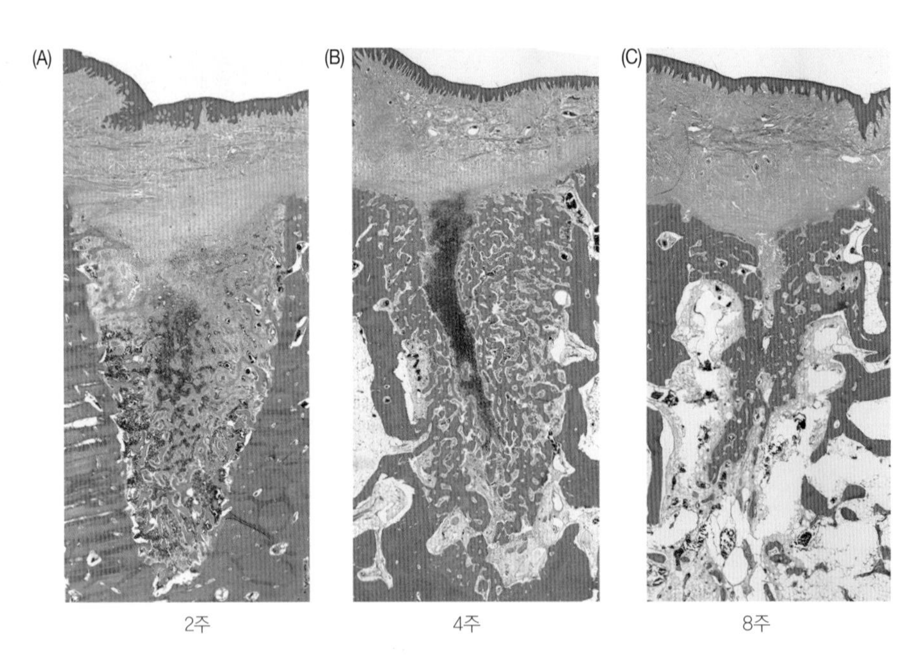

그림 4-15. 발치와에서 일어나는 골 형성

(A) 발치와 근단측과 측면에서 교직골 형성이 시작되고 있다. (B) 발치와의 경조직 벽이 흡수되며, 교직골로 대체되고 있다. (C) 대부분의 교직골은 골수로 대체되고, 다수의 지방세포가 존재한다.

세포는 계속 ① 성장인자를 방출하고, ② 증식하며, ③ 새로운 세포외 기질을 침착시켜, 부가적인 세포의 내 성장을 유도하며 조직을 더욱 분화되도록 한다. 간엽세포에 의한 기질 성분의 집중적 합성을 섬유조직형성(fibroplasia)이라고 하며, 새로운 혈관 형성은 혈관신생(angiogenesis)이라고 한다. 임시결합조직은 섬유조직형성과 혈관신생을 통해 형성된다. 임시결합조직의 골조직으로의 전이는 혈관 구조를 따라 일어난다. 이들은 골모세포로 분화되어, 교직골을 구성하는 콜라겐 섬유 기질을 생산하며, 그 결과 골양조직이 형성된다. 골모세포는 골양조직을 침착시키며, 이 세포들이 종종 기질 내에 갇히면 골세포가 된다. 이렇게 새로 형성된 골은 교직골이라고 한다. 치유 초기 동안 치조와벽 내의 골조직이 제거되고 교직골로 대체된다.

④ 조직 모델링과 리모델링

초기 골 형성은 빠르게 진행된다. 몇 주 이내에 발치와 전체는 교직골로 채워지며, 교직골은 ① 안정된 골격과, ② 견고한 표면을 제공하며, ③ 골전구세포의 근원으로 작용하고, ④ 세포 기능과 기질 광화에 필요한 혈류를 제공한다.

1차골원을 가진 교직골은 점차 층판골과 골수로 대체된다. 이 과정에서 1차골원은 2차골원으로 대체된다.

발치와 치유의 중요한 과정에는 발치와 입구를 덮는 hard tissue cap형성이 포함된다. 이러한 cap은 처음에 교직골로 구성되지만 후에 리모델링이 일어나 무치악 부위 주변에서 피질골판과 연결된 층판골로 치환된다. 이러한 과정을 피질골화(corticalization)라고 한다.

2) 발치와 외부의 변화

Araujo와 Lindhe (2005)는 개를 대상으로 한 실험에서 발치 후 무치악 치조제 형태의 변화에 관하여 검사하였다. 설측 골벽의 내부는 다발골 층이 존재하고 치조제 상부에도 얇은 다발골 층이 존재한다. 반면에 협측 치조제의 변연부 1~2 mm에 있는 광화 조직은 모두 다발골로 구성되어 있다. 이런 맥락에서, 다발골은 치아 부착 조직의 일부임을 상기해야 한다. 이 조직은 발치 후에는 뚜렷한 기능을 하지 않으며 결국 흡수되어 소실된다.

8주간의 치유과정 중 설측 골벽의 변연부는 거의 변하지 않는 반면, 협측 골벽은 근단측으로 수 mm 이동한다(그림 4-16). 이 동물 모델에서 설측에 비하여 협측 골벽에서 더욱 많은 골 흡수가 일어나는 이유는 첫째, 발치 전 협측 골벽 정상의 변연부 1~2 mm는 다발골로 구성되어 있다는 점이다. 설측 골벽의 정상부는 극히 적은 부분에서만 다발골을 포함한다. 다발골은 치아에 의존하는 조직이며 발치 후 점차 흡수된다. 따라서 설측에 비해 협측 골벽 정상부에 다발골이 상대적으로 많기 때문에 협측 골벽에서의 골흡수가 더욱 현저하다. 둘째로, 발치와의 설측 골벽은 협측에 비하여 현저하게 폭이 넓다. 판막거상 후 골막이 골에서 분리된 결과로 골 표면에서 흡수가 일어나게 되는데, 두꺼운 설측 골벽보다 두께가 얇은 협측 골벽이 수직적으로 더 감소하게 된다고 여러 치주 문헌에서 잘 보고되어 있다.[13]

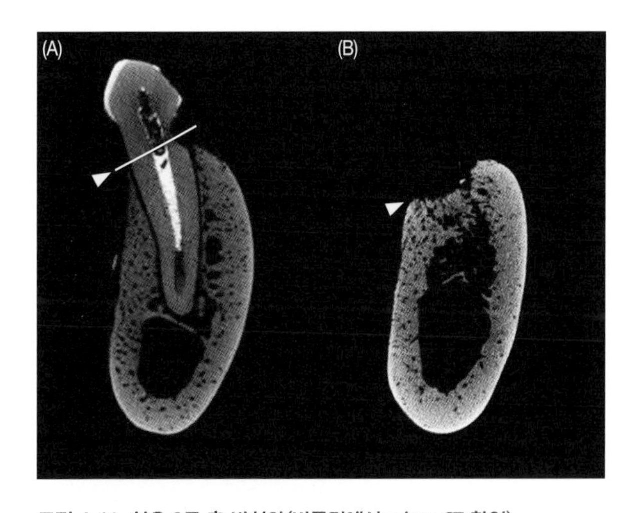

그림 4-16. 치유 8주 후 발치와(비글견에서 micro CT 촬영)
(A) 발치 전에는 치아의 협측벽이 온전하게 유지되고 있음을 관찰할 수 있는 반면, (B) 발치 8주 후에는 협측벽이 흡수되어 치조정이 설측벽에 비하여 근단측에 위치한다.

참고문헌

1. Pietrokovski, J. & Massler, M. (1967). Alveolar ridge resorption following tooth extraction. Journal of Prosthetic Dentistry 17, 21–27.
2. Fridus Van der Weijden, Federico Dell'Acqua, Dagmar Else Slot (2009). Alveolar bone dimensional changes of post-extraction sockets in humans: a systematic review. Jounal of clinical periodontology 36: 1048–1058
3. Fawcetts DW. A Textbook of Histology, 11th ed. Philadelphia; W.B. Saunders Co. 1986.
4. Vilmarin H. Characteristics of growing bone surfaces. Scand J Dent Res. 1979;87;65.
5. JEAN-LOUIS SAFFARJE, AN- JACQUES LASFARGUE&S MARCC HERRUAU (1997) Alveolar bone and the alveolar process: the socket that is never stable Periodontology 2000, 13 76–90
6. Ritchey B, Orban B (1953) The crests of the interdental alveolar septa. J periodontology 23: 41
7. Anthony W. Gargiulo, Frank. M. Wentz, balint OrBAN (1961) Dimensions and relations of the dentogingival junction in humans. J periodontology 32: 261–267
8. Amar Katranji, Kelly Misch, and Hom-Lay Wang(2007) Cortical Bone Thickness in Dentate and Edentulous Human Cadavers. Journal of Periodontology,78:5, 874–878
9. K.J.Payntner, G. Pudy (1958) A study of the structure, chemical nature, and development of cementum in the rat, Anat Rec.131(2):233–51.
10. Morrie E. Kricun (1985) Red-yellow marrow conversion: Its effect on the location of some solitary bone lesions, Skeletal Radiol, 14:10–19
11. Atwood, D.A.(1962). Some clinical factors related to the rate of resorption of residual ridges. Journal of Prosthetic Dentistry 12, 441–450.
12. Elliot JR, Bowers GM. Alveolar dehiscence and fenestration. Periodontics 1963;1:245.
13. Araujo,M.G., Sukekava, F., Wennstrom,J.L. & Lindhe,J.(2005). Ridge alterations following implant placement in fresh extraction sockets;an experimental study in the dog. Journal of Clinical periodontology 32, 645–652
14. Amler,M.H. The time sequence of tissue regeneration in human extraction wounds. Oral Surgery, Oral Medicine, and Oral Pathology 27, 309–318.
15. Evian, C.I., Rosenberg, E.S., Cosslet, J.G. & Corn, H. (1982). The osteogenic activity of bone removed from healing extraction sockets in human. Journal of Periodontology 53, 81–85.
16. Cardaropli, G., Araujo, M. & Lindhe, J. (2003). Dynamics of bone tissue formation in tooth extraction sites. An experimental study in dogs. Journal of Clinical Periodontology 30, 809–818.
17. Johnson, K. (1969). A study of the dimensional changes occurring in the maxilla following tooth extraction. Australian Dental Journal 14, 428–433.
18. Schropp, L., Wenzel, A., Kostopoulos, L. & Karring, T. (2003). Bone healing and soft tissue contour changes following single-tooth extraction: a clinical and radiographic 12-month prospective study. International Journal of Periodontics & Restorative Dentistry 23, 303–323.

일반적으로 생물체는 발육기, 성숙기, 노쇠기라고 하는 연령증가에 따른 일련의 과정을 거치는데 노쇠기에 해당하는 것이 노화이다. 노화현상은 생물체의 최소단위인 세포의 변화와 밀접한 관계가 있다. 세포의 노화현상은 세포 자체와 세포 외의 유독성 대사산물의 축적, 그리고 조직내 세포 자체의 노화와 다른 조직의 노화된 세포를 통한 영향 때문에 발생될 수 있다. 이 경우 조직내 수분의 감소, 분열, 성장과 재구성의 감소, 세포의 산화속도와 효소계의 반응 속도 저하, 세포의 위축과 변성(Ca침착, 색소침착, 지방의 침윤), 조직의 탄력성 감소가 수반되는 결합조직의 변성 등의 현상으로 신체효율의 저하가 필연적으로 오게 된다. 따라서 세포분열과 소멸 간의 균형이 깨지고 세포투과성에 결함이 발생하면서 조직의 회복능력이 감퇴하고 건조해지면서 탄력성이 떨어진다. 그 결과, 피부는 얇아지고 각질화가 감소되어 외부의 미약한 자극에도 쉽게 손상된다. 혈관계에서는 모세혈관의 분포도가 감소하여 혈액공급이 줄어들고 탄력성 감퇴와 함께 동맥경화증(arteriosclerosis)을 초래하게 된다. 골조직에서도 골소주의 치밀도가 감소하여 골다공증(osteoporosis)이 현저해지고 피질판이 얇아져 파절되기 쉬워진다.[1]

1. 치주조직의 노화

1) 혈관계(Vasculature)의 변화

노인의 커다란 근육혈관이나 치조골내 혈관 및 치주인대내 혈관들에서 동맥경화증(arteriosclerosis)을 흔히 볼 수 있다. 이러한 혈관의 병적인 상황이 치주조직에 변화를 초래한다고 확정적으로 말할 수는 없으나, 치주조직 내에 동맥경화증이 발생하면 상대적으로 혈액공급량이 감소하여 치주조직 질환의 소인(predisposing factor)으로 작용하거나, 또는 섬유화, 세포분포도의 감소 및 국소 석회화(focal calcification)와 같은 변화를 조장하며 또한 골대사를 감소시킬 수 있다. 동맥경화증과 관련하여 산소공급이 결핍되면, 기저물질(ground substance)이 상실되고 기저막(basement membrane)이 두꺼워 주위의 기질과 뚜렷이 구별된다.[2,3]

2) 치은과 구강점막의 변화

노쇠기에 이르면 치은조직내 말초혈관의 분포와 혈액 공급량이 감소하고 치은조직이 점차 섬유화된다. 또한 각화도가 감소되며, 치은상피세포의 성숙도가 다소 낮아지고 세포간극이 넓어진다.[4] 치은점몰(stippling)은 감소되나 부착치은의 폭경은 증가한다.[5] 결합조직의 세포분포도가 낮아지고 세포기질이 증가하여 산소소모율, 즉 대사작용이 감퇴된다.[6] 따라서 외부자극에 쉽게 손상되고 치유가 매우 느려진다. 구강점막에서도 대사율의 감소와 수분결핍으로 인하여 탄력성의 소실과 함께 결합조직이 위축되고, 신경의 망상분포(nerve net complexity)도 감소하며 비만세포(mast cell)들이 증가한다.[7,8]

(1) 교원질 변화

연령이 증가함에 따라 교원섬유들이 두꺼워지고 화학적, 물리적 성질에 결함이 생긴다. 즉 인장강도(tensile strength)와 열수축(thermal contraction)이 증가하며, 확장성(extensibility)과 용해성 교원질의 양, 수분함량이 감소하며, 단백용해효소에 대한 저항성이 증가한다. 이러한 변화들은 산성점액다당류(acid mucopolysaccharide)와 수분의 상실 및 cross-linkage의 증가와 다소 관계가 있다.[9]

또한 protein bound hexose와 점액단백질(mucoprotein)이 감소한다. 연령증가에 비례하여 DNA 합성세포의 수가 감소되며, 동물 실험결과 교원질 합성률도 연령증가에 따라 감소하였고, 치주인대 세포들의 재생속도 역시 연령이 증가할수록 더 느려졌다.[10]

3) 치주인대의 변화

치주인대의 주섬유는 두꺼워지면서 파상을 이루지만 기저물질, 교원섬유 및 점액다당류(mucopolysaccharide)가 감소하고, 상주세포인 섬유모세포, 골모세포, 백악아세포의 수가 현저히 감소하며 세포분화능력도 역시 감소한다.[11] 또한 혈관분포도가 감소하고, 혈관내벽에 동맥경화 현상이 현저해진다.[12]

연령증가에 따른 치주인대의 폭경 변화에 대해서는 의견이 분분하지만 저작근력의 약화에 따라 기능적 자극이 수요에 미치지 못하게 되어 폭경이 감소하거나, 백악질과 치조골의 계속적인 침착에 의하여 폭경이 감소된다는 견해가 지배적이다.[13,14]

치주인대의 교원섬유가 노화되면 silver nitrate에 미약하게 염색되는 염색특성을 보이게 된다. 또한 치주인대는 혈액공급량의 감소, 손상에 대한 민감한 반응 또는 단순한 노화의 결과로서 초자화(hyalinization)와 연골화 변성(chondroid degeneration)을 초래하게 된다. 치주인대 내에서 석회화 물질을 볼 수 있으나 샤피(Sharpey) 섬유는 찾아보기 힘들고, 젊은 사람에서는 치근면 근처에서 볼 수 있었던 상피잔사(epithelial rests)도 치근과 치조골 사이 중앙부 혹은 오히려 치조골 근처에 불규칙하게 산재해 있음을 볼 수 있다.[15]

4) 백악질의 변화

백악질은 일생을 통하여 끊임없이 침착되어 치아의 수동적 맹출과 관계가 깊은데, 백악질 침착은 백악법랑경계 근처보다는 치근단부나 다근치의 이개부(furcation area)에서 더 현저히 이루어진다. 고령기에서는 백악질 침착이 더 늦어지고 상아질과의 부착력도 약화되며 투과성 또한 감소하고, 백악질 열상(cemental tear)이 흔히 발생하는데, 이는 백악질 기질의 노화, 혈액공급량의 감소 및 백악질 내에 매식되어 있는 치주인대의 신장력 감퇴와 밀접한 관계가 있다(그림 5-1).

가끔 상피잔사 응집체(epithelial rest aggregates)와 같은 석회화 물질과의 유합으로 백악질 돌출(cemental spur)을 야기

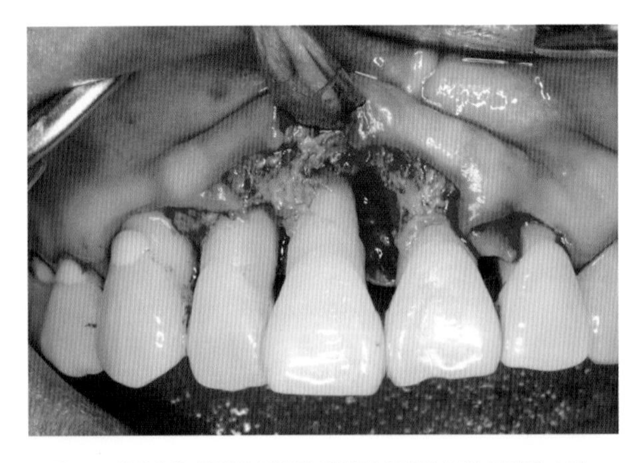

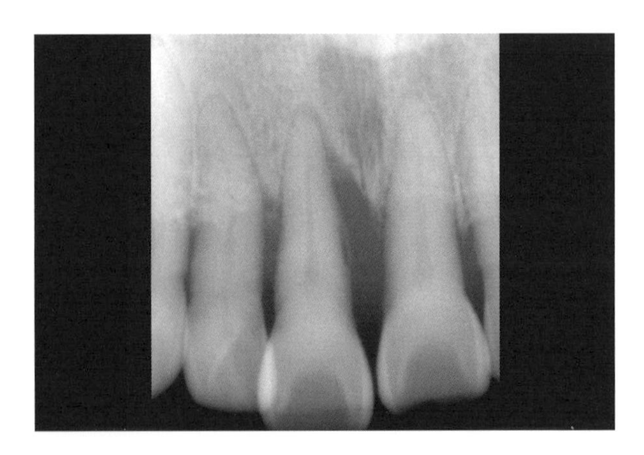

그림 5-1. 상악우측 중절치 근심면 백악질 열상과 주변 골파괴 소견

하기도 한다.[16]

5) 치조골의 변화

노화에 따른 치조골의 변화는 신체 내 다른 부위의 골격의 변화와 유사하다. 혈관분포가 감소하고 대사율과 치유능력이 감소하며, 치조골의 흡수경향은 상승한다. 반면, 골형성능력은 저하되어 결과적으로 골소주의 치밀도가 떨어져 골다공증을 초래하며 피질판이 얇아지고 골흡수 현상이 뚜렷해진다. 또한 치조골의 계속적인 침착이 중단되어 치아의 생리적 근심이동현상이 현저히 감소하거나 정지된다.[17,18]

2. 연령증가에 따른 치아의 변화

1) 교모(Attrition)

치아의 계속적인 사용으로 인하여 교합면이 닳아 교두의 높이가 낮아지고 경사도가 완만해지는데, 노쇠기에는 백악질과 치조골의 계속적인 침착에 의한 보상작용이 불충분하여 결국 교합고경이 낮아지게 된다(그림 5–2). 그러나 교모는 연령과 무관하게 평소 섭취하는 음식물의 경도, 치아의 경도, 저작근의 근력, 직업이나 악습관 여부에 따라 정도의 차이가 있을 수 있다.

2) 인접면 마모(Proximal wear)

치아의 생리적 근심이동 경향에 수반되어 연령이 증가함에 따라 인접면 마모가 초래된다. 따라서 치열궁의 전후 길이가 짧아지게 되며, 점진적인 교모와 인접면 마모로 인하여 구치부에서는 수평피개교합(overjet)이 감소하고, 전치부에서는 절단교합(edge–to–edge bite)관계를 초래하게 된다.

3) 저작 효율(Masticatory efficiency)

연령증가에 따라 생리적으로 협근이 다소 위축되지만 노인에서 저작효율이 떨어지는 것보다 직접적인 이유는 결손치를 회복하지 않았거나, 치아동요도, 잘 맞지 않는 의치의 장착이나 의치장착의 기피에 있다. 저작효율이 감소되면 잘못된 저작습관과 함께 소화장애를 초래하고, 따라서 씹기 쉬운 음식물만을 편식하게 되어, 비타민이나 칼슘 등의 영양결핍까지 초래될 수도 있다.

3. 타액선의 노인성 변화

노쇠기에 이르면 타액선의 노화로 인해 타액 생성이 감소하는데, 자극 시 타액분비량 보다 안정 시 타액분비량에서 더 현저한 감소를 보인다. 따라서 구강건조증(xerostomia)과 타액의 질적 변화가 흔히 초래된다. 즉 칼슘과 인의 농도가 증가함에 따라 치석의 침착량도 증가하고, Na, K의 농도 역시 증가하는데 이는 타액선 도관의 노화성 변화를 반영해 준다. 타액의 비중은 높아지나 amylase 함량은 60세를 전후로 이전에 비해 1/3 내지 2/3 정도로 감소하고 점액도도 낮아진다.

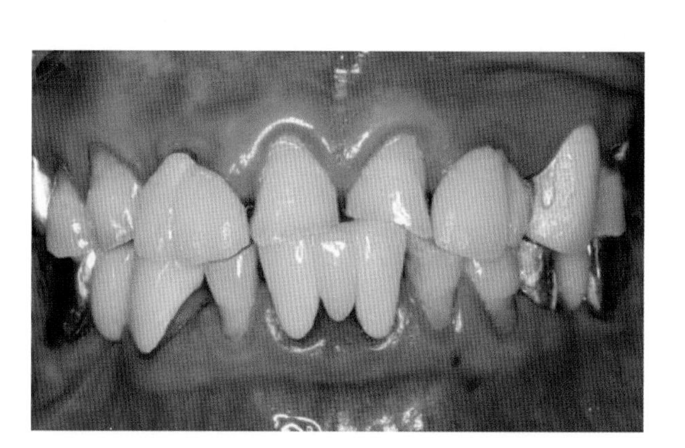

그림 5-2. 연령 증가에 따라 치아가 마모되어 교합고경이 낮아진다.

4. 노화현상이 치주질환에 미치는 영향

연령이 증가하여 노쇠기에 이르면 구강 내의 만성질환은 많은 변화를 야기하며, 세균성 치태에 대한 세포성 면역반응(cellular immune response)이 저하된다.[19]

그러나 치은퇴축, 교모, 치조골소실 등이 연령증가에 따른 생리적 노화현상의 영향이라기보다는 구강위생관리의 소홀로 인한 치주질환이나 악습관 또는 결손치의 방치 등의 구강 내 환경요인에 더 좌우된다는 견해가 지배적이다.

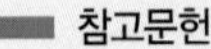

참고문헌

1. Kesson CM, Morris N, Mc CA. Generalized osteoporosis in old age. Annals of the rheumatic diseases 1947;6:146–161.
2. Grant D, Bernick S. Arteriosclerosis in periodontal vessels of ageing humans. Journal of periodontology 1970;41:170–173.
3. Doyle JL, Hollander W, Goldman HM, Ruben MP. Experimental atherosclerosis and the periodontium. Journal of periodontology 1969;40:350–354.
4. Löe H, Karring T. The three–dimensional morphology of the epithelium–connective tissue interface of the gingiva as related to age and sex. Scandinavian journal of dental research 1971;79:315–326.
5. Ainamo J, Talari A. The increase with age of the width of attached gingiva. Journal of periodontal research 1976;11:182–188.
6. Volpe AR, Manhold JH, Manhold BS. Effect of age and other factors upon normal gingival tissue respiration. Journal of dental research 1962;41:1060–1063.
7. Stahl SS, Fox LM. Histologic changes of the oral mucosa associated with certain chronic diseases. Oral surgery, oral medicine, and oral pathology 1953;6:339–344.
8. Carranza FA, Jr., Cabrini RL. Age variations in the number of mast cells in oral mucosa and skin of albino rats. Journal of dental research 1959;38:631.
9. Tonna EA. Topographic labelling methods using [3H]–proline autoradiography in assessment of ageing parodontal bone in the mouse. Archives of oral biology 1976;21:729–740.
10. Skougaard MR, Levy BM, Simpson J. Collagen metabolism in skin and periodontal membrane of the marmoset. Journal of periodontal research Supplement 1969:28–29.
11. Lavelle CL. The effect of age on the proliferative activity of the periodontal membrane of the rat incisor. Journal of periodontal research 1968;3:48–50.
12. Paunio K. The age change of acid mucopolysaccharides in the periodontal membrane of man. Journal of periodontal research Supplement 1969:32–33.
13. Reeve CM, Wentz FM. The prevalence, morphology, and distribution of epithelial rests in the human periodontal ligament. Oral surgery, oral medicine, and oral pathology 1962;15:785–793.
14. Ive JC, Shapiro PA, Ivey JL. Age–related changes in the periodontium of pigtail monkeys. Journal of periodontal research 1980;15:420–428.
15. Severson JA, Moffett BC, Kokich V, Selipsky H. A histologic study of age changes in the adult human periodontal joint (ligament). Journal of periodontology 1978;49:189–200.
16. Grant D, Bernick S. The periodontium of ageing humans. Journal of periodontology 1972;43:660–667.
17. Lopez Otero R, Carranza FA, Jr., Cabrini RL. Histometric study of age changes in interradicular bone of Wistar rats. Journal of periodontal research 1967;2:40–45.
18. Johnson RB, Gilbert JA, Cooper RC, et al. Effect of estrogen deficiency on skeletal and alveolar bone density in sheep. Journal of periodontology 2002;73:383–391.
19. Church H, Dolby AE. The effect of age on the cellular immune response to dento–gingival plaque extract. Journal of periodontal research 1978;13:120–126.

PART 02

치주조직의 병변

치주질환의 병인론

정의원 · 문익상 · 이동원

1. 역사적 배경(Historic perspective)

염증성 치주질환의 병인론을 증명하기 위한 노력은 1세기 전부터 있었으며, 시기적으로 대략 다음의 세 가지 시대로 구분할 수 있다.

1) 임상적 관찰의 시대 (Period of clinical observation: 1800~1900년)

주로 임상적 관찰에 의거하여 징후와 증상 그리고 치료법 등이 연구되었다. 중요한 연구결과는 다음과 같다. ① 치주질환은 공통된 증상을 보이지만 동질한 것이 아니라 몇몇 상이한 질환들의 복합이고, ② 국소 및 전신 요인이 모두 관여하며, ③ 치조골의 흡수를 동반한 만성염증 병소이고, ④ 진전된 병소에서는 화농과 삼출물이 흔히 형성되며, ⑤ 병소 제거(debridement)와 치아의 고정 그리고 구강청결이 성공적 치료에 필수적이다.

2) 구조와 형태 분석의 시대 (Period of structural and morphologic analysis: 1900~1960년)

광학현미경을 이용하여 자연적으로 발생된 치주질환의 구조적 특징을 관찰하였다. 이런 연구결과로 질환 부위나 진행되고 있는 부위의 조직병리학적 소견이 밝혀졌다. 치은병소는 치은변연에서부터 시작되어, 부착치은과 치조골로 파급되며 치주염으로 진행되고 접합상피(junctional epithelium)의 증식 및 치근단 이동, 치주낭 형성 및 치조골 파괴 등이 일어나는 것을 밝혀냈다. 그러나 아직 초기 병소에 대한 연구는 미흡했다. 근래에는 전자현미경의 발달로 사람이나 기타 동물에서의 세포 및 미세구조의 변화를 연구하게 되었다.

3) 실험적 조작 및 정량 분석의 시대 (Period of experimental manipulation and quantitative measurement)

근래에 와서는 동물에서 실험적으로 치은염을 유발시키고 조직병리학적 및 미세구조 등을 횡적 연구 및 종적 연구를 통하여 감염된 부위의 구성성분을 양적으로 측정하였다. 이로써 초기 염증 병소의 본태와 순간적으로 짧은 기간의 변화 등을 이해하게 되었다.

2. 치주 병인론의 초기 개념 (Early concepts of pathogenesis)

염증성 치주질환에서 가장 중요한 최초의 병적 변화는 치주낭 형성을 동반한 접합 상피세포의 증식과 치근단 방향으로의 이동이라고 생각했다. 따라서 이런 현상을 근본으로 치주의 병인을 해결하려 했다. 즉 접합상피세포의 증식과 근단 이동의 원인을 발견하려는 노력이 치주병인을 이해하는 것과 다름 없다고 생각했다. Gottlieb (1946)는 치조골의 위축(atrophy)과 퇴축(recession)이 연령 증가에 따른 정상적인 현상이라 생각했으며, 치주낭 형성과 치조농루는 이런 정상상태의 불규칙성이나 하나의 지나친 상태로 보았다. 그는 다시 치주낭 형성을 동반한 상피 이동의 원인을 백악질의 계속적 침착의 방해로 인하여 치은 및 치주인대, 교원섬유가 치아와 부착이 일어나지 않아서 생긴다는 소위 백악질 병변(cementopathia)으로 설명하려 하였다.[1] 반면 Goldman (1951)은 접합상피 하부의 결합조직이 건전하면 상피의 근단 이동은 있을 수 없다고 설명하였다. 그는 이 부위의 섬유가 변성 변화를 받으면 상피세포의 증식과 근단 이동이 발생한다고 하였다.[2] Aisenberg (1948) 등은 상피세포가 결합조직섬유를 용해시키면서 근단 이동 한다고 생각했다.[3] Fish (1935)는 상피의 증식과 근단 이동이 최초의 중요한 현상인가에 의문을 제기하고 상피 이동 이전에 염증세포가 접합상피 깊은 곳에 침윤되어 있음을 주장했다. Fish와 James, Counsell (1927) 등은 이곳이 최초 병변이 일어나는 곳으로 생각했으며 결합조직의 변화에 관심을 갖게 되었다.

그럼에도 불구하고 많은 학자들은 거의 최근에 이르기까지 상피 이동 및 치주낭 형성을 가장 중요하고도 1차적인 병변으로 생각했다. 그러나 현재에 와서는 상피 변화와 치주낭 형성은 복잡한 치주질환 진행과정 중 단지 2차적 병변이며 삼출물의 생성 및 증가, 임파구의 침윤 및 변성, 결합조직 구성물의 상실 등이 더 먼저 발생한다는 것이 여러 연구결과로 밝혀지고 있다.

3. 치주질환 발병의 단계 (Stages in the pathogenesis)

조직 병리학적 및 미세구조상으로 치주질환의 진행은 다음의 4가지 단계로 구분할 수 있다.

1) 초기 병변(Initial lesion)

치태 침착 후 2~4일째 치은조직에 변화가 오며 이때 육안으로 변화는 없다. 주로 치은열구 주위의 치은열구상피, 접합상피 및 치관쪽 치은의 결합조직에서 급성 혈관염이 발생하며, 치은결합조직의 5~10%가 침범된다. 많은 양의 백혈구가 출현하고 혈관 주위의 교원섬유가 소실되고, 대신 액체, 혈장 단백질, 염증세포들로 대체된다. 치은열구를 통하여 백혈구, 탈락 상피세포, 세균 등이 유출된다(그림 6-1, 표 6-1).

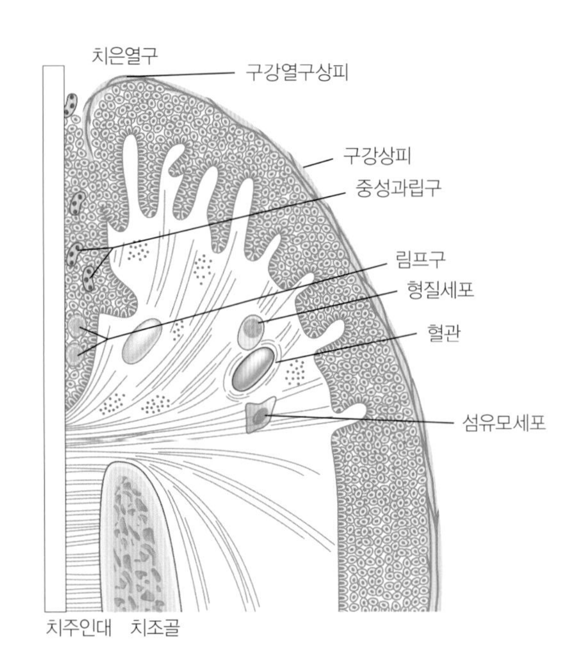

그림 6-1. 초기 병변의 도해

표 6-1. 초기 병변

1. 접합상피 주위의 혈관염
2. 치은열구에서 삼출물 출현
3. 접합상피를 통하여 열구 내로 백혈구(leukocyte)의 유주
4. fibrin같은 혈장 단백질(serum protein) 출현
5. 접합상피의 상부 병변
6. 혈관주위의 교원섬유소 소실 시작

2) 조기 병변(Early lesion)

치태 침착 후 4~7일에 발생되는 치주조직의 병변을 말한다. 치은결합조직에 다량의 림프구가 침윤된다. 급성 삼출성 염증현상은 계속되고 치은열구로부터 다량의 백혈구가 유출된다. 접합상피에 호중구와 임파구 및 대식세포, 형질세포, 비만세포 등이 출현하며, 이 세포들은 상피세포의 연결이 끊어지는 곳에도 있다.

결합조직이 많은 염증세포 침윤과 교원섬유의 감소로 특징지어지며, 침윤세포 중 임파구가 약 70%로 가장 많고 이

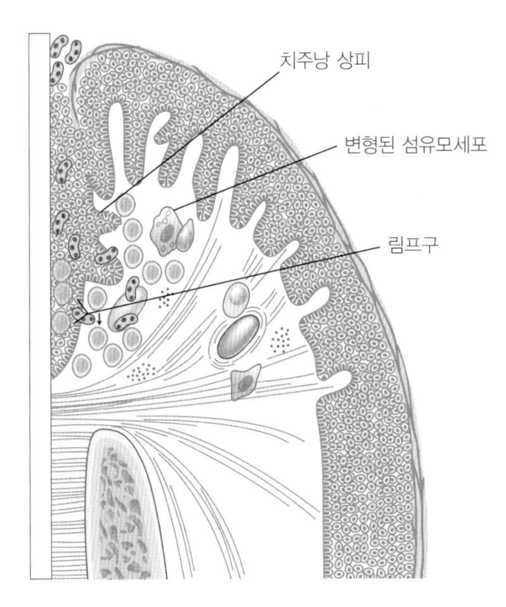

그림 6-2. 조기 병변의 도해

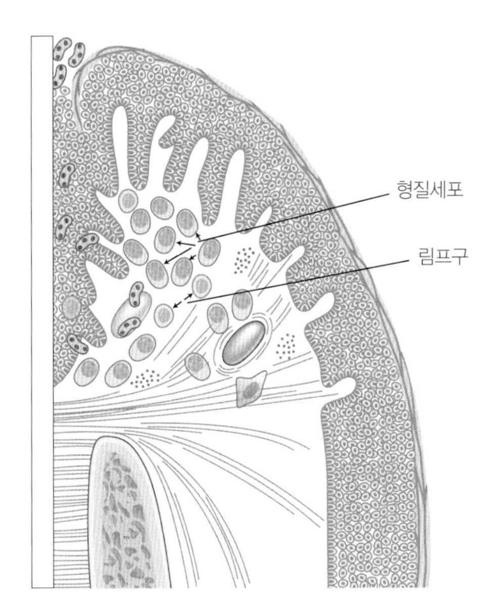

그림 6-3. 확립기 병변의 도해

표 6-2. 조기 병변

1. 초기 병변의 지속(급성염증)
2. 접합상피직하부에 림프구 침윤
3. 섬유모세포의 병변시작
4. 변연치은의 교원섬유까지 소실
5. 접합상피의 기저층 세포의 증식 시작

표 6-3. 확립기 병변

1. 급성염증 상황 계속됨
2. 형질세포 다수출현
3. 접합조직의 결합조직내 Ig 존재
4. 결합상피의 소실 계속 진행
5. 접합상피나 구강열구상피의 증식, 근단부 이동 및 측방 이동으로 치주낭이나 치은낭을 형성하기 시작

것의 크기가 중간인 것으로 보아 자극받은 T 및 B 임파구만 형질세포로 전환 및 분화하고 있는 것으로 보인다. 교원섬유도 약 70% 정도 감소하며, 이로 인해 치은 고유의 성질과 기능을 잃는다(그림 6-2, 표 6-2).

섬유모세포도 세포질 병변을 보이며 숫자는 감소하지 않지만 크기가 3배 정도 커져있다. 병변은 핵(nucleus)이 없어지는 경우도 많고 endoplasmic reticulum의 cisterna가 확장되어 있고 사립체도 종창되어 있으며, 세포막이 파괴된 경우도 있다. 이런 것으로 미루어 섬유모세포가 병들거나 죽어가고 있는 것처럼 보인다.[4]

3) 확립기 병변(Established lesion)

결합조직 내에 형질세포가 가장 많이 존재하는 시기로서 초기에는 주로 열구 직하부의 결합조직에 국한되어 나타나지만 형질세포들이 혈관 또는 교원섬유 사이에도 나타난다. 형질세포의 생성으로 면역 글로불린 IgG 그리고 적은 양의 IgA도 존재한다. 접합상피나 구강열구상피가 증식하고 변형된 결합조직 측으로 이동한다. 그 결과, 치주낭 상피로 변한다.

이 상피는 얇아지고 궤양화되어 있고 많은 양의 Ig이 상피 결합조직에 존재한다. 또한 보체, 면역 복합체 등도 확인된다. 일부 형질세포는 변성변화를 일으키고 교원섬유의 소실은 계속되며 어떤 경우는 섬유증(fibrosis)이나 상처가 확인된다. 이것이 다음 단계로 진행되는지 또는 조기로 돌아가는지는 확실히 알려져 있지 않다(그림 6-3, 표 6-3).

4) 진행기 병변(Advanced lesion)

치은염이 확실한 치주염으로 진행된 병소를 말한다. 치주낭이 형성되어 있으며 치은표면의 궤양, 화농 등과 치주인대 및 치조골의 파괴와 치아동요도 및 전이를 보이고 결국 치아가 탈락된다. 병소에 대식세포와 임파구도 소량 보이나 형질세포가 주로 나타나며, 만성염증 상태를 보임에도 불구하고 급성혈관염의 증상이 계속된다. 병소는 일부분에 국한되어 있지 않고 치아 주위 조직 전반에 퍼져 있으며 질환의 심도에 따라 퍼져 있는 범위가 넓어진다. 잘 정돈되어 있던 교원섬유의 배열 등이 그 특징을 잃고 병소가 치근단 쪽으로 이동하면서 횡중격 섬유(transseptal fiber)가 재생되는 모습을 보인다. 치주낭 상피는 치근단 쪽으로 이동하며 또 한편으로는 결합조직 측으로 증식되어 손가락 모양의 돌기형상을 보인다.

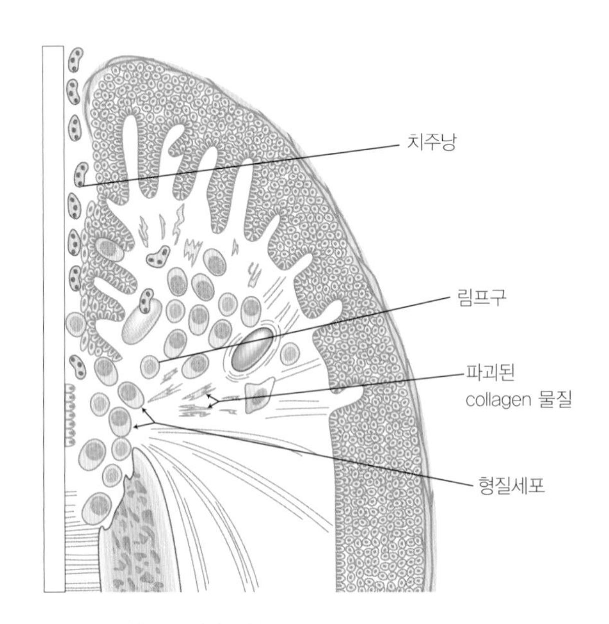

그림 6-4. 진행기 병변의 도해

표 6-4. 진행기 병변

1. 확립기 병변의 지속
2. 병변이 치주인대, 치조골까지 파급
3. 치주낭 상피 직하부 교원섬유의 계속 소실과 일부는 fibrosis
4. 치주낭 형성
5. 악화기와 휴지기를 가짐

치조골의 파괴 및 흡수도 일어나는데, 주로 치간중격골의 치조정(alveolar crest)에서 일어난다. 이 때의 특징은 이런 염증 진행 상태가 악화기와 휴지기의 두 가지 상태로 존재한다는 것이다. 즉 병변이 오랫동안 그대로 정지해 있는 것 같은 상태를 보이다가 어떤 기간 동안에 급격히 활성화되어 진행되는 때도 있다(그림 6-4, 표 6-4).

4. 치주조직의 파괴기전

1) 치주질환에서의 접합상피의 변화

치태침착 2~3일 후부터 치은조직에 급성염증이 시작되는데, 이때 치은조직과 치아표면의 형태는 정상적인 관계를 유지하고 있으나 곧 변화하기 시작한다. 즉 열구 기저부나 접합상피 직하의 미세 순환계의 급성염증 상태로 혈청 단백질, 섬유소, 항체, 다형핵 백혈구 등이 혈관 밖으로 유출되며 혈관 주위 교원섬유가 다량 소실된다. 접합상피 내로 많은 비상피세포들, 즉 다형핵 백혈구, 대식세포, 비만세포, 형질세포들이 침윤된다. 기저부 상피가 증식하면서 치아와 분리되어 치근표면을 따라 근단 쪽으로 이동하고 치은결합조직 쪽으로도 손가락 모양의 돌기형태로 증식한다. 접합상피의 일부는 각화 양상도 보이며, 일부는 생활 능력을 잃고 탈락한다. 상피세포 간극이 넓어지면서 궤양화된다. 이런 상태는 접합상피에서 치주낭 상피로 변화한 것이다. 그러나 최하부 접합상피는 아직 정상으로 남아 있다. 이런 기전의 정확한 설명은 아직 어렵지만 몇 가지 가능성 있는 설명을 살펴보면, 우선 치태세균으로부터 유리되는 효소들이 상피세포들을 직접 죽임으로써 일어날 수 있다. 치태에서 유리되는 펩티드(peptide)가 다형핵 백혈구들에 대한 화학주성물질로 작용하는 경우, 이것은 중성구의 이동, 혈관의 투과성 증가, 혈청 단백질의 유출 등의 원인이 되기도 한다. 많은 비상피세포의 출현은 이 세포들의 특정 효소작용으로 인한 상피조직의 변화, 그리고 임파구의 작용인 상피세포의 죽음 등이 특징으로 나타난다. 비만세포 역시 트립신(trypsin)같은 효소를 방출하여 상피세포 간극 내의 물질을 분해시키는 데 큰 역할을 한다. 따라서 상피세포 간극은 넓어지게 된다. 그러므로 상피세포 내로 혈청 단백질이나 백혈구 등의 유입이 쉬워진다. 이와 반대로 세균들도 쉽게 상피세포 사이로 유입되므로 병소가 그대로 존재하게 된다.

2) 치주질환에서 치은결합조직의 변화

치은결합조직 구성 중 가장 중요한 섬유모세포와 교원섬유의 병변 및 염증상태가 미치는 영향을 보면 다음과 같다.

(1) 섬유모세포의 변화(Fibroblast alterations)

섬유모세포는 보통의 경우 생성 활동을 쉬고 있는 것 같은 휴지기 상태로 존재하지만 염증이나 어떤 손상을 받게 되면 화학주성물질에 의하여 급히 염증 및 손상부위로 이동하여 자신이 급히 복제 성장할 뿐만 아니라 생성기능이 왕성하게 되어 단백질, 교원질 등을 왕성히 생성하다가 염증이 소실되거나 조직의 치유가 완성되면 다시 휴지기 상태로 돌아가는 것이 특징이다(그림 6-5).

① 섬유모세포의 기능을 억제하는 인자

- 활성화된 임파구에서 분비되는 인자(lymphocyte factor)－섬유모세포의 생성 기능을 약 50% 억제
- Prostaglandin (PG)－섬유모세포의 기능을 50% 억제

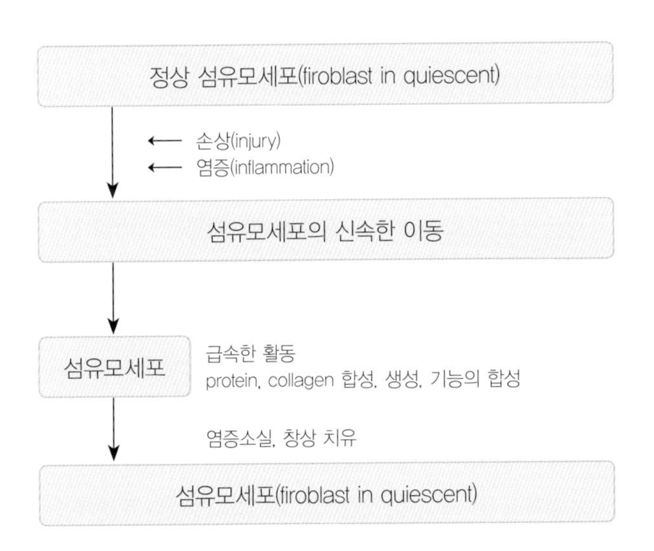

그림 6-5. 섬유모세포의 활동

- 임파독소－섬유모세포의 기능을 약화
- 보체(complement)

② 섬유모세포의 기능을 촉진시키는 인자

- 보체의 C1 성분(C1 component of complement)
- 미확인 혈청성분(polypeptide in serum)
- 혈소판 유도 성장인자(platelet derived growth factor)
- 표피성장인자(epidermal growth factor)
- 대식세포에서 유리된 인자

(2) 교원섬유의 변화(Alterations of collagen fiber)

치주질환 시 교원섬유의 변화는 양적 및 질적인 면으로 구분할 수 있다.

① 교원섬유의 양적 변화 (Quantitative alterations of collagen fiber)

이것은 교원섬유의 파괴나 분해작용이 염증상태로 인하여 촉진된 경우로, 생각되는 원인은 다음과 같다.

- 효소의 분해작용(enzyme degradation of collagen): 다형핵 백혈구, 대식세포, 섬유모세포, 혈소판 등에서 분비되는 collagenase는 교원섬유를 분해한다. 기타 neutrophilic elastase, trypsin, thrombin, chymotrypsin 등의 효소가 교원질 분해에 작용한다.
- 탐식작용(phagocytosis): 섬유모세포나 대식세포가 염증반응 시 결합조직의 교원섬유를 탐식함으로써 교원섬유의 양적 감소를 초래한다.
- 섬유모세포의 병변: 교원섬유의 생성 기능 감소로 인해 수적 감소를 초래한다.

② 교원섬유의 질적 변화 (Qualitative alterations of collagen fiber)

치주질환 시 교원섬유 중 정상상태에서는 볼 수 없는 α-1 trimer의 출현과 type A 및 type B 교원섬유의 증가, 그리고 생성 및 분해에 이상이 온다. 이런 면에서 교원섬유의 질적인 변화의 원인으로 생각되는 것은 다음과 같다.

- 섬유모세포의 성장과 합성능력의 조절: 실제로 실험에

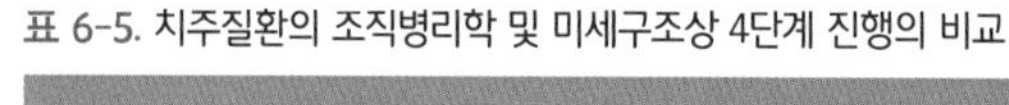

표 6-5. 치주질환의 조직병리학 및 미세구조상 4단계 진행의 비교

	1. 초기 병변	2. 조기 병변	3. 확립기 병변	4. 진행기 병변
치태	주로 G(+) aerobic	주로 G(+) aerobic G(+), (-)	혼합 G(+)	비부착/G(-) 치태
접합상피	접합상피는 상부 변화 시작	측방 증식 시작	측방 증식, 치은낭 형성	측방 증식해서, 치주낭 상피 형성
혈관변화 및 염증세포	투과성 증가로 PMN이 약간 나타남	혈관염 진행, PMN, 림프구 출현	형질세포가 많이 출현	형질세포 증가
치은열구액	약간	Ig과 보체 출현	Ig과 치은열구액 증가 Serum protein 보임	화농도 나타남
섬유모세포	정상 또는 약간의 병변	병변을 보임	심한 병변	다시 해부학적 형태로 회복
교원섬유	혈관 주위의 교원섬유 약간 소실	조금 더 소실	심한 소실	더욱 심한 교원섬유 소실과 일부에서의 fibrosis
치조골	정상	정상	정상	치조골소실이 나타남
질환 시작시기	치태침착 2~4일	치태침착 4~7일	치태 침착 1주일 후 그러나 몇 개월 또는 수년간 지속될 수도 있다.	치태 침착 수주일 후부터 악화기와 휴지기가 교대로 수년간 지속된다.

의하면 염증 시 초기에는 섬유모세포의 합성능력이 감소되지만 염증 시 유출되는 여러 가지 섬유모세포 촉진 인자들에 의하여 교원섬유 및 단백질 등의 합성능력이 상승한다. 그러므로 염증 시 교원섬유의 type 변화가 오는 것과 어떤 관계가 있을 것으로 생각된다. 물론 이때 교원섬유의 분해과정 결과 교원섬유의 소실이 합성능력보다 더 크므로 전체적으로 교원섬유가 감소된다.[5]

- Clonal selection: 섬유모세포가 2~3가지의 표현형(phenotype)으로 구성되어 있다고 가정할 때, 염증으로 인하여 주종을 이루던 표현형이 현저히 감소되고 소량을 이루던 표현형이 반대로 주종을 이루게 되어 이 세포들의 생성량이나 생성타입의 교원섬유 종류가 달라지므로 α-1 trimer의 교원섬유량이 증가하는 것으로 생각된다. 실제로 dilantin에 의한 치은비대인 경우에 섬유모세포 배양실험을 통해 보면 많은 수의 섬유모세포가 정상적인 치은에서 분리된 섬유모세포보다 2배 이상의 교원섬유 생성능력을 갖고 있는 것을 볼 수 있다.

3) 치주질환에서 백악질의 변화

(1) 노출된 백악질의 변화

① 화학 성분의 변화

- 무기질 부분: 구강환경으로부터의 이온(ions)의 선택에 의해 노출된 백악질의 무기질 성분이 증가하게 된다. 노출된 백악질에서 증가된 무기질 성분이 치유에 미치는 효과를 살펴보면 노출된 백악질에서는 불소 농도가 9,180 ppm이 검출된 반면에 노출되지 않은 백악질에서는 5,570 ppm이 검출되었다.
  실험에서 20~30 ppm의 불소가 세포성장을 방해할 수 있다고 한다. 노출된 백악질로부터 충분한 양의 불소(1.0 또는 91.8 ppm)가 이온형태로 방출된다면 인접세포에 방해효과를 나타낼 수도 있게 된다. 그러나 어느 정도의 백악질 불소 농도가 방출에 적절한지는 아직 밝혀지지 않았다.
- 유기질 부분: Cloutier와 Johansen (1971)에 의하면 노출과 비노출 백악질은 아미노산(amino acid) 구성에는 차이가 없으며, 단지 노출된 백악질의 구연산염(citrate)이 통계학적 중요성을 갖는 약간의 감소가 있다고 한다.
  - 칼슘과 인 농도: 하부조직에서보다도 표면의 radi-

opaque zone에서 7~10% 정도 증가하며, 증가하지 않은 radiopacity line이 어느 정도 파동(fluctuation)을 만들며 나타나고 다른 백악질 깊은 쪽에는 대개 미세한 파동이 나타난다.

- 마그네슘(magnesium: Mg): 분포와 농도가 칼슘과 인과는 달리 표면 가까이의 농도가 0.5%로 백악상아경계(cemento-dentinal junction) 부위의 0.9%보다도 낮게 나타난다. 과석회화(hypercalcified)된 정상부위와 노출된 백악질 사이의 Mg 분포에는 차이가 없다.
- 불소(fluoride: F): 불소의 농도는 치아마다 그리고 같은 치아에서도 부위에 따라 차이가 있다. 농도가 높은 부위는 백악질 표면이며, 내부로 들어갈수록 점차 낮아진다.
- 나트륨(sodium: Na): 칼슘과 인의 농도와 비교하여 반대적인 변화를 보이며 백악질에서 약 0.3% 정도 검출된다.
- 황(sulfur: S): 황의 농도는 일반적으로 백악질에 골고루 분포되어 있으며 심부로 들어갈수록 조금씩 감소되는 경향이 있다. 노출된 백악질에서는 치근표면 가까이에서 S곡선(curve)의 정점(peak)을 이룬다. 확연히 증가된 S대(zone)의 폭은 8 μm을 넘지 않는다.
- 구리(copper), 아연(zinc), 주석(tin), 철(iron)과 은(silver)도 나타나지만 농도가 너무 낮아 상대적인 연구가 어렵다. 대부분이 0.1% 이하의 농도를 갖는다. 노출된 백악질은 주변환경으로부터 칼슘과 인, 그리고 불소를 흡수한다. 내독소를 포함하는 세포독성 성질을 갖는 유기물의 흡수는 노출된 백악질에서는 그리 용이하지 않다. 상대적으로 큰 분자량을 갖는 물질들이 무기물 이온보다도 더 깊이 백악질 내로 침투해 들어가는 것 같지 않다. 치아 우식증이 없는 노출된 백악질의 조직 적합성은 표면층의 과광물화대(40~50 μm)를 제거하는 경우 회복된다.

② 구조적 변화

광학 현미경상으로는 노출된 백악질과 관련된 변화는 병적 과립만이 나타나는 정도이다. 이러한 병적 과립은 높은 굴절을 보이는 부위로서 광물질이 제거된 표본에서만 관찰되며 노출된 백악질 표면을 갖는 치아의 약 96%에서 관찰된다. Bigarre와 Yardin에 의하면 병적 과립들은 Sudan black과 Schultz-Hershberger 염색방법에 반응하며 스테로이드 혹은 콜레스테롤의 존재를 나타내게 된다고 한다.[6] 노출된 백악질의 미세구조 변화에서 가장 자주 보고되는 것은 백악질 표면 가까이의 collagen cross-banding의 소실 혹은 감소이다. Armitage와 Christie (1973)에 의하면 과립은 불안전하게 광물화된 교원섬유소 위에 존재한다고 한다. 지방 과립의 침착에 관하여, 이들의 형성이 백악질의 병적 상태의 결과인지 아니면 그들의 존재가 백악질 질환을 자극하는 것인지는 알려지지 않았다.[7] 부분적인 광물질 소실도 나타나는데, 광물질화가 심한 표면대를 갖는 공간에서 용해된 광물질의 재침착이 일어난다. 치아표면에서는 큰 정제모양의 결정체가 형성되고 결정체 구조의 완성도 증가한다. 정제모양의 결정체는 수산화인회석(hydroxyapatite)과 일치하는 전자회절(electron diffraction) 양상을 갖는다. 백악질 표면에 가까운 교원질의 cross-banding이 소실되거나 감소하고 외부기원의 유기물질의 표면 하방 농축도 감소한다.

③ 세균 생성물의 혼성 (Incorporation of bacterial products)

일부 세균들의 세포벽에서 발견되는 diaminopimeric acid는 우식증이 있는 백악질에서는 나타나지만 우식증이 없는 노출된 백악질에서는 검출되지 않는다. Aleo (1975)에 의하면 실험실에서 높은 독성을 갖는 내독소를 노출된 백악질로부터 분리해 냈다고 한다.[8] 백악질과 결합된 내독소의 분포가 백악질 표면에 국한되는지 혹은 치근 깊숙이 침투해 들어가는지는 아직 알려지지 않았다.

④ 세포독성(Cytotoxicity)

노출된 백악질이 치유를 방해한다는 증거로는, 첫째로 장기간의 임상적 증상이 있으며, 둘째 노출된 치근이 세포배양에 독성효과를 갖는다는 것이 관찰되었으며, 셋째로는 노출된 치근을 쥐에서 피하 이식하였을 때 변형된 치유양상을 보이는 것이 관찰되었다. 차후의 재생 가능성을 평가해 보기 위하여 정상 치근을 변형된 치주조직 내에 자가 이식한 경우 결합조직의 재부착이 이전에 존재하던 수준에서 일어나는 것이 관찰되었다. 즉 열구상피의 근단부 종지가 백악-법랑질 경계부까지 접근하였다. 치조골 융기상부의 섬유 형태는 백악질에 부착된 섬유와 인접 결합조직 사이의 연속을 보였다. 자가 이식 전에 변형된 치주조직의 치관 쪽에 수직 골파괴가 존재하였으나 이식 후 이 형태는 계속 잔존하였지만 새로운 골형성이 나타났다. 이와 반대로 치주염의 영향을 받은 치근을 정상 치주조직에 이식한 경우, 열구를 형성하는 상피가 백악질 표면을 따라 근단 이동을 계속하여 치조골 융기보다 상당히 치근단 쪽으로 위치하는 것이 관찰되었다. 이상의 관찰에서 새로운 결합조직의 부착은 정상 치주조직 내로 이식되더라도 치주염의 영향을 입은 치근에는 발생하지 않으며 치조골 융기부위의 골 흡수가 일어남을 알게 되었다. 결론적으로 새로운 결합조직 부착의 가능성을 저해하는 것은 치주조직의 결핍보다는 노출된 치근표면일 것이라는 가정이 성립된다. Aleo (1975) 등은 인체 치아를 닦고 소독한 후 섬유모세포 배양을 하였더니 섬유모세포는 이전에 구강환경에 노출되지 않았던 치근 부위에만 부착되는 것이 관찰되었다. 치아를 먼저 치근활택술로 기계적으로 깨끗이 하고 페놀(phenol)을 써서 내독소 추출 방법을 사용한 결과, 섬유모세포들이 전 치근면에 부착되는 것이 관찰되었다.[9]

⑤ 기타 변화

- 물리적 성질: 장기간의 임상적 관찰에 의하면 노출되지 않은 백악질보다도 노출된 백악질의 경도가 무르다고 한다. Rautioal, Craig, Warren 등에 의하면 노출된 백악질과 노출되지 않은 백악질 사이에는 경도의 차이가 없다고 하였다. Masi는 노출된 백악질이 노출되지 않은 백악질보다 어느 정도 무르다고 하였으며,[10] Emslie와 Stack은 치근을 미세경도(micro-hardness) 검사 결과 치주질환을 갖는 치아의 치경 부위의 상아질이 치주낭이 없는 그 부위보다 무르다고 보고하였다.
- 투과도의 변화: 염료(aniline 사용)의 투과에 관한 연구 결과 노출과 비노출 백악질 사이에는 차이가 없었다고 한다. 방사성 요오드(radioactive iodine)를 사용한 결과 증가된 투과도가 관찰되었다.

(2) 비노출 백악질의 변화

미세구조 변화로는 광물질 결정체의 수와 크기 감소로 인한 전자 치밀도가 감소되었다. 영향 입은 부위의 전형적인 교원질 구조 소실로 백악질 기질의 광물질 소실이 보이며, 이는 염증의 유기산에 의한 매개된다(예: 구연산과 젖산). Selvig은 중등도의 치은염증에서 접합상피 직하방 부위의 변화를 관찰하였는데, 접합상피 치근단 하방의 0.5~1 mm 정도의 교원질의 부분적 파괴와 상피 직하방의 좁은 부위의 교원질의 완전한 파괴가 관찰되었다.[11] 따라서 상피 바로 하부의 백악질 표면의 교원질이 벗겨지고 이 공간으로 과립 잔사가 채워지게 된다.

4) 치주질환에서 치조골의 파괴

(1) 치조골 흡수 환자

치주질환 시 치조골의 흡수는 치조골의 생성과 흡수의 균형이 파괴되어 일어나는 것으로, 치조골의 괴사를 의미하는 것은 아니다. 치주낭 내의 치태세균이 치조골 흡수에 중요한 영향을 끼치지만 어떠한 기전으로 흡수가 일어나는지는 자세히 알려져 있지 않다. 세균은 직접 골에 작용하여 파골세포를 분화시켜 흡수를 야기하기도 하고 임파구나 대식세포 같은 세포들을 활성화시킴으로써 이들 세포로 하여금 골 흡수에 관여하는 물질들을 분비하게 하는 것 같다(표 6-6). 치조골 흡수에 관여하는 세 가지 물질에 대한 특성을 보면 다음과 같다.

① 치태세균

그람음성균의 내독소나 그람양성균의 lipoteichoic acid 등을 말한다.

표 6-6. 치조골 흡수에 영향을 주는 인자들

Endotoxin
Lipoteichoic acid
Heparin
Prostaglandin
Immune complex와 complement
Lymphokine (파골세포 활성화 요소)

② 치은으로부터 추출된 물질

조직 손상 시 비만세포로부터 유리된 헤파린(heparin)의 경우, 직접 골 흡수에 작용하지는 않고 내독소 등에 의해 강력한 흡수 촉진작용을 한다. 프로스타글란딘(prostalandin)은 염증화 치은에 많이 존재하여 치조골 흡수에 강력한 작용을 한다.

③ 면역 복합체와 보체

치태세균의 내독소는 보체의 대체 경로를 활성화시키며, 면역 복합체에 의해 활성화된 보체 역시 강력한 치조골 흡수능력이 있다. 활성화된 임파구에서 유리되는 림포카인(lymphokine)의 하나인 파골세포 활성화 인자 역시 치조골 흡수에 강력한 자극제가 된다.

(2) 치조골 흡수의 양상 (Patterns of alveolar bone resorption)

① 수평골 소실

치조골이 수평으로 소실을 나타내는 경우이다(그림 6-6).

② 골연의 비대

보상과정에서 골연이 두꺼워지는 현상으로 골소실은 아니다. 협설면의 변연치조골이 두터워지는 현상이다(그림 6-7).

③ 구상 융기연(Bulbous margin)

치조골 융기에 의하여 치조골 변연이 둥글게 두꺼워진 모양이다(그림 6-8).

④ 선반모양(Ledge)

두터워진 치조골의 일부가 흡수되어 협설면의 변연치조골 상방이 편평한 선반형태를 이룬 양상이다(그림 6-9).

⑤ 치간골 함몰(Interdental osseous crater)

치간 치조골이 함몰되어 움푹 파인 모양을 이른다(그림 6-10).

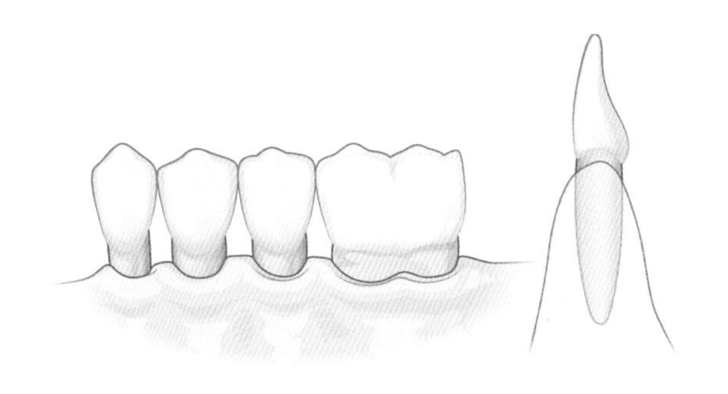

그림 6-6. 수평골 소실

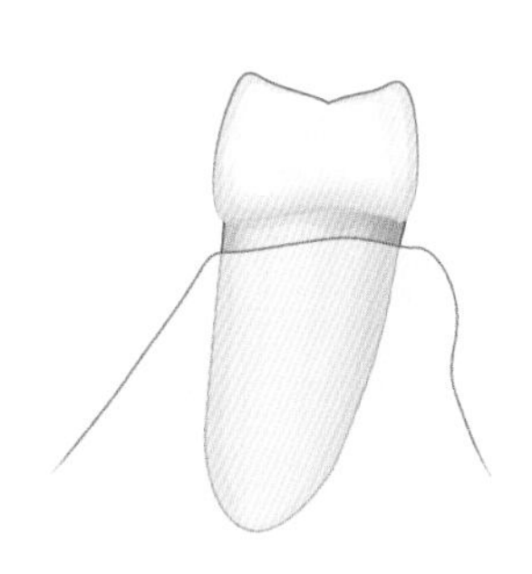

그림 6-7. 골연의 비대

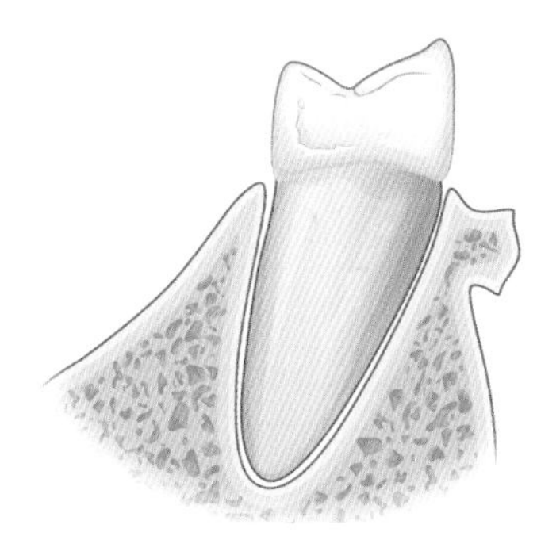

그림 6-8. 구상융기연

⑥ 치근이개부병소(Furcation involvement)

골소실이 치근의 분지부를 포함하여 일어난 경우로 심도에 따라 세분된다(그림 6-11).

⑦ 불균일한 골연

골연의 일부분만이 치조골 흡수로 인하여 연속성을 소실한 경우이다(그림 6-12).

⑧ 편중격(Hemiseptum)

복근치에서 한쪽 치근의 치조골만이 흡수, 파괴된 경우이다(그림 6-13).

⑨ 열개(Dehiscence)

협면 또는 설측의 치조골이 골연에서부터 U자 형태로 흡수된 양상을 말한다(그림 6-14A).

⑩ 천공(Fenestration)

치근의 일부가 구멍 모양으로 노출된 경우로 골소실은 일부에 국한된 모양이다(그림 6-14B).

⑪ 골내 결손

치조골 내면이 오목하게 파인 상태로 벽(wall)에 따라 일벽성(1 wall), 이벽성(2 wall), 삼벽성(3 wall) 골손상으로 구분한다(그림 6-15, 16).

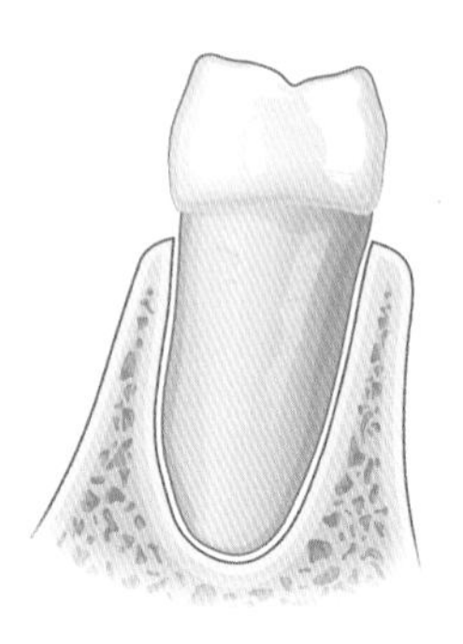

그림 6-9. 선반모양(ledge)

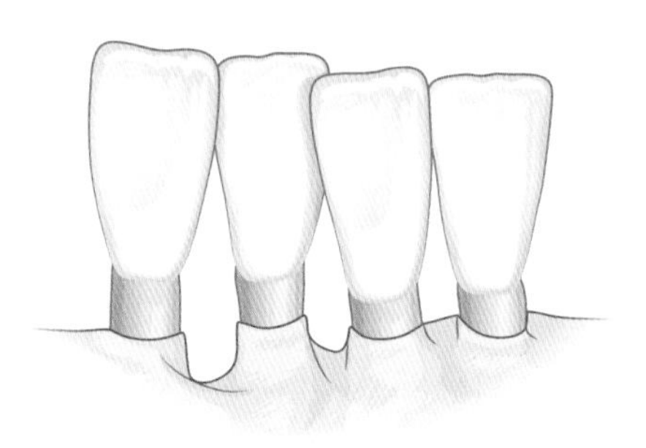

그림 6-12. 불균일한 골연

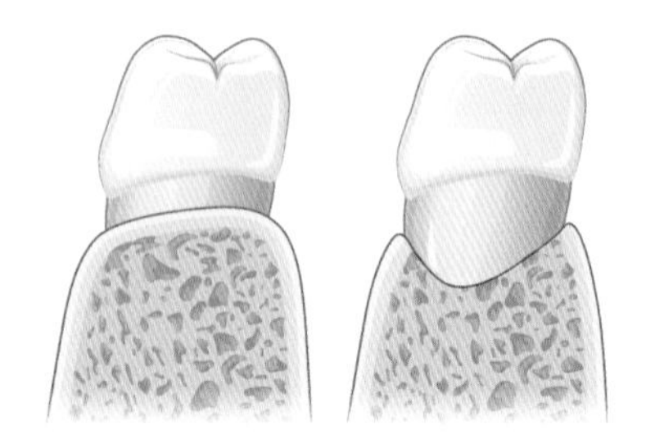

그림 6-10. 치간골함몰
좌측: 정상, 우측: 치간골함몰

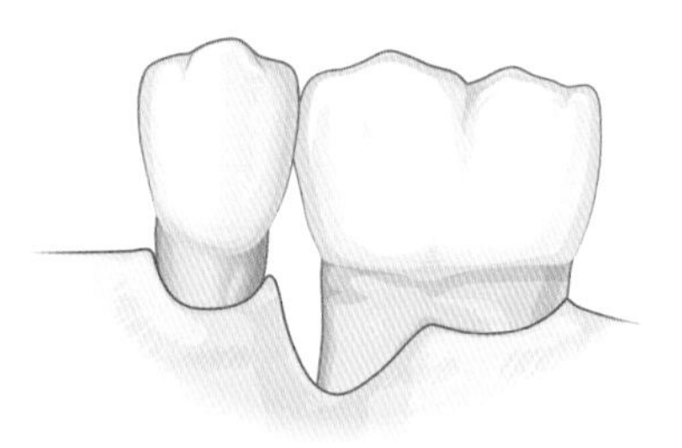

그림 6-13. 편중격(hemiseptum)

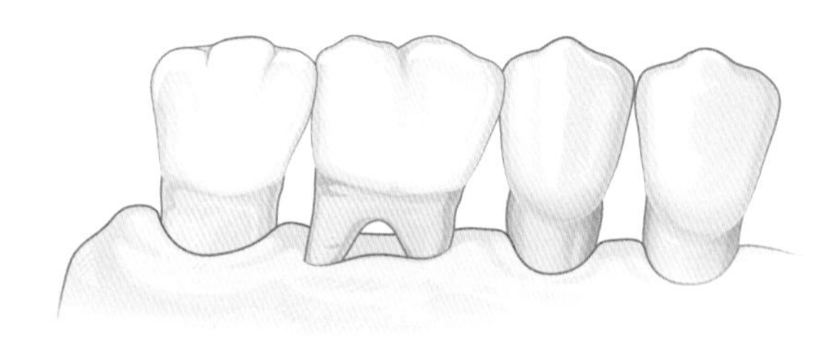

그림 6-11. 치근이개 병변

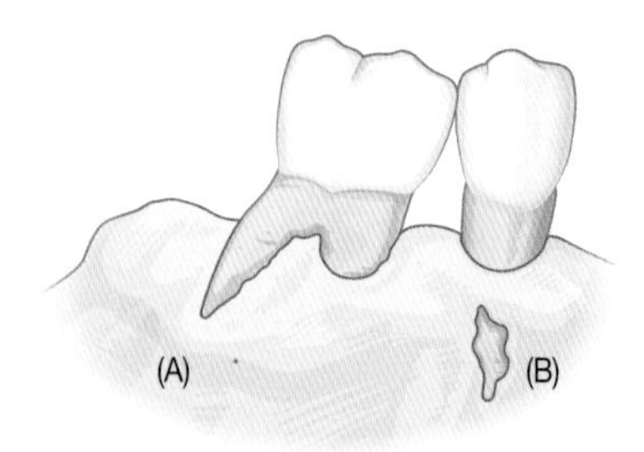

그림 6-14. 열개(dehiscence: A)와 천공(fenestration: B)

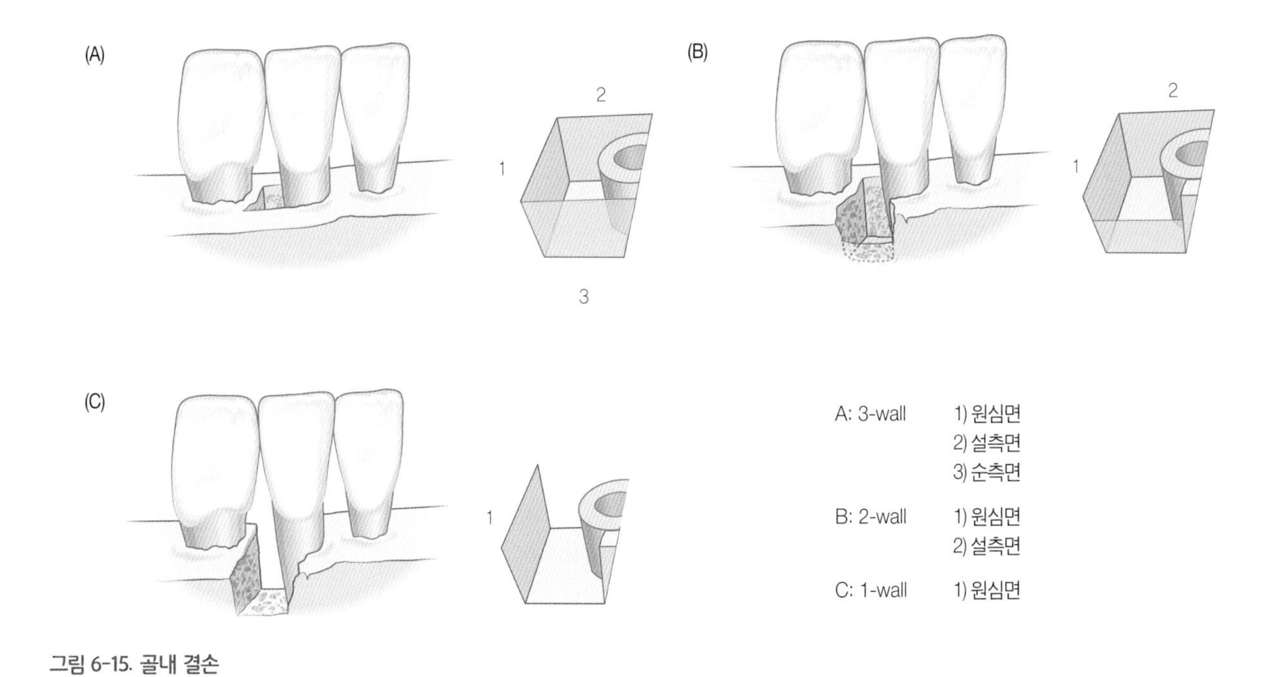

그림 6-15. 골내 결손

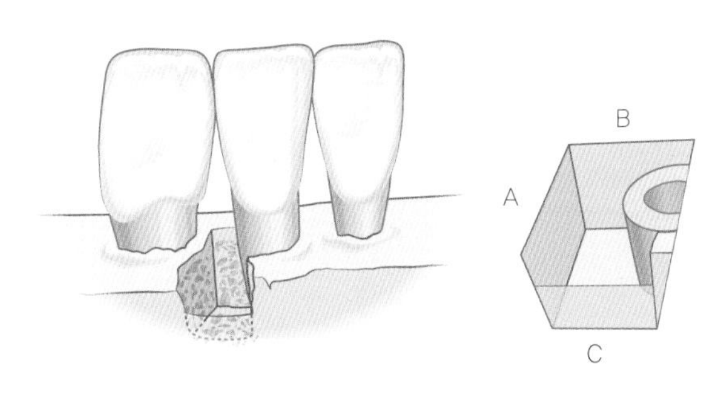

그림 6-16. 골내 결손의 혼합형태
(A) 원심면 (B) 설측면 (C) 순측면(높이가 원심·설측면의 1/2)

(3) 치조골 흡수 형태의 발생빈도

한국인 사체의 하악 치조골 흡수 형태를 형태별로 구분해 본 결과 발생빈도는 다음과 같다.[12]

- 치근이개부병소(furcation involvement)가 17~18%로 가장 빈발하였다.
- 불균일한 골연, 열개와 천공 등 순서대로 빈발하였으며 이들은 전치부에서 자주 나타났는데, 이는 견치나 소구치부위의 치조골 두께가 얇아서 염증 등으로 인해 치조골 높이가 낮아진 결과로 보인다.
- 골연의 비대, 선반 모양, 골내 결손 등이 구치부에서 많이 나타났으며, 이는 치조골이 상대적으로 두꺼워 골의 흡수, 생성에 대한 보상으로 나타난 결과로 보여진다. 치근이개부병소는 연령이 높을수록 발생빈도도 높았으며, 1급보다는 3급(class3)이 더 많았다(34장 참조). 골연의 비대와 선반 모양은 연령증가에 따라서 발생빈도는 감소하였고 불균일한 골연, 골내손상, 열개와 천공은 감소하였으며 좌, 우측에 따른 차이는 없었다.

5. 치주낭의 발생과 진행

치주낭은 미생물과 이의 부산물에 의해 야기되며 이로 인하여 병적 조직변화가 일어나고 치은열구가 깊어지게 된다. 치은열구의 깊어짐은 다음과 같은 요인에 의해 야기된다.

- 치관방향으로 치은변연의 이동: 이는 치주낭이라기 보다는 치은낭을 형성한다. 열구 깊이는 지지 치주조직의 파괴 없이 치은의 종창에 의해 깊어진다.
- 접합상피의 치근단 이동: 접합상피의 치면으로부터의 분리와 근단 이동에 의해 형성된다.

- 두 과정의 복합: 정상 치은열구에서 병적 치주낭으로 전이 시 변화는 치태 내의 세균세포와 관련이 있다. 건강한 치은은 미생물이 거의 없고 주로 구균과 간균인 반면, 병적 치은은 나선균과 운동성의 간균이 증가한다. 치주낭의 형성은 치태에 의해 야기된 치은열구의 결합조직 벽에서 염증이 시작된다. 세포성, 액성(fluid), 염증성 삼출액은 치은섬유를 포함한 주위 결합조직의 변성을 야기시킨다. 결합조직부착 파괴과정에 여러 대가 있다. 접합상피 직하방이 파괴된 교원섬유 부위로, 이는 염증성 세포와 부종으로 점유된다. 이 대와 인접한 대는 부분적 파괴대이며, 이후가 정상 부착 부위이다.

1) 교원질 소실기전에 대한 가설

다형핵 백혈구, 대식세포로부터의 교원 효소나 다른 효소가 세포 외로 배출되어 교원질을 파괴한다. 섬유모세포가 인대–백악질 경계(ligament–cementum interface)에서 세포질 돌기를 탐식하여, 또는 백악질 기질의 섬유원(fibril)과 교원질 섬유원을 흡수하여 발생한다. 염증과 연관되어 접합상피는 치근을 따라 2~3개의 세포 두께로 증식한다. 접합상피의 치관 부분이 치근에서 분리되어 있기 때문에 접합상피의 치근단 부분이 근단 쪽으로 이동한다. 염증의 결과로 접합상피의 치관 부분은 다형핵 백혈구의 침입으로 증가하며, desmosome으로 서로 연결되지 않는다. 접합상피의 60% 정도까지 다형핵 백혈구가 증가하며, 조직은 치면에서 분리되며, 열구저가 치근단 이동을 하게 된다. 염증이 계속되면, 치은부피의 증가, 치은변연은 치관을 향해 확장되며, 접합상피는 치근을 따라 계속 이동하며 치근에서 분리된다. 치주낭의 측방벽 상피는 염증성 결합조직 내로 구상으로 그리고 밧줄처럼(cord–like) 증식한다(결국 finger like projection을 보인다). 염증성 결합조직 내의 임파구와 부종이 치주낭 이장 상피(pocket lining epithelium)에 침윤되어 변성과 괴사를 일으킨다. 열구에서 치주낭으로의 전이는 치태제거가 불가능한 곳에서 이루어지며, 아래의 feedback 기전이 설립된다.

- 치태(plaque) → 치은염증(gingival inflammation) → 치주낭 형성(pocket formation) → 치태형성 증가(more plaque formation)

참고문헌

1. Gottlieb B. The new concept of periodontoclasia. Journal of periodontology 1946;17:7–23.
2. Goldman HM. The topography and role of the gingival fibers. Journal of dental research 1951;30:331–336.
3. Aisenberg MS, Aisenberg AD. A new concept of pocket formation. Oral surgery, oral medicine, and oral pathology 1948;1:1047–1055.
4. Simpson DM, Avery BE. Pathologically altered fibroblasts within lymphoid cell infiltrates in early gingivitis. Journal of dental research 1973;52:1156.
5. Schroeder HE, Page R. Lymphocyte–fibroblast interaction in the pathogenesis of inflammatory gingival disease. Experientia 1972;28:1228–1230.
6. Bigarre C, Yardin M. Demonstration of lipids in the pathologic granules in cementum and dentin in periodontal disease. Journal of clinical periodontology 1977;4:210–213.
7. Armitage GC, Christie TM. Structural changes in exposed human cementum. II. Electron microscopic observations. Journal of periodontal research 1973;8:356–365.
8. Aleo JJ, De Renzis FA, Farber PA, Varboncoeur AP. The presence and biologic activity of cementum–bound endotoxin. Journal of periodontology 1974;45:672–675.
9. Aleo JJ, De Renzis FA, Farber PA. In vitro attachment of human gingival fibroblasts to root surfaces. Journal of periodontology 1975;46:639–645.
10. Masi PL. [Mechanical properties of the hard tissues of human teeth in normal conditions and in some pathological states]. Atti della Accademia dei fisiocritici in Siena Sezione medico–fisica 1964;13:1139–1190.
11. Selvig KA, Hals E. Periodontally diseased cementum studied by correlated microradiography, electron probe analysis and electron microscopy. Journal of periodontal research 1977;12:419–429.
12. 김인숙, 김한평, 김종관(1983). 한국인의 성인 하악 치조골 결손형태의 빈도 및 분포에 관한 연구. 대한 치주학회지 제13권 1호

치주염은 미생물 또는 미생물 집단에 의해 발생되는 치아 주위조직의 염증성 병변으로 치주낭 형성, 치은퇴축과 함께 치주인대와 치조골의 파괴가 일어난다. 치은염과의 임상 소견의 차이는 부착소실을 보이는 것으로 구별된다. 부착소실의 결과로 치주낭이 형성되고 인접 치조골의 밀도 및 높이의 변화가 일어난다. 어떤 경우에는 변연치은의 퇴축이 부착소실과 함께 일어나게 되므로 임상적 부착수준을 측정하지 않고 치주낭만 측정하는 경우에는 진행 중인 치주염을 발견하지 못할 수도 있다.

색조 변화, 외형, 견고도 및 탐침 시 출혈 등과 같은 염증 소견들은 반드시 부착소실이 진행 중임을 나타내지는 않는다. 그러나 몇 회의 방문에서 계속하여 탐침 시 출혈을 보인다면 염증이 실제로 존재하고 출혈 부위에 부착소실이 일어날 것을 암시한다. 치주염 발생 시 부착소실은 연속적으로 진행되기도 하지만 치주질환의 활성이 간헐적으로 파열(episodic burst)상을 보이기도 한다.

지난 20년 동안 치주염의 다양한 임상 소견을 바탕으로 여러 분류법이 소개되었는데 1989년 북미와 1993년 유럽에서 개최된 워크샵에서 치주염을 조기발생형(early onset), 성인형(adult onset) 및 괴사성(necrotizing)으로 분류하였다. 뿐만 아니라 미국치주학회가 주관한 국제회의에서 치주염은 당뇨, 후천성면역결핍증과 같은 전신인자와의 관련성이 있고, 특정 치주염은 일반적인 치료에 잘 반응하지 않는다고 결론지었다.

조기발생형 치주염은 연령(35세 기준으로 임의 분류)과 질환 진행의 속도 또는 숙주 방어능력의 변화 등을 고려하여 성인형 치주염과 구별된다. 즉 조기발생형 치주염은 더 공격적으로 나타나며 35세 이하에서 발생하며, 숙주의 방어기전의 손상과 관련이 있는 반면 성인형 치주염은 서서히 진행하며 40대 이후에 발병하고 숙주의 방어기전의 손상과는 관련이 없다. 뿐만 아니라 조기발생형 치주염은 사춘기전(prepubertal), 유년(juvenile) 및 급속진행성(rapidly progressive)으로 나타나며 국소 또는 전반적인 분포를 보인다. 이러한 분류법을 기초로 여러 나라에서 광범위한 임상 및 기초연구가 진행되어 왔으나 과거 10년 전에 받아들여졌던 질환 특성이 더 이상 과학적 근거를 가지기가 어렵게 되었다.

1999년 미국치주과학회(AAP)가 개최한 치주질환 분류를 위한 국제회의에서는, 성인형 치주염과 난치성(refractory) 치주염을 뚜렷이 구별할 근거가 미약하고 조기발생형 치주염도 다양한 형태로 나타날 뿐 아니라, 치태와 치석과 같은 국소인자의 침착에 의한 만성 치주조직의 파괴가 35세 이전에도 발생하며 젊은 환자에서도 급진성 질환이 나타나는 것은 연령과는 무관하게 가족력(유전적)이 관련되어 있다는데 의견이 모아졌다. 또한 난치성 치주염의 경우에도 치주치료 후 지속적인 부착소실과 치조골소실의 원인이 분명하게 밝혀져 있지 않으므로 이와 같은 분류가 뚜렷한 임상적 실체를 가지고 있다는 근거가 부족하다고 결론지었다. 뿐만 아니라 1989년과 1993년의 분류법에 따른 질환의 양상이 세계 각국에서 일정하게 관찰되지 않을 뿐더러 제시된 모델과도 반드시 일치하지는 않았다.

따라서 1999년 미국치주과학회 회의에서 임상적, 과학적 자료를 바탕으로 새로운 분류법을 제정하기에 이르렀다. 새로운 분류법에는 치주질환의 형태를 일반적인 세 가지 치주염의 형태, 즉 만성 치주염, 급진성 치주염 그리고 전신질환과 관련된 치주염으로 단순화하였다. 또한 치은질환이 치주질환 분류에 포함된 것이 특징이다.[1]

1. 치은질환

1) 치태 유발 치은질환 (Plaque-induced gingival disease)

치태 유발 치은염은 가장 흔한 형태의 치은질환이다. 치은염은 치은에 국한되고, 부착소실이 없는(현재 건강하거나, 또는 치료 후 더 이상 진행되지 않는 상태) 치아와 연관되는 염증으로 특징된다.

(1) 치태만 연관된 치은염 (Gingivitis associated with dental plaque only)

치태만 연관된 치은염은 바이오필름 내 미생물과 숙주의 상호작용에 의해서 발생된다. 치태와 숙주의 상호작용은 국소적 요소 또는 전신적 요소, 약물, 영양 부족 등에 의해 변화될 수 있다(그림 7-1).

(2) 전신적 요소에 의한 치은질환 (Gingival diseases modified by systemic factor)

사춘기, 생리주기, 임신, 당뇨 등과 관련된 내분비계의 변화는 치태에 대한 염증 반응을 주로 악화시키는 방향으로 변화시킬 것이다.[2-4]

(3) 약물복용에 의한 치은질환 (Gingival diseases modified by medications)

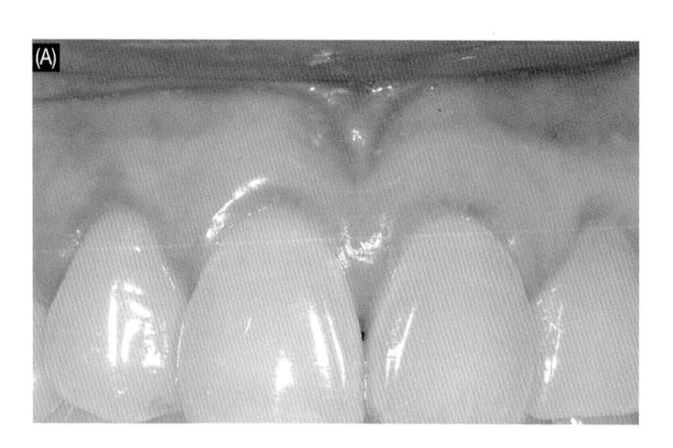
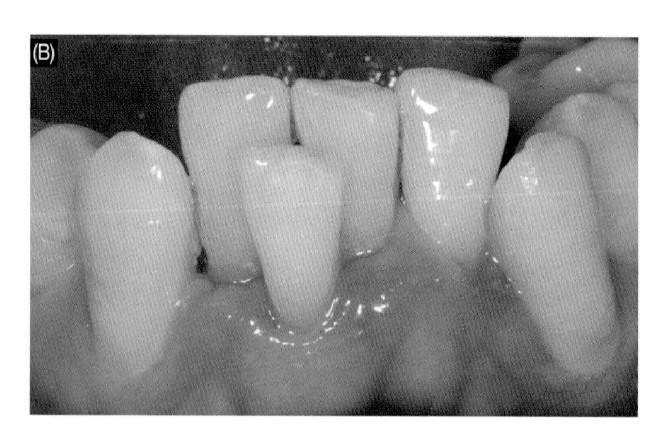

그림 7-1. 치은염
(A) 상악전치의 변연치은에 치태에 의한 경미한 염증을 볼 수 있다. (B) 하악전치가 총생(crowding) 되어 있고, 32번과 33번 사이의 치은변연에 치태에 의한 경미한 치은염을 볼 수 있다.

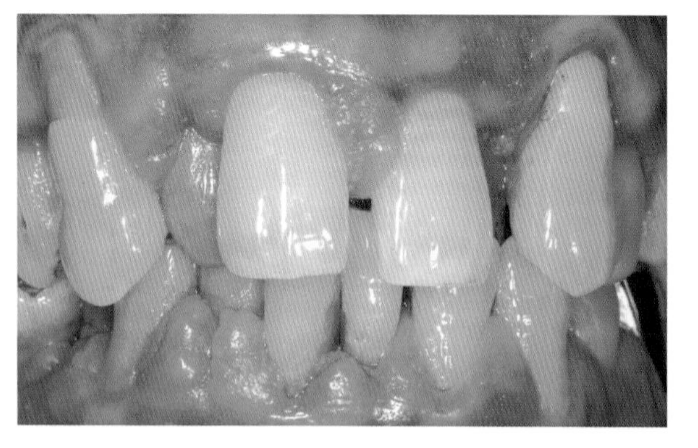
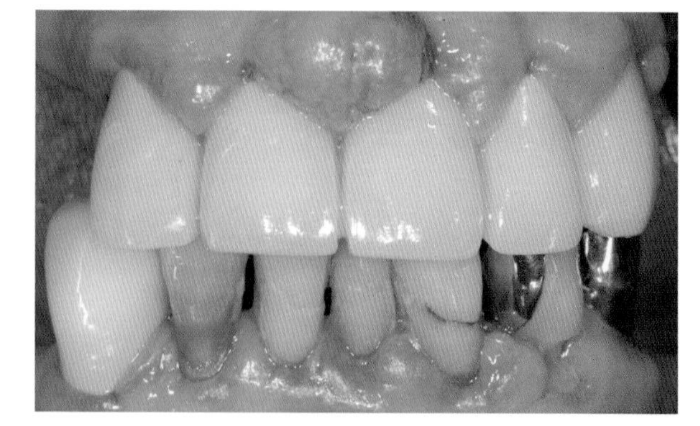

그림 7-2. 치은비대
고혈압 약을 복용하는 환자에서 치은이 비대해진 증례. 국소인자와 연관된 경우가 많다.

Phenytoin, cyclosporine A와 같은 면역억제제,[5] nifedipine, diltiazem, verapamil와 같은 칼슘 채널 차단 등의 고혈압약은 치은비대를 야기하기도 한다. 치은비대의 발생과 심각성은 환자에 따라 특이적이며, 치태축적 정도에 영향을 받기도 한다. 여성의 경구피임약 복용 역시 치은염증의 발생빈도와 치은비대의 발생률을 증가시키는 것으로 알려져 있다(그림 7-2).[3,4,6]

(4) 영양결핍에 의한 치은질환 (Gingival diseases modified by malnutritions)

비타민 C 결핍증, 즉 괴혈병은 치은에 붉은 부종성의 출혈을 보인다. 영양결핍은 면역반응에 영향을 미쳐 숙주의 기능을 떨어뜨린다.

2) 비치태 유발 치은 병소 (Non-plaque-induced gingival lesions)

전신질환으로 인해 치은조직에 증상을 나타내는 경우는 드물며, 사회-경제적 수준이 낮은 집단, 개발도상국, 그리고 면역력이 결핍된 환자 등에서 볼 수 있다.[7]

(1) 특정 세균에 의한 치은질환 (Gingival diseases of specific bacterial origin)

임질이나 매독과 같은 성병에 의해 발생될 수도 있다. 구강병소는 전신감염에 의한 이차적 증상이나 직접 감염에 의해 나타나게 된다.[8,9]

(2) 바이러스 기원의 치은질환 (Gingival diseases of viral origin)

치은질환은 다양한 DNA 및 RNA 바이러스에 의해 일어날 수 있는데, 가장 대표적인 것은 헤르페스 바이러스(herpes virus)이다.

(3) 진균류에 의한 치은질환 (Gingival diseases of fungal origin)

진균류에 의한 치은질환은 적절한 면역력을 가진 사람에게는 비교적 드물지만, 면역력이 약화된 개인이나 광범위한 항생제의 장기간 사용에 의하여 구강내 정상 세균총이 변화된 사람에게는 더 잘 발생한다.[7,9,10]

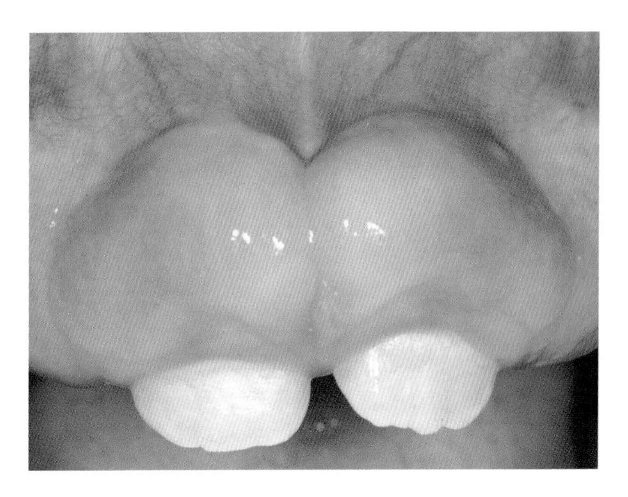

그림 7-3. 치은비대
유전적 요인에 의해 치은비대가 나타난 증례

(4) 유전기원의 치은질환 (Gingival diseases of genetic origin)

임상적으로 가장 흔한 증상은 유전성 치은섬유종증(hereditary gingival fibromatosis)이다(그림 7-3).

(5) 전신질환의 치은 증상 (Gingival manifestations of systemic conditions)

전신질환에 의한 증상은 치은의 박리성 병소, 궤양성 병소 등으로 나타날 수 있다.[7,9,11]

(6) 외상성 병소(Traumatic lesion)

칫솔질로 인한 치은궤양, 치은퇴축 등이 일어날 수 있으며, 보존 또는 보철치료에 의해 의원성(iatrogenic)으로 발생할 수도 있으며, 뜨거운 음식이나 음료로 인한 화상 등과 같이 우발적으로 일어날 수도 있다(그림 7-4).[7]

(7) 이물질 반응(Foreign body reactions)

이물질 반응은 국소적으로 치은의 염증 반응을 일으키며, 이물질이 상피를 넘어 치은결합조직 내로 들어와 반응이 일어난다.[7] 수복치료 시의 아말감, 발치, 연마제 등에 의

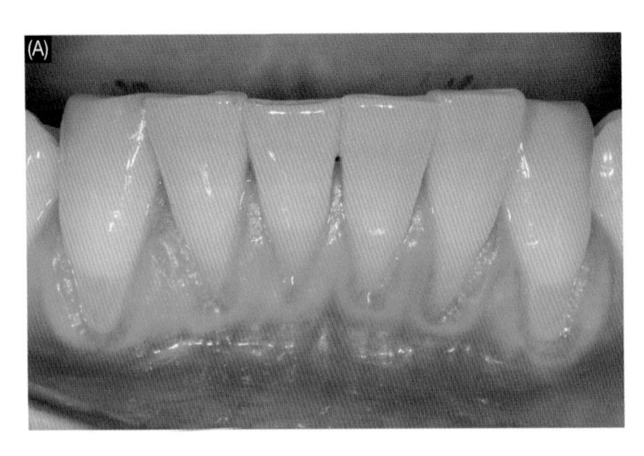

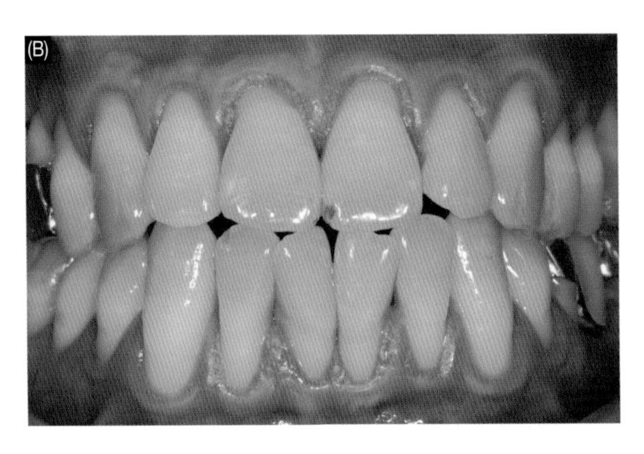

그림 7-4. 치은퇴축

(A) 칫솔질 등의 원인으로 인해 치은퇴축을 보이는 증례 (B) 전동칫솔의 잘못된 사용으로 인해 다수 치아에 치은퇴축이 생긴 증례

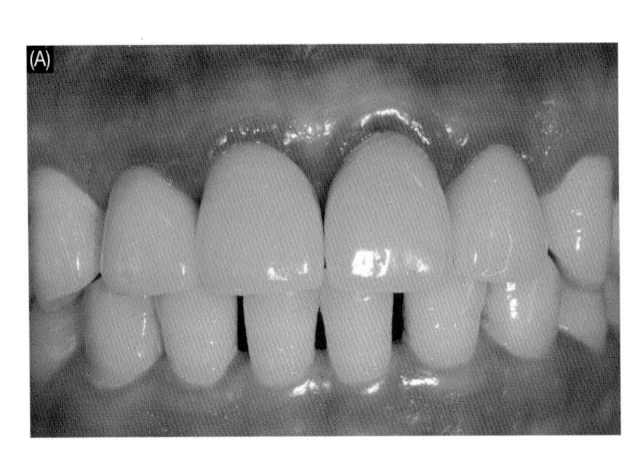

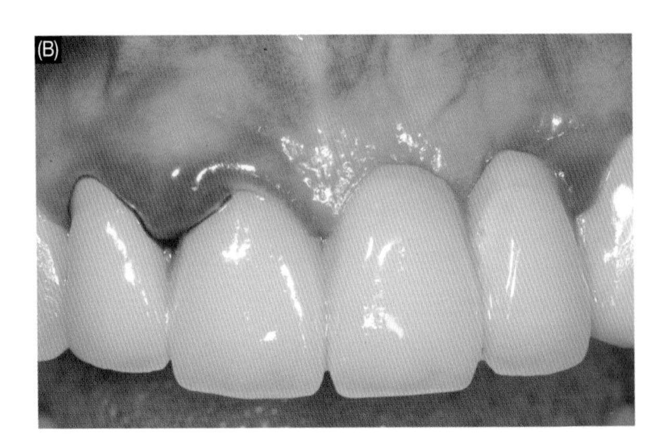

그림 7-5. 보철물 등에 의한 치은염

(A) 보철물 변연 주위로 치은의 염증이 있음을 볼 수 있다. (B) 11번과 12번 치아 사이의 embrasure가 부적절하게 형성되어 치은에 지속적인 염증이 있는 증례

해 발생될 수도 있다(그림 7-5).

(8) 기타(Not otherwise specified)

2. 치주질환

1) 만성 치주염(Chronic periodontitis)

만성 치주염은 치주염의 가장 흔한 형태이며,[12] 이전에는 주로 성인형 치주염으로 표현되었다. 만성 치주염은 성인에서 가장 많이 발생하지만, 어린이에서도 발생하기도 한다. 그러므로 이전에 이 질환의 분류에 적용되었던 35세 이상이라는 연령 범위는 없어지게 되었다. 만성 치주염은 치태 및 치석의 축적 정도와 상관이 있으며, 일반적으로 질병의 진행속도가 늦거나 중간 정도이지만, 빠르게 조직 파괴가 일어나는 경우도 있다. 질병의 진행속도가 빨라지는 것은 정상 숙주-세균 상호관계에 영향을 미치는 국소적, 전신적, 환경적 요소의 변화에 의해서 일어난다. 국소적 요소로는 치태 축적이 해당되며, 전신적 요소는 당뇨, HIV 감염 등이 있으며, 환경적 요소로는 흡연, 스트레스 등이 있다. 만성 치주염은 부착소실과 골 소실이 전체 치열의 30% 이하의 부위에 나타나는 국소적인 형태(localized type)와 30% 이상의

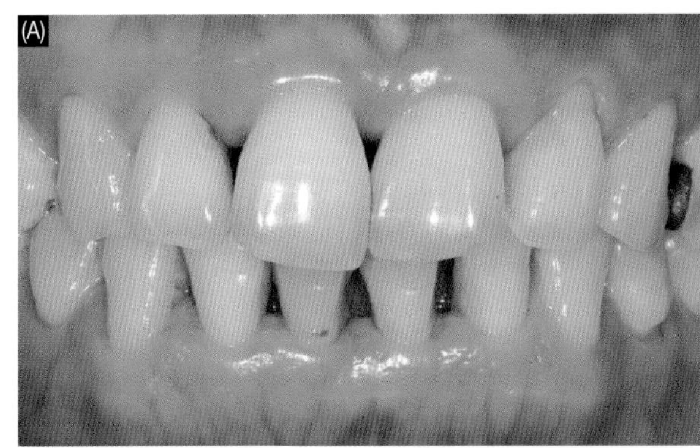

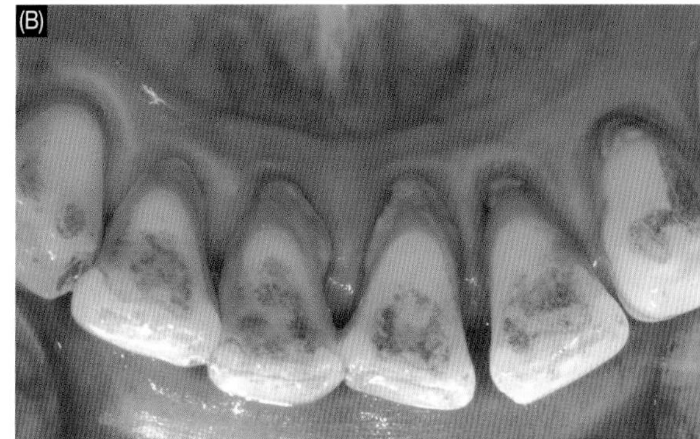

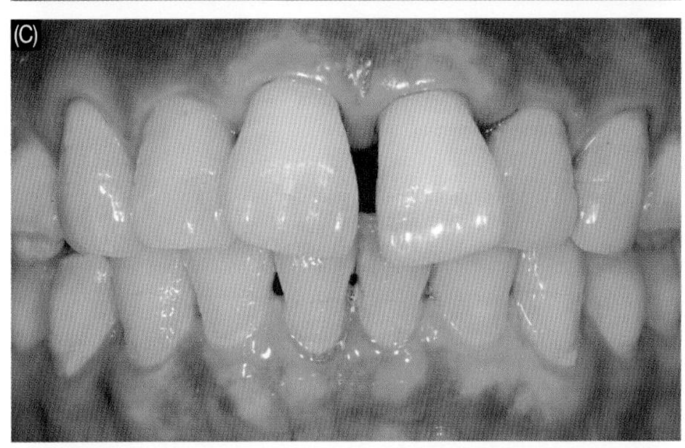

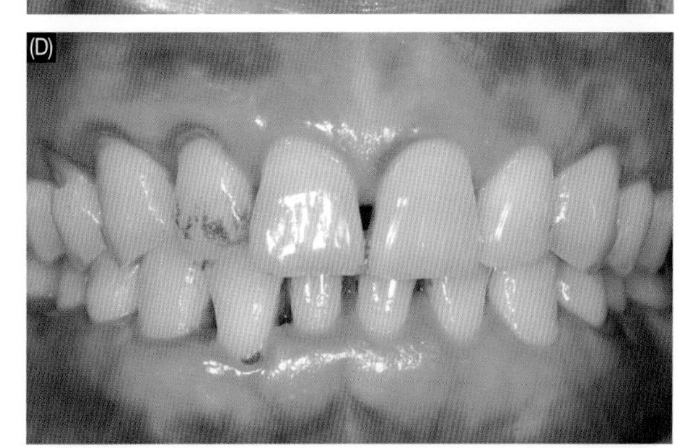

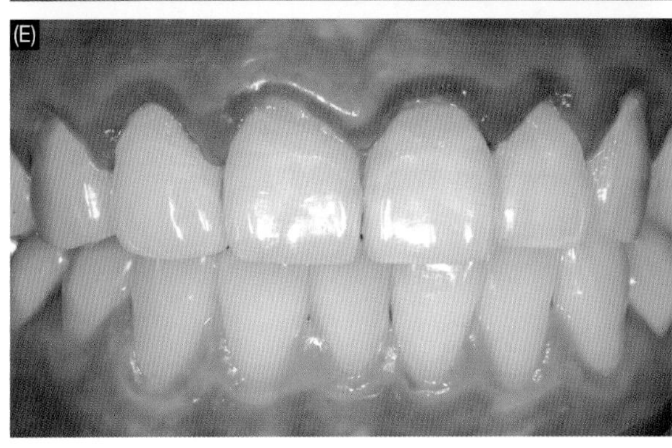

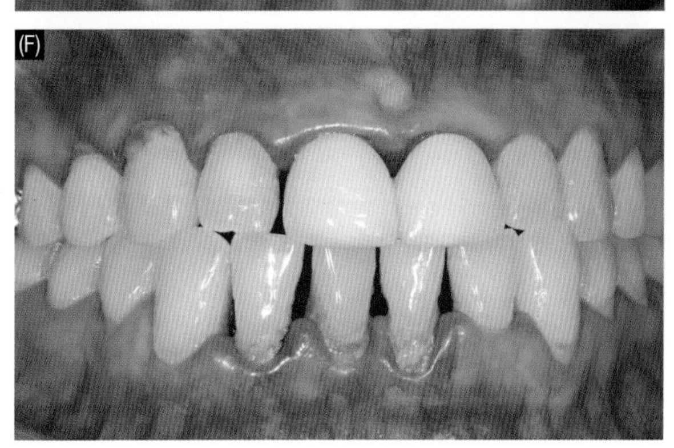

그림 7-6. 만성 치주염의 증례들
(A~D) 중등도 만성 치주염. 치태와 치석이 보이며, 치은변색 등이 관찰된다. (E, F) 만성 치주염이 상당히 진행된 증례. 치은의 변색이 뚜렷하고, 치은 퇴축이 심한 것을 볼 수 있다.

부위에서 나타나는 전반적인 형태(generalized type)로 나눌 수 있다. 또한, 이 질환은 임상적 부착 소실 양에 기초하여 경도(slight, 부착소실이 1~2 mm 정도), 중등도(moderate, 부착 소실이 3~4 mm 정도), 중도(severe, 부착 소실이 5 mm 이상) 등으로 질환의 진행 정도를 표현할 수 있다(그림 7-6, 7).[2,12,13]

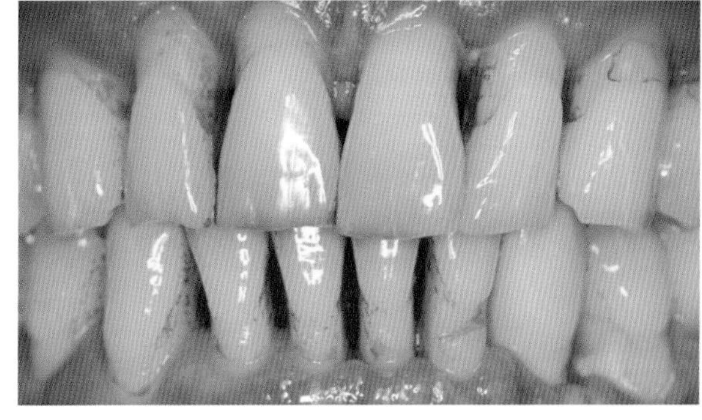

그림 7-7. 만성 치주염 환자의 치료 후
염증은 소실되었으나, 치은퇴축은 해결되기 어렵다.

2) 급진성 치주염(Aggressive periodontitis)

급진성 치주염은 건강한 개인에서도 질환의 진행 속도가 빠르고, 치태와 치석의 축적이 많지 않으며, 가족력이 있다는 것이 만성 치주염과 다르다. 이 형태의 치주염은 이전에 조기발생형 치주염(early onset periodontitis)으로 분류되었으며, 조기발생형 치주염의 국소적 또는 전반적 형태의 여러 특징들을 포함하고 있다. 주로 *Aggregatibacter actinomycetemcomitans*에 감염되어 있고, 세균탐식 기능이 비정상적이다. 또한 대식세포(macrophage)의 과반응의 결과로 PGE_2와 IL−1β의 생산이 증가되며, 드물게 질병 진행이 스스로 정지(self−arresting)되는 경우도 있다.

이전의 조기발생형 치주염에서와 마찬가지로, 급진성 치주염은 보통 사춘기 시절의 젊은 층에서 나타나고 20~30대에 걸쳐 관찰될 수 있다. 이 질환들은 국소적으로 나타날 수 있고, 전반적으로도 나타날 수 있다. 또한 급속진행형으로도 나타날 수 있다(그림 7−8, 9).[13−15]

3) 전신질환과 관련된 치주염(Periodontitis as a manifestation of systemic diseases)

발현 기전에 대한 정확한 연구는 아직까지 많지 않지만, 아래의 혈액질환과 유전 질환들이 치주염 발생과 관련이 있는 것으로 알려져 있다.[2,12,13]

(1) Hematologic disorders

- Acquired neutropenia
- Leukemias
- 기타(others)

(2) Genetic disorders

- Familial and cyclic neutropenia
- Down syndrome
- Leukocyte adhesion deficiency syndromes
- Papillon−Lefèvre syndrome
- Chediak−Higashi syndrome
- Histiocytosis syndromes
- Glycogen storage disease
- Infantile genetic agranulocytosis
- Cohen syndrome
- Ehlers−Danlos syndrome (Type Ⅳ and Ⅷ AD)
- Hypophosphatasia
- 기타(others)

(3) 기타(Not otherwise specified)

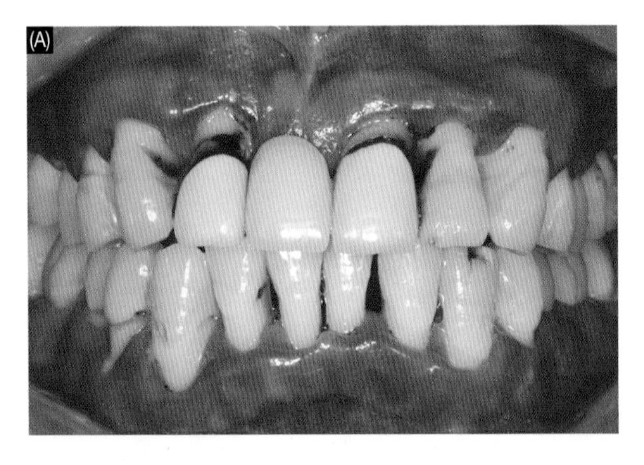

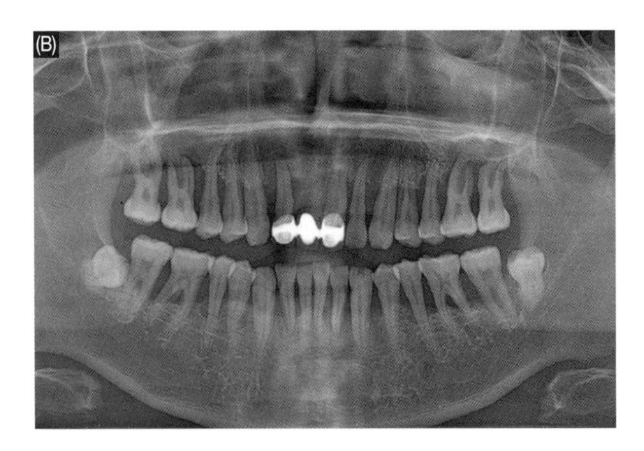

그림 7-8. 급진성 치주염
(A) 30대 중반의 남성. 치은이 심하게 부어 있으며, 출혈과 화농을 보인다. 전체적으로 치주조직의 염증이 심한 것을 볼 수 있다. (B) 동일한 환자의 방사선 사진. 전악에 걸쳐 치조골소실이 상당히 심한 것을 볼 수 있다.

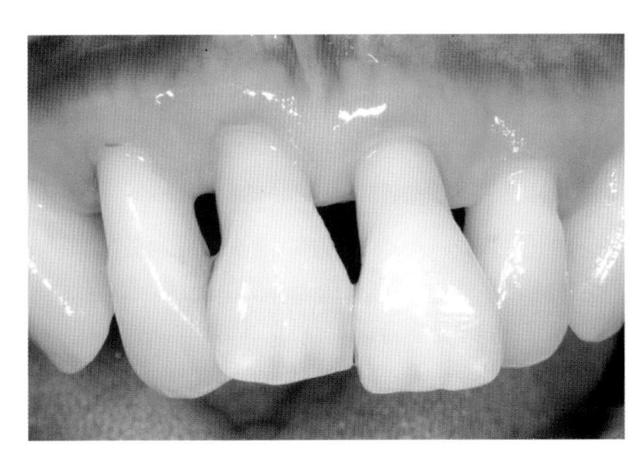

그림 7-9. 급진성 치주염
20대 후반의 여성. 치은의 퇴축이 심한 것을 볼 수 있다. 급진성 치주염의 경우 구강위생은 좋은 경우가 많다.

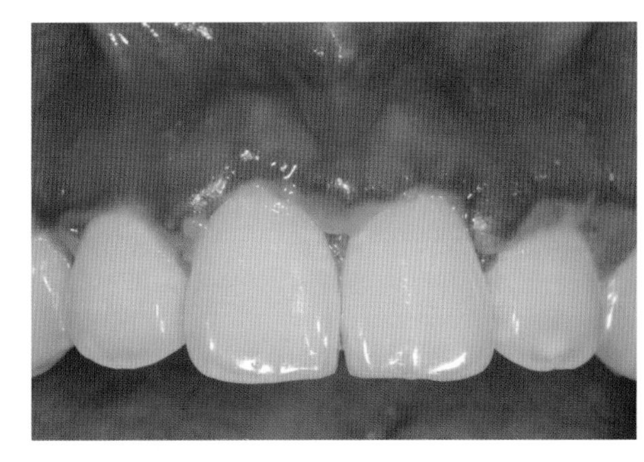

그림 7-10. 괴사성 치은염
상악전치부 치은이 괴사된 모습을 볼 수 있다.

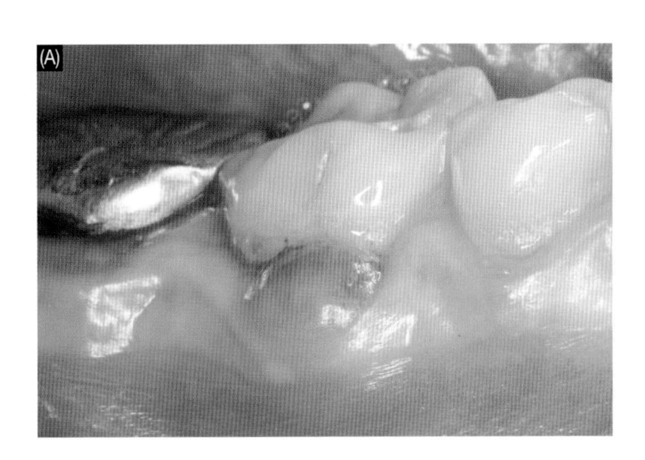

(B)

그림 7-11. 치주농양
하악 대구치의 협측(A)과 설측(B)에 치주농양이 생긴 증례. 치은이 부어있으며, 일반적으로 농(pus)이 있다.

4) 괴사성 치주질환 (Necrotizing periodontal disease)

① 괴사성 궤양성 치은염(necrotizing ulcerative gingivitis, NUG) (그림 7-10)

② 괴사성 궤양성 치주염(necrotizing ulcerative periodontitis, NUP)

5) 치주농양(Abscesses of the peridontium)[16]

① 치은농양(gingival abscess)

② 치주농양(periodontal abscess) (그림 7-11)

③ 치관주위농양(pericoronal abscess)

6) 근관병소와 관련된 치주염(Periodontitis associated with endodontic lesions)

치주염에 의해 치수염이 발생할 수도 있으며, 치수염에 의한 근단 병소가 치주조직을 파괴시켜서 치주염이 발생할 수도 있다.

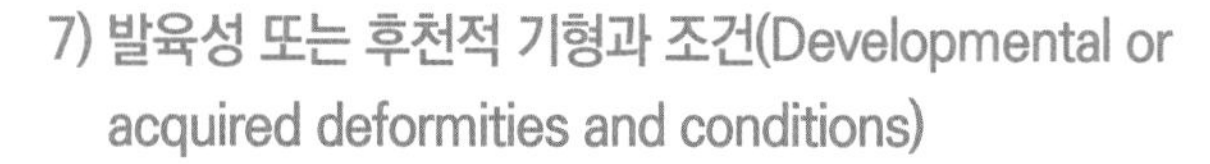

7) 발육성 또는 후천적 기형과 조건(Developmental or acquired deformities and conditions)

(1) 치태유발 치은질환/치주염을 변화시키거나 소인이 되는 치아와 관련된 국소적인 요인 (Localized tooth-related factors that modify or predispose to plague-induced gingival disease/periodontitis)

① 치아의 해부학적 요인(tooth anatomic factors)

② 치과 수복물 또는 장치(dental restorations or appliances)

③ 치근파절(root fractures)

④ 치경부 치근흡수와 백악질 열상(cervical root resorption and cemental tears)

(2) 치아 주위의 치은점막 기형과 조건(Mucogingival deformities and conditions around teeth)

① 치은 또는 연조직 퇴축(gingival or soft tissue recession)

- 안면 또는 설측면(facial or lingual surfaces)
- 치간부(치간유두) (interproximal, papillary)

② 각화치은의 결핍(lack of keratinized gingiva)

③ 전정 깊이의 감소(decreased vestibular depth)

④ 소대/근육의 위치 이상(aberrant frenum or muscle position)

⑤ 치은과다(gingival excess)

- 위낭(pseudopocket)
- 조화롭지 않은 치은연(inconsistent gingival margin)
- 과도한 치은노출(excessive gingival display)
- 치은비대(gingival enlargement)
- 비정상적인 색조(abnormal color)

표 7-1. 치주염의 분류

분류	치주염의 형태	질환의 특성
임상치주학에 관한 AAP 국제회의, 1989	성인형(adult) 치주염	•35세 이상에서 발생 •서서히 진행 •숙주 방어기전의 이상 없음
	조기발생형(early onset) 치주염(사춘기전, 유년형 또는 급속진행형)	•35세 이하에서 발생 •질환진행 속도가 빠름 •숙주방어기전의 이상 •특정 세균총과 관련
	전신질환과 관련된 치주염	질환진행이 빠른 것은 다음의 질환과 관련이 있음 •당뇨, 다운증후군, 후천성면역결핍증, Papillon-Lefèvre 증후군
	괴사성, 궤양성(necrotizing ulcerative) 치주염	•급성 괴사성 궤양성 치은염과 유사
	재발성(refractory) 치주염	•치료에 잘 반응하지 않고 재발되는 치주염
치주학에 관한 유럽 회의, 1993	성인형 치주염	•발생연령: 40세 이상 •서서히 진행 •숙주 반응 이상 없음
	조기발생형 치주염	•발생: 40세 이전 •질환 진행속도가 빠름 •숙주방어 이상
	괴사성 치주질환	•부착상실과 골 소실을 수반하는 조직 괴사
치주질환 분류를 위한 AAP 국제회의, 1999	만성 치주염	본문 참조
	급진성 치주염	
	전신질환과 관련된 치주염	

(3) 무치악 치조제에서 치은점막 기형과 조건(Mucogingival deformities and conditions on edentulous ridges)

① 수직/수평 치조제 결손(vertical and/or horizontal ridge deficiency)

② 치은 또는 각화조직의 결핍(lack of gingiva or keratinized tissue)

③ 치은 또는 연조직 비대(gingival or soft tissue enlargement)

④ 소대/근육의 위치 이상(aberrant frenum or muscle position)

⑤ 전정 깊이의 감소(decreased vestibular depth)

⑥ 비정상적인 색조(abnormal color)

(4) 교합외상(Occlusal trauma)[1,17,18]

① 일차적인 교합외상(primary occlusal trauma)

② 이차적인 교합외상(secondary occlusal trauma)

참고문헌

1. Blieden TM. Tooth-related issues. Ann Periodontol 1999;4:91-97.
2. Kinane DF. Periodontitis modified by systemic factors. Ann Periodontol 1999;4:54-64.
3. Mariotti A. Dental plaque-induced gingival diseases. Ann Periodontol 1999;4:7-19.
4. Porter SR. Gingival and periodontal aspects of diseases of the blood and blood-forming organs and malignancy. Periodontol 2000 1998;18:102-110.
5. Moon HJ, Kim CS, Suh JJ, Park JS, Yoon JH, Cho KS, Choi SH. Morphological features of Cyclosporin A-induced Gingival Hyperplasia. The journal of korean academy of periodontology 2000;30:609-618.
6. Hallmon WW, Rossmann JA. The role of drugs in the pathogenesis of gingival overgrowth. A collective review of current concepts. Periodontol 2000 1999;21:176-196.
7. Holmstrup P. Non-plaque-induced gingival lesions. Ann Periodontol 1999;4:20-31.
8. Rivera-Hidalgo F, Stanford TW. Oral mucosal lesions caused by infective microorganisms. I. Viruses and bacteria. Periodontol 2000 1999;21:106-124.
9. Scully C, Monteil R, Sposto MR. Infectious and tropical diseases affecting the human mouth. Periodontol 2000 1998;18:47-70.
10. Stanford TW, Rivera-Hidalgo F. Oral mucosal lesions caused by infective microorganisms. II. Fungi and parasites. Periodontol 2000 1999;21:125-144.
11. Plemons JM, Gonzales TS, Burkhart NW. Vesiculobullous diseases of the oral cavity. Periodontol 2000 1999;21:158-175.
12. Flemmig TF. Periodontitis. Ann Periodontol 1999;4:32-38.
13. Tonetti MS, Mombelli A. Early-onset periodontitis. Ann Periodontol 1999;4:39-53.
14. Novak MJ, Novak KF. Early-onset periodontitis. Curr Opin Periodontol 1996;3:45-58.
15. Cho CM, You HK, Jeong SN. The clinical assessment of aggressive periodontitis patients. J Periodontal Implant Sci 2011;41:143-148.
16. Meng HX. Periodontal abscess. Ann Periodontol 1999;4:79-83.
17. Hallmon WW. Occlusal trauma: effect and impact on the periodontium. Ann Periodontol 1999;4:102-108.
18. Pini Prato G. Mucogingival deformities. Ann Periodontol 1999;4:98-101.

1. 치은질환의 분류

관련 학문의 발달로 치은질환의 원인과 병인에 대한 이해의 폭이 넓어짐에 따라 질환을 판별하는 분류법의 변화가 불가피하게 되었다. 1999년 치주질환 분류를 위한 국제회의에서 치은 및 치주질환을 다음과 같이 분류하였다(치주질환 분류법은 제 9장에서 다룰 것이다).

1) 치태 유발 치은질환 (Plaque-induced gingival disease)

치태 유발 치은염은 가장 흔한 형태의 치은질환이다. 치은염은 치은에 국한되고, 부착소실이 없는(현재 건강해서 없거나, 또는 치료를 해서 더 이상 진행되지 않는 상태) 치아와 연관되는 염증으로 특징된다.

(1) 치태만 연관된 치은염 (Gingivitis associated with dental plaque only)

치태만 연관된 치은염은 바이오필름 내 미생물과 숙주의 상호작용에 의해서 발생된다. 치태와 숙주의 상호작용은 국소적 요소 또는 전신적 요소, 약물, 영양 부족 등에 의해 변화될 수 있다.

(2) 전신적 요소에 의한 치은질환 (Gingival diseases modified by systemic factor)

사춘기, 생리주기, 임신, 당뇨 등과 관련된 내분비계의 변화는 치태에 대한 염증 반응을 변화(주로 악화) 시킬 것이다.

(3) 약물복용에 의한 치은질환 (Gingival diseases modified by medications)

Phenytoin과 같은 항경련제, cyclosporine A와 같은 면역억제제, nifedipine, diltiazem, verapamil와 같은 calcium channel blocker 등은 치은비대를 야기한다. 치은비대의 발생과 심각성은 환자에 따라 특이적이며, 치태 축적 정도에 영향을 받기도 한다. 여성의 경구피임약 복용 역시 치은염증의 발생 빈도와 치은비대의 발생률을 증가시키는 것으로 알려져 있다.

(4) 영양 결핍에 의한 치은질환 (Gingival diseases modified by malnutritions)

비타민 C 결핍증, 즉 괴혈병은 치은에 붉은 부종성의 출혈을 보인다. 영양 부족은 면역반응에 영향을 미쳐 숙주의 기능을 떨어뜨린다.

2) 비치태 유발 치은 병소 (Non-plaque-induced gingival lesions)

전신질환으로 인해 치은조직에 증상을 나타내는 경우는 드물며, 사회경제적 수준이 낮은 집단, 개발도상국, 그리고 면역력이 결핍된 환자 등에서 볼 수 있다.

(1) 특정 세균에 의한 치은질환 (Gingival diseases of specific bacterial origin)

임질이나 매독과 같은 성병에 의해 발생할 수도 있다. 구강병소는 전신 감염에 의한 이차적 증상이거나 직접 감염에 의해 나타나게 된다.

(2) 바이러스 기원의 치은질환
(Gingival diseases of viral origin)

치은질환은 다양한 DNA 및 RNA 바이러스에 의해 일어날 수 있는데, 가장 대표적인 것은 Herpes virus이다.

(3) 진균류에 의한 치은질환
(Gingival diseases of fungal origin)

진균류에 의한 치은질환은 적절한 면역력을 가진 사람에게는 비교적 드물지만, 면역력이 약화된 개인이나 광범위 항생제의 장기간 사용에 의하여 구강내 정상 세균총이 변화된 사람에게는 더 잘 발생한다.

(4) 유전기원의 치은질환
(Gingival diseases of genetic origin)

임상적으로 가장 흔한 질환은 유전적 치은 섬유종증(hereditary gingival fibromatosis)이다.

(5) 전신질환의 치은 증상
(Gingival manifestations of systemic conditions)

전신질환에 의한 증상은 치은의 박리성 병소, 궤양성 병소 등으로 나타날 수 있다.

(6) 외상성 병소(Traumatic lesion)

칫솔질로 인한 치은궤양, 치은퇴축 등이 일어날 수 있다. 보존 또는 보철 치료에 의해 의원성(iatrogenic)으로 발생할 수도 있으며, 뜨거운 음식이나 음료로 인한 화상 등에 의해 같이 우발적으로 일어날 수도 있다.

(7) 이물질 반응(Foreign body reactions)

이물질 반응은 국소적으로 치은의 염증 반응을 일으키며, 이물질이 상피를 넘어 치은결합조직 내로 들어올 때 나타난다. 수복치료 시의 아말감, 발치, 연마제 등에 의해 발생할 수 있다.

(8) 기타(Not otherwise specified)

2. 치은염의 임상적 양상 (Clinical features of gingivitis)

치은염은 가장 흔한 치은질환의 일종으로 치아치은경계에서 시작하여 치주조직의 기능적인 단위인 치은에 영향을 미치는 염증과정이다.

치은염의 임상적 특징을 평가하기 위해서는 색조 변화, 크기와 형태, 견고성, 표면 질감과 위치, 출형 성향 그리고 동통 등을 체계적으로 보아야한다.[1]

분류는 병의 진행 속도와 기간에 따라 급성, 아급성, 재발성 및 만성 치은염으로 구분하고 염증의 확산 부위에 따라 국소적(localized, 한 개 치아 또는 수 개 치아주변에 발생), 전반적(generalized, 전체 구강에 걸쳐 발생), 변연형(marginal), 유두형(papillary), 방산형(diffuse) 등으로 세분하며 이들을 복합적으로 명명하는 경우가 대부분이다. 즉, 국소 변연형 치은염은 한 개 또는 수 개 치아 주변의 변연치은에서 발생한 것을 말하며, 국소 방산형 치은염은 변연치은에서 치은점막 경계에 걸쳐 발생하나 수 개 치아 주변에 국한되어 있는 것을 말한다.

국소 유두형 치은염은 한 개 혹은 수 개 치아 주변의 치간유두에서 발생한 치은염이며, 전반적 변연형 치은염은 전 치아의 변연치은에서 발생한 것이다. 전반적 방산형 치은염은 전 치은에 걸쳐 발생한 것이다.

1) 치은 출혈

치은염의 초기 징후는 치은열구액의 증가와 치은열구 탐침 시의 출혈이다. 탐침 시 출혈은 초기진단에 중요한 의미를 가지며 색조변화나 염증의 다른 가시적 증상보다 빨리 나타나고 진단에 있어서도 색조 변화보다 더 객관적인 평가를 얻을 수 있다.[2-4]

(1) 국소적 원인에 의한 출혈

① 만성 및 재발성 출혈

치은 출혈의 가장 일반적인 원인은 치은의 만성 염증이며[5] 대개 칫솔질, 이쑤시개, 식편압입과 같은 기계적 자극에 의해 야기되거나 사과 같은 견고한 음식물을 깨물 때나 이갈이(bruxism) 등을 할 때 나타난다.

조직학적으로 염증시 모세혈관이 확장 및 울혈되어 외부 자극에 쉽게 손상받아 출혈이 야기된다.[6] 즉 만성 염증 시 치은열구상피하방은 궤양화되고 세포성 및 액성 삼출액 등이 발생하게 된다. 이들과 결합조직세포 그리고 신생혈관 비대 등이 변연치은이나 치간유두 상피를 압박하므로 상피는 얇아지고 변성이 일어나 조직보호력이 감퇴하며 자극에 의해 모세혈관의 파열이 쉽게 일어난다. 혈관파괴 후 복합적인 기전에 의해 지혈이 일어난다. 즉 혈관벽의 수축과 함께 혈류량이 감소하고, 혈소판이 조직 가장자리에 부착하며 섬유성 혈병을 형성하여 지혈된다. 그러나 자극을 받으면 출혈이 다시 일어난다. 중등도 혹은 진행된 경우의 치주염에서의 탐침 시 출혈은 활발한 조직 파괴의 징후가 될 수 있다.

② 급성 출혈

기계적 자극에 의해 주로 일어나며 급성 치은질환의 경우 저절로 일어날 수도 있다. 심한 칫솔질이나 딱딱한 음식물의 조각 등에 의해 치은열상(laceration)이 발생하여 출혈되는 경우가 있으며, 뜨거운 음식물이나 화학물질에 의한 화상 혹은 급성 괴사성 궤양성 치은염 시 출혈 빈도가 높다.

(2) 전신적 장애와 관련된 출혈

기계적 자극 없이 자연적으로 치은 출혈을 야기하거나 자극 후 출혈이 과도하여 지혈이 어려운 질환을 출혈성 질환이라 하며, 이들은 원인과 임상적 양상이 다양하고 구강점막뿐 아니라 피부나 내부 장기에도 비정상적인 출혈을 야기한다. 비정상적인 출혈을 일으키는 출혈성 질환으로 혈관이상(비타민 C 결핍증 혹은 알러지), 혈소판질환(idiopathic thrombocytopenic purpura),[7] 저프로트롬빈혈증(비타민 K 결핍증), 응고기전이상(혈우병, 백혈병, 크리스마스병), PF3 (platelet thromboplastic factor)결핍증, 약제의 과다투여(salicylate, 항응고제) 등이 있다.

2) 색조의 변화

(1) 만성 염증 시의 색조 변화

색조의 변화는 매우 중요한 치은질환의 임상징후이다. 정상 치은은 산호빛 분홍색(coral pink)으로 이 색조는 혈관 분포에 기인하고 덮여진 상피층에 의해 변화하므로 혈관 분포가 증가하거나 상피 각화 정도가 감소하거나 소실되면 보다 붉게 변한다. 또한 진피(corium)의 섬유화와 관련되어 혈관분포가 감소하거나 상피의 각화가 증가하면 오히려 창백해진다.

그러므로 만성 염증인 경우 혈관 비대와 염증조직액에 의해 상피가 압박받아 각화가 감소되어 적색 혹은 청적색이 더 심해지고 정맥 정체현상(venous stasis)으로 푸른 색조를 더하게 된다. 원래 적색의 색조는 염증의 진행 과정에 따라 적청색 그리고 심청색으로 다양하게 변화한다. 이러한 색조 변화는 치간유두와 치은변연에서 시작하여 점차 부착치은으로 확산된다.

(2) 급성 염증 시의 색조 변화

색조는 임상 양상의 상태에 따라 변연형(marginal), 방산형(diffuse) 또는 반점형(patch-like)으로 구분하는데, 급성 괴사성 궤양성 치은염인 경우는 변연형이고 포진성 치은염인 경우는 방산형을 보인다. 색조 변화는 염증의 심도와 관련되는데 모든 경우에 있어서 초기에는 밝은 적색의 홍반이 발생한다. 상태가 악화되지 않는다면 치은이 다시 정상화될 때까지 이것이 유일한 색조 변화이다. 심한 급성 염증인 경우 적색은 암청회색(slate gray)으로 변하며 점차 회백색(whitish gray)으로 변한다. 회색으로의 색조 변화는 조직 괴사를 의미한다.

(3) 중금속에 의한 색조 변화

우연히 들어간 아말감으로 인해 발생한 치은문신과는 달리 전신적으로 흡수된 중금속은 치은이나 구강 점막에 색조 변화를 야기할 수 있다.[8,9]

창연(bismuth), 비소(arsenic), 수은 등은 치은변연을 따라 흑색선을 야기하거나 치간유두와 부착치은에 흑색 얼룩(blotch)을 나타낼 수 있다. 납은 치은변연부에 청적색 혹은 심청색선을 나타내며(burtonian line), 은은 중독시 구강점막에 보라색이나 방산형 청회색을 보이기도 한다.

전신적으로 흡수된 금속은 상피 하방 결합조직 내의 혈관 주위에 금속 황화물(metallic sulfide)로 침착되어 치은 착색을 야기한다. 하지만 이는 전신적 독소현상이 아니고 단지 염증이 존재하는 부위에 혈관 투과성이 증가하여 인접 조직에 금속이 유출되기 때문이다. 이들 착색은 조직의 건강을 회복하고 국소적 요인을 제거함으로써 제거될 수 있다.

(4) 전신요인과 관련된 색조 변화

많은 전신질환 시 구강 내의 색조 변화를 관찰할 수 있는데 이 경우 진단에 있어 해당 질환의 전문의와의 상의가 요구된다.[10,11]

① 내인성 구내 착색(Endogenous oral pigmentation)

멜라닌(melanin), 담적소(bilirubin), 철분 등이 있다.[9]

- 멜라닌 착색 : 정상적으로는 유색인종에서 많이 발견되고 질환으로는 Addison씨 병, Peutz-Jeghers 증후군, Albright씨 증후군, von Recklinghausen씨 병에서 많이 발견된다.
- 담적소 착색 : 공막에 침착되는 황달이 대표적인 예이고 구강 점막에서는 황색으로 발견된다.
- 철분착색 : 혈색소증(hemochromatosis) 시 청회색 착색이 구강 내에 생길 수 있다.

② 외인성 요인(Exogenous factors)

석탄이나 금속, 먼지 등에 의한 공기의 자극과, 유색성 음식, 흡연으로 인한 각화[12] 등을 들 수 있다.

3) 견고성의 변화(Changes in consistency)

만성 치은염 시 조직은 파괴와 재생의 끊임없는 교차가 일어나며 치은의 견고성은 이들 변화의 균형에 좌우된다. 파괴력이 강하면 부드러우며 출혈 성향을 나타내고, 재생력이 강하면 단단하고 견고하며 출혈 성향도 감소된다.

급성 치은염인 경우는 대개 방산형 부종성이며 탈피현상(sloughing) 및 수포 형성을 보인다.

4) 표면 질감의 변화(Changes in surface texture)

치은염의 초기 징후로 점몰(stippling)이 소실되며[13,14] 만성 치은염 시 표면은 매끄럽고 반짝거리거나 견고하고 소결절상일 수 있다. 노년성 위축 치은염(senile atrophic gingivitis)에서는 치은상피의 위축에 의해 매끄러운 질감이 나타나고 만성 박리성 치은염일 경우에는 치은 표면이 벗겨진다. 또한 과각화증인 경우는 피혁상 질감이 되며 비염증성 치은비대인 경우는 미세한 소결절상으로 보인다.

5) 위치의 변화(Changes in position, 치은퇴축: Gingival recession, 치은위축: Gingival Atrophy)

치은퇴축이란 치은의 위치가 근단부로 이동하여 치근표면이 노출되는 현상을 의미하고(그림 8-1) 치면상에 놓여진 상피부착을 기준으로 하는 실제적 위치와 치은변연의 정점을 기준으로 하는 육안적 위치를 측정해야 알 수 있다. 실제적 위치는 치아상에서 상피 부착의 위치를 말하며, 육안적 위치는 치은연 정상의 위치가 된다.

치은퇴축의 심도는 육안적 위치가 아닌 실제적 위치에 의해 결정된다. 또한 가시 여부에 따라 가시적 퇴축과 탐침을 상피부착부에 삽입하는 것으로 관찰 가능한 비가시적 퇴축

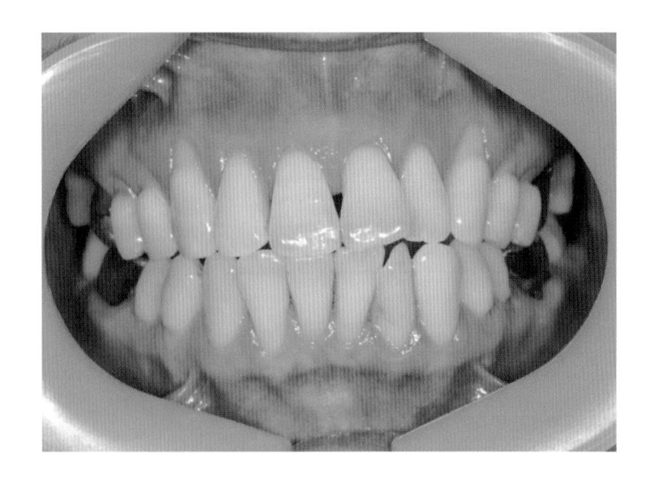

그림 8-1. 치은퇴축

으로 분류하고 총 퇴축량은 두 가지를 합산한 양을 의미한다. 예를 들어 치주염에 있어서 치근의 일부는 염증성 치주낭에 의해 덮여 있으므로 치은퇴축의 일부는 관찰 가능하지만 일부분은 보이지 않는다. 즉, 이 두 양의 합이 전체 퇴축량이 된다.

(1) 치은퇴축의 원인

연령의 증가와 더불어 증가하며 어린이에게서는 8%의 발생률이, 50세 이후에는 모든 사람에게서 발견된다.[15,16] 그러므로 학자에 따라 이를 연령에 따른 생리적 현상으로 간주하는 경우도 있다. 그 외의 원인으로는 부적절한 칫솔질법(치은마모), 치아의 위치이상, 연조직 마찰,[17] 치은염증, 높은 소대부착 등이 있다. 교합성 외상도 퇴축의 원인이 될 수 있다는 주장이 있으나, 그 기전은 증명된 바 없다.

칫솔질은 치은건강의 유지에 있어서 중요하지만 잘못된 방법으로 시행 시 치은퇴축을 유발할 수 있다. 퇴축을 잘 일어나게 하는 요인으로는 악궁에서의 치아의 위치,[18] 치조골 내에서의 치근의 각도 및 치아 표면의 근원심적 만곡[19] 등을 들 수 있다.

(2) 치은퇴축의 임상적 중요성

노출된 치근면은 치아우식증에 취약하고 백악질의 마모로 인한 상아질 노출로 극심한 과민성을 유발할 수 있으며 치수충혈도 가져올 수 있다.[20] 특히 치간부 퇴축은 치태, 음식물, 세균축적이 쉽게 일어나게 한다.

6) 외형의 변화(Changes in gingival contour)

가장 명확한 변화는 치은비대지만, 이런 변화는 다른 상태에서도 일어날 수 있다. 그 외의 형태 변화는 스틸만 균열(Stillman's cleft)과 맥콜팽융(McCall's festoons)을 들 수 있다.

(1) 스틸만 균열(Stillman's cleft)

치은변연상에 좁고 삼각형 모양으로 일어난 치은퇴축으로 대개 순측에 빈발한다. 과거에는 외상성 교합에 의해 발생한다고 생각되었으나 이에 대해 밝혀진 바는 없으며 염증성 변화로 형성된다는 학설도 있다. 균열은 자연 치유되거나 지지 조직 내로 침입하여 깊은 치주낭을 형성하기도 한다(그림 8-2).[21]

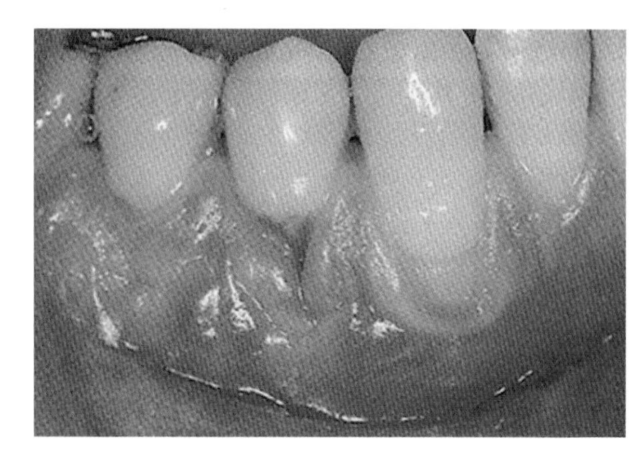

그림 8-2. 스틸만 균열

(2) 맥콜팽융(McCall's festoons)

견치와 소구치 순측에 빈발하며 변연치은이 말굽모양으로 비대해지면서 치은점막경계(mucogingival junction)까지 퇴축이 일어난 현상이다. 초기에는 치은의 색조와 견고성이 정상이나 치태와 음식물 잔사의 축적으로 2차적 염증 반응을 초래하기도 한다(그림 8-3).

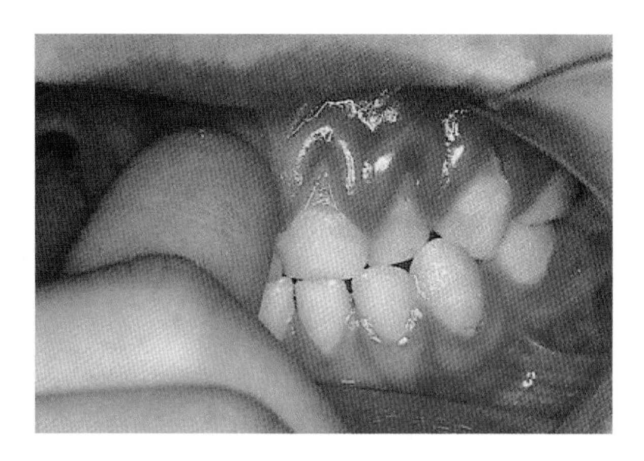

그림 8-3. 맥콜 팽융

3. 치은비대(Gingival enlargement)

치은비대는 치은이 정상 크기보다 더 커진 상태를 의미하며 불량한 구강위생 상태, 음식물 잔사의 침착, 구호흡과 같은 국소적 요인과, 전신적인 요인에 의해 야기될 수 있다.

치은비대를 원인(etiologic factors)과 병인(pathologic changes)에 따라 분류하면 다음과 같다.

① 염증성 치은비대(inflammatory enlargement)
- 만성
- 급성

② 섬유성 치은비대
(fibrotic enlargement, gingival hyperplasia)
- 약물성
- 특발성

③ 혼합형 치은비대
(combined enlargement, 염증성+섬유성)

④ 조건성 치은비대(conditioned enlargement)
- 임신
- 사춘기
- 비타민 C 결핍
- 형질세포 치은염
- 비특이적 조건성 비대
  (예: granuloma pyogenicum)

⑤ 종양성 치은비대(neoplastic enlargement)
- 양성 종양
- 악성 종양

또한 발생 부위와 분포에 따라 국소적(localized)과 전반적(generalized), 변연부(marginal)와 유두부(papillary), 방산형(diffuse)과 분리형(discrete) 등으로 분류하기도 한다.

1) 염증성 치은비대

염증성 치은비대는 만성이나 급성의 어느 경우에도 발생하지만 대부분이 만성 염증인 경우에 빈발한다.

(1) 만성 염증성 치은비대

치간유두나 변연치은에서 자주 발생하며 초기에는 구명대모양(life preserver-shaped)으로 시작하여 치관의 일부를 덮게 되며 급성 감염이나 외상에 의해 합병증이 발생할 때까지 완만하게 무통성으로 진행된다.

조직병리학적으로 진한 적색, 청적색의 병소에서는 염증액, 세포삼출액, 상피와 결합조직의 변성, 새로운 모세혈관의 형성, 혈관의 울혈(engorgement), 출혈, 상피와 결합조직의 변성, 새로운 교원섬유의 비내 등을 관칠할 수 있다. 한편 단단하고 견고한 분홍색의 병소에서는 풍부한 섬유모세포와 교원질을 포함한 섬유화가 더 두드러지게 나타난다.

원인은 지속적인 치태 침착이며 치태 침착을 잘 일으키는 요인으로는 불량한 구강위생, 인접 치아와 대합치 사이의 비정상적인 관계, 치아 기능 상실, 치경부 우식증, 부적절한 수복물, 구호흡, 악습관, 식편압입 등이 있다(그림 8-4).[22]

(2) 급성 염증성 치은비대

농양 형태를 띠며 변연치은이나 치간유두에 국한되고 매끄럽고 반짝이는 표면을 지닌 적색 종창으로 발현된다. 파동성이 있으며, 24~48시간 이내에 누공을 형성하여 화농성 삼출액이 배농된다. 종류로는 치은농양과 치주농양이 있으며, 치은농양 시 조직상은 결합조직내 화농성 병소가 다형핵 백혈구, 부종성 조직 및 혈관 울혈 등에 의해 둘러싸여 있다. 원인은 딱딱한 음식물에 의한 자극이나 음식물 조각 등이 치은 속으로 함입되어 일어나는 것이 대부분이다(그림 8-5).

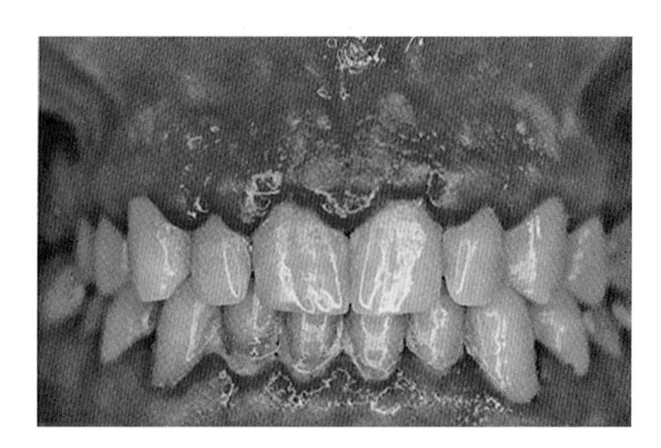

그림 8-4. 만성 염증성 치은비대

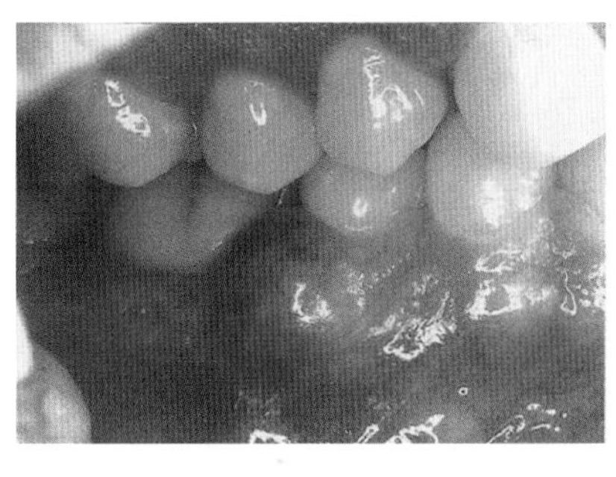
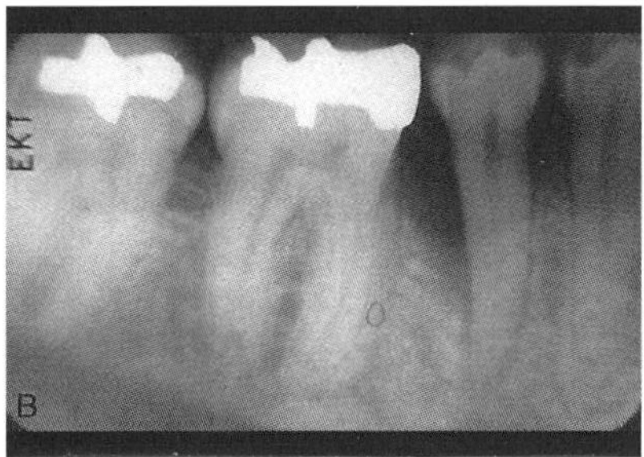

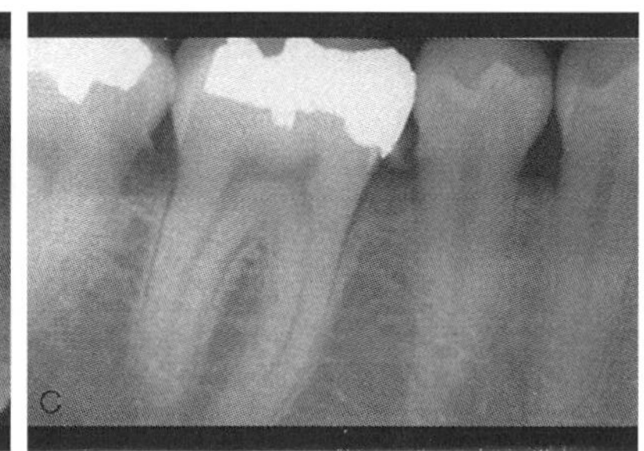

그림 8-5. 급성 염증성 치은비대

2) 섬유성 치은비대

비대(hyperplasia)는 세포 수의 증가에 의한 조직이나 기관의 크기 증가를 의미하며, 국소 원인이 아닌 다른 원인에 기인하는데, 약물치료나 그 외 원인불명의 유전성 또는 가족성으로 발생하는 경우이다.

(1) 약물성 치은비대

① 항경련제(Phenytoin, Dilantin)

딜란틴은 간질 환자에게 투여되는 약제로서, 이 약물을 복용하는 환자의 일부에서 치은비대가 일어난다.[23,24] 치은비대는 젊은 환자에서 호발하며[25], 다른 간질약과 함께 복용한 환자에서 더 발생한다. 약의 용량과 혈청이나 타액 내의 phenytoin 수준이 증상의 심도와 관련이 있는지에 대해서는 논란이 있지만,[25–28] 몇몇 연구에 의하면 약의 용량과 치은비대의 정도가 밀접한 관계가 있다고 한다.[29,30]

임상적 양상을 보면, 초기에 무통성으로 치간유두나 변연치은에 구슬모양(bead–like)으로 시작하여 점차 치관을 덮게 되며 궁극적으로 교합 장애를 야기할 정도로 비대해지기도 한다. 염증이 동반되지 않는 한 치은은 단단하고 상실상(mulberry–shaped)이며 선홍색의 탄력을 가지고 출혈 경향도 없으며 가는 선으로 서로 분리된다(그림 8–6).

딜란틴 치은비대는 국소적 자극 인자의 유무에 관계없이 발생하며 호발 부위는 구강 전체에서 발생하나 특히 상, 하악전치부에 빈발하고 발치와 함께 소실한다. 조직병리학적 소견으로 상피와 결합조직의 두드러진 비대와 상피의 극세포증(acanthosis), 상피돌기(rete pegs)가 길어져 결합조직 내부 깊숙이 확산됨을 관찰할 수 있다.

재발된 치은비대에서는 수많은 모세혈관, 섬유모세포 및 불규칙한 교원성 섬유가 나타난다. 대부분의 딜란틴 치은비대는 기본적으로 약제에 의해 발생하는 것이며, 염증은 이차적 요인으로 작용하게 된다. 칫솔질이나 chlorhexidine 사용에 의한 구강위생은 염증은 감소시키지만 비대를 줄이거나 예

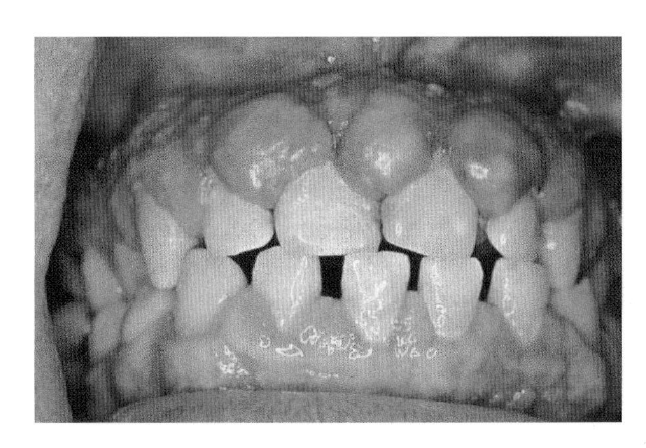
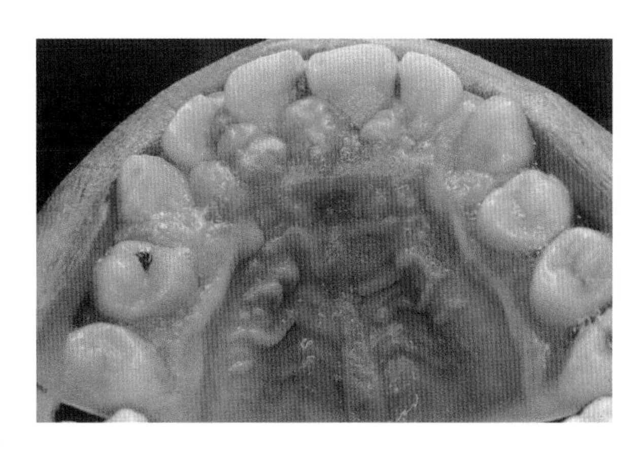

그림 8-6. 딜란틴 치은비대

방하지는 못한다.

② 면역억제제(Cyclosporine)

Cyclosporine A는 강력한 면역억제제로서 장기 이식의 거부 반응을 방지하고 자가 면역 질환을 치료하기 위해 주로 사용된다.[31] cyclosporine A는 정맥내나 구강내 투여 시 500 mg/day 이상 용량이면 치은비대가 일어난다.[32]

임상적으로는 phenytoin에 의한 치은비대와 유사하다. 비대는 주로 전치부 순측의 치간유두에서 시작하여 치관을 부분적으로 덮는다. 조직은 분홍빛으로 단단하고 견고하여 점몰 혹은 과립상의 표면을 갖고 출혈 경향은 거의 없다. 임상적으로 치은비대는 약을 투여받는 환자의 약 30% 정도에서 나타나며, 심도는 환자의 치주상태보다는 약물의 혈청내 농도와 더 관련이 있는 것 같다.[33]

③ 항고혈압제(Calcium channel blockers, Nifedipine)

Nifedipine은 협심증이나 난치성 고혈압과 같은 급성 또는 만성의 관상동맥 부전 질환의 치료에 주로 사용되는 대표적인 약물로,[34-37] 심근에 산소를 공급하는 관상동맥의 확장을 유도하는 칼슘채널 차단제(calcium channel blocker)이다. 이 외에도 말초혈관계를 확장시켜서 고혈압을 떨어뜨리는데도 사용하고, 신장 이식 환자에서 cyclosporine A는 같이 투여되기도 한다. 치은비대는 투여받는 환자의 약 20%에서 생긴다.[38] 임상적 또는 조직학적 양상은 phenytoin에 의한 치은비대와 유사하다.

(2) 특발성 치은 섬유종증 (Idiopathic gingival fibromatosis)

원인불명의 드문 치은질환으로서 어떤 경우는 유전적인 기초를 갖는 가족력을 보이지만 그 기전은 알려져 있지 않다.

변연치은과 치간유두는 물론 부착치은에도 이환되며, 분홍색의 색조를 띄고 견고하며 피혁상의 표면을 갖는다(그림 8-7).

혈관은 비교적 적고 결합조직이 발달하고 치밀한 교원 섬유다발과 섬유모세포가 많으며 상피는 두껍고 극세포증적인 조직상을 보인다.

3) 혼합형 치은비대

비염증성 치은비대가 이차적 염증 변화와 합병된 경우로 치은비대로 인해 치태와 백질의 축적이 용이하게 되어 증상을 악화시키게 된다. 국소적 원인을 제거하면 염증성 치은비대는 감소하지만 비염증성 치은비대는 잔존하게 되어 반드시 이를 시정해야 한다.

4) 조건성 치은비대

국소적 자극에 대한 치은의 반응과 일반적인 만성 염증의 임상적 양상을 변화시키는 전신 조건의 변화가 있을 때 발생하는 치은비대의 경우로 호르몬, 백혈병, 비타민 C 결핍증과 관련되어 나타난다.

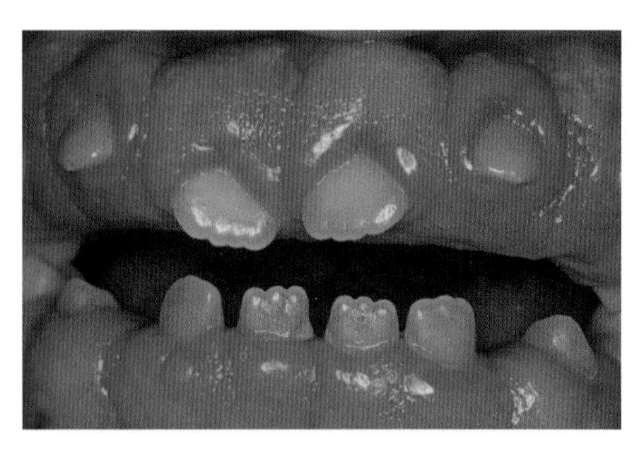

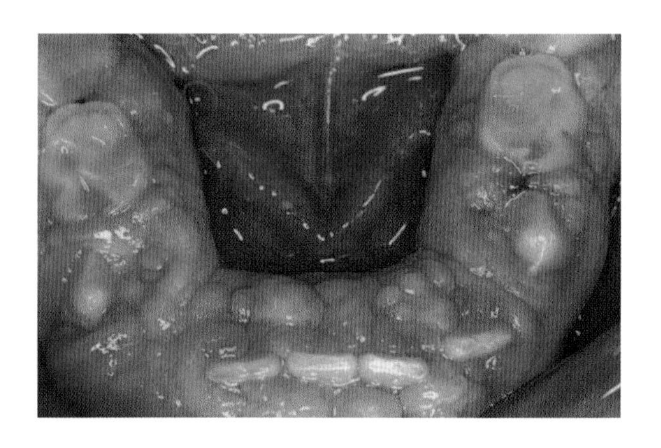

그림 8-7. 원인불명의 치은비대

(1) 호르몬성 치은비대

① 임신성 치은비대

임신성 치은비대는 변연성으로 구강 전체에 발생하거나 한 개 또는 여러 개의 종양성 덩어리로 나타난다.

- 변연형 비대(marginal enlargement) : 임신 중 나타나는 변연형 치은비대는 기존에 존재하는 염증이 악화되어 나타나는 것으로서 발생률은 10~70%이다.[39,40] 그러나 치은비대는 국소 자극 없이는 일어나지 않는다. 임신 그 자체가 이러한 상태를 만드는 것이 아니라 임신 중의 변형된 조직의 대사 작용이 국소 자극에 대한 반응을 촉진시키는 것이다.

  증세는 다양하게 나타나며, 발생 부위는 전반적이고 순설면보다 치간에 많이 나타난다. 치은은 밝은 적색 혹은 선홍색을 띠며 약하고 유연하며 매끄럽게 빛난다. 출혈은 저절로 일어나기도 하고 약한 자극에도 일어난다.
- 종양형 치은비대(tumor-like gingival enlargement) : 임신성 종양(pregnancy tumor)이라고 하지만 실제적인 종양은 아니다. 이는 국소 자극에 대한 염증 반응이며 환자의 상태에 따라 다르다. 보통 임신 3개월 후에 나타나나 더 일찍 발생할 수도 있다. 보고된 발생률은 1.8~5%이다.[41] 치은변연이나 치간부에 버섯 모양의 분리된 납작한 구 모양의 구조로 나타나며 무경(sessile)이나 유경(pedunculated base)으로 부착된다. 보통 암적색 혹은 선홍색으로 수많은 깊은 적색 점상 구조가 있는 표면 병소로서 골까지 침투하지는 않는다. 덩어리는 그다지 단단하지 않으나 다양한 정도를 나타낸다. 크기와 형태가 음식물 잔사가 낄 정도로 크지 않거나 교합에 닿지 않는다면 일반적으로 통증은 없다.

  대부분 임신 시의 치은질환은 국소적 자극 인자를 제거하고 구강위생 관리를 철저하게 함으로써 예방할 수 있다. 만약 국소 자극 인자의 철저한 제거 없이 비대한 조직만 제거한다면 치은비대는 재발한다. 출산 후 치은비대는 자연적으로 줄어들지만 남은 염증 병소의 완전한 제거를 위해서는 모든 국소 자극의 제거가 필요하다(그림 8-8).

② 사춘기성 치은비대

보통 변연치은과 치간유두에 나타나며 특징적으로 치간유두부가 돌출되어 나타난다.

대개 순측에 빈발하고 이 경우 만성 치은염증과 연관되어 나타나고 사춘기 이후에 점차 소실되지만 국소적 요인이 잔재하면 완전히 소실되지 않는다. 11~17세까지가 호발 연령이고, 연령에 따라 발생 빈도는 감소한다(그림 8-9).[42]

(2) 백혈병성 치은비대

국소적 자극에 대한 반응의 악화로 야기되며 단순한 염증 반응보다 임상적 소견이 심하고, 대개 급성이나 아급성 백혈병 시에 발생한다. 방산형 혹은 변연형으로 나타나며, 가끔 분리된 종양상이 치간부에 나타나기도 한다.

청적색을 띠며 치은 표면이 반짝이고 악취가 나며 출혈 성향이 높다. 미성숙 백혈구가 결합조직 내에 치밀하게 침윤

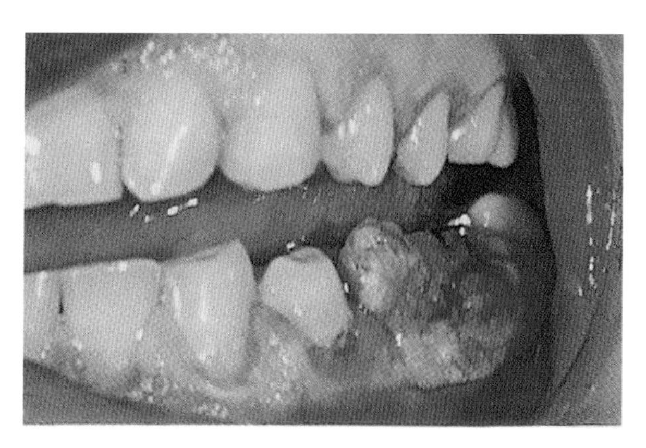

그림 8-8. 임신성 치은비대

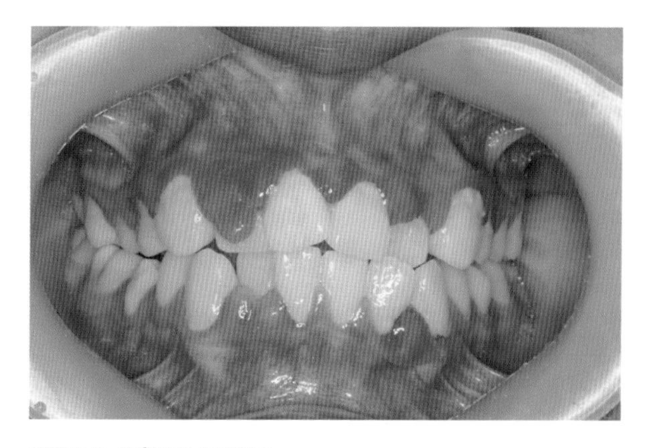

그림 8-9. 사춘기성 치은비대

되어 있다(그림 8-10).

(3) 비타민 C 결핍증과 연관된 치은비대

괴혈병 시에 나타나는 치은비대로 국소 자극이 필수적이다. 급성 비타민 C 결핍 그 자체가 치은염증을 야기하지는 않고 다만 출혈, 교원질 변성 및 치은 결합조직의 부종을 야기한다. 임상적으로 청적색을 띠며, 표면은 매끈하고 반짝이며 출혈 성향이 있고, 위막을 동반하는 치은 괴사가 나타나는 경우가 많다.

(4) 비특이적 조건성 치은비대 (Pyogenic granuloma)

약한 외상에 대한 과다한 조건성 반응으로 병소는 방사형, 원형, 종양형 구조에서 편평한 keloid한 비대까지 다양하다. 대부분 표면 궤양과 화농성 삼출액이 보이며 임신 시의 치은비대와 임상적, 조직학적 소견이 비슷하여 감별진단을 요한다.

5) 종양성 치은비대

(1) 양성 종양

치은에 나타나는 모든 양성 종양을 총칭하여 epulis라고 한다. 치은 내에 발생하는 종양은 전체 신생물 중 약 8%의 발생빈도를 보이고 있으며[43] 그 종류는 섬유종(fibroma), 선천성 피부혈관종(nevus), 근원세포종(myoblastoma), 혈관종(hemangioma), 유두종(papilloma), 거대세포육아종(giant cell reperative granuloma), 형질세포 육아종(plasma cell granuloma) 등이 있다.

(2) 악성종양

악성종양에는 암종(carcinoma), 악성 흑색종(malignant melanoma) 및 육종(sarcoma) 등이 있고, 그 외 전이된 경우도 있다.

6) 발육성 치은비대

치아의 맹출 과정에 치은이 순측으로나 변연측으로 불거져 나온 것으로 생리적인 현상이다. 치료는 변연치은의 염증만 제거하며 조직의 절제는 불필요하다.

4. 급성 치은질환

1) 급성 괴사성 궤양성 치은염 (Acute necrotizing ulcerative gingivitis)

기원전 401년 Xenophone이 페르시아 전쟁 후 수많은 그리스 병사가 쓰리고 악취가 나는 구내염에 이환되었다는 보고가 있은 후, 1778년 Hunter는 이 질환이 치주염과는 구별된다고 발표하였고 1890년대 Plaut와 Vincent가 방추형 및 나선균 세균(fusiform & spirochetal)이 원인이라고 하여 Vincent씨 감염이라 명명하였다. 이들의 동의어는 Vincent's infection, acute ulcerative gingivitis, Vincent's stomatitis 등으

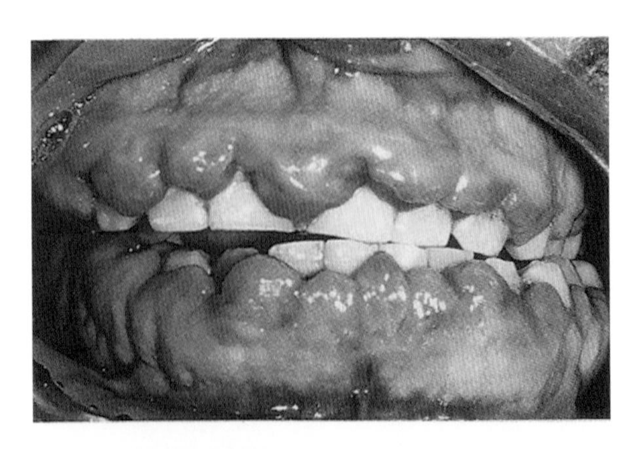

그림 8-10. 백혈병성 치은비대

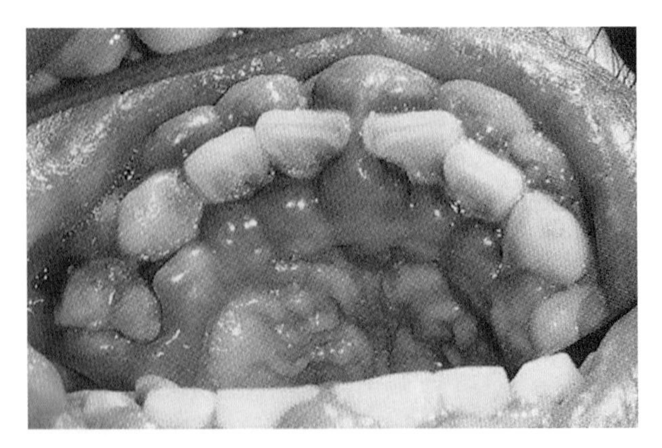

로 다양하다(그림 8-11).

(1) 임상적 양상

① 분류

급성, 아급성, 재발성, 및 만성으로 분류하나 대부분이 급성이고 만성은 희귀하다.

② 기왕력

갑자기 발병하고, 소모성 질환이나 급성 상기도 감염 등의 전신적 질환의 기왕력이 있거나, 생활환경의 급작스런 변화, 지속적인 정신적인 스트레스 등으로도 발병한다.

③ 구강내 증상

치은이 움푹 패이거나 치간유두나 변연치은에 분화구양의 파괴가 있으며, 위막(pseudomembrane)이 형성되었다가 벗겨져서 붉고 반짝이는 출혈성 치은이 노출되어 쉽게 출혈된다. 호흡 시 악취가 나며 타액의 유출량이 증가하고 치은 및 치주조직이 파괴된다.

④ 구강내 징후

접촉에 대해서 극도로 민감하고, 지속적인 격통(radiating & gnawing)이 오며, 치아 사이에 나무못이 낀 듯하고, 금속성의 맛이 나면서 풀(pasty) 같은 타액이 과도하게 분비된다.

⑤ 전신적인 증상과 징후

초기에는 국소 임파선 병변, 미열이 나타나지만 증상이 심해지면 고열, 맥박수의 증가, 식욕감퇴 및 전신 무력감이 나타나고, 어린이의 경우 불면증, 변비, 두통 및 위장 장애를 유발할 수 있다.

(2) 조직병리학적 소견

급성 괴사성 염증 증상을 보이며 섬유소(fibrin), 괴사된 상피세포, 다형핵 백혈구와 여러 종류의 세균으로 구성된 위막이 파괴된 상피 대신 덮여지고 위막 하방의 결합조직에는 울혈된 혈관과 다형핵 백혈구의 침윤, 방추형균, 나선균이 관찰되며 괴사부와 정상조직 사이에는 방추형 간균과 나선균이 관찰된다. Listgarten은 전자현미경상에서 병소를 4층으로 구분하였다.

① Zone 1 세균층

가장 상부에 위치하여 다양한 세균들이 존재하며 소, 중, 대형 나선균이 발견된다.

② Zone 2 중성구층

중성백혈구가 많이 발견되며 나선균이 다양하게 발견된다.

③ Zone 3 괴사층

파괴된 조직세포, 섬유소 물질, 교원섬유의 잔사와 중, 대형 나선균이 존재하며 다른 세균은 거의 없다.

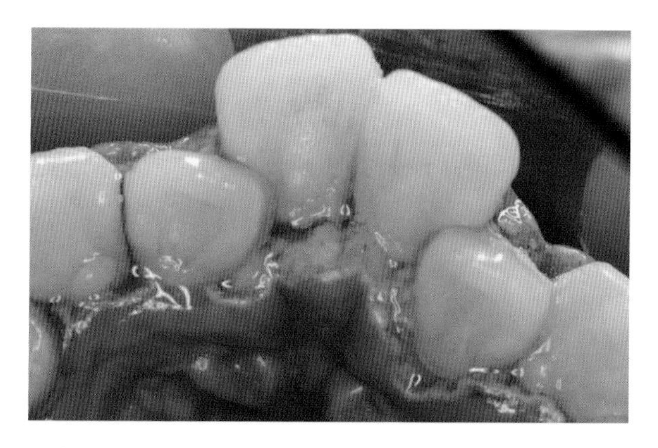

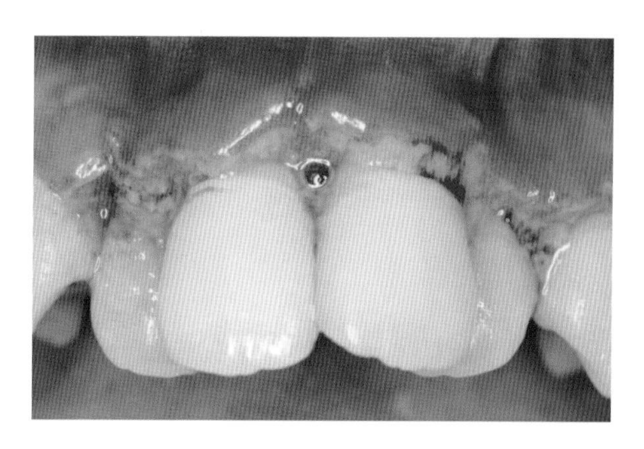

그림 8-11. 급성 괴사성 궤양성 치은염

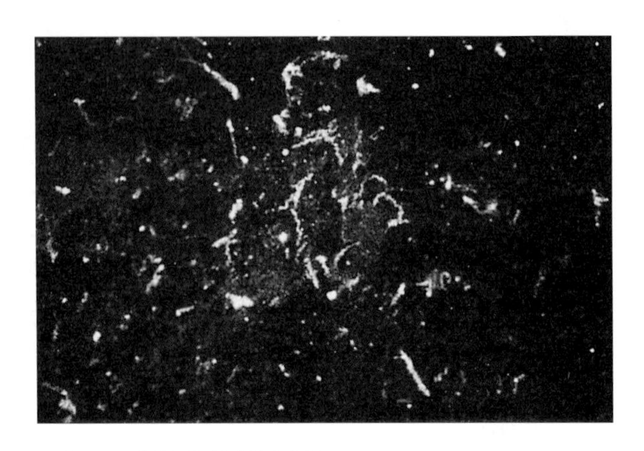

그림 8-12. 나선균의 현미경적 소견

④ Zone 4 나선균 침입층

조직은 비교적 온전하나 중, 대형 나선균이 발견되는 층으로 다른 세균은 거의 없다. 나선균은 대개 300 μm 깊이에서 발견이 가능하다(그림 8-12).

(3) 진단

진단은 치은의 동통이나 궤양, 출혈 등의 임상적 소견을 통해 이루어지며 세균 도말 검사(bacterial smear)는 반드시 실시하지 않아도 된다. 왜냐하면 세균의 형태들이 변연형 치은염이나 치주낭, 치관주위염 또는 원발성 포진성 치은구내염과 구별이 되지 않기 때문이다.[44] 그러나 디프테리아(diphtheria), 아구창(thrush), 방선균증(actinomycosis), 연쇄상구균상 구내염(streptococcal stomatitis)등과 같은 특정 감염과 구별할 필요가 있을 때는 세균 검사를 하기도 한다.

(4) 원인

① 세균

나선균과 *fusiform bacillus*를 원인균으로 생각했지만 [45,46] 명확하지는 않다.

② 국소적 소인성 인자

이미 존재하는 치은염, 치은 손상 및 흡연 등이 중요하게 고려된다.

③ 전신적 소인성 인자

첫째, 영양 결핍 특히 비타민 A 결핍 시 궤양 형성이 쉽고, 둘째, 영양 결핍과 세균성 요인이 중첩된 경우로 비타민 C 결핍 시 점막 출혈이 용이하며, 셋째, 소모성 질환, 만성 질환(매독, 암), 심한 위장 장애(대장염), 혈액성 질환(백혈병) 등이 영양 결핍과 함께 원인 요소가 될 수 있다.

④ 정신적 인자

불안이나 정신적 압박(병영생활이나 시험기간의 학교생활)이 중요한 원인으로 작용할 수 있다.[47]

⑤ 구강위생 상태

구강 내에 존재하는 세균과 더불어 위생 상태가 원인 요소로 작용할 수 있다.

2) 급성 포진성 치은 구내염 (Acute herpetic gingivostomatitis)

(1) 원인

Herpes simplex virus type 1(HSV-1)에 의한 구강내 감염이 원인이며,[48-51] 이차적으로 세균에 의한 감염이 대부분이다.

① 구강내 증상

방산형 발적과 반짝이는 치은과 구강 점막이 보이고 치은 출혈과 부종이 다양하게 나타난다. 초기에는 둥글고 회색의 수포가 분리되어 치은, 협점막, 연구개, 인두부, 구강저 점막, 혀 등에 나타나고, 1일 후 수포는 파열되어 동통성의 작은 궤양을 형성하며 중앙이 함몰된 달무리상의 궤양은 주위로 확산되어 집락을 이룬다. 대개 7~10일 이내에 방산형의 치은 발적은 궤양화하며 반흔(scar)은 남기지 않는다(그림 8-13).

② 구강내 징후

궤양이 형성된 곳은 음식물 섭취 시 동통의 핵심부가 되어 접촉, 온도의 변화, 거친 음식에 대해 민감해지며 유아인 경우 신경질적이며 음식물 섭취를 기피하려 한다.

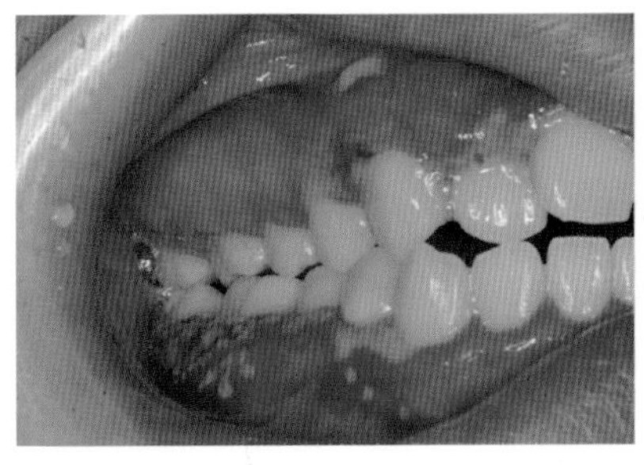
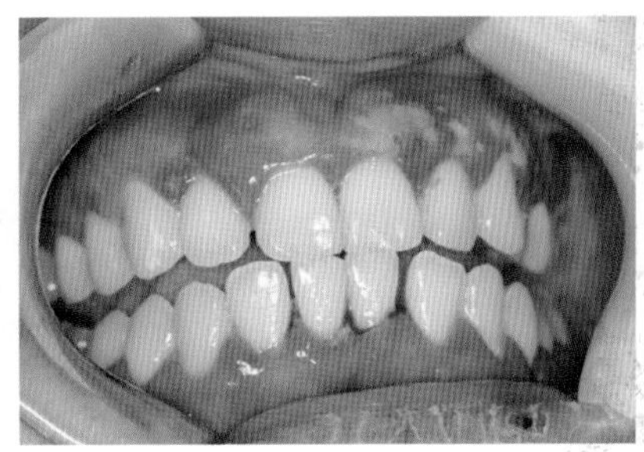
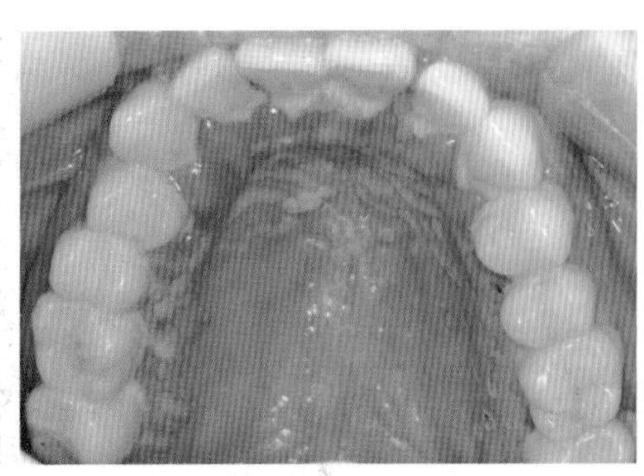

그림 8-13. 급성 포진성 치은구내염 (자료제공: 원광대 치과대학 심영주 교수)

③ 전신적 증상 및 징후

입술과 안면 전반에 걸쳐 포진이 형성될 수 있으며, 경부 선염(cervical adenitis)과 고열(38~41℃), 전신적인 권태를 호소할 수 있다.

(2) 기왕력

최근 급성 감염의 기왕력이 있는 경우가 대부분이다. 특히 열성 질환(폐렴, 뇌막염, 유행성 감기 등)의 회복기에 빈발하며 불안, 근심, 극도의 피로, 또는 월경기간 동안에도 빈발한다.

(3) 진단

기왕력과 임상적 소견에 의거 진단하지만 확진을 위해서는 아래의 검사가 요구된다.

① 직접 도말

수포를 터트려 내용물을 수거 도말하여 확진한다.

② 바이러스 분리

조직 배양을 이용하여 세포 내에 감작시켜 변성되는 세포 변화를 관찰한다.

③ 항체역가검사

항체 검체인 경우 중화 항체를 검사한다.

④ 생체 조직검사

수포를 염색해서 주변 세포의 핵 속에 봉입체를 관찰한다.

3) 치관주위염(Pericoronitis)

불완전하게 맹출된 치아의 치관주위 염증을 말한다. 대개 하악 제3대구치 주위에 빈번히 발생한다. 치관주위염은 급성, 아급성 또는 만성일 수 있다.

(1) 임상적 특징

부분적으로 맹출되거나 매복된 하악 제3대구치가 치관주위염의 가장 흔한 부위이다. 치관과 이를 덮고 있는 치은 판막 사이의 공간은 음식물 잔사와 세균이 축적되기에 아주 좋은 공간이다. 증상이 없어도 치은 판막은 만성적 염증 상태이며 내부에 궤양이 존재한다. 급성 염증의 가능성은 항상 있다.

급성 치관주위염은 치주판막과 인접한 부위뿐만 아니라 전신적으로 부작용을 나타낸다. 염증성액과 세포성분이 증가하면서 판막의 부피가 증가되어 입이 완전히 닫혀지지 않기도 하며, 교합되는 치아에 의해 판막이 손상을 입어 염증이 더욱 심해진다.

또 부종, 발적 및 종창의 결과로 귀나 목, 구강저의 쏘는 듯한 통증을 수반한다. 환자는 동통뿐 아니라 악취와, 입을 잘 다물 수 없어서 매우 불편하다. 악골 부위 볼의 부종과 임파선염도 흔히 발견되며, 발열, 백혈구 수치증가, 피로 등의 전신 증상을 수반하기도 한다.

(2) 합병증

병소는 치관주위 농양(pericoronal abscess)의 형태로 국한되기도 하지만 구강 인후부위나 혀의 기저부로 퍼져서 연하작용을 방해하기도 한다. 감염 정도에 따라 악하, 후경부,

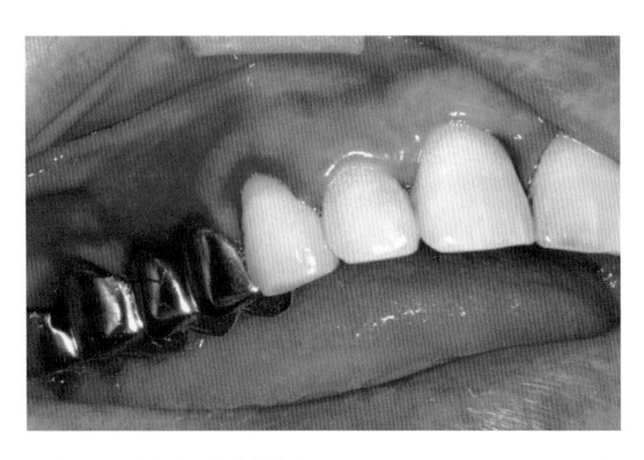

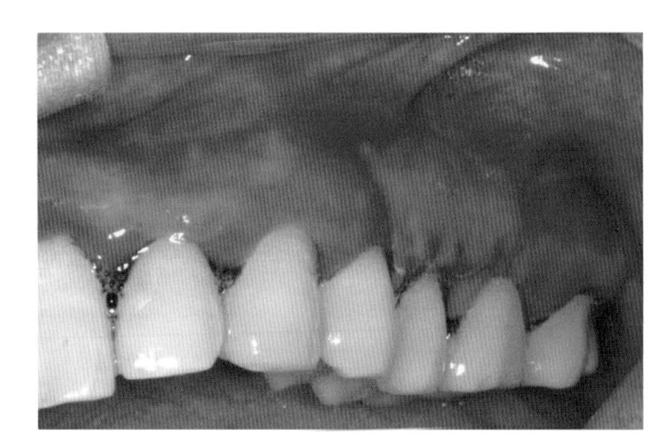

그림 8-14. 만성 박리성 치은염 (자료제공: 원광대 치과대학 심영주 교수)

심경부 임파선까지 영향을 미치기도 한다.[52,53] 편도선 농양 형성이나 봉와직염(cellulitis), Ludwig's Angina까지 진행되는 일은 드물지만 후유증으로 발생하기도 한다.

5. 박리성 치은질환 및 구강 점막질환

주로 치은 및 점막의 과도한 박리가 임상적 특징인 박리성 치은질환에는 만성 박리 치은염(chronic desquamative gingivitis), 양성 점막 유천포창(benign mucous membrane pemphigoid), 침식성 편평태선(erosive lichen planus) 등이 대표적인 경우이고 그 외 알러지, 열적, 전기적 손상 및 특수한 피부 질환과 연관된 병변도 역시 박리성인 특징을 보이는 경우도 있다.

1) 만성 박리 치은염 (Chronic desquamative gingivitis)

(1) 임상 양상

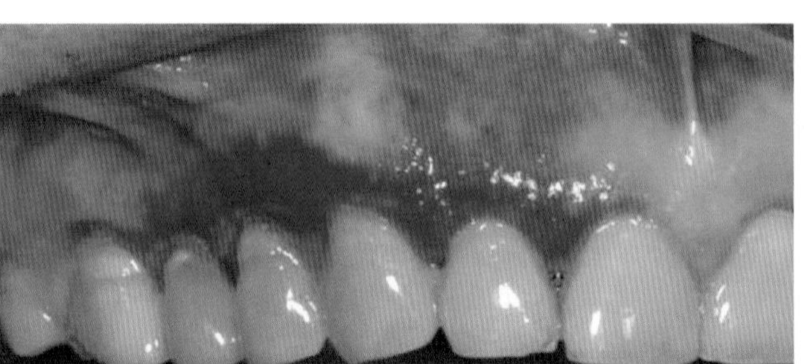

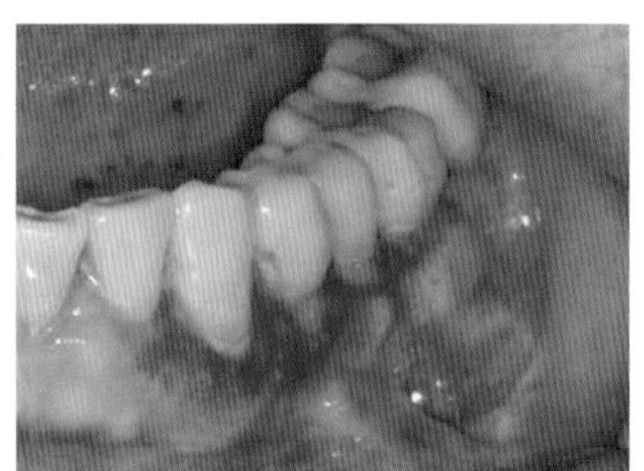

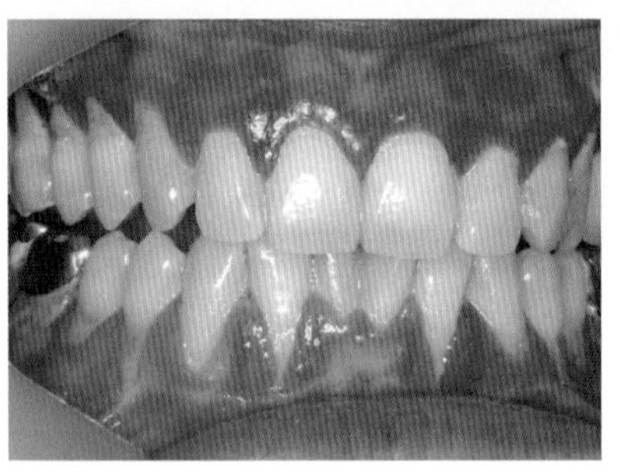

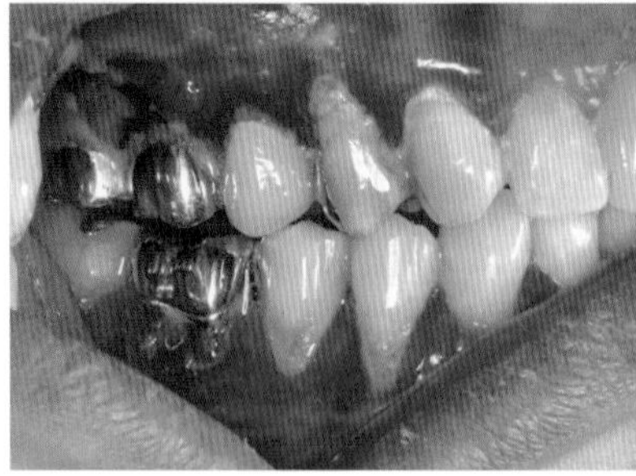

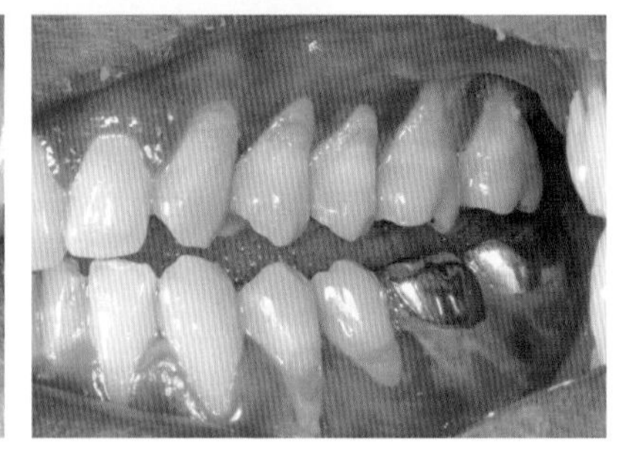

그림 8-15. 미란 혹은 궤양성 편평태선 (자료제공: 원광대 치과대학 심영주 교수)

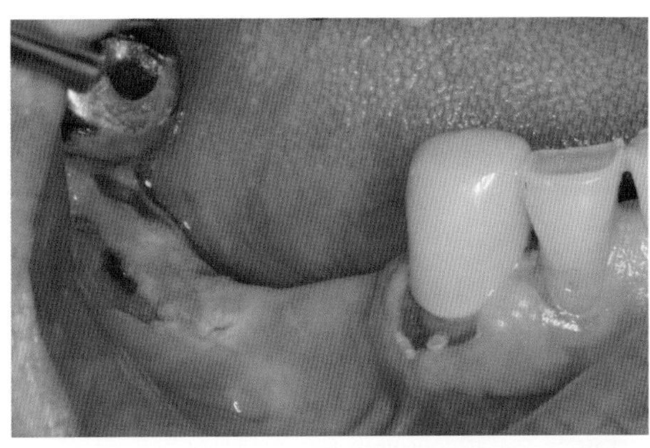
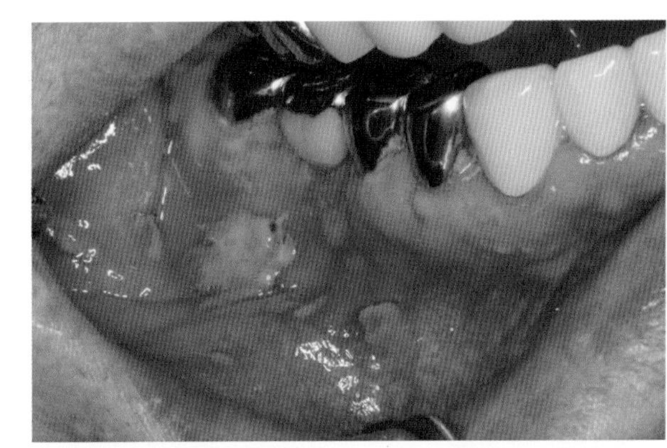
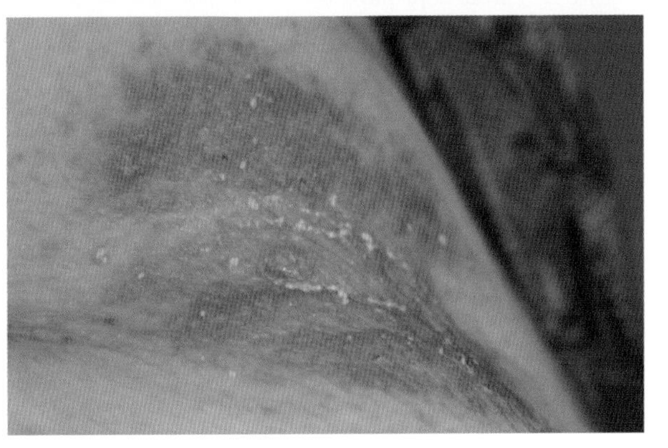
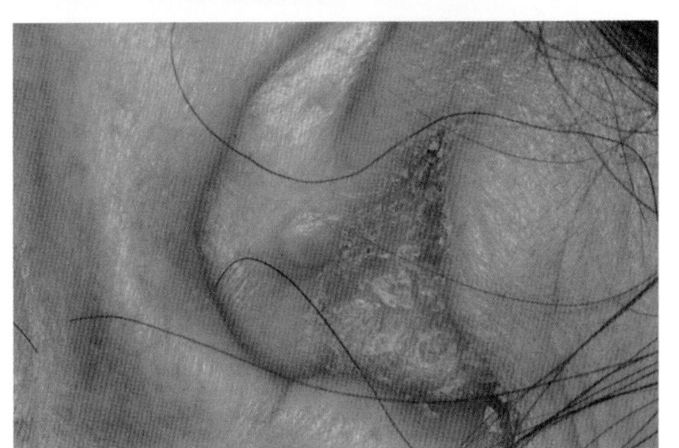

그림 8-16. 천포창 (자료제공: 원광대 치과대학 심영주 교수)

1933년 Merrit에 의해 명명되었으며 30세 이후 여자에서 빈발하지만 사춘기 이후 및 남자에게서도 나타난다.

치아가 없는 사람에게도 발생 가능하며 치은 점막은 붉게 빛나고 작은 회백색 반점이 비교적 정상인 변연치은에서도 발견된다. 표피는 벗겨져 적색의 동통성 표면이 되며 구강 내에 작열감이 있고 온도에 민감하다.

조직병리학적으로 상피하방(subepithelial) 부위가 심한 염증 상태이며 상피와 부종성 결합조직 사이가 분리되며 심한 경우 그사이에 수포성 분리가 생긴다(그림 8-14).

(2) 진단

박리 치은염의 초기 진단은 임상적으로 치은 박리가 있고 명확한 알러지 반응의 증상 및 징후가 없는 경우에 내린다.

(3) 치료

정확한 원인을 알 수 없으며 따라서 특별한 치료법도 없다. 에스트로겐(Estrogen)이나 다른 호르몬 요법을 응용하거나 보조적으로 부드러운 칫솔과 각종 보조기구를 이용하여 청결한 구강위생을 유지함이 바람직하다. 대개 자연적으로 호전되어 재발없이 소실된다.

2) 피부증(Dermatosis)

(1) 편평태선(Lichen planus)

① 임상 양상

구진의 발진을 특징으로 하는 피부와 점막의 염증 질환으로서[54] 정확한 원인은 알 수 없으나 대개 정신–신체적인(psychosomatic) 것에 기인한다. 호발 부위로는 교합평면에 관계된 협점막, 혀의 측면, 부착치은의 순면과 협면, 경구개와 하순 등이며 대칭적으로 나타나고, 치은에서는 각화 병변(keratotic lesions), 미란 혹은 궤양성 병변(erosive or ulcerative lesions), 수포(소수포 혹은 대수포) 병변(vesicular or bullous lesions), 위축 병변(atrophic lesions) 등 4가지 뚜렷한 양상을 가진다. 많은 수의 작은 구진들로 구성되는 회백색의 선조를 나타내며 레이스 모양의 융기들로 구성된다(그림 8-15).

이 질환은 백반증(leukoplakia), 백색해면상모반(white sponge nevus), 만성 원판상 홍반성낭창(chronic discoid lupus erythematosis), 천포창(pemphigus), 점막 유천포창(mucous membrane pemphigoid)들과 감별진단해야 한다.

② 치료

구강 편평태선의 관리에서 중요한 점은 그 질환의 특정한 원인을 환자에게 주지시키고, 그 상황이 세균 감염이나, 접촉 전염성 혹은 전암성 병소가 아님을 알려 환자를 안심시켜야 한다. 구강 내의 각화성 병소인 경우, 특별한 치료는 필요치 않다.

편평태선의 피부 병소는 소양증이 특징적으로 나타나지만, 구강내 각화성 병소는 대개 불편감이 없다. 구강내 병소가 미란형, 수포 혹은 괴사 병소라면 동통이 있고 불편감이 나타난다. 궤양성 병소가 국한되어 나타나면, 잘 건조시킨 후 스테로이드 연고를 바르거나 boxymethyl cellulose(orabase)를 섞어서 하루 3회 도포한다. 심한 경우에는 국소적으로 triamcinolone acetonide (10~20 mg)를 환부에 주사하거나, prednisone 40 mg을 5일 동안 복용하게 한 후 이후 2주 동안 10~20 mg의 유지용량(maintenance dose)을 처방하기도 한다.[55]

(2) 천포창(Pemphigus)

① 임상 양상

천포창은 피부와 점막의 만성 수포성 병소(chronic vesiculobullous lesion)이며, 원인으로는 자가면역질환으로 간주되는데 면역형광법 사용 시 항체가 나타난다. 구강내 병소는 소수포에서 대수포에 이르기까지 다양하며, 대수포가 파열되면 광범위한 궤양성 부위를 남긴다.

구강 내의 모든 부위에서 발생하나, 협점막의 교합평면 혹은 무치악의 치조능선과 같이 자극이나 외상이 많은 부위에 간혹 발생한다(그림 8-16). 이 질환은 다형홍반(erythema multiforme), 점막 유천포창(mucous membrane pemphigoid), 수포성 편평태선(bullous lichen planus)들과 감별해야 된다.

② 치료

환자가 스테로이드 제재에 잘 반응하는 경우, 전신 코르티코스테로이드를 사용하며, 약의 용량을 점차 줄여서 유지용량을 낮게 하여 병소의 재발을 방지하는 것이 중요하다.

스테로이드에 잘 반응을 하지 않는 환자의 경우 methotrexate 또는 azathioprine과 같은 항대사성 약물을 함께 사용한다. 또한 병소 부위의 자극을 최소로 하고 적절한 구강위생을 유지하며, 동통을 경감시키기 위해 물로 희석한 50% dyclonine hydrochloride (dyclone)로 매일 수 회에 걸쳐 양치한다.

(3) 수포성 유천포창(Bullous pemphigoid)

① 임상 양상

만성 수포성 피부증으로서 구강 내에 연루되어 나타나며, 피부 병소는 임상적으로 천포창과 유사하나, 현미경으로 관찰 시 극세포 분리증이 나타나지 않는 것이 특징이다. 수포성 유천포창은 자가면역성 질환으로 간주되며, 면역형광법 사용 시 기저막 부위에 항체가 보인다.[56,57] 보고된 증례의 약 10% 정도가 구강 내에서 병소가 관찰되고, 미란형 혹은 박리 치은염으로 나타나며 수포성 병소로도 나타난다.[58]

② 치료

중등도 용량의 코르티코스테로이드를 전신적으로 사용한다.

(4) 양성 점막 유천포창 (Mucous membrane pemphigoid, Benign mucous membrane pemphigoid)

① 임상 양상

구강조직과 다른 조직을 침습하는 만성 수포성 질환으로서 피부는 대개 이환되지 않는다. 구강점막 이외 호발하는 부위로는 결막, 코점막, 질점막, 직장점막, 요도 등이다. 여성이 남성보다 호발하여 40~70세 사이에 호발한다.

부착치은의 현저한 발적을 동반한 미란성 혹은 박리성 치은염이 특징적으로 나타나고,[59,60] 구강 내의 모든 부위에서 발생할 수 있으며 대개 수포성이다.[59] 수포는 대개 두꺼운 막으로 가려져 있으며 2~3일경에 파열되어 불규칙한 모양의 괴사 부위를 남기며, 병소가 치유되는 데는 3주 가량 소요된다. 이 질환은 천포창(pemphigus), 다형홍반(erythema multiforme), 수포성 편평태선(bullous lichen planus)들과 감별해야 된다(그림 8-17).

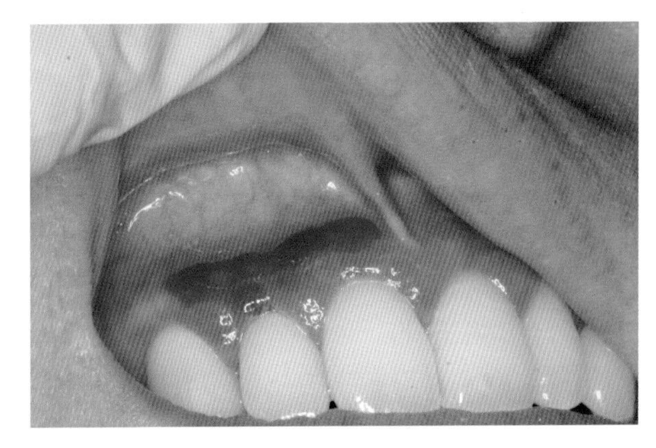

그림 8-17. 점막성 유천포창 (자료제공: 원광대 치과대학 심영주 교수)

② 치료

매일 혹은 이틀에 한 번씩 중등도 용량의 코르티코스테로이드(5~10 mg of prednisone)를 전신적으로 투여하고 점차적으로 용량을 낮춘다. 또한 코르티코스테로이드를 국소적으로도 도포하며 적절한 구강위생을 유지하는 것이 중요하다.

(5) 다형홍반(Erythema multiforme)

① 임상 양상

다형홍반은 구강과 피부를 포함하는 급성 염증성 발진증이며, 피부에 증상을 가지는 환자의 70% 이상이 구강내 소견을 가지고 있다.[61-63] 다형홍반은 대개 재발성이며, 발병의 빈도는 1년에 3번 또는 그 이상에서 나타난다. 구강내 소견은 수포성을 띤 붉은 원발진 혹은 구진으로 나타나며, 혀는 종종 심한 궤양에 의해 저작과 연하가 어렵다. 입술은 증상이 상당히 심한데, 넓은 수포성 궤양성 병소가 입술 점막에 존재하므로 광범위한 순면 병소가 진단에 도움이 된다.

② 치료

특별한 치료는 없으며 전신적 스테로이드 치료는 병이 진행되는 동안에 증상을 억제시킨다.

(6) 홍반성 낭창(Lupus erythema)

① 임상 양상

홍반성 낭창은 과거에는 교원질 질환으로 생각되었으나 현재는 자가면역질환으로 간주된다. 만성 원판형(chronic discoid type)과 급성 전신형(acute systemic type)이 있다. 다형홍반에서 구강내 소견의 발병률은 질환의 급성도에 따라 다르다. 만성 원판형을 가진 환자의 10%는 구강내 소견을 나타내지 않지만 급성 전신형의 경우 75%가 사망 전에 구강내 소견을 보인다.

안면에 나비모양(butterfly)의 병소가 보이는 것이 특징이며,[64] 이 질환은 드물게 피부 병소 없이 구강내 병소만 나타나기도 한다.

② 치료

특별한 치료법이 아직까지는 알려져 있지 않다. 어떤 경우에는 저절로 치유되기도 하여 특별한 치료를 하지 않아도 된다고도 한다. 그러나 수포성 또는 궤양성 병소를 보이면 치료가 필요한데, 전신적 또는 국소적으로 항히스타민을 국소마취제와 함께 사용하거나 병소에 산화제를 이용하여 죽은 조직을 제거(debridement)한다. 심한 경우에는 코르티코스테로이드를 사용하기도 하지만 이에 대해서는 아직 논란의 여지가 많다.

(7) 경화증(Scleroderma)

① 임상적 양상

경화증은 피부의 일차적인 경결과 부종을 특징으로 하며 후에 위축과 색소 침착이 일어난다. 3가지 뚜렷한 형태, 즉 미란성 경화증, 선단 경화증, 반상형 경화증 등이 있다.

경화증은 자가면역질환의 일종일지라도 원인은 불분명하다. 구강내 소견으로서 병적인 변화를 보여주는 가장 많은 부분은 혀, 협점막, 치은의 순이다. 혀와 치은이 경화되어 혀의 제한된 운동의 결과로서 발음상의 문제가 있다.

② 치료

효과적인 치료는 없으나 면역억제제(azathoprine)의 사용이 필요하다.

(8) 알러지 치은구내염 및 약제 반응 (Allergenic gingivostomitis & drug reaction)

설파제나 항생제에 대한 약제성 구내염(stomatitis medicamentosa) 시 치은 박리가 야기되고 이때에는 구강내 전반으로 확산되어 나타나며, 치과에서 사용되는 eugenol 같은 국소적 약제 및 항생제에 의해 발생될 수도 있다(그림 8-18).

(9) 열적, 전기적, 화학적 치은구내염(Thermal, electrical and chemical gingivostomatitis)

아스피린, 페놀, 알코올, 에틸클로라이드 및 chlorform 등의 국소적 도포는 표피를 벗기는 효과가 있으며 치은염증을 유발한다. 음식이나 뜨거운 물질에 대한 열성 화상이 치은 박리 현상을 야기할 수 있으며 진단 또한 병력에 기초를 둔다.

평전류 자극(galvanic irritation)은 구강 내에서 2개의 다른 금속 사이에서 발생하여 전해질이 타액을 통해 치은에 자극을 줄 수 있다. 이때의 치료로는 합성수지로 수복물을 대치하거나 동일 치열상의 다른 수복물과 동일한 재료로 바꾸어준다.

6. 소아의 치은 및 치주질환

1) 유치열의 치주조직

(1) 치은

혈관 분포가 많고 상피 중 각화층이 적고 얇아서 성인의 색조보다 더 붉게 보이고[65] 고유층판(lamina propria) 내 결체조직은 조밀도가 낮아 임상적으로 견고성이 떨어진다.

성인보다 점몰(stippling)도 약하며 인접 치아의 외형으로 인해 근원심측으로 좁으며 협설측으로는 넓은 형태를 가지며, 치은변연은 성인에 비해 둥근 형태이다. 유치열에서 평균 치은열구의 깊이는 2.1±0.2 mm이다.

현미경적 소견으로는 발달된 상피돌기와 각화 혹은 부각화된 중층편평상피를 보이며 결합조직은 주로 섬유성이지만 성인에서처럼 발달된 교원성 다발들은 없고 점몰을 덮고 있는 상피는 각화되지 않은 단지 몇 개의 세포로 구성되어 있다.

(2) 백악질

성인보다 얇으며 치밀도도 떨어져 경도는 낮고 과비대 및 cementoid 성향이 있다.

(3) 치주인대

치주인대는 영구치열보다 넓고 맹출 동안 주섬유는 치아 장축에 평행하다. 성인 치열에서 보여지는 교원섬유 다발의 배열은 치아가 기능적인 대합치를 가질 때 일어난다.

(4) 치조골

맹출하는 동안 치조백선은 뚜렷하고 골수강은 성인보다 넓으며 골소주는 적다.[66] 석회화 정도는 낮고 치간골정은 편평한 형태이고 혈관과 림프절의 분포는 많다.

2) 치아 맹출과 관련된 생리적 치은 변화

치열 발육의 전이기간(transition period) 동안 영구치의 맹출과 관련된 변화가 치은에서 일어난다. 이러한 치아 맹출과

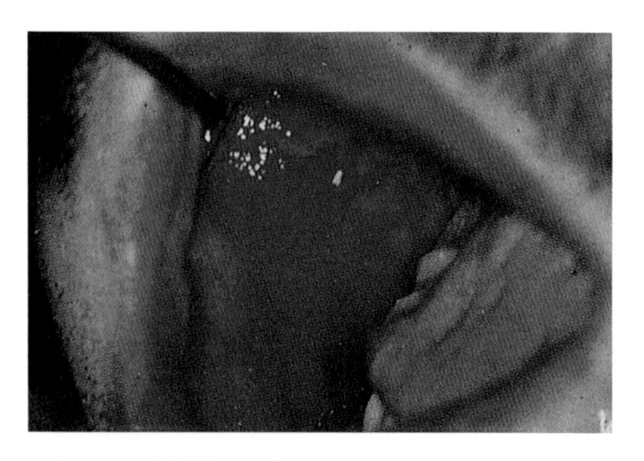

그림 8-18. 알러지 치은구내염

관련하여 나타나는 생리적 변화를 이해함으로써 치은질환과 구별하는 것은 매우 중요하다.

(1) 맹출 전 융기

치관이 구강 내에 나타나기 전 치은은 단단하고 약간은 창백한 그리고 하부 치관의 모양을 나타내는 팽창이 있다.

(2) 치은변연의 형성

변연치은과 열구는 구강점막을 관통하는 치관에 의해 형성된다. 맹출 과정에서 치은변연은 부종성이고 둥글고 약간은 적색이다.

(3) 치은변연의 정상 돌출

혼합치열기 동안 돌출된 영구치(특히 상악전치부) 주위 변연치은은 정상이다. 이와 같은 맹출기 치은은 아직 치관에 부착되어 있고 아래의 법랑질과 겹쳐 매우 뚜렷하게 보인다.

3) 소아 치주조직의 염증 발생 기전

① 소아에 있어서 치은염의 발생은 주로 col 부위에 빈발하는데 이는 reduced enamel epithelium이 중층편평상피로 대치되어 각종 자극에 의해 저항력이 감소되기 때문이며, 형태학적으로 변연치은이 얇으므로 세균 번식에 호조건이 되어 염증이 빈발된다.

② 치은벽은 미분화되어 신축성이 낮고 치은섬유 형성이 불완전하며 조직의 성분이 상대적으로 풍부하여 치은열구 내에 세균 집락 형성이 용이하다.

4) 치은질환의 종류

(1) 만성 변연치은염(Chronic marginal gingivitis)

소아의 치은질환 중 가장 흔한 경우이고 일반적인 만성 염증의 증상과 동일한 임상 증상을 보인다. 원인으로는 불결한 구강위생 상태(치태 축적을 포함), 경미하지만 치석의 존재, 맹출 시 치태 축적의 용이함, 치아우식증의 빈발로 인한 치태 축적, 편측성 저작 습관, 치아의 부정위, 부정교합 등이 있다. 성인에서와 마찬가지로 치태가 주원인으로 작용하고 학령기전 소아에서 치태에 대한 치은의 반응은 성인에 비하면 거의 없으며, 8~12세의 소아는 치태의 침착이 성인보다 더 빠르다.

치석은 유아에서는 드물고 4~6세 소아는 9%, 7~9세 사이는 18%, 10~15세 사이에서는 33~43% 정도 나타난다. 낭포성 섬유증(cystic fibrosis)을 보이는 소아에서는 치석 형성이 더 흔하고(7~9세: 77%, 10~15세: 90%) 심한데 이는 타액 내에 인, 칼슘, 단백질의 농도가 높기 때문이다.[67]

치아 맹출과 관련된 치은염이 흔하며 이를 맹출성 치은염(eruption gingivitis)이라 한다. 그러나 맹출 자체가 치은염을 유발하지는 않으며, 염증은 맹출 치아 주위의 치태 침착 때문이다.[68] 치은염의 시작은 맹출과 관련된 조직의 재형성이라기보다는 치태의 침착과 관련이 있으며, 유치 주위에 치태가 있으면 인접 영구치의 치태 형성을 용이하게 한다. 염증 변화는 변연치은의 정상적인 돌출을 더욱 뚜렷하게 하고 치은비대의 인상을 주게 된다.

부분적으로 흡수되어 흔들리는 유치 또한 치은염을 유발한다. 부분적으로 흡수된 유치는 치태의 침착을 용이하게 하여 치은이 약간 변색되는 것에서부터 화농성 농양의 형성에 이르는 변화를 초래하게 된다. 치아우식을 보이는 치아에서는 식편압입과 백질 침착이 치태 형성을 촉진하며, 위치가 잘못된 치아는 치태와 백질이 더욱 많아 치은염이 상당히 심해지고, 치은비대, 청홍색의 변색, 궤양 등을 유발한다.

치은염은 또한 심한 overbite, overjet, nasal obstruction, 구호흡 시에 심해지며, Maynard & Wilson은 맹출과정의 이상 치주조직의 두께 부족으로 인해 치은점막의 문제가 생긴다고 보고하였다.

조직병리학적으로 소아의 만성 치은염에서는 부착상피와 중요한 혈관 성분의 교원질 소실을 볼 수 있고 다수의 림프구, 소량의 다형핵 백혈구, 형질세포, 비만세포, 섬유모세포, 내피세포의 침윤이 보인다.

(2) 국소적 치은퇴축

치은퇴축에는 여러 원인이 있지만 어린이에서 치열궁내 치아의 위치는 가장 중요하며, 순측 전위된 치아나 치근이 순측으로 기울어져 있거나 회전된 치아에서 일어난다.

이러한 치은퇴축은 치아 맹출의 이행시기일 수도 있고, 치아가 적당한 배열을 할 때 그 자체가 수정될 수도 있으며, 혹은 교정적으로 치아를 재배열할 필요가 있을 수도 있다.

(3) 비치태 관련 급성 치은 감염

① 급성 포진성 치은 구내염 (Primary herpetic gingivostomatitis)

이것은 어린이의 급성 치은 감염의 가장 일반적 형태이다. 99%에서 증상이 없거나 맹출과 관련된 증상을 보이고 1%에서 치은염증과, 입술과 점막의 궤양으로 진행될 수 있다.[69,70] 상기도 감염의 후유증으로 나타난다.

② 칸디다증(Candidiasis)

이것은 *Candida albicans*에 의해 야기된 구강 내의 진균성 감염증이다. 흔히 급성으로 나타나지만 만성일 때도 있는데, 건강한 어린이에게서는 드물게 나타난다.[71]

③ 급성 괴사성 궤양성 치은염

어린이에서 급성 괴사성 궤양성 치은염의 발생률은 낮지만, 만성 영양결핍이 있는 어린이와 다운증후군을 가진 어린이에서는 발병률과 심각성이 증가한다. 어린이에서 더 흔히 나타나는 급성 포진성 치은 구내염을 종종 급성 괴사성 궤양성 치은염으로 잘못 진단하기도 한다.

5) 치주조직의 외상성 변화

유치의 탈락 과정에서 치아의 흡수가 치아 지지 조직을 약하게 만들어 정상 교합압에서도 남아 있는 지지 조직이 외상을 입어,[72] 치아 배열 이상, 파절, 치아 상실이 일어난다. 혼합치열기에서 유치의 상실로 인한 과도한 교합력이 영구치의 치주인대를 손상시키기도 하고, 교환되고 있는 유치를 통해서 전달되는 교합압에 의해 맹출하고 있는 영구치의 치주인대가 손상을 받을 수도 있다.

현미경적 소견을 보면 약한 외상성 변화일 때 치주인대의 압축, 빈혈, 초자양화(hyalinization)를 일으키고, 심한 손상일 경우 치주인대의 압착(crushing)과 괴사를 초래한다.

6) 전신적 질환시 소아의 구강내 소견

(1) 수두(Chicken pox, Varicella)

협점막에 유두돌기나 수포가 형성되었다가 파열되어 궤양이 생기고 궤양 주위에는 발적이 있다.

(2) 홍역(Measle, Rubeola)

홍역 발생 2~3일 전에 제1대구치에 해당하는 협점막과 하순 내면에 발진(rash)이 나타나고, pin-point size의 청백색의 반점이 치은과 점막에 발생하여 이를 koplick spot이라 부르는 특징적인 소견을 보인다.

(3) 성홍열(Scarlet fever, Scarlatina)

구강점막 전반에 걸쳐 방산형(diffuse)의 불같이 색조 변화를 나타내며 혀에는 딸기상의 돌기와 더불어 심한 발적상을 보인다.

(4) 디프테리아(Diphtheria)

구강점막에 수포 형성과 발적을 보이고 oropharynx에 회백색의 위막 형성이 특징적으로 나타난다.

(5) 선천성 심장질환(Congenital heart disease)

Cynotic gingivitis와 구내염이 나타나며 설염이 생기고 치아 맹출이 지연된다. 또한 치아우식증의 이환율이 높고 법랑질 표면에 결손이 생긴다.

(6) 소아 당뇨(Juvenile diabetes)

Type 1 당뇨 또는 인슐린 의존성 당뇨가 나타난다. 성인에서처럼 당뇨가 있는 어린이에서 치은염증과 치주염이 더 잘 발생한다.[70,73] 소아 당뇨가 있는 경우 치주질환의 발생 빈도가 높으며 치조골의 소실 정도가 심하게 나타날 수 있으며, 치석 침착이 증가할 수 있다.

참고문헌

1. American Academy of Periodontology. Parameter on plaque-induced gingivitis. J Periodontol 2000;71:851.
2. Larato DC, Stahl SS, Brown Jr R, et al. The effect of a prescribed method of toothbrushing on the fluctuation of marginal gingivitis. J Periodontol 1969;40:142.
3. Lenox JA, Kopczyk RA. A clinical system for scoring a patient's oral hygiene performance. J Am Dent Assoc 1973;86:849.
4. Meitner SW, Zander H, Iker HP, et al. Identification of inflamed gingival surfaces. J Clin Periodontol 1979;6:93.
5. Milne AM. Gingival bleeding in 848 army recruits: an assessment. Br Dent J 1967;122:111.
6. Stefanini M, Dameshek W. The hemorrhagic disorders. ed 2. New York, Grune & Stratton, 1962.
7. Haeb HP. Postrubella thrombocytopenic purpura: a report of eight cases with discussion of hemorrhagic manifestations of rubella. Clin Pediatr 1968;7:350.
8. Buchner A, Hansen LS. Amalgam pigmentation (amalgam tattoo) of the oral mucosa: a clinicopathologic study of 268 cases. Oral Surg Oral Med Oral Pathol 1980;49:139.
9. McCarthy FP, Shklar G. Diseases of the oral mucosa. New York, McGraw-Hill, 1964.
10. Dummett CO. Oral tissue color changes. Ala J Med Sci 1979;16:274.
11. Shklar G, McCarthy PL. The oral manifestations of systemic disease. Boston, Butterworth, 1976.
12. Neville BW, Damm DD, Allen CM, et al. Oral and maxillofacial pathology. Philadelphia, Saunders, 1995.
13. King JD. Gingival disease in Dundee. Dent Rec 1945;56:9.
14. Orban B. Clinical and histological study of the surface characteristics of the gingiva. Oral Surg Oral Med Oral Pathol Oral Radiol Endod 1948;1:827.
15. Albandar JM, Brunelle JA, Kingman A. Destructive periodontal disease in adults 30 years of age and older in the United States, 1988-1994. J Periodontol 1999;70:13.
16. Woofter C. The prevalence and etiology of gingival recession. Periodontal Abstr 1969;17:45.
17. Sognnaes RF. Periodontal significance of intraoral frictional ablation. J West Soc Periodontol Periodontal Abstr 1977;25:112.
18. Trott JR, Love B. An analysis of localized gingival recession in 766 Winnipeg High School students. Dent Pract Dent Rec 1966;16:209.
19. Morris ML. The position of the margin of the gingiva. J Oral Surg 1958;11:969.
20. Merritt AA. Hyperemia of the dental pulp caused by gingival recession. J Periodontol 1933;4:30.
21. Stillman PR. Early clinical evidences of disease in the gingiva and pericementum. J Dent Res 1921;3:25.
22. Hirschfeld I. Hypertrophic gingivitis: its clinical aspect. J Am Dent Assoc 1932;19:799.
23. Glickman I, Lewitus M. Hyperplasia of the gingiva associated with Dilantin (sodium diphenyl hydantoinate) therapy. J Am Dent Assoc 1941;28:1991.
24. Kimball O. The treatment of epilepsy with sodium diphenylhydantoinate. JAMA 1939;112:1244.
25. Babcock JR. Incidence of gingival hyperplasia associated with Dilantin therapy in a hospital population. J Am Dent Assoc 1965;71:1447.
26. Angelopoulos AP, Goaz PW. Incidence of diphenylhydantoin gingival hyperplasia. Oral Surg 1972;34:898.
27. Babcock JR, Nelson GH. Gingival hyperplasia and Dilantin content of saliva. J Am Dent Assoc 1964;68:195.
28. Westphal P. Salivary secretion and gingival hyperplasia in diphenylhydantoin-treated guinea pigs. Sven Tandlak Tidskr 1969;62:505.
29. Kapur RN, Grigis S, Little TM, et al. Diphenylhydantoin-induced gingival hyperplasia: its relation to dose and serum level. Dev Med Child Neurol 1973;15:483.
30. Klar LA. Gingival hyperplasia during Dilantin therapy: a survey of 312 patients. J Public Health Dent 1973;33:180.
31. Calne R, Rolles K, White DJ, et al. Cyclosporin-A initially as the only immunosuppressant in 34 recipients of cadaveric organs: 32 kidneys, 2 pancreas and 2 livers. Lancet 1979;2:1033.
32. Daley TD, Wysocki GP, Day C. Clinical and pharmacologic correlations in cyclosporine-induced gingival hyperplasia. Oral Surg 1986;62:417.
33. Seymour RA, Smith DG, Rogers SR. The comparative effects of azathioprine and cyclosporine on some gingival health parameters of renal transplant patients. J Clin Periodontol 1987;14:610.
34. Hancock RH, Swan RH. Nifedipine-induced gingival overgrowth. J Clin Periodontol 1992;19:12.

35. Lederman D, Lummerman H, Reuben S, et al. Gingival hyperplasia associated with nifedipine therapy. Oral Surg 1984;57:620.
36. Lucas RM, Howell LP, Wall RA. Nifedipine–induced gingival hyperplasia: a histochemical and ultrastructural study. J Periodontol 1985;56:211.
37. Nishikawa S, Tada H, Hamasaki A, et al. Nifedipine–induced gingival hyperplasia: a clinical and in vitro study. J Periodontol 1991;62:30.
38. Barclay S, Thomason JM, Idle JR, et al. The incidence and severity of nifedipine–induced gingival overgrowth. J Clin Periodontol 1992;19:311.
39. Burket LW. Oral medicine. Philadelphia, Lippincott, 1946.
40. Ziskin DE, Blackberg SM, Stout AP. The gingivae during pregnancy. Surg Gynecol Obstet 1933;57:719.
41. Maier AW, Orban B. Gingivitis in pregnancy. Oral Surg 1949;2:334.
42. Sutcliffe P. A longitudinal study of gingivitis and puberty. J Periodontal Res 1972;7:52.
43. McCarthy FP. A clinical and pathological study of oral disease. JAMA 1941;116:16.
44. Rosebury T, MacDonald JB, Clark A. A bacteriologic survey of gingival scrapings from periodontal infections by direct examination, guinea pig inoculation and anaerobic cultivation. J Dent Res 1950;29:718.
45. Plaut HC. Studienzur bakterielle diagnostik der diphtheriae un der aginen. Dtsch Med Wochenschr 1894;20:920.
46. Vincent H. Sur l'etiologie et sur les lesions anatomopathologiques de la pourritute d'hopital. Ann l'Inst Pasteur 1896;10:448.
47. Giddon DB, Zackin SJ, Goldhaber P. Acute necrotizing gingivitis in college students. J Am Dent Assoc 1964;68:381.
48. Dodd K, Johnston LM, Budding GJ. Herpetic stomatitis. J Pediatr 1938;12:95.
49. McCarthy PL, Shklar G. Diseases of the oral mucosa,. ed 2. Philadelphia, Lea & Febiger, 1980.
50. McNair ST. Herpetic stomatitis. J Dent Res 1950;29:647.
51. Sapp JP, Eversole LR, Wysocki GP. Contemporary oral and maxillofacial pathology. ed 2. St. Louis, Mosby (Elsevier), 2004.
52. Jacobs MH. Pericoronal and Vincent's infections: bacteriology and treatment. J Am Dent Assoc 1953;30:392.
53. Perkins AE. Acute infections around erupting mandibular third molar. Br Dent J 1944;76:199.
54. Rogers 3rd RS, Eisen D. Erosive oral lichen planus with genital lesions: the vulvovaginal–gingival syndrome and the peno–gingival syndrome. Dermatol Clin 2003;21:91.
55. Nisengard R. Periodontal implications: mucocutaneous disorders. Ann Periodontol 1996;1:401.
56. Korman NJ. Bullous pemphigoid. Dermatol Clin 1993;11:483.
57. Nemeth AJ, Klein AD, Gould EW, et al. Childhood bullous pemphigoid: clinical and immunologic features, treatment, and prognosis. Arch Dermatol 1991;127:378.
58. Shklar G, Meyer I, Zacarian S. Oral lesions in bullous pemphigoid. Arch Dermatol 1969;99:663.
59. Gallagher G, Shklar G. Oral involvement in mucous membrane pemphigoid. Clin Dermatol 1987;5:19.
60. Shklar G, McCarthy PL. The oral lesions of mucous membrane pemphigoid: a study of 85 cases. Arch Otolaryngol 1971;93:354.
61. Farthing PM, Margou P, Coates M, et al. Characteristics of the oral lesions in patients with cutaneous recurrent erythema multiforme. J Oral Pathol Med 1995;24:9.
62. Lozada–Nur F, Gorsky M, Silverman Jr S. Oral erythema multiforme: clinical observations and treatment of 95 patients. Oral Surg Oral Med Oral Pathol 1989;67:36.
63. McCarthy PL, Shklar G. Diseases of the oral mucosa. ed 2. Philadelphia, Lea & Febiger, 1980.
64. D'Cruz DP. Systemic lupus erythematosus. Br Med J 2006;332:890.
65. Maynard Jr JG, Ochsenbein C. Mucogingival problems, prevalence and therapy in children. J Periodontol 1975;46:543–552.
66. Griffen AL. Periodontal problems in children and adolescents. In: Pinkham JR, Cassamassimo PS, Field HW, ed. Pediatric dentistry in infancy through adolescence, ed 4. Philadelphia, PA: Saunders; 1999:414–422.
67. Wotman S, Mercadante J, Mandel ID, et al. The occurrence of calculus in normal children, children with cystic fibrosis, and children with asthma. J Periodontol 1973;44:278–280.
68. Bimstein E, Matsson L. Growth and development considerations in the diagnosis of gingivitis and periodontitis in children. Pediatr Dent 1999;21:186–191.
69. King DL, Steinhauer W, Garcia–Godoy F, Elkins CJ. Herpetic gingivostomatitis and teething difficulty in infants. Pediatr Dent 1992;14:82–85.

70. Oh TJ, Eber R, Wang HL. Periodontal diseases in the child and adolescent. J Clin Periodontol 2002;29:400–410.
71. Blyth CC, Chen SC, Slavin MA, et al. Not just littler adults: candidemia epidemiology, molecular characterization and antifungal susceptibility in neonatal and pediatric patients. Pediatrics 2009;123:1360–1368.
72. Grimmer EA. Trauma in an erupting premolar. J Dent Res 1939;18:267.
73. Pinson M, Hoffman WH, Garnick JJ, Litaker MS. Periodontal disease and type I diabetes mellitus in children and adolescents. J Clin Periodontol 1995;22:118–123.

1. 치주질환의 분류

지난 20년 동안 치주염의 다양한 임상 소견을 바탕으로 여러 분류법이 소개되었는데 1989년 북미워크숍과[1] 1993년 유럽워크숍에서[2] 치주염을 조기발생형(early onset), 성인형(adult) 및 괴사성(necrotizing) 형태로 분류하였다(표 9-1). 뿐만 아니라 미국치주학회가 주관한 국제회의에서 치주염은 당뇨, 후천성면역결핍증과 같은 전신인자와 관련성이 있고, 특정 치주염의 형태는 일반적 치료에 잘 반응하지 않는다고 결론지었다.

조기발생형 치주염은 발생하는 연령(35세 기준으로 임의 분류)과 질환 진행의 속도 또는 숙주 방어능의 변화 등에 따라 성인형 치주염과 구별된다. 즉 조기발생형 치주염은 급진성(aggressive)으로 나타나고 35세 이하에서 발생하며, 숙주의 방어기전의 손상과 관련이 있는 반면, 성인형 치주염은 서서히 진행하며 40대 이후에 발병하고 숙주의 방어기전의 손상과는 관련이 없다. 뿐만 아니라 조기발생형 치주염은 사춘기전(prepubertal), 유년형(juvenile) 및 급속진행형(rapidly progressive)의 형태로 나타나면서 국소적 혹은 전반적인 분포를 보인다. 이러한 분류법을 기초로 여러 나라에서 광범위한 임상 및 기초연구가 진행되어 왔으나 과거 10년 전에 받아들여졌던 질환특성이 더 이상 과학적 근거를 가지기가 어렵게 되었다.[3-5] 1999년 미국치주학회(AAP)가 개최한 치주질환 분류를 위한 국제회의에서는,[6] 성인형 치주염과 재발성(refractory) 치주염을 뚜렷이 구별할 근거가 미약하고 조기발생형 치주염도 다양한 형태로 나타날 뿐 아니라, 치태와 치석과 같은 국소인자의 침착에 의한 만성 치주조직의 파괴가 35세 이전에도 발생하며 젊은 층의 환자에서도 급진성 질환이 나타나는 것은 연령과는 무관하게 가족력(유전적)이 관련되어 있다는데 의견이 모아졌다. 또한 재발성 치주염의 경우에도 치주치료 후 지속적인 부착상실과 치조골 소실의 원인이 분명하게 밝혀져 있지 않으므로 이와 같은 분류가 뚜렷한 임상적 실체를 가지고 있다는 근거가 부족하다고 결론지었다.

뿐만 아니라 1989년과 1993년의 분류법에 따른 질환의 양상이 세계 각국에서 일정하게 관찰되지 않을뿐더러 제시된 모델과 반드시 일치하지 않았다. 따라서 1999년 미국치주과학회 회의에서 최신 임상적, 과학적 자료를 바탕으로 새로운 분류법을 제정하기에 이르렀다. 새로운 분류법에는 치주질환의 형태를 일반적인 세 가지 치주염의 형태, 즉 만성 치주염, 급진성 치주염 그리고 전신질환과 관련된 치주염으로 단순화하였다. 또한 치은질환을 치주질환 분류에 포함하고 있는 것이 특징이다.[6]

1) 치은질환(Gingival disease)

치은질환에 대해서는 앞의 8장을 참조

2) 만성 치주염(Chronic periodontitis)

만성 치주염은 치주염의 가장 흔한 형태이며, 이전에는 주로 성인형 치주염으로 표현되었다. 만성 치주염은 성인에서

표 9-1. 치주염의 분류

분류	치주염의 형태	질환의 특성
임상치주학에 관한 AAP 국제회의, 1989	성인형(adult) 치주염	•35세 이상에서 발생 •서서히 진행 •숙주 방어기전의 이상 없음
	조기발생형(early onset) 치주염 (사춘기전, 유년형 또는 급속진행형)	•35세 미만에서 발생 •질환진행 속도가 빠름 •숙주방어기전의 이상 •특정 세균총과 관련
	전신질환과 관련된 치주염	•질환진행이 빠른 것은 다음의 질환과 관련이 있음 •당뇨, 다운증후군, 후천성면역결핍증후군 Papillon-Lefèvre 증후군
	괴사성 궤양성(necrotizing ulcerative) 치주염	•급성 괴사성 궤양성 치은염과 유사
	재발성(refractory) 치주염	•치료에 잘 반응하지 않고 재발되는 치주염
치주학에 관한 유럽 회의, 1993	성인형 치주염	• 발생연령: 40세 이상 • 서서히 진행 • 숙주 반응 이상 없음
	조기발생형 치주염	•발생: 40세 이전 •질환 진행속도가 빠름 • 숙주방어 이상
	괴사성 치주질환	•부착소실과 골소실을 수반하는 조직 괴사
치주질환 분류를 위한 AAP 국제회의, 1999	만성 치주염	본문 참조
	급진성 치주염	
	전신질환과 관련된 치주염	

가장 많이 발생하지만, 어린이에서도 발생하기도 한다. 그러므로 이전에 이 질환의 분류에 적용되었던 35세 이상이라는 연령 범위는 없어지게 되었다. 만성 치주염은 치태 및 치석의 축적 정도와 상관이 있으며, 일반적으로 질병의 진행속도가 느리거나 중간 정도이지만, 빠르게 조직 파괴가 일어나는 경우도 있다(그림 9-1A). 질병의 진행속도가 빨라지는 것은 정상 숙주-세균 상호관계에 영향을 미치는 국소적, 전신적, 환경적 상호관계에 의해서 일어난다.[7] 국소적 요소로는 치태 축적이 해당되며, 전신적 요소는 당뇨, HIV 감염 등이 있으며, 환경적 요소로는 흡연, 스트레스 등이 있다. 만성 치주염은 부착과 골 소실이 30% 미만의 부위에 나타나는 국소적(localized) 형태와 30% 이상의 부위에서 나타나는 전반적인(generalized) 형태로 나눌 수 있다. 이 질환은 또한 임상적 부착 소실 양에 기초하여 경도(slight, 부착소실이 1~2 mm 정도), 중등도(moderate, 부착소실이 3~4 mm 정도), 중도(severe, 부착 소실이 5 mm 이상) 등으로 질환의 진행 정도를 표현할 수 있다.[8]

3) 급진성 치주염(Aggressive periodontitis)

급진성 치주염은 건강한 개인에서도 빠른 질병 진행 속도를 보이며, 치태와 치석의 축적이 많지 않고, 가족적 병력이 있다는 것이 만성 치주염과 다르다.[9-11] 이 형태의 치주염은 이전에 조기발생형 치주염(early onset periodontitis)으로 분류되었으며, 조기발생형 치주염의 국소적, 전신적 형태의 여

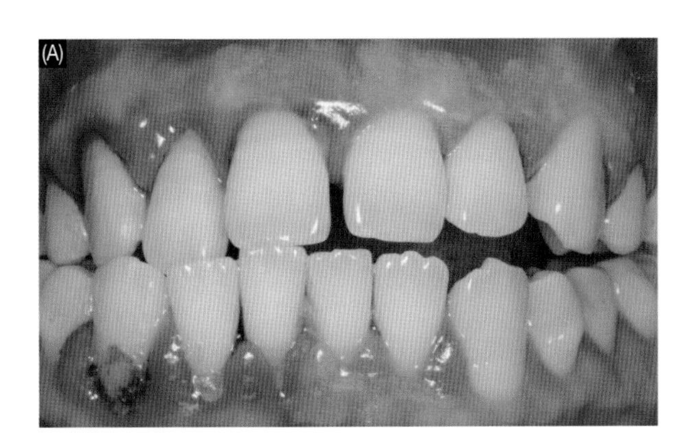

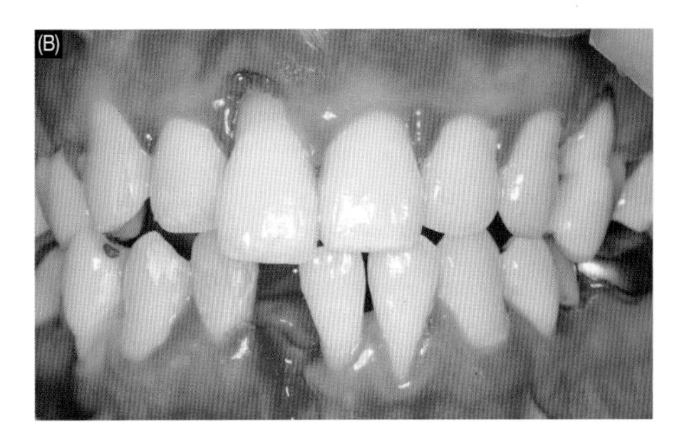

그림 9-1. 치주질환 임상증례
(A) 50세 만성 치주염 환자로 치태와 치석 침착, 치은 출혈, 화농이 관찰된다. (B) 27세 급진성 치주염 환자로 하악전치의 조기상실과 전반적 부착소실이 관찰된다.

러 특징들을 포함하고 있다. 주로 *Aggregatibacter actinomycetemcomitans*에 감염되어 있으며, 세균탐식 기능이 비정상적이고, 대식세포(macrophage)의 과반응의 결과로 PGE_2와 IL−1β의 생산이 증가되며, 드물게 질병 진행이 스스로 정지(self−arresting)되는 경우도 있다.[12,13]

이전의 조기 발생 치주염에서와 마찬가지로, 급진성 치주염은 보통 사춘기 시절의 젊은 층에서 나타나며, 20~30대에 걸쳐 관찰 될 수 있다(그림 9−1B). 이 질환들은 국소적 유년형 치주염(localized juvenile periodontitis, LJP)과 같이 국소적으로 국한될 수 있고, 전반적 유년형 치주염(generalized juvenile periodontitis, GJP)으로 나타날 수 있으며, 급속진행형 치주염(rapidly progressive periodontitis, RPP)으로도 나타날 수 있다.[11,14−16]

4) 전신질환과 관련된 치주염(Periodontitis as a manifestation of systemic diseases)

발현 기전에 대한 정확한 연구는 아직까지 많지 않지만, 아래의 혈액질환과 유전 질환들이 치주염 발생과 관련이 있는 것으로 알려져 있다.[4,17]

(1) Hematologic disorders

- Acquired neutropenia
- Leukemias
- 기타(others)

(2) Genetic disorders

- Familial and cyclic neutropenia
- Down syndrome
- Leukocyte adhesion deficiency syndromes
- Papillon−Lefèvre syndrome
- Chediak−Higashi syndrome
- Histiocytosis syndromes
- Glycogen storage disease
- Infantile genetic agranulocytosis
- Cohen syndrome
- Ehlers−Danlos syndrome (Type Ⅳ and Ⅷ AD)
- Hypophosphatasia
- 기타(others)

(3) 기타(Not otherwise specified)

5) 괴사성 치주질환 (Necrotizing periodontal disease)

① 괴사성 궤양성 치은염(necrotizing ulcerative gingivitis, NUG)

② 괴사성 궤양성 치주염(necrotizing ulcerative periodontitis, NUP)

6) 치주조직 농양(Abscesses of the peridontium)[18]

① 치은농양(gingival abscess)
② 치주농양(periodontal abscess)
③ 치관주위농양(pericoronal abscess)

7) 근관병소와 관련된 치주염(Periodontitis associated with endodontic lesions)

8) 발육성 또는 후천성 변형

① Localized tooth–related factors that modify or predispose to plaque–induced gingival disease/periodontitis
② Mucogingival deformities and conditions around teeth
③ Mucogingival deformities and conditions on edentulous ridges
④ Occlusal trauma

2. 치주질환의 증상과 징후

변연치은에서 주위 치주조직 내로의 염증 확산은 치은염이 치주염으로 진행되는 것을 의미한다. 치은염이 치주염으로 진행되는 요인은 아직까지 밝혀지지 않았지만, 세균성 치태의 성분 변화와 연관 있을 것으로 알려져 있다. 치은염증이 진행되면 치주조직의 파괴로 이어진다. 치주조직의 파괴는 점진적인 치주낭 형성과 분지부 병소를 야기하고, 염증의 정도가 심화되면 계속적인 치조골 흡수로 인하여 치아동요도를 야기한다. 그 외에 치은비대와 퇴축 및 병적인 치아동요도, 외상성 교합, 치주농양, 치주낭종 등이 나타날 수 있다.

1) 치주낭(Periodontal pocket)

치주낭이란 치은열구가 병적으로 깊어진 것으로, 치주질환의 중요한 임상양상 중의 하나이다.

(1) 증상과 징후

치주낭의 위치와 그 정도를 확인하는 가장 믿을 만한 방법은 각 치아면을 따라 치은변연을 조심스럽게 탐침하는 것인데, 다음의 임상적 양상들은 치주낭의 존재를 알 수 있는 증상들이다.

① 노출된 치근면과 함께 치은연하치석이 보이고, 치은이 발적, 변색, 종창을 나타내며, 탐침 시 치은출혈이 있을 때(그림 9-2A)
② 치은변연은 치아 표면에서 분리되고 때로는 치간 치은의 협설측 연계성이 상실되었을 때
③ 치은변연의 측방벽을 누를 때 화농성 삼출액이 나올 경우
④ 치아의 동요, 이동, 또는 전치부 이개현상이 있는 경우(그림 9-2B)

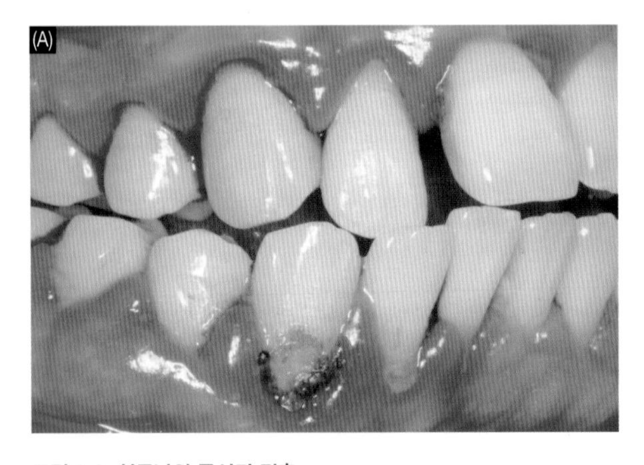

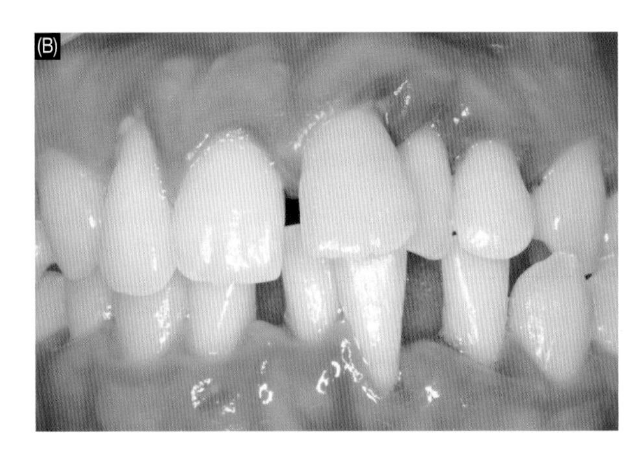

그림 9-2. 치주낭의 증상과 징후
(A) 치주낭의 증상으로 치석, 치은의 발적과 종창, 탐침 시 출혈 및 화농성 삼출액이 관찰된다. (B) 치아의 병적 이동, 전치부의 이개현상

⑤ 치아표면에서 분리되어 "rolled" edge를 가진 청적색 변연치은의 비대가 있는 경우
⑥ 치은변연에서 부착치은까지 또는 치조점막까지 확장된 청적색조의 vertical zone을 보이는 경우

치주낭은 일반적으로 통증이 없으나 다음과 같은 증상을 나타내기도 한다.

① 음식을 먹고 난 후 국소 동통이나 압박감
② 뜨겁거나 찬 것에 대한 과민한 반응
③ 치은이 근질근질하여 쑤시고 싶은 느낌
④ 치간 부위에 이물이 끼어 빼내고 싶은 느낌
⑤ 골내부로 확산되는 둔통
⑥ 국소 부위의 구취

(2) 분류

치은열구 깊이의 증가는 치은변연부의 치관쪽 이동이나 치은부착의 치근쪽 이동 혹은 두 과정이 복합적으로 일어나서 생긴다. 치주낭은 그 형태와 인접 구조물과의 관계에 의해 다음과 같이 분류할 수 있다.

① 치은낭(Gingival pocket; relative or false) (그림 9-3A)

치은낭은 치주조직의 파괴없이 치은의 증식 때문에 생기며 치은의 부피가 증가할수록 깊어진다.

② 치주낭(Periodontal pocket; absolute or true) (표 9-2)

치주조직의 파괴로 인해 생기는 낭이다. 지속적으로 낭이 깊어지면 치주조직의 파괴와 치아동요 및 탈락에 이르게 된다. 치주낭에는 두 가지 형태가 있다.

• 골연상낭(suprabony, supracrestal or supra-alveolar, 그림

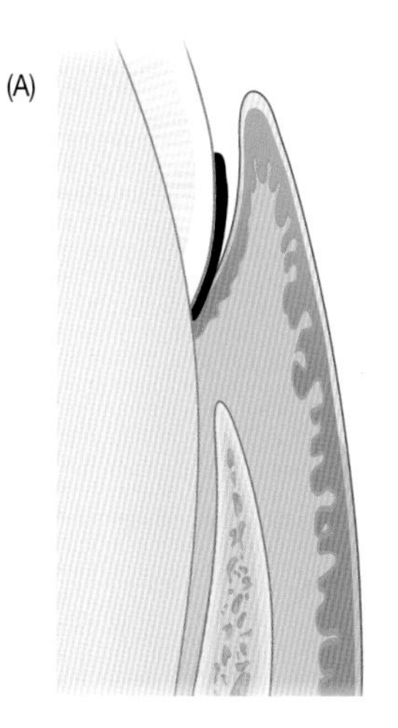

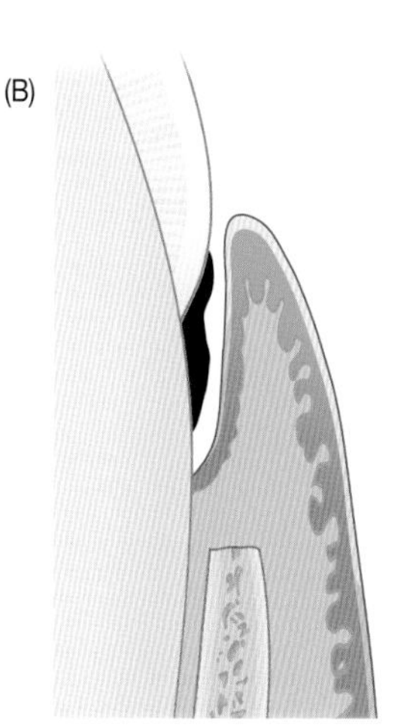

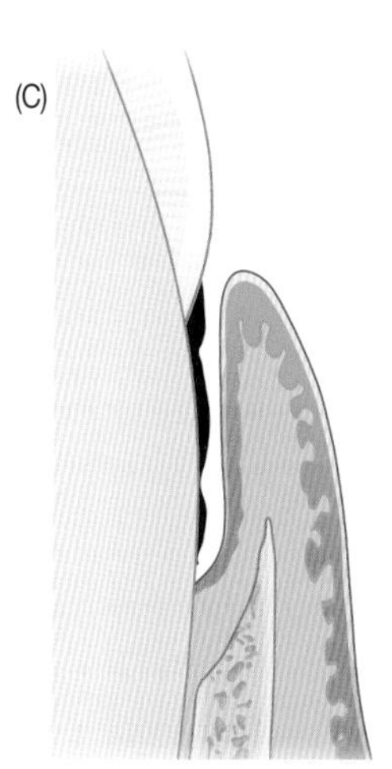

그림 9-3. 치주낭의 형태와 인접 구조물과의 관계에 의한 치주낭의 분류
(A) 치은낭 (B) 골연상낭 (C) 골연하낭

표 9-2. 골연상낭과 골연하낭의 비교

	골연상낭	골연하낭
치주낭 기저부의 위치	치조골보다 상방	치조골보다 근단 쪽
치조골 파괴양상	수평	수직 및 사선(angular)
치간중격섬유 주행방향	수평으로 주행	사선으로 주행
협설면에서 본 치주인대 주행방향	수평-사선	사선

9-3B): 낭의 기저부가 하부 치조골보다 치관 방향에 있을 때

- 골연하낭(infrabony, intrabony, subcrestal or infra-alveolar, 그림 9-3C): 낭의 기저부가 인접한 치조골보다 치근 방향에 있을 때. 이 경우에 치주낭의 측벽은 치면과 치조골 사이에 위치하게 된다.

치주낭은 한 면 이상의 치면을 포함할 수 있으며 같은 치아 내에서도 각 치면에서 서로 다른 깊이와 형태의 낭이 출현하고, 치간 사이에서도 마찬가지이다.[19,20] 치주낭은 나선형으로 한 치면에서 생겨나서 그 치아둘레를 돌아 하나 이상의 치면을 포함할 수도 있다. 이와 같은 형태의 치주낭은 치근 분지부에서 흔히 볼 수 있다. 치주낭은 또한 치면의 수에 따라 단순, 복합, 복잡 치주낭으로 분류할 수 있으며(그림 9-4), 골내낭에 포함된 치조골 벽면의 수에 따라 3벽, 2벽, 1벽 치주낭(그림 9-5)으로 분류한다.[8]

- 단순형(simple): 한 개 치면
- 복합형(compound): 두 면 이상, 낭의 기저부가 치면을 따라 직접 변연치은으로 개통
- 복잡형(complex): 한 치면에서 시작하여 나선형으로 휘어 돌아 다른 면으로 연결되어 있으며, 복합 및 복잡형의 낭을 찾기 위해서는 치주낭 측정기를 이용하여 측방 및 수직으로 잘 관찰해야 한다. 치주낭의 모양을 정확히 진

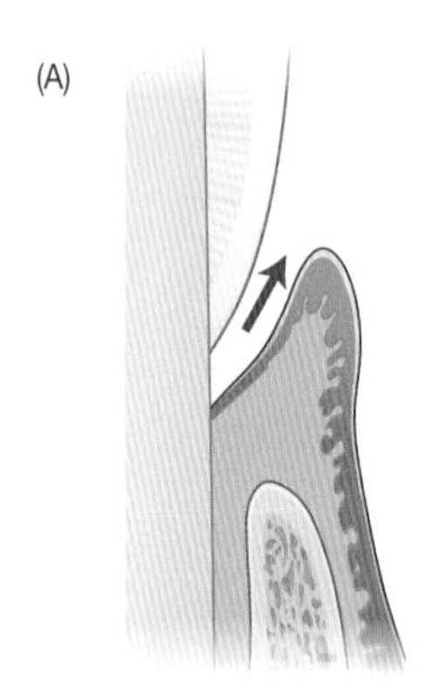

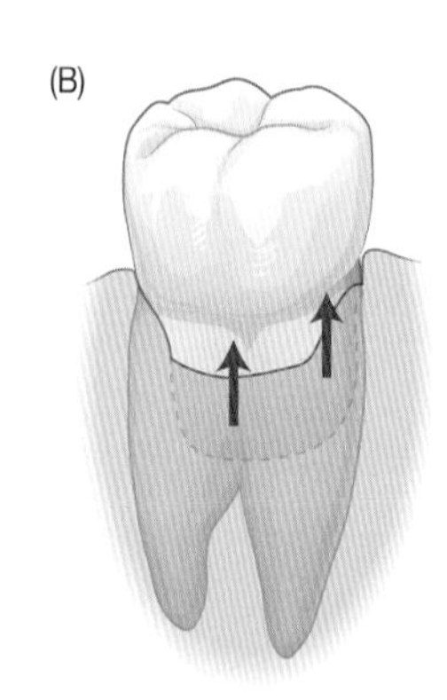

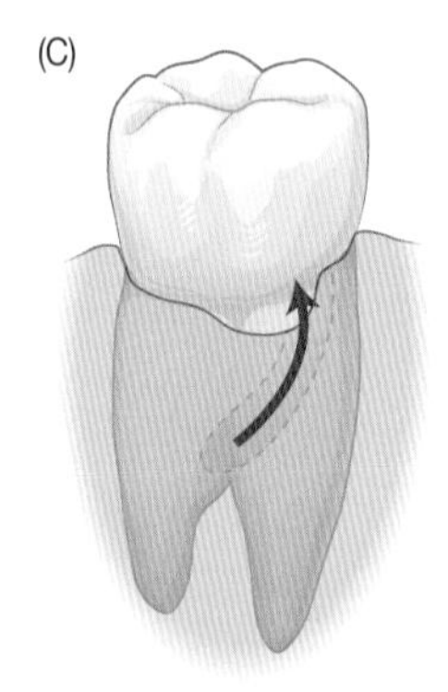

그림 9-4. 관계되는 치아면 수에 의한 치주낭의 분류
(A) 단순치주낭(simple pocket) (B) 복합치주낭(compound pocket) (C) 복잡치주낭(complex pocket)

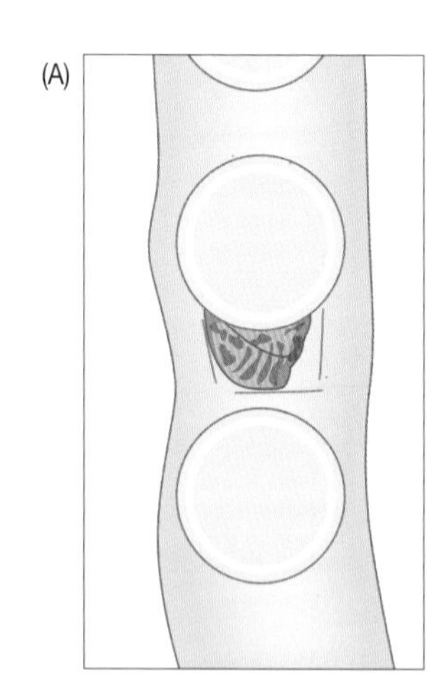

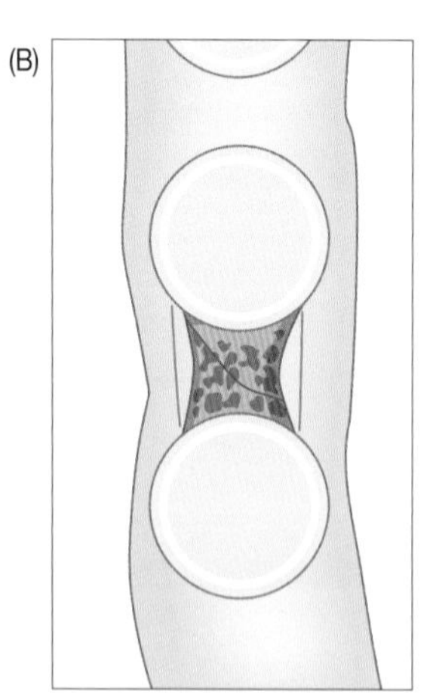

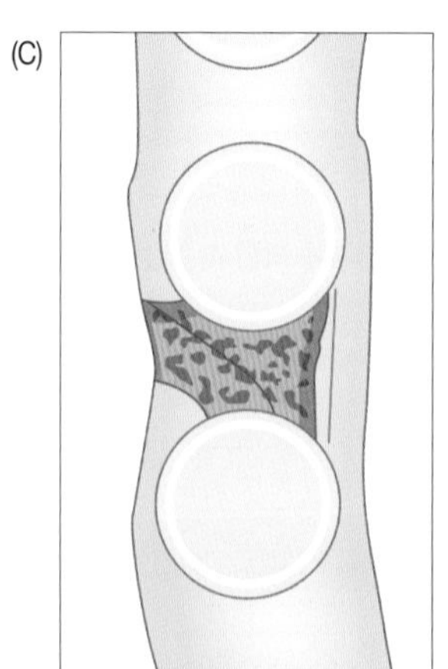

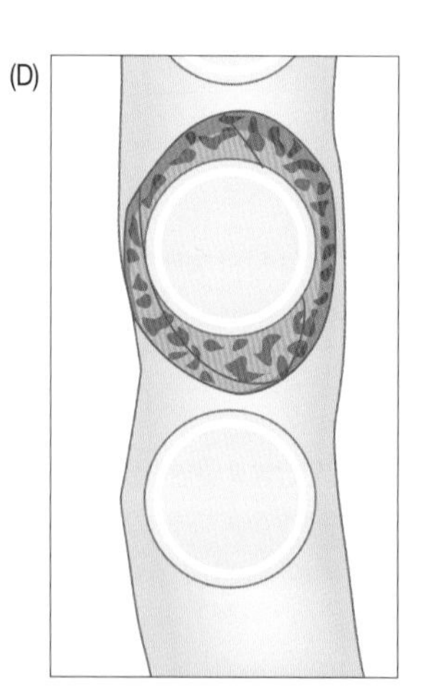

그림 9-5. 골내낭의 분류
(A) 3벽 치주낭(3 wall pocket): 예후가 양호 (B) 2벽 치주낭(2 wall pocket) (C) 1벽 치주낭(1 wall pocket): 예후가 가장 불량 (D) 환상형 치주낭(circumferential pocket)

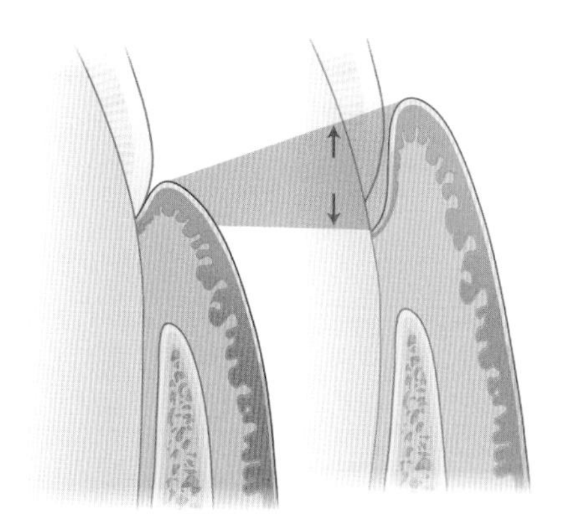

그림 9-6. 병적 조직 변화에 의한 정상 치은열구의 치주낭화

단하기 위해서는 수직으로만이 아니라 측방으로도 탐색해야 하며 이개 부위에서는 세심한 검사가 요구된다.

(3) 병인론

치주낭은 미생물과 이들의 부산물에 의해 야기되며 이들로 인하여 병적인 조직 변화가 일어나고 치은열구가 깊어지게 된다(그림 9-6). 깊이만으로는 깊은 정상 열구와 얕은 치주낭과의 구별이 어려우므로 이런 구별은 치은의 병적인 변화 여부로 판단한다. 정상 치은열구에서 병적 치주낭으로 바뀔때 세균 분포의 변화가 일어나는데, 건강한 치은에는 미생물이 거의 없고 주로 구균(coccoid)과 간균(straight rods)인 반면, 병적 치은에는 나선균(spirochetes)과 운동성의 간균(motile rods)이 증가한다.[21,22] 그러나 질환부위의 미생물 그 자체로는 질환이 시작되거나 진행된다는 충분한 조건이 되지 않으므로 향후의 부착상실이나 골소실을 예측할 수 없다.[23]

치주낭(pocket)은 치태에 의한 치은열구 결합조직 벽의 염증 변화로 시작된다. 세포성, 액성, 염증성 삼출액은 치은섬유를 포함한 주위 결합조직의 변성을 초래한다. 접합상피 직하방의 교원섬유가 파괴되고 염증성 세포와 부종이 이 부위를 차지하게 된다.

교원섬유 소실의 기전은 다음의 두 가설을 들 수 있다.

- 섬유모세포, 다형핵 백혈구 및 대식세포에서 분비된 교원질 분해효소와 다른 효소들이 세포 밖으로 나와 교원질을 파괴하는데. 이런 효소를 기질 금속단백분해효소(matrix metalloproteinase)라고 한다.[24,25]
- 섬유모세포가 인대-백악질 경계부에서 세포돌기를 내어 교원섬유를 탐식, 흡수한다.[26]

교원질이 상실됨에 따라 접합상피 하방의 세포가 치근을 따라 증식하면서 2~3개층의 세포두께로 손가락모양(finger-like)처럼 뻗게 된다. 이때 접합상피의 치근 부위가 이동하게 됨에 따라 접합상피 치관측 부위는 치근면에서 분리된다. 염증의 결과로 다형핵 백혈구가 접합상피의 치관부위로 침입하기 시작하고 그 수도 많아진다. 부착상피 부피의 60% 정도까지 다형핵 백혈구가 증가되면 조직은 치면에서 분리되고 열구기저부가 치근단 이동을 하게 됨에 따라 구강열구상피는 열구내벽의 대부분을 차지하게 된다.[27]

염증이 계속되면 치은 부피는 증가되고, 치은변연은 치관을 향해 확장되며 부착상피는 치근을 따라 계속 하방으로 이동하여 치근에서 분리된다. 낭의 측방벽 상피는 염증성 결합조직 내로 구상(bulbous) 증식을 하며, 염증성 결합조직 내의 림프구와 부종은 낭이장 상피(pocket lining epithelium)로 침윤되어 변성과 괴사를 일으킨다.[28]

치은열구 깊이의 증가는 ① 치은변연부의 치관쪽 이동(이 경우는 치주낭이라기 보다는 치은낭), ② 대부분은 접합상피의 치근쪽 이동과 치면으로부터 분리, ③ 위 두 과정의 혼합 등으로 인한 결과이다. 치은열구에서 치주낭으로의 전환은 치태조절이 어렵게 되는 부위를 만들고 다음과 같은 악순환을 초래한다.

- 치태 → 치은의 염증 → 치주낭 형성 → 더 많은 치태의 형성

(4) 치주질환의 활성

최근 특정 세균의 질환별 특이성 연구로 인해 치주질환의 활성도에 대한 개념이 생겨났다. 이 개념에 따르면 치주낭은 휴지기와 악화기를 반복한다.[29,30] 휴지기는 염증성 반응이 감소된 것이 특징이며 결합조직 부착상실이나 골소실이 적거나 없으며, 악화기는 그람음성, 운동성, 혐기성 세균을 갖는 치태에서 시작되며 결합조직 부착상실과 골소실이 있고 치주낭은 깊어진다.[7,31,32]

McHenry[33]는 치료되지 않은 치주질환에서는 골소실이 주기적으로 일어난다고 보고했는데 이런 기간을 활성기와 비활성기로 부르기도 하며, 임상적으로 활성기 때는 자발적 출혈 혹은 탐침 시 출혈과 치은 삼출액의 증가가 발생한다. 조직학적으로는 낭 상피가 얇아지고 궤양이 생기며 형질세포와 다형핵 백혈구의 침윤이 많다.[27,31]

(5) 부위 특이성(Site specificity)

치주질환은 동일 기간 내에 구강내 전 치아에서 일어나는 것이 아니라 주어진 특정 기간 내에 특정 치아의 특정 부위에서 발생하는데 이를 부위 특이성(site specificity)이라고 한다. 치주파괴가 일어난 부위의 바로 옆은 거의 파괴가 없는 것을 흔히 관찰할 수 있다. 따라서 치주질환이 심해진다는 것은 새로운 질환 부위의 출현 또는 이미 존재하는 질환 부위의 파괴 증가 혹은 두 현상 모두로 설명할 수 있다.

(6) 치유병소로서의 치주낭

낭의 연조직 벽의 상태는 파괴와 생성을 되풀이한다. 파괴 변화의 특징은 액성 또는 세포 염증성 삼출액이며 이는 국소적 자극에 의해 유발된다. 완전한 치유는 국소적 자극이 존재하는 한 일어나지 않는다. 이 자극들은 액성과 세포성 삼출액의 분비를 지속적으로 자극하고, 회복 시에 일어나는 새로운 조직 성분의 변성도 일으킨다.

임상적으로 치주낭은 염증의 상태에 따라 부종성 낭과 섬유성 낭으로 구분할 수 있는데 전자는 병변이 활동성 혹은 악화기라고 할 수 있는 반면, 후자는 휴지기 혹은 비활동기라 볼 수 있다. 가령 낭의 내면에서는 심한 퇴행성 변화로 염증과 궤양이 있고 겉면에는 섬유조직으로 덮여 있는 경우가 있다. 따라서 치주낭의 겉 표면만으로 판단하는 것은 낭벽을 통해 일어나는 진정한 징후가 아니므로 잘못될 수 있다.

(7) 치주낭의 내용물

치주낭은 미생물과 그의 부산물들 즉, 효소, 내독소, 다른 대사 부산물 등과, 치태, 치은열구액, 음식물 잔사, 탈락 상피세포, 백혈구 등으로 구성되어 있다.

농(pus)은 치주질환의 일반적인 증상이며 이차적 징후이다. 농의 존재는 낭벽에 염증성 변화가 있음을 반영하며, 낭의 깊이나 치주조직의 파괴를 나타내는 것은 아니다. 광범위한 농의 형성은 얕은 낭에서 생기며, 깊은 낭에서는 거의 농을 볼 수 없다.

(8) 치주낭과 관련된 치수의 변화

치주인대로부터 염증이 퍼지면 치수에도 병적 변화가 나타나기도 한다. 이러한 변화는 동통성 증세를 나타내기도 하고 치수에 큰 영향을 준다. 치주질환의 치수병발은 치근단공이나 외측관을 통해 진행될 수 있다.

(9) 부착소실 및 골소실과 치주낭 깊이와의 관계

치주낭의 형성은 치은의 부착상실과 치근면의 노출을 초래한다. 부착상실의 정도는 일반적으로 낭의 깊이와 관계가 있다. 왜냐하면 부착상실은 치근면 상에서 낭 기저부의 위치에 달려있기 때문이다. 하지만 동일한 깊이의 낭에서 부착상실의 정도가 다를 수 있으며, 다른 깊이의 낭 일지라도 부착상실의 정도는 같을 수 있다. 이는 치주낭의 깊이가 낭 기저부와 치은 정상 사이의 거리이기 때문에 치은 변연의 퇴축을 반영하지는 못하기 때문이다. 골소실의 정도는 낭의 깊이와 일반적으로 연관이 있으나 반드시 그렇지는 않다. 심한 골소실이 얕은 낭에서 생길 수 있고 깊은 낭에서 골소실이 적을 수도 있다.

(10) 치주낭의 기저부와 치조골 사이의 부위

정상적으로 부착 상피와 치조골 간의 거리는 일정하다. 예를 들면 사람의 치주낭에서 치석의 기저부와 치조골 융기 사이의 거리는 평균 1.97 mm의 길이를 가진다고 한다.[34] Waerhaug[35]는 부착치태에서부터 골까지의 거리를 측정하였는데 0.5 mm 이상, 2.7 mm 이하라고 하였다. 이런 결과들은 세균에 의한 골 흡수의 활성도가 이 범위 내에서 일어난다는 점을 제시해주고 있으나, 결합조직이나 골 표면의 고립된 세균이나 세균 덩어리들의 존재는 앞서의 이론으로는 설명될 수 없다.

(11) 치주낭과 치조골과의 관계

치조골 위치를 기준으로 치주낭을 분류하면 골연상낭과 골연하낭으로 구분되며 골연하낭의 기저는 치조골 높이보다 치근단에 있고, 낭의 벽은 치아와 골사이에 존재한다. 골연하낭은 대개 치간에 발생하나 순면과 설면의 치아 표면에 나타나기도 한다. 골연상낭, 골연하낭 모두에서 염증성, 증식성, 퇴행성 변화는 같고 모두 지지치주조직을 파괴한다. 그리고 골연상낭과 골연하낭의 주된 차이는 낭의 연조직 벽의 치조골에 대한 관계, 골파괴 양상, 치주인대의 횡중격섬유 방향 등이다.

(12) 조직병리학

치주낭이 일단 형성되면 연조직 벽의 결합조직은 부종상태이며 형질세포, 임파구, 다형핵 백혈구의 침윤이 현저하다. 혈관은 그 수가 증가하고 팽창, 울혈의 양상이 나타난다.[36] 결합조직은 변성되어 한 개 또는 다수의 괴사 병소가 존재하고, 내피세포가 증식되어 새로 형성된 모세혈관, 섬유모세포, 교원질 섬유가 보인다. 낭 기저부의 접합상피는 정상열구에 비해 훨씬 짧다. 접합상피의 길이, 폭경 그리고 상태는 다양하게 나타나지만 치관-치근방향의 길이는 50~100 μm이다.[8]

낭에서 가장 심한 퇴행성 변화는 측방(lateral)벽을 따라 발생하는데, 외측벽의 상피는 현저한 증식과 퇴행성 변화를 일으킨다. 상피세포의 상피아(epithelial bud)나 섞어 짜여진 다발(interlacing cord)은 측방벽에서 인접 염증성 결합조직 내로 돌기를 낸다. 이 상피돌기에까지 임파구와 부종이 침윤된다. 세포는 공포성(vacuolar)으로 퇴행변성되어 소포(vesicle)를 이루도록 파열되고 상피는 진행성 퇴행변성되며 괴사부위는 측방벽의 궤양을 일으킨다.[37]

(13) 치근벽(Root surface wall)

치주낭의 치근벽은 심한 변화를 일으켜 치주감염을 지속시키고 또는 동통을 유발하며, 치주치료를 어렵게 만든다. 백악질에서의 변화는 구조, 화학, 세포독성 변화로 분류된다.

① 구조 변화

- 병적 과립의 존재가 광학, 전자현미경으로 관찰되며 교원 변성 지역 또는 교원섬유소가 처음부터 완전히 광화되지 않은 지역을 나타낸다.
- 광화가 증가한 지역은 구강 내 노출로 백악질-타액계면에서 광물과 유기성분의 교환이 일어나기 때문이다.
- 탈광화 작용 지역은 치근 우식증과 관계가 있다.

구강액과 세균 치태에 노출되게 되면 샤피섬유의 잔사를 용해시키며, 백악질의 연화를 초래하고 분절시켜 움푹 파이게(cavitation) 한다.

치근면 우식의 주 원인균은 *Actinomyces viscosus*로 알려져 있지만 진행과정에 미치는 뚜렷한 역할은 아직 밝혀져 있지 않다. 20~64세 사이의 연령군에서 42%의 이환율을 보이며 연령증가에 따라 증가한다.[38]

치근면 우식은 치수염을 유발하고 단 음식과 온도 변화에 예민해지며 때로 심한 동통을 보이고 심하면 치수 노출도 생긴다. 치주낭 치료 시 노출되지 않는 백악질 및 상아질의 세포성 흡수는 흔하게 발견되며, 이런 부위는 치주인대에 의해 치근이 덮여 있는 동안은 아무런 증상없이 회복되지만 질환의 진행으로 노출되면 주위와 뚜렷한 구별이 되는 고립공동으로 보이며 심한 동통의 원인이므로 수복해주어야 한다.

② 화학적 변화

노출된 백악질에는 칼슘, 마그네슘, 인, 불소와 같은 광성분이 증가하지만, 미세경도는 변하지 않는다. 석회화되어 있는 바깥층은 치아우식에 잘 저항한다.

③ 세포독성 변화

백악질 내로의 세균 침투는 백악-상아 경계부까지의 깊은 곳에서도 발견된다. 내독소 같은 세균 부산물은 낭의 백악질에서도 발견된다.[39] 조직배양 시, 치주질환에 이환된 치근면의 존재는 배양세포의 비가역적 형태 변화를 초래하는데 이러한 변화는 정상적인 치근에 의해서는 일어나지 않는다. 병적 치근면은 치은 섬유모세포의 부착을 방해하나 정상 치근면에는 세포 부착이 가능하다. 치주낭 기저부에서 관찰되는 대(zone)는 다음과 같다(그림 9–7).

- 치석에 둘러싸인 백악질
- 부착치태: 치석을 감싸고 있으며 100~500 μm 하방으로 뻗어 있다.
- 비부착치태: 부착치태를 감싸고 있으며 더 치근단쪽에 위치
- 접합상피 부착 지역: 정상일 때는 500 μm이지만 치주낭의 경우는 100 μm 이하의 지역
- 접합상피의 근단부: 결합조직 섬유의 부분적 파괴지역

치주질환이 감염성이라는 것을 인식하는 것이 그 병인론을 이해하는 데 중요하며 감염이란 병원성 세균이 인체의 조직이나 기관에 침범하여 손상을 유발시키고 그에 따른 반응이 나타나는 과정이다. 대부분의 치주감염에서 세균들이 치주낭에서 발견되므로 치주낭을 감염성으로 생각한다. Frank[40]는 치주낭 상피의 미세한 궤양이 세균으로 하여금 심한 성인형 치주염 환자의 치주조직을 직접 침범케 한다고 하였다.

2) 치은퇴축

생리적 혹은 병적으로 치은변연의 근단이동이 일어나 치근면의 일부가 노출된 상태를 말한다. 치아 전체에서 나타날 수도 있고 한 개 또는 몇 개의 치아에 국한되어 나타나기도 하는데, 치은퇴축 자체를 생리적인 현상으로 받아들이기도 하고, 치주질환의 결과로 이해되기도 한다. 그러나 1 mm 이상의 치은퇴축은 생리적이라기보다는 병적으로 생각하여야 할 것이다.

치은염증으로 낭이 형성되면 치은퇴축을 일으켜 치근노출이 생긴다. 퇴축은 일반적인 것이기는 하지만 모든 경우에 다 발생하는 것은 아니며, 낭의 깊이와 관련이 있다. 퇴축의 정도는 낭 기저부의 위치와 관련이 있는데, 같은 깊이의 낭이라도 다른 정도의 퇴축을 일으키기도 하며 다른 깊이의 낭이 같은 정도의 퇴축을 일으킬 수도 있다(그림 9–8, 9).

치은의 실제위치(actual position)는 치아에 대한 상피부착의 정도이며 소견성 위치(apparent position)는 치은연 정상의 치아에 대한 위치를 의미한다. 치은의 실제 위치가 치은퇴축 정도의 심도를 결정하며, 2가지 type이 있는데, 이는 직접 관찰 가능한 것(visible type)과 탐침을 상피부착부에 삽입하는 것으로만 관찰이 가능한 것(hidden type)을 말한다. 이 두 가지 양의 합이 치은퇴축의 총량이 된다.

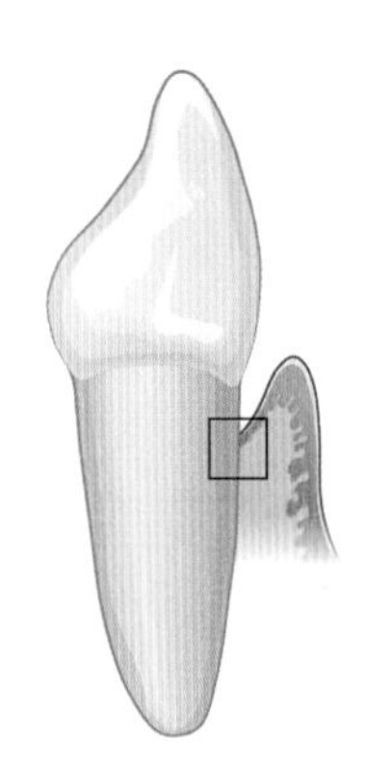

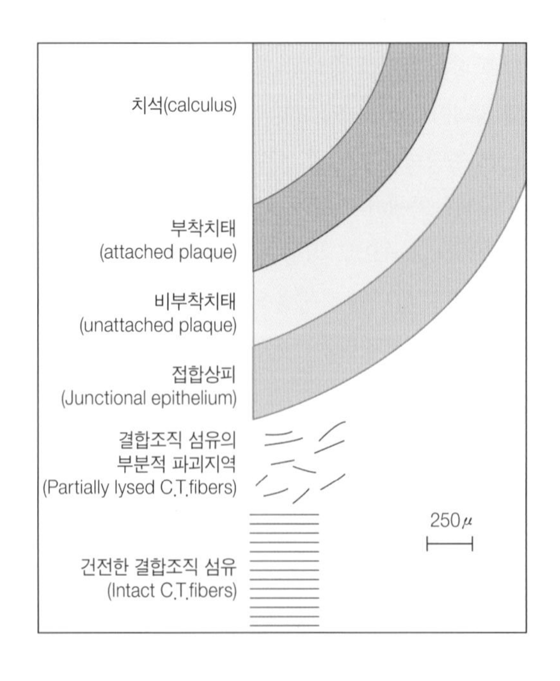

그림 9-7. 치주낭 기저부의 도식

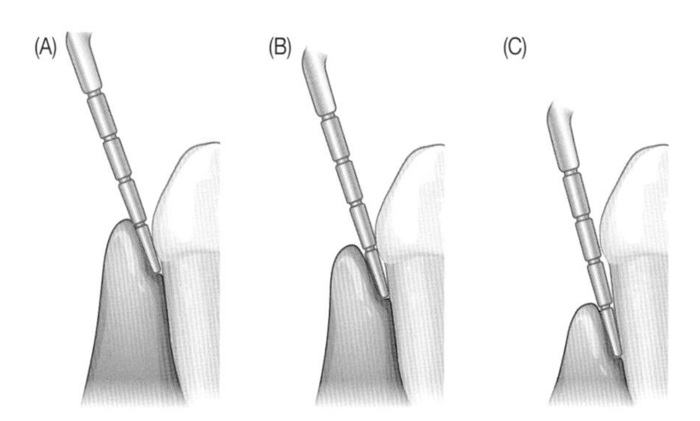

그림 9-8. 치은퇴축의 정도는 다르지만 같은 치주낭 깊이

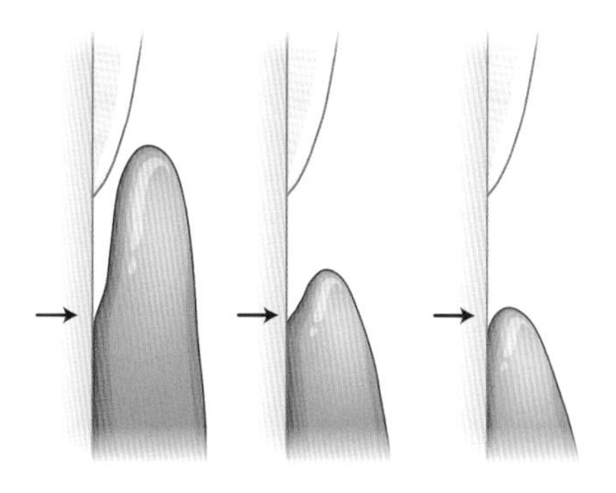

그림 9-9. 치주낭 깊이는 다르지만 위치가 같은 낭의 기저부(같은 퇴축의 정도)

(1) 치은퇴축의 원인

① 잘못된 칫솔질 방법

② 치조골 상실: 치조골의 상실은 그 부위의 치은퇴축의 원인이 된다.

③ 비정상 치아–치조골 관계: 치아가 협측이나 순측으로 위치하면 피질골이 얇아지므로 치은퇴축의 원인이 된다.

④ 외상성 교합: 외상성 반월, 맥콜 팽융, 스틸만 균열

⑤ 교정력: 교정력, 밴드, 철사 등이 치은을 자극하여 퇴축이 일어난다.

⑥ 이상소대부착, 기계적 외상 및 자극이나 국소적 자극

⑦ 치주수술 및 질환의 결과, 정신·신체요소 등

⑧ 연조직 마찰(gingival ablation)

잘못된 칫솔질 방법은 치은퇴축을 유발하기도 하며 좋은 구강위생과 적은 양의 세균을 가진 건강 치은에서 많이 발견되는 경향이 있다. 치열궁 내에서의 치아의 위치, 치근–치조골 각도, 치아 표면의 근원심 만곡도 등이 영향을 주며, 회전, 경사, 안면 방향으로 이동된 치아의 경우 골판이 얇아지거나 그 높이가 감소된다. 상악구치부는 골에 대한 치근의 각도가 치은퇴축에 영향을 미친다. 치은조직에 대한 뺨과 입술 근육의 작용으로 치은퇴축이 일어나기도 한다.

해부학적 요인으로는 치은변연의 위치가 하부골의 높이와 두께, 치은의 두께와 질감, 치아배열 등에 의해 결정되므로 얇은 치조골에 의해 지지되는 얇고 섬세한 구조의 치은이 더 두껍고 섬유성인 치은보다 퇴축에 민감하게 된다.

칫솔질에 의한 치은퇴축은 거친 강모의 칫솔을 수평방향으로 했을 때 특히, 오른손잡이 환자의 좌측 견치에 흔히 발생하므로 올바른 칫솔질 방법과 광택있는 둥근 강모의 부드러운 칫솔이 추천된다. 일상적인 치석제거술을 시행하고 치은의 외형을 개선하는 것이 치은퇴축의 예방에 도움이 된다.

(2) 발생빈도

① 연령: 20~29세 – 15.5%, 50~59세 – 57.7%

② 나이가 증가함에 따라 빈도와 심도가 증가한다.

③ 부위별 발생빈도: 하악이 상악보다 더 많은 빈도를 보이고 하악절치와 상악견치에 가장 호발하는데, 하악중절치가 측절치보다 약 2.5배 다발한다.

3) 치근이개부병소[41,42]

이개부 병소란 다근치의 이개부가 치주질환으로 인하여 노출된 경우를 말한다. 하악 제1대구치에 가장 빈발하며, 상악소구치가 가장 발생 빈도가 낮다. 연령증가에 따라 이개부 병소 발생빈도가 높아진다. 원인으로는 분지부에 존재하는 법랑돌기(enamel projection)나 법랑진주(enamel pearl) 등이 있으며, 특히 이때, 근·원심의 골이 건전한 경우 조심스럽게 탐침하여 조사할 수 있다.

(1) 임상 증상

이개부 병소의 심도에 따라 눈으로 보이지 않는 경우가 있고, 치주조직에 가려서 보이지 않는 경우도 있다. 그러므로 치주낭 측정기나 탐침소자로 확인할 수 있으며, 공기를 불어넣어 확인할 수도 있다. 치아는 동요도가 있을 수 있고 자각증상이 없는 경우도 많다. 그 밖의 증상은 다음과 같다.

① 온도에 민감한 반응, 타진반응

② 치수변화에 의한 재발 또는 지속되는 동통

③ 급성 혹은 만성 치주농양 형성

(2) 현미경 소견

치주인대의 확장과 염증세포나 염증성 삼출물 등의 흔적이 보이며, 이개부로 상피증식이 관찰된다. 염증이 치조골로 파급되어 치조골이 흡수되며, 치석, 치태세균 등이 이개부 병소에 가득 차 있고, 그 외에도 치주인대의 비후, 상피세포의 이개 부위로의 증식, 치근흡수 및 백악질 흡수, 농양 형성 등이 보인다.

(3) 방사선 사진상 특징

① 이개부의 방사선 밀도의 감소가 나타날 때 이개부 병소를 의심해야 한다.

② 다근치에서 한 치근에 치조골소실이 있을 때.

③ 이개부에 명백한 골상실이 존재할 때면 언제나 이개부가 이환되었다고 가정해야 한다(그림 9-10, 11).

4) 치아동요도 및 병적치아이동

치아는 정상 상태에서도 어느 정도 동요도를 보인다. 단근치가 다근치보다는 훨씬 동요하기 쉽다. 따라서 절치가 가장

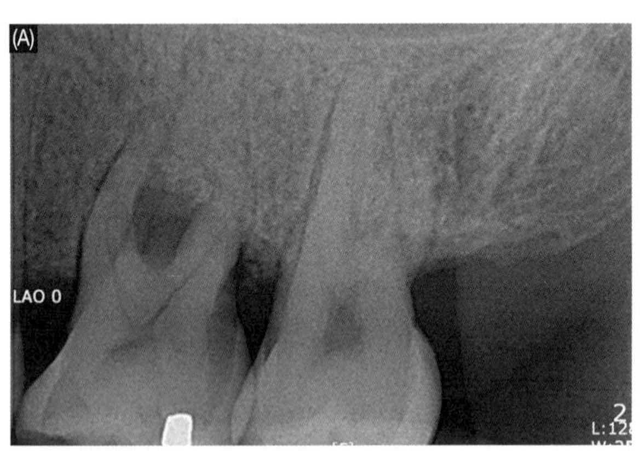

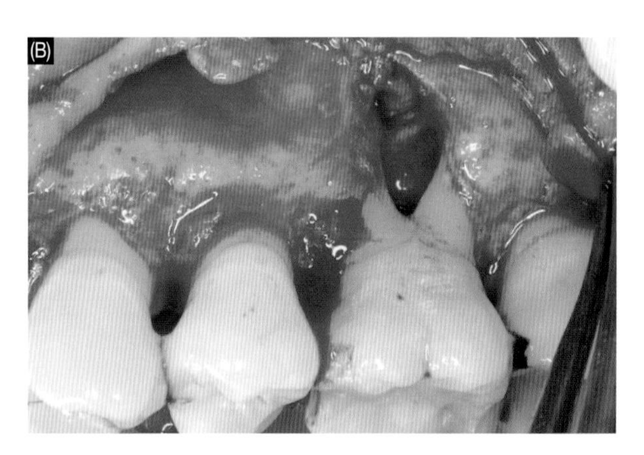

그림 9-10. 상악 제1대구치의 치근이개부병소. (A) 방사선 사진 소견 (B) 이개부 병소의 임상사진 소견

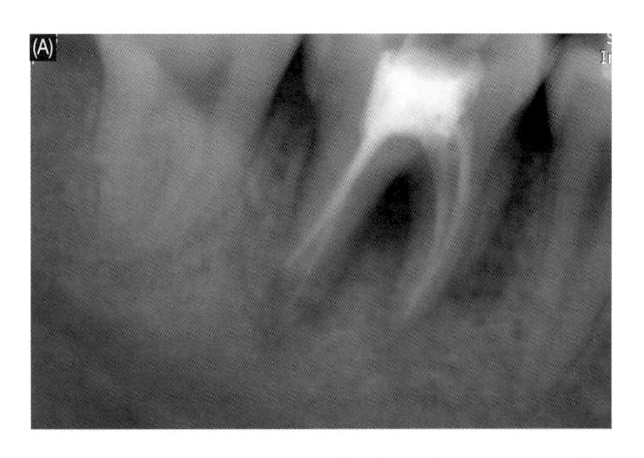

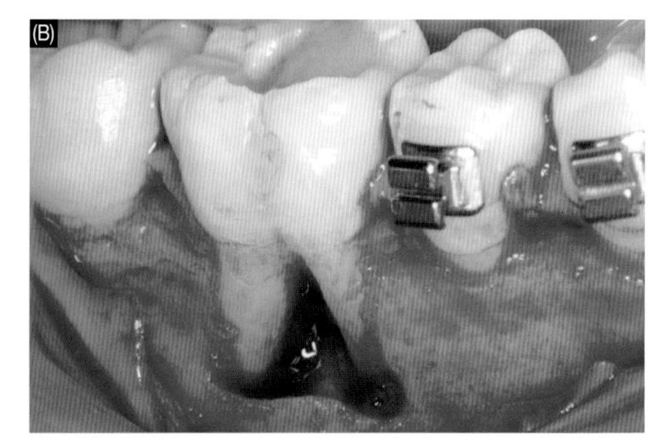

그림 9-11. 하악 제1대구치의 치근이개부병소. (A) 방사선 사진 소견 (B) 이개부 병소의 임상사진 소견

많이 동요한다. 일반적으로 동요는 수평방향으로 일어나지만 간혹 수직방향으로도 일어날 수 있다. 정상적인 상태에서도 치아는 생리적으로 동요하는데 이 경우 동요의 정도는 사람마다 다르고 같은 사람에서도 시간, 상태마다 다르다.

보통 기상 직후에 심하며 낮에는 감소하고 비교적 아무 습관이 없고 건강한 치주조직을 가진 사람이 이갈이 등 나쁜 습관을 가진 사람보다 동요도가 덜하다. 그러나 치주조직의 염증이나 질환으로 인해 치아의 동요가 심해지면 이로 인해 치아가 병적 이동을 할 수 있다.

(1) 치아동요도의 측정

치아동요도 검사는 기계(periodontometer)를 사용하여 마이크로미터 단위까지 정밀하게 측정할 수 있으나 실제 임상에서는 금속 기구를 협설 양측으로 대거나 한 면은 손가락을 대면서 여러 방향으로 움직이면서 측정하는데, 다음과 같이 분류한다.

① 정상 동요도
② 1도: 치관이 수평으로 1 mm 이내의 동요도를 보일 때
③ 2도: 치관이 수평으로 1 mm 이상의 동요도를 보일 때
④ 3도: 치관이 수직 및 수평으로 동요도를 보일 때

(2) 병적 치아동요

병적 치아동요는 생리적 동요 범주를 벗어나서 심한 동요도를 나타내는 경우를 말하며 그 원인은 다음과 같다.

- 치조골소실
- 교합성 외상
- 치주인대의 염증
- 임신이나 호르몬제 약물투여

(3) 치아의 병적 이동

치아의 병적 이동은 치주질환의 초기 증상이 될 수 있으며 질환의 진행 과정에 따라 더욱 진행될 수도 있다. 전치부에서 빈발하며 구치부에서도 나타날 수도 있고, 치아동요도와 동반하여 나타난다. 병적치아이동은 어느 방향으로도 일어날 수 있으며 교합면 쪽으로 발생하는 것을 치아 정출이라 하는데 이런 경우에는 치료의 예후가 좋지 못하다.

병적치아이동이 일어나는 원인은 다음과 같다.

- 치주염으로 약해진 치주조직으로 인하여
- 결손치에 대한 보철을 하지 않았을 경우
- 급진성(aggressive) 치주염
- 교합성 외상
- 나쁜 습관: 혀의 압박, 손톱 깨물기 등은 생리적인 치아 위치를 유지하도록 하는 요소들 간의 규형을 무너뜨려 치아의 병적이동을 일으킨다.

치아는 어느 방향으로나 움직일 수 있으며 이동은 대개 동요나 회전이 함께 일어난다.

병인론을 보면 치주조직의 지지가 약해지게 되고, 치주조직의 염증성 파괴로 인하여 교합력 및 근육에 의한 힘과 치아를 제 위치에 유지하게 만드는 힘 사이의 불균형을 초래하게 된다. 치아에 가해지는 힘의 변화는 치아에 가해지는 힘의 강도, 방향, 빈도의 변화에 따라 하나의 치아나 여러 개의 치아에 병적 이동을 일으킨다.

5) 치주농양[18,43]

치주농양은 구강 내 세균감염으로 인해 치아주위 조직에 국한되어 형성된 화농성 염증을 말하는데, 이는 또한 측방농양으로 알려져 있다. 치주농양 형성은 다음과 같이 일어날 수 있다.

① 치주낭으로부터 감염이 치주조직 깊이 파급되어 화농성 염증 과정이 치근의 측면을 따라 국소화될 때
② 치주낭의 내측면으로부터 치주낭 벽의 결합조직으로 염증이 측면으로 확장된다. 농양의 국소화는 배농이 치주낭을 통해 잘 이루어지지 않을 때 형성될 수 있다.
③ 복잡한 치주낭의 경우 막힌 끝이 걸표면과는 차단되어 있기 때문에 치주농양이 일어날 수 있다.
④ 치석을 불완전하게 제거하면 치은벽이 수축하여 치주낭의 입구를 막게 되고, 치주농양이 막힌 부위에서 발생한다.
⑤ 치주농양은 치주질환이 없는 경우에도 발생할 수 있는데 치아가 외상을 받거나 근관치료 시 치근의 측벽을 천공시켰을 때가 이에 해당한다.

(1) 임상 증상

치주농양은 급성 또는 만성으로 나타날 수 있다. 급성 병변은 종종 사라지거나 만성 상태로 지속될 수도 있는 반면, 만성 병변은 급성 병변을 거치지 않고 존재할 수 있다. 만성 병변은 자주 급성으로 악화될 수 있다.

① 급성 농양

급성 치주농양은 초기에 상당한 통증을 유발한다. 그리고 타진에 대한 치아의 민감한 반응, 치아동요도, 임파염, 발열, 백혈구증, 쇠약과 같은 전신적인 증상들이 동반된다.

급성 치주농양은 치근의 측벽을 따라 치은에 난형(ovoid)의 융기를 보인다(그림 9-12). 치은은 붉게 광택이 나며 융기된 부위의 형태와 단단한 정도는 다양하다. 대부분의 경우에는 손으로 치은을 누르면 농이 치은변연부에서 나온다. 때때로 환자는 어떤 뚜렷한 임상 병변이나 방사선학적 변화 없이 급성 치주농양의 증상을 보일 수 있다.

② 만성 농양

만성 치주농양은 치근의 길이를 따라 치은의 점막을 뚫는 누공(sinus)이 나타난다. 간헐적인 삼출의 병력이 있을 수 있다. 굴의 입구는 아주 작은 점상으로 나타나므로 찾아내기가 쉽지 않지만 탐침을 하면 치주조직의 깊은 부위로 연결된 농루로를 확인할 수 있다. 누공은 작고 핑크빛의 구슬 모양의 육아조직 덩어리로 덮일 수 있다.

만성 치주농양은 대개 증상이 없으나 경우에 따라 무디거나, 에이는 듯한 통증, 씹고 갈아보고 싶은 욕구 등을 나타내기도 한다. 만성 치주농양은 관련된 증상과 함께 급성으로 악화될 수 있다.

(2) 방사선학적 소견

치주농양의 전형적인 방사선학적 소견은 치근의 측면을 따라 불연속적인 방사선 투과상이 보이는 것이다. 그러나 종종 방사선 상으로 나타나지 않는 경우가 있는데 이는 다음과 같은 변수 때문이다.

① 병변의 단계: 급성 치주농양의 초기 단계는 심한 동통을 호소하지만 방사선 상에는 나타나지 않는다.
② 골파괴의 정도와 골의 형태
③ 농양의 위치

치주낭의 연조직 벽에 있는 병변은 심부의 지지조직에서보다 방사선학적 변화를 덜 일으킨다. 협측 혹은 설측면에 있는 농양은 치근에 의하여 가려지고 치간 부위가 더욱 잘 보인다. 따라서 방사선 사진 단독으로는 치주농양의 진단을 내릴 수가 없다.

(3) 진단

치주농양의 진단을 위해서는 임상, 방사선학적 소견 및 병력을 복합적으로 고려하는 것이 필요하다(표 9-3). 치은변연부의 병변의 연속성은 치주농양의 임상적인 증거이다. 의

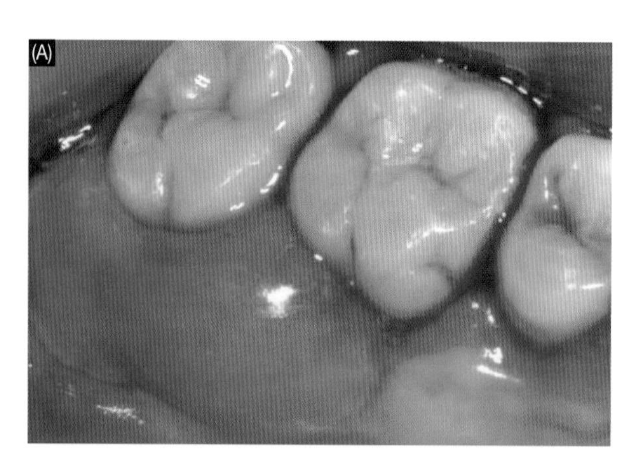

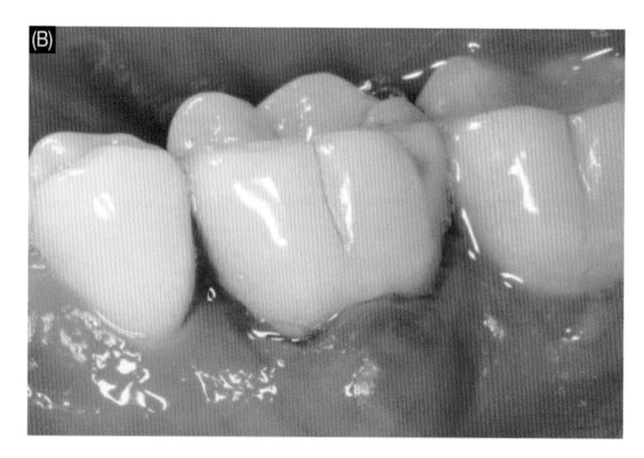

그림 9-12. 치주농양. (A) 상악 제1대구치 (B)하악 제1대구치의 치주농양으로 치은에 난형의 융기를 보인다.

표 9-3. 농양의 특징 비교

	치주농양	치근단농양	치은농양
기원	치주낭	치수	감염
치아상태	생활치, 심할 때는 비생활치	비생활치	생활치
X-ray	측벽을 따라 방사선투과	치근단 부위의 투과상	변화 없음
기타		보통 협측으로	

심되는 부위는 변연 부위에서 깊은 부위까지 통로가 있나 알아보기 위해 각 치아면에 대하여 치은변연부를 따라 조심스럽게 탐침해야 한다.

농양은 형성된 치주낭과 반드시 같은 치근면에 위치하는 것은 아니다. 협설면에 있는 치주낭은 치간쪽으로 치주농양을 형성할 수 있다.

치주농양은 치주낭이 시작되는 곳을 따라 있기보다는 치근면쪽에 국한되어 있다. 이는 치주낭이 구불구불한 경로를 따를 때 배농이 잘 되지 않기 때문이다. 또한 치주농양과 치은농양, 치주농양과 치근단농양과의 감별진단이 필요 하고 치주낭종도 방사선상에서는 치주농양과 구별할 수 없으므로 감별이 요망된다.

참고문헌

1. Caton J. Periodontal diagnosis and diagnostic aids: consensus report. Proceedings of the wold workshop in clinical periodontics, American Academy of Periodontology, 1989.
2. Attstrom R, Vander Velden U. Summary of session 1. In Lang N, Karring T, ed. Proceedings of the 1st European workshop in periodontology, Berlin: Quintessence, 1993.
3. Flemmig TF. Periodontitis. Ann Periodontol 1999;4:32–38.
4. Kinane DF. Periodontitis modified by systemic factors. Ann Periodontol 1999;4:54–64.
5. Tonetti MS, Mombelli A. Early-onset periodontitis. Ann Periodontol 1999;4:39–53.
6. Armitage GC. Development of a classification system for periodontal diseases and conditions. Ann Periodontol 1999;4:1–6.
7. Haffajee, AD, Socransky SS. Microbial etiological agents of destructive periodontal diseases. Periodontology 2000 1994;5:78–111.
8. Newman MG, et al. Carranza's Clinical Periodontology, 10th ed. Saunders, 2006.
9. Armitage GC,Cullivan MP. Comparison of the clinical features of chronic and aggressive periodontitis. Periodontology 2000 2010;53:12–27.
10. Mombelli A. Casagni F. Madianos PN. Can presence or absence of periodontal pathogens distinguish between subjects with chronic and aggressive periodontitis? A systematic review. J Clin Periodontol 2002;29:10–21.
11. Novak MJ, Novak KF. Early-onset periodontitis. Curr Opi Periodonol 1996:3:45–58.
12. Armitage GC. Comparison of the microbilogical features of chronic and aggressive periodontitis. Periodontology 2000 2010;53:70–88.
13. Lee KY, Kim KY, Kim HS. Co-expression of CdtA and CdtC subunits of cytolethal distending toxin from Aggregatibacter actinomycetemcomitans,. J Korean Acad Periodontol 2009;39:231–237
14. Page RC, Altman LC, Ebersole JL, et al. Rapidly progressive periodontitis a distinct clinical condition. J Periodontol 1983;54:197–209.
15. Cho CM, You HK, Jeong SN. The clinical assessment of aggressive periodontitis patients. J Periodontal Implant Sci 2011;41:143–148.
16. Saxen L. Juvenile Periodontitis: a review. J Clin Periodontol 1980;7:1–19.
17. Kinane DF. Blood and lymphoreticular disorders. Periodontol 2000 1999;21:84–93.

18. Herrera D, Roldan S, Sanz M. The periodontal abscess: a review. J Clin Periodontol 2000;27:377–386.
19. Krayer JW, Rees TD. Histologic observations on the topography of a human periodontal pocket viewed in transverse step-serial sections. J Periodontol 1993;64:585–588.
20. Nielsen JL, Glavind L, Karring T. Interproximal periodontal intrabony defects. Prevalence, localization and etiological factors. J Clin Periodontol 1980;7:187.
21. Listgarten MA, Hellden L. Relative distributions of bacteria at clinically healthy and periodontally diseased sites in humans. J Clin Periodontol 1978;5:115–132.
22. Slots J. Subgingival microflora and periodontal disease. J Clin Periodontol 1979;6:351–382.
23. Hillmann G, Dogan S, Gewrtsen W. Histopathological investigation of gingival tissue from patients with rapidly progressive periodontitis. J Periodontol 1998;69:195–208.
24. Takada T, Donath K. The mechanism of pocket formation: a light microscopic study of undecalcified human material. J Periodontol 1988;59:215–221.
25. Ten Cate AR. Fibroblasts and their products. In: Ten Cate JR, ed. Oral histology: development, structure, and function, ed 4. St Louis: Mosby; 1994.
26. Deporter DA, Ten Cate AR. Collagen resorption by periodontal ligament fibroblasts at the hard tissue-ligament interfaces of the mouse molar periodontium. J Periodontol 1980;51:429–432.
27. Page RC, Schroeder HH: Structure and pathogenesis. In: Schluger S, Youdelis R, Page R, ed. Periodontal disease, Philadelphia: Lea & Febiger, 1977.
28. Deporter DA, Ten Cate AR. Fine structural observations on the mechanisms of loss of attachment during experimental periodontal disease in the rat. J Periodont Res 1980;15:304–313.
29. Socransky SS, Haffajee AD. The nature of periodontal Diseases. Ann Periodontol 1997;2:3–10
30. Socransky SS, et al. New concepts of destructive periodontal disease. J Clin Periodontol 1984;11:21–32.
31. Davenport Jr RH, Simpson DM, Hassell TM. Histometric comparison of active and inactive lesions of advanced periodontitis. J Periodontol 1982;53:285–295.
32. Haffajee, AD, Socransky SS, Lindhe J, et al. Clinical risk indicators for periodontal attachment loss. J Clin Periodontol 1991a;18:117–125.
33. McHenry KR, Hausman E, Genco RJ, et al. 125I absorptiometry: alveolar bone mass measurements in untreated periodontal disease. J Dent Res 1981;60:387.
34. Stanley HR: The cyclic phenomenon of periodontitis. Oral Surg Oral Med Oral Pathol 1955;8:598–610.
35. Waerhaug J. The angular bone defect and its relationship to trauma from occlusion and downgrowth of subgingival plaque. J Clin Periodontol 1979;6:61–82.
36. Bonakdar MPS, Barber PM, Newman HN. The vasculature in chronic adult periodontitis: a qualitative and quantitative study. J Periodontol 1997;68:50–58.
37. Saglie R, Carranza FA, Jr Newman MG, Pattison GL. Scanning electron microscopy of the gingival wall of deep periodontal pockets in human. J Periodontol Res 1982;17:284–293.
38. Katz RV, Hazen SP, Chilton NW, et al. Prevalence and intraoral distribution of root caries in an adult population. Caries Res 1982;16:265–271.
39. Lopez NJ, Belvederessi M, de la Sotta R. Inflammatory effects of periodontally diseased cementum studied by autogenous dental root implants in humans. J Periodontol 1980;51:582–593.
40. Frank RM. Bacterial penetration in the apical wall of advanced human periodontitis. J Periodont Res 1980;51:563–573.
41. Bower RC. Furcation morphology relative to periodontal treatment. Furcation root surface anatomy. J Periodontol 1979;50:366–374.
42. Jang JH, Seo SC, Lee ES, Kim HS. The influence of periapical lesion on furcation involvement in mandibular molars. J Korean Acad Periodontol 2005;35:177–185.
43. Meng HX. Periodontal abscess. Ann Periodontol 1999;4:79–83.

CHAPTER 10

치주질환의 역학

김태일

1. 서론

역학(epidemiology)이란 인간의 건강상태 분포와 결정에 관한 일관된 체계를 수립하기 위해, 질환의 발생과 진행양상 및 예방법을 규명하는 연구로 정의된다. 이 분야는 개인의 개별적인 건강상태에 주안점을 두기보다는, 집단적인 개념으로서의 인간 즉, 연령, 성별, 경제 사회수준, 직업, 인종 등으로 구분되는 인구집단의 질병 분포에 초점을 맞추고 있다.

역학연구를 통해 질환의 분포에 영향을 주는 변수들을 밝힘으로써 임상적으로 유용한 지식이 정립될 수 있다. 예를 들어, 50대 연령층에서 만성 치주염의 발생이 다른 연령대보다 더 많았다면 그 원인을 분석하기 위해 역학조사를 시행하여 질환의 원인과 위험요인을 확인하고 만성 치주염의 예방과 치료 및 공중보건활동을 위한 기초자료를 제공할 수 있다.

역학연구 결과, 치아 우식증과 치주질환이 매우 흔한 질환이라는 것이 밝혀졌는데, 치주질환의 역학연구는 치아 우식증의 역학조사 보다 더 많은 어려움을 안고 있다. 치아 우식증의 병적 변화는 경조직에 국한되어 진행되는 반면, 치주질환의 경우 연조직과 경조직에 모두 이환되어 매우 복잡한 양상을 보이기에 상대적으로 치아 우식증과 비교하여 객관적인 측정치를 설정하기 힘든 특성을 가지고 있기 때문이다.

1) 역학 연구의 목적

치주과학에서 역학연구의 주요한 목적은 치주질환의 원인 요인 및 환경 요인의 중요성과 그 영향을 측정하고 치주질환의 예방과 조절에 있어서 치주치료의 효율성을 결정하는 것이다. 치주질환에 대한 기존의 많은 역학 연구는 인종, 성별, 연령, 지리적 위치, 교육정도, 식사, 문화 등의 변수가 다른 집단 간에 치주질환의 유병률과 심도(severity)에 차이를 보이는지를 확인하기 위해 시행되었으며, 이를 통해 특정 집단의 치주건강 상태, 치주질환의 심도 및 치태와 치석의 양을 측정하고, 그에 따른 치주치료의 필요성을 결정할 수 있었다.[1]

치은염(gingivitis)은 치태와 치석을 제거해주면 소실되지만, 치주염(periodontitis)은 대부분 그렇지 못하다. 그러므로, 치주염의 진행과정과 예방법에 대한 지식을 얻기 위해서는 치주질환에 관한 심도자료(severity data)가 매우 중요하며, 유용한 심도지수(severity index)를 사용한 역학연구를 시행함으로써, 치주질환의 진행과 연관된 변수들의 관계를 규명할 수 있다.

2) 질환의 측정

집단의 구강건강수준은 다음과 같은 지표를 사용하여 측정한다.

(1) 발생률(Incidence)

발생률은 질병 발생의 빈도를 계량화하는 가장 간단한

방법으로서, 일정 기간 동안 특정 질병에 이환된 새로운 환자수를 분자로 하고, 같은 기간 해당 지역에서 그 질병에 이환될 위험이 있는 사람들의 총수(감수성 인구)를 분모로 하여 산출한다.

$$\text{발생률} = \frac{\text{일정 기간 내 새로운 환자 수}}{\text{동일 기간 내 감수성인구의 총수}} \times 100(\%)$$

(2) 발병률(Attack rate)

발병률은 일정 기간 내에 질병에 이환된 사람 수의 특정 인구수에 대한 비율을 말한다. 질환에 따라서는 성별, 연령별, 지역별 등의 특수이환율을 구하는 경우도 있다. 질병의 급성 유행 시, 의심되는 원인 요인들의 발병률을 구하고 이들을 비교하면 급성 유행의 원인에 대한 의미 있는 정보를 얻을 수 있다. 감염증이나 식중독과 같이 비교적 인과관계가 분명한 질병의 경우에는 그 질병의 원인 요인에 접촉 또는 노출된 사람만을 감수성 인구로 적용한다.

$$\text{발병률} = \frac{\text{질병 발병자 수}}{\text{원인 요인에 접촉 또는 노출된 인구}} \times 100(\%)$$

한편, 비교적 밀집된 환경 내에서 첫 환자가 발생한 다음 이 환자와 접촉하고 감수성이 있는 사람들을 중심으로 이차 발병률을 구할 수도 있다.

$$\text{이차 발병률} = \frac{\text{질병 발병자의 수}}{\text{환자와 접촉한 후 감수성 있는 사람들의 수}} \times 100(\%)$$

(3) 유병률(Prevalence)

유병률은 횡적 연구에서처럼 발생시기와 관계없이 특정한 시점에 발견된 질환자의 수의 전체인구에 대한 비율을 말한다. 이는 주로 선천성 질환, 발생기 질환 그리고 시작과 끝이 모호한 질환 등에 대해서 적용된다. 따라서, 급성 괴사성 궤양성 치은염(acute necrotizing ulcerative gingivitis)에 대해서는 발병률을, 치주염(periodontitis)에 관해서는 유병률을 구하는 것이 적절하다.

유병률은 질병을 측정하는 시간의 형태에 따라 시점유병률(point prevalence rate)과 기간 유병률(period prevalence rate) 등으로 구분할 수 있다.

$$\text{시점 유병률} = \frac{\text{일정 시점에서 특정 질병을 지니고 있는 사람의 수}}{\text{동일 시점에서의 선체인구}} \times 100(\%)$$

$$\text{기간 유병률} = \frac{\text{일정 기간에서 특정 질병을 지니고 있는 사람의 수}}{\text{동일 시점에서의 전체인구}} \times 100(\%)$$

(4) 이환율(Morbidity rate)

이환율은 일정 기간 내에 관찰한 환자수의 전체 인구에 대한 백분율을 말한다. 일반적으로 이환율은 대상자 스스로 보고한 질병의 이환 여부나 외상과 같이 명백히 드러나는 질병상태를 파악하는 상병지표이다.

$$\text{이환율} = \frac{\text{일정 기간 동안의 환자 수}}{\text{동일 기간의 전체인구}} \times 100(\%)$$

3) 역학적 연구방법

역학연구는 접근방법에 따라서 다음과 같이 분류할 수 있다.

(1) 기술역학(Descriptive epidemiology)

기술역학은 여러 지역사회에 사는 인구집단의 건강수준을 평가하는 지수(index)의 값을 그 인구집단의 인적, 지역적 및 시간적 특성에 따라 기술하는 것이다. 일반적으로 인적 측면은 연령, 성별, 종족, 결혼상태 및 사회, 경제수준 등을 중요한 속성으로 간주하여 기술한다. 특히, 연령은 질병력이나 사망력에 가장 큰 영향력을 행사하는 변수이다. 지역적 측면은 국가, 지역 및 도시, 농촌 등을 주된 속성으로 기술하고 시간적 측면은 급성유행 여부와 계절, 주기 변동의 측면에서 기술하며 모든 역학연구의 기본이 되는 중요한 부분이다.

(2) 분석역학(Analytical epidemiology)

분석역학은 질병의 원인 또는 위험요인을 찾는 것을 주목적으로 하며 다음의 방법으로 세분된다.

① 생태학적 연구(Ecological study)

생태학적 연구란 분석의 단위가 개인이 아닌 인구집단을 강조하는 역학적 연구방법으로 어떤 요인과 질병과의 관련성이 잘 알려져 있지 않을 때 가설생성을 위해 많이 적용된다. 생태학적 연구에는 각 집단을 비교하는 방법과 한 집단 내에서 시기별로 비교하는 형태가 있으며 상관성(correlation) 연구라고도 한다.

② 단면연구(Cross-sectional study)

단면연구는 설문이나 인구조사 등과 같이 특정 시점 또는 단기간 내에 대상 집단의 유병 여부와 연구하고자 하는 속성의 유무를 동시에 조사한 후, 이들 간의 관계를 파악할 수 있다. 그러나 이 연구방법은 특정시점에서 연구가 수행되기 때문에 시간에 따른 경향성을 평가하기에는 어려움이 있다.

③ 환자-대조군 연구(Case-control study)

환자-대조군 연구는 특정 질병을 가지고 있는 환자군(case)과 질병이 없는 대조군(control)을 선정한 후, 대조군에 비해 환자군에서 더 많거나 더 적은 질병 발생 위험요인을 비교하는 연구이다.

환자-대조군 연구는 질병에 이환된 환자군과 질환이 없는 대조군의 상태를 근거로 표본을 추출하는 것이기 때문에, 노출군과 비노출군에서 질병의 절대위험을 직접 추정하는 것은 불가능하다. 그러나, 환자군의 위험요인 노출/비노출 승산(odds)과 대조군의 노출/비노출 승산(odds)은 직접 산출할 수 있으며, 이들 간의 비를 승산비(odds ratio)라고 한다(표 10-1).

$$\text{환자군에서 노출군의 승산} = \frac{a}{b}$$

$$\text{대조군에서 노출군의 승산} = \frac{c}{d}$$

$$\text{노출군에서 환자군의 비율} = \frac{\frac{a}{a+c}}{\frac{c}{a+c}} = \frac{a}{c}$$

$$\text{비노출군에서 환자군의 비율} = \frac{\frac{b}{b+d}}{\frac{d}{b+d}} = \frac{b}{d}$$

$$\text{승산비(odds ratio)} = \frac{\frac{a}{c}}{\frac{b}{d}} = \frac{a \times d}{b \times c}$$

즉, 승산비는 위험요인에 노출될 경우 질병에 걸릴 승산이, 위험요인에 노출되지 않은 경우 질병에 걸릴 승산보다 상대적으로 더 높은지 혹은 더 낮은지를 알려주는 지표이다. 승산비가 1보다 크다는 것은 위험요인에 노출된 집단이 비노출된 집단에 비해 질병에 걸리게 될 승산이 더 높다는 의미다.

표 10-1. 환자-대조군에서의 관찰빈도

	노출군	비노출군	합계
환자군	a	b	a+b
대조군	c	d	c+d
합계	a+c	b+d	n=a+b+c+d

④ **전향적 코호트연구**(Prospective cohort studies)

전향적 코호트 연구는 연구하고자 하는 질환이 발생하기 전에 해당 질병에 이환되지 않은 일련의 연구대상자에 대하여, 질병 발생과 관련이 있는지 시간의 흐름에 따라 추적하는 연구이다. 연구 대상자들은 질병 발생 노출군과 비노출군으로 분류되고 질환 발생에 대하여 계속 관찰하여 특정 위험요소가 그 후에 과연 질환을 발생시키는지 조사한다.

전향적 코호트 연구의 단점은 일반적으로 연구대상자들을 계속 추적해 나가야 하기 때문에 비용과 많은 노력이 들며, 연구가 장기간 진행되기 때문에 추적에 실패하는 환자의 수도 늘어나게 되어 측정값 관찰에 일관성을 유지하기가 힘들다.

⑤ **후향적 코호트 연구**(Retrospective cohort study)

후향적 코호트 연구는 자료 수집이 질병 발생 전에 이루어졌으나, 관찰하고자 하는 질병은 연구하고자 하는 시점에서 이미 발생한 경우에 이용되는 연구방법이다. 예를 들어, 입사 또는 입학할 때 시행하는 구강검사 결과가 문서로 보관되어 있고 이들의 구강건강 상태가 수십년간 추적된 자료가 있을 때 이 연구를 시행할 수 있다.

(3) 실험연구(Experimental studies)

실험연구란 인위적으로 조건을 달리한 실험군과 대조군을 추적관찰하여 개입(intervention)의 효과를 비교하는 역학적 연구방법이다. 대표적인 예는 무작위 임상시험(randomized clinical trial)이다.

4) 연구방법의 평가

질병을 진단하거나 선별하기 위하여 실시하는 검사방법이 얼마나 질적으로 우수한가를 평가하는 기준은 그 검사방법이 얼마나 정확한가(정확도), 그리고 신뢰할 만한가(신뢰도)에 달려 있다.

(1) 정확도(Validity)

검사대상자들의 유병여부를 판별할 수 있는 능력으로 정의한다. 피검자들의 유병여부를 알고 있는 상태에서, 사용되는 검사가 실제 정확성이 입증된 다른 검사의 결과와 얼마나 일치하는가를 본다. 정확도를 평가하는 지표로는 민감도(sensitivity), 특이도(specificity), 예측도(predictability)가 있다.

(2) 신뢰도(Reliability)

신뢰도란, 같은 대상자에게 검사를 실시하거나 유병여부를 판정할 때, 동일한 결과를 얻을 수 있는 능력으로 정의되며, 반복성(repeatability)이라고도 한다.

(3) 정확도의 평가

유병여부를 진단하기 위하여 A라는 검사를 시행한 결과 검사결과와 질병과의 관계는 다음과 같다.

		질병여부	
		유	무
검사결과	양성	a	b
	음성	c	d

민감도는 실제 질병이 있는데 실시한 검사에서 질병이 있다고(즉, 양성으로) 판정할 수 있는 능력을 말한다. 즉 민감도는 a/(a+c)이며, 반면에 질병이 있으나 검사결과에서 음성이 나온 경우를 위음성률(false negative rate)이라 하며, 이는 c/(a+c)이다.

특이도는 실제 질병이 없는 경우 검사결과에서 질병이 없다고(즉, 음성으로) 판정할 수 있는 능력을 발한다. 즉 특이도는 d/(b+d)이고, 반면에 질병이 없는데 검사결과에서 양성이 나온 경우 위양성률(false positive rate)이라 하며, 이는 b/(b+d)이다.

예측도는 검사결과 질병이라고 판단된 사람들 중 실제 그 질병을 가진 사람들의 비율로 그 측정 자체의 예측 능력을 말한다. 양성예측도는 검사결과 양성으로 판명된 피검사자 중 실제 질병이 있는 분율로 a/(a+b)이다. 음성 예측도는 검사결과 음성으로 판명된 피검사자 중 실제 질병이 없는 분율로 d/(c+d)이다. 일반적으로 양성예측도는 민감도와 더불어 검사방법의 정확성을 평가하는 중요한 요소이다.[2]

2. 치주질환 연구에 사용되는 지수들

역학지수(epidemiologic index)는 임상적 상태를 계량화된 척도로 정량화하여 같은 기준과 방법에 의해 검사된 집단 사이의 비교를 용이하게 하기 위해서 만들어졌다. 훌륭한 역학지수가 되기 위해서는 용이하게 사용할 수 있어야 하고 단시간 내에 많은 사람을 검사할 수 있어야 하며, 임상적 상태를 객관적으로 나타낼 수 있어야 하고, 재현성이 높고, 통계분석을 할 수 있어야 하며, 특정 질환의 임상적 상태와 밀접하게 연관되어 있어야 한다.

치주질환에 대한 역학연구에 사용되는 지수들은 다음과 같다.

1) 치은염증을 평가하는 지수

(1) Papillary-marginal-attachment index, PMA

Schour와 Massler[4]에 의해 처음 고안된 것으로, 한 치아 주위 치은을 세 단위 즉, 치간유두, 변연치은, 부착치은으로 나누어 염증의 유무를 측정하여, 염증이 있으면 1, 없으면 0으로 기록한다. 그 후 PMA 값을 각각 집계하여 합한 다음 검사된 치아수로 나누어서 지수를 산출한다. 이 지수는 역학연구와 임상실험, 개개인 환자의 평가 시 등 그 적용 범위가 넓으나, 심도를 측정하는 데 있어 주관적인 요소가 많이 작용하므로 서로 다른 검사자의 결과를 비교하는 것은 힘들다. 이 지수는 오늘날 거의 사용되지 않는다.

(2) 치주지수(Periodontal index, PI)

치주지수는 표 10-2에 표시한 기준에 의해 치은염증, 치주낭의 형성 및 저작 기능 등을 측정하여 심한 치주질환을 평가할 수 있다. 치주지수는 다른 치주질환 평가 지수보다 더 많은 자료를 모을 수 있다는 점에서 널리 사용된다. 이 지수는 사용하기에 용이하고 재현성이 높으므로 역학연구에 주로 이용되며, 질병의 현재 상태뿐만 아니라 가역적, 비가역적인 증상도 기록할 수 있다. 그러나, 치주지수는 파괴적으로 진행된 치주염에 중점을 두고 있으므로, 치은의 미세한 변화를 감지하는 것은 힘들어서 중증도와 심한 치은염을 구별해 내는 데에는 어려움이 있다.

(3) 치주질환 지수(Periodontal disease index, PDI) 중 치은염 평가 부분

치주질환 지수는 Ramfjord[6-8] 치아부위인 상악우측 제1대구치, 상악좌측 중절치, 상악좌측 제1소구치, 하악좌측 제1대구치, 하악우측 중절치와 하악우측 제1소구치를 평가한다. 치주질환 지수는 치은염과 치주염을 동시에 측정할 수 있는 지수인데, 그 중 치은염을 평가하는 부분은 0~3까지의 점수체계로 구성된다. 염증이 없는 경우는 0, 염증변화가 있으나 치아 주위로 확산되지 않은 경우는 1, 치아 주위로 확산된 경증에서 중증도의 염증 정도는 2, 그리고 심한 치은염으로 발적, 부종, 출혈 성향이 뚜렷하고 궤양을 수반하는 경우는 3으로 기록한다.

표 10-2. 치주지수(Periodontal index: PI, Russel 1956) 기준[5]

점수	임상적 기준	방사선적 기준
0	건강한 치주조직	정상
1	경미한 치은염(치아의 일부분에 국한된 염증)	정상
2	치은염(치아를 둘러싼 염증존재)	정상
4	없음(방사선 소견으로만 측정 가능)	치조골 상방의 초기 골파괴
6	치주낭 형성을 동반한 치은염(상피부착부 파괴 및 치주낭 형성)	치근길이 1/2 미만의 치조골소실
8	저작기능 상실을 동반한 심한 치주염(병적 치아이동)	치근길이 1/2 이상의 치조골소실, 치주인대의 비후를 동반한 골연하낭 형성, 치근단병소

개인당 치주지수점수 = 개개 점수의 합 / 존재하는 치아 수

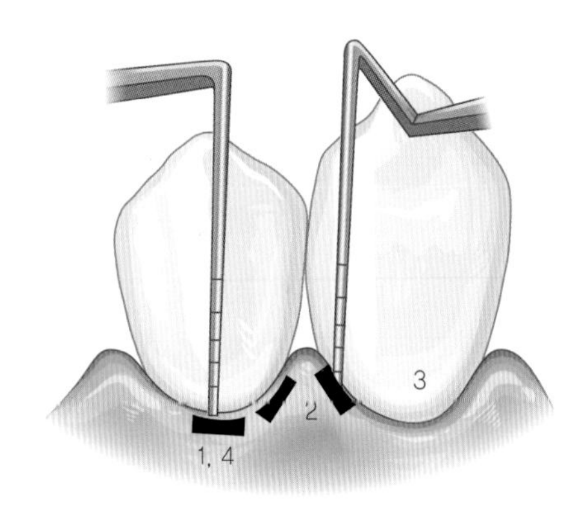

그림 10-1. (A) 치은열구 출혈지수(SBI)의 측정부위 (B) 치은열구 출혈지수(SBI)의 측정

(4) 치은 출혈지수

① 치은열구 출혈지수(Sulcus bleeding index, SBI)

1958년 Mühlemann과 Mazor[9]이 치은연하의 염증을 나타내는 첫 번째 변화를 탐침 시의 출혈이라고 보고 치은열구 출혈지수를 처음 만든 후, 1971년 Mühlemann과 Son[10]이 원래의 기준에 몇 개의 범주를 추가하여 0~5까지의 점수로 나타내어 치은염증을 평가할 수 있게 하였다. 이 지수는 상악과 하악의 중절치, 측절치, 견치, 제1소구치의 협측과 구개측(또는 설측) 변연치은 및 근원심 치간유두 부위를 대상으로 치주 탐침 후 30초 이내의 출혈을 관찰하는 방법으로 기록하며, 환자의 구강위생유지를 위한 동기유발에도 좋은 효과가 있다. 이 지수는 치은지수를 대신하여 역학연구에서 널리 사용되어 왔다.

개개 치아의 치간유두 부위와 치은열구를 탐침하고, 출혈 여부와 변색, 부종, 궤양 등을 관찰하여 다음과 같은 기준으로 평가한다. 측정 부위와 기록은 그림 10-1과 같다.

- 0: 치은이 건강하고 치은 출혈이 없는 경우
- 1: 치은 출혈이 있으나 치은 변색과 부종이 없는 경우
- 2: 치은 출혈과 변색이 있으나 부종이 없는 경우
- 3: 치은 출혈, 변색 및 부종을 수반한 경우
- 4: 치은 출혈, 변색, 부종 및 궤양을 수반한 경우
- 5: 치은 출혈이 저절로 되고, 변색이 있으며 현저한 부종 및 궤양이 있는 경우

② 치간유두 출혈지수(Papillary bleeding index, PBI)

치주탐침을 사용하여 치간유두의 근심면과 원심면을 탐침한 후 출혈 유무 및 양에 따라 평가하는 지수로, 별도의 교육과정이 요구되지 않기에 사용하기에 용이한 지수이다(그림 10-2).

- 0: 출혈이 없는 경우
- 1: 탐침 후 20~30초 이내에 한군데 이상에서 출혈이 나타나는 경우
- 2: 선상으로 출혈이 있는 경우
- 3: 출혈이 유두의 끝에서부터 확산되기 시작하는 경우
- 4: 치간 유두 전체에 출혈이 확산되는 경우

(5) 치은지수(Gingival index, GI)[11]

오늘날 치은염증을 관찰하는 데에 가장 많이 사용되고 있는 지수이다. 치아 주위조직을 협면 변연부, 근심협면, 원심협면, 설면으로 나누어 각 주위의 치은염증을 관찰한다. 순면과 달리 설면은 치경을 통해 간접적으로 보게 되기 때문에 설면에서의 오차를 최소화하기 위해 세분하지 않았다.

- Score 0: 정상치은
- Score 1: 경미한 염증, 색조변화, 가벼운 부종
- Score 2: 중증 염증, 발적, 부종, 출혈
- Score 3: 심한 염증, 상당한 발적, 부종, 궤양, 지속적인 출혈

이 지수는 개개인의 환자에서 뿐만 아니라 역학연구에서

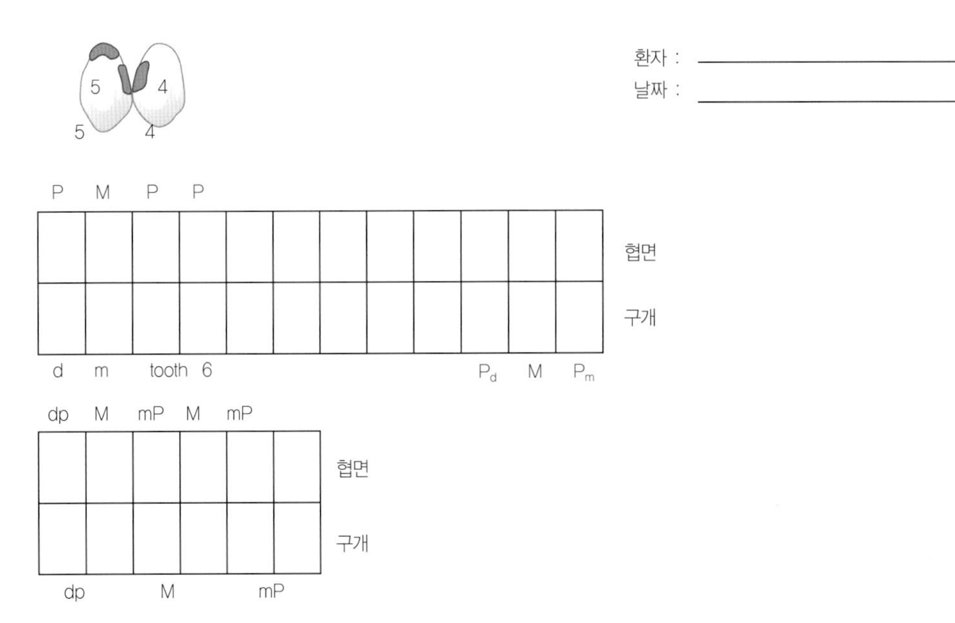

그림 10-2. 치간유두 출혈지수(PBI)의 기록표의 예

치은염의 유병률과 심도를 측정하기 위해 사용할 수 있다.

2) 치주조직의 파괴 정도를 측정하는 지수

(1) 치주질환 지수(Periodontal disease index, PDI) 중 치은열구/치주낭 평가부분

치주질환 지수에서 치은열구/치주낭 평가부분은 치은열구/치주낭 깊이 대신 부착상실을 측정한다. 수치표시는 백악법랑 경계부(cementoenamel junction, CEJ)에서 치은열구 기저부가 3 mm를 넘지 않을 경우에 4, 백악법랑 경계부에서 치주낭 기저부까지의 거리가 3~6 mm일 경우는 5, 백악법랑 경계부에서 치주낭 기저부까지의 거리가 6mm 이상일 경우는 6으로 기록한다. 이 지수는 역학연구와 임상시험 등에 사용될 수 있지만, 높은 재현성을 얻기 위해서는 많은 훈련과 고도의 기술이 필요하다.

3) 구강 청결도 지수

(1) 치태 축척을 측정하는 지수

① Simplified oral hygiene index, OHI-S 중 잔사지수(Simplified debri index, DI-S)

상악 좌우측 제1대구치에 대하여서는 협면만을 검사하고, 하악 좌우측 제1대구치에 대해서는 설면만을, 상악우측 중절치와 하악좌측 중절치는 순면만을 각각 검사하는 방법이 주로 역학 조사에 이용된다. 각 치면은 수평으로 치은부, 중간부, 절단부로 나뉜다. 개인의 잔사지수(DI-S) 점수는 각 치면당 잔사수치의 총합을 조사한 치면 수로 나눔으로써 얻어진다. 이의 평균 점수는 치주조직의 건강 상태와 아주 밀접하게 연관되어 있고, 구강위생 프로그램을 평가하는 데 대단히 적절하다.

DI-S (잔사지수)(그림 10-3)

- 0: 잔사가 없는 상태
- 1: 치은에서 1/3까지 잔사가 존재하는 상태

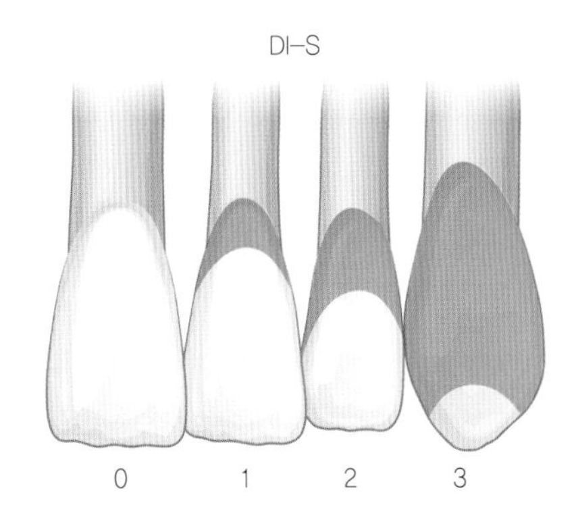

그림 10-3. OHI-S 중 잔사지수

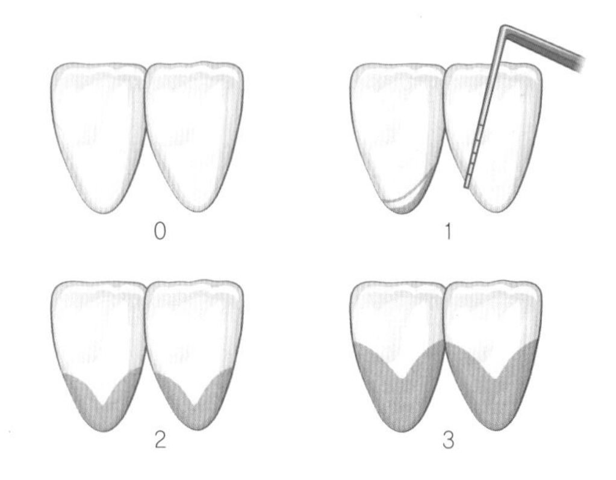

그림 10-4. 치태지수(PI)

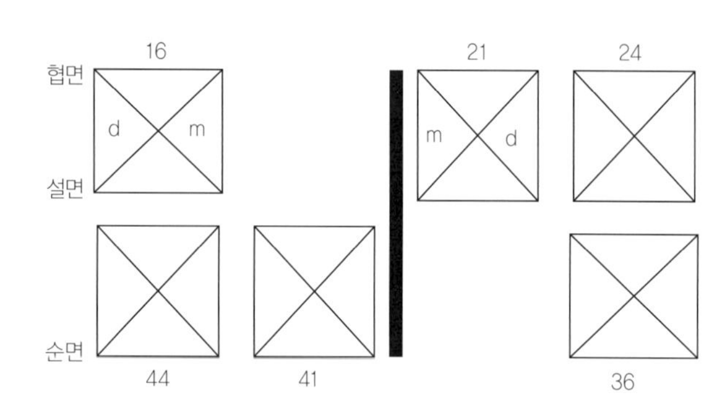

그림 10-5. 치태지수(PI) 기록표

- 2: 치은에서 2/3까지 잔사가 존재하는 상태
- 3: 치은에서 2/3 이상 잔사가 존재하는 상태

② 치태지수(Plaque index, PI)

치면의 치태 범위는 무시하고 치은부 치면에 있는 치태두께만을 측정한다. 즉, 치태염색액을 사용하지 않고 치태의 육안적인 두께에 의해 지수를 계산한다(그림 10-4, 5). 이것은 Löe & Silness[11]의 치은지수에 대응하는 성분으로 개발되었기 때문에 동일한 치아 측정 단위를 갖는다. 즉, 협면 변연부, 근심협면, 원심협면, 설면을 대상으로 한다. 이 지수는 주로 역학연구와 임상연구에 많이 사용되나 일반적으로 환자의 기록에서는 별로 사용되지 않는다.

- 0: 치태가 부착되어 있지 않은 상태
- 1: 치아와 유리치은변연에 부착된 치태로서 탐침소자로 치면을 긁어보아 확인할 수 있는 엷은 상태
- 2: 치은낭과 치은변연을 따라 육안으로 확인될 수 있을 정도로 과량의 치태가 부착되어 있고 치간 사이에는 치태가 없는 상태
- 3: 치은변연에 많은 양의 치태가 침착되어 있고 치간 사이에도 치태로 채워져 있는 상태

③ Quigley–Hein plaque index의 Turesky–Gilmore–Glickman 변형지수

1962년 Quigley와 Hein[12] 은 치면의 치은측 1/3에 집중된 치태측정 방법에 대해 보고한 바 있다. 그들은 전치부 순면만을 조사했는데 점수 체계를 0–5로 나누었다. Turesky 등은 치은측 1/3의 점수를 수정하여 Quigley–Hein 지표를 더욱 객관화시켰다(표 10–3).

이 지수는 착색제를 치면에 도포한 후 전체 치아 순면과 설면의 치태를 조사함으로써 얻는다. 이러한 치태 측정 체계는 수치화된 점수가 객관적으로 정의되므로 이용하기가 비교적 쉽고, 종적 연구 및 예방과 치료제의 임상실험에 적용하기 쉽다는 장점을 가지고 있다.

- 0: 염색된 것이 전혀 없는 상태
- 1: 치경부를 따라 치태가 점상으로 나타나는 상태
- 2: 치경부를 따라 1 mm 이하의 선상으로 치태가 존재하는 상태
- 3: 치면의 1/3 이하로 치태가 존재하는 상태
- 4: 치면의 1/3~2/3 정도로 치태가 존재하는 상태
- 5: 치면의 2/3 이상으로 존재하는 상태

(2) 치석의 양을 측정하는 지수

표 10-3. Quigley-Hein plaque index의 변형지수(Turesky 1970) [41, 41-43]

표 10-3
0 = 치태 없음
1 = 치경부 변연치태의 점상 존재
2 = 치은변연의 얇고 연속적인 치태 존재(1 mm까지)
3 = 1 mm 넘으나 치관의 1/3 이상을 넘지 않는 띠형의 치태
4 = 치관의 1/3 이상 2/3 이하를 덮는 치태
5 = 치관의 2/3 이상을 덮는 치태

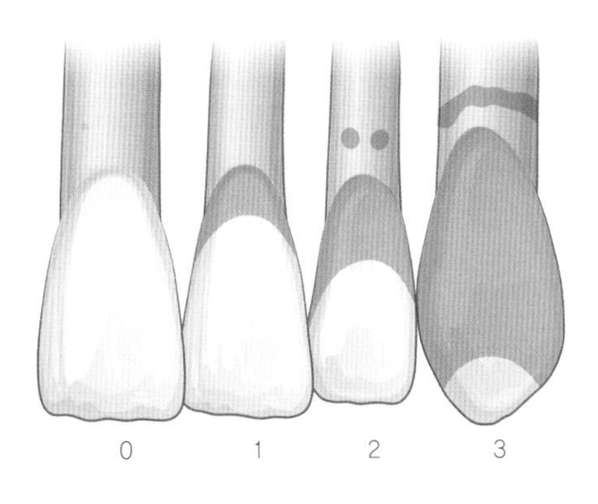

그림 10-6. CI-S 중 치석지수

① Simplified oral hygiene index, OHI-S 중 치석지수(Simplified Calculus index, CI-S)

개인의 치석지수는 치면당 치석 점수를 다 합하여서 조사한 치면 수로 나누어 얻어지고(그림 10-6), 개인의 OHI-S는 잔사지수(DI-S)와 치석지수(CI-S)를 더해서 구한다.

② 치주질환 지수(Periodontal disease index, PDI) 중 치석지수

6개의 Ramfjord 치아의 순면과 설면의 치석존재와 정도를 0에서 3까지의 숫자로 평가한다.

- 0: 없음
- 1: 유리치은변연 밑까지 치은연상치석이 침착
- 2: 중등도의 치은연상치석이나 치은연하치석이 조금이라도 보일 때
- 3: 많은 양의 치은연상 및 치은연하치석이 있을 때

4) 지역사회치주치료필요를 평가하는 지수

(1) 지역사회치주치료필요지수(Community periodontal index of treatment needs, CPITN)

1977년에 세계보건기구(world health organization, WHO)[13,14] 에서 치주상태와 치료 필요도를 평가하기 위해 제안한 지수로, 현재 구강건강수준을 측정하는 역학연구에서 중요한 수단으로 이용되고 있다.

지역사회치주필요지수는 탐침 시 출혈여부, 치은연하치석의 존재유무와 치주낭의 존재유무를 판단하여 측정한다. 상하악에서 1개의 전치부와 2개의 구치부 단위로 3분악이 성립되는데, 한 분악에서 발거대상치아를 제외하고 자연치가 2개 이상 존재할 경우에만 유효한 분악으로 인정한다. 따라서, 자연치아가 1개일 경우, 해당 3분악은 폐쇄하고 그 치아는 이웃하는 3분악에 포함시켜 기록한다. 측정방법은 10개의 지정치아(상악우측 제1대구치, 상악우측 제2대구치, 상악우측 중절치, 상악좌측 제1대구치, 상악좌측 제2대구치, 하악좌측 제1대구치, 하악좌측 제2대구치, 하악좌측 중절치, 하악우측 제1대구치, 하악우측 제2대구치)를 조사하여, 해당 3분악 내에서 가장 불량한 소견을 보이는 치아의 지수를 해당 분악의 지수로 기록한다.

- 0: 건강한 치은 상태
- 1: 치주낭 탐사 후 육안이나 치경으로 관찰 시 출혈이 확실히 관찰되는 상태
- 2: 치석과 치태가 치은연상, 연하에서 보이는 분악
- 3: 4~5 mm의 깊은 치주낭이 있으며 치주탐침의 검은 부위 상단만 보이는 상태
- 4: 6 mm 이상의 깊은 치주낭 안으로 치주탐침의 검은 부분이 들어가서 보이지 않는 상태

이 지수는 치주치료가 필요한지를 평가하는 데는 용이하지만 각 분악에서 가장 불량한 소견을 보이는 치아의 지수를 해당 분악의 지수로 기록하므로 환자의 상태가 실제보다 과장 되거나 과소평가될 수 있다(표 10-4).

표 10-4. 지역사회치주필요지수 기준표

치주상태 기준	치주필요기준
0 = 정상 치주조직	0 = 치주치료 불필요
1 = 출혈	I = 구강위생 향상 필요
2 = 탐침 시 치석촉진(치주낭 3 mm)	II = 구강위생 향상 필요
3 = 치주낭 4 혹은 5 mm	II = I+전문적 치석제거술 필요
4 = 치주낭 6 mm	III = I+II+복합치료

3. 치주질환에 영향을 주는 요인

치주질환의 유병률과 심도에 영향을 주는 위험인자는 연령, 성별, 인종, 사회·경제적 요인, 영양상태, 거주지역, 비만, 흡연, 당뇨병, 임신, HIV 감염 및 심리·사회적 요소가 있다.

1) 연령(Age)

1963년 Littleton의 연구[15]와 1967년 Russel 연구[16] 및 1977년 Green 등의 연구[17]에 의하면, 연령에 따라 치조골소실의 빈도와 심도는 증가하며 어떤 인구 집단에서는 거의 모든 중년 인구에서 골소실의 증거를 보이고 있다고 하였다. 연령 증가에 따라 치주조직의 상실이 증가하는 것은 분명하게 알려져 있으나, 1964년 Littleton 연구[18]에 의하면 연령 증가에 연관된 현상은 반드시 노화현상 자체를 반영하기 보다는 치태나 치석 등의 국소자극물이 치주조직에 영향을 미친 기간을 반영한다고 주장하였다.

이러한 주장은 오랜 기간 동안 위험요인들에 노출되어 나타나는 연령효과(age effect)의 현상과 강한 연관성이 있으며 1991년 Papapanou[19] 등에 의해 보고된 연구결과를 뒷받침한다. 반면에 2002년 Albandar의 연구[20,21]에서는 치주낭 형성과 연령은 반드시 상관관계가 있지는 않은 것으로 보고하였다.

2) 성별(Gender)

1967년 Waerhaug의 연구[22]에 의하면 스리랑카에서 치주질환 유병률을 조사한 연구결과 여성이 남성보다 치주질환의 심도가 높다고 보고한 바 있다. 이후 1998년 Hugoson 등의 연구[23]와 2003년 Chirstensen 등의 연구[24]에 의하면 치주질환에 대한 성별 차이는 명백하지 않았으나, 2002년 Dunlop[25] 등의 연구 및 2003년 Roberts[26]의 연구에 의하면 여성이 남성보다는 구강위생수준과 치과진료수진율이 높은 이유로 인해 남성보다는 여성의 치주조직상태가 양호한 것으로 보고되었다.

3) 인종(Race)

2002년 Borrell 등[27]의 연구와 2003년 Hyman 등[28]의 연구에서 실시한 역학 조사에 의하면 치주질환의 유병률과 심도는 백인, 멕시코계 보다 흑인에서 높게 나타난다고 하였고 인종 간 치주염의 이환 양상이 차이가 있다고 보고하였다.

그러나 1960년 Russel의 연구[29]에서 인종은 교육 수준, 치과치료, 구강위생 정도가 동일한 수준이면 명확한 차이를 관찰할 수 없는 것으로 밝혀졌고, 1997년과 1999년 Williams의 연구[30,31]에 의해 인종은 사회적 구성요소에 얼마나 접근이 가능한가를 결정하는 요인이라고 보고되었다. 즉, 사회·경제적 상태(socioeconomic status)에 따라 인종은 동일하게 분포되어 있지 않기 때문에 1996년 Williams의 연구[32]와 2000년 Lynch 등의 연구[33]에서는 인종의 효과는 부분적으로 사회·경제적 상태에 의해 혼동될 수 있다고 하였다. 최근 2002년 Borrell 등의 연구[34]에서는 교육수준이나 소득수준의 차이에 따라 흑인(african american)이 멕시코계(mexican american)나 백인(non-hispanic white)에 비해 치주건강 상태가 불량하다고 밝혔다.

4) 사회·경제적 요인(Socioeconomic factor)

1967년 Waerhaug 등의 연구[22]에서는 사회·경제적 요인과 치주질환의 유병률 및 심도는 밀접한 관계가 있다고 보고한 바 있다. 이와 관련된 2006년 Lopez 등[35]과 2006년 Borrell 등[27]의 논문에서는 대체로 개인의 소득이 적을수록 그리고 교육수준이 낮을수록 심각한 치주질환과 독립적으로 연관되어 있다고 밝혔다. 따라서, 사회·경제적 요인이 치주질환에 미치는 영향력이 분명히 입증되었다.

이 외에도 2006년 김혜영[36]은 2000년도 국민건강보험공단 자료를 통해 공무원 및 사립학교 교직원을 대상으로 사회·경제적 수준과 건강행위 및 구강진료 이용도의 관련성 여부 및 정도를 파악한 결과, 사회·경제적 수준이 낮을수록 바람직하지 못한 구강건강행위를 할 확률이 크고 사회·경제적 수준은 구강진료 필요도에 독립적인 영향을 미친다고 보고하였다.

5) 영양상태(Nutritional status)

치주질환의 유병률과 심도에 미치는 비타민 섭취량(vitamin level)의 영향이 여러 학자들에 의해 조사되었는데, 그에 따르면 치주질환과 비타민 섭취량 사이에 실질적인 상관관계는 발견되지 않았다. 그러나 2007년 국민건강영양조사의 연구 결과[37]에 따르면, 탄수화물 섭취량에 따라 구강건강문제와 매우 밀접한 연관성이 있다고 밝혀졌다.

6) 거주지역(Area)

1957년에 미국에서 시행된 Russell의 연구결과[38,39]에 따르면, 지역에 따른 치주질환 유병률의 차이는 없으나 일반적으로 치주병의 심도와 유병률은 도시지역보다 농촌지역에서 약간 높으며, 미국 남부의 아동·청소년이 중서부나 서부에 거주하는 아동 및 청소년보다 약간 높은 치태지수(PI)를 보였다.

7) 비만(Obesity)

2003년 Wood 연구[40] 및 2001년 Saito 등의 연구[41]에 의하면 신체비만지수(body mass index) 30 이상으로 정의되는 비만상태와 치주질환은 비례하는 관계를 보이는 것으로 나타났다. 2005년 Genco 등의 연구[42]에 의해 과체중 피험자는 대조군에 비해서 치주염에 1.5배나 더 가질 확률이 있다고 밝혀졌고, 2001년 Saito 등의 연구[41]에 의해 다른 위험인자를 통제한 후에도 높은 신체비만지수와 요부-둔부 비율(waist-to-hip ratio)은 치주건강에 중대한 영향을 끼치는 요인이라고 보고되었다.

8) 흡연(Smoking)

흡연이 혈관계, 체액성 면역과 세포 신호전달, 조직항상성, 세포성 면역 등에 영향을 미친다는 최근의 종설은 2000년 Kinane 등의 연구[43]와 2005년 Palmer 등의 연구[44]에 의해 알려짐으로써 흡연과 치주염과의 관계에 관한 생물학적인 배경이 분명해졌다. 미국에서 전국보건영양조사(NHANES Ⅲ) 자료를 이용한 2000년 Tomar 등의 연구[45]에 의하면 연령, 성별, 인종, 교육, 소득요인을 보정한 이후 흡연자는 비흡연자에 비해 치주염이 발생할 가능성이 4배 더 높다고 보고하였다. 2004년 Susin[46,47]의 논문에서는 과도한 흡연자의 경우 5 mm 이상의 임상적 부착상실의 유병률이 비흡연자에 비해 높게 나타났고, 공변량을 보정한 이후에도 흡연으로 인한 부착소실(attachment loss)은 과도한 흡연자의 경우 37.7%, 중도 흡연자의 경우 15.6%가 영향을 받는다고 했다.

흡연의 영향이 치주치료에 미치는 결과를 살펴보면, 1998년 Tonetti 등의 연구[48]와 2001년 Scabbia 등의 연구[49] 및 2003년 Trombelli 등의 연구[50]에서는 현재 흡연자는 이전에 흡연을 경험한 사람이나 비흡연자에 비해 치주치료의 예후가 불량하다고 보고하였고, 흡연은 비외과적, 외과적 및 재생형 치료를 포함하는 치주치료의 결과에 악영향을 미친다고 하였다.

9) 당뇨병(Diabetes mellitus)

치주염에 당뇨병이 위험인자로 작용하는가에 관한 논의는 1993년 Genco 등[42]에 의해 오랫동안 이어져 왔다. 또한 당뇨병에 이환 시 치주조직 손상에 관한 생물학적인 배경은 1998년 Taylor 등의 연구[51]와 2003년 Guzman 등의 연구결과[52]를 통해 알려져 있다. 일반적으로 당뇨환자의 경우 치주조직 파괴가 더 심하고 치주질환의 유병률과 심도가 더 높게 나타난다.

10) 임신(Pregnancy)

2001년 Offenbacher[53]와 Lopez[54] 및 2005년 Dortbudak 등[55]은 치주염과 미숙아 출산 사이의 관련성이 있다고 발표하였다. 2001년 Jeffcoat 등의 연구[56]에서는 37주 전 분만은 3 mm 이상의 심각한 치주질환에 이환될 가능성이 4.45배 높고 35주 이전의 경우는 5.28배, 32주 이전의 경우는 7.07배 높다고 하였다.

2006년 Offenbacher 등의 연구[57]와 2001년 Madianos 등의 연구[58] 및 2006년 Boggess 등의 연구[59]를 통해, 임산부의 치주염은 제대혈 내 IgM 항체 유무에 따른 태아의 구강내 세균노출 위험과 임신 35주 전 조산의 위험을 증가시킬 가능성이 크다는 사실이 밝혀졌다.

11) HIV 감염(Human immunideficiency infection)

HIV와 치주염의 관계에 관한 연구결과는 상반된 연구결과들이 존재한다. 2003년 Vastardis 등,[60] 1995년 Cross 등,[61] 1998년 McKaig 등[62]의 연구결과를 통해 HIV 양성 환자는 음성환자에 비해 높은 치주질환 유병률과 심도를 가진다고 보고한 반면 1998년 Lamaster 등[63]의 연구에서는 HIV 양성과 음성 환자 사이에서의 치주질환 유병률 차이는 유의하지 않다고 하였다.

12) 심리·사회적 요소(Psychosocial factors)

2007년 Sisson의 연구[64]에 의하면 심리적 스트레스 차이에 따른 행동변화나 두려움은 직접적으로 치주질환에 영향을 미치며 1998년 Genco의 연구[65]에서는 나쁜 구강위생으로 이어지는 경험의 차이가 치주건강에 영향을 미친다고 보고되었다. 그러나 심리사회적 스트레스가 치주건강에 영향을 미치는 매개경로는 매우 복잡하기 때문에, 객관적으로 스트레스를 측정하기에는 한계가 있어 일부 연구들은 대리(proxy) 스트레스법을 이용해 치주염과의 관련성을 알아보기도 한다.

4. 치주질환의 유병률

1) 치은염의 유병률(Prevalence of gingivitis)

치은염은 아동기에 많이 관찰된다. 치은염의 발생은 5~7세, 혹은 그 이전에 대개 시작되는데, 그 발생률은 12~13세까지는 증가하다가, 그 이후로 약 16세까지 감소추세를 보인다(그림 10-7). 1981년 Hugoson 등[66]은 600명의 아동들을 대상으로 유병률을 조사한 결과, 3세 아동의 35%가 치은염을 유발할 수 있는 치은염증을 갖고 있으며, 3세 이상 아동의 경우 65~97%가 치은염증을 가지고 있다고 보고하였다. 이는 아동의 나이와 함께 치아의 인접면 사이의 치은염증이 증가한 결과이기도 하다. 2008년 교육과학기술부의 보고[67]에 따르면 우리나라 초·중·고등학생들의 치주질환 유병률은 2006년 6.5%에서 2007년 7.6%, 그리고 2008년에는 6.9% 로 나타났다.

치조골 파괴를 동반하지 않는 치은염의 발생률은 연령에 따라 감소하며, 연령이 증가됨에 따라서 같이 증가하는 만

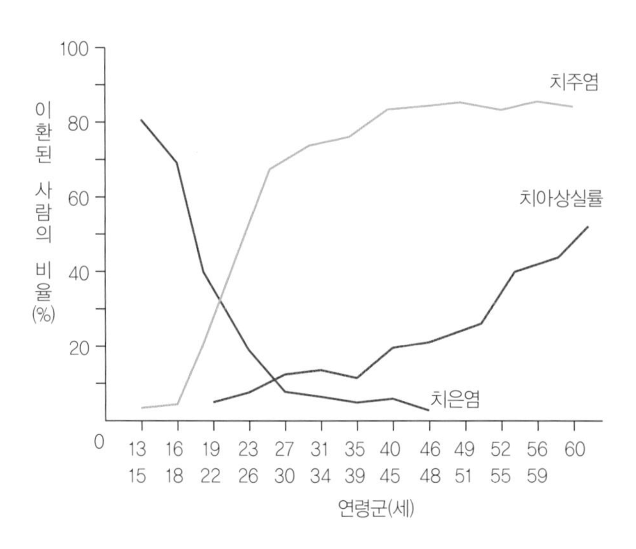

그림 10-7. 치은염과 치주염의 유병률

성 치주염의 발생률과는 상반되는 관계가 있는데, 이러한 관계는 치은염이 치주염의 전구적인 역할을 한다는 가설을 뒷받침해 준다(그림 10-8).

2) 치주염의 유병률(Prevalence of periodontitis)

1918년 Black의 연구에 의하면 40대의 연령층에서는 인구의 50% 이상이 만성 치주염을 가지고 있었으며, 치주질환에 의한 치아상실은 약 35세부터 시작되어 나이가 듦에 따라 치아 상실률은 기하학적으로 증가한다고 한다(그림 10-7). 그리고 2004년 Mack 등[68]이 60~79세의 1,446명을 대상으로 치주낭 깊이와 부착소실(attachment loss) 을 검사한 결과, 중증도 수준의 부착소실은 빈번하게 분포되어 있는 것으로 나타난다고 보고하였다(그림 10-9).

대규모 집단에서 성인의 치주염의 유병률에 관한 역학연구를 살펴보면, 1988년 Yoneyamn 등[69]은 319명의 환자 20~79세를 대상으로 치주낭 깊이와 임상부착소실 및 치은퇴축을 측정한 결과 30~39세의 0.2%, 70~79세는 1.2%가 치주낭 깊이가 6 mm 이상인 것으로 나타났고, 임상부착소실은 고령층에서 12.4%가 5 mm 이상으로 나타나 진행된 치주질환이 더 광범위하게 나타났다고 하였다. 미국에서 시행된 연구를 보면 1990년 Brown 등[70]은 15,132 명의 대상자를 조사한 결과 4~6 mm 치주낭 깊이를 보이는 사람이 전체 대

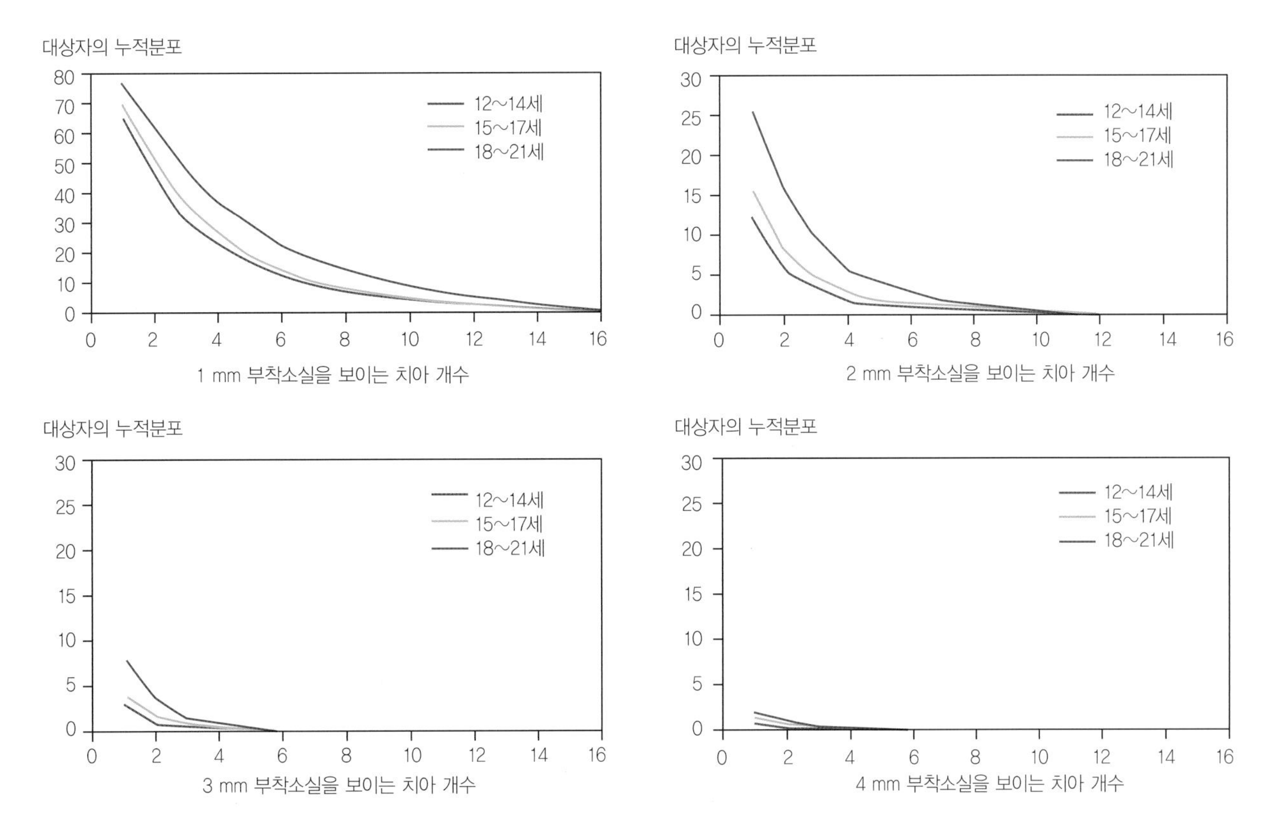

그림 10-8. 칠레 청소년들의 치주질환 유병률 조사 연구에서 부착상실의 누적분포

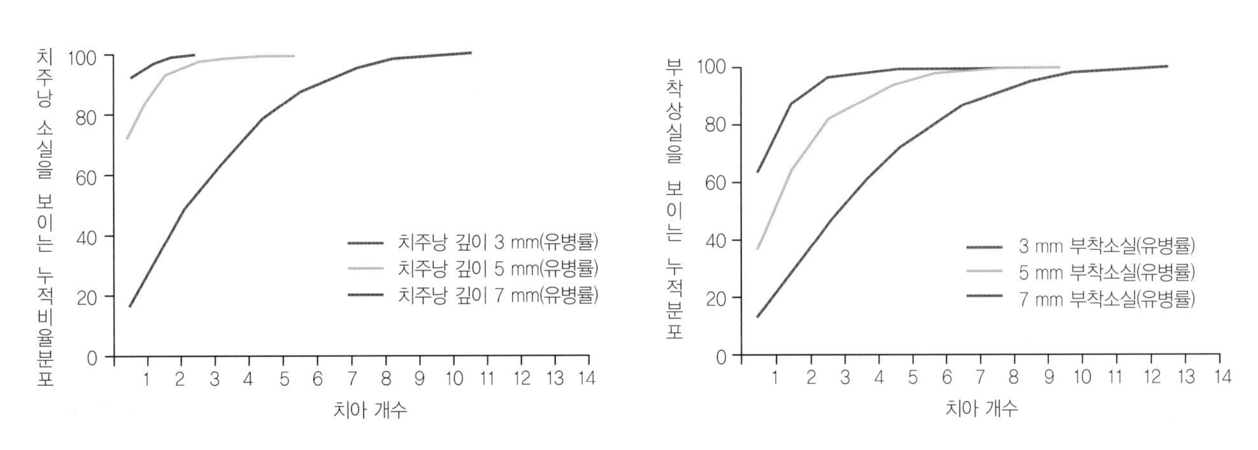

그림 10-9. 60~79세 연령군에서 잔존치아에 따른 부착상실에 관한 유병률 연구

상자의 13.4%에 달하였으며, 3 mm 이상의 부착소실을 보이는 경우는 전체의 44%로 나타났다.

1999년 Albandar 등의 연구[71]에서는 전국적으로 치은염과 치주낭 깊이 그리고 백악법랑 경계부를 기준으로 치은변연의 위치를 측정한 결과, 비남미계 백인은 7.6%, 비남미계 흑인은 18.4%, 멕시칸계 미국인에서는 14.4%가 치주낭 깊이가 5 mm 이상인 경우로 나타났다. 그리고 1986년 한수부 등[72]의 연구결과에 따르면, 한국 성인의 유년형 치주염은 약

0.09%의 발병률을 보이는 것으로 보고되었다. 한국인 청년의 치주상태에 관한 연구[73]에서는 1991년 양병근 등[74]이 한국인 청년의 10%가 4 mm 이상의 치주낭을 갖고 있으며, 9.8%가 3 mm 이상의 부착소실을 가지고 있다고 보고하였다.

5. 치주질환의 예방

치주질환의 예방은 그 질환을 예방하는 것뿐만 아니라 진행을 방지하는 데도 중점을 두어야 한다. 그러므로 예방 계획(prevention program)은 치주질환의 자연적인 진행을 더 쉽게 방지할 수 있는 순서대로 만들어 주는 것이 좋다. 즉, 질환을 완전히 예방할 수 있는 단계가 제일 처음 와야 하며, 기능회복(3차 예방)은 가장 나중에, 질환의 진행을 느리게 하는 단계(2차 예방)는 그 중간에 두는 것이 좋다. 그리고 이러한 예방 계획의 평가는 일시적으로 치은염을 감소시키는 것보다는 얼마나 오랫동안 효과가 있는지에 더 중점을 두고 이루어져야 한다.

치태가 치은염을 일으키며, 이 치은염이 여러 가지 경로를 통해 치주염으로 진행되기도 한다. 그러므로 효과적인 예방 계획이 되기 위해서는 치태축적을 방지해 주어야 한다. 치주질환을 예방하는 목적은 치아의 수명을 유지시켜 주어 기능을 할 수 있게 함으로써 고통을 제거해 주는 데 있다.

치태조절이 완전히 이루어지기 위해서는 의사와 환자의 노력뿐만 아니라 공중보건 교육과 예방도 수반되어야 한다. 구강보건교육에 있어서 가장 중요한 문제는 환자의 동기 유발인데, 여러 가지 동기에 의해서만 예방의 중요성을 인식시키고 행동을 변화시킬 수 있다. 치태조절의 향상이 사회, 경제적 수준의 향상 및 높은 교육수준에 의한 행동의 변화와 관계가 있다는 보고도 있다.

1) 예방

(1) 1차 예방

어떠한 질병이든 진행과정을 잘 알고 있으면, 그 질병이 발생하기 전에 이를 예방하는 것이 가능하다.

치주영역에서의 1차 예방이라 함은 효과적인 치태조절, 정기적인 구강검진과 치면세마, 그리고 손상과 감염에 대한 치수조직의 저항성을 높이는 방법 등을 말한다.

(2) 2차 예방

2차 예방은 질환의 진행을 방지할 목적으로 초기의 증상들을 치료해 주는 것을 말한다.

치태제거를 위한 교육, 불소도포, 치석을 포함한 치태잔류인자를 제거해 주는 것이 이에 속한다. 정기적인 구강검진과 치면세마도 2차 예방에서 중요한 부분을 담당한다. 정기적인 구강검진은 환자 개개인의 필요에 따라 2개월, 3개월 혹은 6개월 간격으로 해주는 것이 좋다. 2차 예방으로서의 외과적 수술은 치주낭의 제거를 목적으로 한다.

(3) 3차 예방

3차 예방은 이미 확립된 치주질환을 치료하고, 더 이상의 진행을 방지하여 후유증을 없애 주고, 기능과 심미성을 회복시켜 주는 것을 말한다. 이러한 3차 예방은 기능 회복을 목표로 한다.

2) 예방의 적용

치주질환은 여러 가지 병인을 가진 질환이므로, 예방도 여러 부분에서 이루어져야 한다.

(1) 건강증진

적절한 영양공급으로 조직의 저항성을 증가시켜 주는 것이 건강증진의 목적이며, 전신 및 구강건강교육, 훌륭한 구강위생을 유지하도록 동기 유발을 시키는 것들이 이에 포함된다.

(2) 특이방어

치주질환에 대한 특이방어는 정기적인 구강청결과 효과적이고 정확한 구강위생관리에 의해서 얻어진다. 잘못 만들어진 보철물과 교합부조화, 그리고 구강 악습관의 제거와 치은 및 치조골 형태의 수복도 치주질환을 방지하는 특이방어의 일종이다. 그 외에도 불소가 치조골의 치주질환에 대한 저항성을 높여준다는 보고도 있다. 불소적용방법의 하나인 상수도수불화는 치주질환뿐만 아니라, 충치의 예방에도 도움을 준다.

(3) 조기진단 및 신속한 치료

일단 질환이 발생하면 조기진단 및 신속한 치료로 질환의 진행을 예방하고 치료할 수 있다.

(4) 기능회복

조기진단과 치료를 하지 못한 채로 질환이 진행되면 기능회복이 예방과정에 포함되어야 한다.

참고문헌

1. Cho CM, You HK, Jeong SN. The clinical assessment of aggressive periodontitis patients. J Periodontal Implant Sci 2011;41:143–148.
2. Burke DS, Brundage JF, Redfield RR. Measurement of the false positive rate in a screening program for human immunodeficiency virus infections. N Engl J Med 1988;319:961–964.
4. Schour I, Massler M. Gingival disease in postwar Italy (1945) prevalence of gingivitis in various age groups. J Am Dent Assoc 1947;35:475–482.
5. Russell AL. A system of classification and scoring for prevalence surveys of periodontal disease. J Dent Res 1956;35:350–359.
6. Ramfjord SP. Indices for prevalence and incidence of periodontal disease. J Periodont 1959;30:51–59.
7. Ramfjord SP. World Workshop in Periodontics. Ann Arbor, Michigan.
8. Ramfjord SP ER, Greene JC, Held AJ, Waerhaug J. Epidemiological studies of periodontal diseases. Parodontologie and academy review 1968;58:1713–1722.
9. Mühlemann HRM, Z. S. Gingivitis in Zurich school children. Helvetica Odontologica Acta 1958;2:3–12.
10. Muhlemann HR, Son S. Gingival sulcus bleeding––a leading symptom in initial gingivitis. Helv Odontol Acta 1971;15:107–113.
11. Löe H. The Gingival Index, the Plaque Index and the Retention Index Systems. J Periodontol 1967;38:Suppl:610–616.
12. Quigley GA, Hein JW. Comparative cleansing efficiency of manual and power brushing. J AM Dent Assoc 1962;65:26–29.
13. M. P. WHO technical report series 200 Developments in biological standardization 1974;23:182–184.
14. WHO Technical Report Series. 1976:589.
15. Littleton NW. Dental caries and periodontal diseases among Ethiopian civilians. Public Health Rep 1963;78:631–640.
16. Russell AL. Epidemiology of periodontal disease. Int Dent J 1967;17:282–296.
17. Greene JC, Suomi JD. Epidemiology and public health aspects of caries and periodontal disease. J Dent Res 1977;56 Spec No:C20–26.
18. Littleton NW. The epidemiology of periodontal disease in Burma. Thesis Ann Arbor 1964.
19. Papapanou PN, Lindhe J, Sterrett JD, Eneroth L. Considerations on the contribution of ageing to loss of periodontal tissue support. J Clin Periodontol 1991;18:611–615.
20. Albandar JM. Global risk factors and risk indicators for periodontal diseases. Periodontol 2000 2002;29:177–206.
21. Albandar JM. Periodontal diseases in North America. Periodontol 2000 2002;29:31–69.
22. Waerhaug J. Prevalence of periodontal disease in Ceylon. Association with age, sex, oral hygiene, socio-economic factors, vitamin deficiencies, malnutrition, betel and tobacco consumption and ethnic group. Final report. Acta Odontol Scand 1967;25:205–231.
23. Hugoson A, Norderyd O, Slotte C, Thorstensson H. Oral hygiene and gingivitis in a Swedish adult population 1973, 1983 and 1993. J Clin

Periodontol 1998;25:807–812.

24. Christensen LB, Petersen PE, Krustrup U, Kjoller M. Self–reported oral hygiene practices among adults in Denmark. Community Dent Health 2003;20:229–235.
25. Dunlop DD, Manheim LM, Song J, Chang RW. Gender and ethnic/racial disparities in health care utilization among older adults. J Gerontol B Psychol Sci Soc Sci 2002;57:S221–233.
26. Roberts–Thomson KF, Stewart JF. Access to dental care by young South Australian adults. Aust Dent J 2003;48:169–174.
27. Borrell LN, Beck JD, Heiss G. Socioeconomic disadvantage and periodontal disease: the Dental Atherosclerosis Risk in Communities study. Am J Public Health 2006;96:332–339.
28. Hyman JJ, Reid BC. Epidemiologic risk factors for periodontal attachment loss among adults in the United States. J Clin Periodontol 2003;30:230–237.
29. Russell AL, Ayers P. Periodontal disease and socioeconomic status in Birmingham, Ala. Am J Public Health Nations Health 1960;50:206–214.
30. Williams DR. Race and health: basic questions, emerging directions. Ann Epidemiol 1997;7:322–333.
31. Williams DR. Race, socioeconomic status, and health. The added effects of racism and discrimination. Ann N Y Acad Sci 1999;896:173–188.
32. Williams DR. Race/ethnicity and socioeconomic status: measurement and methodological issues. Int J Health Serv 1996;26:483–505.
33. Lynch JW, KG. Socioeconomic position. In: Berkman LF. & Kawachi I.(eds.) Social Epidemiology. New York: Oxford University Press 2000:13–35.
34. Borrell LN, Lynch J, Neighbors H, Burt BA, Gillespie BW. Is there homogeneity in periodontal health between African Americans and Mexican Americans? Ethn Dis 2002;12:97–110.
35. Lopez R, Fernandez O, Baelum V. Social gradients in periodontal diseases among adolescents. Community Dent Oral Epidemiol 2006;34:184–196.
36. Kim HY. Evaluation of effects of health behaviors and dental service use on the association between socioeconomic status and unmet dental treatment needs. J Korean Oral Health 2006;30:85–97.
37. Welfare. MoH. Korea Health Statisitcs 2010: Korea National Health and Nutrition Examination Survey (KNHANES IV–3). Seoul: Ministry of Health & Welfare 2010.
38. Russell AL. Some epidemiological characteristics of periodontal disease in a series of urban populations. J Periodontal 1957;28:286–293.
39. Russell AL. A social factor associated with severity of periodontal disease. J Dent Res 1957;36:922–926.
40. Wood N, Johnson RB, Streckfus CF. Comparison of body composition and periodontal disease using nutritional assessment techniques: Third National Health and Nutrition Examination Survey (NHANES III). J Clin Periodontol 2003;30:321–327.
41. Saito T, Shimazaki Y, Koga T, Tsuzuki M, Ohshima A. Relationship between upper body obesity and periodontitis. J Dent Res 2001;80:1631–1636.
42. Genco RJ, Löe H. The role of systemic conditions and disorders in periodontal disease. Periodontol 2000 1993;2:98–116.
43. Kinane DF, Chestnutt IG. Smoking and periodontal disease. Crit Rev Oral Biol Med 2000;11:356–365.
44. Palmer RM, Wilson RF, Hasan AS, Scott DA. Mechanisms of action of environmental factors––tobacco smoking. J Clin Periodontol 2005;32 Suppl 6:180–195.
45. Tomar SL, Asma S. Smoking–attributable periodontitis in the United States: findings from NHANES III. National Health and Nutrition Examination Survey. J Periodontol 2000;71:743–751.
46. Susin C, Dalla Vecchia CF, Oppermann RV, Haugejorden O, Albandar JM. Periodontal attachment loss in an urban population of Brazilian adults: effect of demographic, behavioral, and environmental risk indicators. J Periodontol 2004;75:1033–1041.
47. Susin C, Oppermann RV, Haugejorden O, Albandar JM. Periodontal attachment loss attributable to cigarette smoking in an urban Brazilian population. J Clin Periodontol 2004;31:951–958.
48. Tonetti MS, Muller–Campanile V, Lang NP. Changes in the prevalence of residual pockets and tooth loss in treated periodontal patients during a supportive maintenance care program. J Clin Periodontol 1998;25:1008–1016.
49. Scabbia A, Cho KS, Sigurdsson TJ, Kim CK, Trombelli L. Cigarette smoking negatively affects healing response following flap debridement surgery. J Periodontol 2001;72:43–49.
50. Trombelli L, Cho KS, Kim CK, Scapoli C, Scabbia A. Impaired healing response of periodontal furcation defects following flap debridement surgery in smokers. A controlled clinical trial. J Clin Periodontol 2003;30:81–87.
51. Taylor GW, Burt BA, Becker MP, Genco RJ, Shlossman M. Glycemic control and alveolar bone loss progression in type 2 diabetes. Ann

Periodontol 1998;3:30-39.
52. Guzman S, Karima M, Wang HY, Van Dyke TE. Association between interleukin-1 genotype and periodontal disease in a diabetic population. J Periodontol 2003;74:1183-1190.
53. Offenbacher S, Lieff S, Boggess KA. Maternal periodontitis and prematurity. Part I: Obstetric outcome of prematurity and growth restriction. Ann Periodontol 2001;6:164-174.
54. Lopez R, Fernandez O, Jara G, Baelum V. Epidemiology of clinical attachment loss in adolescents. J Periodontol 2001;72:1666-1674.
55. Dortbudak O, Eberhardt R, Ulm M, Persson GR. Periodontitis, a marker of risk in pregnancy for preterm birth. J Clin Periodontol 2005;32:45-52.
56. Jeffcoat MK, Geurs NC, Reddy MS, Cliver SP, Goldenberg RL, Hauth JC. Periodontal infection and preterm birth: results of a prospective study. J Am Dent Assoc 2001;132:875-880.
57. Offenbacher S, Boggess KA, Murtha AP. Progressive periodontal disease and risk of very preterm delivery. Obstet Gynecol 2006;107:29-36.
58. Madianos PN, Lieff S, Murtha AP. Maternal periodontitis and prematurity. Part II: Maternal infection and fetal exposure. Ann Periodontol 2001;6:175-182.
59. Boggess KA, Moss K, Murtha A, Offenbacher S, Beck JD. Antepartum vaginal bleeding, fetal exposure to oral pathogens, and risk for preterm birth at <35 weeks of gestation. Am J Obstet Gynecol 2006;194:954-960.
60. Vastardis SA, Yukna RA, Fidel PL Jr., Leigh JE, Mercante DE. Periodontal disease in HIV-positive individuals: association of periodontal indices with stages of HIV disease. J Periodontol 2003;74:1336-1341.
61. Cross DL, Smith GL. Comparison of periodontal disease in HIV seropositive subjects and controls (II). Microbiology, immunology and predictors of disease progression. J Clin Periodontol 1995;22:569-577.
62. McKaig RG, Thomas JC, Patton LL, Strauss RP, Slade GD, Beck JD. Prevalence of HIV-associated periodontitis and chronic periodontitis in a southeastern US study group. J Public Health Dent 1998;58:294-300.
63. Lamster IB, Grbic JT, Mitchell-Lewis DA, Begg MD, Mitchell A. New concepts regarding the pathogenesis of periodontal disease in HIV infection. Ann Periodontol 1998;3:62-75.
64. Sisson KL. Theoretical explanations for social inequalities in oral health. Community Dent Oral Epidemiol 2007;35:81-88.
65. Genco RJ, Ho AW, Kopman J, Grossi SG, Dunford RG, Tedesco LA. Models to evaluate the role of stress in periodontal disease. Ann Periodontol 1998;3:288-302.
66. Hugoson A, Koch G, Rylander H. Prevalence and distribution of gingivitis-periodontitis in children and adolescents. Epidemiological data as a base for risk group selection. Swed Dent J 1981;5:91-103.
67. Ministry of Education, Science and Technology. Health survey reports on Korean elementary, middle and high school students in Korea. 2009.
68. Mack F, Mojon P, Budtz-Jorgensen E. Caries and periodontal disease of the elderly in Pomerania, Germany: results of the Study of Health in Pomerania. Gerodontology 2004;21:27-36.
69. Yoneyama T, Okamoto H, Lindhe J, Socransky SS, Haffajee AD. Probing depth, attachment loss and gingival recession. Findings from a clinical examination in Ushiku, Japan. J Clin Periodontol 1988;15:581-591.
70. Brown LJ, Oliver RC, Löe H. Evaluating periodontal status of US employed adults. J Am Dent Assoc 1990;121:226-232.
71. Albandar JM, Brunelle JA, Kingman A. Destructive periodontal disease in adults 30 years of age and older in the United States, 1988-1994. J Periodontol 1999;70:13-29.
72. Han SB, Lee HJ. Epidemiological study of periodontal disease in Rural Korean. J Kor Dent Assoc 1986;24:893-900.
73. Han KY, Park JB, Chung JH, Chung CP. Epidemiological evaluation of periodontal status in Korean adults. J Korean Acad Periodontol 1994;24:458-471.
74. Yang BG, Han SB. A study of periodontal status of Korean Young adult population. J Korean Acad Periodontol 1991;21:303-323.

PART 03

치주질환의 원인

치주질환의 국소 원인인자로 알려진 두 가지는 치태(dental plaque), 치석(dental calculus) 및 기타 국소 원인들과 교합성 외상(trauma from occlusion)이라 할 수 있다.

치태, 치석 및 기타 국소적 원인들 중 가장 중요한 것은 세균성 치태인데, 예전에는 치주질환의 직접적 원인으로 중요시되던 여러 인자들이 지금은 단지 치태축적을 돕는 작용만 한다고 여겨지고 있다. 이러한 것들로는 치석, 불량 보철물, 국소의치 그리고 음식물의 삽입 등이 있다.

과거 수세기동안 적절한 구강위생이 치과질환의 예방법으로 생각되었으나, 1950년대 이후에야 치주질환의 발생에 대한 치면침착물, 즉 치태의 역할에 관한 과학적 증거가 제시되기 시작하였다.

이들 역학연구로부터 석회화 여부에 관계없이 치면침착물이 치주질환의 발달에 가장 중요한 요인으로 정립되었다.

사람에서의 실험적 치은염의 발생에 대한 임상연구 결과가 결정적인 증거를 제공하였는데, 구강위생을 중지함으로써 치은염증이 시작되고 다시 재개함으로써 치은건강이 회복되었다.[1]

한편 20세기에 접어든 이후로 치주조직에 대한 교합의 영향은 치주과 의사들 사이에서 논쟁의 대상이 되어오고 있다. 초기 연구논문들에서는 교합성 외상이 치주낭 형성과 관계가 있으며, 치은퇴축의 원인으로 생각되었지만, 치주질환에 대해 교합성 외상이 영향을 주는지 혹은 영향이 없는지에 관하여 논쟁은 계속되고 있다.

1. 치태, 치석 및 기타 국소적 원인들

1) 치태: 숙주 의존성 바이오필름(A host biofilm)

바이오필름(biofilm)이란 치면 같은 탈락하지 않는 단단한 다른 물질에 결합되어 있는, 상대적으로 정의를 내리기 힘든 세균의 공동체(microbial community)이다.[2] 세균막은 어느 곳에서나 존재하며, 자연상의 액체 환경에 담겨진 거의 모든 표면에 형성되고,[3] 특히 세균에게 지속적인 영양을 공급할 수 있는 순환 체계(flow system)에서 빨리 형성된다.[4]

한편, 치태란 치아나 치은 및 다른 구강구조물 표면에 형성되는 연한 침착물로서, 주로 세포외중합체와 타액, 치은열구액으로 만들어지며, 기질 내의 세균으로 구성된 진성 바이오필름(true biofilm)이라 할 수 있다. 치태는 숙주 의존성 바이오필름이라 할 수 있는데, 세균막이 내부의 세균에 대해 유리한 환경으로 작용하고, 여기에 존재하는 세균의 성질에 영향을 미칠 수 있으므로 중요하다. 이를테면 항균제에 대한 세균 감수성이 세균막 구조 자체에 의해 매우 저하될 수 있다.

치태는 치면에 강하게 부착되어 있어서 water spray에 의해서 제거되지 않지만 칫솔질이나 치석제거술에 의해 제거된다. 임상적으로 양이 소량일 때는 육안으로 관찰되지 않아 치주탐침 등의 예리한 기구로 긁어보거나 착색제를 사용하며, 어느 정도 두께로 침착되면 치은변연을 따라 백황색물질로 나타난다.

치태는 시간이 지남에 따라 치아를 용해하고 지지 조직을 파괴하는 산, 내독소, 항원과 같은 다양한 자극 물질을 생산한다. 각각의 환자로부터 건강한 부위나 질환이 있는 부위에서의 세균성 부착물의 조성을 구별할 필요없이 단지 치태를 biomass로 보는 관점을 비특이적 치태가설(non-specific plaque hypothesis)이라 한다.[5]

반면 모든 치은염 병소가 반드시 치주염으로 진행하지 않으며, 건강한 상태와 비교하여 치주병소에서 흔히 나타나는 세균들이 병원균으로 제시되기도 한다. 이처럼 특정한 병원균에 의해 치주염이 야기된다고 보는 관점을 특이적 치태가설(specific plaque hypothesis)이라고 한다.

치태는 치은변연과의 관계에 따라 치은연상치태와 치은연하치태로 구분된다.

(1) 치은연상치태(Supragingival plaque)

치아의 치경부측 1/3부에서 주로 발달하며, 치은변연과 직접 접촉한 치태를 변연치태(marginal plaque)라 한다.

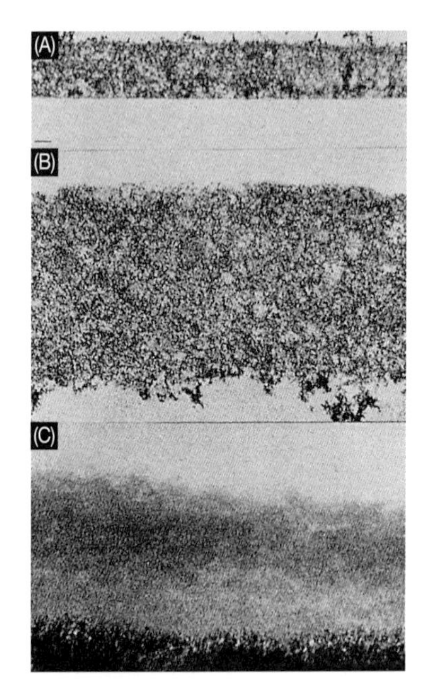

그림 11-1. 획득피막의 형성
(A) 세균 부착 및 집락 형성 단계(adherence & colonization)
(B) 치태 성장 및 성숙 단계(growth & maturation)
(C) 획득피막(acquired pellicle) 형성

치은연상치태는 치면균열부(crack), 결손부(defect)나 거친 면, 그리고 과도한 변연(overhanging margin)을 갖는 수복물에도 빈번하게 나타난다.

① 형성

치태는 구강위생 중단 후 2~3일 지나면 육안으로 쉽게 관찰된다. 치태가 형성되는 속도와 부위는 개인마다 다르며, 한 구강 내에서도 치아마다 다르고, 한 치아 내에서도 부위마다 다르다. 그리고 식습관이나 타액 성분과 양 등 숙주요인 뿐 아니라 구강청결 상태에 따라 영향을 받는다.[6] 치태형성과정은 치면에 세균이 부착하여 집락을 형성하는 단계(adherence & colonization)와 치태가 성장 및 성숙하는 단계(growth & maturation)로 구성된다. 치면세척 후 수 분 내에 타액내 당단백질(glycoprotein)과 항체가 conditioning film을 형성하고 치면에 흡착되어 0.1~0.8μm의 획득피막(acquired pellicle)이 형성된다(그림 11-1). 이 conditioning film은 표면의 전하와 자유에너지를 변화시켜 순차적으로 세균의 부착 효율을 증가시킴으로써, 피막 또는 치면에 직접 특정세균이 선택적으로 부착하게 한다(그림 11-2). 최초로 치면상의 획득피막에 선택적으로 부착하는 균은 그람양성구균이다.[7] 치면에 대한 세균의 부착은 부착력이 약한 가역적 단계와 부착력이 강화되는 비가역적 단계를 거친다. 비가역적 단계에는 연쇄상구균(streptococci)에 의해 형성되는 세포외 다당류(extracellular polysaccharide)가 작용

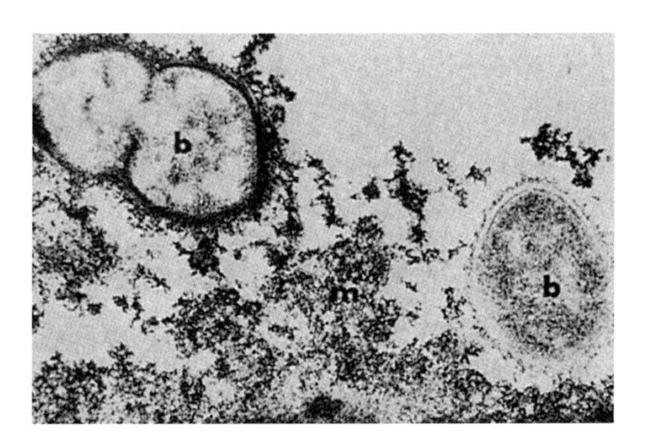

그림 11-2. 초기의 치태형성 과정
b: 그람양성구균, 획득피막상 그람양성구균이 선택적으로 부착되어 있다.

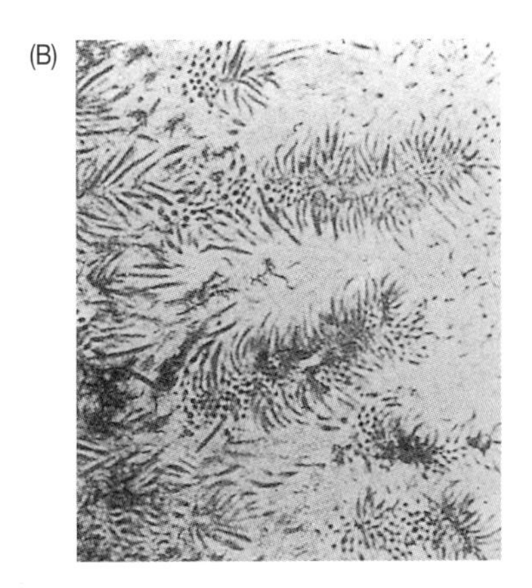

그림 11-3. (A) 사상균 표면에 구균이 둘러싸면서 형성된 corn cob 형태 (B) Test tube-brush의 형성

하게 된다.[8]

치태의 성장은 타액내나 인접한 치면, 치은변연으로부터 세균의 추가부착과 더불어 이미 부착한 세균의 증식 그리고 세균 및 숙주의 대사산물이 축적되어 이루어지며 그 양의 증가와 함께 세균분포상도 복잡해진다. 여러 세균이 서로 공생하며 사상균 표면에 구균이 둘러싸여서 성장하여 이른바 "corn cob" 상이 나타나며(그림 11-3),[9] 일부 세균은 죽거나 용해되어 주위의 살아있는 세균에 추가적인 영양분을 제공하기도 한다.

시간에 따라 치태세균의 분포도 변화되는데, 초기에는 여러 연쇄상구균과 그람양성간균이 주종을 이루지만 후기에는 그람음성균, 방추상균, 사상균 등 다양한 균종이 나타나며 증식한다.[10,11] 세균의 환경도 변화하여 처음에는 통성혐기성균(facultative anaerobes)이 증식하여 치태양이 증가하면서, 세균막 표층의 세균층에서 빠르게 산소를 이용하고 세균막의 기질을 통해서 산소가 불충분하게 확산된 결과 산소분압 차가 발생하며, 결과적으로 침착물의 깊은 층에는 완전한 혐기성 상태가 되어, 편성혐기성균(obligatory anaerobes)도 잘 자라게 된다. 획득피막은 전 치면에 덮이지만 치은열구 인접부 등 특히 음식물의 자정작용이 잘 안되는 부위에 치태형성이 용이하다(그림 11-4).

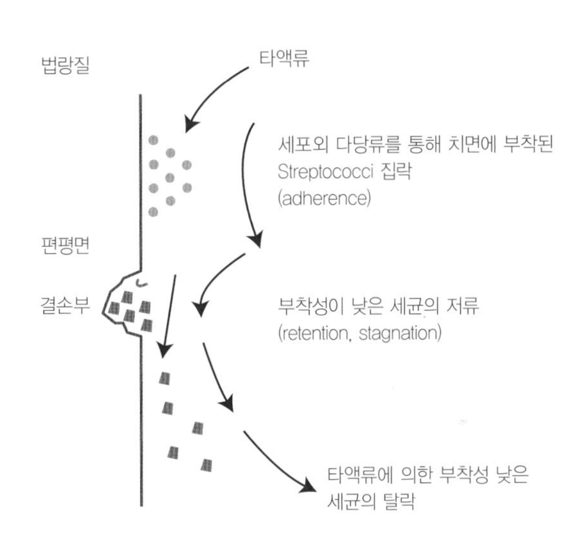

그림 11-4. 구강내 세균의 치면에의 부착과 저류

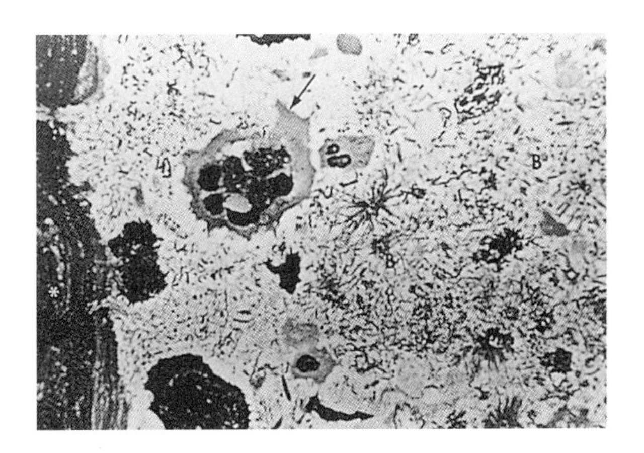

그림 11-5. 치태의 구성
치은연상치태에는 세균 사이의 백혈구(검은 화살표)와 상피세포가 존재하기도 한다.

② 구조

치은연상치태는 점착성 세균간질(intermicrobial matrix)

내에 증식 중인 세균과 탈락상피세포, 백혈구 등으로 구성된다(그림 11-5). 치태의 20%만이 고형성분으로 이 중 70~80%가 세균이고 20~30%가 세균간질로 이루어지며, 1 mg의 치태 1 mm^3당 약 300종류, 108개 이상의 세균이 존재한다.[12-14]

치태세균간질의 주된 3가지 공급원은 치태세균, 타액, 치은열구액이다.[15] 세균은 다양한 대사 물질을 분비하고, 에너지 저장 또는 세균의 고정을 위해 필요한 다양한 세포외 탄수화물중합체를 생산한다(그림 11-6).[16,17] 또한 퇴화되거나 죽은 세균이 세균간질에 기여하기도 한다. 유기물질은 단백질과 탄수화물이 각각 30%, 지질이 15%로 구성되는데, 탄수화물에는 세균성 세포외 다당류인 fructan (levan)과 glucan이 주로 함유되어 세균의 열량원으로 쓰이거나, 치태내 세균의 부착이 가역적인 것에서 비가역적인 것으로 변화되도록 하는 역할을 한다.[18,19]

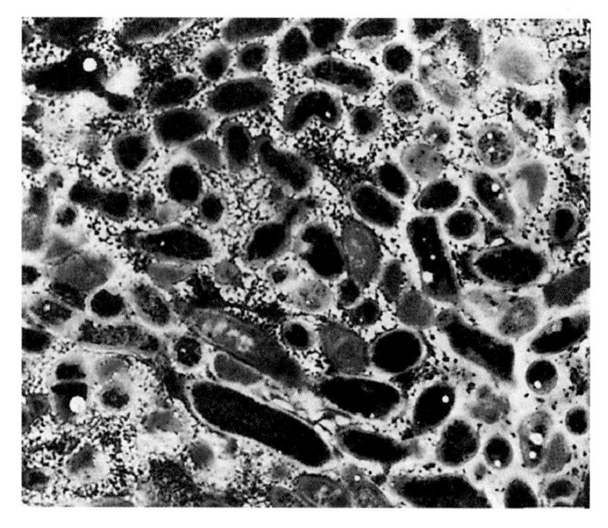

그림 11-6. 어둡게 나타나는(electron-dense) 다당류를 보기 위해 염색된 치태단면의 전자현미경상. 많은 세균이 다량의 세포내 다당류를 함유하고 있으며, 세균 간 간질에 세포외 다당류가 나타난다.
배율×7,000, bar: 1um, Theilade와 Theilade(1970)

치태세균간질의 무기질은 주로 Ca, P로 구성되며, 무기질은 초기치태에서 소량함유되며 치석으로 석회화되면서 함량이 증가하고, 부위마다 달라 하악전치부 설면에서는 다른 부위에 비해 고농도로 유기물질과 결합되어 있다.[20,21]

③ 세균분포

사람에서의 실험적 치은염에 관한 연구에서 치은을 건강하게 한 후 구강위생을 중지한 상태에서 2~3주간 일정 간격으로 치태표본을 검사했다.[22] 처음 건강한 치은에서는 치경부 치면에 세균이 소량뿐이었고 90%가 그람양성구균 및 간균이었다. 구강위생 중지 후 처음 2일간은 세균수가 점차 증가했으며 성분도 변화하여 그람음성구균과 간균이 우세해졌다. 3~4일 후에는 방추상균과 사상균이, 5~9일 후에는 나선균 및 spirochete가 증가하여 7일 후에는 그람양성균이 50%로 감소했다. 2주 후에는 치은염증

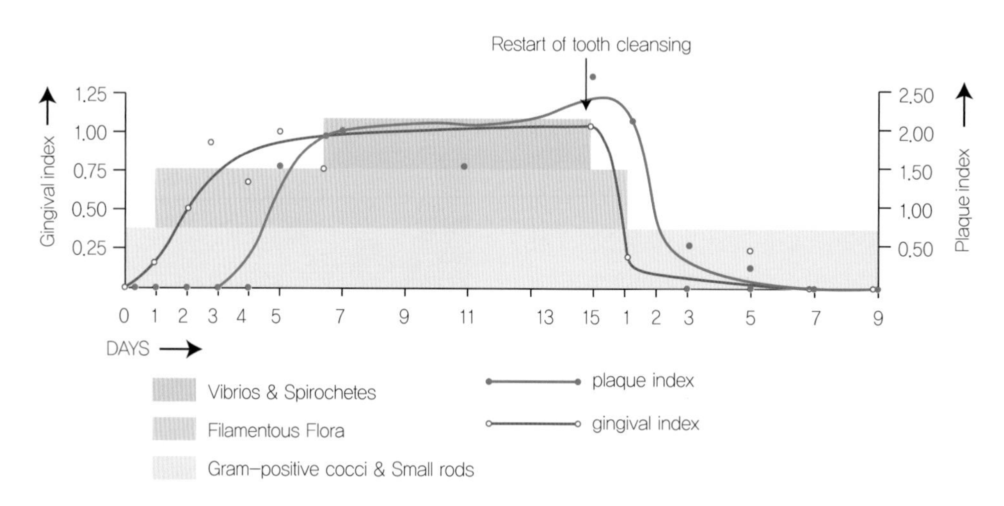

그림 11-7. 실험적 치은염의 발생에 따른 치태의 변화

이 관찰되었으며 이후 3주까지는 세균분포에 큰 변화가 없었다(그림 11-7). 건강한 치은에서의 치은연상치태에 주로 포함되는 세균은 *Streptococcus mitis*, *S. sanguis*, *Staphylococcus epidermidis*, *Rothia dentocariosa*, *Actinomyces viscosus*, *A. naeslundii*, *Veillonella*, *Neisseria* 등이다.

치은염증 시에는 Spirochetes, Bacteroides, Fusobacterium, Vibrio와 운동성 세균 등의 그람음성 세균이 출현하며 치은연하치태와 연관되어 나타난다.[23-25]

④ 의의

치은연상치태의 치주질환에서의 역할에 대해서는 완전히 알려져 있지는 않지만 치태세균의 유해산물에 의한 치은의 조직변성, 즉 염증으로 인한 부종과 함께 치은낭의 형성, 치은삼출물에 의한 세균의 성장요인 제공, 그리고 치은연하치태세균이 부착할 위치를 제공하고 치태가 축적됨에 따라 산화환원능(redox potential)이 감소하여 치은연하치태의 성장, 축적, 그리고 발병능력에 영향을 미칠 수 있다. 실험적으로 초기단계에 치은연상치태의 증가에 따라 초기치은염이 발생할 수 있으며, 일단 치주질환이 진행되어 치주낭이 형성되면 치은연상치태가 치은연하치태에 미치는 영향은 극소화된다.

⑤ 음식물과의 관계

치태는 음식물잔사가 아니다. 치태는 수면하는 동안 더 급속히 형성되는데, 이것은 저작 시 음식물의 기계적 작용과 타액분비의 증가로 치태형성이 저하되기 때문이며, 특히 타액과 타액분비량은 치은연상치태의 형성에 중요한 생태요인이다.

음식물의 경도도 치태형성에 영향을 주어 연한 음식을 섭취할 때에 빨리 형성되며 단단한 음식물은 형성이 지연된다.[6,26,27]

음식물의 성분에 의한 영향에 대해서는 당분의 추가공급 시 치은연상치태의 형성이 증가되며 치태내 세균구성이 변화가 나타났다.[28-31]

(2) 치은연하치태(Subgingival plaque)

치은연하치태는 치은변연하방, 치은열구나 치주낭 내에 존재한다. 형태학적 연구결과, 치은연하치태는 치아와 관련된 부분과 상피와 관련된 치태부분으로 구분할 수 있다. 이들 저류부위에 서식하는 균의 본질은 치은연상세균과 상이하다.[25,32] 즉 구강내 세정활동으로부터 보호되어 있으므로 직접 치면에 부착할 수 없는 세균들도 입지할 수 있고, 따라서 대부분의 구강내 운동성 세균이 여기에 서식한다. 치은열구나 치주낭내 세균은 치은열구액에 존재하는 영양소 및 면역항체와 직접 접해있으며 열구내 환경이 혐기성을 보이므로 주로 혐기성 세균으로 구성된다.[33]

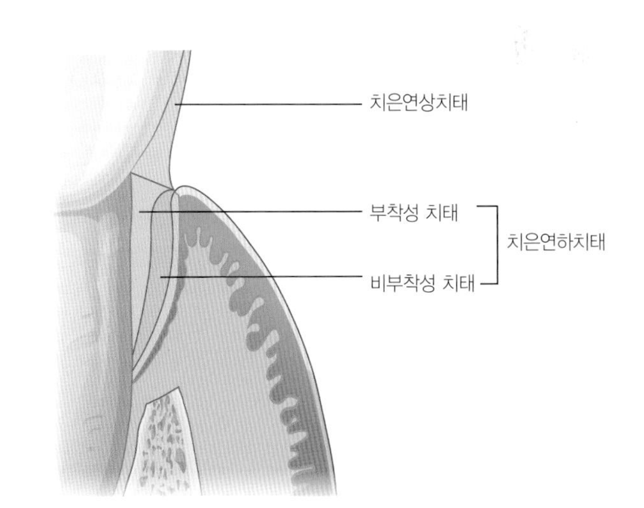

그림 11-8. 치태의 구분

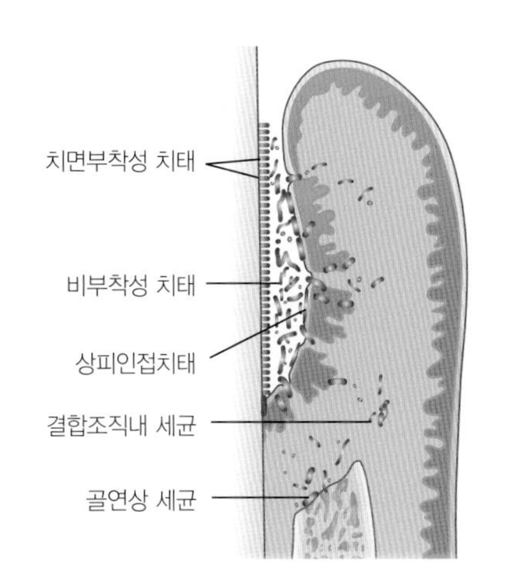

그림 11-9. 치은연하치태세균의 구분

표 11-1. 치은연하치태의 특성

부착성 치태(attached plaque)	비부착성 치태(unattached plaque)	상피부착 치태(plaque attached to epitherlium)
그람양성균 함유	그람음성균 함유	그람음성균 함유
접합상피로부터 분리	접합상피에 도달	접합상피에 도달
백악질 침투 가능		상피 및 결합조직 침투 가능
치석형성 및 치근우식증에 관여	치은염에 관여	치은염 및 치주염에 관여

① 구조

치은연하세균에 대한 현미경적 연구 결과,[34,35] 치은연하치태는 치면과 관련된 부착성 치태(tooth associated plaque, attached plaque)와 치주낭 상피와 관련되거나 치주낭 내에 저류되어 있는 비부착성 치태(epithelium associated plaque, unattached plaque)로 구분되며 이들 세균 중 치은결합조직 내에 침투하여 집락을 형성한 경우 결합조직과 관련된(connective tissue–associated) 세균이라 칭한다(그림 11-8, 9, 표 11-1).

- 부착성 치태: 치은열구나 치주낭 내에서 치면에 부착된 치태 사이에는 electron–dense한 유기물질로서 엷은 박막(cuticle)이 존재하는데, 여기에는 원래 접합상피 부착 시의 상피부착판 잔사와 치은열구액 성분이 함유되어 있다. 치면부착치태 내에는 주로 그람양성구균 및 간균과 소량의 그람음성구균 및 간균이 발견되며 표면침착형태는 구상으로 나타나며 표면을 고배율로 관찰하면 구균, 사상균, 방추상균으로 구성되어 있다. 부착성 치태는 무기염침착 즉 치석형성과 치근면우식증, 그리고 치근흡수에 관련되어 있다(그림 11–10).
- 비부착성 치태: 비부착성 치태는 치은연하상피에 직접 접촉되어 있거나[36] 치은변연부에서 접합상피까지 연장되어 존재하므로 발치 시 치태세균이 제거되어 과거에는 “plaque free zone”으로 생각되었다. 상피인접부에서는 세균간기질이 관찰되지 않으며 운동성을 보이는 나선균, spirochete, 섬모균이 주종을 이룬다(그림 11–11).

부착성 치태와 비부착성 치태의 상대적 비율은 특정 치주질환의 활성과 관련된 것으로 알려져 있는데 급진성 치주염과 같이 빠르게 진행되는 병소에서는 부착성 치태의 양은 최소이고 그람음성균과 나선균이 느슨하게 분포한 비부착성 치태가 대부분으로 이루어진다. 따라서 열구 및 접합상피에 근접한 치태를 치주병소의 “전위단”으로 칭하기도 한다.

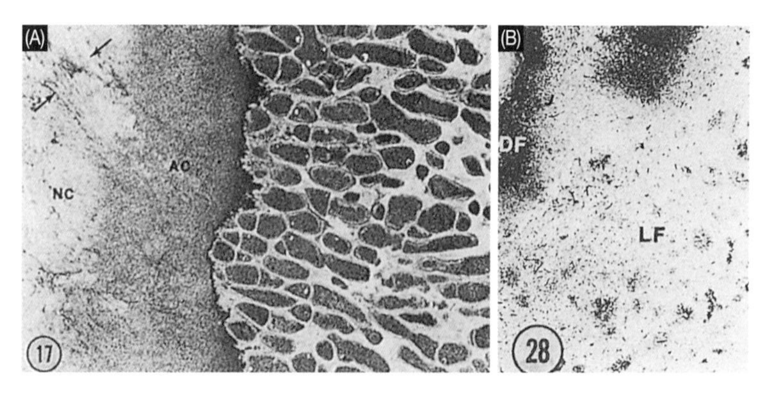

그림 11-10. 부착성 치태. 백악질 표면에 부착된 치태로 변성된 백악질과 관련되어 있거나(A), 다양한 세균으로 구성되어 있다(B).

그림 11-11. 비부착성 치태
치태세균은 주로 세포간 기질이 없이 운동성 세균으로 구성된다.

② 세균의 분포

치은연하치태의 세균분포는 기존 치은연상치태의 영향을 부분적으로 받지만 치은연하 환경의 혐기성 상태, 영양의 공급상태에 의해서도 세균의 성장이 영향을 받는다.

건강한 치은에서 치은연하치태는 60 μm 이하의 얇은 막상으로 주로 그람양성구균으로 구성되어 *Streptococcus sanguis*, *Actinomyces viscosus*, *A. naeslundii*, *A. israelii* 등이 우세하며 Mycoplasma와 극소수의 운동성 세균이나 나선균이 나타나며(비운동성균 : 운동성균 = 50:1) 치은연상치태내 조성과 차이가 현저하지 않다.[28,37,38]

치은염이 있는 경우에는 Streptococci가 25%만을 구성하고 Actinomyces와 그람음성의 혐기성균이 각각 25%를 차지한다.[39] 혐기성균에는 Fusobacteria, Bacteroides, Selenomonas, Campylobacter 등이 포함된다. 한편 암시야 현미경상의 Spirochetes는 2%가 관찰된다.[40]

진행된 치주염에서는 이와 달리 90% 이상이 혐기성균이며 이중 75%가 그람음성간균으로 black pigmented Bacteroides, Fusobacteria 등이다. Spirochetes는 암시야현미경상에서 40~50%로 비운동성균과 운동성균의 비가 1:1이 된다.[11,38,41–43]

유년형 치주염에서는 치태의 양이 성인형 치주염보다 훨씬 적으며 주로 비부착성 치태에 그람음성의 구균, 간균 등이 함유되어 있고 *Aggregatibacter actinomycetemcomitans*, *Capnocytophaga*, *Eikenella corrodens* 균이 발견되며 Spirochetes는 7% 정도 나타난다.[44–46]

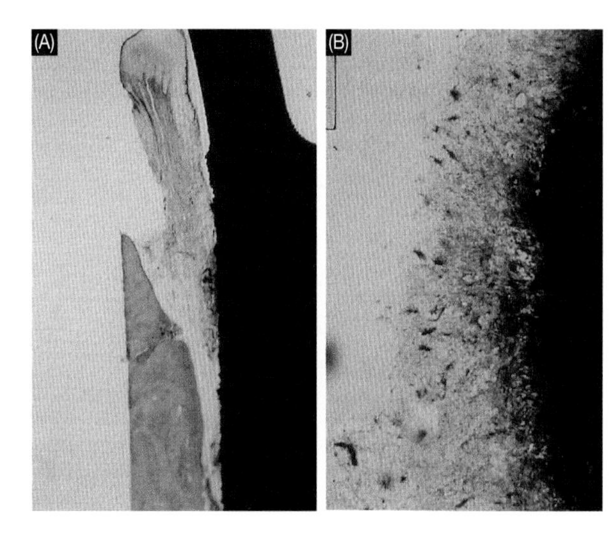

그림 11-12. 임플란트주위염

(A) 임플란트주위염으로 발거된 임플란트. 치태는 진행성 치주염에서 보이는 치은연하세균총과 유사하다. (B) 임플란트표면에 부착된 치태의 고배율상

(3) 임플란트 주위 치태

임플란트 주위 세균 침착물과 치은연하 세균 침착물 사이에는 명확한 유사성이 있다는 것이 밝혀졌다. 임플란트 주위 치태 침착물의 구조는 치은연하 환경에 처했을 때와 비슷할 것이라고 예상된다(그림 11-12).

2) 치석(Dental calculus)

치석이란 치면이나 다른 구강내 구조 표면에 침착된 석회화 물질로서 일반적으로 석회화된 치태이다. 치석은 치은변연 상부의 치은연상치석과 치은열구나 치주낭 등 치은변연 하부에 위치하는 치은연하치석으로 구분된다(그림 11-13, 14).

표 11-2. 치석의 임상 양상

	치은연상치석(Supragingival calculus)	치은연하치석(Subgingival calculus)
분포	치은변연을 따라 치경부에 위치, 타액선개구부에 심함	인접면, 설면의 치근에 위치, 전치아에 걸쳐 분포
색깔	백, 황색	흑, 갈색
상태	점토상	부싯돌같이 단단함
진단	치면 건조 후 육안관찰	치은변연을 젖힌 후 기구이용, 방사선 관찰, 치주수술 시 정확한 진단
Ca의 기원	타액(saliva)	치은열구액(gingival crevicular fluid)

(1) 임상 양상

치석은 대개 10대 초반에 나타나 연령에 따라 증가하여 40대 이상에서는 대부분 존재한다. 치은연하치석은 아동에서는 드물고 성인에서도 치은연상치석에 비해 발생 빈도가 약간 낮다.

일반적으로 방사선학적으로 관찰되는 치석의 위치가 치주낭 깊이를 나타내지는 않으며 그 이유는 근단측 치태가 석회화되어 있지 않기 때문이다.

(2) 구성성분

치석은 70~80%가 무기염으로[47] 이 중 2/3는 결정이다. 무기질은 신체 다른 석회화조직과 구성비가 유사한데 Ca이 39%, P가 19%, 소량의 Mg, Na, carbonate, F 등이 포함된다.[48] 4가지 주요 결정과 구성비는 다음과 같다.

- Hydroxyapatite: 58%
- Magnesium whitlockite: 21%
- Octacalciumphosphate: 12%
- Brushite: 9%

대개 이들 중 2종류가 동일 치석 내에 존재하는데, 치은연상치석의 경우 hydroxyapatite와 octacalcium phosphate가 대부분을 차지한다(97~100%). 하악전치부에는 brushite가 구치부에는 magnesium whitlockite가 가장 흔하다.[49] Ca/P 비율은 치은연하치석이 치은연상보다 높다.[50,51]

유기물질은 탄수화물과 단백질 등이 존재한다.[49,52] 한편 치은연상치석에 존재하는 타액성 단백질은 치은연하에서 발견되지 않는다.[53,54]

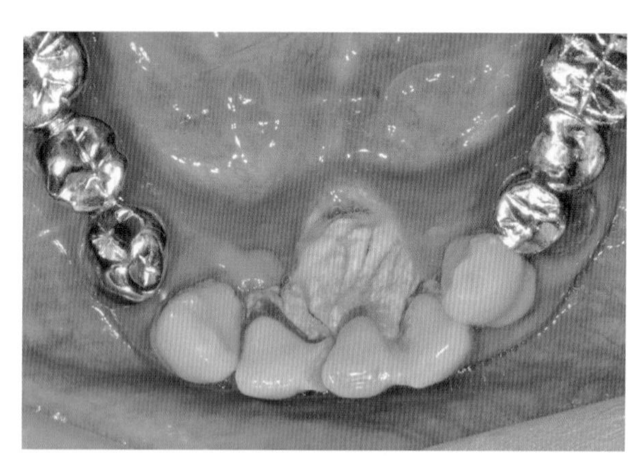

그림 11-13. 하악전치부 설면의 치은연상치석

(3) 치면에 대한 부착

치석이 치면에 부착하는 방식의 차이에 따라 치석제거의 난이도가 결정된다. 4가지 부착 방식은 다음과 같다.[55-59]

① 유기질 피막(pellicle)에 의한 부착

② 백악질 내로 치석세균 침투

③ 흡수소와(resorption lacunae)나 치석같은 불규칙한 표면에 기계적인 결합

④ 변성되지 않은 백악질 표면의 약간 경사진 둔덕과 치석 기저의 함몰부간 밀접한 적합. 백악질에 깊이 매립된 치석은 형태학적으로 백악질과 비슷하여

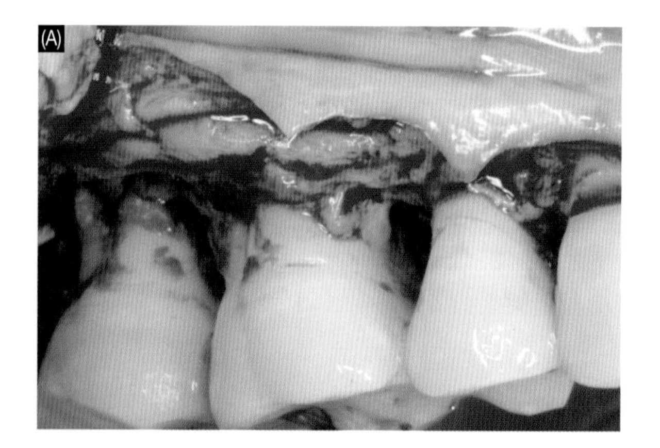

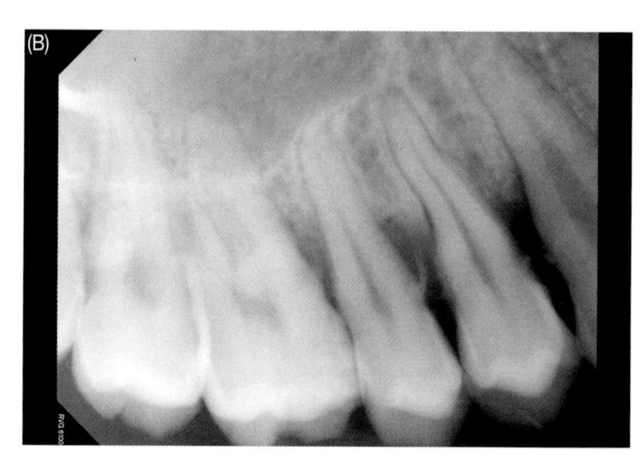

그림 11-14. 치은연하치석

(A) 상악구치부의 치은연하치석 (B) 방사선 사진에서 관찰되는 치은연하치석

calculocementum이라 불리기도 한다.[60,61]

(4) 치석의 형성과 석회화

치석은 항상 치태가 형성된 이후에 이루어지며 치태는 석회화를 위한 유기질 기질을 제공한다.[62] 처음 세포간 기질에 작은 결정이 세균외면에 근접, 위치하며 점차 석회화되면서 세균도 포함된다.[63] 치은연상치석의 형성에서 성숙한 치태가 80%의 무기질을 함유하기까지는 2주 미만이 소요되지만 수 개월 또는 수 년이 지나야 치석이 완전히 성숙하게 된다.[62,64]

치은연상치석의 광물질 기원은 타액이며, 치은연하치석에서는 치은열구액 또는 삼출액이 광물질을 제공한다. 석회화는 치은연상치태 내면이나 치은연하의 부착성 치태에서 부분적으로 시작되고 병합되어 치석이 형성된다.[65] 이때 치태내 세균의 성분 변화를 수반하기도 하는데 사상균의 수가 증가한다.[66] 10주에서 6개월 정도가 지나면 최대량의 치석이 형성되며 이후에는 음식물이나 인접 구강조직에 의해 기계적으로 마모되어 감소되기도 한다(reversal phenomenon).

치태의 광물화기전은 국소적으로 타액 내의 Ca, P의 포화상태가 증가하여 침전된다는 개념[50,62,67,68]과 핵형성물질(seeding agent)이 광물화의 중심을 유도하고 이들이 병합하여 치석을 형성한다는 개념(epitactic theory)[69–73]에 의하여 설명되고 있다. 전자의 기전은 타액선도관을 통해 분비된 타액으로부터 CO_2의 방출이나 미생물에 의한 단백질 분해효소작용에 따른 타액과 치태내 요소(urea)의 증가에 의한 pH의 상승이 기여하는 것으로 알려져 있다.[74,75] 후자에 있어서 핵형성기시물질로 중요시되는 유기질 기질성분으로는 단백지질(proteolipid)이 알려져 있고 변성중인 구강세균도 기여하는 것으로 추정되고 있다.[76–78]

세균은 치석형성을 증가시키나, 그 형성에 필수적이라기보다는 수동적으로 관여한다는 관점이 우세하다.[79–82]

(5) 치주조직에 대한 효과

치석은 항상 석회화가 안된 치태로 덮여 있으므로 치석과 치태의 치은에 대한 효과를 분리하기는 힘들다.[83] 치석과 치은염증 간에는 양의 상관관계가 있으나[84] 치태보다 긴밀하지 않다.[85] 치주질환에 대해 치석표면의 치태가 주된 자극원이며 치석은 기여(contributing)인자로서 치은을 직접 자극하지 않고 지속적으로 표면의 치태가 부착할 수 있는 고정된 위치(nidus)를 제공하여 치태가 치은에 접촉된 상태를 유지한다. 즉 치석은 추가적인 치태 축적과 하방의 광화를 유도하는 이상적인 표면 형태를 제공하는 2차적인 역할을 한다. 또한 치은연하치석은 치주낭의 원인이라기보다는 결과로서, 치태에 의해 치은염이 시작되면 치주낭이 형성되어 치태 및 세균축적의 좋은 장소가 되며 치은열구액도 증가하여 치태가 치석이 될 수 있는 무기질을 제공한다.

(6) 임플란트 주위 치석

순수 티타늄에 대한 치석의 부착은 치근면 부착보다 약하다. 따라서 치석이 임플란트 표면에 손상을 주지 않고 임플란트에서 떨어져 나갈 수 있음을 알 수 있다.

3) 기타 국소적 원인들(Other local factors)

(1) 백질(Materia alba)

백질은 황색 또는 회백색의 연한 점성의 세균성 침착물로 치태보다는 표면 부착력이 약하다. 임상적으로 착색하지 않고 관찰 가능하며 주로 치경부 1/3측 치면이나 배열이 불량한 치아, 수복물이나 치은표면에도 침착된다. 수분방사에 의해 제거되나 완전한 제거를 위해서는 기계적 세정이 필요하다. 백질은 성분이나 치은조직에 대한 유해효과가 치태와 유사하지만 내부구조가 없다는 점에서 서로 다르다.[86]

(2) 식편압입(Food impaction)

식편압입이란 교합력에 의해 음식물이 치주조직 내로 wedging되는 것을 의미하는데 인접면 또는 순설측 치면에서 나타난다. 식편압입은 치은염증의 일반적 원인으로 치주치료 후의 실패의 원인이 되기도 한다. 이것은 정상적으로 치간 접촉부의 위치, 발육구 및 변연능선의 외형, 순·설면의 외형에 의해 방지되는데 치간접촉점이 없거나 인접관계가 부적절할 때, 치아 교모로 표면이 평탄한 경우, 전치부 피개교합이 심한 경우에 야기된다(그림 11-15, 16).

식편압입은 치주질환의 기시 및 기존병소의 악화에 기여하는데 그 증상으로 치간치은의 압박통, 치간으로부터 이물을 파내고 싶은 충동, 악골 내부로 방사되는 통증(radiating pain), 출혈을 수반하는 치은염증, 해당부위의 악취, 미각변화, 치은퇴축, 치주농양과 함께 치주인대내염증에 의한 치아의 정출과 타진반응, 치조골 파괴와 치근우식증이 포함된다.

(3) 결손치아의 미수복

치아 발거 후 수복하지 않은 채 방치하면 치주질환을 야기할 수 있는 여러 변화가 발생된다. 특히 하악 제1대구치의 발거 후 장시간이 지나면 대합치 정출, 인접치아의 이동(drifting) 및 경사로 접촉관계 상실, 식편압입, 치은염증, 치조골 파괴가 일어난다.

(4) 구호흡

구호흡과 관련되어 상악전치부에 발적, 부종, 방산형 표면 광택을 수반하는 치은염이 빈발한다. 이에 대한 정확한 원인은 밝혀지지 않았으나 구강조직의 건조 및 타액의 방어효과 감소로 치태의 점착성이 증가되기 때문이라고 생각된다.

구호흡과 치은염의 연관성에 대한 여러 조사에서 상반되는 증거가 제시되었는데 이들을 정리하면 다음과 같다.

① 구호흡은 상당량의 치석을 지닌 환자를 제외하고는 치은염의 유병률이나 심도에 영향이 없다.

② 치태지수가 동일하다면 구호흡자는 구호흡자가 아닌 경우보다도 치은염이 심하다.

③ 심도에 있어서는 약간 증가하지만 구호흡과 치은염 유병률과는 관련이 없다.

④ 치아의 총생은 구호흡자에서만 치은염과 관련된다.

(5) 부정교합

치아배열이 혼잡한 경우 치태조절이 곤란해지며 치열의 상태에 따라 치은퇴축(안면측으로 변위된 치아), 교합부조화, 과도한 피개교합 시 직접적인 치은손상 등으로 치주조직의 병변이 야기될 수 있다.

(6) 불량치과시술

치과 시술 특히 수복물이 잘못된 경우 치은염이나 치주조직의 파괴를 초래할 수 있으며 시술과정 자체가 치주조직에 손상을 줄 수 있다.

① 수복물의 변연(Margin of restoration)

수복물의 과도한 변연(overhanged margin)은 치태축적 및 그람음성 혐기성종의 세균성장의 이상적인 장소이며[87]

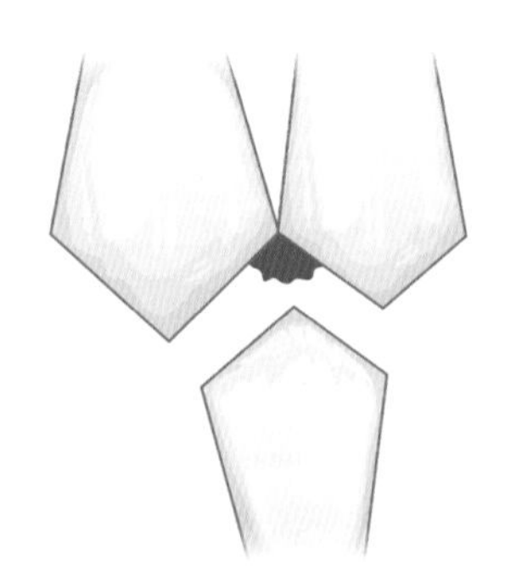

그림 11-15. 식편압입
정상적인 교합면 및 변연융선의 교모로 식편이 치간에 wedging효과를 보임

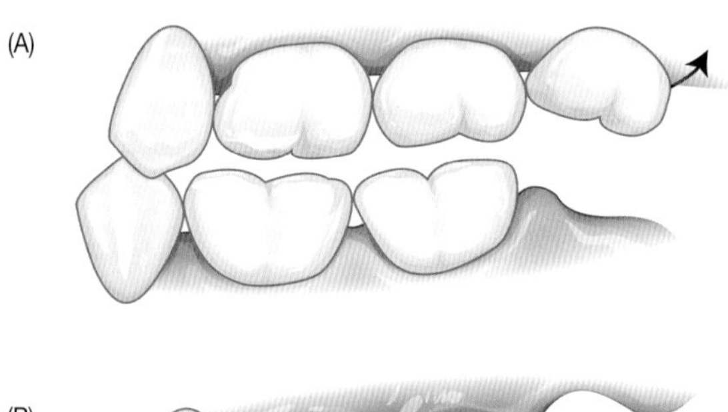

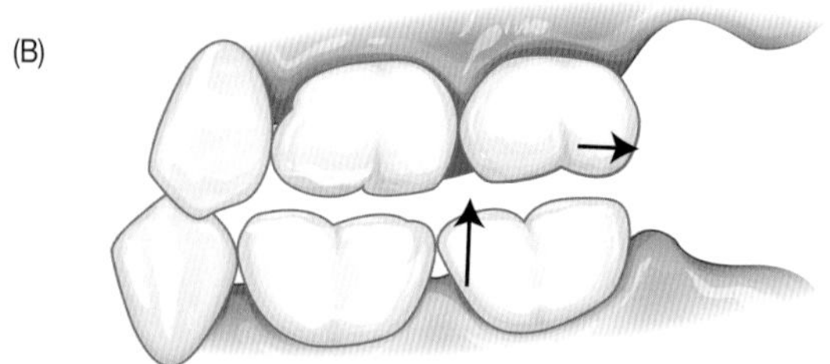

그림 11-16. 상악 제3대구치의 발거
(A)에 따른 제2대구치의 원심측 이동으로 식편의 wedging 효과가 나타남(B)

수복물의 변연부의 결손도 치조골 높이와 연관성이 있는 것으로 보고되어 있다.[88–90] 또한 변연부의 위치에 있어서는 치은연하에 위치한 경우 치태의 축적, 치은염증, 치주낭 등이 심해지며[87,91–95] 치은연상에 위치한 경우는 덜 심하게 나타났다(그림 11-17).[96,97]

② 가공치(Pontic)

가공치의 기저면이 하부점막이나 치은에 지나친 압박을 가하면 세정이 곤란해지고 치태축적이 용이해진다.

③ 수복물의 외형(Contour)

과도하게 풍융한 금관(crown)이나 수복물은 구강조직 및 저작에 의한 자정작용을 방해하므로 치태축적을 유도한다.[98–101] 치간접촉이 부적절하거나 교합면 변연융선(marginal ridge)과 발육구의 정상적인 해부학적 형태가 재생되지 못한 경우에는 식편압입이 야기된다. 한편 부적절한 치간공극에서도 치태축적이 증가한다(그림 11-18).

④ 교합

보철 및 수복물의 교합형태가 부적절한 경우에도 교합부조화에 의한 치주조직의 손상(교합외상)이 초래된다.

⑤ 수복물질

자가중합형 레진(self-curing resin)을 제외한 물질 자체는 치주조직에 손상을 초래하지 않지만 적절한 연마가 치태조절을 위해 필요하다.[102–106]

⑥ 가철식 국소의치(Removable partial denture)

국소의치장착 후 지대치의 동요도, 치은염증, 치주낭이 심해지는데[107–109] 이는 국소의치에 의해 치태축적이 증가됨과 함께 나선균과 Spirochete 수의 증가와 관련된다.[110,111]

⑦ 치과시술과정

Rubber dam clamp, band, disk 등의 사용 시 치은절상과 염증이 일시적으로 나타나 환자에게 불편감을 줄 수 있다. 부적절한 치간이개, 과도한 충전력 등도 지지조직에 손상을 주어 타진반응과 통증을 수반할 수 있다.

(7) 교정처치에 관련된 치주손상

① 치태의 잔류

교정장치를 장착함에 따라 치태 및 음식물잔사의 잔류가 용이해지고 치은염이 발생된다. 이를 예방하기 위해 교정장치의 구내 삽입 전에 적절한 구강위생법에 대한 교습이 필요하고 water irrigator 사용이 권장되기도 한다.

② 교정밴드에 의한 손상

교정치료가 치아의 맹출단계에 시행되는 경우 접합상

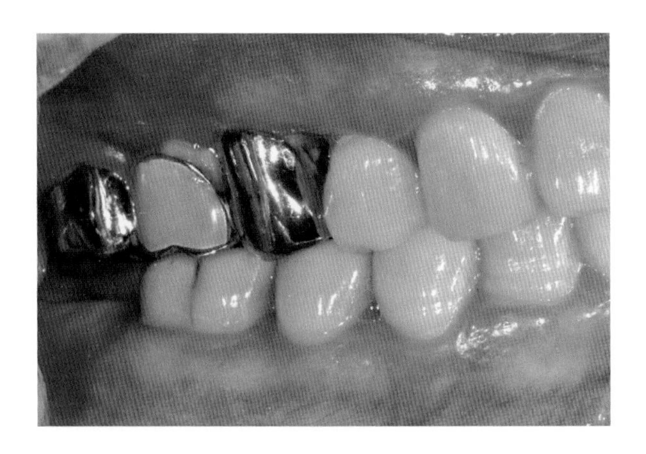

그림 11-17. 불량 보철물에 의한 치주질환

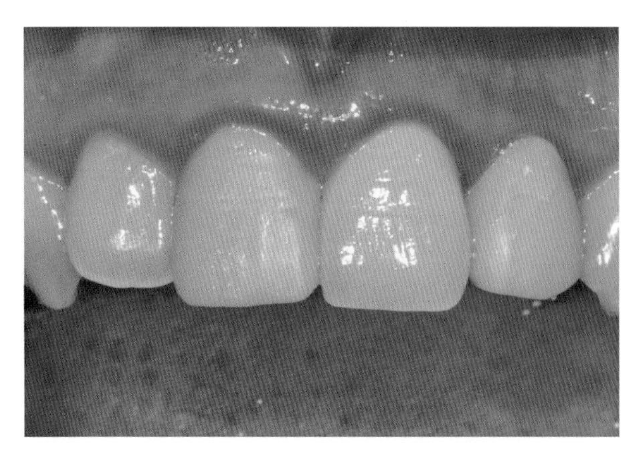

그림 11-18. 도재 전장치관의 과도한 외형에 의한 상악전치부의 치은염증

피가 법랑질에 존재하여 밴드를 과도하게 치은열구 내에 삽입하면 상피손상과 함께 치은퇴축, 치주낭의 형성이 일어날 수 있다.[112]

③ 교정력에 대한 치주조직의 반응과 손상

외력으로서 교정력은 치조골내 세포의 활성과 치주인대내 혈관의 변화를 초래하여 골 흡수와 침착에 영향을 준다.[113,114] 따라서 과도한 외력이나, 급속한 치아의 이동을 피해야 치주인대와 골조직의 괴사를 방지하고 접합상피의 근단측 이동이나 치근단성 흡수를 막을 수 있다.[115-119] 교정치료 후 치조골 흡수와 치주부착의 상실이 유의성있게 증가한다고 보고되어 있다.

(8) 해부학적 이상(Anatomic anomaly)

경조직 이상으로서 백악법랑 경계부(cementoenamel junction)의 거친면, 즉 구치부의 치근분지부상의 법랑돌기(cervical enamel projection)와 법랑진주(enamel pearl), 상악전치부의 palatogingival groove도 치태축적을 증가시키는 요인이 된다. 연조직 이상으로는 소대나 근육의 부착에 이상이 있거나 구강전정이 낮고 부착치은이 좁은 경우 구강위생이 곤란하므로 치태의 축적이 용이해진다(그림 11-19).

4) 치면피막(Dental pellicle)

피막은 얇은 biofilm 또는 cuticle로 정의될 수 있다.[120] 구강 내에서 피막은 세정된 치면에 형성되는 타액성분의 박막으로 생각되어 왔으며 획득법랑질피막으로 지칭되어 왔다. 그러나 구강내 피막(oral pellicle)에 대한 새로운 개념이 소개되었는데, 피막은 법랑질, 백악질, 점막, 수복물 및 구강내 상치 등 모든 구강내 구조의 표면에 형성되며 구강내 부착성 세균도 이 피막성분에 의해 피복될 수 있다는 것이다.[121] 현재까지는 획득성 법랑질피막에 대한 연구가 가장 잘되어 있다.

(1) 초기피막(Early pellicle)

여러 연구에 의하면 획득성 법랑질피막은 세정된 치아면에 급속히(2시간 이내) 형성되는데 이를 초기피막이라 칭하며 세균이나 그 산물이 포함되어 있지 않음이 특색이다.[122] 주성분은 단백질과 당단백으로 구성되고 주로 타액성 단백질성분의 선택적 흡착에 의해 형성되는 것으로 추정되지만 비타액성분으로 치은열구액에서 기원한 albumin 등의 성분도 함유한다.[123,124]

피막의 형성은 구강내 표면과 주변액 내의 유기 및 무기질 성분 간의 물리력(이온성, 소수성(hydrophobic), 수소결합, 반데르발스힘)에 의한다. 세정된 법랑질표면에는 Ca이온보다 많은 인산(phosphate)기가 노출되어 치면에 타액 및 치은열구액 내의 단백질 분자가 흡착하기 위해서

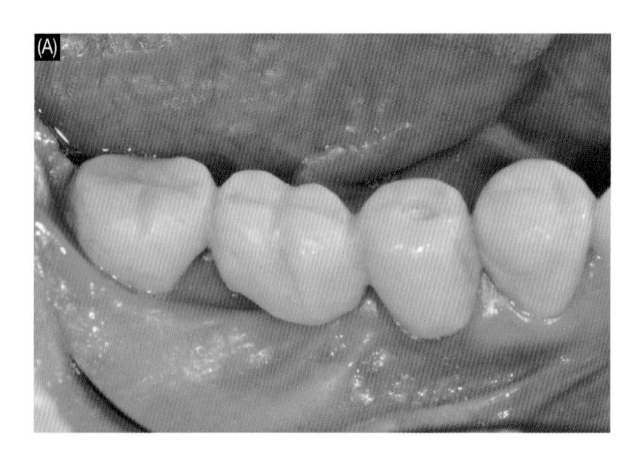

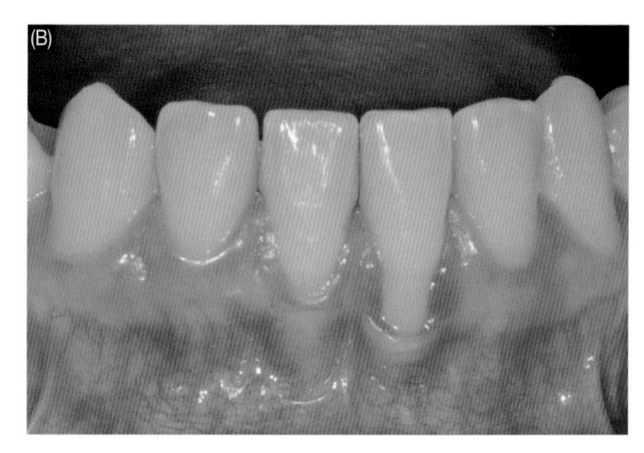

그림 11-19. (A) 구강위생이 곤란한 정도로 부착치은이 감소된 경우 (B) 치은퇴축으로 치은염증이 존재한다.

는 음전하를 띤 단백질기(carboxyl, phosphate, sulfate 그리고 sialic acid)와 치면의 인산기 사이에 타액내 Ca이온이 개재될 수 있다.[125] 반면에 양전하성 단백질기는 직접 치면의 인산기와 작용하기도 한다.

초기피막의 방어적 역할은 타액의 기능과 일치한다. 즉 우선 대부분의 피막성분(특히 mucin)이 수화되어 보습성이 높으므로 하부조직의 건조를 방지한다.[126] 피막내 당단백질은 서로 접촉한 표면 간에 운동 시 마찰력을 감소시켜 윤활기능을 갖는다.[127] 피막은 면역글로불린, lysozyme, cystatin 등의 항균물질이 여러 다른 구강표면에 선택적으로 농축되어 방어적 기능에 기여하며 피막내 인산단백질(phosphoprotein)은 탈회–재석화화현상에 관여하여 석회화 표면의 용해도를 조절하고 치석형성을 막는 데 기여한다.[128]

(2) 후기피막(Later pellicle)

시간이 가면서 초기피막은 이미 존재하던 성분의 변경과 타액 및 치은열구액성분 그리고 세균산물의 추가적 흡착을 포함한 변화과정을 거친다.[129] 후기피막의 형성은 주로 단백질간이나 단백–당류간의 입체특이성(stereospecific) 상호작용에 의한다(그림 11–20).

예로서 *A. viscosus*와 *S. mitis*는 타액내 당단백의 종단(terminal) sialic acid기를 분해하여 galactose기를 누출시키는 neuraminidase를 생성하는데[130] 이러한 구조상의 변경으로 인해 피막내 타액성분의 변경이나 타액내 변경된 성

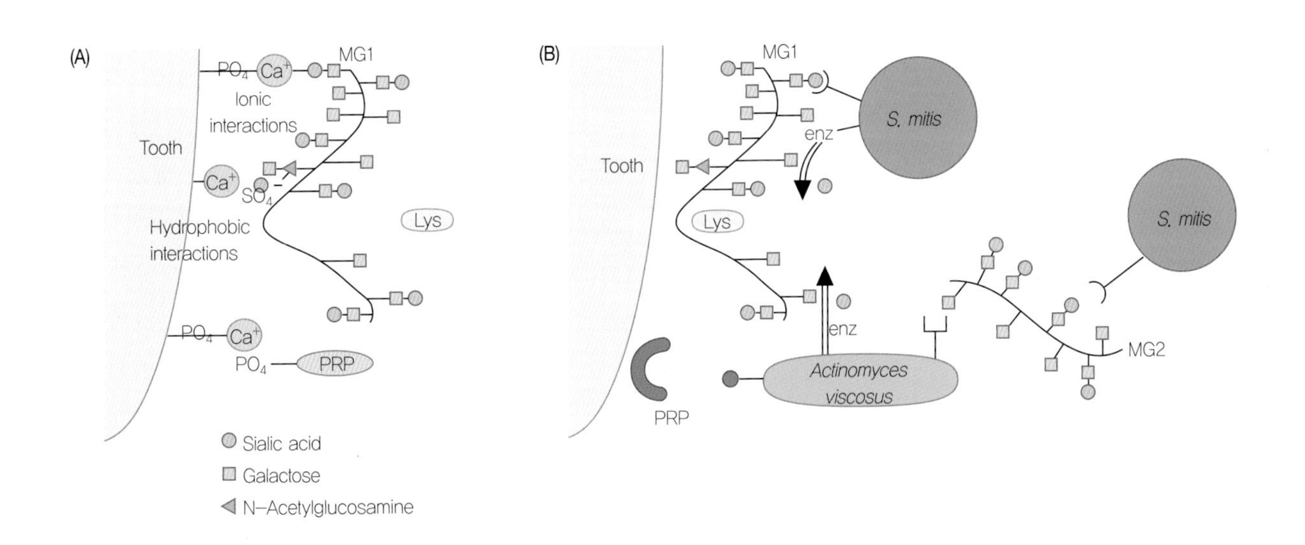

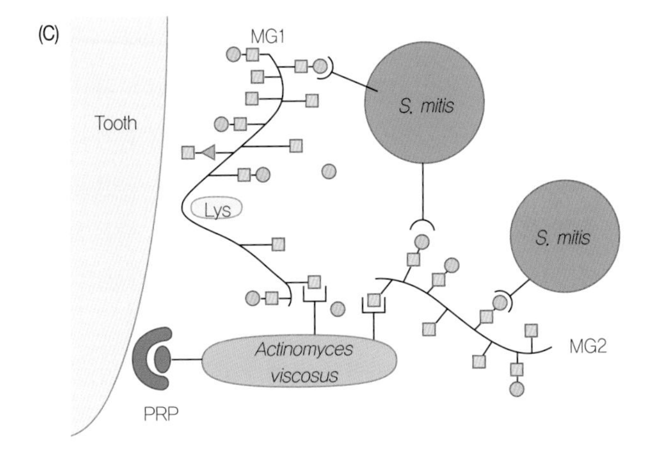

그림 11-20. (A) 초기피막은 타액단백질과 치면 간의 이온결합과 소수성 결합에 의한다. (B) 후기피막은 세균성분에 의해 변화된 피막성분으로 세균이 물리적 또는 입체특이성힘에 의해 부착하여 치태형성이 시작된다. (C) 치태의 성숙과정에서 이미 치면에 부착된 세균에 타액성분이 결합하여 세균간 반응을 초래한다.

분의 침착이 야기되고[64] 여기에서 구강세균의 adhesin이나 결합단백질(예: *A. viscosus*표면의 galactose 결합 lectin)이 부착할 수 있는 수용기를 제공하게 된다. 한편 *S.sanguis*는 면역글로불린의 연결부를 분해하는 IgA protease를 형성하여 IgA의 방어적 역할에 영향을 준다. 최근 후기피막에서 *S. mutans*의 glucosyltransferase와 같은 세균산물의 존재가 밝혀졌는데 이 효소는 치면에 *S. mutans*의 부착을 증진하는 adhesin이 될 수 있다.

이러한 기전은 초기의 세균의 부착 및 집락형성과정과 건강상태에서의 그람양성균이 주종인 치태로부터 염증시 그람음성균이 주종인 치태로 전환되는 과정에서 중요한 역할을 할 것으로 추정된다.

(3) 치은열구액과 치면피막의 형성

치은열구액은 치은열구 내에서 검출되는 변경된 혈청성삼출액으로 그 양과 함유성분은 치은염증강도의 척도로 이용되고 따라서 치은열구액검사는 구강위생의 효율성, 치주처치에 대한 조직반응, 그리고 치주처치보조제로서 각종 약제효과의 평가에 있어서 유용한 진단방법이 될 수 있다.

치면피막내 albumin의 존재는 치은열구액이 피막형성에 기여함을 나타내며 치은열구액성분(lysozymal enzyme, 용해소체효소)은 치면에의 *S. sanguis*와 *P. gingivalis*의 부착을 억제함이 알려졌다. 기타 열구액내 효소들도 세균의 용해에 기여하며 이러한 유기질성분은 결국 구강세균의 부착, 집락형성과정에 영향을 끼친다.[131]

(4) 구강내 피막의 임상적 이용

타액 및 타액성분의 주종인 피막의 기능이 알려짐에 따라 개개환자에 맞는 인공타액의 설계와 합성이 가능해졌다. 즉 이상적인 인공타액은 효과가 지속적이어야 하고 윤활기능을 가지며, 병원세균의 부착을 방지하고 탈광물화는 억제하고 경조직의 재광물화를 증진하고 구강연조직에서는 주변의 자극과 건조에 대해 방어할 수 있는 성분이 피복할 수 있어야 한다. 따라서 인공타액은 여러 종류의 타액성 분자의 바람직한 방어적 특성을 종합하도록 제조되어야 하는데 재광물화를 위해서는 proline-rich protein (PRP)이,[132,133] 항균효과를 위해서는 lactoferrin과 peroxidase이 포함되게 하여야 한다. 이러한 시도는 구강건조증에 관련된 치아우식증이나 치은염의 조절에 이용될 수 있다.[134]

2. 교합성 외상(Trauma from occlusion)

1) 교합과 치주조직

치아에 적용되는 힘이 편측성 교정력 혹은 양측성의 치아간 "교대성(jiggling)" force 간에 백악질, 치조골, 치주인대 등의 부착기구에 대해 병적인 효과를 생성할 가능성이 있다. 교합력 때문에 생기는 외상에 의한 부착기구내의 병소는 치조정 및 치조골 부위 치조백선의 소실을 일으키고 그 결과 치주인대강이 확장된다. 임상적으로 부착기구에 있어서 교합성 외상 병소는 일정기간에 걸친 치아동요도의 증가로 나타난다. 교합의 기본개념, 그리고 정상적인 교합이 치주조직에 미치는 영향 및 교합성 외상과 치주질환과의 관계에 관하여 고찰해 보기로 한다.

(1) 교합(Occlusion)이라는 개념

① 교합의 임상적 정의

교합에 대하여 Ramfjord와 Ash[135]는 여러 운동의 상황에서 일어나는 저작계의 치아와 그 외의 부분을 포함하는 기능적인 관계로 규정하고 있고, Glickman[136]이나 다른 학자들도 교합이란 저작계(저작근, 치주조직, 치아, 측두하악관절, 하악골)의 신경-근육 조절 하에 나타나는 치아의 기능적 접촉관계라고 규정함으로써 동적인 치아의 접촉양상을 나타내는 일련의 저작계 상호관계임을 설명하고 있다. Graf[137]는 교합의 개념을 더욱 광범위한 영역으로 다루고 있으며, 중추신경계, 저작근, 측두하악관절 그리고 교합(치아와 치주조직을 통해 나타남)의 상호관계를 요약하여 발표하고 있다(그림 11-21).

결론적으로 교합이란 저작계의 근-신경계의 통제에 의해 동적인 치아의 기능적 접촉 및 운동양상이며, 이것

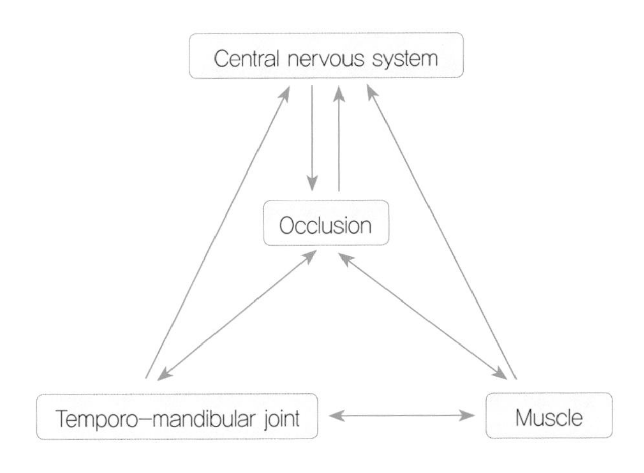

그림 11-21. 저작계를 구성하는 각 요소들의 구조적, 기능적 상관관계

은 3차원적인 운동학의 측면에서 동시에 고려되어야 할 것이다.

② 생리적인 교합의 조건

임상적인 차원에서 정상적 생리적 교합에 대한 의견들은 학자들 간에 차이를 나타내고 있으며, 연구가 진전되어옴에 따라 그 개념도 변천되어 왔다. 상하악 치아의 형태적 위치적 대합관계를 주안점으로 파악하던 과거와는 달리 최근에는 근신경계의 조화가 점차 중요시되고 있어서 교합에 관여하는 치아, 측두하악관절 그리고 저작근 등에 대한 정상적 해부학적 이해를 근거로 하여 생리적인 교합의 요소가 고려되어야 할 것이다. Graf[137]는 생리적 교합기능을 위해서는 교합의 안정성(stability)이 선결되어야 할 과제이며, 이것은 교합의 중심성(centricity)을 통해 얻어진다고 하면서 중심교합을 강조하고 있다.

(2) 정상교합이 치주조직에 미치는 영향

치아가 형성되어 맹출하면서 구강에 출현하게 되고, 많은 환경적 요소들(혀, 입술, 음식물, 미생물, 타액 등)에 의해 영향을 받으면서 맹출하다가 일정한 위치에 도달하게 되면 하악골의 기능적 악운동에 의해 대합치와의 교합관계를 이루게 되고, 치아가 탈락하기까지 일생 동안 교합기능을 수행하게 된다. 치주조직은 교합력으로부터 치아를 지지하는 역할을 담당하게 되고 이것은 치주조직의 가장 주요한 기능이기도 하다. 치아의 교합기능은 치주조직의 건강에 의해서 유지되는 것과 마찬가지로 치주조직의 건강 역시 치아의 기능적인 역할에 의해 유지된다. 따라서 교합은 치주조직의 생명선(life line)이라 할 수 있다. 정상적인 교합하에서 치주조직의 여러 부분은 환경적인 변화에 직접적이고 고유한 반응을 나타내면서 그 건강을 유지해나간다.

치주조직을 구성하는 각 조직들의 생리적 교합압에 대한 반응을 구체적으로 살펴보기로 한다.

① 치주인대 교원섬유의 반응

치주인대섬유의 방향, 구조적 배열, 밀도는 치아나 치주조직에 가해지는 교합압의 크기, 방향, 그리고 빈도에 영향을 받으며 어느 정도는 전신적인 상태와도 관계된다. 치아가 주로 수직적 교합압을 받는다면 주섬유군은 사선형태를 취하거나 치근면과 거의 평행한 형태를 취하며 약간의 수평섬유군이 치조정과 치근단 주위에 수평적으로 배열하며 치근의 중앙부에는 거의 존재하지 않게 된다.

치주인대의 폭경은 기능적 수요의 증가에 따라 증가하는데 기능적 교합압이 주로 수평방향으로 가해진다면 치아의 치경부와 치근단 주위의 치근막 폭경이 증가하며 치근의 중앙부에서는 치근단 부위의 1/3 정도의 폭경을 나타낸다.

여러 가지 반응에 의해 치주인대는 정상적 교합압에 대해 치아를 보호하는 쿠션(cushion)역할을 담당하며, 가해지는 교합압을 분산시켜 하부 치조골의 흡수를 방지하는 완충작용을 담당하게 된다.

② 백악질의 반응

백악질의 침착은 일생동안 계속되는데 백악질에 삽입되는 샤피섬유(Sharpey's fiber)는 매우 안정된 구조를 가지고 있는 것으로 보아 백악질 침착은 대단히 느린 속도로 진행됨을 알 수 있다. 치아의 교합마모에 따른 지속적 맹출을 위해 보상적으로 백악법랑 경계부의 백악질 후경감소와, 치근단 부위의 후경증가가 나타나며 백악질의 과대 침착은 과도한 기능을 수행해야 할 치아의 치근단 부위에서 나타난다.

③ 치조골의 반응

교합, 저작 그리고 연하 시에 작용하는 교합압은 그 크기, 방향, 양상에 따라서 치조골의 외형에 영향을 미치고, 결과적으로 치조골은 구조적인 변형과 재형성을 통해 외부 교합압에 쉽게 적응해 나간다. 이러한 현상은 치조골에 풍부한 혈관이 발달되어 있어서 치주인대의 주섬유군을 통해 전달되는 교합압에 대해 용이하게 반응할 수 있기 때문이다. 즉 압력을 받는 부위는 골 흡수를 나타내고 인장력을 받는 부위는 재생되어 결국 치아를 둘러싸고 있는 치조골은 치아를 고유의 치조와(socket)내에 정상적인 위치로 유지시키는 일을 감당해 나간다.

④ 교합압에 의한 치아동요도의 발생

치주인대는 치아와 치조골 사이에 개재하면서 교합압에 대한 완충작용을 담당하게 되고 이로 인해 치아는 교합압에 대한 고유의 생리적 치아동요도를 가지게 된다. Muhlemann[138]은 이것을 과학적으로 계측하는 시도를 통해 일차적, 이차적 치아동요도로 구분하였고 그 발생기전과 그에 따른 조직학적 특징을 발표하였다(그림 11-22). 정상적인 치아동요도는 치주인대나 백악질, 그리고 치조골에 아무런 병적인 변화를 초래하지 않는 범위에서 치아가 교합력에 적응하는 생리적인 현상의 결과라고 할 수 있고 일차적으로 그 크기는 치아에 따라 다르며 주로 치조골의 고경과 치주인대의 폭경에 의해 좌우된다.

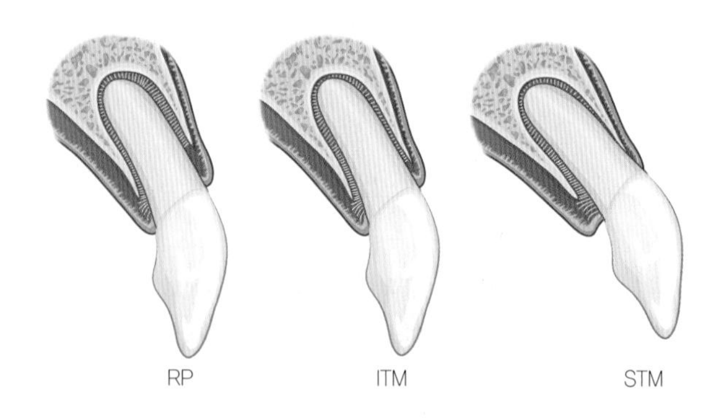

그림 11-22. 일차 및 이차 동요도가 나타나는 기전과 조직반응의 양상
ITM: 일차동요도로서 치아에 110 pounds의 힘을 가했을 경우에 나타나는 동요도 STM: 이차동요도로서 치아에 계속적으로 500 pounds의 힘을 가했을 경우에 나타나는 동요도

⑤ 교합압에 대한 치주조직의 감각능력

치주인대 내에 있는 고유 수용기(proprioceptive receptor)는 극히 미세한 접촉성 변화도 분별할 수 있는 능력이 있어서 20 μm 이하의 두께도 감지해 낼 수 있을 정도로 민감하다고 보고하였다. 이러한 분별능력은 교합압의 크기를 조절하는데 중요한 역할을 담당하며, 하악골의 개구반사에도 중요하다. 또 이같이, 외상성 교합 그리고 저작계의 기능장애와의 긴밀한 연관성 때문에 이 감각능력은 최근에 많이 연구되고 있다.

또 음식물이나 교합력의 위치를 분별해 내는 데에도 중요한 역할을 하고 있어서 접촉분별 능력과 위치분별 능력은 저작근을 통제하는 근신경 작용기전에 필수적인 요소로 중요시되고 있다.

2) 교합성 외상과 치주질환의 진행 (Trauma from occlusion and progression of periodontal disease)

근세기 초 Karolyi (1901)[139]에 의해 가정된, 교합력이 치조농루(pyorrhea)를 유발한다는 최초의 이론은 여러 연구가와 임상가들로 하여금 치주질환의 병인론에 있어서의 교합의 역할을 연구하게 하였다. 그 이후로 치주조직의 적응능력을 벗어나는 과도한 교합력은 치주조직의 손상을 유발한다는 보고가 있었다. 특징적인 임상적, 조직병리학적 소견을 가지는 이러한 치주조직 손상을 교합성 외상 병소(lesion of trauma from occlusion)라고 규정하였다. 이러한 손상을 야기하는 교합을 외상성 교합(traumatic occlusion)이라고 하며, 정상 치주조직에서 일차적 교합성 외상(primary trauma from occlusion)을 야기하는 교합력과 건강하지만 퇴축된 치주조직에 이차적 교합성 외상(secondary trauma from occlusion)을 야기하는 교합력 등이 있다.

(1) 역사적 배경

교합력이 치주농루를 유발한다는 Karolyi의 첫 가설이 소개된 지 30년 후, Gottlieb와 Orban[140-142]은 교합압이 염증성 치주질환을 야기하지 않는다고 규정함으로써 교합력과 염증성 치주질환을 구분하였고, 곧 여러 연구가들이 이러한 이론을 지지하게 되었다.[143-145] 그러나 여전히 몇몇 연구가들은 Karolyi의 이론을 추종하고 있었다. 1950년과 1960년대에 일차적 교합성 외상은 치주낭 형성이나 치은의 염증을 야기하지는 않는다는 많은 연구업적이 소개되었다.[146]

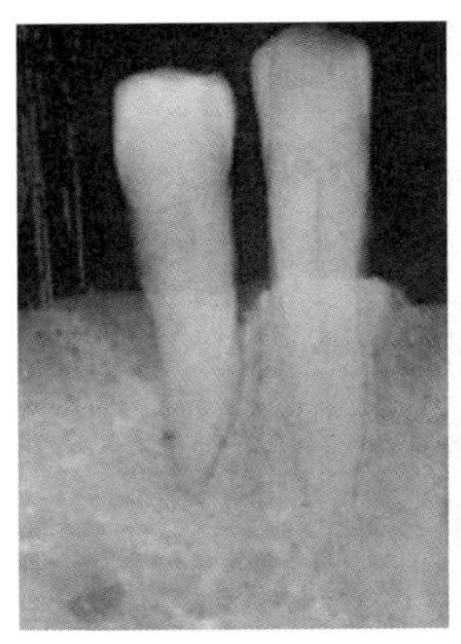
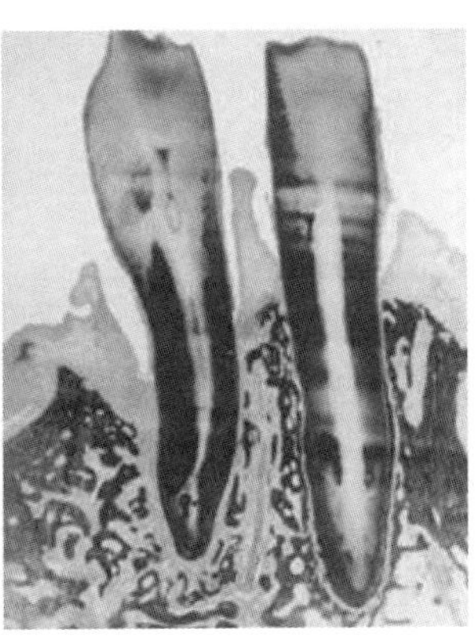

그림 11-23. (A) 하악소구치방사선상. 소구치 원심면의 골결손부에 주목할 것 (B) (A)의 조직소견으로 소구치 원심면의 골연하낭에 주목할 것

1954년 Macapanpan과 Weinmann[147]은 교합성 외상 자체가 치주낭 형성을 야기하지는 않는다 할지라도 하부 치주조직으로의 치은염증의 확산경로를 변화시킨다는 흥미있는 보고를 하였다. 이 새로운 개념에 영향을 받아, Glickman[148-155]은 1960년대 사체연구와 원숭이 실험을 통하여 과도한 교합력은 치주조직의 변성을 일으켜 치주조직 파괴에 기여하므로 교합력과 염증은 치주질환을 일으키고, 교합성 외상에 의한 치은염증의 변화된 경로는 수직성 골파괴(angular bony defect)와 골내결손부, 골내낭(infrabony pocket)의 형성과 연관이 있다고 하였다. 또한 변연 치주염에 대한 교합압의 영향은 공동파괴(co-destructive)의 양상을 보이며, 따라서 치주질환 치료를 위해서는 이 염증과 교합성 외상, 두 가지 요소를 모두 제거해야 한다고 주장하였다(그림 11-23). 이러한 개념이 소개됨에 따라 교합압이 변연 치주염에 작용하여 치근면에서부터 결체조직부착의 소실을 촉진시키고, 따라서 변

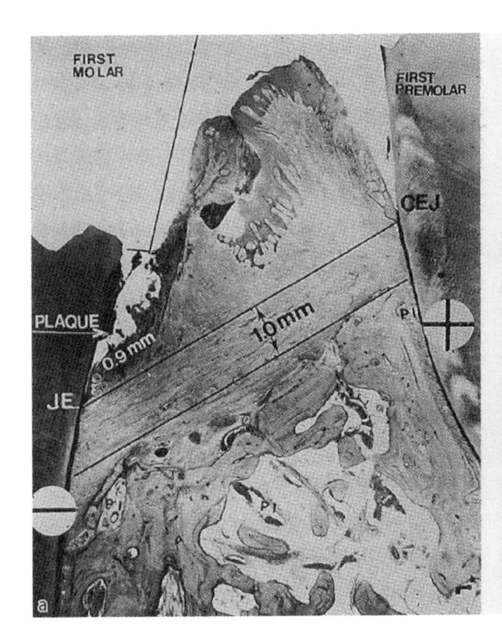

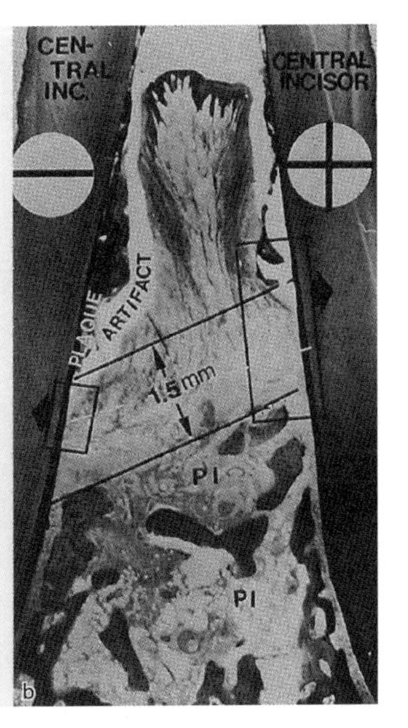

그림 11-24. 수직 골파괴를 보이는 인접한 2개 치아의 조직소견

"-" 치아와 "+" 치아에서 부착상피 근단세포와 치조골사이의 거리는 1~1.5 mm이다. 부착상피의 근단측 세포가 두 개의 인접치에서 각기 다른 위치에 있으므로 골능선의 외형이 사선이다. 이 방사선 사진은 외상을 받지 않은 치아에서 수직골 파괴가 나타남을 보여주고 있다. "-"는 외상성교합과 무관한 치아이고 "+"는 외상성교합과 관련이 있는 치아이다.

연 치주염의 진행에 파괴적 효과를 더 크게 만드는지의 여부에 많은 관심이 집중되었다.

1970년대 후반 Waerhaug[156]는 미생물만이 치주질환의 원인인자라고 주장하여 교합성 외상을 치주질환의 공동 파괴인자(co-destruction factor)라고 주장한 Glickman의 의견을 반박하였다. Glickman이 골내낭, 골연하낭(intrabony defect)은 교합성 외상에 의해서는 발생한다고 주장한데 반해, Waerhaug는 골내낭, 골연하낭의 주변에서 언제나 치은연하치태가 발견된다고 보고하였다. 또한 Waerhaug[156]는 인접치의 치은연하치태가 더 치근측에 위치하거나 치조골의 부피가 클 경우 수직성 골결손이 발생한다고 주장하여, 교합외상이 없는 치아에서도 수직성 골결손 및 골내낭이 발생할 수 있으며 교합외상은 병소의 진행양상에 기여하지 않는다고 주장하였다(그림 11-24).

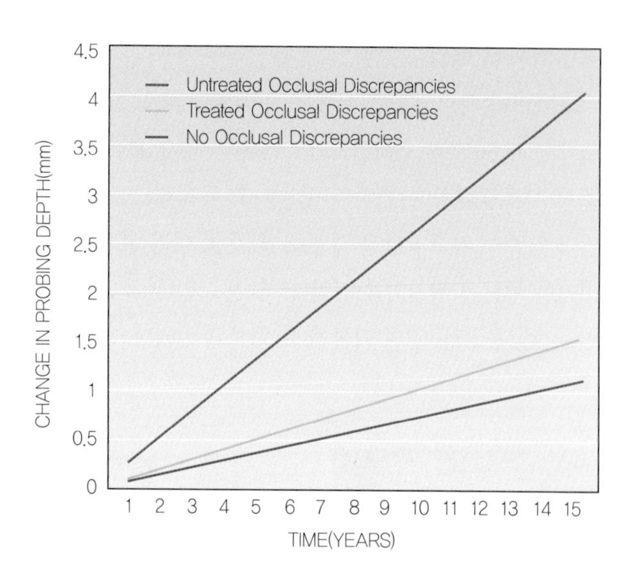

그림 11-25. 심한 치주질환 환자에서 교합조정을 시행한 환자와 시행하지 않은 환자에서의 치주낭 깊이 변화

한편 원숭이와 비글견을 이용한 두 연구그룹의 일련의 연구에 따르면, 염증이 없으면 교합성 외상은 비가역적인 골 파괴나 부착파괴를 일으키지 않는다는 공통된 결론을 제시하였다.[157-160] 그러나 심하게 진행된 치주염의 비글견 실험에서, 치주조직이 과도한 교합력에 적응하지 못하면, 치주질환의 파괴가 가속화될 수 있다는 결과가 발표되기도 하였다.[161-163]

Kaufman (1984)[164]은 동물 실험에서 실험적인 치주염에 대한 교합압의 영향에 대해 연구하였는데 임상적인 결과에 의하면 과도한 교합압을 받는 치아에서 상당히 큰 부착의 소실이 발견되었으나 교합성 외상이 치주낭내 세균의 재구성에 영향을 미치지는 않는다. 이 연구가 변연 치주염에 대한 교합성 외상의 역할을 치주질환 활성도의 미생물학적 지표에 의해 시도한 첫 번째 연구인 것이다.

사람을 대상으로 하는 실험도 다수 진행되었다. 교합외상과 관련된 임상 연구에서 Rosling (1976)[165]은 동요도가 있는 치아와 동요도가 없는 치아 사이에 치유양상에 차이가 없다고 발표하였으나, Fleszar (1980)[166]는 8년간의 연구에서 동요도가 있는 치아는 동요도가 없는 치아에 비해 치주치료에 잘 반응하지 않는다고 보고하였다. Nunn과 Harrel (2001)[167]은 교합조정을 시행한 그룹에서 시행하지 않은 그룹에 비해 치주낭 악화의 폭이 적었다고 발표하였다(그림 11-25). Pihlstrom (1986)[168]은 교합외상을 받은 치아에서 더 깊은 치주낭과 더 많은 부착소실 및 골파괴를 관찰하였다. 특히 같은 수준의 부착소실의 경우 교합외상을 받은 치아에서 더 많은 골파괴를 보였는데, 이는 과도한 교합력에 적응하기 위한 기전으로 생각하였다. 1981년 Ramfjord[169]는 교합성 외상 그 자체로는 치주낭을 형성하거나 결합조직 부착을 파괴할 수 없다고 주장하였다. 교합성 외상이 치주질환의 개시 및 진행에 영향을 끼치지 않는다는 이후의 연구발표 뒤로는, 치주치료는 점차 교합조정보다는 미생물 제거에 초점을 맞추게 되었다.

(2) 건강한 치주조직에 가해지는 외상성 교합의 영향

일차성의 교합성 외상에 대한 조직의 반응을 관찰하기 위해 지지조직의 양이 정상인 건강한 치주조직에 다양한 형태의 교합성 외상을 가했다. 어떤 형태이든 간에(jiggling 또는 교정력), 치주병소는 항상 치조정골 하방의 조직에 국한되어 나타났는데 이 병소는 변연 치주염의 초기 병소에서 보이는 조직학적 소견과 다르게 나타났다.[170] 압박 부위의 치주인대는 증가된 파골 활성도를 보이고 국소적 빈혈이 생겨 괴사나 교원섬유의 파괴가 일어나게 된다.[171,172] 치조정골 부위보다는 치주인대 부위의 치조골이 더욱 영향을 많이 받아 비록 약간의 치조골 높이의 변화가 관찰되었으나 전체적 치조정골의 양에서 많은 흡수와 소실이 초래되었다.

치조골의 흡수는 곧 보상적인 새로운 골형성이 뒤따르게 되고 정상적인 조직학적 소견을 보이는 적응성의 재형성(remodeling)이 일어났다. 변화된 기능적 요구에 대한 이러한 적응반응은 한 방향의 힘이 가해지는 교정력에 의해서는 tilting movement가 일어났고 교대성(jiggling)의 교합압에서는 증가된 치아동요도와 치주인대의 확장 등으로 나타난다. 그런데 치아치은 경계부(dentogingival junction)에서는 교합력의 영향을 받지 않아 치주낭 형성의 시초에 중요하게 여겨지는 치근면으로부터의 결체조직 부착의 소실은 일어나지 않았다.

이차적 교합성 외상(건강하나 퇴축된 치주조직을 가진 치아에 가해지는 정상적인 교합력에 의해 야기되는 치주조직의 손상)의 특징적 소견은 일차적 교합성 외상과 유사하다.[175] 그러나 감소되었다고 인정되는 지지조직의 파괴 정도를 결정할 수 없기 때문에 이러한 상황은 다소 이론적이라 할 수 있다. 오늘날 일차 및 이차적 교합성 외상이 결체조직 부착도의 소실을 초래하거나 치주낭의 형성을 야기하지 않는다는 의견이 광범위하게 수용되고 있으나, 상반된 견해를 밝히는 연구결과도 보고되고 있다. Polson과 Zander[176–184]에 따르면 교합성 외상은 원인과 병인론이 변연 치주염과 다르므로 서로 구별되어야 한다고 말하고 있고 다른 학자들도 같은 견해를 표명하였다. 결국 치태와 함께 교합성 외상은 치주질환의 두 가지 중요한 국소적 원인인자를 이룬다.[185,186]

(3) 치주질환의 진행에 따른 교합압의 영향

건강한 치주조직에 대해서는 교합압을 가해 치주낭의 형성을 야기하지 못하므로 교합압에 결합조직 부착의 소실을 일으킬 수 있다는 가정하에 치은염증이 있는 치아에 교합압을 가해 치주낭의 형성을 야기시키려는 실험이 행해졌다. 결과적으로 실험동물에 관계없이 치주낭이 형성되지 않았다.[187]

Stahl[188]에 따르면 사체표본에서 골연하 치주낭을 나타내는 것은 4경우 중 단 1개였다. 이것은 치주조직은 염증세포의 침윤이 변연치은에 국한된 경우 비정상적인 교합압을 견딜 수 있는 적응능력을 가질 수 있다는 것을 보여준다. 앞의 결과들에서 볼 때 우리는 건강한 치주조직에 가해지는 교합성 외상은 그것이 치조정골 상방 부위에 제한되었을 때는 치주낭의 형성을 야기시키지 않는다는 결론을 얻을 수 있다. Waerhaug[189]는 치조정골과 상피부착 사이의 약 1 mm 정도의 조직이 과대 교합압에 의한 위해 작용을 방어할 수 있는 부분이라고 주장하고 있다.

그러나 1954년 Macapanpan과 Weinmann[147]은 교합성 외상 자체가 치주염을 유발하지는 않으나 정상적인 치주인대의 저항력을 감소시켜 치은염증으로부터 치주염으로의 진행을 초래한다는 흥미있는 보고를 하였다. 이러한 개념의 영향을 받아 Glickman[148]은 연구결과 교합압이 치주조직으로의 치은의 염증의 전파경로를 변화(특히 인장 부위보다는 압박 부위에서)시킬 수 있다는 사실을 보고하였다. 게다가 그는 교합압이 변연성 치주염과 병행되어 나타났을 때 이 두 요소가 결체조직 부착의 소실을 촉진하는 공동 파괴요소로 작용하여 치주질환의 진행을 촉진시킨다는 사실도 보고하였다.[151,152] 그는 또한 교합압과 변연 치주염사이의 상호작용에 의한 공동파괴효과가 수직성 골파괴와 골연하 치주낭의 발달에도 관여함을 주장하였다.[151,152] 이러한 주장은 사체표본의 관찰에 근거를 둔 다른 반대 의견에 의해 반박되었는데 이에 따르면 그러한 양상은 치은연하치태 존재와 위치에 의해 관계된다고 하였다. 그러나 공동파괴의 개념은 반대 의견들에도 불구하고 비교적 널리 오랫동안 지배해 왔다.[190] 최근 20여 년 동안 이 개념은 두 종류의 일련의 연구에 의해 재평가되어 왔다. Gothenburg[163]의 한 연구팀은 개에서 실험적인 변연성 치주염에 가해진 교대성 외상성 교합의 역할에 대한 연구를 하여 외상성 교합이 결체조직 부착도의 소실을 촉진시킨다는 Glickman의 개념을 지지하는 결론을 내렸다. Rochester의 연구팀에서는 원숭이의 골내낭에 여러 가지 형태의 외상성 교합을 가해 연구한 결과 jiggling을 비롯한 교합성 외상이 결체조직부착도의 소실에 영향을 주지

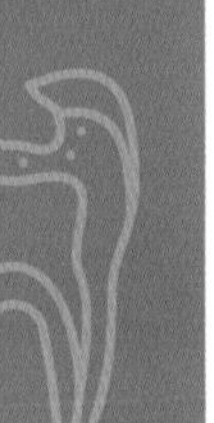

표 11-3. 일차 교합성 외상의 양상을 보이는 4가지 경우 임상 예의 비교

	첫 번째 경우(그림 11-26)	두 번째 경우(그림 11-27)	세 번째 경우(그림 11-28)	네 번째 경우(그림 11-29)
힘	증가	증가	증가	증가
골지지	정상	정상	감소	감소
치아동요도	증가 중	증가	증가 중	증가
치주인대	확장 중	확장	확장 중	확장
진단	일차 교합성 외상	생리적 교합	일차 교합성 외상	생리적 교합
치료	교합조정	관찰	교합조정	관찰
치료결과	힘, 동요도 감소, 치주인대강 좁아짐	부착기구의 적응	힘, 동요도 감소, 치주인대강 좁아짐	부착기구의 적응

않는다는 결론을 내렸다. 이 두 연구팀 사이의 상반되는 결과에 대한 이유는 여러 가지 요소를 들 수 있는데 실험동물이 다르고 실험적인 변연성 치주염과 교대성 외력(jiggling force)을 유도하는 방법의 차이 등으로 인해 다른 결과가 나타난 것으로 여겨진다.

1970년대 1980년대 동안 몇몇 학자들은 교합성 외상과 변연성 치주염의 상호작용을 연구하여 공동 파괴 효과를 보고하였다.[191,192] 또한 Kaufman[173,175] 등에 의한 최근의 연구에서 교합성 외상이 변연 치주염과 병행되었을 때 결체조직 부착도의 손실이 일어난다는 것을 보고하였다. 그러나 교합성 외상은 치주낭 내의 세균의 재구성에 영향을 미치지는 않는다.[164] 이러한 연구가 치주질환에 대한 교합의 역할을 치주질환 활성도의 미생물학적 지표를 사용하여 시도한 최초의 작업으로 여겨지며 교합성 외상이 치은열구액의 양에 미치는 영향은 이전부터 연구되어 왔다.

(4) 일차 교합성 외상(Primary occlusal trauma)과 이차 교합성 외상(Secondary occlusal trauma)

① 일차 교합성 외상

일차 교합성 외상은 치아에 과도한 힘이 가해져서 생기기 때문에, 그 치료는 치주부착기구가 견딜 수 있을 정도의 수준으로 치아에 가해지는 힘을 감소시키는 것에 초점을 두게 된다. 교합을 변화시킴으로 과도한 힘을 줄일 수 있다. 교합을 변경시킨 후에 부착기구내 병소는 해결될 수 있고, 치주인대 폭경은 힘이 가해지기 전의 수준으로 회복될 수 있으며, 동요도는 감소하게 된다.

임상적으로, 치아는 일차적 외상을 받을 때 진탕음, 동요도의 증가, 치아 이동을 보인다. 방사선상으로 치주인대 확장에 의한 수직 골 소실을 보일 수도 있다. 부착기구의 교합성 외상 병소를 나타내는 방사선 사진상의 골소실 변연성 치태관련 질환에 의한 부착상실 관련 골 변화와 혼돈해서는 안된다. 큰 힘을 받거나, 일차성 외상을 오래 받았다면, 방사선학적으로 치조백선이 두꺼워지거나 치근흡수가 나타날 수 있다.

일차 교합성 외상의 양상을 보이는 4가지의 임상 예가 있다(표 11-3). 첫 번째 경우는 골수준은 CEJ 경계상, 혹은 가까이에 존재하면서 과도한 힘에 의해서 진행성의 치아동요가 나타나는 경우로, 일차 교합성 외상의 전형적인 양상을 나타낸다(그림 11-26). 이런 경우 과도한 힘을 제거하기 위한 교합조정을 행한다.

일차 교합성 외상의 두 번째 경우(그림 11-27)는 CEJ 근처의 골수준을 보이는 상태에서 과도한 힘 때문에 동요도가 증가되었으나 더 이상 증가하지 않는 경우이다. 이것은 치주부착기구가 치아에 가해진 힘에 적응된 전형적인 경우이다. 이런 경우는 실제적으론 일차 교합성 외상이 아니며, 동요도가 증가되어 있으나 더 이상 증가하지 않고, 치주인대는 넓어져 있는 상태이나 더 이상 넓어지지는 않는다. 이 경우 치료는 필요하지 않다.

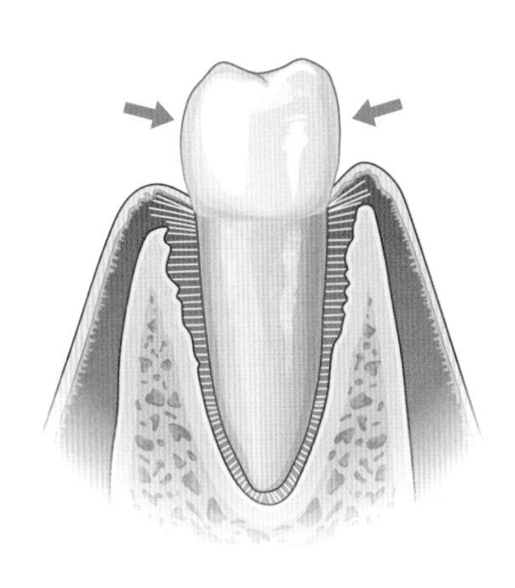

그림 11-26. 첫 번째 경우. 일차 교합외상에 따라 나타나며, 과도한 힘(화살표)으로 인해 치주인대강이 확장되었다.

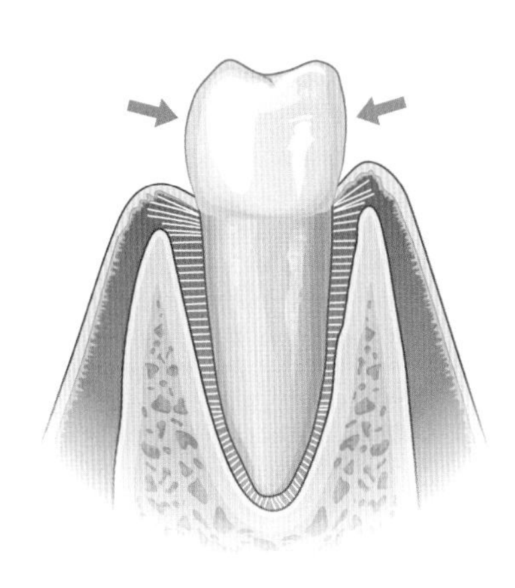

그림 11-27. 두 번째 경우. 치주인대강이 잔존하는 힘(화살표)으로 인해 확장되었다.

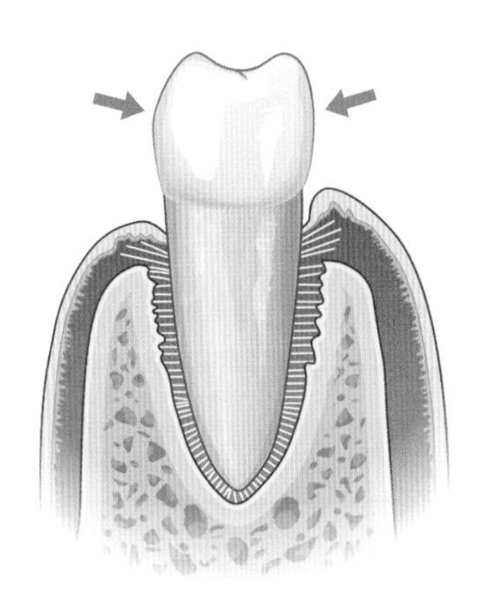

그림 11-28. 세 번째 경우. 감소된 치주조직에서의 일차 교합성 외상병소로, 치조골(치조백선)의 소실을 동반하는 치주인대강의 확장은 다른 교합성 외상병소에 보이는 것과 유사하다. 치아의 오른쪽에 있는 치주낭 형성은 교합성 외상병소와 별개로 존재하며 건강한 결합조직부착에 의해 구분된다.

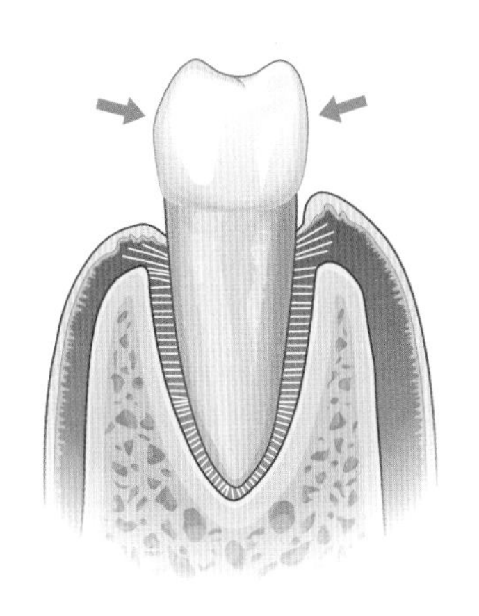

그림 11-29. 네 번째 경우. 확장된 치주인대강에 의해 치주부착기구가 치유되어 있지만 과도한 힘이 남아있다.

일차 교합성 외상의 세 번째 경우는 골지지가 감소된 곳에 진행성의 치아동요도가 관찰되나 감소된 골지지가 치아동요도 증가에 영향을 미치지 않을 때를 말한다(그림 11-28). 이런 경우는 일차 교합성 외상으로 볼 수 있고, 이 경우의 치료는 먼저 말한 첫 번째 경우와 유사하다. 이 경우 교합성 외상 병소와 치관부쪽 치태관련 병소는 별개의 병소로서 서로 독립적으로 치아에 작용한다.

네 번째 경우는 골지지가 감소된 곳에서 이미 증가된 치아동요도(진행 중의 치아동요도가 아닌)가 관찰되나 감소된 골지지가 치아동요도에 영향을 미치지 않을 때를 말한다(그림 11-29). 이 경우도 두 번째 경우처럼 일차 교합성 외상이 나타나지 않으며 마찬가지로 교합치료가 필요하지 않다.

② 이차 교합성 외상

이차 교합성 외상은 과도한 교합력보다는 골소실에 의해 골지지가 감소된 경우에 발생한다. 이 경우 치료는 고정장치가 요구된다. 이차 교합성 외상에 있어 고정장치는 부적절한 골지지를 보상하고 부착기구의 교합성 외상 병소를 해소시키며 치주인대를 좁아지게 하고 동요도를 줄여준다.[193,194]

표 11-4. **이차 교합성 외상의 양상을 나타내는 3가지 경우 임상 예의 비교**

	첫 번째 경우(그림 11-30)	두 번째 경우(그림 11-31)	세 번째 경우(그림 11-32)
힘	정상	정상	증가
골지지	감소	감소	감소
치아동요	증가 중	증가	증가 중
치주인대강	확장 중	확장	확장 중
진단	이차 교합성 외상	생리적 교합	교합조정 후 동요도가 감소하므로 일차 교합성 외상을 교합조정 후 splinting 필요하면 이차 교합성 외상
치료	Splinting	관찰	교합조정: 교합조정 후 동요도가 감소하지 않으면 splinting
치료결과	동요도 감소 치주인대강 좁아짐	부착기구의 적응	힘, 동요도감소, 치주인대강 좁아짐

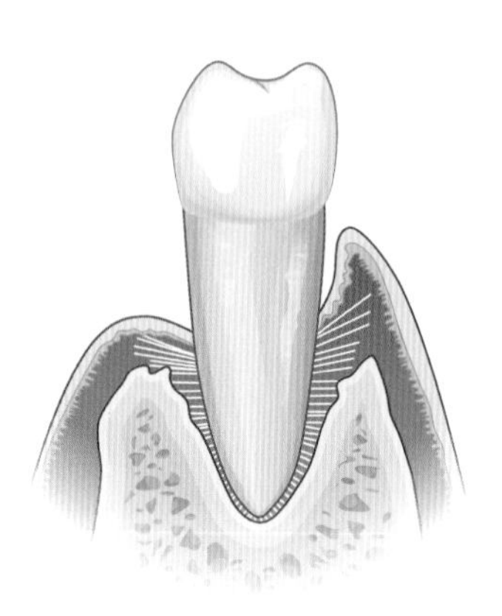

그림 11-30. 첫 번째 경우. 부적절한 골 지지에 의해서 치주인대강의 확장이 야기된다. 치아의 오른쪽 부분에 치주낭 형성에 의해 나타나는 치태 관련 질환은, 완전한 결합조직 부착에 의한, 더 치근단 쪽에 존재하는 교합성 외상 병소와 구별된다.

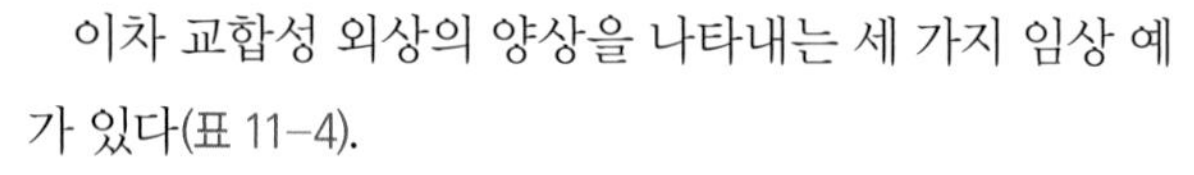

이차 교합성 외상의 양상을 나타내는 세 가지 임상 예가 있다(표 11-4).

첫 번째 경우는 치아동요 증가가 진행 중이며 방사선적으로 감소된 골 지지가 확인되나 교합구조와 교합접촉은 정상범주 안에 있으며 치아에 가해지는 교합력을 줄이기 위해 수정할 수 없는 경우이다(그림 11-30). 이 경우는 전형적인 이차적 교합외상으로 볼 수 있으며, 고정장치로서 치료한다.

이차적 교합외상과 유사한 두 번째의 경우는, 방사선적으로 감소된 골지지가 확인되며 치아동요가 이미 증가되

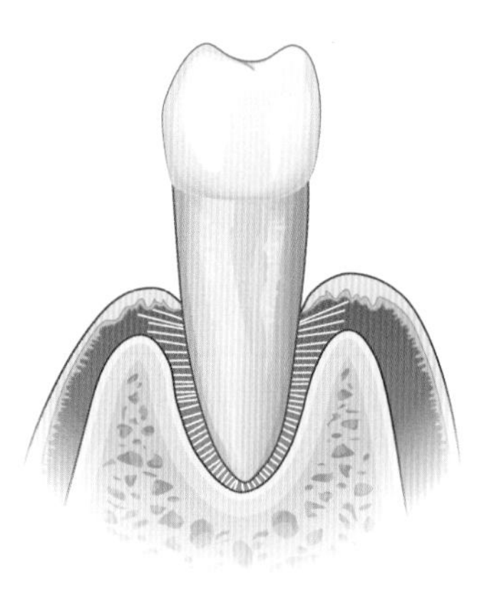

그림 11-31. 두 번째 경우. 치주조직 내의 부착기구는 상당히 감소되었다. 치주인대강은 적절한 지지부족으로 확장되어 있지만 이러한 확장이 진행되지는 않는다.

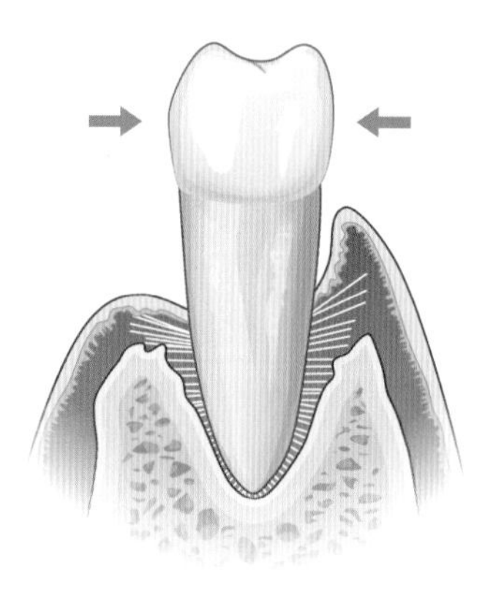

그림 11-32. 세 번째 경우. 일차 교합성 외상을 야기할 수 있는 과도한 힘과 함께 이차 교합성 외상을 발생시킬 만큼 충분히 지지력이 감소된 치주조직

어 있긴 하지만 동요 증가가 진행성은 아니고 교합구조, 교합 접촉, 교합력은 모두 정상범위 안에 있다(그림 11-31). 이 경우 치료는 필요하지 않다.

세 번째 경우는, 방사선적으로 뚜렷한 골지지 감소뿐 아니라, 과도한 힘 때문에 동요도의 증가가 관찰되며 교합 구조의 수정이 필요하거나 과도한 교합접촉에 의해 치아에 가해지는 힘이 감소되도록 조정이 필요한 경우이다(그림 11-32). 이러한 상황에서는, 일차 교합성 외상인지 이차 교합성 외상인지 분간하기가 힘들다.

(5) 치료 시 고려사항

교대성 외상(jiggling force)이 제거되었을 때의 치간 치조골의 반응을 연구한 결과 교합압으로 인한 치조골의 소실은 가역적으로 나타났다. 심한 치조골 파괴와 치아동요도가 특징적인 진전된 치주질환의 치료에 있어서 교합압과 변연 염증의 상대적인 중요성에 대한 일련의 연구가 있었다. 변연 염증은 계속되는 상태에서 교합력이 제거되었을 때 치조골의 재생은 일어나지 않았고 염증과 함께 교합압이 제거되었을 때는 비록 치조정골 높이까지는 아니었으나 골수에서 소량의 새로운 골형성이 나타났다. 그러나 교합조정을 하지 않는 것과 비교해서 치주조직 부착의 증가량은 유의성이 없었다.[195-199] 두 가지 요소들로 야기된 치조골파괴의 증가는 어느정도 가역적이며 치조정골 상방 결체조직의 염증이 골재생의 억제요소로 작용하는 것으로 여겨지고 있다. 진행성 치아 과대 동요도가 존재하는 상태에서 염증을 제거했을 때의 조직 반응을 보기 위한 실험이 나중에 행해졌다. 교대성 외상(jiggling trauma)이 건강하지만 퇴축된 치주조직에 가해지는 상태에서 염증을 제거했을 때 상당한 치조골 재생이 일어났다. 이러한 발견은 최근 교합성 외상이 치조골 흡수에 영향을 미친다고 진단받은 치아에서 외상적 요소의 제거 없이 수술로 치주치료만 한 경우의 효과를 관찰한 임상적 결과에 의해 지지받고 있다. 즉 치아의 과동요도와 저작 시의 불편감을 호소하는 진전된 치주질환의 치료에 있어서 변연성 염증의 해결이 가장 중요하다.

최근의 건강하지만 퇴축된 치주조직에서의 치아의 과동요의 개념은 과동요도 그 자체는 병적인 상태가 아니며 다른 부착의 소실이나 치조골의 흡수를 야기하지는 않는다는 것이다. Waerhaug는 심한 파괴 자체에 의한 치아동요가, 치아의 측방운동(excursion movement) 시의 교대성(jiggling) 등의 과도한 교합력의 결과로 생기는 동요도로 오해될 수 있다는 점을 강조하였다.[200] 이러한 개념에 바탕을 두어 과동요도의 치료와 수복치료가 요구되는 소수의 잔존치아를 가지는 진전된 치주질환의 치료는 환자나 의사에 의해 치태조절이 잘되는 조건하에서 과학적인 근거에 입각하여 행해져야 한다.[201, 202]

3) 교합성 외상의 임상적 증상

교합성 외상만으로 인한 치조골 파괴는 다음과 같은 증상들을 유발시킬 수 있고 이것은 다른 치주질환과 감별하여 진단요점으로 사용되기도 하나 복합성 치주염의 경우에는 염증자체에 의한 파괴 효과에 기인한 증상들과 혼합적으로 나타나므로 주의를 요한다.

- 치아의 과대 동요도
- 저작 불편감
- 치근막강의 증대(확대)–방사선학적으로 판별
- 가끔 치근단의 흡수나 거대 백악질 형성 등을 볼 수 있다(방사선학적 판단).

이러한 점에 유의하여 임상적 적용을 시도해야 할 것이다.

참고문헌

1. Löe H, Theilade E, Jensen SB. Experimental Gingivitis in Man. The Journal of periodontology 1965;36:177–187.
2. Lamont RJ et al. The oral microbiota: dynamic communities and host interactions. Nat Rev Microbiol. 2018;16:745–759.
3. Costerton JW, Cheng KJ, Geesey GG, Ladd TI, Nickel JC, Dasgupta M, et al. Bacterial biofilms in nature and disease. Ann Rev Microbiol 1987;41:435–464.
4. Wilderer PC, WG. Structure and function of biofilms. In: Charaklis, WG., Wilderer, PA., eds. Structure and Function of Biofilms. Chichester, UK: : John Wiley, : pp.5–17.
5. Theilade E. The non–specific theory in microbial etiology of inflammatory periodontal diseases. J Clin Periodontol 1986;13:905–911.
6. Carlsson J, Egelberg J. Effect of Diet on Early Plaque Formation in Man. Odontologisk revy 1965;16:112–125.
7. Ronstrom A, Attstrom R, Egelberg J. Early formation of dental plaque on platic films. 1. Light microscopic observations. J Periodontal Res 1975;10:28–25.
8. Guggenheim B. Extracellular polysaccharides and microbial plaque. Int Dent J 1970;20:657–678.
9. Listgarten MM, H. Amsterdam, M. Ultrastructure of the attachment device between coccal and filamentous microorganisms in"corn cob"formations in dental plaque. Archives of oral biology 1973;87:651–656.
10. Cimadoni GS, M. McBride, BC. Effect of crevicular fluid and lysosomal enzymes on the adherence of streptococci and Bacteroides to hydroxyapatite. Infect Immune 1987;55:1484.
11. Crawford AS, SS. Bratthall, D. Predominant cultivable microbiota of advanced periodontitis. J Dent Res 1975;4(Special issue A):97.
12. Alhashimi IL, MJ. Characterization of in vivo salivary derived enamel pellicle. Archives of oral biology 1989;34:289.
13. Schroeder HA, R. Effects of mechanical plaque control on development of subgingival plaque and initial gingivitis in neutropenic dogs. Scandinavian journal of dental research 1970;87:279–287.
14. Socransky SM, AD. Propas, D. Oram, V. Van Houte, J. Bacteriological studies of developing supragingival dental plaque. J Periodont Res 1977;12:90–106.
15. Carlsson J. Bacterial metabolism in dental biofilms. Adv Dent Res. 1997;11:75–80.
16. Saxton C. An electron microscope investigation of bacterial polysaccharidesyn–thesisin human dental plaque. Arch Oral Biol 1969;5:1284.
17. Saxton C. Scanning electron microscope study of the formation of dental plaque. Caries Res 1973;7:102–119.
18. Hotz PG, B. Schmid, R. Carbohydrate in pooled dental plaque. Caries Res 1972;6:103–121.
19. Wood JM. The amount, distribution and metabolism of soluble polysaccharides in human dental plaque. Archives of oral biology 1967;12:849–858.
20. Schlesinger DH, DI. Human salivary statherin: a peptide inhibitor of calcium phosphate precipitation. In Wasserman RH.: Calcium binding proteins and calcium function. Amsterdam, Elsevier/ North Holland 1977.
21. Sheinin AM, KK. The effect of various sugars on the formation and chemical composition of dental plaque. Int Dent J 1971;21:302–321.
22. Hillam DH, I PS. The influence of experimental gingivitis on plaque formation. J Clin Periodontol 1970;4:56–61.
23. Syed SL, WJ. Bacteriology of human experimental gingivitis: effect of plaque age. Infect Immun 1978;21:821–829.
24. Theilade ET, J. Mikkelsen, L. Microbiological studies on early dentogingival plaque on teeth and Mylar strips in humans. J Peridont Res 1982;17:12–25.
25. Theilade ET, J. Mikkelsen, L. Bacteriological and ultrastructural studies of developing dental plaque. In:McHugh, WD, ed Dental plaque Edinburgh: Livingstone:pp.27–40.
26. Egelberg G. Local effect of diet on plaque formation and development of gingivitis in dogs. I. Effect of hard and soft diets. Odontologisk revy 1965;16:31–41.
27. Egelberg J. Local effect of diet on plaque formation and development of gingivitis in dogs. III. Effect or frequency of meals and tube feeding. Odontologisk revy 1965;16:50–60.
28. De Stoppelaar JvH, J. Dirks, DB. The effect of carbohydrate restriction on the presence of Streptococcus mutans, Streptococcus sanguis and iodophilic polysaccharide–producing bacteria in human dental plaque. Caries Res 1970;4:114–123.
29. Folke LG, TH. Staat, RH. Karris, RS. Effect of dietary sucrose on quantity and quality of plaque. Scandinavian journal of dental research 1972;80:529–533.

30. Gibbons RJ, Socransky SS. Intracellular polysaccharide storage by organisms in dental plaques. Its relation to dental caries and microbial ecology of the oral cavity. Archives of oral biology 1962;7:73–79.
31. Rateitschak-Pluss EG, B. Effects of a carbohydrate-free diet and sugar substitutes on dental plaque accumulation. J Clin Periodontol 1982;9:239–251.
32. Ten N, J. Theilade, J. Matsson, L. Attstrom, R. Ultrastructure of developing subgingival plaque in beagle dogs. Journal of dental research 1983;62:495.
33. Gibbons RJ, Houte JV. Bacterial adherence in oral microbial ecology. Annual review of microbiology 1975;29:19–44.
34. Vitkov L et al. Bacterial adhesion to sulcular epithelium in periodontitis. FEMS Microbiol Lett. 2002 Jun 4;211(2):239–46.
35. Leach SS, CA. An electron microscopic study of the acquired pellicle and plaque formed on the enamel of human incisors. Archives of oral biology 1966;11:1081–1094.
36. Tinanoff N, Gross A. Epithelial cells associated with the development of dental plaque. Journal of dental research 1976;55:580–583.
37. Ronstrom AE, S. Attstrom, R. Streptococcus sanguis and Streptococcus salivarius in early plaque formation on plastic films. J Periodont Res 1977;12:331–339.
38. Listgarten MH, L. Relative distribution of bacteria at clinically healthy and periodontally diseased sites in humans. J Clin Periodontol 1978;5:115–132. Relative distribution of bacteria at clinically healthy and periodontally diseased sites in humans. J Clin Periodontol 1978;5:115–132.
39. Slots JM, D. Langebaek, J. Frandsen, A. Microbiota of gingivitis in man. Scandinavian journal of dental research 1978;86:174–181.
40. Eastcott AS, RE. Sequential changes in developing human dental plaque as visualized by scanning electron microscopy. The Journal of periodontology 1973;44:218–244.
41. Eide B, Lie T, Selvig KA. Surface coatings on dental cementum incident to periodontal disease. I. A scanning electron microscopic study. J Clin Periodontol 1983;10:157–171.
42. Lindhe JH, SE. Löe. H. Experimental periodontitis in the Beagle dog. J Periodont Res 1973;8:1–10.
43. Slots J. The predominant cultivable microflora of advanced periodontitis. Scand J Dent Res 1977;85:114–121.
44. Liljenberg BL, J. Juvenile periodontitis. Some microbiological, histological and clinical characteristics. The Journal of periodontology 1980;7:48–61.
45. Slots JM, D. Langebaek, J. Frandsen, A. The predominant cultivable flora in juvenile periodontitis. Scandinavian journal of dental research 1976;84:1–10.
46. Westergaard J, Frandsen A, Slots J. Ultrastructure of the subgingival microflora in juvenile periodontitis. Scandinavian journal of dental research 1978;86:421–429.
47. Glock G MM. Chemical investigation of salivary calculus. J Dent Res 1938;17:257.
48. Mühler J EJ. Occurrence of calculus through several successive periods in a selected group of subjects. J Periodontol 1962;33:22.
49. Jin Y, Yip HK (2002). "Supragingival calculus: formation and control". Critical Reviews in Oral Biology and Medicine. 13 (5): 426–41.
50. Little MH, SP. Dental calculus composition. II. Subgingival calculus: ash, calcium, phosphorus and sodium. J Dent Res. 1964;43:645–651.
51. Little MC, CA. Rowley, J. Dental calculus composition. I. Supragingival calculus: ash, calcium, phosphorus, sodium density. J Dent Res. 1963;42:78–86.
52. Mandel ID. Biochemical aspects of calculus formation. Journal of periodontal research Supplement 1969:7–8.
53. Baumhammers A, Stallard RE. A method for the labelling of certain constituents in the organic matrix of dental calculus. J Dent Res 1966;45:1568.
54. Theilade JF, RJ. Scott, DB. Nylen, MU. Electron microscopic observations of dental calculus in germ-free and conventional rats. Archives of oral biology 1964;9:97–100.
55. Kopczyk RA, Conroy CW. The attachment of calculus to root planed surfaces. Periodontics 1968;6:78–83.
56. Schoff F. Periodontia: an observation on the attachment of calculus. Oral Surg 1955;8:154.
57. Selvig KA. Attachment of plaque and calculus to tooth surfaces. Journal of periodontal research 1970;5:8–18.
58. Zadik Y, Sandler V, Bechor R, Salehrabi R. Analysis of factors related to extraction of endodontically treated teeth. Oral surgery, oral medicine, oral pathology, oral radiology, and endodontics 2008;106:e31–35.
59. Canis MK, GM. Pamaijer, CM. Calculus attachment. Review of the literature and new findings. The Journal of periodontology 1970;50:406–415.
60. Moskow BS. Calculus attachment in cemental separations. J Periodontol 1969;40:125–130.

61. Mandel ID, Gaffar A. Calculus revisited. A review. J Clin Periodontol. 1986;13(4):249–57.
62. Jepsen S, Deschner J, Braun A, Schwarz F, Eberhard J (February 2011). "Calculus removal and the prevention of its formation". Periodontology 2000. 55 (1): 167–88.
63. Bowen WH, Gilmour MN. The formation of calculus–like deposits by pure cultures of bacteria. Archives of oral biology 1961;5:145–148.
64. Muhlemann HS, UK. Early calculus formation. Helvetica Odontologica Acta 1959;3:22–26.
65. Ennever JS, JL, Takazoe, I. Calcification of bacillary and streptococcal variants of Bacterionema matruchotii. Journal of dental research 1973;52:305–308.
66. Ennever J. Intracellular calcification by oral filamentous organisms. The Journal of periodontology 1960;31:304–307.
67. Prinz H. The origin of salivary calculus. Dent Cosmos 1921;63:369, 503, 619.
68. Schroeder H, Bambauer H. Stages of calcium phosphate crystallization during calculus formation. Arch Oral Biol 1966;11:1.
69. Neuman W, M. N. The chemical dynamics of bone mineral. Chicago, University of Chicago Press 1958.
70. Mühlemann H, Schroeder H. Dynamics of supragingival calculus formation. Adv Oral Biol 1964;1:175.
71. Mandel I, Levy B, Wasserman B. Histochemistry of calculus formation. J Periodontol 1957;28:132.
72. Zander H. The attachment of calculus to root surfaces. J Periodontol 1953;24:16.
73. Ennever J, Vogel JJ, Boyan–Salyers B, Riggan LJ. Characterization of calculus matrix calcification nucleator. Journal of dental research 1979;58:619–623.
74. Bibby B. The formation of salivary calculus. Dent Cosmos 1935;77:668.
75. Hodge HC, Wah Leung S. Calculus formation. J Periodontol 1950;21:211–221.
76. Karlsen K. Gingival reactions to dental restorations. Acta odontologica Scandinavica 1970;28:895–904.
77. von der F, Brudevold F. In vitro calculus formation. J Dent Res 1960;39:1041–1048.
78. Sidaway D. A microbiological study of dental calculus. III.A comparison of the invitro calcification of viable and non–viable microorganisms. J Periodont Res 1979;14:167–172.
79. Gonzales F, Sognnaes RF. Electron microscopy of dental calculus. Science 1960;131:156–158.
80. Rizzo AA, Martin GR, Scot DB, Mergenhagen SE. Mineralization of bacteria. Science 1962;135:439–441.
81. Wasserman B, Mandel J, B,M. L. In vitro calcification of calculus. J Periodontol 1958;29:145.
82. Zander HA, Hazen SP, Scott DB. Mineralization of dental calculus. Proceedings of the Society for Experimental Biology and Medicine Society for Experimental Biology and Medicine 1960;103:257–260.
83. Schroeder HE. Crystal Morphology and Gross Structures of Mineralizing Plaque and of Calculus. Helvetica odontologica acta 1965;9:73–86.
84. Ramfjord SP. The periodontal status of boys 11 to 17 years old in Bombay, India. J Periodontol 1961;32:237.
85. Greene JC. Oral hygiene and periodontal disease. American journal of public health and the nation's health 1963;53:913–922.
86. Kimball, GD. The relationship of materia alba and dental plaque to periodontal disease. J Periodontol. 1952; 23 (3): 164–169.
87. Leon AR. Amalgam restorations and periodontal disease. British dental journal 1976;140:377–382.
88. Bjorn AL, Bjorn H, Grkovic B. Marginal fit of restorations and its relation to peridontal bone level. I. Metal fillings. Odontologisk revy 1969;20:311–321.
89. Hakkarainen K, Ainamo J. Influence of overhanging posterior tooth restorations on alveolar bone height in adults. Journal of clinical periodontology 1980;7:114–120.
90. Jeffcoat MK, Howell TH. Alveolar bone destruction due to overhanging amalgam in periodontal disease. J Periodontol 1980;51:599–602.
91. Lang NP, Kiel RA, Anderhalden K. Clinical and microbiological effects of subgingival restorations with overhanging or clinically perfect margins. Journal of clinical periodontology 1983;10:563–578.
92. Mueller H. The effect of artificial crown margins on the periodontal conditions in a group of periodontally supervised patients treated with fixed bridges. Journal of clinical periodontology 1986;13:97.
93. Mormann W, Regolati B, Renggli HH. Gingival reaction to well–fitted subgingival proximal gold inlays. Journal of clinical periodontology 1974;1:120–125.
94. Renggli HH, Regolati B. Gingival inflammation and plaque accumulation by well–adapted supragingival and subgingival proximal restorations. Helvetica odontologica acta 1972;16:99–101.

95. Sorensen JA, Doherty FM, Newman MG, Flemmig TF. Gingival enhancement in fixed prosthodontics. Part I: Clinical findings. The Journal of prosthetic dentistry 1991;65:100–107.
96. Flores–de–Jacoby L, Zafiropoulos GG, Ciancio S. Effect of crown margin location on plaque and periodontal health. The International journal of periodontics & restorative dentistry 1989;9:197–205.
97. Silness J. Fixed prosthodontics and periodontal health. Dental clinics of North America 1980;24:317–329.
98. App G. Effect of silicate, amalgam and cast gold on the gingiva. J Prosthet Dent 1961;11:522.
99. Koivumaa K, Wennstrom A. A histological investigation of the changes in gingival margins adjacent to gold crowns. Odont T 1960;68:373.
100. Morris M. Artificial crown contours and gingival health. The Journal of prosthetic dentistry 1962;12:1146.
101. Wise MD, Dykema RW. The plaque–retaining capacity of four dental materials. The Journal of prosthetic dentistry 1975;33:178–190.
102. Waerhaug J, Zander H. Reaction of gingival tissue to self–curing acrylic restorations. J Am Dent Assoc 1957;54:760.
103. Kawahara H, Yamagami A, Nakamura M, Jr. Biological testing of dental materials by means of tissue culture. International dental journal 1968;18:443–467.
104. Norman R, Mehia R, Swartz Mea. Effect of restorative materials on plaque composition. J Dent Res 1972;51:1596.
105. Sanchez–Sotres L, Van Huysen G, Gilmore H. A histologic study of gingival tissue response to amalgam, silicate and resin restorations. J Periodontol 1969;42:8.
106. Listgarten MM, H. Tremblay, R. Development of dental plaque on epoxy resin crowns in man. A light and electron microscopic study. The Journal of periodontology 1975;46:10–26.
107. Bissada NF, Ibrahim SI, Barsoum WM. Gingival response to various types of removable partial dentures. J Periodontol 1974;45:651–659.
108. Carlsson GE, Hedegard B, Koivumaa KK. Studies in partial dental prosthesis. IV. Final results of a 4–year longitudinal investigation of dentogingivally supported partial dentures. Acta odontologica Scandinavica 1965;23:443–472.
109. Scoman S. Study of the relationship between periodontal disease and the wearing of partial dentures. Aust Dent J 1963;8:206.
110. Ghamrawy EE. Quantitative changes in dental plaque formation related to removable partial dentures. Journal of oral rehabilitation 1976;3:115–120.
111. Ghamrawy EE. Qualitative changes in dental plaque formation related to removable partial dentures. Journal of oral rehabilitation 1979;6:183–188.
112. Bergman B, Hugoson A, Olsson CO. Periodontal and prosthetic conditions in patients treated with removable partial dentures and artificial crowns. A longitudinal two–year study. Acta odontologica Scandinavica 1971;29:621–638.
113. Reitan K. Tissue changes following experimental tooth movement as related to the time factor. Dent Record 1953;73:559.
114. Schwartz A. Tissue changes incidental to orthodontic tooth movement. Ortho Oral Surg Rad Int J 1932;18:331.
115. Polson AM, Reed BE. Long–term effect of orthodontic treatment on crestal alveolar bone levels. J Periodontol 1984;55:28–34.
116. Polson AM, Adams RA, Zander HA. Osseous repair in the presence of active tooth hypermobility. Journal of clinical periodontology 1983;10:370–379.
117. Polson AM. The relative importance of plaque and occlusion in periodontal disease. Journal of clinical periodontology 1986;13:923–927.
118. Brezniak N, Wasserstein A. Root resorption after orthodontic treatment: Part 1. Literature review. American journal of orthodontics and dentofacial orthopedics : official publication of the American Association of Orthodontists, its constituent societies, and the American Board of Orthodontics 1993;103:62–66.
119. Brezniak N, Wasserstein A. Root resorption after orthodontic treatment: Part 2. Literature review. American journal of orthodontics and dentofacial orthopedics : official publication of the American Association of Orthodontists, its constituent societies, and the American Board of Orthodontics 1993;103:138–146.
120. Lie T, Selvig KA. Formation of an experimental dental cuticle. Scandinavian journal of dental research 1975;83:145–152.
121. Lie T. Growth of dental plaque on hydroxyapatite splints. A method of studying early plaque morphology. J Periodont Res 1975;10:135–146.
122. Sonju TR, G. Chemical analysis of the acquired pellicle formed in two hours on cleaned human teeth in vivo. Caries Res 1973;7:30.
123. Theilade JM, L. Ultrastructural study of dental plaque formation during the first 3–hour period. Caies Res 1972;6:79.
124. Theilade J. Development of bacterial plaque in the oral cavity. J Clin Periodontol 1977;4:1–12.

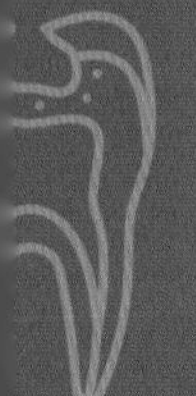

125. Rolla G, Ciardi JE, Schultz SA. Adsorption of glucosyltransferase to saliva coated hydroxyapatite. Possible mechanism for sucrose dependent bacterial colonization of teeth. Scandinavian journal of dental research 1983;91:112–117.
126. al. LMe. Nature of salivary pellicles in microbial adherence: role of salivary mucins. In Mergenhagen S.E. and Rosan B.: Molecular basis of oral microbial adhesion. Washington D.C.,. American Society for Microbiology 1980.
127. Gold WP, FB. Lache, MG. Blech–man, H. Production of levan and dextran in plaque in vivo. Journal of dental research 1974;53:442–446.
128. Pollock Jea. Lysozyme–protease–inorganic monovalent anion lysis of oral bacterial strains inbuffers and stimulated whole saliva. Journal of dental research 1987;66:4467.
129. Ritz H. Micrbial population shifts in developing human dental plaque. Archives of oral biology 1967;12:1561–1568.
130. Murray Pea. Neuraminidase activity: a biochemical marker to distinguish St. mitis from St. sanguis. Journal of dental research 1984;64:1149.
131. Grenier D, Mayrand D. Functional characterization of extracellular vesicles produced by Bacteroides gingivalis. Infection and immunity 1987;55:111–117.
132. Bennick A. Structural and genetic aspects of proline–rich proteins. Journal of dental research 1987;66:457.
133. Gibbons RH, DI. Human salivary acidic proline–rich proteins and statherin promote the attachment of Actinomyces viscosus LY7 to apatitic surfaces. Infection and immunity 1988;56:439.
134. Tabak L. Role of salivary mucins in the protection of the oral cavity. J Oral Pathol 1982;11:1.
135. Ramfjord SP, Ash MM. Occlusion. ; 1983.
136. Glickman I. Occlusion and the periodontium. J Dent Res 1967;46:53–59.
137. Graf H, Geering AH. Rationale for clinical application of different occlusal philosophies. Oral sciences reviews 1977;10:1–10.
138. Muhlemann HR. Tooth mobility: a review of clinical aspects and research findings. J Periodontol 1967;38:Suppl:686–713.
139. Karolyi M. Beobachtungen uber Pyorrhoea alveolares. Ost-ung Viertrljahr Zahnheilk 1901;17:279.
140. Gottlieb B, Orban B. Die Veranderungen der Gewebe bei ubermassiger Beanspruchung der Zahne. Thieme Verlag, Leipzig 1931.
141. Orban BW, J. Signs of traumatic occlusion in average human jaws. Journal of dental research 1933;13:216.
142. Orban B. Tissue changes in traumatic occlusion. J Am Dent Assoc 1928;25:2090.
143. Bhaskar SO, B. Experimental occlusal trauma. The Journal of periodontology 1955;26:270.
144. Box H. Experimental traumatologic occlusion in sheep. Oral Health 1935;25:9.
145. Coolidge E. Traumatic and functional injuries occuring in the supporting tissues of human teeth. J Am Dent Assoc 1938;25:343.
146. Glickman IW, LS. Role of trauma from occlusion in initiation of periodontal pocket formation in experimental animals. J Periodontol 1955;26:14. Role of trauma from occlusion in initiation of periodontal pocket formation in experimental animals. The Journal of periodontology 1955;26:14.
147. Macapanpan LC, Weinmann JP. The influence of injury to the periodontal membrane on the spread of gingival inflammation. J Dent Res 1954;33:263–272.
148. Glickman I, Smulow JB. Alterations in the pathway of gingival inflammation into the underlying tissues induced by excessive occlusal force. J Periodontol 1962;33:7.
149. Glickman I, Smulow JB. Effect of Excessive Occlusal Forces Upon the Pathway of Gingival Inflammation in Humans. J Periodontol 1965;36:141–147.
150. Glickman I, Smulow JB. Further observations on the effects of trauma from occlusion in humans. J Periodontol 1967;38:280–293.
151. Glickman I, Smulow JB. The combined effects of inflammation and trauma from occlusion in periodontitis. International dental journal 1969;19:393–407.
152. Glickman I. Inflammtion and trauma from occlusion, co–destructive factors in chronic periodontal disease. J Periodontol 1963;34:5.
153. Dawson P. Evaluation, Diagnosis and Treatment of Occlusal Problems. ; 1974.
154. Drum W. A new concept of periodontal diseases. J Periodontol 1970;46:504.
155. Glickman I. Role of occlusion in the etiology and treatment of periodontal disease. Journal of dental research 1971;50:199–204.
156. Waerhaug J. The infrabony pocket and its relationship to trauma from occlusion and subgingival plaque. J Periodontol 1979;50:355–365.
157. Ericsson I, Lindhe J. Effect of longstanding jiggling on experimental marginal periodontitis in the beagle dog. J Clin Periodontol 1982;9:497–503.
158. Ericsson I, Lindhe J. Lack of effect of trauma from occlusion on the recurrence of experimental periodontitis. J Clin Periodontol 1977;4:115–127.
159. Ericsson I, Lindhe J. Lack of significance of increased tooth mobility in experimental periodontitis. The Journal of periodontology 1984;55:447–452.

160. Ericsson IT, B. Lindhe, J. Okamoto, H. The effect of orthodontic tilting movements on the periodontal tissues of infected and non-infected dentitions in dogs. J Clin Periodontol 1989;4:278.
161. Lindhe J, Ericsson I. The effect of elimination of jiggling forces on periodontally exposed teeth in the dog. The Journal of periodontology 1982;53:562-567.
162. Lindhe J, Nyman S. The role of occlusion in periodontal disease and the biological rationale for splinting in treatment of periodontitis. Oral sciences reviews 1977;10:11-43.
163. Lindhe J, Svanberg G. Influence of trauma from occlusion on progression of experimental periodontitis in the beagle dog. J Clin Periodontol 1974;1:3-14.
164. Kaufman H, Carranza FA, Jr., Endres B, Newman MG, Murphy N. The influence of trauma from occlusion on the bacterial repopulation of periodontal pockets in dogs. J Periodontol 1984;55:86-92.
165. Rosling B, Nyman S, Lindhe J, Jern B. The healing potential of the periodontal tissues following different techniques of periodontal surgery in plaque-free dentitions. A 2-year clinical study. Journal of clinical periodontology 1976;3:233-250.
166. Fleszar TJ, Knowles JW, Morrison EC, Burgett FG, Nissle RR, Ramfjord SP. Tooth mobility and periodontal therapy. Journal of clinical periodontology 1980;7:495-505.
167. Harrel SK, Nunn ME. Longitudinal comparison of the periodontal status of patients with moderate to severe periodontal disease receiving no treatment, non-surgical treatment, and surgical treatment utilizing individual sites for analysis. J Periodontol 2001;72:1509-1519.
168. Pihlstrom BL, Anderson KA, Aeppli D, Schaffer EM. Association between signs of trauma from occlusion and periodontitis. J Periodontol 1986;57:1-6.
169. Ramfjord SP, Ash MM, Jr. Significance of occlusion in the etiology and treatment of early, moderate, and advanced periodontitis. J Periodontol 1981;52:511-517.
170. Muhleman HH, H. Tooth mobility and microscopic tissue changes produced by experimental occlusal trauma. Helv Odont Scta 1961;5:33.
171. Svanberg G, Lindhe J. Experimental tooth hypermobility in the dog. A methodological study. Odontologisk revy 1973;24:269-282.
172. Svanberg G, Lindhe J. Vascular reactions in the periodontal ligament incident to trauma from occlusion. J Clin Periodontol 1974;1:58-69.
173. Muhleman HZ, HA. Tooth mobility. III. The mechanism of tooth mobility. J Periodontol 1954;24:127.
174. O'Leary TJ. Tooth mobility. Dental clinics of North America 1969;13:567-579.
175. Perrier M, Polson A. The effect of progressive and increasing tooth hypermobility on reduced but healthy periodontal supporting tissues. The Journal of periodontology 1982;53:152-157.
176. Polson AM. Interrelationship of inflammation and tooth mobility (trauma) in pathogenesis of periodontal disease. Journal of clinical periodontology 1980;7:351-360.
177. Polson AM, Zander HA. Effect of periodontal trauma upon intrabony pockets. The Journal of periodontology 1983;54:586-591.
178. Polson AM, Heijl LC. Occlusion and periodontal disease. Dental clinics of North America 1980;24:783-795.
179. Polson AM, Kennedy JE, Zander HA. Trauma and progression of marginal periodontitis in squirrel monkeys. I. Co-destructive factors of periodontitis and thermally-produced injury. J Periodontal Res 1974;9:100-107.
180. Polson AM, Meitner SW, Zander HA. Trauma and progression of marginal periodontitis in squirrel monkeys. III Adaption of interproximal alveolar bone to repetitive injury. J Periodontal Res 1976;11:279-289.
181. Polson AM, Meitner SW, Zander HA. Trauma and progression of marginal periodontitis in squirrel monkeys. IV Reversibility of bone loss due to trauma alone and trauma superimposed upon periodontitis. J Periodontal Res 1976;11:290-298.
182. Polson A. Efficacy of occlusal adjustment in periodontal treatment. In Efficacy of Treatment Procedures in Periodontics. Shanley DB 1979:245.
183. Polson AM. Interactions between periodontal trauma and marginal periodontitis. Int Dent J 1977;27:107-113.
184. Polson AZ, HA. Occlusal traumatism. In Advances in Occlusion. Eds. Lundeen HC, Gibs CH; 1982.
185. Kantor M, Polson AM, Zander HA. Alveolar bone regeneration after removal of inflammatory and traumatic factors. The Journal of periodontology 1976;47:687-695.
186. Knowles J. Occlusal contacts related to loss of periodontal attachment and vertical defects. Journal of dental research 1972;51:57(Abstract #34).
187. Svanberg G. Influence of trauma from occlusion on the periodontium of dogs with normal or inflamed gingivae. Odontologisk revy 1974;25:165-178.

188. Stahl SS. The responses of the periodontium to combined gingival inflammati and occluso-functional stresses in four human surgical specimens. Periodontics 1968;6:14-22.
189. Waerhaug J. Pathogenesis of pocket formation in traumatic occlusion. J Periodontol 1955;26:107.
190. Comar MD, Kollar JA, Gargiulo AW. Local irritation and occlusal trauma as co-factors in the periodontal disease process. The Journal of periodontology 1969;40:193-200.
191. Stahl SS. Accommodation of the periodontium to occlusal trauma and inflammatory periodontal disease. Dental clinics of North America 1975;19:531-542.
192. Stoller NH, Laudenbach KW. Clinical standardization of horizontal tooth mobility. J Clin Periodontol 1980;7:242-250.
193. Zander HA, Polson AM, Heijl LC. Goals of periodontal therapy. The Journal of periodontology 1976;47:261-266.
194. Zander HA, Polson AM. Present status of occlusion and occlusal therapy in periodontics. The Journal of periodontology 1977;48:540-544.
195. Lundgren DL, L. The effect of trauma from occlusion on diseased periodontium in man. Journal of dental research 1979;58:123(Abstract #124).
196. Mahan P. The physiology of occlusion. In Clinical Dentistry In: Row CJHtHa, ed. vol. Vol. 2nd ed. , 1976.
197. Meitner S. Co-destructive factors of marginal periodontitis and repetitive mechanical injury. Journal of dental research 1975;54 Spec no C:C78-85.
198. Safavi H, Ruben MP, Mafla ER, Bloom AA. Periodontal traumatism produced by sustained increase in occlusal vertical dimension: a histopathological study. The Journal of periodontology 1974;45:207-216.
199. Stones H. An experimental investigation into the association of traumatic occlusion with periodontal disease. Proc Royal Soc Med 1938;31:479.
200. Wentz FJ, J. Orban, B. Experimental occlusal trauma imitating cuspal interferences. The Journal of periodontology 1958;29:11.
201. Wank GS, Kroll YJ. Occlusal trauma. An evaluation of its relationship to periodontal prostheses. Dental clinics of North America 1981;25:511-532.
202. Nevins M, Mellonig, JT. Treatment of the periodontium affected by occlusal traumatism. Periodontal therapy 1988.

기타 참고문헌

• 이재봉, 최점일, 치주-보철 치료에 있어서 과대동요지대치에 대한 4년간의 장기적 관찰. 대한치과의사협회지 1988;26:81.
• 이해준, 최점일, 최상묵, 정종평, 외상성 교합이 실험적 치주질환 진행에 미치는 영향에 관한 임상 및 세균학적 연구. 대한치주과학회지 1985;15:175.
• 최점일, 외상성 교합-최신지견과 향후 문제점. 대한치과의사협회지 1987;25:1111.
• 최점일, 이재봉, 과대동요치아를 이용한 계속금관가공의치의 임상적 연구. 대한치과의사협회지 1985;23:1073.
• 최점일, 임상치주학 실습. 부산. 양문출판사 1983;69.
• 최점일, 최상묵, 교대성 외상성 교합이 실험적 변연성 치주염의 진행에 미치는 영향에 관한 조직계측학적 연구. 치대논문집 1986;10:173.
• 최점일, 치아동요도와 치주조직 재부착과의 상관관계 II. 교합조정후의 치아동요도와 치주조직 재부착. 부산 치대논문집 1984;1:97.
• 최점일, 치주질환의 치료로서의 교합적 치료와 과대치아 동요도의 접근원리. 대한치과의사협회지 1985;23:931.
• Carranza FA. Glickman's Clinical Periodontology, 6th ed, Philadelphia, Saunders, 1984;62:38.
• Carranza FA. Glickman's Clinical Periodontology, 8th ed, Philadelphia, Saunders, 1996;61:150.
• Goldman HM and Cohen DW. Periodontal Therapy, 6th ed, 1980:152.
• Grant DA, Stern IB and Everett FG. Periodontics, 5th ed, 1979:400.
• Lindhe J. Textbook of Clinical Periodontology, Copenhagen, Munksggard, 1983:219.
• Lindhe J. Textbook of Clinical Periodontology, Copenhagen, Munksggard, 1983:451-465.
• Rolla G. Pellicle formation. In Lazzari E.P.: Handbook of experimental aspects of oral biochemistry, Boca Raton, Fla, CRC Press, Inc, 1983.
• Shore NA. Temporomandibular Joint Dysfunction and Occlusal Equilibration. 2nd ed., 1976;33.
• Schroeder HE. Formation and Inhibition of Cental Calculus. Berne: Hans Huber Publishers,1969.
• Ramfjord SP, Ash MM. Periodontology and Periodontics. 1979,175.
• Ramfjord SP, Kerr DA, Ash MM. World Workshop in periodontics. 1966,271.
• Ramfjord SP, Kohler CA. Periodontal reaction to functional occlusal stress. J Periodontol 1959;30:95.
• Everett FG. Short communication. J Periodontol 1976;47:48.

- Ewen SJ and Stahl SS. The response of periodontium to chronic gingival irritation and long-term tilting force in adult dogs. Oral Surg Oral Med Oral Path 1962;15:1426.
- Hofstad T, Kristoffersen T, & Selvig KA. Electron microscopy of endotoxic lipopolysaccharide from Bacteroides, Fusobacterium and Sphaerophorus. Acta Pathologica and Microbiologica Scandinavia, Sec B 1972;80;413–419.
- Lie T and Selvig K. Calcification of oral bacteria–an ultrastructural study of two strains of bacterionema matruchotii. Scand J Dent Res 1974;82:8–18.
- Lie T. Ultrastructural study of early dental plaque formation. J Periodont Res 1978;13:391–409.
- Lindhe J and Wicen PO. The effects on the gingivae of chewing fibrous foods. J Periodont Res 1969;4:193–201.
- Listgarten MA. Structure of the microbial flora associated with periodontal health and disease in man. A light and electron microscopic study. J Periodontol 1976:47:1–18.
- Lovdal A, Arno A and Waerhaug J. Incidence of clinical manifestations of periodontal disease in light of oral hygiene and calculus formation. J Am Dent Assoc 1958;56:21–33.
- McNabb PC. and Tomasi TB. Host defense mechanisms at mucosal surfaces. Ann Rev Microbiol 1981;35:477.
- Nyman S, Karring T and Bergenhiltz G. Bone regeneration in alveolar bone dehiscences periodontitis in the dog. J Clin Periodontol 1982;5:213.
- Schroeder HE. The structure and relationship of plaque to the hard and soft tissues:electron microscopic interpretation. Int Dent J 1970;20:353–381.
- Silness J, Löe H. Periodontal disease in pregnancy. II.orrelation– between oral hygiene and periodontal condition. Acta Odont Scand 1964;22:121–135.
- Suomi JD, Greene JC, Vermillion JR, Doyle J, Chang JJ, Leatherwood EC. The effect of controlled hygiene procedures on the progression of periodontal disease in adults: results after third and final year. J Periodontol 1971;42:152–160.
- Martin LP and Noble WH. Gingival fluid in relation to tooth mobility and occlusal interferences. J Periodontol 1974;45:444.
- Frank RM, Cimasoni G. Ultrastructure de l'epithelium cliniquement normal du sillon et de jonction ginigivodentaires. Zeitschrift f Zellforschung und Mikroskoposche Anatomie 1970;109;356–379.
- Matarasso S et al. Maintenance of implants: an in vitro study of titanium implant surface modifications subsequent to the application of different prophylaxis procedures. Clinical Oral Implant Research. 1996;7;64–72.
- World Health Organization(WHO)(1961) Periodontal Disease. Geneva:WHO Technical Report Series No.207.

구강 내는 세균, 균류(fungi), 바이러스, 원생동물(protozoa) 등이 기생하기 좋은 조건을 갖추고 있다. 35~37℃의 온도와 적절한 습도, 치은열구액, 탈락상피, 기타세포, 타액성분 및 음식물 잔사 등의 조건에 의해, 구강내 세균의 성장이 더욱 용이하게 된다. 호기성(aerobic), 통기성(facultative) 및 혐기성(anaerobic) 세균의 성장에 필요한 구강내 각 부분의 수소이온농도(pH) 및 산소분압(oxygen tension) 상태가 다르다고 보고되어 있다.

이러한 구강내 세균들의 서식처 중 가장 독특한 장소가 치은열구이며 이 치은열구 내의 치태세균이 여러 종류의 치주질환에 대한 원인으로서 연구되고 있다. 현재까지도 치태세균이 각종 치주질환의 진행에 관여하는 방식에 대하여 많은 연구가 진행되고 있는 바, 지금까지의 연구결과는 치주질환이 진행되는 치주낭 내의 치태세균은 건강한 치은열구 내의 치태세균과 다른 조성성분을 가지고 있으며, 각종 치주질환에 따라 각기 다른 특정 세균들이 관여하고 있다고 알려져 있다. 아울러, 조직파괴가 완만할 때, 급속으로 파괴될 때, 건강한 상태로 치유가 진행 중일 때 각각의 세균분포가 다르게 나타남이 보고된 바 있다.

치은열구 내의 치태 1 g에는 약 2×10^{11}개의 세균이 존재하며,[1,2] 타액 1 ml 내에는 대략 60억 마리의 세균들이 존재한다고 알려져 있다. 지구상에서 발견된 30,000 종류의 세균들 중 500여 종류의 세균이 치태 내에 존재함이 밝혀졌으며, 새로운 종류의 세균들이 추가로 밝혀지고 있다.[3] 이것은 최근 연구기법인 ribosomal DNA의 서열의 분석의 도입 등 분자생물학의 발전에 기인하며, 이에 의해 통상적인 배양으로는 확인할 수 없었던 세균 중 30% 가량이 치주질환과 연관이 있음이 밝혀졌다.

이러한 세균들은 세균간, 구강내 연조직 및 치아 사이에 특이하게 부착되어 있다. *S. mutans, S. sanguis, A. viscosus* 등이 치아표면에 부착하며,[4-6] *S. salivarius, A. naeslundii* 등은 혀의 배면에 부착한다. 한편, 그람음성 혐기성 세균 및 나선균(spirochetes) 등은 치면이나 연조직에 부착하지 않고 부유하는 상태로 치주낭 내에 존재한다(그림 12-1). 구강내 환경조건이 변화될 경우 어떤 세균은 이 조건에 적응하

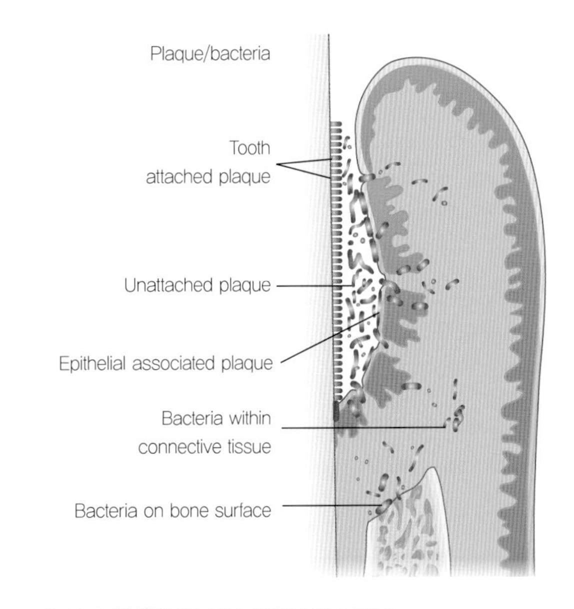

그림 12-1. 치태세균의 치주조직내 분포 모식도

며, 어떤 세균은 소멸되어 새로운 세균들로 바뀌게 된다. 이러한 구강내 환경조건의 변화에 따른 세균의 분포변화는 치주질환의 진행과 긴밀한 연관성이 있으며, 많은 연구가 진행 중이다.

1. 구강 미생물의 역사적 배경 (Historical survey)

치주질환에 대한 역사적인 기술은 이미 고대 이집트 시대 미이라나 상형문자를 통하여 이 질환의 존재를 알 수 있었다. 그러나 구강내 미생물과 치주질환과의 관계에 대한 설명은 네덜란드의 레벤후크(Anthony Van Leeuwenhoek, 1632~1723)에 의하여 처음으로 발표되었다. 그는 구강청결, 특히 치아 주위를 청결하게 하기 위하여 소금 사용과 이쑤시개 사용을 강조하였고 이를 사용함으로써 잇몸의 출혈을 방지할 수 있다고 하였다. 그는 치석 및 치태에 대한 육안 및 현미경 관찰을 통하여 살아있는 세균의 존재를 발견하였다. 그 후 세균과 질환에 대한 상관관계에 대한 개념은 파스퇴르(Louis Pasteur, 1822~1895)에 의하여 도입 되었다. 그의 가설에 의하면 특정 세균은 각기 다른 종류의 발효작용(fermentation)을 가진다고 알려져 있다. 그는 이후 개개 세균을 순수 배양하는 방법과 배지, 초자기구 등의 소독에 대한 방법 및 세균 추출 시 필수적인 무균조작법등을 개발하여 알콜램프 사용, 가열멸균기, 고압멸균 소독기가 널리 사용되기 시작하였다. 이러한 세균활동의 특이성 개념을 발전시킴으로써 많은 학문적인 문제 해결을 할 수 있었는데, 예를 들면, 현미경을 사용하여 누에의 병에 대한 원인이 protozoan parasite임을 발견하였다(1865). 이후 코흐(Robert Koch, 1843~1910)는 세균염색법을 개발, 현미경을 이용하여 가축에서의 탄저열병의 원인이 특정세균에 의한 것임을 발견하였다(1876). 또한 그는 최초로 세균의 현미경사진을 출간하였다(1877). 이전의 연구에서는 액체비지 희석법을 이용하여 세균의 순수분리를 하였으나, 코흐에 의하여 비로소 고체배지를 이용하여 세균의 배양 및 분리작업이 용이하게 되었다. 그리하여, 단일 세균의 순수 분리방법에 혁신적인 개발이 이루어 졌으며 19세기 말엽은 세균학 발전에 획기적인 공헌을 한 시기가 된다. 그는 병원균의 실체를 규명하는 데 있어서 기준 지침법인 코흐의 가설(Koch's postulate)을 발표하였는데, 그 내용은 다음과 같다.

- 병원균은 질환의 병소부에서 항상 발견되어야 한다.
- 인공배지상에서 이들 병원균은 순수분리 배양될 수 있어야 한다.
- 실험동물에게 이들 병원균을 접종하였을 경우 유사한 질환이 발생되어야 한다.
- 실험동물의 병소부에서 이 병원균이 발견되어야 한다.

코흐의 실험실에서는 밀러(Willoughby Dayton Miller, 1853~1907)라는 치과의사가 연구를 하고 있었는데 그는 그때까지의 모든 세균학적 방법을 이용하여 구강내 미생물의 연구에 헌신하였다(1890). 그는 구강내 질환과 세균과의 관계를 규명하고자 노력하였으며 특히 치주질환과 특이세균과의 관계에 대한 연구를 통하여 치주질환은 폐결핵에서의 tubercle bacillus 같은 특정병원균에 의한 발생이 아니고 여러 세균이 관여함으로 발생되는 것으로 추정하였고 실제 치주염의 화농부위에서 여러 세균을 발견하였다. 또한 Harlen (1883)도 세균과 치주질환과의 관계를 이야기하였다. 그러나 본격적으로 동물실험을 통하여 이를 증명한 사람은 Jordan과 Keyes (1964)이며 이들은 햄스터 실험을 통하여 치주질환이 세균의 감염에 의한다는 것을 증명하였으며 Löe와 Theilade (1965, 1966)도 인간에서 실험적인 치주질환과의 관계를 증명하였다. 또한 Listgarten (1965, 1975) 등은 급성 괴사성 궤양성 치은염에서 세균의 조직침입과 함께 치주낭의 세균에 대한 미세 형태학적 연구를 전자현미경을 통하여 밝혔다. 그러나 무엇보다도 혐기성 세균이 치주질환과 관련이 있다는 연구보고는 Socransky (1970)에 의하여 시작되었으며 1976년부터는 치주낭 내의 혐기성 세균 분리, 검정등의 연구가 Loesche, Slots, Newman 등에 의해 시작되어, 치주질환의 세균학 중 혐기성 세균에 대한 연구가 본격화되었다.

코흐의 가설(Koch's postulate)은 치주질환의 병원균 결정의 기준으로서 사용하기엔 몇 가지 문제점을 가지고 있었다. 이 가설은 질환의 진행에 있어서 특정 단일세균이 원인균으로 규정되는 경우에 해당되는 근거이므로, 치주질환과 같이 복합적인 세균요소들이 개재되어 나타나는 감염에서는 이러한 기준점 자체가 수정되어야 할 필요성이 제기되었다. 혐기성 세균 배양의 발달과 더불어 치주질환에 관여하는 세균이 더욱 복잡해지면서 Socransky는 코흐의 가설에 치주질환과 세균과의 관계에 대하여 다음과 같은 범주를 충족해야 치주질환의 원인균으로 판단할 수 있다고 주장하였다.

- 치주질환 원인균은, 치주질환 부위에서 증가된 양상이 보여야 한다.
- 치료에 의해 건강해진 부위에서는 원인균의 수가 감소하거나 존재하지 않아야 한다.
- 치주질환 원인균은 숙주의 세포성(cellular) 및 체액성(humoral) 면역반응의 변화를 수반한 숙주반응(host response)을 일으켜야 한다.[7]
- 치주질환 원인균은 실험동물에 적용 시 비슷한 질환을 일으켜야 한다.
- 치주질환 원인균은 치주조직 파괴를 야기하는 세균 독성을 나타내야 한다.

2. 구강미생물의 생태학

1) 구강내 환경요인

구강 내는 신체의 다른 영역과는 달리 다양한 환경요인을 가지고 있으며 여러 형태의 특이한 미생물 서식처로서 각기 다른 종류의 세균이 서식할 수 있는 환경을 형성하고 있다. 타액, 구순, 협점막, 구개, 혀, 치은, 치아 등은 세균의 성장과 집락형성(colonization)에 있어서 독특한 생태학적 조건을 이루고 있으며 이러한 구강내 세균 서식처는 개개인의 전 생애를 통하여 계속 변화한다.

(1) 치아

치아는 신체부분 중 비탈락성 경조직으로 노출된 유일한 부분으로, 이곳에 부착되는 세균 및 부산물의 혼합침착물을 치태라고 부른다. 치아는 부착된 세균들의 은신처 역할을 하기 때문에 세균의 수는 치료 기간에 낮은 수준으로 유지될 수 있고, 이후에 재발현할 수 있기 때문에 문제를 일으킬 수 있는 소지가 있다. 상아세관, 치아의 갈라진 틈 또는 세균에 의해 탈회된 부위에 존재하는 세균은 큰 크기의 숙주세포가 쉽게 도달할 수 없다. 치아사이의 치은열구는 변화하는 구강 내의 조건에 영향을 받지 않으며 특히 혐기성 조건을 유지하기에 적합하므로 다른 구강내 환경요인에 비하여 더욱 복잡한 영역으로 되어 있다. 치질을 격렬하게 제거하는 것 외의 기계적인 제거는 치아 내에 있는 세균에 도달할 수 없다. 화학요법제 또한 이들에 도달하기는 어렵다.

(2) 타액

타액은 일생을 통하여 구강 내의 습도를 유지하며 지속적으로 분비된다. 성분으로는 나트륨, 칼륨, 칼슘, 염소, 이탄산염(bicarbonate), 인산염(phosphate) 등이 있다. 이러한 성분들은 타액에서 완충용액의 작용을 하며 세균이 음식물중 탄수화물을 대사할때 생성되는 산의 영향으로 충치가 발생하는 것을 방지한다. 타액의 유기질 중 단백질인 점액소(mucin)는 다당류와 결합하여 당단백질(glycoprotein)의 응집(aggregation)과 부착(adhesion)에 큰 영향을 준다. 또한, 질소성분과 요소(urea)등은 세균의 성장에 관여한다. 타액 내에는 lysozyme, secretory IgA가 가장 많이 존재하며 IgG와 IgM도 소량 존재하고 있다.

(3) 치은열구액

치은열구액에는 세균, 탈락상피세포 및 백혈구와 같은 세포성분과 40종 이상의 숙주와 세균들로부터 유래된 효소, 그리고 많은 염증매개물질들이 발견된다. 이러한 치은열구액은 여러 세균들의 필수성장 요소를 공급하여 치은열구의 생태계에 큰 영향을 주기도 한다. 숙주와 세균으로부터 유래된 많은 효소들 중 어떤 것들은 치주질환의 심도를 알 수 있는 지침이 되는 것들도 있다. 따라서 질환이 진행됨에 따라서 치은열구액이 증가하며 숙주의 방어기전은 활성화되며 특정한 효소의 활성도가 증가하는 현상이 나타난다.

2) 세균의 성장요소

(1) 온도

온도는 세균의 대사와 효소 활성도에 영향을 줄 뿐 아니라 세균의 서식처에도 큰 영향을 준다. 이러한 온도에 의하여 영향을 받을 수 있는 요소들은 수소이온농도(pH), 이온활성도, 거대분자의 응집(aggregation), 기체의 용해도들이다. 구강 내의 온도는 35~37℃로, 세균의 서식에 적합한 온도를 유지하고 있다.

(2) 혐기성 조건

구강 내는 산소가 많으며 많은 수의 호기성, 이산화탄소 친화성 세균들이 쉽게 집락(colony)을 형성할 수 있다. 그러나 산소가 없는 곳에서 자라는 혐기성 세균의 성장 조건으로는 이런 세균들의 정상대사를 위하여 환원성 조건이 요구되는데 이러한 조건을 산화–환원(oxidation–reduction)이라고 하며, 산환전위(redox potential, Eh)로 표시한다. 이 산환전위를 좌우하는 요소에는 산소도 포함된다. 산환전위는 깨끗한 법랑질 표면에 치태가 형성되는 동안에는 서서히 감소하여 초기에 +200 mV 이상이었던 Eh가 7일 후에는 −141 mV까지 환원되게 된다. 이러한 변화는 치태 내의 세균이 특이하게 서로 상승작용으로 번식하기 때문이다. 건강한 치은열구는 +73 mV의 산환전위를 나타내며, 치주낭은 평균 −48 mV 정도의 산환전위를 보이는데, 치주낭의 깊이에 따라 다르며 세균의 대사와 깊은 연관을 가진다고 보고된 바 있다.[8]

(3) 수소이온농도(pH)

구강 내의 pH는 주로 타액에 의하여 조절되고 있다. 자극을 받지않고 나오는 타액의 pH는 6.75이며 이 농도에서 세균이 자란다. 치태 내의 pH는 당을 섭취할 경우 세균대사에 의하여 유산(lactic acid)을 생산함으로써, 5.0까지 감소한다.

(4) 영양분

구강 내는 세균의 영양분 공급처로서 아미노산 같은 질소성 물질 및 각종 비타민 그리고 Streptococci 등의 성장을 자극하는 용해 이산화탄소를 공급한다. 또한 여러 세균들은 체내 및 체외 다당류를 자당(sucrose)으로부터 얻는데, 이러한 요소들이 세균의 성장에 필요한 요소이다. 모든 구강내 세균은 구강생태계를 통하여 필요한 에너지를 공급받지만 Veillonella 같은 세균들은 다른 세균들의 대사산물인 유산물질을 이용한다. 세균의 형태적 변화는 주위환경에 크게 좌우되지만 그중 세포벽, 대사 최종산물, 약제감수성, 효소활성도, 항원성 등은 성장 조건에 따라 크게 좌우된다.

3) 세균과 숙주 간의 영양분 관계

세균의 필수영양분으로는 탄소, 에너지, 질소, 필수무기질 이온 등을 들 수 있다. 이들 물질들은 세균의 유착에 필요한 요소들이며 이들 물질들은 주위환경의 급격한 변화에 대처하는 데 필요한 영양분들이다. 몇 가지의 영양분만을 필요로 하는 세균들은 주위에서 당분, 암모니움, 필수무기질 이온을 공급해 주면 성장과 번식을 할 수 있다. 이러한 과정에서 세균은 화학적 반응을 완성시키는 데 필요한 일련의 효소가 필요하다.

4) 다른 세균 및 숙주로부터 공급받는 영양분

많은 연구들을 통해, 치태 내의 세균들의 대사활동에는 숙주 및 세균 간의 상호작용이 중요한 역할을 하고 있음이 밝혀졌다(그림 12–2). 유산염(lactate)과 개미산염(formate)은 streptococci와 actinomyces균의 대사산물로서, 다른 치태 내 세균들의 대사활동에 유용하게 사용된다.[9,10]

*Capnocytophaga ochracea*의 대사산물인 호박산염(succinate)과 *Campylobacter rectus*가 분비하는 protoheme 등은 *Porphyromonas gingivalis*의 증식을 촉진한다.[11–13]

숙주의 단백질이 세균의 효소에 의해 분해되어 생성되는 암모니아는 많은 치태내 세균의 질소 공급원으로서 사용된다. 아울러, 숙주의 hemoglobin이 분해되면서 발

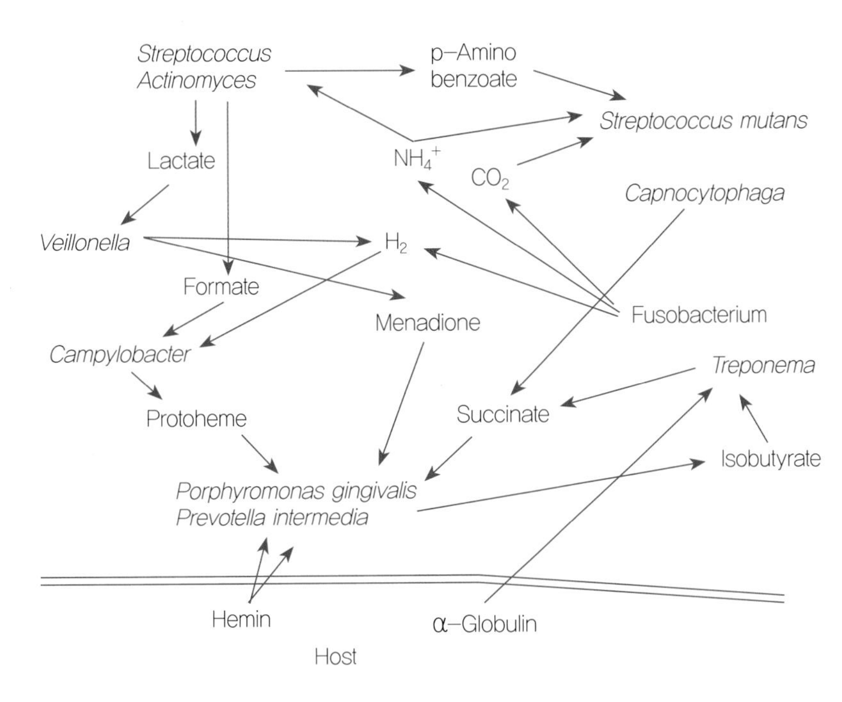

그림 12-2. 치태내 세균간의 영양분 상호공급관계

생하는 hemin이온은 *Porphyromonas gingivalis*의 대사에 중요한 역할을 하며,[14] steroid hormone의 증가는 *Prevotella intermedia*의 증식을 초래한다.[15]

수용성 비타민은 모두 발견된다. 치주낭에 조직액이나 상피 및 결체조직 세포가 파괴되면서 남은 잔사들은 좋은 영양분 공급체이다. 치주낭 내에 번식하는 여러 세균들은 여러 가지의 가수분해(hydrolytic) 효소를 분비하여 거대분자를 분해하는 동시에, 조직에 위해 작용을 하게 된다.

5) 산소

산소는 구강생태계에서 세균의 성장, 발육에 특히 중요한 결정인자로서, 산소가 있으면 전혀 성장을 못하는 세균을 혐기성 세균이라 하며, 산소가 있어야만 자라는 세균을 호기성 세균이라고 한다. 이산화탄소 친화성 혹은 통성(facultative) 세균은 혐기성이거나 호기성에서 모두 자란다. 대부분의 세균들은(Streptococci 등) 상당량의 산소를 소모하여 주위 환경의 산환전위가 낮아지는데, 이 때 혐기성 세균이 증식할 수 있는 환경이 된다. 산소는 낮은 산환전위 상태의 세포 내에서는 독성을 가지고 파괴적으로 작용하게 된다. 산소는 과산화 음이온(superoxide anions, O_2^-), 과산화 수소(hydrogen peroxide, H_2O_2), 수산기(hydroxyl radicals, OH^-)로 전환되는데 이 중, 수산기(hydroxyl radical)가 가장 강한 독성을 나타낸다. 이들 물질들은 세균이나 체세포의 세포막에 위해작용을 하며 효소를 무력화시키고 DNA를 자르는 역할을 한다. 그러나 세균 및 세포는 과산화물 음이온이나 과산화수소를 물로 전환시킴으로써 수산기가 형성되지 않게 하는 superoxide dismutase, 과산화수소 분해 효소(catalase), 과산화효소(peroxidases) 등을 가지고 있다. 치주낭에는 많은 세균들이 응집되어 자라므로 산환전위가 낮음이 증명되고 있는데 특히 산소에 극히 예민한 절대 혐기성 세균(obligate anaerobic bacteria)들도 많이 살게 된다. Streptococci 같은 세균은 산소를 취하여 이용하며 이때 과산화수소를 상당량 분비하게 되는데 이것이 점막상피세포에 상당한 위해작용을 준다. 그러나 타액에 있는 lactoperoxidase가 이를 중화시켜 물로 전환한다. Lactoferrin은 타액, 우유, 담즙(bile), 췌장액, 내장의 분비물에 들어있는 철결

표 12-1. 구강내 각 부위의 세균분포 상태

Population	Tongue	Saliva	Supragingival Plaque	Gingival crevice
S. mutans	< 1	< 1	0~50	?
S. sanguis	4	8	15	8
S. mitior	8	20	15	8
S. salivarius	20	20	< 0.5	< 0.5
Enterococci	< 0.01	< 0.1	< 0.1	0~10
Gram-positive filaments	20	15	42	35
Lactobacillus	< 0.1	< 1	< 0.005	< 1
Veillonella sp.	12	10	2	10
Neisseria sp.	< 0.5	< 1	< 0.5	< 0.5
Bacteroides oralis	4	?	5	5
P. melaninogenica	< 1	< 1	< 1	6
Fusobacterium sp.	< 0.1	< 1	4	3
Spirochetes	Saliva	< 0.1	< 0.1	2

합 단백질로서 이는 다형핵 백혈구 내에서도 발견된다.

lactoferrin은 다형핵 백혈구가 수산기를 형성하는데 큰 도움을 준다. 또한 불포화형 lactoferrin은 주위로부터 철분을 빼앗아 포화형 lactoferrin이 되며 세균의 성장을 유지하는데 필요한 철을 제거함으로써 정균작용(bacteriostatic reaction)을 하게된다. 리소자임(lysozyme)은 다형핵 백혈구, 타액, 눈물 등에 존재하는데 이 물질은 세균벽의 murein 내에 있는 N-acetyl glucosamine 과 N-acetyl muramic acid 사이의 결합부를 파괴하는 효소로서, 이는 정균성(bacteriostatic) 혹은 살균성(bactericidal) 있는 작용을 하나 주위의 pH 이온강도, 기타 세포의 표면구조에 큰 영향을 받는다. Bacteriocin은 단백질로서 일부 세균들이 분비하며, 다른 종류의 세균들의 성장을 억제한다. Bacteriocin의 형성은 관련된 plasmid의 존재에 의존하며 이 bacteriocin은 항생제보다도 강력한 항세균성 물질이다. 어떤 bacteriocin은 단 한 개의 분자로 세균을 죽일 수도 있고 또 이 성분이 핵산분해효소(nucleases)로서 DNA를 공격하기도 한다.

6) 구강세균의 분포 및 영향을 주는 요소

구강은 경조직과 연조직으로 구분되어 세균의 서식처로서 각기 다른 조건을 가지고 있다. 이중 타액에는 1 ml 당 60억 개의 많은 세균들이 존재하지만, 타액자체가 수시로 삼켜지기 때문에 없어진다. 이들 대부분의 세균들은 구강의 다른 부위에서부터 온 것이다. 특히 타액 내에 세균 성분은 혀의 그것과 가장 유사하며 치은연하치태나 치은연상치태와는 다른 종류의 세균임을 알 수 있다(표 12-1).

치면, 구강조직 및 보철물 표면에 부착된 연성 침착물로 biofilm을 형성하는 세균집락을 치태라고 부르는데 치아 인접면, 치은열구, 치은연하, 기타 치면등 치아의 여러 면에 따라 각각 다른 세균들의 구성을 나타내고 있다. 또한 치은연상과 연하는 큰 차이를 보이고 있는데 치은연상치태 내에서는 "사상" 또는 "사상체형"(filamentous) 그람양성균(주로 Actinomyces 균주)이 주로 분포되며, 혐기성 그람음성 세균은 치은열구 내에서 주로 발견되며 나선균(spirochetes)은 치은열구 내에서만 나타난다(그림 12-3).

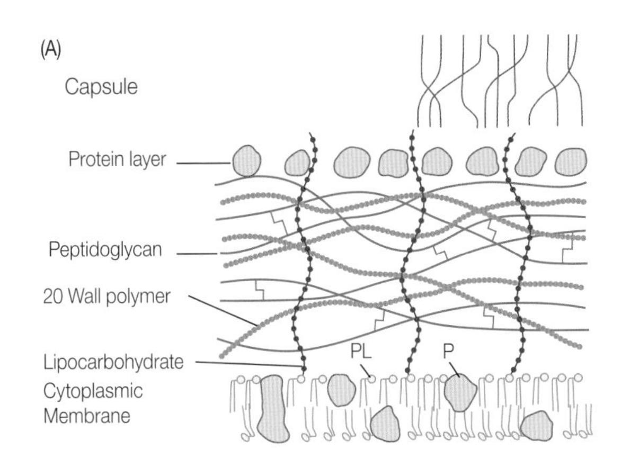

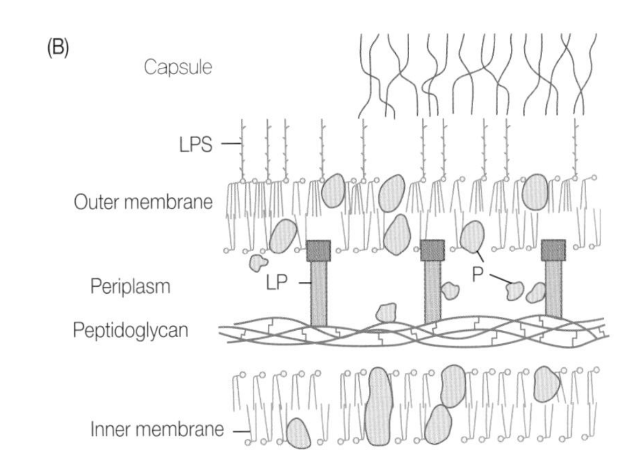

그림 12-3. 세포표면의 형태. (A) 그람양성균 (B) 그람음성균

이러한 구강생물의 분포에 영향(그림 12-3)을 주는 요소로서 혐기성 조건을 첫째로 꼽는데 치간이나 치은열구가 가장 산환전위가 낮은 부분으로, 많은 혐기성 세균들이 서식하는데 특히 나선균(spirochetes), 혐기성 그람음성 간균들이 존재한다. 반면, 치아의 노출된 표면에는 이러한 혐기성 세균은 거의 보이지 않는다. 이들 혐기성 세균들은 낮은 산환전위로 인한 혐기성 조건뿐만 아니라, 치은열구액이 특정 성장 요소를 계속 공급하기 때문에 치은열구 내에서 원활하게 서식하게 된다.

3. 세균의 부착(Bacterial adherence)

세균의 부착작용은 특수한 생리화학적 기전에 의한 것으로, 이는 세균의 표면구조와 집락 표면간의 상호작용뿐 아니라 부유액인 타액의 작용에 의하여 크게 영향을 받는다.

1) 구강표면의 특성

입술, 협점막, 구개, 혀, 치은 및 치아 등은 모두 다른 구조를 가지므로, 세균의 부착에 대해 각기 다른 특성을 부여하고 있다. 이들 구조의 표면은 타액 점액소(mucin)라는 고도의 친수성 물질이 피막처럼 덮여 있고 이 점액소(mucin)는 수많은 종류의 고분자량의 당단백질(glycoprotein)로 구성된 복잡한 친수겔(gel) 형태이다. 이 표면피막은 삼투압이 갑자기 변하는 것을 보호해 주며 또한 세균의 부착을 방해하는 작용을 한다. 치아표면에서 타액 점액소는 변성되어 "피막(pellicle)"이라고 부르는 고분자 유기막을 형성하며 이는 세균이 오래 살아가는데 가장 좋은 터전이 된다. 또한 탈락성 상피상에는 항상 좋은 토양에서 계속적으로 세균이 집락형성(colonize)을 할 수 있다. 그러나 구강점막의 탈락성 표면은 세균의 조직침입을 막는 숙주 방어기전의 중요 부분이 된다(그림 12-4).

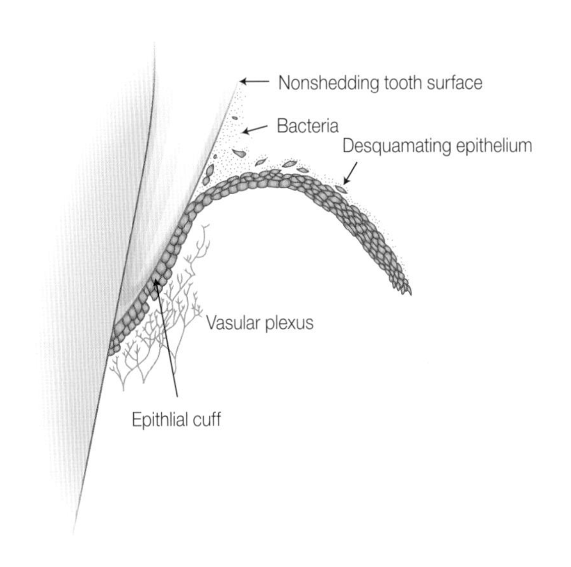

그림 12-4. 치아, 치은 부위 중에서 탈락상피 표면의 세균 집락과 치아표면의 세균 응집현상
치은열구 중에서 상피커프(epithelial cuff)와 복합 혈관계는 침입세균에 대해 숙주방어에 큰 역할을 한다.

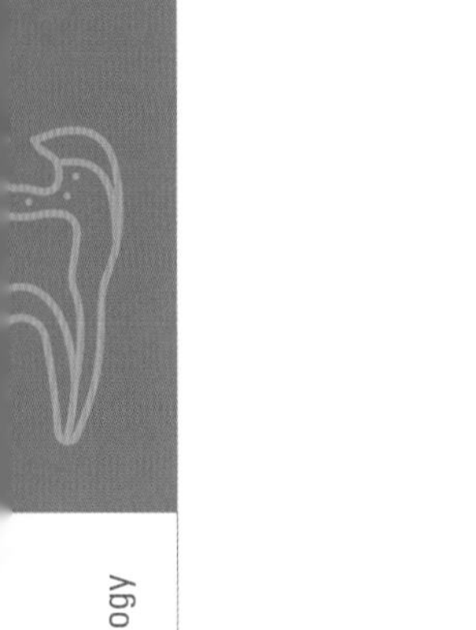

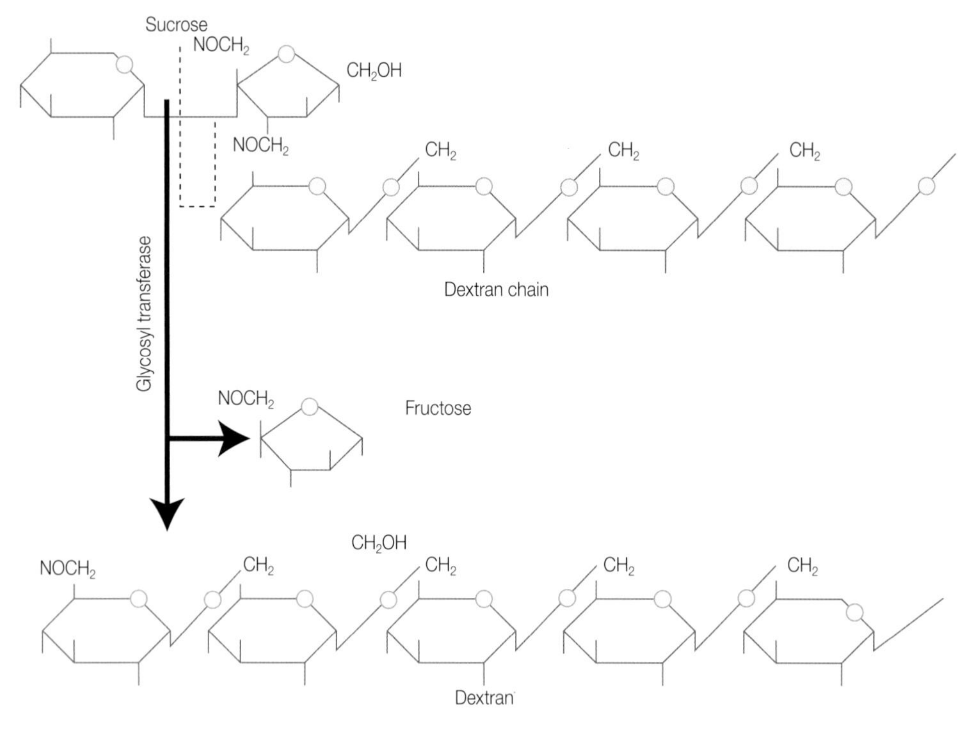

그림 12-5. Glycosyl-transferase에 의해 자당으로부터 덱스트란이 합성되는 과정

2) 세균표면의 특성

모든 세균은 원래가 glycocalyx라 부르는 고탄수화물 기질에 의하여 둘러싸이게 되는데 이러한 물질들은 실험 실상에서는 쉽게 소실되며 관찰되기 힘들다. 이 glycocalyx는 어떤 세균의 경우 잘 정돈된 막대기형의 당단백질(glycoprotein)의 가지로 구성되며 대부분의 세균은 다당류 섬유의 기질로 구성되고 있다. 이 glycocalyx는 부착성 협막이거나 세포외 다당류가 될 수 있다. 많은 세균들은 모(pili) 혹은 채(fimbriae)라 부르는 긴 가지를 체표면에 달고 있는데 이들은 표면에 길이가 0.2~20 μm, 폭 30~140 Å인 glycocalyx가 존재한다. Glycocalyx는 이질성 다당류나 세포외 동질성 다당류로 만들어지기도 한다.

이러한 다당류는 *S. sanguis*, *S. salivarius*, *S. mutans* 등에 의하여 분비되는 glycosyl transferase의 작용으로 자당(sucrose)으로부터 합성되기도 한다(그림 12-5). Glycosyl transferase는 몇 가지 종류가 있는데 어떤 것은 자당(sucrose)을 분해하여 과당(fructose)으로 유리시키며, 자당(sucrose)의 포도당(glucose) 분자를 다지형의 glucans로 전환하는데 필요한 에너지를 얻게 된다. 이 glucan은 mutan과 dextran의 두 종류로 구분되며 비용해성 glucan인 mutan은 세균이 치아에 응집하는데 기질로서 작용한다. 다른 종류의 glycosyl transferase는 자당을 분해하여 포도당을 유리시키며 자당의 과당분자를 fructan으로 전환시킨다. 이 fructan은 고도의 용해성 물질로 구강 세균의 탄수화물 공급원이 된다.

3) 세균부착의 생리화학적 특성

세균들은 음성전류를 가지고 있으며 그들끼리는 정전기적으로 서로 배척하는 경향이 있다. 치아표면도 음성전류를 띄고 있으므로 세균들을 배척하는 경향이 있다. 또한 세균들은 전기역학적(electro dynamic) 혹은 반데르발스 힘(Van der Waals force)에 크게 영향을 받고 있다.

이러한 전기적 힘들은 당기는 힘이 크며 반사적 정전기 힘보다는 더 오래 작용한다. 이러한 당기는 힘과 반사

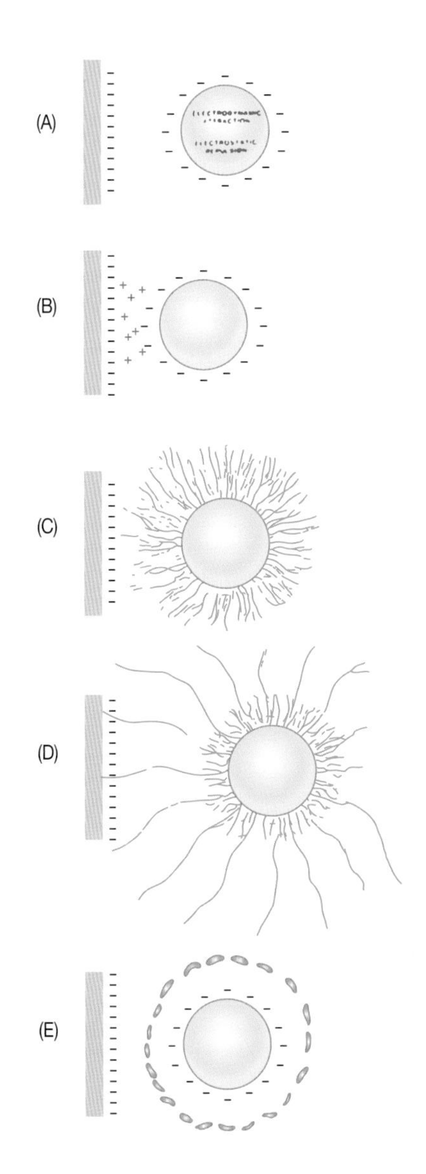

그림 12-6. 세균이 치아표면에 부착되는 데 영향을 주는 여러 요소.
(A) Electrostatic electrodynamic attraction이 세균과 치아 표면 사이에 간격을 만듦 (B) 수소이온과 양이온이 간격을 좁힘 (C) 세균 glycocalyx가 간격을 연결, glycocalyx의 부착은 치아 표면에 특이하게 결합 (D) Pili가 간격을 연결, Pili의 부착은 치아 표면에 특이하게 결합 (E) 세균 glycocalyx 음 표면 전극

적 힘은 세균을 치아표면으로부터 분리시키기 좋게 한다. 이 사이의 간격은 이온의 존재에 의하여 영향을 받게 되는데, 산성 pH나 양이온이 증가할 경우 이 간격은 좁아지게 된다. 이때 glycocalyx는 이러한 음성전류로 되어있는 세균표면 밖으로 친수성 가지를 뻗어내고 있으므로 해서 세균과 치아표면 사이 간격에서 가교역할을

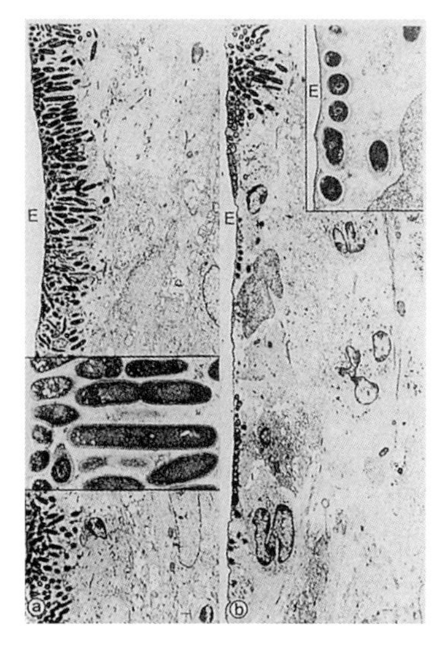

그림 12-7. 세균의 치면 균 집락 형성 시 가장 먼저 부착되는 세균은 구균(cocci)이며, 그 다음 사상균(filament) 이 부착된다.

하게 된다. 이러한 glycocalyx가 치아표면에 접촉하게 될 때 수소결합 이온쌍(hydrogen bonding ion pair) 형성 및 양극-양극(dipole-dipole) 상호작용과 같은 인력들이 형성된다. 이 세균의 모(pili) 혹은 채(fimbriae)는 치아와 세균 사이의 간격을 연결할 정도로 커서 두 표면을 연결하게 된다(그림 12-6).

편모는 *P. gingivalis*, *A. actinomycetemcomitans*와 *Streptococcus salivarius*, *Streptococcus parasanguinis*, *Streptococcus mitis* 군 중의 일부 종 등 많은 구강내 세균에서 발견 되었다. 원섬유 또한 많은 구강내 세균에서 발견되었는데, 이것은 편모에 비해 더 짧고 세포 표면에 촘촘하거나 성글게 분포한다. 원섬유를 가진 구강내 세균은 *S. salivarius*, *S. mitis* 그룹, *P. intermedia*, *P. nigrescens*, *Streptococcus mutans* 등이다.[16] 치아표면과 세균의 유착 기전은 상당히 특이하며 그 기전을 완전히 규명하기는 어려우나 세균표면에 존재하는 adhesins라고 부르는 분자들이 치아표면상의 특수 수용기 분자(receptor molecule)를 인지하기 때문이라는 설이 있다. 어떤 Streptococci에서 adhesins는 lipoteichoic acid로서 단백소(albumin)와 같은 단백질에 결합되거나 구강상피세포에 결합되기도 한다(그림 12-7). Lipoteichoic acid는 그람양성균이 치아표면에

부착하는 데 큰 역할을 한다고 생각된다. 단단한 치아표면을 덮고 있는 변성된 점액막인 균막은 세균의 부착을 용이하게 하는 것 같기도 하나 구강점막을 덮고 있는 점액막은 세균이 상피표면상의 수용기면에 닿지 못하게 할 수 있다고 본다. 실제 agglutinins이나 secretory IgA는 세균표면 구조물과 작용하여 세균이 구강내 표면에 부착하는 것을 막는 역할을 하기도 한다. 장내(enteric) 그람음성 간균은 구강 내에서 흔히 보이지 않으나 심한 질병이 있는 환자의 구강 내에서는 발견될 수 있다. 이는 전신적으로 큰 질병을 갖는 환자의 타액 내에 존재하는 protease 활성도가 급격히 높아지면서 상피표면의 fibronectin 손실 등으로 나타나, 상피표면의 변성을 가져온다.

이러한 변화가 있는 후에 장내(enteric) 그람음성간균들이 구강 내에 집락을 형성한다(colonize). 이러한 세포 표면 단백질의 변성으로 인하여 보통 상피세포 표면에 존재하는 결합부위가 노출되는데, fibronectin은 이런 단백분해효소에 굉장히 민감하며 세포표면의 많은 물질들 역시 질환 등이 있는 경우 변성된다. 즉, 초기 단계의 부착과정은 세균의 외벽과 법랑질에 흡착된 획득피막의 다량체(polymer)와의 사이에 상호작용에 의하여 일어나며, 이 균막은 항체나 특수 agglutinins, 혈액형 반응물질 같은 고분자의 당단백질로 구성되어 있다. 이런 물질들은 세균의 세포외 다당류가 자당으로부터 생산하는 glucans, lipoteichoic acid가 세균표면의 솜털 같은 물질들과 강력히 결합하며 이러한 다당류 결합물은 정전기적 힘에 의해 반사력 보다 더 넓은 범위를 덮게 된다. 세균표면의 음전류와 pellicle 혹은 상피세포 사이의 칼슘결합(calcium-bridging)은 중요한 부착기전이 될 수 있다고 본다.

4. 치주질환에 관여하는 세균들

1) 치주질환 진행과 특정 세균 관여설

1960년대에는 치태는 어떤 환자들에서든지 어느 부위에서든지 동일한 구성 성분으로 이루어졌다고 생각하였다. 그러나 이에 대한 의문점으로 치태의 구성 성분이 모두 같고, 이들 치태에 대해 숙주가 동일한 형태로 반응한다면 왜 치주질환의 파괴가 한 치아에서는 일어나고, 다른 옆 치아에서는 일어나지 않으며, 비록 많은 치태가 있고 심한 치은염이 있는데도 어떤 사람은 오랫동안 주위 치주조직에 전혀 파괴현상이 나타나지 않으며 어떤 사람은 치태가 거의 존재하지 않고 임상적으로 염증이 거의 없는데도 치주조직의 파괴가 심한 것인가 하는 점이 제기되었다.[2,17,18] 이러한 여러 문제점에 대해서 Socransky, Loesche, Slots 등의 학자들은 치주조직 파괴에 대한 특정 세균관여설을 발전시키기 시작하였다. 즉, 1976년 Loesche[19]에 의하여 논의된 특정 치태설에 의하면, 특정 형태의 치주질환에는 특정 형태의 세균이 관여한다는 것이다. 비록 Keyes나 Jordan 등이 동물실험을 통하여 이를 증명하기는 하였으나 Slots, Newman, Socransky와 그의 동료들이 처음으로 국소유년형 치주염 환자의 깊은 치주낭 내에서 특정한 세균들을 분리함으로써, 이러한 특정 세균 관여설이 구체화되었다. Tanner 등(1979)과 Slots (1977)는 만성 치주염 환자의 병소에서 얻은 세균은 같은 환자의 건강한 부위에서 얻은 세균이나 국소적 급진성 치주염 환자의 병소에서 얻은 세균과도 다르다고 보고하였다. 즉 치주질환 중 각기 다른 형태의 치주염에 각기 다른 원인균과 임상적으로 다른 진행 과정을 가지면서도 거의 비슷한 증상을 나타내며 이러한 다양한 형태의 원인 요소들에 대한 것을 인지하려면 보다 정확한 임상 및 실험적 진단이 선행되어야 한다는 것이다. 이러한 연구는 최근의 분자 생물학적 기법의 발전과 더불어 새로운 진단법의 개발을 가능하게 하며, 치주질환의 병인을 이해하는 데 중요한 초석이 된다.

2) 치주질환의 종류에 따른 특정 세균의 관여

Loesche에 의해 치주질환의 특정 세균 관여설이 제기된 이후 혐기성 세균 배양법의 개발로 약 200여 종 이상의 세균이 규명되기는 하였으나, 방법론적 한계로 치은열구에서 채취하여 현미경으로 관찰할 수 있는 세균의 70% 정도만이 배양할 수 있었다. 그 이유는 실험실 조건으로는 배양이 불가능하였거나, 채취한 치태를 분쇄, 도말하는 과정에서 활성도를 잃는 경우가 많았기 때문이다. 그러나, 최근 분자생물학의 진보에 힘입어, 이러한 단점을 극복하고 새로운 종의 치주질환 원인균의 규명이 활발해지고 있다. 세계 치주학 워크샵(1996)에서 *A. actinomycetem comitans, P. gingivalis, T. forsythia*를 치주병원균으로 지정했다.

또한, *Aggregatibacter* (이전 *Actinobacillus*) *actionomycetemcomitans*가 국소적 급진성 치주염(localized aggressive periodontitis)의 원인균으로 밝혀진 후, 특정세균 관여설은 널리 인정되기 시작하였으며, 횡적, 종적 연구를 통해 미생물군에 대한 치주질환 원인균을 찾으려는 노력이 계속되고 있다.

3) 정상 치은열구 세균

건강한 상태의 치주조직 또는, 치유 단계에 접어든 치주조직의 경우, 비교적 적은 숫자의 세균이 치은열구 내에 존재하게 되며, 분포하는 세균군도 치주질환에 이환된 조직 내에서 관찰되는 것과 다른 양상을 보인다. 정상조직의 세균군은 주로 그람양성 통성균(gram−positive facultative species)으로 Streptococcus (*S. sanguis, S. mitis*)와 Actinomyces (*A. viscosus, A. naeslundii*)균이 존재한다. 소량의 그람음성균도 분포하는데, *P. intermedia, F. nucleatum, Capnocytophaga, Neisseria* 그리고 Veillonella 균 등이 이에 해당한다. 나선균(spirochetes)과 motile rod 균들도 극소량 존재함이 보고되었다.

S. sanguis, Veilonella parvula, C. ochracea 등의 세균군들은 숙주에 보호기능을 제공한다고 보고되었는데, 부착상실을 보이지 않는 치주조직에서는 다량 분포하고 있으나, 치주질환의 활성이 높은 부위에서는 적은 분포를 보인다.[20,21] 이들은 치주질환 병원균의 집락화와 증식을 억제하는 것으로 여겨지고 있는데, 예를 들면, *S. sanguis*는 H_2O_2를 형성하는데, 이것은 *A. actinomycetemcomitans* 균에 치명적인 물질이므로, 병원성 세균의 증식을 억제하는 효과를 나타내게 되는 것이다. 아울러, *C. ochracea*와 *S. sanguis* 등은 치주치료 후 부착수준의 증대와 관련이 있다는 임상 연구 결과가 보고된 바 있다.[21]

4) 치은염(Gingivitis)

치은염을 동반하는 치은의 병리적 변화가 치은열구 내의 치태세균과 깊은 관련이 있다는 것이 널리 인정되고 있다. 이들 세균들의 생산물은 치은열구상피, 결체조직 및 세포간질인 교원질, 기저물질 및 glycocalyx (cell coat)에 위해작용을 주는 물질로서 결과적으로 초기 치은염의 경우 접합상피 사이의 세포간격이 넓어지게 되고 따라서 이들에 세균의 산물이나 세균 자체가 결체조직속으로 들어가게 된다. 이들 치은염의 진행에 대한 조직병리학적 진행 단계는 4단계로 나뉘는데, 이는 면역학적 단계와는 다른 해석이다.

① 치은염 제1단계(Stage I: Initial lesion, 초기 병변)

이 단계는 접합상피하의 결체조직 내의 급성염증 양상을 보이는 것으로써 혈관형태의 변화를 동반하는데, 소미세혈관 및 소정맥이 커지며 많은 다형핵 백혈구가 혈관벽에 부착되는 이러한 양상은 치태가 치은열구 내에 축적되고 2일째부터 시작되어 보통 1주일 이내에 나타나게 된다. 보통은 다형핵 백혈구가 혈관을 떠나 혈관벽을 통과하여 결체조직, 접합상피 및 치은열구로 다량이 유주하게 된다. 이러한 다형핵 백혈구의 유주는 *Treponema denticola, Actinomyces viscosus* 및 *Prevotella melaninogenica*의 내독소(endotoxin) 및 기타 생산물질과 긴밀한 관계가 있다.

② 치은염 제2단계(Stage II: Early lesion, 조기 병변)

시간이 지나면서 임상적으로 부종이 형성되는데, 이는 미세혈관의 증식과 상피돌기 사이의 미세혈관 고리형성이 증가되기 때문이며 탐침 시 출혈을 야기한다. 조직학적 관찰결과, 치은에서 접합상피 하부의 결체조직 내의 백혈구의 침윤이 빈발하게 되는데 주로 림프구가 75% 정도이고 다형핵 백혈구, 대식세포 및 비만세포 등이 자주 나타난다. 이때 1단계 보다는 염증세포의 침윤이 많아지고 접합상피에는 다형핵 백혈구가 심하게 침윤된다. 이때 상피에서는 상피돌기의 과도한 발육이 관찰되며, 염증세포 침윤 부위 결합조직의 교원질 70%가 파괴된다.

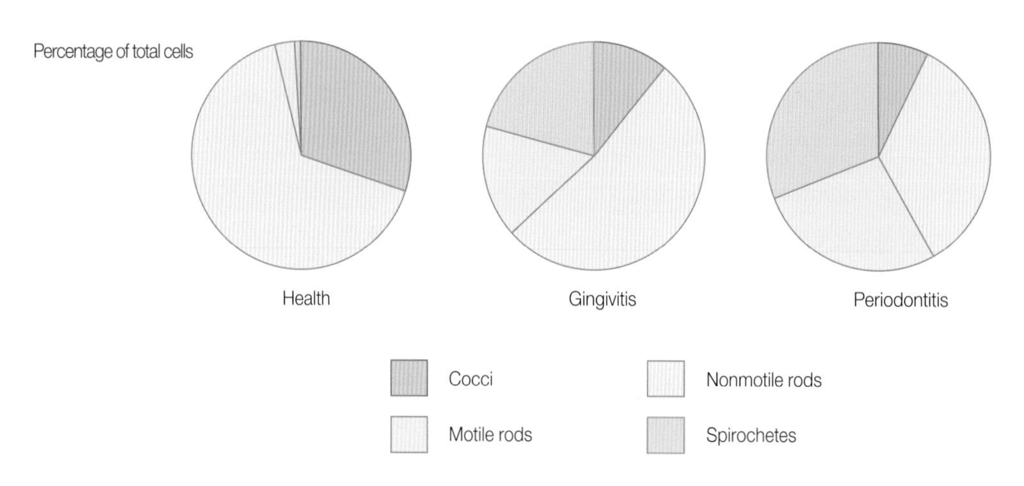

그림 12-9. 건강한 치주조직, 치은염, 치주염의 치은연하 세균분포

③ 치은염 제3단계
(Stage Ⅲ: Established lesion, 확립기 병변)

만성 치은염의 경우 혈관의 울혈과 노장이 야기되고 혈류의 이동이 정지된다. 국소 치은의 저산소증이 야기되며 적색 치은이 담청색조를 띠게 된다. 이 경우 중등도 및 중도 염증성 치은이라고 기술된다. 이 경우 조직 내에 주로 형질세포의 침윤이 관찰되며 2단계와 상이한 양상을 보인다. 이 형질세포는 접합상피하뿐만 아니라, 결합조직 심부까지 침윤되며 교원질 섬유주변에서 자주 나타난다. 접합상피는 세포간격이 넓어지고 그 사이에 과립형 세포 잔사들이 남게 되는데 이들은 파괴된 다형핵 백혈구, 림프구 및 단핵세포들에서 유래된 리소좀들도 포함된다. 이 리소좀은 acid hydrolases를 가지고 있어 조직을 파괴한다. 접합상피의 rete peg는 심하게 융기되어 기저막이 파괴되기도 하며, 단핵세포, 형질세포, 림프구 및 다형핵 백혈구 주위의 교원질은 파괴된 양상을 보인다.

④ 치은염 제4단계
(Stage Ⅳ: Advanced lesion, 진행기 병변)

치조골까지 병소가 확장되는 네 번째 단계를 진행기 병변이라 부르며 치주염 부분에서 자세히 다룰 것이다.

(1) 실험적 치은염(Experimental gingivitis)

"Löe" 등은 실험 대상자들에게 21일간의 구강위생 활동을 중단시킴으로써, 실험적 치은염을 유발하여 그 양상을 관찰하였다. 이에 의하면, 구강위생 활동 중단 후 8시간이 지나면, 치면 1 mm^2 당 10^3~10^4개의 세균이 관찰되며, 그 수는 24시간이 지나면 100~1,000배 단위로 증가한다고 보고 되었다.[22] 실험적 치은염의 초기에는 그람양성간균, 그람양성구균, 그람음성구균 등이 관찰되며, 치은조직에 염증성 변화와 더불어 그람음성간균과 사상균 등이 치은염의 초기 단계의 증상을 보이게 된다.[22] 그 후 나선균(spirochetes)과 운동성 균들이 증식하게 된다. 따라서, 치태를 침착시키면 언제나 치은염이 유발됨을 관찰할 수 있었고 치태를 제거하면 치은염은 소멸됨을 알 수 있었다. 이러한 실험적인 치은염 실험을 통하여 치태가 치은염을 유발시키는 인자이며 치은염의 발현에 특정형태의 세균이 관여함을 알 수 있었다. 이러한 치은염은 정상적인 치은열구내 세균이 그람양성, 특히 Streptococci 형의 세균에서 그람음성세균과 나선형 세균으로 바뀌게 되는 것과 깊은 관계가 있다. 실험적 치은염 유발 시 대개 3주 정도 치태를 침착시키면 그람양성구균과 함께 *Actinomyces israelii*나 *A. viscosus*형이 증가하게 된다. 또한 Moor 등의 연구에서는 Fusobacterium, Veillonella, Treponema 균주들도 증가함을 관찰할 수 있다. 이러한 연구결과를 통하여 우리는 치은염 자체가 비특정 치태 침착 그 자체에 의한 것만이 아니라는 것과, 세균 집락이 형성되고 이것들이 계속적으로 증식되면서 질환이 야기됨을 알 수 있었다. Slots 등은 치은염에서 25%가 그람음성 막대형과 구형이며 *E. corrodens, Fusobacterium, Campylobacter, P. intermedia*의 분포가 증가하였으며, 조직의 염증도가 증가하여 운동성 세균 및 나선균(spirochetes)이 다수 분포함을 보고하였다(그림 12-9). 그러나 치은염과 관련된 세균의 구성도 특정 임상적 현상에 따라 각기 다른 분포를 보인다고 알려져 있다.

(2) 임신성 치은염(Pregnancy gingivitis)

Kornman과 Loesche 등의 연구[15]에 의하면 임신중에는 *P. intermedia, Capnocytophaga* 등이 증가한다고 하였다(Kornman과 Losche 1980). 이러한 특정 세균의 분포는 임신기간 중 estrogen과 progesterone의 혈액 내 증가와 깊은 관련이 있다. 즉, 실험적 연구를 통하여 이러한 steroid hormone이 이들 세균의 영양분 공급원으로 작용하기 때문임을 알 수 있었다.

5) 치주염(Periodontitis)

사람에서 실험적 치은염을 유발하여 이를 실험적 치주염으로 계속적인 연구를 하기에는 윤리적인 문제가 있어 주로 비글견(beagle dog)이나 원숭이(monkey)실험을 통하여 많은 연구가 진행되었다. 그 결과 치주염은 치태 침착이 되어야만 질환이 발현되며, 치태가 없는 경우에는 유발되지 않는다는 사실이 증명되었다. 한편, 치태로 인하여 치은염이 생기는 모든 부위에서 치주염이 발생하거나 부착상실이 일어나지 않음이 밝혀졌다. 그러나, 치주염은 반드시 치은염이 발생된 후에 나타남을 알 수 있었다. 현재까지는 치은염으로 전환하는데 관여하는 요소가 무엇인지는 정확히 모르나 세균들의 승계, 불결한 구강청결, 전신적 요소, 시간적 흐름 등이 관여한다고 보고 있다. Socransky 등의 연구에 의하면 치은염에서 치주염을 유발하게 하는 요소로서, 새로운 세균들이 관여하거나 보호작용을 하는 세균들의 감소, 국소적 외상, 숙주의 정신적 불안정 등이 있으며 이 요소들이 치주질환 원인균들의 성장을 촉진하여, 숙주의 방어작용을 극복하여 치주염으로 진행하게 된다.

이러한 세균과 구강내 및 신체 여러 조건의 변화는 숙주가 효과적으로 이를 번식하는 세균을 억제할 수 없기 때문에 조직 파괴가 일어나게 된다. 이러한 세균의 교대현상과 숙주의 세균 제어능력 등이 주기적으로 약화됨으로써 생기는 주기적인 세균의 증가 현상이 조직의 파괴를 가져오며 이러한 현상은 두 개의 다른 파괴 인자와 방어 인자 간의 교차 반응으로 주기적으로 조직을 파괴하게 한다. 이러한 현상은 염증으로 생기는 치주낭의 형태적 변화, 치근분지부의 노출, 2차적인 교합성 외상(trauma from occlusion)이 이러한 조직파괴 빈도, 강도 및 기간을 가속화시킬 수 있다. 그러므로 치주조직의 파괴율은 천천히 계속적으로 나타나는 것이 아니며 질환의 경감 및 회복의 간격과 함께 반복되는 활동성 질환의 변화와 결과로 볼 수 있다. Haffajee 등의 연구에 의하면 급진성 치주질환을 갖는 치유 되지 않은 환자 중 일년 이상 치료를 받지 않은 환자의 3~6%가 심한 치주조직의 상실을 나타내고 있고 90% 이상이 아무런 조직파괴 현상이 나타나지 않았다. 6년 이상을 관찰한 결과 어떤 부위는 짧은 기간에도 심한 치주조직 파괴를 보인 반면, 다른 부위는 아무런 파괴현상을 보이지 않았다. 따라서, 치주질환은 일생을 통하여 일정기간 동안에 매우 자주 일어나며 이러한 현상은 비동시성으로 치주낭 여러 부위에서 일어나는 임의파열형(random burst) 양상이라고 볼 수 있다. 그러므로 건강한 치주조직과, 서로 다른 단계의 질환에 이환된 치주조직들이 한 개인의 구강 내에서 공존하고 있다. 치주염의 다양한 양상은 치료 후의 반응이 개인마다 다른 원인이 될 수 있다.

(1) 만성 치주염(Chronic periodontitis)

이 치주염은 청소년과 성인에서 빈발하는 형태의 치주염으로서 치은염이 진행되어 나타나는 점진적인 형태의 치주질환이다. 장기간의 연구결과, 1년에 0.05~0.3 mm의 부착상실을 일으키는 점진적인 치주조직의 파괴를 보이기에 점진형(gradual model)으로 설명이 가능하나, 단기간의 연구는, 짧은 기간의 파괴기와 휴지기가 반복되는 파열형 모델(burst model)로 설명될 수 있는데, 어떤 model이 질환에 결정적으로 작용하는 지는 아직 확실히 밝혀지지 않았다(그림 12-10). 주로, 병원성 치은연하 세균에 의하여 발생되며, 전신질환을 동반하는 예는 없고, 주

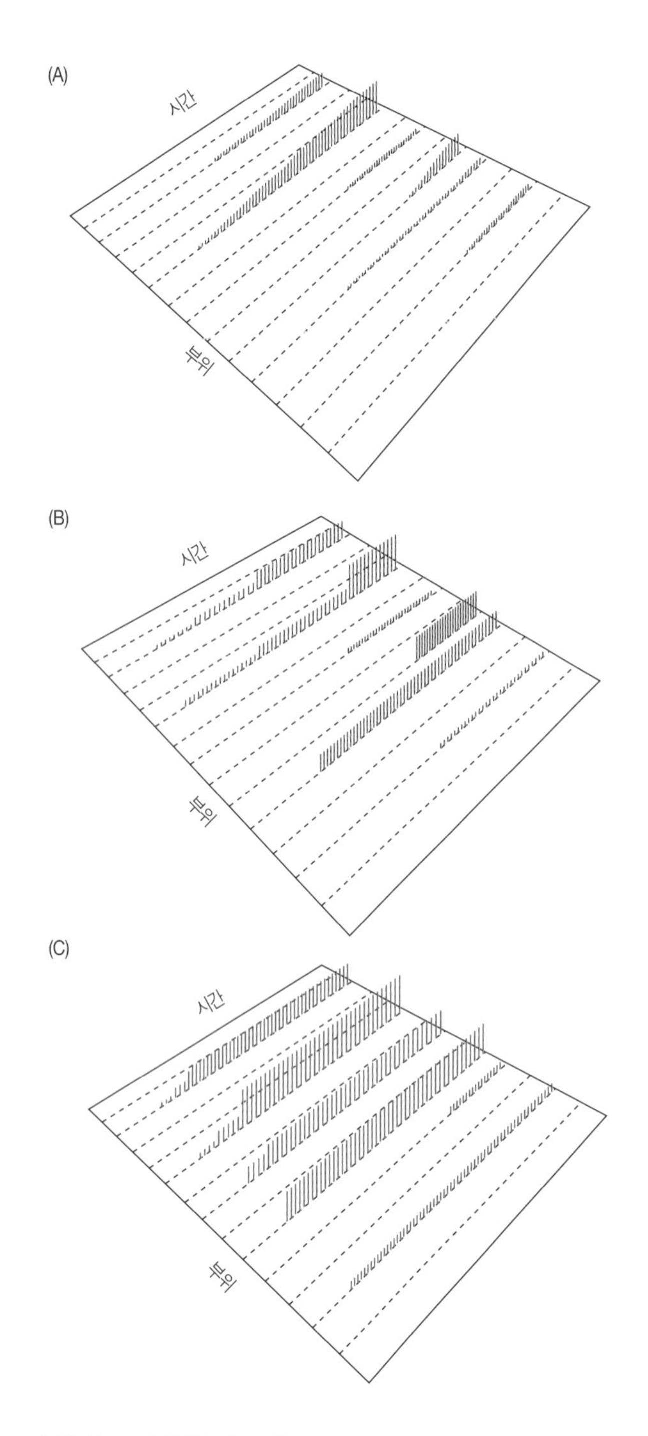

그림 12-10. 만성 치주염의 진행양상 모식도

(A) 점진형(gradual model): 모든 부위에 걸쳐, 시간이 흐를수록 점진적으로 치주질환의 정도가 심해짐. (B) 임의파열형(random burst model): 부위에 따라, 점진적인 질환의 심도, 갑자기 증가된 심도 또는 휴지기를 보임. (C) 비동시적 다발성 파열형(asynchronous multiple burst model): 급작스런 심도를 보이는 부위들이 혼재됨.

로 만성으로 장기간의 휴지기를 거쳐 짧은 기간 내에 활동성으로 나타나며 조직을 파괴하게 된다. 초기에 치은연상치태형성과 함께 만성 치은염증이 나타나며, 구강내 환경과 치은열구액 및 치은연상치태의 대사산물 등에 의하여 염증상태의 환경이 유지된다. 이러한 조건은 치은연하치태세균이 성장하기에 좋은 환경을 만들어 준다. 이때 숙주의 방어기전이 불충분하거나 이 조건에 맞는 특정 세균이 증식하게 되면 조직의 파괴가 일어나게 된다.

세균검사 결과 증가된 나선균(spirochetes)이 관찰되며, 만성 치주염의 치태내 세균분포는 혐기성 세균 90%, 그람음성균이 75%로 대부분을 차지한다(그림 12-9). 만성 치주염에서 특징적으로 관찰되는 세균들은 *P. gingivalis*, *B. forsythus*, *P. intermedia*, *C.rectus*, *Eikenella corrodens*, *F. nucleatum*, *A. actinomycetemcomitans*, *P. micros*, *Treponema*, *Eubacterium* 등이며, 질환활성도가 높은 곳에서는 특히 *A. actinomycetemcomitans*, *C. rectus*, *P. gingivalis*, *P. intermedia*, *F. nucleatum*, *B. forsythus* 등이 다수 분포하고 있다. 이러한 세균들이 치주치료에 의해 제거되면, 만성 치주염은 개선된 양상을 보이게 된다.

최근의 연구에 의하면, Epstein Barr Virus-1 (EBV-1), human cytomegalovirus (HCMV) 등의 바이러스가 만성 치주염의 원인균이 증가된 상황에서 자주 관찰됨이 보고되어 바이러스가 만성 치주염의 진행에 기여하지 않을까 하는 가설이 제기되어 있으나, 바이러스와 만성 치주염과의 관계에 대한 정확한 결론은 아직 연구가 진행 중인 상태이다.

(2) 국소적 급진성 치주염 (Localized aggressive periodontitis)

예전 분류에 의해 국소 유년형 치주염(LJP)으로 분류되었던, 국소 파괴형 치주염은 사춘기 전후에 보이는 급격하고 심한 부착 상실을 보인다. 이는 남성보다 여성에 호발하며, 영구치 중 전치와 구치부에 특징적인 소견을 보이며, 대부분 면역계통의 질환 및 호중구(neutrophil) 기능 저하를 동반한다.

이 질환의 주된 세균군으로는 그람음성, capnophilic, 혐기성 간균이며, *A. actinomycetemcomitans*가 전체 세균의 90%를 차지하고 있다.[18,23,24] *P. gingivalis*, *Eikenella corrodens*, *C. rectus*, *F. nucleatum*, *B. capillus*, *Eubacterium brachy*, *Capnocytophaga*, *spirochete* 등도 간혹 관찰되며, EBV-1, HCMV, herpes virus 등도 연관되어 있는 것이 보고된 바 있다.

비록 *A. actinomycetemcomitans*가 주된 세균이긴 하지만, 모든 국소 급진성 치주염의 원인은 아닌 것으로 알려지고 있다.

(3) 전신질환과 관련된 치주염(Periodontitis as a manifestation of systemic disease)

기존 치주염의 분류 중 사춘기 전 치주염(prepubertal periodontitis)이 전신질환과 관련된 치주염에 해당하는데, 유년기에 급성으로 심한 치주조직 파괴를 가져오는 이 질병은 전신질환의 영향으로 치주조직이 파괴되는 것이다. 이는 대단히 드문 빈도를 보이나 이런 환자는 대개 구강내 전체 치아에 있어서 치주조직 파괴를 동반하는 질환을 보이고 있다. Delaney나 Kornman 등의 연구결과 *A. actinomycetemcomitans*가 가장 빈번하게 나타나며 *S. sputigena*, *P. intermedia*, *E. corrodens* 등도 자주 나타난다. 최근 cathepsin C 유전자의 돌연변이가 이러한 질병의 발현과 관련이 있다고 보고된 바 있다.

(4) 괴사성 치주질환 (Necrotizing periodontal disease)

괴사성 치주질환은 급성 치주염의 양상을 보이며, 변연치은과 치간유두의 괴사를 유발한다. 임상적으로 이 질환은 스트레스와 human immunodeficiency virus (HIV)의 감염과 연관되어 있다고 알려져 있다. 악취, 통증, lymphadenopathy, 발열, 불쾌감 등의 증상을 보이며, *P. intermedia*와 나선균(spirochetes) 등이 다수 관찰된다.

(5) 치주농양(Abscesses of periodontium)

치주조직의 급격한 파괴를 야기하는 치주농양은 치료받지 않은 상태로 오래 진행된 만성 치주염, 치석제거술 후, 또는 유지기(maintenance) 치료 중에도 발생하는 급성 질환이다. 이 질환은 식편 압입과 치수질환도 원인 요인이 될 수 있으며, 임상 증상으로는 통증, 부종, 화농, 탐침 시 출혈과 이환된 치아의 동요도 증가를 보이며, cervical lymphadenopathy, 백혈구 수의 증가가 동반되는 경우도 있다. *F. nucleatum*, *P. intermedia*, *P. gingivalis*, *P. micros*, *T. forsythia* 등이 관찰된다.

치주질환에 관여하는 특정 세균에 대한 연구로서, 치주질환 진행활성도(periodontal disease activity)가 제안되었다. 이러한 치주질환 진행활성도의 측정은 2가지의 일반 진단학적 방법이 이용되는데,

① 시간의 경과에 따른 부착수준(attachment level)의 변화를 치아의 고정된 점에서 계속적으로 그 변화를 관찰하거나

② 치조골의 높이나 밀도의 변화를 측정한다.

이러한 질환진행 활성도를 임상적으로 측정하여 기록함으로써 동일인의 구강내 활동성 부위의 관여 세균과 비활동성 부위 관여세균을 비교, 관찰할 수 있다. 활동성 치주질환이 있는 부위에 관여하는 세균들은 *Peptostreptococcus microbs*, *Streptococcus intermedius*, *P. gingivalis*, *A. actinomycetem comitans*, *Campylobacter* rectus, *T. forsythia*, *P. intermedia*, *E. corrodens*이며,[20] 비활동성 치주질환에서 흔히 나타나는 세균은 *Streptococcus sanguis*, *Veillonella parvula*, *Peptostreptococcus acnes*, *F. naviform*, *Capnocytophaga ochracea*, *Rothia dentocariosa*이다.

이러한 연구 결과로 미루어, 치주염은 발현 세균에 따라 항생제로 치료할 수 있고, 다른 치주치료와 항생제 치료를 병행할 수도 있는데, 후자의 방법은 특히 활동성 치주질환의 치료에 적합한 방법으로 알려져 있다.

5. 세균에 의한 조직파괴 기전(Mechanisms of bacteria-mediated destruction)

1) 병인균의 독성 (Virulence of periodontal pathogens)

치주조직은 세균의 독성과 숙주의 방어 사이에 균형이

존재하는 한 건전한 조직상태를 유지할 수 있다. 그러나 치주질환의 병원세균들은 무수히 많으며 많은 종류의 병인 독성물질을 질환이 진행되는 과정에서 항상 분비하고 있다. 이러한 과정에서 세균이 질환을 간접적으로 일으킬 수 있는 방법은 다음과 같은 것들이 있다.

① 숙주의 방어기전을 피함
② 숙주의 방어기전을 약화 내지는 중화
③ 면역 병리적인 여러 과정 유발

또한 세균이 다형핵 백혈구의 세균탐식 및 식균작용을 혼란시키는 기전으로는 다음과 같다.

① 세균이 대사산물로서 분비하는 물질들이 다형핵 백혈구의 화학주성 억제물질을 생산
② 세균이 다형핵 백혈구의 활동을 억제하는 물질을 분비(예: *Capnocytophaga*에 감염된 환자의 경우 전신적으로 다형핵 백혈구의 기능 부전을 나타내는 예가 있다)
③ 세균이 분비하는 백혈구독소(leukotoxin)가 이 다형핵 백혈구를 활동할 수 없게 하거나 죽이는 역할을 함
④ 세균의 표면물질인 협막(capsule) 다당류는 다형핵 백혈구가 부착하는 것을 방지
⑤ 세균표면 항원을 감염 부위에 벗어 던짐으로써 이 주위의 항체와 면역 복합체를 형성함으로써 실제 다형핵 백혈구의 IgG Fc 수용체나 C3b 수용체를 이들이 차단함으로써 세균 본체를 탐식할 수 없게 함
⑥ 다형핵 백혈구가 세균을 죽이는데 가장 강력한 기구인 산소의존성 탐식 작용을 만들어 내는 myeloperoxidase나 lysosomal 효소 및 양이온 생성물(cationic product) 등을 무력화시켜 세균탐식 작용을 못하게 하기
⑦ 다형핵 백혈구의 리소좀과 공포(vacuole)의 융합을 저지
⑧ 파고좀(phagosome)을 피하거나 파고리소좀(phagolysosome) 내에서의 탐식 및 식균 작용에 저항하며 오히려 세균이 다형핵 백혈구 내에서 성장하게 됨[25]

치주질환 병인균의 구성 성분 및 생산 물질의 성질은 다음과 같다.

① 염증을 일으키는 물질
Bacterial lipopolysaccharide (LPS), polysaccharide, endotoxin
② 직접 조직손상을 일으키는 물질
Proteolytic enzyme, collagenase, hyaluronidase chondroitin sulphatase, endotoxin, peptidoglycan, lipoteichoic acid, indole, ammonia, hydrogen sulfide, toxic amines, organic acids
③ 간접 조직손상을 일으키는 물질: Endotoxin, bacterial antigens and polysaccharide, bacterial enzymes
④ 숙주방어기전 변형물질: leukotoxin, peptido glycan, slimes and capsules, peptides

(1) Actinomyces species

구강 내에서 자주 발현하는 세균으로서 *Actinomyces viscosus*, naeslundii, israelii 세 종류가 있으며, 그람양성으로 이산화탄소 친화성 및 혐기성 조건에서 자란다. 이중 *A. viscosus*는 세포막에 lipoteichoic acid를 가지고 있으며 세포외 다당류를 생산하며 치근면 우식증, 치면열구 우식증과 관련된다. *A. naeslundii*는 치근면 우식증의 진행에 역할을 하며 *A. israelii*는 혐기성 조건에서만 자라며 안면, 흉부 등에서 나타나는 actinomycosis의 원인균이다(그림 12-11).

(2) Capnocytophaga species

C. ochracea, *C. sputigena*, *C. gingivalis*로 나뉘며 비교적 긴 그람음성의 이산화탄소 친화성인 긴 막대형 균이며, 미끄러지듯 움직이고, 이 균의 lipopolysaccharide는 중등도의 endotoxic activity를 가지고 골 흡수에 관여하며 트립신 유사효소를 분비하고 aminopeptidase를 분비하여 교원질의 파괴에 관여하며 다형핵 백혈구의 기능을 마비

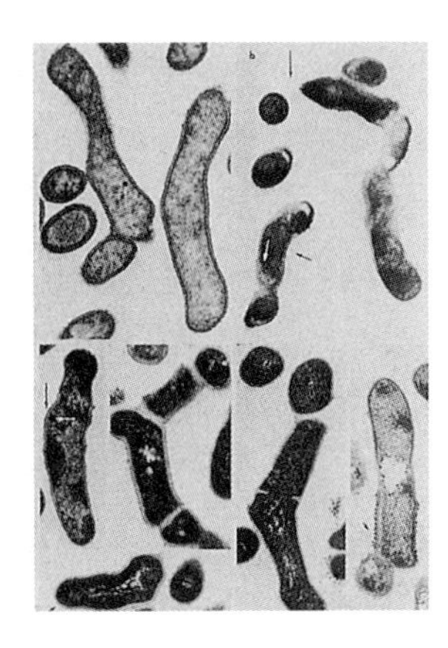

그림 12-11. 전자현미경으로 본 Actinomyces 균주들
(A, B, C) *Actinomyces israelii* (D, E, F) *Actinomyces naeslundii* (G, H) *Actinomyces viscosus*

시키는 물질을 분비하여 polyclonal B-cell activation에 관여한다(표 12-4). 이 균은 국소 급진성 치주염이나 당뇨병을 동반하는 치주염 환자의 치주낭 내에서 빈발하게 나타난다. 이 균은 superoxide dismutase를 분비하며 IgG의 heavy chain의 hinge 부분을 분해하는 효소를 가지고 있다(그림 12-12).

(3) Aggregatibacter actionomycetemcomitans

이 세균은 이전의 이름인 *Actinobacillus actionomycetemcomitans*에서 *Aggregatibacter actinomycetemcomitans*로 이름이 바뀌었다(그림 12-13). 그람음성의 통성 간균으로서 국소 급진성 치주염, 전신질환 관련 치주염에서 빈발하고(표12-2), 이 균의 LPS는 골조직 파괴에 관련되며 백혈구독소를 분비하여 다형핵 백혈구를 죽인다. 이와 더불어 collagenase, alkaline, acid phosphatase, epitheliotoxin, fibroblast inhibitory factor, bone-resorption inducing toxin 등을 분비하며 polyclonal B cell activator로 관여하고 있다(표 12-4). 또한, 의심되는 병원균과 파괴적 치주질환 사이의 확실한 연관성의 예가 *A. actinomycetemcomitans*이다. 이 균은 *Streptococcus sanguis*, *S. uberis* 및 *A. viscosus*와 서로 상호 억제작용을 가진다. 이 균은 catalsase를 분비하는데 이 물질은 다형핵 백혈구의 산소 의존형 세균탐식 작용을 억제시킨다.

그림 12-12. 주사현미경으로 본 Capnocytophaga 균주들

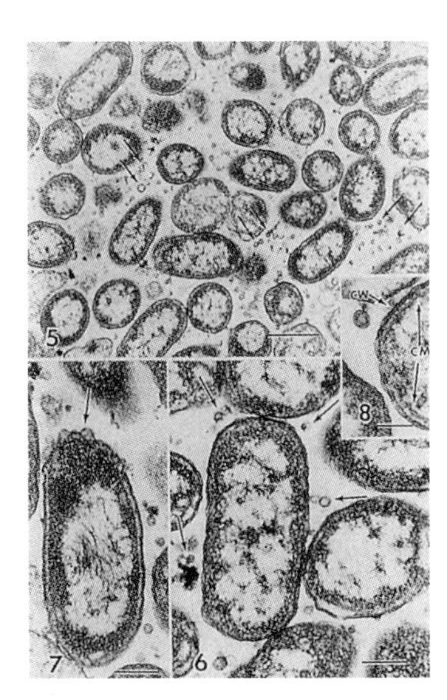

그림 12-13. 전자현미경으로 본 Aggregatibacter actinomyc etemcomitans.
화살표: leukotoxic extravesicle (blebs)

- *A. actinomycetemcomitans*가 국소적 치주염의 질병 진행에 관여하는 증거
  - 국소적 치주염 환자의 질환 부위 치주낭 내에서는 90% 이상 이 균이 검출되나 주변의 건강한 치은열구에서는 거의 검출되지 않는다.
  - 국소적 치주염 환자의 경우 혈청, 타액, 치은열구 내에서 이 균에 대한 항체 역가가 대단히 높으나 다른 치주질환이나 정상인의 경우는 대단히 낮다.
  - 이 균은 많은 종류의 독소를 분비하며 이는 치주질환의 진행에 크게 관여한다.

– 국소적 치주염 환자에서 치료 결과 이 균을 완전히 제거하는 경우 환부의 임상지수가 크게 호전됨을 볼 수 있다.

(4) Porphyromonas & Prevotella

치주염의 진행 정도, 치주낭의 깊이, 부착상실 정도와 정비례하여 치주낭에서 빈발하게 나타나는 그람음성 비활동성의 완전한 혐기성 세균으로서 약간 작은 막대기형이다. 이들 균주들은 만성 치주염, 국소적 치주염 등의 주된 원인균으로 간주되고 있다. 이들 중 구강 내에 나타나는 종류로는 *P. gingivalis*, *P. intermedia*, *P. melaninogenica*, *P. loeschii*, *P. denticola*, *P. levii* 등을 들 수 있으나 치주질환과 직접적으로 많은 관련있는 세균은 *P. gingivalis*, *P. intermedia* 및 *P. melaninogenica*이다(그림 12-14, 15).

이들의 LPS는 다형핵 백혈구의 화학주성에 관여하는 보체를 활성화시키는 작용을 하나 협막(capsule)은 이러한 보체활성 작용을 하지 않으며 다형핵 백혈구의 탐식 작용을 저해하는 역할을 하고, superoxide dismutase를 분비함으로써 다형핵 백혈구가 균 탐식 시 만들어 내는 H_2O_2와 superoxide anion을 파괴시킴으로써, 산소 의존성 세포내 살균력을 무력화시킨다. 이들은 IgG 및 IgA를 파괴시키는 protease를 분비하며, 이 균의 LPS는 골 흡수에 관여하며 세포체의 phospholipase–A를 생산함으로써 이것이 prostaglandin 전단계 물질을 만드는 데 도움을 준다. 또한 강한 acid 및 alkaline phosphatase를 분비하여 골 흡수에 관여하며 DNase 및 RNase 효소를 분비한다.

① *P. gingivalis*

*P. gingivalis*는 계속해서 집중적으로 연구되는 공인된 두 번째 치주병원균이다. 분리된 이 세균은 구형 또는 짧은 막대 모양을 보이는 그람음성, 혐기성, 비운동성, 비당분해성 간균이다. *P. gingivalis*는 많이 알려진 'black pigmented Bacteroides' 그룹의 세균이다(그림 12-14).

이 균은 만성 치주염 및 국소 급진성 치주염에 깊이 관여하는 독성이 강한 세균으로서, 동물에 접종시키면 침투성, 확산성 궤양을 발생시키며, 자당 비분해성(asaccharolytic) 세균으로 collagenase, protease를 분비하고 높은 gelatinase 활동을 한다. 또한 교원질, azocoll, casein 등의 파괴를 동반하며 강한 트립신유사 효소활동을 보이며 강한 fibrinolysis를 일으키는 fibrinosin을 분비한다(표 12-3). 이 *P.*

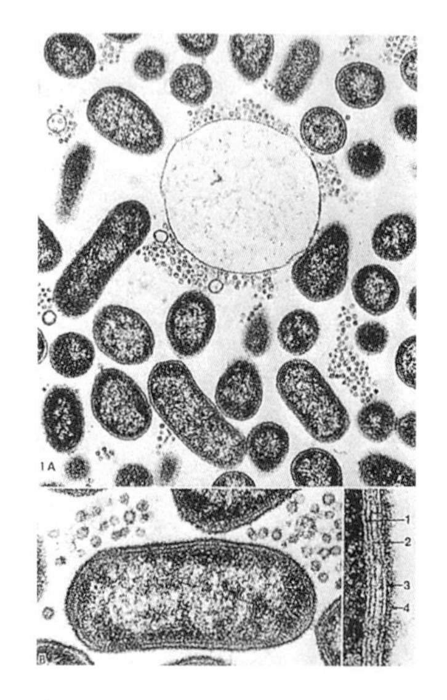

그림 12-14. 전자현미경으로 본 *Porphyromonas gingivalis* (전형적인 음성균 표면 형태).
(1) inner membrane (2) outer membrane (3) peptidoglycan (4) capsule

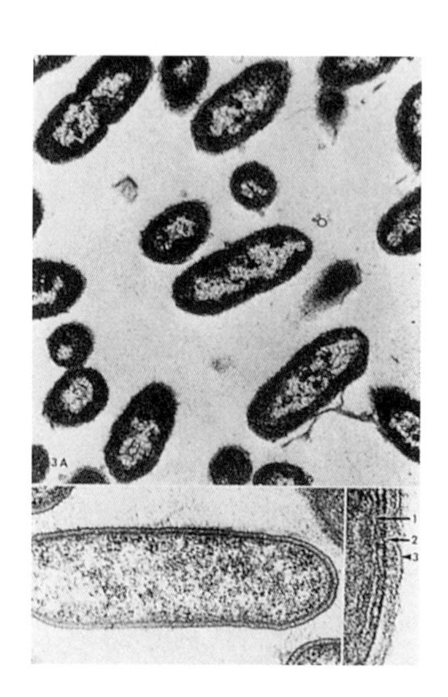

그림 12-15. 전자현미경으로 본 *Prevotella melaninogenica* (전형적인 형태의 그람음성균 표면 형태)

표 12-2. **치주질환에서 *A. actinomycetemcomitans* 균의 유병률(과거 분류법에 따른 치주질환별)**

환자군	Slots 등	Mandell and Socransky	Zambon 등	Chung 등	평균 빈도
Healthy juveniles	2/10			1/31	7%
LJP.	9/10	6/6	28/29	12/16	90%
Healthy adults	4/11		24/29	2/22	17%
Adult periodontitis	6/12	0/48	28/134	5/12	19%
Rapidly progressive periodontitis				13/19	68%

*gingivalis*균은 대사산물로 세포독성 물질인 hydrogen sulfide, ammonia, indole 및 지방산을 만들며 이들이 분비하는 protease는 IgG 및 IgA를 파괴한다. 만성 및 급진성 치주염 환자의 혈청 및 타액 내에서 이 균에 대한 높은 항체역가를 나타내고 있으며, 정상인이나 다른 치주질환 환자의 경우 매우 낮은 항체역가를 나타낸다. 또한 이 균의 내독소(LPS)는 단핵구(monocyte)의 Interleukin-I 생산을 자주하는 바 이는 파골세포에 의한 골 흡수에 관여함을 알 수 있다(표 12-4).

② *P. intermedia*

*P. intermedia*는 큰 주목을 받은 세균 중에 두 번째 black pigmented Bacteroides이다. 이 균은 자당 분해성(saccharolutic) 세균으로서 이 균을 동물에 접종시킬 때 국소 궤양을 유발하며, fibrinosin을 분비하며 중등도의 gelatinase 활동성을 보이고 있다(표 12-4). 이 균은 만성 치주염, 국소적 치주염 등에서 자주 나타나며, 급성 괴사성 궤양성 치은염과 임신성 치은염 등에서 주로 나타난다. 특히 급성 괴사성 궤양성 치은염 환자의 혈청에서 이 균에 대해 높은 향체역가치를 나타내고 있다. 이 균은 *P. gingivalis*와 병행하여 혹은 단독으로 만성 치주염에서 가장 많이 분리되기도 한다(그림 12-16).

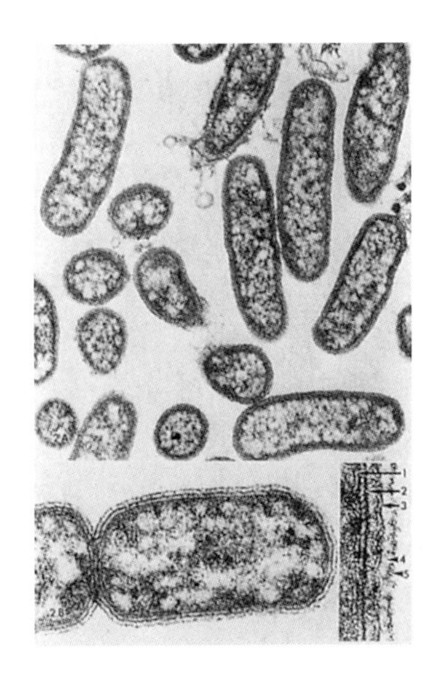

그림 12-16. 전자현미경으로 본 *Localized juvenile periodontitis*

표 12-3. *P. gingivalis*의 독성요소들

factor	possible effect
Adhesins	
Pili	Colonization
Hemagglutinin	Colonization
Structural compounds	
Capsule	Resistance to phagocytosis
Lipopolysaccharide	Induction of cytokine bone resorption
Outer membrane vesicles	?
Proteases	Degradate of host tissues
Collagenase	Degradation of host tissues
Trypsin-like activity	?
Degradation of complement	Evasion of host defence
Degradation of immunoglobulins	
Protease inhibitors	Effect on host defence
Degradation of Fe proteins	Growth stimulation
Toxic products	
Butyric acid	Cytotoxic
Propionic acid	Cytotoxic
Ammonia	Inhibition of matrix formation
Volatile sulphur compounds	Cytotoxic

③ Spirochetes

그람음성의 강한 운동성의 나선형 세균으로서 5~20 μm 길이와 0.1~0.5 μm 폭을 가지며 완전한 혐기성 세균이다(그림 12-17). 이 균에 대한 연구 결과는 치주질환의 활동성과도 깊은 관련이 있고 치주질환이 심화될수록 이 균이 증가하는 것을 현미경 관찰을 통하여 알 수 있다. 이 균은 괴사성 치은염에서 주로 많이 나타나며 조직 내로 침투하는 것을 전자현미경을 통하여 알 수 있다. 이 균은 보통 크기에 따라 세 가지 형태로 나누는데, 소형은 *T. denticola*, *T. orale*, *T. denticola*을 들 수 있고, 중형은 *T. vincentis*를 들 수 있으며 대형은 *T. buccale*를 들 수 있다. 이중 중형과 대형 spirochetes도 급성 괴사성 궤양성 치은염에 이환된 조직의 세포 간격 사이에서 많이 발견된다.

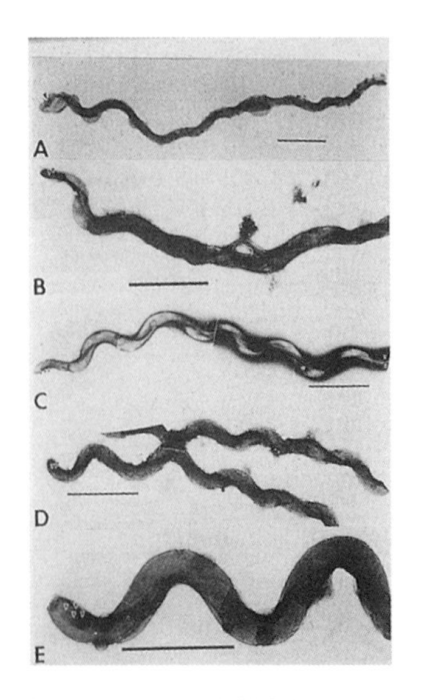

그림 12-17. 전자현미경으로 본 5가지 형태의 Spirochetes

표 12-4. 치은 및 치주조직을 파괴하는 중요세균의 독성 물질들

Item	*P. gingivalis*	*P. intermedius*	*Capnocytophaga*	*A. actinomycetemcomitans*
Abscess-former	strong	moderate	-	-
Enzymes				
Collagenase	+	+	-	+/-
Trypsin-like	+	+	+/-	-
Gelatinase	strong	moderate	-	-
Aminopeptidases	+/-	-	-	-
Phospholipase A	+	+	?	?
Alkaline phosphatase	+	+	+	+
Acid phosphatase	+	+	+	+
Toxic Factors				
Epitheliotoxin	+	+	+	+
Fibroblast growth inhibitors	+	+	+	+
Endotoxicity	weak	weak	weak-to-moderate	strong
Lipopolysaccaride				
induced bone resorption	+	+	+	+
Other bone-resorbing factors	?	?	?	+
Volatile sulfur compounds	+	+	?	?
Butyric and propionic acids	+	-	-	-
Indole	+	+	-	-
Ammonia	+	+	-	-
Polyclonal B-cell Activators	+	+	+	+

④ Wolinella species

그람음성, 운동성 혐기성 세균으로서 2~6 μm 정도의 길이와 0.5~1 μm의 폭을 가진 나선형 혹은 직선형이고 끝이 둥글거나 가늘다. 이 균은 만성 치주염 환자의 치은연하 치태에서 많이 발견되며 감염된 치근관에서 많이 발견된다. 이 균은 위상차 현미경 관찰에서 빠른 돌진형의 운동성을 보이며 이는 이 균이 가지고 있는 flagella 때문으로 생각된다. 이 균의 종류는 *W. succinogenes* 및 *W. curva*으로 구분된다. 또한 이들 환자의 혈청 내에서는 이 균에 대해 높은 항체역가치를 나타내고 있는 바 이 균이 만성 치주염의 질환 진행에 깊이 관여함을 알 수 있다.

⑤ *Fusobacterium nucleatum*

*F. nucleatum*은 100년 이상 치은연하 세균으로 인식되어 온 그람음성, 혐기성, 방추형의 간균이다. 이것은 치은연하치태 표본의 배양 연구에서 가장 흔히 발견되었으며 다양한 임상조건에서 총 분리된 것 중 7~10%를 차지하였다. *F. nucleatum*은 만성 치주염 환자의 치은연하치태에

서 자주 분리된다. 이 세균은 길고 끝이 뾰족하며 간혹 세포내 과립을 가지고 있다. *F. nucleatum*은 여러 형태이며 유전학적, 혈청학적으로 다양하다. 그 중 Type Ⅱ는 치은염과 깊은 상관 관계에 있다고 본다. 치주염의 경우 활동성으로 치주조직이 파괴되는 치주낭에서 자주 상당량이 분리된다. 그러나 또한 비활동성 치주낭에서도 상당량이 분리된다. 따라서 이 균에 대한 역할에 대한 연구가 좀 더 필요하다고 본다.

⑥ *Tannerella forsythia*

과거에는 fusiform Bacteroides, *B. forsythus*로 명명되었던 이 균은 그람음성의 비운동성 혐기성 세균으로서 방추형의 끝이 뾰족한 세균이다. 이 균은 처음 청년기의 중증 치주염 환자의 치은연하 치주낭 내에서 분리되었으며 이 균은 *F. nucleatum*과 같이 자주 분리되므로 이 두 균이 서로의 성장에 필요한 영양분을 필요로 하기 때문인 것으로 생각된다. 이 균은 성장이 느리고 까다로운 영양조건을 가지며 배양하기 어렵다. 이 균은 치은부착 상실이 작은 부위보다도 큰 부위의 치은연하치태에서 더 자주 분리된다.

2) 병인균의 전염 (Transmission of periodontal pathogens)

치주염의 유발 병인균의 감염 경로 및 서식 부위에 대한 연구가 활발히 진행되고 있는 바 최근 이들 연구 결과에 두 가지 이론이 전개되고 있다.

첫 번째 이론은, 병인균은 원래 토착적으로 구강 내에 상주하고 있는 바 어느 환경에서 이들이 급격히 성장하여 큰 집단이 되고 유망한 병인균으로 되어 치주염을 일으킨다는 가설로서, 치태는 세균의 극점공동체(climax community)로서 치면이나 치은열구 내에 존재하게 된다. 이들 성숙한 치태는 병인균의 성장과 균집락처의 산실이 된다고 본다(opportunistic infection theory). 두 번째 이론은 치주병인균은 다른 일반 의학에서의 중요 병원균 같이, 다른 경로를 통하여 전염된다는 외인성 병원균 가설이다. 이 외인성 병원균 이론에 따르면 치태가 많이 침착된다고 해서 그 자체가 치주염을 일으키는 데 충분치 못하다는 것이다. 따라서 환자는 다른 경로를 통하여 전염된 특이성 치주병인균에 감염되어야만 한다는 것이다(exogenous infection theory).

여러 추정 병인균이 밝혀지면서 외인성 치론이 점차 유력시되고 있다. 이 연구에 의하면 대부분의 사람들이 이러한 추정 병인균을 치은연하치태 내에 가지고 있지 않다는 것으로 이 이론이 뒷받침되고 있으며 면역형광현미경법이나 세균 배양법에 의한 검사 결과 90%의 건강한 사람의 치은연하치태 내에서는 *A. actinomycetemcomitans*나 *P. gingivalis*가 검출되지 못하고 있다는 것이다. 그리고 있더라도 아주 소량이 존재하고 있다고 본다. 따라서 이러한 비 토착성 이론이 더 근거를 가지게 된다. 만일 이런 병인균이 구강내 상주하는 세균이 아니라면 분명히 이들 병인균은 외부로부터 전염이 되었을 것이며 이러한 경우 가족 중의 한 사람이 전염시킬 가능성이 높다고 본다. 즉, 환자와 환자 사이에 혹은 감염된 이환부위와 정상 부위 사이의 전염에 의하여 감염될 수 있다는 사실이다. 이러한 사실은 위장관의 많은 세균들이 가족으로부터 전염되어 옮겨진 것이라는 것과 일치한다. 즉, 부부 간에 동일한 세균을 구강 내에 가지고 있다는 것이다. 특히 *A. actinomycetemcomitans*의 경우 국소적 치주염을 가진 환자의 모든 가족에게서 동일한 생물형 및 혈청형을 가지고 있다. 그리고 이 균에 대해서 국소적 환자의 가족이라도 감염율이 대단히 낮은 이유는 *A. actinomycetemcomitans* 자체가 아주 가까이 접촉하는 가족이라도 쉽게 감염되지 않는다는 데 있다.

3) 세균의 치주조직 내 침투

과거에는 급성 궤양성 괴사성 치은염과 같은 특정 질환에서만 세균이 조직 내로 침투한다고 알려졌으며, 일반 치주염의 경우에서는 없었다. 이후 국소 급진성 치주염의 치주낭 벽면에서 그리고 동물실험에서 치은 결체조직 내에 침투됨이 밝혀졌다.

또한 치주낭 상피 내의 세균 침투는 유극층의 세포간 간격 내에서 자주 발견된다. 이때 세포 간격은 넓어지며 세포간 연결 물질들이 파괴되며 이로써 세균의 침투는

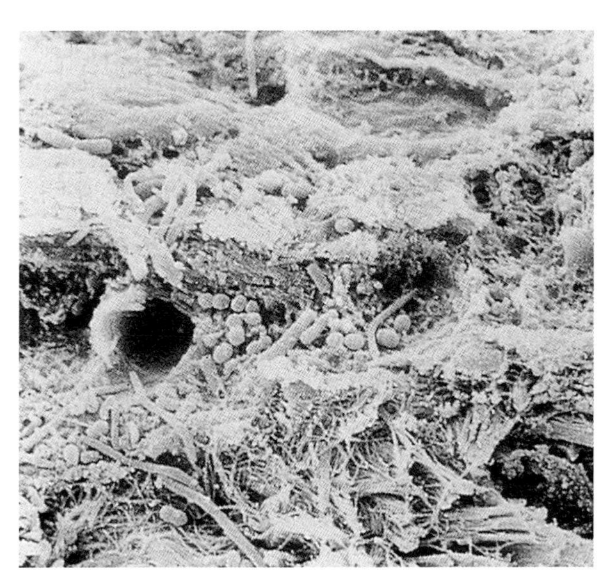

그림 12-18. 치주조직 중 상피와 결합조직 사이에 침투된 세균의 주사현미경 소견

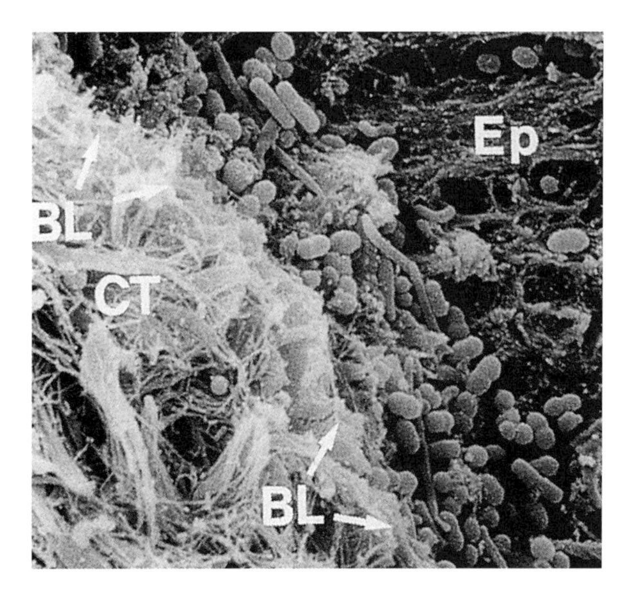

그림 12-19. 치주조직 중 상피와 결합 사이에 침투된 세균의 주사현미경 소견 Ep: 상피 CT: 결합 조직 BL: 기저층 수정 구획이 불분명함

더욱 용이하게 된다. 이 세포간 사이에서 구(cocci)형, 작은 막대형(rod), 사상형(filamentous), 사상균(filament), 나선균(spirochetes) 등이 주로 관찰된다. 또한 기저층(basal lamina)의 상피세포 쪽에서 주로 많이 나타나는데, 이는 세균들이 기저층 부위로 이동하는 것임을 알 수 있다. 또한 기저막을 뚫고 들어간 세균은 결체조직 내로 들어가 증식함을 관찰할 수 있다. 이러한 세균 침투의 기전은 먼저 치주낭의 상피면에 궤양이 생기거나 다형핵 백혈구가 뚫고 나가면서 생긴 간격을 통하여 용이하게 접근이 일어날 수 있다(그림 12-18, 19).

치은 결체조직 내에는 그람음성 및 양성의 사상체와 막대형, 구형이 자주 발견되며 어떤 것은 치조골면과 접하여 나타나기도 한다. Spirochetes는 치조골 표면에 있는 것이 자주 관찰된다.

4) 세균에 의한 면역계의 교란

(1) 세균에 의한 타액 방어기전의 교란

치주질환에서 활동적인 병원균들은 타액의 방어기전에 대해 저항하며 구강표면에 부착하여 생존하는 능력을 가지고 있다고 본다. 이들 세균은 타액의 체액성 면역요소와 반응하는 물질을 유리한다. *S. sanguis*나 *S. mitis*는 분비형 IgA를 파괴하는 단백분해효소를 생산하며 이러한 세균들은 자신의 표면특성을 변형시켜 타액면역계에 의한 반응에서 벗어나게 된다.

(2) 세균에 의한 국소체액 면역계 반응의 교란

구강내 세균 중 *P. gingivalis, P. melaninogenica, Capnocytophaga* 등은 분비형 IgA뿐 아니고 IgG를 분쇄시키는 단백분해효소를 생산한다. IgG는 세균의 탐식작용에 중요한 매개역할을 하므로 이러한 세균효소에 의한 IgG의 파괴는 면역작용의 큰 손실이 된다. 치은연하 세균은 또한 보체계의 기능을 교란시키기도 한다. 즉 세균의 단백효소는 보체요소를 파괴시키며 지질다당질(lipopolysaccharide, LPS) 역시 세균으로부터 치은열구액에 유리되며 액 내의 보체를 활성화하거나 파괴시킨다. 따라서 먼 거리에서의 세균에 의한 보체의 소모로 인하여 C3b 같은 보체가 세균표면에 부착되는 것을 막음으로써 탐식작용을 피할 수 있게 된다. 또한 세균이 가지고 있는 peptidoglycans, LPS, lipoteichoic acids 등은 세포성 면역계의 B 림프구의 유사분열을 조장시키는 물질로서 이것이 억제 T 림프구(T suppressor cell)를 활성화시키며 세포성 면역계를 억제시키고 B 림프구의 polyclone 활성제로서 작용하게 된다.

(3) 세균에 의한 탐식작용의 교란

세균은 여러 물질을 분비하여 탐식세포의 화학주성 능력을 교란하여 탐식작용을 못하도록 유도하고 있다. *A. actinomycetemcomitans*균은 백혈구 독소(leukotoxin)를 생산하며 이 독소는 백혈구를 파괴시키는 역할을 한다. 이 독소는 백혈구의 이동능력, 탐식능력을 손상시키게 된다. 그러나 또한 국소적 급진성 환자의 경우 체액 내에 이들 독소에 대한 중화항체를 생산하며 대항하기도 한다. 또한 세균은 백혈구가 탐식 시 세균에 부착하는 작용을 방해함으로써 탐식을 피할 수 있는데, 이들 세균이 가지는 협막(capsule)은 다당류나 약간의 단백질로 되어 있으며 이들 세균은 특이항체가 부착되지 않으면 탐식될 수 없다. 또한 이 세균의 표면에서 보체가 활성화되어 C3b가 존재해야 백혈구가 가지는 C3b 수용기나 IgG 의 Fc부분에 대한 수용기가 반응할 수 있는데 이들 세균은 미리 체표면 항원을 벗어버려 감염 부위에 남겨놓아 이 벗겨진 체표면 항원들이 면역복합반응을 일으킴으로써 백혈구의 Fc 부분이나 C3b 수용기를 차단하여 세균의 탐식이 방해된다. 특히 *P. gingivalis, P. intermedia, P. melaninogenica* 등이 이런 성질을 가진다.

참고문헌

1. Schroeder HE DBJ. The structure of microbial dental plaque. In: McHugh WD, ed Dental plaque, Edinburgh: Livingstone 1970;49.
2. Socransky SS, Gibbons RJ, Dale AC, Bortnick L, Rosenthal E, Macdonald JB. The microbiota of the gingival crevice area of man. I. Total microscopic and viable counts and counts of specific organisms. Archives of oral biology 1963;8:275–280.
3. Socransky SS, Haffajee AD. The nature of periodontal diseases. Annals of periodontology / the American Academy of Periodontology 1997;2:3–10.
4. Kononen E. Oral colonization by anaerobic bacteria during childhood: role in health and disease. Oral diseases 1999;5:278–285.
5. Kononen E. Development of oral bacterial flora in young children. Annals of medicine 2000;32:107–112.
6. Law V, Seow WK, Townsend G. Factors influencing oral colonization of mutans streptococci in young children. Australian dental journal 2007;52:93–100; quiz 159.
7. Ji S, Choi Y. Innate immune response to oral bacteria and the immune evasive characteristics of periodontal pathogens. Journal of periodontal & implant science 2013;43:3–11.
8. Kenney EB, Ash MM, Jr. Oxidation reduction potential of developing plaque, periodontal pockets and gingival sulci. Journal of periodontology 1969;40:630–633.
9. Brown SA, Whiteley M. A novel exclusion mechanism for carbon resource partitioning in Aggregatibacter actinomycetemcomitans. Journal of bacteriology 2007;189:6407–6414.
10. Egland PG, Palmer RJ, Jr., Kolenbrander PE. Interspecies communication in Streptococcus gordonii–Veillonella atypica biofilms: signaling in flow conditions requires juxtaposition. Proceedings of the National Academy of Sciences of the United States of America 2004;101:16917–16922.
11. Grenier D. Nutritional interactions between two suspected periodontopathogens, Treponema denticola and Porphyromonas gingivalis. Infection and immunity 1992;60:5298–5301.
12. Grenier D, Mayrand D. [Studies of mixed anaerobic infections involving Bacteroides gingivalis]. Canadian journal of microbiology 1983;29:612–618.
13. Mayrand D, McBride BC. Exological relationships of bacteria involved in a simple, mixed anaerobic infection. Infection and immunity 1980;27:44–50.
14. Bramanti TE, Holt SC. Roles of porphyrins and host iron transport proteins in regulation of growth of Porphyromonas gingivalis W50. journal of bacteriology 1991;173:7330–7339.
15. Kornman KS, Loesche WJ. Effects of estradiol and progesterone on Bacteroides melaninogenicus and Bacteroides gingivalis. Infection and immunity 1982;35:256–263.
16. Cho YJ, Kim SJ. Effect of quercetin on the production of nitric oxide in murine macrophages stimulated with lipopolysaccharide from Prevotella intermedia. Journal of periodontal & implant science 2013;43:191–197.

17. Löe H, Theilade E, Jensen SB. Experimental Gingivitis in Man. Journal of periodontology 1965;36:177-187.
18. Slots J. Subgingival microflora and periodontal disease. Journal of clinical periodontology 1979;6:351-382.
19. Loesche WJ. Chemotherapy of dental plaque infections. Oral sciences reviews 1976;9:65-107.
20. Dzink JL, Tanner AC, Haffajee AD, Socransky SS. Gram negative species associated with active destructive periodontal lesions. Journal of clinical periodontology 1985;12:648-659.
21. Socransky SS, Haffajee AD. The bacterial etiology of destructive periodontal disease: current concepts. Journal of periodontology 1992;63:322-331.
22. Theilade E, Wright WH, Jensen SB, Löe H. Experimental gingivitis in man. II. A longitudinal clinical and bacteriological investigation. Journal of periodontal research 1966;1:1-13.
23. Newman MG, Socransky SS. Predominant cultivable microbiota in periodontosis. Journal of periodontal research 1977;12:120-128.
24. Newman MG, Socransky SS, Savitt ED, Propas DA, Crawford A. Studies of the microbiology of periodontosis. Journal of periodontology 1976;47:373-379.
25. Choi JI, Seymour GJ. Vaccines against periodontitis: a forward-looking review. Journal of periodontal & implant science 2010;40:153-163.

기타 참고문헌

• 손성희. 차정. 급성진행성 치주염의 임상 및 미생물학적 연구. 대한치주과학회지 1987;17.
• Armitage GC. Development of a classification system for periodontal diseases and conditions. Annals of periodontology / the American Academy of Periodontology 1999;4:1-6.
• Contrera A SJ. Herpes viruses in human periodontal disease. Journal of periodontal research 2000;35.
• Diaz PI ZP, Rogers AH. The responses to oxidative stress of Fusobacterium nucleatum grown in continuous culture. FEMS microbiology letters 2000;187.
• Gillett R, Johnson NW. Bacterial invasion of the periodontium in a case of juvenile periodontitis. Journal of clinical periodontology 1982;9:93-100.
• Herrera D, Roldan S, Sanz M. The periodontal abscess: a review. Journal of clinical periodontology 2000;27:377-386.
• Kilian M. Degradation of immunoglobulins A2, A2, and G by suspected principal periodontal pathogens. Infection and immunity 1981;34:757-765.
• Kornman KS, Loesche WJ. The subgingival microbial flora during pregnancy. Journal of periodontal research 1980;15:111-122.
• Kremer BH, Loos BG, van der Velden U, et al. Peptostreptococcus micros smooth and rough genotypes in periodontitis and gingivitis. Journal of periodontology 2000;71:209-218.
• Loesche WJ, Syed SA, Laughon BE, Stoll J. The bacteriology of acute necrotizing ulcerative gingivitis. Journal of periodontology 1982;53:223-230.
• Moore WE, Moore LV. The bacteria of periodontal diseases. Periodontology 2000 1994;5:66-77.
• Nakamura T, Fujimura S, Obata N, Yamazaki N. Bacteriocin-like substance (melaninocin) from oral Bacteroides melaninogenicus. Infection and immunity 1981;31:28-32.
• Nowotny A, Behling UH, Hammond B, et al. Release of toxic microvesicles by Actinobacillus actinomycetemcomitans. Infection and immunity 1982;37:151-154.
• Renvert S, Wikstrom M, Dahlen G, Slots J, Egelberg J. Effect of root debridement on the elimination of Actinobacillus actinomycetemcomitans and Bacteroides gingivalis from periodontal pockets. Journal of clinical periodontology 1990;17:345-350.
• Saglie R, Newman MG, Carranza FA, Jr., Pattison GL. Bacterial invasion of gingiva in advanced periodontitis in humans. Journal of periodontology 1982;53:217-222.
• Slots J, Genco RJ. Black pigmented Bacteroides species, Capnocytophaga species, and Actinobacillus actinomycetemcomitans in human periodontal disease: virulence factors in colonization, survival, and tissue destruction. J Dent Res 1984;63:412-421.
• Slots J. The predominant cultivable organisms in juvenile periodontitis. Scandinavian journal of dental research 1976;84:1-10.
• Socransky SS, Manganiello SD. The oral microbiota of man from birth to senility. Journal of periodontology 1971;42:485-496.
• Wood SR, Kirkham J, Marsh PD, Shore RC, Nattress B, Robinson C. Architecture of intact natural human plaque biofilms studied by confocal laser scanning microscopy. J Dent Res 2000;79:21-27.
• Zambon JJ, Christersson LA, Slots J. Actinobacillus actinomycetemcomitans in human periodontal disease. Prevalence in patient groups and distribution of biotypes and serotypes within families. Journal of periodontology 1983;54:707-711.

CHAPTER 13

치주질환과 면역반응

최점일

치주질환의 원인요소는 세균인자, 국소환경인자, 전신인자로 분류된다. 세균인자는 직접적으로 염증을 일으키며 치주질환의 주요한 원인이 되고, 국소환경인자는 치주질환의 심도를 변경시키는 치아, 치은, 수복물의 형태로 구성되고, 전신인자는 세균인자나 국소환경인자에 대한 조직반응을 조절하므로 전신상태의 변화에 따라 급격히 달라질 수 있다.

전신인자의 하나인 숙주반응은 다양한 형태의 치주질환에 중요한 역할을 하는 바, 치은염과 급진성 치주염에서는 질환의 진행이 세균의 존재와 숙주반응 사이의 상

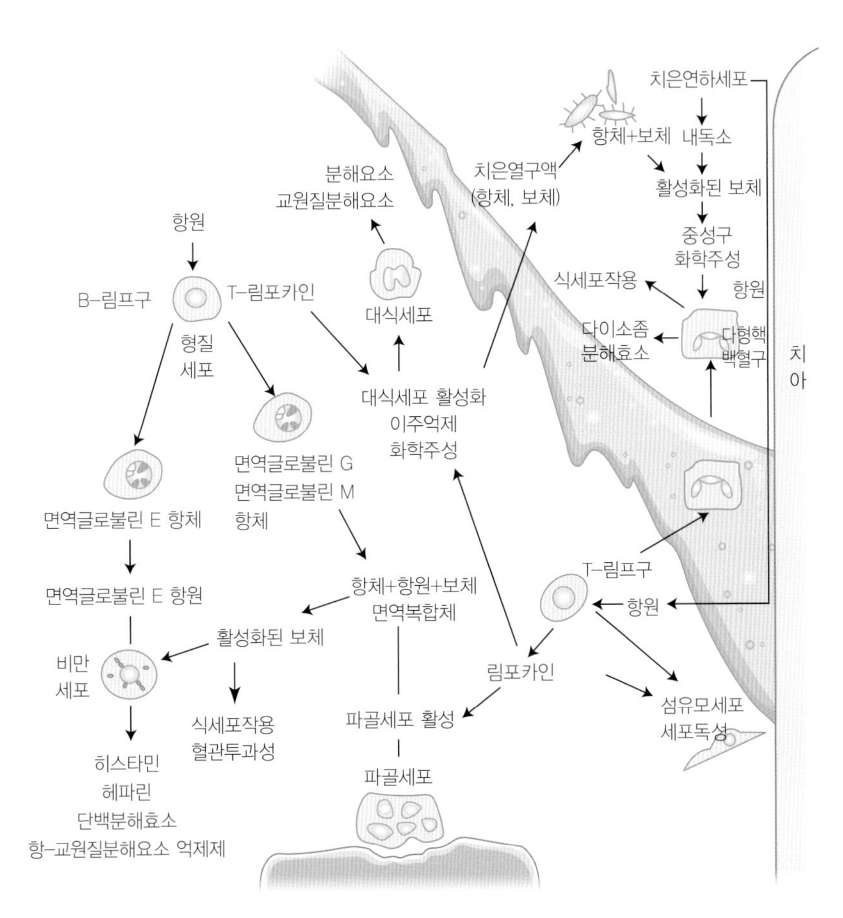

그림 13-1. 치주질환 진행에서 일어날 수 있는 면역병리학적 과정

표 13-1. 치주염증에 영향을 주는 면역계의 중요 인자들

Host responses- components		Main function	Cellular sources	Humoral components
Cells of immune system				
	Lymphocyte : B- and T- lymphocyte	Effector(destructive) and regulatory function(protective)	Lymphoid stem cells- lymph node, Thymus	Antibody production, immune regulation (tolerance)
	Neutrophils	Oxidative and non-oxidative killing	Myeloid stem cells	
	Macrophages	Bactericidal killing	Myeloid stem cells	
	Auxilliary cells : mast cells. basophils	Inflmmatory and anti-inflammato- ry mediators	Myeloid stem cells	
Regulatory cell surface molecules				
	Major histocompatibility comlex	Antigen presenting	Dendritic cells, -lymphocytes, Langerhans cells, macrophage	
	CD antigens : CD4. CD8, CD25	Antigen processing with MHC	T cells	
	T cell receptors (TCR)	Antigen processing with MHC	T cells	
	Adhesins - ICAM	Cell trafficking	Blood vessels, lymphocytes, neutrophils	
Effector molecules	Immunoglobulins and Fc receptors	Bacterial opsonization, killing	Plasma cells, neutrophil, macrophages	Ig class and subclass (anti-idiotype antibody), secretory IgA
	Complements	Bacterial opsonization, killing		Classical and alternative pathway
	Cytokines, Lymphokines	Bone resorption	Lymphocytes, macrophages, monocytes	
	Arachidonic acid metabolites- Prostaglandins	Bone resorption	Monocytes, fibroblasts	
	Enzymes- collagenase	Tissue degrading	Bacteria, neutrophils	

호관계에 의존하며 박리성 치은염같은 경우는 숙주반응의 결과로 볼 수 있다. 전통적으로 치주질환의 양상과 심도는 개체의 숙주저항 능력과 내재하는 소인에 따라 달라진다고 생각되었다.

그러나 최근 연구에서는 치주질환들이 각각 독특성을 지닌 상이한 질환으로 간주되고 있다. 즉, 각 치주질환은 독특한 임상, 세균, 병리, 생화학 및 면역학적 특성을 지니고 있음을 알 수 있게 되었고, 숙주 방어기전은 특이세균과 그 독특한 독소 혹은 항원물질에 대응하는 것임을 알게 되었다. 또한 치주질환의 양상과 심도는 특이세균에 의해 결정적으로 좌우되고 부정교합, 투약, 영양분 결핍, 전신질환, 연령 및 백혈구 기능부전 같은 부수적인 요소에 의하여 변형될 수 있다.

치주조직의 염증은 치면세균으로부터 생산되는 물질에 의한 직접적인 비면역학적 효과에 의해서 시작된다(표 13-1). 질환이 진행될 때 치은조직에는 면역반응을 일으키는 데 필요한 여러 세포요소들이 침윤되는데, 초기에는 microbial-associated molecular pattern (MAMP) 등에 대한 선천성 면역반응(innate immunity)에 의존하거나, 지속적인 세균항원의 노출에 대한 숙주의 획득면역반응(adaptive immunity)에 의존한다.

형질세포(plasma cell)는 항체를 생산하며 이들은 즉시형 과민반응(immediate type hypersensitivity)과 면역복합체(immune complex)에 관여한다. 림프구는 T 세포와 B 세포로 대별되며 T 세포는 세포성 면역반응에 주로 관여하며, B 세포는 항체성 면역반응과 관련이 있다. 또한 비만세포(mast cell), 다형핵 백혈구, 대식세포(macrophage) 등이 많이 침윤되어 있다. 염증은 하나의 숙주방어기전으로서 외부침입물질을 국소화시키거나 파괴하기도 하나 이 과정에서 결과적으로 숙주 자신의 조직도 파괴될 수 있다(그림 13-1).[1]

1. 초기 숙주반응

세균이나 그 부산물들이 치은열구 내에 축적되면 숙주반응이 일어나게 되는데 이때 다형핵 백혈구가 혈관을 통하여 치은열구로 유주하게 되며 이때 혈관의 반응이 나타나게 된다. 즉 혈류양이 증가하고 치은의 모세혈관의 삼투압이 증가하며 혈청, 섬유소, 적혈구, 백혈구 등이 축적되어 염증 삼출물을 형성하게 된다.

이러한 변화는 치태침착 후 2~4일 이내에 나타날 수 있으며 이러한 상태를 급성 치은염이라고 부른다. 이러한 급성 치은염은 숙주 반응에 따라 정상적인 조직으로 회복되거나, 만성염증으로 진행하게 된다. 만성염증으로 진행될 경우 대식세포나 림프구들이 수일 내에 나타나서 침윤된다. 급성염증 시의 맥관계의 투과성 증가는 히스타민, 5-hydroxytryptamine, 키닌, 보체, 프로스타글란딘 등이 분비되어 나타난 결과이다. 히스타민은 비만세포, 혈소판, 내피세포(endothelial cell) 등에서 나오며 비만세포의 과립감소는 세균에 의한 직접 영향, 내독소, IgE 매개 즉시형 과민반응, 복합면역반응, 보체, 기계적 충격, 기초 펩티드, 단백질 용해효소 등에 의한다. 부종과 접합상피의 투과성의 증가는 치은조직액이 치은열구나 치주낭으로 흘러가게 한다. 이때 치은조직막 내의 세포 및 화학 성분들은 세균 및 세균의 독성을 중화시키며 또 치주낭 깊이 존재하는 병인성 세균의 필수 영양분으로 공급되기도 한다. 또한 단백질이 풍부한 치은열구액의 존재와 산소압의 감소는 단백질이나 아미노산을 필요로 하는 혐기성 그람음성간균 및 나선균의 축적과 성장에 매우 유리한 생태학적 요인이 된다.

2. 선천성 면역의 작동(Innate immunity)

질환 초기에는 지방단백질(lipoprotein), muramyl dipeptide (MDP), 열충격단백질(heat shock protein) 등의 MAMP에 대한 선천성 면역반응(innate immunity)은 Toll-like receptor (TLR)과 nucleotide-oligomerization domain (NOD) 등의 pattern recognition receptor (PRR)에 의존함으로써 숙주의 심부로 세균이 파급되는 것을 신속하게 차단하는 대응책이라 할 수 있다. 이 PRR은 단핵구, 중성구, 상피세포, 섬유모세포, 대식세포, 림프구, 수지상

세포, 골모세포 등에 의해 발현된다.

3. 염증세포의 반응 (Inflammatory cell response)

특이생화학적 자극에 대한 반응으로 염증세포는 화학 주성 유주(chemotactically migration)를 하여 세균이나 이들이 분비한 물질들이 있는 국소 부위로 집중하여 모여들게 된다. 또한 T 림프구나 B 림프구는 배자발생(blastogenesis)으로 인하여 그 숫자가 증가하게 된다. 이러한 염증반응에 관여하는 세포들로는 비만세포(mast cell), 다형핵 백혈구(polymorphonuclear leukocyte), 대식세포(macrophage), 림프구(lymphocyte) 등이 있다.

세균감염에 대한 선천성 면역반응에 후속적으로 치은열구와 접합상피 내에 급성 염증세포인 중성구가 침윤하여 치주 미생물의 축적을 제어하는 국소방어기전이 작동되고, 치주감염이 만성적으로 지속될 경우 만성 염증세포인 대식세포와 림프구가 결합조직 내에 침윤하여 숙주를 방어하고 국소감염이 전신적으로 확산되는 것을 저지하는 역할을 감당한다.

중성구는 포식작용을 통하여 세균침입을 차단하기 위하여 기능하며 조직분해효소를 방출하여 결과적으로 국소조직 손상을 가져오기도 한다. 만성 염증세포들로 임파구와 대식세포는 옵소닌 역할을 하는 항체를 생성하여 중성구와 대식세포들과 연대를 이루어 세균을 포식하는 결정적인 역할을 감당해준다. 염증세포들의 반응 결과 바람직하지 않는 조직의 국소적인 파괴가 초래되기도 하나 숙주반응의 최종결과는 감염의 진행과 파급을 저지하는 결정적인 역할을 하게 된다.

1) 비만세포(Mast cell)

정상치은의 경우 중등도의 염증조직에서 보다 더 많은 비만세포가 존재한다. 따라서 비만세포의 과립 감소현상은 치주염의 발전기간 동안에 일어난다고 보며 치주염의 경우 비만세포의 숫자는 감소하며, 성공적인 치주치료 후에는 비만세포의 숫자는 다시 증가하게 된다. 그러므로 비만세포의 숫자 감소가 관찰되는 동안에 조직간격 내에서 비만세포 과립들을 볼 수 있다. 이러한 비만세포는 세포질 과립 내에 히스타민, slow reacting substance of anaphylaxis (SRS–A), 브라디키닌(bradykinin) 등을 함유하며 이 물질들은 치은조직 내로 분비된다. 이러한 비만세포의 과립 감소현상은 항원과 비만세포 세포표면에 붙어있는 IgE 항체가 반응하는 즉시형 과민반응에 기인한다.

2) 다형핵 백혈구(Polymorphonuclear leukocyte)

이 세포는 손상 및 감염에 대한 숙주의 방어에 대단히 중요한 요소로서 모든 염증부위에서 관찰되며 특히 치은열구나 접합상피에 최초로 집중 침윤되어 감염세균 탐식과 식균작용을 하며 다른 유해물질을 중화시키기도 한다.

질환 기시부에 효과적으로 신속하게 이동하기 위해서 중성구는 화학 주성에 반응하여 내피세포와 상피세포를 관통하여 세균세포를 opsonization한 다음 포식작용과 산화성 및 비산화성 살균작용을 감당하게 된다. 접합상피는 주화성 cytokine인 IL–8과 세포간 부착분자–1(intercellular adhesion molecule–1, ICAM–1)을 발현시켜 중성구의 이동을 촉진한다.[2]

세균세포가 중성구에 수용기(CR3)가 있는 보체성분에서 유래한 분자(예: iC3b)로 둘러싸이는 과정을 opsonization이라 칭하는데, 세균세포는 특이항체로 포획되며 이에 연속하여 보체가 고정되고, iC3b로 전환되면서 중성구의 CR3 수용기에 의하여 인지되는 C3b의 표면침착을 초래한다. IgG isotype의 특이항체도 직접 중성구의 Fc 수용기에 결합하여 포식작용을 용이하게 한다.

치은열구내 중성구에 의한 산화성 살균기전의 결함이 있는 경우 치주염 진행에 중요한 요인이 된다. 비산호성 살균 결과로 lysozyme, cathepsin G 등의 살균성분들이 유리되기도 한다. *Aggregatibacter actinomycetemcomitans*의 leukotoxin은 LFA–1 adhesion에 결합하여 유핵세포를 용해시켜 포식세포를 죽인다.[3] *A. actinomycetemcomitans*에 대한 특이항체나 anti–leukotoxin antibody는 leukotoxin에 의한 손상에 저항하여 중성구를 보호하며 결과적으로 식

균작용을 원활하게 한다.[4]

치주질환의 경우 다형핵 백혈구는 명백하게 방어역할과 파괴역할을 동시에 수행한다고 본다. 즉, cyclic neutropenia 같이 다형핵 백혈구의 전체적인 수가 감소될 때 혹은 국소적 급진성 치주염에서와 같이 세포기능의 손상이 있는 경우, 숙주의 방어는 부적절하게 되어 치주질환은 더욱 심화된다. 또한 다형핵 백혈구 수의 감소와 치은연하 세균막의 치근단으로의 급격한 증식과는 밀접한 관계가 있다고 본다.

급진형 치주염 환자의 많은 경우에서 다형핵 백혈구의 식균작용이 저하되며 화학주성 자극에 대해 반응이 감소되고 이들 환자의 건강한 가족에서도 다형핵 백혈구의 화학주성 부전이 관찰된다. 이는 다형핵 백혈구의 세포성 결함에 기인하는데 그람음성세균에 대해 숙주의 방어기전에 손상이 초래된다.

주기성 백혈구감소증(cyclic neutropenia), 무과립구증(agranulocytosis), Chediak–Higashi 증후군, 당뇨병 등 같은 다형핵 백혈구의 기능부전형 전신질환의 경우에도 심한 치조골 흡수가 나타난다(표 13–2). 급진형 치주염 경우 치주낭 내의 다형핵 백혈구의 식균능력 역시 감소되었음을 알 수 있다. 한편 다형핵 백혈구 자체는 조직파괴의 원인이 될 수도 있는 바 이 세포의 과립은 세균이나 세균의 분비물을 탐식하며 식균하고 중화시키는 능력을 가지며, 또한 특이한 교원질분해효소(collagenase)를 함유하고 있다. 치은연하세균은 다형핵 백혈구에 대해 두 가지 영향력을 준다. 첫째, *Treponema denticola*, *Actinomyces viscosus*, *Porhyromonas gingivalis*, *Capnocytophaga* ochraceus 등은 다형핵 백혈구에 대한 화학주성인자를 가지고 있다. 둘째, 일단 이들 세균이 있는 곳으로 다형핵 백혈구가 움직이게 되면 *Capnocytophaga*, *Prevotella melaninogenica*, *Leptotrichia buccalis* 등과 또한 약간 약하기는 하지만 *A. actinomycetemcomitans* 등은 이들 다형핵 백혈구로부터 리소좀(lysosome)이 유리되도록 유도한다. 다형핵 백혈구의 화학주성능 부전은 세포가 형태를 변형하는 능력이 없어서 생기는 것도 아니고 세포의 유착능력의 변형도 아니며 단지 세포표면의 수용기(receptor) 수가 감소되어 있는 것과 밀접한 연관이 있

표 13-2. **다형핵 백혈구 및 림프구 기능저하 환자의 치주질환 이환 감수성 비교**

Systemic disease or conditions	Abnormalities	Periodontal studies
1. Neutrophil disorders a. Drug-induced agranulocytosis b. Cyclic neutropenia c. Chediak-Higashi syndrome d. Lazy leukocyte syndrome	혈중 호중구 감소 호중구 일시적 감소 화학 주성 감소 호중구 이동 감소	심한 치주염 심한 치주염, 구강궤양 심한 치주염 심한 치은염
2. Neutrophil disorders-disease with reduced neutrophil function a. Diabetes mellitus b. Down's syndrome c. Papillon-Lefèvre syndrome	호중구 화학 주성 감소 일부 당뇨환자에서 식세표 작용 호중구의 식세포 작용 감소 호중구 이동 감소	심한치주염, 치은염,조기 발생 치주질환 심한 치주염 심한치주염, 조기발생 치주염 심한치은염
3. Lymphocyte disorders a. Immune deficient patients	IgA 결핍; 감마글로불린감소증 무 감마글로불린 혈증 정상 세포매개성 면역 Azathioprine과 prednisone 유발효과	치은염증 감소 치주염 징후 없음 치주질환과 나이, 치태와의 상관관계는 낮음 면역이 저하된 환자에서는 염증세포가 덜 관찰됨 치태침착과 치은염증 사이 상관관계 없음

다. 이와 관련된 수용기로서는 NCD-1에 대한 GP-110, IL-8에 대한 IL-8R, FMLP (N-Formyl-Methionine-Leucyl-Phenylalanine)에 대한 FRP, C5a에 대한 C5aR 등이 있다. 중성구의 수용기 결합이 관련된 치주질환의 유형들로는 국소적 및 전반적 급진성 치주염, 사춘기전 치주염, 급성 괴사성 궤양성 치은염, 난치성 치주염 등을 들 수 있다.

3) 대식세포(Macrophages)

대식세포는 직접적으로 세포성 면역계에 작용하는 바, 이들 거대 탐식세포는 세망내피계(reticuloendothelial system)의 탐식세포이며, 다양한 면역원을 T 림프구에 인식시켜 줌으로써 T 림프구로 하여금 B 림프구 반응을 돕도록 하고 있다. 대식세포 표면에 결합된 일정의 항원은 비결합 항원에 비하여 훨씬 면역성이 높은 것으로 나타나고 있다. 따라서 대식세포는 B 림프구를 위하여 항원을 면역원으로 만들어 주는 일련의 과정을 촉진시킨다.

염증조직에 분포하고 있는 대식세포는 혈액을 통하여 공급된 단핵세포(monocyte)가 분화하여 형성되며 이 대식세포는 항원과는 비특이적으로 작용하여 항원성에 무관한 세균마저도 파괴시키는 능력을 가진다.

이들 세포는 치주조직 및 치주질환 부위에서 흔히 볼 수 있는 세포형으로서 이들 질환 부위의 병인에 중요한 역할을 한다. 즉 만성 치주염의 조직인 치은상피, 결합조직층, 혈관주위조직 및 혈관 내에서 활동성 대식세포를 쉽게 관찰할 수가 있다. 단핵세포들은 림포카인(lymphokine)이나 보체요소들에 의해서 염증 부위로 끌려가게 되며 염증 부위에서의 세균의 탐식은 다른 백혈구, 면역계 및 보체와의 상호작용에 달려있으며 대식세포에 의한 세균의 식균활성화에 의하여 더욱 증강될 수 있다. 이러한 대식세포는 세균의 내독소, 면역복합체(immune complex) 그리고 림포카인 등의 자극에 대한 반응으로서 prostaglandins, cyclic AMP, 교원효소, interleukin-1 등을 생산 분비한다. 특히 대식세포의 교원질분해효소는 치주질환 시 치주조직의 교원질파괴와 밀접한 관계가 있다. 대식세포가 분비하는 interleukin-1은 대식세포 및 기타세포가 prostaglandin E2 (PGE2)를 생산하도록 촉진하여 골 흡수에 관여한다.

4. 치주질환에서 체액성 면역반응

1) 항체(Antibody)와 면역글로불린의 생물학적 성상

숙주는 침입한 세균이나 세균의 생산물에 대한 반응으로서 항체를 생산하며 이 항체는 항원과 결합하여 여러 가지 면역반응을 나타나게 된다.

항체는 성숙한 형질세포에서 만들어지며 면역글로불린(immunoglobulin)이라 불린다.

면역글로불린은 항원물질들, 탄수화물 함량, 무게, 아미노산의 배열 등이 각 면역글로불린 class에 따라 다르며 각 항체분자는 고유의 항원성질을 가지며 이 항체는 자기의 고유한 항체결합부위(antibody-combining site)에서 반응하게 되는데 그 이유는 이 부분에 각 항체 특유의 특이 아미노산 배열과 3차원적 구조를 가지고 있기 때문이다. 인간의 면역글로불린은 구조적 차이에 따라 5군으로 분류되며 이러한 구조적 차이는 또한 항원결합에 대한 상이한 생물학적 효과를 가지고 있다. 즉 IgG, IgM, IgA, IgE, IgD이며 이 중 IgG의 subclass는 IgG1, IgG2, IgG3, IgG4가 있다(표 13-3). 면역글로불린 분자는 2개형의 light polypeptide chain형 중 하나와 5개 heavy polypeptide chain형 중 하나의 조합으로 만들어진다. 이중 다섯 종류의 면역글로불린은 각각 동일한 L쇄(light chain)을 가지며 항원성이 라는 H쇄(heavy chain)를 가지고 있다.

(1) 면역글로불린 G (IgG)

이 항체는 혈청항체 중 가장 다량으로 존재하며 혈액과 혈관외액 사이에 균일하게 분포되어 있다. 주된 역할은 세균과 결합하여 세균독소를 중화시킴으로써 식균작용을 증가시키는 것이다. IgG는 전체 혈청 항체의 80%를 차지하며 태반장벽(placental barrier)를 통과하여 어머니의 체액면역을 신생아에게 제공한다.

(2) 면역글로불린 M (IgM)

이 항체는 대부분의 항원이 처음 감작되었을 때 가장

표 13-3. **면역글로불린의 성분**

면역글로불린	IgG1	IgG2	IgG3	IgG4	IgM	IgA1	IgA2	sIgA	IgD	IgE
무거운 사슬	r1	r2	r3	r4	u	a1	a2	a1 or a2	d	e
평균혈청 농도(mg/ml)	9	3	1	0.5	1.5	3.0	0.5	0.05	0.03	0.00005
침강상수	7s	7s	7s	7s	19s	7s	7s	11s	7s	8s
분자량	146	146	170	146	970	160	160	385	184	188
무거운 사슬의 분자량	51	51	60	51	65	56	52	52-	69	72
무거운 사슬	4	4	4	4	4	5	4	4	4	5
도메인 수										
탄수화물(%)	2~3	2~3	2~3	2~3	12	7~11	7~11	7~11	9~14	12
보체결합(전형적과정)	+	±	+	−	−	−	−	−	−	−
보체결합(보체대체 경로)	+	+	+	?	+	+	+	+	−	+
태반통과	+	+	+	+	−	−	−	−	−	−
즉시형 과민항체 반응	−	−	−	−	−	−	−	−	−	+
항균성 세포용해	+	+	+	+	+	+	+	+	?	?

먼저 형성된다. 이 항체는 IgG보다 훨씬 적은 양으로 혈청 내에 존재하며 감염 말기에 이 항체의 양은 IgG에 비해 아주 적은 양이 존재한다. 따라서 감염초기에 IgM이 중요한 역할을 함을 알 수 있다. 이 IgM은 또한 보체계의 가장 유효한 활성제로 작용한다.

(3) 면역글로불린 E (IgE)

혈청 내에서 매우 적은 양이 존재하지만 심한 급성알레르기성 반응에 관여하며 치주질환의 어떤 부분에 중요한 역할을 할 가능성도 있다. IgE를 생산하는 세포는 호흡기나 소화기의 점막에 풍부하게 분포되어 있으며 외분비액에서 많이 발견된다. 이 종류의 항체는 Fc 부분상에 있는 부착부위에 의하여 세포의 표면에 친화력을 가지고 있다. 인간의 경우 IgE는 비만세포와 호염기성 백혈구(basophilic leukocyte)에 부착되어 있다. 그래서 항원이 비만세포에 부착된 두개의 IgE와 결합되면 항원 항체 반응이 일어나고 히스타민 및 기타 물질들이 유리된다.

(4) 면역글로불린 D (IgD)

이 항체는 혈청 내에서 매우 적은 양이 존재하며 면역계에서의 역할이 불명확하나 림프구 표면상의 항원수용체로 여겨진다. 이 항체는 항원이 림프구의 자극 감각에 중요한 역할을 함으로써 면역반응의 기시에 관여한다고 본다.

(5) 면역글로불린 A (IgA)

IgA는 기초 IgG분자에서 여러 종합형으로 나타나는데 단량체(monomer), 삼량체(trimer) 또는 더 큰 다량체로 형성되기도 한다. IgA는 외분비물질(타액, 모유, 호흡기분비물, 소화기 점액, 눈물)에 주로 존재한다. 혈청 IgA는 주로 단량체(monomer)인 반면 분비형 IgA는 이량체(dimer)이다. 이 IgA를 생산하는 세포는 외분비선의 상피하조직에 주로 집중되어 존재하며 국소적으로 존재하는 항원에 대해 명확한 반응을 보인다.

치은열구액에는 분비형 IgA보다는 혈청 IgA가 주로 존재한다. 분비형 IgA항체는 그 자체의 구조에 의하여 점막

표면상에 기능적으로 활동할 수 있게 한다. 특히 이 항체는 다른 항체에 비하여 단백질 분해효소에 의한 분해에 더 큰 저항력을 보유하고 있다.

분비형 IgA의 Fc 부분에 부착된 polypeptide chain의 secretory 부분이 항체의 여러 구조를 안정시키며 선상피를 통과하기 쉽게 할 수 있다. 또한 분비형 IgA와 관련된 네 번째형의 폴리펩티드인 J쇄(J chain)는 이 분비형 IgA가 보다 더 단백질 분해효소에 저항할 수 있게 한다. 이 분비형 IgA가 점막상피상의 세균 및 바이러스 질환에 대해 방어적인 역할을 하는 것에 대해 많은 연구가 되고 있는 바, 조직표면에의 세균부착이 이 항체에 의해 제어되거나 혹은 감소될 수 있다고 보며 이러한 방어적인 기전은 콜레라, 충치 및 초기의 치주질환같은 세균성 질환에서 세균들이 점막이나 치아표면에 부착하여 균락을 형성하는 것을 보다 강력히 제어할 수 있다. 그러나 치주질환이 형성된 후의 분비형 IgA의 역할에 대해서는 아직 확인되지 않았으며 이는 타액이 이 질환부위에 깊이 침투되지 못하기 때문으로 본다.

2) 항체와 치주질환

IgG, IgM, IgE와 혈청 IgA는 정상인의 치주조직 내에서도 많이 존재하는데 이러한 항체들 중 일부는 치주질환이 있는 환자의 치은열구액 내에서 상당량이 존재함을 알 수 있다. 또한 치은조직 내에서도 IgG와 IgA의 합성이 이루어지는 것이 확인되고 있다.[5,6]

이러한 항체들이 국소조직 내에서 만들어지고 결합된 세균이 치은연하 세균막 내에서 나타남으로써 구강세균에 대해 특이한 방어 역할을 수행함을 알 수 있다. 즉, 항체 및 보체에 덮힌 치은연하 세균이 발견됨은 이들 두 면역체가 치은연하 세균의 수와 형태에 직접적으로 큰 영향을 준다는 것을 암시한다. 그람음성 세균과의 반응에서는 세균용해를 촉진시킬 수 있고, 그람양성 세균과의 반응에서는 세균의 식균작용을 촉진시킬 수 있다(표 13-4).

구강세균에 대한 항체역가가 높은 것은 방어효과를 나타낸다고 볼 수 있는 바 흔히 질환의 심도가 심할수록 항체역가가 증가함을 관찰할 수 있다. 그러나 간혹 정상인이나 치은염 환자에서 치주염 환자에서 보다도 더 높은 세균항체 역가를 나타낸다. 그러나 통상적으로 주요 구강세균에 대한 혈청항체 역가가 높게 나타나는데 이는 이들 세균에 대한 정상적인 체액성 면역반응이 나타나는 것으로, 이로 인해 생성된 특이항체는 해당세균에 대해 선택적으로 친화성을 가지므로 보체와 공동작용으로서 복합면역 반응 등을 이루어 세균의 제거에 도움을 준다.

국소 치은조직 내에서도 항체생산이 일어나는데 특히 Bacilli, spirochetes, cocci, filamentous bacteria, *Fusobacterium, Leptotrichia, Veillonella, Bacteroides, A actinomycetemcomitans* 등에 대한 항체를 확인할 수 있다. 이러한 항체들은 보체 활성화를 통하여 복합 면역 반응을 일으킴으로써 이들 세균의 식균작용 및 이들 세균의 생산물질의 제거에 크게 도움을 준다고 본다.

치은조직 내의 항체와 세균항원과의 반응은 치은조직

표 13-4. 치주질환에서 항체의 역할

반응 또는 과정	효과
항원항체 복합체에 의한 보체 활성화	염증으로부터 보호작용
다형핵 백혈구의 리소좀 분비에 의한 항원항체 복합체의 식세포 작용	파괴작용
항원항체 복합체에 의한 림프구 자극 증진	림포킨 분비로 인한 보호 및 파괴작용
결합하지 않은 항체나 항원항체 복합체에 의한 림프구 저지	세포매개성 면역반응 억제
세균 알레르겐, 독소, 효소의 중화	보호작용
옵소닌화 증진, 혹은 치태세균 분해	보호작용

의 역반응으로 나타날 수 있는바 숙주가 외부항원을 파괴하거나 제거하기 위한 시도를 하는 과정에서 항원을 제거하기보다 과도한 염증반응이 야기될 수 있다. 이러한 반응은 즉시 과민반응, 복합면역반응, 혹은 아르투스 반응(Arthus reaction) 등으로 일어난다. 치은 내에서 실험적으로 유발된 즉시 과민반응과 아르투스 반응의 결과 만성 염증세포의 침윤이 조직 내에 나타남을 관찰할 수 있다. 또한 이때 아르투스 반응에 의해 파골세포에 의한 치조골 흡수도 보인다.

국소적 급진성 치주염 환자의 경우, 혈청 내에서 IgG, IgA, IgM의 양이 정상인에 비해 증가하며 이 환자의 치은 조직 내의 형질세포가 만든 항체는 다만 k나 λ chain의 L쇄(light chain)만이 있고 H쇄(heavy chain)는 없는 면역학적 결함을 보인다. 또한 정상인에서보다 이 환자의 조직내 침착이 높음을 알 수 있다. 이런 환자의 경우 혈청 및 치은 열구액 내에서 *A. actinomycetemcomitans*에 대해 높은 항체역가를 보인다. 또한 *A. actinomycetemcomitans*의 백혈구 독소(leukotoxin)에 대한 혈청 내의 항체반응은 다른 만성 치주염, 급성 괴사성 궤양성 치주염이나 정상인에 비해 상당히 높게 나타난다. 그러나 어떤 그람음성 세균은 polyclonal B−cell activator의 성질을 가짐으로써 항체생산에 간접적으로 영향을 준다. 이러한 경우 특정세균에 대한 항체생산보다는 불특정 세균에 대한 비특이 항체가 생성되게 된다.

3) 보체(Complement)

항원항체 상호작용에서 중요하면서 해로운 생물학적 결과는 보체의 활성화이다. 보체는 대개 11개의 단백질 종류로 구성되며 정상인 혈청의 10% 정도를 차지하고 있다. 이 물질은 간, 소장, 대식세포, 기타 단핵세포에서 합성되는데 이 보체는 IgG나 IgM같은 종류의 항체일 경우 광범위한 항원항체 복합체와 반응하며 세포막 상에 일차적인 생물학적 역할을 보이며 세포를 용해시키거나 기능을 변형시켜 식균작용을 촉진시키도록 도와준다. 또한 다형핵 백혈구의 유주, 대식세포, 백혈구의 식균작용 증가, 용혈현상, 세균용해현상 등도 일으킨다. 항원항체 복합체에서 항체의 Fc 부분에 보체의 한 요소(Clq)가 결합되면 보체계의 다른 보체요소들이 순서적으로 계속해서 반응을 나타내게 된다. 각각의 활성화된 보체요소는 다음의 반응할 보체요소를 작은 부분으로 분열시킴으로써 반응을 쉽게 한다. 보체가 활성화되어 반응하는 방법에는 전형적 과정(classical pathway)과 대체경로(alternative pathway)가 있고, 전형적 과정은 항원이 IgG나 IgM과 반응함으로써 혹은 응집된 항체들에 의해서 활성화된다.

보체대체경로의 보체 활성화는 응집된 IgG, IgA, IgE 혹은 내독소 등이 C1, C4, C2 등의 과정을 일으키지 않고 바로 C3 활성화 전구물질을 전환시킨 후에 직접적으로 C3 을 분열시켜 C3a, C3b로 나누어 놓은 다음 계속적으로 분열과정과 반응과정을 연속시킨다. 일단 이러한 물질 등에 의해서 보체활성화가 될 경우 여러 가지 생물학적으로 활성화된 물질들이 유리된다. 치은열구액 내에 존재하는 여러 보체요소들은 치태세균이나 세균의 단백질 분해효소에 의해 활성화되어 나타난 물질이라 볼 수 있다. 이러한 여러과정의 보체가 활성화되면 세균, 세포들이 용해되기도 하지만 더불어 염증과 관련되어 세포 및 조직의 변화도 나타나게 된다. C3와 C5가 활성화되면 C3a, C5a가 되며 이들은 비만세포의 과립감소를 유발시켜 히스타민을 유리시키고 따라서 모세혈관의 투과성이 증가된다.

C5a는 또한 다형핵 백혈구의 화학주성을 가져오는 장본인이 된다. C3 활성화에 나타나는 C3a는 또한 다형핵 백혈구의 화학주성에 관여하며 다형핵 백혈구의 화학주성 유도는 히스타민에 의해 자극되지 않는 보체 자체의 역할에 의한 것이다. 어떤 종류의 세균은 낮은 분자량의 펩티드를 생산하는데 이들 물질들이 직접적으로 화학주성 유도를 하게 된다. 따라서 이러한 물질들은 치주질환 부위에 염증세포의 집적을 초래한다. 그람음성세균이 치주조직 내에 침투될 경우 보체가 활성화되면서 적혈구를 용해하듯이 세균도 용해시킬 수 있다. 그러나 그람양성세균의 경우는 이러한 보체의 용해 작용에 예민하지 못하며 이들 보체가 활성화되면서 다형핵 백혈구에 의해서 쉽사리 탐식이 된다.

실제로 C3는 염증치은에서 정상조직에서보다 더 많은

양이 나타나고 있으며 염증 치은이 존재하는 치은열구액 내에서 C3 양이 많이 나타나며 C4 양은 감소함을 알 수 있다. 또한 염증치은조직의 추출액이 단핵백혈구에 대해 화학주성 유도능력을 가지고 있음을 알 수 있다.[7]

국소적 급진성 치주염 환자의 치은열구액 내에서 보체는 대체경로(alternative pathway)를 거쳐 활성화되며 이 과정은 주로 그람음성 세균의 내독소에 의해 유도된다고 본다.

5. 치은열구 내의 숙주 방어기전

치은열구는 항상 세균들의 서식처로서 감염이 가장 되기 쉬운 부분이다. 건강한 치은열구는 세균의 침입에 대해 항상 적절한 방어작용을 숙주가 하고 있으나 만약 그렇지 못할 경우 이 부분의 조직 손상이 세균의 번식에 의해 일어나게 된다. 치은열구 및 주위조직에서 세균에 대항하는 숙주의 방어기전으로는 점막 및 상피의 완전한 표면구조, 상피세포의 주기적인 박리, 타액의 유주 및 타액의 여러 물질들 등이다. 일단 점막표면이 한 번 손상을 받으면 체액의 여러 성분이나 탐식세포들에 의해서 방어가 이루어진다. 특히 치아와 치은조직이 맞닿는 접합상피는 대단히 약한 조직으로서 이 부분에 세균은 오랫동안 존재하게 되고 따라서 양자 간의 공격과 방어현상이 항상 존재하게 된다.

6. 타액에 의한 방어

구강으로 들어가는 세균들은 대부분이 타액에 의하여 씻겨져서 식도로 넘어가게 되며 치아면이나 치은면에 부착하는 기회가 없어지게 된다. 그러나 일부 특수하게 구강표면에 부착능력이 있는 세균들이 구강면에 남게 되는데 이 경우 타액 내에는 이들 세균의 부착을 저지하는 응집소(agglutinin)나 분비형 IgA가 존재하며 리소자임 같은 물질은 세균의 세포벽을 녹이는 역할도 한다. 또한 타액의 락토페린(lactoferrin)은 세균에 필수불가결한 철분을 빼앗기도 한다.

7. 치주질환과 면역기전

면역기전은 외부의 침입자인 세균이나 바이러스 같은 물질에 대한 숙주의 방어반응이 보통이다. 그러나 동시에 여러 형태의 과민반응이 나타남으로써 국소조직 파괴를 일으키게 한다. 네 가지 과민반응 형태 중 Type I은 아나필락시스 혹은 즉시형과민반응이라 부르고, Type Ⅱ는 세포독성 반응, Type Ⅲ는 면역복합반응, Type Ⅳ는 세포성 면역반응이라고 부른다.

1) 즉시형 과민반응(Anaphylaxis or immediate hypersensitivity, Type I)

항원이 국소피부를 통해 투입되어 나타날 때 이를 피부 아나필락시스라고 한다. 이 반응에는 IgG 와 IgE 관여하며 IgE는 피부를 감작시킨다. IgE 항체를 반응체(reagin)라고 부르며 IgG 항체는 항원과 결합하여 감작을 예방하기도 하는데 이 경우 IgG를 차단항체(blocking antibody)라고 부르기도 한다. IgE항체의 Fc 부분은 주로 피부나 치은결합조직에 있는 비만세포, 호염기성 백혈구 상에 있는 Fc 수용기에 강력히 부착되어 있다. 치주조직이나 다른 조직 내에는 IgE를 생산하는 형질세포가 많이 보이며 이들세포는 IgE를 세포표면에 가지고 있다.[8]

즉시형 과민반응(Type I)은 두 개의 IgE 항체가 비만세포나 호염구에 부착되며 이 항체의 Fab 부분과 감작항원과 반응함으로써 나타나는 현상이다. 이때 감작된 세포인 비만세포에서는 약리적으로 강력한 여러 물질을 내는데 이것들이 치주조직 손상을 유도할 가능성을 가지고 있다. 히스타민은 이미 세포 내에 존재하거나 항원항체 복합반응 시 재빨리 유리되며 키닌이나 아나필락시스 중 slow reacting substance (SRS−A)는 항원항체 복합반응 후에 만들어지게 된다.[9]

(1) 히스타민(Histamine)

이 물질은 아나필락시스 반응에서 가장 많이 연구된 물

질로서 비만세포, 혈소판, 호염기성 백혈구 등이 이 물질을 보유하고 있다. 만성염증 치은에서도 정상치은에 비해 현저히 높은 히스타민 농도를 조직 내에 가지고 있다. 이 물질은 모세혈관의 삼투압을 증가시키며 평활근의 수축, 외분비선의 자극, 정맥의 확장이나 삼투압을 증가시킨다.

(2) Slow-reacting substances (SRS-A) of anaphylaxis

이 물질은 산성지방질로서 guinea pig의 회장(ileum)의 완만한 수축을 유지하게 한다. 이 수축은 항히스타민에 의해 차단되지 못하며 이 SRS-A 물질은 삼투압을 증가시키는 역할도 한다.

(3) 브라디키닌(Bradykinin)

이는 혈장 내의 α-2-globulin 상에 있는 kallikrein의 효소작용에 의해 형성되는 펩티드이다. 이 물질은 아나필락시스 중 가장 큰 약리적 작용을 하고 평활근의 수축, 혈관확장, 모세혈관 삼투압 증가, 백혈구 유주, 동통섬유의 자극 등이 포함된다. 구강세균에 대한 아나필락시스형 반응은 치주질환의 심도와 깊은 관련이 있다는 보고가 있다. 즉 Actinomyces나 기타 균의 추출물로부터 분리된 피부검사용 물질로 검사결과 인간에서 이런 물질에 대해 아나필락시스나 지연형반응이 나타남을 알 수 있으며 치주질환의 심도와 이들 반응의 강도 사이에는 상관관계가 있음을 알 수 있었다.

2) 세포독성 반응(Cytotoxic reactions, Type II)

이 반응은 세포에 완전히 결합되어 있는 항원과 항체가 직접적으로 반응한 경우로 세포와 결합된 항원은 정상 세포표면 항원 혹은 세균, 약품, 변형된 조직물질들이며 이러한 세포독성 반응에 의해 관련 세포들은 용혈현상을 나타낸다(적혈구와 세포막 다당류항원). 이 세포독성 항체로는 IgG 혹은 IgM 종류이며 이러한 반응에서 보체고정이 모든 종류의 세포독성 항체반응에 필요한 것은 아니지만 이들 항체가 보체를 고정할 수 있는 능력을 가지고 있기는 하다. 이러한 반응에서 세포 용혈현상뿐아니고 항원으로 덮여진 다형핵 백혈구의 경우 lysosomal 효소의 합성과 유리가 증가함으로 인해 조직파괴가 일어난다. 이 세포독성반응은 자가면역질환의 경우 자가항체가 환자의 자기 조직과 반응하게 된다. 천포창(pemphigus)인 경우 항체가 세포막과 반응하며 유천포창(pemphigoid)인 경우 항체가 상피 기저막과 반응하게 된다. 치은염과 치주염에서 세포독성반응이 중요한 역할을 하는지에 대한 증거는 없다.

3) 면역복합반응(Arthus reactions, Type III)

숙주가 높은 농도의 항원에 의해 감작될 경우 이러한 항원은 항체와 복합되어 작은 혈관내부나 주위에 침전되게 된다. 이때 보체활성화가 일어나면 국소반응 부위에 조직의 손상이 일어난다. 염증, 출혈, 괴사가 일어날 수 있으며 특히 조직의 손상은 다형핵 백혈구의 리소좀의 유리때문에 나타날 수 있다. 이들 항체는 보체를 활성화 및 고정시킬 수 있으며 이때 보체는 면역복합반응의 원인이 될 수 있는 다형핵 백혈구의 화학주성을 유도하는 원인물질의 하나가 되기도 한다.

많은 구강세균에 대한 항체가 존재하며 계속적으로 항원이 치은으로 침투되게 되면 면역복합반응이 일어나게 된다. 이러한 현상은 사람의 치주염이나 치은염의 조직병리적 현상과 실험동물에서 일으킨 면역복합으로 유도된 보체활성화는 치은염증의 시작이 될 수 있음을 암시하고 있다.

4) 세포매개면역반응(지연형 과민반응: Cell-mediated immunity, Type IV)

세포-매개 면역은 식세포, 항원-특이적 세포 독성 T-림프구의 활성화 및 항원에 대한 다양한 사이토카인의 방출을 포함한다. CD4 세포 또는 helper T 세포는 다른 병원균으로부터 보호하는 역할을 한다. Naive T 세포는 항원 제시 세포(antigen-presenting cells, APCs)를 만나면 활성화된 effector T 세포로 전환된다. 대식세포, 수지상세포 및 B 세포와 같은 이들 APCs는 항원 펩타이드를 세포의 MHC 상에 결합하고 이 펩타이드를 T 세포 상의 수용체에 제시한다. APCs 중 가장 주요한 세포는 고도로 분화된 수지상세포로서, 이는 전적으로 항원을 섭취하고 제시하는 역할을 한다.

활성화된 effector T 세포는 여러 종류의 병원균에서 유래한 펩타이드 항원을 인지하는 기능은 3가지로 분류 할 수 있다. 첫 번째는 사이토카인을 이용하지 않고 감염된 표적 세포를 사멸시키는 세포 독성 T 세포이며, 두 번째는 대식세포를 활성화시키는 Th1 세포이다. Th2 세포인 세 번째 유형은 주로 B 세포를 자극하여 항체를 생산하는 기능을 한다. 선천 면역 체계(innate immune system)와 획득 면역 체계(adaptive immune system)는 각각 체액성 및 세포 매개성 면역반응으로 구성된다.

세포 매개 면역은 식세포 및 비식균성 세포를 감염시키는 미생물에 우선적으로 영향을 미친다. 이는 바이러스 감염 세포를 제거하는 데 가장 효과적일 뿐만 아니라 곰팡이, 원생동물(protozoans), 종양 및 세포 내 박테리아를 방어하는 데도 관여한다. 또한 이식 거부 반응에서도 중요한 역할을 한다.

8. 면역반응의 작동체분자 (Effector molecules)

1) 림포카인과 사이토카인 (Lymphokine and cytokines)

1926년 Zinsser와 Tamiya에 의하여 림포카인의 활동성이 관찰된 이래 백혈구에 의하여 생산되는 수용성 polypeptide mediator와 이 물질이 내피세포에 미치는 영향이 많이 연구되기 시작하였다. 근래에는 지혈작용, 염증반응 및 면역반응이 면역세포와 혈관내피세포 사이에 긴밀한 상호작용에 의하여 일어남을 알게되였다. 사이토카인(cytokine)은 백혈구와 혈액성분 사이에서 복합적인 두 방향의 상호작용을 하는 매개물질이다.

염증세포는 수많은 종류의 사이토카인을 생산해내며 이들 물질은 염증의 여러 단계에 관여한다. 이 중 인터류킨(interleukins, IL), 인터페론(interferons, IFN), 종양괴사인자(tumor necrosis factors, TNF) 등은 대식세포, T-세포, B-세포, 섬유모세포, 골모세포 등에서 생산된다. 이중 IL-1α, IL-1β, TNF-α, IFN-γ 등은 골재생 과정에 중재자로 관여함이 연구결과 밝혀졌다. IL-1은 섬유모세포의 증식, 골 흡수, 연골 분해 등의 작용을 한다. 또한 이 IL-I은 윤활세포로부터 PGE_2나 교원질 분해효소를 분비하는 것을 촉진시킨다. IL-1는 치주염이 심한 환자의 치은열구액에서 많이 함유됨을 알 수 있다. IL-1 는 IL-1α와 β로 나누는데, IL-1β가 골 흡수를 유도하는 데 더 큰 활성을 보이고 이것은 osteoclast activating factor라고도 불린다. 이 중 IL-2나 IFN-γ는 IL-1에 의한 골 흡수를 억제한다. 그러나 TNF-α (cachectin)는 단핵세포에 의한 IL-1 생산을 유도하며 PGE_2 생산을 증진시키고 파골세포의 수를 증가시킴으로 치조골 흡수에 기여한다.

2) 프로스타글란딘(Prostaglandin)

Prostaglandin (PG)은 cyclooxygenase (COX-1, COX-2)에 의하여 생산되는 arachidonic acid 대사산물로서 치은과 치은열구액에서 검출된다. 이 중에 COX-2는 IL-1β, TNF-α, 세균 Lipopolysaccharide 등에 의하여 증가하며 PGE_2는 치주염에 관련된 골소실을 일부 담당한다. 치주질환의 활성이 높은 때에 PGE_2의 양이 상승하는 것으로 알려져 있는데, 염증과 관련된 PGE_2 생산을 담당하는 주요세포는 대식세포와 섬유모세포이다. 진전된 치주염 환자에서 prostaglandin합성 억제제인 비스테로이드성 소염제(non-steroidal anti-inflmammatory drug: NSAID)의 투여는 골소실을 감소시키는 결과가 발표된 바 있다.[10] 세균성 LPS (Lipopolysaccharide)-profinlammatory cytokine (IL-1, TNF-alpha) -prostaglandin은 osteoclast를 활성화하여 치조골 흡수를 초래하는 강력한 축이라 할 수 있다.

9. 치주질환에서의 세포성 면역반응

1) T-임파구와 B-임파구의 기원

이 반응은 림프구의 표면과 항원이 상호반응 하는 것에 그 기초를 둔다. 림프구 중 B 림프구는 더욱 분화되어 형질세포가 되며 항체를 만들어내게 되는데 이러한 B 림프구는 새의 파브리키우스 소낭(bursa of fabricius)과 동물의 골수에서 증식하는 것을 발견할 수 있다. B 림프구는 혈액이나 흉관(thoracic duct)을 돌다가 임파조직, 즉 림프절의 각질 배 중추(cortical germinal center)나 부신의 적수(red pulp)로 가서 형질세포로 분화하게 된다. 또한 B 림프구는 생물학적으로 활동성인 림포카인(lymphokine)을 분비한다. T 림프구는 골수에서 흉선(thymus)으로 이주하여 면역능력이 있는 세포로 변한다. 흉선에서 이들 T 세포 림프절의 각질주위(pericortical area)나 부신의 백수(white pulp)로 이주한다. T 림프구나 B 림프구가 면역항원으로 감작되면 자극을 받아 배자발생(blastogenesis)이나 전형(transformation)을 하게 된다. 이 경우 형태적으로 크게 되면 RNA나 DNA를 합성하며 유사분열을 하게 된다. 따라서 특정 항원에 대해 특이성을 가지는 면역능력세포가 증가하게 된다(그림 13-2).

2) 치주질환에서의 T-세포의 역할

면역 반응의 진행과 통제는, 방어 가능할 것인지 아닌지를 결정짓는 국소적인 cytokine 생산량의 큰 증가 여부에 달려있다. 치주병원균 감염에 대한 숙주의 면역반응은 T helper (Th1)과 Th2 cytokines 사이의 균형에 의해 조절된

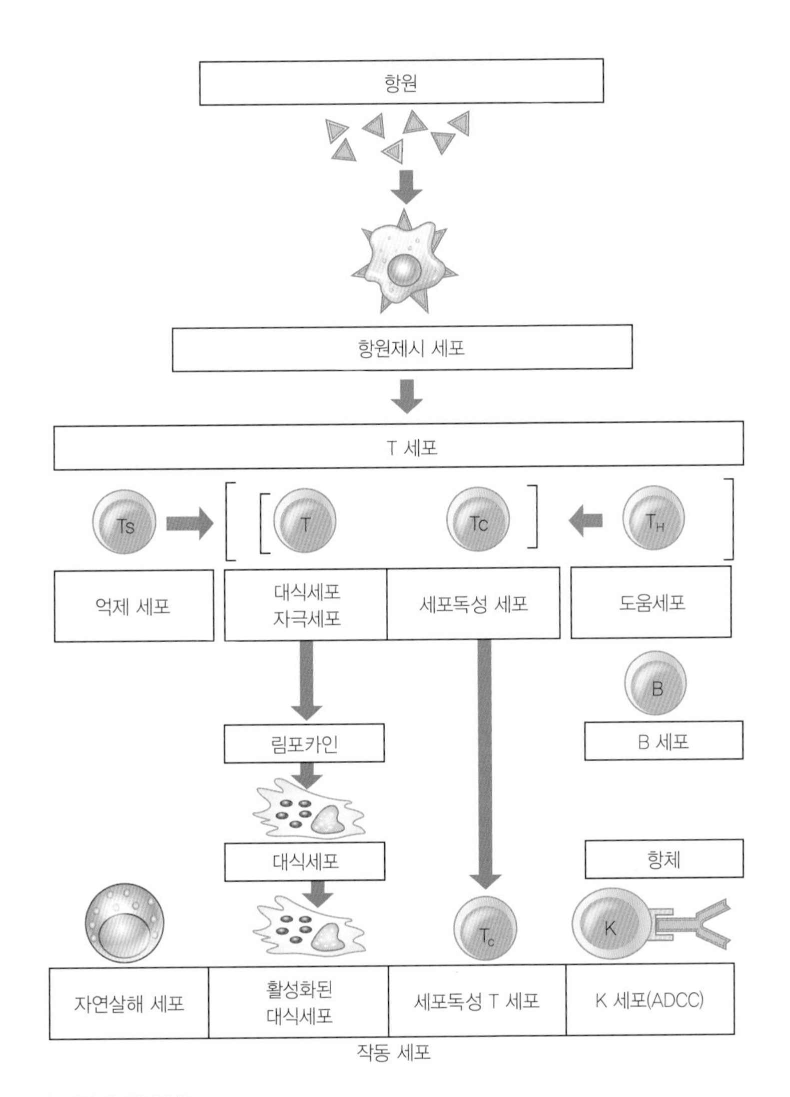

그림 13-2. B. 및 T. 림프구의 기원과 면역반응

다. Th1 cell에서 분비되는 cytokine인 IL-2와 IFN-γ는 세포매개성 면역반응을 촉진시키는 반면, Th2 cell에서 분비되는 cytokine인 IL-4는 세포매개성 면역반응을 억제시키고, B-임파구에 유도되는 체액성 면역체계를 항진시킨다.

전통적인 개념에 의하면 안정된 치주병소에는 T 림프구가 지배적으로 분포하고, 진행성 병소에서 B세포와 형질세포가 증가한다(그림 13-2). 그리고 초기/안정 병소에서 가장 주요한 매개체는 Th1 cell이 분비하는 cytokine인 IFN-γ은 중성구와 대식세포의 활성을 촉진하고, 이로써 치주감염에 방어적 역할을 수행한다고 본다. 그러나 질환이 진전되는 병소에서는 Th2 cell들의 활동이 증가되어 결과적으로 B세포와 형질세포의 우세가 활성화되고 이들이 생성하는 항체가 가지는 효율적인 조직방어가 어렵게 되면 오히려 체액성 면역반응의 조직파괴라는 양면성에 기인한 질환진전이 초래된다고 간주되어 왔다. Th2 cell에 의한 B-cell 활성이 IL-1의 생성을 촉진하여 결합조직과 골조직의 파괴를 초래할 수 있다(그림 13-3).

치주질환의 방어 또는 진전에 관한 Th1 cell과 Th2 cell의 profile에 관한 다양한 연구가 보고된 바 있다. 치은열구액과 치은 단핵세포들, 치주염 환자의 말초혈액 단핵세포들은 *P. gingivalis*와 *Fusobacterium nucleatum*에 대해 Th1 cell 증식이 감소되는 경향을 보이면서 결과적으로 Th2 반응이 우세하게 관찰된다는 연구가 보고되었다. 이로써 안정된 치주병소에 Th1 cell이, 진행성 치주병소에는 Th2 cell이 우세하게 군집된다는 이론이 지배적이나, 반대의 결과를 보고하는 연구결과도 볼 수 있다.[11,12]

또 다른 연구에서는 helper T-cell의 두 가지 유형이 모두 관찰된다는 것을 보고한 바 있다. 최근 연구에서는 전통적인 유효성 T-cell인 Th1/Th2 cell 외에 CD4+ CD25+ Foxp3+ 조절형 T-cell인 regulatory T-cell이 병소로부터 관찰된다고 보고하고 있어 T-cell의 면역제어작용이 제시되고 있다.[13] T-cell clone에 관한 연구도 진행된 바 있는데, 치주질환의 주요병원균인 *A. actinomycetemcomitans*에 특이성을 가지는 T-cell은 Th2 clone으로 분화하며 동물실험에서 이 세균특이성 Th2을 입양 주입할 때 치조골 소실의 억제반응을 매개한다는 것이다.[14,15]

T-세포에 매개되는 세포성 면역반응이 치주질환의 진행과 방어에 구체적으로 어떻게 관여하는가에 대한 다양한 연구들이 진행되었지만 연구방법, 추출된 세포, 질환의 상태, 세포의 기원, 항원의 다양성 들로 인하여 연구결과를 일관성있게 해석하는 일이 난제로 남아있는 것이 현실이다.

10. 치주질환의 유형과 면역반응

1) 치은염(Gingivitis)

치은염은 치면세균막에 의해 발병되는 염증성질환으로 Page and Schroeder가 규명한 초기 치은염 단계에서는 T-임파구의 침윤이 우세하여 염증 파급에 대한 방어적인 역할을 담당하는 것이 동물실험에서 규명된 바 있다.[16]

그러나 질환이 확립기 병변으로 진행되는 과정에서 B-임파구가 우세하게 침윤되는 양상을 보이며 최종적으로 결합조직 내에서 이 B-임파구들은 항체를 형성하는 형질세포로 전환된다. 한편 neutrophil은 접합상피와 치은열구 내에서 초기 병변부터 급격히 증가하는 경향을 가진다. 만성 치은염에서는 형질 세포비율이 분명히 증가하는 것이 사실이나 인체에서 실험적 치은염의 확립기 병변에서 형질세포가 우세하게 침윤되는 양상에 대해 일관성있는 연구결과는 없다.[17,18,19]

정상치은조직에서 helper T-cell과 suppressor T-cell의 상대비가 2:1인 반면 확립기 병소에서는 이 상대비가 감소하여 suppressor T-cell이 증가하는 것으로 보아 국소적인 면역조절기전이 작동하는 것으로 보인다.[19]

치은염에서 호중구는 분명 방어적인 역할을 수행하는 것으로 판정된다. 그러나 항원-항체-보체의 복합체가 치은염에 방어적인 기능을 수행한다는 직접적인 증거는 없다. 전신적 및 국소적 항체의 형성이 오히려 질환 활성과 치은열구에 집락된 세균의 수를 반영하는 지표가 된다.

2) 만성 치주염(Chronic periodontitis)

만성 치주염에서 면역학적 고려사항

특이세균 가설이 만족되는 만성 치주염은 특정한 세균의 감염에 대한 세포성 또는 체액성 면역반응이 예상되나 특이 세균에 대한 항원-특이 항체의 매개에 의한 항원-항체-보체의 활성화가 방어적 면역반응에 기여한다는 직접적인 증거는 없다. 보체는 대체경로(alternative pathway)의 경로를 통해 치은열구액내 C3가 검출된다는 보고가 있다. *P. gingivalis* 같은 세균의 효소에 의하여 치은열구액 내 특정분해산물인 C5가 활성대사물질인 C5a로 전환되는 것이 관찰된다.[20]

Effector molecule의 하나로 교원질분해효소(collagenase) 활성은 조직파괴에 능동적인 역할을 수행하는데, 만성 치주염의 경우 MMP-8이 증가하는 반면 TIMP (TIMP-1)은 증가하지 않는다.[21] MMP는 대부분 중성구가 분비하는 collagenase에 유래한다.[22] 치은열구액 내에 검출되는 교원질분해효소 활성도는 만성 치주염의 경우 치은염에 비하여 6배 정도 높게 나타난다. *T. denticola*에서 분비되는 chymotrypsin-like enzyme은 MMP를 활성화하여 조직파괴에 기여할 수 있다.[23]

Stress와 흡연은 면역계와 염증반응 경로에 영향을 미치며 치주염의 진행과 경로에 영향을 미친다.[24] 만성 치주염에 대한 치주치료 후의 치유과정에도 영향을 미치기 때문에 임상가들에게는 이러한 환자의 면역계를 고려하는 치료계획 수립이 필요하다.

3) 난치성 치주염(Refractory periodontitis)

소수의 환자들은 통상적인 치주처치에 대한 예측가능성을 벗어나 정상적으로 반응하지 않고 임상적으로 치주낭과 부착수준이 지속적으로 악화되는 경우를 난치성 치주염이라고 한다. 치주병원균으로 *P. gingivalis, B. forsythus, F. nucleatum, P. micros, E. corrodens, S. intermedia*와 같은 독성이 강하게 제시되어 있는 치주병원균이 난치성 치주염 환자에서 증가한다.[25,26] 흡연도 불량한 예후에 기여하는 인자로 간주된다.[27] 전신적으로 중성구 주화성과 포식작용에 결함을 보이는 중성구가 난치성 치주염 환자에게서 관찰된다.[28-30]

4) 전반적 급진성 치주염 (Generalized aggressive periodontitis)

*P. gingivalis*는 전반적 급진성 치주염 환자의 주요 병원균으로 알려져 있으며 혈청항체 중 IgG2가 *P. gingivalis*에 대해 높이 상승되는 것으로 알려져 있다. 상승된 IgG2는 보체활성능력이 취약하여 세균에 대한 방어력에 결함이 있는 항체로서 치주질환의 급진성에 기여하는 것으로 간주된다. 또한 이 환자군에서는 FcrRⅢ에 polymorphism이 있어 감염병원균에 대한 유효 적절한 opsonization에 부전을 보이는 것으로 알려져 있다. 면역유전학적 연구에 의하면 IgG의 heavy chain locus의 polymorphism이 이 상승된 anti-*P. gingivalis* IgG2 level과 관련있는 것으로 알려져 있고 특히 한국인을 포함한 몽골리안에 집중적으로 분포하는 면역유전학적 소인으로 거론되고 있다.

5) 국소적 급진성 치주염, LAP (Localized aggressive periodontitis)

국소적 급진성 치주염 환자의 약 75%는 중성구의 phagocytosis와 chemotaxis에 결함을 보이는 것으로 알려져 있다. 중성구의 기능결함은 G-protein coupled receptor (GPCR)의 발현의 저하, 보체성분이 C5a, N-formyl-methionyl leucyl phenyalanine (FMLP) 감소에 대한 주화반응의 감소로 특징지어진다.[31-33]

또한 중성구 표면에는 110 KDa의 당단백(glycoprotein), GP-110이 40% 감소되어 있는데 세포막표면 G-protein coupled receptor 발현의 감소와 관련된다.[34] 따라서 중성구의 내피세포 관통이동(transendothelial migration), 상피관통이동(transepithelial migration)에 장애가 나타날 수 있다. 만성 치주염과는 달리 환자의 치은열구 내에서 주된 collagenase는 MMP-1이며 TIMP-1도 증가되어 있어 만성 치주염과는 상이한 조직파괴기전을 시사한다.[35] 중성구의 형태 및 기능장애는 가족력을 가진다고 알려져 있다.

국소적 급진성 치주염 환자는 *A. actinomycetecomitans*에 대한 항체증가를 보이며 항체와 보체가 모두 opsonization과 효과적인 포식작용에 필수적이다.[36,37] 환자의 anti-*A. actinomycetecomitans* IgG는 주로 leukotoxin 항원에 대한 항체로 구성되어 질환을 국소화시키는 데 효과적으로 기여한다고 본다.[38-40]

면역유전학적 연구에 의하면 국소적 급진성 치주염과는 대조적으로 IgG의 light chain locus의 polymorphism이 이 상승된 anti-*A. actinomycetemcomitance* IgG2 level과 관련있는 것으로 알려져 있고 특히 African-American에 집중적으로 분포하는 면역유전학적 소인으로 거론되고 있다.[41]

6) ANUG (Acute necrotizing ulcerative gingivitis)

괴사성 궤양성 치주질환자는 감염원인세균 중의 하나인 intermediate-sized spirochetes에 대한 IgG, IgM 항체를 보유하며 *Prevotella intermedia*에 대한 IgG 항체를 생성한다. 이와 동시에 중성구의 결함이 이 환자군에서 보고되고 있다.[42]

7) 임신성 치은염(Pregnancy gingivitis)

임신성 치은염의 주 병원균은 *P intermedia*로 알려져 있으나 환자군에서 이 감염세균에 대한 특이 항체가 발견된다는 보고는 없다.

8) 당뇨병성 치주염 (Diabetes-associated periodontitis)

당뇨병성 치주염 환자에게서 흔히 발견되는 감염균은 *Capnocytophaga* 균종과 혐기성 Vibrio 이나 체액성 면역반응으로서 세균특이 항체는 발견되지 않고 중성구의 기능장애가 관찰된다.

9) 사춘기전 치주염(Prepubertal periodontitis)

사춘기전 치주염의 병원균으로 *Fusobacterium, Selenomonas, Campylobacter, Capnocytophaga* 균종들이나 중성구와 단핵구들의 기능부전이 보고되고 있다.

11. 치주질환에서 치조골 흡수기전에 관여하는 골 면역학적 관점

치주병원균 중 그람음성 세균들이 보유하고 있는 LPS는 염증세포와 임파구, 섬유모세포 등을 자극하여 proin-

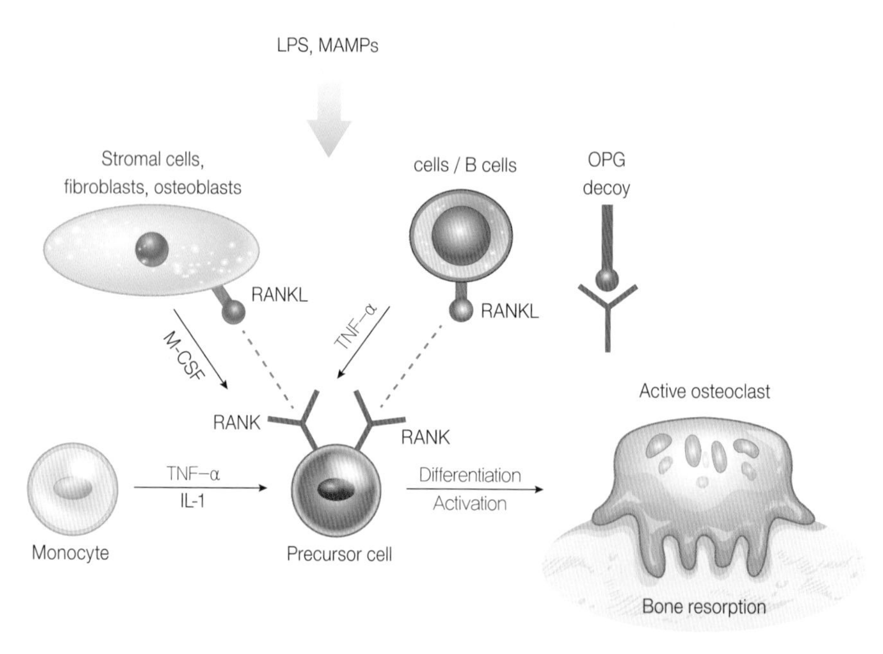

그림 13-3. 파골세포억제인자로 불리는 osteoprotegerin (OPG), osteoclastogenesis inhibitory factor (OCIF)은 cytokine 수용기로 tumor necrosis factor (TNF) receptor superfamily의 하나인데, 이 osteoprotegerin (OPG)은 receptor activator of nuclear factor kappa B-ligand (RANKL)가 receptor activator of nuclear factor kappa B (RANK)에 결합하는 것을 차단하여 파골세포의 생성을 저해한다. 세균성 LPS와 선천성 면역매개물질인 microbial-associate molecular pattern (MAMP)은 RANKL의 발현과 파골세포의 형성을 촉진한다.

flammatory cytokine인 IL–1, TNF–α를 분비하도록 촉진하며, arachidonic acid pathway를 통해 cyclooxygenase를 활성화시켜 단핵구나 섬유모세포, 대식세포 등의 세포막에서 effector molecule인 prostaglandin의 합성을 유도한다. 이 effector molecule들은 직·간접적으로 파골세포(osteoclast)를 활성화함으로써 종국적으로 치조골 흡수를 촉진하는 강력한 축이라 할 수 있다.

한편 파골세포억제인자로 불리는 osteoprotegerin (OPG), osteoclastogenesis inhibitory factor (OCIF)은 cytokine 수용기로 TNF receptor superfamily의 하나인데, 이 OPG은 receptor activator of nuclear factor kappa B–ligand (RANKL)가 receptor activator of nuclear factor kappa B (RANK)에 결합하는 것을 차단하여 파골세포의 생성을 저해한다. 세균성 LPS와 선천성 면역매개물질인 MAMP은 RANKL의 발현과 파골세포의 형성을 촉진한다(그림 13–3).

참고문헌

1. Nisengard RJ. The role of immunology in periodontal disease. J Periodontol 1977;48:505–516.
2. Tonetti MS, Imboden MA, Lang NP: Neutrophil migration into the gingival sulcus is associated with transepithelial gradients of interleukin–8 and ICAM–1. J Periodontol 1998;69:1139–1147.
3. Lally ET, Kieba IR, Sato A, et al: RTX toxins recognize a β–2 integrin on the surface of human target cells. J Biol Chem 1997;272:30463–30469.
4. Johansson A, Sandstrom G, Claesson R, et al: Anaerobic neutrophil–dependent killing of Actinobacillus actinomycetem–comitans in relation to the bacterial leukotoxicity. Eur J Oral Sci 2000;108:136–149.
5. Lally ET, Baehni PC and McArthur WP. Local immunoglobulin synthesis in periodontal disease. J Periodont Res 1980;15:159–164.
6 Schenkein HA and Genco RJ. Gingival fluid and serum in periodontal diseases. I. Quantitative study of immunologlobulins, complement components and other plasma proteins. J Periodontol 1977;48:772–777.
7. Schenkein HA and Genco RJ. Gingival fluid and serum in periodontal diseases. II. Evidence for cleavage of complement components C3, C3 proactivator (factor B) and C4 in gingival fluid. J Periodontol 1977;48:778–784.
8. Barnett ML. The fine structure of human connective tissue mast cells in periodontal disease. J Periodont Res 1974;9:84–91.
9. Asaro J, Nisengard R, Beutner EH and Neider M. Experimental periodontal disease: immediated hypersensitivity. J Periodontol 1983;52:23–28.
10. Williams RC, Jeffcoat MK, Howell TH, et al: Altering the progression of human alveolar bone loss with the non–steroidal anti–inflammatory drug flurbiprofen. J Periodontol 1989;60:485–490.
11. Gemmell E, Seymour GJ. Immunoregulatory control of Th1/Th2 cytokine profiles in periodontal disease. Periodontol 2000 2004;35:21–41.
12. Gemmell E, Yamazaki K, Seymour GJ. The role of T cells in periodontal disease: homeostasis and autoimmunity. Periodontol 2000 2007;43:14–40.
13. Okui T, Ito H, Honda T, Amanuma A, Yoshie H, Yamazaki K. Characterization of CD4+ FOXP3+ T–cell clones established from chronic inflammatory lesions. Oral Microbiol Immunol 2008;23:49–54.
14. Kawai T, Shimauchi H, Eastcott JW, Smith DJ, Taubman MA. Antigen direction of specific T–cell clones into gingival tissues. Immunology 1998;93:11–19.
15. Yamashita K, Eastcott JW, Taubman MA, Smith DJ, Cox DS. Effect of adoptive transfer of cloned Actinobacillus actinomy–cetemcomitans–specific T helper cells on periodontal disease. Infect Immun 1991;59:1529–1534.
16. Page RC, Schroeder HE: Pathogenesis of inflammatory periodontal disease. A summary of current work. Lab Invest 1976;34:235–249.
17. Brecx MC, Frohlicher I, Gehr P, et al: Stereological observations on long–term experimental gingivitis in man. J Clin Periodontol 1988;15:621–627.
18. Brecx MC, Lehmann B, Siegwart CM, et al: Observations on the initial stages of healing following human experimental gingivitis. A clinical and morphometric study. JClin Perodontol 1988;15:123–129.
19. Seymour GJ, Powell RN, Aitken JF: Experimental gingivitis in humans. A clinical and histologic investigation. J Periodontol 1983;54:522–528.

20. Wingrove JA, DiScipio RG, Chen Z, et al: Activation of complement components C3 and C5 by a cysteine proteinase(gingipain-1) from porphyromonas (Bacteroides) gingivalis. J Biol Chem 1992;267: 18902-18907.
21. Ingman T, Tervahartiala T, Ding Y, et al: Matrix metalloproteinases and their inhibitors in gingival crevicular fluid and saliva of periodontitis patients. J Clin Periodontol 1996;23:1127-1132.
22. Romanelli R, Mancini S, Laschinger C, et al: Activation of neutrophil collagenase in periodontitis. Infect Immun 1999;67:2319-2326.
23. Sorsa T, Ding YL, INgman T, et al: Cellular source, activation an dinhibition of dental plaque collagenase. J Clin Periodontol 1995;22:709-717.
24. Kinane DF: Periodontitis modified by systemic factors. Ann Periodontol 1999;4:54-64.
25. Haffajee AD, Socransky SS, Ebersole JL: Survival analysis of periodontal sites before and after periodontal therapy. J Clin Periodontol 1985;12:553-567.
26. Haffajee AD, Socransky SS, Dzink JL, et al: Clinical, microbiological and immunological features of subjects with refractory periodontal diseases. J Clin Periodontol 1988;15:390-398.
27. Hernichel-Gorbach E, Kornman KS, Holt SC, et al: Host responses in patients with generalized refractory periodontitis. J Perodontol 1994;65:8-16.
28. Kenney EB, Kraal JH, Saxe SR, et al: The effect of cigarette smoke on human oral polymorphonuclear leukocytes. J Periodontal Res 1977;12:227-234.
29. Lee HJ, Kang IK, Chung CP, et al: The subgingival microflora and gingival crevicular fluid cytokines in refractory periodontitis. J Clin Periodontol 1995;22:885-890.
30. MacFarlane GD, Herzber MC, Wolff LF, et al: Refractory periodontitis associated with abnormal polymorphonuclear leukocyte phagocytosis and cigarette smoking. J Periodontol 1992;63:908-913.
31. Cianciola LJ, Genco RJ, Ptters MR, Mckenna J and van Oss CJ. Defective polymorphonuclear leukocyte functions in a human periodontal disease. Nature 1977;265:445-447.
32. Lavine WS, Maderazo EG, Stolman J, Ward PA, Cogen RB, Greenblatt J and Robertson PB. Impaired neutrophil chemotaxis in patients with juvenile and rapidly progressing periodontitis. J Periodont Res 1979;14:10-19.
33. Offenbacher S, Scott SS, Odle BM, et al: Depressed leukotriene B4 chemotactic response of neutrophils from localized juvenile periodontitis patients. J Periodontol 1987;58:602-606.
34. Van Dyke TE, Wilson-Burrows C, Offenbacher S, et al: Association of an abnormality of neutrophil chemotaxis in human periodontal disease with a cell surface protein. Infect Immun 1987;55:2262-2267.
35. Ingman T, Tervahartiala T, Ding Y, et al: Matrix metalloproteinases and their inhibitors in gingival crevicular fluid and saliva of periodontitis patients. J lin Periodontol 1996;23:1127-1132.
36 Ebersole JL: The protective nature of host responses in periodontal diseases. 1994;5:112-141.
37. Baker PJ, Wilson ME: Opsonic IgG antibody against Actinobacillus actinomycetemcomitans in localized juvenile periodontitis. Oral Microbiol Immunol 1989;4:98-105.
38. Baehni P, Tsai C, McArthur WC, Hammond BT and Taichmar NS. Interaction on inflammatory cells and microorganisms. VIII. Detection of leukotoxic activity of a plaque-derived Gram-negative microorganism. Infect Immun 1979;24:233-243.
39. Gunsolley JC, Burmeister JA, Tew JG, et al: Relationship of serum antibody to attachment level patterns in young adults with juvenile periodontitis or generalized severe periodontitis. J Periodontol 1987;58:314-320.
40. Tew JG, Zhang JB, Quinn S, et al: Antibody of the IgG2 subclass, Actinobacillus actinomycetemcomitans, and early-onset periodontitis. J Periodontol 1996;67:317-322.
41. Choi JI, Ha MH, Kim JH, Kim SJ. Immunoglobulin allotypes and immunoglobulin G subclass responses to Actinobacillus actionmycetemcomitans and Porphyromonas gingivalis in early-onset periodontitis. Infect Immun 1996;64:4226-4230.
42. Chung CP, Nisengard RJ, Slots J and Genco RJ. Bacterial IgG and IgM antibody titers in acute necrotizing ulcerative gingivitis. J Periodontol 1983;54:557-562.

지난 수십 년 동안 임상적 및 기초과학연구를 통하여 치주질환의 복잡성과 병인발생론에 대하여 많은 부분이 이해되었다.[1] 분명한 것은 세균이 필수적인 원인이며 파괴성 치주질환에 관련된 특이세균(치주병인균)이 있다는 것이다.

치주질환의 병인발생에 있어서 가장 중요한 점은 첫째, 숙주반응은 개인마다 다르며 둘째, 숙주의 면역반응이 불충분하거나 너무 과도한 경우 보다 더 심한 형태의 질환이 초래될 수 있다는 것이다. 치주감염과 숙주의 방어사이의 상호관계는 매우 복잡하며, 수많은 환경적, 물리적, 심리사회적 요인들이 치주조직과 숙주의 면역반응을 변화시켜 결국에는 보다 더 심한 치주질환으로 나타날 수 있다.

최근의 연구에 의하면, 치주감염이 관상동맥질환, 뇌졸중, 당뇨, 조산, 저체중아 분만, 그리고 호흡기 질환과 같은 전신건강에 영할을 줄 수 있다는 가능성이 제시되고 있다.[2] 이러한 질환들은 치주염을 일으키지는 않으나, 질환이 진행되는 것을 쉽게 하여 촉진시키거나 또는 악화시킨다. 또한, 유전이 만성 치주염의 발병요인으로 작용할 수 있다고 보고되었으며 최근의 연구는 gene encoding IL (Interleukin)-1에서의 유전적인 다양성이 치주질환의 심도 및 감수성과 연관이 있음이 보고되었다.

이 장은 전신장애(영양상태의 이상, 내분비 질환과 호르몬의 변화, 혈액질환과 면역결핍, 심혈관계질환 등), 스트레스 및 심신장애가 치주조직에 미치는 영향에 대하여 알아보는 데 그 목적이 있다.

1. 영양상태의 이상(Nutritional disorder)

치주질환에서 영양결핍과 불균형의 역할에 대해서 아직까지 그 의견이 분분하지만, 치주조직은 인체의 한 구성요소이므로 영양상태와 치주조직의 발달과 질환사이에는 충분한 관련성이 있을 수 있다.[3,4] 현재, 구강 및 치주조직에 대한 영양의 역할에 대한 연구결과를 보면,

① 영양결핍 자체가 치은염이나 치주낭을 야기할 수는 없다. 그러나 영양결핍은 치주조직의 상태에 영향을 끼칠 수 있고 그것에 의해서 치주질환에 민감한 환자에서 치태세균에 의해 유도된 염증의 유해한 효과들을 한층 더 증가시킬 수 있다.

② 영양결핍은 구강내의 변화를 초래한다. 입술, 구강점막, 치은, 그리고 골조직에 이런 변화들이 나타난다.

1) 단백질(Protein)

단백질 부족은 보통 영양부족과 관련되며 단순한 기아뿐만 아니라 병적 상태 즉, 장기적 열병, 심한 화상, 만성 궤양, 스트레스, 갑상선기능항진증 그 밖의 과대사 상태에서 흔히 나타난다. 단백질 부족은 근육위축, 허약, 체중감소와 피하지방의 감소, 빈혈, 백혈구 감소증, 부종, 수유장애, 감염에 대한 저항성 감소, 창상치유 지연, 임파선

고갈, 특정 호르몬과 효소계의 형성능력 감소와 함께 저단백혈증을 초래한다.[5] 또한 근육 약화, 탈모와 함께 피부의 색소 변화, 저혈압, 쇠약, 장관에서의 철, 지질, 비타민, 탄수화물 등의 흡수장애와 면역반응의 저하, 그리고 구강내 소견으로는 혀가 점차 붉어지고 부드러워지며 구각구순염 등이 발생한다.

단백질 결핍 시 실험동물에서 치주조직의 변화로는 치은과 치주 결합조직의 변성, 치조골의 골다공증, 치주인대의 폭 감소, 치주교원질 섬유의 변성, 백악질 침착지연 및 치은창상의 회복지연, 그리고 설상피위축 등이 있다.[6-8] 골다공증은 파골작용의 증가보다는 유골조직의 침착 감소, 골모세포 수의 감소, 골모세포를 생성하기 위한 결합조직세포의 형태분화의 손상때문이다.

단백질 결핍으로 인한 치조골의 흡수는 정상적인 골생성 능력의 억제에 의해 야기되며, 치주조직에 대한 치태세균과 교합외상의 파괴효과를 증가시킨다.

2) 비타민(Vitamin)

(1) 비타민 C 결핍(Ascorbic acid deficiency)

비타민 C는 많은 산화-환원반응에 작용하며, 중요한 역할 중의 하나는 교원질 합성 시 proline과 lysin의 수산화이다. 비타민 C의 변화에는 간엽조직이 가장 민감하다. 비타민 C 결핍 시 괴혈병이 나타나는데 이는 각화성 피부염과 점상출혈을 보이며 치은은 비대해지면서 궤양이 생겨 감염의 원인이 된다. 치은에서 자연출혈이 될 경우 변연치은염으로 오인되기도 한다. 비타민 C가 결핍됨에 따라 구강건조증이 나타나 구강점막이 유약해지며 모세혈관이 보다 더 취약하게 되어 구강점막이나 피부에 점상출혈을 유발한다. 또한 비타민 C의 결핍 증상을 보이는 사람에게 외과적 수술, 즉 치주수술 혹은 발치 등을 할 경우, 상처의 표면상피가 정상적으로 증식하고 있어 표면적으로는 치유되고 있는 것처럼 보이지만 피하조직은 콜라겐이 잘 합성되지 않으므로 상처 주변의 혈관이 새로 형성되지 않아 상처가 잘 낫지 않는다는 보고가 있다.

그 밖에 교원질 합성과 유지의 장애, 골조직 형성의 저하, 조골기능의 이상과[9,10] 더불어 모세혈관의 투과성 증가, 출혈경향, 말초혈관의 수축저하와 혈류의 부진이 나타난다. 비타민 C는 골세포가 교원질을 형성하는데 필요한 비타민으로, 결핍되어 있을 때는 교원질 형성이 감소되어 피질골의 두께가 감소된다.

비타민 C 결핍이 치은염과 치주염을 유발하지는 않지만 이미 치주낭이 존재할 경우 이를 더욱 가속화시키기도 한다. 비타민 C는 아래에 제시된 기전들 중에서 하나 혹은 그 이상의 기전을 통해서 치주질환에 관여할 수 있다.

① 비타민 C의 결핍은 치주조직 내의 교원질대사에 영향을 주어 조직의 재생과 회복능력에 영향을 준다.
② 비타민 C의 결핍은 골형성을 방해하고 치조골소실의 원인이 된다.
③ 비타민 C의 결핍은 내독소와 인슐린에 대한 구강점막의 투과성을 증가시키고 정상 열구상피의 dextran에 대한 투과성을 증가시킨다.[11,12] 그러므로 적정한 수준의 비타민 C는 세균대사산물에 대한 상피조직의 방어기능을 유지하게 해준다.
④ 비타민 C 수준이 증가함에 따라 백혈구가 식균작용에는 지장이 없이 화학주성과 이주 능력을 증가시킨다.[13]
⑤ 적절한 수준의 비타민 C는 세균에 대한 혈관반응과 창상치유뿐 아니라 치주조직의 미세혈관을 보존하는데 필수적이다.[14]
⑥ 비타민 C의 고갈은 치태내 세균의 환경적인 균형을 방해하여 치태의 병원성을 증가시킨다. 그러나, 이러한 영향을 설명하는 증거는 없다.

역학연구결과에서 비타민 C의 양과 치주질환 유병률이나 심도사이의 인과관계는 확립되지 않았다.

비타민 C 결핍 시 세균성 자극에 의해 비대, 부종, 출혈성의 청적색 치은으로 나타난다. 급성 비타민 C 결핍 시 치주인대의 부종 및 출혈, 치조골의 골다공증, 치아동요, 치은에서의 교원섬유의 변성, 출혈, 부종을 보이는데, 치주인대와 치조골에 대한 치은염증의 파괴효과를 더욱 증가시킨다. 접합상피 직하방과 치조골 직상방부 치주인대 섬유는 비타민 C 결핍에 의해 영향을 가장 덜 받는데, 이 때문에 상피의 근단부 증식은 거의 일어나지 않는다.

(2) 비타민 B 복합체 결핍 (Vitamin B complex deficiency)

비타민 B 복합체 결핍 시 나타나는 일반적인 구강변화는 치은염, 설염, 설통, 구각구순염 및 전체 구강점막의 염증 등이다. 치은염은 비타민 결핍 때문에 나타나기보다는 치태세균 때문에 나타난다.

① 티아민(Thiamin: vitamin B_1)

티아민 결핍 시 각기병(beriberi)이 나타나는데, 이 질환의 특징은 마비, 다발성 신경염, 울혈성 심부전, 부종, 급사, 식욕부진 등이다. 구강증상으로는 구강점막의 과민, 협점막이나 혀 하방, 또는 구개부에 소수포, 구강점막의 미란 등이 관찰된다.[15,16]

② 리보플라빈(Riboflavin: vitamin B_2)

리보플라빈은 투석이 가능하고 빛에 의해 파괴된다. 리보플라빈의 결핍은 우유를 마시지 않는 소아에서 흔히 발견되며 봄이나 여름에 이환율이 높다.

리보플라빈 결핍 시 설염, 구각구순염, 지루성 피부염, 표재성 혈관 각막염이 발생된다. 설염은 설유두의 적색변화와 위축이 특징이다. 결핍정도가 미세하거나 중등도일 경우 혀 배면은 설측유두의 반점상 위축과 심상유두는 충혈되어 자갈모양처럼 튀어 나온다.[17] 결핍 정도가 심한 경우 배면 전체가 평평하고 건조해지며 때때로 균열을 볼 수 있다. 구각구순염은 입술 교련(commissure)의 염증으로 시작되며, 미란, 궤양, 균열상태를 보인다.

③ 니아신(Niacin)

니아신이 결핍된 경우 펠라그라(pellagra)를 유발하는데, 그 특징은 피부염, 소화기 장애, 정신장애, 설염, 치은염, 구내염 등이다. 설염과 구내염은 니아신 결핍의 가장 초기의 임상증상일 수 있다.[18] 치은과 다른 구강조직의 괴사와 백혈구 감소증이 니아신 결핍의 최종 양상이다. 니아신 결핍 시 혀의 변화와 무관하게 치은에서 변화가 나타날 수 있는데,[19] 가장 흔한 소견은 괴사성 궤양성 치은염으로 보통 국소 자극부위에서 나타난다. 실험동물에서 비타민 B 복합체와 니아신 결핍의 구강내 양상은 검은 혀(black tongue), 치은과 치주인대, 및 치조골 파괴와 함께 치은염증이다.[20]

④ 판토텐산(Pantothenic acid)

판토텐산은 쉽게 섭취할 수 있어 부족증세를 나타내는 경우는 거의 없으나 결핍 시에 상피층의 과각질화, 과형성에 이어 변성변화를 보인다. 결핍 시 염증은 관찰되지 않는다.

⑤ 피리독신(Pyridoxine: vitamin B_6)

피리독신 결핍은 철대사에 장애를 일으켜 저색소성 소적혈구성 빈혈(hypochromic microcytic anemia)을 초래한다. 구내염, 설염, 구각구순염 등이 보이며 설배면의 전방 2/3는 점차 발적되고 비대해지며 모상유두는 점차 위축된다. 구강점막도 붉어지면서 작열감이 오며 때론 소궤양이 입술이나 구순교련을 따라 발생한다. 표피에는 각질화가 감소되고, 수포성 변성 및 착각화증 등이 나타난다.

⑥ 엽산(Folic acid)

엽산은 DNA와 RNA의 생성에 관여하는 간, 신장, 효모, 버섯 등에 많이 존재한다. 구강변화, 위장관 병소, 설사, 그리고 장의 영양분 흡수 불량을 동반한 대적혈구성 빈혈증을 초래한다.[21] 엽산이 결핍된 실험동물에서 염증 없이 치은, 치주인대, 그리고 치조골의 괴사가 나타났다. 장의 흡수 부전증(sprue)과 엽산 결핍상태의 사람에서, 전체적인 구내염이 나타났으며, 궤양이 있는 설염과 구순염을 동반할 수 있다. 궤양성 구내염은 백혈병을 치료하기 위해서 사용된 엽산 길항제(예: metrotrexate)의 좋지 않은 효과 때문이다. 엽산 결핍 시 궤양과 이차감염의 소견과 함께 각질화에 장애가 오며, 특히 설염 시 유두는 소실되나, 심상유두는 계속 존재한다. 그러나 심한 경우에는 심상유두도 소실되어 점차 매끄럽고 부드러워지며 윤기가 없거나 붉어진다.

Vogel 등은 사람을 대상으로 일련의 연구를 시행하여 엽산을 전신적 또는 국소적으로 사용한 후에 치은염증이 현저하게 감소되었다고 보고하였다.[22,23] 또한 phenytoin에 의해 유도된 치은 과증식과 엽산 사이에 상관관계가 있다는 보고도 있다.[24]

⑦ 비타민 B_{12}(Cobalamin)

항악성빈혈인자로서 삼차신경통 치료에 이용된다. 비타민 B_{12} 결핍 시 혀가 특히 민감하여 위축과 염증성 변화를 보인다. 악성빈혈은 비타민 B_{12} 결핍의 심한 형태이며, 대적혈구성 빈혈은 경증의 형태로 여겨진다.

(3) 비타민 A 결핍(Vitamin A deficiency)

비타민 A의 주요 기능은 피부와 점막의 상피세포들의 건강을 유지하는 것이다. 상피조직은 세균침투에 대해 방벽역할을 하는 것이므로 비타민 A는 상피를 완전하게 보존함으로써 세균침투에 대해 보호역할을 한다. 결핍 시에 피부와 점막 그리고 눈에서 변화가 나타난다. 또한, 해당작용(glycolysis), 당원형성(glycogenesis), 인산화(phosphorylation) 등이 비타민 A에 의해 영향을 받는 대사과정이다. 결핍시 상피의 각화, 감염증가, 골성장 장애, 중추신경계의 이상과 야맹증, 안구 건조증, 각막연화증(keratomalacia) 등의 안구증상이 나타난다. 사람을 대상으로 한 여러 역학조사에서 치주질환과 비타민 A 사이에 어떤 관계가 있음이 나타나지 않았다.[25]

실험동물에서 비타민 A 결핍은 치주낭 형성이 증가되는 경향과 함께 치은의 과각화증과 이상증식을 초래한다. 비타민 A가 결핍된 쥐에서 다음과 같은 치은변화가 나타났다: 치은상피의 이상증식과 과각화, 접합상피의 증식, 치은 창상치유 지연.[21,26]

(4) 비타민 D 결핍(Vitamin D deficiency)

비타민 D는 위장관을 통한 칼슘의 흡수와 칼슘-인 균형유지, 치아와 골형성에 필요한 지용성 비타민이다. 비타민 D 결핍 시에 소아에서는 구루병(rickets)이 유발되며, 성인에서는 골연화증(osteomalacia)이 유발된다. 어떠한 연구에서도 치주질환과 비타민 D 사이에 어떤 관계가 있음을 설명하지 못하고 있다.

어린 개에서 비타민 D의 결핍이나 불균형이 있을 때 치주조직의 변화는 다음과 같다.

- 치조골의 골다공증
- 골양조직은 정상적인 비율로 형성되나 석회화가 일어나지 않은 채로 잔존
- 흡수되지 않아 과도하게 침착된 골양조직
- 치주인대 폭의 감소
- 백악질은 정상적인 비율로 생성되나 칼슘화의 결함 그리고 약간의 흡수
- 치조골 성장패턴의 왜곡[27,28]

골연화증이 있는 동물에서, 치조골은 빠르게 전체적으로 흡수되었고, 섬유모세포가 증식해서 골수를 대체했으며, 흡수되지 않은 잔존 망상골 주위에 신생골이 형성되었다. 방사선적으로는, 치조백선이 부분 또는 완전 소실되었고 지지골의 골밀도 감소, 골소주의 소실, 골소주 간격의 투과성 증대 등이 관찰되었다. 이러한 양상들은 실험적으로 유도된 부갑상선 기능항진증에서 나타난 것과 유사하다.

(5) 비타민 E 결핍(Vitamin E deficiency)

비타민 E는 지질인산화로부터 세포를 보호하며 산소유리기 반응을 제한하는 항산화작용을 한다. 비타민 E 결핍 시 세포막이 주요 손상 부위이다. 비타민 E 결핍과 구강질환 사이에 관계가 명확히 알려진 바는 없지만, 쥐에서 전신적으로 투여한 비타민 E가 치은 창상치유를 촉진시킨다는 연구 결과가 있다.[29,30]

(6) 비타민 K 결핍(Vitamin K deficiency)

비타민 K는 간에서 프로트롬빈 생성에 관여하며, 결핍 시에는 출혈경향이 증가하게 되어 칫솔질 시에 자발적인 과도한 출혈의 원인이 된다. 따라서, 비타민 K는 구강출혈을 예방하고 조절하는 데 사용된다. 비타민 K는 장관에서 세균에 의해 합성되며, 항생제나 설파제는 세균의 작

용을 억제시켜 비타민 K의 합성을 방해한다. Osteocalcin 생성과 골다공증을 예방하기 위해서 필요한 비타민이다. 담즙산염(bile salt)은 비타민 K 흡수에 중요한 역할을 하며, 담낭관이 막힐 경우 저트롬빈 빈혈증의 원인이 된다.

2. 호르몬 변화와 내분비계 장애(Hormonal changes and endocrine disorders)

당뇨병과 같은 내분비질환과 사춘기·임신과 관련된 호르몬변화는 치주조직의 상태에 악영향을 주는 것으로 잘 알려진 전신 건강상태의 예이다. 내분비질환과 호르몬변화는 치주조직에 직접 영향을 주고 국소자극에 대해 조직반응을 변화시키며, 치태침착을 용이하게 하고 질환의 진행을 촉진시키는 치은의 해부학적인 변화를 만든다. 따라서 이러한 상황에 처해 있는 환자에게서 치주처치를 할 때 임상가들은 포괄처치의 관점에서 치료 및 관리할 수 있도록 치주치료와 관련된 내분비계 장애를 고려해야 한다.

1) 호르몬 변화(Hormonal changes)

(1) 갑상선 호르몬(Thyroid hormone)

갑상선 호르몬은 거의 모든 체세포에서 수행되고 있는 기질대사에 관여하여 에너지 생성을 조절하고 성장과 발육에 관여하므로 에너지 호르몬이라고도 한다.

① 갑상선 기능저하증(Hypothyroidism)

갑상선 기능부전증 환자는 기초대사율과 성장발육이 저하되며 발생연령에 따라 Cretinism, 유년형 점액수종(juvenile myxedema), 성인형 점액수종(adult myxedema) 등이 나타난다. Cretinism은 선천적 혹은 생후 즉시 발생하고, 유년형 점액수종은 6~12세 경에 발생하며, 성인형 점액수종은 피하조직에 특징적인 non-pitting edema를 나타내며 쉽게 피로해지고 식욕이 없으면서도 체중이 증가한다. 일반적인 구강소견은 비대해진 부종성의 혀, 유두의 위축, 치아맹출 지연, 법랑질 형성부전, 구강점막의 건조 등이 보인다.

Cretinism의 경우 특징적인 소견은 없지만 점액수종 환자에서는 심한 골파괴를 동반하는 만성 치주질환이 보인다.

② 갑상선 기능항진증(Hyperthyroidism)

조직이 과량의 호르몬에 노출되어 기초대사율을 증가시켜 생리적, 생화학적 장애를 초래하는 것으로 원인은 아직 불분명하지만 뇌하수체 기능항진증, 갑상선 선종, 자가면역질환 등과 관련되어 나타난다. 특히 성인 여성에서 호발하나, 유아에서 발생 시 성장발육의 촉진, 치아의 조기 맹출과 조기탈락이 나타난다. 치아와 악골은 정상적으로 형성되어 있으나 치조골은 부분적으로 탈광물화되어 방사선적으로 투과성이 증가되어 있다. 성인에서는 타액유출양이 증가하나 다른 특징적인 소견은 나타나지 않는다.

부적절한 치료를 받은 갑상선 중독증 환자의 치과치료 시 에피네프린, 아민계의 약제에 민감한 반응을 나타내어 정상용량에도 약물반응이 증가하며, 감염, 외상, 과도한 외과적 시술 등에 의해 갑상선독성발작(thyrotoxic crisis)을 유발할 수 있으므로 주의를 요한다. 반면, 조절이 잘 되고 있는 갑상선 중독증 환자는 통상농도의 혈관수축제를 투여해 치료가 가능하다.

(2) 부갑상선 호르몬(Parathyroid hormone)

부갑상선 호르몬은 세포외액 내의 이온화된 칼슘수치를 일정하게 유지시켜주는 역할을 하는데, 골과 신장에 직접 영향을 끼침으로써 작용하고 되먹임 기전(feed-back)을 통해 조절된다.

① 부갑상선 기능저하증(Hypoparathyroidism)

부갑상선 호르몬의 분비 감소 시 저칼슘증이 나타나고 이로 인해 신경계의 흥분성이 증가하는 부갑상선성 강축증(parathyroid tetany)이 발생한다.

구강내 소견으로 유아에서 발생한 부갑상선 기능부전증은 법랑질 형성부전증, 상아질의 광물화 장애 및 만성 점막 칸디다증을 유발한다.

② 부갑상선 기능항진증(Hyperparathyroidism)

부갑상선 기능항진증은 원발성과 속발성으로 발생하

는데, 원발성의 주원인은 부갑상선 선종이나 기타 다발성 선종, 종양 등이며 속발성 기능항진증은 인산의 저류를 나타내는 만성 신질환자에서 나타난다. 부갑상선 기능항진증은 골격의 전반적인 탈광화, 확대된 골수강 내에 결합조직의 증식과 더불어 골파괴의 증가(ground-glass양상), 그리고 골낭의 형성과 거대세포종을 만든다.[28]

구강증상으로는 부정교합, 치아동요, 골다공증, 치주인대 폭의 증가, 치조백선의 상실 및 방사선상에 낭종과 유사한 소견 등이 골내에 나타난다. 진단학적인 면에서 치조백선의 상실은 Paget씨 질환, 섬유성 이형성증, 골연화증에서도 나타날 수 있다.

(3) 뇌하수체 호르몬(Pituitary hormone)

① 뇌하수체 기능저하증(Hypopituitarism)

모든 조직의 성장 지연이 특징적인 질환으로 뇌하수체 전엽 호르몬 분비의 결함에 의한다. 소아에서는 왜소증을 야기하는데 두개골에 비해 상대적으로 작은 안모, 부비동의 성장 결함, 상악골과 하악골의 성장지연, 치아발육지연 등의 안모 및 구강결함소견이 나타난다. 성인에서는 Simmond씨 질환에 의해 나타나나 특별한 구강내 소견은 보이지 않는다.

인위적으로 뇌하수체 기능부전증을 유도시킨 후 행한 동물실험에서 구치부 치근이개부의 백악질 흡수, 백악질 침착 감소가 나타나며 치조골 내의 경화증과 흡수상으로 모자이크양상을 보인다. 치주인대의 혈관분포감소 및 상피잔사에서 비롯되는 낭종성 변화와 석회화가 나타나며 결합상피는 위축되거나 소실된다.

③ 뇌하수체 기능항진증(Hyperpituitarism)

뇌하수체 전엽에 의한 호르몬 분비의 증가로 일어나는 질환으로 연령과 관련하여 거대증과 말단비대증이 전신적으로 나타나는데, 장골의 골단이 유합되기전인 6세 이전에 발생 시 비정상적인 큰 키와 외형을 특징으로 하는 거대증이 발생하고, 6세 이후에는 큰 키, 큰 손과 발, 긴 안모, 악골의 전방돌출을 보이는 유년성 말단 비대증이 발생한다. 성인에서는 안면골과 부비동의 과성장, 구순비대, 비순구 주위의 국소적인 색소침착 등을 특징으로 하는 말단 비대증이 발생한다.

치주조직의 변화로는 치조골의 과성장으로 치궁의 넓이가 증가하여 치아사이의 간격이 증가한다. 이로 인해 식편압입과 조직자극의 증가로 치주조직에 해로운 영향을 나타낸다. 조직학적으로 상피와 결합조직의 과증식 및 과백악질증이 나타난다.

(4) 생식호르몬(Gonadotropins)

생리적인 호르몬 변화에 의해 사춘기성 치은염, 임신성 치은염, 그리고 갱년기 치은구내염 등이 발생될 수 있는데, 혈관성분과 비특이적인 염증반응을 일으키는 것이 특징으로, 임상적으로 출혈경향이 뚜렷해진다.

- 프로게스테론(progesterone): 치은 내의 미세혈관 확장을 유발해 감염에 대한 감수성 증가와 삼출액 증가를 야기하지만 치은상피의 형태적인 변화를 야기하지는 않는다.
- 에스트로겐(estrogen): 구개, 치은상피의 각화를 증가시키고 혈관벽의 섬유화를 유발하는데 난소를 적출하거나 폐경기 이후 분비가 감소하면서 각화가 감소되는 현상을 볼 수 있다. 이외에도 골형성과 섬유증을 촉진시킨다. 에스트로겐과 프로게스테론의 분비의 증가는 호르몬 자체의 혈관투과성 증가작용으로 치은염의 정도와는 관계없이 치은삼출액이 증가하며, 반복적으로 프로게스테론, 에스트로겐, 고나도트로핀을 국소적으로 투여 시 화학적 자극에 대한 급성 염증반응이 감소된다.
- 테스토스테론(testosterone): 전신적 투여 시 치은열구상피의 하방 증식을 지연시키고 치조골의 골형성을 자극하여 치주인대 세포 활성을 증가시킨다.

① 사춘기에서의 치은변화(The gingiva in puberty)

치은염의 발생은 5세 이전의 소아에서 시작하여 나이에 따라 심해져 사춘기에 절정에 도달한 후 점차 감소되는 경향을 보인다.

사춘기는 종종 치태와 같은 국소적 인자에 대한 치은

의 과잉반응을 동반한다.[31] 경증의 치은염을 유도할 수 있는 국소인자들에 대해 심한 염증, 청적색의 치은색조 변화, 부종, 치은비대 등을 나타낸다. 사춘기이지만 치은염은 보편적으로 발생되지 않으며 구강위생을 잘 할 경우 예방될 수 있다. 성인이 됨에 따라 국소인자가 존재하더라도 치은반응의 심도는 경감된다. 그러나 완전히 회복되기 위해서는 국소인자가 완전히 제거되어야 한다.

② 생리주기와 관련된 치은변화(Gingival changes associated with menstrual cycle)

일반적으로, 생리주기는 뚜렷한 치은변화를 동반하지 않는다. 생리기간 동안 치은염의 이환율은 증가한다. 일부 환자들은 생리에 앞서 치은출혈과, 치은이 부풀어서 긴장감을 호소한다. 생리기간 동안에 염증상태의 치은에서 삼출액은 증가하나 정상치은의 치은열구액은 영향을 받지 않는 것으로 보아 기존의 치은염이 이 기간에 악화되는 것으로 생각된다.[32]

③ 임신 시 치은질환(Gingival disease in pregnancy)

임신했을 때 호르몬 변화가 나타난다는 것을 알지도 못했던 시기인 1898년에 임신 시 치은변화에 대해 보고되었다. 임신 자체는 치은염을 야기 시키지 않으나 염증이 있는 부위에서 치태에 대한 치은반응을 악화시킨다. 즉, 국소인자들이 없다면 어떠한 치은변화도 나타나지 않는다. 치은염은 임신 중 2~3개월 사이에 시작하여 2기와 3기에 그 심도가 증가된다고 보고되었다.

치은염과 치태의 양 사이의 상관관계는 임신기간 동안보다는 분만 후에 훨씬 더 크므로, 임신은 국소인자에 대한 치은반응을 악화시키는 다른 요인들을 끌어들인다고 생각된다. 출산 2개월까지 치은염의 심도는 부분적으로 감소되며 1년 후에는 임신하지 않았던 환자의 치은과 유사하다.[33] 그러나 국소인자가 존재하는 한 치은은 정상으로 회복되지 않는다.

가장 뚜렷한 임상 증상은 아주 쉽게 출혈되는 것이며, 치은색조는 밝은 적색에서부터 청적색까지 다양하다.[34,35] 변연치은과 치간치은은 부종성으로 압박을 가하면 pit가 생기며, 부드럽고 매끈매끈하고 유약하며 때로는 딸기 같은 모양을 나타낸다. 급성감염에 의해 악화되지 않는다면 통증은 없다. 때로, 염증성 치은이 종양과 같은 덩어리로 나타날 수 있는데 이것을 임신성 종양(pregnancy tumor)이라 한다(그림 14-1).

현미경적 소견으로, 치은상피와 결합조직의 부종과 변성과 더불어 염증세포가 뚜렷하게 침윤되어 있다. 상피조직은 상피세포의 이상증식과 상피돌기가 뚜렷하며, 각화가 감소되며, 세포 내외에 부종, 그리고 백혈구의 침윤 등을 나타낸다. 새로이 생성되고 충혈된 모세혈관이 많이 존재한다.[36]

임신이 진행됨에 따라 치은연하치태세균총은 보다 혐기성으로 변화되는데,[37] *Prevotella intermedius*가 유일하게 증가하는 세균이다. 이 세균의 증가는 에스트라디올과

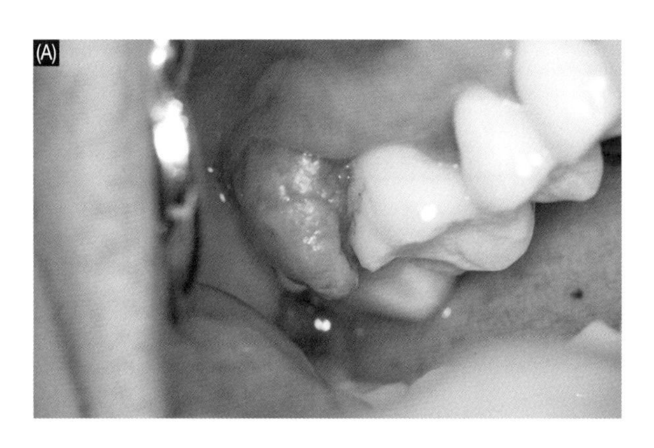

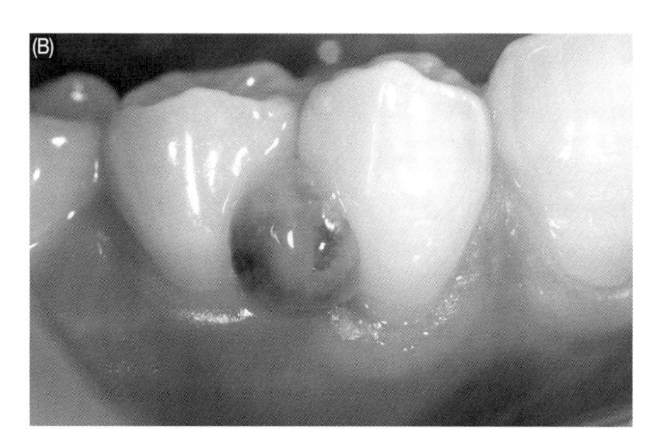

그림 14-1. 임신성 종양 (A) 치은변연과 치간유두부의 증식이 나타난다. 주로 상악 치간유두부에 빈발한다. (B) 하악에 나타난 임신성 종양

프로게스테론의 전신농도의 증가와 관련이 있으며, 최고의 치은출혈을 나타내는 시기와 일치한다. 임신 시, 모체의 T 림프구 반응의 저하가 치태에 대한 조직반응을 변화시키는 요인이 된다고 제시되었다.[38]

프로게스테론과 에스트로겐은 임신 중에 현저히 증가하며 출산 후에 감소하는데, 치은염의 심도는 임신 중 호르몬의 농도에 따라 다르다. 또한, 임신 시 치은염은 임신 1기 동안, 즉 고나도트로핀이 과도하게 생산될 때와 임신 3기 동안, 즉 에스트로겐과 프로게스테론 농도가 가장 높을 때 악화된다고 제시되었다.[39] 성호르몬이 증가되어 치은 비만세포가 파괴되고, 이로인해 히스타민과 단백분해효소가 유리되어 국소인자들에 대한 염증반응을 악화시킬 수 있다.[40]

④ 호르몬성 피임제와 치은변화 (Hormonal contraceptives and the gingival change)

호르몬성 피임제는 임신 시와 유사한 기전으로 국소자극에 대한 치은반응을 악화시키는데, 치은충혈 및 치은염의 증가, 치은열구액의 유출 증가를 야기한다, 1년 6개월 이상 지속적으로 사용 시 치주조직 파괴양상을 증가시키는데 이는 주로 프로게스테론에 의한다.[41-43]

⑤ 갱년기성 치은구내염(Menopausal gingivostomatitis, senile atrophic gingivitis)

갱년기에는 estradiol이 주요한 순환 에스트로겐이 아니므로 보통의 규칙적인 주기를 갖는 호르몬 변화가 일어나지 않는다.[44] 그 결과로, 여성들에게서 치은구내염이 발생할 수 있으나, 치은구내염은 일반적인 현상이 아니며, 구강내 문제도 갱년기의 흔한 증상이 아니다.[45]

치은과 다른 구강점막은 건조해지고 활택하며 치은의 색조는 창백한 것에서부터 적색까지 다양하고 쉽게 출혈된다. 협점막부나 질점막에 균열이 생길 수 있으며,[46] 온도 변화에 민감한 반응을 나타내고, 비정상적인 미각을 느끼게 되며, 가철성 국소의치 착용의 어려움을 호소한다.[47] 현미경적 소견으로는 상피의 발아세포층과 유극세포층에 위축이 나타나고 가끔 궤양도 나타난다. 갱년기성 치은구내염과 만성박리성 치은염의 증상과 증후는 유사하다. 갱년기성 치은구내염의 증상과 증후는 때로 난소 적출이나 악성종양의 치료를 위한 방사능 불임처치 이후에 나타나기도 한다.

(5) 부신피질 호르몬(Corticosteroid hormones)

부신피질 호르몬은 감염이나 외상에 대한 염증반응과 항체형성을 저하시켜 감염에 대한 저항력을 저하시킨다.

사람에게서 코티솔과 부신피질자극호르몬의 전신 투여는 치은 및 치주질환의 이환률과 심도에 영향을 주지 않는 것처럼 보인다. 그러나, 면역억제 치료(prednisone 또는 methylprednisone, azathioprine 또는 cyclophosphamide)를 받는 신장이식 환자에서는 치태양이 비슷한 대조군과 비교 시 치은염증이 상당히 적었다.[48-52]

실험동물에 투여된 부신피질 호르몬은 치조골의 골다공증, 치주인대 및 결합조직 내의 출혈과 더불어 모세혈관의 확장과 충혈, 치주인대 교원질 섬유의 변성과 수의 감소, 그리고 염증과 관련되어 치주조직의 파괴를 증가시켰다.[53]

스트레스는 순환 중인 코티솔 수치를 증가시키는데, 이렇게 증가된 내인성 코티솔은 치주병인균에 대한 면역반응을 감소시켜 치주조직에 악영향을 끼칠 수 있다.

① 부신피질 기능저하증(Hypoadrenocorticism)

결핵, 유전분증(amyloidosis), 악성종양으로 인한 근본적인 부신피질의 위축이나 이차적인 증상으로 나타나는데 이를 Addison's disease라 한다.

구강소견으로는 조기에 점막내 착색-흑갈색, 갈색, 흑색 등의 색조로 나타나며, 만성점막 칸디다증이 발생한다.

② 부신피질 기능항진증(Hyperadrenocorticism)

뇌하수체나 부신피질의 종양, 선종, 증식에 의해 발생되며 과도한 부신피질 분비에 의해 glucocorticoid의 증가와 Cushing씨 증후군이 나타나며 골격근의 약화와 상피층의 비박화, 면역반응의 저하, 창상치유의 지연 등이 나타난다. 치조골 내의 골다공증을 보이며 구강점막이 얇아진다.

2) 당뇨(Diabetes Mellitus)

당뇨는 만성 고혈당이 특징인 복잡한 대사성 질환이다. 인슐린 생성 감소 또는 인슐린 작용장애 또는 이 2가지가 복합되어 포도당이 혈류로부터 조직 내로 이동되지 못하게 되어 고혈당과 오줌으로 당분 배설이 나타난다. 비조절성 당뇨는 미세혈관질환(망막장애, 신장장애, 신경장애), 대혈관질환(심혈관 및 뇌혈관장애), 감염에 대한 감수성 증가, 그리고 불량한 창상치유 등을 나타낸다.

대한당뇨학회와 건강보험심사평가원이 내놓은 '2007년 한국인 당뇨병 연구보고서'에 따르면 국내 당뇨 환자는 269만 명이며, 매년 20여 만 명 이상의 신규 환자가 발생하고 있는데, 치주질환은 당뇨의 여섯 번째 합병증으로 간주되고 있으며, 특히, 비조절성 당뇨에서는 방어기전의 약화와 감염경향의 증가로 인한 파괴적인 치주질환이 야기될 수 있으므로 치과치료 시 특별한 주의가 필요하다.

국소인자들에 대한 세포반응의 변화(altered cellular response), 조직 본래 성상의 손상(impaired tissue integrity), 그리고 교원질 대사의 변화(altered collagen metabolism) 등의 누적효과가 당뇨환자의 감염에 대한 감수성과 파괴성 치주질환에 중요한 역할을 한다.

당뇨는 1형 당뇨와 2형 당뇨, 그리고 흔하지 않은 속발성 당뇨가 있다.

1형 당뇨는 예전에 인슐린 의존성 당뇨로 알려졌는데, 췌장의 Langerhans 섬의 인슐린을 형성하는 베타세포의 세포성 자가면역성 파괴에 의해 인슐린 부족으로 야기된다. 아동이나 청년층에서 발병한다.

이 유형은 인슐린 생성 부족으로 야기되는데, 매우 불안정하고 조절하기 어렵다. 케토증과 혼수상태가 잘 나타나는 경향이 있으며, 비만증이 선행되지 않으며, 조절하기 위해서는 반드시 인슐린이 필요하다. 1형 당뇨를 가진 환자들은 다식, 다갈, 다뇨, 감염에 대한 소인 등 당뇨와 관련된 전형적인 증상을 나타낸다.

2형 당뇨는 예전에 인슐린 비의존성 당뇨로 알려졌는데, 인슐린 작용에 대한 말초조직의 내성, 인슐린 분비장애, 간의 포도당 생성증가에 의해 야기된다. 주로 성인에서 발병하며 대부분의 환자들은 알지 못한 상태로 있다가 심한 증상과 합병증이 나타난 다음에야 진단이 이루어진다. 보통 비만한 사람에게서 발생되며 식이요법이나 경구용 저혈당약제로 조절할 수 있으며, 증상은 1형 당뇨와 유사하나 심하지 않다.

부가적인 범주에 속하는 당뇨로는 다른 질환(또는 상태)에 대해 2차적으로 나타나는 고혈당증이 있다. 이 형태의 좋은 예는 임신성 당뇨로 분만 후에는 사라지나 나중에 2형 당뇨에 걸린 위험성이 증가한다. 이밖에, 췌장에 관련된 질환, 인슐린을 형성하는 세포를 파괴하는 질환이 있다. 말단 비대증, Cushing씨 증후군, 종양, 췌장적출술, 인슐린 수준을 변화시키는 화학물질과 약제 등이 여

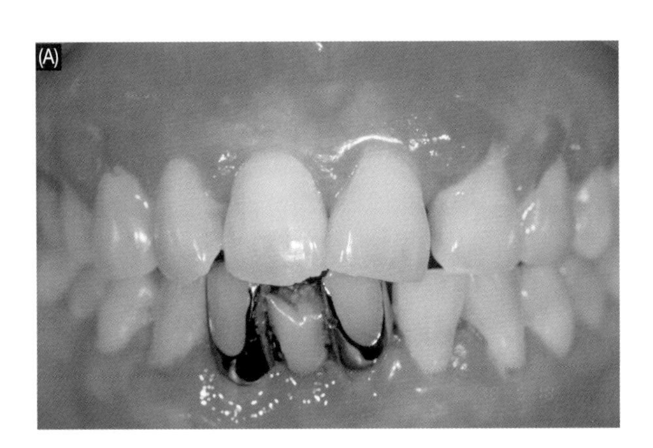

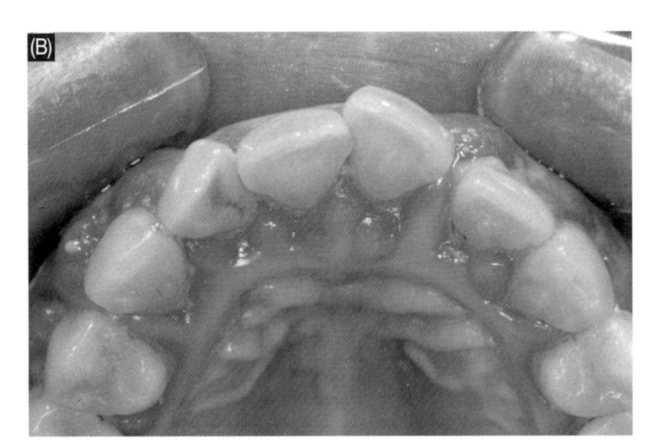

그림 14-2. 당뇨병 환자의 구강내 소견
(A) 치주농양이 여러군데 관찰된다. (B) 구개부에는 치은비대가 관찰된다.

기에 속한다.

(1) 당뇨의 구강내 소견 (Oral manifestations in diabete mellitus)

비조절성 당뇨에서, 구순증(cheilosis), 점막의 건조 및 균열, 구강 및 혀의 작열감, 타액분비 감소, 구강상주균의 변화(candida albicans, 용혈성 streptococci와 staphylococci 증가),[54-57] 그리고 치아우식률의 증가 등이 나타난다.[58,59]

당뇨 환자는 유사한 자극에 대해 정상인에 비해서 치주질환의 유병률과 심도가 더 심하게 나타났다.[60,61] 당뇨가 치은염과 치주낭을 유발하지는 않으나 국소적 자극에 대해서 치주조직 반응을 변화시키며, 치조골파괴를 촉진하고, 치주조직의 치유를 지연시킨다. 치주농양이 빈번하게 나타나는 것은 당뇨 환자의 치주질환에서 중요한 소견이다. 치주조직의 변화로는 부착소실, 탐침 시 출혈, 치은비대, sessile 형태나 peduncle 형태의 폴립, 폴립양 치은비대와 치아동요 등이 나타난다(그림 14-2).[62]

1형 당뇨에서 치주염은 12세 이후에 발병되며, 골소실은 제1대구치와 절치부에서 심하고 나이가 들면서 많은 치아에 걸쳐 진행된다.[63] 30세까지는 치주 파괴율이 비슷하나 30세 이후에는 당뇨 환자에서 파괴율이 증가하며, 10년 이상의 병력을 가진 경우 치주파괴는 상당히 심각하다고 보고되었다.[64,65]

적절하게 조절되는 당뇨 환자에 있어서는 전술한 증상이 나타나지 않으며 조직반응은 정상이고 치열도 정상 발육하며 감염에 대한 정상적인 방어를 수행한다.

(2) 세균성 병원균(Bacterial pathogens)

치태지수와 치은지수가 비슷한 조건에서, 당뇨를 가진 사람들과 당뇨가 없는 사람을 비교했을 때 치은열구액과 혈액의 포도당 양은 당뇨가 있는 사람들에서 더 높았다.[66] 이렇게 증가한 포도당 농도는 상주균의 환경을 변화시켜 치주조직 변화에 영향을 줄 수 있는 세균의 질적 변화를 유도할 수 있다. 즉, 당뇨에 이환된 환자들의 치주병소에서 발견되는 세균총에 관한 연구를 보면 일관성 있는 결과가 보고되지 않고 있어 당뇨병 환자의 치주낭내 상주세균들이 변경되고 있음을 알 수 있다. 또한 cAMP는 염증을 감소시키는 작용을 하는데, 당뇨 환자의 치은열구액에서 추출된 cAMP 수치가 감소되어 있으므로 치은염증의 심도가 증가될 수 있다.

(3) 다형핵 백혈구의 기능 (Function of polymorphonuclear leukocyte)

당뇨 환자들이 감염에 대해 감수성이 증가하는 것은 다형핵 백혈구의 결함, 즉 화학주성과 식작용 그리고 부착 결함 때문으로 추측하고 있다.[67,68] 조절이 되고 있지 않은 당뇨 환자들에 있어서 다형핵 백혈구와 단핵구/대식세포의 기능은 손상되어 있다. 당뇨 환자에서 IgA, IgG, IgM의 변화는 발견되지 않았다.

(4) 변화된 교원질 대사 (Altered collagen metabolism)

만성 고혈당은 교원질과 세포외기질의 합성, 성숙, 유지에 악영향을 끼치는데, 적절하게 조절되지 않는 만성고혈당을 가지고 있는 당뇨 환자에서는 교원질 분해효소활성이 높고 교원질 합성이 감소된다. 실험동물에서 교원질 합성 감소, 골다공증, 치조골 높이의 감소 등이 나타났다.[13,69]

고혈당 상태에서, 많은 단백질과 기질분자들은 비효소성 해당반응을 통해서 advanced glycation end products (AGEs)를 형성한다. AGEs는 당뇨병의 전형적인 합병증에서 주요 역할을 담당하며, 치주질환의 진행에도 중요한 역할을 할 수 있다. AGEs는 포도당이 정상적인 수준일 때도 형성되지만 고혈당상태에서는 지나치게 많이 형성된다. AGEs가 형성됨에 따라 교원질은 교차결합이 되어 용해되기 어려운 상태가 되므로 정상적으로 회복되거나 대체되지 않을 것이다.[70] 교차결합된 교원질을 통해서는 세포 이주가 어렵기 때문에, 손상받은 교원질이 조직 내에 오랫동안 잔존하면 조직은 본래의 상태를 유지하기 어렵게 된다. 즉 교원질이 정상적인 비율로 신생되지 않게 되므로, 조절되지 않은 당뇨를 가진 환자들의 조직내 교원질은 노화되고 치주감염에 의한 파괴에 대해 저항성이 떨어지게 된다.

3. 혈액질환과 면역결핍(Hematologic disorder and immune deficiencies)

모든 혈구는 치주조직을 건강하게 유지하는 데 중요한 역할을 하고 있다. 백혈구는 염증반응에 관련되어 있으며, 사이토카인의 유리와 세균에 대한 세포방어에 대하여 책임이 있다. 적혈구는 치주조직에 영양공급과 가스교환을 담당하며, 염증과 창상치유 동안 세포의 보급 및 정상적인 지혈에 필요하다.

혈액성 질환과 관련된 치은 및 치주조직 변화는 구강조직과 혈구세포 그리고 조혈기관 사이의 상호 관련성의 관점에서 다루어져야 할 것이다. 치은이나 다른 구강점막에서 조절하기 어려운 비정상적인 출혈은 혈액성 장애를 나타내는 중요한 임상적인 증상이며, 연구개에서의 점상출혈과 반상출혈이 종종 발견된다. 출혈과 같은 특별한 구강 변화는 혈액질환의 존재를 암시할 수 있으나, 확진을 위해서는 철저한 진찰과 정밀한 혈액검사를 실시해야 한다.

숙주의 면역반응의 결함은 심한 파괴성 치주병소를 야기할 수 있는데, 원발성 또는 속발성(면역억제제로 치료하거나 임파계의 파괴에 의한 결손)으로 나타날 수 있다.

1) 혈액질환(Hematologic disorder)

(1) 백혈병(Leukemia)

백혈병이란 백혈구 전구체가 악성으로 생성되는 것으로, 특징적으로 ① 골수가 증식중인 백혈병성 세포로 대치되고 ② 순환 혈액 내에 미성숙 백혈구의 수와 형태가 비정상이며, 그리고 ③ 간, 비장, 임프절, 그리고 다른 신체 부위에 널리 침투한다.[71]

백혈병은 관련된 백혈구 계통에 따라 임파구성(lymphatic type)과 골수성(myelocytic type)으로 나눌 수 있고, 단핵 세포형(monocytic type, 그림 14-3)은 골수성 백혈병의 하위집단에 속한다.[72] 그리고 이들의 점진적인 변화에 따라 급성, 아급성, 만성으로 나눌 수 있다.

모든 백혈병은 골수성분들 중에서 정상적인 요소들을 백혈병 세포로 대치시키는 경향이 있어 적혈구, 백혈구, 혈소판의 생성을 감소시켜 빈혈증, 백혈구감소증, 혈소판감소증을 초래한다.

① 백혈병 환자에서의 치주조직 (The periodontium in leukemic patients)

구강 및 치주조직에 백혈병의 침윤, 출혈, 구강의 궤양, 그리고 감염이 나타난다. 이러한 증상은 만성형 백혈병보다는 급성과 아급성의 백혈병에서 더 흔하게 나타난다.

- 백혈병세포침윤: 백혈병 세포는 치은과 드물게는 치조골까지 침윤하며, 치은에 침윤되어 종종 백혈병성 치은비대(leukemic gingival enlargement)를 초래한다. 무치악 환자나 만성 백혈병 환자에서는 이러한 치은

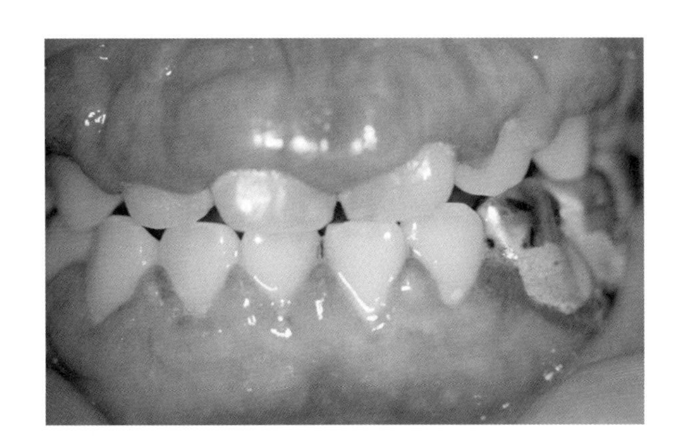

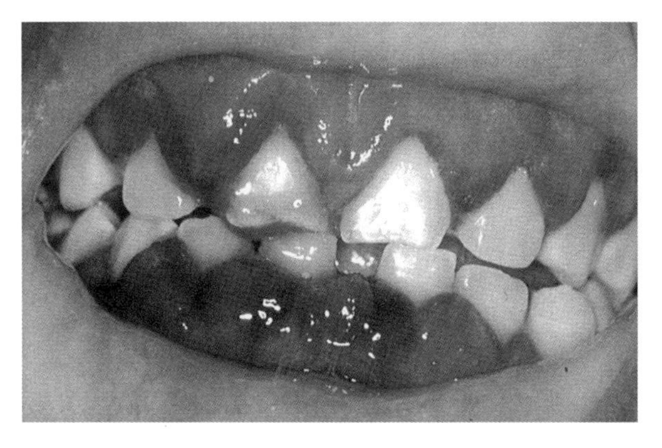

그림 14-3. 급성단핵세포형 백혈
치간유두의 증식과 출혈 그리고 치은점막의 색조변화가 관찰된다.

비대가 나타나지 않는다. 임상적으로 치은은 초기에는 청적색의 색조(cyanotic bluish-red discoloration)를 띠면서 치은연이 둥그스름하고 팽팽하며 치간유두의 크기가 커져 종종 치관을 덮는 경우도 있으며, 위막형성, 괴사, 궤양을 동반하는 다양한 정도의 치은염 증상이 관찰된다(그림 14-3). 조직학적 소견을 보면 변연치은과 부착치은에 미성숙 백혈구가 광범위하게 침윤되며, 치은의 정상적인 결합조직 구성성분 또한 백혈병성 세포로 대치된다. 치주인대는 성숙한 백혈구와 미성숙 백혈구로 침윤되어 있다. 치조골의 골수는 부분적 괴사, 혈관의 혈전증, 성숙한 백혈구와 미성숙 백혈구의 침윤, 종종 적혈구, 섬유조직에 의한 지방성 골수의 대치 등을 나타낸다.

- 치은출혈: 치은출혈은 백혈병 환자에서 임상적으로 탐지되는 치은염이 보이지 않는 경우에도 흔히 나타나며 백혈병의 초기 증상이 될 수 있다. 이것은 골수세포가 백혈병 세포에 의해 대체되어 생긴 혈소판감소증, 그리고 정상적인 줄기세포의 기능이 백혈병 세포나 이의 부산물에 의해 억제되어 생긴 혈소판감소증에 의해 야기된다.[71] 출혈성 경향은 피부나 구강점막 전체를 통해서 나타나는데 백혈병세포침윤에 관계없이 점상출혈을 보인다.[73] 출혈은 또한 백혈병을 치료하기 위해 사용된 화학요법제의 부작용일 수 있다.
- 치은 궤양 및 감염: 백혈병에서는 치태세균이나 국소자극에 대한 반응이 변한다. 염증성 삼출액의 세포성분이 백혈병이 아닌 사람의 삼출액과 양적으로 그리고 질적으로 다르게 나타난다. 보통의 염증세포 외에 미성숙 백혈병 세포들의 현저한 침윤이 관찰된다.

정상적인 골수세포가 백혈병 세포로 대체됨에 따라 과립구감소증이 나타나는데, 이것으로 인해서 기회감염에 대한 감수성이 증가하고 궤양과 감염의 원인이 된다. 위막으로 덮힌 궤양(punched-out ulcer)이 나타난다.[15] 급성 백혈병의 말기에 괴사성 궤양성 치은염과 비슷한 병소와 치은염이 더 빈번하고 심하게 나타난다.[74] 치은의 색조는 청색조로 붉고 약하며, 약한 자극에도 쉽게 출혈되거나 자연 출혈되기도 한다. 이처럼 변화되고 변성된 조직은 쉽게 감염이 된다. 국소 자극인자를 제거하거나 감소시킴으로써 심한 구강 변화를 감소시킬 수 있다.

만성 백혈병에서는 혈액성 장애를 암시하는 임상적 구강 증상은 거의 나타나지 않는다.

(2) 빈혈(Anemia)

빈혈이란 적혈구 수와 혈색소 양의 감소에 의한 혈액의 실석 또는 양적 이상으로 실혈, 비정상적인 조혈작용 및 적혈구 파괴의 증가 때문에 나타날 수 있다. 실혈은 심한 손상의 경우 급성으로 오거나 위궤양, 이상 월경처럼 만성으로 올 수 있다. 혈액성 장애로 인한 빈혈은 단백질, 철분, 조혈 작용에 필수적인 엽산, 비타민 B, pyridoxine, 비타민 C 혹은 비타민 K 등의 결핍, sulfonamide 같은 화학물질, X-선, 신생물에 의한 골수기능의 저하, 원인을 알 수 없는 재생불량성 빈혈 등에 의해 올 수 있다. 빈혈은 조직의 산소포화를 불량하게 만들어 조직이 쉽게 파괴되도록 한다. 빈혈은 세포형태와 혈색소 양에 따라 대적혈구 고색소증 빈혈(악성빈혈), 소적혈구 소색소증 빈혈(철 결핍성 빈혈), 겸상적혈구성 빈혈, 정상 적혈구 정상색소성 빈혈(용혈성 혹은 재생 불량성 빈혈)로 분류된다.

① 대적혈구 고색소증 빈혈 (악성빈혈, Pernicious anemia)

흔히 40대 이후에 호발하며 남, 여 비슷하게 발생한다. 신경계, 심맥관계와 위장관계에 증상이 나타나는 이 질환은 잠행성으로 시작되며 사지의 저림, 무감각, 전신적 쇠약, 설통이 특징적인 질환이다. 색소 수치는 증가하나 적혈구 수는 1,000,000 cells/mm^3로 감소하고 혈색소 양, 혈소판 수, 백혈구 수의 감소와 적혈구 크기의 이상, 형태의 이상 및 핵편을 함유하는 적혈구의 존재 등을 보인다.

구강 증상으로 치은, 구강 점막, 입술에 변화를 보이는데 특히 혀의 변화는 환자의 약 75%에서 나타난다. 초기 구강 증상은 상피세포가 비대해지며 치은과 점막은 창백하고 궤양이 형성되기 쉽다. 혀는 붉고 모상유두와 엽상유두의 위축으로 인해 활택한 면을 보인다.

② 소적혈구 저색소증 빈혈
(철 결핍성 빈혈, Iron deficiency anemia)

철과 혈색소 생산에 필요한 물질의 결핍에 의한 것으로 여성에 호발하며 전신쇠약, 피로, 창백함을 주된 증상으로 한다. 적혈구 수는 3,000,000 cells/mm^{3}로 감소하고 혈색소치와 혈색소 양도 감소하나 혈소판 수는 증가한다.

철 결핍성 빈혈에 이환된 대부분의 환자들에서 구강증상은 나타나지 않으나 치은점막과 혀의 창백함, 유두위축에 따른 혀측면의 홍반, 근육긴장 상실 등을 볼 수 있으며 염증성 치은조직은 창백한 인접치은과는 대조적으로 자색조의 붉은빛을 띤다(그림 14-4).

철 결핍성 빈혈 환자에서 설염, 연하장애를 유도하는 구강점막과 구강인두의 궤양 등의 증후군(Plummer-Vinson 증후군)이 나타난다.

β-thalassemia (erythroblastic anemia, Cooley's anemia)는 소적혈구 저색소증 빈혈의 한 종류로 유전성이며 용혈성 빈혈, 비장거대증, 유핵적혈구 등을 보인다. 소아기에는 골다공증이, 이후에는 골경화로 이어지며 구강증상은 구강점막의 창백과 청색증 등을 보이며 상악 치조능의 과성장으로 부정교합을 보인다.

③ 겸상적혈구성 빈혈(Sickle-cell anemia)

낫 또는 귀리 형태의 적혈구를 보이는 이 질환은 흑인에 호발하는 만성 유전성 용혈성 빈혈로서, 창백, 황달, 허약, 류마토이드성 양상, 다리에 궤양 등이 특징적으로 나타난다. 구강변화로는 전반적인 악골의 골다공증, 치간중격 골소주에서 특징적인 사다리 형태, 그리고 구강점막의 창백함과 황색 변화를 보인다.

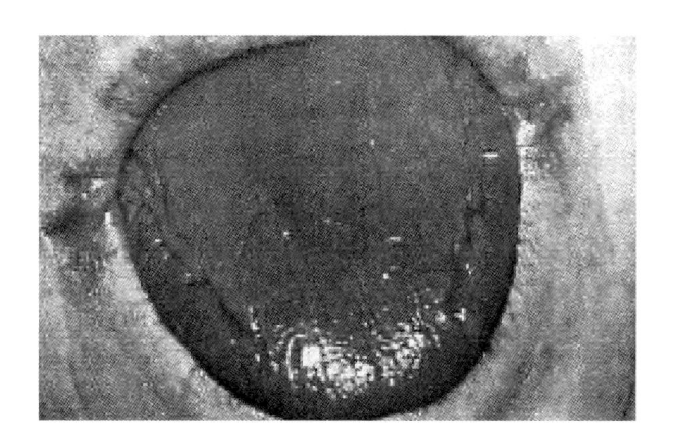
그림 14-4. 철결핍성 빈혈환자. 설유두의 위축과 구각구순염을 보인다.

④ 재생 불량성 빈혈(Aplastic anemia)

골수가 적혈구를 생성하지 못한 결과로 나타난다. 독한 약물이 골수에 끼치는 효과나 적혈구가 백혈병 세포로 대체되어 재생 불량성 빈혈이 된다. 구강변화로는 구강점막이 창백하게 변하고 호중구감소증 때문에 감염에 대한 감수성이 증가된다.

(3) 혈소판감소증(Thrombocytopenia)

혈소판감소증은 혈소판 수가 감소되는 상태(혈소판 생성이 부족하거나 혈소판을 소실했을 때)를 서술하기 위해서 사용된 용어이다.

혈소판 감소성 자반병은 Werlhof 질환처럼 원인 불명이거나, 어떤 알려진 원인들(골수의 발육부전, 골수가 종양에 의해 대체, 방사선 요법이나 라듐, 그리고 벤젠, 아미노피린, 비소와 같은 약제에 의한 골수파괴)에 의해 이차적으로 발생될 수 있다. 자반병에서는 혈소판 수는 감소하고 혈병견축과 출혈시간은 증가하고 혈액응고시간은 정상이거나 약간 증가된다. 피부나 점막으로부터 자발출혈이 있다. 점상출혈이나 출혈성 소포가 구개, 편도 그리고 협점막 등에 나타난다. 치은은 부종을 나타내며 부드럽고 약하며, 자연출혈되거나 약한 자극에도 출혈된다. 치은은 국소자극에 대해 비정상적인 반응을 보이는데, 치은 상태는 국소자극을 제거함으로써 극적으로 경감된다.

(4) 백혈구(중성구) 이상
(Leukocyte (neutrophil) disorder)

백혈구의 생성이나 기능에 영향을 주는 질환들은 심한 치주조직 파괴를 야기할 수 있다. 특히, 다형핵 백혈구(중성구)는 치은열구 내에서 제일 먼저 세균을 방어하는 역할을 담당하고 있으므로 병인발생에 매우 중요하다. 원발성 중성구 이상(primary neutrophil disorders)을 나타내는 질환으로는 호중구감소증(neutropenia), 무과립구증

(agranulocytosis), Chediak–Higashi syndrome, Lazy leukocyte syndrome 등이 있으며, 속발성의 중성구 이상(secondary neutrophil disorders)을 나타내는 질환으로는 Papillon–Lefever syndrome, Down syndrome, 염증성 장질환(inflammatory bowel disease) 등이 있다.

① 호중구감소증(Neutropenia)

순환중인 중성구의 수치가 낮아져 있는 혈액질환으로 1,500 cells/μl 이하일 경우 호중구감소증이라고 간주한다. 호중구감소증은 무과립구증이 덜 심한 형태이다.

② 무과립구증(Agranulocytosis)

무과립구증은 순환중인 과립구의 수가 감소되어 있는 질환으로 아주 심한 감염을 야기시키는데, 구강점막, 피부, 위장관계, 비뇨생식기계에 궤양성 괴사성 질환을 나타낸다. 특징적 증상으로 하는 급성 질환으로 aminipyrine, barbiturate와 그 유도체 benzene ring 유도체, sulfonamide 같은 약제에 대해 특이체질인 환자에서 호발하며 그 원인을 모르는 경우도 있다.[75–78]

구강, 구강인두, 인후에 궤양이 나타나는 것이 특징이며, 뚜렷한 염증반응이 없는 것이 두드러진 양상이다. 치은출혈, 괴사, 타액분비의 증가 및 구취가 수반된다. 주기성 호중구감소증(cyclic neutropenia)에서는 급진성 치주염이 나타난다고 보고되고 있다.[79]

③ Chediak–Higashi syndrome

이 질환은 유전적인 병변으로 상염색체성 열성질환으로 분류된다. 거의 모든 세포에 존재하는 세포소기관의 생성에 영향을 주는 아주 드문 질환으로, 부분적인 색소결핍증, 미세한 출혈이상, 그리고 재발성 세균 감염을 초래한다. 다형핵 백혈구의 화학주성능력 및 탐식작용의 이상으로 나타나며 호흡기의 감염이 자주 일어난다. 구강내 증상으로는 충치, 구강 궤양 및 치주질환이 많이 발생하게 되며 특히 이런 환자에게서 급진성 치주염이 나타난다고 보고되었다.

④ Lazy leukocyte syndrome

이 증후군의 특징은 심한 세균감염에 걸리기 쉽고, 호중구감소증, 중성구에 의한 화학주성 반응의 결함, 비정상적인 염증반응으로, 치아의 조기 상실과 골파괴를 나타내는 급진성 치주염에 걸리기 쉽다.

⑤ Papillon–Lefèvre syndrome

이 증후군의 특징은 피부의 과각화된 병소, 치주조직의 심한 파괴, 그리고 심한 경우에는 경막의 석회화가 관찰된다. 골소실과 치아의 탈락을 야기하는 초기 염증변화가 치주조직에 나타난다. 유치는 5세 내지 6세까지 모두 소실되고, 영구치는 정상적으로 맹출되나 파괴성 치주질환으로 몇 년 내에 모두 소실된다(보통 제3대구치를 제외하고 15세에 무치악이 된다).

현미경적으로, 치주낭의 측벽에 만성 염증이 두드러지는데 혈장세포의 침윤이 현저하고, 상당한 파골세포의 활성이 나타나나 골모세포의 활성은 없으며, 백악질이 매우 얇다. 세균총은 만성 치주염에서 나타나는 것과 유사하다.

⑥ Down syndrome (Mongolism trisomy 21)

염색체 이상에 의해 야기된 선천성 질환으로 정신장애와 성장지연이 특징적으로 나타난다. 이 질환에서 중성구의 화학주성과 식작용이 불량하여 치주질환의 이환율은 매우 높아 30세 이하의 환자에서는 거의 100% 나타난다.[33,80] 치태축적과 관련되어 깊은 치주낭의 형성, 그리고 중등도의 치은염이 구강내 전반적으로 나타나고(높은 소대부착으로 인한 치은퇴축과 함께 하악전치부에서 보다 심하게 나타나는 경향이 있다), 질환의 진행이 매우 빠르며 급속 궤양성 병소가 빈번하게 나타난다. 이 질환에 이환된 어린아이의 구강 내에서 P. intermedia의 숫자가 증가되었다는 보고가 있다.

2) 항체결핍질환(Antibody deficiency disorder)

(1) 무감마글로불린혈증(Agammaglobulinemia)

무감마글로불린혈증은 B 세포 결함에 의해 항체생성

이 부적절한 면역결핍이다. 선천성(X-linked, 또는 Bruton 무감마글로불린혈증) 또는 후천성으로 나타난다.

선천성 무감마글로불린혈증은 X 염색체 열성유전자(Bruton tyrosine kinase)에 의해 야기되므로 남성에서만 나타난다. 이 유전자는 B 세포발생에 관여한다. 성숙한 B 세포가 없을 경우에, 환자는 림프조직이 결여되어 있으며 혈장세포를 발생시키지 못한다. 따라서 항체생성이 불충분하다. 모든 임프조직에서 B 세포가 증식해서 분화하는 종중심이 발달이 되어 있지 않다. 편도, 아데노이드, 말초 림프절 등이 적거나 없다.

후천성 무감마글로불린혈증은 종종 common variable immunodeficiency disease (CVID)로 알려져 있다. 이 질환의 특징은 20대와 30대에서 면역글로불린과 항체수치가 엄청나게 감소해서 세균감염이 재발되는 것이다. B 림프구가 혈장세포로 분화되지 못하는 이 질환은 비장이 확대되어 있고, 선조직과 림프절이 부어 있다. 이 질환의 원인은 알려지지 않았는데, 유전되지 않으며 남녀 모두에서 나타날 수 있으며, 때로 환자들 일부에서는 혈액세포에 대해 자가항체를 만들 수 있다.

T 세포는 정상이다. 이 질환의 특징은 재발성 세균감염으로 특히 귀, 공동(sinus), 그리고 폐에 감염이 생긴다. 또한 이 질환으로 진단된 아동들에게서 공격성 치주염이 공통적으로 나타난다.

(2) 후천성면역결핍증 (Acquired immunodeficiency syndrome, AIDS)

AIDS는 human immunodeficiency virus (HIV)에 의해 야기된다. 림프구가 파괴되는 것이 특징으로, 파괴성 치주병소, 그리고 악성종양을 포함하여 환자가 기회감염에 대한 감수성이 증가된다.

HIV 감염 환자에서 흔히 보이는 감염 및 악성상태로는 칸디다증, 간염, herpesvirus와 cytomegalovirus 감염, 카포시 육종, 림프종 등이 있다. HIV에 감염될 위험성이 높은 환자들로는 동성 연애자, 정맥내 주사약 상용자, 감염된 혈액제제 수혈자 등이 있다.

HIV 감염의 증상 및 징후로는 미열, 체중감소, 약한 설사, 숨가쁨, 경부, 액와 및 서혜부의 림프절증 등이 있으며 혈액장애로는 백혈병, 혈소판 감소증, 빈혈, T4-T8 비율 저하, 혈청내 글로불린치 상승이 있다.

미국의 질병통제센터에 따르면 위에 서술된 소견 중 각각 두 개 이상의 임상 및 혈액질환을 보이는 감염환자는 AIDS related complex (ARC)로 진단한다. AIDS로 진단되기 위해서는 여기에 기회감염 및 카포지 육종이 추가되어야 한다.

HIV 감염 환자에서는 두경부 병소가 흔히 나타난다. AIDS 및 ARC 환자의 55%가 구강내 병소를 보인다. 많은 다양한 구강 병소가 나타나며, 어떤 것은 HIV감염의 초기 징후로서 나타난다. 흔한 구강내 소견으로는 구강내 모상 백반증(oral hairy leukoplakia), 칸디다증, 부정형의 궤양 및 치유지연, 카포시 육종(Kaposi's sarcoma) 등이 있다.

① 모상 백반증(Hairy leukoplakia)

구강내 모상 백반증은 HIV 감염자들에서 나타난다. 주로 혀의 측면에 양측성으로 분포하며 혀의 배면에까지 확장되어 있다. 이 병소는 무증상으로 수 mm에서 수 cm에 이르기까지 다양한 크기로서 경계가 불명확한 각화성 부위로 특징된다. 종종 주름양 또는 모상을 가로지르는 특징적인 수직선이 나타난다(그림 14-5A). 이 병소는 다른 각화성 병소와 유사하여 문질러서 벗겨지지 않는다.

현미경학적으로, 병소는 털과 유사한 돌기가 있는 과부각화성 표면으로 보인다. 부각화성 표면하방에는 약간의 극세포증이 나타나며 함요형 세포와 유사한 특징적인 풍선양 세포가 나타난다. 모상 백반증은 혀의 배면, 협점막, 구개저 등에서도 나타나지만 거의 혀의 측면에 나타난다. 또, 이 병소의 대부분에서는 2차적 침입자인 candida의 표면 집락 형성이 보인다. 모상 백반증의 정확한 원인은 알려져 있지 않다. 그러나 이 병소에서 검출되는 Epstein-Barr virus와 밀접한 관계가 있는 것으로 보인다.

이러한 사실들에 의거하여 볼 때, 모상 백반증은 이형성증, 악성종양, 편평태선 등과 함께 점막의 백색병소로서 감별되어야 한다. 모상 백반증은 acyclovir를 이용한 항 바이러스 치료 후 퇴화되나, 그 자체가 심각한 결과를

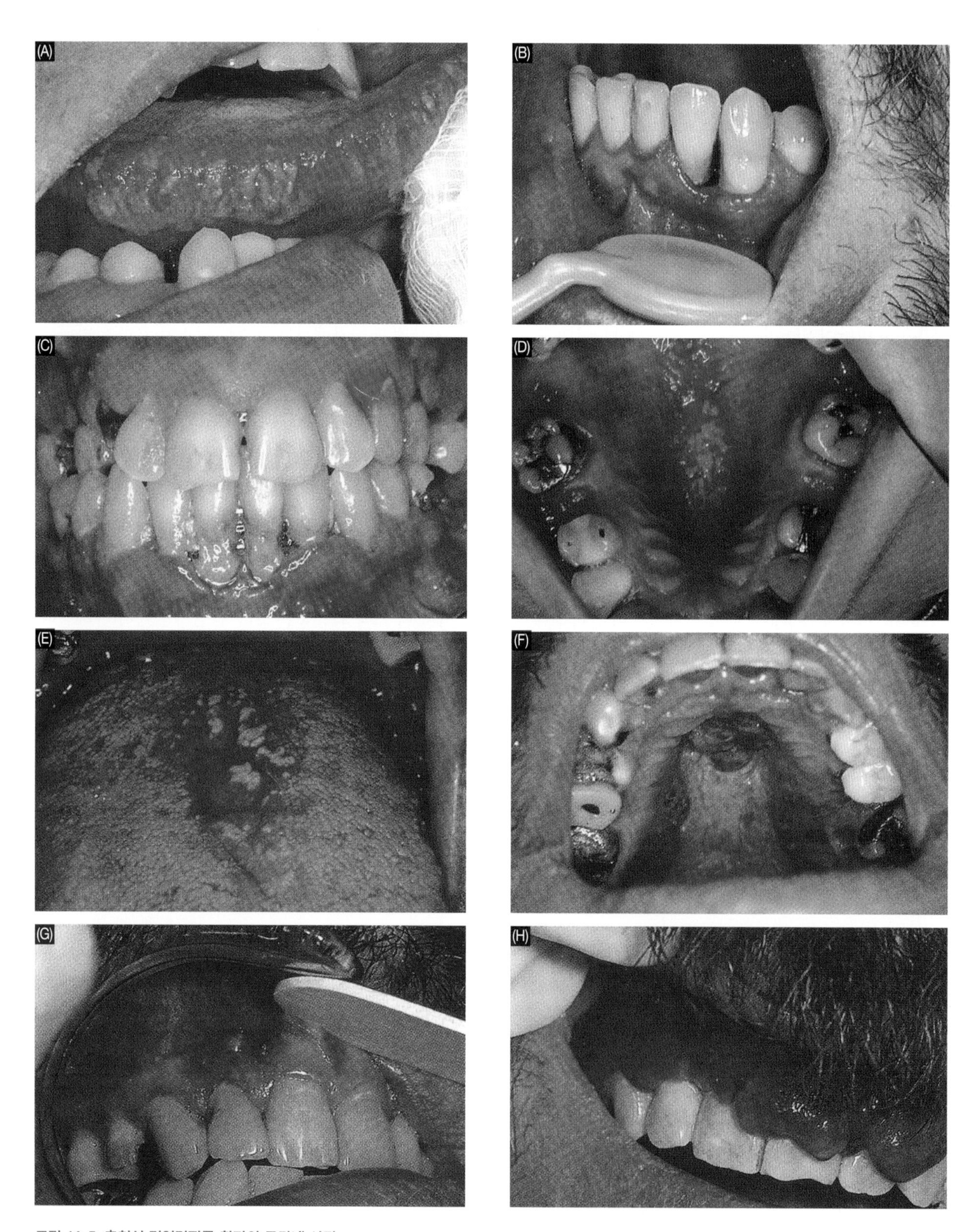

그림 14-5. 후천성 면역결핍증 환자의 구강내 사진

(A) 모상 백반증 (B) 수 개월간 지속된 무통성의 ANUG 양 병소 (C, D, E) 29세된 여자환자의 구개와 혀에 나타나는 ANUG 양 병소와 칸디다증 (F) 전방경구개와 우측과 좌측 구개점막을 침범한 카포시 육종 (G) F와 과 같은 환자로 순측치은에 작은 자반(紫斑)이 나타남. (H) 전방 안면부측 치은을 침범하는 카포시 육종이 나타나고 치은비대가 나타남.

초래하지는 않으므로 치료에 대한 필요성은 명확하지 않다. 그러나, 만약 감염 위험률이 높은 환자에서 혀에 모상 백반증의 현미경학적 소견이 보인다면, 이것은 HIV 감염의 특징적인 초기 징후로서 간주되며 AIDS의 발현에 대한 강력한 지표가 된다.

② 칸디다증(Candidiasis)

구강내 정상 상주균인 Candida는 특정 상태하에서 점막 표면에서 증식한다. 칸디다의 과증식과 관련된 주요 인자는 소모성 질환자나 면역 억제 치료를 받고 있는 환자에서 나타나는 숙주 저항의 감소이다. 칸디다증은 구강점막의 표면으로부터 쉽게 분리되는 백색, 적색 또는 혼합형의 병소로 동통은 없고 약간의 민감성을 보일 수도 있다(그림 14-5D). 홍반형 칸디다증은 질환의 초기 소견으로 질환이 진행됨에 따라 백색 위막성 치태로 된다. 이 병소는 구각구순염 형태로 점막 표면에 나타나거나 HIV 감염 환자에서는 일반적으로 경구개 및 연구개의 병소를 보인다. 칸디다증의 진단은 병소로부터 벗겨낸 물질의 도말층을 현미경으로 관찰함으로써 이루어지며, 균주의 균사 및 포자형이 보인다. 확실한 노출 상황이 없었던 환자에서 칸디다증의 구강 병소가 나타났을 때, 임상가는 HIV 감염의 가능성을 떠올려야 한다. HIV 감염 환자의 구강 칸디다증은 항균치료에 반응하지만, 재발 또는 난치성으로 될 수 있다.

③ 비전형적인 치주질환 (Atypical periodontal disease)

ANUG와 유사한 양상으로 급속히 진행하는 치은염이 HIV 감염환자에서 나타난다(그림 14-5B, C, 그림 14-6). 치주질환의 비전형적인 소견 및 전형적인 치료에 반응하지 않으며 급속히 진행하는 양상은 매우 중요하다. 임상의는 전신질환에 주목하여야 한다.

④ 구강내 궤양 및 치유지연 (Oral ulceration and delayed wound healing)

HIV에 감염된 환자는 재발성 헤르페스성 병소 및 아프타성 구내염의 발병률이 높게 보고되고 있다. 건강한 환자에 있어, 이 병소들은 특징적인 임상적 양태에 의해 비교적 쉽게 진단된다. 그러나 HIV 감염 환자에서는 병소가 확장되어 기대되는 시간 안에 치유되지 않는다면 HIV와 관련된 다른 병소와 구강 궤양을 감별하기 어렵게 된다. HIV 감염 환자처럼 면역 반응이 복합된 환자에 있어서는, 구강 궤양의 치유지연이 자주 나타난다는 사실에 유념해야 한다. 그러므로, 특별한 이유없이 지속되는 궤양은 HIV 감염의 한 소견으로 간주될 수도 있다.

⑤ 카포시 육종(Kaposi's sarcoma)

희귀한 다발성 혈관성 신생물인 카포시 육종은, 1872년 지중해 연안에 사는 노인 환자의 하지 피부에서 처음 발견되었다. 악성 종양임에도 전형적인 형태는 국소화되며 서서히 증식하는 양상을 보이는 병소이다. HIV 감염 환자에서 나타나는 카포시 육종은 좀 다른 임상적 양상을 띤다(그림 14-5F). 이러한 환자들에 있어서는, 좀 더 파괴적인 병소로서 주로 구강 점막 및 치은에 이환된다(그림 14-5G, H).

초기 단계에서, 구강내 병소는 동통이 없고, 점막의 적자색 구진으로 나타난다. 병소가 진행됨에 따라, 결절상을 띠며 혈관종, 혈종 또는 정맥류 등의 다른 구강내 혈관성 병소와 쉽게 합체된다. 카포시 육종은 HIV 감염 환자의 약 34%로 이들 중 50%는 구강 내에 특히 대부분은 구개에 나타난다. 35~44세 사이의 환자에서 나타났을 때는 HIV 감염에 대한 특이 징후로 간주된다.

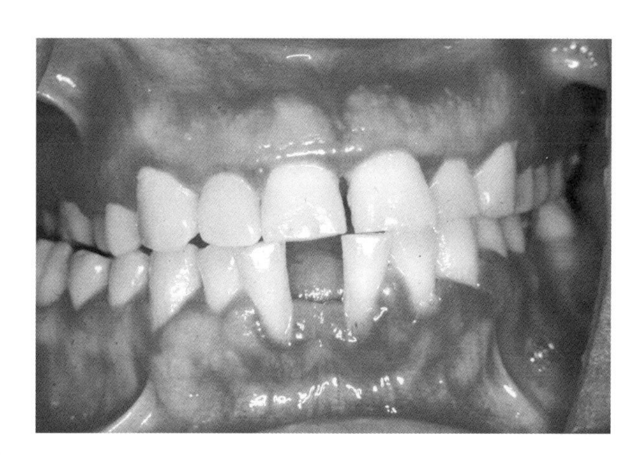

그림 14-6. HIV 감염환자에서의 ANUG 양 병소

현미경학적으로, 카포시 육종은 ① 비특이적인 혈관성 도관의 형성을 보이는 내피 세포 증식, ② 혈색소 침착을 보이는 외혈관성 출혈, ③ 비특이적 혈관과 관련된 방추상 세포 증식, ④ 주로 혈장 세포로 구성된 단핵구성 염증 침윤 등의 4가지로 구성된다.

⑥ 성관계로 전염되는 질환 (Sexually transmitted diseases)

매독, 임질, 뾰족콘딜로마 및 그 외의 성관계로 전염되는 질환은 HIV 감염 환자보다 흔하다. 이들 질환의 구강내 소견은 희귀하지만, 뾰족콘딜로마의 성병성 사마귀(veneral wart)처럼 구강내 소견이 나타나기도 한다. Human papillomavirus에 의해 유발되는 질환에 있어, 구강점막은 자가 접종이나 구강 대 성기 접촉을 통하여 감염된다. 이 병소는 초기에는 주로 치은에 작은 분홍빛 결절상으로 나타나며 구강유두종과 유사하게 유경(pedunculate) 또는 무경(sessile)의 유두양 성장 형태로 증식한다.

⑦ 그 밖의 소견(Others)

구강건조증, 박리성 구각염, 혀의 탈유두화 등의 소견들에 대한 보고가 있지만 AIDS로 진단받은 거의 모든 환자들은 투약 경험이 있으므로 이러한 소견들이 질환과 직접적인 관련이 있는지 혹은 약제와 관련된 것인지는 명확하지 않다.

4. 심혈관계질환(Cardiovascular diseases)

1) 동맥경화증(Arteriosclerosis)

노인에서는 치주조직의 염증부위뿐 아니라 악골 전체에 걸쳐 혈관내막의 비후화, 혈관내강의 축소, 중막의 비후화, 중막과 외막의 초자질화가 특징인데 동맥경화성 변화가 흔하다. 치주염과 동맥경화증 모두 가령에 따라 증가하는데, 혈관변화에 의한 순환장애 때문에 치주질환에 이환되기 쉽다는 가설과 치주질환자는 만성 치주감염과 염증반응의 결과 심장질환에 걸릴 위험이 더 크다는 가설이 제시되고 있다.[81–83]

2) 선천성 심장질환(Congenital heart disease)

심장결손은 심장과, 인접한 혈관 등이 포함되는데, 가장 뚜렷한 양상은 청색증으로, 특히 팔로의 4징후(tetralogy of Fallot)를 가진 아이에서 두드러진다. 만성 저산소증은 적혈구가 비정상적으로 증가하는 다혈구혈증(polycythemia)을 초래하며 발가락과 손가락에 곤봉형태(clubbing edema)의 부종이 나타난다. 선천성 심장결손을 가진 환자들은 감염성 심내막염의 위험성이 있다.

입술과 구강점막의 청색증 이외에 유치와 영구치의 맹출지연, 위치의 이상, 법랑질 형성부전 등이 나타날 수 있다. 치아는 치수의 혈관부피가 증가되어 있으며 청백색을 띤다. 불량한 구강위생관리로 인해 충치와 치주질환이 더 심하게 나타나는 것 같다.

(1) 팔로의 4징후(Tetralogy of Fallot)

특징은 ① 심실격벽 결손 ② 폐 폐색 ③ 대동맥의 우측전위 ④ 우심실 확대이다. 청색증과 심잡음(heart murmurs), 그리고 숨을 헐떡이는 것(breathlessness)이 임상적인 양상이다. 입술과 치은의 적자색 변색이 나타나는데 청색증의 정도에 따라 다르며, 심장교정수술을 받은 후에 정상으로 회복된다. 혀는 막으로 덮여 있으며, 붓고, 균열이 있으며 심상 및 모상 유두가 아주 심하게 붉어진다. 상피하방의 모세혈관의 수가 증가되는데 심장수술 후에 정상으로 회복된다.[84]

(2) 아이젠멩거 증후군(Eisenmenger's syndrome)

아이젠멩거 증후군은 보다 더 강한 좌심실로부터 결함이 있는 격벽을 통해서 우심실로 혈류가 아주 많아지는 것이 특징이다. 결국에는 폐의 점진적인 섬유증, 소혈관의 폐쇄, 그리고 높은 폐혈관 저항성이 초래된다.

치료되지 않는 경우, 청색증은 점점 증가되고 결국에는 심장기능부전이 초래된다. 입술, 뺨, 협점막의 청색증은 팔로의 4징후를 가진 환자들 보다 심하지 않다. 이런 환자들에게서 심한 전반적인 치주염이 보고되었으나,[85] 증후군과 관련된 원인보다는 불량한 구강위생관리와 관련되어 있을 것이라고 보고되었다.

5. 스트레스와 심신장애 (Stress and psychosomatic disorders)

심리적인 상태가 치주질환의 위험지시자로서 관련되어 있는데,[86] 그 대표적인 예로서 급성 괴사성 궤양성 치은염과 스트레스와의 관계는 잘 알려져 있다. 그러나, 치주질환의 원인과 병인발생에는 너무 많은 요소들이 관여되기 때문에 스트레스와 같은 심리적인 상태와 만성 치주염과 같은 다른 형태의 치주질환과의 관계를 명백하게 규정하기가 매우 어려울 수 있다.[87]

스트레스와 우울증과 같은 심리적인 상태는 치주조직에 유해한 습관을 발생시켜 건강한 치주조직에 해로운 영향을 끼치며 치주치료의 결과에 영향을 끼칠 수 있음이 보고되고 있는 바, 스트레스가 많은 생활과 개개인의 성격 그리고 이에 대한 대처 능력 등도 치주질환 위험성을 평가하고 성공적인 치주치료를 위한 가능성을 평가하는데 고려해야 할 요소가 되고 있다.

1) 심신장애(Psychosomatic disorder)

조직의 유기적인 조절에 심적인 영향으로 야기되는 악영향을 심신장애라 한다. 심신장애는 구강 내에서 2가지 방식, 즉 ① 치주조직에 유해한 습관을 발생시켜서, ② 자율신경계가 생리적인 조직 균형에 직접적 영향을 끼쳐 일어날 수 있다.

심리학적으로 구강은 인간의 본능이나 감정과 직접 혹은 상징적으로 밀접히 관련되어 있으며, 아동기에 보이는 많은 구강 충동은 구강 수용성, 구강 공격성 성향으로 혹은 구강 에로티시즘으로 표출된다. 성인이 되어서는, 대부분의 본능적 충동은 교육에 의해 억제되고 대체방법에 의해 충족되지만 정신적, 감정적인 강박이 심한 경우에 구강은 성인의 무의식적인 충동의 만족의 출구가 되는데 이것은 치아를 갈거나 악무는 일, 연필이나 파이프를 깨무는 것, 손톱 물기, 지나친 흡연 등의 신경성 습관을 통하여 이루어진다. 그러므로 유해습관을 야기시킬 수 있는 국소자극원의 제거도 필요하나 심리적인 배경 또한 연구되어야 하는데 인후통(sore throat), 치은출혈, 협점막의 궤양이 있는 경우 구호흡, 이갈이는 공격적인 꿈과 관련된다는 연구가 있으며 정신분석을 통하여 습관을 제거하고 구강 질병을 해결할 수 있다.

구강 내의 심신장애는 자율신경계가 조직의 조절에 영향을 끼쳐 일어날 수 있는데 자율신경 자극에 의한 혈관 공급의 변화로 치주조직에 해를 끼칠 수 있으며, 감정상의 장애로 타액분비 감소와 동통과 함께 구강건조증을 유발할 수 있다. 저작근에 대한 자율신경의 영향은 측두하악관절 장애에 의한 경우와 비슷한 하악운동에 제한을 가져올 수 있으며 이러한 경우 심리적인 처치만으로 하악의 정상적인 기능을 회복시켜 줄 수 있다.

Weisi와 English는 조직변화를 야기하는 심리적 장애의 순서를 심리적 장애·기능적 손상·세포성 질환·구조적 변화로 설명하였다.

지금까지 구강건강과 행복의 인식과의 관계를 규명하려는 많은 연구가 이루어져 왔다. 구강질환은 농양, 만성 감염으로 인하여 동통과 무력감 등을 야기하므로 직접적으로 환자의 행복 인식과 관계가 있다. 또한 구강은 언어생활과 관계가 있고, 사회성과 오락의 많은 부분은 음식에서 비롯되므로 불량한 구강기능과 구강위생은 생활의 만족감을 줄 수 없다.

2) 스트레스에 의한 면역억제 (Stress-induced immunosuppression)

스트레스와 심신장애는 ① 개개인의 행동변화를 통해서, ② 신경, 내분비, 그리고 면역계를 통해서 치주건강에 악영향을 끼칠 수 있다. 이런 상태에 빠져 있는 사람들은 일반적으로 구강위생상태가 더 좋지 않으며 이갈이와 같은 악습관을 가지고 있으며, 담배를 더 빈번하게 피울 수 있어 치주질환에 더 걸리기 쉽다. 스트레스는 면역계와 전신건강상태(예: 심혈관질환)에 영향을 끼칠 수 있다. 스트레스와 관련되어 면역계의 변화, 즉 면역이 억제되어 치태세균에 의한 병인발생과 조직파괴 가능성이 증가한다. 스트레스에 의한 가능성 있는 면역억제 기전은 다음과 같다. 스트레스는 부신피질로부터 코티솔(cortisol) 생성을 증가시킨다. 이렇게 증가된 코티솔(cortisol)은 중성구 활성, IgG 생성, 그리고 타액의 IgA 분비를 억제하여 면역반응을 직접적으로 억제한다. 또한, 신경전달물질(예: epinephrine, norepinephrine, neurokinin, substance P)의 증가로 인해 직접적으로 세포성 면역반응에 영향을 줄 수 있다. 그러나, 치태세균 없이 스트레스만으로는 치주염을 초래하지 않는다.

3) 스트레스가 치주치료 결과에 끼치는 영향 (Influence of stress to periodontal therapy outcomes)

스트레스와 우울증과 같은 심리상태는 치주지료의 결과에 영향을 끼칠 수 있다고 보고되었다. Elter 등은 우울증이 치주치료 결과에 부정적인 효과를 나타낼 수 있다고 결론을 내렸다.[88] 또한, Axtelius 등은 치주치료에 반응을 나타냈던 환자들의 심리적인 특징은 확고한 성격을 소유한 사람들이었던 반면, 치주치료에 반응을 나타내지 않았던 환자들은 수동적이고 의존적인 성격을 가지고 있었으며 스트레스가 훨씬 더 많은 생활을 하고 있었다.[89]

따라서, 스트레스가 많은 생활과 개개인의 성격 그리고 대처하는 방법은 치주질환의 위험성과 성공적인 치주치료의 가능성을 평가하는데 고려해야 할 요소들이다.

6. 기타 전신상태(Other systemic conditions)

1) 저인산효소증(Hypophosphatasia)

저인산효소증은 드문 가족성 골격질환으로, 구루병, 불충분한 두개골 형성, 유치의 조기 상실(특히 절치) 등이 특징이다.

환자는 혈청 알칼리성 인산효소의 수치가 낮고, phosphoethanolamine이 혈청과 소변에 존재한다. 치아는 상실되나 임상적으로 염증은 관찰되지 않으며 백악질 형성이 감소되어 있다.[90] 골이상이 적게 나타났을 경우에는 유치의 조기 상실이 저인산효소증의 유일한 증상일 수 있다. 청년기에, 이 질환은 국소적 유년형(급진성) 치주염과 유사하다.[91]

2) 금속 중독(Metal intoxication)

의약품 또는 산업용으로 쓰이는 수은, 납, 비스무스와 같은 금속원소를 섭취하는 것은 독성이 나타나지는 않고 중독과 흡수에 의해 구강증상이 나타날 수 있다.

(1) 비스무스 중독(Bismuth intoxication)

만성 비스무스 중독의 특징은 위장관 장애, 오심, 구토, 황달, 궤양성 치은구내염, 색소침착, 구강점막의 작열감과 금속성 맛 등을 나타내는 것이다.

구강내 비스무스 침착은 이미 존재하고 있는 염증부위의 치은변연에 좁고 검푸른 변색을 나타내는데, 이것은 염증 시 혈관변화와 연관되어 비스무스 설파이드 입자의 침전 때문에 나타난다. 급성 중독은 심하지 않으며 methemoglobin의 형성, 청색증, 호흡곤란을 일으킨다.[92]

(2) 납중독(Lead intoxication)

납은 서서히 흡수되며 중독증상은 뚜렷하지 않다.[93,94] 납중독은 안면과 입술의 창백, 오심, 구토, 식욕상실, 복통과 같은 위장관 증상을 보인다. 말초 신경염, 심신장애, 뇌염 등이 보고되었다. 타액분비 증가, 설태가 낀 혀, 특이한 단맛, 치은색소침착, 궤양 등의 구강증상을 보이나 납의 흡수가 느리므로 현저한 증상은 나타나지 않는다. 치은에 납 침착은 국소염증과 관련되어 있으며 선상(burtonian line)의 철회색을 띤다.

(3) 수은중독(Mercury intoxication)

수은중독의 특징은 두통, 불면증, 심혈관 증상, 타액 과다분비, 금속성 맛을 나타낸다.[94] 황화수은의 침착으로 치은에 선상으로 나타나며, 또한 수은은 자극원으로 작용하여 기존의 염증을 악화시키며 치은과 인접한 점막에 궤양과 하부 골파괴를 야기한다.

(4) 기타 화학제들(Other chemicals)

인, 비소, 크롬과 같은 화학제들은 치아의 동요와 탈락과 함께 치조골의 괴사를 초래할 수 있다.[95,96] 치은의 염증과 궤양은 보통 하부조직의 파괴와 관련되어 있다. 벤젠 중독은 치은출혈과 궤양과 골파괴를 동반한다.

3) 소모성 질환(Debilitating disease)

매독, 만성신염, 결핵 등의 소모성 질환을 가진 환자는 국소자극에 대한 저항의 감소로 치주질환이 발생하기 쉬우며, 나병 환자는 비특이성 만성 파괴성 치주염을 보이며 치은 내에 Mycobacterium leprae는 존재하지 않았다.

7. 비전염성질환(non-communicable diseases, NCD)과 치주질환

1) NCD의 중요성

비전염성질환(NCD)은 이름에서 유래하듯이 전염성을 가지지 않는 질환을 의미하고 질환의 지속기간과는 구분되어 만성질환과 동의어는 아니지만 만성질환과 비슷한 의미로 사용된다. 대표적인 비전염성질환으로는 자가면역질환, 심장질환, 각종 암, 당뇨, 골다공증, 알츠하이머 등이 있다. 비전염성질환(NCD)은 전세계적으로 사망의 주된 이유이고, 2012년 기준으로 전세계 사망률의 68%가 비전염성질환(NCD)에서 유래되었고, 이 사망자의 약 75%는 저소득 또는 중위소득 국가에서 발생하였다.[97] 70세 이전 조기 사망으로 인한 노동력 상실과 의료비 증가는 각 국가에 경제적 부담으로 전가되었고 전세계적으로 비전염성질환을 줄이기 위한 노력이 진행되었다.

(1) 비전염성질환 감소를 위한 세계적인 노력

2000년 세계보건기구(World Health Organization, WHO)의 비전염성질환 예방 및 조절을 위한 첫 보고 이후로 국제기구의 활동은 계속적으로 이뤄져왔고, 마침내 2011년 세계연합(United Nations, UN) 일반총회에서 고위급 의제로 다루어지게 되었다. 이를 바탕으로 세계보건기구에서는 비전염성질환의 예방 및 조절을 위한 9가지 목표와 25가지 적응증을 제시하는 활동계획을 발표하였고, 이를 바탕으로 2014년 세계치과의사연맹은 전세계적 치주질환 해결 행동계획(Global Periodontal Disease Initiative, GPDI)을 발표하여 치주질환과 비전염성질환 해결을 위한 치과의사, 지역사회, 각 국의 치과 협의단체의 역할을 강조하였다.[98]

(2) 비전염성질환과 치주질환의 관계

치주질환은 인류에게 가장 흔한 질병이다(2001년 기네스 세계 기록). 대부분의 소아와 청소년들은 치은염의 증상을 가지고 있으며, 치아 손실의 주요 원인이 되는 치주염[99,100]은 선진국과 개발 도상국에서 성인 인구의 5~20%에서 발병하고 있다.[101-106] 2010년도 세계 질병 부담 연구(Global Burden of Diseases Study 2010)에 따르면 중증 치주염은 조사된 291가지 질병 중 6번째로 널리 퍼진 질병이며, 이에 대한 세계적인 부담은 1990년도 이후로 57.3 %나 크게 증가했다.[107,108] 중증 치주염에 의한 무치악 상태는 저작 효율의 감소, 말하기 능력과 사회적 상호작용의 손상 등을 포함하는 매우 심각한 결과를 야기하며,[99] 이로 인해 종합적인 건강과 삶의 질에 중대한 영향을 미친다.[109-112] 치주질환은 심혈관질환 및 당뇨, 부정적인 출산 결과, 호흡기 질환, 치매, 몇몇 종류의 암과 같은 일반적인 비전염성질환과 가깝게 연관되어 있다.[100,113-116] 그리하여 치주질환과 그 관리는 공공 및 전문 치과/의과계의 큰 관심을 받고 있으며, 전문직종 간 교육과 실습은 점점 더 세계적으로 추진되고 있다.

표 14-1. 비전염성질환과 치주질환의 공통위험요소

	Noncommunicable diseases 4 Modifiable Shared Risk Factors 5 Diseases			
	Tobacco use	Unhealthy diet	Physical Inactivity	Harmful Use of Alcohol
Cardio-vascular	○	○	○	○
Diabetes	○	○	○	○
Cancer	○	○	○	○
Chronic Respiratory	○			
Oral Diseases	○	○		○

2) 비전염성질환(NCD) 관리에 있어서 치주과의사의 역할

구강/치주 질환은 흡연, 설탕의 과잉 섭취, 비만과 영양 실조와 같은[117,118] 비전염성질환과 연관된 위험 인자들을 공유한다(표 14-1).[119] 지금이야말로 치주질환과 같은 일반 구강질환을 일반적인 위험요소접근법(Common Risk Factor Approach)을 통해 다른 비전염성 질환들의 예방, 관리와 통합할 때이다.[110,111,117,118] 이와 관련해서 전 세계적으로 성인과 소아에 대한 일반 비전염성질환의 예방과 관리 절차에 구강/치주 건강에 관련된 내용이 통합되는 방식으로 구강/치주 보건 프로그램이 시행되어야 한다.[110] 2014년 세계치과의사연맹이 발행한 전세계적 치주질환 해결 행동계획(GPDI)은 세계치과의사연맹으로 하여금 치과 전문직의 미래와, 구강 건강 관리 전문직의 역할에 대해 생각해보게 하는 특별한 기회를 제공하며, 최적의 구강 및 종합 건강을 위한 비전염성질환 및 구강/치주질환의 예방과 관리에 집중하게 한다.[110,120] 그 이후에 세계적인 실행 계획이 국제적, 국가적, 지역적 수준에서 구현될 수 있을 것이다.

참고문헌

1. Page RC. The pathobiology of periodontal diseases may affect systemic diseases: inversion of a paradigm. Ann Periodontol. 1998;3:108.
2. Mealey BL. Influence of periodontal infections on systemic health. Periodontology 2000 1999;21:197.
3. Alfano MC. Controversies, perspectives and clinical implications of nutrition in periodontal disease. Dent clin of North Am 1976;20:519.
4. Salvi GE, Lawrence HP, Offenbacher S, Beck JD. Influence of risk factors on the pathogenesis of periodontitis. Periodontology 2000 1997;14:173.
5. Chawla TN, Glickman I. Protein deprivation and the periodontal structures of the albino rat. Oral surg 1951;4:578.
6. Carranza FA, Jr, Gravina O, Cabrini RL. Periodontal and pulpal pathosis in leukemic mice. Oral surg 1965;20:374.
7. Stahl SS. The effect of a protein-free diet on the healing of gingival wounds in rats. Arch Oral Biol 1962;7:551.
8. Stahl SS, Sandler HC, Cahn L. The effects of protein deprivation upon the oral tissues of the rat and particularly upon periodontal structures under irritation. Oral Surg. 1955;8:760.
9. Follis RH. The pathology of nutritional disease. Springfield, Ill, 1948, Charles C Thomas.
10. Svanberg G, Lindhe J, Hugoson A, et al. Effect of nutritional hyperparathyroidism on experimental periodontitis in the dog. Scand J Dent Res 1973;81:155.

11. Alfano MC, Miller SA, Drummond JF. Effect of ascorbic acid deficiency on the permeability and collagen biosynthesis of oral mucosal epithelium. Ann N Y Acad Sci 1975;258:253.
12. Alvares O, Siegel I. Permeability of gingival sulcular epithelium in the development of scorbutic gingivitis. J Oral Pathol 1981;10:40.
13. Glickman I. The periodontal structures in experimental diabetes. N Y J Dent 1946;16:226.
14. Cabrini RL, Carranza FA, Jr. Adenosine triphosphatase in normal and scorbutic wounds. Nature 1963;200:1113.
15. Barrett P. Gingival lesions in leukemia. A classification. J periodontol 1984;55:585.
16. Mann AW, Spies TD, Springer M. Oral manifestations of vitamin B complex deficiencies. J Dent Res 1941;20:269.
17. Wray D, Lowe, GDO, Dagg JH, et al: Systemic disease. oral manifestations and effects on oral health, In Textbook of genenral and oral medicine, Edinburgh, 1999.
18. Manson-Bahr P, Ransford ON. Stomatitis of vitamin B2 deficiency treated with nicotinic acid. Lancet 1938;2:426.
19. King JD: Vincent's diesease treated with nicotinic acid, Lancet 1940;2:32.
20. Denton J A Study of the Tissue Changes in Experimental Black Tongue of Dogs Compared with Similar Changes in Pellagra. The Am J pathology, 1928;4:341.
21. Dreizen S. Oral manifestations of human nutritional anemias. Arch Environ Health 1962;5:66.
22. Vogel R, Fink R, Frank O, et al. The effect of topical application of folic acid on gingival health. J Oral Med 1978;33:22.
23. Vogel R, Fink R, Schneider L, et al. The effect of folic acid on gingival health. J Periodontol 1976;47:667.
24. Vogel R. Relationship of folic acid to phenytoin-induced gingival overgrowth. Raven Press 1980.
25. Waerhaug J. Epidemiology of periodontal disease. American Academy of Periodontology University Michigan Press 1966.
26. Frandsen AM. Periodontal tissue changes in vitamin A deficient young rats. Acta Odontol Scand 1963;21:19.
27. Becks H, Collins DA, Freytag RM. Changes in oral structures of the dog persisting after chronic overdoses of vitamin D. Am J Orthod Oral Surg 1946;32:463.
28. Weinmann JP, Schour I. Experimental Studies in Calcification: III. The Effect of Parathyroid Hormone on the Alveolar Bone and Teeth of the Normal and Rachitic Rat. J Periodontol Res 1945;21:857.
29. Kim JE, Shklar G. The effect of vitamin E on the healing of gingival wounds in rats. J periodontol 1983;54:305.
30. Parrish JH, Jr, DeMarco TJ, Bissada NF. Vitamin E and periodontitis in the rat. Oral Surg Oral Med Oral Pathol 1977;44:210.
31. Sutcliffe P. A longitudinal study of gingivitis and puberty. J Periodontal Res 1972;7:52.
32. Holm-Pedersen P, Löe H. Flow of gingival exudate as related to menstruation and pregnancy. J Periodontal Res 1967;2:13.
33. Cohen DW, Shapiro J, Friedman L, Kyle GC, Franklin S. A longitudinal investigation of the periodontal changes during pregnancy and fifteen months post-partum. II. J periodontol 1971;42:653.
34. Ziskin DE, Blackberg SN. A study of the gingivae during pregnancy. J Dent Res 1933;13:253.
35. Ziskin DE, Blackberg SN, Stout A. The gingivae during pregnancy: an experimental study and a histopathological interpretation. Surg Gyneocol Obstet 1933;57:719.
36. Turesky S, Fisher B, Glickman I. A histochemical study of the attached gingiva in pregnancy. J Dent Res 1958;37:1115.
37. Kornman KS, Loesche WJ. The subgingival microbial flora during pregnancy. J Periodontal Res 1980;15:111.
38. O'Neil TCA. Maternal T-lymphocyte response and gingivitis in pregnancy. J Periodontal 1979;50:178.
39. Löe H. Periodontal changes in pregnancy. J Periodontal 1965;36:209.
40. Lindhe J, Branemark PI. Changes in microcirculation after local application of sex hormones. J Periodontal Res 1967;2:185.
41. El-Ashiry GM, El-Kafrawy AH, Nasr MF, Younis N. Comparative study of the influence of pregnancy and oral contraceptives on the gingivae. Oral Surg Oral Med Oral Pathol 1970;30:472.
42. Knight GM, Wade AB. The effects of hormonal contraceptives on the human periodontium. J Periodontal Res 1974;9:18.
43. Lindhe J, Bjorn AL. Influence of hormonal contraceptives on the gingiva of women. J Periodontal Res 1967;2:1.
44. Mealey BL, Moritz AJ. Hormonal influences. effects of diabetes mellitus and endogenous female sex steroid hormones on the periodontium. Periodontology 2000 2003;32:59.

45. Wingrove FA, Rubright WC, Kerber PE. Influence of ovarian hormone situation on atrophy, hypertrophy, and/or desquamation of human gingiva in premenopausal and postmenopausal women. J Periodontal 1979;50:445.
46. Richman JJ, Abarbanel AR. Effects of estradiol, testosterone, diethylstilbestrol and several of their derivatives upon the human mucous membrane. J Am Dent Assoc 1943;30:913.
47. Massler M, Henry J. Oral manifestations during the female climacteric, Alpha Omegan, September 1950;105.
48. Been V, Engel D. The effects of immunosuppressive drugs on periodontal inflammation in human renal allograft patients. J Periodontal 1982;53:245.
49. Kardachi BJ, Newcomb GM. A clinical study of gingival inflammation in renal transplant recipients taking immunosuppressive drugs. J Periodontal 1978;49:307.
50. Oshrain HI, Mender S, Mandel ID. Periodontal status of patients with reduced immunocapacity. J Periodontal 1979;50:185.
51. Tollefsen T, Saltvedt E, Koppang HS. The effect of immunosuppressive agents on periodontal disease in man. J Periodontal Res 1978;13:240.
52. Krohn S. The effect of the administration of steroid hormones on the gingival tissues. J Periodontal 1958;29:300.
53. Glickman I, Stone IC, Chawla TN. The effect of cortisol acetate upon the periodontium of white mice. J Periodontal 1953;24:161.
54. Adler P, Wegner H, Bohatka L. Influence of age and duration of diabetes on dental development in diabetic children. J Dent Res 1973;52:535.
55. Bernick SM, Cohen DW, Baker L, Laster L. Dental disease in children with diabetes mellitus. J Periodontal 1975;46:241–245.
56. Gottsegen R. Dental and oral considerations in diabetes mellitus. N Y S J Mmed 1962;62:389–395.
57. Mascola B. The oral manifestations of diabetes mellitus. A review. N Y S Dent J 1970;36:139–142.
58. Falk H, Hugoson A, Thorstensson H. Number of teeth, prevalence of caries and periapical lesions in insulin–dependent diabetics. Scand J Dent Res 1989;97:198–206.
59. Galea H, Aganovic I, Aganovic M. The dental caries and periodontal disease experience of patients with early onset insulin dependent diabetes. Int Dent J 1986;36:219–224.
60. Bartolucci EG, Parkes RB. Accelerated periodontal breakdown in uncontrolled diabetes. Pathogenesis and treatment. Oral Surg Oral Med Oral Pathol 1981;52:387–390.
61. Safkan–Seppala B, Ainamo J. Periodontal conditions in insulin–dependent diabetes mellitus. J Clin Periodontol 1992;19:24–29.
62. Hirschfeld I. Periodontal symptoms associated with diabetes. J Periodontal 1934;5:37.
63. Cianciola LJ, Park BH, Bruck E, Mosovich L, Genco RJ. Prevalence of periodontal disease in insulin–dependent diabetes mellitus (juvenile diabetes). J Am Dent Assoc (1939) 1982;104:653–660.
64. Glavind L, Lund B, Löe H. The relationship between periodontal state and diabetes duration, insulin dosage and retinal changes. J Periodontal 1968;39:341–347.
65. Sznajder N, Carraro JJ, Rugna S, Sereday M. Periodontal findings in diabetic and nondiabetic patients. J Periodontal 1978;49:445–448.
66. Ficara AJ, Levin MP, Grower MF, Kramer GD. A comparison of the glucose and protein content of gingival fluid from diabetics and nondiabetics. J Periodontal Res 1975;10:171–175.
67. McMullen JA, Van Dyke TE, Horoszewicz HU, Genco RJ. Neutrophil chemotaxis in individuals with advanced periodontal disease and a genetic predisposition to diabetes mellitus. J Periodontal 1981;52:167–173.
68. Tan JS, Anderson JL, Watanakunakorn C, Phair JP. Neutrophil dysfunction in diabetes mellitus. J Lab Clin Med 1975;85:26–33.
69. Schneir M, Imberman M, Ramamurthy N, Golub L. Streptozotocin–induced diabetes and the rat periodontium: decreased relative collagen production. Coll Rela Res 1988;8:221–232.
70. Grossi SG, Zambon JJ, Ho AW, et al. Assessment of risk for periodontal disease. I. Risk indicators for attachment loss. J Periodontal 1994;65:260–267.
71. Robbins SL, Cotran RS, Kumar V. Pathologic basis of disease. ed 4. Philadelphia, Saunders 1989.
72. Dreizen S, McCredie KB, Keating MJ, Luna MA. Malignant gingival and skin "infiltrates" in adult leukemia. Oral Surg Oral Med Oral Pathol 1983;55:572–579.
73. Lynch MA, Ship, II. Initial oral manifestations of leukemia. J Am Dent Assoc (1939) 1967;75:932–940.
74. Bergmann OJ, Ellegaard B, Dahl M, Ellegaard J. Gingival status during chemical plaque control with or without prior mechanical plaque removal

in patients with acute myeloid leukaemia. J Clin Periodontol 1992;19:169–173.
75. Kracke R. Granulopenia as associated with amidopyrine administration presented at annual session of American Medical Association. 1934.
76. Madison FW, Squier TL. Primary granulocytopenia after administration of benzene chain derivatives. Jama 1934;102:755.
77. Meyer AH. Agranulocytosis: Report of Case Caused by Sulfadiazine. Cal West Med 1944;60:277.
78. Randall CL. Granulocytopenia following barbiturates and amidopyrine. JAMA 1934;102:1137.
79. Telsey B, Beube FE, Zegarelli EV, Kutscher AH. Oral manifestations of cyclical neutropenia associated with hypergammaglobulinemia; report of a case. Oral Surg Oral Med Oral Pathol 1962;15:540–543.
80. Deas DE, Mackey SA, McDonnell HT. Systemic disease and periodontitis: manifestations of neutrophil dysfunction. Periodontology 2000 2003;32:82–104.
81. Mattila KJ, Nieminen MS, Valtonen VV, et al. Association between dental health and acute myocardial infarction. BMJ (Clinical research ed) 1989;298:779–781.
82. Mattila KJ. Dental infections as a risk factor for acute myocardial infarction. Eur Heart 1993;14 Suppl K:51–53.
83. Mehta JL, Saldeen TG, Rand K. Interactive role of infection, inflammation and traditional risk factors in atherosclerosis and coronary artery disease. J Am Coll Cardiol 1998;31:1217–1225.
84. Forsslund G. The occurrence of subepithelial gingival blood vessels in patients with morbus caeruleus (tetralogy of Fallot). Acta odontologica Scandinavica 1962;20:301–306.
85. Chung EM, Sung EC, Sakurai KL. Dental management of the Down and Eisenmenger syndrome patient. J Contemp Dent Pract 2004;5:70–80.
86. Genco RJ. Current view of risk factors for periodontal diseases. J Periodontal 1996;67:1041–1049.
87. Dumitrescu AL. Psychological perspectives on the pathogenesis of periodontal disease. Rom J Intern Med 2006;44:241–260.
88. Elter JR, White BA, Gaynes BN, Bader JR Relationship of clinical depression to periodontal treatment outcome. J Periodontol 2002;73(4):441.
89. Axtelius B, Soderfeldt B, Nilsson A, et al. Therapy–resistant periodontitis: psychosocial characteristics. J Clin Periodontol 1998;25:482.
90. Beumer J III, Trowbridge HO, Silverman S, Jr. Eisenberg E. Childhood hypophosphatasia and the premature loss of teeth. A clinical and laboratory study of seven cases. Oral Surg Oral Med Oral Pathol 1973;35:631–640.
91. Yendt ER. The parathyroids and calcium metabolism. Philadelphia, Harper and Row; 1986.
92. Higgins WH. Systematic poisoning with bismuth. JAMA 1916;66:648.
93. Jones RR. Symptoms in early stages of industrial plumbism. JAMA 1935;104:105.
94. Akers LH. Ulcerative stomatitis following therapeutic use of mercury and bismuth. J AM Dent Assoc 1936;23:781.
95. Liberman H. Chromone ulcerations of the nose and throat. N Engl J Med 1941;225:132.
96. Schour I SB. Oral manifestations of occupational origin. JAMA 1942;120:1197.
97. Global Status Report on noncommunicable diseases In: Organization WH, ed: World Health Organization 2014:vii–ix.
98. LJ J. FDI Global Periodontal Disease Initiative (Action Plan). In. FDI World Dental Federation 2014:1–13.
99. Beaglehole R BH, Crail J, Mackay J. Gum diseases. Brighton, UK: World Dental Federation;2009.
100. Pihlstrom BL, Michalowicz BS, Johnson NW. Periodontal diseases. Lancet. 2005;366(9499):1809–1820.
101. Jin LJ, Armitage GC, Klinge B, Lang NP, Tonetti M, Williams RC. Global oral health inequalities: task group––periodontal disease. Adv Dent Res. 2011;23(2):221–226.
102. Kassebaum NJ, Bernabe E, Dahiya M, Bhandari B, Murray CJ, Marcenes W. Global burden of severe periodontitis in 1990–2010: a systematic review and meta–regression. J Dent Res. 2014;93(11):1045–1053.
103. Loe H, Anerud A, Boysen H, Morrison E. Natural history of periodontal disease in man. Rapid, moderate and no loss of attachment in Sri Lankan laborers 14 to 46 years of age. J Clin Periodontol. 1986;13(5):431–445.
104. Papapanou PN. Periodontal diseases: epidemiology. Ann Periodontol. 1996;1(1):1–36.
105. Petersen PE, Bourgeois D, Ogawa H, Estupinan–Day S, Ndiaye C. The global burden of oral diseases and risks to oral health. Bull World Health Organ. 2005;83(9):661–669.
106. Soder PO, Jin LJ, Soder B, Wikner S. Periodontal status in an urban adult population in Sweden. Community Dent Oral Epidemiol. 1994;22(2):106–111.

107. Marcenes W, Kassebaum NJ, Bernabe E, et al. Global burden of oral conditions in 1990–2010: a systematic analysis. J Dent Res. 2013;92(7):592–597.
108. Murray CJ, Vos T, Lozano R, et al. Disability-adjusted life years (DALYs) for 291 diseases and injuries in 21 regions, 1990–2010: a systematic analysis for the Global Burden of Disease Study 2010. Lancet. 2012;380(9859):2197–2223.
109. Federation FDIWD. FDI policy statement on oral infection/inflammation as a risk factor for systemic diseases. Adopted by the FDI General Assembly: 30 August 2013 – Istanbul, Turkey. Int Dent J. 2013;63(6):289–290.
110. Jin L. The global call for oral health and general health. Int Dent J. 2013;63(6):281–282.
111. Petersen PE. World Health Organization global policy for improvement of oral health--World Health Assembly 2007. Int Dent J. 2008;58(3):115–121.
112. Watt RG, Petersen PE. Periodontal health through public health--the case for oral health promotion. Periodontol 2000. 2012;60(1):147–155.
113. Armitage GC, Robertson PB. The biology, prevention, diagnosis and treatment of periodontal diseases: scientific advances in the United States. J Am Dent Assoc. 2009;140 Suppl 1:36S–43S.
114. Federation FDIWD. FDI policy statement on non-communicable diseases. Adopted by the FDI General Assembly: 30 August 2013 – Istanbul, Turkey. Int Dent J. 2013;63(6):285–286.
115. Tonetti MS, Van Dyke TE, Working group 1 of the joint EFPAAPw. Periodontitis and atherosclerotic cardiovascular disease: consensus report of the Joint EFP/AAP Workshop on Periodontitis and Systemic Diseases. J Clin Periodontol. 2013;40 Suppl 14:S24–29.
116. Williams RC, Barnett AH, Claffey N, et al. The potential impact of periodontal disease on general health: a consensus view. Curr Med Res Opin. 2008;24(6):1635–1643.
117. Federation FDIWD. FDI policy statement on oral health and the social determinants of health. Adopted by the FDI General Assembly: 30 August 2013 – Istanbul, Turkey. Int Dent J. 2013;63(6):287–288.
118. Sheiham A, Watt RG. The common risk factor approach: a rational basis for promoting oral health. Community Dent Oral Epidemiol. 2000;28(6):399–406.
119. United Nations General Assembly. Political Declaration of the High-level Meeting of the General Assemblyon the Prevention and Control of Non-communicable Diseases (16 September 2011) (Clause 19). http://www.un.org/ga/search/view_doc.asp?symbol=A/66/L.1 October in 2013.
120. FDI World Dental Federation. Istanbul Declaration – Oral Health and General Health: a Call for Collaborative Approach. http://www.fdiworldental.org/publications/declarations/istanbul-declaration.aspx October in 2013.

CHAPTER 15

치주내과학과 흡연

정현주

I. 치주내과학

지난 반세기에 과학기술의 진보와 함께 치주질환의 병인에 대해 많은 것을 알게 되었다. 치주질환은 감염질환이지만 환경적, 물리적, 사회적 요소 및 개체 스트레스도 질환 발현에 영향을 줄 수 있다. 따라서 전신적 상태에 따라 치은염과 치주염의 기시와 진행이 영향을 받을 수 있으며 호중구, 단핵구/대식세포, 임파구 기능에 영향을 주는 전신상태는 개체의 염증성 매개물질의 생성과 활성을 변화시켜[88,121] 임상적으로 조기발현 또는 급속진행성의 치주조직 파괴양상을 초래할 수 있다.

또한 지난 10년간 연구의 결과 전신건강과 구강건강 간의 역방향 역할(여러 신체기관에 대한 치주질환의 영향)에 대해 관심이 집중되고 있다. 치주내과학 분야는 다음과 같은 의문을 제기한다. 치주조직의 세균감염(치주염)이 구강에서 먼 곳에도 영향을 줄 수 있는가? 치주감염은 인체건강에 영향을 주는 전신질환의 위험요소가 될 수 있는가?

1. 치주염의 병태생물학(Pathobiology)

치주질환의 병인에 대해 지난 30년간 상당한 변화가 있었다.[89,119,123] 한때 비특이성 세균성 치태의 축적 자체가 치주조직파괴의 원인이라고 여겨지다가 현재는 치주염을 소수의 그람음성세균에 의한 감염성 질환으로 보고 있다.[55] 또한 질환 기시와 진행에서 숙주가 매우 중요시되고 있다. 즉 병원균이 치주염에 필수적이지만 그것만으로는 질환을 일으키는 데 충분하지 않으며 감수성 있는 숙주가 필요하다. 감수성 없는 숙주에서는 병원균은 임상적 영향을 가지지 않는 반면, 감수성 있는 개체는 병원균이 있으면 치주염의 임상증상을 경험한다.

숙주 개체의 감수성이 중요하다는 인식에 따라 그간의 연구보고들에 나타난 치주염의 발병, 자연적 과정, 진행에 관한 차이를 이해하게 되었다. 숙주 감수성의 차이 때문에 모든 개체는 치주병원균의 조직파괴 효과에 동일하게 반응하지 않는다. 즉 환자들은 유사한 세균이 있어도 질환이 항상 비슷하게 야기되지 않으며 마찬가지로 치주치료에 대한 반응도 창상치유능과 질환진행에 대한 개체 감수성에 따라 다양하게 나타난다. 숙주 감수성의 중요성에 관한 예로, 호흡기계 질환균은 많은 사람에서 거의 영향을 미치지 못하지만, 노인환자와 같이 감수성 있는 환자에서 생명을 위협할 수 있는 호흡기질환을 일으킬 수 있다.

치주염의 숙주 감수성을 변화시키는 전신요인인 면역저하의 경우는 치은연하세균에 저항할 수 있는 숙주반응을 준비하지 못하여 급하고 심각한 치주조직 파괴를 야기할 수 있다. 치주조직에 영향을 미칠 수 있는 전신질환의 역할은 잘 정립되어 있으며, 치주감염이 전신질환 위험도를 증가시키거나 전신질환 경과에 영향을 미칠 수 있다는

표 15-1. 치주감염의 영향을 받을 수 있는 기관과 질환

심장혈관계 및 뇌혈관계	내분비계	생식계	호흡기계
동맥경화증 관상동맥성 심장질환 협심증 심근경색 대뇌혈관사고(뇌졸중)	당뇨	조산 저체중아 자간전증	만성 폐색성 폐질환 급성 세균성 폐렴

증거들이 제시되고 있다.[108,150] 그 예로 관상동맥성 심장질환(coronary heart disease, CHD)이나 그에 관련된 결과, 당뇨, 조산과 저체중아, 호흡기계 질환(만성 폐색성 폐질환, chronic obstructive pulmonary disease, COPD) 등이 있다(표 15-1).[108]

2. 병소감염이론(Focal infection theory)의 부활

최근의 치주내과학적 연구결과 focal infection 개념이 부활되고 있다. 이 개념은 1900년 영국 내과의인 William Hunter가 감염성 질환으로 여겨지지 않던 다양한 전신질환이 구강내 세균에 의하여 야기될 수 있다고 처음 제안하였고 우식치아를 발거하지 않고 수복하면 수복물 하방에 감염성 세균이 잔존한다고 주장하였다.[117,168] Hunter는 감염원(foci of infection)으로 치아우식증, 치수괴사, 치근단농양 외에도 치은염과 치주염을 포함하였고 패혈증의 원인을 제거하기 위하여 이런 치아를 발거해야 한다고 주장하였다. 그는 치아구조와 치조골과의 관련성 때문에 치아가 패혈증 감염(septic infection)의 원인이 될 수 있다고 믿었으며 구강내 부패(sepsis)에 의하여 야기된 전신적 영향은 구강감염의 독성과 개개인의 저항성에 따라 그 심도가 달라질 수 있다고 하였다. 또한 구강세균은 각 조직에 특이작용을 가지며 독소생산을 통하여 작용하고, 그 결과 오랜 기간 전신적 효과를 가지는 경미한 "경감염증(subinfection)"을 야기한다고 믿었다. 최종적으로 구강내 부패와 그로 인한 전신질환 간 관계는 원인인 부패상을 치아 발거를 통하여 제거함으로써 전신건강상태가 개선되는 양상으로부터 확인될 수 있다고 하였다. 당시에는 이해되지 않았던 여러 질환의 기전을 이 개념으로 설명하였기 때문에 Hunter의 이론은 영국과 미국에서도 널리 수용되어 치아 발치가 성행하였다.

그러나 전체 치아를 발거한 후에도 치아 상태에 연관되어 있으리라고 추정되었던 전신질환이 감소되거나 제거되지 않아 병소감염이론은 1940년대와 1950년대에 이르러 비판받게 되었다.[169] 이 이론으로 애매한 전신질환에 대한 설명은 가능하였지만 그 이론은 과학적인 증거에 의하여 거의 뒷받침되지 않았다. Hunter와 옹호론자들은 어떻게 국소적 구강 감염이 전신질환을 야기하는지 설명하지도 못하고 구강과 전신건강 간의 상호작용기전을 구명해낼 수도 없었다. 그러나 Hunter의 생각은 광범위한 미생물학 및 면역학 연구를 활성화하는 데 기여하였다.

3. 근거중심 임상진료 (Evidence-based clinical practice)

구강건강과 전신건강 간에 연관성이 있다는 최근 연구로부터 병소감염이론의 여러 개념이 오늘날 다시 상기되고 있다. 그러나 그 이론이 또다시 반박을 받아 폐기되지 않기 위해서는 증거에 의해 뒷받침되어야 한다.[117] 오늘날 근거중심 의학 및 치의학 시대에 이르러 구강감염과 전신질환 간 가능한 관련성을 평가할 수 있는 환경이 마련되었다.

A 조건과 B 조건 간의 관계를 확립하기 위하여 여러 단계의 증거가 평가되어야 한다. 모든 과학적 증거가 동일한

표 15-2. 증거의 평가

연구의 종류	증거의 수준
증례보고	+ / -
횡단적 연구	+
종단적 연구	++
중재실험	+++
체계적 고찰	++++

비중을 가지는 것은 아니다.[74,112,118] 증거가 강할수록 두 조건 간에 참된 연관성이 있을 가능성이 커진다. 표 15-2는 여러 증거 수준을 제시하고 있다.

이를테면 콜레스테롤(cholesterol) 증가와 관상동맥성 심장질환(CHD) 관련 사건 간 연관관계를 검사할 때 초창기 문헌 대부분이 증례보고이거나 최근 심근경색을 보였던 환자들에서 콜레스테롤 수치가 증가했다는 등 일화성 정보로 구성되었다. 이러한 보고는 콜레스테롤 수치 상승과 심근경색 간 관련성이 있을 수 있음을 시사하지만 증거는 약하다. 이러한 증례보고 다음에는 심근경색이 있었던 환자들이 심근경색이 없었던 대조군보다 콜레스테롤 값이 높은가 알아보기 위하여 많은 사람들을 대상으로 한 횡단적 연구가 따른다. 이런 횡단적 연구에서 연령, 성별, 흡연력 등 심근경색 관련 요인이나 가능한 원인이 조절되어야 한다. 즉 이전에 심근경색 병력이 있었던 환자를 연령, 성별, 흡연력 등이 유사한 대상과 "대응(match)"시킨 다음 콜레스테롤 수치를 비교하여야 한다. 과거 심근경색 병력이 있던 환자가 병력이 없는 사람들과 비교해서 유의하게 콜레스테롤 값이 높다면 증례보고보다 더 강한 증거를 제공하게 되며 이 두 요인 간에 연관성이 있다는 확증을 갖게 된다.

대상인구집단을 시간에 따라 검사하는 종단적 연구는 더 강한 증거를 제공한다. 즉 대상군에서 수년간 주기적으로 콜레스테롤 값을 검사하고 그 수치가 높은 사람에서 그렇지 않은 사람에 비하여 시간에 따라 심근경색발병률이 증가한다면 두 요인 간의 관계가 상당히 강하다는 증거가 된다. 마지막으로 가능한 원인조건을 변경해주고 이러한 변화가 결과에 어떤 효과를 가지는지 결정하고자 중재실험을 설계한다. 즉 콜레스테롤이 증가한 환자를 두 군으로 나누어 한 군에는 콜레스테롤 저하를 위한 식이요법이나 약제를 사용하게 하고 다른 군에는 아무런 조치를 하지 않는다. 이들 두 군을 콜레스테롤이 정상인 제3군과 비교할 수도 있다. 시간에 따라 심근경색 발병률을 평가하고 약제투여 및 식이요법군에서 다른 군에 비하여 발병률이 유의하게 낮으면 이 두 요인 간 관계에 대한 강한 증거가 확립된다.

궁극적으로 가장 높은 수준의 연구는 체계적 고찰(systematic review)이다. 이것은 일반적 문헌고찰이 아니고 논의할 주제를 결정하여 그 문제를 해결할 수 있는 자료를 찾기 위해 특정 연구계획을 수립한다. 왜 해당문헌이 연구에 포함되거나 배제되었는지 설명하고 포함된 자료는 유사한 연구주제를 다룬 다수의 연구결과를 조합하는 메타분석을 시행한다. 따라서 각 연구논문에서 나온 결과보다 전체적 자료에 대한 강력한 증거를 제시한다.

각 증거수준에서 조건 A와 B 간에 생물학적으로 타당한 관계가 있는지 결정하는 것이 매우 중요하다 즉, 증례보고, 횡단적 연구, 종단적 연구, 중재실험 모두가 콜레스테롤과 심근경색 간 연관성을 뒷받침한다면 다음 질문도 해결되어야 한다. 콜레스테롤이 어떻게 심근경색에 관련되는가? 콜레스테롤이 심혈관계에 어떤 기전으로 영향을 주어 심근경색을 야기하는가? 이들 연구들은 두 조건 간 관계를 실증하는 설명자료를 제공한다.

병소감염이론이 처음 제안되어 옹호되었던 20세기 초에는 이 이론을 지지하는 증거가 전무하였고 단지 증례보고나 일화성 보고만이 그 이론을 설명하는 자료의 전부였다. 설명 가능한 기전이 제안되긴 하였지만 과학적 연구에 의하여 그 타당성이 뒷받침되지도 못하였다. 불행히 이 이론은 최근의 근거중심 임상진료(evidence-based clinical practice) 개념을 앞서간 덕분에 수백만 개의 치아들이 불필요하게 제거되었다. 오늘날 구강감염과 전신질환 간 연관성에 대하여 평가하고자 한다면 현재 어떠한 증거가 확보되어 있으며, 어떠한 증거가 그 관련성을 확인하는데 필요한지, 그리고 가능한 관계의 기전을 확인하는

데 어떤 증거가 더 필요한지 알아야 한다.

4. 세균저장소로서 치은연하 환경

치주염 환자의 치은연하세균총은 그람음성세균 자극을 숙주에 지속적으로 가하여 강한 염증반응을 초래한다.[119] 이들 세균과 LPS 등의 산물은 궤양화된 비연속적 열구상피를 지나 치주조직과 순환계로 들어가게 된다. 치료하여도 이런 세균은 완전히 제거되기 어렵고 신속히 다시 출현한다. 중등도의 전반적 치주염 환자에서 치은연하 세균이나 그 산물과 접촉하는 치주낭 상피의 총표면적은 성인의 손바닥 크기이고 치주조직파괴가 심한 경우 그보다 더 넓을 수 있다.[123] 치주치료 시 균혈증이 매우 흔하며 일상적인 정상기능과 구강위생술식 중에도 일어난다.[49,93,109] 치주조직이 세균과 그 산물에 대해 면역염증반응을 준비하듯이 전신적 세균자극은 혈관반응을 유도한다.[40,66,135] 이러한 숙주반응이 치주감염과 여러 전신질환 간 상호반응을 설명하는 기전이 된다.

5. 치주질환과 사망률

질환의 최종적 평가 척도는 사망률이다. 여러 연구에서 치주염이 사망률의 증가와 관련된다고 보고하고 있다.[42,48,76,141] 표준노화연구(normative aging study)로 알려진 전향적 연구가 1960년대 시작되었는데 2,280명의 건강한 남자들이 등록되어 임상적, 방사선학적, 이화학적 및 심전도검사를 받았다. 이들은 3년마다 30년간 검사를 받았고 개인병원에서 내과 및 치과 진료를 받았다. 이 연구에 포함된 사람들을 대상으로 구강 내의 노화 관련 변화를 평가하고 구강병의 위험요소를 알아내고자 Veterans affairs (VA) dental longitudinal study가 1968년에 시작되었다. 임상검사와 구내 방사선 사진을 통한 치조골수준을 검사하였고 개개인마다 치조골소실과 치주낭 깊이를 기록하였다.[48] 치주질환 상태가 사망률 예상에 유의한지 알아보고자 시행된 연구의 결과에 의하면 최초의 치주상태가 흡연, 알코올 사용, 콜레스테롤 수치, 혈압, 심장질환의 가족력, 교육수준, 체질량(body mass)과 무관하게 중요한 예지자(predictor)가 되었다. 처음에 21% 골소실이 있었다면 추적기간 중 사망위험이 다른 대상에 비하여 70% 높았다. 즉 치조골소실은 잘 알려진 사망 위험요인인 흡연(52% 위험도 증가)보다도 사망위험도를 증가시켰다.

상기 연구에서 치주염은 사망위험을 증가시켰다. 그러나 이것은 인과관계라기보다 연관관계를 보인다. 치주질환이 직접적 사망원인으로 작용하기보다는 이 연구에 포함되지 않은 다른 건강관련 행동을 반영할 수 있다. 다시 말하면 치주건강도가 나쁜 환자는 사망률을 증가시키는 다른 위험요인을 가질 수 있다는 것이다.

구강건강상태가 전신질환의 위험요인이 될 수 있다고 제안한 연구에서 이들 전신질환의 알려진 위험요인들이 분석에 포함되었는지 확인하여야 한다. 치주질환 위험도를 증가시키는 숙주감수성 요인은 환자가 심혈관계 질환 등 전신질환에 걸릴 위험도 증가시킨다. 이 경우 그 질환들 간에 관련성이 있기보다는 이들 위험요인 간에 관계가 있는 것으로 보인다. 즉 치주질환과 심혈관계 질환은 흡연, 연령, 인종, 남성, 스트레스 등의 위험요인을 공유하며 유전적 위험요인도 공유한다.[89] VA dental longitudinal study에서 흡연은 사망률에 대한 독립적 위험요인이었다. 치주상태가 위험요인인지 평가할 때에는 흡연과 다른 사망 위험요인을 회귀식에서 제거하여 치주상태를 독립적으로 평가하여야 한다.

6. 치주질환과 관상동맥성 심장질환/동맥경화증(Coronary heart disease, CHD / Ateriosclerosis)

치주질환과 관상동맥성 심장질환(CHD)/동맥경화증 간 관련성을 규명하기 위하여 특정 전신질환과 의과적 질환 상태들이 연구되었다. CHD 관련사고(CHD-related event)는 사망의 주원인이다. 심근경색은 급성의 세균 및 바이러스성 전신감염과 관련되고 경색에 앞서 독감(influenza)과 유사한 증상이 선행하는 경우가 흔하다.[104,154] 구강감염도 심근경색에 관련될 수 있는가? 많은 환자에서 흡연, 이상지혈증(dyslipidemia), 고혈압, 당뇨병 등 전통적 위험인자만으로는 동맥경화의 존재에 대해 설명할 수 없는 경우가 있다. 만성 염증반응을 초래하는 국소감염은 이런 환자들의 관상동맥성 심장질환의 기전으로 제안되어 왔다.[6,110]

급성 심근경색이나 확인된 CHD 환자를 연령과 성별을 맞춘 대조군과 비교한 횡단적 연구에서 심근경색 환자는 구강건강상태가 유의하게 불량하였다(치주염, 근단병소, 치아우식증, 치관주위염).[4,9,77,100,103] 구강위생불량과 심근경색 간 연관성은 연령, 콜레스테롤 수치, 고혈압, 당뇨병, 흡연 등의 알려진 위험요인과 무관하였다. 동맥경화가 CHD관련 사고의 주된 요인이므로 구강위생이 관상동맥경화에 관련될 수 있다. Mattila 등[101]은 남성 CHD 환자에서 구강내 방사선검사와 진단용 관상동맥혈관조영술을 시행한 결과 치과질환 심도와 관상동맥경화반 형성(coronary atheromasis) 정도 간에 유의한 상관관계를 발견하였고 이 연관성은 알려진 위험요인을 조정한 후에도 유의하였다. 다른 횡단적 연구에서 구강위생과 CHD 간 연관성이 시사되었지만 이런 연구만으로 원인-결과관계가 있다고 결론을 내릴 수는 없다. 오히려 구강질환은 전신건강관리의 척도일 수 있다. 예로, 치주질환과 CHD는 환자의 생활습관에 관련되고 흡연, 당뇨병, 낮은 사회경제적 수준 등 여러 위험요인을 공유한다. 세균감염은 내피세포, 혈액응고, 지질대사, 단핵/대식세포활성에 영향을 준다. Matilla 등[100]의 연구는 구강감염이 관상동맥질환의 알려진 위험요인 이외의 다른 한 요인이며 이는 관상동맥질환의 심도에 독립적으로 관련된다고 하였다.

종단적 연구로 Matilla 등[102]이 이들 환자를 7년간 추적 연구한 결과 치과질환이 새로운 관상동맥 사고율과 사망률에 유의하게 관련되어 있었다. 성인집단에 대한 국가적인 전향적 연구에서 9,760명이 14년간 추적되어 CHD에 의한 사망률과 병원 입원률을 평가하였으며 여러 알려진 요인을 조정한 후 치주염 환자는 건강하거나 경미한 치주질환자에 비하여 CHD 위험도가 25% 증가하였다.[41] 청장년 남성(25~49세)에서 치주염으로 인한 CHD 위험도가 70% 증가하였으며, 구강위생수준도 심장질환과 관련되어 구강위생(잔사 및 치석지수)이 불량할수록 관상동맥성 심장질환의 위험도가 2배 증가하였다.

Beck 등[16]은 전향적 연구에서 1,147명의 남성들을 18년간 추적조사한 결과 207명(18%)에서 CHD가 나타났다. 실험전 치주상태를 추적기간 중 CHD 관련사고 유무와 관련시켰을 때 유의한 관계가 발견되었다. 치조골 파괴가 20% 이상인 군은 20% 미만인 군에 비하여 CHD 위험도가 50% 증가하였다. 깊이가 3 mm 이상인 치주낭 수도 CHD의 이환율과 강하게 관련되었다. CHD 위험도는 전체 치아의 50% 정도에서 치주낭 깊이가 3 mm 이상인 경우 2배, 전체 치아의 치주낭 깊이가 3 mm 이상인 경우 3배 이상 증가하였다. 치주상태에 의하여 CHD 관련사고가 일어날 수 있다는 이들 연구로부터 다른 알려진 위험인자와 별개로 치주질환이 CHD의 위험요인이라는 개념이 뒷받침되고 있다.

체계적 고찰을 통한 치주감염과 심혈관질환 간 관계의 증거로 Janket 등의 메타분석 결과 치주염 환자에서 심혈관질환의 위험도가 19% 증가하였고 65세 이하 환자에서 그 위험도가 컸다.[76] 또 다른 Scannapieco 등의 체계적 고찰에서는 치주질환과 동맥경화증, 심근경색, 심혈관질환 간 연관성을 지지하는 중등도 증거가 제시되었으나[143] 인과관계는 불확실하였다. 치주치료가 이러한 심혈관질환의 위험도에 영향을 주는지 확인하기 위한 중재실험이 향후 필요하다.

1) 치주감염의 영향

치주감염은 동맥경화 및 CHD의 기시와 진행에 영향을 줄 수 있다. 치주염과 동맥경화는 둘 다 유전적 및 환경적 영향을 받는 복잡한 원인을 가진다. 이들 질환은 위험요인들을 공유하고 기본적 병리기전이 서로 유사하다.[5]

(1) 허혈성 심장질환(Ischemic heart disease)

허혈성 심장질환은 동맥경화와 혈전형성과정에 관련된다(그림 15-1). 혈액점도의 증가로 혈전형성 위험도가 증가

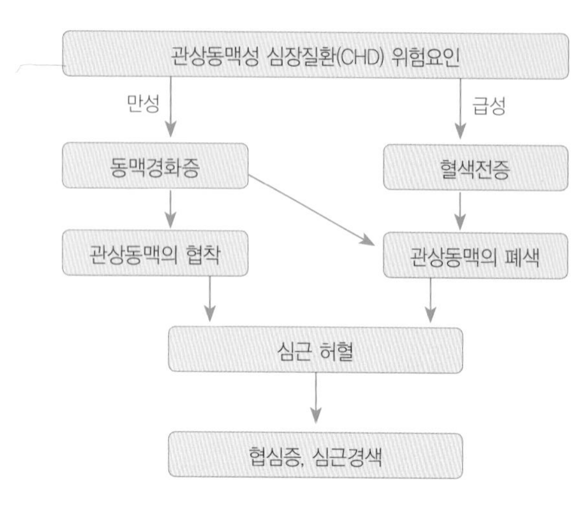

그림 15-1. 허혈성 심장질환의 급성 및 만성 경로
협심증이나 심근경색 등 CHD관련사고는 하나 또는 두 경로에 의하여 악화된다.

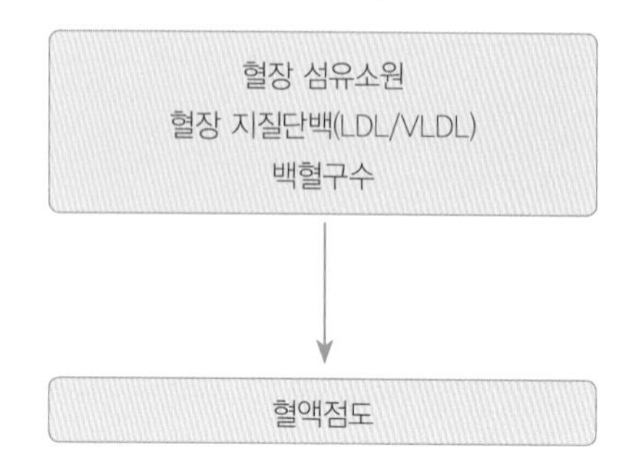

그림 15-2. 건강한 경우 혈액점도에 영향을 주는 요인들

하여 허혈성 심장질환과 뇌졸중(cerebral stroke)이 유발된다. 섬유소원(fibrinogen)은 섬유소의 전구물질로 과다응고상태에 기여하는 중요인자이며 증가 시 혈액점도가 증가된다.[97] 혈장내 섬유소원의 증가는 심혈관사고 및 말초혈관질환의 중요한 위험요인이다(그림 15-2). 백혈구수의 증가도 심장질환과 뇌졸중의 예지자로서 순환 백혈구는 혈관의 폐색에 기여한다. Coagulation factor Ⅷ(von Willebrand factor)도 마찬가지로 허혈성 심장질환의 위험도에 관계한다.[135]

(2) 전신감염

전신감염은 과다응고상태를 초래하며 혈액점도를 증가

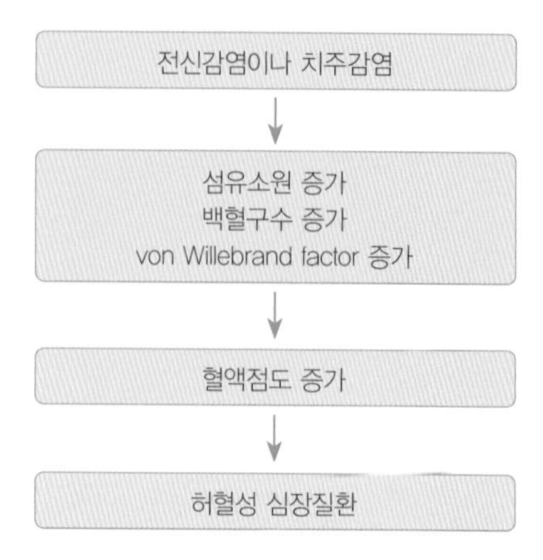

그림 15-3. 혈액점도에 대한 감염의 영향
혈장내 섬유소원과 von Willebrand factor는 과다응고 활성을 야기한다. 백혈구수 증가와 함께 혈액점도가 증가하여 관상동맥 허혈증 위험을 증가시킨다.

시킨다(그림 15-3). 치주질환자에서 섬유소원 양과 백혈구수가 종종 증가한다.[30,91] 구강위생 불량자도 coagulation factor Ⅷ가 유의하게 증가하고 혈전형성 위험이 증가한다. 따라서 치주감염도 혈액점도와 혈전형성에 기여하며 결국은 중심 및 말초혈관질환의 위험도를 증가시킨다.

(3) 일상활동

저작과 구강위생 등 일상생활에 의하여 구강세균에 의한 균혈증이 자주 일어난다.[93] 치주질환자는 치주염에 관련된 독성 그람음성 세균를 포함한 균혈증이 잘 일어날 수 있다. 세균성 심내막염(infective bacterial endocarditis)의 8%가 선행치과치료 없이도 이미 존재하던 치주 및 치과질환에 관련되었다.[44] 치주염 환자에서 단순한 저작 후 내독소혈증 빈도와 혈중 내독소 농도가 치주염이 없는 환자에 비하여 모두다 4배 높았다.[49] 따라서 세균성 심내막염 예방을 위한 미국심장협회(AHA) 수칙에서는 세균접종의 가능한 원인을 줄이기 위하여 구강위생을 고도로 양호하게 유지하는 것이 매우 중요하다고 강조한다.

(4) 혈전형성(Thrombogenesis)

혈소판 응집이 혈전형성에 주 역할을 하며 많은 급성 심근경색은 혈색전증(thromboembolism)에 의하여 악화된다. 구강세균이 관상동맥성 심장질환에 관련될 수 있다. 혈소판은 치은연상치태의 주성분인 *Streptococcus sanguis*과 치주염 병원균인 *Porphyromonas gingivalis*의 일부 균종에 선택적으로 붙는다.[67] 혈소판응집은 이들 세균의 세포막에 발현되는 혈소판응집관련 단백질(platelet aggregation–associated protein, PAAP)에 의하여 유도된다.[137] 동물실험에서 PAAP 양성세균을 정맥주사 시 심장박동, 혈압, 심장수축력이 변화되고 심근경색 시와 동일한 심전도 양상을 보였다. 폐에도 혈소판이 축적되었고 그로 인한 빈호흡(tachypnea)이 야기되었다. PAAP 음성세균에서는 이런 변화가 보이지 않았으나 PAAP 양성세균은 순환중 혈소판의 응집을 초래하였고, 그 결과 혈색전(thromboembulus) 형성과 심장 및 폐의 변화를 야기하였다. 따라서 *St. sanguis*과 *P. gingivalis* 등 치주염과 관련된 균혈증은 순환 혈소판과의 상호반응을 통하여 급성 혈색전 사고를 일으킬 수 있다.

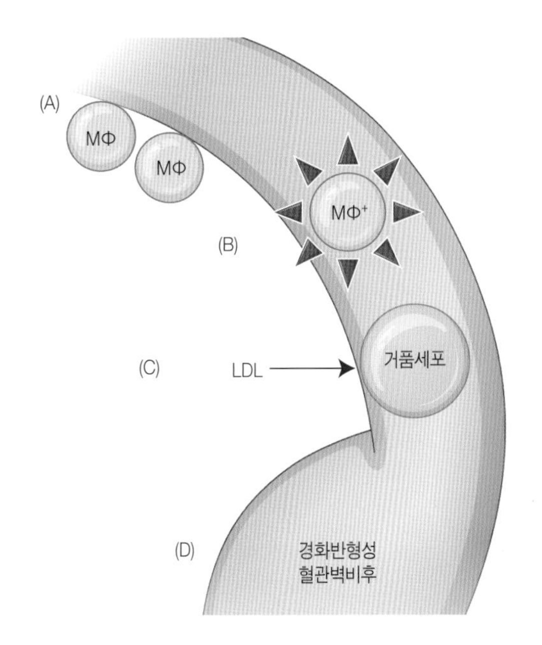

그림 15-4. 동맥경화증의 병인론
(A) 단핵구/대식세포(Mø)가 혈관내피세포에 부착 (B) 단핵구/대식세포가 동맥혈관 중막에 침투하여 염증성 cytokine과 growth factor 생산 (C) 단핵구의 산화 LDL 섭취로 거품세포(foam cell) 형성 (D) 평활근증식과 경화반형성으로 혈관벽이 두꺼워지고 혈관내경이 좁아진다(경화반: 비후된 혈관벽).

(5) 동맥경화증(Ateriosclerosis)

동맥경화증은 동맥혈관 내막(arterial intima)과 중막(media, 평활근, 교원질, 탄성섬유로 구성된 내측외부의 두꺼운 층)의 국소적 비후현상이다(그림 15-4).[137] 동맥경화반(atheromatous plaque) 형성 초기에 순환 단핵구가 혈관내피세포에 부착한다. 이 부착과정은 내피세포표면의 여러 부착분자들(ICAM-1, ELAM-1, VCAM-1)에 의하여 매개된다.[18,86] 이들 분자들은 세균 LPS, prostaglandin, 염증성 cytokine 등의 여러 요인에 의하여 증가된다. 내피세포층에 부착한 후 단핵구는 내피세포 내로 침투하여 동맥혈관내막 외면으로 이동한다. 단핵구는 산화된 순환중 저밀도지질단백질(low density lipoprotein, LDL)을 포식하여 충만하게 되어 동맥경화반의 특징인 포말세포(foam cell)를 형성한다. 단핵구가 혈관중막에 들어가면 대식세포로 변형된다. IL-1, TNF-α, PGE_2 등 여러 염증성 cytokine이 생성되며 이로 인해 동맥경화병소가 확장된다. FGF, PDGF 등의 세포분열인자(mitogenic factor)들은 중막내 평활근과 교원질의 증식을 자극하고 그 결과 동맥혈관벽이 두꺼워진다.[97] 동맥경화반 형성과 혈관벽 비후로 인하여 혈관내경이 좁아지며 혈관내 혈류가 급격히 감소된다.[137] 경화반이 파열되면 동맥혈전이 야기되고 순환혈액이 동맥벽의 교원질과 단핵구 및 대식세포에서 유래한 조직인자에 접촉되어 혈소판과 혈액응고경로가 활성화된다. 혈소판과 섬유소가 축적되면 혈전이 형성되어 혈관이 막힐 수 있으며 그 결과 협심증이나 심근경색 등 허혈성 사고가 초래된다. 혈전이 혈관벽에서 탈락되면 색전(embolus)이 형성되어 혈관을 막을 수 있으며 그 결과 심근경색이나 대뇌경색(뇌졸중) 등 급성사고가 초래된다.

2) 심근 및 대뇌경색증에서의 치주질환의 역할

동물실험에서 그람음성 세균 LPS는 동맥혈관 벽으로의 염증세포 침윤, 동맥평활근 증식, 혈관내 응고 등을 야기한다. 이런 조직변화는 자연발생된 동맥경화병소와 동일하다. 동맥내막절제술(endarterectomy) 중 얻어진 인체 동맥경화병소 표본에서 치주병원균이 발견되었다.[28,63,174] 치주질환은 관련 세균과 그 산물에 대해 만성적으로 신

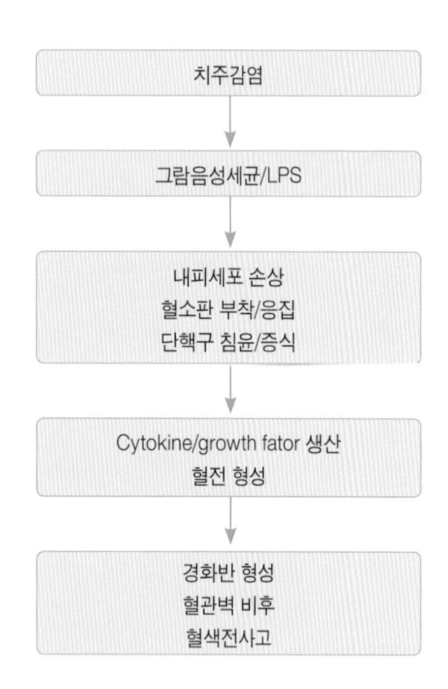

그림 15-5. 동맥경화증에 대한 치주감염의 영향
치주병원균과 그 산물은 혈관내피에 손상을 준다. 단핵구/대식세포는 혈관벽으로 들어가 cytokine을 생산하고 염증반응을 증가시키고 경화병소를 확장시킨다. 성장인자 생산은 혈관벽 내 평활근 증식을 초래한다. 손상받은 내피세포는 혈소판을 활성화시키며 그 결과 혈소판 응집을 초래하고 혈색전사고가 야기될 수 있다.

체를 노출시킨다. 저수준의 균혈증은 혈액응고성, 내피세포와 혈관벽의 완전성(integrity), 혈소판기능 등을 변경하는 숙주 반응을 개시할 수 있으며 결과적으로 동맥경화병소성 변화와 혈색전사고가 야기될 수 있다(그림 15-5).

세균자극에 대한 숙주반응이 환자들마다 매우 다양하게 일어날 수 있어 치태축적이 심하고 독성 병균이 많은 사람도 골과 부착소실이 잘 초래되지 않을 수 있고 치태도 적고 병원균이 적은 사람에서도 심한 치주조직파괴가 일어날 수 있다. 비정상적으로 심한 염증반응을 나타내는 환자는 종종 과민성 단핵구/대식세포표현형(hyper-inflammatory monocyte/ macrophage phenotype, MΦ+)을 보유한다. 이런 환자의 단핵구/대식세포는 세균 LPS에 대한 IL-1, TNF-α, PGE_2 등 염증성 매개인자의 형성분비가 정상인에 비하여 유의하게 증가한다. 심한 치주염, 난치성 치주염(refractory periodontitis), 제1형 당뇨 환자들은 흔히 MΦ+ 표현형을 갖는다.[17]

이러한 단핵구/대식세포표현형은 유전적 조절과 환경적 조절을 함께 받는다. 단핵구/대식세포가 치주질환과 동맥경화증의 병인 모두에 밀접하게 관련된다. 섭식에 의한 혈중 LDL 수준의 증가는 세균성 LPS에 대한 단핵구/대식세포의 반응성을 증가시킨다. 따라서 동맥경화증과 CHD의 알려진 위험인자인 혈중 LDL의 증가는 단핵구/대식세포에 의한 조직파괴성 및 염증성 cytokine의 분비를 증가시킬 수 있다. 이로 인해 동맥경하병소의 확장과 치주병원균에 대한 치주조직파괴가 악화될 수 있다.

이것은 심혈관질환과 치주질환 병인론에 동일한 기전이 공유될 수 있음을 보여준다. MΦ+ 표현형을 가지는 환자는 CHD와 치주염 모두에 대한 위험을 가진다(그림 15-6). 치주감염이 있는 경우 내피세포와 동맥혈관벽이 반복적으로 세균 LPS와 염증성 cytokine의 자극을 받아 동맥경화증과 혈색전 사고에 기여할 수 있다. MΦ+ 표현형을 가진 환자에서 혈액 단핵구/대식세포는 비정상적으로 증가된 염증반응을 일으켜 직접 동맥경화증에 기여하고 혈색전사고를 악화시킬 수 있다.[108]

전신적 염증소견을 파악하는 것이 심혈관사고의 발병위험 평가에 중요하다. C-reactive protein (CRP), 섬유소원 같은 급성기단백(acute-phase protein)이 염증과 감염성 자극에 반응하여 간에서 생산되며 염증성 표지자로 작용한다.[135] CRP는 단핵구/대식세포가 조직인자(tissue factor)를 생산하도록 유도하며 이 조직인자는 응고경로를 자극하여 혈액응고성을 증가시킨다. 섬유소원 농도의 증가도 이 과정에 기여한다. CRP도 보체경로를 자극하며 결과적으로 염증을 악화시킨다. 혈청 CRP와 섬유소원의 증가는 심혈관질환의 위험요인으로 잘 알려져 있다. 염증성 치주질환에서도 이런 급성기 반응단백질이 증가된다. 따라서 이런 반응단백질이 치주감염으로부터 심혈관질환으로 진행하는데 중간매개물질로 작용함으로써 간접적 영향을 가진다.[35,95,170]

이런 증거로 치주염증 감소를 위한 처치 전후 전신적 염증 매개물질수준을 평가한 결과 만성 치주염 환자에서 치석제거술 및 치근활택술 후 혈액 CRP와 IL-6 수준이 감소하였다.[41] 그리고 급성 혈전 형성의 위험인자로서 혈관내피의 기능변화도 치주처치 후 개선되었다.[37,147,166] 그

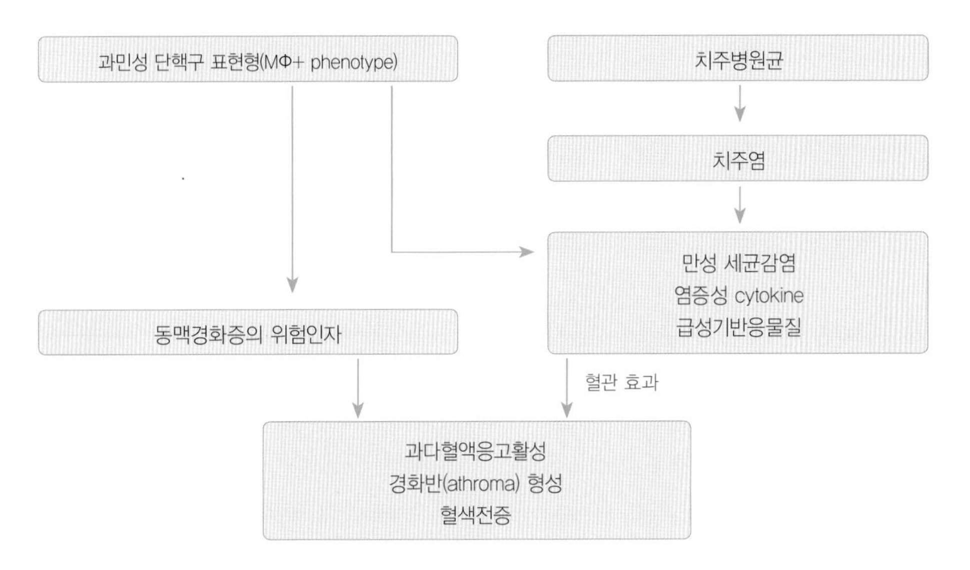

그림 15-6. 과민성 단핵구/대식세포표현형에 의한 심혈관 및 치주조직 변화
다른 위험요인과 조합되어 과민성 단핵구 표현형은 경화증과 치주염 모두에 기여한다. 치주염관련 세균산물과 염증매개물질은 혈관내피, 단핵구/대식세포, 혈소판, 평활근에 영향을 주며 혈액응고활성을 증가시킨다. 그 결과 동맥경화증을 진행시키고 혈색전증과 허혈증사고를 일으킬 수 있다.

러나 이런 치주염증상태가 급성 심혈관질환에 직접 영향을 가지는지는 아직 알려져 있지 않으며 향후 장기적 임상중재실험을 통해 평가되어야 한다.

7. 치주질환과 뇌졸중(Cerebral Stroke)

허혈성 대뇌경색(ischemic cerebral infarction, 뇌졸중)은 종종 전신적 세균감염이나 바이러스 감염 후 뒤따른다. 한 연구에서 뇌경색 환자는 허혈성 뇌질환이 없는 정상인에 비하여 허혈증사고 전 1주일 동안 전신감염을 가질 가능성이 5배 높았다.[51] 최근 감염은 뇌경색의 위험요인이 되며 고혈압, 과거의 뇌졸중병력, 당뇨병, 흡연, 관상동맥성 심장질환 등 알려진 위험요인과는 무관하게 나타났다.[52] 흥미롭게도 뇌졸중 전 전신감염 존재 시 감염이 없었던 사람에 비하여 허혈증과 경색 후 신경결함(post–ischemic neurologic defect)이 더 심각하였다. 선행 감염이 있는 뇌졸중 환자에서 혈장내 섬유소원과 CRP가 유의하게 증가하였다.

1) 뇌졸중과 관련된 치주감염

환자대조연구(case–control study)에서 구강위생 불량은 대뇌혈관 허혈증(cerebrovascular ischemia)의 위험요인이었다. 한 연구에서 탐침 시 출혈, 배농, 치은연하치석, 치주 및 치근단병소의 수가 정상대조군에 비하여 남성 뇌졸중 환자에서 유의하게 심하였다.[157] 전반적으로 뇌졸중 환자의 25%가 대조군의 2.5%에 비하여 빈번한 구강감염을 나타내었다. 이 연구는 50세 이하 남성에서 구강위생 불량과 뇌졸중 사이에 연관성이 있음을 나타내었다. 다른 연구에서 뇌졸중을 가진 50세 이상 남녀 환자들이 정상 대조군에 비하여 심한 치주염과 치근단 병소를 보여 구강위생 불량은 뇌졸중에 대한 독립적 위험요인으로 나타났다.[53] 18년간의 종단적 연구에서 초기에 20% 이상의 방사선적 치조골소실이 있었던 환자들은 치조골소실이 20% 미만인 환자에 비하여 뇌졸중 위험이 3배 높았다.[16] 치주염은 흡연보다 뇌졸중 위험도를 더 높였으며 다른 요인들과는 무관하게 작용하였다.[76,171]

대부분의 뇌졸중은 혈색전사고에 의하여 야기되고 그 외에도 심혈관성 동맥경화증과 관련된다. 즉 치주감염은 동맥내피에 지속적인 세균성 자극을 제공함으로써 단핵구/대식세포에 의한 염증반응에 기여하고 결과적으로 동맥경화증의 병인에 기여한다(그림 15–4, 5). 치주감염은 혈액응고성을 증가시키는 혈장내 섬유소원과 CRP의 증가에 관련된다. 마지막으로 치은연상 및 치은연하치태 내 PAAP 양성 세균종은 혈소판응집을 증가시켜 혈전 형성과 뇌졸중의 주원인인 혈색전증에 기여한다.[108]

8. 치주질환과 당뇨병

당뇨병과 치주질환 간 관계는 광범위하게 연구되어 왔다. 역학연구 결과 당뇨는 치주질환의 위험도와 심도를 증가시킨다고 확실히 알려졌다.[1,2,94] 당뇨병 환자, 특히 대사조절이 불량한 환자에서 흔히 관찰되는 치주질환의 심도와 유병률 증가로 인하여 치주질환은 당뇨병의 제6의 합병증으로 받아들여지고 있다.[94] 전형적인 5가지의 합병증(표 15-3)과 더불어 미국당뇨병학회(American Diabetes Association)는 당뇨병 환자에서 치주질환이 빈발함을 공식적으로 인정하고 있고 표준진료과정에 내과의의 검진에 현재나 과거의 치과감염병력을 점검하도록 하고 있다.[14]

한국 당뇨병 유병률은 2012년 보건복지부의 국민건강영양조사연구 결과 30세 이상 인구에서 9%(남성에서 10.1%, 여성에서 8%)로, 65세 이상 인구에서는 남성 24.3%, 여성 19.3%로 증가되고 있다(보건복지부 2012국민건강통계).[3] 2006년 18세 이상 인구표본에 대한 구강보건조사연구에서 당뇨병 환자(표본의 6.7%) 중 19%, 비당뇨인에서 9.9% 치주염 유병률을 보여 당뇨병 환자에서 치주염 위험도가 1.3배로 나타났다.[29]

표 15-3. 당뇨병의 합병증

당뇨병의 합병증
망막장애
신장애
신경장애
대혈관질환
창상치유장애
치주질환[94]

여러 연구에서 치주조직에 대한 당뇨병의 효과를 보고하였지만[107] 치주감염이 당뇨병 조절에 어떤 영향을 미치는지에 대한 연구는 비교적 드물어 다음 의문점이 해결되어야 한다.

- 치주질환의 존재와 심도가 당뇨병 환자의 대사상태에 영향을 주는가?
- 세균감염자극을 줄이고 염증을 최소화하는 치주치료가 혈당조절에 효과를 가지는가?

제2형 당뇨 환자의 종단적 연구에서 심한 치주염이 혈당대사조절을 악화시키는 것으로 관찰되었다.[159] 실험초기에 치주염이 심했던 환자에서 치주적으로 건강한 환자에 비하여 2~4년간 혈당조절이 심히 악화되었고, 연구결과 치주염은 혈당조절의 악화에 선행한다고 알려졌다. 치주염은 또한 당뇨병의 대표적 합병증과도 연관된다. 1~11년간의 관찰에서 심한 치주염을 가진 성인 당뇨병 환자는 치주염이 경미한 환자에 비하여 심장과 미세혈관 합병증이 빈번하였으며, 반면 두 군의 혈당조절은 유사하였다.[162] 치주염이 심한 당뇨병 환자의 82%에서 하나 이상의 심혈관 합병증이 야기되어 그렇지 않은 환자의 21%와 비교되었다. 즉 당뇨병 환자에서 임상적 합병증 발현에 앞서 심한 치주염이 존재하였다.

치주염이 있는 당뇨병 환자에서 치주치료는 혈당조절에 유리한 효과를 가진다.[107] 혈당조절이 불량하고 치료 전 치주조직 파괴가 심하였던 환자에서는 특히 그렇다. 심한 치주염이 있는 제1형의 청년 당뇨병 환자에서 치주치료가 당뇨병 조절에 유리한 영향을 가질 수 있다는 사실이 40년 전에 이미 보고되었다.[166] 기계적 세정, 수술, 선택적 발치, 전신적 항생제처치 등은 인슐린요구량을 감소시켰다. 최근, 치석제거술 및 치근활택술과 2주간 전신적 doxycycline 투여요법을 병행하였을 때 제1형(인슐린의존성) 당뇨병 환자에서 치주건강 개선과 함께 혈당조절이 유의하게 개선되었다고 보고되었다(그림 15-7).[113] 역으로, 치주치료에 의하여 임상적으로 개선되지 않는 환자는 혈당조절도 개선되지 않았다.

치주염이 심하고 조절이 불량한 제2형 당뇨 환자 연구에서

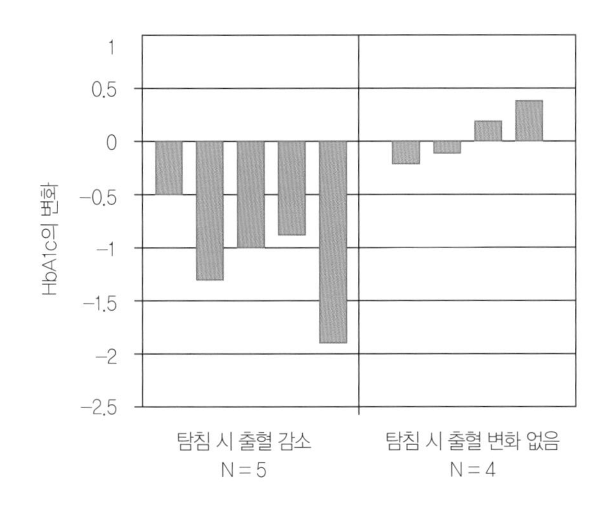

그림 15-7. 치주치료: 혈당조절에 대한 효과

5명의 환자에서 기계적 처치와 전신적 doxycycline 항생제 병용 시 치주염증 감소와 혈당조절의 개선(glycated Hb (HbA1c) 감소)이 이루어졌다. 치주적 개선이 없는 4명의 환자에서는 혈당조절상태가 개선되지 않았다.[113] (Miller 등. J Periodontol 1992;63:843)

비외과적인 기계적 세정과 14일간의 전신적 doxycycline 투여를 병행하여 비외과적 치료와 전신적 위약을 사용한 경우와 비교하였다.[54] 모든 환자에서 치주낭 깊이와 탐침 후 출혈이 감소하면서 치주상태가 개선되었으며 doxycycline 치료군에서는 *P. gingivalis* 출현율이 훨씬 감소되었고 감소양상이 더 오랜 기간 지속되었다. 항생제처치군에서는 또한 치료 후 3개월간 혈당조절이 개선되어 6개월간 서서히 원래 수준으로 환원된 반면, 위약투여군에서는 혈당조절에 개선이 없었다. 이 연구결과 치은연하 기계적 세정과 전신적 doxycycline의 병행은 치주염이 심하고 혈당조절이 불량한 당뇨병 환자에서 혈당조절에 단기간 효과가 있었다.

반면 기계적 치주처치만으로 치료될 정도의 치주염이 있고 혈당조절이 양호하거나 중등도인 당뇨병 환자에서는 치주상태의 개선에도 불구하고 혈당조절에 유의한 변화가 나타나지 않을 수 있다. 항생제요법 없이 기계적 치주처치를 받은 환자 연구에서는 혈당조절이 변화되는 경우가 드물었다.[13,31,152] 이들 연구에서 대다수 환자는 처치 전에 혈당조절 양상이 비교적 양호하였고 따라서 처치 후 혈당대사조절에 대한 부가적 효과를 거의 기대하기 힘든 상황이었을 것이다. 만성 치주염 치료에 전신적 항생제의 통상적 사용이 정당화되어 있지 않으나 혈당조절이 불량하고 치주염이 심한 당뇨병 환자는 이런 항생제 병행요법이 적절한 방법으로 여겨지며, 물론 이 경우 항생제는 치태와 치석 제거 등의 기계적 처치에 보조적인 수단이 될 수도 있다.

보조적 항생제요법을 기계적 세정과 병행 시 어떻게 혈당조절에 유리한 변화가 초래되는지는 현재 알려져 있지 않다. 전신적 항생제는 치석제거 및 치근활택술 후 잔존 세균을 제거하고 숙주에 대한 세균자극을 경감시킨다. Tetracycline은 단백질의 당화(glycation)를 억제하고 MMP (matrix metalloproteinaes)와 같은 조직분해효소 활성을 감소시킨다고 알려져 있다. 이런 변화들이 당뇨병에서 대사조절의 개선에 기여하는 것으로 추정된다.

1) 당뇨병 환자의 혈당조절과 치주감염

다른 감염성 질환의 효과를 이해하면 치주감염이 고혈당에 영향을 주는 기전을 규명하는 데 도움이 될 것이다. 당뇨병 환자와 정상인에서 모두 세균 및 바이러스성 급성감염 시 인슐린내성이 증가하고 혈당조절도 악화된다.[140,172] 즉 전신감염은 조직의 인슐린내성을 증가시켜 대상세포로의 포도당 흡수를 방해하고 혈당수준을 증가시키며, 정상 혈당치를 유지하기 위하여 췌장의 인슐린 생산 증가를 요구한다. 인슐린내성은 환자가 임상적 감염으로부터 회복된 수주 또는 수개월간 지속될 수 있다. 제2형 당뇨 환자는 이미 상당한 인슐린내성이 있어 감염으로 인해 부가된 내성과 함께 혈당조절 불량 양상이 더욱 심화된다. 제1형 환자에서는 감염으로 야기된 조직의 인슐린내성이 있는 경우 정상

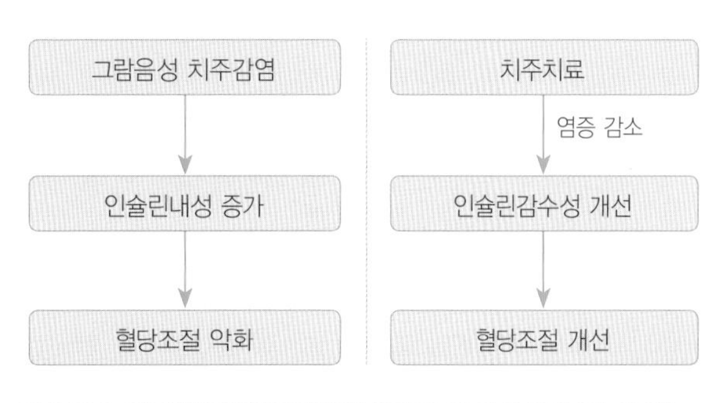

그림 15-8. 당뇨병 환자의 혈당에 대한 치주감염과 치주처치의 가능한 영향

인슐린 용량으로 양호한 혈당조절상태를 유지하기에 부족하게 된다. 그람음성 치주병원균의 만성 감염 시 인슐린내성이 증가되고 혈당조절이 불량해질 것이다. 치주염 환자에서 치주병원균과 그 산물에 의한 전신적 자극이 지속되면 잘 알려진 전신감염과 동일한 양상으로 작용할 것이다(그림 15-8). 이런 기전은 심한 치주염 환자에서 나타나는 혈당조절의 악화를 설명할 수 있다. 세균침입을 줄이고 염증을 감소시키는 치주처치는 시간 경과에 따라 인슐린감수성을 회복하고 그로 인하여 대사조절이 개선될 것이다. 최근 치주치료에 대한 메타분석 연구에서 보고된 혈당조절의 개선은 이러한 가설을 지지하는 것으로 보인다.[151,160]

9. 치주질환과 임신

저체중출산 유아(low-birth-weight, LBW, 출생시 체중 < 2,500 g)는 정상체중출산 유아(normal-birth-weight, NBW)에 비하여 신생아 시기에 사망률이 40배나 높다.[105] 출생 시 2,500 g 이하 체중 유아의 빈도는 7% 정도이며 신생아 사망의 2/3를 차지한다. 2011년 현재 한국은 저체중 출산유병률이 5.2%로 보고되었다(2012년 신생아학회보고). 신생아 시기에 생존한 저체중유아는 선천적 이상, 호흡기 장애, 신경발육장애의 위험도가 증가한다. 저체중유아에 대한 사회경제적 희생은 매우 크며 따라서 저체중유아의 생존에 필요한 고비용의 집중간호보다는 저체중아출산의 예방을 강조하는 것이 중요하다.

저체중아출산의 주 원인은 조산 또는 양수막의 조기파열이다. 임신중 흡연, 알코올이나 약물복용, 부적절한 산전관리, 인종, 낮은 사회경제수준, 고혈압, 모성연령, 당뇨병, 비뇨생식계 감염과 같은 요인이 저체중아 조산의 위험을 증가시킨다. 그러나 이들 저체중아조산의 약 1/4에서는 이런 위험요인이 존재하지 않아 다른 원인에 대한 연구가 계속 필요한 실정이다.[50,120] 모체감염과 조산성 진통(preterm labor), 양수막 조기파열, 저체중아출산과의 관련성에 대한 연구가 이루어졌는데 대개 모체감염은 임상적으로 감지되지 않는 무증상(subclinical) 수준으로 이들 관계를 알아내기는 매우 어렵다. 비뇨생식계 감염이 임신 결과에 나쁜 영향을 줄 수 있어 균뇨증(bacteriuria) 여성에서 조산률이 증가하고 항생제 처치 시 위약처치군에 비하여 유의하게 조산율이 감소되었다.[69] B형 *Streptococci*나 *Bacteroides* 균종에 의한 질내 집락화는 양수막의 조기파열, 조산, 저체중아출산의 위험을 증가시킨다.[106]

1) 세균성 질염(Bacterial vaginosis)

세균성 질염(bacterial vaginosis)은 가임연령의 여성에서 가장 흔한 질질환이다. 이것은 정상적으로는 통기성 유산균이 주종인 질내 세균총이 *Gardnerella vaginalis*와 혐기성 세균, 즉 *Prevotella, Bacteroides, Peptostreptococcus, Porphyromonas, Mobiluncus*, 기타의 세균종으로 치환되어 야기된다.[70] 세균성 질염은 조산, 양수막 조기파열, 저체중아출산의 주위험요인이며, 임신여성에서 metronidazole 투여에 의한 세균성 질염 처치 시 위약처치군에 비하여 조산율이 감소되었다.[114]

질내 세균집락화와 비뇨생식계 감염이 조기 양수막파열과 조산에 미치는 정확한 기전은 알려져 있지 않다. 전통적인 1차 기전은 질과 자궁경(endocervix)으로부터의 상승감염이다. 질염 관련세균들에 의한 내독소와 활성화효소는 직접적으로 조직손상을 일으키고 염증성 cytokine과 prostaglandin 분비를 야기할 수 있다. 정상임신 기간 중 양막내 prostaglandin 수준이 계속 증가하여 충분한 수준에 도달하면 출산진통과 분만이 유도된다. 모체감염은 prostaglandin 수준을 증가시키고 임신기간 완료전에 진통이 유도되는 수준에 도달할 수 있다. Prostaglandin 외에도 IL-1, IL-6, TNF 등의 염증성 cytokine이 조산진통 여성의 양수에서 발견된다.

질내감염이 임상적으로 관찰되지 않는 경우에도 조산진통이 있는 여성의 양수에서 흔히 세균이 검출된다. 세균배양 양성 환자에서 가장 흔한 세균종은 *Fusobacterium nucleatum*이다.[69] *F. nucleatum*이 가끔 세균성 질염에서 질내 세균총으로 발견되지만 조산진통 여성에서 질염 환자보다 훨씬 자주 발견되고 질염이 없는 여성의 질내 세균총에는 거의 없다. 이 세균이 조산진통 여성의 양수에서 발견되는 유일한 균은 아니며 많은 다른 균종들이 세균성 질염에서 흔하게 발견된다. 따라서 세균성 질염에서 자주 발견되는 세균종으로 미루어 보아 상승성 감염경로가 가능하다. 그러나 *F. nucleatum* 검출 빈도로 볼 때 다른 경로도 가능하다. 일부 연구자들은 세균이 자주 검출되는 부위로부터 혈행경로를 통하여 감염될 수 있다고 제안한다.[69] *F. nucleatum*은 구강 내에 흔하고, 치주염 환자에서 중요한 세균으로서 구강 내로부터 혈행을 따라 양수에 도달할 수 있다. 질에는 존재하지 않고 구강 내에서 흔히 발견되는 세균인 *Capnocytophaga*종이 조산진통이 있는 여성 양수에서 가끔 분리된다는 사실은 이러한 혈행경로의 존재를 뒷받침한다. Hill은 조산진통이 있는 여성의 양수 배양에서 확인된 *F. nucleatum*종들이 생식계에서 발견되는 것보다 구강내 치은연하치태에서 발견되는 종에 더 근접한다고 지적하였다. 혈행경로에 의한 확산 외에도 구강 세균이 질 내로 이동되는 구강-생식계 접촉에 의한 감염경로도 가능하다.[69,70]

세균의 직접적 영향이 대개 조산진통, 조기 양수막파열, 저체중아출산 예에서 주된 역할을 하지만 간접적 기전도 작용할 수 있다.[120] 융모양막(chorioamnion) 또는 태반외막(extraplacental membrane)의 세균감염 시 융모양막염(chorioamnionitis)이 초래되어 조기양수막 파열과 조산분만에 기여할 수 있다. 그러나 조직학적 융모양막염의 많은 증례에서 세균배양 음성으로 나타나, 감염이 이러한

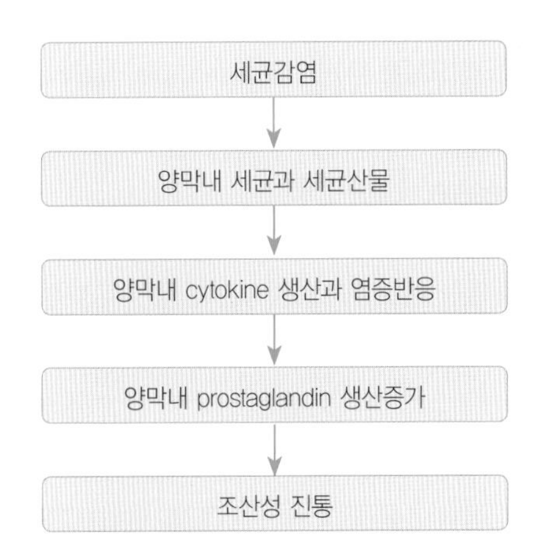

그림 15-9. 감염이 조산성 진통을 야기하는 기전

조산의 유일한 요인이 아님을 시사한다.

감염의 결과로 야기되는 숙주 산물의 연쇄반응이 조산진통을 초래하는 간접 기전을 활성화하는 것으로 보인다. 모체감염 시 양수내 내독소 등 그람음성세균 산물이 존재하고 양막과 탈락막 내에 숙주에서 유래한 cytokine의 생성을 유도하게 된다(그림 15-9). IL-1, TNF-α, IL-6 등의 cytokine은 양막과 탈락막(decidua) 내 prostaglandin 생산 증가를 자극하고 그결과 조산진통이 시작된다. 모체의 임상적 비뇨생식계감염 소견과는 무관하게, PGE_2와 PGF_2a가 증가하는 것이 조산진통의 특징적 소견이다. 의문점은 비뇨생식계 감염의 증거가 없는 환자에서 무엇이 cytokine 생성 증가를 유도하고 조산진통 시 관찰되는 prostaglandin의 증가를 야기하는가이다. 다수의 조산저체중아 증례가 그 기원이 인지되지 않은 감염, 즉 비뇨생식계 이외의 다른 부위에서 유래한 감염의 결과일 수 있다.

2) 임신 결과에 대한 치주염의 역할

치주염은 저체중아출산의 원인이 될 수 있는 원격성 그람음성감염이다. 치주질환균과 그 산물은 다양한 효과를 가지며 그 대부분은 대상조직에서 숙주 cytokine 생산을 중재할 수 있다. 햄스터모델 동물 실험에서 그람음성 세균과 산물의 원격저장소는 임신 결과에 부정적 영향을 가질 수 있음을 알아냈다. 임신기간 중 상피하 chamber에 접종이식된 *P. gingivalis*는 TNF-α , PGE_2 수준을 유의하게 증가시켰다.[34] 이러한 국소적 피하감염 결과 세균을 접종하지 않은 대조군 동물에 비하여 태아사망률의 증가와 생존 태아의 체중감소를 야기하였다. TNF-α 와 PGE_2 수준과 태아사망률, 성장지연과 생존태아의 체중감소 간에 유의한 상관관계가 있었으며 이런 결과는 원거리의 비확산성 *P. gingivalis* 감염이 이 모델에서 비정상적 임신결과를 초래할 수 있음을 시사한다.

동물실험에서 *P. gingivalis* LPS의 정맥내 접종 시 태아 체중감소와 사망률이 증가되었다.[33] 이 효과는 교배 전과 임신 중에 *P. gingivalis* LPS 접종 시 심하게 증가하였는데, 이는 *P. gingivalis* LPS를 반복적으로 면역주사하여도 임신기에는 보호되지 않으며 임신기간 중 LPS 노출에 의한 부정

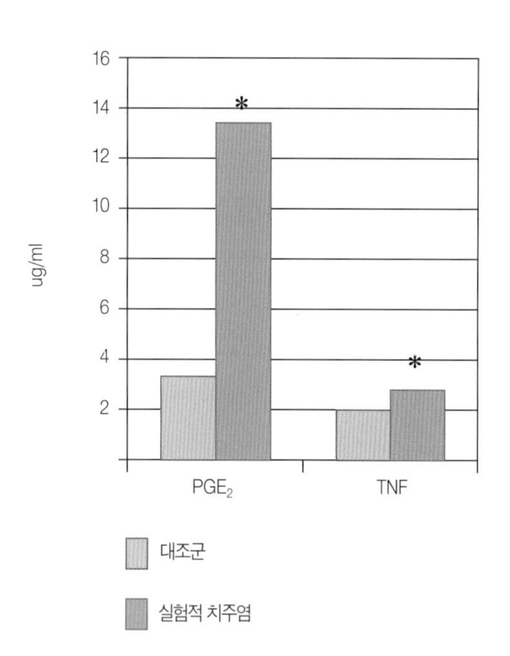

그림 15-10. 실험적 치주염에서 양수내 염증매개물질 농도
실험적 치주염은 임신한 햄스터모델에서 양수 TNF-α, PGE_2 농도를 증가시키고(*$P<0.05$) 이는 치주감염으로 인해 태아환경이 영향받을 수 있다는 증거를 제공한다.[120] (Offenbacher 등. Ann Periodontol 1998;3:233)

적 영향을 악화시키는 것을 시사한다. 임신한 햄스터 모델에서 *P. gingivalis* 유도 실험적 치주염은 태아 체중감소와 양수내 TNF-α, PGE_2 수준을 증가시켰다(그림 15-10).[120] 이러한 연구보고는 치주감염이 태중 환경과 임신의 결과에 영향을 미친다는 직접적 증거를 제공한다.

이러한 동물연구 결과가 인체의 임신 결과에 대한 치주염의 영향을 평가하도록 이끌었다. 124명의 여성(93명의 저체중아출산 경험자와 정상아출산한 대조군 31명)에 대한 환자대조연구에서 Offenbacher 등(1996)[121]은 저체중아출산 여성은 정상아출산 여성에 비하여 임상적 치주부착소실이 심하다고 보고하였다. 저체중아출산의 알려진 원인인자를 조정한 후에도 치열의 60% 이상 부위에서 3 mm 이상 치주부착소실을 보이는 여성은 저체중아출산 위험도가 7.5배인 것으로 나타났다. 즉 치주염은 흡연이나 알코올섭취에 비하여 저체중아조산에 더 강하게 관련되어 있었다. 다른 연구들에서도 저체중아출산 여성에서 치주적으로 건강한 부위가 적고 탐침 시 출혈이 심하다고 보고되었다.[8,39,96]

횡단적 연구에서 저체중아출산 여성은 정상아출산 여성에 비하여 치은연하치태내 *Actinobacillus actinomycetemcomitans, Bacteroides forsythus, P. gingivalis, Treponema denticola* 수준이 유의하게 증가하였다.[120] 저체중아출산 여성은 치은열구액내 PGE_2와 IL-1수준이 증가하였고 초산 여성에서 치은열구액내 PGE_2은 출생아 체중에 반비례하여 치은열구액내 PGE_2 농도가 높은 여성은 출생아가 작고 조산하였다. 치은열구액내 PGE_2와 IL-1수준은 양수내 PGE_2와 IL-1수준과 매우 강한 상관관계를 보였다. 즉 이러한 염증성 매개물질인 모체 양수내 PGE_2와 IL-1를 검사하는 한 방법으로서 양수천자(amniocentesis)에 비하여 덜 침투적인 치은열구액내 농도측정법이 제안되었다. 이렇게 저체중아출산 여성은 정상체중아 출산 여성에 비하여 치주염 유병률과 심도가 유의하게 높고 치은염증이 심하고 치주질환균 수준이 높으며 치은연하 염증반응이 심하였다.

실험적 치주염이 태아에 불리한 효과를 가지고 있다는 동물실험결과와 생물학적으로 가능한 상호반응기전을 뒷받침하는 여러 자료들을 함께 종합하면 이런 증거들은 치주감염이 일부 여성에서는 임신결과에 부정적 영향을 가짐을 강하게 시사한다. 그러나 현재 치주염이 있는 임산부에서 임신결과에 대한 치주치료의 효과와 치주치료를 하지 않은 경우 그 효과에 대한 종단적 연구나 중재실험 결과가 불확실하여 향후 이에 대한 연구가 필요하다.

10. 치주질환과 만성 폐색성 폐질환 (Chronic obstructive pulmonary disease, COPD)

만성 폐색성 폐질환(COPD)는 만성 기관지염이나 기흉으로 인하여 기도가 폐색되는 질환상태이다. 기관내 점액선 비대와 염증이 야기되어 호중구와 단핵성 염증세포가 폐조직 내에 침윤된다.[64,161] 미국에서는 1,400만 명이 COPD에 이환되어 담배흡연이 주된 위험요인이다. 2012년 국민보건통계에 의하면 한국내 COPD 유병률은 40세 이상 14.6%(남성 23.4% 여성 6.6%)이며 65세 이상 30.2%(남성 53.9% 여성 13.6%)로 증가하였다. 그 중 흡연자(COPD 25.5%)는 비흡연자(12,4%)에 비하여 2배로 유병률이 높았으며 흡연량에 비례하여 증가하였다.[3]

COPD는 그 병인론이 치주질환과 유사하다. 두 질환 모두 만성적 자극에 의한 반응으로 나타나는 숙주 염증 반응이다. 치주질환의 경우 치주질환균, COPD의 경우 흡연이 자극인자이다. 그 결과 호중구가 유입되고 산화 및 가수분해효소 유리되어 직접적 조직 파괴가 초래된다. 단핵구 및 대식세포의 유입은 염증성매개물질의 유리를 배가시킨다.

CHD나 다른 전신상태 연구에 비하여 치주질환과 COPD 간 임상적 관계에 대해서는 알려진 게 거의 없다. 남성 1,100여명에 대한 종단적 연구에서 치조골소실은 COPD의 위험과 관련되어 있었다.[64] 25년 후 검사 대상의 23%가 COPD로 진단되었고 초기에 심한 골소실이 있던 피검자가 골소실이 적은 경우에 비하여 COPD 발병 위험도가 유의하게 높았다. 위험도 증가는 연령, 흡연습관, 다른 알려진 COPD 위험요인과는 무관하였고 구강위생이 불량한 사람에서 기관지염이나 기흉과 같은 만성 폐색성 호흡기질환의 위험도가 증가하였다.[144] 그러나 아직까진 연관성을 평가할 증거가 불충분하여 추가적 연구가 필요하다.

11. 치주질환과 급성 호흡기감염

상기도는 구강, 비강, 인후부에서 유래하는 세균으로 오염될 수 있다. 반면에 기체교환이 이루어지는 하기도는 숙주면역인자와, 기침반사, 빨아들인 오염물질의 섬모성 이동, 하부기도에서 기관으로의 분비물이동 등 기계적 제거효과의 복합작용에 의하여 무균상태로 유지된다.[161] 폐렴은 세균, 바이러스, 진균, mycoplasma 등에 의하여 야기되는 폐 감염질환이며 집단이나 병원 내에서 감염된다. 여러 세균종이 폐렴을 일으키며 관련세균은 감염경로가 지역이냐 병원이냐에 따라 현저히 다르다.

지역감염 세균성 폐렴(community-acquired bacterial pneumonia)은 1차적으로 감염성 에어로솔이나 구강인후 세균의 흡입으로 야기된다. 혐기성 세균을 포함한 수많은 세균종이 관여하지만 *S. pneumoniae*와 *Hemophilis influenza*가 가장 흔하다.[122] 대부분의 지역감염 폐렴의 처치에 항생제요법이 매우 성공적이다. 현재 구강위생이나 치주질환과 집단거주인들에서의 폐렴 등 급성 호흡기질환의 위험도 간 관계는 정립되어있지 않다.[144]

병원내 환경에서 감염된 경우는 다르다. 병원감염 세균성폐렴(hospital-acquired, nasocomial bacterial pneumonia)은 치명률이 매우 높다. 원내감염 폐렴의 유병률은 중환실 환자나 호흡보조기를 활용하는 중병 환자에서 가장 높다. 기계적 호흡보조를 2~3일 이상 받는 환자의 절반 이상에서 폐렴을 경험한다. 원내감염 폐렴은 주로 그람음성 호기성 세균감염 결과로 야기되지만 치은연하에서 흔히 발견되는 혐기성 세균의 감염에 의한 경우도 많다.

병원감염 폐렴은 주로 구강인후물질을 흡입하여 야기된다.[143] 가능한 호흡기질환 병원균(potential respiratory pathogens, PRPs)의 구강인후 집락화는 일시적 현상이지만 입원중 증가하며 입원기간이 길수록 그 유병률이 증가한다. PRP는 위장관에서도 잘 발견되며 식도 역류에 의하여 구강인후부로 들어가 집락화된다. 흡입 시 폐렴이 야기되며 PRP가 후방 구강인후부에 집락화된 환자는 병원내 감염폐렴이 발병할 위험이 집락화되지 않은 환자에 비하여 유의하게 증가한다.[145]

선택적 정화술(selective decontamination)은 비흡수성 항생제를 경구투여하여 위장관 및 구강인후부 PRP를 제거하고 비강감염성 호흡기감염의 위험을 줄이고자 하는 것이다 이 방법은 주로 기관내 삽관환자나 호흡보조기 사용환자에서 이용된다. 선택적 정화술은 병원내 감염폐렴 의 유병률을 유의하게 줄여준다.[149] 이는 구강인후부가 1차적인 PRP 집락부위로 원인 세균이 흡입되어 폐렴이 야기될 수 있다는 증거이다.

PRP는 구강내 세균 저장소인 치태로부터 유래할 수 있다.[15,45] 병원이나 요양원에 입원 중인 심한 전신질환자들은 통원환자에 비하여 구강위생이 불량하다.[145] 따라서 정상적으로는 치태 내에 없던 세균이 오랜 기간 입원한 후 치태 서식세균이 된다. 치은연하치태는 PRP의 은신처가 될 수 있고 치주질환 병원균이 병원내 감염폐렴에 관련될 수도 있다. 또한 치주낭내 혐기성 세균은 사망률과 질병률이 심한 폐농양과 같은 화농성 호흡기질환의 1차 접종원으로 작용할 수 있다. 여러 주변적 증거들에 의하여 치주병원균이 병원내 급성 호흡계감염을 야기할 수는 있지만 치주질환자에서 이러한 감염의 위험성이 증가된다는 보고는 아직 없다. 그러나 고위험군에서 구강위생 증진 시 세균성 폐렴 위험도를 줄인다는 증거가 여러 연구에서 제시되고 있다.[15,143]

12. 임상진료 시 치주내과학의 적용

치주질환은 치주조직에 대한 영향 외에도 다양한 전신적 효과를 가질 수 있다. 그러나 이러한 영향은 대개 비교적 경미하거나 임상적으로 인지되지 않는 정도이다. 그러나 감수성이 높은 환자에서는 치주감염이 전신질환의 독립위험인자로 작용하여 이러한 질환의 근본적 병인으로 관여할 수 있고 기존 전신질환을 악화시킬 수도 있다.

1) 임상치과진료 시 치주질환과 전신적 건강

치주질환과 전신건강 간 관련성에 대한 정보를 적절히 활용하려면 치과진료인들이 시각을 넓혀 치의학기술의 술기적 측면에서 벗어나 구강이 여러 연계된 기관 중의 하나임을 인식해야 한다. 임신여성의 다리에 손바닥크기의 감염이 있다면 환자와 담당 의료인에게 큰 관심거리가 되며 이러한 국소감염은 태아와 모체건강에 부정적 결과를 초래할 수도 있을 것이다. 당뇨병 환자는 발에 화농성 감염이 있다면 그로 인해 당대사조절에 영향을 받을 수 있으므로 즉각적이고 적극적인 치료를 받고자 할 것이다. 치주감염도 동일한 관점에서 살펴보아야 한다. 치주염은 심한 염증반응을 초래할 수 있는 그람음성감염으로 세균과 그 산물이 혈관 내로 퍼져 전신에 파급될 수 있다. 그러나 치주염은 대개 "침묵성" 질환으로 조직파괴로 인한 급성증상이 출현할 때까지 별 증상이 없다. 대부분의 환자와 의료인들은 구강내 존재할 수 있는 가능한 감염을 잘 인지하지 못한다.

2) 환자 교육

환자교육이 매우 중요하다. 30년 전만 하여도 CHD의 원인은 불확실하였다. 오늘날 콜레스테롤과 심장질환 간의 관계를 모르는 사람이 거의 없다. 콜레스테롤 수치가 높은 사람에서 심장질환의 위험이 증가했다는 연구보고를 통하여 이러한 인식이 촉진되었으며, 그로 인해 과학적 집단으로부터 일반대중에게 이러한 정보를 확산시키고자 교육 노력이 집중적으로 이루어졌다. 콜레스테롤 농도 증가가 모든 사람에서 심장질환을 일으키는 것은 아니며 단지 질환 위험도를 높여준다는 사실을 인식해야 한다. 마찬가지로 치주내과학의 환자교육은 치주감염의 특성, 치주감염과 연관된 전신질환(CHD, pregnancy outcome, DM, COPD)의 위험 증가, 전신질환에 대한 치주감염의 생물학적 역할에 대해 강조하여야 한다. 치주감염의 전신적 영향을 이해하여야 치주적 평가와 치료, 구강위생 및 정기검진을 통한 예방처치에 대한 환자 요구도 및 태도가 변화될 것이다.

3) 요약

치주질환이 관상동맥성 심장질환, COPD, 잘못된 임신 결과를 초래할 수 있는가? 이 질문은 오늘날 얻어질 수 있는 증거에 근거하여 답을 구할 수 있고, 이러한 결론은 미래의 증거가 지시하는 바에 따라 향후 변화될 수도 있다. 치주질환은 여러 전신질환의 위험도를 증가시킬 수 있다. 치주감염은 여러 전신질환의 많은 가능한 위험요인 중 하나로 다행히 여러 위험요인 중 나이, 성별, 유전적 소인과는 달리 즉각적으로 변경될 수 있다. 당뇨병 환자의 경우 급성 치주질환이 치료되면 당뇨상태도 개선될 수 있다. 치과의사는 이러한 위험을 환자들에게 알리고 환자 삶의 질 향상과 수명연장에 중요한 역할을 할 수 있다. 내과의사와의 의사소통도 중요하다. 성공적인 치주치료가 시행되면 적절한 유지관리가 전신질환의 위험도 감소에 필수적이다.

20세기 초기의 병소감염이론(focal infection theory)은 그 이론에 근거한 치료, 즉 발치를 통하여 구강기원 균혈증이 야기했으리라 추정되었던 전신질환에 효과를 나타내지 않아 한때 폐기되었다. 마찬가지로 현재의 지식정보를 이제막 임상적으로 활용하기 시작하고 있다. 장차의 연구는 전신건강에 대한 치주감염의 역할을 구명하는 데 있다. 치주감염과 저체중아출산, 당뇨병, 심혈관 및 뇌혈관질환, 호흡기질환 등의 질환간 관련성이 확증되어야 한다. 인과관계를 확인하기 위하여 종단적 연구와 중재실험도 필요하다.

치주내과학의 신규영역은 구강이 인체 전부를 상호 연계된 하나의 기관이라는 개념으로 새로운 식견을 제공한다. 오랜 기간 치과진료인은 전신 상태의 구강조직에 대한 영향을 확인해왔다. 이제는 치주조직이 전신건강에 어떤 영향을 가지는지 더 완전히 이해할 때이다. 한편 근거중심 치과학이 임상진료의 열쇠이지만 모든 환자가 평균치에 일치하지 않을 수 있다는 것도 역시 인식해야 한다.

II. 흡연과 치주질환

미국인 유치악 성인의 27.9%가 현흡연자(current smoker)이며 23.3%는 흡연경력자(former smoker)이다. 흡연률은 34세 이후에서 높고 여성(25.1%)보다는 남성(30.9%)이 높았으며 비남미계유색인 남성(38.6%)에서 가장 높다고 보고되었다.[163]

한국인 흡연율은 19세 이상 인구에서 1998년 35.2%(남성 67%, 여성 6.6%)이었으나 점차 감소하여 2012년 현흡연자는 25%(남성 43.7%, 여성 7.9%)이었고 연령별로는 남성에서 30대에, 여성에서 20대에 가장 높았다가(32.5%) 점차 감소하여 60세 이상에서 13.4%이었다(보건복지부. 2012 국민건강통계).[3] 2006년 18세 이상 인구집단에 대한 국내 구강건강실태조사연구에서 현흡연자(19.3%) 중 13.9%, 전흡연자(14.7%) 중 15%, 비흡연자(65.8%) 중 7.6%가 치주염을 나타내어 비흡연자에 비해 현흡연자는 1.77배의 치주염 위험도를 보였다.[29]

담배는 수천가지 유해한 물질을 포함하는데 기체상으로 일산화탄소, 암모니아, 포름알데하이드, 시안화수소, 벤조피렌, 디메틸 니트로소아민 등 발암성물질 60여종과 입자상으로 니코틴, 타르, 벤젠, 벤조피렌으로 구성된다.

표 15-4. 치주질환 유병률과 심도에 대한 흡연의 효과 (↑ 증가, ↓ 감소)

치주질환	흡연의 영향
치은염	↓ 치은염증과 탐침 시 출혈
치주염	↑ 치주질환 유병률과 심도
	↑ 치주낭 깊이, 부착소실, 골소실
	↑ 치주조직 파괴속도
	↑ 심한 치주염의 유병률
	↑ 치아상실
	↑ 1일 담배소모량에 따른 유병률
	↓ 금연후 유병률과 심도

니코틴은 중독성이 높고 혈압 심박수 호흡률을 증가시키며 말초혈관을 수축시킨다.

흡연은 모든 장기에 유해하며 여러 질환에 관련된다. 치주질환의 주 위험요인으로서 흡연이 질환 유병률, 심도와 범위 모두에 영향을 줄 수 있다는 많은 증거들이 있다. 그 외에도 흡연은 비외과적 및 외과적 치주치료의 임상적 결과뿐 아니라 임플란트 매식 후 장기적 성공에도 영향을 줄 수 있다. 미국 내 치주염 환자의 41.9%가 흡연과 관련된다는 보고와 함께 흡연환자에서 질환의 개시, 진행, 관리에 대한 흡연의 영향을 이해하는 것이 매우 중요해졌다.[10,65,80,81,124,125,133,165] 여기에서는 치주질환의 유병률, 심도, 원인, 병인론에 대한 흡연의 영향과 치주처치 결과에 대한 흡연의 효과를 논의한다.

1) 치주질환 유병률과 심도에 대한 흡연의 효과

(1) 치은염

인간의 실험적 치은염 모델을 사용한 환자대조연구에서 치태축적에 의한 염증반응의 발달이 흡연자에서 비흡연자에 비하여 감소된다고 보고되었다(표 15-4).[21,38] 그 외에도 횡단적 연구에 의하면 치은염증이 흡연자에서 비흡연자에 비하여 덜 심하였다.[20,23,128] 이러한 자료들은 흡연자들이 비흡연자에 비하여 치태침착에 의한 임상적 염증발현이 감소됨을 시사한다.

(2) 치주염

흡연자에서 치태축적에 대한 치은염증반응이 비흡연자에 비하여 감소되는 것으로 나타나지만 많은 자료들에서 흡연이 치주조직파괴의 유병률과 심도를 증가시키는 주 위험인자로 지적되고 있다. 여러 횡단적 및 종단적 연구들은 치주낭 깊이, 부착소실, 치조골소실 등이 흡연환자에서 비흡연자에 비하여 더 빈번하고 심하다고 보고하였다.[80,133,165] 미국의 국립건강/영양조사연구(National health and nutrition examination survey, NHANES Ⅲ)에서 12,000명의 18세 이상 유치악 성인을 대상으로 흡연과 치주염간 관계에 대하여 평가하였다.[163] 치주염은 임상적 부착소실과 치주낭 깊이 4 mm 이상인 부위가 하나 이상인 경우로 정의되었다. 질병통제 및 예방센터(CDC)에서 확립된 기준을 사용하여 일생 동안 100개비 이상 흡연하였고 문진 당시 흡연 중인 사람을 현흡연자로, 전자의 경우이나 현재는 흡연하지 않는 경우를 전흡연자, 그리고 일생동안 100개비 이상 피우지 않은 사람을 비흡연자로 규정하였다. 12,000명의 대상 인구집단 중 9.2%가 치주염이 있었는데 총 인구에서 환산하면 미국내 천오백만 명가량 된다. 연령, 성별, 인종, 교육정도, 수입 및 빈곤도를 조정한 후 흡연자는 평균적으로 비흡연자의 4배 빈도로 치주염에 이환되어 있었다. 전흡연자는 비흡연자에 비하여 1.68배의 치주염 이환빈도를 보였다. 이 연구에서는 또한 일일 담배소모량과 치주염에 이환될 가능성(odd) 간에 용량-반응 관계가 있다고 하였다. 하루 9개비 미만의 담배 흡연자는 치주염 이환가능성이 2.79배였으며 하루 31개비 이상 흡연자는 치주염이 있을 가능성이 6배나 되었다. 전흡연자에서는 치주염 이환 가능성이 금연 기간에 따라 감소하였다. 이러한 자료들은 미국 성인인구 집단 중 치주염 환자의 42%가 현재 흡연과정에서, 약 11%는 이전 흡연에서 기인하였다고 지적한다.

이들 자료들은 미국과 유럽에서 이루어진 횡단적 연구 결과와 같다. 현흡연자에서 치주염 가능성은 관찰된 치주염 심도에 따라 1.5~7.3배로 나타났다.[29,125] 총 2,361명을 대상으로 한 여섯 연구의 메타분석 결과 현흡연자는 비흡연자에 비하여 심한 치주염에 이환될 가능성이 3배 정도 높았다.[124] 노인인구에서 치주 및 치아 상태에 대한 장기적 흡연의 악영향이 확인되었는데 노인 흡연자는 심한 치주염 이환 가능성이 3배 높았으며,[19,92] 흡연기간은 치아상실, 치관우식증, 치주질환에 중요한 요인으로 나타났다.[79] 흡연은 청장년층에서도 치주질환 심도에 영향을 주었는데 담배흡연은 전반적 급진성 치주염(generalized aggressive periodontitis, early onset periodontitis)의 심도 증가에 관련되었고,[146] 19~30세에서 흡연자가 비흡연자에 비하여 심한 치주염을 경험할 가능성이 3.8배였다.[59] 종단적 연구 결과, 젊은 사람들에서도 일일 15개비 이상 흡연자는 치아상실률이 높았고,[72] 흡연자는 비흡연자에 비하여 지속적 부착소실 가능성이 6배 이상이었다.[75] 흡연자에서 10년간 골소실은 비흡연자에 비하여 2배 빠르게 진행되었고 치태조절이 매우 양호한 경우에도 마찬가지였다.[24,25]

여송연(cigar)과 담뱃대(pipe) 흡연효과에 대해서는 알려진 바가 거의 없으나 궐련(cigarette) 흡연과 유사한 효과를 가질 수 있는 것으로 나타난다.[12,46,92] 중등도 및 심한 치주염의 유병률과 5 mm 이상 부착소실이 있는 치아 비율이 현흡연자에서 가장 심하였고 여송연 및 담뱃대 흡연자는 현흡연자와 비흡연자의 중간 정도였다.[12] 치아상실도 비흡연자에 비하여 증가하였다.[92] 무연담배(smokeless tobacco)의 사용은 구강백반증(oral leukoplakia)과 상피암에 관련된다. 그러나 담배 산물의 접촉부위에 나타나는 국소적 부착소실과 퇴축 이외에 전반적 효과는 없는 것으로 보인다. 흥미롭게도 전흡연자의 치주염 위험도가 현흡연자에 비하여 낮고 비흡연자에 비하여 높았으며 금연 후 경과기간이 길수록 낮게 관찰되었다.[163] 이러한 관찰로 미루어 보아 치주질환 진행에 대한 흡연의 효과는 금연하면 역전되는 가역적 반응이며, 금연프로그램은 치주적 교육과 치료와 통합된 과정으로 이루어져야 한다(국내에서도 2009년부터 대한치과의사협회에서 치과진료실에서의 금연교육을 권장하고 있다).

2) 치주질환의 원인과 병인론에 대한 흡연의 영향

흡연과 연관되어 치주조직파괴의 유병률과 심도가 증

표 15-5. 치주질환의 원인과 병인론에 대한 흡연의 영향
(↑ 증가, ↓ 감소)

원인요소	흡연의 영향
미생물	치태축적에 영향 없음 ↑ 얕은 치주낭내 치주병원균에 의한 집락화 ↑ 깊은 치주낭내 치주병원균 수 호중주 주화성, 포식작용, 산화성 살균기전의 변화
면역염증	↑ 치은열구액내 TNF-α, PGE_2 ↑ 치은열구액내 호중구 collagenase와 elastase ↑ LPS에 대한 반응으로 단핵구 PGE_2 생산
생리반응	↓ 치은혈관 ↓ 치은열구액과 탐침 후 출혈 ↓ 치은연하온도 ↑ 국소마취 후 회복에 필요한 시간

TNF-α, tumor necrosis factor; PGE_2, prostaglandin E_2; LPS, 내독소

가한다는 사실은 만성 치주염에서 정상적인 세균-숙주 간 반응이 변경되어 더 심한 공격적 치주조직파괴가 야기될 수 있음을 의미한다(표 15-5). 세균자극과 숙주반응 간의 불균형은 병원균의 수나 독성 증가를 동반한 치은연하치태성분의 변화, 그에 대한 숙주반응의 변화, 또는 이들의 조합에 의할 수 있다. 치주염의 미생물, 면역염증반응, 생리반응에 대한 흡연의 영향에 대한 최근의 증거들을 논의하고자 한다.

(1) 미생물

흡연자와 비흡연자 간에 치태 축적속도가 다르다는 증거는 아직 없으며, 흡연자에서 세균자극에 변화가 있다면 그것은 양적이라기보다는 치태성분의 질적 변화에 의한 것이다. 몇 연구에서 치은연하치태에서 흡연 결과 나타나는 변화가 서로 상반되어있다. 만성 치주염 환자에서 깊은(> 6 mm) 치주낭 내 치태표본에 *A. actinomycetemcomitans*, *P. gingivalis*, *P. intermedia* 등의 수준에 차이가 없었다.[130,155] 반면 흡연자와 비흡연자 간 차이가 있다고 보고한 다른 연구들도 있는데 흡연력이 다른 피검자 중 현흡연자들에서 *B. forsythus*가 많이 나타났고 비흡연자나 전흡연자에 비하여 2.3배 자주 발견되었다.[173] 흥미롭게도 흡연자는 비외과적 치주처치에 비흡연자와 동일하게 반응하지 않고 처치 후 치주낭 내에 *A. actinomycetemcomitans*, *P. gingivalis*, *B. forsythus*가 더 많이 잔존하였다는 보고도 있다.[56,60,134]

미생물학적인 차이는 연구방법, 즉 세균 수나 비율, 검출빈도, 치주낭 깊이와 채취된 부위수, 채취방법, 각 개체의 질환상태, 세균의 계수방법, 그리고 통계처리방법 등에 의한 것이다. 이런 방법상 문제를 극복하기 위하여 시행된 최근 연구에서는 272명(현흡연자 50명, 전흡연자 98명, 비흡연자 124명)의 성인에서 제3대구치를 제외한 모든 치아의 치은연하치태를 채취하였다.[61] Checkerboard DND-DNA hybridization 방법을 이용하여 치은연하세균 29종을 검사한 결과 *E. nodatum*, *F. nucleatum* ss. *vincentii*, *P. intermedia*, *Peptostreptococcus micros*, *P.nigrescens*, *B. forsythus*, *P. gingivalis*, *Treponema denticola* 등이 현흡연자에서 유의하게 자주 발견되었다. 흥미롭게도 치주낭이 4 mm 이상 깊은 부위에서는 세 군 간에 세균 발현빈도에 차이가 없어 이들 치주병원균의 빈도증가는 얕은(< 4 mm) 치주낭에서의 초기 집락화와 관련되어 있었다. 또한 이들 치주병원균은 하악보다 상악에서 많이 발견되었다. 이러한 결과는 흡연자들이 비흡연자나 전흡연자에 비하여 치주병원균 집락화가 심하고 이 집락화에 의하여 치주조직파괴의 유병률이 증가함을 의미한다.

(2) 면역염증반응

치태축적에 대한 숙주의 면역반응은 근본적으로 방어적인 것이다. 치주조직이 건강하거나 치은염증 상태에서는 치태세균 자극과 치은조직내 면역반응 간 평형상태가 존재하여 치주지지조직 소실이 없다. 그러나 치주염은 치은연하치태의 세균성분의 변화, 면역반응의 변화, 또는 이 두 기전의 조합에 의하여 초래되는 숙주-세균 간 균형상태의 변화에 관련되어 발생한다. 흡연은 면역반응의 방어적 성분에 주된 영향을 주어 치주조직파괴의 범위와 심도를 증가시킨다. 흡연의 악영향은 부분적으로 세균자극에 대한 면역반응 저하에 의한다. 호중구는 세균감염

에 대한 숙주반응의 중요한 성분으로 호중구 수나 기능의 변화는 국소 및 전신감염을 야기한다. 호중구의 주된 기능은 주화성, 포식작용, 산화 및 비산화 기전에 의한 살균작용이다. 흡연자의 혈액이나 타액에서 얻은 호중구, 또는 흡연연기나 nicotine에 노출 배양한 호중구는 주화성, 포식작용, oxidative burst의 기능변화를 보인다.[58,83] 흡연은 구강에서 채취된 호중구의 주화성과 포식작용을 방해하였고,[58] 담배산물을 이용한 세포연구에서 호중구이동과 oxidative burst에 나쁜 영향을 보였다.[32,82,138,148] 그리고 포식작용과 살균에 필수인 항체생산, 즉 치주질환균에 특이한 IgG_2 수준은 흡연 중인 치주염 환자에서 비흡연자에 비하여 감소하여 흡연자에서는 치주감염 방어능력이 저하됨을 보였다.[27,57,60,158] 반면 치은열구액내 TNF-α, PGE_2, 호중구성 elastase, MMP-8 등은 흡연자에서 증가하였다.[26,153] 세포배양연구에서 nicotine의 노출은 LPS 자극 시 단핵구에 의한 PGE_2 분비를 증가시켰다.[126]

이런 결과로부터 흡연은 치주-감염에 대한 호중구 반응에 장애를 초래하고 조직파괴효소 분비를 증가시킨다. 현재 흡연자에서 급격한 조직파괴에 관여하는 면역기전 중 정확히 무엇이 변화하는가에 대하여서는 불확실하다. 장차 치주염에서 면역반응과 조직파괴에 대한 흡연의 영향을 규명하는 연구가 요구된다.

(3) 생리반응

이전의 연구에서 염증의 임상증상이 흡연자에서 비흡연자보다 덜 두드러진다고 알려졌다.[23,38] 이런 관찰은 흡연자에서의 염증반응이나 치은조직내 혈관반응의 변화에서 기인한 것으로 보인다. 건강치은의 혈관밀도는 흡연자와 비흡연자 간 차이가 없지만, 치태축적 후 미세순환계 반응이 흡연자에서 변화되는 것으로 나타났다.[127] 염증발달에 따라 치은열구액 증가, 탐침 시 출혈반응,[21] 치은혈관성[22]이 흡연자에서 덜 나타난다. 그리고 건강한 치은의 산소분압이 흡연자에서 낮고 염증이 중등도로 심해지면 역전된다.[62] 치은연하온도는 흡연자에서 낮고[43] 국소마취액 주사 후 나타나는 혈관수축으로부터 회복되는 시간이 흡연자에서 오래 걸린다.[84] 이런 결과들을 종합하면 흡연자에서 치은 미세혈관계가 변화되며 이로 인해 혈류감소와 임상염증증상이 감소되어 보이는 것으로 추정된다.

3) 치주처치 후 반응에 대한 흡연의 영향

표 15-6. 치주처치 후 반응과 재발에 대한 흡연의 영향(↑ 증가, ↓ 감소)

처치	흡연의 영향
비외과적 처치	↓ 치석제거술 및 치근활택술에 대한 임상반응 ↓ 치주낭 감소 ↓ 임상부착 개선 ↓ 치태제거에 증진에 따른 효과(흡연의 부정적 영향)
외과적 처치와 임플란트	↓ 판막술 후 치주낭 감소와 임상부착도 개선 ↑ 술후 치근이개병소의 악화 ↓ 임상부착 개선, ↓ 골충전, ↑ 치은퇴축, ↓ GTR 후 차폐막 노출 ↓ 골이식 후 치주낭 감소 ↓ 치주판막술 후 치주낭 감소와 임상의 위험
유지관리처치	↑ 유지관리기 중 치주낭 깊이와 부착상실 ↑ 치주질환의 재발 ↑ 흡연자에서 재처치의 필요성 ↑ 흡연자에서 술후 치아상실률

GTR = 조직유도재생술

(1) 비외과적 처치

많은 연구결과에 의하여 현흡연자는 치주처치에 대한 반응이 비흡연자나 전흡연자와 동일하지 않다고 알려졌다(표 15-6). 대부분의 임상연구에서 비외과적 치주처치(1단계처치; 구강위생교육, 치석제거술, 치근활택술)는 흡연자에 비하여 비흡연자에서 훨씬 효과적인 치주낭 감소를 보였으며, 치석제거술 및 치근활택술 후 임상부착개선도 비흡연자에 비하여 흡연자에서 적었다.[11,55,56,60,81,129,134] 치료하지 않은 진전된 치주질환자에서 치석제거술 및 치근활택술과 구강위생 처치완료 6개월 후 평가하였을 때 흡연자에 비하여 비흡연자에서 치주낭 깊이와 탐침 시 출혈의 감소가 크게 나타났다.[134] 치료 전 7 mm 정도의 치주낭에서 평균 치주낭 감소는 흡연자에서 1.9 mm, 비흡연자에서 2.5 mm이었으며 이런 결과는 치태조절이 불량한 경우에도 관찰되었다. 다른 연구에서 깊이 5 mm 이상인 치주낭에서 비외과적 처치 3개월 후 치주낭 감소(비흡연자 1.76 mm, 흡연자 1.29 mm)와 임상부착 개선효과가 흡연자에서 유의하게 적었다.[55] 비외과적 치주처치 결과, 치태조절이 양호해진 경우 4~6 mm 깊이의 치주낭에서는 흡연자와 비흡연자 간에 치주낭 감소에 있어서 임상적으로 차이가 없었다.[129] 처치후 치주낭 잔존 시 보조적 국소항생제 투여로 치주낭 개선을 기대할 수 있다. 국소항생제요법과 비외과적 치주처치를 병행한 경우에도 흡연자에서 비흡연자보다 치주낭 감소가 적었다.[85]

결론적으로 흡연자는 비흡연자에 비하여 비외과적 처치에 대한 반응이 미약하였고 치태조절이 양호한 경우 두 군간 차이는 적었다. 전흡연자 및 비흡연자 모두 현흡연자보다 비외과적 처치에 대한 반응이 좋으므로[55] 환자에게 금연의 이점에 대하여 알려주어야 한다.

(2) 외과적 처치와 임플란트

현흡연자에서 보이는 비외과적 처치후 불량한 치주조직반응은 외과적 처치 후에도 나타난다. 치석제거술, 치근활택술, 변형 Widman 판막술, 골제거수술의 4가지 처치 유형에 대한 종단적 비교연구에서 흡연자(중흡연자–1일 20개비 이상, 경흡연자–1일 19개비 이하)는 일관되게 비흡연자와 전흡연자에 비하여 처치후 치주낭 감소와 임상적 부착개선이 적었다.[7,81] 이런 차이는 처치후 즉시 나타나 유지관리 7년 기간 동안 지속되었다. 7년간 치근이개병소의 악화정도는 흡연자에서 비흡연자나 전흡연자에 비하여 심하였다.

흡연은 골내병소에서 조직유도재생술(GTR)과 골이식 처치 결과에도 부정적 영향을 가진다.[136,164,167] 깊은 골내병소에서 GTR 처치 12개월 후 흡연자의 부착개선이 비흡연자에 비하여 반 정도였다(2.1/5.2 mm).[164] 또 다른 연구에서 73명의 흡연자는 임상적 부착개선(1.2 mm/3.2 mm)이 적었고 치은퇴축이 심하였으며 결손부 골충전이 적었다. 그리고 GTR 차폐막의 노출은 모든 흡연자와, 비흡연자의 1/2 정도에서 관찰되었다(표 15-7).[167] 마찬가지로 골내결손에 탈회동결건조동종골 이식 후 흡연자는 비흡연자에 비하여 술전 치주낭 깊이의 감소비율이 적었다(흡연자 41.9%/비흡연자 48.3%). 재생술이나 골이식 없이 치주판막술만 행하는 것이 치근면과 골벽에 접근하는 일반적 술식이다. 이러한 치주판막술 시행 후 6개월간 매달 유지관리 처치

표 15-7. 흡연자 및 비흡연 환자의 조직유도재생술 후 치유반응에 대한 임상계수의 변화[167]

	흡연자	비흡연자	P 값
임상부착 개선	1.2 ± 1.3 mm	3.2 ± 2.0 mm	< 0.007
치은퇴축 증가	2.8 ± 1.2 mm	1.3 ± 1.3 mm	< 0.008
탐침 골 수준의 개선	0.5 ± 1.5 mm	3.7 ± 2.2 mm	< 0.000
제거 시 차폐막 노출양상	10/10	15/28	< 0.008

Trombelli M, 등.[167] J Clin Periodontol 1997;24:366

한 후 7 mm 이상 치주낭에서 흡연자는 비흡연자에 비하여 치주낭 깊이의 감소 양(각 3 mm/4 mm), 임상부착 개선 양(각 1.8 mm/2.8 mm)이 유의하게 적었다.[142] 그리고 6개월 후 흡연자에서는 깊은 치주낭의 16%만 3 mm 미만으로 변화되었으나, 비흡연자에서는 47%가 3 mm 미만으로 얕아졌다.

임플란트 성공도에 대한 흡연의 영향에 대해서는, 메타분석에서 흡연이 임플란트의 실패위험성을 증가시킨다고 보고하였는데 대체적으로 흡연자에서 임플란트 실패가능성이 2배 정도 컸다.[71,87,156] 그리고 흡연자에서 비흡연자에 비해 임플란트 주위골의 소실이 증가한다고 보고되었다.[66] 여러 요인들이 성공도에 영향을 주므로 흡연이 과연 임플란트 실패의 원인이 되는지에 대하여 환자대조연구가 향후 필요하다. 그러나 흡연이 장기적 성공도에 부정적 영향을 가짐을 뒷받침하는 많은 증거가 있으므로 환자들에게 금연의 이점과 흡연 시 실패 가능성에 대하여 충고해주어야 한다.

(3) 유지관리 및 처치

치료 후 결과에 대한 흡연의 악영향은 유지관리처치의 주기와 무관하게 오랜 기간 지속된다.

치석제거술, 치근활택술, 변형 Widman 판막술, 골제거술의 4가지 방식으로 처치한 후 유지치주치료를 7년간 3개월마다 시행한 연구에서 흡연자는 일관되게 비흡연자에 비해 치주낭이 깊었고 7년간 매년 평가한 결과 치주부착 개선이 적었다.[81,129] 1일 20개비 이상의 중흡연자는 경흡연자에 비하여 치태 축적이 심하였다. 6개월간 매달 더욱 철저하게 유지관리 처치한 후에도 흡연자는 비흡연자에 비하여 치주낭이 깊고 잔존 치주낭이 많았다 이러한 결과는 치은연하치태의 질, 숙주반응, 치주조직의 치유능에 대한 흡연의 영향이 흡연자에서 치주낭 감소에 장기간 영향을 주어 기존 치주처치에 의하여 해결되지 않을 수 있음을 시사한다. 흡연자의 치주질환을 처치하기 위하여 숙주변경 약제와 항생제를 투여한 후 효과를 검사하는 연구가 향후 필요하다.

흡연자는 비흡연자에 비해 치주치료 후에도 조직파괴가 더 많은 경향을 보인다. 통상적인 치주처치법(구강위생교육, 치석제거 및 치근활택술, 외과적 처치와 항생제요법)에 반응하지 않았던 환자의 연구에서, 난치성 치주염 환자의 90% 정도가 흡연자였다.[98,99]

이들 연구에서 흡연자는 젊은 나이에 치주질환이 존재할 수 있고, 통상적인 치주치료에 덜 효과적이며, 진행성 재발성 치주염이 지속된다는 사실이 확실해진다. 따라서 치주치료의 한 부분으로 금연지도가 포함되어야 한다.

4) 치주처치 후 반응에 대한 금연의 영향

치주상태에 대한 금연의 효과는 흡연자, 전흡연자, 비흡연자에서 치주치료의 결과로 평가되었다.[56,73,81,111,131,139] 그 결과 흡연자는 치주치료 결과가 불량하였고 전흡연자는 흡연자와 비흡연자의 중간 정도로 비흡연자에 가까웠다.

흡연자에서 금연하면서 치주치료 결과에 대한 금연의 영향을 평가한 중재연구는 드물다. 단기간 연구에서 흡연은 치은혈관계에 부정적 영향을 가졌으며, 그것은 금연으로 회복가능한 가역적 변화였다.[115,116] 비외과적 치주치료에 대한 금연의 영향을 평가한 중재 연구에서 12개월 동안 성공적으로 금연한 환자는 치주치료에 가장 좋은 반응을 나타내었다.[132] 흡연자와 금연실패자는 금연성공자보다 치료결과가 유의하게 나빴다.

치주치료에 대한 금연의 잇점은 병원성 세균총의 감소, 치은 미세혈관계의 정상화, 면역염증반응의 개선을 통해 가능하다. 금연자의 치태샘플에서 흡연자와 금연 후 6개월 및 12개월 금연자 간에 치은연하세균의 분포와 수준에 변화가 나타났다.[47] 이로부터 치은연하세균계의 변화에 금연이 중요한 역할을 가지는 것으로 보인다. 따라서 흡연자에서 치주치료의 통합적 부분으로 금연이 고려되어야 한다.

5) 임상적 적용

흡연은 치주염의 위험을 증가시키고 치주치료에 대한 반응을 불량하게 한다. 구강위생이 양호한 흡연자에서 비외과적 처치로 질환이 개선될 수 있으나 임플란트 식립술 등의 외과적 처치에 대한 성공률이 감소한다. 흡연자는 치은염과 탐침 시 출혈이 적어 치주부착소실과 골소실을 인지하기 힘들다. 따라서 포괄적인 치주검사에 치주낭 측정과 전악 방사선검사가 필요하다.

임상가는 흡연환자에게 심한 치주조직파괴에 대한 감수성이 높고 외과적 처치 후 반응이 나쁠 수 있음을 알려주어야 한다. 그래서 금연하고자 하는 마음을 갖게 하고 금연하는데 도움을 주어야 한다. 니코틴 대체요법과 행동의 변경은 20% 성공도를 보이며, 금연약물의 전신 투여(bupropion과 varenicline 등)는 1년 금연율 10% 정도를 추가적으로 높여주지만 부작용(경련, 부정맥, 빈맥, 우울증, 자살충동)이 있을 수 있어 내과의사 감독 하에 사용되어야 한다. 치주수술에 앞서 금연이 이루어져야 하며, 환자가 계속 흡연을 지속하면 임상가는 비외과적 처치에 국한된 치료를 시행한 후 2~3개월 간격의 철저한 계속유지관리를 진행하는 게 좋다.

참고문헌

1. 김현섭, 김병옥, 한경윤 . 당뇨병 환자의 치주건강 상태에 대한 임상적 연구. 대한 치주과학회지 1993:23:27-36.
2. 민원기, 이만섭. 치주질환과 당뇨병의 연관성에 관한 연구. 대한치주과학회지 1982;12:157-164.
3. 보건복지부. 2012 국민건강통계 국민건강영양조사 제5기 3차년도(2012)
4. 이준호, 정현주, 김주한. 치주질환과 관상동맥질환의 관련성에 대한 임상적 연구. 대한치주과학회지 2005;35:111-122.
5. 정하나, 정현주, 김옥수, 김영준, 김주한, 고정태. 한국인에서 치주질환과 관상동맥질환의 관련성에 대한 염증표지자와 IL-1 유전자 다변성의 영향. 대한치주과학회지 2004;34:607-622.
6. 정현주, 류인철, 한수부, Southerland JH, Chamagne CME, Offenbacher S. Establishment of a mouse model of infection-induced atheroma formation. 치주병원균 국소감염을 통한 mouse model 동맥경화병소 연구. 대한치주과학회지 2003;33:113-126.
7. 조규성, 이정태, 최성호 ,이승원, 채중규, 김종관. 흡연이 치주 판막술 후 치유에 미치는 영향. 대한치주과학회지 1999;29:103-115.
8. 최은정, 구영, 류인철, 함병도, 윤보현, 한수부, 정종평, 최상묵. 임산부의 치주질환 활성도와 조산과의 상관관계에 대한 연구. 대한치주과학회지 2000;30:111-120.
9. 한승희, 김경화 양승민, 정현주, 최윤식, 한수부, 정종평, 류인철. Mechanism by which periodontitis may contribute to atherosclerosis. 대한치주과학회지 2002;32:837-846.
10. AAP Position paper. Tobacco use and the periodontal patient. J Periodontol 1999;70:1419.
11. Ah MKB, Johnson GK, Kaldahl WB. The effect of smoking on the response to periodontal therapy. J Clin Periodontol 1994;21:91.
12. Albandar JM, Streckfus CF, Adesanya MR. Cigar, pipe and cigarette smoking as risk factors for periodontal disease and tooth loss. J Periodontol 2000;71:1874-1881.
13. Aldridge JP, Lester V, Watts TLP, et al. Single-blind studies of the effects of improved periodontal health on metabolic control in type 1 diabetes mellitus. J Clin Periodontol 1995;22:271-275.
14. American Diabetes Association Standards of Medical Care in Diabetes—2009. Diabetes Care 2009;32(suppl1):s13-s61.
15. Azarpazhooh A, Leake JL. Systematic review of the association between respiratory diseases and oral heath. J Periodontol 2006;77:1465-1482.
16. Beck JD, Garcia RG, Heiss G, et al. Periodontal disease and cardiovascular disease. J Periodontol 1996;67:1123-1137.
17. Beck JD, Offenbacher S, Williams R, et al. Periodontitis: a risk factor for coronary heart disease? Ann Periodontol 1998;3:127-141.
18. Beck JD, Offenbacher S. The association between periodontal diseases and cardiovascular diseases: a state-of-the-art review. Ann Periodontol 2001;6:9-15.
19. Beck JD, Koch GG, Rozier RG. Prevalence and risk indicators for periodontal attachment loss in a population of older community-dwelling blacks and whites. J Periodontol 1990;61:521-528.
20. Bergstrom J, Floderus-Myrhed B. Co-twin control study of the relationship between smoking and some periodontal disease factors. Community Dent Oral Epidemiol 1983;11:113-116.
21. Bergstrom J, Preber H. The influence of cigarette smoking on the development of experimental gingivitis. J Periodont Res 1986;21:668-676.
22. Bergstrom J, Persson L, Preber H. Influence of cigarette smoking on vascular reaction during experimental gingivitis. Scand J Dent Res 1988;96:34-39.

23. Bergstrom J. Oral hygiene compliance and gingivitis expression in cigarette smokers. Scand J Dent Res 1990;98:497–503.
24. Bergstrom J, Eliasson S, Dock J. A 10–year prospective study of tobacco smoking and periodontal health. J Periodontol 2000;71:1338–1347.
25. Bolin A, Eklund G, Frithiof L. The effect of changed smoking habits on marginal alveolar bone loss: a longitudinal study. Swed Dent J 1993;17:211–216.
26. Bostrum L, Linder LE, Bergstrom J. Clinical expression of TNF–α in smoking–associated periodontal disease. J Clin Periodontol 1998;25:767–773.
27. Califano JV, Schifferle RE, Gunsolley JC. Antibody reactive with porphyromonas gingivalis serotypes K1–6 in adult and generalized early–onset periodontitis. J Periodontol 1999;70:730–735.
28. Chiu B. Multiple infections in carotid atherosclerotic plaques. Am Heart J 1999;138(suppl):s534–s536.
29. Choi YH, Baek HJ, Song KB, Han JY, Kwon HJ, Lee SG. Prevalence of periodontitis and associated risk factors in Korean adults: Korean National Oral Health Survey 2006. J Kor Acad Periodontol 2009:39 (2) Suppl; 261–268.
30. Christan C, Dietrich T, Hagewald S, et al. White blood cell count in generalized aggressive periodontitis after non–surgical therapy. J Clin Periodontol 2002;29:201–206.
31. Christgau M, Pallitzsch KD, Schmalz G, et al: Healing response to non–surgical periodontal therapy in patients with diabetes mellitus: clinical, microbiological and immunological results J Clin Periodontol 1998;25:112–124.
32. Codd EE, Swim AT, Bridges RB. Tobacco smokers' neutrophils are desensitized to chemotactic peptide–stimulated oxygen uptake. J Lab Clin Med 1987;110:648–652.
33. Collins JG, Smith MA, Arnold RR, et al: Effects of a Escherichia coli and Porphyromonas gingivalis lipopolysaccharide on pregnancy outcome in the golden hamster. Infect Immun 1994;62:4652–4655.
34. Collins JG, Windley III HW, Arnold RR, et al. Effects of a Porphyromonas gingivalis infection on inflammatory mediator response and pregnancy outcome in hamsters. Infect Immun 1994;62:4356–4361.
35. Craig RG, Yip JK, So MK, et al. Relationship of destructive periodontal disease to the acute–phase response. J Periodontol 2003;74:1007–1016.
36. D'Aiuto F, Parkar M, Andreou G, et al. Periodontitis and systemic inflammation: control of the local infection is associated with a reduction in serum inflammatory markers. J Dent Res 2004;83:156–160.
37. D'Aiuto F, Parkar M, Tonetti MS. Acute effects of periodontal therapy on bio–markers of vascular health. J Clin Periodontol 2007;34:124–129.
38. Danielsen B, Manji F, Nagelkerke N. Effect of cigarette smoking on the transition dynamics in experimental gingivitis. J Clin Periodontol 1990;17:159–164.
39. Dasanayake AP. Poor periodontal health of the pregnant woman as a risk factor for low birth weight. Ann Periodontol 1998;3:206–212.
40. DeNardin E. The role of inflammatory and immunological mediators in periodontitis and cardiovascular disease. Ann Periodontol 2001;6:30–40.
41. DeStefano F, Andra RF, Kahn HS, et al. Dental disease and risk of coronary heart disease and mortality. Br Med J 1993;306:688–691.
42. Dietrich T, Jimenez M, Krall Kaye EA, Vokonas PS. Age dependent associations between chronic periodontitis: edentulism and risk of coronary heart disease. Circulation 2008;117:1668–1674.
43. Dinsdale CR, Rawlinson A, Walsh TF. Subgingival temperature in smokers and nonsmokers with periodontal disease. J Clin Periodontol 1997;24:761–766.
44. Drangsholt MT. A new causal model of dental diseases associated with endocarditis. Ann Periodontol 1998;3:184–196.
45. El–Solh AA, Pietrantoni C, Bhat A, et al. Colonization of dental plaques. A reservoir of respiratory pathogens for hospital–acquired pneumonia in institutionalized elders. Chest 2004;126:1575–1582.
46. Feldman RS, Alman JE, Chauncey HH. Periodontal disease indexes and tobacco smoking in healthy aging men. Gerodontics 1987;3:43–46.
47. Fullmer SC, Preshaw PM, Heasman PA, Kumar PS. Smoking cessation alters subgingival microbial recolonization. J Dent Res 2009;88:524–528
48. Garcia RI, Krall EA, Vokonas PS. Periodontal disease and mortality from all causes in the VA Dental Longitudinal Study. Ann Periodontol 1998;3:339–349.
49. Geerts SO, Nys M, De MP, et al. Systemic release of endotoxins induced by gentle mastication: association with periodontitis severity. J Periodontol 2002;73:73–78.
50. Gibbs RS. The relationship between infections and adverse pregnancy outcomes: an overview. Ann Periodontol 2001;6:153–163.
51. Grau AJ, Buggle F, Heindl S, et al. Recent infection as a risk factor for cerebrovascular ischemia. Stroke 1995;26:373–379.

52. Grau AJ, Buggle F, Steichen-Wiehn C, et al. Clinical and biochemical analysis in infection-associated stroke. Stroke 1995;26:1520-1526.
53. Grau AJ, Buggle F, Ziegler C, et al. Association between acute cerebrovascular ischemia and chronic and recurrent infection. Stroke 1997;28:1724-1729.
54. Grossi SG, Skrepcinski FB, DeCaro T, et al. Treatment of periodontal disease in diabetics reduces glycated hemoglobin. J Periodontol 1997;68:713-719.
55. Grossi SG, Skrepcinski FB, DeCaro T. Response to periodontal therapy in diabetics and smokers. J Periodontol 1996;67:1094-1102-607.
56. Grossi SG, Zambon J, Machtei EE. Effects of smoking and smoking cessation on healing after mechanical therapy. J Am Dent Assoc 1997;128:599.
57. Gunsolley JC, Pandey JP, Quinn SM. The effect of race, smoking and immunoglobulin allotypes on IgG subclass concentrations. J Periodont Res 1997;32:381-387.
58. Güntsch A, Erler M, Preshaw PM, Sigusch BW, Klinger G, Glockmann E. Effect of smoking on crevicular polymorphonuclear neutrophil function in periodontally healthy subjects. J Periodontal Res. 2006;41:184-188.
59. Haber J, Wattles J, Crowley M. Evidence for cigarette smoking as a major risk factor for periodontitis. J Periodontol 1993;64:16-23.
60. Haffajee AD, Cugini MA, Dibart S. The effects of scaling and root planing on the clinical and microbiologic parameters of periodontal diseases. J Clin Periodontol 1997;24:324-334.
61. Haffajee AD, Socransky SS. Relationship of cigarette smoking to the subgingival microbiota. J Clin Periodontol 2001;28:377-388.
62. Hanioka T, Tanaka M, Ojima M. Oxygen sufficiency in the gingiva of smokers and nonsmokers with periodontal disease. J Periodontol 2000;71:1846-1851.
63. Haraszthy VI, Zambon JJ, Trevisan M, et al. Identification of periodontal pathogens in atheromatous plaques. J Periodontol 2000;71:1554-1560.
64. Hayes C, Sparrow D, Cohen M, et al. The association between alveolar bone loss and pulmonary function: the VA Dental Longitudinal Study. Ann Periodontol 1998;3:257-261.
65. Heasman L, Stacey F, Preshaw PM, et al. The effect of smoking on periodontal treatment response: a review of clinical evidence. J Clin Periodontol 2006;33:241-253.
66. Heitz-Mayfield LJ. Peri-implant diseases: diagnosis and risk indicators. J Clin Periodontol 32:196-209, 2008.
67. Herzberg MC, Meyer MW. Dental plaque, platelets and cardiovascular diseases. Ann Periodontol 1998;3:151-160.
68. Herzberg MC. Coagulation and thrombosis in cardiovascular disease: plausible contributions of infectious agents. Ann Periodontol 2001;6:16-19.
69. Hill GB. Preterm birth: associations with genital and possibly oral microflora. Ann Periodontol 1998;3:222-232.
70. Hill GB. The microbiology of bacterial vaginosis. Am J Obstet Gynecol 1993;169:450-454.
71. Hinode D, Tanabe S, Yokoyama M, et al. Influence of smoking on osseointegrated implant failure: a meta-analysis. Clin Oral Implants Res 2006;17:473-478.
72. Holm G. Smoking as an additional risk for tooth loss. J Periodontol 1994;65:996-1001.
73. Hughes FJ, Syed M, Koshy B, et al. Prognostic factors in the treatment of generalized aggressive periodontitis: II: Effects of smoking on initial outcome. J Clin Periodontol 2006;33:671-676.
74. Hujoel P. Grading the evidence: the core of EBD. J Evid Based Dent Pract 2008;8:116-118.
75. Ismail AI, Morrison EC, Burt BA. Natural history of periodontal disease in adults: findings from the Tecumseh periodontal Disease Study. J Dent Res 1990;69:430-435.
76. Janket S, Baird AE, Chuang S, Jones JA. Meta-analysis of periodontal disease and risk of coronary heart disease and stroke. Oral Surg Oral Med Oral Pathol Oral Radiol Endod 2003;95:559-569.
77. Janket S, Qvarnstrom M, Muerman JH, et al. Asymptomatic dental score and prevalent coronary heart disease. Circulation 2004;109:1095-1100.
78. Jansson L, Lavstedt S, Frithiof L. Relationship between oral health and mortality rate. J Clin Periodontol 2002;29:1029-1034.
79. Jette AM, Feldman HA, Tennstedt SL. Tobacco use: A modifiable risk factor for dental disease among the elderly. Am J Public Health 1993;83:1271-1276.
80. Johnson GK, Guthmiller JM. The impact of cigarette smoking on periodontal disease and treatment. Periodontol 2000 2007;44:178-194.
81. Kaldahl WB, Johnson GK, Patil KD. Levels of cigarette consumption and response to periodontal therapy. J Periodontol 1996;67:675-681.

82. Kalra J, Chandhary AK, Prasad K. Increased production of oxygen free radicals in cigarette smokers. Int J Exp Pathol 1991;72:1–7.
83. Kenney EB, Kraal JH, Saxe SR. The effect of cigarette smoke on human oral polymorphonuclear leukocytes. J Periodont Res 1977;12:227–234.
84. Ketabi M, Hirsch RS. The effects of local anesthetic containing adrenaline on gingival blood flow in smokers and non-smokers. J Clin Periodontol 1997;24:888–892.
85. Kinane DF, Radvar M. The effect of smoking on mechanical and antimicrobial periodontal therapy. J Periodontol 1997;68:467.
86. Kinane DF. Periodontal disease's contributions to cardiovascular disease: an overview of potential mechanisms. Ann Periodontol 1998;3:142–150.
87. Klokkevold PR, Han TJ. How do smoking, diabetes, and periodontitis affect outcomes of implant treatment? Int J Oral Max Impl 2007;22(Suppl):173–202.
88. Kornman KS, Duff GW. Candidates genes as potential links between periodontal and cardiovascular diseases. Ann Periodontol 2001;6:48–57.
89. Kornman KS. Mapping the pathogenesis of periodontitis: a new look. J Periodontol 2008;79:1560–1568.
90. Krall EA, Garvey AJ, Garcia RI. Alveolar bone loss and tooth loss in male cigar and pipe smokers. J Am Dent Assoc 1999;130:57–64.
91. Kweider M, Lowe GD, Murray GD, et al. Dental disease, fibrinogen and white cell counts: links with myocardial infarction? Scott Med J 1993;38:73–74.
92. Locker D, Leake JL. Risk indicators and risk markers for periodontal disease experience in older adult living independently in Ontario, Canada. J Dent Res 1993;72:9–17.
93. Lockhart PB, Brennan MT, Sasser HC, et al. Bacteremia associated with toothbrushing and dental extraction. Circulation 2008;117:3118–3125.
94. Löe H. Periodontal disease: the sixth complication of diabetes mellitus Diabetes Care 1993;16(suppl1):329–334.
95. Loos BG, Craandijk J, Hoek FJ, et al. Elevation of systemic markers related to cardiovascular diseases in the peripheral blood of periodontitis patients. J Periodontol 2000;71:1528–1534.
96. Lopez NJ, Smith PC, Gutierrez J. Higher risk of preterm birth and low birth weight in women with periodontal disease. J Dent Res 2002;81:58–63.
97. Lowe GD. Etiopathogenesis of cardiovascular disease: hemostasis, thrombosis, and vascular medicine. Ann Periodontol 1998;3:121–126.
98. MacFarlane GD, Herzberg MC, Wolff LF. Refractory periodontitis associated with abnormal polymorphonuclear leukocyte phagocytosis and cigarette smoking. J Periodontol 1992;63:908–913.
99. Magnussen I, Walker CB. Refractory periodontitis or recurrent disease. J Clin Periodontol 1996;23:289–292.
100. Mattila KJ, Nieminen MS, Valtonen VV, et al. Association between dental health and acute myocardial infarction. Br Med J 1989;298:779–781.
101. Mattila KJ, Valle MS, Nieminen MS, et al. Dental infections and coronary atherosclerosis. Atherosclerosis. 1993;103:205–211.
102. Mattila KJ, Valtonen VV, Nieminen M, et al. Dental infection and the risk of new coronary events: prospective study of patients with documented coronary artery disease. Clin Infect Dis 1995;20:588–592.
103. Mattila KJ. Dental infections as a risk factor for acute myocardial infarction. Eur Heart J 1993;14:51–53.
104. Mattila KJ. Viral and bacterial infections in patients with acute myocardial infarction. J Intern Med 1989;225:293–296.
105. McCormick MC. The contribution of low birth weight to infant mortality and childhood morbidity. N Engl J Med 1985;312:82–90.
106. McDonald HM, O'Loughlin JA, Jolley P, et al. Vaginal infections and preterm labour. Br J Obstet Gynecol 1991;98:427–435.
107. Mealey BL, Oates TW. Diabetes mellitus and periodontal diseases. J Periodontol 2006;77:1289–1303.
108. Mealey BL. Influence of periodontal infections on systemic health. Periodontology 2000 1999;21:197–209.
109. Mealey BL. Periodontal implications: medically compromised patients. Ann Periodontol 1996;1:256–321.
110. Mehta JL, Saldeen TG, Rand K. Interactive role of infection, inflammation and traditional risk factors in atherosclerosis and coronary artery disease. J Am Coll Cardiol 1998;31:1217–1225.
111. Meinberg TA, Canarsky-Handley AM, McClenahan AK, et al. Outcomes associated with supportive periodontal therapy in smokers and nonsmokers. J Dent Hyg 2001;75:15–19.
112. Merijohn GK, Bader JD, Frantsve-Hawley J, Aravamudhan K. Clinical decision support chairside tools for evidence-based dental practice. J Evid Based Dent Pract 2008;8:119–132.
113. Miller LS, Manwell MA, Newbold D, et al. The relationship between reduction in periodontal inflammation and diabetes control: a report of 9 cases. J Periodontol 1992;63:843.

114. Morales WJ, Schorr S, Albritton J. Effect of metronidazole in patients with preterm birth in preceding pregnancy and bacterial vaginosis: a placebo-controlled double-blind study. Am J Obstet Gynecol 1994;171:345-347.

115. Morozumi T, Kubota T, Sato T, et al. Smoking cessation increases gingival blood flow and gingival crevicular fluid. J Clin Periodontol 2004;31:267-272.

116. Nair P, Sutherland G, Palmer RM, et al. Gingival bleeding on probing increases after quitting smoking. J Clin Periodontol 2003;30:435-437.

117. Newman HN. Focal infection. J Dent Res 1996;75:1912-1919.

118. Newman MG, Caton JG, Gunsolley JC. The use of the evidence-based approach in a periodontal therapy contemporary science workshop. Ann Periodontol 2003;8:1-11.

119. Offenbacher S, Barros SP, Beck JD. Rethinking periodontal inflammation. J Periodontol 2008;79:1577-1584.

120. Offenbacher S, Jarad HL, O'Reilly PG, et al. Potential pathogenic mechanisms of periodontitis-associated pregnancy complications. Ann Periodontol 1998;3:233-250.

121. Offenbacher S, Katz V, Fertik G, et al. Periodontal disease as a possible risk factor for preterm low birth weight. J Periodontol 1996;67:1103-1113.

122. Ostergaard L, Anderson PL. Etiology of community-acquired pneumonia: evaluation by transtracheal aspiration, blood culture, or serology. Chest 1993;104:1400-1407.

123. Page RC. The pathobiology of periodontal diseases may affect systemic diseases: inversion of a paradigm. Ann Periodontol 1998;3:108-120.

124. Papapanou PN. Periodontal disease: Epidemiology. Ann Periodontol 1996;1:1-36.

125. Papapanou PN. Risk assessments in the diagnosis and treatment of periodontal diseases. J Dent Educ 1998;62:822-839.

126. Payne JB, Johnson GK, Reinhardt RA. Nicotine effects on PGE_2 and IL-1β release by LPS-treated human monocytes. J Periodont Res 1996;31:99-104.

127. Persson L, Bergstom J. Smoking and vascular density of healthy marginal gingival. Eur J Oral Sci 1998;106:953-957.

128. Preber H, Bergstrom J. Cigarette smoking in patients referred for periodontal treatment. Scad J Dent Res 1986;94:102-108.

129. Preber H, Bergstrom J. The effect of non-surgical treatment on periodontal pockets in smokers and nonsmokers. J Clin Periodontol 1986;13:319-323.

130. Preber H, Bergstrom J, Linder LE. Occurrence of periopathogens in smoker and nonsmoker patients. J Clin Periodontol 1992;19:667-671.

131. Preshaw PM, Lauffart B, Zak E, et al. Progression and treatment of chronic adult periodontitis. J Periodontol 1999;70:1209-1220.

132. Preshaw PM, Heasman L, Stacey F, et al. The effect of quitting smoking on chronic periodontitis. J Clin Periodontol 2005;32:869-879.

133. Ramseier CA. Potential impact of subject-based risk factor control on periodontitis. J Clin Periodontol 2005;32:283-290.

134. Renvert S, Dahlen G, Wikstrom M. The clinical and microbiologic effects of non-surgical periodontal therapy in smokers and nonsmokers. J Clin Periodontol 1998;25:153-157.

135. Ridker PM, Silvertown J. Inflammation, C-reactive protein and atherothrombosis. J Periodontol 2008;79:1544-1551.

136. Rosen PS, Marks MH, Reynolds MA. Influence of smoking on long-term clinical results of intrabony defects treated with regenerative therapy. J Periodontol 1996;67:1159-1163.

137. Ross RL. Atherosclerosis—an inflammatory disease. N Engl J Med 1999;342:115-126.

138. Ryder MI, Fujitaki R, Johnson G. Alterations of neutrophil oxidative burst by in vitro smoke exposure: implications for oral and systemic diseases. Ann Periodontol 1998;3:76-87.

139. Ryder MI, Pons B, Adams D, et al. Effects of smoking on local delivery of controlled-release doxycycline as compared to scaling and root planing. J Clin Periodontol 1999;26:683-691.

140. Sammalkorpi K. Glucose intolerance in acute infections. J Intern Med 1989;225:15-19.

141. Saremi A, Nelson RG, Tulloch-Reid M, et al. Periodontal disease and mortality in type 2 diabetes. Diabetes Care 2005;28:27-32.

142. Scabbia A, Cho KS, Sigurdsson TJ, et al. Cigarette smoking negatively affects healing response following flap debridement surgery. J Periodontol 2001;72:43-49.

143. Scannapieco FA, Bush RB, Paju S. Associations between periodontal disease and risk for nosocomial bacterial pneumonia and chronic obstructive pulmonary disease: a systematic review. Ann Periodontol 2003;8:54-69.

144. Scannapieco FA, Papandonatos GD, Dunford RG. Associations between oral conditions and respiratory disease in a national sample survey population. Ann Periodontol 1998;3:251–265.
145. Scannapieco FA, Stewart EM, Mylotte JM. Colonization of dental plaque by respiratory pathogens in medical intensive care patients. Crit Care Med 1992;20:740–745.
146. Schenkein HA, Gunsolley JC, Koertge TE. Smoking and its effects on early–onset periodontitis. J Am Dent Assoc 1995;126:1107–1113.
147. Seinost G, Wimmer G, Skerget M, et al. Periodontal treatment improves endothelial dysfunction in patients with severe periodontitis. Am Heart J 2005;149:1050–1054.
148. Selby C, Drost E, Brown D. Inhibition of neutrophil adherence and movement by acute cigarette smoke exposure. Exp Lung Res 1992;18:813–827.
149. Selective Decontamination of the Digestive Tract Trialist's Collaborative Group: Meta–analysis of randomised controlled trials of selective decontamination of the digestive tract. Br Med J 1993;307:525–532.
150. Seymour GJ, Ford PJ, Cullinan MP, et al. Relationship between periodotnal infections and systemic disease. Clin Microbiol Infect 2007;13(suppl4):3–10.
151. Sgolastra F, Severino M, Pietropaoli D, Gatto R, Monaco A. Effectiveness of periodontal treatment to improve metabolic control in patients with chronic periodontitis and type 2 diabetes: A meta–Analysis of randomized clinical trials. J Periodontol 2013;84:958–73
152. Smith GT, Greenbaum CJ, Johnson BD, et al. Short–term responses to periodontal therapy in insulin–dependent diabetic patients. J Periodontol 1996;67:794–802.
153. Soder B. Neutrophil elastase activity, levels of prostaglandin E2, and matrix metalloproteinase–8 in refractory periodontitis sites in smokers and nonsmokers. Acta Odont Scandinavica 1999;57:77–82.
154. Spodick DH, Flessas AP, Johnson MM. Association of acute respiratory symptoms with onset of acute myocardial infarction: prospective investigation of 150 consecutive patients and matched control patients. Am J Cardiol 1984;53:481–482.
155. Stoltenberg JL, Osborn JB, Pihlstrom BL. Association between cigarette smoking, bacterial pathogens and periodontal status. J Periodontol 1993;64:1225–1230.
156. Strietzel FP, Reichart PA, Kale A, et al. Smoking interferes with the prognosis of dental implant treatment: a systematic review and meta–analysis. J Clin Periodontol 2007;34:523–544.
157. Syrjanen J, Peltola J, Valtonen V, et al. Dental infections in association with cerebral infarction in young and middle–aged men. J Intern Med 1989;225:179–184.
158. Tangada SD, Califano JV, Nakashima K. The effect of smoking on serum IgG_2 reactive with Actinobacillus actino–mycetemcomitans in early–onset periodontitis. J Periodontol 1997;68:842–850.
159. Taylor GW, Burt BA, Becker MP, et al. Severe periodontitis and risk for poor glycemic control in patients with non– insulin–dependent diabetes mellitus. J Periodontol 1996;67:1085–1093.
160. Teeuw WJ, Gerdes VE, Loos BG. Effect of periodontal treatment on glycemic control of diabetic patients: a systematic review and meta–analysis. Diabetes Care 2010;33:421–427.
161. Terpenning M. The relationship between infection and chronic respiratory diseases: an overview. Ann Periodontol 2001;6:66–70.
162. Thorstensson H, Kuylensteirna J, Hugoson A. Medical status and complications in relation to periodontal disease experience in insulin–dependent diabetics. J Clin Periodontol 1996;23:194–202.
163. Tomar SL, Asma S. Smoking–attributable periodontitis in the United States: findings from NHANES Ⅲ. J Periodontol 2000;71:743–751.
164. Tonetti MS, Pini–Prato G, Cortellini P. Effect of cigarette smoking on periodontal healing following GTR in infrabony defects. J Clin Periodontol 1995;22:229–234.
165. Tonetti MS. Cigarette smoking and periodontal diseases: etiology and management of disease. Ann Periodontol 1998;3:88–101.
166. Tonetti MS, D'Aiuto F, Nibali L, et al. Treatment of periodontitis and endothelial function. New Engl J Med 2007;356:911–920.
167. Trombelli M, Kim CK, Zimmerman GJ. Retrospective analysis of factors related to clinical outcome of guided tissue regeneration procedures in infrabony defects. J Clin Periodontol 1997;24:366–371.
168. Williams RC, Mahan CJ. Periodontal disease and diabetes in young adults. JAMA 1960;172:776–778.
169. Williams RC. Understanding and managing periodontal diseases: a notable past, a promising future. J Periodontol 2008;79:1552–1559.
170. Wu T, Trevisan M, Genco RJ, et al. Examination of the relation between periodontal health status and cardiovascular risk factors: serum total

and high density lipoprotein cholesterol, C-reactive protein, and plasma fibrinogen. Am J Epidemiol 2000;151:273-282.

171. Wu T, Trevisan M, Genco RJ, et al. Periodontal disease and risk of cerebrovascular disease: the first National Health and Nutrition Examination Survey and its follow-up study. Arch Intern Med 2000;160:2749-2755.

172. Yki-Jarvinen H, Sammalkorpi K, Koivisto VA, et al. Severity, duration and mechanism of insulin resistance during acute infections. J Clin Endocrinol Metab 1989;69:317-323.

173. Zambon JJ, Grossi SG, Machtei EE. Cigarette smoking increases the risk for subgingival infection with periodontal pathogens. J Periodontol 1996;67:1050-1054.

174. Zaremba M, Gorska R, Suwalski P, Kowalski J. Evaluation of the incidence of periodontitis-associated bacteria in the atherosclerotic plaque of coronary blood vessels. J Periodontol 2007;78:322-327.

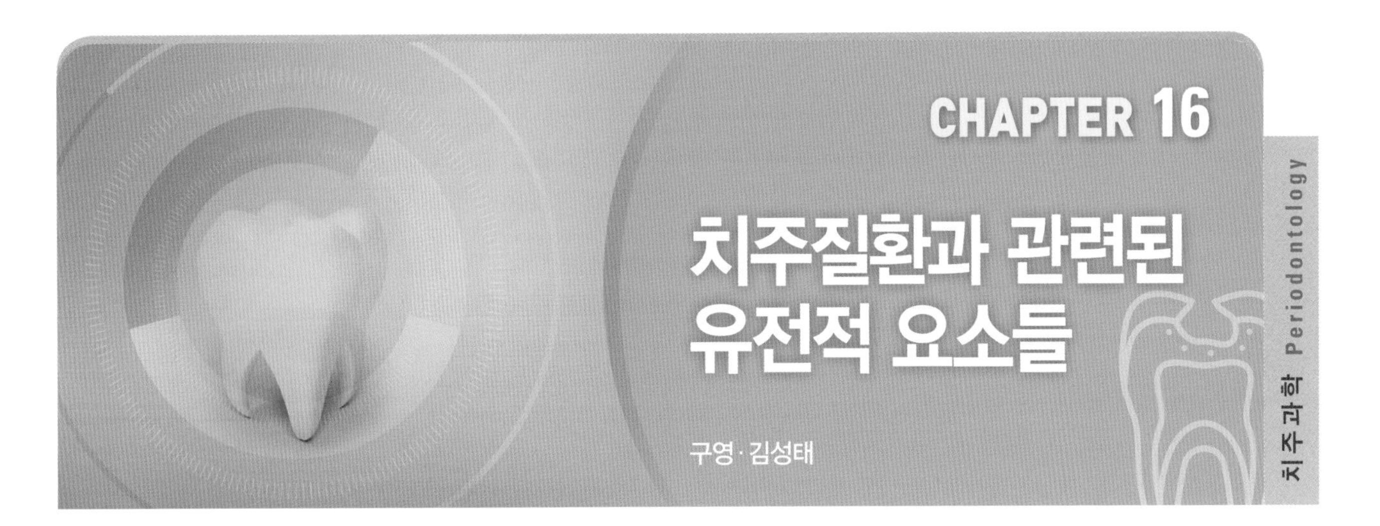

전통적으로 치주염은 환경적인 원인에 의해 생겨난다고 생각되어 왔다. 하지만 환경적인 원인만으로 설명할 수 있는 경우는 일부분에 지나지 않았다. Löe 등[1]은 구강위생이 불량하며, 치과치료를 받지 않는 사람들을 대상으로 한 연구에서, 일부 사람들은 치주질환이 빠른 속도로 진행되는 데 비해, 다른 사람들은 치주질환이 거의 발생하지 않거나, 아예 발생하지 않는다는 사실을 발견하였다. 이런 차이는 환경의 어떤 발견되지 않은 요소 때문이거나, 환자 자신의 질병 감수성의 차이 때문일 것이다. 환자의 질병 감수성은 유전적인 요소와 관련이 있으므로, 최근 치주영역에서의 유전적인 위험성을 규명하고, 질병 감수성을 결정하는 특정한 유전적 변이를 밝혀내는 데 관심이 집중되고 있다. 현재 질병 감수성에 유전자가 어떤 역할을 하는지에 관해서는 많이 알려져 있지 않다. 이번 장의 목적은 유전적인 위험성을 알기 위해 어떤 시도를 하는지에 대해 개략적으로 알아보고, 여러 형태의 치주질환과 관련된 유전적인 위험 요소들에 대해 생각해 보는 것이다.

미국 치주 학회(AAP)는 치주질환과 관련해 진단기준을 만들었다. 진단은 1차적으로 질병의 진행 속도에 근거한다. Localized juvenile periodontitis와 generalized juvenile periodontitis라는 용어는 localized aggressive periodontitis와 generalized aggressive periodontitis라는 말로 대치되었다. 비록 급진성 치주염(aggressive periodontitis)은 어느 연령층에도 나타날 수 있지만, 통상적으로 사춘기를 전후해 시작된다. 이전에 유년형 치주염(juvenile periodontitis)은 사춘기에서 20대 초반까지의 상대적으로 좁은 연령층의 경우를 의미하였고, 성인형 치주염(adult periodontitis)은 35세 이상의 환자에서 나타나는 만성질환을 의미했다. 이제 만성 치주염(chronic periodontitis)은 천천히 혹은 중등도의 속도로 진행하는 질병을 의미한다.

이번 장에서 나오는 연구들은 기존의 진단 분류에 기초하고 있으므로, 질환을 말할 때 기존의 나이 제한에 근거하는 질환을 의미한다.

1. 유전적 연구 디자인의 개관

한 개체의 독특한 유전 암호 체계는 DNA (deoxyribo nucleic acid)를 이루는 nucleotide bases (adenine, thymine, cytosine, guanine)의 배열에 들어 있다. 인간의 genome은 22쌍의 상염색체(autosome)와 2개의 성염색체에 포함된 30억쌍 이상의 염기들로 구성되어 있다. 유전자는 exon이라 불리는 끊어진 절편들에 포함된 nucleotide base가 배열되어 있는 것이다. Exon은 DNA template를 만들어 신체의 모든 발생학적, 생리학적, 면역학적 과정을 조절하는 polypeptide가 만들어질 수 있게 한다. 최근 연구에 따르면 인간의 게놈(genome)에는 대략 25,000에서 35,000개의 유전자가 들어 있다.

한 유기체의 유전적인 구성을 유전형(genotype)이라고 하고, 특성들을 모아 놓은 것을 표현형(phenotype)이라고

한다. Phenotype은 유전자와 환경의 상호작용에 의해 결정된다. 특성과 질병들은 한 개의 유전자에 의해 일어날 수도 있고(monogenic), 여러 유전자들에 의해 일어날 수도 있으며(oligogenic), 많은 유전자들에 의해 일어날 수도 있다(polygenic). 질병의 원인에 유전적인 요소와 환경적인 요소가 모두 포함될 경우, multifactorial하다고 하며, 대부분의 질병들이 이에 해당한다.

염색체의 특정한 위치를 locus라고 하며, locus에서 핵산 배열의 변이를 대립유전자(allele)라고 한다. 주어진 한 locus에서 homologous chromosome상의 대립유전자가 동일하다면 homozygous라고 하고, 대립유전자가 다르다면 heterozygous라고 한다. 어떤 대립유전자는 phenotype에서 큰 변화를 일으킬 수 있는 반면, 다른 유전자들은 큰 영향을 끼치지 않는다. 개체간에 형태가 다른 것은 coding region에서의 대립유전자의 영향에 의한 것일수도 있고, 혹은 유전자의 transcription이나 expression을 조절하는 flanking noncoding region상의 대립유전자의 영향일 수도 있다.

Genetic marker라는 말은 염색체(chromosome)상의 특정 부위에서 발견될 수 있는 유전자나 nucleotide sequence를 의미한다. 유전학적인 견해로 보면, 충분히 polymorphic한 어떤 유전자도 disease allele의 위치를 표시하는데 이용할 수 있다. Huntington's disease 같은 monogenic disorder에서 유전자의 역할과, 치주염 같은 multifactorial disease에서 유전자의 역할은 중요한 차이가 있다. Monogenic disorder에서는 유전자가 원인 요소라고 할 수 있다. 왜냐하면, 돌연변이를 일으킨 대부분의 사람이 그 질환을 앓기 때문이다. 이 경우 환경적인 요소는 phenotype을 결정하는 데 중요한 역할을 하지 못한다. 이와 반대로, multifactorial disease와 관련된 유전자는 susceptibility gene (혹은 좀더 정확히 말하자면, susceptibility allele)라고 불린다. 이 경우, susceptibility allele를 가지고 있는 사람은 파괴적인 환경에 노출되기 전까지는 이런 질병에 걸리지 않을 것이다. 치주질환의 경우 중요한 환경적 요소로 그람 음성 혐기성 세균(gram negative anaerobic microorganism), 흡연, 불량한 구강위생 등을 들 수 있다.

치주질환 같은 흔한 질환의 susceptibility에 유전자가 관련된다는 생각은 새롭다거나 혁명적이지 않다. 치주질환의 경우 발병원인이 매우 복잡하기 때문에, 치주조직의 발생이라든지, 면역체계에 영향을 미치는 수많은 유전자들에 생기는 변이가 어떤 사람이 질병에 걸릴 위험에 영향을 끼칠 수 있다. 혹자는 모든 특성과 질환에는 약간의 유전적인 변이가 관련되어 있기 때문에 단순히 이 사실을 확인하는 것은 큰 가치가 없다고 생각할 수도 있다. 일단 질환의 유전적인 근거가 밝혀지면, 어떤 대립유전자가 phenotype에 유의할만한 영향을 미치는지, 또한 그 질병의 대립유전자를 밝힘으로써 질병의 예방, 진단 및 치료가 개선될 수 있는지 밝혀내는 것은 매우 중요하다. 유전적인 근거를 밝히는 일은 좀더 쉬울 수 있지만, 후자에 대한 것은 과학적인 측면, 윤리적인 측면, 공중보건적인 측면에서 논란이 예상된다.

1) 유전자 분리모형 분석(Segregation analysis)

유전병은 가족을 통해 전해진다. 세대 간에 계승되는 양상은 질병의 대립유전자가 상염색체에 있는지 성염색체에 있는지, 또한 우성인지 아니면 열성인지 혹은 부분적으로 관통하는지(penetrance), 완전히 관통하는지에 따라 다르게 나타난다. 일반적으로 우성 allele가 heterozygote에서 표현형을 결정한다. 열성 allele은 homozygous chromosome상에 같이 존재할 경우에만 phenotype을 결정한다. Penetrance는 특정 표현형이 유전형에서 생겨날 수 있는 가능성을 의미한다. Partially penetrance라는 말은 특정 질병의 대립유전자를 가진 개체의 일부만이 그 질환에 이환된다는 것을 의미한다.

Segregation analysis에서는 유전자가 다양한 방식으로 전달될 경우에, 질병의 관찰되는 양상과 기대되는 양상을 비교한다. 이 방식의 통계적인 힘은 여기에 참여하는 가족의 수와 구성, 질병의 heterogeneity에 달려 있다. Heterogeneity는 해당 가족에서 질병에 다양한 원인이 있는 경우를 의미한다. 일반적으로 segregation analysis는 heterogeneity를 해결할 힘이 부족하다. 또한 유전적인 요소와 가족 간에 병적인 유기체가 전달되는 것 같은 측정 안되는 환경적인 요소를 구별할 수도 없다.

2) 쌍생아 연구(Twin study)

Complex diseases에서 유전적인 요소와 환경적인 요소의 상대적인 영향은 twin data를 통해 밝힐 수 있다. 전통적인 쌍생아 연구에서는 공통유전자의 영향을 평가하기 위해 함께 양육된 일란성 쌍둥이와 이란성 쌍둥이를 비교한다. 일란성 쌍둥이는 유전적으로 똑같지만, 이란성 쌍둥이는 평균 50% 정도의 유전자만 공유한다. 양 쌍둥이가 모두 이환된 경우에 일치율(concordance rate)이 우세하다고 평가할 경우, 일반적으로 일란성 쌍둥이가 이란성 쌍둥이보다 크게 나타난다. 연속적인 측정을 위해 치주낭 깊이나 부착상실 등을 계산해볼 수 있다. 이런 관련성은 쌍둥이 내에서보다는 쌍둥이 사이에서 좀더 많은 변이가 있음을 보여준다. 전통적으로 twin data는 유전력을 평가하기 위해 사용된다. Heritability는 유전형 변이(genetic variation)에 따른 표현형 변이(phenotypic variation)의 비율을 의미한다. 즉 heritability가 50%라는 말은 개체 변이의 반이 유전적인 변이 때문이라는 것을 의미한다. 이는 이환된 부모의 후손 중 반이 영향받을 것이라는 것을 의미하지는 않는다. Heritability를 정확히 평가하기 위해서는 함께 양육된 많은 수의 쌍둥이가 필요하다.

Heritability는 또한 일란성 쌍둥이 중 태어날 때 떨어져서 다른 환경에서 자라난 사람들을 대상으로도 연구할 수 있다. 그들은 공통된 환경을 가지고 있지 않으므로, 쌍둥이간의 유사성은 공통된 유전자 때문일 것이다(분리되서 길러진 쌍둥이들은 자궁에서의 환경을 공유하게 되는데, 이 환경이 질환에 영향을 미치는 정도까지 일란성 쌍둥이에서 평가된 heritability는 인위적으로 부풀려질 수 있다). 비록 이런 연구는 전통적인 twin design보다 강력하지만 이런 쌍둥이가 희소하므로 이런 연구는 거의 이루어지지 않는다.

어떤 평가 방법을 사용하건 간에 heritability는 개체와 관련이 있는 것이 아니라, 집단과 관련이 있다. 더욱이 이런 평가방법은 특정 환경에 노출된 특정 인구에 유전자가 끼치는 영향을 나타낸다. 따라서 쌍생아 연구만으로는 질병이 전달되는 양상이라든지, disease allele의 수·위치 등을 알기는 힘들다.

3) 연관성 연구(Linkage and association study)

연관성 연구는 질병의 대립유전자가 염색체의 어떤 특정 부위에 있는지 알기 위해 사용한다. 이 연구에서는 대립유전자가 감수분열(meiosis) 동안 분리되는 특정한 방식을 조사한다. Gametogenesis 동안 diploid cell은(각 대립유전자가의 2N copy를 가지고 있음) 분리되어 haploid (각 parental allele의 한 copy만을 가지고 있음)가 된다. 다른 locus의 2개의 대립유전자가 재결합할 가능성은(recombination 혹은 crossover event라고 함) 일반적으로 그 두 대립유전자 사이의 거리에 달려 있다. Genome상에서 무작위로 선택된 2개의 대립유전자는 재결합할 것이고, 어떤 모계 혹은 부계 대립유전자가 함께 후손에게 전달될 가능성은 50%이다. 하지만, 근처 locus의 대립유전자는 함께 갈라지려는 경향이 있고, 따라서 연결되려는 경향이 있다. 질병과 함께 분리되는 genetic marker를 연구함으로써, 연구자들은 putative disease allele의 위치를 추론할 수 있다. 똑같은 marker allele이 모든 영향받은 가족에서 질병의 대립 유전자와 함께 전달될 필요는 없고, 질병의 대립 유전자와 연결된 marker가 disease와 관련이 없을 수도 있다. Allelic association (linkage disequilibrium)은 같은 marker allele이 다수의 가족에서 질병과 관련이 있는 경우에 일어난다(그림 16-1).

Linkage study에서는 다수의 이환된 사람들이 속해있는 가족이나 가계도를 이용한다. 이환된 구성원과 이환되지 않은 구성원의 genotype이 결정된 뒤 특정 inheritance model에서 complex statistical model을 이용해 marker allele과 질병이 같이 분리되는지 결정한다. 이 모델에서 밝혀내야 하는 지표는 mode of inheritance, marker allele의 빈도, disease penetrance이다. Linkage를 평가하기 위해 사용되는 summary statistic은 logarithm of the odds (LOD) score이며 이것은 marker와 disease alleles가 연결되어 있을 가능성 대 연결되지 않을 가능성을 측정하는 방식이다. 비록 질적인 특성을 위해서는 linkage analysis가 행해지지

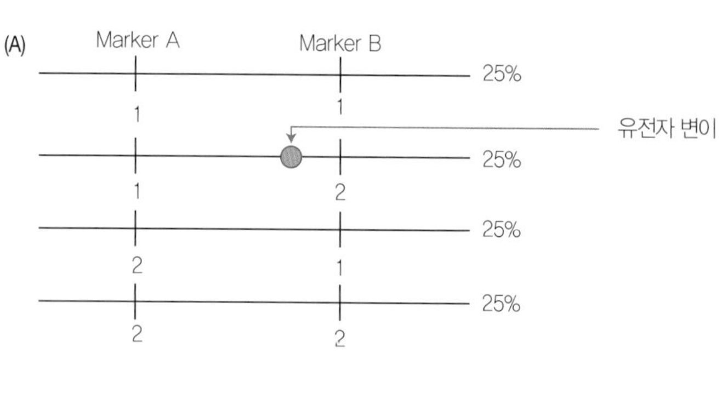

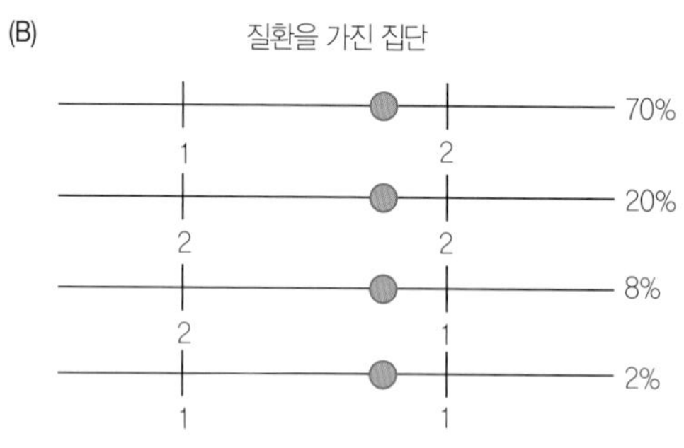

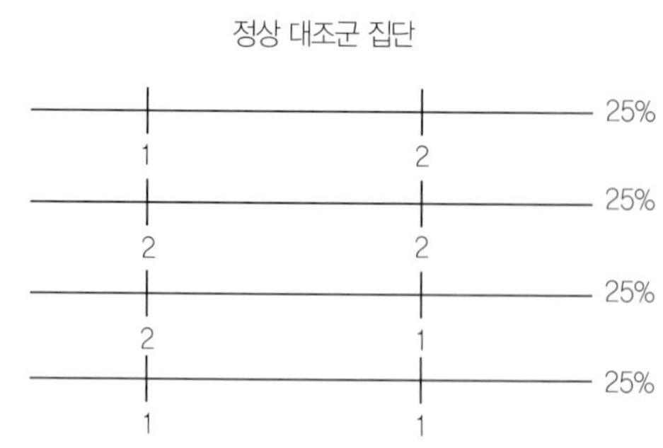

그림 16-1. Disease locus (DL)와 두 개의 연결된 locus A와 B의 linkage disequilibrium
DL유전자 변이가 A1, B2 반수체형(haplotype)에서 처음 나타난 후, 몇 세대가 지나면 다른 반수체형에서도 나타난다.

만, 양적인 특성과 관련된 linkage를 평가하기 위한 방법도 개발되었다. 일단 특정 부위와의 linkage가 밝혀지더라도 실제 disease allele과 mutation을 밝혀내는 일은 쉽지 않다. 만일 marker와 disease allele 사이가 20~30 centi-Morgan (cM) 이내로 떨어져 있다면, linkage를 감지해낼 수 있다. 인간에서 1 cM은 대략 1백만 nucleotide bases를 의미한다. 돌연변이를 찾아 2,000~3,000만 염기쌍을 조사하는 것은 현재로서는 힘든 일이므로 특정 부위를 조사하기 위한 fine marker mapping이 관심을 끌고 있다. 다행히도 human genome의 암호를 푸는 일이 빠르게 진행되고 있기 때문에, 일단 linkage가 얻어지면 근처의 관련된 유전자를 밝혀내는 일이 가능할 것이다.

Association (linkage disequilibrium)에 대한 연구에서는 해당 locus에서 allele의 빈도가 질환이 있는 경우와 건강한 경우에 어떻게 달라지는지 비교한다. 비록 genetic epidemiology에서는 많이 사용되긴 하지만, case-control study에서 나온 연관성(association) 연구의 결과는 주의깊게 해석해야 한다. 연관성이 있다고 해서 반드시 질병과 대립유전자 사이에 biologic link가 있는 것은 아니기 때문이다. 이는 어쩌면 해당 개체에서 marker와 질환을 동시에 증가시키는 어떤 환경적인 원인 때문일 수도 있고, 인종집단 간의 밝혀지지 않은 차이 때문일 수도 있으며, 단순히 우연일수도 있다. 이계 교배되거나 무작위로 교배된 집단에서 보여지는 true linkage disequilibrium은 질환과 marker alleles가 염색체상에서 매우 근접해 있음을 의미한다.

Association (linkage disequilibrium)이라는 말은 특정 환경에서 질병을 일으킬 수 있는 대립유전자가 있음을 의미한다. 이 말은 치주염 같은 흔한 다인성 질환(multifactorial disease)을 언급할 때 필수적이다. 한 집단에서 질환을 예측하는 데 이용되는 대립유전자는 다른 집단에서는 유용하지 않을 수 있으며, 같은 집단이라도 환경이 달라지면 유용하지 않을 수 있다. 예를 들어, 특정세균 항원(bacterial antigens)에 대한 humoral response에 영향을 미치는 유전자가 그 집단에서 polymorphic하다고 가정하여 보자. Low response 혹은 disease allele를 가지고 있는 사람이라면 이 항원을 발현하는 병적 미생물에 저항할 수 없으므로 병인이 존재하는 경우, low-response allele를 가지고 있는 사람은 질환에 걸리게 된다. 반면, 이 특정 bacteria가 존재하지 않거나 드문 경우에는 질병과 이 대립유전자 사이에 아무런 관련성이 없다. 따라서 "high-risk" alleles라는 말은 환경과 관련이 있다.

2. 조기발생형 치주질환 (Early onset periodontal diseases)

조기발생형 치주질환(Early onset periodontal disease, EOP)은 어린이, 청소년, 젊은 성인에서 발생하는 진행속도가 빠른 치주염을 의미한다. EOP에서의 치주 파괴 속도는 성인형 혹은 만성적인 형태의 것보다 더 빠르다. 비록 진단은 임상적, 방사선적 기준하에서 이루어지지만 각 질병 내에서 면역학, 미생물학적 형상은 다양할 수 있다. 이런 다양성은 같은 표현형이라도 다양한 원인이 존재할 수 있고(etiologic heterogeneity), 다른 집단군에서 다른 유전적 위험인자가 작용할 수 있으므로(genetic heterogeneity), disease allele를 발견하는 과정을 복잡하게 한다. 현재까지 대부분의 EOP에 관한 연구는 genetic heterogeneity를 풀기에는 통계적으로 불충분하다. 이런 질환이 임상적으로 나타나는 다양성 및 이 질환에 대한 진단을 내릴 수 있는 제한된 기준 등은 감수성 유전자를 발견하는 과정을 더욱 어렵게 한다. 그럼에도 불구하고, 여러 연구들은 EOP에 대한 위험성은 유전적일 수 있다고 제시한다.

1) Associations with genetic and inherited conditions

EOP는 많은 유전질환의 공통된 특징이다. Sofaer[2]와 Hart[3] 등에 의해 상세히 검토된 이 질환들은 주요 유전자들이 EOP에 대한 위험에 영향을 미칠 수 있음을 보여준다. 이 질환들은 결과산물인 단백질과 생화학적인 결함에 의해 분류되었다. 즉, mutant allele은 phagocytic immune cell의 기능, 상피, 결합조직, 치아의 구조에도 영향을 끼칠 수 있다. 특정상황에서 그 상태와 관련있는 특정유전자, 조직 결함 등이 밝혀졌지만, 다른 상황에서는 밝혀지지 않았다.

Hypophosphatasia는 tissue-nonspecific alkaline phosphatase gene에 돌연변이가 생겨 발생하는 질환이다. 이 질환은 alkaline phosphatase에 결함을 유발하고, 이로 인해 비정상적인 골광화, 골격 기형, 백악질 저형성증 등을 일으키게 된다. 이 질환에 대한 autosomal dominant form과 recessive form이 모두 보고되었다. 비록 infantile form은 대개 치명적이지만, 다소 약한 형태로 아이, 성인에서 일어날 수 있다. 이런 경우 유치의 조기상실이 일어날 수 있고, 때로 영구치가 상실될 수 있다.

Papillon-Lefèvre syndrome (PLS)는 드문 autosomal recessive disorder로 과각화증 및 EOP가 그 특징이며, 영구치와 유치가 모두 영향받을 수 있다. PLS는 chromosome 11에 위치한 cathepsin C 유전자의 돌연변이에 의해 발생한다.[4]

Cathepsin C는 cysteine protease로 상피조직과 PMN을 포함한 면역세포 등의 조직에서 높은 비율로 나타난다. 이는 protein degradation, 면역세포 및 염증세포에서 proenzymes의 활성화 등에 작용하는 것으로 보인다. PLS 환자들은 cathepsin C 활성이 결여되어 있으며, mutant homozygote (부모에서 똑같은 돌연변이를 물려받은 경우)거나, compound heterozygote (양 부모로부터 다른 돌연변이를 물려받은 경우)이게 된다.

일부 PLS 환자에서 EOP는 A.a. (*Aggregatibacter actinomycetemcomitans*)와 관련되어 있다. PLS 환자에서 치주조직의 파괴는 A.a.를 박멸함으로써 멈출 수 있는데, 이는

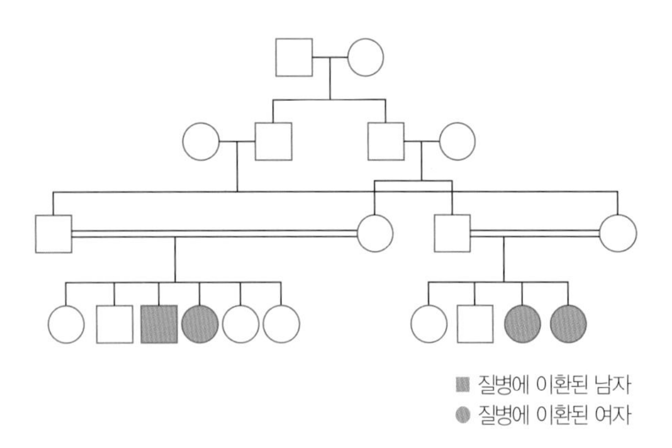

그림 16-2. 사춘기전 치주염의 가계도
Cathepsin C gene의 유전변이가 질병에 이환된 사람들은 homozygous이며, 그들의 부모들(서로 사촌지간)은 heterozygous이다.

EOP가 genetic mutation의 결과라기 보다는, 고도로 예민한 개체에서 특정 세균에 감염되어 발생한 것이 아닐까 하고 의심해 볼 수 있다.

Acatalasia, leukocyte adhesion deficiency, Chediak–Higashi syndrome 등은 치주감염에 대한 방어에서 탐식세포가 얼마나 중요한지 보여준다. 전부는 아니지만, 많은 prepubertal periodontitis 환자는 phagocytic cell 기능에 어떤 유전적인 결함이 있다. 이 질환과 관련된 immunologic defect는 상당할 수 있으며, 환자들은 대개 치주염외에 전신적인 감염으로 고생한다. 비록 이런 질환들과 관련된 mutant allele는 흔하지 않을 수 있지만, 다른 같은 locus에 있는 좀 더 흔한 alleles를 EOP의 nonsyndromic form에 대한 marker로 이용할 수 있다. 한 요르단(Jordanian) 가족에서 nonsyndromic prepubertal periodontitis에 걸린 환자가 cathepsin C gene 돌연변이에 대해 homozygous한 것으로 발견되었다(그림 16–2).[5]

치주조직에 도달하기 위해 혈관에서 유래한 phagocyte는 혈관벽에 붙어 이를 뚫고 지나가야 한다. Phagocyte와 혈관의 내피상의 표면분자들이 이 부착을 중개한다. 백혈구에서 발현되는 이 표면분자들은 unique subunit과 common subunit으로 구성된다. 이런 분자들이 거의 없을 경우, 백혈구 세포들은 혈관 내피세포에 붙을 수 없고, 세포성 면역반응이 방해받게 된다. 백혈구 부착분자에 유전적인 결함을 가진 환자는 EOP, 특히 사춘기전 치주염(prepubertal periodontitis)에 걸릴 가능성이 많아지게 된다. Leukocyte adhesion deficiency의 2가지 형태가 보고되었고, 각각의 형태는 서로 다른 adhesion molecule에 문제를 보인다. 두 개의 mutant allele을 가진 homozygotes는 leukocyte adhesion molecule이 급격히 줄어들며 치주염을 포함한 재발성 감염으로 고통받게 된다. 반면에 한 개의 mutant allele을 가진 heterozygote에서 질병이 나타날 가능성은 50% 이며, 비록 heterozygote에서 세포부착은 정상이라 하더라도, 성인발생형 질환에 걸릴 위험성은 높아지게 된다.

2) Segregation analysis of early onset periodontitis

수 년간 유년형 치주염(juvenile periodontitis, JP)은 특정 가족에서 호발한다고 알려져 있었다. 이는 이 질환이 유전적인 근거가 있다는 사실을 암시하기는 했지만, 아직까지 그것이 입증되지는 못했다. 특정가족에서 호발한다는 사실은 환경요인을 공유하기 때문일 수도 있다. 하지만 JP가 유전적인 근거가 있다는 증거는 여러 곳에서 발견된다.

JP에 대한 대부분의 연구에서 국소적 JP와 전반적 JP는 같은 질환의 다른 변이로 생각되어 왔다. 이 생각은 양 형태가 같은 가족에서 빈번하게 나타난다는 보고에 의해 지지되었다. 하지만 두 개의 드문 질환이 같은 가족에서 나타나게 될 가능성은 극히 적다. 또한 prepubertal periodontitis와 JP가 같은 가족에서 나타나는 것이 보고되었는데, 이는 이 질환들이 genetic risk factor를 공유할 것이라는 점을 암시한다. 또한 EOP의 다른 형태들이 같은 개체에서 연속적으로 나타나는 것도 보고되었다.

Multiplex family (이환된 성원이 1명 이상인 경우)에 대한 임상증례가 보고되고 있다. 이 가족에서 질환의 양상은 조사자로 하여금 dominant inheritance와 recessive inheritance를 제안하게 한다. 하지만, 규격화된 segregation analysis가 거의 행해지지 않았고, 그 결과도 다양하다. Melnick 등[6]은 여성 발단자(female proband)가 많다는 이유로 X-linked inheritance를 제안했다. 후에 여성발단자가 많았던 것은, 여성들이 남성들보다 치과에 자주 오고, 가계 연구에 더 많이 참여하는 데서 기인하는 선입관 때문인 것으로 밝혀졌다. 또한 초기 연구에서는 드러나지 않았던 father-to-son transmission이 후기 연구에서는 보고되었다. 핀란드 인구집단에서는 autosomal recessive mode가 강하게 주장되었다. 이는 발단자의 부모들이 이환되지 않았기 때문이다. 현재까지 미국에서 행해졌던 대부분의 연구에서 African-American과 Caucasian family에서는 autosomal dominant mode가 강하게 주장되었다. 하지만 disease allele의 빈도는 African-American에서 높게 나타나고 있는데, 이는 이 집단에서 EOP가 높은 비율로 나타나는 것을 암시한다.

Segregation analysis는 EOP의 원인에서 major gene이 중요한 역할을 할 것이라는 점을 제시해왔다. Multifactorial 혹은 polygenic mode만으로는 가족에서 관찰되는 질환의 양상을 설명하지 못한다. 하지만, 노령층에서 정확히 진단하기 힘들고, 질환이 임상적으로 다양한 모습으로 나타나며, 이 질환이 etiologic 또는 genetic heterogeneity가 있을 수 있다는 이유로, 이 연구들에서 나오는 결과는 오류에 빠지기 쉽다. Beaty 등은 EOP가 진단될 수 있는 연령층이 좁기 때문에 부정확한 inheritance model이 증가할 수 있음을 지적했다.

Schenkein[7]은 localized와 generalized EOP를 구분하며, familiy clustering을 허용하는 inheritance model을 제안했다. 그는 EOP와 bacterial lipopolysaccharide에 대한 IgG2의 반응이 dominant와 codominant 특성으로 분리될 수 있음을 제안했다. 이 model상에서 1개의 EOP allele와 2개의 high IgG2 response allele를 갖는 사람은 localized disease만을 발현하게 될 것이다. 이에 반해, 1개의 EOP allele와 1개의 IgG2 allele를 갖는 사람은 LPS에 대한 IgG2 response가 약할 것이므로 좀더 확산되는 질환을 갖게 될 것이다. 이 model은 호소력은 있지만 좀 더 많은 검증이 필요하고, 인종과 흡연이 IgG2 수준과 질환에 미치는 영향을 알기 위한 작업은 쉽지 않을 것이다.

3) Linkage studies of EOP

현재까지 EOP에 대한 linkage study는 거의 이루어지지 않았다. Boughman 등은 최초로 JP와 특정 염색체 부위 사이의 linkage를 보고하였다. 이 연구자들은 많은 수의 가족을 연구했고, JP의 autosomal dominant form이 dentinogenesis imperfecta (DGI)와 함께 분리되어 나타남을 보고하였다. Putative JP gene은 DGI에 대한 gene 근처의 chromosome 4의 long arm에 위치하고 있다.[8] 하지만 일반적으로 JP는 DGI와 함께 분리되어 나타나지 않기 때문에, 이 부위에 대한 linkage는 받아들여지지 않았다.

Saxen과 Koskimies 등은 HLA antigen을 위해 적은 수의 multiplex Finnish family를 연구하였는데, 이를 통해 JP가 이 부위와 연결되어 있지 않다고 결론지었다.[9] 한 Virginia family 연구에서 genome-wide search는 linkage가 있다고 의심되는 2개의 염색체 부위를 조사하였는데, 통계적인 유의성을 밝히는 데 실패하였다.

4) Association study of EOP

연구자들은 EOP와 관련된 allele에 대해 무작위로 찾기보다는, 후보 지역에 초점을 맞춘다. 이 지역은 질환의 pathogenesis와 관련된 enzyme, regulatory molecule에 대한 암호를 담고 있는 유전자가 있는 근처이다. EOP와 관련될 것이라고 생각되는 유전자의 수와 종류는 광범위하다. Ig receptor, LPS binding protein, prostaglandin, cytokine과 관련된 유전자의 다형성(polymorphism)은 모두 이 연구의 적당한 표지자이다. Vitamin D receptor의 polymorphism과 N-formyl-1-methionyl-1-leucyl-1-phenylalanine (FMLP) receptor의 돌연변이는 EOP의 국소적 형태와 관련이 되어 있다.

Human leukocyte antigen (HLA)는 면역 반응을 조절하는 데 관여하므로, EOP에 대한 후보 표지자로 생각되어 왔다. 40개 이상의 질환(대부분은 자가면역질환임)이 다양한 HLA와 관련되어 있다. Class I과 Ⅱ 항원에 대한 유전자는 인간에서 chromosome 6에 위치해 있다. 이 근처의 유전자들은 complement fragment와 proinflammatory cytokine, tumor necrosis factor-α 에 대한 암호를 가지고 있다.

현재 150개 이상의 HLA가 혈청학적으로 정의되어 있다. Coding sequence에 대해 상세한 분석을 하여, genotype level의 변이가 밝혀졌으며, Dimeric class Ⅱ DR antigen의 β−1분자의 암호를 해독하는 220개 이상의 allele (DRB1 allele)이 밝혀졌다. 대부분의 사람들이 주어진 표지자에 대해 heterozygote이기 때문에 이러한 변이는 linkage study를 위해서는 바람직하나, allelic association (linkage disequilibrium)에 대한 연구 시에는 문제가 된다. Antigen과 allele가 너무 많기 때문에 다수의 homogenous sample일 경우를 제외하고, 특정 HLA 유형을 가진 충분한 숫자의 사람들을 확보하기는 쉽지 않기 때문이다. 또한 무작위적으로 관련성이 발견될 가능성은 실험수가 많아짐에 따라 증가할 것이다. 예를 들어, 치주질환과 모든 알려진 HLA 사이의 관련성에 대한 연구를 고려해보면 5%의 통계학적 유의수준에서 대략 7 antigen (150 antigens×0.05)은 무작위적으로 그 질환과 관련될 것이다. 비록 multiple hypothesis를 조정하기 위한 여러 통계 방법들이 존재하지만, 그런 수정이 항상 이루어지는 것은 아니다. 치주문헌에서 HLA의 환자−대조군 연구가 많이 이루어지고 있지만, 일관된 발견은 많지 않다. 이런 불일치는 위양성 소견, 인종 구성의 차이, 특정 집단을 정의하는 데 사용하는 임상 기준의 차이, true heterogeneity 때문일 수 있다. EOP와 일관되게 관련이 있는 것으로 관찰되는 2개의 항원은 HLA−A9와 B15이다. HLA−A9와 B15를 갖는 환자가 EOP에 걸릴 가능성은 1.5~3.5배 더 높다. 반면, HLA−A2 항원은 JP 환자에서 더 적게 나타나며, 이는 이 항원이 뭔가 보호작용을 하지 않을까 하는 생각이 들게 한다. Class Ⅱ DR4 antigen은 insulin−dependent diabetes mellitus (IDDM)과 관련이 있기 때문에 특히 관심을 끈다. DR4 antigen을 가지고 있는 IDDM 환자는 치주염을 포함한 당뇨관련 합병증으로 고생할 확률이 더 크다. HLA−D antigen이 치주질환과 IDDM 사이의 관련성을 중재할 것이라는 주장이 제기되었다. Katz 등[10]은 비록 case수는 적지만, DR4 antigen이 EOP 환자에서 더 많이 나타남을 발견하였다. 하지만 다른 사람들은 아무런 관련성을 발견하지 못했다.

Interleukin (IL)−1 gene은 치주질환의 개시와 진행에서 중요한 역할을 하기 때문에 그동안 많이 연구되어 왔다. IL−1은 1차적으로 활성화된 단핵구에 의해 생산되며, 그 작용은 pleiotropic하다. 즉, 이는 bone resorption을 촉진하고, collagen systhesis를 억제하며, MMP의 작용, prostaglandin의 합성을 촉진한다.[11] IL−1은 IL−1α와 IL−1β의 2가지 형태로 존재한다. IL−1 antagonist (IL−1ra)는 IL−1 receptor와 경쟁적으로 부착함으로써 IL−1의 기능을 차단한다. 인간에서 IL−1α , IL−1β , IL−1 ra는 chromosome 2의 long arm에 밀집되어 있다. 비록 이 부위에서 여러 polymorphism이 발견되지만, 모두 IL−1의 작용 차이와 관련되어 있는 것은 아니다. 하지만 한 가지 변이(coding region에서 single nucleotide base−pair substitution 때문에 생김)가 IL−1β의 생산을 4배 증가시키는 것과 관련되어 있다. IL−1 반응의 정도는 조직파괴의 정도와 관련이 있을 수 있으므로, IL−1 gene region에서의 기능적 polymorphism은 치주질환에 대한 민감성에 영향을 미칠 수 있다.

IL−1β 대립유전자는 전반적 EOP와 linkage disequilibrium이 있다고 보고되어 왔고, 이는 최소한 하나의 disease allele가 이 IL−1β polymorphism과 매우 근접해 있다는 것을 의미한다. 이 연구에서, transmission disequilibrium test를 사용하여 linkage disequilibrium을 감지하였고, 이는 heterozygous parent에서 이환된 후손에게 전달된 경우와 전달되지 않은 경우를 대조시켰다. Unlinked marker allele이 전달될 가능성은 50%이다. 하지만, 만일 표지자와 disease allele이 linkage disequilibrium 관계에 있다면, 표지자는 50% 이상 전달될 것이다. 하지만 이 보고에서 핵가족 수는 적었고, 같은 집단에 대한 sibling pair analyse는 이 부위에 대한 linkage에 대한 증거를 거의 제시하지 못했다. 하지만 이 "고위험" IL−1β allele가 African−American에 너무 흔하고 그들이 Caucasian에 비해 이 질환에 대한 위험성이 크다는 사실로 보아, JP에 대한 진단적인 가치가 있을 수 있다.[12,13]

3. 성인의 치주질환

임상가들은 오랫동안 치주염에 대한 민감성이 인종 간에 다르다고 의심해왔다. 미국에서, African-American은 Caucasian에 비하여 치주염의 증상이 더 심했다. 그 밖에 스리랑카나 남태평양쪽 사람들은 유사한 환경의 다른 집단에 비하여 더 쉽게 질병에 이환되는 경향이 있다. 비록 이 차이가 인지되지 않은 환경적인 원인 때문일 수도 있지만, 유전적인 요인 때문일 수도 있다.

치주염과 치은염의 양상은 가족과 관련되어 있다. 이런 유사성의 근거는(공유된 환경적 요인이건 아니면 유전자이건 간에) 여러 거대한 가족 연구에서 조사되어 왔다. 초기에 일본과 하와이 아이들에 대한 연구는 치은염이 recessive gene 때문이라고 암시해왔다. 후에 하와이의 여러 인종 집단에서 치주염에 대한 유전적, 환경적 변이를 평가하기 위해 가족간의 관계가 사용되었다(예: sibling, parent-offspring). 이런 유사성은 문화적인 유사성 및 공유하는 가족 환경 때문이지, 공유하는 유전자 때문은 아니라고 결론지어졌다. Beaty 등[14]은 주로 African-American를 대상으로 한 연구에서 유사한 결과를 보고했다. 임상적인 치주 지표는 아버지와 후손 사이보다 어머니와 후손 사이에 더 관련성이 크다. 이 연구에서 형제자매의 관계는 일반적으로 낮았고, familial correlation이 없다는 가설(즉, 유전적인 효과가 없다는 가설)은 부정할 수 없었다.

1) Twin study of adult periodontitis

1940년대 초에 Michalowicz 등[15]은 일란성 쌍둥이의 치주상태가 대개 유사함을 보고하였다. Minnesota와 Virginia의 twin study는 성인형 치주염에 중요한 유전적 요소가 있다고 결론지었다. Minnesota group은 함께 양육된 쌍둥이와, 떨어져서 양육된 쌍둥이를 함께 연구하였다. 치은염, 치주낭 깊이, 부착소실의 38~82%는 유전적 변이 때문인 것으로 생각되었다. 방사선상 crestal alveolar bone height에 대한 유전적인 영향도 이 쌍둥이들에서 발견되었다. 더욱이 떨어져서 양육된 쌍둥이들은 함께 양육된 쌍둥이들과 유사하였고, 이는 환경적인 요인이 질환의 임상 양식에 큰 영향을 끼치지 않음을 의미한다. 이 환경 내에서 구강위생 행동양식이 교육되고, 병적 세균이 다른 가족구성원으로부터 전달되기 때문에 이 발견은 놀라운 일이다.

Twin study design의 유용성에도 불구하고, heritability를 정확히 평가하기 위해서는 매우 많은 표본수가 요구된다. 예를 들어, 기존 연구에서 임상 부착 상실에 대한 heritability는 48%로 평가되었다. 이 평가에서 90% confidence interval은 꽤 큰데, 이는 21~71%에 이른다.

수천 명의 성인 쌍둥이에 대한 설문조사는 치주염에 대한 유전적 요소에 대해 추가적인 증거를 제시해준다. 질병에 대한 일치율은 일란성 쌍둥이의 경우가 이란성 쌍둥이의 경우보다 더 크다(23% vs 8%). 비록 평가 방법이 의심스럽지만(쌍둥이들이 자기 자신 혹은 자기 쌍둥이 형제의 치주상태에 대해 잘 알지 못할 수도 있다), 이 발견은 같은 집단을 대상으로 한 임상 연구에서 확증되었다. 질병의 범위와 심도에 대한 유전율은 약 50% 정도이며, 이는 기존의 연구와 일치한다. 치주염의 유전적인 요소는 흡연, 치과치료, 구강위생 습관 등과 같은 행동양상과 관련 있지는 않았다. 이는 행동이 아니라 biologic mechanism을 통제하는 유전자가 질병에 대한 유전적 영향을 일으킴을 의미한다.

또한 twin design은 유전자가 구강 미생물 등에 어떤 영향을 미치는지에 관한 연구에도 이용되었다. 구강 세균은 가족 내에서 전달되며, 이는 치주염이 왜 특정 가족에서 호발하는지에 대해 부분적으로 설명해준다. 비록 세균이 구강 내로 유입되는 과정은 환경적인 일이지만, 숙주에서 장기간의 집락화는 숙주의 유전적 요소와 환경적 요소 양쪽에 의해 결정된다. 청소년 쌍둥이의 경우 관련 없는 개체의 경우보다 구강 내의 미생물이 유사하다고 보고되었다. 하지만 성인에서는 숙주 유전자나 초기 가족 환경이 치은연하치태의 치주 세균에 크게 영향을 미치지 않는다. 이런 연구들은 숙주 유전자가 초기 집락화에는 영향을 줄 수 있지만, 이 효과가 성인에서까지 지속되지는 않음을 보여준다.

2) Association study of adult periodontitis

EOP에 대한 원인 유전자로 생각되는 많은 유전자들이 Adult periodontitis (AP)의 연구에도 이용된다. 환자-대조군 연구를 이용하여 AP와 HLA antigen간의 관계를 연구하였으나 애매한 결과를 얻었다. 한 연구에서는 HLA-B5가 질환에 내성이 있는 성인에서 더 많이 발견된다고 밝혀졌다.

Kornman 등[16]은 "composite" IL-1 genotype (IL-1A와 IL-1B양쪽 위치에 최소 한 쌍의 대립유전자를 가지고 있는 경우)가 북유럽 성인에서 심한 치주염과 관련이 있다고 보고하였다. Composite genotype을 가지고 있는 비흡연자의 경우 심한 치주질환에 이환될 확률이 6.8배정도 더 높았다. 흡연자와는 어떠한 관련성도 발견할 수 없었는데 이는 어떤 환경 요인이 너무 강한 위험요소인 경우 유전적으로 결정되는 감수성이나 질환에 대한 내성 등을 압도할 수 있음을 보여준다. 이와 반대로 Gore 등은 composite genotype이 아니라, 더욱 희소한 IL-1β 대립유전자가 advanced AP에서 더 많음을 발견하였다. IL-1α과 IL-1β site는 linkage disequilibrium관계에 있으며, 이는 IL-1α 대립유전자의 역할이 그 질병 자체에 대한 영향보다는 IL-1β와의 관계 때문일 수 있음을 의미한다. EOP의 위험요소에 대한 유사한 증거들은 IL-1α 보다는 IL-1β와 더 많은 관계가 있음을 보여준다.[17]

Galbraith 등[18]은 비록 한 advanced disease를 가진 환자에서 PMN에 의한 TNF-α 생산이 증가됨이 보고되었지만, AP와 TNF-α polymorphism사이에 아무런 관계를 발견하지 못했다. Engebretson 등은 IL-1 genotype을 가지고 있는 환자인 경우 치은열구에서 IL-1의 양은 다르게 나타남을 보고하였다.[19] TNF-α 와 IL-1 variant는 functional polymorphism의 예이다. 즉 그들은 구조나 최종 단백질 산물의 생산에 영향을 미치는 coding sequence에서의 변이이다. 면역반응을 조절하는 유전자 내에서 추가적인 functional polymorphism을 발견하는 것은 치주질환에 대한 숙주 민감성을 발견하는 데 도움을 줄 것이다.

치주치료에도 불구하고 계속해서 부착상실이 일어나는 환자의 경우 난치성 치주염(refractory periodontitis)을 가지고 있다고 얘기한다. EOP와 AP 모두 치주치료에 반응을 하지 않을 수 있다. Refractory disease patient의 중성구(neutrophil)에서는 대개 어떤 기능적인 결함이 관찰된다. Kobayashi 등은 일본인을 대상으로 neutrophil IgG receptor (FcrR) polymorphism과 AP 사이에 어떤 관계가 있는지 연구하였다. IgG isotype에 대한 수용기를 해독하는 유전자 내에 있는 이 polymorphism은 다형핵 백혈구가 얼마나 효율적으로 opsonized antigens을 탐식할 수 있는지와 관계가 있다. FcrR genotype의 빈도는 AP 환자와 건강한 대조군 사이에 다르지 않았다. 하지만 질환의 재발을 경험한 환자들에서 여러 대립유전자중에서 하나의 대립유전자(FcrRⅢb-NA2)가 더 많이 발견되었다.[20] 다른 연구들에서는 FcrR genotype과 refractory disease사이에 아무런 관계가 입증되지 않았다.

4. 유전 연구의 임상 응용

치주질환의 발생에서 유전자의 역할은 최근에 이해되기 시작하고 있다. 유전적 연구는 질병에 쉽게 잘 걸리는 환자, 재발이 잘되는 환자, 질환의 결과로 치아 상실이 더 잘 일어나는 환자를 밝히는 데 도움이 될 수 있다. 하지만 이를 감시하는 도구는 여러 환자를 대상으로 검사해봐야 한다. 치주질환의 원인이 복잡하므로, 어떤 유전적인 연구도 환자 일부 집단에서만 유용할 것이다. 암(cancer) 등을 포함한 복잡한 질환들의 위험 요소를 결정하기 위한 유전적 연구는 점점 보편화되어 가고 있다. 그런 연구 결과와 더불어, 임상가들은 대중에게 유전 연구가 무엇을 할 수 있고, 결과에 어떤 영향을 미치는지에 대한 정보를 주고 그런 환자들에게 연구 전과 연구 후에 충고할 수 있는 책임을 갖게 된다.

특정 유전 위험요소에 대한 지식을 통해 임상가들은 질환에 감수성이 있는 환자를 조기에 예방하고 치료할 수 있다. 예를 들어, 병적인 세균들이 구강 내에 밀집되는 것을 조기에 예방함으로써 감수성 있는 환자들에서 질병을 예방하는데 효과적일 수 있다. 하지만 현재 감수성 있는 환자를 대상으로 하는 특정 예방과 치료는 시행되지 않고 있다.

유전정보는 치료결과를 예측하는 데 도움이 될 수도 있다. Maintenance 환자들을 대상으로 한 후향적 코호트(retrospective cohort) 연구에서 치주질환의 예후는 그 환자의 IL-1 유전형과 관련된다는 것이 밝혀진 적이 있다. 이 연구에서 composite genotype을 가지고 있는 경우 치아가 상실될 가능성이 2.7배 증가함이 보고되었다. Positive genotype과 흡연이 같이 있는 경우 치아상실률은 거의 8배까지 증가한다. 비록 다른 알려진 위험요소들에 대해 조절하기 위해서는 전향적 연구(prospective study)가 필요하지만, 이 연구는 환자의 IL-1 genotype이 미래의 질환을 예측하는 데 중요한 요소일 수 있음을 보여준다.

치주질환에 대한 유전적 위험 요소를 밝혀낸다고 해서 환경적 위험 요소를 조절하는 일을 소홀히 해도 된다는 말은 아니다. 예를 들어, 흡연은 AP의 주요한 위험 요소이다. 흡연으로 인한 질병 위험성은 어떤 유전적인 감수성이나 질병 내성을 능가하는 것으로 보인다. 흡연하는 환자에 있어서의 예방 전략에는 모든 환경 요소(흡연 포함)에 대한 것이 포함되어 있어야 한다. 또한 특정 risk allele의 파괴적인 효과를 상쇄하기 위한 새로운 치료전략이 개발될 것이다. 예를 들어, 세균의 항원에 대해 과다하게 반응할 것이라고 유전적으로 계획된 사람에게는 항염제를 사용할 수 있을 것이다.

5. 치주학에서의 유전 연구의 미래

현재 치주염의 risk allele에 대한 연구는 candidate gene region에 집중되어 있다. 현재 genetic marker의 수가 제한되어 있기 때문에 risk allele에 대한 genome-wide 연구는 가능하지 않다. Single nucleotide polymorphism (SNP)는 질병과 관련된 대립유전자에 대해 가치있는 도구일 가능성이 있다. SNP는 genome 전체에서 빈번하게(1,000 base pair 정도마다 하나) 나타나는 single base-pair substitution이다. SNP 중 단백질의 amino acid 배열을 변화시키거나 exon상에 있을 수 있는 경우는 거의 없다. 하지만 이는 역학적인 견해에서 볼 때 인구에서의 변이(variation)를 의미하므로 유용하다.

대부분의 보편적인, 복잡한 질환에 대해 관련성을 감지하기 위해서는 수만, 수십만 가지의 표지자가 필요할 것이라고 생각된다. 하지만 human genome project가 지속적으로 빠르게 진행되고 있기 대문에, 질환에 대해 중등도의 위험이 있는 경우의 경우라도 모든 대립유전자를 밝혀내는 일이 가능할 것이다. 오늘날 고혈압과 관련이 있다고 여겨지는 75개의 유전자에서 800개 이상의 SNP가 밝혀졌다. 치주질환의 경우에도 유사한 수의 candidate SNP가 존재할 것이며, 특히 면역 반응을 조절하는 물질을 생산하는 유전자에서 존재할 것이다.

현재까지 특정 치주질환과 관련된 유전자는 거의 발견되지 않았고 그를 위해 연구한 환자수는 상대적으로 적었다. 따라서 한 대립유전자나 genotype과 관련된 위험은 정확하게 평가되지 않았다. 연구에 이용할 수 있는 후보 유전자의 숫자가 증가함에 따라 잠재적으로 많은 수의 false-positive finding이 연구자로 하여금 많은 오류를 범하게 할 수 있다. 여러 다양한 연구에서 질병과와 유전자 사이의 관계가 확인되어야 하며, 유전자는 치주질환과 생물학적으로 그럴듯한 관련성이 있어야 한다.

치주염은 명백히 다원인성이며, 연구자들은 또한 중요한 환경요소와 유전적인 요소를 동시에 검사할 수 있는 연구를 계획할 필요가 있다. 인간 게놈에 많은 유전자가 있고, 구강 내에 많은 세균이 있으므로 유전자와 환경요소는 중요하지만 알려지지 않은 방식으로 상호작용하면서 질환의 위험성을 변형시킬 것이다. 매우 중요하게도, 특정 유전적인 위험요소를 밝히는 것은 학문적으로는 호소력이 있을지 모르지만, 그것을 통해 질환의 예방과 치료의 개선이 이루어지기 전에는 크게 도움이 되지 않는다.

참고문헌

1. Löe H, Anerud A, Boysen H, Morrison E. Natural history of periodontal disease in man. rapid, moderate and no loss of attachment in Sri Lankan laborers 14 to 46 years of age. Journal of clinical periodontology 1986;13:431–445.
2. Sofaer JA. Genetic approaches in the study of periodontal diseases. Journal of clinical periodontology 1990;17:401–408.
3. Hart TC, Kornman KS. Genetic factors in the pathogenesis of periodontitis. Periodontology 2000 1997;14:202–215.
4. Toomes C, James J, Wood AJ, et al. Loss-of-function mutations in the cathepsin C gene result in periodontal disease and palmoplantar keratosis. Nature genetics 1999;23:421–424.
5. Hart TC, Hart PS, Michalec MD, et al. Localisation of a gene for prepubertal periodontitis to chromosome 11q14 and identification of a cathepsin C gene mutation. Journal of medical genetics 2000;37:95–101.
6. Melnick M, Shields ED, Bixler D. Periodontosis: a phenotypic and genetic analysis. Oral surgery, oral medicine, and oral pathology 1976;42:32–41.
7. Schenkein HA, Van Dyke TE. Early-onset periodontitis: systemic aspects of etiology and pathogenesis. Periodontology 2000 1994;6:7–25.
8. Boughman JA, Halloran SL, Roulston D, et al. An autosomal-dominant form of juvenile periodontitis: its localization to chromosome 4 and linkage to dentinogenesis imperfecta and Gc. Journal of craniofacial genetics and developmental biology 1986;6:341–350.
9. Saxen L, Koskimies S. Juvenile periodontitis--no linkage with HLA-antigens. Journal of periodontal research 1984;19:441–444.
10. Katz J, Goultschin J, Benoliel R, Brautbar C. Human leukocyte antigen (HLA) DR4. Positive association with rapidly progressing periodontitis. Journal of periodontology 1987;58:607–610.
11. Kim KA, Chung SB, Hwang, et al. Correlation of expression and activity of matrix metalloproteinase-9 and -2 in human gingival cells of periodontitis patients. Journal of periodontal & implant science 2013;43:24–29.
12. Walker SJ, Van Dyke TE, Rich S, Kornman KS, di Giovine FS, Hart TC. Genetic polymorphisms of the IL-1alpha and IL-1beta genes in African-American LJP patients and an African-American control population. Journal of periodontology 2000;71:723–728.
13. Löe H, Brown LJ. Early Onset Periodontitis in the United States of America. Journal of periodontology 1991;62:608–616.
14. Beaty TH, Boughman JA, Yang P, Astemborski JA, Suzuki JB. Genetic analysis of juvenile periodontitis in families ascertained through an affected proband. American journal of human genetics 1987;40:443–452.
15. Michalowicz, B. S. Aeppli, D. Virag, J. G. et al., Periodontal findings in adult twins. Journal of Periodontology 1991;62:293–299.
16. Kornman KS, Crane A, Wang HY, et al. The interleukin-1 genotype as a severity factor in adult periodontal disease. Journal of clinical periodontology 1997;24:72–77.
17. Gore E, Sanders J, Pandey J, Palesch Y, Galbraith G. Interleukin-1β+3953 allele 2: association with disease status in adult periodontitis. Journal of clinical periodontology 1998;25:781–785.
18. Galbraith GM, Steed RB, Sanders JJ, Pandey JP. Tumor necrosis factor alpha production by oral leukocytes: influence of tumor necrosis factor genotype. Journal of periodontology 1998;69:428–433.
19. Engebretson SP, Lamster IB, Herrera-Abreu M, et al. The influence of interleukin gene polymorphism on expression of interleukin-1beta and tumor necrosis factor-alpha in periodontal tissue and gingival crevicular fluid. Journal of periodontology 1999;70:567–573.
20. Kobayashi T, Westerdaal NA, Miyazaki A, et al. Relevance of immunoglobulin G Fc receptor polymorphism to recurrence of adult periodontitis in Japanese patients. Infection and immunity 1997;65:3556–3560.

기타 참고문헌

- 신승윤 등. 치주적으로 건강한 한국인에서 IL-1β 유전자의 유전자다형성 발생빈도에 관한 연구. 대한치주과학회지. 2003;33:739–744.
- Cullinan MP, Sachs J, Wolf E. The distribution of HLA-A and B antigens in patients and their families with periodontiosis. J Periodontal Res 1980;15:177.
- Van der Velden U, Abbas F, Armand S. The effect of sibling relationship on the periodontal condition. J Clin Periodontol 1993;20:683.

02

치주질환의 치료

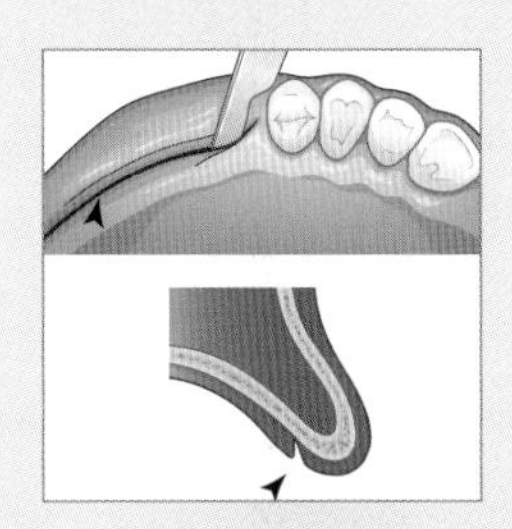

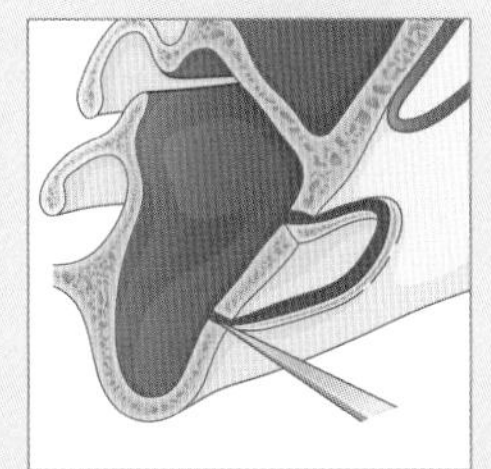

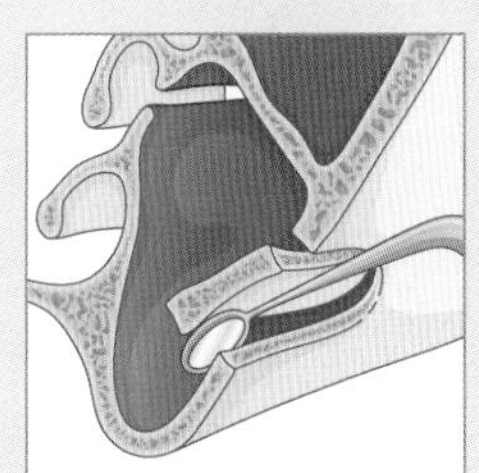

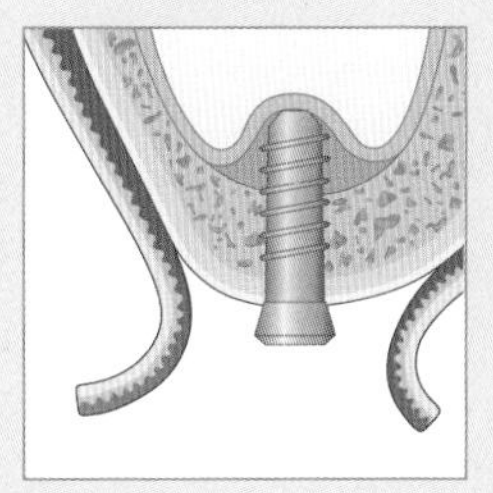

PART 01

치주치료의 기본 개념

치주질환의 예후를 정확하게 판정하고 적절한 치료계획을 수립하기 위해서는 면밀한 검사를 통하여 정보를 수집하고, 개개 환자의 치주질환을 정확하게 진단하는 것이 필요하다. 치주질환의 진단에는 원인요소에 대한 평가, 치은염증의 정도, 치아지지조직의 파괴 정도뿐만 아니라 치료의 성공과 실패에 영향을 줄 수 있는 모든 요인들에 대한 평가가 포함되어야 한다. 이런 목표를 달성하기 위해서는 치주검사와 진단의 과정이 단지 단편적인 정보만을 수집하는데 그쳐서는 안되며, 체계적인 과정을 통하여 여러 가지 소견을 종합하고 환자의 치주적인 문제를 구체화해야 한다.

1. 전신병력

전신병력은 문진을 통하여, 혹은 질문지를 이용하여 조사한다. 환자에게 ① 어떤 전신질환이나 상태가 치주질환을 악화시킬 수 있으며, ② 구강내 감염이 여러 전신질환 혹은 상태의 발생과 심도에 영향을 줄 수 있음을 설명하여, 환자가 자신의 전신 상태에 관련된 사항을 빠뜨리지 않고 성실하게 답변하도록 유도하는 것이 좋다.

치주치료나 임플란트 치료에서 발생할 수 있는 합병증을 방지하기 위하여 심혈관질환, 출혈성 질환, 감염의 위험도, 알러지 반응 등을 파악해야 한다. 환자가 복용하고 있는 약이 치주치료에 영향을 주거나 약물 상호작용을 일으킬 수 있으므로, 복용 중인 약물의 종류와 용량을 확인한다. 필요하다면 담당의사와 연락을 취하여 정확한 정보를 얻어야 한다.

2. 흡연력

흡연은 치주질환의 매우 중요한 위험요인이다. 또한, 임플란트 치료에서도 골유착 실패의 위험을 10% 정도 증가시키는 것으로 알려져 있다. 따라서 흡연 기간과 양을 포함해서 흡연력을 반드시 조사해야 한다. 흡연자에게는 흡연이 치주질환과 임플란트 실패의 위험요인임을 설명하고, 금연을 권유해야 한다.

3. 치과병력

치과 방문 빈도와 최종 방문일, 과거에 있었던 치주질환의 종류와 그 처치 등을 파악하고, 칫솔질 횟수와 방법, 사용하고 있는 칫솔과 치약의 종류, 손톱 깨물기, 혀내밀기, 구호흡, 이갈이 등의 습관 유무를 알아보는 것이 치료계획수립에 도움이 된다.

4. 구강과 그 주위조직 검사

1) 구강

초진 시 구순, 구강저, 혀, 구개, 타액 등 전체 구강을 검사하여, 비정상적인 변화가 있는지 확인해야 한다. 비록 이런 변화가 치주질환과는 관련이 없다고 하더라도, 구강조직의 미세한 변화를 면밀히 검사하여 질환을 조기에 발견하는 것은 치과의사의 기본적인 임무이다.

2) 림프절

치주질환이나 치근단병소 등의 구강질환으로 인하여 림프절의 변화가 생길 수 있으므로, 두경부 림프절은 항상 검사해야 한다. 림프절은 감염성 질환뿐 아니라 암의 전이 등으로 인해서도 붓고 딱딱해질 수 있다.

5. 치아 검사

결손치를 확인하여 보철물의 종류와 위치를 기록하고, 치아우식증이나 불량수복물도 검사하여 기록한다. 치아우식증, 수복물의 부적절한 외형이나 불량변연 등은 치태저류인자(plaque retention factor)로 작용하며, 따라서 적절한 수복치료를 해준다. 경우에 따라서는 치주치료가 끝날 때까지 임시수복물을 해주기도 한다.

부식, 마모, 교모 등의 소모성 치아질환이 있는지 검사한다. 치아의 마모는 잘못된 칫솔질 습관이나 치약의 선택으로 인한 것일 수 있고, 교모는 교합적인 문제 때문일 수 있다.

치은퇴축으로 인하여 치근면이 노출되면 냉온자극이나 기계적 자극에 동통을 느낄 수 있다. 이러한 증상을 상아질지각과민증이라 하는데, 해당 치아와 그 위치를 확인한다.

식편압입(food impaction)이 되는 부위가 있는지, 있다면 그 원인이 무엇인지도 검사한다. 치아가 인접치와 접촉을 이루지 못하거나 치간접촉이 헐거운 경우에 식편압입이 생길 수 있다. 치아접촉 상태는 치실을 이용하여 확인한다. 인접한 치아들의 변연융선이 일치하지 않거나(그림 17-1), plunger cusp(그림 17-2)가 있는 경우도 식편압입이 일어날 수 있다.

교합외상의 징후를 보이는 치아가 있는지 검사한다. 교합외상에 의해 치아는 증가된 동요를 보이며, 방사선 사진에서 치주인대의 폭이 넓어져 보이며, 수직적 골 흡수와 골내결손을 보이기도 하고, 치아가 병적으로 이동하기도 한다. 치아가 원래의 위치에서 비정상적인 위치로 이동하는 것을 병적치아이동(pathologic tooth migration)이라고 한다. 병적치아이동의 원인은 다양하며, 그 원인을 확인해야 한다.

모든 치아를 금속 기구로 가볍게 두드려 본다. 치아지

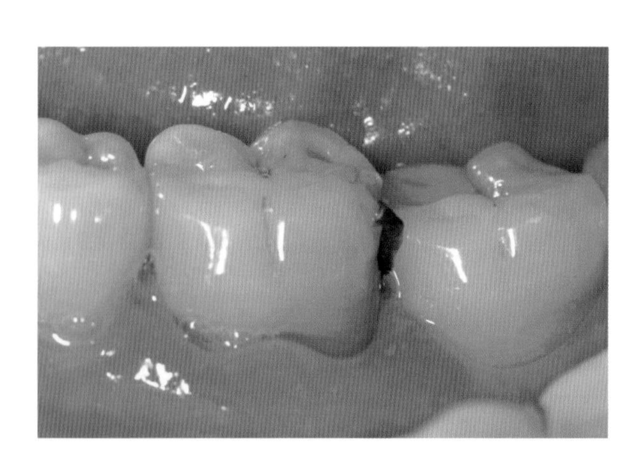

그림 17-1. 변연융선 불일치로 인한 식편압입

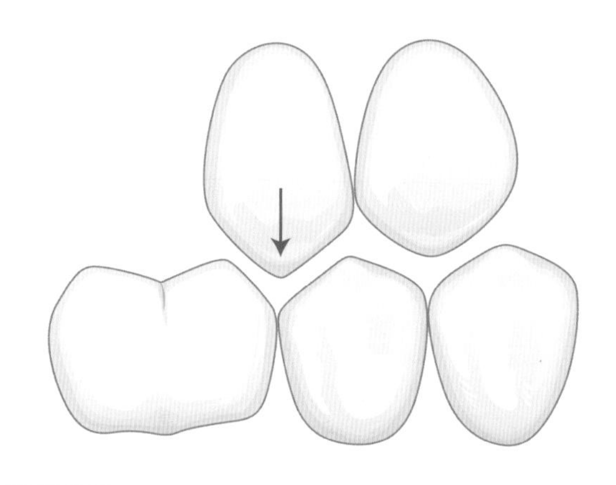

그림 17-2. Plunger cusp

지조직이 감소한 치아에서는 타진 시 둔탁한 느낌이 날 수 있다. 치주인대에 급성 염증이 있는 경우에는 타진에 민감한 반응을 보인다.

6. 치주조직 검사

1) 치태와 치석

치태와 치석의 양과 범위를 조사한다. 치아 표면을 압축공기로 건조시키고 주의 깊게 관찰하면 치은연상치태와 치은연상치석을 육안으로 관찰할 수 있다. 하지만 치은연하치석은 육안으로 관찰이 힘들며, 끝이 날카로운 탐침소자(explorer)를 이용하여 검사한다(그림 17–3). 치은변연에 가까이 위치한 치은연하치석은 치주낭으로 압축공기를 불어 치은을 치아 표면에서 들뜨게 하면 관찰할 수 있는 경우도 있다(그림 17–4). 인접면에 치석이 많이 침착된 경우는 방사선 사진에서도 나타나지만, 방사선 사진만으로 치석을 탐지하는 것은 믿을 만한 방법이 되지 못한다.

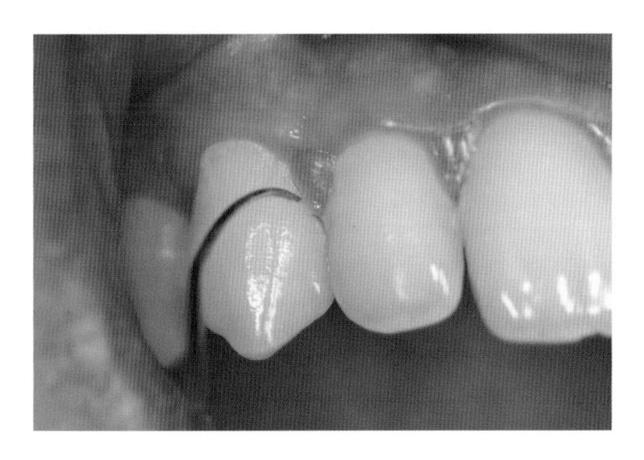

그림 17-3. 날카로운 탐침소자를 이용한 치은연하치석 검사

2) 치은

치은의 상태를 검사하기 위해서는 압축공기로 치은 표면을 건조시키고 검사한다. 치은의 색조, 크기, 외형, 견고성, 표면구조, 위치, 출혈, 동통 등을 관찰하고 정상에서 벗어난 점이 없는지 확인한다.

임상적인 관점에서 볼 때, 치은염증은 부종성 반응을 일으키기도 하고, 섬유성 반응을 일으키기도 한다. 부종성 치은반응이 있을 때, 치은은 표면이 매끈하고, 반질거리며, 연약하고, 빨갛게 보이며, 쉽게 출혈되는 경향이 있다. 부종성 반응만큼 흔하지는 않지만, 섬유성 치은반응이 나타날 수도 있다. 섬유성 치은반응이 있을 때, 치은은 단단하며, 점몰이 있고, 변연부가 둥근 형태를 가지고 있으며, 비교적 정상에 가까운 색조를 띠고, 탐침하여도 출혈되지 않는 경우가 있다(그림 17–5).

치은출혈은 빈도가 매우 높고 중요한 염증의 징후이다. 건강한 치은은 출혈을 보이지 않지만, 치은염이나 치주염에 이환된 치은은 가벼운 자극에도 출혈을 보인다. 치주

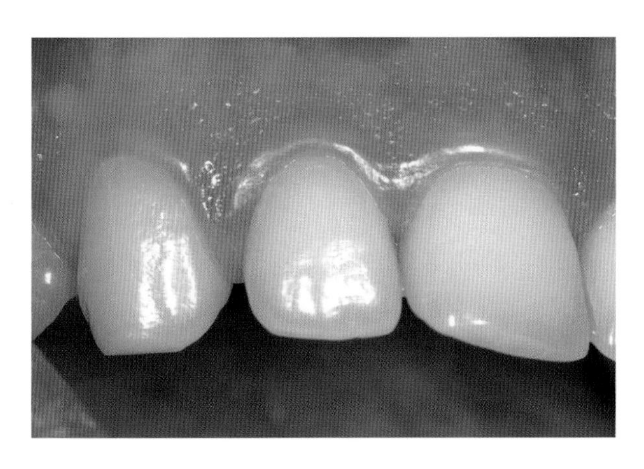

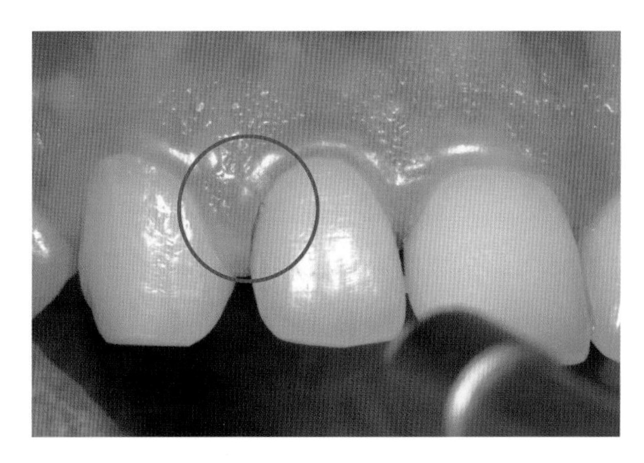

그림 17-4. 압축공기를 이용한 치은연하치석 검사

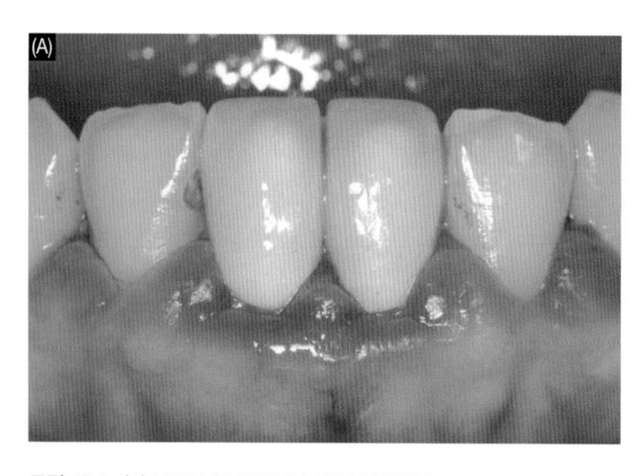

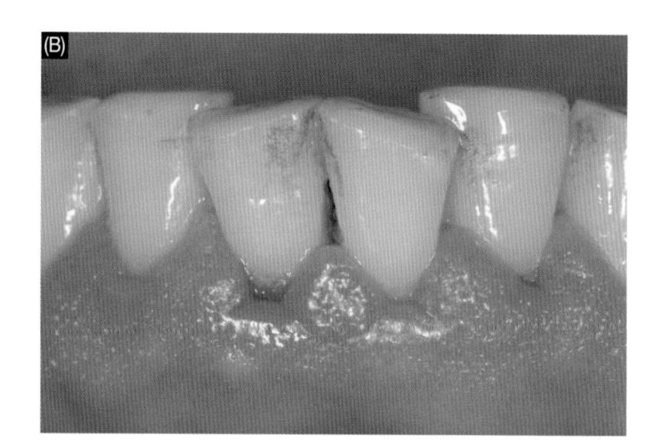

그림 17-5. (A) 부종성 치은반응 (B) 섬유성 치은반응

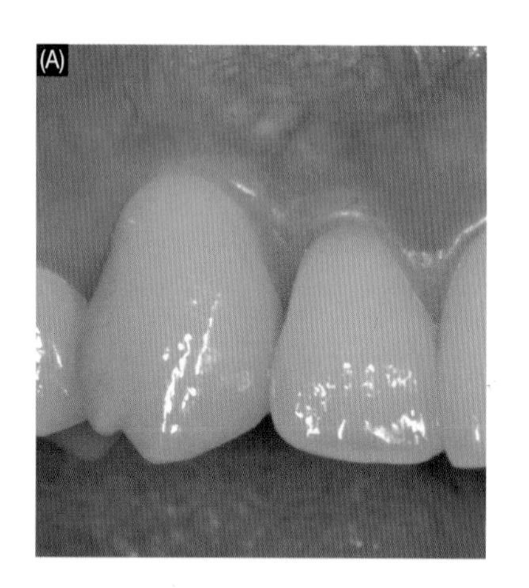

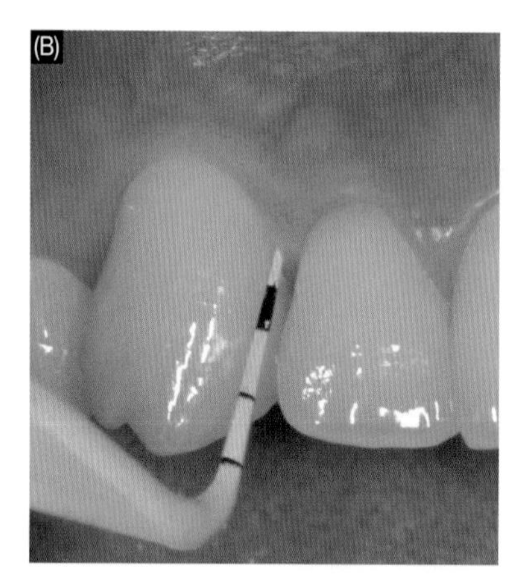

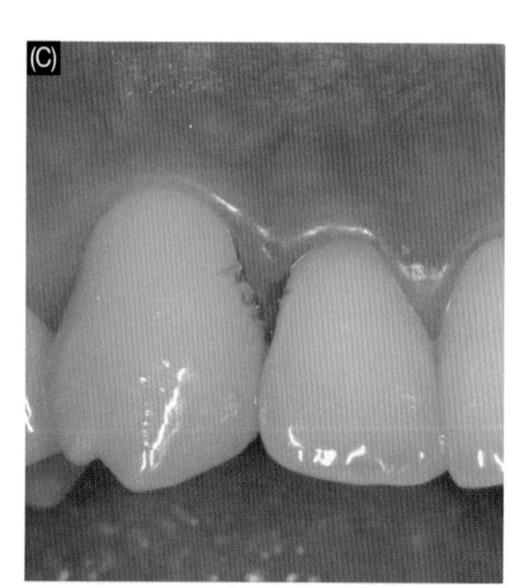

그림 17-6. 탐침 시 출혈 (A) 치은염증의 징후를 볼 수 없다. (B) 탐침 (C) 탐침 얼마 후에 치은출혈을 보인다.

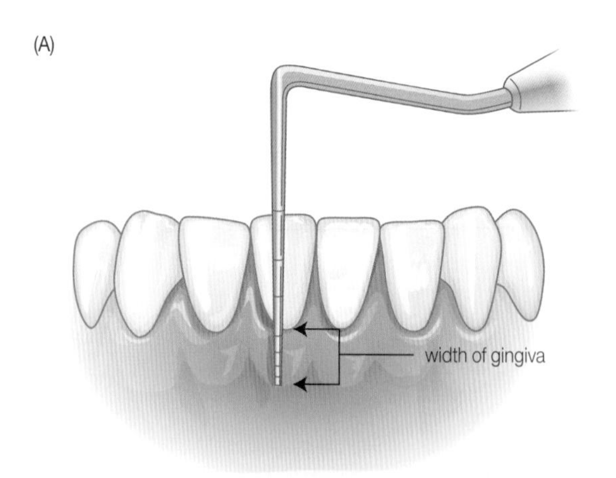

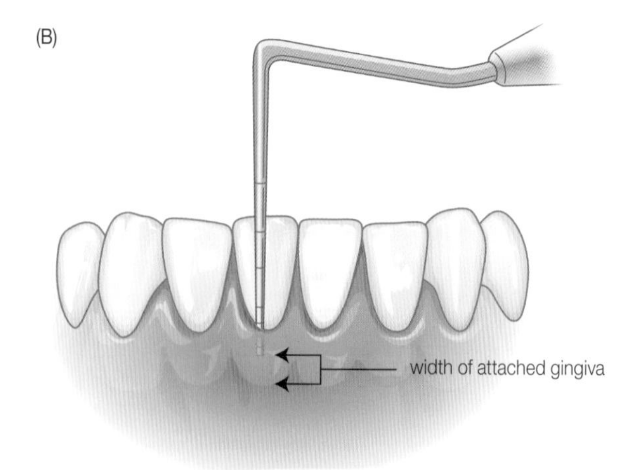

그림 17-7. (A) 치은의 폭 (B) 부착치은의 폭

낭 측정기의 측면으로 치은을 건드리거나 혹은 치은열구(혹은 치주낭)를 가볍게 탐침하면 출혈된다. 특히, 탐침 시 출혈(bleeding on probing, BOP)은 치은의 색조변화나 종창 등의 육안적인 징후보다 먼저 나타나기 때문에, 초기 치은염을 진단하는 데 있어서 매우 유용하다(그림 17-6).[1] 치주낭 측정기를 치주낭의 기저부까지 삽입하여 치면을 따라 움직인다. 치은출혈이 즉시 나타나는 경우도 있으나, 치주낭 측정기를 빼고 나서 얼마 후에 출혈이 시작되는 경우도 있다. 따라서 탐침 후 30 내지 60초 정도 지나서 출혈 여부를 다시 확인해야 한다.

치은염증을 측정하는 치은지수(gingival index, GI)나 치은열구 출혈지수(sulcus bleeding index, SBI) 등의 임상지수를 사용하면 치은염증의 정도를 수치화하여 명확하게 파악할 수 있으며, 치료 후 염증의 개선 정도를 파악할 수 있다.[2,3]

모든 경우에 그런 것은 아니지만, 치주건강을 유지하기 위해 어느 정도의 부착치은이 필요한 경우도 있다. 따라서 부착치은의 폭을 측정하고 기록하는 것은 적절한 치료계획 수립을 위해서 꼭 필요하다. 부착치은의 폭은 치은의 폭(치은점막경계에서 치은변연까지의 거리)에서 치주낭(혹은 치은열구) 깊이를 빼서 측정한다(그림 17-7). 부착치은의 폭은 하악치아의 협측과 설측, 그리고 상악치아의 협측에서 측정하며, 상악의 구개측에서는 측정하지 않는다. 상악 구개측 치은은 각화되어 있는 구개점막과 구별되지 않는다.

3) 치주낭

치주낭은 연조직의 변화로 형성되므로, 방사선 사진을 통하여 치주낭을 탐지할 수는 없다. 치주낭의 유무를 확인하고 그 정도를 측정하는 가장 정확한 방법은 치주낭 측정기를 이용하여 탐침하는 것이다. 방사선학적으로 관찰되는 치조골소실의 양상이 반드시 치주낭의 상태를 반영하는 것은 아니다.

① 치주낭 측정 방법

치주낭 측정기를 치아장축에 평행하도록 치주낭에 삽입한다. 20~30 g의 힘을 가하여 치주낭의 기저부에 치주낭 측정기의 끝이 닿도록 한다.[4] 좁고 깊은 부위를 빠뜨리지 않기 위해서는 이른바 'walking technique'으로 '걷듯이' 이동시킨다(그림 17-8). 인접면에서 치주낭 측정기를 치아장축에 평행하도록 삽입하면 치아접촉부 하방의 치주낭을 탐지하지 못할 수도 있다. 특히 이 부위에는 치간부 함몰(interdental crater)이 있을 수 있으므로 약간 기울여 삽

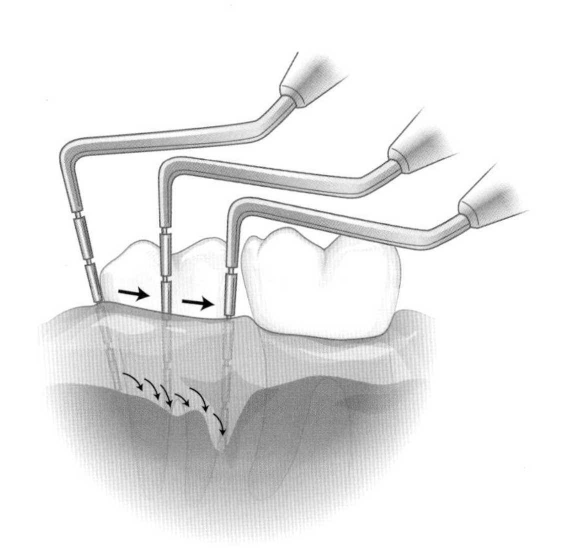

그림 17-8. Walking technique. 좁고 깊은 부위를 빠뜨리지 않도록 주의 한다.

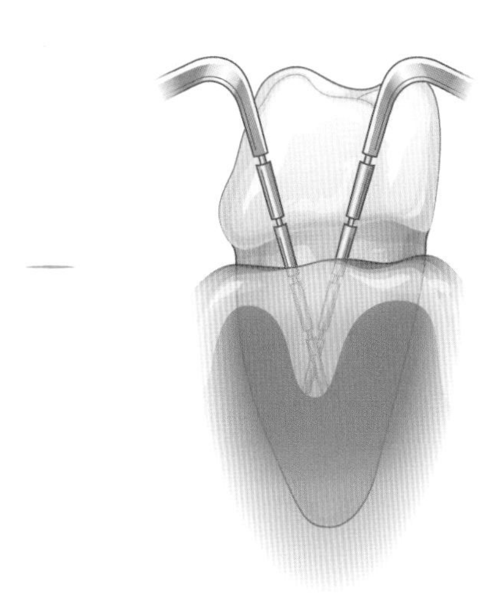

그림 17-9. 인접면에서는 치주낭 측정기를 약간 기울여 삽입한다.

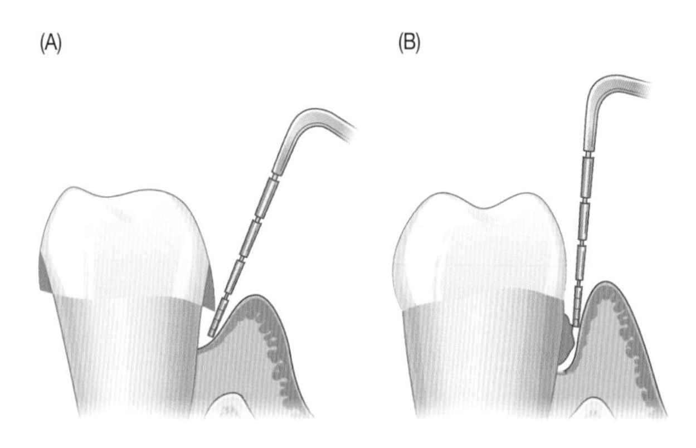

그림 17-10. 정확한 치주낭 깊이 측정이 불가능한 경우
(A) 과연장된 변연 (B) 치은연하치석

입해야 한다(그림 17-9). 수복물의 과연장된 변연이나 치석으로 인하여 정확한 치주낭 깊이 측정이 불가능한 경우도 있다(그림 17-10). 이런 부위에서 치주낭 깊이를 정확하게 측정하기 위해서는 과연장된 변연이나 치은연하치석을 제거해야 한다. 통상 치아당 4~6 부위의 측정치를 기록하는 것이 일반적인데, 다근치에서는 측정 부위를 더 늘리기도 한다(그림 17-11).

② 치은염증과 치주낭 깊이

치주낭 깊이에는 생물학적 깊이(혹은 조직학적 깊이–biologic or histologic depth)와 임상적 깊이(혹은 탐침 깊이–clinical or probing depth)의 두 가지가 있다.[5] 생물학적 치주낭 깊이는 치은변연에서 치주낭의 기저부(접합상피의 치관측 끝)까지의 거리이다. 이는 조직학적인 방법으로만 관찰할 수 있으며, 임상적으로는 확인할 수 없다. 임상적 치주낭 깊이는 치주낭 측정 시 치은변연에서 치주낭 측정기의 끝까지의 거리를 말한다. 치주낭 측정 시 치주낭 측정기가 들어가는 깊이는 치주낭 측정기의 굵기, 가하는 힘, 삽입 방향, 조직의 저항, 치관의 형태 등의 영향을 받는다.

치은염증이 있을 때, 치주낭 측정기의 끝은 접합상피를 통과하여 접합상피보다 근단쪽까지 들어간다.[6,7,8] 따라서 치은염증이 있을 때 임상적 치주낭 깊이는 생물학적 깊이보다 크다. 치료 후에 염증침윤부의 크기가 줄어들고 새로운 교원섬유가 침착되면, 치은조직의 저항이 커져 치주낭 측정기의 삽입 깊이가 줄어들게 되고, 치주낭 측정기의 끝이 접합상피를 통과하지 못한다(그림 17-12).[9] 그러므로 치주치료 후에 임상적 치주낭 깊이가 줄어드는 것은 반드시 신부착에 의한 것만은 아니다. 임상적 치주낭 깊이와 생물학적 깊이의 차이는 몇 분의 일 mm에서 몇 mm에 이르는 것으로 알려져 있다.

③ 치주낭 깊이와 부착수준

부착수준(attachment level)이란 백악법랑경계(cementoenamel junction, CEJ) 같은 고정된 기준점에서 치주낭 기저부까지의 거리를 말한다. 치주낭 깊이에 비해 부착수준이 치주조직 파괴의 정도를 더 잘 나타내어 준다(그림 17-13). 부착수준은 백악법랑경계에서 치주낭 기저부까지

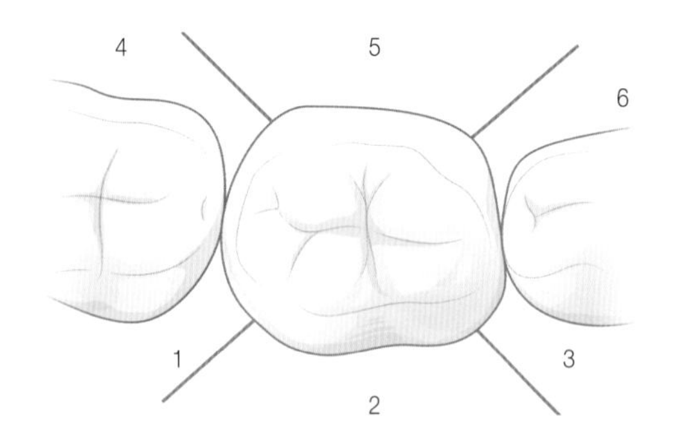

그림 17-11. 6부위 측정법
(1) 원심협측 선각에서 원심면의 가운데까지 (2) 협면 (3) 근심협측 선각에서 근심면의 가운데까지 (4) 원심설측 선각에서 원심면의 가운데까지 (5) 설면 (6) 근심설측 선각에서 근심면의 가운데까지

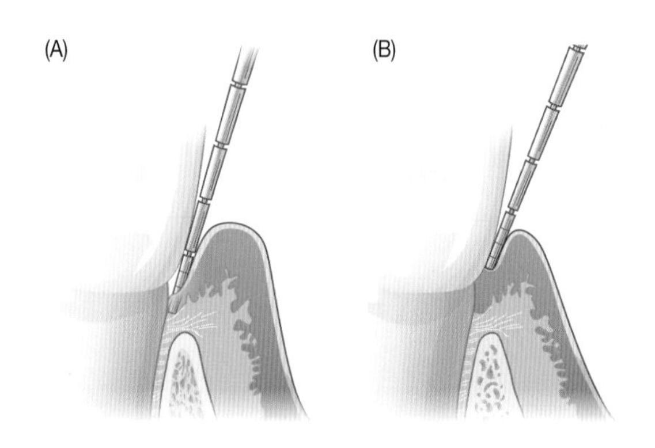

그림 17-12. (A) 치은염증이 있는 상태에서는 치주낭 측정기가 접합상피를 통과한다. (B) 치은염증이 없어지면 치주낭 측정기가 접합상피를 통과하지 못한다.

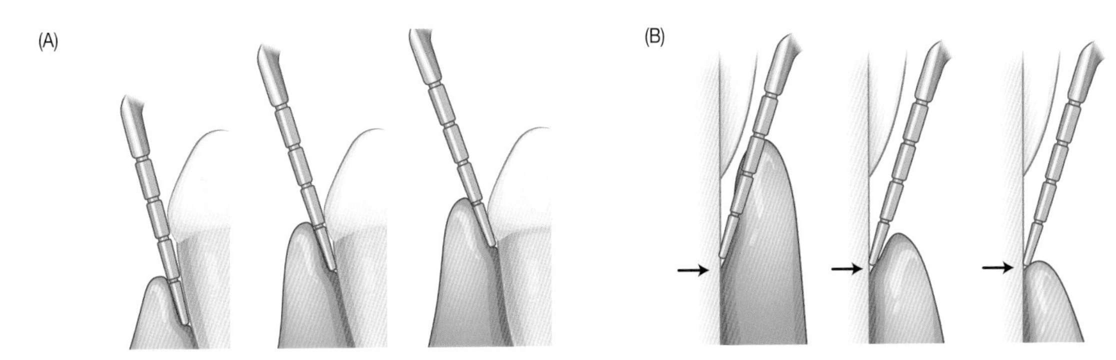

그림 17-13. 치주낭 깊이와 부착수준 (A) 치주낭 깊이는 같지만 부착 수준이 다르다. (B) 치주낭 깊이가 다르지만 부착수준은 같다.

의 거리, 혹은 치은퇴축과 치주낭 깊이를 합한 값으로 표시한다. 즉 치은변연이 CEJ보다 근단측에 있다면 부착수준은 치은퇴축량에 치주낭 깊이를 합한 값이 되며, 치은변연이 CEJ와 일치하는 위치에 있다면(치은퇴축이 0이다) 치주낭 깊이와 부착수준은 같은 값이 된다. 치은변연이 CEJ보다 치관측에 있다면(치은퇴축이 음의 값을 갖는다) 치주낭 깊이에서 치은변연–CEJ 거리를 뺀 값이 부착수준이 된다(그림 17–14). 부착소실(loss of attachment)이라는 용어가 통상적으로 부착수준과 같은 의미로 사용되는데, 엄밀하게는 그 의미가 다르다. 부착수준이란 어느 시점에 치주낭의 기저부가 치근의 어느 위치에 있는지를 따지는 용어이며, 부착소실 혹은 부착증가(gain of attachment)라는 용어는 어느 기간 동안 생긴 부착수준의 변화를 의미한다. 즉, 부착소실이란 어느 기간 동안 부착수준이 근단측으로 이동하였다는 의미이며, 부착증가란 치관 측으로 이동하였다는 의미이다.

4) 치근이개부병소

치근이개부병소(furcation involvement)는 다근치의 치근이개부에 치주질환으로 인한 조직파괴가 있는 경우를 말한다. 치근이개부병소의 검사에서는 수직적인 조직파괴뿐만 아니라 수평적인 조직파괴의 정도를 파악하는 것이 중요하다.[10,11] 수평적인 조직파괴를 확인하기 위해서는 Nabers probe와 같은 기구를 사용한다(그림 17–15).

5) 치아동요도

모든 치아는 생리적 동요를 보인다.[12] 생리적 치아동요는 아침에 일어날 때 가장 큰데, 이는 수면 중에 교합접촉

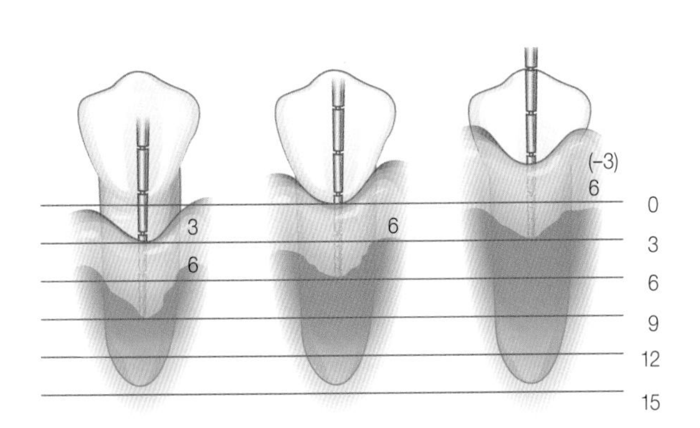

그림 17-14. 치주낭 깊이와 부착수준
치주낭 깊이가 6 mm로 같지만 부착수준은 서로 다르다.

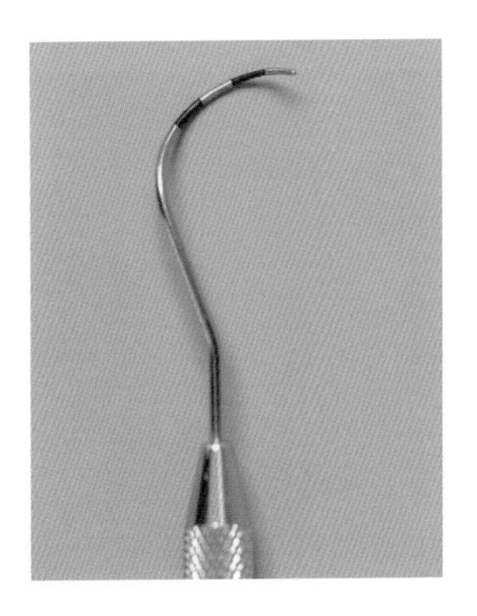

그림 17-15. Nabers probe

이 상대적으로 적기 때문이다. 깨어있는 동안에는 저작이나 연하 등으로 인하여 치아가 치조와 내로 밀려들어가므로 동요가 줄어든다. 생리적 치아동요는 다근치보다 단근치에서 크며, 절치에서 가장 크다. 생리적인 범주를 벗어나는 치아동요의 원인은 다음과 같다.

- 치조골 흡수와 같이 치아지지조직의 감소로 인하여 치아동요가 증가할 수 있다.
- 교합외상은 치아동요를 증가시킨다.
- 염증이 치은이나 치근단에서 치주인대로 파급되면 치아동요가 증가한다.
- 치주수술 후에도 일시적으로 치아동요가 증가한다.[13–16]
- 임신 중에는 치아동요가 증가하며, 때로 피임용 호르몬제의 복용이나 월경주기와 관련하여 치아동요가 증가하기도 한다.
- 골수염이나 종양과 같이 치조골이나 치근을 파괴하는 질환에 의해서 치아동요가 증가할 수 있다.

치아동요도를 측정하기 위해서는 치아의 양쪽에 금속 기구를 대거나, 설측에 손가락을 대고 협측에는 금속 기구를 대고 눌러보아 동요도를 측정한다(그림 17–16). 치아동요도는 다음과 같이 기록한다.

- 0도: 정상 동요도
- 1도: 치관이 수평으로 1 mm 이내의 동요도를 보일 때
- 2도: 치관이 수평으로 1 mm 이상의 동요도를 보일 때
- 3도: 치관이 수직 및 수평으로 동요도를 보일 때

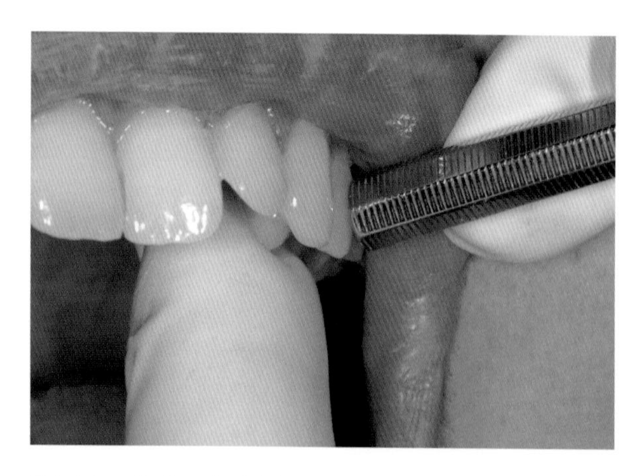

그림 17-16. 치아동요도 측정법

7. 교합

과개교합(deep bite)으로 인하여 치은이 외상을 받고 있는지, 전방운동과 측방운동 시 교합간섭이 있는지, 개폐구 시에 하악 운동로의 변위가 있는지, 악관절의 불편감이 있는지, 이악물기나 이갈이 등의 습관이 있는시를 확인하고, 이상이 발견되면 자세히 검사한다.

8. 석고모형

진단용 석고모형을 제작하면 구강 내에서 검사하기 곤란한 교합관계나 교모, 치열상태, 인접치아의 관계, 개개치아의 위치이상, 치아형태의 이상, 치은퇴축, 종창 등을 정밀하게 관찰할 수 있으며, 또한 치료 전후의 석고모형을 비교하여 치료결과를 평가할 수도 있다.

9. 방사선학적 검사

1) 치주질환의 진단을 위한 방사선촬영법

파노라마 방사선 사진은 전체를 한눈에 파악하는 데는 유용하지만 변연치조골을 명확하게 보여주지는 못한다. 치주질환의 정확한 진단을 위해서는 전악 구내 방사선 사진이 필요한데, 치조골 수준을 정확하게 파악하기 위해서는 등각촬영법보다는 평행촬영법으로 촬영해야 한다. 대체로 등각촬영법으로 촬영한 방사선 사진은 평행촬영법으로 찍은 것에 비해 치조골연이 더 치관측에 위치한 것 같은 상을 보인다(그림 17–17).

수직각뿐만 아니라 수평각도 방사선 사진의 질에 큰 영향을 미친다. 수평각이 달라지면 치간골의 형태, 치주인대의 폭, 치조백선의 형태 등이 다르게 보일 수 있으며, 방사선 사진에 나타나는 치근이개부병소의 정도에 큰 차이가 생기기도 한다(그림 17–18).

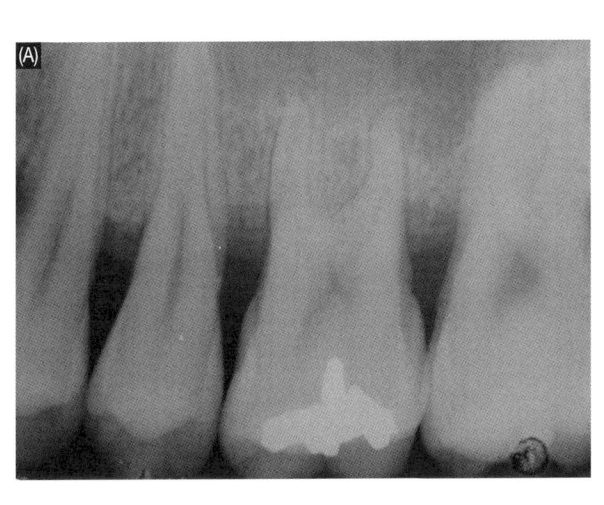

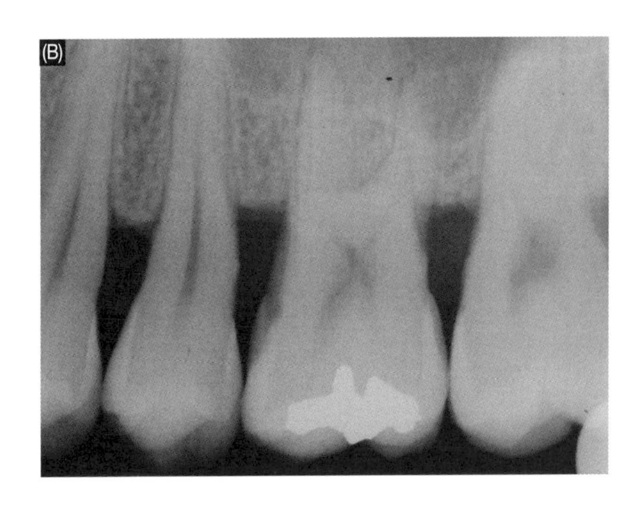

그림 17-17. 방사선 촬영법에 따른 차이

(A) 등각촬영법으로 촬영하면 치조골연이 치관측에 위치한 것 같은 상을 보인다. (B) 평행촬영법으로 촬영하면 치조골연의 위치를 더 정확하게 알 수 있다.

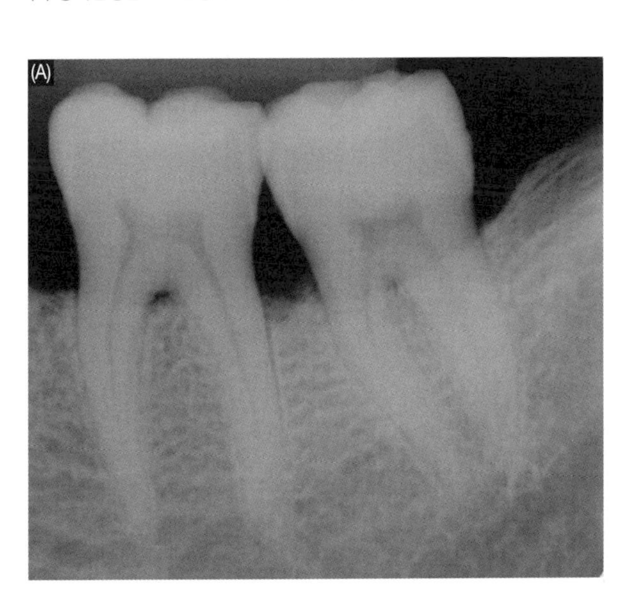

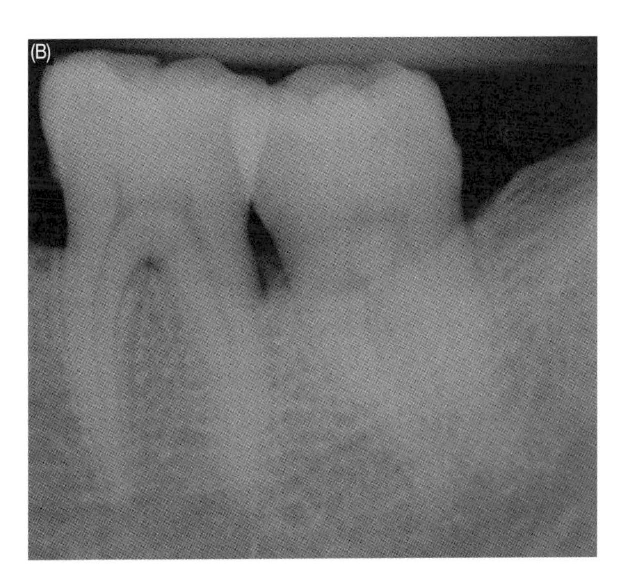

그림 17-18. 방사선 촬영 각도에 따른 차이 촬영 시의 수평각에 따라서 치근이개부병소의 상이 달라져 보인다.

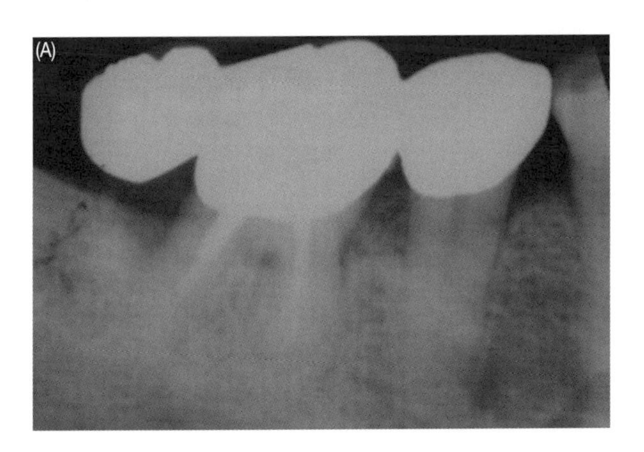

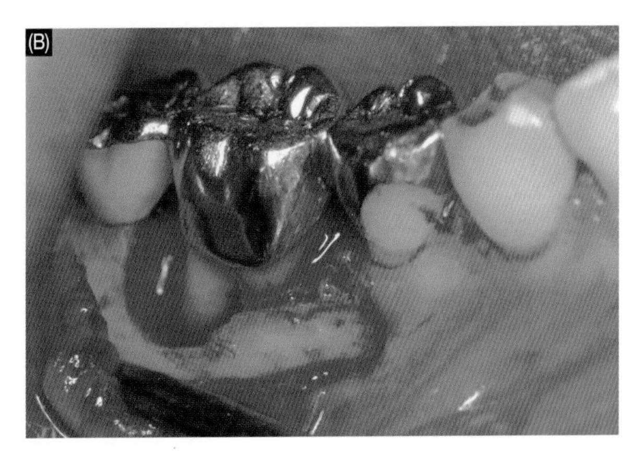

그림 17-19. 협측의 두꺼운 뼈로 인하여 방사선 사진에서는 깊은 골결손을 관찰할 수 없다.

2) 치주염의 방사선학적 진단

방사선 사진은 광물화된 조직의 변화만을 보여주며, 삼차원적인 물체를 이차원적으로 보여준다는 한계를 가지고 있다. 방사선 사진에 나타나는 골 흡수는 실제보다 적은 것처럼 보이는 경향이 있으며, 실제 치조골 수준과 방사선 사진에서의 치조골 수준의 차이는 0~1.6 mm의 범위라고 알려져 있다.[17] 또한 방사선 사진에서는 치아의 협측이나 설측의 골연이 치근과 중첩되어 잘 관찰되지 않을 수 있으며, 피질골이 두꺼운 경우에도 골 흡수 정도를 정확하게 파악할 수 없는 경우가 있다(그림 17-19). 따라서 방사선 사진만으로 치주질환을 진단할 수 없으며, 반드시 임상적인 검사를 병행하여야 한다.[18]

10. 구강내 사진

카메라를 이용하여 찍은 구강내 사진이 치료 전후의 정확한 비교를 위해 유용한 경우도 있다. 특히 치은의 형태나 염증으로 인한 치은의 색조변화 등은 다른 방법으로는 정확하게 기록하기 힘들다. 디지털 가메라를 이용하면 촬영하자마자 환자에게 사진을 보여주며 설명해 줄 수도 있다.

참고문헌

1 Meitner SW, Zander HA, Iker HP, Polson AM. Identification of Inflamed Gingival Surfaces. J Clin Periodontol 1979;6:93–7.

2 Löe H, Silness J. Periodontal Disease in Pregnancy. Acta Odontol Scand 1963;21:533–51.

3 Mullemann HR, Son S. Gingival Sulcus Bleeding – A leading symptom in initial gingivitis. Helv Odontol Acta 1971;15:107–13.

4 Armitage GC, Svanberg KG, Löe H. Microscopic Evaluation of Clinical Measurements of Connective Tissue Attachment Levels. J Clin Periodontol 1977;4:173–90.

5 Listgarten MA. Periodontal Probing – What does it mean? J Clin Periodontol 1980;7:165–76.

6 Listgarten MA, Mao R, Robinson PJ. Periodontal Probing and The relationship of the probe tip to periodontal tissues. J Periodontol 1976;47:511–3.

7 Saglie R, Johanson JR, Flotra L. The Zone of Completely and Partially Destructed Periodontal Fibers in Pathological Pockets. J Clin Periodontol 1975;2:198–202.

8 Spray JR, Garnick JJ, Doles LR, Klawitter JJ. Microscopic Demonstration of the Position of the Periodontal Probes. J Periodontol 1978;49:148–52.

9 Magnusson I, Listgarten MA. Histological Evaluation of Probing Depth Following Periodontal Treatment. J Clin Periodotol 1980;7:26–31.

10 Hamp SE, Nyman S, Lindhe J. Periodontal Treatment of Multirooted Teeth – Results after 5 years. J Clin Periodontol 1975;2: 126–35.

11 Tarnow D, Fletcher P. Classification of the Vertical Component of Furcation Involvement. J Periodontol 1984;55:183–4.

12 ó Leary TJ. Tooth Mobility. Dent Clin North Am 1969;3:567–79.

13 Persson R, Svensson A. Assessment of Tooth Mobility Using Small Loads. I. technical devices and calculation of tooth mobility in periodontal health and disease. J Clin Periodontol 1980;7:259–75.

14 Persson R. Assessment of Tooth Mobility Using Small Loads. II. Effect of oral hygiene procedures. J Clin Periodontol 1980;7:506–15.

15 Persson R. Assessment of Tooth Mobility Using Small Loads. III. Effect of periodontal treatment including a gingivectomy procedure. J Clin Periodontol 1981;8:4–11.

16 Persson R. Assessment of Tooth Mobility Using Small Loads. IV. The effect of periodontal treatment including gingivectomy and flap procedures. J Clin Periodontol 1981;8:88–97.

17 Regan JE, Mitchell DF. Roentgenographic and Dissection Measurements of Alveolar Crest Height. J Am Dent Assoc 1962;66:356–7.

18 Bender IB, Seltzer S. Roentgenographic and Direct Observation of Experimental Lesions in Bone. J Am Dent Assoc 1961;62:152–60.

CHAPTER 18

전신질환자의 치료

김영준

생활 형태와 습관의 변화, 그리고 의학 발달로 인하여 인간의 수명이 연장되었으며 이로 인하여 치과치료 시 특별한 주의를 요하는 만성 질환을 지닌 인구 집단이 증가하고 있다. 치주질환에 이환되는 환자의 연령층은 전신질환을 갖고 있을 가능성이 높기 때문에 치주치료계획을 세우기 전에 환자의 내과 병력을 평가하는 것이 필요하다.

이 장에서는 흔히 일어나는 내과적 문제와 관련된 치주치료 방법에 대해 다루는데, 이러한 문제에 대한 이해는 치과의사가 포괄적인 치료를 하는데 많은 도움을 줄 것이다.

1. 심혈관계 질환(Cardiovascular diseases)

협심증(angina pectoris), 심근경색(myocardial infarction), 뇌혈관 사고(cerebrovascular accident), 심장 혈관이식(cardiac bypass surgery), 울혈성 심부전(congestive heart failure)의 병력 등이 있는 환자는 치주치료계획을 조정해야 한다. 대부분의 경우에 환자는 심장 전문의와 상담을 해야 하며, 치료에 따른 중압감(stress)을 피하기 위하여 다음과 같은 주의를 요한다.

- 아침에 약속을 잡을 것
- 치료 동안 편안한 분위기를 유지할 것
- 진료는 짧게 할 것

1) 협심증(Angina pectoris)

불안정한 협심증(불규칙적이거나 또는 전구증상 없이 나타나는 다발성 협심증)의 병력을 지닌 환자는 단지 응급인 경우에만 치료를 한다. 발생 빈도가 드물거나 잘 조절중인 협심증 환자는 다음과 같은 주의를 한다면 부분적인 치과치료를 할 수 있다.[1]

- 필요하다면 치료 전에 diazepam이나 barbiturate (short–acting)같은 진정제를 투약한다.
- 신중하게 마취한다(자주 흡인하면서 천천히 주입한다).
- 환자가 긴장하면 치료 5분 전에 혀 밑에 nitroglycerin (1/200 grain)을 투약한다.[2]

만약 치주치료 중 환자가 피로하거나, 심장 리듬이나 속도에 갑작스런 변화가 생긴다면 가능한 한 즉시 치료를 중단한다.

치과치료 중에 협심증 징후를 보이는 환자는 다음과 같은 응급처치를 받아야 한다.

- 치주치료를 중단한다.
- Nitroglycerin (0.3~0.6 mg)을 설하 투여한다.
- 환자를 안심시킨다.
- 꽉 조이는 의복을 풀어준다.
- 누운 자세로 위치시키고 산소를 공급한다.
- 만약 증상과 징후가 3분 이내에 없어지면 환자를 안심시키고 치주치료는 빨리 마치도록 하며, 만약 협심증의 증상 및 징후가 2~3분이 지나도 사라지지 않으면 nitroglycerin을 다시 투여하고 응급실로 옮긴다.[2]

2) 동맥부행로(Arterial bypass)

대동맥 관상동맥 부행로(aortocoronary bypass), 대퇴동맥 부행로(femoral artery bypass), 혈전동맥 내막절제술(thromboendarterectomy), 혈관 성형술(angioplasty) 등은 이제는 흔한 외과수술이 되었다. 만약 최근에 이러한 수술이 시행되었다면, 선택적 치과치료 전에 내과의사와 상담해야 한다. 비록 부행로를 가진 환자에서 치과치료방법에 대한 언급이 없을지라도 수술 후 6개월까지는 치과치료는 하지 않아야 한다. Cardiac bypass 환자와 심근경색 환자에게 예방적 항생제를 투여해야 하는지는 아직 확실하지 않다. 치과의사는 환자의 심장손상 정도, 동맥 폐쇄성 질환의 여부, 환자상태의 안정성, 세균성 심내막염이나 심장 이식거부 등의 가능성을 반드시 알고 있어야 한다.[3]

3) 뇌혈관사고(Cerebrovascular accident, CVA)

CVA는 뇌혈관의 허혈성 변화나 출혈로 인하여 발생한다. 고혈압과 동맥경화증은 CVA의 소인이므로 만약 이러한 징후가 나타난다면, 치주치료 전에 내과의사에게 의뢰해야 한다. CVA stroke (뇌졸중)가 있은 후 치과에 내원한 환자는 다음과 같은 상황을 고려하여 치료해야 한다.[4]

① 응급이 아니라면 stroke 발생 후 6개월 동안은 재발의 위험성이 매우 높기 때문에 어떠한 치주치료도 하지 말아야 한다.

② 발생 6개월 이후의 치주치료는 짧게(최대 60분)하고 가능한 외상을 주지 않아야 한다.

③ 환자가 매우 흥분하거나 신경이 날카로우면 진정시킨다. 그러나 전신마취나 과도한 진정작용은 대외 혈액순환이 감소되기 때문에 금기이다. 긴장을 완화시키기 위해 N_2O 가스를 사용하기도 한다.

④ 국소마취는 주의하면서 시행한다. 마취액은 흡인 후 천천히 조심스럽게 주입하며 1:100,000 에피네프린을 사용한다.

⑤ CVA 병력이 있는 환자 대부분은 항응고제를 투여받고 있음을 유념해야 한다. 만약 이러한 경우에는

- 치은연하치석제거술 또는 치주수술 전에 PT(prothrombin time)를 검사한다.
- PT가 정상의 1.5배를 넘지 않도록 조정하기 위하여 내과의사와 상의해야 한다.
- 치과에서 사용되는 약과 항응고제와의 상호작용에 대해 알고 있어야 한다.

⑥ Post-CVA 환자는 재발작이 일어날 수 있기 때문에 주의 깊게 혈압을 확인해야 한다.

⑦ 재발성 CVA의 경우에 어떻게 해야 하는지를 알아야 한다.

- CVA의 증상과 징후를 알고 있을 것
- 치과치료를 즉시 멈출 것
- 의식이 있다면, upright 상태로 환자를 위치시킬 것
- 꼭 조이는 의복을 풀어줄 것
- 호흡장애가 있다면 산소를 줄 것
- 생징후를 관찰할 것
- 내과의사에게 도움을 청할 것
- 환자가 무의식 상태에 있다면 응급소생술을 시행해야 하며, 만약 심폐소생술(CPR)이 필요하다면, 환자를 앙와위로 위치시키고 CPR이 필요치 않으면 머리를 약간 올려줄 것
- 중추신경계를 억제하는 약물을 투여하지 말 것[5]

4) 울혈성 심부전(Congestive heart failure)

이 질환은 혈류 역학적 부하와 이 부하를 수용하는 능력간의 부조화로 인해 생기는 것으로서 좌심실 부전에 의해 시작된다. 이는 일의 부하가 만성적으로 증가(고혈압, 대동맥·승모판·폐·삼첨판 질환)하거나 심근에 직접적 손상(심근경색, 류마티스열) 또는 체내 산소 요구량의 증가(빈혈, 갑상선 중독증, 임신) 등으로 인한 것이다.[6]

치료받지 않은 울혈성 심부전을 가진 환자는 예정된 치과치료를 시행해서는 안된다. 이런 환자들은 ventricular arrhythmias로 인해 갑작스런 사망의 위험이 있다.[7] 치료를 이미 받은 환자의 경우는 질병의 원인, 현재 진행 중인 치료 내용과 관련하여 내과의사와 상담해야 한다. 울혈성 심부전의 치료에는 칼슘채널 차단제, direct vasodilators, 이뇨제, digoxin 같은 심장 강화제를 투여하는데, 이들 약제들은 치주치료에 상당한 영향을 미치므로 주의해야 한다.[8] 앉은 자

세가 아니면 호흡할 수 없는 환자(orthopnea)의 경우는 upright 자세로 치료해야 한다. 짧은 시간 내의 치료와 필요한 경우 의식 하 진정 또는 보조적인 산소의 사용 등이 필요하다.[9]

5) 고혈압(Hypertension)

고혈압은 혈압이 140/90 mmHg 이상으로 증가하였을 때로 정의하고, 원발성과 이차성으로 구분되는데, 원발성은 질환을 설명할 수 있는 병리학적 이상이 없을 때를 말하며, 70~90%가 여기에 속하고 나머지 10~30%는 이차성 원인이 발견된 사람이나 외과적 치료가 가능한 사람에서 나타난다.[10] 이와 관련된 예로서, 신장질환, 내분비계의 변화, 신경원 장애(neurologenic disorder) 등이다. 치과치료는 고혈압 환자의 발견 및 관리에 중요한 역할을 할 수 있다. 치료 중 응급상황이 일어날지 여부를 결정하기 위해서는 정확한 혈압 측정치와 병력을 바탕으로 고혈압 환자인지 여부를 확실히 규명하기 전에는 치주치료를 시행해서는 안 된다.

정상 혈압이 유아에서는 70/45 mmHg로, 청소년기에는 100/75 mmHg로 상승하며, 60세 이후에는 이런 증가가 일상적임을 알아야 한다.[10]

만약 환자가 현재 고혈압에 대한 처치를 받고 있다면 현재의 내과적 상태, 투약, 치주치료계획, 환자 관리에 대해 내과의사와 상담해야 한다. 대부분의 내과의사는 특별한 치주치료의 특성에 대해 알지 못하므로 치료 시의 긴장, 혈액 상실, 치료 시간, 개개인에 대한 치료계획의 복잡성에 대해 알려주어야 한다. 고혈압과 관련된 구강내 소견에 대해 관찰해야 하며, 식염수 세척은 금기이다. 고혈압 환자이면서도 치료를 받고 있지 않는 환자는 치주치료를 피해야 하고 보존적인 치료만 시행해야 한다.[11]

치료 시에 에피네프린 1 : 100,000 이상 들어있는 국소마취의 사용을 피해야 한다. 짧은 시술 동안에는 에피네프린이 없는 국소마취제가 이용될 수 있다. 이러한 약제의 사용은 동통을 감소시켜 내인성 에피네프린의 분비를 감소시키는 데 중요하다.

고혈압 환자의 진료 시에 나타날 수 있는 잠재적인 문제점으로는 다음과 같은 것들이 있다.[12]

- 치과치료와 관련된 스트레스와 불안은 혈압의 상승을 유발할 수 있다. 고혈압으로 이미 상승된 혈압을 가진 환자는 심근 경색증이나 CVA 등이 올 수 있다.
- 만일 혈압이 상당히 상승된 경우에는 외과적 처치나 치석제거술 후 심한 출혈이 올 수도 있다.
- 항고혈압제로 치료를 받고 있는 환자는 구역질이나 구토를 할 수 있고, 저혈압이 되거나 체위성 저혈압이 유발될 수 있다.
- 혈관수축제의 과용은 매우 위험한 혈압의 상승을 유발할 수 있다.
- 대부분의 항고혈압제는 barbiturate의 진정작용을 증가시킬 수 있다.
- 항고혈압제를 사용 중인 환자에게 진정제를 함께 사용하면 저혈압을 초래할 수 있다.

6) 인공 심박 조율기(Cardiac pacemakers)

일부 심장부정맥 환자에는 심박 조율기나 자동 defibrillator가 매식되어 있다. 구형 심박 조율기는 단극이므로 초음파기구나 전기소작기와 같이 전자기장을 발생하는 치과 기기의 사용은 금기지만 신형은 양극을 사용하므로 영향을 받지 않는다. 자동 defibrillator는 부정맥이 생기면 경고 없이 작동하기 때문에 치료 중 갑자기 환자가 움직일 수 있으므로 치주치료 동안 bite block과 같은 기구를 준비하여 외상의 발생을 예방하여야 한다.[13]

7) 세균성 심내막염(Bacterial endocarditis)

세균성 심내막염은 감염성 미생물이 손상된 심내막이나 심장판막에 서식함으로써 생기는 질환이다.[14] 비록 이 질환의 발생률이 낮을지라도 지금의 의료수준으로 완치가 어려운 질환으로서 급성과 아급성으로 나눌 수 있다. 일반적으로 비용혈성 연쇄상구균(nonhemolytic streptococci)이 관련되며, 이것이 정상적인 심장조직을 침투하여 패혈성 색전(septic emboli)을 형성하는데, 이 과정은 빠르면서도 매우 치명적이다. 한편 아급성 형태는 손상된 심내막이나 판막에 저급의 병원성 미생물이 군락화되어 발생한다.[15]

세균성 심내막염의 위험정도는 관련된 심장질환의 종류에 따라 다른데, 고위험군에 속하는 환자는 치과치료로 인한 균혈증으로 인한 세균성 심내막염의 발생 위험이 매우 높아 사망에 이르기 쉽다. 중등도 위험군은 일반인보다 세균성 심내막염의 위험이 높은 환자가 속한다.

이 질환의 예방법은 다음과 같다.[16]

① 감수성이 높은 환자를 판별해야 한다. 주의 깊은 내과병력으로 감수성 있는 환자를 밝힐 수 있다. 특히 류마티스성 열, 류마티스성 심장질환, 심장잡음, 선천성 심장질환, 심장수술병력, 인공심장판막, 매독성 심장질환, 내재성 동정맥 단락(indwelling arterio-venous shunt), 심실심방단락(ventriculoartrial shunt), transvenous pacemaker를 주의깊게 살펴야 한다.

② 예방 항생제 요법이 감수성 있는 모든 환자에서 시행되어야 한다(표 18-1).

③ 구강위생교육: 구강 세척과 부드러운 칫솔질을 시행하는 것으로 시작하는데, 이때 항생제는 필요 없다. 균혈증은 치주조직의 염증정도에 좌우된다. 치은건강이 개선됨에 따라 더 강화된 구강위생교육을 시행할 수 있다. 감수성이 높은 환자에서는 구강세척기구가 균혈증을 유발할 수 있으므로 사용되지 않아야 한다. 감수성 있는 환자에서 일단 연조직의 염증이 조절되었으면, 높은 수준의 구강위생 상태를 유지하도록 격려해야 한다.

④ 감수성이 있는 환자에 있어서의 치주치료는 치주파괴의 정도에 따라 계획해야 한다. 다음과 같은 기준이 아급성 세균성 심내막염에 감수성 있는 환자에 대한 치주치료계획에 도움을 준다.

- 모든 치주시술 시(탐침 시도 포함)에 예방 항생제 요법을 필요로 한다.
- 창상 치유가 지연될 경우에 부가적인 항생제의 투여가 필요하고, 술후 5~7일 동안 치태조절을 더욱 강조해야 한다.
- 구강위생 상태가 좋을 때는 발치하지 않고 근관치료를 하는 것이 좋다.
- 심한 치주질환 병소, 치주 화농부 그리고 치성 감염원이 되는 병소는 제거되어야 한다.
- 결찰이나 조직 견인기 등으로 인해 치은조직에 손상을 주지 말아야 한다.
- 항생제를 1일간 사용한 후 재사용이 필요하다면 10~14일 정도 중지한 후에 사용한다. 또는 다른 항생제로 바꾸어 투여한다.
- 치주조직이 건강하게 될 때까지는 모든 예정된 치과치료를 연기해야 한다. 항생제를 복용하고 있는 류마티스성 심장질환자와 울혈성 심부전의 증상이 전혀 없는 환자는 통상적인 치과치료가 가능하다.
- 구강위생과 치주조직의 건강에 대한 중요성을 강조하면서, 아울러 주기적인 검사를 실시하는 것이 중요하다.

표 18-1. 치과치료 시에 세균성 심내막염을 예방하기 위해 이용되는 예방항생제 요법

처방	항생제	용량
표준 경구처방 amoxicillin, penicillin에 알러지 있는 환자	Amoxicillin	시술 1시간 전 2.0 g
	Clindamycin	시술 1시간 전 600 mg
	Azithromycin, clarithromycin	시술 1시간 전 500 mg
	Cephalexin, cefadroxil	시술 1시간 전 2.0 g
경구투여가 불가능한 환자	Ampicillin	시술 30분전 2.0 g 근주 또는 정주
경구투여가 불가능하고 penicillin 알러지 환자	Clindamycin	시술 30분 전 600 mg 정주(희석 후 서서히 주사)
	Cefazolin	시술 30분 전 1.0 g 근주 또는 정주

2. 신질환(Renal disease)

신부전의 가장 흔한 원인은 사구체신염(glomerulonephritis), 신우신염(pyelonephritis), 다낭성 신질환(polycystic kidney disease), 신혈관 질환(renovascular disease), 약물성 신장애(drug nephropathy), 폐색성 요로질환(obstructive uropathy), 고혈압 등이다.[3] 이런 환자의 치과치료 시에는 내과의사와의 상담이 요구되며 많은 치료계획의 변경이 요구된다.

만성 신부전 환자는 궁극적으로 신장이식이나 투석이 요구되는 진행성 질환이다. 그러므로 이런 환자는 신장이식이나 투석 전에 치과치료를 받는 것이 필요하다.[17]

① 환자의 내과의사와 상담

② 혈압 관찰

③ 검사실 수치를 평가

- Partial thromboplastin time, prothrombin time, bleeding time, platelet count
- Hematocrit
- Blood urea nitrogen (60 mg/100 ml 보다 크면 치료하지 않는다)
- Serum creatinine (1.5 mg/100 ml보다 크면 치료하지 않는다)

④ 감수성이 증가되어 있기 때문에 구강 감염 부위를 제거해야 한다.

- 구강위생이 좋아야 한다.
- 치주치료는 구강위생 상태를 철저히 할 수 있도록 행해야 한다. 내과적으로 문제가 되지 않는다면, 모든 의심스런 치아는 발거해야 한다.
- 자주 재내원을 하도록 해야 한다.

⑤ 신장에서 대사되거나 신독성을 가지는 약제는 피해야 한다. Acetaminophen, acetylsalicylic acid는 주의하면서 사용해야 한다.[18]

투석을 받고 있는 환자는 치주치료계획의 수정이 필요하다. 혈액 투석(hemodialysis)을 받는 환자는 혈청간염, 빈혈, 이차적 부갑상선 기능 항진증의 발생률이 높고, 혈액 투석 중에 heparinization이 일어날 수 있다. 그러므로 투석을 받는 환자에게는 다음과 같은 요구사항이 만성 신질환자에 대한 요구사항에 더 첨가되어야 한다.

- 치료 전에 HBsAg, anti-HBs를 검사한다.
- 동정맥 단락의 동맥 내막염(endarteritis)을 방지하기 위해 예방적 항생제를 투여한다.
- 저산소증을 예방한다.
- Heparinization 때문에 그 효과가 경감된 투석 다음 날에 치료한다.
- 자주 재내원시키면서 장기간의 유지 관리를 실시한다.
- 치과치료 시 투석단락이나 누공을 보호하는데 주의한다.
- 요독증성 구내염(uremic stomatitis) 등 요독 증상이 나타나면, 내과의사에게 의뢰한다.

신장 이식 환자의 가장 큰 문제점은 감염이며, 치주농양은 생명을 위협할 수도 있다. 따라서 신장 이식 전에 분지부 이환 치아, 치주농양 치아, 광범위한 수술을 필요로 하는 치아 등은 발거하여 쉽게 관리될 수 있는 치아만을 남겨야 한다. 신장이식 환자는 만성 신부전 시의 요구사항에 다음과 같은 사항이 고려되어야 한다.[17]

- HBsAg을 검사한다.
- 이식거부방지약물에 의한 면역저하수준을 평가한다.
- 미국 심장협회의 요구사항에 따른 예방적 항생제를 투여한다.

3. 폐질환(Pulmonary disease)

호흡율의 증가, 중추성 청색증, 손가락의 곤봉화, 만성적인 기침, 흉통, 객혈, 호흡곤란 또는 좌위호흡(orthopnea), 천명(wheezing) 등과 같은 폐질환의 증상과 징후에 대해 알고 있어야 한다.[19]

이러한 문제를 가진 환자는 내과적 평가와 치료를 위해 의뢰해야 하며, 치주치료 시에는 다음과 같은 치료계획의 변경이 요구된다.[20]

1) 폐질환의 증상과 징후를 가진 환자의 확인과 의뢰

2) 폐질환이 있는 환자에서 내과의사와 상담

3) 치과치료 시 주의사항

(1) 폐질환자에서 호흡저하, 호흡곤란이나 심통 (Distress) 유발을 피할 것

① 치주치료의 약속을 최소화할 것

② 호흡억제를 유발하는 약제의 사용을 피할 것 (meperidine, morphine, 진정제, 전신마취제)

③ 기도폐색을 증가시키는 양측성 하악 전달마취를 피할 것

④ 산소 공급 시 다음과 같이 주의할 것

- 산소분압이 높은 상태로 빠르게 투여하면, 만성질환자에서 호흡중추를 모두 억제시켜 결국 급성 과탄산증을 일으킨다.
- N_2O-O_2 사용 시 매우 주의할 것

⑤ 초음파 또는 회전기구 사용 시 주의할 것

⑥ 최대 호흡효율을 확보할 수 있는 자세로 환자를 위치시킨다. 만성폐쇄성 폐질환자는 완전히 눕히는 것보다 반쯤 눕히는 것이 좋다.

⑦ 물리적인 기도폐쇄의 가능성에 대해 주의할 것. 환자의 인후부를 깨끗이 하고, 치주포대, rubber dam을 과도하게 사용하지 말 것

(2) 천식병력을 가진 환자에서 복잡한 치과시술을 피할 것

(3) 급성 진균성 또는 세균성 질환을 가진 환자는 만약 응급상태가 아니면, 치료해서는 안 된다.

4. 면역억제와 화학요법 (Immunosuppression and chemotherapy)

면역억제요법 중인 환자는 숙주방어 능력이 감소되어 있다. 화학요법제는 골수에 독성이 있어 혈소판, 적혈구, 백혈구 파괴 및 수의 심각한 감소가 초래된다.[21] 면역억제가 심한 경우, 경미한 치주감염도 심각해질 수 있으므로 이러한 환자의 치료는 생명을 위협할 수 있는 구강 합병증의 예방에 중점을 두어야 하므로 보존적이고 대증적으로 접근해야 한다. 화학요법 전에 구강 상태를 평가하여야 하며 예후가 불량한 치아는 세균의 침입을 최소화하도록 조심하면서 발거하고 구강위생을 좋게 유지하도록 항균 구강세정제의 사용이 추천된다.

치주처치가 필요한 경우 화학요법 시행 전에 하는 것이 바람직하며 백혈구 2,000/mm^3 이상, 과립구 1,000~1,500/mm^3 이상일 때에만 치과치료를 수행한다.[22]

5. 방사선 치료요법

외과적 절제술과 함께 또는 단독으로 사용되는 방사선 치료 요법은 두경부 종양의 치료에 흔히 쓰인다. 만약 환자가 두경부에 모든 방사선 치료요법을 받는다면 발거해야 할 치아는 치료를 시작하기 최소 10일~2주 전에 시행해야 한다. 만약 치주적 지지가 치근 길이의 반이 안 되는 치아, 농양이 있거나 환자의 구강위생과 동기 유발화가 잘 안된다면 발거해야 한다.

방사선 치료 후에 치주인대는 세포와 혈관의 손실을 보인다고 보고되었다. 그러므로 창상치유가 심각하게 손상받는다. 치수변화도 확실히 나타난다.[23] 이 치료동안 환자의 구강위생을 강조하고 매 주 마다 전문가에 의한 치태조절을 수행하는 것이 중요하다. 단순한 수복은 필요한 곳에 시행한다. 방사선 치료 후 이하선이 가장 영향을 많이 받으며, 조사선량(총 5,000~7,000 cGy)에 따라 타액은 심하게 점액성이 되거나 양이 급감하여 구강 건조증과 함께 타액의 방어기전을 상실하게 된다. 그 결과 구강세균은 우식성 세균이 주종을 이루게 되고 평활면에도 우식증이 급속히 진행된다(radiation induced caries). 고용량 조사 시 조직의 혈관성이 매우 감소되어 창상치유능을 상실하게 된다. 그로 인해 방사선 골괴사(osteoradionecrosis, ORN)가 합병

증으로 야기되며, 환자 생존기간동안 ORN 위험성은 줄어들지 않아 치아발거나 외과적치주수술을 피해야 한다.

두경부에 모든 방사선 요법을 받는다면, 유기질의 변성으로 치아는 깨지기 쉽게 된다. 그래서 치주치료시 손기구를 부드럽게 사용하고 불소 처치를 시행하는 정도에 국한되어야 한다. 초음파 기구는 권장되지 않는다. 골조직을 노출시키는 전층판막술식(full thickness flap technique)과 같은 처치는 특히 하악에서는 시행해서는 안된다. 그러므로 치주치료는 환자의 생명지속을 위해 보존적으로 행해야 한다.[24]

6. 내분비 장애(Endocrine disorders)

1) 당뇨병

당뇨환자는 치주처치 전에 특별한 주의가 필요하며, 비조절성 당뇨환자의 치주처치는 금기증이다.

만약 환자가 당뇨병으로 예상된다면, 다음과 같은 절차를 수행해야 한다.

(1) 내과의와 상담

(2) 실험실 검사 분석

① 공복 시 혈당

② 식후 혈당(post prandial blood glucose)

③ glucose tolerance test

④ 뇨당

(3) 급성 악안면 감염이나 심한 치성감염을 감별하여 배제시킬 것

감염 시 인슐린과 포도당 요구량이 변화된다. 완전한 내과적 검진을 수행하여 당뇨병이 조절될 때까지 항생제와 진통제 요법만 시행한다. 만약 즉각적인 치료가 요구되는 치주상태인 경우에는 절개 배농 전에 항생제 요법을 시행한다. 내과의는 인슐린 요구량을 관찰해야 한다. 대부분의 경우 조절되고 있는 당뇨환자는 일반 환자처럼 치료해도 된다. 그러나 당뇨 조절을 위해 다음과 같은 기준을 따라야 한다.[25]

① 1기 처치(Phase 1 therapy)

처방한 인슐린과 식사를 하도록 한다. 조반 후 아침에 약속하는 것은 적절한 인슐린 양 등을 고려하면 적절하다.

② 2기 처치(Phase 2 therapy)

- 만약 전신마취, 정맥 내 시술, 외과 시술을 시행할 때 술 후 인슐린 용량을 변화시켜야 한다.
- 조직에 외상을 최소로 가해야 하고 가능한 시술시간을 적게 해야 한다.
- 내인성 에피네프린은 인슐린 요구량을 증가시킬 수 있다. 그러므로 불안을 느끼는 환자는 술전에 진정이 요구된다. 마취액 내의 에피네프린 농도는 1:100,000 이하여야 한다.
- 환자가 적절한 혈당량을 유지할 수 있는 음식을 처방한다. 필요하다면 dietary supplement를 처방해야 한다.
- 치료가 광범위하다면 예방항생제요법이 요구된다.

③ 유지 처치

빈번한 재내원과 구강위생의 중요성에 대해 강조해야 한다. 조절된 당뇨병 환자와 일반 환자는 비슷하게 치료에 반응한다.

2) 갑상선 장애

갑상선 중독증을 가진 환자와 적절한 내과적 처치를 받고 있지 않은 환자는 상태가 안전하게 될 때까지 치주치료를 받아서는 안 된다. 갑상선 기능 항진증을 가진 환자는 내과적 치료수준을 결정하기 위해 조심스럽게 평가해야 하고, 조심스럽게 투약하고 스트레스나 감염을 최소화되게 치료한다.[26]

갑상선 기능 저하증 환자는 약에 대한 허용범위가 적기 때문에, 안정제와 마약성 진통제의 투여 시 주의를 요한다.[27]

3) 부갑상선 장애

부갑상선 질환을 지닌 환자는 확인되어 적절한 내과적 처치가 되고 있으면 일상적인 치주치료를 시행한다. 내과적 치료를 받지 않는 경우는 신질환, 요독증, 고혈압이 같이 나타난다. 만약 고칼슘혈증이나 저칼슘혈증이 있다면 부정맥이 되기 쉽다.[26]

4) 부신피질 부전(Adrenal insufficiency)

급성부신부전증은 말초혈관의 폐쇄와 심장 발작과 관련이 있으므로 매우 위험하다. 따라서 치주치료 시에는 임상 양상(정신혼미, 매스꺼움, 구토, 고혈압, 복부와 허리의 심한 동통, 혼수)을 면밀히 관찰해야 하고 원발성 부신부전(Addison씨 질환)과 이차성 부신부전(외인성 글루코코티코스테로이드의 사용으로 인한) 환자에서 급성 부신부전의 예방책을 숙지해야 한다. 장기간의 호르몬 치료는 다양한 부작용을 일으키는데 대부분은 Cushing씨 증후군으로 나타나고, 많은 환자들이 치과치료에 대한 불안, 외과적 처치, 외상 또는 감염에 의해 야기되는 스트레스를 견디어 내지 못한다.

현재 스테로이드 치료를 받고 있는 환자의 경우 예방적인 스테로이드 사용의 필요성은 약에 따라 역가가 다르므로 사용되는 약마다 다르게 평가해야 한다.

Addison씨 질환인 경우는 부신피질의 정상적인 분비량을 대신하기 위해 매일 25.0~37.5 mg의 코티존 용량을 투여 받는다. 류마티스성 관절염, 천식, 피부질환 치료에는 많은 용량이 요구되므로 장기간 투여 시 쉽게 부신기능이 억제된다.[28] 치료 중에 급성 부신기능부전이 나타나면 다음과 같은 처치를 한다.[29]

- 치주시술을 끝낸다.
- 내과의사의 도움을 청한다.
- 생징후를 점검한다.
- 산소를 공급한다.
- 환자를 supine position으로 위치시킨다.
- Hydrocortisone sodium succinate 100 mg을 30초 이상 정맥 내 또는 근육 내로 주사한다.

5) 임신

임산부를 위한 치주치료의 목표는 호르몬 변화와 관련된 심한 염증반응을 최소화하는 것이다. 임신 2기가 치료하기에 가장 안전한 시기이다. 긴 치료시간과 치주수술은 분만 후로 연기시켜야 한다. 임신 3기 동안 치과치료 시에 발생 가능한 상황은 앙와위로 인한 저혈압이다. 치료 중 자궁이 하대정맥(inferior vena cava)에 압박을 주어 혈압강하, 기절, 의식소실 등이 나타날 수 있다. 그러므로 약속을 짧게 하고 환자의 자세를 자주 바꾸도록 한다. 임신 동안에는 위급한 상황이 아니면 방사선 촬영이나 약제의 투여를 피해야 한다. 만약 투약이 꼭 필요하다면, 약제가 태반을 통과하거나 호흡억제를 야기할 수 있는지 여부를 산부인과의사와 상담해야 한다.[30]

7. 출혈성 장애(Hemorrhagic disorders)

질환이나 약제와 관련된 출혈병력의 환자는 위험을 최소화하기 위한 방법으로 조치해야 한다. 병력, 임상 검사, 실험실 검사를 통해서 환자를 찾아내는 것이 중요하다. 만약 이러한 검사를 토대로 한 시험결과가 심한 출혈경향을 보이는 것으로 판단되면 내과적인 의뢰가 필요하고, 약간의 출혈경향을 보인다면, bleeding time, tourniquet test, complete blood count, prothrombin time, partial prothrombin time, coagulation time 등을 검사해야 한다.

출혈성 장애는 응고장애(coagulation disorders), 혈소판감소성자반증(thrombocytopenic purpuras), 비혈소판감소성자반증(nonthrombocytopenic purpuras) 등으로 분류할 수 있다.

1) 응고장애(Coagulation disorders)

(1) 항 응고처치를 받고 있는 환자

항 응고처치를 받고 있는 환자를 위한 치주처치는 혈관 내 응고를 줄이기 위해서 사용되는 약제를 변경해야만 한다. 이러한 약제로는 헤파린, bishydroxy–coumarin, sodium warfarin, poenindione derivatives, cyclocumarol, ethyl biscoumacetate, aspirin 등이 있다. 이러한 처치를 받고 있는

환자의 치주처치는 다음과 같이 변경시켜야 한다.[3]

① 내과적 문제의 성상과 요구되는 항응고제의 양 결정

내과의와 상담한다(일반적인 치료범위는 정상의 1.5~3배 사이의 prothrombin time이다).

② 치석제거술, 치주수술, 발치 등의 시술

이를 위해서는 PT가 정상의 1.5배 이하여야 한다.

- 원하는 prothrombin time이 얻어질 때까지 dicumarol 용량을 줄이거나 투약 중지하는 것에 대해 내과의와 상담한다. 용량을 변화시킨 후 2~3일이 될 때까지 prothrombin time의 변화는 뚜렷하지 않다.
- Prothrombin time 측정은 시술 당일에 해야 한다. 만약 정상보다 1.5배 이상이면 시술을 취소하고 1~3일 후에 다시 약속을 잡고, 약속을 한 날 다시 측정한다.
- Aspirin은 정상혈소판 기능을 방해하고 혈소판과 결합하므로 그 효과가 4~7일간 지속되어 계속 출혈을 일으킨다. 1일 325 mg 미만 투여 시 bleeding time이 변화되지 않으나 그 이상의 용량 복용 시 7~10일간 중단시키고 치주처치해야 한다.
- 헤파린은 비경구적으로 정맥주사 투여해야 하므로 입원 시 이용된다. 지속기간은 보통 4~8시간이며 24시간까지 다양하다. 치과치료 변경을 위해서는 신장의에 의뢰한다.

③ 치석제거술과 소파술 후

출혈이 멈출 때까지 환자를 보내면 안 된다.

④ 치주처치 시 주의사항

- 외상을 최소화한다.
- 출혈을 일으킬 수 있는 술후 감염을 방지하기 위해 예방적 항생제 투여가 요구된다.
- 압박 지혈을 사용해야 한다.
- 에피네프린이 있는 국소마취제에 대한 금기사항은 없다. 그러나 혈종이 형성될 가능성이 있기 때문에 주입 시 주의한다.
- 치주포대를 부착하기 전에 협설측으로 거즈를 이용해 압박함으로써 지혈을 한다. 그 후 치주포대를 위치시킨다.

⑤ 만약 환자가 급성감염상태일 때

치석제거술이나 치주수술을 수행하지 않는다.

⑥ 창상치유가 정상적인지 결정

3~5일 만에 환자를 내원시킨다. 내과의사에게 환자의 항응고 처치를 다시 하도록 한다.

(2) 간 질환이 있는 환자

간질환은 모든 응고과정에 영향을 미친다. 대부분의 응고인자는 간에서 합성되고 제거된다. 장기간의 알콜 남용자나 황달을 가진 환자는 2차적으로 혈관벽 변화와 혈소판 장애를 지닌다. 치과치료계획에는 다음 사항이 포함되어야 한다.[3]

① 실험실 검사

Prothrombin time, bleeding time, platelet count, partial thromboplastin time

② 보존적 비외과적 치주처치

③ 임상적 증상의 평가

- 점막과 공막의 황달은 혈청 담색소치가 2 mg/100 ml 이상일 때 명백하다고 보고, 0.4~2 mg/100 ml는 subclinical로, 0.1~0.4 mg/100 ml는 정상으로 고려된다.
- 조직의 임상적 출혈
- 피로
- 혈장 체적의 증가
- 체중 감소

④ 전신마취는 금기사항

심혈관문제와 간에 의한 barbiturate 대사 때문에 전신마취는 금기이다.

⑤ 조절되지 않은 섬유소 용해와 관련된 질환의 징후를 살펴야 한다.

⑥ 병원에서의 수술을 계획했을 때

- prothrombin time은 최대 정상의 1.5~2배여야 하고 혈소판 수는 80,000/mm^3 이상이어야 한다.
- 만약 prothrombin time이 정상보다 2배가 넘는다면 비타민 K가 이를 줄이는 데 효과적이다. 매일 정맥내로 비타민 K (용량 150 mg)를 사용할 수 있다. 그러나 신선한 전혈이나 혈장투여도 필요할 수 있다.
- 만약 혈소판 수가 적다면, 농축된 혈소판을 투여한다.

또 다른 응고장애는 유전성 혈우병이다. 치주수술 시 충분한 주의를 한다면 혈우병에서도 수행할 수 있다. 보존적 처치와 유지관리가 수술보다 더 좋다. 만약 수술이 필요하다면, 치료계획은 필요한 혈액 성분을 최대로 투여하도록 하는데 이는 다양한 혈우병과 그 질환의 심도에 따른다.

- Hemophilia type, factor deficiency level, factor inhibitor의 존재에 대해 혈액 전문의와 상담
- 수술 절차를 위해 입원
  - 응고인자 대치
  - 수술 과정
    a. 항생제 투여
    b. 가능한 외상이 적도록 실시
    c. 창상변연을 최대한 근접시킴
    d. 흡수성 봉합제 사용
    e. 지혈제 적용
      ㄱ. 미세 입자 콜라겐, gelfoam with thrombin, oxidized regenerated cellulose, cotton pellets을 압력 하에 사용하며 출혈이 조절된 후 치주포대를 위치시킴
      ㄴ. 항 섬유소 분해인자(antifibrinolytic agent)로서 epsilon–aminocaproic acid (EACA), tranexamic acid를 경구나 정맥내 투여하여 치주수술이나 발치 후 과다 출혈을 방지할 수 있다.
  - 술후 관리
    a. 응고 분해로 인한 출혈은 술후 3~4일 쯤에 발생
    b. 피하 출혈이 일어나는 것을 방지하기 위해 유용한 인자를 적절히 대치시켰다면 압박 지혈을 실시하라.
    c. 구강위생과 3개월 간격의 유지치주치료를 실시
    d. 아스피린이나 아스피린 제제를 사용해서는 안된다.

2) 저 혈소판성 자반증 (Thrombocytopenic purpura)

혈소판 수치가 10,000/mm^3 이하인 경우 저혈소판증으로 정의한다.[31] 저혈소판증으로 인한 출혈은 특발성 저혈소판성 자반증, 방사선 치료, 골수 억제제 사용, 백혈병, 감염 등인 경우 발견된다. 자반증은 피부나 점막 하부의 조직으로 혈액이 유출되는 혈액 질환으로 자발적 점출혈(petechiae)이나 반상출혈(ecchymosis)을 보인다. 치주치료는 국소 자극을 줄이는 방향으로 시행한다. 치주치료가 요구되는 환자로서 혈소판 이상을 지닌 것으로 예상되는 환자는 다음과 같이 치료해야 한다.[3]

- 혈소판 장애의 정확한 진단과 치료를 위해 내과의사에게 의뢰한다.
- 구강위생교육: 혈소판 수가 심하게 감소된 경우에는 부드러운 구강위생기구를 사용
- 농양이 생길 가능성이 있는 경우에는 예방적 치료를 하고 빈번한 재내원이 요구된다.
- 혈소판이 최소 80,000/mm^3 이상이어야 외과적 시술을 할 수 있다. 부족한 경우 수술 전에 혈소판을 수혈해야 한다.
  - 외과적 처치는 가능한 외상이 적게 가해지도록 한다.

- 치주 포대, stent 또는 트롬빈을 적신 면봉의 사용은 혈병 형성 및 유지에 도움이 된다.
- 치은 출혈을 조절하기 위해 과산화수소로 부드럽게 구강을 세척한다.
- 술후에 자주 재내원을 하도록 한다.

• 60,000/mm^3 정도의 낮은 혈소판 수를 가진 환자에게는 치석제거술과 치근활택술을 조심스럽게 시행할 수 있다.

3) 혈소판비감소성 자반병 (Nonthrombocytopenic purpura)

비저혈소판성 자반증은 혈관벽이 약하거나 혈소판 무력증(thrombasthenia)의 결과로서 발생한다. 이는 과민반응, 요독증, 괴혈병, 감염, aspirin 같은 약물, 이상 단백혈증(dysproteinemia) 등과 같은 다양한 원인에 기인한다. 혈소판무력증인 경우는 aspirin 복용 시, 요독증, von Willebrand's disease, Glanzmann's disease에서 발생한다. 이 질환은 치은 손상 후 즉각적 출혈을 야기한다. 치료는 주로 최소 15분간 직접 압박을 가하여 출혈을 조절하는 것이다. 응고 시간이 비정상이거나 재차 상처를 입히지 않는 한 압박만으로도 조절될 수 있다. 만약 질적, 양적으로도 혈소판 문제가 해결되지 않는다면 치주수술은 피해야 한다.

8. 혈액 장애(Blood dyscrasias)

1) 백혈병(Leukemia)

백혈병 환자를 위한 변형된 치주치료는 이들의 감염에 대한 감수성 증가, 출혈 경향, 화학요법의 효과에 근거한다.

(1) 내과적 평가와 치료를 위해 환자를 의뢰한다.

(2) 화학요법 전에 완전한 치주치료계획을 내과의와 상담한다.

① 매일 혈액검사실 소견을 관찰한다.
② 치주치료 전에 항생제를 사용한다.
③ 만약 전신적 상태가 허용된다면, 화학요법 시작 전에 모든 가망 없는 치아를 발거한다.
④ 만약 환자상태가 허락한다면 치석제거술과 치근활택술을 수행하고 철저한 구강위생교육을 시행한다. 만약 불규칙한 출혈시간을 보인다면, 3% H_2O_2에 적신 면봉으로 지혈시킨다.

(3) 백혈병의 급성기 동안에는 응급한 치주치료만 해야 한다.

① 지속적인 치은출혈이 치주낭에서 발생할 때는 다음과 같이 치료해야 한다.
  • 3% H_2O_2로 부위를 깨끗이 한다.
  • 조심스럽게 탐침하고 국소자극물을 제거한다.
  • 3% H_2O_2로 다시 깨끗이 한다.
  • 출혈부위에 thrombin에 적신 면봉을 댄다.
  • 거즈로 덮고 15~20분 동안 압박지혈 한다.
  • 이후에도 출혈이 지속되면, 3% H_2O_2에 적신 면봉을 단단히 위치시키고 24시간 동안 치주포대를 해준다.
② ANUG는 종종 급성, 아급성 백혈병 시에 구강상태를 복잡하게 만든다. 치료는 환자를 편안하게 하고 전신적 독성의 원인을 제거하도록 해야 한다.
③ 급성 치은농양 혹은 치주농양은 이러한 환자에서 동통의 흔한 원인이며, 국소적 합병증과 전신적 합병증과 관련이 있다.
③ 치료는 다음과 같이 한다.
  • 전신적으로 항생제를 투여한다.
  • 부드럽게 절개하고 배농시킨다.
  • 3% H_2O_2에 적신 면봉으로 깨끗이 한다.
  • 15~20분 동안 거즈로 압박지혈을 시행한다.
④ 구강궤양은 항생제와 양치액으로 헹구어 치료한다.
  • Viscous lidocaine, promethazine hydrochloride syrup과 같은 도포마취제를 사용한다.
  • orabase 같은 국소 보호 연고를 적용한다.
  • 날카로운 자극 부위 또는 장치물을 제거한다.
⑤ 구강 moniliasis는 백혈병 환자에서 흔하며 니스타틴

현탁액이나 질좌약으로 치료될 수 있다.

(4) 만성 백혈병 또는 질환이 감소된 환자인 경우는 치석제거술과 치근활택술을 합병증 없이 할 수 있다. 그러나 치주수술은 피하도록 한다.

① 출혈시간은 시술하는 날에 측정한다. 만약 수치가 낮다면 약속을 연기하고 환자를 내과의에게 의뢰한다.
② 자주 재내원을 하도록 하며 치태조절에 힘쓴다.

2) 무과립구증(Agranulocytosis)

무과립구증 환자는 감염에 매우 민감하다. 총 백혈구수와 과립백혈구 수의 감소가 나타나며, 염증에 대한 치주조직의 반응은 악화된다. 치료는 보존적이어야 하며 예방적 항생제를 투여하고 치석제거술, 치근활택술, 구강위생교육을 주의 깊게 수행해야 한다. Aminopyrines, barbiturate, chloramphenicol이 원인으로 여겨지므로, 이들의 사용은 피해야 한다.[32]

9. 감염성 질환(Infectious diseases)

1) 간염(Hepatitis)

과거에는 임상적 양상을 바탕으로 3 유형(A, B, nonA–nonB)으로 분류되었으나, 최근에는 6종의 바이러스가 분리되어 6개의 유형(A, B, C, D, E, G)으로 구분한다. 6개의 유형은 바이러스학적, 역학적 및 예방학적으로 상이하다.[33] 간염에 감염된 75% 환자가 진단되지 않은 상태이므로, 임상의는 간염의 징후와 증상을 점검하고 인지할 수 있어야 한다. B형 간염 환자의 10~15%가 만성 상태이므로, 간염의 과거병력을 보고 잘 검진해야 한다.

다음은 간염과 관련된 환자의 치료를 위한 지침이다.[34]

① 유형과 관계없이 활성기일 때는 응급상황이 아니면 치주치료를 하지 않는다. 응급상황에서는 HBsAg(+) 환자를 위한 protocol을 따른다.
② 간염의 과거병력이 있을 때는 내과의사와 상담하여 간염의 종류, 진행 과정과 기간, 전염 형태, 만성 간질환 또는 바이러스의 보균 유무를 판단한다.
③ 회복된 A, E형 간염인 경우는 통상의 치주치료를 한다.
④ 회복된 B, D형 간염인 경우는 내과의사와 상담하고 HBsAg, anti–HBs 검사를 의뢰한다.
- HBsAg(–)이고 anti–HBs(–)이지만 HB virus가 의심되면 다른 HBs 결정을 처방한다.
- HBsAg(+)이면 만성 보균자로 감염된 상태이며 감염정도는 HBsAg 결정으로 판단한다.
- Anti–HBs(+)이면 환자는 통상적인 치료를 해도 된다.
- HBsAg(–)이면 통상적 치료를 한다.

⑤ C형 간염환자는 전염의 위험성이나 만성 간질환의 상태에 대하여 내과의사와 상의한다.
⑥ 활동성 간염, HBsAg(+), HCV(+) 보균자는 다음의 사항을 준수하면서 응급 치료한다.
- 환자의 상태에 대해 내과의사와 상담한다.
- 출혈이 쉽게 일어나면 prothrombin time, bleeding time을 검사하고 이에 따라 치료를 변경한다.
- 환자와 접촉하는 모든 사람은 마스크, 글러브, 안경을 착용하고 수술 시에는 일회용 가운을 착용한다.
- 가능한 많은 disposable cover를 사용한다.
- 모든 일회용 용품은 정해진 휴지통에 넣는다.
- 초음파 치석제거기, air syringe, 고속 핸드피스의 사용을 피하며 aerosol 형성을 최소화한다.
- 치료가 끝났을 때 모든 장비를 소독한다. Dental chair & unit는 희석된 hypochlorite로 닦는다.

2) 성감염성 질환(Sexually transmitted diseases)

공중보건에서는 성에 의해 감염되는 질환을 매독, 임질, 헤르페스, 후천성면역결핍증으로 분류한다. 활동성 질환을 지닌 사람은 단지 응급 치료만 한다. 매독의 1, 2기, 임질, 헤르페스, 후천성면역결핍증의 구강 병소는 감염성을 가진다. 질환에 이환되지 않은 환자는 일반적 치주치료를 시행한다. 만약 임질이나 매독의 병소가 발견되면, 내과적인 의뢰를 필요로 한다. 헤르페스 병소를 지닌 환자는 병소가 없어졌을 때 치료를 받는다. 그러나 재발성 병력이 있다면 주의를 해야 한다.[3]

3) 결핵

결핵을 지닌 환자는 단지 응급처치만 하며 간염에서 사용되는 지침에 따른다. 결핵이 치료(최소한 18개월) 되고 가래 배양 실험에서 음성으로 밝혀지면, 이 환자는 정상적으로 치료해도 된다.

10. 알러지(Allergy)와 치주처치

약을 처방하거나 투여하기 전에 환자가 알러지를 가지고 있는지를 아는 것이 필수적이다. Novocaine, penicillin과 설파유도체에 대한 알러지는 치과진료 시에 가장 흔히 나타나며 생명을 위협할 수 있다. 치주포대에 이용되는 재료인 iodine과 eugenol에 대한 알러지도 확인하여 사용을 피해야 한다.[35] Aspirin 등 흔히 사용되는 약물에 의해 응고가 지연되고 백혈구가 감소되어 치주치료에 영향을 미칠 수 있다.

항응고제를 자주 사용하는 경우에는 치료계획을 세울 때 더 주의를 기울여야 한다. 이러한 환자들에 있어 aspirin과 tetracycline 등의 2차적인 효과를 고려해야 한다.[36]

치주치료 중 처방된 약제는 환자가 이미 복용하고 있는 약제와 상호작용에 대한 정확한 이해 없이 약을 처방해서는 안 된다. 궤양성 대장염과 같은 전신질환을 가진 환자에 있어서는 tetracycline 등의 약물이 심각한 자극을 줄 수 있으므로 사용을 제한해야 한다. 치과의사는 전신적 장애로 인해 처방되고 있는 약제를 내과의사와 상담 없이 변화시켜서는 안 된다.

억제제인 barbiturate 또는 신경안정제를 복용하는 경우 치주치료 시에 사용되는 약물과 상승 작용을 유발할 수 있고, 알코올과의 상호작용에 대해서도 고려해야 한다.[36]

11. 여성환자의 치주처치(Puberty, menses, pregnancy, and menopause)

여성의 일생을 통해 호르몬의 영향은 치주치료 결정에 중요하다. 진단과 치료의 딜레마를 초래하는 치주 및 구강조직 반응이 달라질 수 있으므로 임상가는 여성의 일생 주기의 단계에 따른 개개 여성의 요구도에 따라 치주치료를 적절히 인식하고 변경해야 한다.

1) 사춘기(Puberty)

사춘기에는 치태증가 없이 치은염 유병률이 증가한다. 사춘기 동안 치주조직은 국소인자에 대해 과장된 반응을 보이며 기계 세정 시 쉽게 치은출혈이 일어날 수 있다. 사춘기 치은염과 관련된 세균은 그람음성혐기성균인 *P. intermedia*, *Capnocytophaga*로서 성호르몬 증가(세균이 비타민 K 대신 영양소로 활용)에 따라 증가하여 출혈성 증가에 기여한다. 조직학적 소견은 염증성 증식으로 나타난다.[37]

사춘기 동안 부모 또는 보호자의 교육이 성공적인 치주치료의 일부가 된다. 엄격한 구강위생 프로그램을 포함한 예방적 처치가 또한 중요하다. 경미한 치은염의 경우는 빈번한 구강위생 강화교육과 치석제거 및 치근면 활택술에 잘 반응한다. 심한 경우 미생물 배양검사, 항생제 구강세척과 국소투여 또는 전신적 항생제 처치가 필요할 수 있다.

임상가는 이 연령군이 섭식장애(eating disorder), 즉 신경성 폭식증(bulimia nervosa)이나 신경성 식욕부진(anorexia nervosa)에 민감하기 때문에 구강조직에 대한 위장 내용물의 만성 역류의 구강내 효과를 알아야만 한다. 이러한 행동의 기간과 빈도에 따라 상악전치 설면에 전형적인 perimylosis (법랑질과 상아질의 매끄러운 부식)가 다양하게 나타난다. 또한 이런 환자의 10~50%에서 이하선의 비대(때때로 설하선)가 발생하는 것으로 추정된다. 타액선유출속도도 감소하며 이로 인해 구강점막 민감도, 치은 발적, 우식증 감수성이 증가된다.

2) 월경(Menses)

월경주기와 관련되어 증가된 치은출혈과 통증에는 밀접한 치주검사가 필요하다. 치주유지 관리는 개개 환자의 요구도에 맞춰져야하며 만약에 문제가 발생한다면 3~4개월의 간격이 추천된다. 주기적인 염증 발생 전에 항생제 구강세정이 필요할 수 있다. 구강위생을 강조해야 한다.

과도한 술후 출혈 또는 과다월경(menorrhagia)의 병력이 있는 환자는 주기적인 월경 이후로 수술 약속을 하는 것이 현명하다. 빈혈이 일반적이며 이런 경우 내과의에게 의뢰하고 혈액검사가 필요하다. 월경전 증후군(premenstrual syndrome, PMS) 동안 많은 여성들은 피로감, 달고 짠 음식 선호, 복부 팽만감, 수족의 부종, 두통, 가슴통증, 어지러움, 배탈같은 증상을 호소한다. GERD (gastroesophageal reflux disease)는 식후 수시간 내에 완전히 드러누울 정도로 환자를 힘들게 하고 gag reflex에 더욱 민감하게 한다. 임상가들은 비스테로이드 항염증 약제, 감염, 산성음식이 GERD를 악화시킴을 명심해야 한다. 제산제, H_2-receptor antagonists (cimetidine, famotidine, nizatidine, ranitidine), prokinetic agent (cispride, metoclorpramide) 그리고 proton-pump inhibitors (lansoprazole, omeprazole, pantoprazole, abeprazole)를 복용하는 환자들은 GERD 환자일 수 있다.[38] 언급된 약제들은 몇몇 항생제와 진균제와 상호작용을 하므로 이런 약제에 대한 전반적 고려가 필요하다. 불소세정 또는 빈번한 치주적 세정을 통하여, 그리고 알콜이 많이 함유된 구강세정제를 피하여 관련된 치은과 우식 후유증을 줄일 수 있다. PMS는 항우울제로 개선될 수 있다.

PMS 환자는 감정직, 생리직 민감도 때문에 치료하기 어렵다. 치과치료 시 치은과 구강점막은 조심스럽게 다뤄져야 하며 아프타가 호발하는 환자는 젖은 거즈 또는 윤활제를 묻힌 면봉, 클로르헥시딘 세정 또는 물을 시술 전에 적용한다. 아프타와 포진이 호발하는 환자에서는 구강점막, 뺨, 입술의 조심스런 견인이 필요하다. 저혈당(hypoglycemic) 역치가 증가하기 때문에 약속 전에 가벼운 스낵을 먹도록 조언한다. 월경 중인 여성의 70%가 PMS 증상을 가지나 단지 5%만이 엄격한 진단기준에 해당된다.

3) 임신

임신과 치주염증의 관련성은 수 년 동안 알려져 왔다.[39,40,41] 최근 연구에서 치주질환이 환자의 전신 건강을 변화시킬 수 있고 저체중의 조기 출산의 위험을 상승시킴

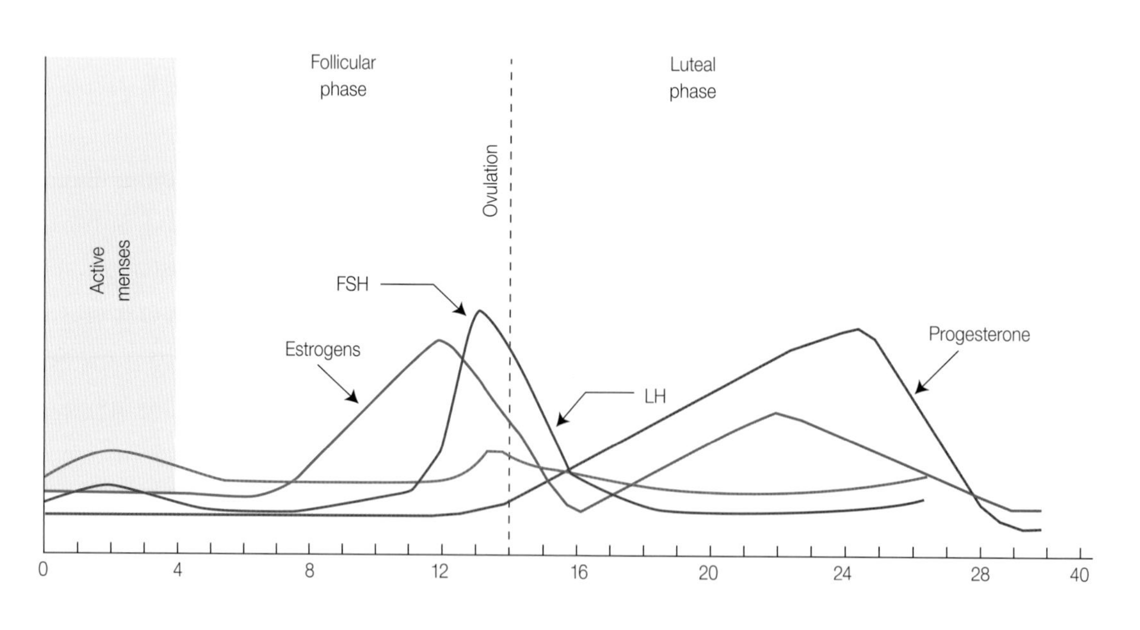

그림 18-1. 여성의 월경주기에 따른 성호르몬과 황체호르몬의 변화

으로써 태아의 건강에 악영향을 일으킬 수 있음을 보여주었다.[42]

(1) 임신성 호르몬의 역할

① 치은연하치태성분

구강위생 정도와 치은염증도 간 관계에 대한 역학 연구에서 임신 시보다 분만 후 염증과 치태간 관계가 밀접해졌다. 임신 중에는 치태내 세균성분이 변화한다. 특히 임신중기에는 치태양이 증가하지 않아도 치은염과 출혈이 증가하였다(Kornman & Loesche). 혐기성 세균비율이 증가하였는데(2.2% vs 10.1%) 이들은 P. intermdia의 성장요소로서 menadione (vit. K) 대신 estradiol이나 progesterone이 사용된다고 하였다.[43]

② 치주질환과 조산, 저체중아출산 (Preterm, low birth-weight birth, PLBW)

Offenbacher는 임신여성에서 치료하지 않은 치주염이 조산(37주 이내 출산), 저체중출산아(< 2,500g)의 위험인자라는 증거를 제시하였다.[44] 최근 견해는 치주질환과 PLBW 간에 상관성은 감염의 결과이고, 내독소 등 세균산물이 이동되고 모체 내에서 합성된 염증매개자들이 직접 작용한 결과라는 것이다. 정상 분만과정에 관여하는 PGE_2와 TNF-α 등 생물학적 활성인자들이 감염과정에서 생성되어 조산진통을 야기할 수 있다. Offenbacher는 최근 치은열구액내 PGE_2가 양수내 PGE_2의 농도와 비례함을 관찰하여 그람음성세균성 치주감염이 PGE_2와 IL-α, β 와 같은 염증매개물질을 자극하여 조산진통을 기시할 수 있는 전신적자극원이라고 주장하고 있다.[45]

(2) 모체의 면역저하

임신 시에는 모체 면역이 저하되어 태아가 allograft로 생존할 수 있게 된다. 모체 혈청 중 면역억제인자는 단핵구의 현저한 증가에 의하며, 임신특이 당단백(B-1-glycoprotein)은 항체와 유사분열촉진물질(mitogen)에 대한 임파구 반응성을 줄이게 된다. 또한 말초혈액내 CD4/CD8 비율이 임신 전 기간에 걸쳐 감소되는데, 이러한 변화로 치은염증에 대한 감수성이 증가된다. 배란호르몬(progesterone) 농도가 증가함에 따라 호중구주화성, 세포매개면역, 포식작용, T세포반응이 감소한다고도 보고되었다.[46] 임신 시 progesterone 농도 증가는 IL-6 생산을 줄임으로써 국소 염증발생에 영향을 미치게되고, 따라서 세균에 의한 염증 자극에 저항하는 힘이 줄어든다.[47] Kinnby 등은 progesterone 농도 증가 시 Plasminogen activator inhibitor type 2(PAI-2)에 영향을 주어 섬유소분해체계의 평형을 교란한다고 하였다.[48] PAI-2는 조직단백분해과정에서 중요한 억제인자로서 임신성 치은염 발달과정에 섬유소분해체계 성분이 관여함을 시사한다.

(3) 임상 관리

철저한 병력 청취가 치주검사 시에 매우 중요하다. 면역변화로 인하여 혈액량이 증가(승모판 탈출증과 심장잡음인 경우는 제외)하고, 태아와 상호작용을 하기 때문에 임상가는 지속적으로 환자의 전신 및 치주 상태를 관찰해야 한다. 병력 청취는 임신 합병증, 유산의 기왕력, 최근의 경련 및 발진, 또는 악성 구토에 대한 것들을 포함한다. 건강한 구강 환경과 적절한 구강위생 상태를 만드는 것이 임산부에 있어서 첫 번째 목적이다. 예방 치과 프로그램은 영양적 조언과 치과 및 집에서의 세심한 치태 관리를 강조해야 한다.[49]

임신 중에는 치은염이 증가되는 경향에 대해 환자에게 충분히 설명해서 환자가 구강위생 술식을 충분히 습득하도록 한다. 치석제거, 연마, 치근면활택술이 필요하면 시행하며, 고알콜의 항균 세치제의 사용을 피하는 것이 권장되기도 한다. 한편 태아기에 불소제품을 처방하는 것은 오랜 기간 논란이 되어 왔는데 아직까지 그 효과에 대해 불명확하여 미국치과의사협회와 미국치주학회에서는 권장하지는 않고 있다.

(4) 치료

① 선택적 치과치료

치태 관리 이외의 선택적인 치과치료는 임신 1기와 3기의 후반기에는 피하는 것이 좋다. 임신 제1기는 기관 형성기로서 태아가 환경적인 영향에 매우 민감한 시기이다. 제3기의 후반기는 자궁이 외부 자극에 대해 매우 민감하여 조산의 위험이 있는 시기이고 산모가 매우 불편해 하기 때문에 지속된 오랜 치료시간은 피해야 한다. 또한 체위성 저혈압증후군이 발생할 수 있으므로 자주 위치를 바꾸거나 수건 등으로 환자의 우측을 받쳐주는 것도 좋다.

제2기는 통상적인 치과치료를 하기에 안전한 시기이다. 이 시기에 활동성 질환을 조절하고 임신 후반기에 생길 수 있는 문제들을 제거하는 것이 좋다. 치주수술은 출산 후로 연기해야 한다. 임신성 종양이 통증이 있고, 저작에 방해되거나, 기계적 세정 후에도 출혈이나 배농이 될 때는 출산 전이라도 절제하고 생검할 필요가 있다.

② 치과 방사선 사진

제1기에는 태아가 방사선에 민감하기 때문에 어떠한 방사선도 조사되지 않는 것이 바람직하다. 진단을 위해 방사선 사진이 필요할 경우 납치마는 필수적이다. 치과용 방사선이 안전하다고 해도 임신 중의 사용은 제한적으로 사용되어야 한다.[3]

③ 투약

임산부에서 투약은 약물이 태반을 통과해서 태아에 영향을 미칠 수 있기 때문에 아직 논란이 많다. 약 처방은 가능한 부작용에 대한 고려를 충분히 한 후, 환자가 잘 견딜 수 있는 꼭 필요한 기간에 국한하여야 한다. 특히 치주치료에는 항생제가 필요한데 태아에 대한 약물의 작용은 항생제의 유형, 용량, 임신시기, 치료의 기간 등을 고려해서 결정한다.[50]

④ 수유

대개 약물이 모유에 포함되어 유아에게 전달될 위험이 있는데, 이로 인해 부작용이 나타날 수 있으나 이와 관련한 약물의 용량이나, 모유의 영향에 대해서는 정보가 부족한 실정이다. 대개 모유로 분비되는 약물의 양은 수유부의 용량의 1~2%를 넘지 않으므로 대개의 약물은 유아에게 약물학적 중요성을 가지지 않는다. 수유부는 수유 직후 약물을 복용하고, 가능하면 모유내 약물 농도가 감소하는 4시간 또는 그 이후까지 수유를 피해야 한다.[50]

4) 경구피임제(Oral contraceptives)

경구피임제의 사용은 임산부 환자에서와 유사한 반응이 보이는데 치은조직에 대한 국소인자의 과민반응이 나타난다. 임신기보다 경구피임제의 사용자에서 치은조직의 삼출량이 더 증가된다는 보고도 있다.

경구피임제의 구강내 부작용과 치주조직에 대한 부작용, 그리고 세심한 치태관리의 필요성을 교육해야 한다. 약제복용으로 인한 치은염증의 치료에는 구강위생교육과 국소인자의 제거를 먼저 하고 이에 잘 반응하지 않으면 치주수술을 고려한다. 경구피임제와 항생제의 병용에 따른 약효에 관하여 여전히 논란이 있지만 1991년 미국치과의사협회에서는 가임여성들이 항생제치료를 받는 동안은 경구피임제의 효과가 줄어들 가능성이 있으므로 이 기간중에는 부가적인 피임법의 사용을 권해야 한다고 보고하였다.

5) 폐경(Menopause)

폐경 전후 구강조직과 골조직의 변화가 있을 수 있으므로 호르몬 변화에 관한 문진을 통하여 정보를 모으는 것이 중요하다. 치은과 점막이 얇아지기도 하는데 이때는 연조직 증강술을 하고 매우 부드러운 칫솔과 마모제가 없는 치약 사용을 권한다. 저알콜 함유 세정제를 권하기도 한다. 유지관리 기간에는 연조직에 대한 외상을 최소로 하면서 치근면을 깨끗이 한다. 구강 통증이 나타나기도 하는데 이는 조직이 얇아지고, 구강건조증, 부적절한 영양섭취 또는 호르몬 결핍에 의해 나타나는데 호르몬 대체요법을 받은 경우 증상이 감소한다.[51]

환자의 치주상태를 세밀히 검사하고 적절한 치주치료 및 유지관리가 매우 중요하며 호르몬 결핍에 따른 구강조직의 변화를 설명하고 필요하면 내과의사의 자문을 구한다. 지금까지 골다공증과 비골다공증 환자에서 치주재생 과정의 차이점에 관한 보고는 없으며, 임플란트 시술에서도 비록 골다공증이 위험인자라고는 하지만 금기증은 아니다.[51]

참고문헌

1. Herman WW, Konzelman Jr JL, Prisant LM: New national guidelines on hypertension: a summary for dentistry. J Am Dent Assoc 2004;135:576–584.
2. Price JW, Price JR: Accuracy and precision of metered doses of nitroglycerin lingual spray. Am J Health Syst Pharm 2008;65:1556–1559.
3. Mealey BL: Periodontal implications: medically compromised patients. Ann Periodontol 1996;1:256–321.
4. Rose LF, Mealey B, Minsk L, Cohen DW: Oral care for patients with cardiovascular disease and stroke. J Am Dent Assoc 2002;133(Suppl):37S–44S
5. Ostuni E: Stroke and the dental patient. J Am Dent Assoc 1994;125:721–727.
6. Findler M, Garfunkel AA, Galili D: Review of very high–risk cardiac patients in the dental setting. Compendium 1994;15(58):60–64.
7. Estes 3rd NA, Weinstock J, Wang PJ, et al: Use of antiarrhythmics and implantable cardioverter–defibrillators in congestive heart failure. Am J Cardiol 2003;91:45D–52D.
8. Konstam MA: Improving clinical outcomes with drug treatment in heart failure: what have trials taught?. Am J Cardiol 2003;91:9D–14D.
9. Findler M, Garfunkel AA, Galili D: Review of very high–risk cardiac patients in the dental setting. Compendium 1994;15(58):60–64.
10. Chobanian AV, Bakris GL, Black HR, et al: The Seventh Report of the Joint National Committee on Prevention, Detection, Evaluation, and Treatment of High Blood Pressure: the JNC 7 report. JAMA 2003;289:2560–2572.
11. Raab FJ, Schaffer EM, Guillaume–Cornelissen G, Halberg F: Interpreting vital sign profiles for maximizing patient safety during dental visits. J Am Dent Assoc 1998;129:461–469.
12. Muzyka BC, Glick M: The hypertensive dental patient. J Am Dent Assoc 1997;128:1109–1120.
13. Rhodus NL, Little JW: Dental management of the patient with cardiac arrhythmias: an update. Oral Surg Oral Med Oral Pathol Oral Radiol Endod 2003;96:659–668.
14. Genco RJ, Offenbacher S, Beck J, Rees T: Cardiovascular Diseases and Oral Infections. In: Rose LF, Genco RJ, Cohen DW, Mealey BL, ed. Periodontal medicine. Toronto: BC Decker; 1999.
15. Barco CT: Prevention of infective endocarditis: a review of the medical and dental literature. J Periodontol 1991;62:510–523.
16. Wilson W, Taubert KA, Gewitz M, et al: Prevention of infective endocarditis: guidelines from the American Heart Association: a guideline from the American Heart Association Rheumatic Fever, Endocarditis and Kawasaki Disease Committee Council on Cardiovascular Disease in the Young, and the Council on Clinical Cardiology Council on Cardiovascular Surgery and Anesthesia, and the Quality of Care and Outcomes Research Interdisciplinary Working Group. J Am Dent Assoc 2008;139(Suppl):3S–24S.
17. Gudapati A, Ahmed P, Rada R: Dental management of patients with renal failure. Gen Dent 2002;50:508–510.
18. Rhodus NL, Little JW: Dental management of the renal transplant patient. Compendium 1993;14:518–524.526.
19. Phillips YY, Hnatiuk OW: Diagnosing and monitoring the clinical course of chronic obstructive pulmonary disease. Respir Care Clin N Am 1998;4:371–389.
20. Scannapieco FA: Respiratory diseases. In: Rose LF, Genco RJ, Mealey BL, ed. Periodontal medicine. Toronto: BC Decker; 1999.
21. Mealey BL, Semba SE, Hallmon WW: Dentistry and the cancer patient: Part 1–Oral manifestations and complications of chemotherapy. Compendium 1994;15:1252.1254.
22. Semba SE, Mealey BL, Hallmon WW: Dentistry and the cancer patient: Part 2–Oral health management of the chemotherapy patient. Compendium 1994;15:1378.1380–1377.
23. Semba SE, Mealey BL, Hallmon WW: The head and neck radiotherapy patient: Part 1–Oral manifestations of radiation therapy. Compendium 1994;15:250.252–260.
24. Mealey BL, Semba SE, Hallmon WW: The head and neck radiotherapy patient: Part 2–Management of oral complications. Compendium 1994;15:442.444.
25. 55. Mealey BL: Impact of advances in diabetes care on dental treatment of the diabetic patient. Compend Contin Educ Dent 1998;19:41–44.46–48.
26. Pinto A, Glick M: Management of patients with thyroid disease: oral health considerations. J Am Dent Assoc 2002;133:849.
27. Sherman RG, Lasseter DH: Pharmacologic management of patients with diseases of the endocrine system. Dent Clin North Am 1996;40:727–752.
28. Glick M: Glucocorticosteroid replacement therapy: a literature review and suggested replacement therapy. Oral Surg Oral Med Oral Pathol 1989;67:614–620.

29. Miller CS, Little JW, Falace DA: Supplemental corticosteroids for dental patients with adrenal insufficiency: reconsideration of the problem. J Am Dent Assoc 2001;132:1570–1579.
30. Tarsitano BF, Rollings RE: The pregnant dental patient: evaluation and management. Gen Dent 1993;41:226–234.
31. Schardt-Sacco D: Update on coagulopathies. Oral Surg Oral Med Oral Pathol Oral Radiol Endod 2000;90:559–563.
32. Watanabe K: Prepubertal periodontitis: a review of diagnostic criteria, pathogenesis, and differential diagnosis. J Periodontal Res 1990;25:31–48.
33. Cleveland JL, Gooch BF, Shearer BG, Lyerla RL: Risk and prevention of hepatitis C virus infection. Implications for dentistry. J Am Dent Assoc 1999;130:641–647.
34. Gillchrist J: Hepatitis viruses A, B, C, D, E, and G: implications for dental personnel. J Am Dent Assoc 1999;130:509.
35. Romanow I: Allergic reactions to periodontal pack. J Periodontol 1957;28:151.
36. American Academy of Periodontology : Position paper: Systemic antibiotics in periodontics. J Periodontol 2004;67:1553.
37. Nakagawa S, Fujii H, Machida Y, et al: A longitudinal study from prepuberty to puberty of gingivitis: correlation between the occurrence of Prevotella intermedia and sex hormones. J Clin Periodontol 1994;21:658.
38. Robb-Nicholson C: Gastroesophageal reflux disease. Harv Women Health Watch 1999;4(6):4.
39. Hanson L, Sobol SM, Abelson T: The otolaryngologic manifestations of pregnancy. J Fam Pract 1986;23:151.
40. Levin RP: Pregnancy gingivitis. Md State Dent Assoc 1987;30:27.
41. Löe H, Silness J: Periodontal disease in pregnancy. 1. Prevalence and severity. Acta Odontol Scand 1984;21:533.
42. Jeffcoat MK, Hauth JC, Geurs NC, et al: Periodontal disease and preterm birth: results of a pilot intervention study. J Periodontol 2003;74:1214.
43. Kornman KS, Loesche WJ: The subgingival flora during pregnancy. J Periodontol 1980;15:111.
44. Offenbacher S, Katz V, Fertik G, et al: Periodontal infection as a possible risk factor for preterm low birthweight. J Periodontol 1996;67(suppl):1103.
45. Offenbacher S, Lin D, Strauss R, et al: Effects of periodontal therapy durig pregnancy on periodontal status, biologic parameters, and pregnancy outcomes: a pilot sutdy. J Periodontol 2006;77:2011.
46. Valdimarsson H, Mulholland C, Fridriksdottir V, et al: A longitudinal study of leukocyte blood counts and lymphocyte responses in pregnancy: a marked early increase of monocyte-lymphocyte ratio. Clin Exp Immunol 1983;53:437.
47. Raber-Durlacher JE, Leene W, Palmer-Bouva CC, et al: Experimental gingivitis during pregnancy and postpartum: immunohistochemical aspects. J Periodontol 1993;64:211
48. Kinnby B, Matsson L, Astedt B: Aggravation of gingival inflammatory symptoms during pregnancy associated with the concentration of activator inhibitor type 2 (PAI-2) in gingival fluid. J Periodontal Res 1996;31:271.
49. American Academy of Periodontology : Statement regarding periodontal management of the pregnant patient. J Periodontol 2004;75:495.
50. Briggs GG, Freeman RK, Yaffe SJ: Drugs in pregnancy and lactation, ed 4. Baltimore, Williams & Wilkins, 1994.
51. Mohammed AR, Brunsvold M, Bauer R: The strength of association between systemic postmenopausal osteoporosis and periodontal disease. Int J Prosthet 1996;9:479

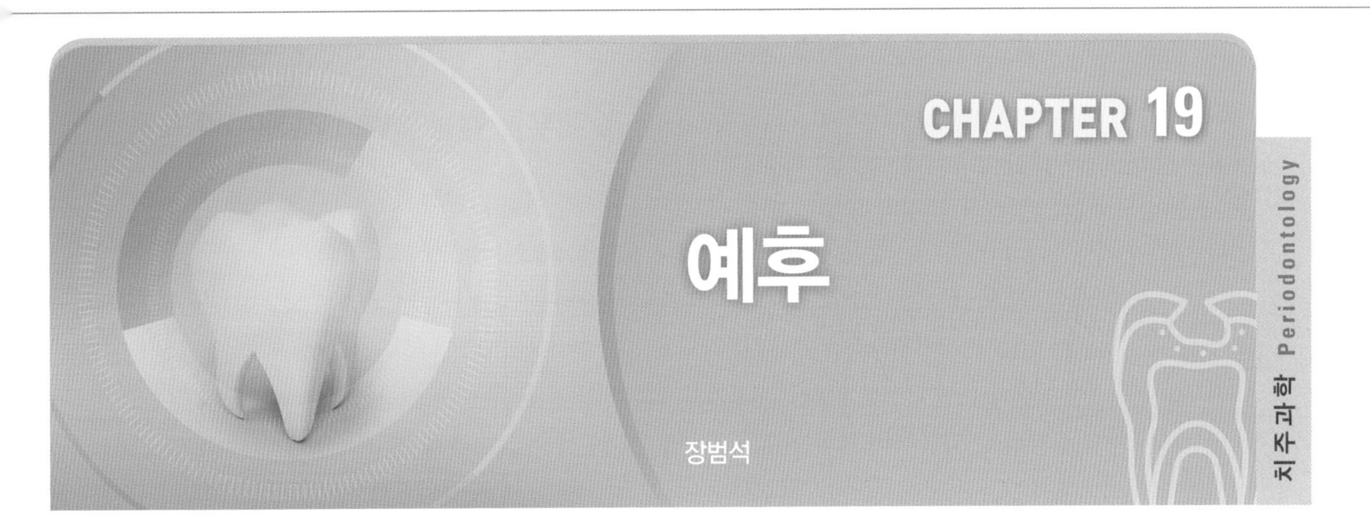

1. 예후

1) 예후의 정의

예후(prognosis)란 질환에 대한 병리학적 지식과 위험인자(risk factor)에 근거하여 질환의 과정이나 기간, 결과를 예측하는 것을 말한다. 예후는 진단 후 치료계획을 세우기 전에 결정하여야 한다. 예후는 위험인자와 혼동되기도 한다. 일반적으로 위험인자는 특정 기간 동안에 그 질환에 걸릴 위험을 증가시키는 특성을 말하며 예후는 질환의 진행 혹은 결과를 예측하는 것이다. 위험인자와 예후가 같은 경우도 있다. 예를 들면 당뇨환자 혹은 흡연자는 치주질환에 걸릴 위험성이 크며 보통 예후가 좋지 않다.

2) 예후의 결정

예후를 결정할 때 고려해야 할 여러 가지 요인을 표 19-1과 같이 정리할 수 있다.[1,2] 이와 같은 요인들을 심도 있게 분석하여 excellent, good, fair, poor, questionable, hopeless와 같이 6가지 예후로 결정할 수 있다.[3]

(1) 우수한 예후(Excellent prognosis)

골소실이 없고 치은상태가 우수하며 환자의 협조도가 좋으며 전신적·환경적인 요인이 없는 경우

(2) 좋은 예후(Good prognosis)

잔존골의 지지가 적절하거나, 원인인자가 적절히 조절되며 유지할 수 있는 치열이 확립되어 있거나, 환자의 협조가 적절한 경우, 전신적인·환경적인 요인이 없거나 있더라도 조절이 잘 되는 경우 등 위와 같은 것이 한 가지 이상인 경우

(3) 적절한 예후(Fair prognosis)

잔존골의 지지가 적절하지 않거나, 약간의 치아동요도, 1도 치근이개부병소, 적절한 유지 관리의 가능성, 용인될 수준의 환자의 협조도, 제한적인 전신적·환경적 요인 등 위와 같은 것이 한 가지 이상인 경우

(4) 불량한 예후(Poor prognosis)

중등도에서 심한 정도의 골소실, 치아의 동요도, 1도와 2도의 치근이개부병소, 유지하기가 어려운 부위나 혹은 의심스러운 환자의 협조, 전신적·환경적 요인 등 위와 같은 것이 한 가지 이상인 경우

(5) 의심스러운 예후(Questionable prognosis)

심한 골소실, 2도와 3도의 치근이개부병소, 치아동요도, 접근이 안 되는 부위, 전신적·환경적 요인 등 위와 같은 것이 한 가지 이상인 경우

(6) 절망적인 예후(Hopeless prognosis)

심한 골소실, 유지할 수 없는 부위, 발치가 적응증인 경우, 조절이 되지 않는 전신적·환경적 요인 등 위와 같은 것이 한 가지 이상인 경우

3) 전반적인 예후와 개별치아의 예후

예후는 전반적인 예후와 개별치아의 예후라는 두 가지 측면으로 나누어 생각할 수 있다. 전반적인 예후란 치열 전체에 관한 것으로서 환자의 나이, 질환의 재발정도, 전신적인 요인, 흡연, 치태유무, 치석과 다른 국소요인, 환자의 순응도, 보철 가능성 등의 인자가 영향을 준다.

전반적인 예후를 평가하고 나면 다음 질문에 대한 답을 얻을 수 있을 것이다.

- 치료를 반드시 해야 하는지?
- 치료가 성공할 것인지?
- 보철적 치료가 필요할 때, 잔존 치아들이 보철물의 부가적인 힘을 지지할 수 있는지?

개별치아의 예후는 전반적인 예후를 결정한 후에 결정하며, 또한 그에 의해 영향을 받는다.[3] 예를 들어, 전반적인 예후가 좋지 못한 환자의 경우 국소적인 요인으로 인해 예후가 의심스러운 치아를 애써 보존할 필요가 없다. 표 19-1에 있는 국소적 요인과 보철적·수복적 요인은 개별치아의 예후에 직접적인 영향을 준다.

2. 예후를 결정할 때 고려해야 할 요인들

1) 전반적인 임상적 요인

(1) 환자의 나이

남아 있는 결합조직 부착과 치조골의 높이가 비슷한 두 환자에서 대개 나이든 환자의 예후가 더 좋다. 젊은 환자의 경우, 더 짧은 기간에 치주조직의 파괴가 일어났기 때문에 예후가 좋지 않다.

(2) 질환의 정도

환자의 이전 치주질환 병력을 통해 앞으로의 치주 파괴 가능성을 알 수 있다. 이전 치주질환 병력을 결정하는데 중요한 치주낭 깊이, 부착 수준, 골소실 정도, 골결손의 형태 등을 주의 깊게 기록하여야 하며 이는 임상적, 방사선학적 평가를 통해 알 수 있다.

임상부착수준을 알아내면 치주인대가 결여된 치근표면의 정도를 알 수 있는 반면에 방사선 사진은 단지 골로 덮여 있는 치근표면의 양만을 보여준다. 치주낭 깊이는 골 소실과 반드시 관련이 있는 것이 아니기 때문에 부착수준 보다는 덜 중요하다. 일반적으로 깊은 치주낭이 있고 부착소실과 골소실이 거의 없는 치아는 치주낭이 얕고 심각한 부착소실과 골소실이 있는 치아에 비해 예후가 더 좋다. 그러나, 깊은 치주낭은 감염의 원인이 되며 질환을 진행시킬 수도 있다.

표 19-1. 예후 결정 시 고려 요인

전반적인 임상적 요인	전신적/환경적 요인	국소적 요인	보철적·수복적 요인
환자 나이 질환의 정도 치태조절 환자의 순응도	흡연 전신질환/상태 유전적 요인 스트레스	치태/치석 치은연하 수복물 해부학적 요인 짧고, 좁아지는 치근 치경부 법랑돌기 법랑진주 치근면 함요 발육구 치근 근접 치근이개부병소 치아동요	지대치 설정 충치 무수치 치근흡수

만약 치주낭의 기저부(부착수준)가 치근첨에 가깝다면 예후는 나빠진다. 치근단 질환이 있다면 예후는 역시 나빠진다. 그러나 때때로 근관치료와 치주치료를 병행하여 치근단과 측방골이 놀라울 정도로 회복될 수도 있다.

예후는 잔존골의 높이와도 관련된다. 골파괴가 멈춘다고 가정했을 때 치아를 지지하기에 충분한 골이 잔존하는가? 이에 대해 확실히 대답할 수 있는 경우는 골소실이 거의 없어 위험이 없는 경우(그림 19-1)거나 골소실이 너무

(A)

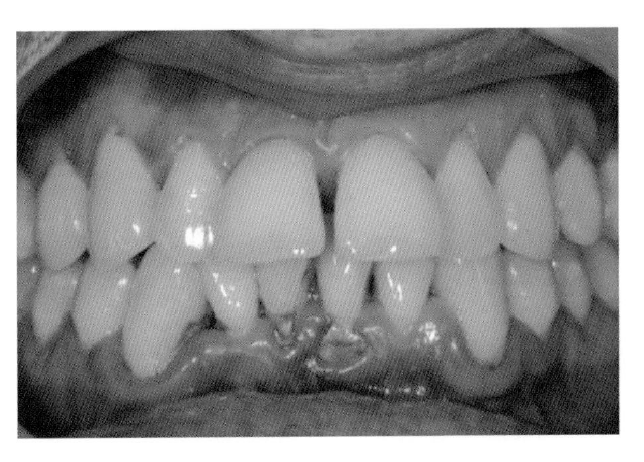

(B)

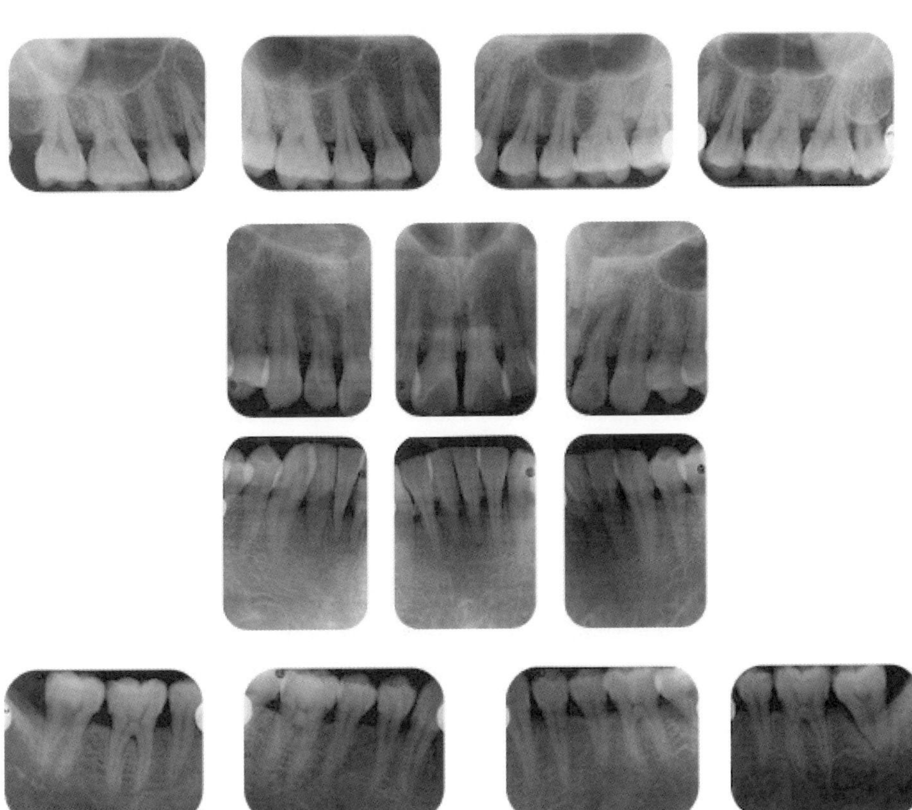

그림 19-1. 전신적으로 건강한 39세 남성의 만성 치주염 환자
전반적인 예후는 좋다(good). (A) 치은에 염증이 있고 구강위생이 좋지 않으며 치은연하치석과 치은연상치석을 볼 수 있다. (B) 국소인자(치석)를 볼 수 있으며 국소인자만 잘 조절이 된다면 잔존치조골의 지지가 좋아 예후가 좋다.

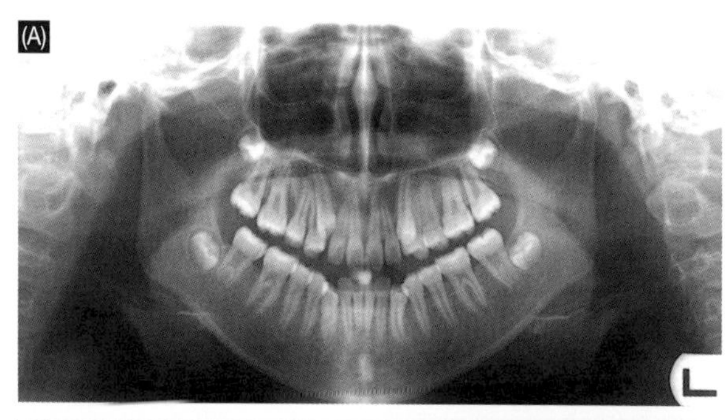

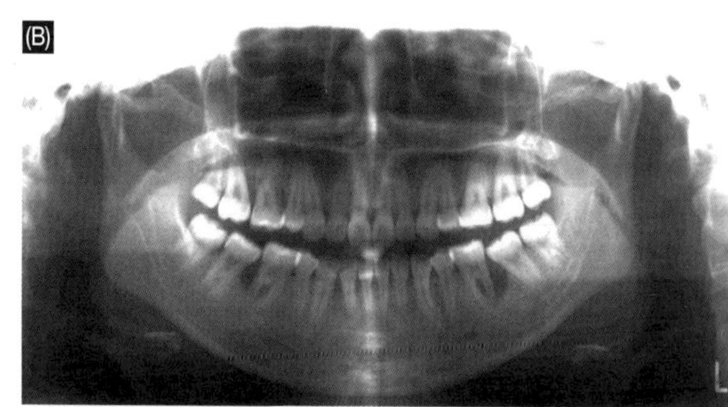

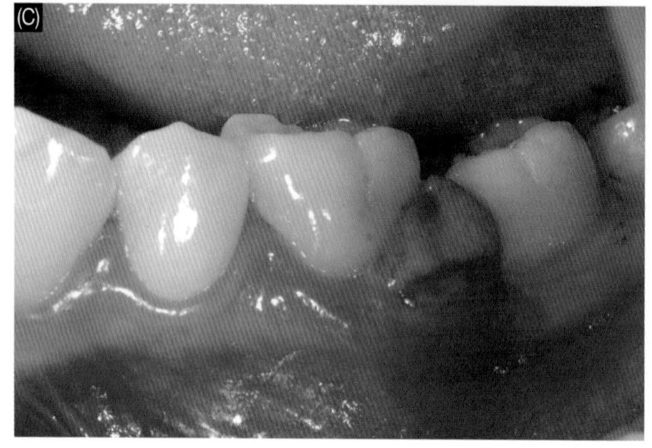

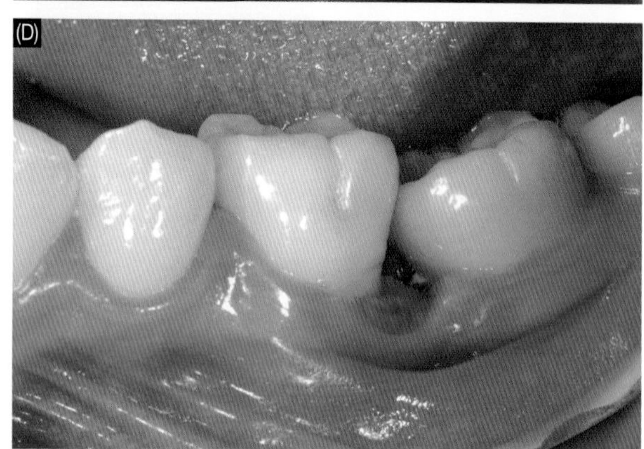

그림 19-2. 19세 여학생의 국소적 급진성 치주염

(A) 11세 때 파노라마 사진에서는 정상적인 소견을 보인다. (B) 19세 때 파노라마 사진상, 양측 제1대구치 원심부위에 심한 골파괴를 보인다. (C) 치은염증, 깊은 치주낭, 부종 및 병적치아이동이 보인다. (D) 치은연하 소파술 후 4주가 경과한 사진으로 부종의 감소가 관찰된다.

심해서 잔존골이 치아지지를 적절히 할 수 없는 경우(그림 19-2, 3)와 같이 명확한 경우가 될 것이다. 그러나 대부분의 환자들은 이와 같은 극단적인 범주에 속하지 않으며 그 중간쯤에 속할 것이며 잔존골 평가 하나만으로 전반적 예후를 평가하기에는 불충분하다.

골결손의 형태도 반드시 알아야 한다. 치료를 통해 임상적으로 주목할 만한 골재생이 일어나지 않기 때문에 수평골소실에 대한 예후는 잔존골의 높이에 달려있다. 골연하 결손의 경우 남은 골의 형태와 골벽수가 유리하다면 치료를 통해 치조정 수준까지 골이 재생될 수 있다.[4]

치아의 한쪽 면에서 골소실이 많은 경우, 골소실이 적은 치면의 높이를 관찰하여 예후를 평가해야 한다. 다른 면에 비해 골높이가 높을수록, 치아의 회전 중심이 치관에 더 가깝게 된다(그림 19-4). 이를 통해 치주조직에 유리하게 힘이 분산되고 치아동요도도 작아진다.[5]

예후가 의심스러운 치아를 다룰 때 성공적인 치료를 위해서는 예후가 좋지 않은 치아를 발거함으로써 인접 치아에 생길 수 있는 이점을 고려하여야 한다. 가능성이 없는 치아를 보존하려고 하는 무모한 시도보다는 오히려 발치함으로써 인접치를 보존하며 골지지를 더 얻을 수 있다(그림 19-5).

(3) 치태조절

세균성 치태는 치주질환의 일차적 원인이므로 치태조절을 효과적으로 하는 것이 치료의 성공과 예후를 좋게 한다.

(4) 환자의 순응도와 협조도

치은질환과 치주질환이 있는 환자의 예후는 환자의 태도, 자연치를 유지하고자 하는 정성, 구강위생 상태를 유지하는 능력에 크게 좌우된다. 이런 정성이 없다면 치료

(A)

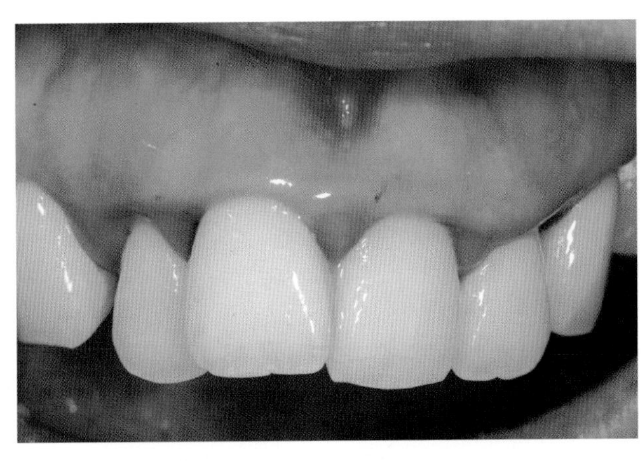

(B)

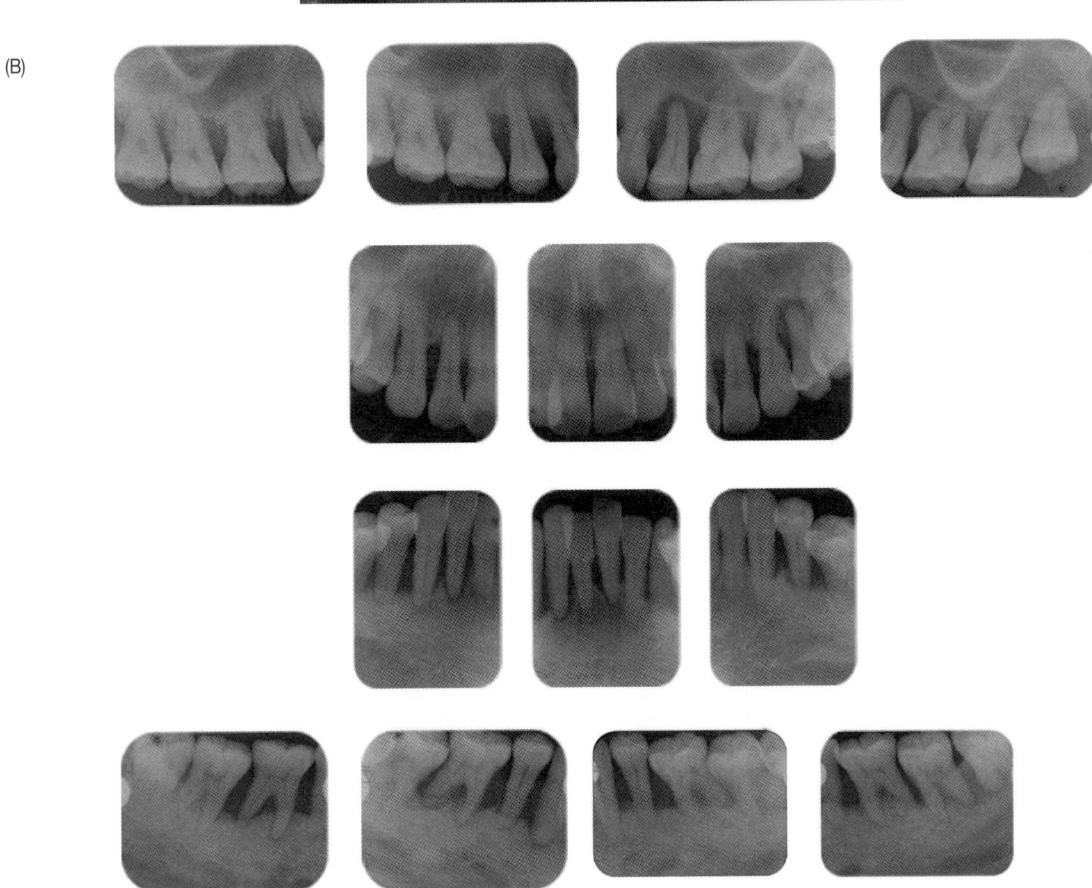

그림 19-3. 전반적 급진성 치주염을 가진 30세 여성
전반적인 예후는 불량(poor)하다. (A) 전반적인 치주부착소실과 치은염증, 치주낭이 관찰된다. (B) 치근 중간 정도에서부터 심한 골파괴를 보여 잔존골의 치아지지가 적절치 않다.

는 성공할 수 없다. 성공적인 치료를 위한 환자의 역할에 대해 교육을 잘 시켜야 한다. 만약 환자가 적절한 치태조절을 하지 못하거나 필요한 정기적인 검사에 응하지 않는다면 치과의사는 치료를 거부하거나 예후가 의심스러운 치아를 발거하고 나머지 치아들은 다시 치석제거술이나 치근활택술을 시행하는 정도의 치료밖에 할 수가 없다. 치과의사는 치료가 계속 필요하나 환자의 비협조로 이루어지지 않았음을 반드시 기록해 두어야 한다.

2) 전신적 요인과 환경적 요인

(1) 흡연

역학적으로 흡연이 치주질환의 발생과 진행에 영향을 주는 가장 중요한 환경적 위험인자라는 증거가 많다. 따라서 흡연과 치주염의 유병률과 발병률 사이에 직접적인 관계가 있다는 것을 환자에게 확실히 알려야 한다. 또한 환자는 흡연이 치주파괴의 정도뿐 아니라 치주조직의 치유능력에까지 영향을 준다는 것을 알아야 한다. 그 결과 흡연을 하는 환자들은 일반적인 치주치료에 대해 비흡연자와 같이 반응하지 않는다.[6,7] 따라서 흡연을 하고 경미한 정도에서 중등도까지의 치주염에 이환된 환자의 예후는 대개 적절한(fair)에서 불량한(poor) 정도로 볼 수 있다. 심각한 치주염 환자는 불량한에서 절망적인(hopeless) 정도의 예후에 해당한다.

금연하면 치료 결과와 예후에 좋은 영향을 줄 수 있다는 것을 강조하여야 한다.[8,9] 경미한 정도에서 중등도까지의 치주염 환자가 금연하면 좋은(good) 예후까지 좋아질 수 있고 심각한 치주염 환자가 금연하면 적절한(fair) 정도까지 예후가 좋아질 수 있다.

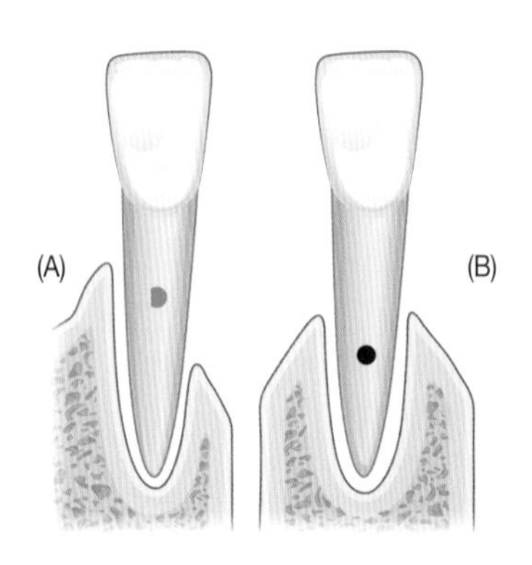

그림 19-4. (A)의 한쪽 치면에 골이 더 적지만 회전 중심이 치관에 더 가까워 치주조직으로 교합력 분산이 더 유리하기 때문에 (A) 치아의 예후가 (B) 치아보다 더 좋다.

(2) 전신질환이나 전신상태

환자의 전신적 상태는 여러 가지 면에서 전체 치아의 예후에 영향을 준다. 예를 들어 1형 당뇨와 2형 당뇨 환자는 당뇨가 없는 사람에 비해 치주염의 유병률 정도가 훨씬 높다는 사실과 당뇨의 조절 수준이 이들 관계에서 중요한 변수라는 것이 역학 연구를 통해 알려졌다. 따라서 당뇨의 위험이 있는 환자들은 되도록 일찍 치주염과 당뇨의 관계에 대해 알아야 하고 정보를 얻어야 한다. 이와 비슷하게 당뇨로 진단받은 환자는 치주염의 발생과 진행에 대해 당뇨의 조절이 미치는 영향에 대해 알아야 한다. 이

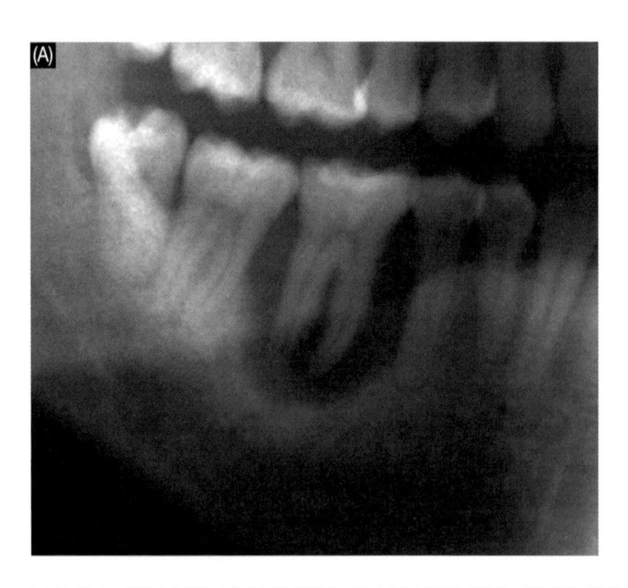

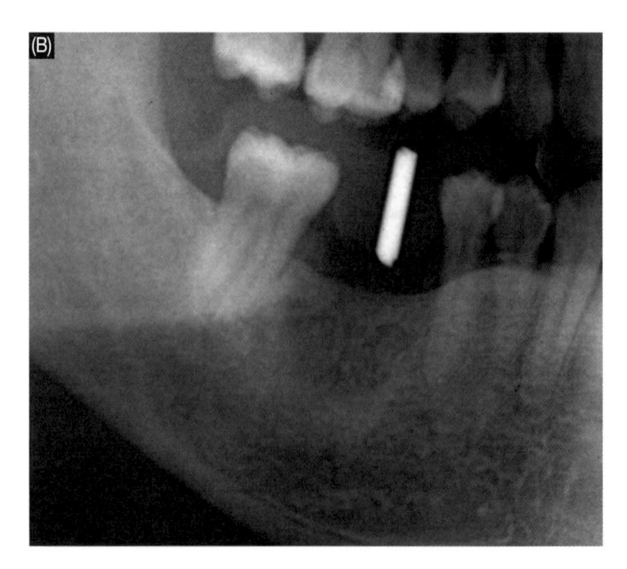

그림 19-5. 임플란트를 식립하기 위하여 심한 골소실을 보이는 치아를 발거하고 3년이 경과한 사진
치아 발거 후 발치와 부위가 골로 채워지고 뚜렷한 골지지가 제2소구치 부위에 일어났다.

런 경우 예후는 환자의 전신상태 및 치아 상태와 관련하여 환자 순응도에 의해 결정된다. 치주치료계획에 잘 따르며 조절이 잘 되는 경도에서 중등도 치주염 이환 당뇨환자는 예후가 좋다. 유사하게 질환의 진행에 영향을 줄 수 있는 다른 전신질환이 있는 환자에서 전신적인 문제가 개선되면 예후도 좋아진다.

외과적 치료가 요구되지만 환자의 전신적인 건강상태 때문에 치주치료를 할 수 없는 경우 예후를 주의 깊게 살펴야 한다. 구강위생 관리를 잘 할 수 없는 경우(예를 들어 파킨슨병)는 물론 예후가 좋지 않다. 전동칫솔 같은 새로운 자동 구강위생기구가 이런 환자들에게 유용하며 예후를 증진시킬 수 있다.

(3) 유전적 인자

만성 치주염과 급진성 치주염에 대한 유전적 영향을 보여주는 증거들이 많이 있다. IL–1β의 생산을 증가시키는 IL–1 유전자의 유전적 다형성(genetic polymorphism)은 중증 전반적 만성 치주염에 대한 위험성 증가와 관련된다.[10,11] 환자의 IL–1 genotype과 흡연 상태를 알면 임상가가 예후를 결정하는데 도움이 된다는 것이 밝혀졌다.[12] 유전인자는 serum IgG2 항체역가와 중성구에 대한 Fc–γRII receptors의 발현에도 영향을 주는데, 이 둘은 급진성 치주염에서 중요할 수 있다.[13] 백혈구 부착결핍(leukocyte adhesion deficiency, LAD) type I과 같은 유전 이상은 중성구 기능에 영향을 줄 수 있으며 급진성 치주염에 대해 위험인자가 된다.[13] 결국 급진성 치주염의 특징인 가족 집단은 아직 확증되지는 않았지만 부가적인 유전 인자가 이들 질환에 대한 감수성에 중요할 수 있다는 것을 말해 준다.

예후에 대한 유전적 인자의 영향은 간단하지 않다. 세균 인자와 환경인자가 통상적인 치주치료와 환자교육을 통해 수정될 수 있는 반면에 유전적 인자는 현재로서는 바꿀 수가 없다. 그러나 치주질환과 관련된 유전적 변이를 감지함으로써 예후에 잠재적으로 영향을 줄 수 있다. 첫째로, 유전적 인자로 인한 위험이 있는 환자를 조기에 발견하면 이들 환자에 대한 예방적, 치료적 방법을 일찍 수행할 수 있다. 둘째, 질환이 생긴 후 혹은 치료 진행 중에 유전적 위험 인자를 확인하게 되면 보조적인 항생제 치료 혹은 유지관리 치료의 빈도 증가와 같은 치료 방법에 영향을 줄 수 있다. 마지막으로, 아직 치주염에 대한 평가를 받아 본 적이 없지만, 급진성 치주염에서 보이는 가족 집단으로 인한 위험을 알고 있는 젊은 환자는 조기에 치료(intervention)방법을 생각할 수 있다. 이들 각각의 경우에서 조기진단, 치료방법의 수정을 통해 예후를 개선할 수 있다.

(4) 스트레스

약물남용뿐만 아니라 육체적, 정신적 스트레스도 치주치료에 대한 환자의 반응 능력을 바꿀 수 있다. 이들 인자는 예후를 확립하고자 할 때 현실적으로 다루어져야 한다.

3) 국소적 요인

(1) 치태/치석

치태와 치석은 치주질환을 일으키는 중요한 국소적 요인이다. 따라서 치태와 치석을 잘 제거하고 관리하면 예후가 좋다.

(2) 치은연하 수복물

변연이 치은연상에 있는 수복물에 비해 치은연하 수복물이 치태침착, 치은염증 및 골소실[14,15,16]이 증가한다. 더욱이 이런 변연의 부조화(예: overhangs)가 치주조직에 나쁜 영향을 준다. 이런 부조화의 크기와 존재 시간이 치주조직 파괴량에 있어 중요한 요소이다. 일반적으로 잘 형성된 치은연상 변연을 가진 치아가 치은연하 변연에 부조화가 있는 치아보다 예후가 더 좋다.

(3) 해부학적 요소

치주질환을 잘 생기게 해서 예후에 영향을 주는 해부학적 요소로는 큰 치관을 가지는 짧고 점점 가늘어 지는 치근(tapered roots), 치경부 법랑질 돌기(cervical enamel projection), 법랑진주(enamel pearls), 중간이개부능선(intermediate bifurcation ridges), 치근 함요(root concavity), 발육구(developmental groove) 등이다. 또한 예후에 영

향을 주는 이개부의 위치나 형태 그리고 치근 근접도 등도 고려 대상이 된다.

상대적으로 큰 치관을 가지면서 짧고 점점 가늘어 지는 치근을 가진 치아는 예후가 불량하다. 치관–치근 비율이 좋지 않고 치주지지를 위한 치근면적이 감소하였기 때문에 치주조직은 교합력에 더 쉽게 상처를 받을 수 있다.[17]

치경부 법랑질 돌기는 백악법랑경계의 징상적인 형태에서 벗어난 연장된 법랑질이다.[18] 하악 대구치의 28.6%와 상악 대구치의 17%에서 치근이개부 안으로 연장된다.[18] 상악 제2대구치의 협측면에서 가장 많이 발견된다.[19,20] 법랑진주는 이개부나 치근면의 다른 부위에서도 발견되는 더 크고 둥근 법랑질 침착물이다.[21] 법랑 진주는 치경부 법랑 돌기보다는 흔하지 않다(소구치에서 1.1%에서 5.7%; 상악 제3대구치에서 75%[21]). 중간이개부능선은 이개부의 중간지점에서 근심부와 원심부를 가로지르며 하악 제1대구치의 73%에서 발견된다.[22] 치근면에 있는 법랑질 돌기는 부착을 방해하고 재생 술식을 방해한다. 따라서 개별치아의 예후에 부정적인 영향을 끼친다.

치석제거술이나 치근 활택술은 치주치료의 기본적인 과정이다. 이런 술식의 효율을 감소시키는 해부학적 요소는 예후에도 부정적인 영향을 끼친다. 그러므로 치근의 형태가 예후를 결정하는데 중요하다. 부착소실의 결과로 노출되는 치근면 함요는 얕은 편평부에서 깊은 함요등 다양한 형태를 나타낸다. 상악 제1소구치, 상악 제1대구치, 상악 제1대구치의 근심협측 치근, 하악 제1대구치 치근, 그리고 하악 절치부에서 심하게 보인다(그림 19–6, 7).[23,24]

이런 함요부가 부착 면적을 증가시키고 회전력에 더 저항하는 치근 형태를 만들 수 있다고 하지만 치과의사와 환자 모두가 관리하기 어려울 수 있는 부위를 만들 수도 있다.

기구 접근성에 문제를 일으킬 수 있는 다른 해부학적 요소로는 발육구, 치근 근접 그리고 이개부 등이 있다. 이런 해부학적 요소가 예후를 악화시킬 수 있다. 때때로 상악 측절치(그림 19–8) 혹은 하악 절치에서 보이는 발육구에서 접근성의 문제를 야기할 수 있다.[25,26,27] 이 발육구는 법랑질에서 시작해서 치근면의 상당 부분까지 연장될 수 있고, 기구조작이 어려운 치태 유지부를 제공한다. 이들 구개치은구는 상악 측절치에서 5.6%, 상악 중절치에서 3.4%가 발견된다.[28] 마찬가지로 치근 근접(root proximity)은 임상의와 환자가 접근하기 어려운 인접면을 만들 수

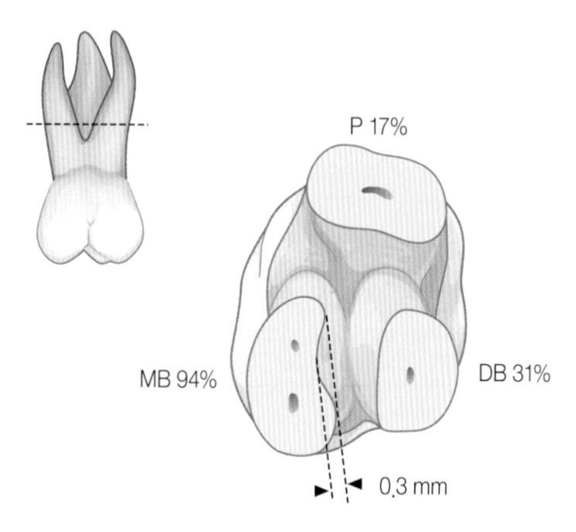

그림 19-6. 치근이개부 하방 2 mm에서 절단한 제1대구치의 치근함요부
치근이개부위에서 근심협측근의 94%, 원심협측근의 31%, 구개근의 17%에서 함요가 발견된다. 가장 오목한 부위는 근심협측근의 이개부에서 보인다(평균 오목한 정도, 0.3 mm). 협측근의 분지부는 97% 치아에서 구개부를 향해 벌어진다(평균 이개도, 22°).[22]

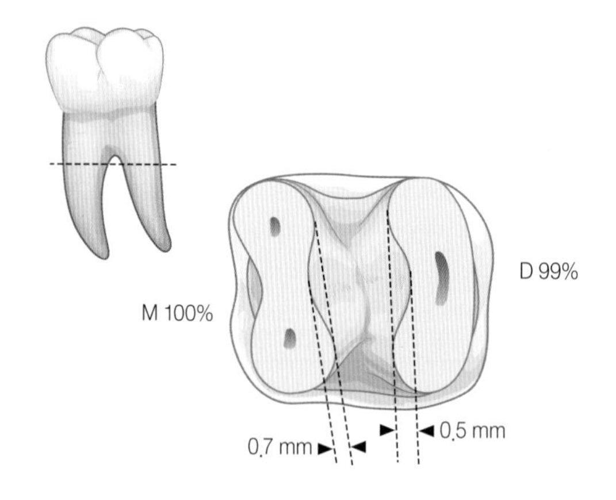

그림 19-7. 이개부 하방 2 mm에서 절단한 하악 제1대구치의 치근 함요부
이개부에서 함요부가 근심근에서 100%, 원심근의 99%에서 발견된다. 가장 깊은 부위는 근심근에서 발견된다(평균 오목한 정도, 0.7 mm).[23]

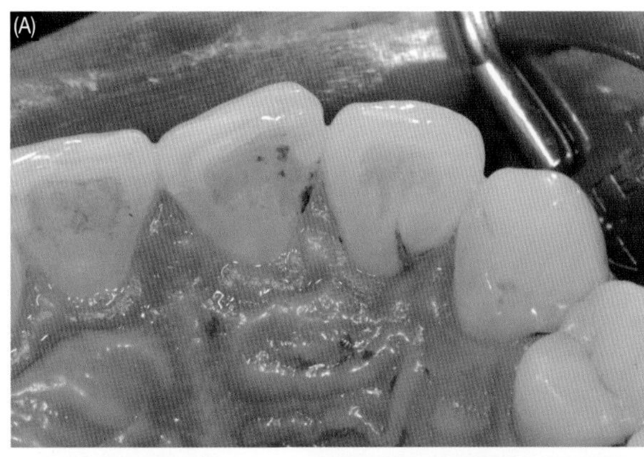

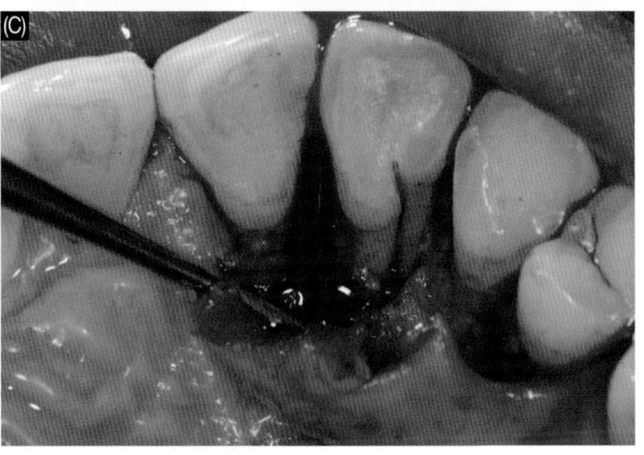

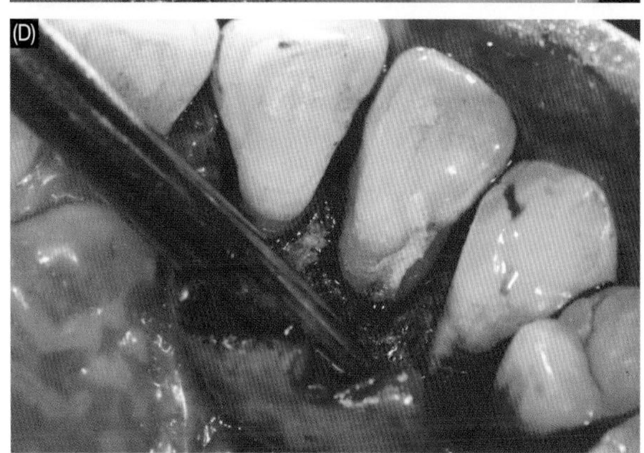

그림 19-8. 발육구
(A) 상악측절치 구개부의 치은염증과 삼출물 (B) 탐침 시 깊은 치주낭을 보인다. (C) 판막거상 시 발육구를 관찰할 수 있다. (D) 치주염 재발방지와 예후를 위해 MTA 나 GI로 발육구를 충전한다.

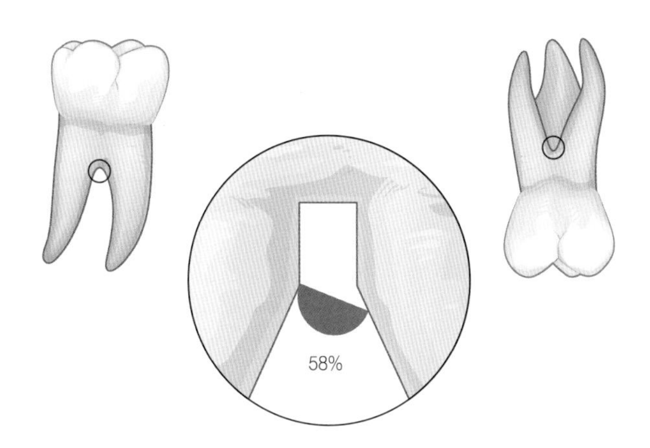

그림 19-9. 이개부 입구가 제1대구치의 58%에서 표준 큐렛보다 더 좁다.
(Redrawn from Bower Rc:Furcation morphology relative to periodontal treatment-furcation root surface anatomy. J Periodontol 1979:50:366).

있다. 마지막으로 이개부로의 접근이 어려운 경우가 많다. 58%의 상악과 하악 제1대구치에서 이개부 입구의 직경이 일반적인 치주 큐렛의 폭보다 더 좁다(그림 19-9).[24] 상악 제1소구치가 가장 어려움을 주고 따라서 병소가 이개부까지 도달한 경우에는 대개 예후가 불량하다. 상악 대구치 또한 약간의 어려움을 주고 때로 협측 치근 중 하나를 제거함으로써 접근성이 향상되어 예후가 개선될 수도 있다. 하악 제1대구치나 상악 대구치의 협측 이개부로의 접근성이 좋다면 예후는 보통 더 좋다.

(4) 치아동요도

치아동요의 원인은 치조골의 소실, 치주인대의 염증, 교합외상 등을 들 수 있다. 염증과 교합외상으로 인한 치아동요는 치료할 수 있으나[29] 치조골의 소실로 인한 치아동요는 치료가 어렵다. 치아 안정성의 회복가능성은 지지골의 소실 정도에 반비례한다. 장기간의 연구를 보면 질환의 심도가 같다면 임상적으로 동요도가 없는 치아가 동요도가 있는 치아에 비해 더 예후가 좋다.[30] 동요도를 줄이기 위해 인접치아를 splint하는 것은 전체 그리고 개개 치아의 예후에 좋다.

4) 보철적 요인과 수복적 요인

전반적인 예후를 알기 위해서는 치조골수준(방사선적으로 평가)과 부착수준(임상적으로 평가)에 대해 일반적인 고려가 필요하며 이는 기능적, 심미적 치열을 제공하거나 상실된 치아를 위한 지대치 역할을 하기에 충분한 치아를 살릴 수 있는지를 확립할 수 있다.

이 시점에서 전략적으로 중요한 치아의 예후는 보철 수복의 전반적인 예후에 영향을 주기 때문에 전반적인 예후와 개개 치아의 예후는 중복되게 된다. 예를 들면 전략적으로 중요한 치아를 발거할 것인지 남길 것인지가 다른 치아를 발거할 것인지 남길 것인지 혹은 보철물을 가철성으로 할 것인지 고정성으로 할 것인지를 결정하게 된다. 잔존치아가 많지 않은 경우에는 보철적 필요성이 더 중요해서 보철 디자인에 적합하지 않다면 치주적으로 치료가 능한 치아도 발치하는 경우도 있다.

지대치로 쓰일 치아는 기능적 요구가 증가되어 더 엄격한 기준이 예후를 평가할 때 요구된다. 근관치료 후 포스트를 형성한 치아가 후방에 가철성 국소의치를 지지하는 원심 지대치 역할을 할 때는 파절되기 쉽다. 게다가 이런 부위는 특별한 구강위생법이 지시되어야 한다.

(1) 치아우식증, 실활치, 치근흡수

광범위한 치아우식증을 지닌 치아는 적절한 수복과 근관치료의 가능성을 치주치료 전에 고려해야 한다. 비특이성 치근흡수나 교정치료의 결과로 생긴 치근흡수는 치아의 안정성을 위협하고 치주치료에 잘 반응하지 않는다. 근관치료한 실활치의 치주적 예후는 생활치와 같으며 신부착은 실활치와 생활치의 백악질에서 모두 일어난다.

3. 진단과 예후 사이의 관계

치주질환의 진단과 분류에 사용되는 많은 기준이 또한 예후를 결정하는데 사용된다(표 19-1).[31] 환자의 나이, 질병의 심도, 유전적 감수성, 전신질환의 유무 같은 요소가 상태를 진단하는데 있어서 중요한 기준이 된다. 이들은 또한 예후 결정에도 중요하다. 다양한 치주질환의 예후에 대해서 알아보자.

1) 치은질환 환자의 예후

(1) 치태유발 치은질환(Plaque-induced gingival disease)

① 치태만 연관된 치은염(Gingivitis associated with dental plaque only)

치태만 연관된 치은염은 치은변연에 세균성 치태가 침착할 때 일어나는 가역성의 질환이다.[32,33] 이 질환은 부착상실이 없는 치주조직 혹은 더 이상 부착상실이 진행되지 않는 치주조직에 일어날 수 있다. 모든 국소적 자극인자와 치태 유지에 기여하는 요인들을 제거하고 치은건강을 보존할 수 있는 치은 형태를 얻고 환자가 좋은 구강위생을 유지하도록 협조한다면 이러한 치은염 환자의 예후는 좋다.

② 전신적 요소에 의한 치은질환

치은변연에 세균성 치태에 대한 염증성 반응이 사춘기, 생리, 임신, 당뇨, 혈액질환 등의 내분비 기관의 변화 같은 전신적인 요소에 의해 영향을 받을 수 있다. 많은 경우 이런 환자에서는 상대적으로 적은 양의 세균성 치태만을 볼 수 있다. 그러므로 이런 환자에 대한 장기간의 예후는 세균성 치태의 조절뿐만 아니라 전신적 요인의 조절 혹은 수정에 달려있다.

③ 약물복용에 의한 치은질환

약물과 연관된 치은질환에는 페니토인, 싸이클로스포린, 니페디핀 복용 시 보이는 약물유도 치은비대와 경구피임약 관련 치은염증이 포함된다. 약물유도 치은비대에서는 치태의 감소가 병소의 심도를 제한할 수는 있다. 그러나 단지 치태의 조절만으로 병소의 진행을 멈출 수는 없고 보통은 치은 형태를 수정하기 위해 외과적 수술이 필요하다. 약물을 계속 사용하면 재발이 잘 된다. 그러므로 장기간의 예후는 치은비대라는 부작용을 일으키지 않는 약으로 환자의 전신적인 문제를 치료할 수 있는가에 달려있다.

경구피임약 관련 치은염에서도 상대적으로 치태의 양이 적다. 그러므로 전신적인 요인으로 변형된 치태유발성 치은질환에서 보았듯이 이런 환자의 장기간의 예후는 세균성 치태의 조절뿐만 아니라 경구피임약의 계속적인 사용여부와도 연관이 있다.

④ 영양결핍에 의한 치은질환

영양결핍이 치은질환 발생에 역할이 있다고 의심은 가지만, 대부분의 임상연구에서 둘 사이의 관계를 보여주지는 못했다. 한 가지 예외는 심한 비타민 C 결핍이다. 초기에 실험적으로 유발한 비타민 C 결핍에서 치은염증과 탐침 시 출혈이 치태수준과는 관련이 없었다. 이런 환자에서 예후는 결핍의 심도와 기간에 영향을 받으며 영양보충을 통한 결핍의 회복 가능성에 영향을 받는다.

(2) 비치태유발 치은 질환(Non plaque-induced gingival diseases)

비치태유발 치은염은 세균, 곰팡이 그리고 바이러스성 감염이 있는 환자에서 볼 수 있다.[34] 이러한 환자에서 치은염은 대개 치태 침착과 연관성이 없기 때문에 예후는 감염인자의 제거에 달려있다. 편평태선(lichen planus), 유천포창(pemphigoid), 천포창(pemphigus vulgaris), 다형홍반(erythema multiforme), 그리고 홍반루푸스(lupus erythematosus) 같은 피부 질환이 또한 비전형적인 치은염으로 구강에 발현할 수도 있다. 이런 환자에 대한 예후는 연관요소의 조절과 관련이 있다. 마지막으로, 알레르기, 독소 그리고 이물반응 및 기계적 그리고 열적 외상이 치은 병소를 유발할 수 있다. 이런 경우의 예후도 원인요소의 제거에 달려있다.

2) 치주염 환자의 예후

(1) 만성 치주염

만성 치주염은 국소적 요인과 연관된 서서히 진행되는 질환이다.[35] 이는 국소적으로나 혹은 전반적으로 나타날 수 있다. 부착소실이나 골소실이 심하게 진행하지 않은 경우(경도나 중등도의 치주염)에 예후는 일반적으로 좋고, 염증은 좋은 구강위생 및 국소적인 치태 유지 요소의 제거로 조절될 수 있다. 동요도가 증가하고, 이개부까지 진행한 더 심한 질환을 가진 환자나 구강위생에 비협조적인 환자의 예후는 좋지 않다.

(2) 급진성 치주염

급진성 치주염은 국소적인 형태와 전반적인 형태로 나타날 수 있다.[36] 두 형태의 공통점으로는 ① 전신적으로는 건강하지만 빠른 부착소실과 골파괴를 보이고 ② 가족력이 있다는 점이다. 이런 환자들은 종종 조직파괴의 심도와는 일치하지 않는 적은 양의 미생물성 침착만을 보인다. 그러나 그 침착물에는 *Aggregatibacter actinomycetemcomitans* 혹은 *Porphyromonas gingivalis*의 양이 많다. 이러한 환자들은 또한 식세포의 이상과 과반응성의 단핵구/대식세포 표현형을 나타낼 수 있다. 이러한 임상 및 미생물학적 그리고 면역학적 특징이 급진성 치주염으로 진단한 환자에서 나쁜 예후를 가진다고 제안된다.

그러나 예후를 결정할 때는 국소적 형태의 특별한 특징도 고려해야 한다. 국소적 형태의 급진성 치주염은 보통 사춘기에 일어나고 제1대구치와 절치에 국소화된다. 환자들은 종종 병소의 국소화에 기여하는 감염원에 강한 혈청 항체 반응을 보인다. 초기에 진단될 때는 구강위생지도와 전신적 항생제 요법으로 보존적으로 치료할 수 있어[37] 우수한 예후를 보일 수 있다. 더 진행한 질환에서도 병소를 기계적 세정 및 국소적, 전신적 항생제 요법 그리고 재생 치료로 치료한다면 예후는 여전히 좋을 수 있다.[38,39]

반면에 전반적 형태의 급진성 치주염 환자는 보통 30세

이하의 젊은 환자일지라도 전반적인 치간부 부착소실이 있고 감염원에 대한 항체 반응이 좋지 않다. 흡연 같은 이차적으로 기여하는 요인들도 있을 수 있다. 많은 환자에서 변형된 숙주 방어기전을 볼 수 있으며 이러한 요인들은 일반적인 치주치료(치석제거술과 치근활택술, 구강위생 교육, 외과적 수술)에 잘 반응하지 않는 경우도 있다. 그러므로 이러힌 환자들은 종종 적절하거나 불량하거나 의문시되는 예후를 보이며 전신적 항생제요법을 고려하여야 한다.

(3) 전신질환의 발현으로서의 치주염

전신질환의 발현으로서의 치주염은 2가지 범주로 나눌 수 있는데[40,41] ① 백혈병과 후천성 호중구감소증(neutropenia)같은 혈액질환과 연관된 것과 ② 가족성 호중구감소증과 주기성 호중구감소증, 다운증후군, Papillon-Lefèvre syndrome 그리고 저인산효소증(hypophosphatasia)같은 유전성 질환과 연관된 것으로 나눌 수 있다. 비록 치주질환의 일차적인 원인이 세균성 치태이지만 미생물에 대한 숙주반응을 변형시키는 전신질환이 질환의 진행 및 예후에 영향을 줄 수 있다. 예를 들어 혈중의 호중구수의 감소는 광범위한 치주조직의 파괴를 일으킬 수 있으며, 이 호중구감소증을 바로잡지 못하면 이런 환자의 예후는 적절하거나 불량하게 된다. 마찬가지로 세균성 치태에 대한 숙주 반응 경로를 변화시키는 유전성 질환 또한 치주염의 발생에 기여할 수 있다. 일반적으로 이러한 질환은 생의 초기에 발현하기 때문에 치주조직에 대한 영향이 전반적인 형태의 급진성 치주염과 임상적으로 유사할 수 있다. 이러한 경우에 예후는 적절하거나 불량할 것이다. 다른 유전성 질환에서 감염에 대한 숙주반응에 영향을 주지는 않으나 여전히 치주염의 발생에는 영향을 준다. 예를 들어 저인산효소증은 혈중의 알칼리성 인산분해 효소를 줄여 심한 치조골소실, 유치 및 영구치의 조기 상실 그리고 결합조직 질환을 유발하고, Ehlers-Danlos 증후군은 급진성 치주염의 특징을 나타낸다. 두 경우 모두 예후는 적절하거나 불량하다.

(4) 괴사성 치주질환

괴사성 치주질환은 치은조직에만 영향을 주는 괴사성 질환(괴사성 궤양성 치은염: necrotizing ulcerative gingivitis, NUG)과 더 깊은 치주조직에까지 영향을 주어 결합조직성 부착 및 치조골소실을 일으키는 괴사성 질환(괴사성 궤양성 치주염: necrotizing ulcerative periodontitis, NUP)으로 나눌 수 있다.[42,43] 괴사성 궤양성 치은염에서 일차적인 유발인자는 세균성 치태이다. 그러나 이 질환은 보통 정신적 스트레스, 흡연, 영양 불량, 면역억제에 기여하는 것들 같은 이차적인 요소로 더 심각해진다. 그러므로 기존의 치은염에 이러한 이차적인 요인이 중복되어 통증이 있는 괴사성 병소를 유발한다. 세균성 치태와 이차적인 요인을 잘 조절하면 예후는 좋다. 그러나 이러한 경우에 조직 파괴가 비가역적이고 이차적인 요인의 조절이 좋지 않을 경우 질환의 재발이 잘 일어난다. 괴사성 궤양성 치은염이 반복적으로 재발할 때 예후는 좋음에서 적절함으로 한 단계 내린다.

괴사성 궤양성 치주염의 임상 소견은 괴사가 치주인대와 치조골까지 진행한다는 것만 빼면 괴사성 궤양성 치은염과 유사하다. 전신적으로 건강한 환자에서 괴사성 궤양성 치주염은 괴사성 궤양성 치은염이 반복적으로 재발하거나 기존에 치주염이 있는 부위에 괴사성 질환이 발현된 경우이다. 이런 경우에 예후는 적절한 치태 제거와 괴사성 궤양성 치은염과 연관된 이차적인 요인의 조절에 달려있다. 그러나 괴사성 궤양성 치주염을 보이는 많은 환자들은 후천성 면역결핍증과 같은 전신 상태를 통한 면역장애 상태인 경우가 많다. 이런 경우 예후는 국소적 요인 및 이차적인 요인을 감소시키는 것과 함께 전신적인 문제를 어떻게 처리하느냐에 달려있다.

4. 1단계 치료 후 예후의 재평가

1단계 치료 후에 치주낭 깊이와 염증의 명백한 감소는 치료에 순조로운 반응을 나타내고 이전에 생각한 것보다는 더 좋은 예후를 시사한다. 만약 염증을 1단계 치료로 조절하거나 감소시킬 수 없다면 전반적인 예후는 불리하다. 이러한 경우에 예후는 염증의 심도에 직접적으로 관련이 있다. 비슷한 골파괴를 보이는 두 환자에서 예후는 골파괴의 더 큰 부분이 국소적 요인에 기인했기 때문에 염증이 더 심한 환자에서 더 좋을 수 있다. 게다가 1단계 치료는 임상의에게, 적절히 조절되면 예후에 긍정적인 효과를 줄 수 있는 당뇨와 흡연 같은 전신적이고 환경적인 요인을 조절하는데 있어서 환자와 환자의 주치의와 같이 일할 수 있는 기회를 제공한다. 치주염의 진행은 일반적으로 휴지기와 짧은 파괴기가 번갈아 일어나는 방식으로 가끔씩 발생하는 형태로 일어난다. 주어진 병소가 휴지기인지 악화기인지 결정하는 정확한 방법은 현재까지는 없다. 진행된 병소가 만약 활성기라면 절망적인 단계로 빠르게 진행하지만, 유사한 병소가 휴지기라면 오랜 기간 유지가능하다. 적어도 일시적으로는 1단계 치료로 활성기의 진행 병소를 가진 환자의 예후를 바꿀 수 있으므로 1단계 치료 완료 후 그 병소를 다시 분석해야 한다.

참고문헌

1. McGuire MK, Nunn ME. Prognosis versus actual outcome. II. The effectiveness of clinical parameters in developing an accurate prognosis. J Periodontol 1996;67:658–65.
2. McGuire MK, Nunn ME. Prognosis versus actual outcome. III. The effectiveness of clinical parameters in accurately predicting tooth survival. J Periodontol 1996;67:666–74.
3. McGuire MK. Prognosis versus actual outcome: a long-term survey of 100 treated periodontal patients under maintenance care. J Periodontol 1991;62:51–58.
4. Rosling B, Nyman S, Lindhe J. The effect of systematic plaque control on bone regeneration in infrabony pockets. J Clin Periodontol 1976;3:38–53.
5. Sorrin S, Burman LR. A study of cases not amenable to periodontal therapy. J Am Dent Assoc 1944;31:204.
6. Preber J, Bergström J. The effect of non-surgical treatment on periodontal pockets in smokers and non-smokers. J Clin Periodontol 1986;13:319–23.
7. Renvert S, Dahlen G, Wikström M. The clinical and microbiological effects of non-surgical periodontal therapy in smokers and non-smokers. J Clin Periodontol 1998;25:153–7.
8. Bolin A, Eklund G, Frithiof L, et al. The effect of changed smoking habits on marginal alveolar bone loss: a longitudinal study. Swed Dent J 1993;17:211–6.
9. Grossi SD, Zambon J, Machtei EE, et al. Effects of smoking and smoking cessation on healing after mechanical therapy. J Am Dent Assoc 1997;128:599–607.
10. Kornman KS, di Giovine FS. Genetic variations in cytokine expression: a risk factor for severity of adult periodontitis. Ann Periodontol 1998;3:327–38.
11. Michalowicz BS, Diehl SR, Gunsolley JC, et al. Evidence of a substantial genetic basis for risk of adult periodontitis. J Periodontol 2000;71:1699–1707.
12. McGuire MK, Nunn ME. Prognosis versus actual outcome. IV. The effectiveness of clinical parameters and IL-1 genotype in accurately predicting prognoses and tooth survival. J Periodontol 1999;70:49–56.
13. Hart TC, Kornman KS. Genetic factors in the pathogenesis of periodontitis. Periodontol 2000 1997;14:202–15.
14. Björn AL, Björn H, Grkovic B. Marginal fit of restorations and its relation to periodontal bone levels. I. Metal fillings. Odontol Rev 1969;20:311–21.
15. Newcomb GM. The relationship between the location of subgingival crown margins and gingival inflammation. J Periodontol 1974;45:151–4.
16. Silness J. Periodontal conditions in patients treated with dental bridges. III. The relationship between the location of the crown margin and the periodontal condition. J Periodontal Res 1970;5:225–9.
17. Kay S, Forscher BK, Sackett LM. Tooth root length-volume relationships: an aid to periodontal prognosis. I. Anterior teeth. Oral Surg 1954;7:735–40.
18. Masters DH, Hoskins SW. Projection of cervical enamel into molar furcations. J Periodontol 1964;35:49–59.
19. Grewe JM, Meskin LH, Miller T. Cervical enamel projections: prevalence, location, and extent; with associated periodontal implications. J Periodontol 1965;36:460–5.

20. Tsatsas B, Mandi F, Kerani S. Cervical enamel projections in the molar teeth. J Periodontol 1973;44:312–4.
21. Moskow BS, Canut PM. Studies on root enamel. (2). Enamel pearls: a review of their morphology, localization, nomenclature, occurrence, classification, histogenesis and incidence. J Clin Periodontol 1990;17:275–81.
22. Everett FG, Jump EB, Holder TD, et al. The intermediate bifurcational ridge: a study of the morphology of the bifurcation of the lower first molar. J Dent Res 1958;37:162–9.
23. Bower RC. Furcation morphology relative to periodontal treatment: furcation entrance architecture. J Periodontol 1979;50:23–7.
24. Bower RC. Furcation morphology relative to periodontal treatment–furcation root surface anatomy. J Periodontol 1979;50:366–74.
25. Withers JA, Brunsvold MA, Killoy WJ, et al. The relationship of palato–gingival grooves to localized periodontal disease. J Periodontol 1981;52:41–4.
26. Everett FG, Kramer GN. The distolingual groove in the maxillary lateral incisor: a periodontal hazard. J Periodontol 1972;43:352–61.
27. Gher ME, Vernino AR. Root morphology: clinical significance in pathogenesis and treatment of periodontal disease. J Am Dent Assoc 1980;101:627–33.
28. Kogan SL. The prevalence, location and conformation of palato–radicular grooves in maxillary incisors. J Periodontol 1986;57:231–4.
29. Morris ML. The diagnosis, prognosis and treatment of loose tooth. Oral Surg 1953;6:1037–46.
30. Flezar TJ, Knowles JW, Morrison EC, et al. Tooth mobility and periodontal therapy. J Clin Periodontol 1980;7:495–505.
31. Armitage GC. Development of a classification system for periodontal diseases and conditions. Ann Periodontol 1999;4:1–6.
32. Löe H, Theilade E, Jensen SB. Experimental gingivitis in man. J Periodontol 1965;36:177–87.
33. Mariotti A. Dental plaque–induced gingival disease. Ann Periodontol 1999;4:7–19.
34. Holmstrup P. Non–plaque–induced gingival lesions. Ann Periodontol 1999;4:20–31.
35. Lindhe J, Ranney R, Lamster I, et al. Consensus report: chronic periodontitis. Ann Periodontol 1999;4:38–8.
36. Lang N, Bartold PM, Cullinan M, et al. Consensus report: aggressive periodontitis. Ann Periodontol 1999;4:53–3.
37. Novak MJ, Polson AM, Adair SM. Tetracycline therapy in patients with early juvenile periodontitis. J Periodontol 1988;59:366–72.
38. Mabry T, Yukna R, Sepe W. Freeze–dried bone allografts with tetracycline in the treatment of juvenile periodontitis. J Periodontol 1985;56:74–81.
39. Yukna R, Sepe W. Clinical evaluation of localized periodontosis defects with freeze–dried bone allografts combined with local and systemic tetracyclines. Int J Periodont Restor Dent 1982;5:8–21.
40. Kinane D. Periodontitis modified by systemic factors. Ann Periodontol 1999;4:54–63.
41. Lindhe J, Ranney R, Lamster I, et al. Consensus report: periodontitis as a manifestation of systemic diseases. Ann Periodontol 1999;4:64–4.
42. Novak MJ. Necrotizing ulcerative periodontitis. Ann Periodontol 1999;4:74–7.
43. Rowland RW. Necrotizing ulcerative gingivitis. Ann Periodontol 1999;4:65–73.
44. Novak KF, Goodman SF, Takei HH. Determination of prognosis. In: Newman MG, Takei HH, Klokkevold PR, Carranza FA. Carranza's Clinical Periodontology. 10th Edition. Saunders 2006:614–25.

정확한 진단과 예후가 결정이 되면 치료계획을 세우게 된다. 치료계획이란 각 증례를 다루는 청사진이라 할 수 있다. 여기에는 구강건강의 확립과 유지를 위해 필요한 모든 과정들이 포함되며 다음과 같은 사항을 결정하여야 한다.

치료계획 시 결정해야 할 사항

- 발치나 유지해야 할 치아
- 외과적 치주치료 혹은 비외과적 치주치료를 할 것인지 방법의 선택
- 치주낭 치료 전, 치료 중, 치료 후에 교합조정의 필요성
- 임플란트 치료의 사용
- 임시 수복물의 필요성
- 치주치료 후 최종 수복물의 필요성과 고정성 보철물을 할 경우 어느 치아를 지대치로 사용할 것인지의 여부
- 교정 상담의 필요성
- 근관치료
- 치주치료 시 심미적인 관점에 관한 사항
- 치료 순서

추후 치료과정에서 치료계획이 일부 수정될 수도 있지만 이는 응급상황 등 예외적인 경우로만 한정되어야 하며 치료계획을 제대로 수립하기 전에 치료를 시작해서는 안 된다.

1. 통합치료에 대한 종합설계

치료계획의 목적은 통합적인 치료 즉, 건강한 치주환경에서 치아가 기능을 잘 하도록 하기 위한 모든 치료 과정을 체계적으로 수립하는 것이다. 치주치료의 종합 계획에는 환자의 필요에 따라 다양한 치료 목적을 가지게 되며 진단, 질환의 심도, 다양한 다른 요소들에 기초를 두고 있으며 치료 방법에 대한 근거 있는 결정을 포함해야 한다. 첫 번째 목적은 치은염증의 제거와 치은염증을 일으키거나 지속시키는 상태의 수정이라고 할 수 있다. 이는 치근의 자극물 제거뿐만 아니라 치주낭의 제거와 치은형태의 확립, 치은점막 관계형성, 치아우식증의 치료, 기존 수복물의 변연수정을 포함하게 된다.

1) 발치 또는 유지해야 할 치아

치주치료는 장기간의 계획을 요구한다. 환자의 입장에서 치주치료의 가치는 치료 당시 잔존하는 치아의 수가 아니라 전체 치아가 얼마나 오랫동안 건강하게 기능을 발휘하는가로 평가된다. 흔들리는 치아를 묶어두기 위해 많은 노력을 쏟기보다는 전체 구강의 치주건강을 확립하고 유지하는 데 중점을 두도록 한다.

예후가 의심스러운 치아를 살리기 위한 무리한 시도로 구강건강을 위협해서는 안 된다. 보존키로 결정한 치아의 치주상태가 이들 치아의 수보다 더 중요하다. 의심할 여지 없이 안정적으로 유지될 수 있는 치아가 통합치료계획의

바탕이 된다.

예후가 의심스러운 치아는 어느 정도 불안정한 상태로 보존할 수는 있지만 전체적인 용도에 크게 이바지하지 못하며 환자에게는 계속 불만을 일으키는 원인이 된다. 이런 치아는 차라리 발치하여 나머지 치아의 치주건강을 확립하는 것이 더 이점이 많다.

한 개 이상 치아의 발치, 유지, 일시적인 유지는 통합치료계획에서 중요하다.

(1) 치아를 발치해야 하는 경우

① 흔들려서 기능 시 치아가 아픈 경우
② 치료하는 동안 급성 농양 유발 가능 시
③ 전체적인 치료계획 내에서 필요 없을 시

(2) 발치를 연기하고 일시적으로 치아를 유지하는 경우

① 구치부 stop 유지:
치료 후 보철물로 대체될 때 발치 가능
② 구치부 stop을 유지하고 임플란트 식립 후 인접 부위에서 기능할 수도 있다. 임플란트가 완성되면 이 치아는 발거 가능
③ 전방부의 심미적인 부위에는 치주치료 동안 치아는 유지되고 치료 종결 후 영구 수복 시 발치 가능:
이렇게 함으로써 임시보철물을 장착하지 않을 수 있으며 이 치아의 유지가 인접치에 위해를 가하지 않는지 고려할 필요가 있다.
④ 인접치의 치주수술 동안 가망 없는 치아의 발치 가능:
동일 부위의 수술로 인한 외과적 약속을 줄일 수 있다.

치료계획을 수립하는 데 치열의 적절한 기능뿐만 아니라 심미성에 대한 중요성이 증가하고 있다. 환자의 나이, 성별, 직업, 사회적 지위 등에 따라 심미적 요구는 다양하다고 할 수 있다. 그러므로 임상가는 치주건강을 해치지 않는 범위 내에서 환자가 받아들일 수 있는 최종 치료 결과를 주의 깊게 평가하고 고려하여야 한다.

임플란트 치료가 예상될 때 예후가 의심스러운 치아는 발치하고 임플란트로 대체하는 것이 더 나은지 주의 깊게 평가하여야 한다.

복잡한 증례에서는 최종 계획을 수립하기 전에 둘 이상의 전문 분야에 걸친 상담이 필요하다. 치과 교정과 전문의와 치과 보철과 전문의의 의견이 특히 이런 경우의 최종 결정에 중요하다.

교합 관계에 대한 고려도 있다. 교합조정, 수복, 보철, 교정치료, Splinting, 이갈이와 이악물기 등의 습관을 수정하는 것이 필요할 수 있다.

치료 시 특별한 주의를 요하거나 치료에 대한 조직 반응에 영향을 미치거나 치료가 끝난 후 치주 건강의 유지에 위협을 주는 전신 상태가 있다. 이런 경우에는 내과 의사와 상호 협력이 필요하다.

유지치주치료도 상당히 중요하다. 유지치주치료란 치주 건강을 회복한 뒤 이를 유지하는 모든 과정을 말한다. 이에 해당하는 과정으로 구강위생교육, 환자의 필요에 따른 정기적인 치과 방문을 통한 치주조직의 검사, 치주조직에 영향을 줄 수 있는 수복물의 상태 검사 등이다.

2. 치료 술식의 순서

치주치료만 치과치료에서 분리할 수 없는 한 분야이므로 여기에서는 치주 분야뿐만 아니라 그 밖의 다른 치료 분야도 포함시켰다. 다른 치료 분야와 치주치료의 밀접한 관계를 강조하기 위해 다음과 같이 정리할 수 있다.

1) 치주치료의 단계(Phases of periodontal therapy)

(1) 응급치료단계(Emergency Phase)

응급처치

• 치성 또는 치근단성
• 치주성
• 기타 : 가망 없는 치아의 발치가 필요할 경우 임시수복물의 장착(편리한 시간으로 연기할 수 있다)

(2) 비외과적 단계(Nonsurgical phase)

① 치태조절 및 환자 교육

- 식이조절(다발성 치아우식증 환자의 경우)
- 치석제거와 치근활택
- 수복물 및 보철물의 자극 요인 수정
- 치아우식증 제거 및 수복(치아우식증의 위치나 치아에 대한 결정된 예후에 따라 영구 및 임시 충전)
- 항생제 요법(국소적 혹은 전신적)
- 교합치료
- minor orthodontic treatment
- 임시 고정 및 보철물

② 비외과적 단계에 대한 반응 평가

재검사

- 치주낭 깊이 검사와 치은염증
- 치태, 치석, 치아우식증

(3) 유지단계(Maintenance phase)

주기적 재검사

- 치태 및 치석
- 치은 상태(치주낭, 염증)
- 교합, 치아동요도
- 기타 병리적 변화

(4) 외과적 단계(Surgical phase)

- 임플란트 식립을 포함한 치주수술, 근관 치료

(5) 수복단계(Restorative phase)

- 최종 수복물
- 고정성 및 가철성 보철물
- 수복치료에 대한 반응 평가
- 치주검사

위의 치료 순서는 경우에 따라 달라질 수 있으나 대부분의 경우에서 추천되는 순서는 그림 20-1과 같다.

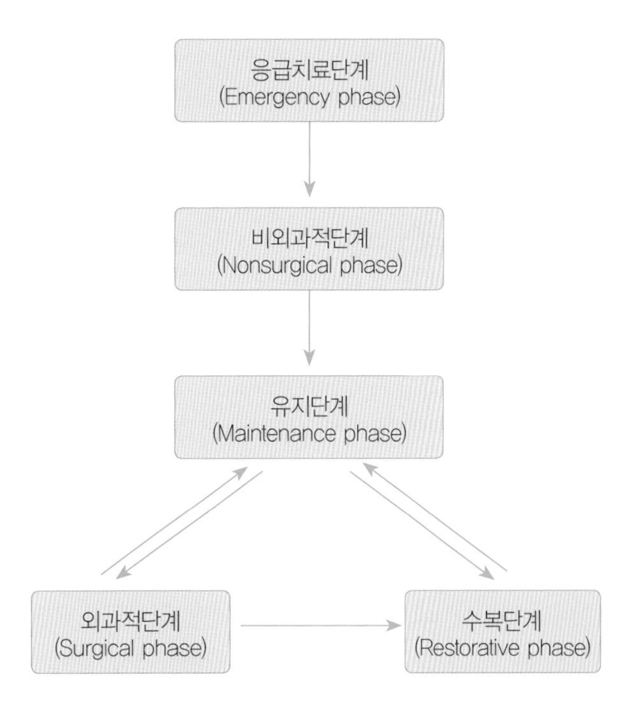

그림 20-1. 선호되는 치주치료의 순서

치료 단계가 순서화되어 있지만 권장되는 순서는 번호를 따를 필요는 없다. 1단계 치료 혹은 비외과적 단계는 치은이나 치주질환의 원인이 되는 요인을 제거하는 데 맞추어져 있다. 성공적으로 수행이 되면 이 단계에서 치주질환이나 치과질환 진행을 멈출 수 있다.

1단계 치료 완료 후 치료 후 결과 유지, 질환의 재발과 악화 방지를 위해 유지 단계(4단계 치료)로 넘어간다. 유지 단계에서 정기적인 검사와 조절을 통해 외과적 단계(2단계 치료)나 수복 단계(3단계 치료)로 들어간다. 이 단계에서 임플란트의 식립, 상실된 조직의 재건, 심미성 치주와 주변조직의 회복과 향상을 위한 치주수술을 한다.

3. 환자에게 치료계획 설명하기

다음과 같은 방법으로 환자에게 치료계획을 설명한다.

1) 설명을 구체적으로 한다.

환자에게 치은염이나 치주염을 앓고 있다는 점을 말하

고 치은염이나 치주염이 무엇이며 어떻게 치료하고 또 치료 후 상태에 대한 예후를 정확히 설명한다. 잇몸에 문제가 있다 또는 잇몸 치료를 받아야 한다와 같은 모호한 설명은 환자가 잘 이해하지 못하기 때문에 해서는 안 된다.

2) 대화를 긍정적인 어조로 시작하여야 한다.

살릴 수 있는 치아와 살리기 위해 받아야 되는 장기간의 치료에 대해 먼저 이야기하도록 한다. 뽑아야 할 치아부터 먼저 말한다면 환자에게 부정적인 인상을 심어주고 절망감을 주게 된다. 가능한 한 많은 치아를 보존하기 위하여 모든 노력을 기울여야 한다는 것을 분명히 해야 하며 흔들리는 치아에 대해서는 심각하게 생각하지 않도록 한다. 치료의 중요한 목적은 이미 흔들리는 치아처럼 질병이 진행되지 않도록 건강한 치아에 대해서 예방하는 데에 있음을 강조한다.

3) 전체 치료계획을 한 단위로 제시한다.

제시된 치료가 환자가 일부를 선택할 수 있는 분리된 과정이라는 인상을 주어서는 안 된다. 보철 치료가 염증 치료와 치주낭 제거만큼 치은건강에 이바지한다는 사실을 분명히 말한다. 치주치료와 보철치료가 분리된 것처럼 잇몸을 치료하고 나중에 필요한 보철치료를 합시다와 같은 식으로 말해서는 안 된다.

환자는 종종 치아를 치료할 가치가 있습니까? 당신이 저라면 치료를 받으시겠습니까? 치아를 발치될 때까지 그냥 두면 안 됩니까? 등의 질문을 하면서 치과의사에게 자문을 구한다. 치료를 할 수 있는 상태라면 적절한 치료로 최선의 결과를 얻을 수 있음을 분명히 말한다. 치료할 수 없는 상태라면 치아는 발치해야 한다.

다음의 이유 때문에 아무 치료를 하지 않거나 가망이 없는 치아를 오랫동안 보존해서는 좋지 않다.

- 치주질환은 미생물에 의한 감염에 의해 일어나며 연구 결과에 따르면 감염은 발작, 심혈관계 질환, 폐질환, 당뇨, 가임기 여성의 저체중아 출산 같은 심각하게 생명을 위협하는 질환의 중요한 위험 요소가 된다고 한다. 치주 조건을 개선시키는 것은 전신질환의 잠재적인 위험성을 제거하는데 여기에는 고위험군에 포함된 흡연도 포함된다.
- 치아지지력이 약하면 수복물의 효율이 떨어지므로 치주치료를 받지 않은 치아에 수복물이나 보철물을 장착하는 것은 곤란하다.
- 치주질환을 치료하지 못하면 이미 가망 없는 치아의 탈락뿐만 아니라 다른 치아의 수명까지 단축시키므로 적절한 치료를 통해 건강하고 기능을 발휘하는 치열의 기반을 이루도록 한다.

따라서 치과의사는 환자에게 만일 치주조건이 치료 가능한 상태라면 최상의 결과가 신속한 치료에 의해 얻어질 수 있다는 것을 분명히 해야 한다. 만일 치료가 불가능한 상태라면 치아는 신속히 발치하도록 한다.

참고문헌

1. Carranza FA, Takei HH. The treatment plan. In: Newman MG, Takei HH, Klokkevold PR, Carranza FA. Carranza's Clinical Periodontology. 10th Edition. Saunders, 2006:626–9.

CHAPTER 21

치주치료 시 사용되는 기구

김창성·이중석

치주기구는 손잡이(handle)와 연결부위(shank), 그리고 날부위(blade)의 세 부분으로 되어 있다. 용도에 따라 날의 모양, 날 연결부위의 생김새도 다르게 되어 있다. 날 부분이 가능한 한 기구 단면의 중앙에 위치하여야 하며, 연결부위는 적절한 유연성과 함께 견고성이 확보되어야 기구의 효율도와 민감도를 제공할 수 있다. 포장의 금속축이 날과 강하게 부착되어 있어야 기구의 조작성이 안정될 수 있다(그림 21-1).[1]

모든 치주기구는 치주진단, 치석 및 치태제거, 치근활택술 및 치주수술용 기구로 나눌 수 있다.

1. 치주 진단 시 사용되는 기구[1]

1) 진단용 구강검경(Mouth mirror)

볼이나 혀를 진단하고자 하는 부위로부터 분리시키는 작용과 빛을 비추거나 반사하여 시야를 좋게 하는 작용이 있다.

2) 탐침소자(Explorer)

치근표면이나 치주낭 내의 치석 등 이물질 존재여부를 확인하고 이개부병소와 수복물의 과잉 변연부, 치아우식증 등을 알아낸다. 치근활택술 후의 치근표면의 활택도의 평가에도 쓰인다. No. 17이나 No. 23 탐침소자가 가장 많이 사용되며, 치은연하치석을 탐지하거나 치주낭 내를 평가할 때는 No. 17 탐침소자가 많이 사용된다(그림 21-2).

3) 치주낭 측정기(Periodontal probe)

치주낭의 깊이와 형태를 파악하고, 치석을 탐지할 수 있다. 측정기의 눈금은 검사 필요성에 따라 측정 단위가 다르게 표시되어 있다. 단위는 2 mm와 3 mm 크기로 된 것이 있는데 수동 치주낭 측정(manual probing)의 경우

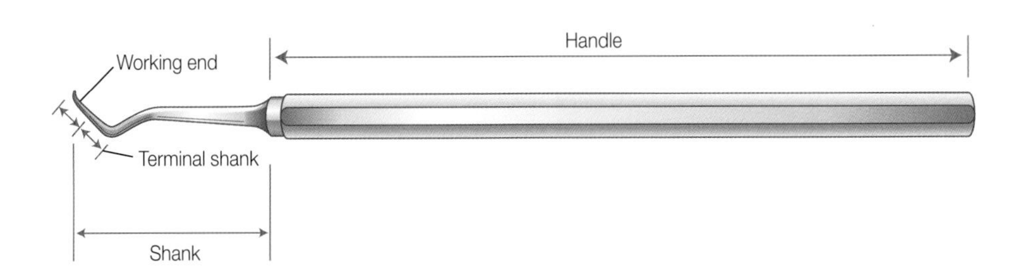

그림 21-1. 치주기구의 구성 요소

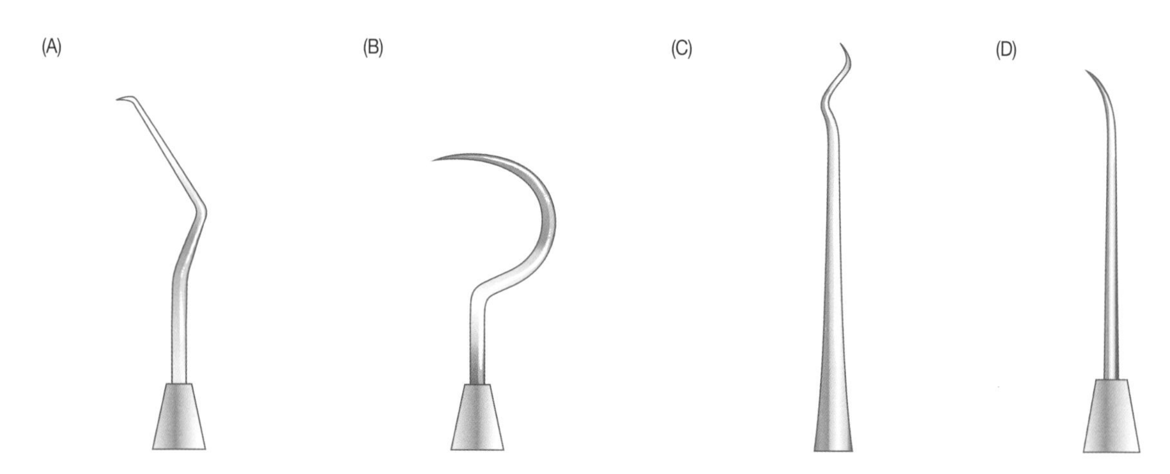

그림 21-2. 네개의 전형적인 탐침소자들. (A) 17번 (B) 23번 (C) 돼지꼬리형 (D) 3번

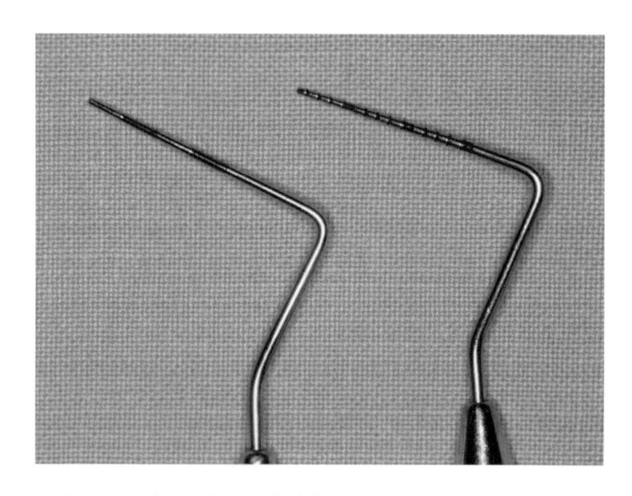

그림 21-3. 여러 가지 치주낭 측정기

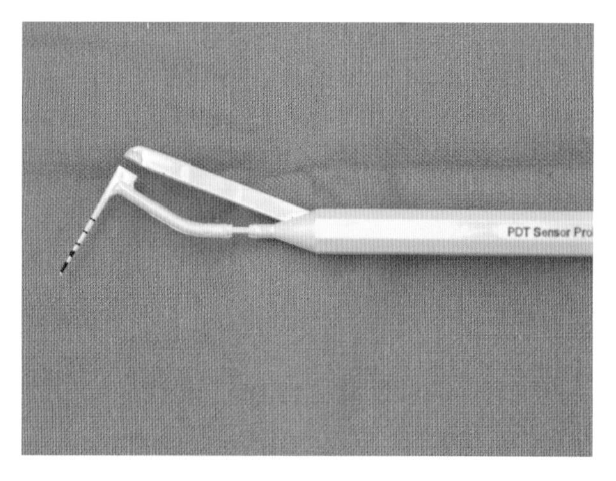

그림 21-4. 힘조절 치주낭 측정기

치주낭 깊이 변화의 해상도(1 mm)와 오차(1 mm)를 감안하여 2 mm 단위의 기구를 선택하는 것이 좋다. 끝이 뾰족하지 않게 둥근 형태로 되어 있거나 공 모양의 끝을 가지는 디자인(특히 WHO probe)은 치주낭에 손상을 적게 주면서 치근면에 대하여 높은 민감도를 제공해준다. 치주낭 측정기는 치주검사기구 중 가장 중요한 기구로 질환의 유무, 파괴 정도 등에 대한 검사를 위하여 사용한다(그림 21-3). 최근에는 일정한 힘으로 측정할 수 있게 고안된 치주낭 측정기가 개발되었다(그림 21-4).

- 사용방법: 치주낭 측정기를 펜을 잡는 식으로 잡고 손가락 고정(finger rest)을 한 후에 치아의 장축에 평행하게 20~40 g의 힘으로 저항을 느낄 때까지 치주낭 내로 삽입한다. 이때 측정기를 치아에서 떨어지지 않게 밀착시켜야 하며, 측정기에 표시된 눈금을 읽는다. 이런 방법으로 한 치아에서 협면 및 설면의 근심면, 원심면 그리고 가운데 부위, 총 6 군데를 측정한다(그림 21-5, 6).

4) 이개부 탐침(Furcation probe)

상하악 복근치의 이개부 병소를 검사하기 위하여 측정기를 둥글게 구부린 것으로 2 mm 단위로 되어 있다. 한국인들의 첨예한 이개부와 치아 풍융부의 심한 만곡도로

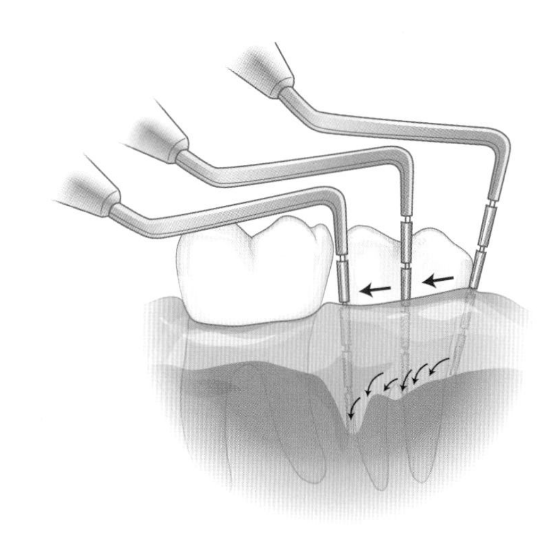

그림 21-5. 치주낭 깊이 측정법

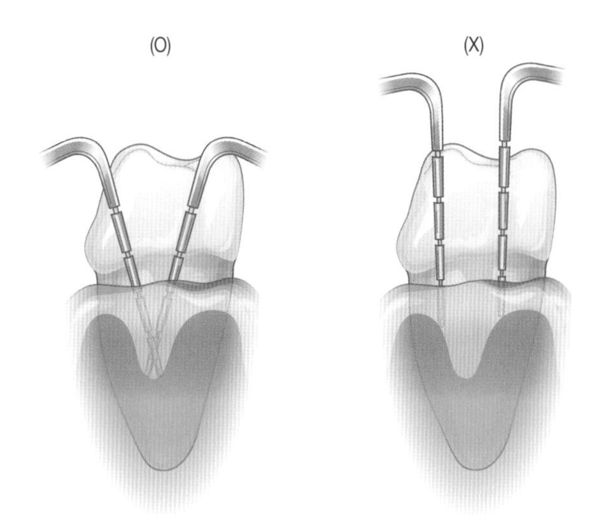

그림 21-6. 치간부 치주낭 깊이 측정법

인하여 가능한 한 끝부분의 각도가 약 60°까지 구부러져 있는 것이 접근이 용이하다. 치근이개부의 탐침에는 Nabers probe가 주로 이용된다(그림 21-7).

5) 핀셋(Pincett, Cotton forceps)

집게처럼 생겼으며 솜이나 거즈 등을 집는 데 사용한다. 또한 치아의 동요도를 측정하기 위해서나, 봉합사 제거 및 입안의 이물질 등을 집어내는 데 사용한다.

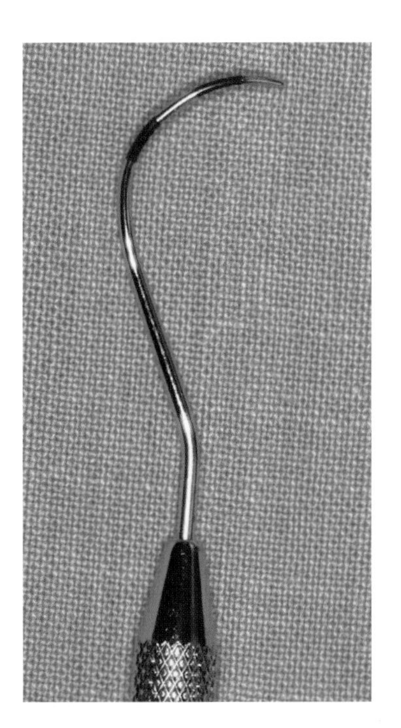

그림 21-7. Nabers probe

2. 치석제거 및 치근 활택술에 쓰이는 기구[1]

치석제거에 쓰이는 기구를 통틀어 스케일러(scaler)라 하고 치근활택술 및 치주낭 소파 등에 쓰이는 기구를 큐렛(curet, curette)이라 한다. 그러나 치석제거에 큐렛을 사용하기도 하므로 큐렛을 스케일러에 포함시키기도 한다.

1) 스케일러(Scaler)

(1) Sickle scaler

Superficial scaler라고도 하며 치은연상치석제거용이다. 날이 양면으로 되어 있고 끝이 뾰족하며 단면은 삼각형이다. 치주낭 내에 깊숙이 넣으면 치은에 상처를 주기 쉽기 때문에 치은연상치석제거에만 사용해야 한다. 사용은 치석 한쪽에 위치시킨 후 다른 쪽으로 잡아당기는(pull) 동작으로 한다. Sickle scaler는 사용 목적에 따라 날의 크기와 연결부위의 모양이 다양하다. U15/30은 크기가 크며, Jaquette scaler #1, 2, 3은 중간크기이고, Nevi 2 구치부 sickle scaler는 치은연하로 삽입이 가능할 정도로 가늘다.

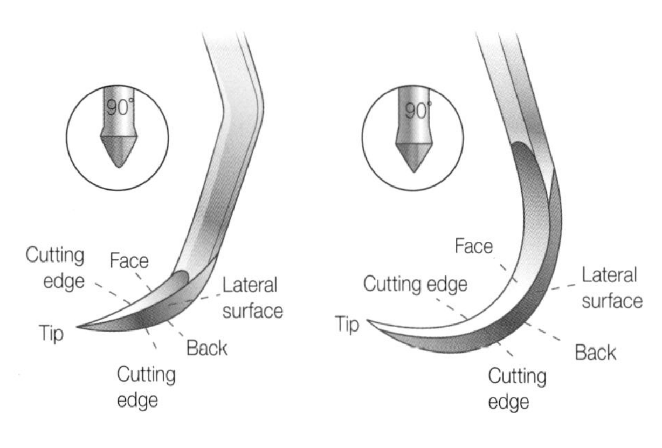

그림 21-8. 시클 스케일러(Sickle scaler)의 각 부위 명칭 및 도해

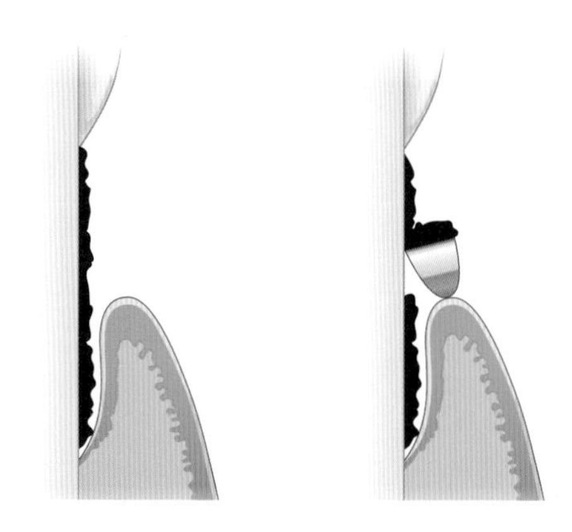

그림 21-10. Sickle Scaler의 사용법

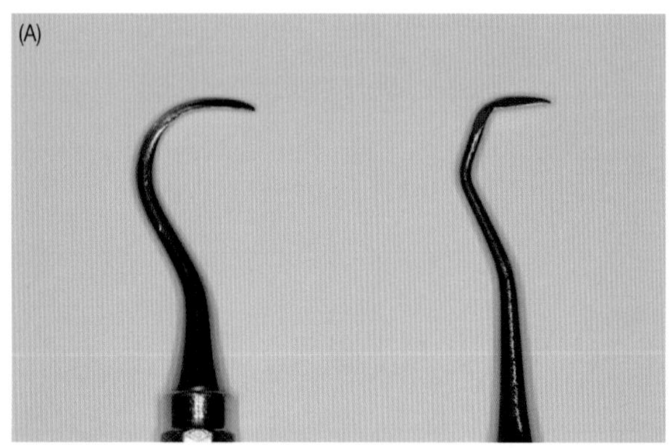

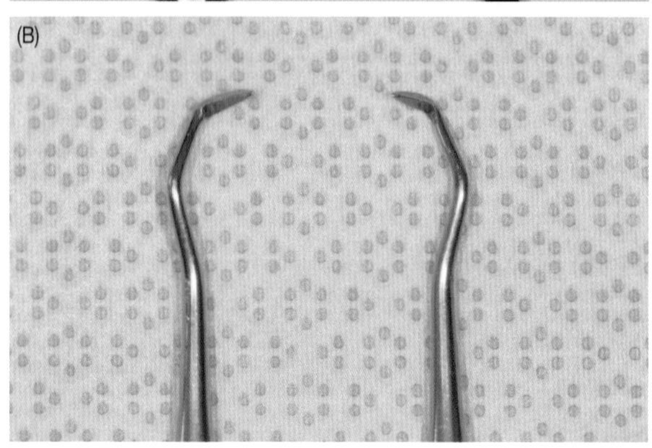

그림 21-9. 시클 스케일러. (A) U15/30 스케일러의 양날 (B) Nevi 2 구치부 sickle scaler의 양날

전치와 구치용이 있는데 연결부위가 이루는 각도에 따라 전치부용은 곧게 연결된 것이고 구치부용은 다소의 각도를 이루고 있다(그림 21–8, 9).

- 사용방법: 기구의 날부위를 치석이 붙어있는 치아면에 대는데, 약간 치아 쪽으로 기울여서 치아와 기구의 날면이 90°가 약간 안 되게 위치시키고, 치석 끝쪽에 날이 위치하도록 기구를 약간 힘을 주어 민다. 치석 끝에 날이 닿는 것을 확인한 후 힘을 가해서 치석을 끌어 올리는 것 같은 기분으로 치관쪽으로 당기는 운동(pull motion)을 한다.

이때 될 수 있는 대로 손가락 고정(finger rest)을 하고 짧고 단호한 힘으로 행한다. 절대 기구의 사용 폭이 넓으면 안 되고 기구가 치아 위로 올라와도 안 된다. 그렇게 되면 치석이 잘 제거되지 않을 뿐 아니라, 구강내 다른 연조직이 기구로 인하여 손상 받을 가능성이 있다(그림 21–10).

(2) Chisel scaler

작은 끌 형태이다. 즉 날부위의 끝은 편평하고 45° 각도로 경사진 곧은 날을 갖고 있다. 연결부위는 곧은 것과 만곡된 것이 있다. 주로 전치부위의 치간 치석제거에 유용하며, 미는 운동(push motion)으로 치석을 제거한다(그림 21–11).

- 사용방법: 치즐을 전치의 치간 부위에 넣는다. 이때 반드시 치아 사이가 기구가 도달할 수 있을 정도로 넓어야 한다. 그 후 손가락고정을 하고 기구를 순측에서 설측으로 민다. 이렇게 되면 치간 치석이 설측으로 밀려나간다. 기구의 크기와 치아 사이의 넓이를

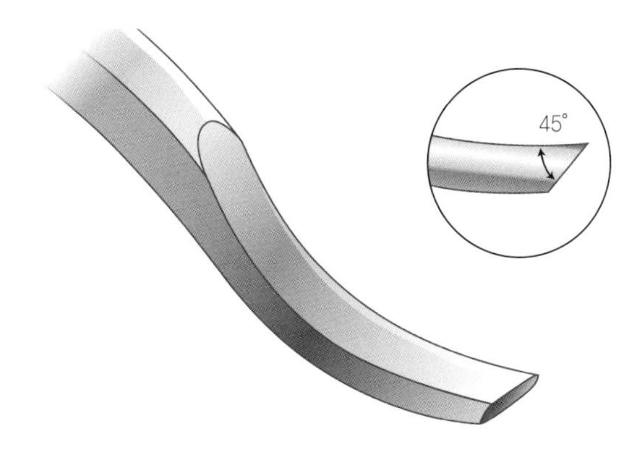

그림 21-11. 치즐 스케일러

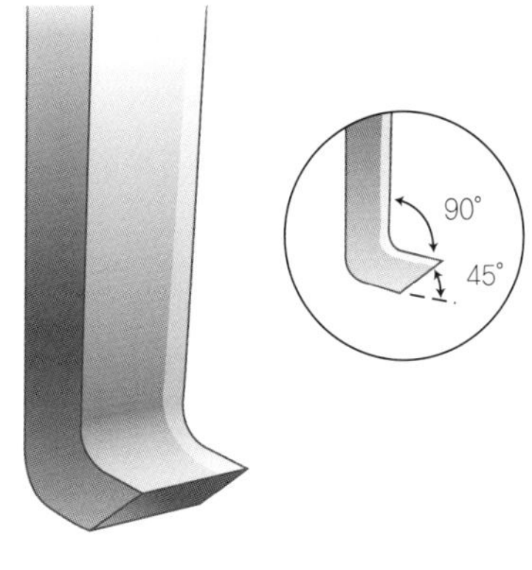

그림 21-14. Hoe scaler 도해

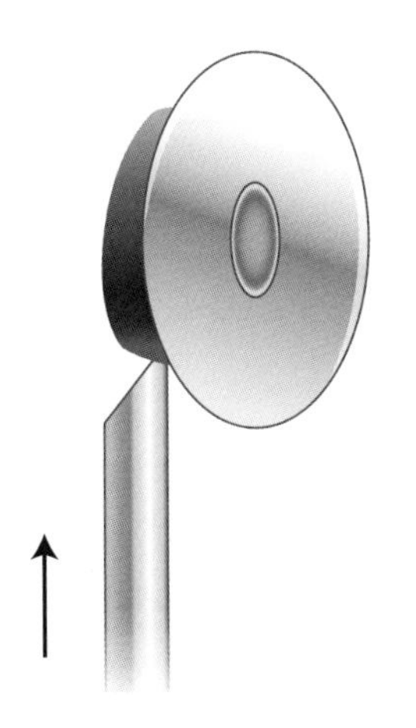

그림 21-12. 치즐 스케일러 사용방법의 모형도

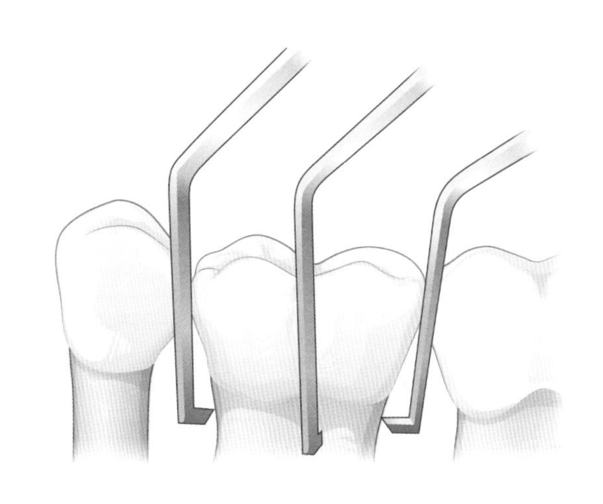

그림 21-15. Hoe scaler 사용방법의 모형도 2점 접촉

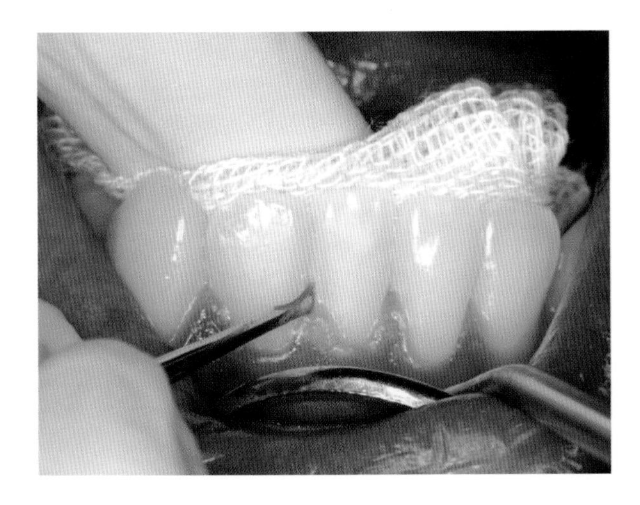

그림 21-13. 치즐 스케일러 사용예

계산하여 기구를 끝까지 밀지 말고 치석이 나오는 가를 확인하면서 될 수 있는 대로 짧고 단호한 힘을 준다. 잘못하면 치아가 탈락될 수 있으므로 주의하여야 한다(그림 21-12, 13).

(3) Hoe scaler

날부위가 연결부위와 90~100° 각도를 이루고 있으며, 날끝이 날부위의 안쪽면으로 45° 각도를 이루며 편평하게 되어 있다. 연결부위의 각도에 따라서 여러 가지 종류가 있으며, 한 치아에 사용하기 위하여 반드시 한 쌍이 필요하다. 구치부위의 치은연상치석과 치은연하치태 제거에 사용하며, 치근활택술과 병적 백악질 제거에도 사용한다(그림 21-14, 15).

- 사용방법: 치은연하치석제거나 병적 백악질 제거 및 치근활택이 목적일 때는 날부위를 치주낭 기저부까지 밀어 넣고 그림과 같이 연결부위와 날끝의 두 부위가 치아와 닿을 수 있도록(two point contact) 위치시킨다. 이유는 기구를 고정시켜서 치아에 불필요한 자극을 남기지 않도록 하기 위함이다. 기구를 고정시킨 후 단단히 잡고 치관 쪽으로 잡아당긴다. 이때도 반드시 두 점 접촉이 이루어지도록 한다. 치은연상치석제거 시에는 치석과 치은이 닿는 부위에 날끝을 대고 치아에 연결부위를 대는 두 점 접촉을 하고 똑같이 당기는 운동으로 제거한다.

(4) File

Hoe의 날부위 3~5개가 서로 일정한 간격을 두고 배열되어 있는 줄 형태이다. 치은연하치석제거에 사용하며 치근면 병적 백아질 제거에도 사용하였으나 치근면에 흠집을 남기고 오히려 치근면을 거칠게 할 수 있으며, 날을 날카롭게 갈기도 매우 어렵기 때문에 현재는 잘 사용하지 않는다. 다만 수복물의 과잉변연부위 등의 제거에 사용된다(그림 21-16).

(5) 초음파 치석제거기(Ultrasonic scaler)

인간이 들을 수 있는 한도 이상인 20,000 Hertz 이상 주파수를 가진 초음파로 미세한 기계적 진동을 일으켜 치태, 치석 및 착색을 제거하는 기계이다.[2,3,4,5] Magnetostrictive형과 piezoelectric형 두 가지 형이 있는데 현재 개발된 기구 대부분은 주파수 범위가 18,000 Hz에서 42,000 Hz에 이른다.

1950년대 magnetostrictive형인 Cavitron의 개발 이후 지속적으로 발전되었다.[6] Magnetostrictive형은 핸드피스내 전도체를 구성하고 있는 니켈-코발트의 층판이 자장의 변화로 인해 수축하면서 스케일러의 작용이 일어난다. 이러한 자장때문에 인공 심장 박동기가 장착된 환자들에게는 금기이다. 기구팁의 작동범위는 0.05~0.1 mm이다. 작동범위를 보다 미세하게 하는 것(0.02~0.01 mm)이 환자들에게 불쾌감을 적게 준다. 기구팁은 삼차원적인 타원운동으로 움직이며, 작동강도는 기구끝, 전방부 그리고 옆면 순으로 감소한다.[7] 병소의 접근도는 기구의 두께에 달려있다. 즉 치근 사이 간격이 좁은 이개부 병소나, 상당히 깊은 치주낭 그리고 치은의 부착정도가 강한 치주낭 등에는 보다 얇은 팁이 필요하다.

초음파 세척기의 발전된 형태인 piezoelectric형은 전류의 방향성에 따라 변형되는 piezoelectric crystal의 진동에 따라 작동한다(그림 21-17). 이것은 자장과 열의 발생 없이 50,000 Hz까지 주파수를 증가시킬 수 있다. 그러므로 인공 심장 박동기 장착 환자들에게 사용하여도 된다. 이 초음파 치석제거기는 전후 선형운동을 하므로 팁의 작동부분은 팁의 측면이다.[7] 따라서 치근면에 측면을 갖다 대어야 한다.

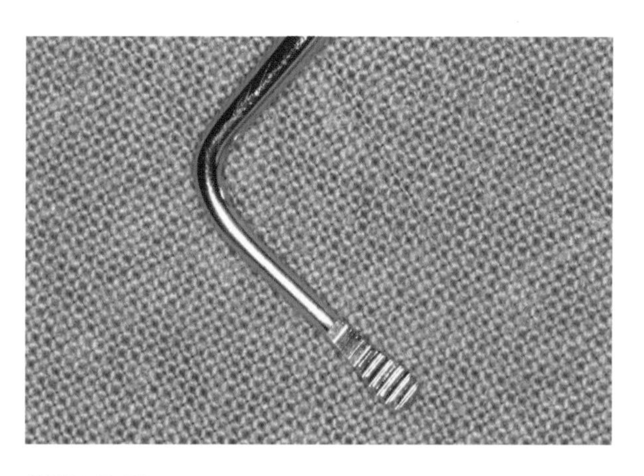

그림 21-16. File

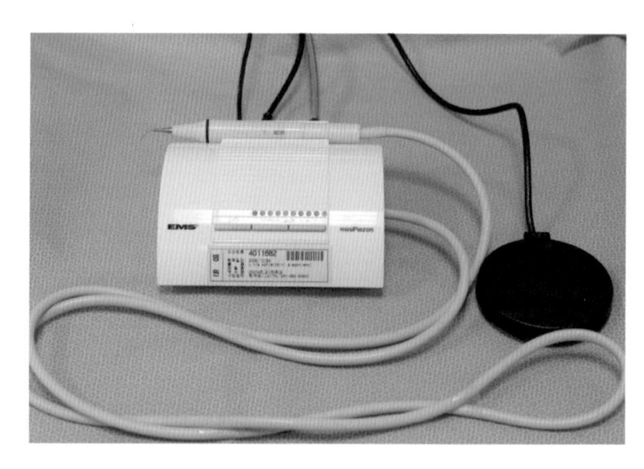

그림 21-17. Piezoelectric scaler

초음파 치석제거기 팁의 형태는 치주낭 측정기와 매우 유사한 형태로 변하고 있다(그림 21-18). 이 형태는, 치은변연부에서 움직이기 좋고 치주낭을 벌릴 수가 있고 환자에게 통증을 적게 유발시킬 수 있다.[8,9,10,11] 환자들에게 과민 혹은 작열감으로 인한 불쾌감을 최소화하기 위하여 보다 높은 주파수와 짧은 작동범위를 가진 scaler를 사용하는 것이 좋다. 그러므로 높은 진동수를 가진 piezoelectric형은 노출된 상아질면에 사용하면 과민 증상을 적게 유발시킨다. 팁을 치아면에 직각으로 작동시키지 말고 가능한 측면으로 작동시켜야 치아손상을 최소화하고 치아 민감도를 예방할 수 있다.

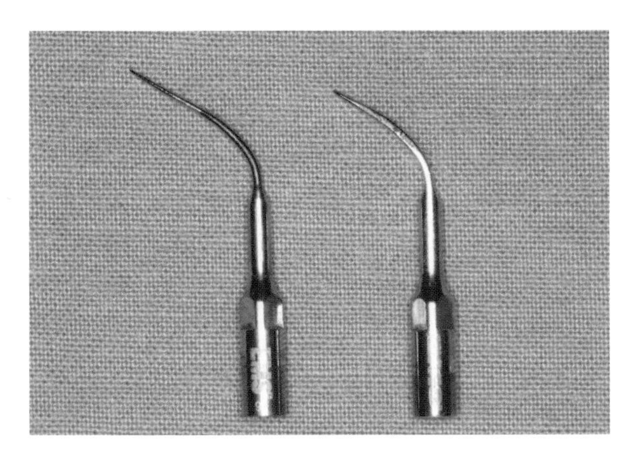

그림 21-18. 여러 가지 초음파 세척 기구팁(tip)

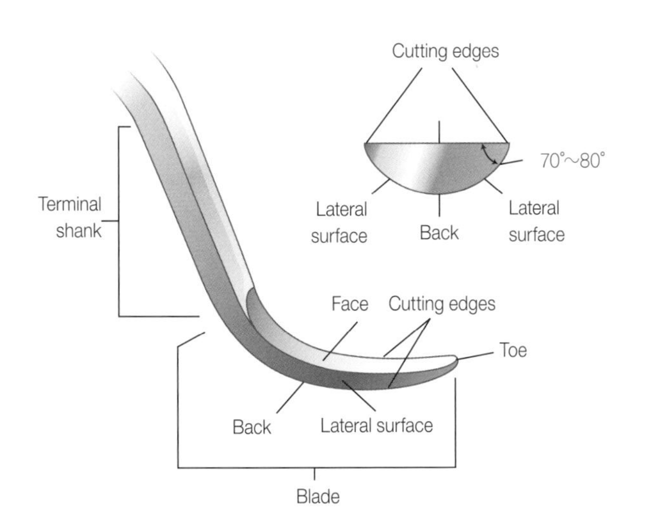

그림 21-19. 큐렛의 각 부위 명칭 및 도해

초음파 치석제거기의 임상적 효과는 실제로 중등도 이상의 치주낭(4 mm 이상)에서 손기구와 비슷하다.[12,13,14] 그러나 초음파 기구는 기계적 제거기능 뿐만 아니라, 캐비테이션(cavitation) 효과를 일으켜 효과적으로 치주낭 내 세균에 영향을 주고 초음파로 세균의 세포벽을 직접 파괴시킨다.

그리고 치주낭 측정기의 크기와 비슷하게 만든 초음파 치석제거기는 치근이개부, 해부학적 결함부위 등 손기구로 접근하기 힘든 부위들에 대부분 장애 없이 접근 가능하다.[13,15] 그래서 손기구와 초음파 치석제거기를 복합적으로 사용한다면 보다 효과적인 치근 활택이 가능하다.

2) 큐렛(Curet, Curette)

큐렛은 병적 백악질을 제거하고 백악질면을 활택하게 연마하는 데 사용되고, 치주낭 내면의 염증조직을 제거하는 데 사용한다. 또한 치은연하치석제거에도 사용한다. 큐렛의 모양은 그림에서 보는 바와 같이 숟가락처럼 생겼으며, 끝이 둥근 모양으로 되어있다. 날부위의 단면은 반달모양이며 뒷면은 볼록하게 되어 있고 스케일러보다 작아서 치주낭 내에 삽입하기 좋게 되어 있다. 날부위가 약간 만곡이 되어 있어서 둥근 치아면에 접근하기가 좋다(그림 21-19).

큐렛은 기본적으로 다음 두 가지 형태로 나누어진다(그림 21-20).

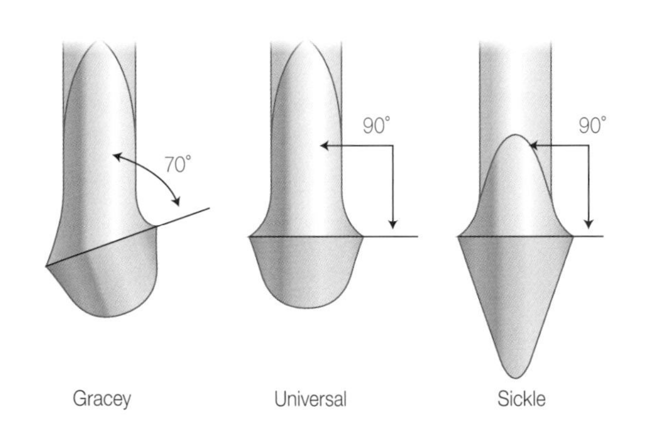

그림 21-20. 스케일러와 큐렛의 단면도 비교

(1) Universal curette

① 모든 부위, 전치나 구치 어느 부위에도 같은 기구를 사용하도록 고안되어 있다. 치은연상 혹은 치은연하에 있는 치석과 염증조직의 제거에 이용된다.

② 날부위와 연결부위의 단면을 보면 직각을 이루고 있는 것이 특징이다.

③ 단면은 반달형이다.

④ 큐렛의 양측면에 날이 있어서 양측을 동시에 날끝(cutting edge)으로 사용된다.

⑤ 치주수술에서 염증조직을 제거하여 치근면을 노출시키기 위해 사용한다.

- 종류: McCall, Goldman–Fox, Columbia curettes #13–14, 2R–2L, 4R–4L이 여기에 속한다(그림 21–21, 22).

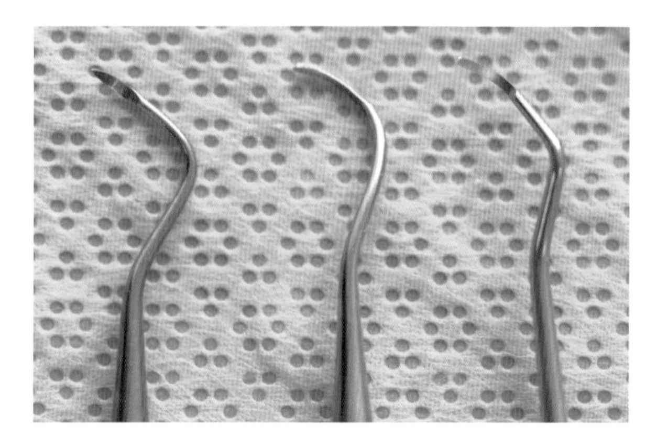

그림 21-21. Mccall 13-14,17-18,Goldman-fox (왼쪽부터 순서대로)

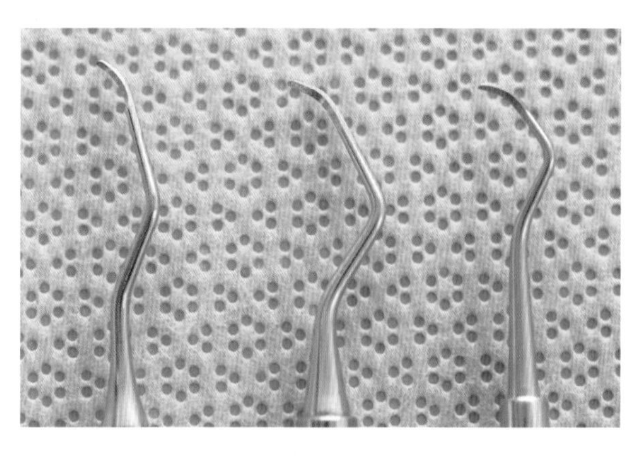

그림 21-22. Columbia 2R-2L,4R-4L,13-14 (왼쪽부터 순서대로)

(2) Specific curette (Gracey curette)

전치나 구치 또는 근심면이나 원심면 등 필요한 곳에 적합이 잘 되도록 1940년대 말기에 Dr. Clayton Gracey에 의해 각 치아에 맞게 개발 고안된 특수한 형태의 큐렛을 말한다. 즉 날부위와 연결부위가 이루는 각이 직각이 아닌 60~70° 정도의 각도를 이루고 있고, 아래 연결부위에 대해 날이 20° 정도의 각도를 이루고 있다.

연결부위의 형태가 다양해서 모든 치아에 다 적합한 것이 아니고 각 치아마다 적합한 큐렛이 고안되어 있어 치주기구 중 치근면에 대한 접근성이 가장 민감한 기구이다. 그리고 날 연결부위가 길고 날의 끝과 뒷면이 둥글어 조직손상을 줄일 수 있도록 고안되었다. 또한 사용되는 날은 한 면뿐이다. 최근에는 날의 크기를 작게 하고 연결부위를 길게 하여 깊은 치주낭 부위의 치석에 접근성이 증가되었다. 그리고 연결부위의 각도를 좀 더 예각화하여(gracey curettes 11–12에는 15–16, 그리고 13–14에는 17–18) 만곡도가 큰 부위에 대한 접근도가 좋도록 기구의 개발이 지속되고 있다.

큐렛의 날 부위와 연결부위의 형태에 따라 다음과 같이 구분된다(그림 21–23).

- Gracey No. 1–2: 전치
- Gracey No. 3–4: 전치
- Gracey No. 5–6: 전치 및 소구치, 전치의 순면 및 설면
- Gracey No. 7–8: 구치의 협면과 설면, 소구치의 근원심면
- Gracey No. 9–10: 구치의 협면과 설면
- Gracey No. 11–12: 구치의 근심면, 소구치의 근원심면
- Gracey No. 13–14: 구치의 원심면, 전치의 설면
- Gracey No 15–16: Gracey No. 11–12의 변형으로 날 연결부위의 각도가 예각으로, 경사가 심한 구치부에 접근성이 극히 좋다.
- Gracey No. 17–18: Gracey No. 13–14 변형으로 날 연결부위의 각도가 예각으로, 경사가 심한 구치부에 접근성이 극히 좋다.

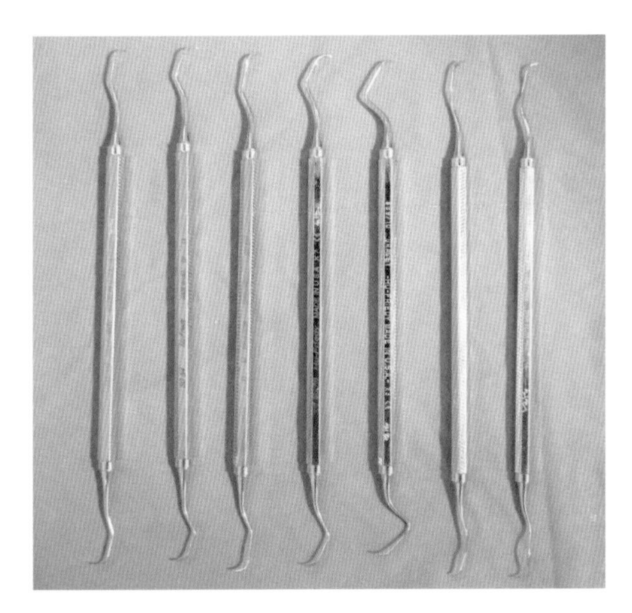
그림 21-23. 특수 큐렛(Gracey curettes)

(3) 접근성을 향상시킨 기구

- Syntette: 일반 큐렛과 그레이시 큐렛을 결합시킨 큐렛으로 양날이 있고 타원형 양 날끝, 거의 모든 치아에 접근 가능하며, 특히 굴곡면이 있는 치근면에 사용 가능하다. 같은 기구로 동시에 근원심에 사용할 수 있기 때문에 치료 시간을 줄일 수 있다. 또한 모든 방향(수직 수평)으로 힘을 줄 수 있다(그림 21-24).

3) 임플란트를 위한 기구

임플란트의 티타늄 표면과 임플란트 지대주(Abutment)에 사용 가능한 플라스틱 혹은 티타늄 기구가 생산되고 있다. 금속 기구 대신에 플라스틱 혹은 티타늄 기구의 사용으로 임플란트에 가해질 수 있는 영구적인 손상을 방지할 수 있다.[3,16,17,18,19,20,21]

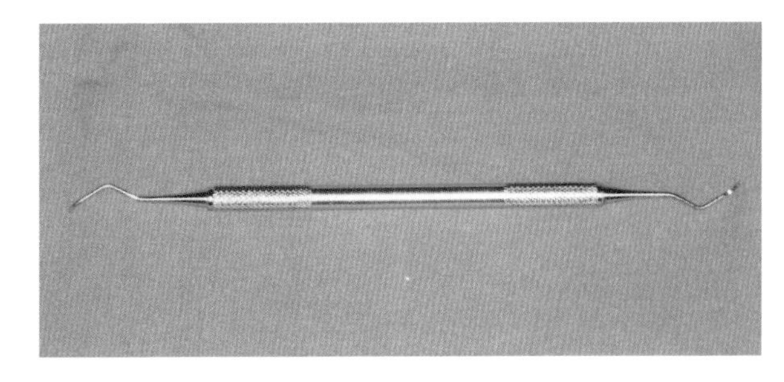
그림 21-24. Syntette

3. 치주수술에 사용되는 기구

다양한 치주수술의 과정 시 사용되는 기구세트는 비교적 단순한 형태를 가져야 한다. 일반적으로 기구의 수와 다양성을 최소로 유지해야 한다. 치주수술 시 사용되는 특별한 기구들을 제외한 장비와 기구들은 일반적으로 구강외과에서도 종종 필요하다. 치주치료를 위해 사용하는 수술용 기구들은 각 사용범주에 따라 필요한 기구를 최소한으로 하고 수술 순서대로 배치하여 쉽게 찾을 수 있도록 해야 한다(그림 21-25).

다른 크기의 날을 가진 스케일러와 큐렛 등의 기구는 깊은 치주낭의 치근표면에 도달하는 데에 한계가 있다. 이러한 곳에는 작고 연결 부위가 길고 가는 기구를 선택하여 접근도를 높여야 한다.

기구들은 소독된 팩이나 트레이에 보관해야 한다. 수술기구와 장비는 소독품목과 비소독 품목이 바뀌지 않도록 주의해야 한다.

또한 기구들을 작업하기 좋은 상태로 유지하는 것도 중요하다. 고정된 날을 가진 스케일러, 큐렛이 날카로운지, 가위, rongeurs, 니들홀더(needle holder)의 경첩부위(hinge)가 부드러운지 등을 정기적으로 확인해야 한다. 기구에 결함이 있거나 오염될 경우 대체할 수 있도록 여분의 소독된 기구를 준비해 둔다.

- 치경(mouth mirrors)
- 눈금있는 치주낭 측정기(graduated periodontal probe) • 수술도(blade holder)

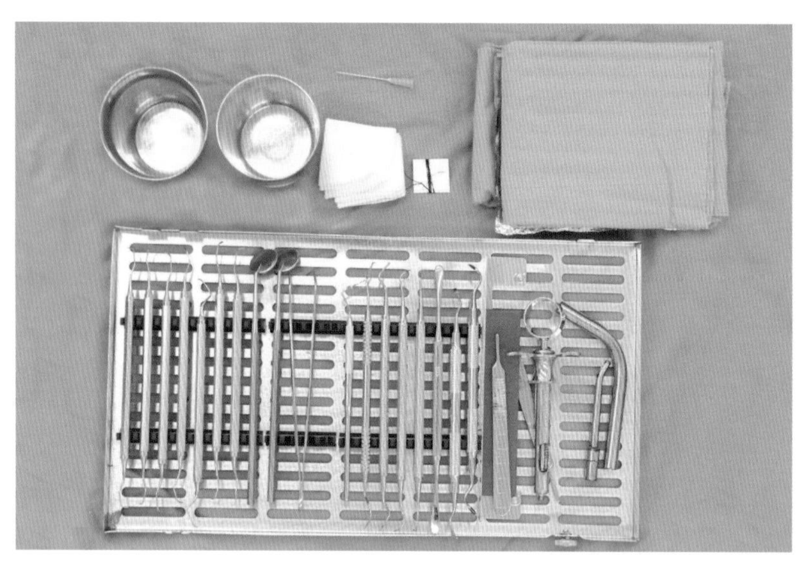

그림 21-25. 치주수술 기구 세트

- 점막골막 박리자(mucoperiosteal elevator)와 tissue retractor
- 스케일러와 큐렛
- Cotton pliers
- Tissue pliers
- 조직용 가위(tissue scissors)
- 니들홀더(needle holder)
- 봉합용 가위(suture scissors)
- 성형 기구(plastic instrument)
- 지혈 겸자(hemostat)
- 버(burs)

기타 장비는 다음과 같다.

- 국소마취용 주사기
- Irrigation용 주사기
- Aspirator tip
- 생리 식염수(physiologic saline)
- 환자를 위한 덮개(draping)
- 수술용 장갑, 마스크, 수술용 모자

1) 치주수술용 칼

칼은 고정된 날과 교체할 수 있는 날이 사용된다. 고정된 날의 장점은 날에 원하는 형태를 줄 수 있고 손잡이가 붙어 있다는 것이다. 그러나 이것의 단점은 자주 기구를 바꿔야 한다는 것이다. 보통 날의 절단면은 손잡이의 장축과 동일하며, 이것이 사용상의 단점이 된다. 하지만 손잡이와 날이 각도를 이루는 칼이 이용되기도 한다. 일회용 날은 여러 형태로 제작될 수 있다. 수술도 손잡이(Bard–Parker handle)에 끼워서, 치주판막술과 치은치조점막수술에서 절개할 때와 기구가 도달할 수 있는 부위에서 역사면 절개(reverse bevel incisions)를 할 때 사용한다. 특별한 손잡이는 치은 절제와 역사면 절개가 용이한 위치로 날을 끼울 수 있게 해준다(그림 21–26).

그 외 사용되는 치주수술용 칼은 다음과 같다.

(1) Kirkland knife

Kidney shaped knife라고도 한다. 날부위가 마치 콩팥같이 생겼으며, 이 부위의 바깥쪽 전체가 날이다. 치은절제용 칼로서 치은절제술 시 사용하며, 치은성형술 시에 치은을 긁어내는 데도 사용한다(그림 21–27).

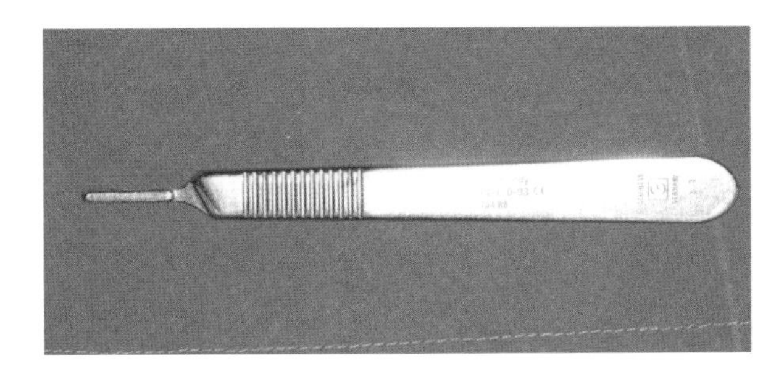

그림 21-26. Blade holder

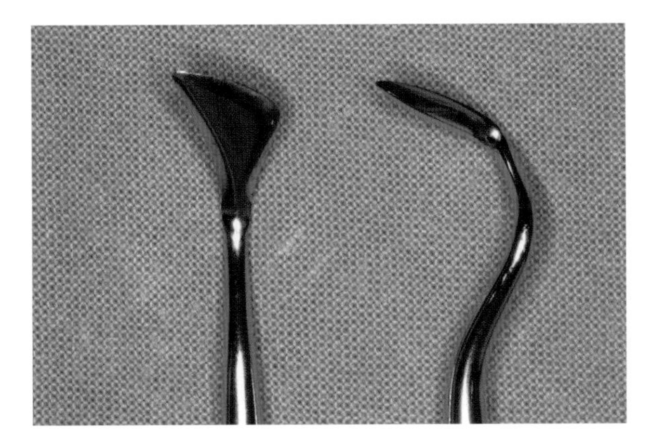

그림 21-27. Kirkland knife, interdental knife

(2) 치간치은용 칼(Interdental knife)

마치 창같이 생겨서 spear shaped knife라고도 하고, Orban No. 1, 2 Buck knife 라고도 한다. 뾰족하게 생겼으므로 치간치은 절제에 유용하다(그림 21-27).

(3) 수술용 매스(Surgical blade)

치주에서 쓰는 수술용 매스는 주로 #11, #12, #15의 세 종류이다. 치은판막수술에서 판막을 형성하기 위하여 내사면 절개(internal bevel incision)시 사용하며 변연치은부터 치조점막측으로 수직절개나 농양 절개 시에도 쓰인다. 수술용 메스는 모두 일회용이다(그림 21-28).

2) 판막 조작을 위한 기구 (Instruments for handling flaps)

수술 부위의 빠른 치유는 수술성공여부의 기준이 된다.

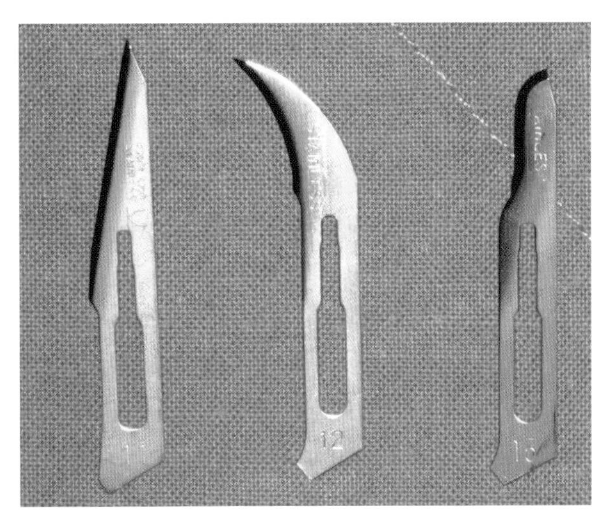

그림 21-28. Blade(#11, #12, #15)

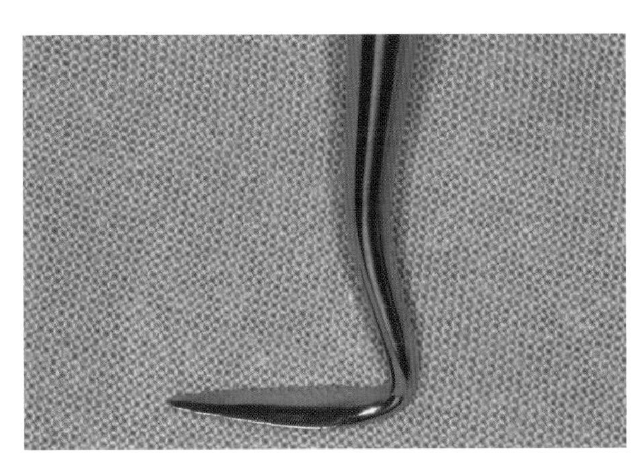

그림 21-29. Nyström Ⅰ, Ⅲ

그러므로 연조직 조작 시 조직손상을 최소화하는 것이 필수적이다. 치간부위 치은판막을 박리하기 위하여 보다 작은 기구를 이용하여 치간부위의 치은을 최대한 보존하는 것이 치유에 보다 좋다. 그러므로 판막을 박리할 때 골막박리자(periosteal elevator)를 사용하여야 한다. 골막박리자와 tissue retractor를 성형 기구로서 사용할 수도 있다. 이에 해당되는 기구는 Nyström I 혹은 Ⅲ으로 날렵하고 날이 날카로워 박리를 손상 없이 할 수 있다(그림 21-29).

3) 스케일러와 큐렛(Scalers and curettes)

치주수술과 연관된 치석제거와 치근활택술은 노출된 치근표면에서 시행한다. 그러므로 비교적 견고한 기구를 이용하여 치근면에 기구를 도달시킨다. 단단히 부착된 치은연하치석이나 섬유성 치은 등을 제거하기 위하여 고안되었다. 이를 위하여 McCall curette 17–18을 대신으로 사용하는 것이 치주조직 손상을 최소화할 수 있다. Tungsten carbide 큐렛과 스케일러는 양쪽에 날을 갖고 있어 기구도달이 문제될 때 종종 이용된다. 회전식 diamond stone은 골내낭(infrabony pocket), 치근만곡부위, 이개부 등에서 사용된다(그림 21–30).

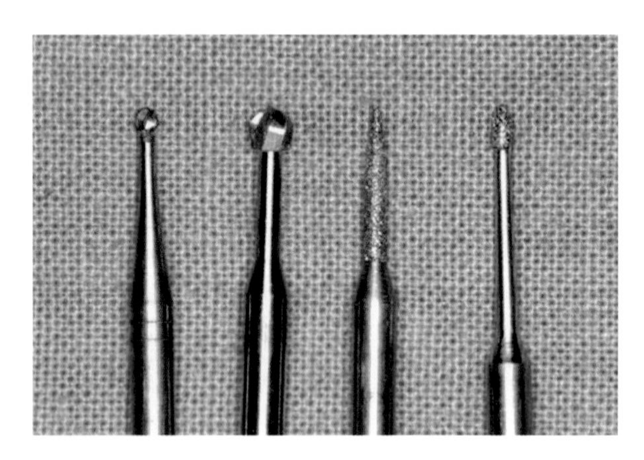

그림 21-30. 회전식 Diamond stone 및 round burs

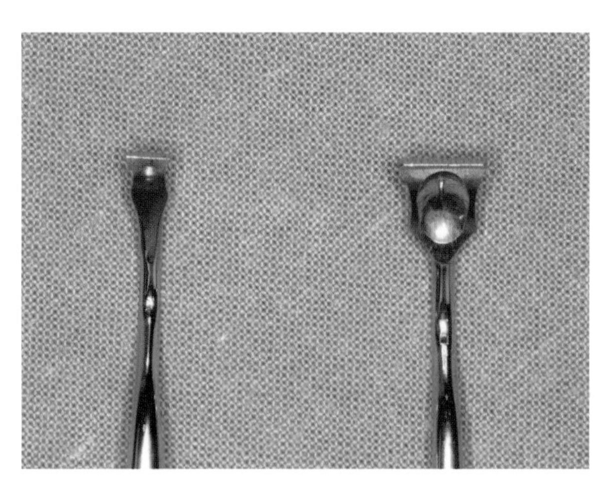

그림 21-31. Todd-Gilmore chisel 및 Ochsenbein chisel

4) 골삭제를 위한 기구 (Instruments for ostectomy and osteoplasty)

예리한 bone chisel이나 bone rongeur는 최소의 조직손상을 야기하며 기구도달이 가능한 곳에서만 사용되어야 한다. 기구도달이 어려울 경우 수술용 버(bur)나 파일(file)이 사용된다. 버는 저속으로 사용해야 하며 소독된 생리식염수를 이용하여 충분히 세척해 주어 조직 잔사를 제거해 줄 수 있도록 하여야 한다.

(1) 수술용 Chisel, 수술용 Hoe

수술 도중 치조골의 제거와 치조골의 형태변형에 사용한다. Todd–Gilmore chisel은 연결부위가 곧게 생겼고, Ochsenbein 치즐은 약간 만곡되어 있으면서 날이 반달모양으로 양측면과 전면 3군데에 있어 사용하기에 편리하다(그림 21–31).

Hoe 역시 치은절제술 후 치석제거에 보조로 쓰인다. Hoe는 당기는 운동, chisel은 미는 운동으로 사용한다.

(2) 수술용 File

거친 골면을 다듬는 기구로서 Schluger file이 많이 쓰인다. 특히 치간부위의 골성형에 많이 쓰인다(그림 21–32).

(3) 다이아몬드 파일

작업 팁은 둥글고 큰 다이아몬드 입자로 코팅되어 있다. 굴곡이 심한 치근면과 이개부 병소의 치료에 사용하기 좋다(그림 21–33).

(4) 수술용 Bur

공모양 버와 피셔형 버를 주로 사용하며, 치조골의 성형이나 제거용으로 쓰인다. 다이아몬드 저속용 버는 굴곡이 심한 치근면을 성형하고 치석제거에도 사용한다. 수술 시에 준비를 하는 것이 좋다.

5) 봉합 및 기타

(1) 가위, Nipper와 Bone rongeur

수술 중 존재하는 조직 잔재들의 제거와 판막의 해부학

적 형태로의 절단, 근육부착 등의 제거에 쓰이는 기구들이다. Bone rongeur는 치조골 처치에 쓰인다(그림 21-34).

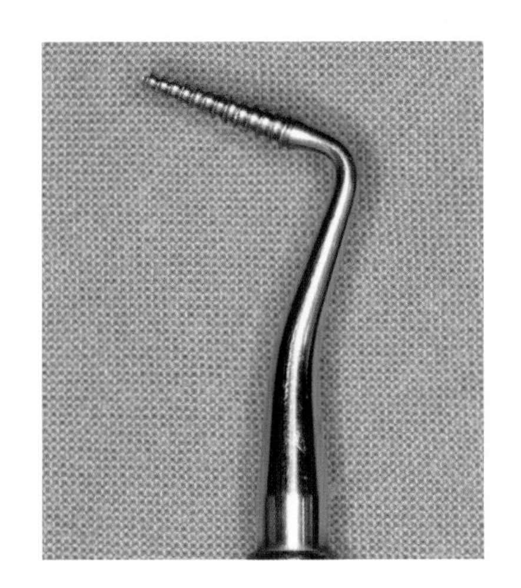

그림 21-32. Schluger No.9/10 수술용 file

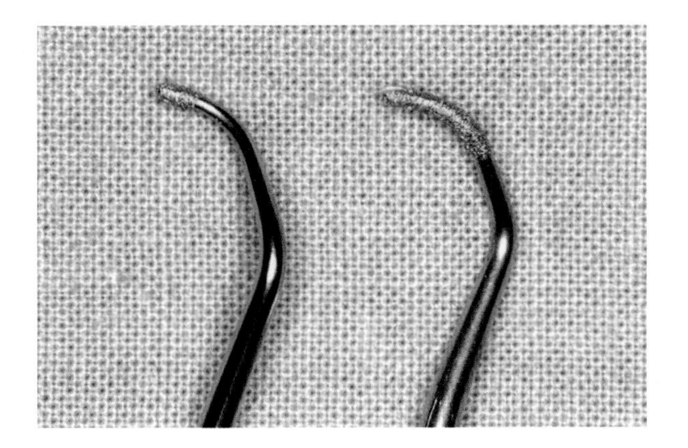

그림 21-33. 다이아몬드 파일

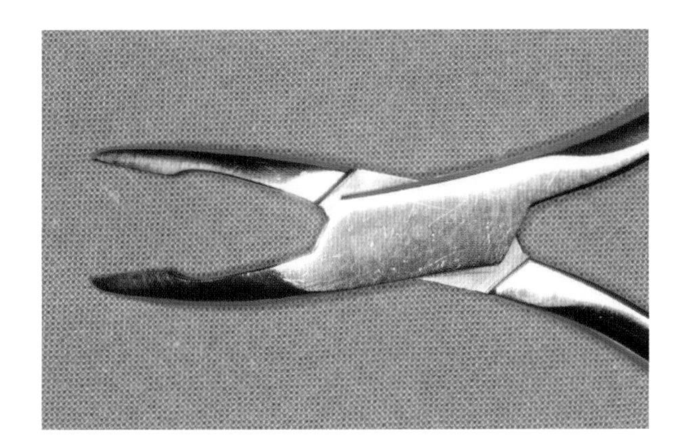

그림 21-34. Bone Rongeur

(2) 치주낭 표시기(Periodontal Pocket marker)

핀셋과 비슷하게 생겼는데 한쪽 끝에 침과 비슷한 것이 달려 있어서 한 축을 치주낭에 삽입하고 다른 한 축은 치은에 접합시켜서 누르면 치은에 출혈점을 남기므로 치주낭의 모양을 알 수 있도록 되어 있다. 협측과 설측용 한 쌍이 필요하다(그림 21-35).

(3) 니들 홀더(Needle holder)

봉합 시 바늘을 잡고 봉합하는 데 쓰이는 기구이다. 작고 날렵한 니들홀더를 사용하는 것이 좋다(그림 21-36).

6) 기구 용기(Instrument tray)

치주수술을 위한 기구 용기는 몇 가지 방법으로 분류될 수 있다. 각각의 용기들을 각각의 과정을 위해 사용할 수도 있으며, 모든 수술에서 사용할 수 있는 표준용기에 특별한 수술과정을 위한 특별한 기구들을 보충시켜 사용할 수도 있다.

일반적으로 사용되는 표준 기구용기는 수술 순서별로

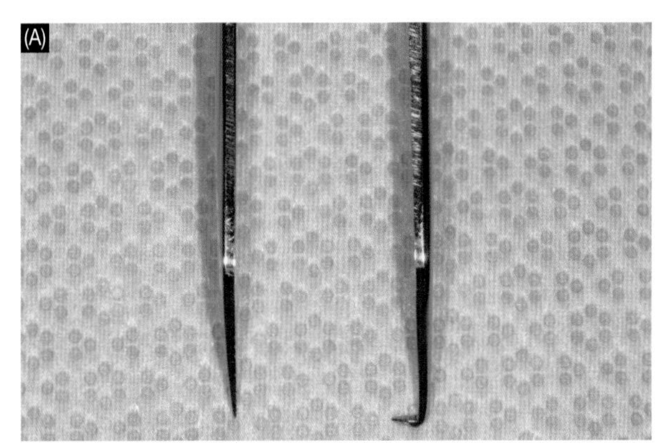

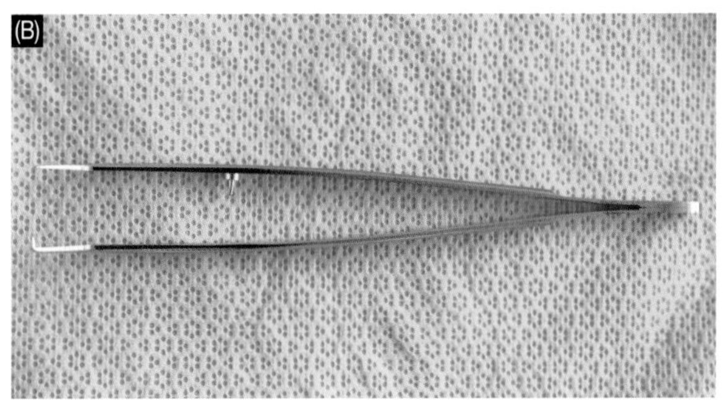

그림 21-35. 치주낭 표시기

지정된 위치에 기구가 배열되고 세트화되어 있어야 한다. 또한 기구 순서와 배열을 일정하게 하거나 기구별로 색깔 코드화 하여 쉽게 찾을 수 있도록 한다(그림 21-37).

7) 기타 장비

출혈은 치주수술 중 거의 문제가 되지 않는다. 스며 나오는(oozing) 형태의 출혈은 식염수로 적신 거즈로 압박함으로써 대개 지혈된다. 작은 혈관으로부터의 출혈은 지혈겸자와 흡수성봉합사를 이용한 결찰로써 멈추게 할 수 있다. 만약 혈관이 골조직에 둘러싸여 있다면 뭉툭한 기구로 혈관을 주행하는 영양관을 막아 멈추게 할 수 있다. 소독된 생리 식염수는 수술 부위의 세척과 수분유지를 위해 사용되며 버를 사용할 경우 냉각을 위해 사용된다. 식염수는 기구용기 내의 금속컵에 담겨져 사용되며 소독된 일회용 플라스틱 주사기(syringe)와 끝이 둥근 바늘(cutdown needle)을 이용해 상처부위에 사용된다. 수술시야의 확보는 흡입을 잘함으로써 얻어질 수 있다. 흡입관 끝의 직경은 막힘을 방지하기 위해 관의 나머지 부분보다 작아야 한다. 환자의 머리는 소독된 면포나 소독된 일회용 플라스틱 또는 종이포로 덮는다. 술자와 모든 보조자들도 소독된 수술장갑, 수술마스크, 수술용 hood를 입어야 한다(그림 21-38).

4. 세척 및 치면세마(Cleansing and polishing)를 위한 기구

1) 러버컵(Rubber cup)

러버컵은 오목한 형태의 고무 쉘(rubber shell)로 구성되어 있으며 저속 핸드피스에 장착하여 사용한다. 핸드피스와 러버컵은 각각의 환자에 사용 후 반드시 멸균시켜 사용 하거나 일회용 플라스틱 제품을 사용해야 한다. 불소가 포함된 페이스트(paste)와 함께 사용하며, 러버컵이 회전하면서 발생하는 마찰열을 최소화하기 위하여 생리식염수 등의 냉각수를 사용해야 한다. 페이스트는 고운 것, 중간, 거친 것(fine, medium, coarse)이 사용 가능하고, 일회용 용기에 보관되어 있다. 연마제가 포함된 페이스트를 과도하게 사용할 경우 특히 치경부 부위에서 백악질층이 소실될 수 있다(그림 21-39).

그림 21-37. 기구 용기(Instrument tray)

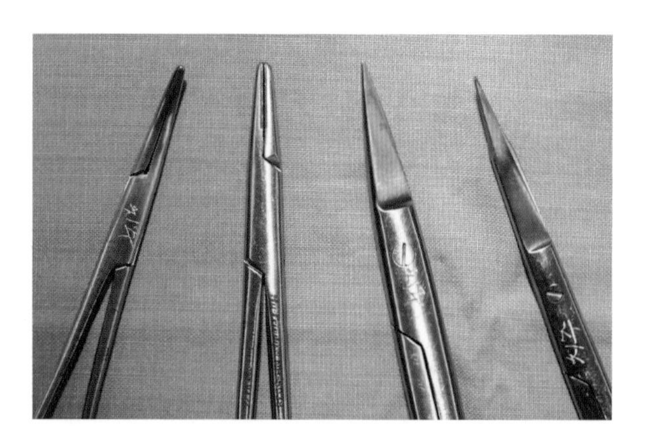

그림 21-36. 니들홀더(Needle holder)와 가위

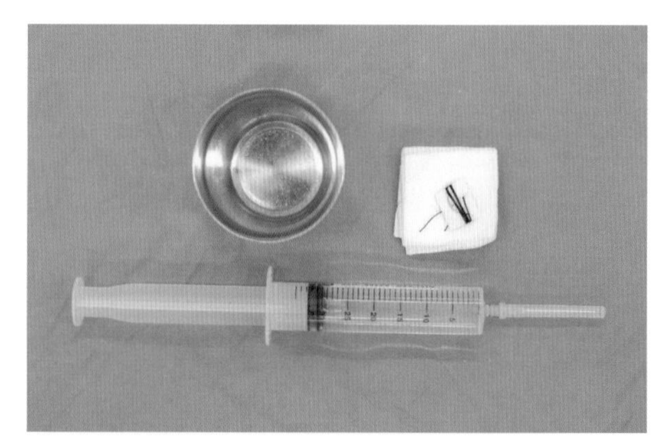

그림 21-38. 부가적 장비. 식염수, 봉합사, 소독된 거즈

2) Bristle brushes

거친 솔은 바퀴(wheel) 모양과 컵(cup) 모양이 있다. 핸드피스에 연결하여 세마 페이스트(polishing paste)와 함께 사용한다. 솔이 뻣뻣하기 때문에 백악질과 치은의 손상을 방지하기 위하여 부위를 치관부위로 제한하여 사용한다.

3) 치아연마용 스트립(Polishing strip)

치아용 테이프는 다른 세마 기구로 접근이 안 되는 인접면에 사용한다. 치아의 장축과 평행하게 순설측 방향으로 적용되면 테이프가 인접면에 적용되게 된다. 치은 손상 방지를 위한 세심한 사용이 필요하다. 페이스트 잔사 제거를 위하여 사용 후에는 따뜻한 물로 세척이 필요하다.

4) 공기-분말 세마(Air-powder polishing)

기계적 마모 작용으로 빠르고 효과적으로 착색을 제거하며, 온수는 세척작용을 한다. 연마제의 유속은 착색이 단단할 경우에는 조절하여 증가시킬 수 있다.

중탄산나트륨(sodium bicarbonate)을 이용한 공기-분말 세마기구(air-powder polishing device)의 상아질과 백악질의 연마효과에 대한 연구결과는 치질의 상실이 일어날 수 있다는 것을 보여주고 있다.[22,23] 치은조직에 대한 손상은 일시적이며 임상적으로 중요하지 않지만, 아말감, 복합레진, 접착제 그리고 다른 비금속성 재료는 거칠어질 수 있다.[23,24,25,26] 이러한 이유로 탄산나트륨(sodium carbonate) 대신 수산화알루미늄(aluminum trihydroxide)을 포함한 파우더들이 많이 소개되어지고 있다. 연마용 공기-분말은 티타늄 임플란트 표면에 안전하게 사용될 수 있다.[27,28]

호흡기 질환의 병력을 가지고 있는 환자나 염분 제한 식이를 하고 있는 환자, 전해질 균형을 조절하는 약물을 복용하는 환자에게는 이 기구를 사용할 수 없다. 감염성 질환을 가진 환자들도 이 기구가 많은 에어로솔(aerosol)을 발생시키기 때문에 사용할 수 없다.[29,30,31] 에어로솔 내의 미생물 함량을 최소화시키기 위해 0.12% 클로르헥시딘(chlorhexidine gluconate)를 함유한 술전 양치액이 사용되어야 한다.[32] 에어로졸 흡수를 위해 고속흡인기를 사용해야 한다(그림 21-40).[33]

그림 21-39. 러버컵(Rubber cup)

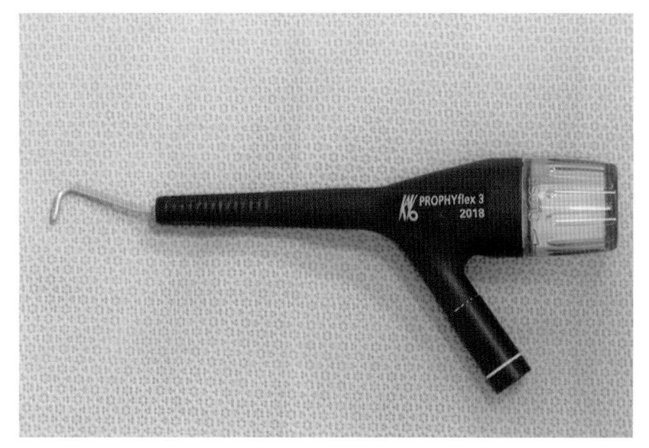

그림 21-40. 공기-분말 세마기구

참고문헌

1. 한수부 등. 치주기구 사용법. 의치학사, 1993.
2. Drisko CL: Scaling and root planing without overinstrumentation: hand versus power-driven scalers. Curr Opin Periodontol 1993;78.
3. Drisko CL, Cochran DL, Blieden T, et al: Position paper: sonic and ultrasonic scalers in periodontics. Research, Science and Therapy Committee of the American Academy of Periodontology.J Periodontol 2000;71(11):1792.
4. Holbrook T, Low S: Powder-driven scaling and polishing instruments. In Hardin JF (ed): Clarke's Clinical Dentistry. Philadelphia, JB Lippincott, 1991.
5. Wilkins EM: Clinical Practice of the Dental Hygienist, ed 7.Baltimore, Williams & Wilkins, 1994.
6. Zinner DD: Recent ultrasonic dental studies, including periodontia, without the use of an abrasive. JADA 1955;59:636-639.
7. Menne A, Griesinger H, Jespen S, et al: Vibration characteristics of oscillating scalers. J Dent Res 1994;73:434.
8. Clifford LR, Needleman IG, Chan YK: Comparison of periodontal pocket penetration by conventional and microultrasonic inserts. J Clin Periodontol 1996;26:124.
9. Dragoo M: A clinical evaluation of hand and ultrasonic instruments on subgingival debridement. I. With unmodified and modified ultrasonic inserts. Int J Perio Res Dent 1992;12:311.
10. Kawanami M, Sugaya T, Kato S, et al: Efficacy of an ultrasonic scaler with a periodontal probe-type tip in deep periodontal pockets. Adv Dent Res 1988;2:405.
11. Torfason T, Kiger R, Selvig A, et al: Clinical improvement of gingival conditions following ultrasonic versus hand instrumentation of periodontal pockets. J Clin Periodontol 1979;6:165.
12. Badersten A, Nilveus R, Egelberg J: Effect of nonsurgical periodontal therapy. I. J Clin Periotontol 1981;8:57.
13. Leon LE, Vogel RI: A comparison of the effectiveness of hand scaling and ultrasonic debridement in furcations as evaluated by differential dark-field microscopy. J Periodontol 1987;4:340.
14. Loos B, Kiger R Egelberg J: An evaluation of basic periodontal therapy using sonic and ultrasonic scalers. J Clin Periodontol 1987;14:25.
15. Oda S, Ishikawa I: In vitro effectiveness of a newly designed ultrasonic scaler tip for furcation areas. J Periodontol 1989;60:634.
16. Brookshire FV, Nagy WW, Dhuru VB, et al: The qualitative effects of various types of hygiene instrumentation on commercially pure titanium and titanium alloy implant abutments: an in vitro and scanning electron microscope study. J Prosthet Dent 1997;78(3):286.
17. Cross-Poline GN, Shanklee RL, Stach DJ: Effect of implant curets on titanium implant surfaces. Am J Dent 1997;10(1):41.
18. Fox SC, Moriarty JD, Kusy RP: The effects of scaling a titanium implant surface with metal and plastic instruments: an in vitro study. J Periodontol 1990;(8):485.
19. Hallmon WW, Waldrop TC, Meffert RM, et al: A comparative study of the effects of metallic, nonmetallic, and sonic instrumentation on titanium abutment surfaces. Int J Oral Maxillofac Implants. 1996;11(1):96.
20. Mengel R, Buns CE, Mengel C, et al: An in vitro study of the treatment of implant surfaces with different instruments. Int J Oral Maxillofac Implants. 1998;13(1):91.
21. Ruhling A, Kocher T, Kreusch J, et al: Treatment of subgingival implant surfaces with Teflon-coated sonic and ultrasonic scaler tips and various implant curettes. An in vitro study. Clin Oral Implants Res 1994;5(1):19.
22. Berkstein S, Reiff RL, McKinney JF, et al: Supragingival root surface removal during maintenance procedures utilizing and air-powder abrasive system or hand scaling. An in vitro study. J Periodontol 1987;58:327.
23. Orton GS: Clinical use of and air-powder abrasive system. Dent Hyg 1987;75:513.
24. Barnes C, Hayes E, Leinfelder K: Effects of an air abrasive polishing system on restored surfaces. Gen Dent 1987;35:186.
25. Eliades GC, Tzoutzas JG, Vougiouklakis GJ: Surface alterations on dental restorative materials subjected to an air-powder abrasive instruments. J Prosthet Dent 1991;65(1):27.
26. Lubow RM, Cooley RL: Effect of air-powder abrasive instrument on restorative materials. J Prosthet Dent 1986;55:462.
27. Koka S, Han J, Razzoog ME, et al: The effects of two air-powder abrasive prophylaxis systems on the surface of machined titanium: a pilot study. Implant Dent 1992;1(4):259.
28. Razzoog ME, Koka S: In vitro analysis of the effects of two air-abrasive prophylaxis systems and inlet air pressure on the surface of titanium abutment cylinders. J Prosthodont 1994;3(2):103.

29. Rawson RD, Nelson BN, Jewell BD, et al: Alkalosis as a potential complication of air polishing systems, A pilot study. Dent Hyg 1985;59:500.
30. Snyder JA, McVay JT, Brown FH, et al: The effect of air abrasive polishing on blood pH and electrolyte concentrations in healthy mongrel dogs. J Periodontol 1990;64:81.
31. Suzuki JB, Delisle AL: Pulmonary actinomycosis of periodontal origin. J Periodontol 1984;55:581.
32. Bay N, Overman P, Krust-Bray K, Cobb C, et al: Effectiveness of antimicrobial mouthrinses on aerosols produced by an air polishers. J Dent Hyg 1993;67:312.
33. Harrel SK, Barnes JB, Rivera-Hidalgo F: Aerosol reduction during air polishing. Quintessence Int 1999;30(9):623.

기타 참고문헌

- Allen EF, Rhoads RH. Effects of high speed periodontal instruments on tooth surface. J Periodontol 1963;34:352.
- Bandt CL, Korn NA, Schaffer EM. Bacteremias from ultrasonic and hand instrumentation. J Periodontol 1964;35:214.
- Belting CM. Effects of high speed periodontal instruments on the root surface during subgingival calculus removal. J Am Dent Assoc 1964;69:578.
- Bjorn H, Lindhe J. The influence of periodontal instruments on the tooth surface. Odontol Revy 1962;13:355.
- Burman LR, Alderman NE, Ewen SJ. Clinical application of ultrasonic vibrations for supragingival calculus and stain removal. J Dent Med 1958;13:156.
- Clark SM. The effects of ultrasonic instrumentation on root surfaces. J Periodontol 1968;39:135.
- Clark SM. The ultrasonic dental unit: A guide for the clinical application of ultrasonics in dentistry and in dental hygiene. J Periodontol 1969;40:621.
- Everett FG, Foss CL, Orban B. Study of instruments for scaling. Parodontologie 1962;16:61.
- Ewen SJ. The ultrasonic wound-some microscopic observations. J Periodontol 1961;32:315.
- Ewen SJ, Clickstein C. Ultrasonic therapy in periodontics. Springfield, IL, Charles C Thomas, 1968.
- Frisch J, Bhaskar SN, Shell DD. Effect of ultrasonic instrumentation on human gingival connective tissue. Periodontics 1967;5:123.
- Goldman HM. Histologic assay of healing following ultrasonic curettage versus hand instrument curettage. Oral Surg 1961;14:925.
- Green E, Ramfjord SJ. Tooth roughness after subgingival root planing. J Periodontol 1966;37:44.
- Johnson WN, Wilson JR. The application of the ultrasonic dental units to scaling procedures. J Periodontol 1957;28:264.
- Kerry GJ. Roughness of root surfaces after use of ultrasonic instruments and hand curettes. J Periodontol 1967;38:340.
- Klug RG. Gingival tissue regeneration following electrical retraction. J Prosth Dent 1966;16:956.
- Lindhe J. Evaluation of periodontal scalers. II. Wear following standardized or diagonal cutting tests. Odontol Revy 1966;17:121.
- Lindhe J, Jacobson L. Evaluation of periodontal scalers. I. Wear following clinical use. Odontol Revy 1966;17:1.
- McCall CM, Szmyd L. Clinical evaluation of ultrasonic scaling. J Am Dent Assoc 1960;61:559.
- Nadler H. Removal of crevicular epithelium by ultrasonic curettes. J Periodontol 1962;33:220.
- Orban B, Manella VB. A macroscopic and microscopic study of instruments designed for root planing. J Periodontol 1956;27:120, 1956.
- Sanderson AD. Gingival curettage by hand and ultrasonic instruments-a histologic comparison. J Periodontol 1966;37:279.
- Stende GW, Schaffer EM. A comparison of ultrasonic and hand scaling. J Periodontol 1961;32:213.
- Waerhaug J et al. The dimension of instruments for removal of subgingival calculus. J Periodontol 1954;25:281.
- Wentz FM. Therapeutic root planing. J Periodontol 1957;28:59.
- Wilkinson RF, Maybury JE. Scanning electron microscopy of the root surface following instrumentation. J Periodontol 1973;44:559.
- Zach L, Cohen G. The histology of the response to ultrasonic curettage. J Dent Res 1961;40:751.

1. 치과용 기구에 대한 일반적인 중요사항[1]

치주기구의 선택에 있어서 중요한 사항은 장기간 사용으로 인한 손의 손상을 막기 위하여 얼마나 인체 공학적으로 디자인되어 있느냐를 확인하는 것이다. 치과기구는 섬세한 날에 힘이 집중되기 때문에 잘못 조작했을 때 조직에 손상을 줄 수 있고 술자의 손목 손상을 초래할 수 있다. 이를 위해 다음과 같은 사항이 고려되어야 한다.

- 기구 중심으로 좌우 작업 부위가 평형을 이루고 있을 것
- 기구의 장축을 중심으로 기구의 끝이 중앙에 있을 것
- 가능한 가벼울 것
- 작업부위에 유연성(flexibility)을 가지고 있어 힘이 분산 될 것
- 기구의 핸들이 부드럽고 탄력성이 있으며 미끄러지지 않을 것–작은 힘으로도 미끄러지지 않게 잡을 수 있도록 하여 손의 감각의 민감도를 증가시키고 손가락 관절에 긴장성 변형(strain)을 주지 않도록 할 것
- 기구를 쉽게 조작할 수 있을 것
- 여러 가지 기구 중에 필요한 기구를 빨리 찾아 낼 수 있도록 하여 술자의 신체가 일정한 자세에서 이동이 적도록 할 것
- 굴러다니지 않고 기구 부딪히는 소리가 나지 않을 것
- 손잡이가 충분한 굵기를 가지고 있어 손목 부위의 근육과 인대의 긴장성이 생리적 범위 내에 있도록 할 것 (인체 공학적으로 직경 8.5 mm 이상)

2. 치주기구의 사용의 일반 원칙[1]

1) 술자와 환자의 위치

환자의 시술 부위가 가능한 한 최대로 잘 보이는 위치를 선정하여 자리를 잡는다. 그리고 술자가 쉽게 피로하지 않고 편안한 자세로 일할 수 있도록 진료 보조의자에 앉는다(그림 22–1). 술자의 발은 바닥과 평행하게 닿아야

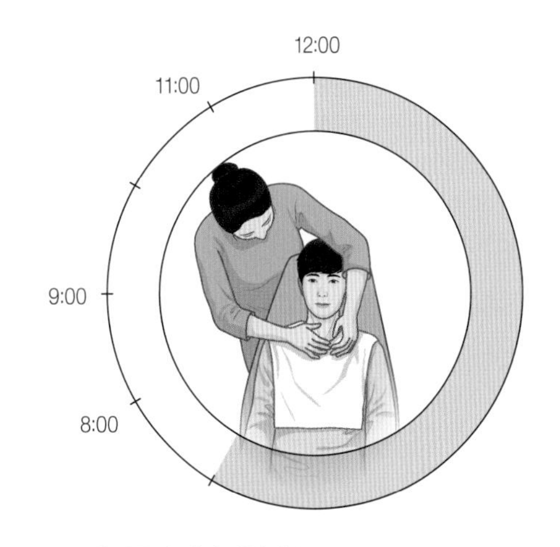

그림 22-1. 올바른 술자의 작업각도

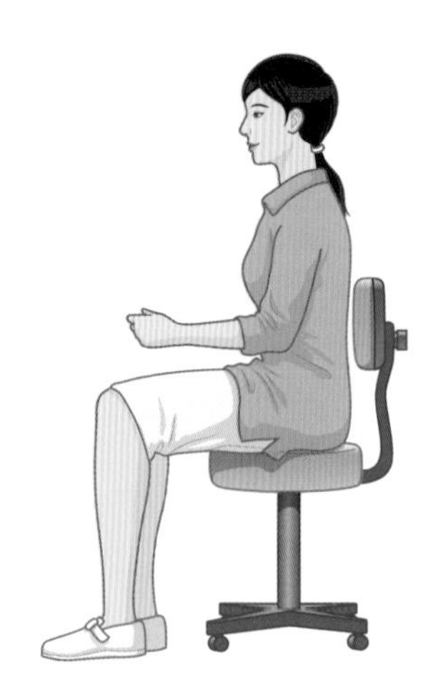

그림 22-2. 올바른 술자의 자세

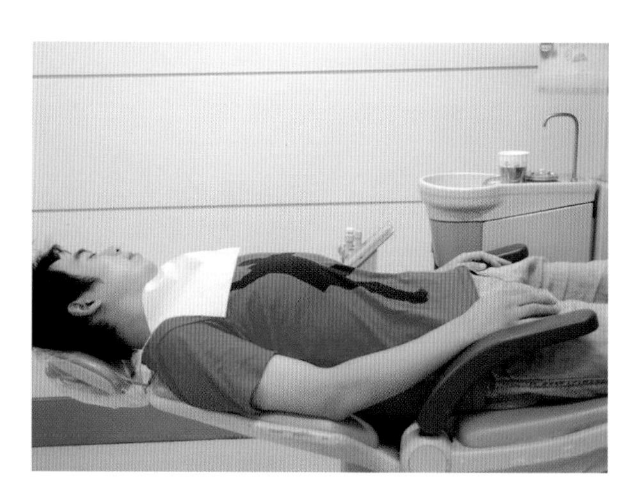

그림 22-3. 환자의 자세: supine position

하고 넓적다리는 바닥과 평행이 되도록 진료보조의자의 높이를 맞춘다(그림 22-2). 환자는 보통 반듯이 눕는 자세(supine position, 그림 22-3)를 취하게 하고 상악 치료 시에는 턱을 약간 올리도록 하고, 하악 치료 시에는 턱을 바닥과 평행하도록 한다.

2) 시야, 조명

시야는 직접 시술 부위를 보는 것이 제일 좋은 방법이다. 이것이 불가능하거나 불편한 경우 치경으로 간접적으로 시야를 확보한다. 또한 빛을 비추는 것도 직접 비추는 것이 제일 좋고 치경을 이용해 간접적으로 비추는 방법도 있다. 또한 시야를 좋게 하기 위하여 혀, 볼, 입술 등의 젖힘(retraction)에 치경이나 손가락 등을 사용하기도 한다.

3) 기구 잡는 법(Instrument grasp)

기구를 잡는 법은 시술부위나 사람에 따라서 여러 가지 방법이 있으나 다음의 세 가지 방법이 많이 쓰인다(그림 22-4).

(1) 변형 펜잡기법(Modified pen grasp)

펜을 잡을 때처럼 첫째와 둘째 손가락으로 기구를 잡고 가운데 손가락 안쪽으로 기구의 연결부위를 고정시키는 역할을 하게끔 하여 기구조작이 잘 되도록 돕는다(그림 22-4A).

(2) 펜잡기법(Pen grasp)

첫째와 둘째 손가락으로 기구를 잡고 가운데 손가락의 옆부위에 기구를 고정시키는 방법으로 연필이나 펜을 잡는 식이다(그림 22-4B).

(3) 손바닥과 엄지법(Palm and thumb grasp)

손바닥에 기구를 놓고 네 손가락으로 잡은 다음 엄지에 연결부위를 대고 사용하는 방법으로 기구의 날갈이에는 좋지만 치주치료 시에는 별로 좋지 않다(그림 22-4C).

4) 손가락 고정(Finger rest)

손가락 고정은 치주기구 사용 시 확고한 받침점을 줌으로써 기구와 손의 안정성을 확보하여 기구사용을 원활하게 하기 위한 것이다. 손가락 고정이 잘 되면 치은의 상처나 파열 등을 방지할 수 있는데, 대부분 넷째 손가락을 많이 사용한다. 손가락 고정은 구강 내와 구강 외에 두는 방법이 있다. 구강 내는 바로 인접부위의 치아나 건너편 악에 주는 경우(그림 22-5), 그리고 반대악이나 사용치 않는 술자의 손을 이용하는 방법이 있으며, 구강 외는 안면 등의 편리한 부위가 이용된다.

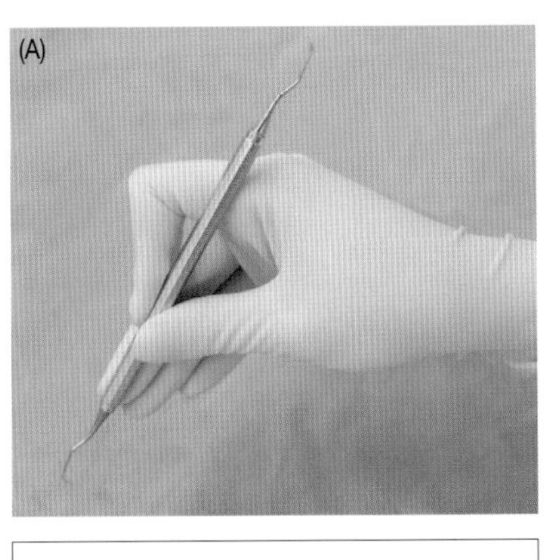

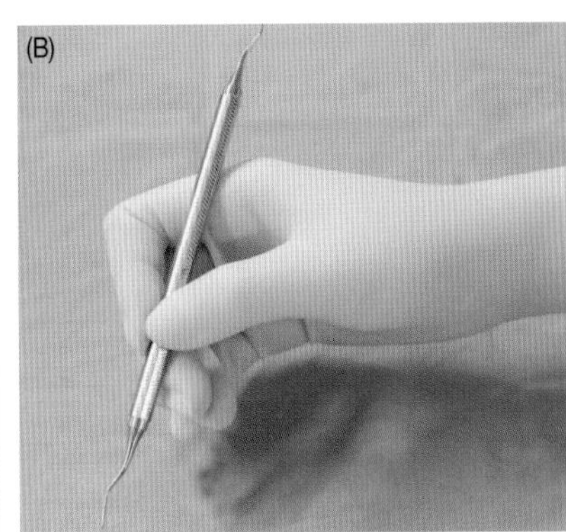

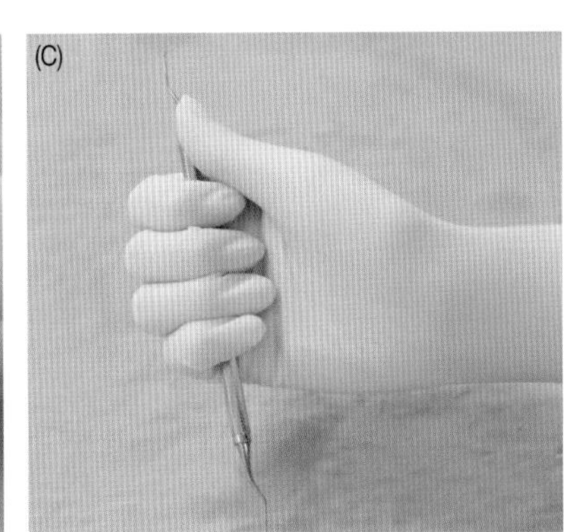

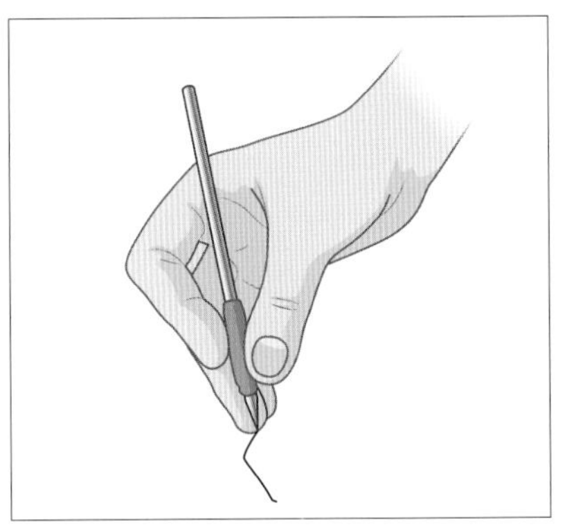

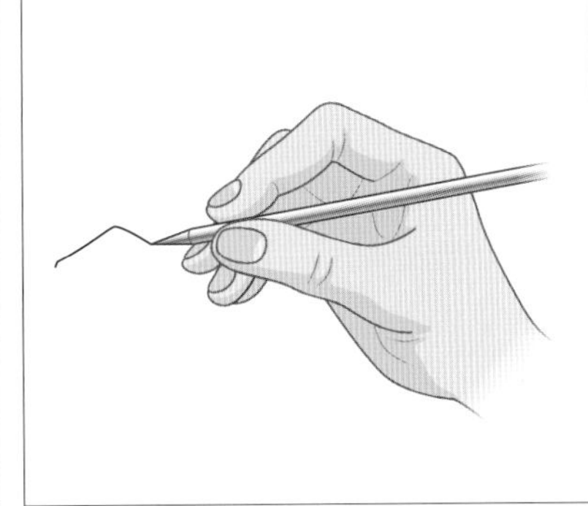

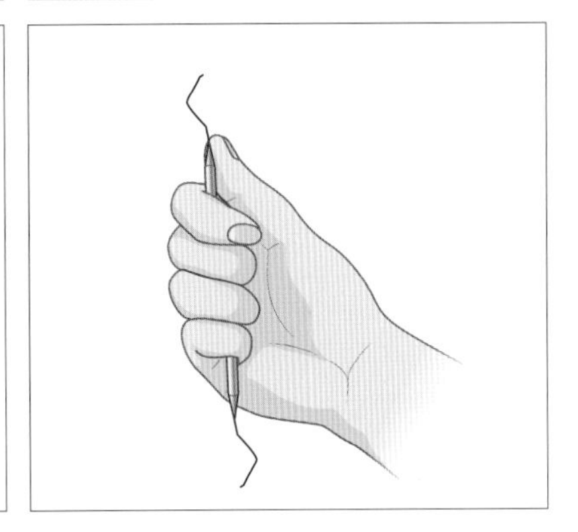

그림 22-4. 기구 잡는 법. (A) Modified pen grasp (B) Standard pen grasp (C) Palm and thumb grasp

5) 치아면과 기구가 이루는 각도

치주치료 시 치아와 기구의 날 부위가 이루는 각은 매우 중요하다. 치석제거를 위해 치주낭 속으로 기구를 도달할 때는 0°를 유지해야 기구가 잘 삽입되며, 치석제거나 치근활택술 시의 좋은 각도는 45~90°이다. 만약 90°가 넘으면 치석이 제거되지 않고 닦여서 맨질맨질해질 뿐이며, 45°가 안 되면 치근표면에 상처나 흔적을 남기기 쉽다(그림 22-6).

6) 기구놀림(Stroke)

기구놀림방법은 미는 방법(push)과 잡아당기는 방법(pull)이 있고, 방향을 보면 종적, 횡적, 사선의 세 가지 방향이 있다.

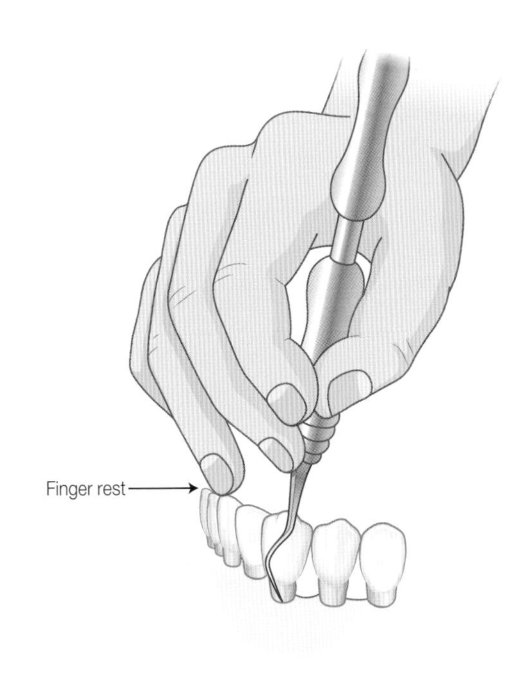

그림 22-5. 구강내 손가락 고정

(1) Exploratory stroke

치주낭의 형태와 깊이, 치석의 유무, 치근표면의 상태

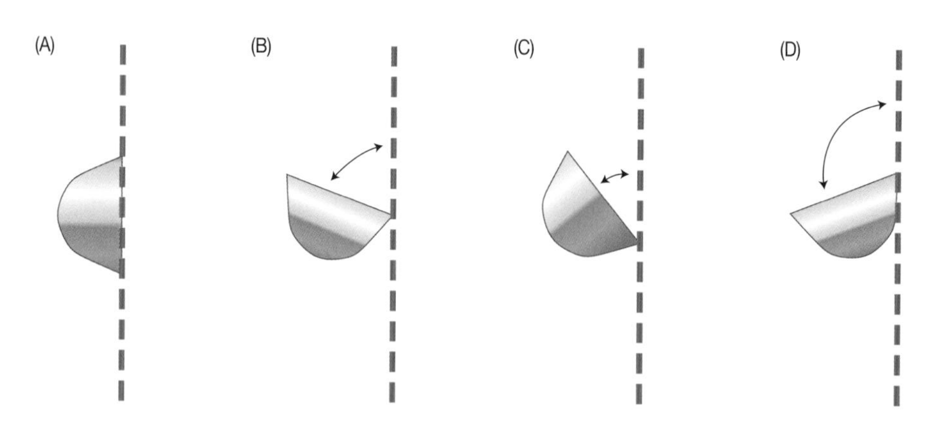

그림 22-6. 치아와 기구의 날이 이루는 각도. (A) 0°-날의 삽입 시 정확한 각도 (B) 45~90°-치석제거 및 치근활택에 알맞은 각도 (C) 45° 이하-치석제거 및 치근활택에 부적당한 각도 (D) 90° 이상-치은 소파에 적당한 각도

등을 알기 위하여 탐침을 해보는 것으로, 아주 가볍게 기구를 원하는 곳에 삽입하여 손에 오는 감촉으로 느끼게 된다.

(2) Scaling stroke

짧고 확고하게 잡아당기는(pull) 방법으로 치은연상 및 연하 치석제거 시 쓴다. 기구의 날이 치석의 아랫부분에 닿게 하여 주로 치관 쪽으로 이동하는 종적운동을 한다.

(3) Root planing stroke

중등도의 힘으로 잡아당기는 방법이다. 주로 치근활택술 등에 이용되며 큐렛이 많이 사용된다.[2~12]

3. 치주기구의 각 부위별 사용 원칙[1]

1) 상악우측 구치부: 협면

- 술자 위치: 측면, 전면
- 조명: 직접
- 시야: 직접, 구치부 원심은 간접
- 조직견인: 시술하지 않는 손의 검지나 치경
- 손가락 고정
  - 구강내: 손바닥을 아래로 향한다. 상악 전치부의 절단면이나 순면 또는 상악 소구치의 교합면이나 협면에 넷째 손가락을 위치시킨다.
  - 구강외: 손바닥을 위로 향한다. 하악의 측면에서 얼굴의 우측 부위의 셋째, 넷째 손가락의 손톱 부위를 위치시킨다(그림 22-7).

2) 상악우측 소구치부: 협면

- 술자 위치: 측면 혹은 배면
- 조명: 직접
- 시야: 직접
- 조직견인: 시술하지 않는 손의 검지나 치경
- 손가락 고정: 구강내-손바닥을 위로 향한다. 인접한 상악구치 교합면에 넷째 손가락을 위치시킨다.

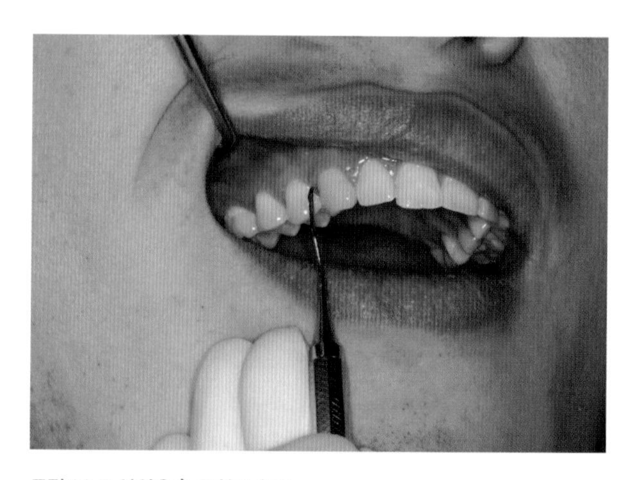

그림 22-7. 상악우측 구치부 협면

3) 상악전치부: 순면

- 술자 위치: 전면, 배면
- 조명: 직접
- 시야: 직접
- 조직견인: 시술하지 않는 손의 검지
- 손가락 고정
  - 술자의 위치가 전면인 경우: 구강내–손바닥을 아래로 향한다. 인접한 상악 치아의 절단면이나 교합면 혹은 순면에 넷째 손가락을 위치시킨다.
  - 술자의 위치가 배면인 경우: 구강내–손바닥을 위로 향한다. 인접한 상악 치아의 절단면 혹은 교합면에 넷째 손가락을 위치시킨다.

4) 상악좌측 구치부: 협면

- 술자 위치: 측면 혹은 배면
- 조명: 직접 혹은 간접
- 시야: 직접 혹은 간접
- 조직견인: 치경
- 손가락 고정
  - 구강외: 손바닥을 아래로 향한다. 얼굴의 좌측 부위에서 하악의 측면 부위에 셋째, 넷째 손가락을 위치시킨다(그림 22-8).
  - 구강내: 손바닥을 위로 향한다. 인접한 상악 치아의 절단면이나 교합면에 넷째 손가락을 위치시킨다.

5) 상악좌측 구치부: 구개면

- 술자 위치: 전면
- 조명: 직접 혹은 간접
- 시야: 직접 혹은 간접
- 조직견인: 필요 없다.
- 손가락 고정: 구강내–손바닥을 아래로 향한다. 반대악을 이용한다. 하악소구치의 협면이나 하악전치의 절단면에 넷째 손가락을 위치시킨다. 시술하지 않는 손은 시야를 확보하도록 돕거나 치경을 잡는다(그림 22-9).
- 술자 위치: 측면 혹은 전면
- 조명, 시야, 조직견인: 위와 동일함
- 손가락 고정: 구강내–손바닥을 위로 향한다. 인접한 상악 치아의 교합면에 넷째 손가락을 위치시킨다.

6) 상악전치부: 구개면

- 술자 위치: 배면 혹은 전면
- 조명: 간접
- 시야: 간접
- 조직견인: 필요 없다.
- 손가락 고정
  - 구강내–손바닥을 위로 향한다. 인접한 상악 치아의 절단면이나 교합면에 넷째 손가락을 위치시킨다.
  - 구강내–손바닥을 아래로 향한다. 인접한 상악치아

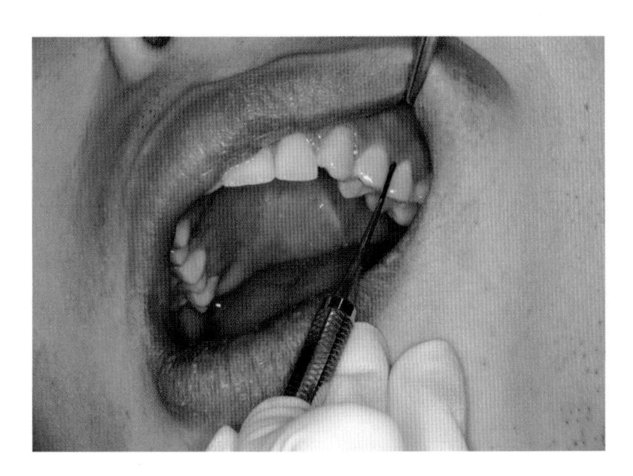

그림 22-8. 상악좌측 구치부: 협면

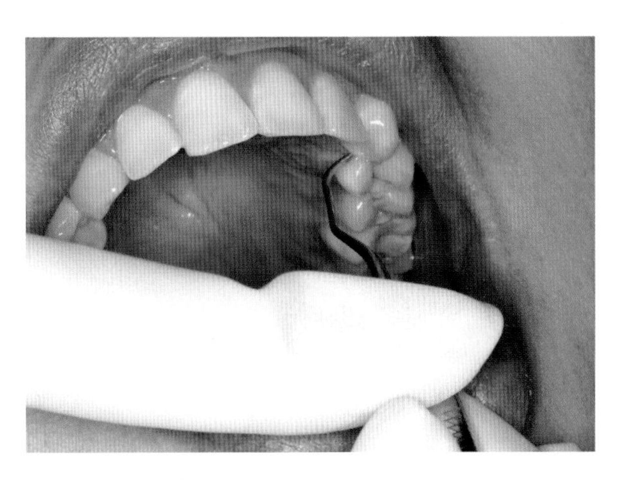

그림 22-9. 상악좌측 구치부: 구개면

의 절단면이나 교합면에 넷째 손가락을 위치시킨다.

7) 상악우측 구치부: 구개면

- 술자 위치: 측면 혹은 전면
- 조명: 직접 혹은 간접
- 시야: 직접 혹은 간접
- 조직견인: 필요 없다. 또는 시술하지 않는 손의 검지를 사용한다.
- 손가락 고정
  - 구강내: 손바닥을 아래로 향한다. 반대악을 이용한다. 하악 전치부의 절단면에 넷째 손가락을 위치시키고 시술하지 않는 손의 검지와 엄지로 보조한다.
  - 구강내: 손바닥을 위로 향한다. 손가락 위에서 얻는다. 시술하지 않는 손의 검지를 상악우측 구치의 교합면에 위치시킨다. 시술하는 손의 넷째 손가락은 시술하지 않는 손의 검지 위에 위치시킨다.
  - 구강외: 손바닥을 위로 향한다. 하악의 측면에서 얼굴의 우측 부위에 셋째, 넷째 손가락의 손톱 부위를 위치시킨다(그림 22-10).

8) 하악우측 구치부: 협면

- 술자 위치: 측면 혹은 전면
- 조명: 직접
- 시야: 직접
- 조직견인: 시술하지 않는 손의 검지 혹은 치경
- 손가락 고정: 구강내–손바닥을 아래로 향한다. 인접한 하악 치아의 절단면이나 교합면에 넷째 손가락을 위치시킨다.

9) 하악우측 소구치부: 협면

- 술자 위치: 배면
- 조명: 직접
- 시야: 직집
- 조직견인: 시술하지 않는 손의 검지
- 손가락 고정: 구강내–손바닥을 아래로 향한다. 시술하지 않는 손의 검지는 하악우측 전정에 위치시킨다. 시술하는 손의 넷째 손가락은 시술하지 않는 손의 검지 위에 위치시킨다(그림 22-11).

10) 하악전치부: 순면

- 술자 위치: 배면
- 조명, 시야: 직접
- 조직견인: 시술하지 않는 손의 검지나 엄지
- 손가락 고정: 구강내–손바닥을 아래로 향한다. 인접한 하악 치아의 절단면이나 교합면에 넷째 손가락을 위치시킨다.
- 술자 위치: 전면
- 조명, 시야: 직접

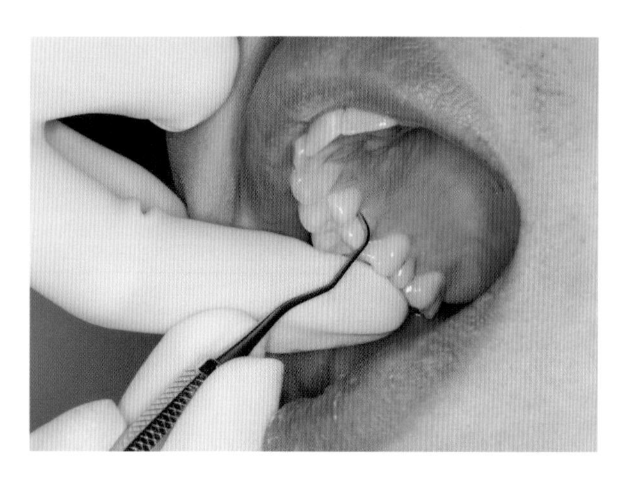

그림 22-10. 상악우측 구치부: 구개면

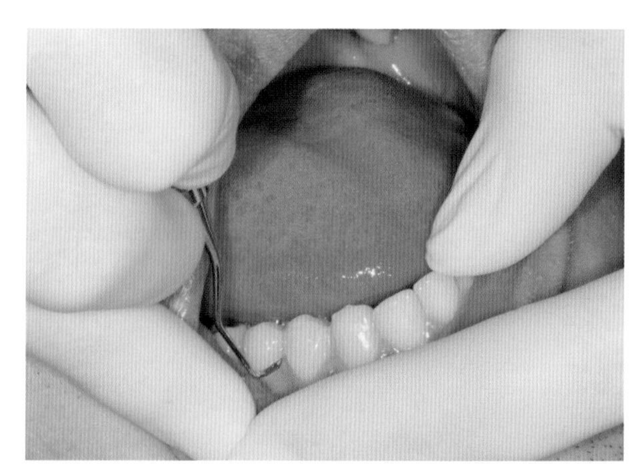

그림 22-11. 하악우측 소구치부: 협면

- 조직견인: 시술하지 않는 손의 검지
- 손가락 고정: 구강내-손바닥을 아래로 향한다. 인접한 하악 치아의 절단면이나 교합면에 넷째 손가락을 위치시킨다.

11) 하악좌측 소구치부: 협면

- 술자 위치: 전면
- 조명, 시야: 직접
- 조직견인: 시술하지 않는 손의 검지
- 손가락 고정: 구강내-손바닥을 아래로 향한다. 시술하지 않는 손의 검지는 하악좌측 전정에 위치시킨다.

12) 하악좌측 구치부: 협면

- 술자 위치: 측면 혹은 배면
- 조명: 직접
- 시야: 직접 혹은 간접
- 조직견인: 시술하지 않는 손의 검지나 치경
- 손가락 고정: 구강내-손바닥을 아래로 향한다. 인접한 하악 치아의 절단면이나 교합면 혹은 협면에 넷째 손가락을 위치시킨다.

13) 하악좌측 구치부: 설면

- 술자 위치: 전면 혹은 측면
- 조명: 직접과 간접

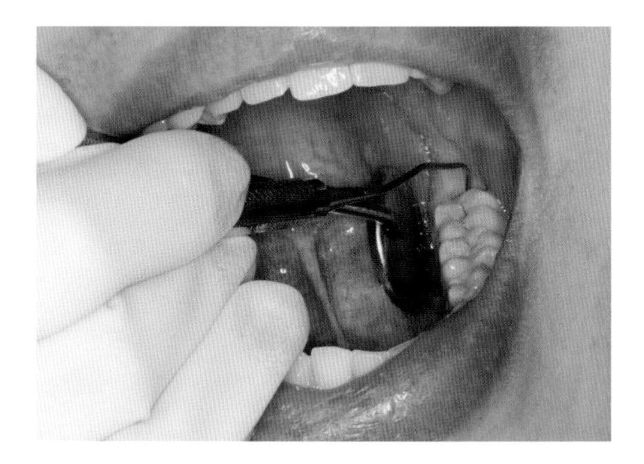

그림 22-12. 하악좌측 구치부: 설면

- 시야: 직접
- 조직견인: 치경으로 혀를 견인한다.
- 손가락 고정: 구강내-손바닥을 아래로 향한다. 인접한 하악 치아의 절단면이나 교합면에 넷째 손가락을 위치시킨다(그림 22-12).

14) 하악전치부: 설면

- 술자 위치: 전면과 배면
- 조명, 시야: 직접과 간접
- 조직견인: 치경으로 혀를 견인한다.
- 손가락 고정: 구강내-손바닥을 아래로 향한다. 인접한 하악 치아의 절단면이나 교합면에 넷째 손가락을 위치시킨다.

15) 하악우측 구치부: 설면

- 술자 위치: 전면
- 조명, 시야: 직접과 간접
- 조직견인: 치경으로 혀를 견인한다.
- 손가락 고정: 구강내-손바닥을 아래로 향한다. 인접한 하악 치아의 절단면이나 교합면에 넷째 손가락을 위치시킨다.

4. 치주기구 날 세우기 (Periodontal instrument sharpening)[13,14]

치주기구의 날이 무디면 치주치료가 정확하고 효과적으로 시행되기 어렵다. 즉 무딘 치주기구를 사용할 때는 치아에 더 힘을 주게 되어 손목에 긴장도가 증가하고 감촉이나 감각이 떨어지게 된다. 또한 기구의 미끄러짐이 빈번해져 치석제거, 치근활택술의 효과도 떨어지게 된다. 이렇게 되면 시간이 낭비되고 치료효과도 떨어질 뿐만 아니라 술자에게 손목 터널 증후군을 일으킬 수도 있다. 기구는 예민한 접촉 감각을 유지하고, 치은연하 기구조작을 정확하고 효과적으로 하기 위해 예리한 절단면을 가져야 한다(그림 22-13, 14). 치석제거 시 뭉툭한 기구를 이용하면 불완전하게 제거되나 편평한 치근면에 남아있는 치석은 탐침소자로도 감지하기 어렵다. 그러므로 기구의 절단면은 치석제거 동안에 반복적으로 조절되어야 하는데, 이는 플라스틱 막대기를 이용하여 판단할 수 있다(그림 22-15). 치석제거 과정 동안에 절단면을 적합한 상태로 유지하는 데는 숫돌을 자주 사용하여야 한다. 그러므로 술자는 항상 숫돌(sharpening stone)을 옆에 두고 시술 전에 치주기구를 예민하게 하여 사용하여야 할 것이다.

1) 치주기구 예민도의 판정

치주기구의 예민도는 다음과 같은 방법으로 판단할 수 있다.

① 날을 빛에 비추어 보았을 때 절삭단(cutting edge)의 길이를 따라 둔한 면이 빛에 반사되어 밝은 선으로 보이면 무디어진 것이다.

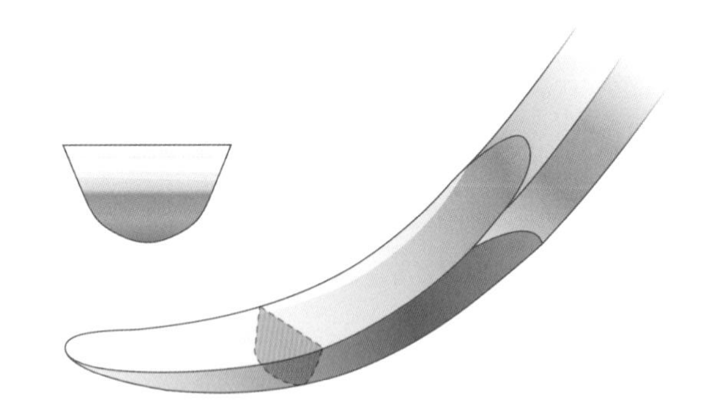

그림 22-13. 날카로운 curette edge가 일직선을 이루며 횡단면의 날이 날카로운 점으로 나타난다.

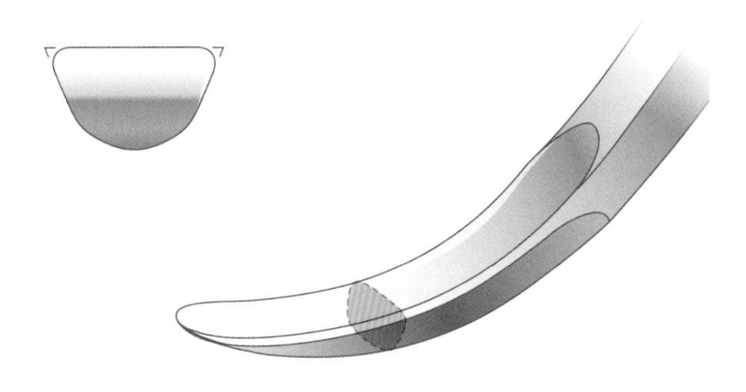

그림 22-14. 무딘 curette edge가 선이 아닌 면으로 나타남. 횡단면의 날이 날카롭지 못하고 둔하게 되어 있다.

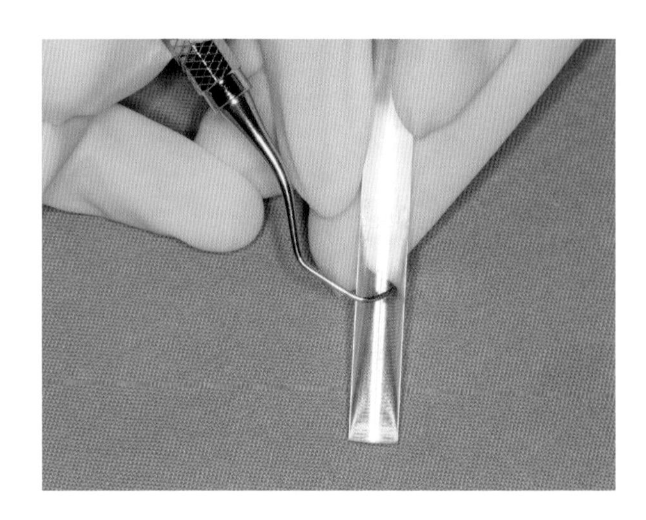

그림 22-15. 플라스틱 막대에 기구를 긁어보아 기구의 예민한 정도를 판정

② 기구로 손톱 끝을 깎아보았을 때 무딘 기구는 미끄러지기만 하고 깎아지지 않는다.

③ 손이나 피부에 날을 약간 눌러보았을 때 예민도가 떨어지는 것도 무디어진 것이다. 예민한 날은 빛에 비추어 보아도 반사되지 않고 손톱 끝이 잘 깎아지며 피부나 손가락으로 예민한 감각을 느낄 수 있다. 또한 실제로 치근에 대고 사용하려 할 때 자꾸 미끄러지기만 하고 예민한 감각을 느낄 수 없으면 날이 무디어진 것으로 생각할 수 있다.

2) 치주기구 날 세우기 원칙(Principles of sharpening)

(1) 숫돌을 선택한다.

숫돌은 연마결정체로 구성된 표면을 가지고 있는 돌로서 금속보다 더 단단해야 한다. 미세한 연마결정체들로 구성된 숫돌은 날갈이에 시간이 더 걸리므로 덜 둔한 기구에 쓰이며 거친 연마결정체들로 구성된 숫돌은 신속히 날갈이가 되기 때문에 상당히 무딘 기구를 신속히 날을 세워 사용하고자 할 때 사용한다. 손기구의 날 세우기는 회전 연마석(원추, 원추 모양)이나 편평 연마석(India 또는 Arkansas stones)을 사용하여 할 수 있다. 날의 예민도에 따라서 거친 결정체의 숫돌과 미세한 결정체의 숫돌을 선택하고, 편평한 것과 원추형 등의 것을 선택한다(그림 22-16, 17).

그림 22-16. Arkansas stone

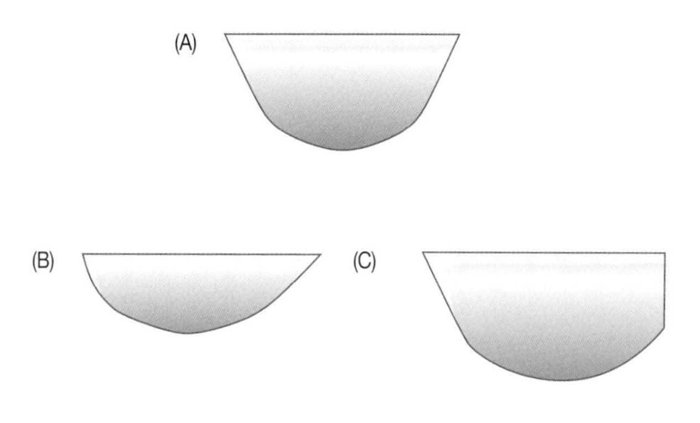

그림 22-18. 날 세우기 끝난 후의 단면도
(A) 잘 갈아진 것 (B, C) 잘못 갈아진 것

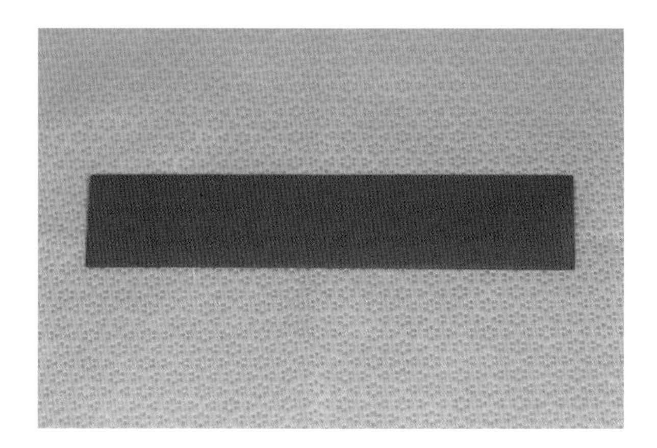

그림 22-17. India stone

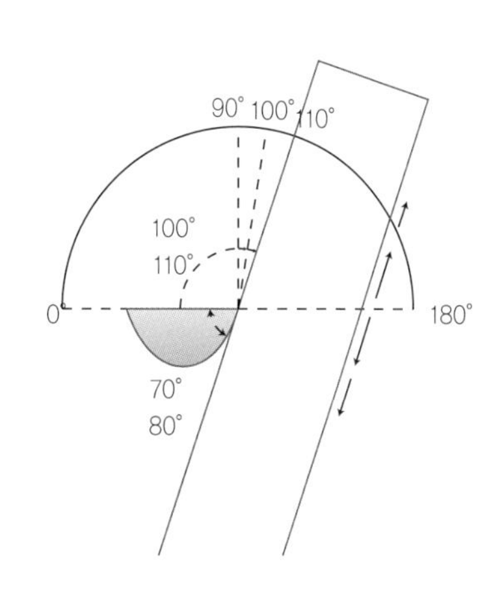

그림 22-19. 기구의 날과 숫돌 사이의 각도

(2) 기구의 날 부위의 구조를 잘 파악한다.[15,16,17]

치주기구는 2개의 날을 가지고 있는데, 날 부위의 전면과 측면이 예각을 이루며 만나서 예리한 선을 이루어 날이 되는 것이다. 기구를 사용하면 금속이 닳아서 이 선이 예리하지 않고 둔하거나 둥글게 된다. 즉 선이 되지 못하고 면이 되는 것이다. 날 세우기는 이 둔한 면을 예리한 선으로 만들어 주는 것이다. 큐렛과 시클 스케일러는 측면과 날의 전면을 갈아서 날을 세운다. 기구의 본래 형태가 날을 세우는 과정에 의해 변형되지 않는 것이 중요하다(그림 22-18, 19, 20, 21).

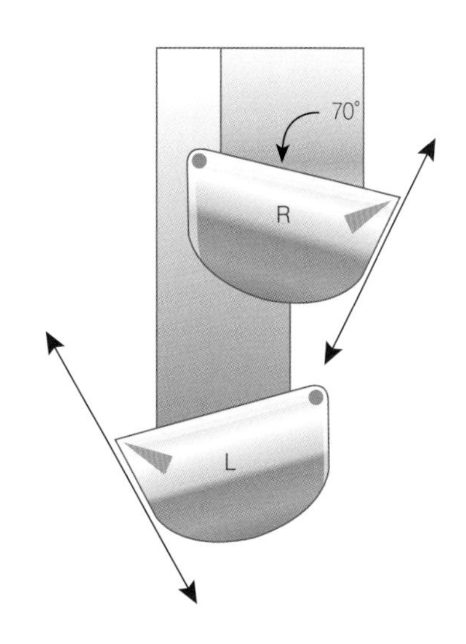

그림 22-20. 그레이시큐렛은 각기 한면의 날만 세움

(3) 날과 숫돌의 각도를 유지한다.[13,15,16,17,18]

숫돌과 기구를 안정되고 확고하게 잡고 시종 날 부위의

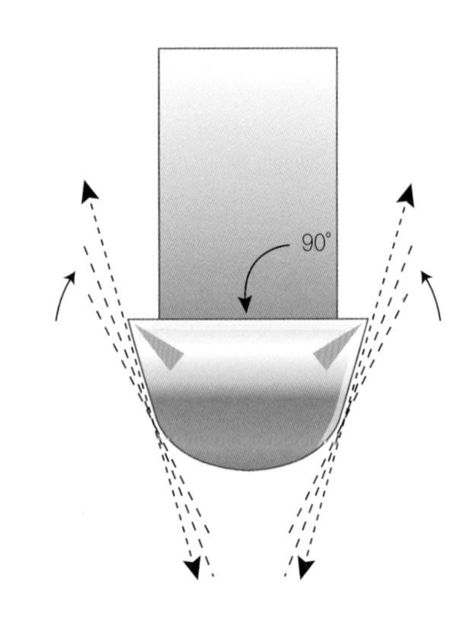

그림 22-21. 일반큐렛은 양면의 날만 세운다.

앞면과 측면이 이루는 각의 변동이 없게끔 주의하면서 날을 세워 나간다. 이때 날의 전면과 숫돌이 이루는 각은 100~110°를 유지하고 날의 전면은 바닥에 평행하게 한다. 기구를 미는 방식과 숫돌을 이동시키는 방법 중 편리한 방법을 선택한다. 이때 너무 과도한 힘을 주거나 각도를 옳지 못하게 하면 측면이 많이 삭제되므로 날이 예민하게는 되지만 기구자체의 형태 이상이 생긴다. 그러므로 기구 자체를 오래 쓸 수가 없다(그림 22-22, 23).

(4) 반복적으로 시행한다.[13,14,19]

한 군데가 끝나면 그 다음 부위로 이동하여 같은 동작을 반복한다. 이 과정 중에 기름이나 물로 적셔가면서 하면 더욱 효과적이다.

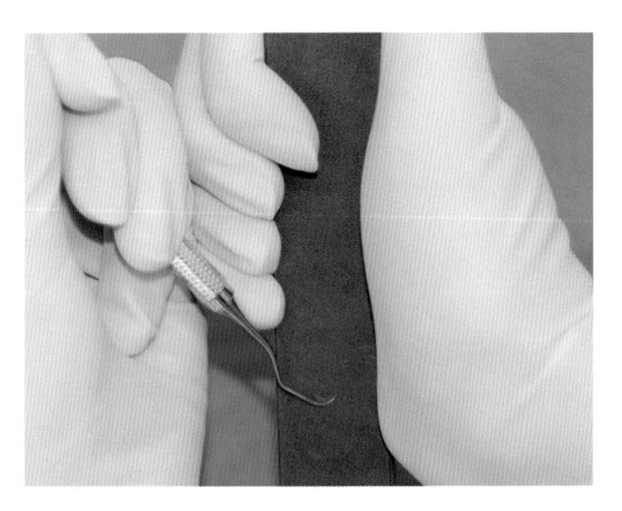

그림 22-22. 숫돌을 세우고 기구를 옆으로 이동시켜 날을 세운다.

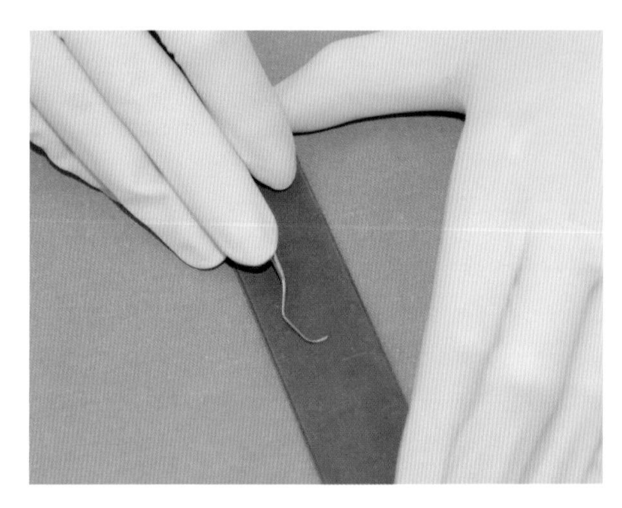

그림 22-23. 숫돌을 바닥에 올려놓고 기구를 위에 놓고 전후로 이동해 날을 세운다.

참고문헌

1. 한수부 등. 치주기구 사용법. 의치학사. 1993.
2. Barnes JE, Schaffer EM: Subgingival root planing: A comparison using files, hoes, and curets. J Periodontal 196–;31:300.
3. Garnick JJ, Dent J: A scanning electron micrographical study of root surfaces and subgingival bacteria after hand scaling and ultrasonic instrumentation. J Periodontol 1989;60:441.
4. Garrett JS: Effects of non–surgical periodontal therapy on periodontitis in humans. A review. J Clin Periodontol 1983;10:515.
5. Green E, Ramfjord SR: Tooth roughness after subgingival root planing. J Periodontol 1966;37:396.
6. Greenstein G: Nonsurgical periodontal therapy in 2000: A literature review. J Am Dent Assoc 2000;131(111):1580.
7. Kerry GJ: Roughness of root surfaces after use of ultrasonic instruments and hand curets. J Periodontol 1967;38:340.
8. Orban B, Manella V: Macroscopic and microscopic study of instruments designed for root planing. J Periodontol 1956;27:120.
9. Schlageter L, Rateitschak–Pluss EM, Schwarz JP: Root surface smoothness or roughness following open debridement. An in vitro study. J Clin Periodontol 1996;23(5):460.
10. Schaffer EM: Histologic results of root curettage on human teeth. J Periodontol 1956;27:269.
11. Van Volkinburg J, Green E, Armitage G: The nature of root surfaces after curette, cavitron, and alpha–sonic instrumentation. J Periodontol Res 1976;11:374.
12. Wilkinson RF, Maybury J: Scanning electron microscopy of the root surface following instrumentation. J Periodontol 1973;44:559.
13. Parquette OE, Levin MP. The sharpening of scaling instruments. I. An examination of principles. J Periodontol 1977;48:163.
14. Green E, Sewer PC. Sharpening curets and sickle scalers. 2nd ed. Berkeley, CA: Praxis Publish, 1972.
15. Antonini CJ, Brady JM, Levin MP, et al: Scanning electron microscope study of scalers. J Periodontol 1977;48:45.
16. Lindhe J, Jacobson L: Evaluation of periodontal scalers. I. Wear following clinical use. Odontol Revy 1966;17:1.
17. Lindhe J. Evaluation of periodontal scalers. II. Wear following standardized of diagonal cutting tests. Odontol Revy 1966;17:121.
18. Schwartz M: The prevention and management of the broken curet. Compend Contin Educ Dent 1998;19(4):418–420,422,424.
19. Wilkins EM: Clinical Practice of the Dental Hygienist, ed 7. Baltimore, Williams & Wilkins, 1994.

CHAPTER 23

치주치료 후 치유

이용무

치주질환은 치주염이나 치은염을 막론하고 그 원인 인자가 반드시 존재하며 이들 원인 인자들을 제거하면 질환의 진행을 막을 수 있고 건강한 치주조직으로 치유될 수 있다. 치주치료는 치주질환에 대해 정확히 진단하고 질환의 원인과 진행의 상태를 면밀히 파악하여 예측 가능한 치주치료계획을 수립하여 치료목적에 부합되는 적절한 술식을 시행함으로써 보다 나은 결과를 얻을 수 있다.

1. 치주처치의 개념

치주질환은 다양한 원인 인자에 의해 발생되는 다인성의 감염성 질환이다.

치주처치의 기본 개념은 치주질환의 원인 인자를 제거함으로써 치주조직의 치유능력을 부여하는데 있다. 치주처치의 과정은 원인제거 → 염증의 소실 → 조직의 재생 → 치유의 단계라고 요약할 수 있다.

치주질환의 일반적 증상은 탐침 시 출혈, 치주낭 형성, 치조골 파괴, 치아동요, 배농, 치근이개부병소, 치아이동, 교합 장애 등이라 할 수 있고, 적절한 치주치료를 행한다면, 동통의 제거, 치은염증의 제거,[1] 치은출혈의 제거, 치주낭의 감소, 연조직 및 골파괴 감소,[2] 농형성의 억제, 비정상적 치아동요도 감소,[3] 정상적 교합기능 회복, 치주조직의 건강을 유지하는 데 필요한 생리적 치은형태의 재확립 및 치아상실의 감소 등을 얻을 수 있다(그림 23–1).[4]

처치과정은 원인 제거 면에서 국소적 처치와 전신적 처

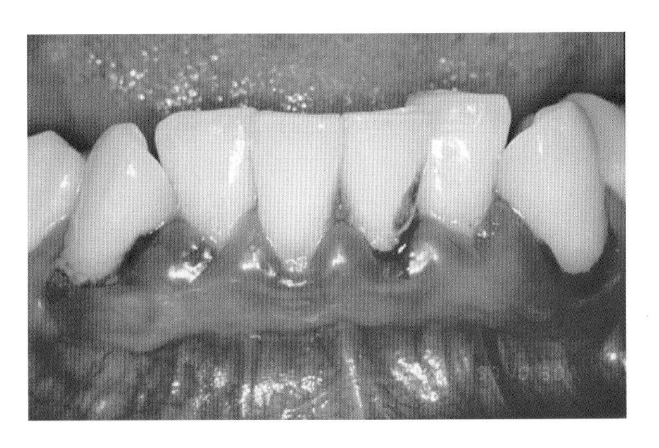

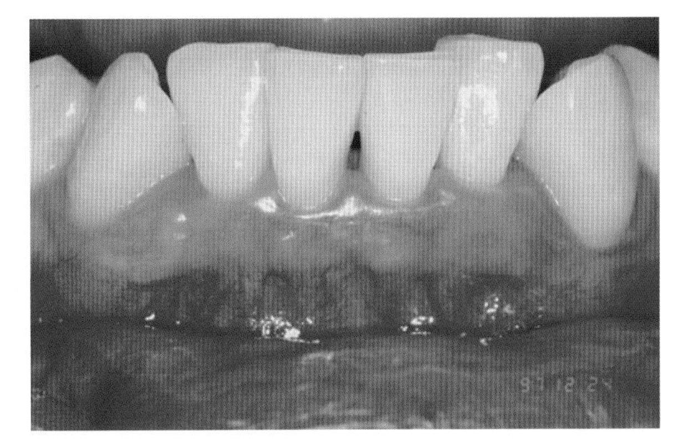

그림 23-1. 치주조직의 치유효과 치료 전과 치료 후의 치주조직의 변화

치로 구분할 수 있고, 처치 방법 면에서 비외과적 처치(nonsurgical therapy)와 외과적 처치(surgical therapy)로 분류할 수 있다. 또한 치료계획 수립에서 언급되었듯이 치주치료를 시기(phase)에 의한 분류에 따라 원인 제거 치료기, 외과적 치료기, 치주-보철 치료기, 유지 관리기 등의 단계적인 치료 방법도 소개되고 있다.

1) 국소적 처치와 전신적 처치 (Local therapy and systemic therapy)

치주질환의 원인은 치은에 인접한 치근면에 축적되는 치태세균이 주원인이며 이 치태세균의 축적을 용이하게 하는 국소인자 및 구강환경 인자들 즉, 치석, 부적당한 치관 수복물, 우식증, 식편압입, 치열 부정 등에 의해 치주질환이 악화된다. 이때 치주질환의 진행속도는 전신인자의 영향을 받아 완만해지거나 악화되기도 하고, 급성 염증성을 나타내거나 당뇨 시 치주질환과 같이 국소인자에 의해 나타날 수 있는 증상보다 더 파괴된 양상을 띠는 경우도 있다.

(1) 국소적 처치

국소적 처치의 기본 개념은 치태제거 및 치태축적을 용이하게 하는 모든 구강 환경 인자들을 제거하는데 있다(표 23-1). 또한 치아에 가해지는 비정상적 힘은 치아의 동요도를 증가시키게 되는데, 치주조직에 유리하게 교합관계를 만들어 줌으로써 치아의 동요도를 감소시킬 수 있을 뿐 아니라 치태의 침착에 대한 치주조직의 안전성을 증가시킬 수 있다.

표 23-1. 병인인자의 분류에 따른 국소적 처치내용

병인인자	처치내용
1. 치태, 치석	치석제거, 치근활택술
2. 구강환경인자 * 의원성인자(iatrogenic factors) 부적당한 치관수복물 * 치열부정, 위치이상	치아의 형태 및 위치 수정 부분치아이동 (minor tooth movement)
3. 구강 이상 * 악습관 * 교합성 외상	습관의 교정 교합조정, 부분치아이동

(2) 전신적 처치

전신적 처치(systemic therapy)는 급성감염에 의한 전신적 증상의 처치, 치주처치 후 균혈증과 같은 발병의 예방을 위한 약제 사용, 환자의 전신상태 개선 등 국소적 처치의 부가적 처치로 행해질 수 있다. 전신질환에 의해 치주조직의 파괴가 더욱 악화되어 나타나는 경우 또는 전신적 증상이 있는 경우 전신질환의 개선이 선행되어야 하겠지만 무엇보다도 중요한 것은 치주질환에 의해 병발될 수 있는 합병증을 예방하고자 하는 측면에서 국소적 처치의 중요성을 배제하여서는 안 된다.

전신적 처치에는 영양 처치(nutritional therapy), 항생제, 내분비 처치(endocrine therapy), 면역학적 처치(immunological therapy)와 같은 방법 등이 있으며, 급진성 치주염에서는 치석제거와 치근활택술 같은 국소적 처치 외에도 항생제 등의 전신적 처치를 병행한다.

2) 비외과적 치료와 외과적 치료 (Nonsurgical therapy and surgical therapy)

치주질환의 원인 인자인 치태의 제거와 동시에 구강 환경을 개선, 유지하도록 하는 것이 치주치료의 기본이며 이를 4단계 치료기에 대비할 경우 원인 제거 치료기(etiotropic therapy)를 비외과적 처치라 할 수 있다.

제2단계 치료기는 원인 제거가 완료되고 환자 자신이 치태 관리에 대한 동기유발이 잘 되어 환자 스스로 구강위생 관리가 완전하다고 판단된 경우 시행하는 외과적 치료기로, 치은연하 소파술, 근관 치료를 포함하여 모든 외과적 치주처치를 하는 과정을 말한다.

따라서 가장 기본적이고 간단한 비외과적 치주처치를 먼저 시도함이 원칙이고 이러한 처치에도 불구하고 치주질환이 진행되거나 치주치료의 목적에 부합되는 결과를 얻지 못할 경우 외과적 치주처치를 시행하도록 한다.

치주술식을 결정하는데 가장 중요한 요인은 치주낭이

표 23-2. 비외과적 처치, 외과적 처치의 분류

비외과적 처치	외과적 처치
치태제거	1. 경조직과 연조직의 제거
치석제거	치은연하 소파술
치근활택술	치은절제술
교합처치(조정)	치은박리소파술
근관처치(치료)	골절제술, 골성형술
보철 수복	2. 연조직과 경조직의 이식
화학요법처치	연조직이식술(soft tissue graft)
	경조직이식술(bone graft)

다. 치주낭에 대한 평가는 치주질환의 진행을 진단할 수 있는 중요한 임상적 의미를 갖는다.

치주낭이 형성되면 치주질환의 주원인 인자인 치태의 저류를 조장하고 저류된 치태는 치주조직의 파괴를 더욱 심화시켜 더 깊은 치주낭의 형성을 초래하는 악순환을 유발한다. 따라서 형성된 치주낭은 반드시 제거되어 정상적인 치은열구를 이루게 하여 환자 자신이 치태조절을 쉽게 할 수 있도록 하여야 한다.

치주낭의 제거와 감소, 치주조직의 부착을 목적으로 치료에 임하는 경우 치주낭의 심도에 따라 비외과적, 외과적 치료를 상호 비교하여 얻은 결과를 요약하면, 즉 치주낭의 심도가 4 mm 이하인 경우 비외과적 처치를 실시함이 바람직하고, 심도가 4 mm 이상 6 mm 이하인 경우 두 가지 처치술 간에 별다른 차이가 없고, 심도가 6 mm 이상인 경우 외과적 처치가 더 좋은 결과를 가져온다. 그리고 어떠한 술식을 행하든지 잔존 치주낭은 계속 남게 되고 장기간의 치료결과로 볼 때 지속적인 치태관리가 가장 중요한 요인이라고 지적하고 있다(표 23-2).[5]

2. 치유에 영향을 주는 인자들

치주조직은 신체의 다른 부위와 마찬가지로 치유과정에서 국소적 인자와 전신적 인자의 영향을 받는다.

1) 국소적 인자

치유 지연 요소와 치유 촉진 요소로 구분할 수 있다. 치유 지연 요소는 치주질환을 야기하는 모든 국소인자들로서 세균감염, 치태의 형성, 음식물 잔사, 괴사된 조직 잔유물, 교합성 외상, 치료 중 조직을 과다하게 조작하거나 외상을 주는 것 등을 예로 들 수 있다. 이와 같은 요소들은 초기 처치를 완벽히 수행하고 유지관리를 철저히 이행함으로써 제거될 수 있다.

치유 촉진 요소는 국소 부위의 체온 상승, 변성 혹은 괴사된 조직의 철저한 제거, 처치 부위의 고정, 처치 부위의 압박 등이며, 치유조직의 재생을 촉진시킬 수 있다.[6]

2) 전신적 인자

전신적 상태가 불량한 경우 국소적 처치 시 치유능력을 저하 시킬 수 있으므로 국소 처치 전이나 국소 처치 중에 개선해 주어야 한다.

치유 능력을 감소시킬 수 있는 요소들을 나열해보면, 고령화로 인한 치유능력 저하,[7,8] 동맥경화성 혈관변화, 당뇨[9] 등 소모성 질환, 비타민 A, C 등의 결핍,[10,11] 비타민 D 과다, 단백질 결핍,[12] 지방 과다 섭취, 호르몬제의 사용,[7,13] 전신적인 스트레스 등이다.

3) 항생제(Antibiotics)

치주처치 전 혹은 후에 구강 청결제나 항생제의 경구투여를 하기도 한다. 치주질환에 있어서 이와 같은 항생물질의 사용은 치태의 형성을 억제하고, 치은염의 발생을 예방하고 그 진행을 지연시키며, 비외과적 치료를 보조하고, 구강 내의 상태를 무균상태와 유사하게 하여 상처의 치유를 돕는다. 그래서 치주조직의 재부착을 증가시키며,[14] 급성 치주농양이나 급성 궤양성 치주염의 치료와 전신적인 합병증을 예방하고, 전신적인 질환을 가지고 있는 환자의 치주치료 시 예상되는 합병증을 막기 위해 사용된다.[15,16]

실제로 최근에 사용되는 클로르헥시딘 제재나 불소, 테트라사이클린 등은 치태 형성을 억제하고 치은염을 예방하는 데 어느 정도 효과를 보이고 있으며 치주낭 내의 세균 분포에 변화를 준다는 보고들이 있다.

치주치료에 있어서 항생물질은 국소적 투여가 더 효과적이고 부작용도 적어서 많이 사용되고 있다.[17] 경구 투여와 같은 전신적인 방법은 소화기에서 흡수되어 나타나는 여러 가지 부작용(소화기능 장애, 내성균의 발생, 소화기 균주 간의 균형파괴) 때문에 주의 깊게 사용되어야 한다.[14,17] 치주질환의 치료 혹은 예방에 사용되는 이상적인 항생제의 조건은 치주질환을 일으키는 독성균에 특이하게 작용하여야 하고, 독성 및 알러지를 유발하지 않아야 하며, 구강내 조직에서 효능이 떨어지지 않아야 하고, 다른 질환의 치료에 광범위하게 사용되지 않아야 한다.

가장 대표적인 항생제인 페니실린은 알러지가 나타날 가능성이 있고 치은열구액에서의 농도가 낮으며 내성균이 많아서 치주질환 치료제로서는 부적절하다. 치주질환 시 사용되는 약제 중 효과가 있는 것으로 보고된 경구 투여용 항생제는 테트라사이클린,[18] 미노사이클린, 메트로니다졸(metronidazole)[19] 등을 들 수 있다.

3. 치주치료 후의 치유과정

다양한 치주치료 후에 일어나는 기본적인 치유과정은 동일하며 변성된 조직을 제거하고 질환으로 인해 파괴된 조직을 대체하는 과정이 수반된다. 치주치료 후 나타나는 양상은 재생(regeneration), 회복(repair), 재부착(reattachment) 및 신부착(new attachment)으로 구분할 수 있다.

1) 재생(Regeneration)

재생은 구조의 자연적인 소생(natural renewal)으로서, 새로운 조직을 형성하기 위한 새로운 세포나 세포간질(intercellular substance)의 증식, 혹은 분화를 말한다.[20]

재생은 같은 종류의 조직이나 그 전구물질(precursor)에서부터 이루어진다. 치은상피는 인접 상피에서 새로운 상피세포의 이주로 이루어지며 결합조직과 치주인대는 기존 치주 결합조직과 치주인대에서부터 재형성된다. 치조골과 백악질은 기존 치조골과 백악질에서 재형성되는 것이 아니라 치주인대 내 결합조직의 미분화 결합조직세포(undifferentiated connective tissue cell)가 전구 세포로 작용하여 골모세포(osteoblast)나 백악모세포(cementoblast)로 되어 이 세포들에 의해 치조골과 백악질의 재생이 이루어진다.

치주조직의 재생은 건강한 상태이건, 만성 염증성이건, 급성 염증성이건 간에 지속적인 생리적 과정이다. 정상적인 조건하에서 새로운 세포 및 조직이 끊임없이 생성되어 노화 및 죽어가는 조직들과 교체되며, 이를 wear-and-tear repair라 일컫는다.[21] 파괴적인 치주질환이 진행되는 동안에도 재생이 일어난다. 대부분의 치주질환은 만성염증이며 치유병소(healing lesion)라 한다. 재생은 치유과정의 일부이나, 세균이나 세균산물이 존재할 경우 염증성 삼출물이 발생되며 이로 인해 재생되고 있는 조직이나 세포는 손상되어 치유과정을 저해하게 된다. 즉, 치주처치는 단지 세균이나 세균 생성물을 제거하여 조직 고유의 재생 능력을 유지하는 과정에서 치유를 도모코자 하는 것이지 치주처치 자체가 조직의 재생을 증진시키거나 촉진시키는 것은 아니다.

2) 회복(Repair)

회복은 파괴된 치주조직이 임상적으로나 방사선 소견에 의해서는 구별할 수 없는 정도의 현미경적 활성도(microscopic activity)에 의한 치주조직의 수복(restoration)을 말한다. 이는 치주질환에 이환된 변연치은의 연속성을 회복하고, 이미 존재하던 치주낭과 같은 수준 또는 정상적인 치은열구를 생성하는 것이다.[20] 이 과정은 골 파괴를 억제하지만 치은 부착이나 골 높이를 증가시키지는 않는다. Ratcliff는 이를 "healing by scar (상흔이 남는 치유)"[22]라 하였다. 임상적으로 치주조직의 회복 시 섬유모세포의 기능으로 인해 치주 연조직에 상흔이 남는 치유는 거의 볼 수 없다. 치주조직의 치유에서 회복이라 일컬을 수 있는 치유는 치주낭이 정상적인 치은의 외형과 치은열구의 형태로 회복되지만 치주낭의 기저부의 위치가 향상되지 않아 치근이 노출되는 치유형태를 말한다(그림 23-2).

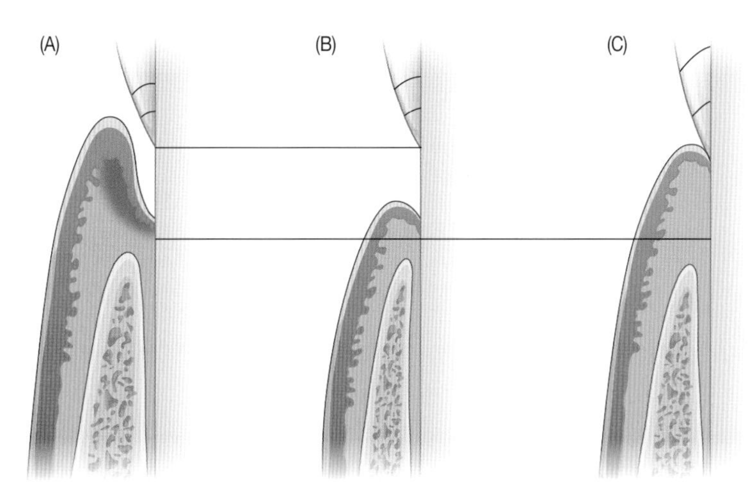

그림 23-2. 치주낭 처치 후의 치유형태의 대비
(A) 처치 전 치주낭 (B) 치근이 노출된 치유 (C) 신부착이 된 이상적 치유

3) 재부착(Reattachment), 신부착(New attachment)

1996년 세계치주학회(World Workshop in Periodontics)에서는 재(re)부착과 신(new)부착에 관해 새롭게 정의하였다. 신부착은 병적으로 노출되었던 치근면에 신생 백악질로 신생 치주인대가 매입되고 치은상피가 치면에 부착된 상태를 말한다. 신부착을 정의함에 있어 중요한 말은 "질병에 의해 이미 노출된 치근면"인데, 치료과정 중 또는 수복을 위한 지대치 형성 중 제거될 수 있는 치은이나 치주인대의 부착은 신부착이라기 보다는 재부착을 의미한다.[23] 재부착은 이전에 치주낭으로 노출되지 않았던 치근면에서 손상이나 절제되었던 부위의 치유를 말한다.

상피 접합(epithelial adaptation)은 신부착과는 다르다. 상피접합은 치주낭의 완전한 제거 없이 치은상피가 치근면에 근접하여 위치한 상태를 말한다. 이 상태는 비록 탐침에 의해 검사되지 않는다 하더라도 세균이 치주낭 내로 침투하여 부착 부위의 상실을 초래하거나 심지어 농양을 형성할 수도 있는 불안정한 상태이다. 따라서 계속적인 치태관리가 요구된다.

실제로 치주처치 후의 치주조직의 신부착이 가능한가에 대한 많은 연구가 있어 왔으나 실험대상이 동물인 경우나 발치를 하여야 할 치아 혹은 발치된 치아에서 실험되었기 때문에 그 결과를 임상에 적용하기에는 다른 점이 있다고 본다. 치주처치 후의 치유과정을 치주조직 중 상피세포, 결합조직 세포, 치조골 세포의 증식 등으로 분리하여 생각한다면 다음 세 가지 경우를 추측할 수 있다.

다른 조직 세포의 증식보다 상피세포의 증식이 빠른 경우 치유형태는 긴 상피부착의 결과를 갖게 되고, 결합조직 세포의 증식이 빨리 일어나는 경우 치유형태는 결합조직 섬유의 배열이 치아의 장축에 평행을 이루게 되고, 치조골 세포의 증식이 빠른 경우는 치아와 치조골간의 강직(ankylosis)이 일어나게 될 것이다(그림 23-3).

가장 이상적인 치유의 형태는 치주조직의 상피세포, 결합조직의 섬유모세포의 증식이 치조골 및 백악질의 형성과 서로 조화되어 치주조직 파괴 전의 양상으로 회복되는 것이라 하겠다. 오직 치주인대에서부터 기인되는 세포들이 신부착을 형성할 수 있는 능력을 가지고 있다. 그러나 상피세포의 증식으로 인한 이주(migration) 속도와 치주인대 내의 미분화 세포에서 백악모세포로 분화되어 새로운 백악질을 형성하는 기간과의 차이는 크다. 최근의 결론에 의하면 전통적인 치주처치의 결과는 새로운 결합조직의 신부착보다는 긴 상피의 부착(long epithelial attachment)으로 이루어지게 된다고 하였다. 이에 상피세포의 이주를 차단하거나 섬유모세포의 기능을 촉진시켜 신부착을 유도하기 위한 시도들이 현재까지도 연구되고 있다.

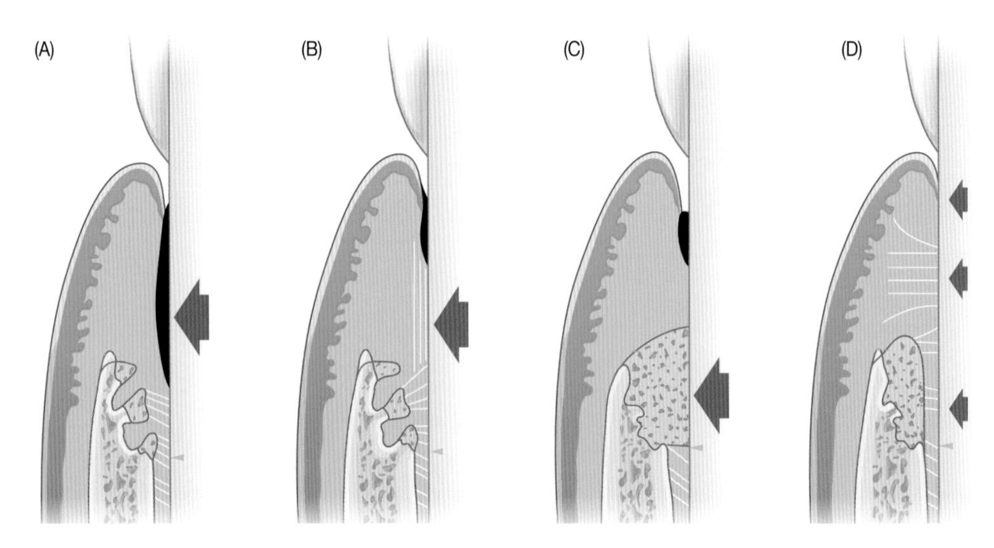

그림 23-3. 가상적인 치유형태의 모식도
(A) 긴 상피부착이 치주낭 기저부 가까이 증식된 상태 (B) 결합조직이 치아장축에 평행하게 배열된 상태 (C) 치조골이 치근표면에 강직된 상태 (D) 이상적인 치유형태로 결합조직 및 치조골, 치주인대, 백악질의 재생이 조화를 이룬 상태

4) 조직유도재생 (Guided tissue regeneration, GTR)

GTR의 개념은 신부착의 개념에 기본적 근거를 둔다. 즉, 치조골 결손부위를 차폐막으로 격리하여 상피세포의 하방 증식과 치은결합조직의 증식을 물리적으로 차단하고 치주인대 내의 미분화세포들의 증식을 유도함으로써 신생 백악질, 신생 치조골에 새로운 치주인대의 형성으로 이루어지는 치주조직의 완전한 재생을 도모하기 위한 이론이다(그림 23–4).[24–26]

GTR 술식에 사용되는 차폐막 재료로는 비흡수성 재료 및 흡수성 재료가 있다.

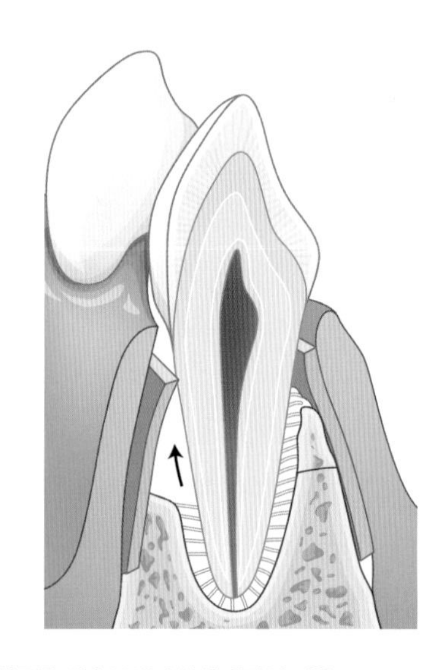

그림 23-4. 치조골 결손부에서의 차폐막의 적용
골결손부를 차폐막을 이용하여 격리시킴으로써 상피세포의 하방 이동과 치은결합조직세포의 결손부로의 침투를 막고 치주인대로부터의 세포증식을 도모하여 치주조직의 재생을 기대한다.

(1) 비흡수성 재료(Nonabsorbable materials)

① Expanded polytetrafluoroethylene (ePTFE) **차폐막**

한때, 조직유도재생술 및 골유도재생술을 위한 비흡수성 차폐막으로 많이 사용되었던 재료로, 현재는 생산이 거의 중단되었다.[27,28] 공간유지능력의 강화를 위해 티타늄 골격이 보강되어 있는 티타늄 강화 차폐막도 소개되어 사용되었다. 치주조직유도재생술의 목적으로 사용될 경우 수술 4~6주 후에 제거한다.

② Millipore filter

GTR 개념이 처음 도입되는 시기에 사용되었으나[29,30] 최근에는 거의 사용되지 않는다.

③ Rubber dam

신축성이 뛰어나고 치아에 고정이 쉬어 차폐막의 용도로 rubber dam을 소독하여 사용한 보고가 있으나, 최근에는 사용되지 않는다.[31]

(2) 흡수성 재료(Absorbable materials)

① 교원질 차폐막(collagen membrane)

조직 내에서 자발적으로 흡수되므로 제거할 필요가 없는 장점 때문에 많이 사용된다.[32] 이물반응의 가능성이 일부 있고 흡수기간을 정확히 조절할 수 없는 단점이 있다. 돼지나 소의 교원질이 사용되고 있으며 시판되는 상품으로 Bio–Gide®, Ossix plus® 등이 있다.

② Polyglactic acid, Polylactic acid[33,34]

Polyglactic acid 혹은 polyglycolide와 polylactide의 중합체를 기질로 한 차폐막 재료이다. 비교적 조직적합성이 양호하고 흡수기간을 조절할 수 있는 이점이 있어 교원질 차폐막과 더불어 가장 많이 사용되는 흡수성 차폐막 재료이다. Resolut®, Artrisorb®, Biomesh® 등의 상품들이 있다.

③ Freeze–dried dura, 동결건조골막
Freeze–dried bone membrane[35,36]

생분해성 차폐막 재료로 동종의 동결 건조 경막, 골 등이 이용되기도 한다.[34,35]

④ 유리치은, 유리결합조직

차폐막의 용도로 치은 혹은 결합조직을 막상으로 채취하고, 이를 이용하기도 한다.[37]

5) 신부착에 영향을 주는 요소들

(1) 접합상피 조직의 제거

접합상피를 철저히 제거함으로써 결합조직 섬유가 치근표면에 부착할 수 있는 조건을 만들어 준다. 신부착을 위하여서는 치근표면에 신선한 결합조직이 부착되도록 해야하기 때문에 기존에 있던 열구상피나 접합상피는 철저히 제거되어야 한다.[38,39]

(2) 치근면의 처리

치주질환에 노출된 백악질은 임상적으로 치유에 장애를 주고 있음이 입증되고 있다. 노출된 백악질은 변성된 샤피섬유, 치태세균의 축적, 내독소의 백악질 침투, 분해된 백악질 및 상아질 등 물리화학적 조성의 변화와 투과성의 변화 및 구조적 변화가 일어나 직접 혹은 간접적으로 염증 유발과 치유에 영향을 준다. 그러나 이러한 장애 요소들은 철저한 치근활택술로 제거할 수 있다. 치근면에 새로운 결합조직의 부착을 더욱 용이하게 하고 상피세포의 하방 이주를 방지는 치근면 처리에 관한 연구가 계속되고 있다.[40,41] 치근면 처리의 보조로 약제들을 사용하는 이유는 치근면의 음식물 잔사의 제거, 내독소 세균의 독성생성물의 제거, 중배엽 세포를 백악모세포 또는 골모세포로 분화토록 유도, 상아세관을 넓혀 교원섬유를 노출시켜 섬유상 연결을 도모, 치근면을 탈광화함으로써 백악질화를 촉진시키는 등의 가능성을 얻고자 하기 때문이다.

① 구연산(Citric acid)

보통 pH1의 구연산을 면구에 적셔 3분 정도 치근면에 문지르는 방법으로 사용한다. 구연산 사용의 기대효과는 치근면의 도말층을 제거하고 치근면을 탈회하여 상아세관 및 교원섬유의 노출을 촉진하는 것이다.[42] Willey[43] 등은 구연산 단독 사용으로는 상아세관의 노출이 잘되지 않으며 elastase 혹은 hyaluronidase와 같은 효소를 같이 도포함으로써 치근면 기질을 제거할 수 있고 교원섬유의 노출을 쉽게할 수 있다고 한 바 있다.

② Tetracycline

Tetracycline–HCl 분말을 식염수에 125 mg/ml 정도로 혼합하여 치근면에 면구로 3분 정도 문지르는 방법으로 사용한다. Tetracycline의 사용은 치근면의 탈광화 효과에 더해 결합조직세포의 부착증진, 교원질분해효소의 활성억제 등의 부가적 효과를 기대하여 사용된다.

③ Fibronectin

결합조직에 있는 당단백(glycoprotein)의 일종으로 세포가 치근면에 부착하도록 유도하고 섬유소(fibrin)와 결합을 이루어 치근면에 섬유의 부착을 유도하는 물질로 알려져 있다.[44] 동물실험에서는 좋은 결과를 보고하고 있으나 임상결과는 확실치 않아 앞으로 계속적인 연구가 필요하다.

④ Enamel matrix proteins

최근 enamel matrix proteins (amelogenin이 주성분)을 이용하여 치근면을 처리하는 것이 치주조직 재생을 위한 술식으로 소개되었다.[45] Enamel matrix protein은 치아 발생동안 Hertwig 상피근초에 의해 분비되며 백악질 형성을 유도한다. 이것의 정제된 추출물인 enamel matrix derivatives의 처리 후에 교원질이 매입되는 새로운 백악질의 형성이 조직학적으로 관찰된 바 있으며, 골내낭에서 골형성이나 부착증진이 보고되기도 했다.[46] 현재 승인되어 사용되는 Enamel matrix derivatives로 Emdogain gel®이 있다.

(3) 육아조직의 제거

치주낭 벽에 있는 연조직의 육아조직을 제거하면 치근면의 접근성을 좋게 하고 출혈을 방지하며 시야를 좋게 하여 치근면활택술을 용이하게 한다.[47]

(4) 혈병(Blood clot)

치근면과 연조직 간의 혈병은 초기에는 치료부위를 보호하는 역할을 하나 점차 신생 육아조직으로 대체되어 치은의 부착부위를 결정하는 요소로 작용한다.[48, 49] 과도한 혈병은 치근면과 연조직 간의 거리를 멀리함으로써 세균의 온상이 되기도 하여 신부착의 가능성을 감소시킨다.

(5) 그외 다른 요소들

교합성 외상, 치아동요, 넓어진 치주인대 공간 등은 부착의 가능성을 격감시킨다. 부착은 파괴의 과정이 빨리 진행된 질환의 경우 더 잘된다. 즉 급성 치주농양이나 급성 궤양성 치은염시 재부착의 가능성이 높고 골연상 치주낭 보다는 골연하 치주낭에서 골조직의 재생뿐만 아니라 부착의 가능성이 크다. 실활치에서는 치주인대 섬유가 백악질에 함몰될 수 있으나 노출된 상아질에는 가능성이 적다.

참고문헌

1. K R. The therapeutic effect of local treatment on periodontal disease assessed upon evaluation of different diagnostic criteria. 2. Changes in gingival inflammation. Journal of periodontology 1964;35.
2. Rateitschak K EA, Marthaler TM. The therapeutic effect of local treatment on periodontal disease assessed upon evaluation of different diagnostic criteria. 3. Radiographic changes in appearance of bone. Journal of periodontology 1964;35.
3. Ferris RT. Quantitative evaluation of tooth mobility following initial periodontal therapy. Journal of periodontology 1966;37:190–197.
4. Oliver RC, Brown LJ. Periodontal diseases and tooth loss. Periodontol 2000. 1993;2:117–127.
5. Lindhe JW, E. Nyman, S. Socransky, SS. Heijl, L. Bratthall, G. Healing following surgical/non–surgical treatment of periodontal disease. A clinical study. Journal of clinical periodontology 1982:115–128.
6. Glickman I, Turesky S, Manhold JH. The oxygen consumption of healing gingiva. J Dent Res 1950;29:429–435.
7. Butcher EO, Klingsberg J. Age, gonadectomy, and wound healing in the palatal mucosa of the rat. Oral surgery, oral medicine, and oral pathology 1963;16:484–493.
8. Holm–Pedersen P, Löe H. Wound healing in the gingiva of young and old individuals. Scandinavian journal of dental research 1971;79:40–53.

9. Telgi RL, Tandon V, Tangade PS, Tirth A, Kumar S, Yadav V. Efficacy of nonsurgical periodontal therapy on glycaemic control in type II diabetic patients: a randomized controlled clinical trial. Journal of periodontal & implant science 2013;43:177–182.
10. Barr CE. Oral healing in ascorbic acid deficiency. Periodontics 1965;3:286–291.
11. Turesky SS, Glickman I. Histochemical evaluation of gingival healing in experimental animals on adequate and vitamin C deficient diets. J Dent Res 1954;33:273–280.
12. Stahl SS. The effect of a protein–free diet on the healing of gingival wounds in rats. Archives of oral biology 1962;7:551–556.
13. Lindhe J BP. The effect of sex hormones on vascularization of a granulation tissue. Journal of periodontal research 1968;3:6.
14. Haffajee AD, Socransky SS, Gunsolley JC. Systemic anti–infective periodontal therapy. A systematic review. Annals of periodontology / the American Academy of Periodontology 2003;8:115–181.
15. Reddy MS, Geurs NC, Gunsolley JC. Periodontal host modulation with antiproteinase, anti–inflammatory, and bone–sparing agents. A systematic review. Annals of periodontology / the American Academy of Periodontology 2003;8:12–37.
16. Rosling BG, Slots J, Christersson LA, Grondahl HG, Genco RJ. Topical antimicrobial therapy and diagnosis of subgingival bacteria in the management of inflammatory periodontal disease. Journal of clinical periodontology 1986;13:975–981.
17. Jepsen K, Jepsen S. Antibiotics/antimicrobials: systemic and local administration in the therapy of mild to moderately advanced periodontitis. Periodontol 2000. 2016;71(1):82–112.
18. Slots J, Rosling BG. Suppression of the periodontopathic microflora in localized juvenile periodontitis by systemic tetracycline. J Clin Periodontol. 1983;10(5):465–86.
19. Greenstein G. The role of metronidazole in the treatment of periodontal diseases. Journal of periodontology 1993;64:1–15.
20. Wirthlin MH, EB. Gaugler, RW Regeneration and repair after biologic treatment of root surfaces in monkeys. Journal of periodontology 1981;52:729–735.
21. Leblond CP, Walker BE. Renewal of cell populations. Physiological reviews 1956;36:255–276.
22. PA R. An analysis of repair systems in periodontal therapy. Periodont Abstr 1966;14:57.
23. Kalkwarf KL. Literature review: periodontal new attachment without the placement of osseous potentiating grafts. Periodontal abstracts 1974;22:53–62.
24. Caton JG, DeFuria EL, Polson AM, Nyman S. Periodontal regeneration via selective cell repopulation. Journal of periodontology 1987;58:546–552.
25. Aukhil IS, DM. Schaberg, TV. An experimental study of new attachment procedure in beagle dogs. Journal of periodontal research 1983;18:643–654.
26. Nyman SG, J. Karring, T.,Lindhe, J. The regenerative potential of the periodontal ligament. An experimental study in the monkey. Journal of clinical periodontology 1982;9:257–265.
27. Lekovic V, Kenney EB, Kovacevic K, Carranza FA, Jr. Evaluation of guided tissue regeneration in Class II furcation defects. A clinical re–entry study. Journal of periodontology 1989;60:694–698.
28. Pontoriero R, Lindhe J, Nyman S, Karring T, Rosenberg E, Sanavi F. Guided tissue regeneration in degree II furcation–involved mandibular molars. A clinical study. Journal of clinical periodontology 1988;15:247–254.
29. Nyman S, Lindhe J, Karring T, Rylander H. New attachment following surgical treatment of human periodontal disease. Journal of clinical periodontology 1982;9:290–296.
30. Gottlow J, Nyman S, Karring T, Lindhe J. New attachment formation as the result of controlled tissue regeneration. Journal of clinical periodontology 1984;11:494–503.
31. Cortellini P, Prato GP. Guided tissue regeneration with a rubber dam: a five–case report. The International journal of periodontics & restorative dentistry 1994;14:8–15.
32. Pitaru S, Tal H, Soldinger M, Grosskopf A, Noff M. Partial regeneration of periodontal tissues using collagen barriers. Initial observations in the canine. Journal of periodontology 1988;59:380–386.
33. Froum SJ, Weinberg MA, Rosenberg E, Tarnow D. A comparative study utilizing open flap debridement with and without enamel matrix derivative in the treatment of periodontal intrabony defects: a 12–month re–entry study. Journal of periodontology 2001;72:25–34.
34. Tonetti MS, Cortellini P, Suvan JE, et al. Generalizability of the added benefits of guided tissue regeneration in the treatment of deep intrabony defects. Evaluation in a multi–center randomized controlled clinical trial. Journal of periodontology 1998;69:1183–1192.

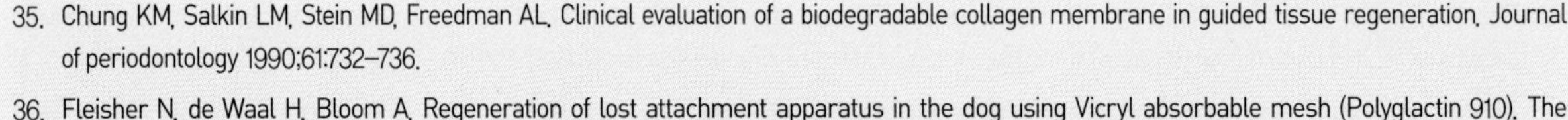

35. Chung KM, Salkin LM, Stein MD, Freedman AL. Clinical evaluation of a biodegradable collagen membrane in guided tissue regeneration. Journal of periodontology 1990;61:732–736.
36. Fleisher N, de Waal H, Bloom A. Regeneration of lost attachment apparatus in the dog using Vicryl absorbable mesh (Polyglactin 910). The International journal of periodontics & restorative dentistry 1988;8:44–55.
37. Ellegaard B, Karring T, Löe H. Retardation of epithelial migration in new attachment attempts in intrabony defects in monkeys. Journal of clinical periodontology 1976;3:23–37.
38. Morris ML. Reattachment of periodontal tissue. Oral surgery, oral medicine, and oral pathology 1949;2:1194–1198.
39. Ramfjord S. Experimental periodontal reattachment in rhesus monkeys. Journal of periodontology 1951;22:67–77.
40. Lasho DOL, TJ. Kafrawy, AH. A scanning electron microscope study of the effects of various agents on instrumented periodontally involved root surfaces. Journal of periodontology 1983;54:210–220.
41. Sarbinoff JOL, TJ. Miller, CH. The comparative effectiveness of various agents in detoxifying diseased root surfaces. Journal of periodontology 1983;54:77–80.
42. Magnusson I, Nyman S, Karring T, Egelberg J. Connective tissue attachment formation following exclusion of gingival connective tissue and epithelium during healing. Journal of periodontal research 1985;20:201–208.
43. Willey R, Steinberg AD. Scanning electron microscopic studies of root dentin surfaces treated with citric acid, elastase, hyaluronidase, pronase and collagenase. Journal of periodontology 1984;55:592–596.
44. Polson AP, MP. Fibrin linkage: a precursor for new attachment. Journal of periodontology 1983;54:141–147.
45. Hammarstrom L. Enamel matrix, cementum development and regeneration. Journal of clinical periodontology 1997;24:658–668.
46. Yukna RA, Mellonig JT. Histologic evaluation of periodontal healing in humans following regenerative therapy with enamel matrix derivative. A 10–case series. Journal of periodontology 2000;71:752–759.
47. RA Y. A clinical and histological study of healing following the excisional new attachment procedure in rhesus monkeys. Journal of periodontology 1976;47:701.
48. Haney JM, Nilveus RE, McMillan PJ, Wikesjo UM. Periodontal repair in dogs: expanded polytetrafluoroethylene barrier membranes support wound stabilization and enhance bone regeneration. Journal of periodontology 1993;64:883–890.
49. Hardwick R, Hayes BK, Flynn C. Devices for dentoalveolar regeneration: an up–to–date literature review. Journal of periodontology 1995;66:495–505.

기타 참고문헌

- Becker W, Becker BE, Berg L, Prichard J, Caffesse R, Rosenberg E. New attachment after treatment with root isolation procedures: report for treated Class III and Class II furcations and vertical osseous defects. The International journal of periodontics & restorative dentistry 1988;8:8–23.
- Pontoriero R, Nyman S, Lindhe J, Rosenberg E, Sanavi F. Guided tissue regeneration in the treatment of furcation defects in man. Journal of clinical periodontology 1987;14:618–620.
- Kodama T, Minabe M, Hori T, Watanabe Y. The effect of various concentrations of collagen barrier on periodontal wound healing. Journal of periodontology 1989;60:205–210.
- Yukna RA. A clinical and histologic study of healing following the excisional new attachment procedure in rhesus monkeys. Journal of periodontology 1976;47:701–709.

PART 02

비외과적 치주치료

치태조절이란 치아에 부착된 치태와 기타 연성 부착물을 제거하는 것을 말한다. 1998년에 기계적 치태조절에 대한 유럽 워크샵에서 '40년 동안의 실험 및 임상연구에서 효과적인 치태제거는 일생 동안 치아와 치주조직의 건강을 위하여 필수적인 요소'임이 입증되었다.[1] 이런 사실을 토대로 치태조절의 중요성이 더욱 강조되었다. 치태조절은 치석의 형성을 방지하고 치은에 인공적인 자극을 주어 치은건강도를 증진시키며 표면 각화와 혈액공급을 향상시킴으로써 치주질환의 예방은 물론 치주질환을 치료하는데 그 목적이 있다.

치태조절은 치과진료 중 가장 핵심적인 요소 중 하나이며, 환자 자신의 적극적인 참여 없이는 이루어질 수 없으므로 치과의사는 환자의 상태를 적절히 평가하여 치태조절에 대한 환자의 동기 유발에 모든 노력을 기울여야 한다.[2] 먼저 치태 착색제를 사용하여 구강 내의 치태침착 상태를 환자에게 직접 보여 주어 치태가 무엇이며 어디에 잘 침착되는지, 그리고 왜 치태를 제거해야 하는지를 설명하여 환자 스스로가 치태조절의 중요성을 인식하도록 만들어야 한다. 이 외에 포스터나 슬라이드 등을 이용하거나, 위상차 현미경이나 암시야 현미경을 사용하여 치태 내 세균의 운동성과 분포를 보여줌으로써 동기유발을 도모할 수 있다.[3]

1. 기계적 치태조절 (Mechanical plaque control)

1) 칫솔(Toothbrush)

칫솔은 치태조절기구 중 가장 기본적인 기구로서 치태 등의 침착물을 제거하고 치은을 마사지하는 데 사용한다. 칫솔의 종류는 크게 수동식과 기계식으로 나뉘며 주로 수동식이 이용된다. 크기와 모양이 다양하며 칫솔 강모의 길이, 경도, 배열도 여러 가지이다.[4]

치과의사는 환자에게 적절한 충고를 할 수 있도록 다양한 칫솔의 형태와, 크기, 장단점 등에 대해서 잘 파악하고 있어야 한다.

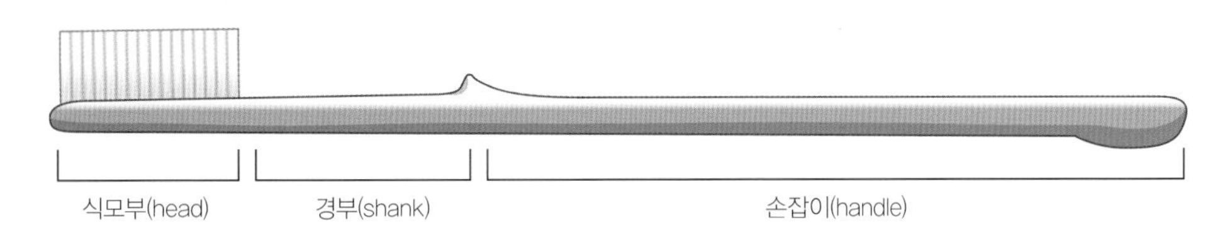

그림 24-1. 칫솔의 부분적 명칭

(1) 칫솔 각 부위의 명칭

칫솔은 대개 식모부(head)와 경부(shank) 및 손잡이(handle) 부위로 되어 있다(그림 24-1). 칫솔의 손잡이는 보통 플라스틱으로 되어 있으며 그 굵기와 폭이 다양하다.

이전의 칫솔 손잡이는 사각형이 일반적이었는데 요즘은 삼각형 또는 원형인 것도 있으며 칫솔이 대부분 일직선상에 놓이지만 각을 이루는 것도 있다.[5] 사용자의 연령에 맞게 적절한 크기의 손잡이를 제공하고 있고 다양한 인체공학적 디자인을 강조하고 있는 추세이다. 경부는 식모부와 손잡이 사이의 중간 부분으로 폭이 손잡이보다 좁다. 식모부에는 강모(brush bristle)가 심어져 있으며 이것이 칫솔의 가장 중요한 부분이다.

(2) 칫솔의 선택기준

악골의 만곡과 복잡한 치열형태로 인해 치아의 각 면을 칫솔의 강모가 골고루 닿게 하기는 매우 힘들다. 그러므로 효율적이고 더 편리한 칫솔을 선택해서 이용한다.

칫솔의 크기는 확고하고 안정되게 잡을 수 있는 손잡이에, 강모가 구강 내의 모든 부위에 쉽게 접근되도록 식모부가 작으면서 2~3개 치아에 동시에 닿을 정도로 적당히 커야 한다.

칫솔의 강모는 자연모(동물모)와 인공모(나일론)의 두 종류가 있으며 이들 중 강모의 동일성, 탄력성, 크기의 균일성, 물이나 음식물 잔사에 대한 청소작용 등에서 인공모가 더 우수하다.[6] 나일론 강모는 그 직경에 따라 경도가 다양하므로 치은에 손상을 주지 않고 효율적으로 닦을 수 있는 것으로 개인에 따라 선택하며 supersoft 인공모가 2~3줄 배열된 칫솔은 일반적으로 치주수술 시 부착하는 치주포대 제거 후 상처치유기간 동안만 잠시 사용하기도 한다.[7]

강모의 상태는 식모판(brush head base)에 대하여 강모가 수직으로 곧게 서 있는 것이 좋으며 오랜 사용으로 인하여 흐트러져 있는 강모는 연성 부착물을 효과적으로 제거할 수 없으며 치은에 외상을 줄 수 있으므로 새 칫솔로 교환해야 한다.[8] 강모는 치아배열의 특수성 때문에 대부분 일정하게 배열되어 있으며 강모의 속은 가로 2~4줄, 세로 5~12줄이며 20~29개가 모여 한 개의 속을 이루고 강모의 길이는 9~12 mm이고 직경은 0.14~0.20 mm이다. 참고로 미국 치과의사협회에서는 적당한 칫솔 크기의 범위를 규정해 놓고 있다. 식모판의 길이를 25.4~31.8 mm로, 식모판의 폭경을 7.9~9.5 mm로, 강모의 속은 2~4줄이며, 1줄당 5~12개로 규정하였다. 더욱 중요한 요소는 칫솔이 구강내 모든 부위에 도달해야 되고 효율적으로 닦여야 한다는 것이다. 동일한 길이를 갖는 강모가 대부분이며, 강모가 부드러운 소재이면 촘촘하게 배열되어야 하며 견고한 소재이면 보다 넓은 간격을 가져야 한다(그림 24-2).

따라서 경우에 따라 강모의 길이가 서로 다른 것이 추천되기도 한다(그림 24-3). 강모 끝은 둥글게 처리되어야 치은이나 치아에 손상을 적게 준다.[4,9]

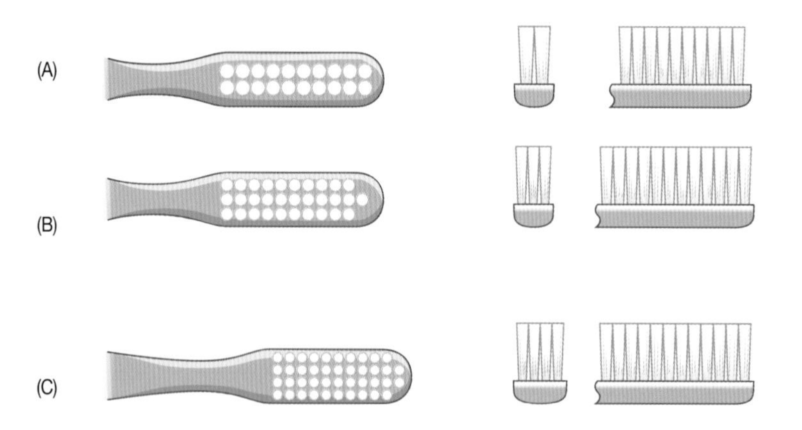

그림 24-2. 강모의 배열 (A) Sulcus brush (B) Regular tufted brush (C) Multitufted brush

결론적으로 다양한 형태 및 디자인의 여러 가지 칫솔이 있지만, 치태제거능력에 있어서 특정한 칫솔이 우월하다고 할 수는 없다.[10] 칫솔선택 시 가장 중요한 요소는 조작이 편리하고, 칫솔질이 잘 된다는 것이 느껴지는 것이다.[11]

(3) 칫솔모의 경도

딱딱한 강모일수록 치태제거능력은 뛰어나지만, 치은이나 치아에 손상을 주어 치은퇴축이나 치경부 마모를 일으킬 수 있으므로 적당한 경도와 탄력성을 가져야 한다.[12] 한편, 강모가 부드러울수록 손상은 적게 주지만 치태제거능력에는 한계가 있으므로 사용하는 사람의 치은, 치아상태, 치태침착 정도 및 칫솔질 방법이나 횟수 등에 따라 적당한 경도의 강모를 선택하여야 한다.[13]

강모의 경도는 일반적으로 강모의 직경 제곱에 비례하고 길이의 제곱에 반비례하며, 보통 칫솔 강모 길이 보다는 다양한 직경이 강도에 영향을 주게 된다.[14] 강모의 직경은 부드러운 모가 0.007″(0.2 mm), 중간모가 0.012″(0.3 mm), 딱딱한 모가 0.014″(0.4 mm)이다. 한편 Hine은 0.010″(0.24 mm)를 soft, 0.012″(0.30 mm)를 medium, 0.014″(0.35 mm)를 stiff, 0.016″(0.40 mm)를 extrastiff라고 분류하였다.

(4) 칫솔 사용의 일반원칙

칫솔 사용 시 모양이 변형될 수 있는데 사용한 지 1, 2주 내에 변형되는 것은 너무 격렬하게 사용하거나 방법상의 문제가 있는 것이고 6개월 이상 사용해도 변형이 적으면 칫솔질을 덜 하는 것으로 생각하여야 한다. 보통 2~3개월마다 교환하는 정도가 적당하다고 할 수 있다.[15,16]

① 칫솔 파지법

칫솔질 시의 동작과 치아의 위치, 칫솔질 압력과 각도를 고려하여 안정성있게 단단히 파지하고, 치아 부위에 따라 길이를 조정하여 효과적으로 이용한다.

② 칫솔질 순서

칫솔질은 치아의 모든 표면을 청결하게 할 수 있어야 한다.

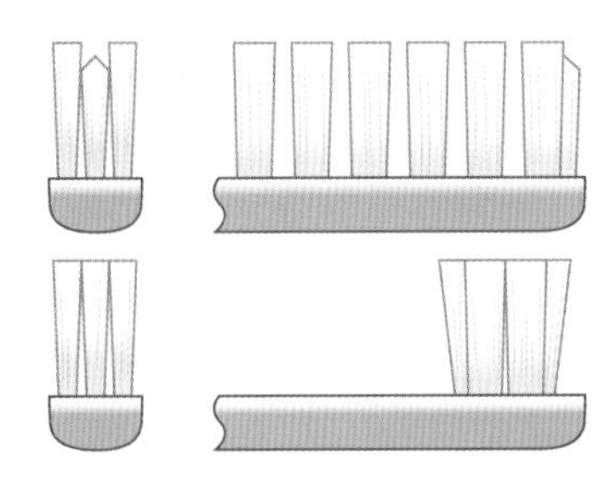

그림 24-3. 교정용 칫솔

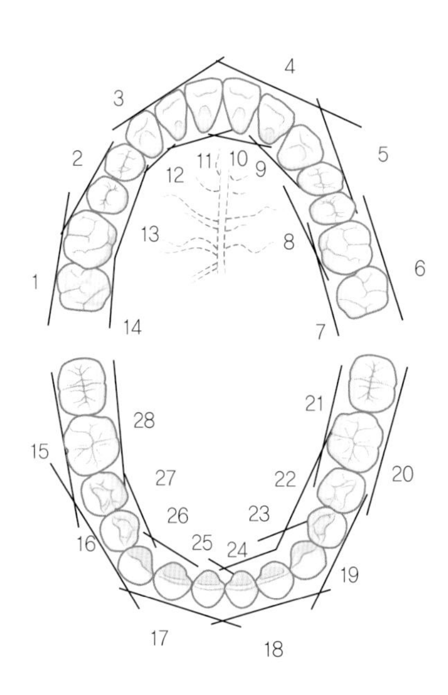

그림 24-4. 칫솔질 순서

최후방 치아의 원심면, 무치악 부분에 인접한 면은 특히 더 세심한 기울여야 하며, 견치는 악골 내에서의 위치 때문에 근심면과 원심면을 구분하여 닦도록 주의한다. 구강 내의 모든 부분을 모두 닦기 위해서는 순서를 정하여 체계적으로 닦는 것이 좋으며 교합면을 제일 먼저 혹은 가장 마지막에 닦도록 한다(systematic toothbrushing sequence, 그림 24-4).[17]

(5) 칫솔질 방법과 선택

환자가 철저하게 칫솔질할 수 있다면 칫솔질의 횟수는 적어도 되지만 현실적인 견지에서는 최소한 하루 2회 이상의 칫솔질을 추천하며, 대부분 칫솔질 방법이 미숙하므로 가능하면 식후에 즉시 닦는 것이 바람직하다.[17] 그리고 횟수보다는 올바른 칫솔질 방법을 습득하는 것이 더욱 중요하다.[18] 또한 습득하기 어려운 방법만으로 처음부터 환자에게 가르쳐서 배우기를 포기하지 않도록 환자 상태에 적절한 방법으로 지도하여 치주질환을 예방하거나 치료 후 예후가 양호해지도록 해야 한다.

칫솔질 방법은 크게 분류하면 칫솔의 강모 끝을 이용하는 법과 강모의 옆면을 이용하는 법이 있다. 강모 끝을 이용하는 방법은 치태제거 효과가 우수하고, 강모의 옆면을 이용하는 방법은 치은의 마사지 효과를 갖는다. 강모 끝을 이용하는 방법으로는 바스(Bass)법, 스크러빙(Scrubbing)법, 폰스(Fones)법 등이 있고 강모 옆면을 이용하는 방법으로는 스틸만(Stillman)법, 롤(Roll)법, 챠터(Charter)법 등이 있다. 또한 칫솔질할 때의 운동양식에 따라 다음과 같이 구분된다.[19]

- 롤(roll): 롤법[20], 변형스틸만법[21]
- 진동(vibratory): 스틸만법[22], 챠터법[23], 바스법[24]
- 원형(circular): 폰스법[25]
- 수직(vertical): 레너드(Leonard)법[26]
- 수평(horizontal): 스크러빙[27]

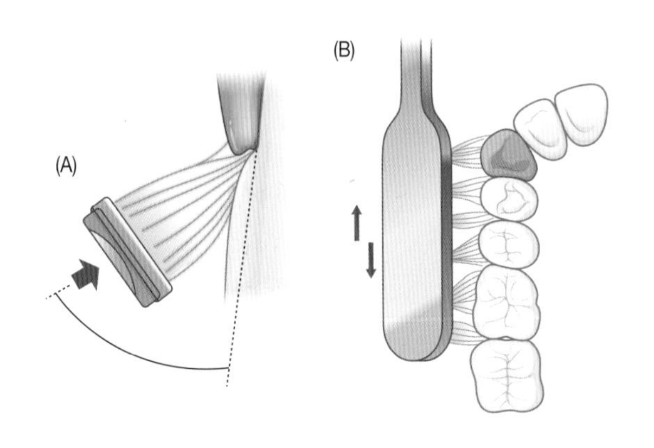

그림 24-5. 바스법
(A) 치아장축에서 칫솔이 45°가 되도록 열구 내로 위치시킴. (B) 상악소구치와 견치 원심면에서의 위치

① 바스(Bass)법[24]

치은변연과 열구내 0.5 mm 정도까지의 치태제거에 효과적인 방법이다. 치은열구 부위의 청결이 필요한 환자에게 추천되는 방법이며 치간부의 열구내 세정에는 치실 사용이 더 유용하지만 치주질환으로 인하여 치간공간이 넓어지면 바스법과 치실을 사용한 후 챠터법을 병행하는 것이 좋다.

부드럽고 끝이 둥근 나일론 강모를 사용하며 치아의 옆면에 강모를 평행하게 대고 강모 2~3줄 정도만 변연을 넘어 부착치은을 덮을 수 있게 치아 장축에 45° 각도를 유지한다(그림 24-5, 6). 치은열구 내로 강모끝이 들어 가도록 힘을 주면서 약 10초 동안(20회) 전후 방향으로 짧게 진동을 주어 닦은 후 인접치아 부위로 이동하여 같은 동작을 반복하여 연속하여 닦아준다. 강모의 처음 위치는 치

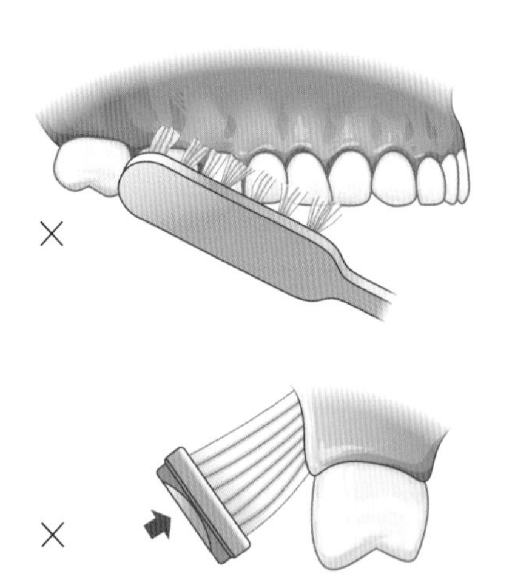

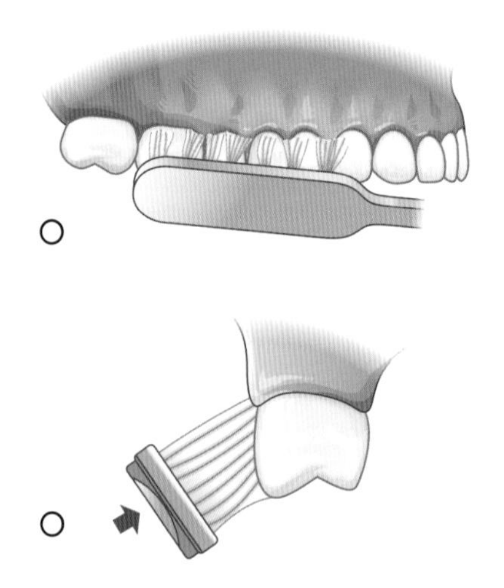

그림 24-6. 바스법에서 칫솔의 올바른 위치

경부이며 지나친 힘을 주거나 낡은 칫솔을 사용하여 치은 상피가 손상받지 않도록 주의하고 동작이 너무 크면 치경부와 치간부에 부착물이 남게 되므로 주의해야 한다.

② **스크러빙(Scrubbing)법**[27]

환자들이 배우기 가장 용이하고 청결 효과가 우수한 방법으로 특히 치간부에서의 치태 제거 효과가 좋다. 이 방법은 정확하게 시행하지 않으면 횡마법이 되기 쉬우므로 주의하여야 한다. 칫솔을 치면에 직각으로 대고 인접 치은에 가볍게 닿을 정도로만 유지하면서 전후 방향으로 미세한 진동을 10회 정도 준다. 치아를 연속적으로 계속하여 닦아 나가며, 설측에서는 혀와 치열의 만곡도 등으로 인하여 치면과 칫솔의 각도가 경사지게 되지만 가능한 한 치면에 직각이 되도록 해야 한다(그림 24-7).

③ **폰스(Fones)법**[25]

간단하며 청결 효과가 높으며, 복잡한 칫솔질 방법을 습득할 수 없는 장애인에게도 좋은 방법이다.

이 방법은 협측과 설측에서 칫솔의 사용법이 다르다. 협측에서는 상하악의 치아를 가볍게 접촉시킨 채 칫솔로 상하악의 치은을 충분히 덮이도록 큰 원을 그려 나간다. 최후방 구치부터 전치부까지 계속하여 원을 그리면서 이동하나, 힘을 너무 가하지 않게 주의한다(그림 24-8). 상하악의 설측은 전후방향으로 닦으면서 칫솔을 전방으로 내면서 사용하고 전치부 설측을 닦을 때에는 경구개도 동시에 닦는다. 이 방법은 치간부를 충분히 닦을 수 없는 단점이 있다.

④ **변형 스틸만(Stillman)법**[21]

널리 사용되는 방법으로서 치태제거 효과가 좋고 치은 마사지 효과도 우수하다. 칫솔 강모의 선택 시 정상적인 치은에선 중등도의 견고성을 갖는 것이 좋으며, 치은퇴축이 심한 경우에는 부드러운 것으로 한다. 이 방법의 장점은 다음과 같다.

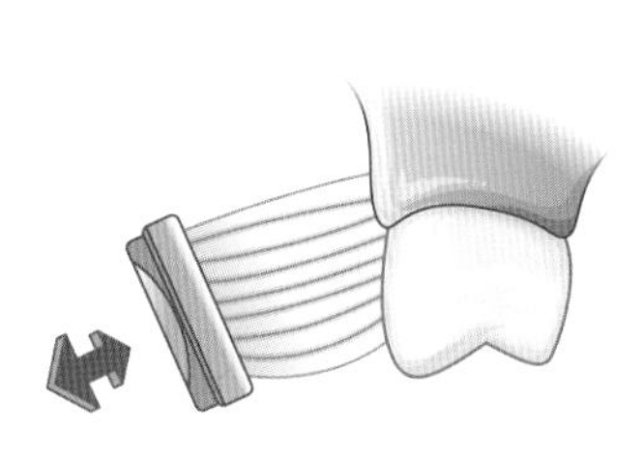

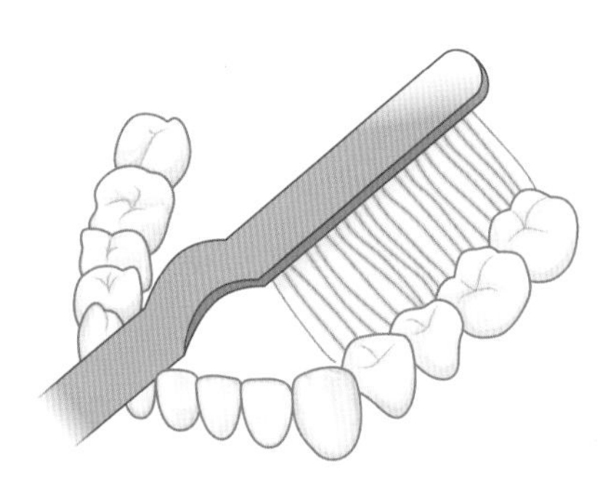

그림 24-7. 스크러빙법

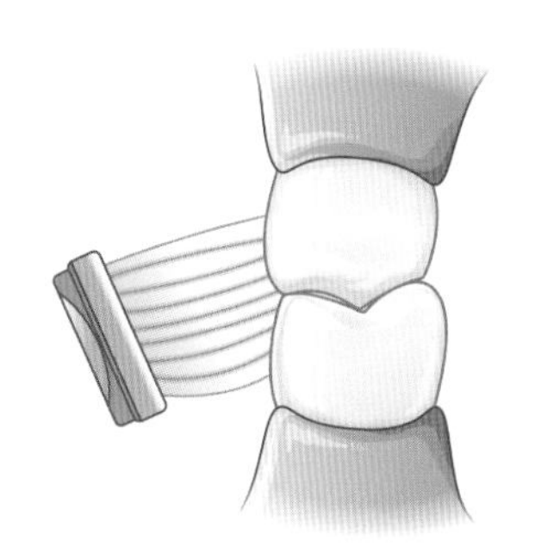

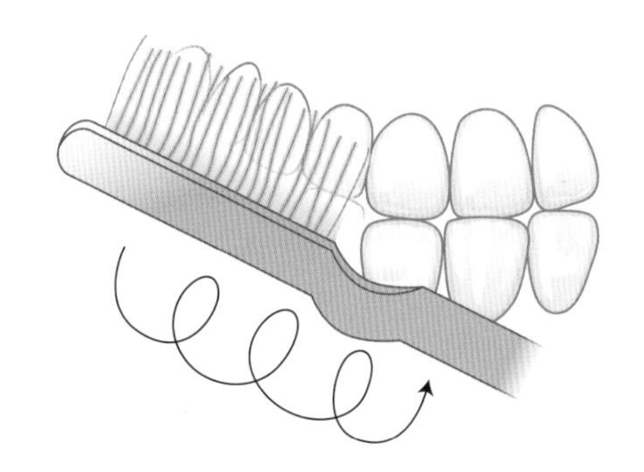

그림 24-8. 폰스법

- 치은에 기계적인 자극을 가한다.
- 치경부에서의 짧은 전후 회전운동으로 인하여 치은변연과 최대 풍융부 사이의 치태가 제거된다.
- 강모의 끝이 치간부에 도달하므로 손상없이 치간유두를 자극할 수 있고 치간 세정이 가능하다.

방법은 강모를 부착치은에서 치근단부를 향하여 45° 각도로 대고 강모의 옆면과 치아배열이 평행하게 하여 측방 압력을 가하면서 약간의 전후 진동과 함께 칫솔을 점차 교합평면상으로 이동시킨다(그림 24-9).

이때 강모의 위치가 치아쪽이나 점막쪽으로 치우치게 되면 치경부와 치은이 닦이지 않을 수 있으며, 과도한 힘을 주어 전후운동을 하면 치은에 손상을 주므로 힘의 조절과 강모의 위치에 주의해야 한다.

하악구치부 설측에서는 특히 칫솔과 치열 상태에 주의하고 최후방 구치 원심면도 칫솔을 세워 주위를 돌며 닦아준다. 만일 구역질을 유발하거나 칫솔이 도달하기 어렵다면 강모의 반은 교합면에 위치시키고 나머지 반이 치은을 향할 수 있도록 가르쳐야 한다.

치주질환 환자나 퇴축된 치간부 치은의 마사지가 필요한 환자에게 추천할 수 있는 방법이며 종창, 출혈, 과민반응을 보이는 치은을 정상적 상태로 회복시키려 하거나 구강건강 상태가 정상인 사람에게도 추천된다. 이외에도 치은비대을 치료하기에 앞서 견고한 칫솔을 이용하여 변형 스틸만법으로 칫솔질을 하게 지시하는 것이 좋다.

⑤ 롤(Roll)법[20]

치아와 치은에 손상을 주지 않고, 치은에 적당한 자극이 가해져 혈액순환이 원활히 됨과 동시에 연성 부착물이 제거된다. 중등도의 견고성을 갖는 칫솔을 이용하며 건강한 치은 및 고른 치열을 가진 사람과 어린이나 장애인에게 쉽게 가르쳐 줄 수 있다.

강모 끝이 치근단을 향하도록 부착치은에 45° 각도로 잘 위치시키고 치은에 대해 강모의 측면으로 압력을 가하면서 치아와 치은에 대해 교합면쪽으로 동시에 회전시켜서 닦는다(그림 24-10). 같은 부위를 5~7회 빈복하며 압력조절을 적절히 하여 치은에 대한 손상이 없으며 치간부에서의 치태제거 효과가 떨어지지 않도록 하여야 한다. 그러나 롤법은 가장 효율성이 떨어지는 방법으로 보여진다.

⑥ 챠터(Charter)법[23]

노출된 치근면 부위를 세정하기 위해 사용되며 치은의 마사지 효과와 치간부 치태 제거를 위한 방법이다. 치간부에서 강모 끝이 교합면쪽을 향하게 45° 각도로 위치시키면서 각 부위에서 10~15초 동안 부드럽고 확고하게 흔

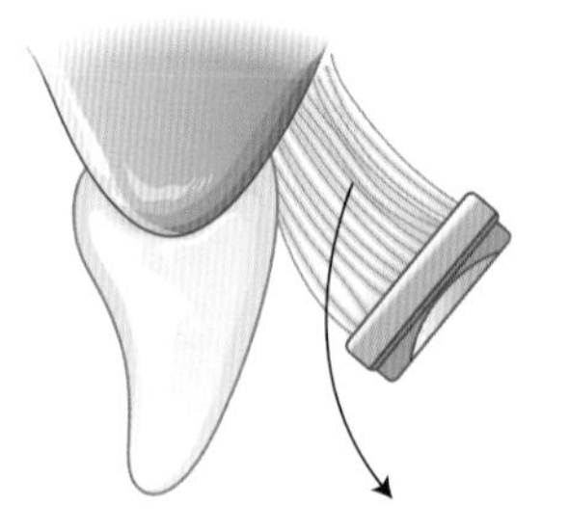

그림 24-10. 롤법

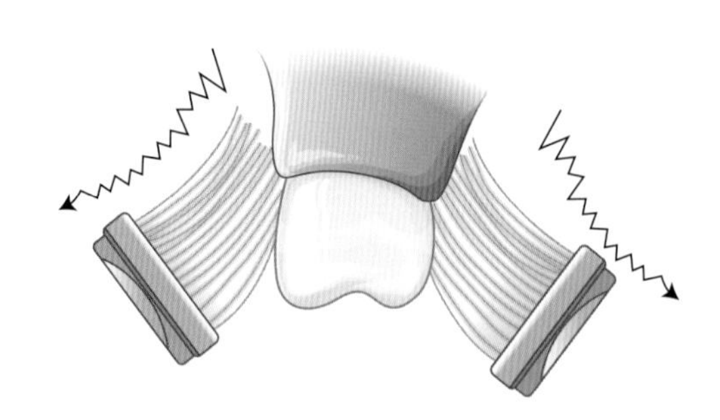

그림 24-9. 변형 스틸만법

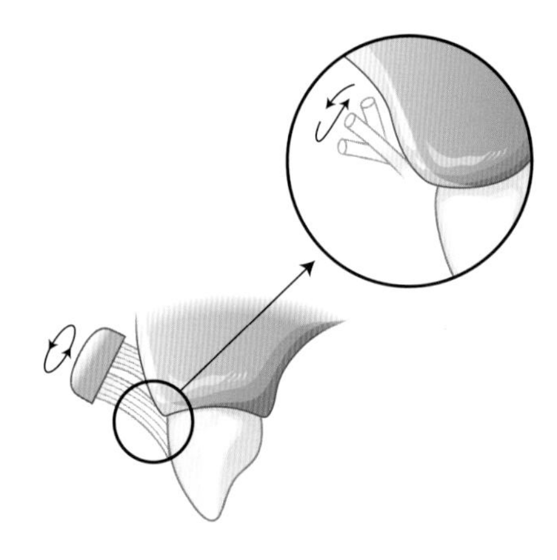

그림 24-11. 챠터법

드는 모양으로 닦는다(그림 24-11). 각도유지에 주의하여야 하며 위치가 잘못되면 일부 강모가 치은을 누르게 되어 나머지 강모는 치간부에 작용하지 못하게 된다. 치주수술 후 회복 중의 상처부위를 일시적으로 닦아주는 데 추천되며, 치주수술로 인하여 치간부의 노출이 있는 환자나 교정장치를 장착한 환자 등에게 추천되는 방법이다.

2) 전동칫솔(Powered toothbrush)

전기 동력에 의하여 작동하는 전동칫솔은 치태제거와 환자 동기유발을 동시에 증진시킬 가능성을 가진 면에서는 진보를 의미한다. 전동칫솔의 초기 모델들은 칫솔의 전후 운동만을 모방하였고 이러한 초기의 모델을 사용한 연구에서는 치태제거능력 면에서 수동칫솔과 차이가 없는 것으로 보고되었다. 1980년대 이후 전동칫솔의 기술력에는 획기적인 발전이 있었다. 섬유사(filament)의 증가된 작동 횟수, 다양한 칫솔모의 배열, 회전과 진동 및 삼차원적 움직임을 통해 치태제거능력이 증진된 제품이 개발되었다(그림 24-12).[17] 또 다른 기술적 발전은 음파칫솔의 개발이다. 음파 칫솔은 치태제거 능력과 치은염 감소 효과 면에서 수동칫솔과 유사하거나 더 효과적이라는 연구결과가 있었다.[28,29] 또한 환자의 장기적인 순응도를 증가시키는 것으로 알려졌다.[30,31]

전동칫솔과 일반칫솔의 효과를 비교한 많은 연구가 있었지만 어느 쪽이 더 우수한지 결론짓기는 어렵다.[27,32] 치간 인접면에서 치태제거능력이 우수한 모델의 전동칫솔이나 타이머가 장착되어 더 오랫동안 칫솔질을 할 수 있도록 도와주는 모델은 일부 환자들에게는 유용하다고 볼 수 있다.[33] 특히 전동칫솔은 ① 어린이와 청소년, ② 지체부자유자, ③ 간병인이 대신 치아를 닦아주어야 하는 노인을 포함한 입원환자, ④ 고정성 교정장치 장착자들에게 추천된다. 하지만 모든 일반인에게 전동칫솔을 권장할 필요성은 없다.[34]

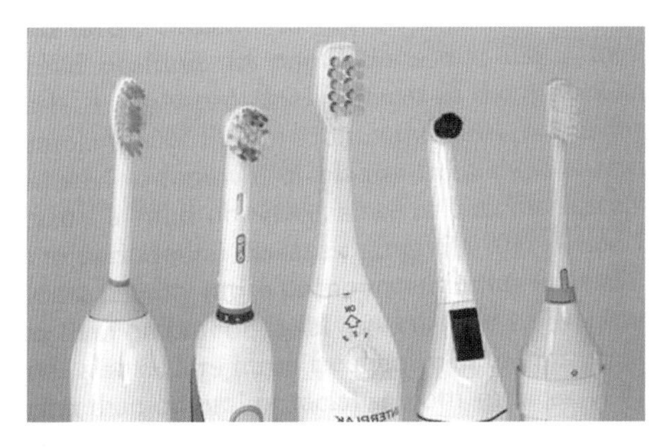

그림 24-12. 대표적인 전동칫솔 모델

전동칫솔의 사용에 있어서 특별한 기술이 필요치 않다. 칫솔의 식모부가 치은변연에서 치아옆에 위치시킬 것과 전 치열을 전체적으로 닦는 것을 환자에게 교육시켜야 한다.[35] 또한 전동칫솔은 치실사용과 같은 특정 치간부위 청결법을 대체할 수는 없음을 교육해야 한다.[11]

3) 치약(Dentifrices)

치태제거 시에 보조제로 사용되며 대부분이 크림과 같은 형태로 되어 있다. 치약 내에 미세한 연마제와 청정제 및 방향제 등이 섞여 있다. 청정제는 거품을 일으켜 침착물의 부유성을 조장하기 때문에 치면을 닦는 데 도움을 주고, 방향제는 보다 좋고 상쾌한 기분으로 칫솔질을 할 수 있게 한다.[36] 그러나 치태제거 효과는 주로 연마제와 강모의 역할에 의해 좌우된다. 연마제의 마모력이 법랑질에 영향을 미칠 수 있으며 상아질에서는 법랑질에 비해 25배, 백악질에서는 35배 잘 마모 시킬 수 있어, 치주질환이 심하여 치근이 노출된 환자의 경우에는 주의가 요구된다.[37]

치약의 구성성분은 다음과 같다.[36]

- 연마제: 20~40% 탄산칼슘, 인산칼슘, 이탄산나트륨, 염화나트륨, 산화알루미늄, 규산염 등이 있다.
- 청정제: 1~2% 황산나트륨 라우렐기, 사르코신 나트륨 라우렐기 등이 있다.
- 습윤제: 20~40% 글리세린, 소르비톨 등이 있다.
- 수분: 20~40%
- 결합제: 2% Carboxylmethylcellulose, 알긴산염 아밀라제가 이용된다.
- 이외에 방향제, 치료제, 감미제, 색소 및 방부제 등이 약간씩 있다.

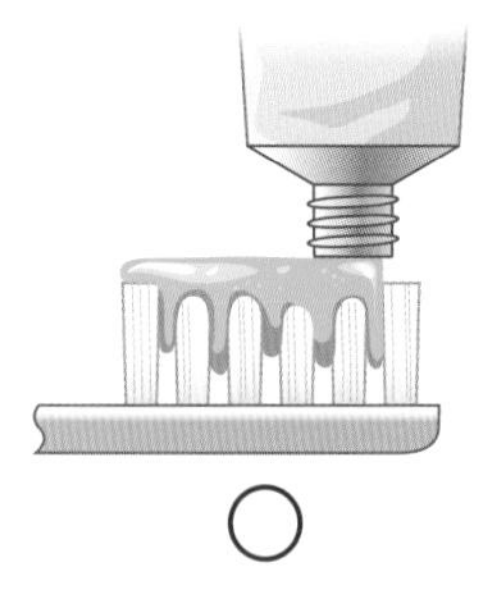

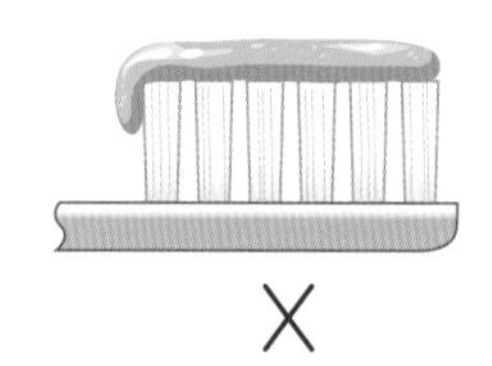

그림 24-13. 치약의 바른 적용방법

치약에 첨가된 여러 가지 치료제 중 항우식제로서 불소가 이용되며 치태조절제로서 chlorhexidine digluconate가 이용되고 지각과민 치료제가 함유된 치약도 있다.[38] 치약은 칫솔모위에 단순히 올려놓지 말고 칫솔모사이로 들어가도록 직각방향으로 밀어짜듯이 적용하여야 한다(그림 24-13).

4) 치태 착색제(Disclosing agents)

보통 육안으로 판별하기가 어려운 치태를 색소를 이용하여 보이게 하는 것이 착색제이다. 치태 착색제는 환자의 구강위생상태를 평가하고 환자 스스로가 자신의 상태를 자각하게 하여 구강위생술식 방법의 교육을 용이하게 하는데 사용 목적이 있다. 착색제는 생체에 대하여 안전하고 치태에 특이적으로 작용하며 선명하게 염색되어야 한다. 치태 착색제로 사용되는 색소 종류로는 iodine, erythrosin, bismark brown, combination of erythrosin and bismark brown, sodium fluorescein, mercurochrome 등이 있다.

사용법은 먼저 치아를 건조시킨 후 치태 착색제를 도포하고 물로 양치시키고 난 후 구강상태를 확인한다. 입술, 혀, 치은, 협점막에도 착색되지만 대부분은 양치에 의하여 제거된다(그림 24-14).[11]

5) 구강위생 보조기구(Dental aids)

칫솔은 치아의 협면, 설면, 교합면에 비해 인접면에서는 효과적으로 접근하기가 힘들기 때문에 치간부위의 치태를 효과적으로 제거하기 위해서는 다양한 보조기구가 필요하다.[39] 가장 적절한 보조기구는 치간공극의 크기와 모양, 치아 인접면의 형태에 의해 결정된다.[40]

(1) 치실(Dental floss)

치실의 사용 목적은 치아 사이의 이물질을 제거하고 접촉 부위와 치은열구 부위를 포함하는 치아의 인접면을 깨끗이 하는데 있다.[41] 종류는 두껍거나 얇은 것이 있으며 왁스를 입히거나 입히지 않은 것으로 나뉜다.[42] 과거에는 왁스를 입힌 치실이 인접면에 왁스막을 형성해서 치태축적과 치은염을 예방할 수 있다고 생각했으나, 왁스막이 인접면에 형성되지 않는다.[43] 치은건강의 향상이 치실의

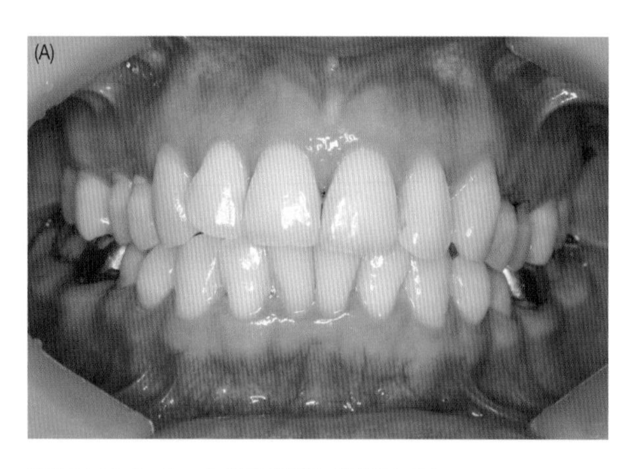

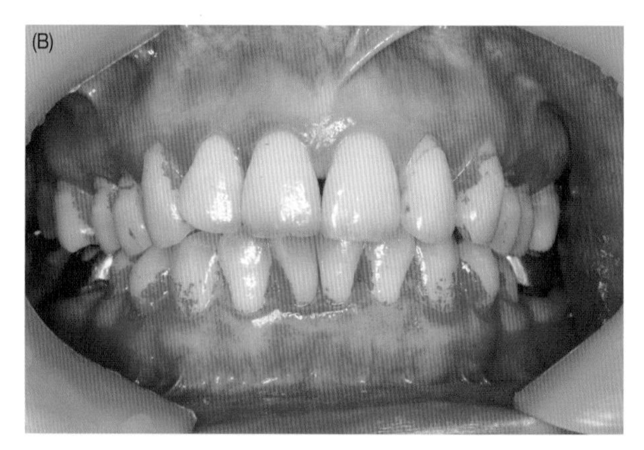

그림 24-14. Erythrosin으로 치태를 착색시킨 모습

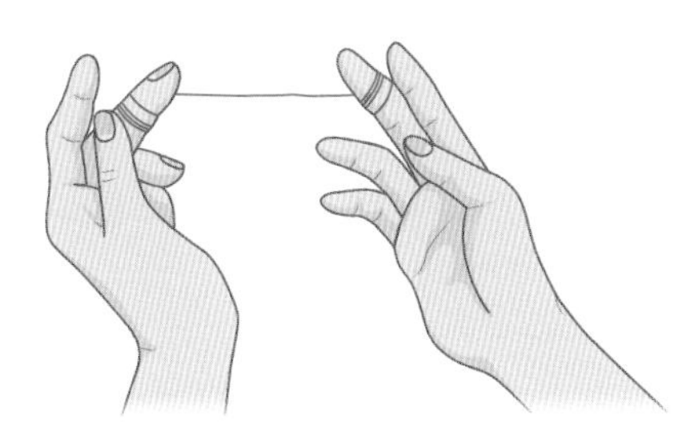
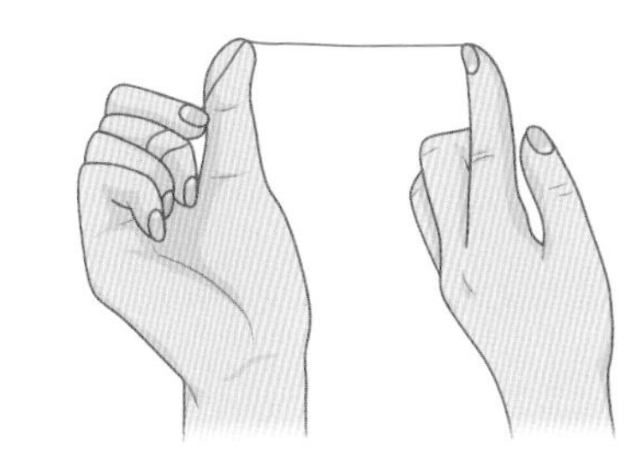

그림 24-15. 치실 잡는 법

종류와는 상관이 없는 것으로 밝혀졌다.[44]

치실사용법은 우선 길이에 있어 사용범위에 따라 차이가 있으며 30~60 cm 정도로 잘라 양쪽 중지에 감고 치아 사이에 사용할 3~4 cm 정도를 남겨둔다(그림 24-15). 상악에는 엄지와 검지를 사용하고 하악에는 양쪽 검지를 사용하며 사용한 치실 부위는 재사용하지 않도록 감긴 것을 이동해 가면서 사용한다. 치아 사이의 접촉점 통과 시 무리한 힘으로 인해 치간치은에 상처를 주지 말아야 하며 접촉점을 통과한 치실은 치아면에 부착시켜 상하운동을 5~6회 한다(그림 24-16).[11,17]

치실을 잘못 사용하면 치은 절상, 치은열 발생, 치경부 마모, 치간부의 접촉점 상실 등이 초래된다. 그리고 손놀림이 부자연스럽거나 구치부에 사용하기 어렵거나 구토감을 잘 느끼는 사람의 경우 치실 손잡이(floss holder, 그림 24-17)를 이용할 수 있다. 치실은 칫솔질 후에 사용하며

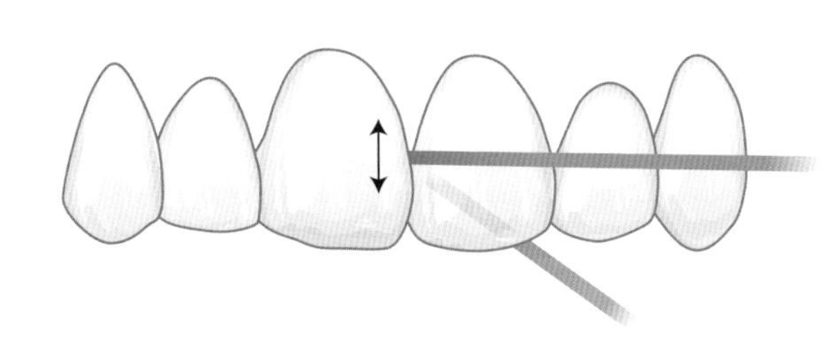

그림 24-16. 치실적용과 사용방향

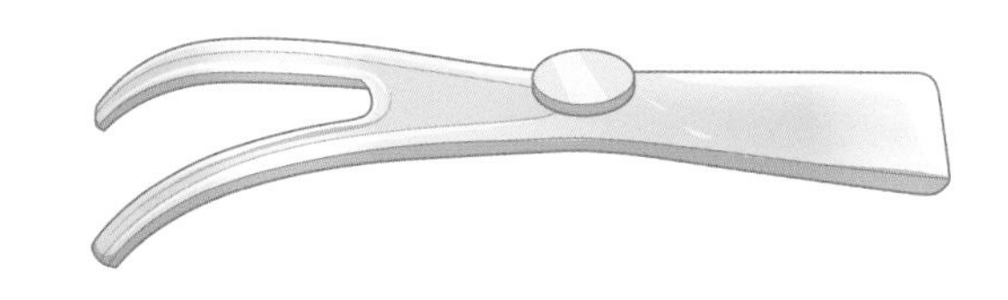

그림 24-17. 치실 손잡이

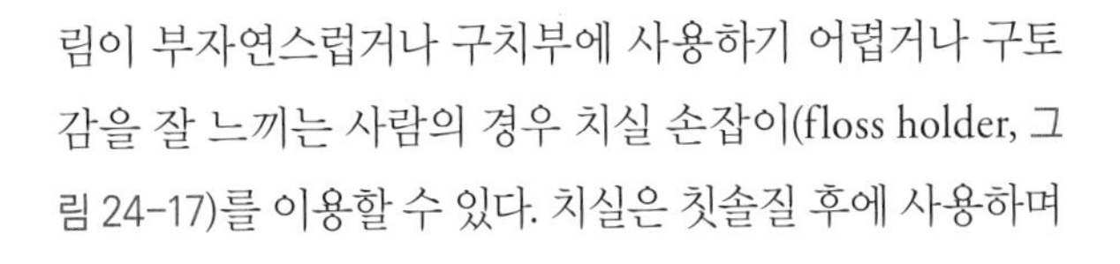

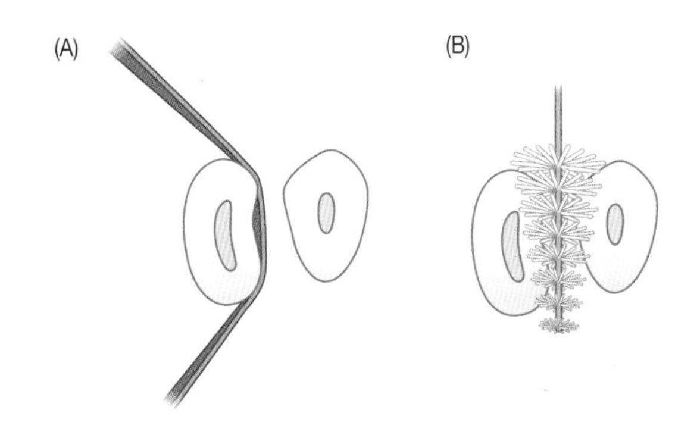

그림 24-18. 함입되거나 불규칙한 인접면의 세정
치실(A)은 치간칫솔(B)보다 덜 효과적이다.

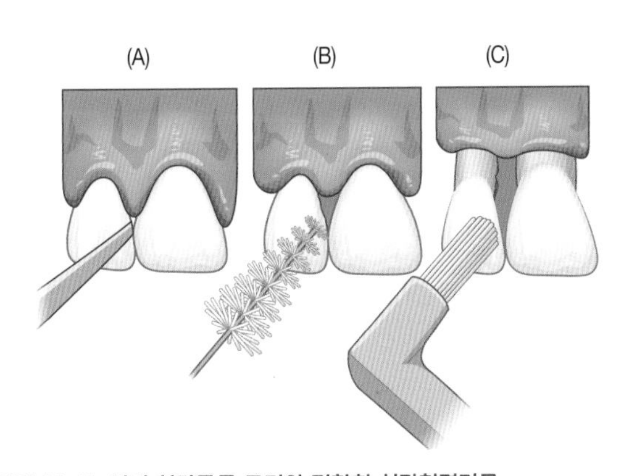

그림 24-19. 인접 치간공극 크기와 적합한 치간청결기구
(A) 치은퇴축 없음 - 치실 (B) 중등도 치간유두 퇴축-치간칫솔 (C) 치간유두 완전소실 - Single-tufted brush

치약의 잔여물이나 치간부 치태의 제거에 유용한 기구이다.[45,46]

(2) 치간칫솔(Interdental brush)

치간칫솔은 칫솔로 잘 닦여지지 않는 큰 치간공간을 가지는 인접 치면이나 노출된 치근이개부를 청결하게 하기 위하여 사용하는 기구이다.[47] 형태는 손잡이부와 강모부로 나뉘며 강모가 손잡이부로부터 직각을 이루게 하고, 안정감을 위하여 치아, 턱 또는 뺨에 손고정을 한 뒤 치간칫솔을 치아장축에 수직으로 삽입하여 전후방향으로 움직여 사용한다(그림 24-18). 치은의 퇴축과 치간공극의 노출 정도에 따라 다양한 치간 청결기구를 적절하게 선택하여 사용하여야 한다(그림 24-19). 세정효과를 높이기 위해서는 치은공극보다 약간 더 큰 직경을 갖는 솔을 사용하면 유리하다.[11] 치간칫솔을 잘못 사용하면 상아질 과민증을 유발할 수 있다. 경조직 마모를 최소화하기 위해서는 특별한 경우가 아니면 치약을 바르지 않고 사용하고 가능한 짧은 시간 사용한다. 치간칫솔은 불소나 클로르헥시딘 젤 같은 항균제를 치간부위에 적용시키는 도구로 사용될 수 있다.[17]

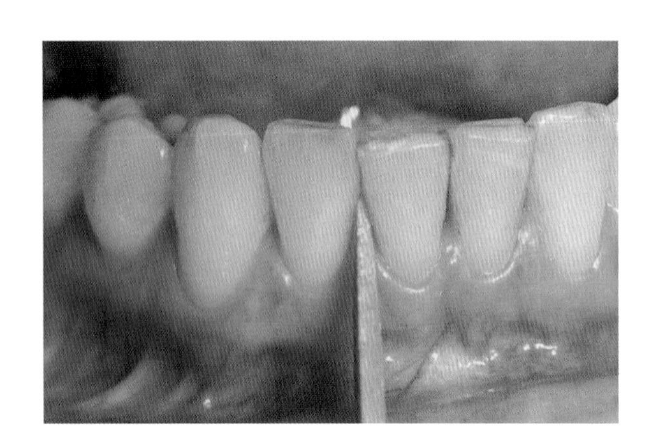

그림 24-20. 나무자극기 사용방법

(3) 나무자극기(Wooden stimulator or woodstick)

치간유두 퇴축을 보이는 경우의 치간부에 사용하며 나무자극기의 절단면은 삼각형을 이루고 크기가 작아서 치간에 잘 적합된다. 치간부 침착물을 제거해 내고 하방의 치간 치은을 마사지하여 혈액순환을 원활히 한다. 나무자극기는 식사 후 단순히 음식물을 제거하는데 사용하는 이쑤시개와는 구분되어야 한다.[40]

사용법은 먼저 손가락 고정법을 충분히 익힌 뒤 물에 적셔서 삼각형의 밑변이 치은에 닫게 하고 약간 교합면쪽에서 삽입하며 치은 손상을 방지한다. 중등도 이상의 치간 유두 퇴축 시에 사용하는 것이 좋으며 무치악 부위에 인접한 치아면을 닦는데 이용할 수 있다(그림 24-20).[48]

(4) 고무자극기(Rubber stimulator)

치간청소기구 중에 부드러운 원추형의 고무가 칫솔 끝에 부착된 것으로 치간 치은의 혈액순환을 촉진시키고 조직의 건강을 향상시킨다. 치간 유두 높이가 낮거나 치간 공간이 많이 노출되어 있는 치간부에서는 침착물 제거용으로 쓰일 수 있으나 정상의 치간유두나 치간공간이 채워져 있는 곳에서는 오히려 치은에 손상을 줄 수 있으며 급성 염증상태 또는 치은연하치석이 있는 부위에서는

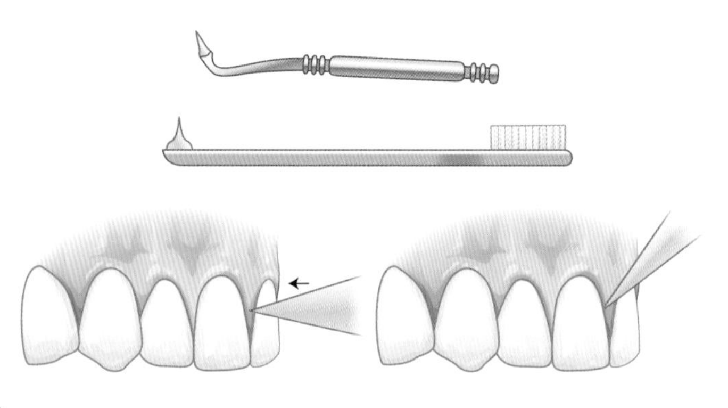

그림 24-21. 고무자극기 적용방향

그림 24-22. 다양한 분사 tip을 가진 구강 세척기구의 예

사용하지 않는다. 자극기의 끝 부위를 치간부와 평행되게 하면서 약간 치관부로 향하여 회전운동을 하며 치은에 압박을 가한다(그림 24-21).[11]

(5) 구강세척기구(Oral irrigation devices)

수압을 이용하여 치아 표면이나 치은열구, 치주낭 내의 침착물 등을 세척하는 기구이다(그림 24-22).

치은연상세척(supragingival irrigation)과 치은연하세척(subgingival irrigation)으로 구분해 볼 수 있다.[49] 치은연상세척은 주로 부착력이 크지 않은 비부착 세균이나 음식물 잔사 등의 제거에 효과가 있으며 교정장치 장착자나 보철물 장착 부위에서 좋은 효과를 보인다. 치은의 각화증진을 도와주며, 칫솔질과 함께 사용 시에 치태나 치석침착도 지연시킬 수 있으므로 치은염증이나 치주낭 감소에도 기여한다.[50–52] 치은연하세척은 치석제거술이나 치근활택술 후에 향균제를 포함시켜 시행하면 매우 효과적이다.[53]

참고문헌

1. Lang NP, Löe H. Proceedings of the European Workshop on Mechanical Plaque Control. 1998 Quintessence.
2. Ramseier CA. Potential impact of subject–based risk factor control on periodontitis. Journal of Clinical Periodontology 2005;32 Suppl 6:283–290.
3. Renton–Harper P, Addy M, Warren P, Newcombe RG. Comparison of video and written instructions for plaque removal by an oscillating/rotating/reciprocating electric toothbrush. Journal of Clinical Periodontology 1999;26:752–756.
4. Silverstone LM, Featherstone MJ. A scanning electron microscope study of the end rounding of bristles in eight toothbrush types. Quintessence International 1988;19:87–107.
5. Kieser J, Groeneveld H. A clinical evaluation of a novel toothbrush design. Journal of Clinical Periodontology 1997;24:419–423.
6. Binney A, Addy M, Newcombe RG. The plaque removal effects of single rinsings and brushings. Journal of Periodontology 1993;64:181–185.
7. Bass CC. The optimum characteristics of toothbrushes for personal oral hygiene. Dental Items of Interest 1948;70:697–718.
8. Kreifeldt JG, Hill PH, Calisti LJ. A systematic study of the plaque removal efficiency of worn toothbrushes. Journal of Dental Research 1980;59:2047–2055.
9. Danser MM, Timmerman MF, Y IJ, Bulthuis H, van der Velden U, van der Weijden GA. Evaluation of the incidence of gingival abrasion as a result of toothbrushing. Journal of Clinical Periodontology 1998;25:701–706.
10. Claydon N, Addy M. Comparative single–use plaque removal by toothbrushes of different designs. Journal of Clinical Periodontology 1996;23:1112–1116.
11. Newman MG TH, Klokkevold PR, Carranza FA. Carranza's Clinical Periodontology. Saunders, 11th ed. 452–460.
12. Khocht A, Simon G, Person P, Denepitiya JL. Gingival recession in relation to history of hard toothbrush use. Journal of Periodontology 1993;64:900–905.
13. Gilson CM, Charbeneau GT, Hill HC. A comparison of physical properties of several soft toothbrushes. The Journal of the Michigan State Dental Association 1969;51:347–361.
14. Harrington JH, Terry IA. Automatic and Hand Toothbrushing Abrasions Studies. Journal of American Dental Association 1964;68:343–350.
15. Daly CG, Chapple CC, Cameron AC. Effect of toothbrush wear on plaque control. Journal of Clinical Periodontology 1996;23:45–49.
16. Tan E, Daly C. Comparison of new and 3–month–old toothbrushes in plaque removal. Journal of Clinical Periodontology 2002;29:645–650.

17. Lang NP LJ. Clinical Periodontology and Implant Dentistry. Blackwell Munksgaard, 5th ed. 705–733.
18. Bjertness E. The importance of oral hygiene on variation in dental caries in adults. Acta Odontologica Scandinavica 1991;49:97–102.
19. Jepson S. The role of manual toothbrushes in effective plaque control: advantages and limitations. In: Lang NP, Attstrom R, Löe H, ed. Proceedings of the European Workshop on Mechanical Plaque Control, Chicago, 1998 Quintessence.
20. American Academy of Periodontology, Committee Report. The tooth brush and methods of cleaning the teeth. Dental Items Interes 1920;42:193.
21. Hirschfeld I. The toothbrush, its use and abuse. Dental items of Interest 1931;3:833.
22. Stillman PR. A philosophy of the treatment of periodontal disease. Dental Digest 1932;38:34.
23. Charters WJ. Eliminating mouth infections with the toothbrush and other stimulating instruments. Dental Digest 1932;38:130.
24. Bass CC. An effective method of personal oral hygiene; part II. The Journal of the Louisiana State Medical Society : official organ of the Louisiana State Medical Society 1954;106:100–112.
25. Fones AC. Mouth hygiene. ed 4. Philadelphia, 1934 Lea & Febiger.
26. Leonard JF. Conservative treatment of periodontoclasia. Journal of American Dental Association 1939;26:1308.
27. McKendrick AJ, Barbenel LM, McHugh WD. A two–year comparison of hand and electric toothbrushes. Journal of Periodontal Research 1968;3:224–231.
28. Zimmer S, Nezhat V, Bizhang M, Seemann R, Barthel C. Clinical efficacy of a new sonic/ultrasonic toothbrush. Journal of Clinical Periodontology 2002;29:496–500.
29. Hope CK, Wilson M. Comparison of the interproximal plaque removal efficacy of two powered toothbrushes using in vitro oral biofilms. American Journal of Dentistry 2002;15 Spec No:7B–11B.
30. Hellstadius K, Asman B, Gustafsson A. Improved maintenance of plaque control by electrical toothbrushing in periodontitis patients with low compliance. Journal of Clinical Periodontology 1993;20:235–237.
31. Warren PR, Ray TS, Cugini M, Chater BV. A practice–based study of a power toothbrush: assessment of effectiveness and acceptance. Journal of American Dental Association 2000;131:389–394.
32. Robinson PG, Deacon SA, Deery C, et al. Manual versus powered toothbrushing for oral health. The Cochrane Ddatabase of Systematic Reviews 2005:CD002281.
33. Van der Weijden GA TM, Danser MM, Van der Velden U. The role of electric toothbrushes: advantages and limitations. In Lang NP, Attstrom R, Löe H, editors: Proceedings of the European Workshop on Mechanical Plaque Control, Chicago, 1998 Quintessence.
34. Heasman PA, McCracken GI. Powered toothbrushes: a review of clinical trials. Journal of Clinical Periodontology 1999;26:407–420.
35. Tritten CB, Armitage GC. Comparison of a sonic and a manual toothbrush for efficacy in supragingival plaque removal and reduction of gingivitis. Journal of Clinical Periodontology 1996;23:641–648.
36. Harris NO. Dentifrices, mouth rinses, and oral irrigators. In: Harris NO, Christen AG, ed. Primary preventive dentistry, ed 3. East Norwalk, Conn, 1991, Appleton & Lange.
37. Stookey GK, Muhler JC. Laboratory studies concerning the enamel and dentin abrasion properties of common dentifrice polishing agents. Journal of Dental Research 1968;47:524–532.
38. Stookey G. Are all fluoride dentifrices the same? In: Wei SHY, ed. Clinical uses of fluorides, Philadelphia, 1985 Lea & Febiger.
39. Gjermo P, Flotra L. The effect of different methods of interdental cleaning. Journal of periodontal research 1970;5:230–236.
40. Warren PR, Chater BV. An overview of established interdental cleaning methods. The Journal of Clinical Dentistry 1996;7:65–69.
41. Gjermo P, Flotra L. The plaque removing effect of dental floss and toothpicks a group–comparison study. Journal of Periodontal Research 1969;4:170.
42. Hill HC, Levi PA, Glickman I. The effects of waxed and unwaxed dental floss on interdental plaque accumulation and interdental gingival health. Journal of Periodontology 1973;44:411–413.
43. Perry DA, Pattison G. An investigation of wax residue on tooth surfaces after the use of waxed dental floss. Dental hygiene 1986;60:16–19.
44. Finkelstein P, Grossman E. The effectiveness of dental floss in reducing gingival inflammation. Journal of Dental Research 1979;58:1034–1039.
45. Spolsky VW, Perry DA, Meng Z, Kissel P. Evaluating the efficacy of a new flossing aid. Journal of Clinical Periodontology 1993;20:490–497.
46. Carter–Hanson C, Gadbury–Amyot C, Killoy W. Comparison of the plaque removal efficacy of a new flossing aid (Quik Floss) to finger flossing. Journal of Clinical Periodontology 1996;23:873–878.

47. Bergenholtz A, Olsson A. Efficacy of plaque-removal using interdental brushes and waxed dental floss. Scandinavian Journal of Dental Research 1984;92:198–203.

48. Mandel ID. Why pick on teeth? Journal of American Dental Association 1990;121:129–132.

49. Greenstein G. Position paper: The role of supra- and subgingival irrigation in the treatment of periodontal diseases. Journal of Periodontology 2005;76:2015–2027.

50. Hoover DR, Robinson HB, Billingsley A. The comparative effectiveness of the Water-Pik in a noninstructed population. Journal of Periodontology 1968;39:43.

51. Lobene RR. The effect of a pulsed water pressure cleansing device on oral health. Journal of Periodontology 1969;40:667–670.

52. Cantor MT, Stahl SS. Interdental col tissue responses to the use of a water pressure cleansing device. Journal of Periodontology 1969;40:292–295.

53. Flemmig TF, Newman MG, Doherty FM, Grossman E, Meckel AH, Bakdash MB. Supragingival irrigation with 0.06% chlorhexidine in naturally occurring gingivitis. I. 6 month clinical observations. Journal of Periodontology 1990;61:112–117.

CHAPTER 25

치석제거술과 치근활택술

허석모 · 윤정호

1. 정의 및 이론적 근거

치석제거술(scaling)이란 치은연상 및 치은연하 치아 표면의 치태와 치석을 제거하는 술식이다. 치석제거술이 치질을 제거하지 않는데 반하여, 치근활택술(root planing)은 잔존 치석뿐만 아니라 백악질의 일부까지 제거하여 부드럽고 단단하며 깨끗한 치근을 만드는 과정을 포함한다.

치석제거술과 치근활택술(scaling and root planing)은 분리된 별개의 술식이 아니다. 치석제거의 모든 원칙이 치근활택에도 똑같이 적용된다. 유일한 차이점은 치아 표면 상태의 정도(degree)이며, 그 정도차에 의해 치석제거일지 활택일지 결정된다. 기술적으로 치근활택술이 치석제거술에 비해 더 정교하고 철저한 술식이다. 치석제거술과 치근활택술을 위해 다양한 기구들이 존재한다(그림 25-1).

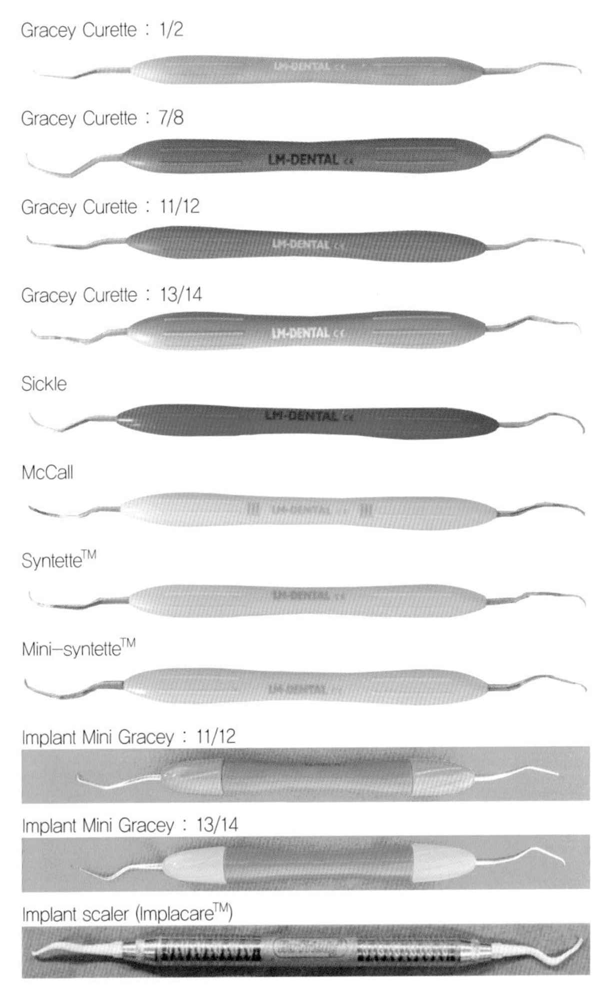

그림 25-1. 치석제거술과 치근활택술을 위한 다양한 손기구들(Hand instruments)
Courtesy of LM-Instruments (핀란드) and Hu-Friedy (미국)

치석은 크게 다음의 두 가지 이유로 인해, 치은염증을 유발한다.

- 치석은 광물화된 치태이지만, 그 표면은 항상 광물화되지 않고 살아 있는 세균성 치태로 덮여 있다. 치은연하 부위에서 이 치태는 연조직과 직접 접촉되어 있어 염증과 궤양을 일으킨다. 거칠고 다공성인 치석표면은 치태세균이 부착하기 좋은 조건을 제공하며, 따라서 완전한 치태의 제거가 불가능하게 되므로 환자가 아무리 노력을 기울여도 치석표면에는 수많은 세균들이 남아있게 된다.

- 치석에는 치태세균이 생산한 독성물질이 침투할 수 있다. 따라서 치석은 치은조직과 접촉 시 염증을 일으킬 수 있는 물질을 저장하는 역할도 한다.

그러므로 치석제거술과 치근활택술에 의한 치석의 완전한 제거가 치주치료에 있어서 성공의 열쇠이다.

법랑질에 부착된 치석은 치석제거술만으로도 쉽게 제거할 수 있다. 그러나 치근면에서 치석은 종종 백악질의 불규칙한 면과 결합하므로, 치석제거술 후에 백악질에 묻혀 있는 치석이 부분적으로 남을 수 있다.[1,7,18,23,38] 이러한 잔존 침착물은 치근활택술에 의해 백악질의 일부 혹은 전체를 제거함으로써 완전히 제거할 수 있다. 또한 백악질에 남아있는 치석은 결정화 과정에서 핵으로 작용하여 치은연하치태의 광물화를 촉진시키기 때문에, 치석제거술 후에도 이러한 잔존치석이 있으면 치은연하치석이 신속히 재형성될 수 있다.

치근활택술은 염증을 유발하는 치태와 치석을 제거하는 것 외에 또 다른 장점을 가지고 있다. 치태세균에 의해 생산되는 내독소(endotoxin) 등의 독성물질은 치석뿐 아니라 백악질 내부로도 침투한다.[3] 치은 자극의 원인이 되는 이러한 변성 백악질(altered cementum)을 치근활택술로 제거하여 독성물질이 없는 치근표면을 만들어야 한다. 이 변성 백악질을 완전히 제거하지 못한 경우 치근활택술 후에도 치은염증이 잔존할 수 있다.[2]

그러나 최근 연구에서는 이러한 독성물질이 단지 치근의 표면에만 붙어 있을 뿐 깊이 침투하지는 않는다고 보고되었다.[8,26] 따라서 과도한 상아질과 백악질의 제거는 독성물질이 없는 치근을 만드는데 필수적이지 않으며, 지각과민증 등의 후유증을 유발하므로 가능한 한 피해야 한다.[11,15,20]

치근활택술은 치근면을 매끈하게 만들어 주는 장점도 있다. 치근의 불규칙한 표면을 제거함으로써 치태의 제거가 쉬워질 뿐 아니라, 새로이 형성되는 치석도 치근면과의 결합이 약해지므로 비교적 적은 노력으로도 제거가 용이해진다.

따라서 치석제거술과 치근활택술의 주목적은 염증을 일으키는 요인들 –치석, 치태, 변성 백악질 등을 제거하여 치주조직의 건강을 회복시키는 것이라 할 수 있다.[9]

치석제거 후에는 치은연하 미생물의 숫자가 감소하고,[16] 치은연하치태의 미생물 조성이 혐기성 Gram(–)에서 통성 Gram(+)가 우세한 환경으로 변한다. 또한 치석제거술과 치근활택술 후에는 spirochetes, 간균(motile rods), 추정 병인균(*Aggregatibacter actinomycetemcomitans, Porphyromonas gingivalis, Prevotella intermedia*)들이 감소하고, 구균(cocoids)이 증가한다.[16,21,22,24,33,37]

2. 치석을 찾아내는 기술

적절한 조명 하에서 치은연상치석이나 변연치은 바로 아래의 치은연하치석을 발견하기는 어렵지 않지만 타액에 젖은 작은 치은연하치석을 발견하기가 힘들다. 이런 경우 압축공기를 치주낭 내로 불어넣어 치은을 들뜨게 하면 비교적 치주낭 입구에 가깝게 위치한 치은연하치석을 발견할 수 있다.

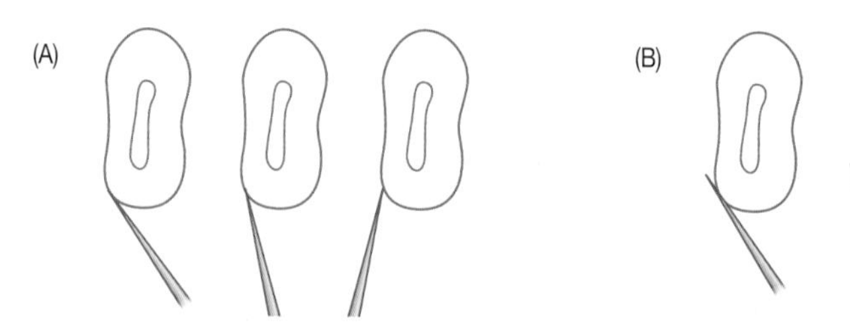

그림 25-2. 우각(line angle) 부위에서의 탐침의 사용. (A) 올바른 방법 (B) 탐침의 끝이 치아 표면에서 떨어지면 치면의 상태를 파악할 수 없을 뿐 아니라 연조직에 손상을 줄 수 있다.

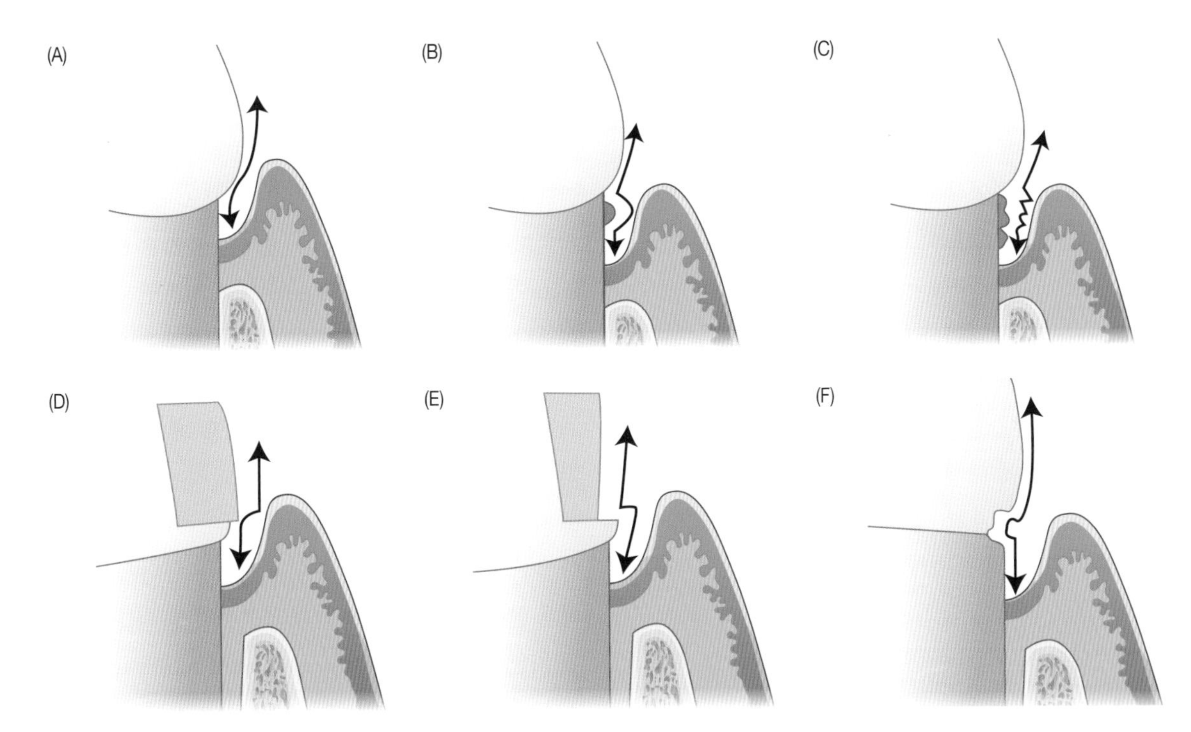

그림 25-3. (A) 치아 표면에 치석이나 불규칙한 면이 없이 매끈한 상태 (B) 치은연하치석 (C) 얇은 층을 이룬 치은연하치석 (D) 수복물의 overhanging margin (E) 수복물의 deficient margin (F) 치경부의 치아우식병소 혹은 침식(erosion) 병소

치주낭의 심부, 치근이개부, 발육구(developmental groove) 등의 부위는 눈으로 관찰하기가 곤란하므로 끝이 예리한 탐침이나 치주낭 탐침 등을 이용한 촉감으로 치아표면의 상태를 파악해야 한다. 탐침이나 치주낭 탐침은 변형 펜 잡기법(modified pen grasp)으로 가볍게 안정되게 잡아야 하는데, 이렇게 함으로써 기구를 통해 치아표면으로부터 손가락에 전달되는 촉감을 잘 느낄 수 있다.

안정된 손가락 고정(finger rest)을 확보한 후에 기구의 끝을 조심스럽게 치주낭의 기저부로 삽입하고, 가볍게 아래 위로 긁어 촉감을 느낀다. 치석이 느껴지면 기구의 끝으로 치석을 더듬어 치석의 치근단 끝부분을 느껴본다.

치석의 치근단 끝부분과 치주낭 기저부 사이의 거리는 대체로 0.2~1.0mm 정도이다. 기구의 끝부분은 치아에 밀접하게 접촉시킨 채로 이동시켜야 하는데, 이는 감촉을 정확히 느끼고 또한 연조직 손상을 피하기 위함이다(그림 25-8). 치아의 인접면을 검사할 때에는 기구가 치간 접촉부위(contact area) 하방을 지나 반대편 치근면까지 도달하도록 하여, 인접면에서 치근면 상태를 빠뜨리는 부분없이 완전히 파악할 수 있도록 해야 한다. 탐침으로 치아의 우각(line angle), 돌출부위, 혹은 함몰부위를 검사할 때에는 기구의 끝이 치면에서 떨어지지 않고 치아의 외형을 따라 항상 치아표면과 접촉하도록 주의해야 한다(그림 25-2).

임상가는 탐침으로 치근표면을 긁어보아 느껴지는 감촉으로 치근표면의 거친 정도를 파악하고 임상적인 판단을 내릴 수 있어야 한다(그림 25-3).

3. 치은연상치석제거술 (Supragingival scaling technique)

치은연상치석은 치은연하치석에 비해 치아표면에 약하게 부착되어있고 광물화도 덜 되어있다. 치은변연의 상부에서 기구조작(instrumentation)이 행해지므로 기구놀림

(stroke)이 주위조직의 방해를 받지 않는다. 따라서 기구의 적합이나 각도조절이 쉬우며 시야 또한 좋다.

Sickle scaler, curette (그림 25-1). 그리고 초음파(ultrasonic) 치석제거기가 치은연상치석제거술 시에 가장 흔히 사용되는 기구이나, hoe scaler와 chisel scaler도 가끔은 이용된다(21장 '치주치료 시 사용되는 기구' 참조). 치은연상치석제거술을 시행할 때에는 sickle scaler나 curette을 변형 펜 잡기법(modified pen grasp)으로 잡고 작업 주위지역의 치아에서 확고한 손가락 고정을 얻는다. 날은 치석을 제거하려는 치아표면에 대해 90° 보다 약간 작은 각도를 이루도록 적합 시킨다(그림 25-9B). 날이 치은연상치석의 아래에 걸리게 하여 짧고 힘차게 기구를 치관 방향으로 움직인다. 이러한 기구조작을 모든 치은연상치석이 제거될 때까지 반복한다. Sickle scaler의 끝부분은 매우 예리하여 치은을 찢거나 노출된 치근표면에 홈을 만들 수 있으므로 기구 적합에 세심한 주의가 필요하다. 두꺼운 날이 삽입될 수 있을 만큼 치은이 치아에서부터 벌어질 수 있는 경우라면 sickle scaler도 유리치은변연의 약간 아래까지는 사용할 수 있다. 그러나 sickle scaler를 사용한 후에는 반드시 curette으로 치근활택술을 시행해야 한다.

- 초음파 치석제거기의 사용: 적절히 사용하면 초음파 치석제거기도 일반적인 손기구(hand instrument)의 보조기구로 매우 유용하다.[10]

초음파 치석제거기를 이용하면 단단하게 붙어있는 많은 양의 치석과 착색물을 빠르고 손쉽게 제거할 수 있다. 손기구에 비해 조직에 외상을 덜 주게 되고, 따라서 술후 불편감이 줄어들게 된다.[10] 그러므로 급성 괴사성 궤양성 치은염 등과 같이 동통을 수반하는 질환의 경우, 초기 debridement에 초음파 치석제거기를 사용하는 것이 좋다. 하지만 심장보조기를 하고 있는 환자나, 에어로졸에 의해 전염될 수 있는 질환을 가진 환자에게 사용해서는 안되며,[17] 호흡기 질환이 있는 환자나 면역이 억제되거나 만성 폐질환이 있는 환자들에게도 사용해서는 안 된다.[25,30] 또 초음파 치석제거기는 깨지거나 빠질 수 있는 porcelain에 사용해서는 안되며, 복합레진 위에 사용할 경우 검은색 선이 생기므로 조심해야 한다.[6,13,34]

초음파 치석제거를 치은연하치석제거와 치근활택에 이용하는데에는 상당한 제한이 있다. 이 기구의 working end는 두껍고 무디어서 염증과 치은퇴축이 심한 경우에만 치주낭의 기저부까지 삽입할 수 있으며, 이런 경우라도 치석이나 불규칙한 치근면을 느끼는 감촉은 hand instrument에 비해 매우 부정확하다. 특히 치은연하의 작은 치석조각은 감지하기 어렵다.

초음파 치석제거기로도 백악질을 제거할 수 있다. 이 기구로 접근이 쉬운 부위의 백악질을 제거할 수 있지만, 치근활택술에는 curette이 훨씬 효과적이다. 그러나 최근에 새롭게 디자인된 얇은 tip은 치은연하로의 접근을 보다 좋게 하며, curette과 병용할 경우 치근면을 보다 매끄럽게 할 수 있다.[9,10] 또 초음파 치석제거기는 classⅡ나 class Ⅲ 치근이개부병소에서 spirochetes나 motile rods의 제거에 보다 효과적이다.

초음파 치석제거기를 사용할 때는 물이 분사되므로 시야가 나쁘다. 따라서 탐침으로 치석이 완전히 제거되었는지를 자주 점검해야 하며, 초음파 치석제거기 사용 후에는 잔존 부착물의 제거와 치근 활택을 위해 curette을 반드시 사용해야 한다. 이러한 점들을 염두에 두고, 초음파 기구는 다음 방법에 따라 사용한다.

- 물 분사를 적절히 조절하고, 세기(power)는 치석을 제거할 수 있을 정도 이상으로 강하게 조정해서는 안 된다. 술자와 보조자는 기구 사용 시 형성되는 aerosol의 흡입을 최소로 줄이기 위해 마스크를 착용해야 한다.
- 변형 펜 잡기법으로 기구를 잡고 확고한 손가락 고정을 얻는다. 기구의 손잡이는 치아의 장축과 평행하게 위치시키고 working end는 치아의 외형과 일치하도록 적합시킨다.
- Foot pedal을 이용하여 기구의 작동을 조절하면서, 짧고 가볍게 수직방향으로 기구를 움직인다. 치석을 제거하는 것은 기구의 진동에너지이므로 강한 측방압은 불필요하다.[10] 그러나 치석을 제거하기 위해서는 working end가 치석에 접촉되어야 한다.
- Working end는 일정한 속도로 움직여야 하고, tip이 치면에 수직으로 접촉하여 치면에 홈이 생기는 경우

가 없도록 주의한다(15° 이상 기울이지 않아야 한다).[9]

- Foot pedal은 물을 흡입할 수 있도록 주기적으로 놓아야 하고 치면은 탐침으로 자주 조사해야 한다.
- 초음파 기구 사용 후에 curette과 다른 hand instrument로 마무리한다.

4. 치은연하치석제거술과 치근활택술 (Subgingival scaling and root planing technique)

치은연하치석은 대체로 치은연상치석보다 단단하고 치근표면의 불규칙한 면에 결합하고 있으며, 치은조직에 가려져 있고, 기구 조작 시 불가피하게 일어나는 치은의 출혈로 인하여 제거하기가 어렵다. 치석과 불규칙한 치근면을 찾아낼 때, 치석제거와 치근활택술 시행을 위해 기구를 조작할 때, 그리고 기구 조작이 효과적으로 행해졌는지 점검할 때 임상가는 주로 촉감에 의존할 수 밖에 없다.[7]

기구놀림(stroke)의 방향과 거리는 치주낭의 연조직 벽에 의해 제한을 받으며, 따라서 조직손상을 피하기 위해서는 기구를 주의 깊게 적합 시켜야 한다. 이러한 정확한 기구의 적합은 치아형태에 대한 완벽한 지식을 갖고 있지 않으면 불가능하다. 임상가는 해부학적 지식과 치근표면의 촉감을 종합하여 치아의 외형을 충분히 상상할 수 있어야 한다.

Curette은 curved blade, rounded toe, curved back의 디자인으로 치은연하치석제거술 및 치근활택술에 가장 효과적인 기구이다.[8,32] Hoe, file 및 초음파 치석제거기도 치은연하치석이 많이 침착 된 경우에는 사용되기도 하나, 치근활택술에는 그 사용이 추천되지 않는다. 작은 file은 치주낭의 기저부까지 삽입하여 단단히 부착된 치석을 제거하는 데 가끔 이용되기도 하지만, 큰 file이나 hoe 또는 초음파기구는 두꺼워서 깊은 치주낭 내로는 삽입할 수가 없다.[5]

치근을 활택하게 하는 데는 hoe scaler나 file 등의 기구에 비해 curette이 훨씬 효과적이다. 초음파기구도 접근이 쉬운 부위의 치석을 제거하는 데 효과적이나, 치은연하 백악질의 제거에는 curette이 훨씬 더 효과적이다.[8,32]

Hoe scaler, file 및 초음파 기구는 curette에 비해 치아표면이나 주위조직에 손상을 줄 위험이 크다.[5]

치은연하치석제거술과 치근활택술에는 주로 universal curette이나 gracey curette이 이용되는데, 그 사용방법은 요약하면 다음과 같다.

- Curette은 변형 펜 잡기법으로 쥔다.
- 안정된 손가락 고정을 확보한다.
- 알맞은 working end를 선택한다.
- 날을 치아에 가볍게 적합 시킨다.
- 날을 접합상피까지 부드럽게 삽입한다.
- 45° 이상 90° 이하의 작업각도를 이루도록 조절한다.
- 치아표면에 대해 가벼운 측방압을 가하고 exploratory stroke로 치석이나 거친 치근면을 찾아낸다.
- 치석이 발견되면 모든 치석이 제거될 때까지 단단한 측방압을 가하면서 짧고 중첩된 기구놀림(stroke)의 연속동작으로 scaling stroke를 가한다.
- 치근표면에 기구조작을 할 때는 가벼운 측방압을 가하면서 길고, 중첩되며 대패질하는 듯한 연속동작으로 stroke를 가한다.
- 치아의 우각, 돌출부위, 함몰부위 등에서는 치아의 외형에 맞추어서 손가락으로 curette의 손잡이를 돌리면서 stroke을 계속하여 curette이 치아표면에서 떨어지지 않고 계속적으로 치아표면에 접촉되도록 한다.

① Curette의 파지법

Curette 사용 시 촉감을 유지하고, 정확히 치아표면에 적합 시키며, 가하는 힘을 조절하기 위해서는 변형 펜 잡기법이 필수적이다.

손가락 고정의 확보: 손가락 고정은 기구 사용 시 확고한 지렛대 받침점을 제공하므로 기구의 조절을 쉽게 하며, 기구가 미끄러져 조직에 손상이 가해지는 것을 방지한다. 손가락 고정의 위치와 작업 부위 사이의 거리가 멀수록 술자의 중지와 약지가 분리되어 효율적인 wrist–forearm motion이 어려워져 단순한 finger flexing만 가능해진다.

② Working end의 선택

Universal curette을 사용하든 Gracey curette을 사용하든 주어진 부위에 적절한 working end를 사용해야 한다.

③ 절단연의 적합

Curette의 절단연(cutting edge, 그림 25-4)은 치석제거술 및 치근활택술 과정 중에 연조직과 치근표면에 손상을 주지 않고, 기구조작의 최대효과를 얻을 수 있도록 적합시켜야 한다. Curette날의 하방 1/3부위(그림 25-5)는 기구조작 과정 중에 일정하게 치아면과 접촉해야 한다. 넓고 편평한 치아면에서는 절단연 전체가 치아표면에 접촉할 수도 있으나, 치아의 우각과 같은 돌출부위에서는 절단연의 하방 1/3만이 치아에 접촉되도록 주의해야 한다(그림 25-6A). 절단연의 중간 1/3이 치아에 접촉하게 되면 날의 날카로운 끝부분이 연조직에 손상을 줄 수 있다(그림 25-6B). 지나치게 날을 인접면 쪽으로 회전시키는 경우도 연조직이 밀려나 손상을 받을 수 있으며, 치근표면에 홈이 생길 수도 있다(그림 25-6C). Curette의 손잡이는 가능하면 치아의 장축과 평행하도록 해야 하는데, 이렇게 함으로써 연조직 부착부의 손상을 방지할 수 있다(그림 25-7).

④ Curette의 치주낭 내 삽입

Curette을 치주낭 내로 삽입할 때는 날의 전면(face)이 치면을 향하도록 해야 한다(그림 25-8A). 이렇게 함으로써 연조직 손상을 피할 수 있으며 치은이 밀려나 동통이 유발되는 것을 방지할 수 있다. 날이 치주낭의 기저부에 닿아 가벼운 저항을 느낄 때까지 부드럽게 밀어 넣는다(그림 25-8B). 각각의 stroke은 이 위치에서 시작되어야 치석을 철저히 제거할 수 있다.

⑤ 작업각도

작업각도란 기구조작 시 날의 전면과 치아면과의 각도를 말한다. 날이 치주낭의 기저부에 도달하면 정확한 작업각도를 이루도록 조절해야 하는데, 치석제거술과 치근활택술에 적당한 작업각도는 45~90° 이다(그림 25-9B). 치근면에 단단히 부착된 치석을 제거하기 위해서는 작업각도를 90° 에 가깝도록 조절하여 절단연이 치석에 물릴 수 있도록 해야 한다. 치석이 제거되면 치근활택을 위해 작업각도를 약간 줄여줄 수도 있다. 치석을 제거할 때 작업각도가 45° 이하가 되면 안 되는데, 이는 절단연이 치석에 물리지 않고 치석 위로 미끄러져 치석이 제거되지는 않고 매끈하게 될 수 있기 때문이다(그림 25-9A). 작업각도가 90° 이상이면 날의 측면(lateral surface, 그림 25-4)이 치아면과 접촉하게 되어 치석을 제거할 수 없을 뿐만 아니라 치은에 손상을 줄 수도 있다(그림 25-9C). 90° 이상의 작업 각도는 치은소파술에 이용된다.

⑥ 측방압

치석을 제거하려 할 때는 비교적 강한 측방압을 가해야 한다. 치석이 제거되어감에 따라 측방압을 점차 줄여나가 마지막의 root planing stroke에서는 약한 측방압을 가해야 한다. 측방압은 치석의 성질에 따라서도 적절히 조절해야 하는데, 치면에 단단히 부착된 치석이나 얇은

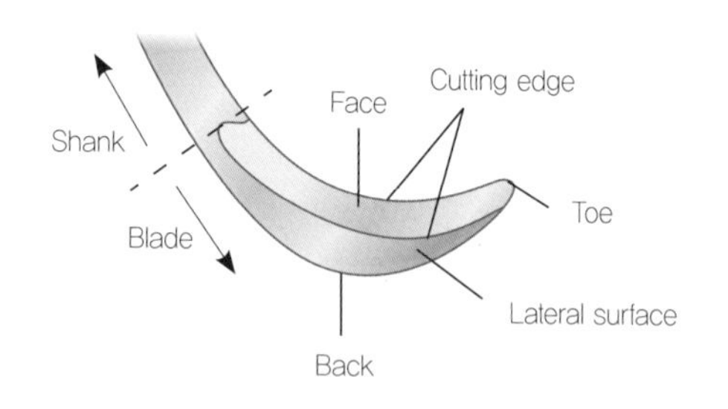

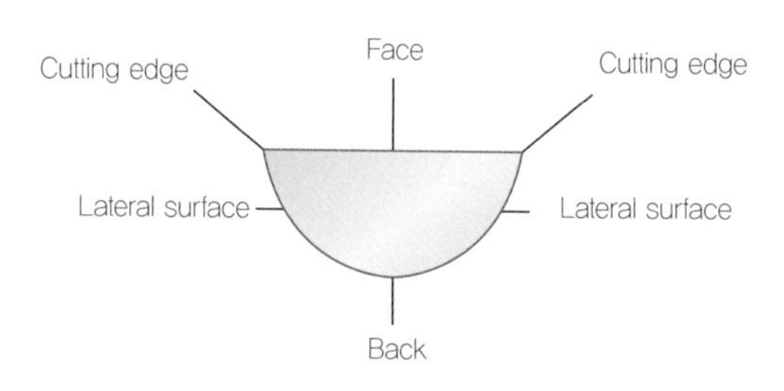

그림 25-4. Curette의 날(blade)

층을 이루어 치면에 부착된 치석을 제거하려 할 때는 강한 측방압을 가해야 한다. 이러한 경우에 너무 약한 측방압을 가한다면 치석이 제거되지는 않고 매끈해지므로 발견하여 제거하기가 매우 힘들어진다. 변성 백악질이나 치근의 경미한 불규칙한 면을 제거할 때에는 약한 측방압을 가해야 한다. 지나치게 강한 측방압을 가하면 치근표면에 홈이 형성되어 표면이 오히려 거칠어질 수 있다.[4,19]

⑦ 치석제거술 기구놀림(Scaling stroke)

Scaling stroke는 힘있고 짧게 잡아당기는 기구놀림이어야 하며, 각각의 기구놀림은 약간씩 중첩되어야 한다(그림 25-10).[4,19] 대체로 scaling stroke는 손가락 고정부위를 받침점으로 한 손목과 팔의 조화된 지렛대 운동을 통하여 이루어진다(synchronized wrist–forearm motion). 치아의 우각이나 치근이개부 등의 좁은 부위에서는 손가락만을 움직여 치석을 제거할 경우도 있으나, 치석제거술 시에 항상 이러한 "finger–flexing"만을 이용한다면 손의 피로를 쉽게 느낀다.

큰 치석을 한꺼번에 제거하려 해서는 안 된다. 왜냐하면 날의 전체부위에 걸쳐서 힘을 가하는 것은 날의 하방 1/3 부위에 힘을 집중시키는 것보다 훨씬 큰 측방압을 요하며, 이렇게 강한 측방압을 가하는 경우 기구를 통해 전달되는 촉감이 무뎌질 뿐 아니라 기구가 미끄러져 연조직에 손상을 줄 수 있기 때문이다. 또한 날이 치석 위로 미

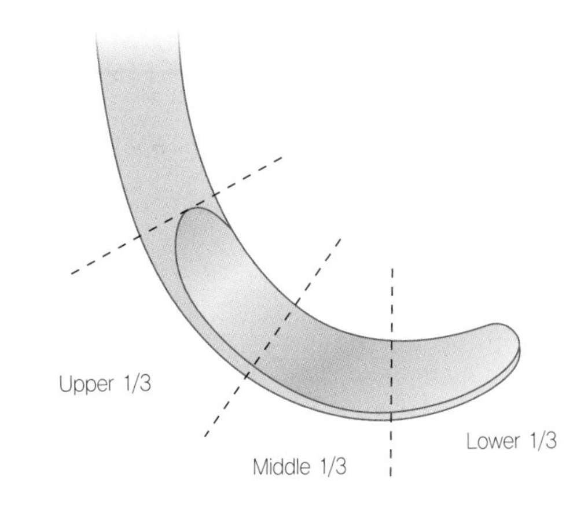

그림 25-5. Curette의 날

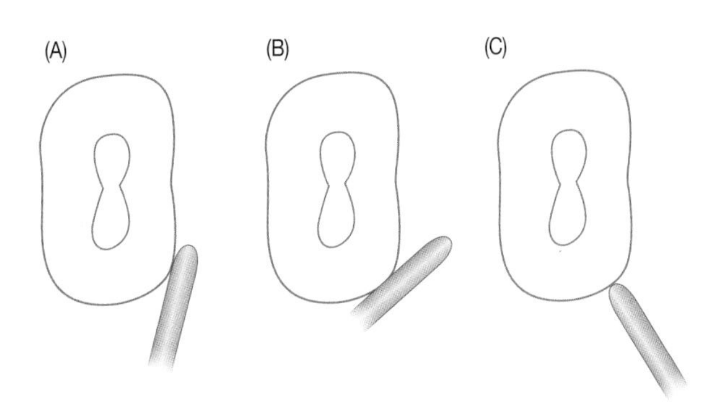

그림 25-6. (A) 날의 하방 1/3이 치아에 접촉 (B) 날의 중간 1/3이 치아에 접촉 (C) 날의 끝이 치아에 접촉

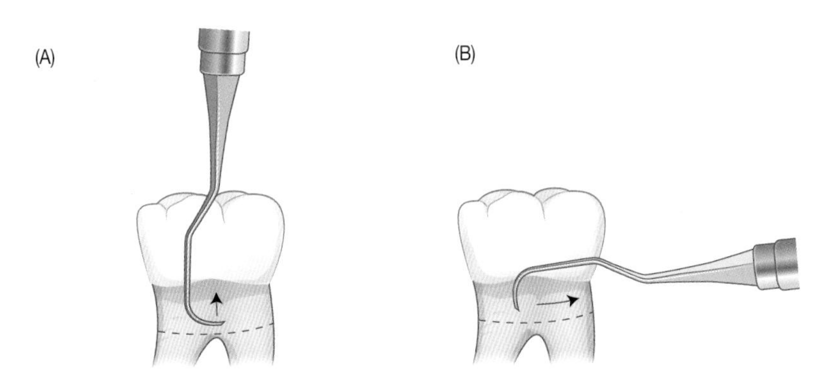

그림 25-7. (A) Curette의 손잡이가 치아 장축과 평행하거나 평행에 가까워야 연조직 부착부에 손상을 줄 위험이 적다. (B) Curette의 손잡이가 치아 장축과 수직에 가까운 상태로 horizontal stroke을 가할 경우 연조직 부착부에 손상을 주기 쉽다.

끄러지는 경우 표면이 매끈해져서, 오히려 치석을 발견하기 어려운 상태가 되기 쉽다.

⑧ 치근활택술 기구놀림(Root planing stroke)

Root planing stroke은 비교적 약한 측방압을 가하면서 잡아당기는 기구놀림 혹은 밀고 당기는 기구놀림이어야 한다. 이때 측방압은 일정하게 가해야 하며, scaling stroke에 비해 기구놀림의 거리는 길고, 이 역시 각각의 기구놀림은 약간씩 중첩되어야 한다. 치근표면에 매끈해지고 날에 느껴지는 저항이 줄어듦에 따라 측방압도 점차 감소시킨다. Root planing stroke은 수직, 사선, 수평의 세 방향으로 가할 수 있는데, 가능하다면 이런 세 방향의 기구놀림을 다 행하여야 치근표면을 더욱 매끈하게 만들 수 있다(그림 25-11).

Scaling과 root planing strokes를 instrumentation zone(치석이나 변성된 백악질이 존재하는 부위)에만 한정시켜, 시간이 낭비되거나 기구가 무뎌지는 현상 등을 막아야 한다.

치아의 인접면에서 기구를 조작할 때에 가장 범하기 쉬운 오류는 접근이 어려운 치간 접촉부위 직하부에 위치한 치석이나 불규칙한 치근면의 불완전한 제거이다. 이 부위의 치석이나 불완전한 치근면을 철저히 제거하기 위해서는 기구의 날이 치간 접촉부위를 지나 반대편 치근면까지 도달하도록 하는 것이 중요하다. Curette의 하방 연결부(lower shank)가 치아 장축과 평행하게 기구조작을 하면 curette의 날은 치주낭의 기저부까지 도달할 수 있으며 날의 끝은 정중선을 지나 반대편 치면에 도달할 수 있다(그림 25-12A). 하지만 curette의 하방 연결부를 치아에서 멀어지도록 경사

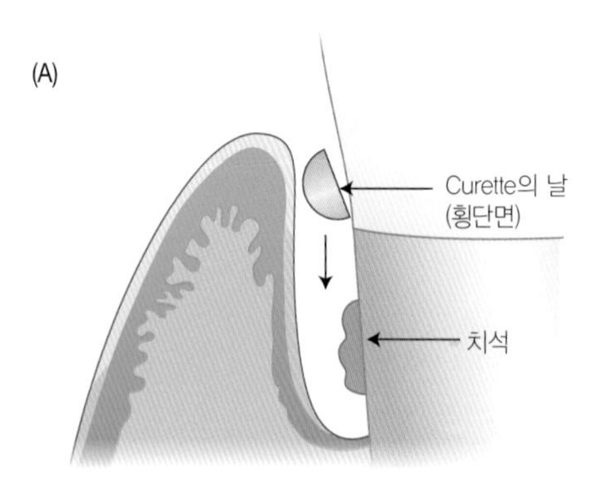

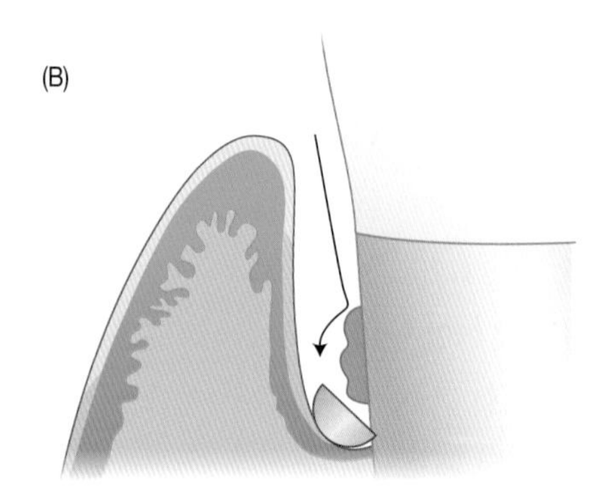

그림 25-8. Curette을 치은연하로 삽입하는 방법

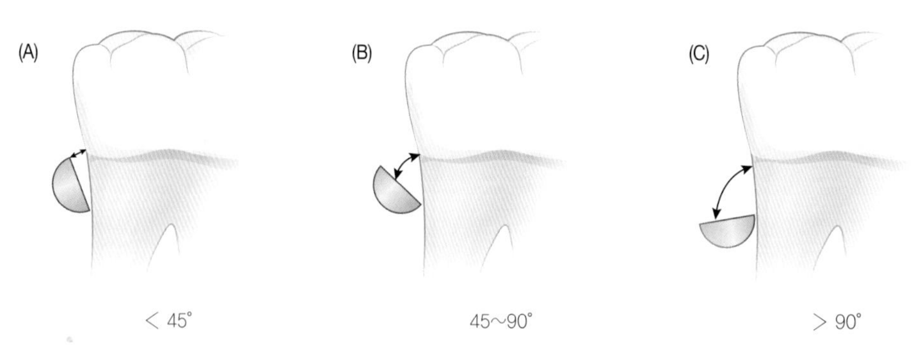

그림 25-9. Curette의 작업각도(working angulation). (A) 작업각도가 45° 이하이면 치석을 효과적으로 제거할 수 없다. (B) 치석제거술 및 치근활택술 시에는 45~90°의 작업각도를 이용한다. (C) 작업각도가 90° 이상이면 치석을 제거할 수 없으며 연조직에 손상을 주게 된다.

시키면 날의 끝이 치주낭의 기저부에 도달할 수 없을 뿐 아니라 날이 치간 접촉부에 걸려 효과적인 기구 조작을 할 수 없다(그림 25-12B). Curette의 하방 연결부를 치아협측으로 경사시키면 하방 연결부가 치간 접촉 부위에 닿으므로 날의 끝이 인접 면의 중앙부까지 도달하지 못한다(그림 25-12C).

5. 시술 부위의 확인 및 치아표면의 연마

치석제거술 및 치근활택술이 끝나면 3% 과산화수소수

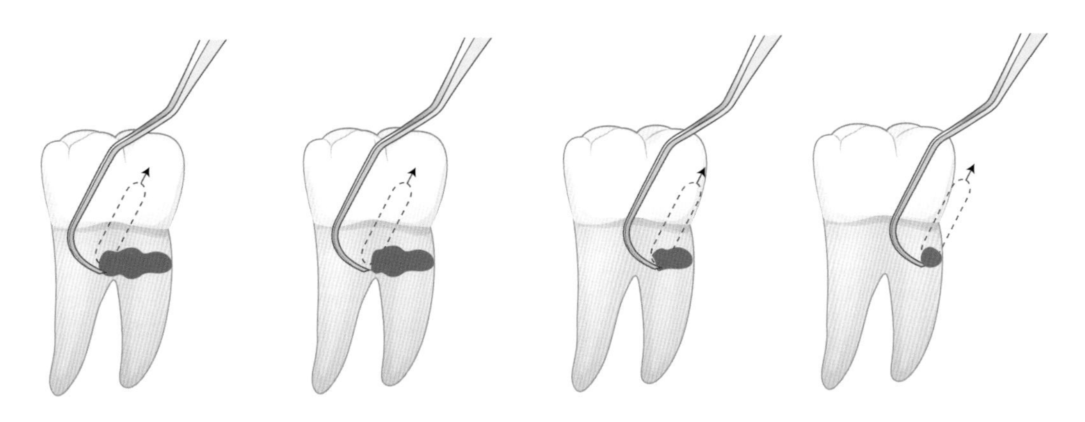

그림 25-10. Channel scale. 치석의 한 쪽 끝 부위에서 기구놀림을 시작하여 각각의 기구놀림으로 channel을 형성하며 치석을 조금씩 제거해 나간다. 측방압은 날의 하방 1/3에 집중시켜야 하고 각각의 기구놀림은 약간씩 중첩되어야 한다.

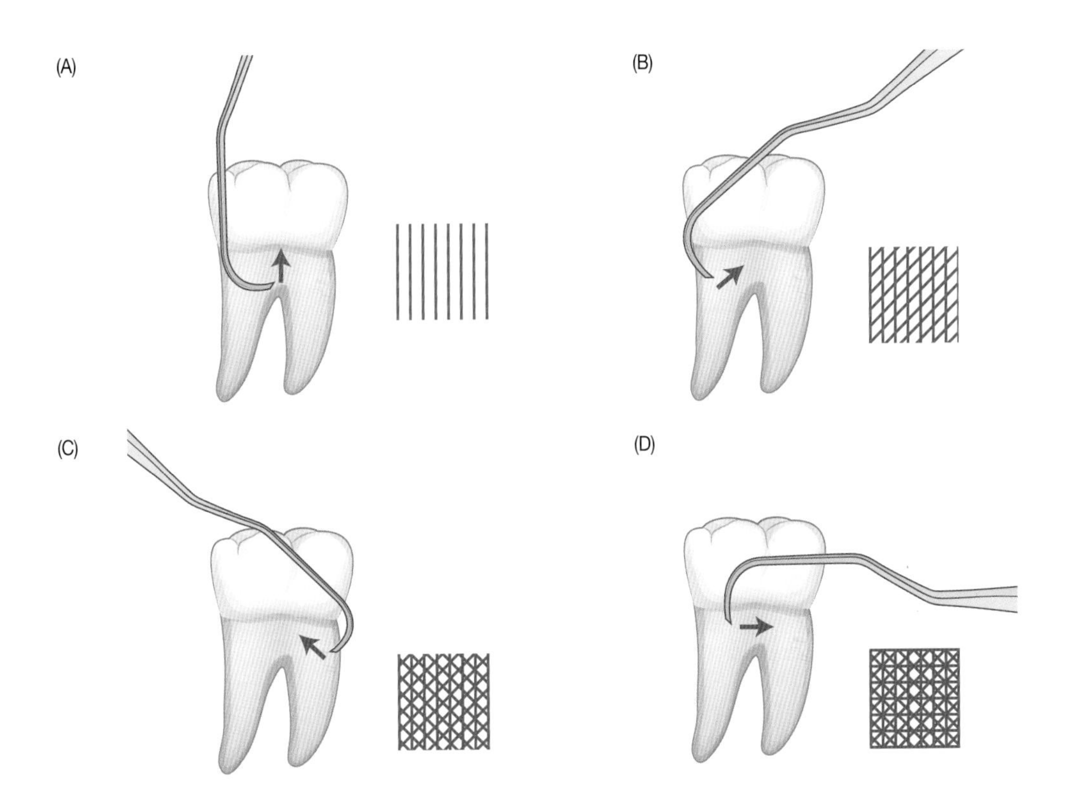

그림 25-11. 치근활택술 시의 기구놀림의 방향. 여러 방향으로 stroke를 가해야 치근표면을 매끈하게 할 수 있다.

나 생리식염수로 시술부위를 세척한 다음, 잔존 치석이나 치태의 유무를 관찰한다. 잔존부착물이 있으면 다시 완전히 제거하고 같은 방법으로 세척한다. 출혈이 계속되면 10 여분간 거즈를 대고 압박한다. 이러한 압박은 지혈효과뿐만 아니라 치은을 치근면에 밀착시키는 효과도 있다.

모든 시술이 완료되면 rubber cup과 불소가 함유된 pumice로 치아표면을 연마한다. 이때 rubber cup은 치경부에 대고 치관쪽으로 쓸어 올린다는 기분으로 작동한다.

치아 사이의 이물질들은 치실이나 치간칫솔을 이용하여 제거하기도 한다.

6. 치석제거술 및 치근활택술의 평가

치석제거술 및 치근활택술이 효과적으로 시행되었는지 여부를 시술 직후에 한 번 평가해야 하고, 연조직이 치유된 후에 다시 한 번 평가해야 한다.

치석제거술 및 치근활택술이 적절히 시행되었는지의 여부를 시술 직후에 치근활택도로 평가하기는 하나, 최종평가는 연조직 반응을 통하여 행해야 한다.[35] 치석제거술 및 치근활택술의 임상적 평가는 시술 후 최소 2주 이상이 경과한 후에야 가능한데, 이는 기구조작 시 치은열구 혹은 치주낭 내벽에 생긴 상처가 재상피화되려면 1~2주가 필요하기 때문이다.[27,28] 이 기간이 경과하기 전에는 치근표면에서 치석이 완전히 제거되었다 하더라도 탐침 시에 출혈이 있을 수 있다. 이 기간이 경과한 후에 탐침 시 출혈을 보이면, 술자의 불완전한 치석 및 치태 제거로 인해 치은염증이 산존했거나, 환자의 구강위생 관리가 부적절했다고 평가할 수 있다.

기구조작 직후에 밝은 조명 하에서 구내경과 압축공기 등을 이용하여 치아표면을 철저히 검사해야 한다. 또한 탐침과 치주 탐침으로 치근표면을 긁어 보아 치근표면이 단단하고 매끈한지 검사해야 한다.

치은건강을 위해서 치석이 완전히 제거되어야 한다는 것은 명확한 사실이나,[35] 치근표면의 활택도(smoothness)가 치은건강에 영향을 미친다는 증거는 거의 없다.[11,31] 현재로서는 치석과 변형 백악질이 완전히 제거되었는지 점검하는 방법으로 치근 활택도의 검사보다 좋은 것은 없다.[11]

때때로 치석제거술 및 치근활택술 시행 직후에 치근표면이 아직 거친 것을 발견할 때가 있는데,[12,29,36] 이런 경우 만약 기구조작의 원칙을 철저히 지켰다면 이는 치석이 아닐 수도 있다. 치은건강을 위해서 필요한 것은 매끈한 치

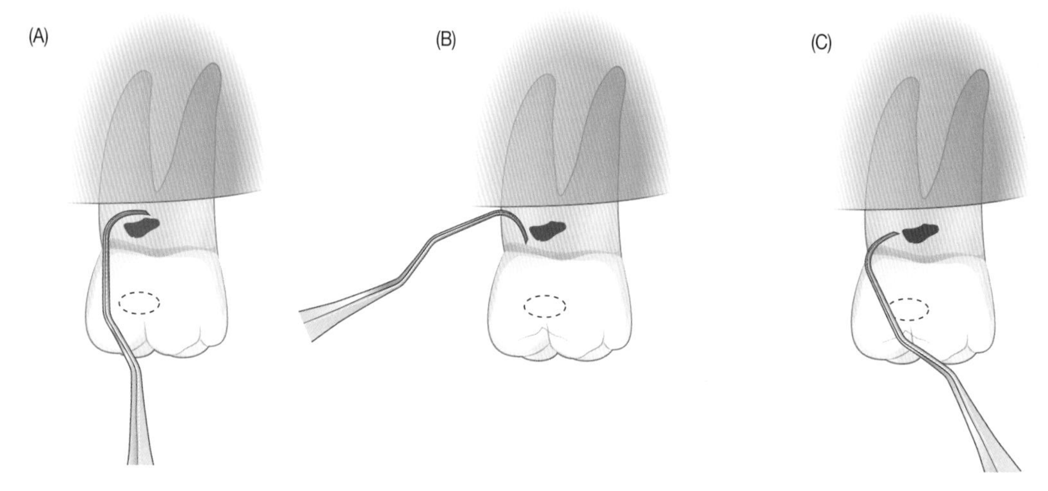

그림 25-12. 인접면에서의 Curette 조작. (A)적절한 하방연결부 위치-치아장축과 평행 (B) 부적절한 하방연결부 위치-치아에서 멀어짐 (C) 부적절한 하방연결부 위치-치아로 기울어짐

근표면이 아니라 완전한 치석제거이므로, 이런 경우 완전히 치근을 매끄럽게 하기 보다는 기구조작의 중단 2~4주 후에 그 부위의 조직반응을 평가하는 것이 현명하다. 이렇게 함으로써 과도한 기구조작으로 인한 치질의 지나친 제거를 방지할 수 있다. 2주 후에 치은건강이 회복되었다면 더 이상의 치근활택술은 필요치 않다. 그러나 치은염증이 잔존해 있다면 원인이 치태침착인지 잔존 치석인지를 확인하고, 치석이 있다면 치근활택술을 다시 시행해야 한다.

7. 치석제거술과 치근활택술 후 창상 치유

치석제거술을 시행한 직후에 상피부착이 떨어지고 접합상피와 열구상피는 부분적으로 제거된다.[35] 심한 염증이 있는 경우에는 치석제거술이 상피 부착부의 기저부를 넘어서까지 시행되어 결체조직에 손상을 유발한다. 연조직을 적절히 소파하지 않는 경우에 열구에서 부분적으로 느슨한 상피와 만성염증을 가진 결체조직들이 흔히 존재한다.

치석제거술 후, 2시간이 지나면 수많은 다형백혈구세포가 치은열구 표면에 남아있는 상피세포사이에서 관찰되고, 혈관의 팽창, 부종, 괴사 등도 관찰된다. 이때 남아있는 상피세포들은 아주 미세한 유사분열 전 활동을 보인다. 이러한 소견들은 술후 5, 9, 13시간에도 관찰된다. 술후 24시간이 지나면 잔존하는 상피의 모든 부위에서 광범위하고 집중적으로 상피세포가 나타나며 2일이 지나면서 전 치은열구가 상피로 덮히게 된다. 4~5일이 지나면 새로운 상피부착이 치은열구의 기저부에 나타나게 된다. 염증의 심도와 치은열구의 깊이에 따라서 완전한 상피의 회복은 1~2주 정도 걸릴 수 있다.[27,28]

원숭이를 이용한 실험에서 관찰된 조직변화를 요약하면 다음과 같다.

- 치석제거술에 나타나는 상피재생(regeneration)은 주로 접합, 열구상피의 잔존세포로부터 일어난다.
- 상피의 재생은 술후 1~2일에 정점에 도달한다.
- 결체조직의 회복은 술후 2~3일에 가장 활동적이다.
- 새로운 상피부착은 술후 4~5일경에 형성될 수 있다.

시간 간격에 차이는 있지만, 인간을 대상으로 한 실험에서도 술후에 나타나는 생물학적인 반응은 비슷하다.

술후에 치은열구에 잔존하는 상피돌기가 퇴축하여 정상 상피 부착이 형성된다는 것이 부분적인 실험결과에서 나타나고 있다. 깊은 치주낭을 가지는 환자에 있어서는 치석제거술과 치근활택술 후에 완전히 회복되는데 9개월 이상이 걸린다. 치주낭을 치석제거술과 치근활택술을 시행한 후 세균총에 큰 변화가 나타나는데, G(−)미생물, motile rod, spirochetes 등의 감소가 보인다. 이러한 미생물들이 다시 집락화하는 데는 구강위생이 나쁜 경우 1~2개월이면 나타나지만 구강위생이 좋은 경우는 수 개월이 걸린다. 그러므로 3개월마다 반복적인 치석제거술과 치근활택술은 이러한 세균의 집락화를 예방할 것이다.

치석제거술과 치근활택술 후에 나타나는 임상적인 반응은 술후 구강위생 상태에 의해 더 좌우된다. 치은염증의 해소는 항상 적절한 치태조절을 필요로 한다. 그러나, 적절한 구강위생을 행하지 않더라도 신상피부착이 어느 정도 나타날 수 있다. 신상피 부착은 어느 기간 정도는 치태의 독성물질이 근단 방향으로 확산되는 것을 막아 이 부착부 하방의 결체조직의 파괴를 막는다. 따라서 치석제거술과 치근활택술은 구강위생이 적절치 못할 경우에도 어느 정도 치주염의 진행을 지연시킬 수 있다. 불완전한 치석제거술과 치근활택술 후에도 구강위생을 적절히 시행하면 건강한 치은으로 회복될 수 있지만, 부적절하게 활택된 치근면에 의해 자극과 염증을 유발시킬 수도 있다.[14]

치석제거술 후 치근면구조의 미세변화에 대한 Selvig의 연구에 의하면 철저하게 치근 상아질과 백악질을 활택한 후 수 주일 내에 치아-타액계면에서 광물질(mineral)과 유기 성분(organic component)이 교환된다고 하였다.[23] 또한 표면하 cuticle의 유기적 변화와 결정 구조가 더 증가하면서 무기질 함유량이 증가할 수 있다고 보고했다. 치석제거술 3~4일 이내에 노출된 치근면이 이와 같은 기전으로 단단하게 될 수 있다.

반면에, 탈무기질화를 동반한 활동성 치아우식이 7일 이내에 나타날 수도 있다. 그러므로 치근활택술 후에 노출된 치근면을 깨끗한 상태로 유지하는 것이 중요하다. 불소의 사용도 노출된 백악질의 무기질화에 도움을 줄 것이다.

참고문헌

1. P. A. Adriaens, C. A. Edwards, J. A. De Boever, and W. J. Loesche, 'Ultrastructural Observations on Bacterial Invasion in Cementum and Radicular Dentin of Periodontally Diseased Human Teeth', J Periodontol 1988;59:493–503.
2. J. J. Aleo, F. A. De Renzis, and P. A. Farber, 'In Vitro Attachment of Human Gingival Fibroblasts to Root Surfaces', J Periodontol 1975;45:639–45.
3. J. J. Aleo, F. A. De Renzis, P. A. Farber, and A. P. Varboncoeur, 'The Presence and Biologic Activity of Cementum-Bound Endotoxin', J Periodontol, 1974;45:672–5.
4. A. Ashimoto, C. Chen, I. Bakker, and J. Slots, 'Polymerase Chain Reaction Detection of 8 Putative Periodontal Pathogens in Subgingival Plaque of Gingivitis and Advanced Periodontitis Lesions', Oral Microbiol Immunol 1996;11:266–73.
5. J.E. Barnes, and E.M. Schaffer, 'Subgingival Root Planing: A Comparison Using Files, Hoes, and Curettes', J Periodontol 1960;31:114–5.
6. E. J. Bjornson, D. E. Collins, and W. O. Engler, 'Surface Alteration of Composite Resins after Curette, Ultrasonic, and Sonic Instrumentation: An in Vitro Study', Quintessence Int 1990;21:381–9.
7. M. F. Canis, G. M. Kramer, and C. M. Pameijer, 'Calculus Attachment. Review of the Literature and New Findings', J Periodontol 1979;50:406–15.
8. L. Checchi, and G. A. Pelliccioni, 'Hand Versus Ultrasonic Instrumentation in the Removal of Endotoxins from Root Surfaces in Vitro', J Periodontol 1988;59:398–402.
9. M. R. Dragoo, 'A Clinical Evaluation of Hand and Ultrasonic Instruments on Subgingival Debridement. 1. With Unmodified and Modified Ultrasonic Inserts', Int J Periodontics Restorative Dent 1992;12:310–23.
10. C. L. Drisko, 'Scaling and Root Planing without Overinstrumentation: Hand Versus Power-Driven Scalers', Curr Opin Periodontol 1993;78–88.
11. J. S. Garrett, 'Effects of Nonsurgical Periodontal Therapy on Periodontitis in Humans. A Review', J Clin Periodontol 1983;10:515–23.
12. G. J. Kerry, 'Roughness of Root Surfaces after Use of Ultrasonic Instruments and Hand Curettes', J Periodontol 1967;38:340–6.
13. S. Y. Lee, Y. L. Lai, and S. M. Morgano, 'Effects of Ultrasonic Scaling and Periodontal Curettage on Surface Roughness of Porcelain', J Prosthet Dent 1995;73:227–32.
14. J. Lindhe, and S. Nyman, 'The Effect of Plaque Control and Surgical Pocket Elimination on the Establishment and Maintenance of Periodontal Health. A Longitudinal Study of Periodontal Therapy in Cases of Advanced Disease', J Clin Periodontol 1975;2:67–79.
15. R. A. Lowenguth, and G. Greenstein, 'Clinical and Microbiological Response to Nonsurgical Mechanical Periodontal Therapy', Periodontol 2000 1995;9:14–22.
16. I. Magnusson, J. Lindhe, T. Yoneyama, and B. Liljenberg, 'Recolonization of a Subgingival Microbiota Following Scaling in Deep Pockets', J Clin Periodontol 1984;11:193–207.
17. R. L. Miller, and R. E. Micik, 'Air Pollution and Its Control in the Dental Office', Dent Clin North Am 1978;22:453–76.
18. B. S. Moskow, 'Calculus Attachment in Cemental Separations', J Periodontol 1969;40:125–30.
19. Robert W Parr, Subgingival Scaling and Root Planing (Section on Instructional System Design, Division of Periodontology, School of Dentistry, University of California, 1976).
20. A. M. Pattison, 'The Use of Hand Instruments in Supportive Periodontal Treatment', Periodontol 2000 1996;12:71–89.
21. S. Renvert, M. Wikstrom, G. Dahlen, J. Slots, and J. Egelberg, 'Effect of Root Debridement on the Elimination of Actinobacillus Actinomycetemcomitans and Bacteroides Gingivalis from Periodontal Pockets', J Clin Periodontol 1990;17:345–50.
22. L. Sbordone, L. Ramaglia, E. Gulletta, and V. Iacono, 'Recolonization of the Subgingival Microflora after Scaling and Root Planing in Human Periodontitis', J Periodontol 1990;61:579–84.
23. K. A. Selvig, 'Attachment of Plaque and Calculus to Tooth Surfaces', J Periodontal Res 1970;5:8–18.

24. J. Shiloah, and M. R. Patters, 'Repopulation of Periodontal Pockets by Microbial Pathogens in the Absence of Supportive Therapy', J Periodontol, 1996;67:130–9.
25. W. B. Shreve, Jr., K. C. Hoerman, and C. A. Trautwein, 'Illness in Patients Following Exposure to Dental Aerosols', J Public Health Dent 1972;32:34–9.
26. G. J. Smart, M. Wilson, E. H. Davies, and J. B. Kieser, 'The Assessment of Ultrasonic Root Surface Debridement by Determination of Residual Endotoxin Levels', J Clin Periodontol 1990;17:174–8.
27. S. S. Stahl, H. C. Slavkin, L. Yamada, and S. Levine, 'Speculations About Gingival Repair', J Periodontol 1972;43:395–402.
28. S. S. Stahl, J. M. Weiner, S. Benjamin, and L. Yamada, 'Soft Tissue Healing Following Curettage and Root Planing', J Periodontol 1971;42:678–84.
29. G.W. Stende, and E. M. Schaffer, 'A Comparison of Ultrasonic and Hand Scaling', J Periodontol 1961;32:312–4.
30. J. B. Suzuki, and A. L. Delisle, 'Pulmonary Actinomycosis of Periodontal Origin', J Periodontol 1984;55:581–4.
31. T. Torfason, R. Kiger, K. A. Selvig, and J. Egelberg, 'Clinical Improvement of Gingival Conditions Following Ultrasonic Versus Hand Instrumentation of Periodontal Pockets', J Clin Periodontol 1979;6:165–76.
32. J. W. Van Volkinburg, E. Green, and G. C. Armitage, 'The Nature of Root Surfaces after Curette, Cavitron and Alpha–Sonic Instrumentation', J Periodontal Res 1976;11:374–81.
33. A. J. van Winkelhoff, U. van der Velden, and J. de Graaff, 'Microbial Succession in Recolonizing Deep Periodontal Pockets after a Single Course of Supra– and Subgingival Debridement', J Clin Periodontol 1988;15:116–22.
34. S. G. Vermilyea, M. K. Prasanna, and J. R. Agar, 'Effect of Ultrasonic Cleaning and Air Polishing on Porcelain Labial Margin Restorations', J Prosthet Dent 1994;71:447–52.
35. J. Waerhaug, 'Healing of the Dento–Epithelial Junction Following Subgingival Plaque Control. I. As Observed in Human Biopsy Material', J Periodontol 1978;49:1–8.
36. R. F. Wilkinson, and J. E. Maybury, 'Scanning Electron Microscopy of the Root Surface Following Instrumentation', J Periodontol 1973;44:559–63.
37. L. A. Ximenez–Fyvie, A. D. Haffajee, and S. S. Socransky, 'Comparison of the Microbiota of Supra– and Subgingival Plaque in Health and Periodontitis', J Clin Periodontol 2000;27:648–57.
38. H.A. Zander, 'The Attachment of Calculus to Root Surfaces', J Periodontol 1953;24:12.

CHAPTER 26

교합 치료

류인철 · 김성태

1. 교합성 외상과 치주질환

1) 교합성 외상(Trauma from occlusion)

교합과 치주조직은 깊은 연관성을 가지고 있고 정상적인 교합기능은 치주조직의 건강에 필수적인 요소이다. 교합력에 대한 치주조직의 반응은 항상 상호간의 상대적인 차원에서 이해돼야 한다. 만일 교합력이 치주조직의 적응 한계보다 클 때는 치주조직의 파괴가 일어나게 되며 이것을 교합성 외상(trauma from occlusion)이라고 정의한다. 즉, 교합성 외상은 조직의 손상을 의미하며 교합력과 관련된 의미는 아니다. 이러한 파괴를 가져오는 교합을 외상성 교합(traumatic occlusion)이라고 한다. 교합성 외상은 일차성(primary)과 이차성(secondary)이 있다. 치주조직은 건강하고 정상적이나 교합력이 정상적인 크기보다 커서 치주조직에 나타나는 손상을 일차성 교합성 외상이라고 하고, 교합력은 정상이나 치주조직의 퇴축에 의해 지지능력이 약화된 상태에서 일어나는 조직 손상을 이차적 교합성 외상이라고 분류한다.[1]

교합성 외상이 건강한 치주조직에 미치는 영향에 관한 이론은 비교적 잘 정립되어 있다. 교합성 외상 그 자체는 치은염이나 치주염을 유발하지 않고 치주 결합조직의 부착을 파괴하지도 않으며 치주낭을 형성하지 않는다.[2] 이것은 아마도 상치조정 치은섬유(supracrestal gingival fiber)가 영향을 받지 않아 접합상피가 근단쪽으로 이동하는 것을 막기 때문일 것이다.[3] 다만 치주인대측 치조골의 파괴만을 초래하여 치근막의 병변을 유발하나 이러한 파괴과정도 즉시 치유(repair)와 적응(adaptation)을 하는 것으로 알려져 있다.

2) 과도한 교합력에 대한 치주조직의 반응

1단계 반응은 조직의 손상(injury)이다. 과도한 교합력에 의해 조직 손상이 일어난 경우 교합력이 줄어들거나 치아가 교합력으로 부터 멀어지게 되면 치주조직을 회복하려는 시도가 일어나게 된다. 그러나 과도한 교합력이 지속되면 조직은 충격을 완화하는 방향으로 적응하게 되어 치조골의 벽에 흡수가 일어나 치주인대의 폭이 넓어지고, 비록 치주낭 형성은 일어나지 않지만 수직골 결손부가 만들어져 치아의 동요가 나타난다.

지나치게 과도한 압력이 가해지면 치주인대 섬유들이 압박을 받아 유리질화(hyalinization) 현상이 일어난다. 섬유모세포와 결합조직 세포들에 대한 손상이 치주인대의 괴사를 일으키게 된다. 또한 혈관의 변화가 일어나 혈류의 지연과 정체가 생기고 2~3시간 내에 혈관들이 적혈구로 차고 1~7일 내에 혈관 벽이 분해되기 시작한다. 또한 치조골의 흡수가 증가되고 치근면의 흡수가 일어나게 된다.

강한 힘의 장력은 치주인대 확장, 혈전증(thrombosis), 출혈, 치주인대 파열, 치조골 흡수 등을 일으킨다. 치조골에 치근을 강하게 압박하면 치주인대와 치조골이 괴사된다. 치조골의 경우 괴사가 일어난 치주인대가 아닌 살아

있는 인접 치주인대와 골수강으로부터 흡수가 일어나는데 이것을 잠식성 흡수(undermining resorption)라고 하며 과도한 교합력에 가장 손상 받기 쉬운 부위가 치근 이개부이다.

2단계 반응은 회복(repair)이다. 회복과정은 정상 치주조직에서 끊임없이 일어나고 있다. 손상 받은 조직을 회복하기 위해 손상된 조직이 제거되고 새로운 결합조직세포, 섬유, 치조골, 백악질이 만들어 진다. 그러나 손상을 주는 힘이 치주조직의 치유능력보다 강하게 되면 이러한 교합력은 위해한 힘으로 계속 남게 된다.

3단계는 적응성 재형성(adaptive remodeling)이다. 교합력에 의해 야기된 치주조직의 파괴를 회복능력이 따라가지 못하면 교합력이 더 이상 위해하게 작용하지 않도록 구조적 재형성이 일어나게 된다. 이러한 결과로 치주인대의 비후, 치조정부가 근단 쪽보다 넓은 깔대기형(funnel) 치조골 결손이 형성된다. 그결과 치주낭의 형성은 없어도 치아의 동요도는 증가하게 된다.[4]

3) 치주염의 진행에 대한 외상성 교합의 영향

과거에는 외상성 교합이 치주염을 일으키는 한 요소로 생각되어 왔으나, 그 후 치주질환의 발병과 진행의 주원인 인자는 미생물이라는 개념이 생겨나면서 외상성 교합이 치주염을 야기하는 요소라는 의견에 대한 의문이 제기 되기 시작하였고, 그 후 여러 동물 실험(Lindhe, Polson)과 임상 실험(Glickman, Waerhaug)을 통해 현재는 외상성 교합은 치주질환의 발병과 진행에 직접적인 영향이 아닌 보조적인 역할을 한다고 잠정적으로 생각되고 있다.[5] 그러나 교합성 외상이 진행되고 있는 치주질환의 진행과정에 공동파괴인자로 작용하여 치주조직 부착의 상실을 증가시키는지 여부에 대해서는 아직도 양립된 견해를 나타내고 있다.[6]

2. 치주치료로서의 교합 치료

교합이 치주질환의 발생과 진행에 미치는 영향에 관한 확립된 견해가 있는 것은 아니지만, 교합성 외상이 어떤 형태이든 치조골의 파괴를 가져오는 것은 사실이고 이것은 임상적으로 치아동요도를 증가시키는 주원인이기도 하다. 또 교합의 여러 장애요소들로 인하여 치주질환에 대한 염증제거 치료가 효과적으로 시행되지 못하거나 교합의 부조화로 인하여 치태를 효율적으로 관리하지 못하는 부수적인 경우도 일어날 수 있다. 나아가서 교합의 장애로 인한 환자의 저작 불편감을 해소시켜야 할 필요가 있거나, 여러 가지 교합 병소의 치료 및 수복치료 전의 교합의 조화를 도모하는 일은 임상가로 하여금 교합 치료의 중요한 의미를 인식케하는 요건들이 될 수 있다.

이러한 의미에서 치주치료의 한 부분으로서의 교합치료는 치주치료의 과정이나 결과에 중대한 영향을 미치게 되고 대개 다음과 같은 다섯 가지의 치료방식을 통해서 이뤄진다.

- 교합조정(occlusal adjustment)
- 고정장치(splinting)
- 교합상(bite plane)
- 보철 수복(prosthetic rehabilitation)
- 교정 치료(orthodontic treatment)

이러한 일련의 치료를 단독 혹은 복합적으로 시행하여 교합인자가 치주질환의 진행이나 치료의 결과에 미칠 수 있는 영향을 최소한으로 감소시키는 것에 교합 치료의 의의가 있다.

3. 과대치아동요도의 치료

1) 교합성 외상을 동반한 만성 치주염의 특성

만성 치주염의 특성으로 치주낭의 깊이가 깊어지고, 치주조직의 만성 염증성 변화에 의한 치은의 만성염증, 치조골의 파괴, 치주결합조직의 소실, 그리고 골연상 혹은 골연하 치주낭의 심화 등을 들 수 있다. 이러한 만성적 파괴로 인한 지지조직의 양적 퇴축은 치아로 하여금 정상적 교합압에도 손상을 받게 하며, 결과적으로 교합성 외상에 의한 치조골 파괴가 염증성 치조골 파괴와는 달리 특히

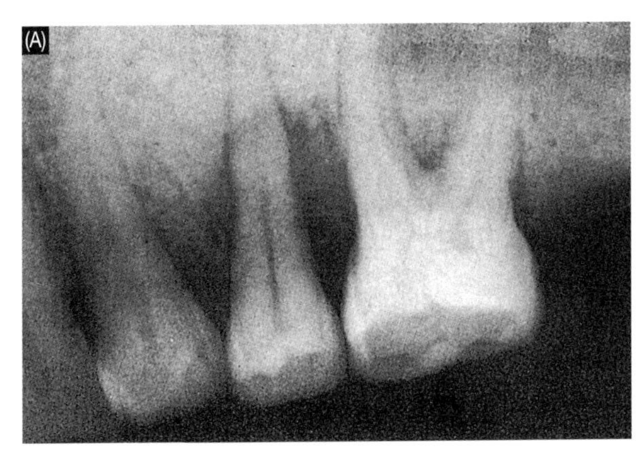

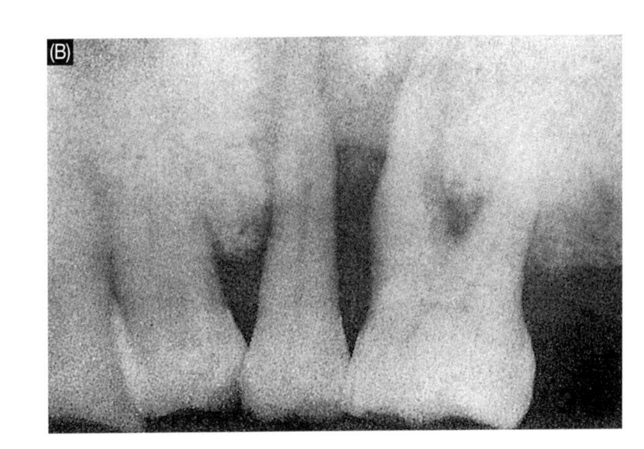

그림 26-1. (A) 만성 치주염에 이환된 치아의 방사선학적 소견 (B) 치료하지 않은 상태로 2년 후에 재내원하여 교합성 외상이 복합적으로 수반된 경우의 방사선학적 소견

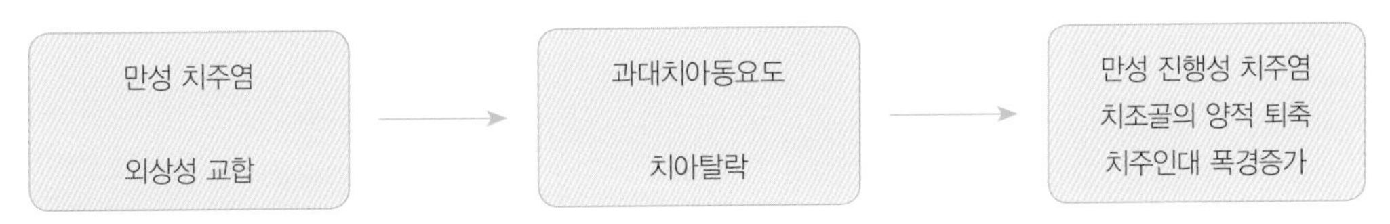

그림 26-2. 만성 치주염과 이차성 교합성 외상이 복합되어 야기된 과대치아동요도의 발생기전과 임상적 증상

치주인대에 있는 치조골에 현저하게 나타나게 된다. 이로 인해 치주인대 폭경은 현저히 증대되고 치아는 과대동요도를 나타내게 된다. 임상적으로 환자는 저작 불편감을 호소하게 되고 치아가 저작압에 저항할 능력을 상실하여 때로 발거해야 할 경우도 나타나게 된다(그림 26-1, 2). 이러한 치아를 가진 환자를 임상적으로 치료할 때 임상가들은 다음과 같은 중요한 사항에 착안하여 치료원리를 적용해야 한다.

첫째, 치주염이 없는 건강한 치아에 교합성 외상이 작용하고 있는가?

이 경우 외상성 교합인자를 제거해주면 파괴되었던 치조골은 가역적으로 재생되고 치아동요도도 쉽게 감소될 수 있다.[7,8]

둘째, 치아가 치주염에 이환되어있고 교합성 외상도 수반되어있는가?

이러한 경우에 염증제거치료와 외상성 교합의 제거술식이 상호 간에 어떤 연관성을 가지고 있고 그에 따라 나타나는 조직의 반응, 그리고 일련의 치료순서의 설정 등을 고려해야 된다(그림 26-3).

2) 교합성 외상을 동반한 만성 치주염의 치료원리

어떤 치아에 만성 치주염과 교합성 외상이 복합적으로 수반되었을 경우에 흡수된 치조골의 재생을 유도하고 결과적으로 치주인대의 폭경을 감소시켜 치아동요도를 최소한으로 줄이려는 시도가 일련의 연구를 통해서 이뤄져 왔다. 표 26-1에서 볼 수 있듯이 세 가지의 상황으로 분류해서 설명하기로 한다.

① 상황 1. 치주조직의 염증을 제거하지 않은 상태에서 교합성 외상 인자만을 제거했을 경우

이러한 경우에 흡수되었던 치조골의 재생은 거의 일어나지 않았고, 이것은 염증이 없는 상태에서의 외상성 교합에 의한 치조골의 파괴가 가역적이라는 연구결과와는 상당히 대조를 이룬다.[7,8]

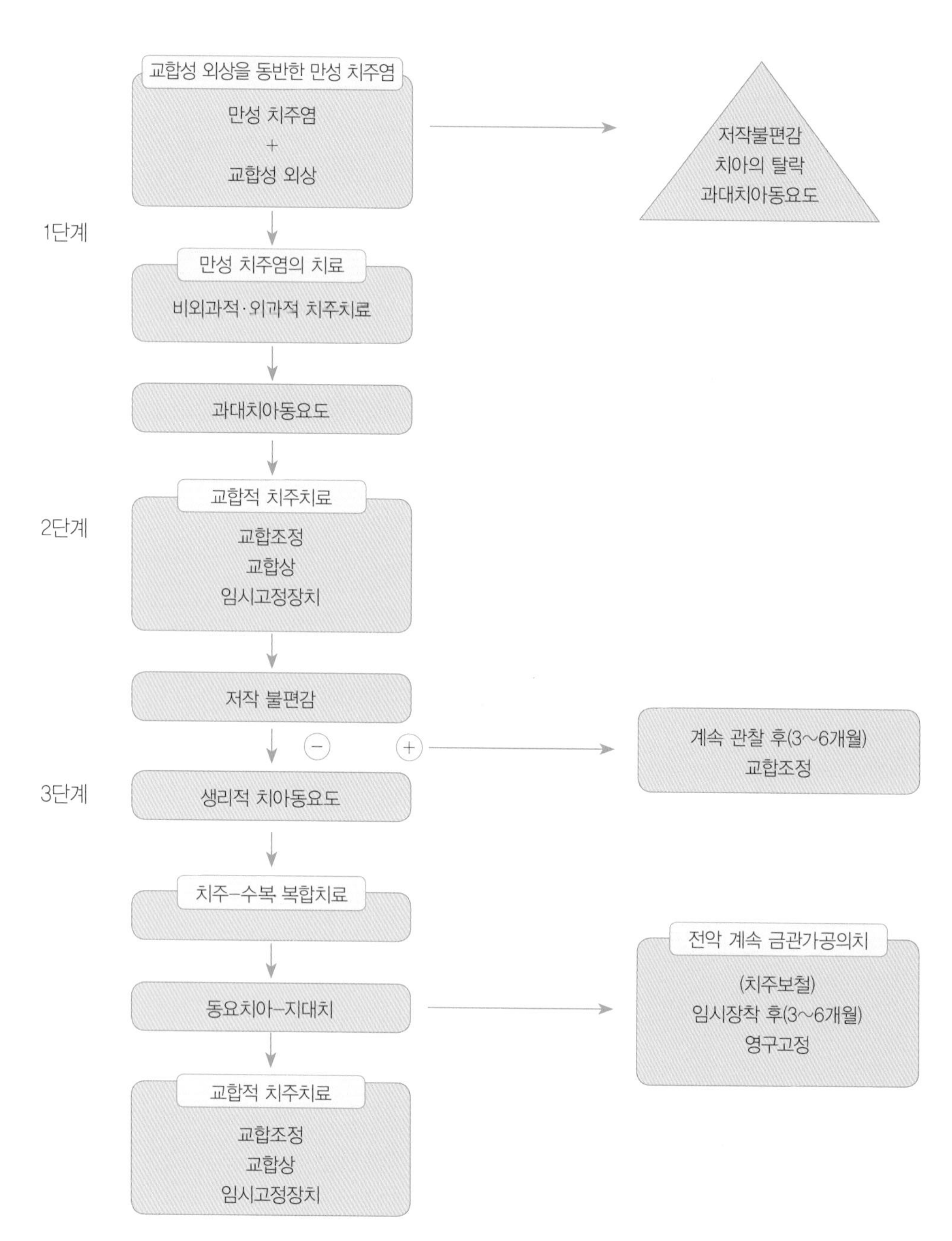

그림 26-3. 교합성 외상을 동반한 만성 치주염의 치료

② 상황 2. 치주의 염증, 교합성 외상이 동시에 제거되었을 경우

이때의 치조골의 조직반응은 현격히 달라서 치주인대측의 치조골은 거의 완전한 가역반응을 보였고 치조정부위의 상방 치조골 재생도 약간 나타났다.[8-10] 임상적으로도 현저한 치아동요도의 감소를 나타냈다. 이러한 두 종류의 연구를 통해서 치조골 재생에는 치주조직의 염증제거가 선결되어야 할 필수요소이고 다음에 외상성교합의 제거가 고려되어야 함이 밝혀졌다. 즉 만성 진행성 치주질환의 치료에 있어서 염증제거가 교합성 외상인자의 제거에 우선한다는 치료원리를 제시해주었다.

표 26-1. 교합성 외상을 동반한 만성 치주염에 이환된 과대동요치아를 치료함에 있어서 여러 가지 치료를 단독 혹은 복합적으로 시도했을 때 나타나는 치조골의 재생양상

	상황-I	상황-II	상황-III
	외상성 교합만을 제거한 경우	치주염증과 외상성 교합을 동시에 제거한 경우	치주염증만을 제거한 경우
치조골 재생	거의 재생되지 않음	치주인대측으로는 완전 가역적이나 치조정측으로는 미약함	완전 가역적이지는 않으나 현저하게 재생됨
치아동요도	감소되지 않음	현저히 감소됨	약간 감소됨
치주조직	재부착 없음	거의 없음	거의 없음
치료계획	치주염증 제거가 선결되어야 함	생리적으로 정상 필요하면 고정장치(splinting)	계속 관찰 후 불편하면 교합조정
모식도			

③ 상황 3. 치주조직의 염증만 제거하고 교합성 외상 인자를 제거하지 않았을 경우

염증만 제거된 치아에 외상성 교합이 계속되어졌을 경우에도 치주인대측 치조골의 골수강 내로의 치조골 재생이 통계적으로 유의성있게 일어나고 있음이 보고되었다.[10,11]

위의 세 가지 상황에 따른 연구결과를 토대로 치주조직에 대한 염증제거치료가 무엇보다도 선결되어야 할 과제임이 밝혀졌고 외상성 교합의 제거는 이차적으로 고려해야 할 사항으로 결론지어졌다.

3) 과대치아동요도의 치료방법

(1) 증가된 치아동요도에 대한 기본개념

치조골의 불완전한 재생과 치주결합조직의 미약한 재부착으로 인해 치아는 건강하지만 퇴축된 치주조직을 가지게 되며, 결과적으로 여전히 증가된 치아동요도(increased tooth mobility)를 가지게 된다. 왜냐하면 치아동요도의 크기는 치조정의 위치와 치주인대의 폭경에 일차적으로 비례하기 때문이다.

그러면 증가된 치아동요도를 임상적으로 어떻게 해석해야 할 것인가?

과거 학자들은 일정한 범위를 넘어선 치아동요도를 병적으로 간주해왔고 이러한 개념은 임상가들로 하여금 치료계획을 수립하는데 있어서 오류를 범하게 만들었다. 수준 이상으로 증가된 치아동요도를 가진 치아는 특히 수복치료의 계획에서 제외되었고, 치주치료의 예후에도 불량하게 작용한다는 편견 때문에 무조건적인 고정을 시행하였다. 그러나 예후를 세심하게 관찰한 결과 증가된 동요도를 가진 치아의 치주조직은 전혀 병적이 아닌 정상 조직상을 가

표 26-2. 과대치아동요도에 대한 최근의 개념

증가된 치아동요도나 계속적으로 증가하고 있는 치아동요도는 건강하면서 퇴축된 치주조직에 아무 영향을 미치지 않는다.
치아 과대동요하에서도 치주염증이 존재하지 않는 한 치조골의 재생이 일어난다.
증가된 치아동요도는 실험적 치주염의 진행에 영향을 미치지 않는다.
과대동요 치아는 결손부의 수복치 치료에 있어서 부분 및 전악 계속 금관가공치의 지대치로 장기간 사용될 수 있다.

지고 있으며, 또 정상적인 교합기능을 수행해 나갈 수 있음이 입증되었다. 결국 증가된 치아동요도는 기능의 수요에 대한 치주조직의 적응결과로 해석함이 타당하다는 결론에 이르게 되었다.[12,13] 건강하지만 퇴축되어 있는 치주조직을 가진 치아의 증가된 동요도는 ① 그 치아에 더 이상의 치조골파괴와 치주조직부착의 소실을 가져오지 않고, ② 실험적 치주염의 진행에 영향을 미치지 않으며, ③ 치주치료에 의한 염증 제거 후에 지속적인 치조골 재생을 가져올 수 있다는 연구가 발표되었다(표 26-2).[10,14]

따라서 증가된 치아동요도 자체는 정상적이고 생리적인 치아동요도로 간주함이 타당하고, 만일 ① 환자가 저작 시에 불편감을 호소하거나, ② 교합압에 의해 탈락 우려가 있을 경우에만 병적으로 간주하여 추가적 치료를 고려해야 할 것이다.

한편 정상적 생리적 치아동요도를 가진 치아가 단독적으로 교합기능을 수행하는 데에는 문제점이 없으나 인접부위의 치아가 손실되어 수복치료의 지대치로 사용되어야 할 경우에 임상가들은 당황하게 되고, 여러 가지 상황에 따른 치료계획을 설정함이 상당히 어려운 경우에 처하게 된다.

(2) 과대치아동요도의 접근원리[15]

① 상황 1. 정상적인 치조골의 고경을 가지고 있으나 치주인대의 폭경이 증가되어 과대치아동요도를 나타내는 경우

이러한 경우는 치아동요도의 증가가 불량수복물이나 조기교합 등에 의한 교합성 외상에 의한 것이므로 그 원인요소를 발견하여 교합조정을 통해 제거해주면 가역적 치조골 재생에 의해 치아동요도의 감소가 현저히 일어난다.

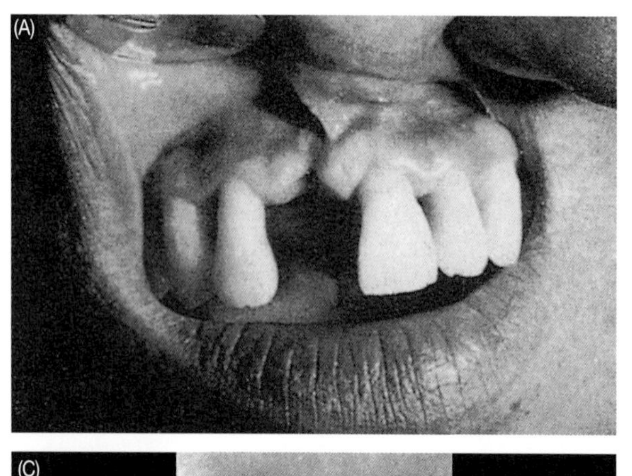

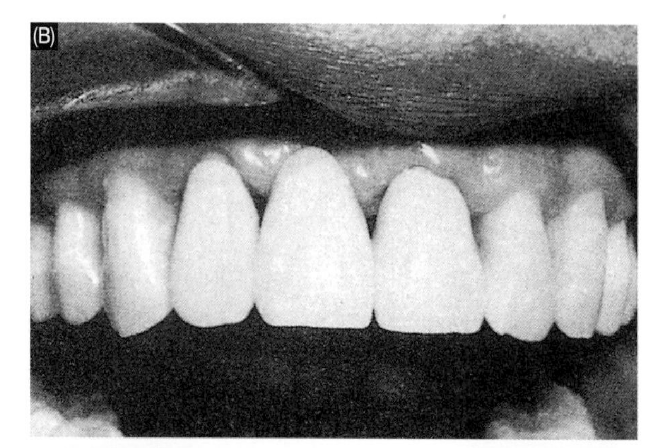

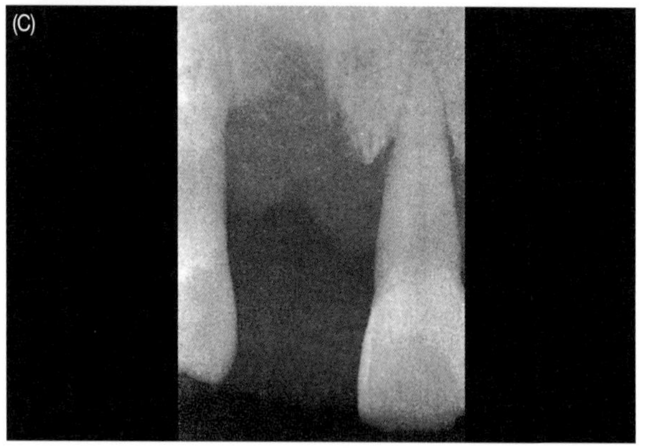

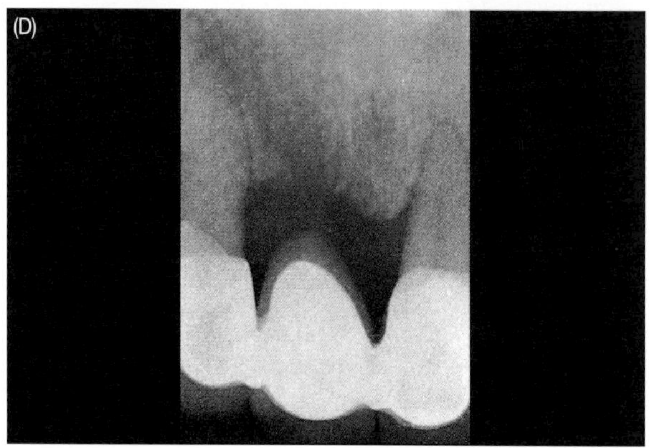

그림 26-4. 상악전치의 외상성 교합을 교합조정으로 제거하고, 과대동요 지대치를 이용하여 인접결손부위를 수복한 경우 치료 전(A, C), 치료 후(B, D)

② 상황 2. 치조골이 퇴축되어 있고 치주인대의 폭경이 증가되어 과대치아동요도가 발생된 경우

건강하나 퇴축된 치주조직을 가진 치아에 이차적인 교합성 외상이 발견되어 치조골 흡수, 치주인대 폭경의 증가가 초래되고 결과적으로 치아동요도가 증가한 상황이므로 상황 1과 같은 원리가 동일하게 적용된다.

교합조정 후에 수복치료를 실시하였고 2년 후에 현저한 치조골재생이 일어남을 알 수 있다(그림 26-4).

③ 상황 3. 정상적인 치주인대의 폭경을 가지고 있으나 치조골의 퇴축에 의하여 과대치아동요도를 나타내는 경우

상황 2의 경우에서 교합성 외상 인자를 제거하면 치아동요도는 현저히 감소되었다가 증가되는 상태로 남아있게 되고 이것은 원칙적으로 정상적 생리적 치아동요도로 간주되어야 함을 설명하였다. 그러나 이러한 치아를 가진 환자가 저작 불편감을 호소하거나 그 치아에 이차적인 치아동요도의 점진적인 증가가 우려될 경우, 그리고 인접결손부위에 대한 수복적 치료가 수반되어야 할 필요성이 생길 경우에 고정장치(splint)를 시행함이 바람직하다. 임시고정장치를 장착하여 평가한 후에 영구적인 고정장치(permanent fixed splint)를 장착하여, ① 동요치아의 안정을 도모하고, ② 결손부위에 수복치료를 시행하는 두 가지 목적을 달성할 수 있다. 대개의 경우 부분적 계속금관가공의치(segmental fixed bridge–work)를 이용하여 수복치료를 시행한다(그림 26-5, 6).

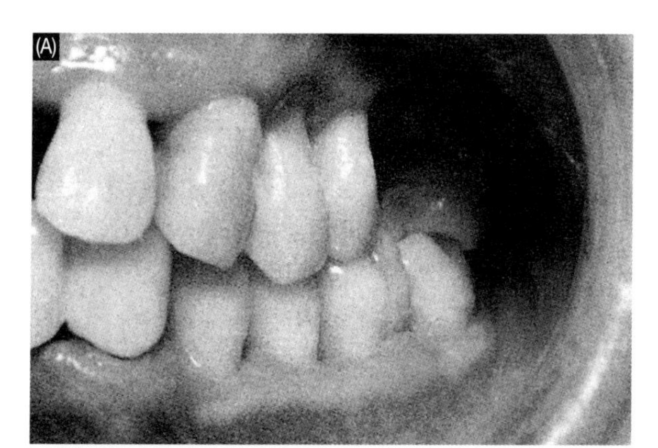

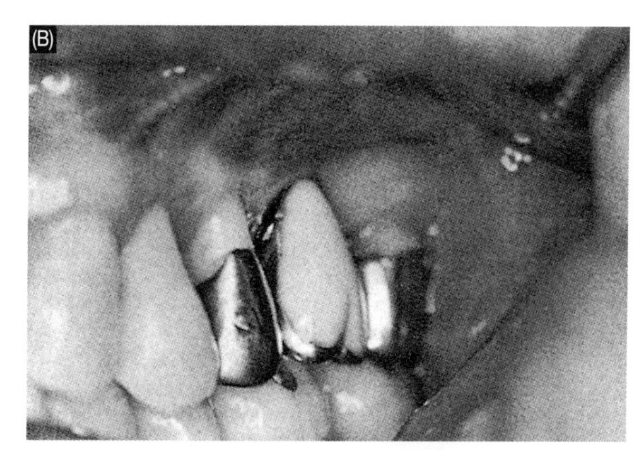

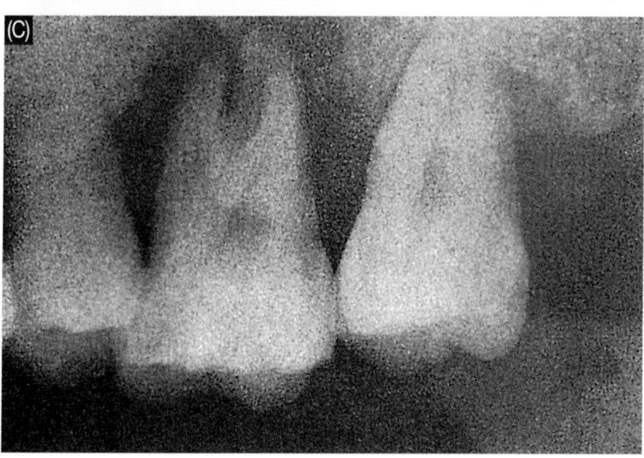

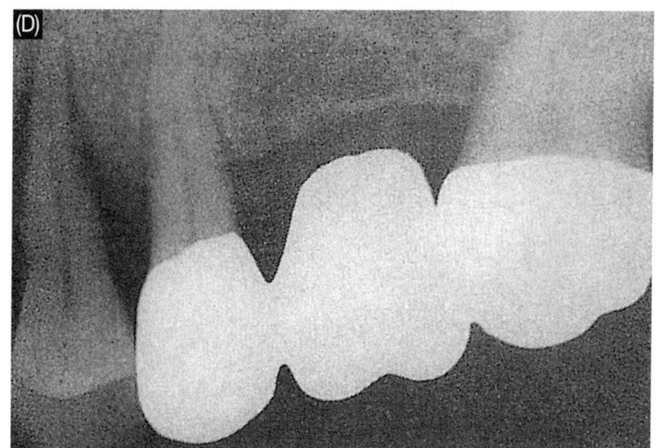

그림 26-5. 상황 3의 임상적 증례 치료 전(A, C), 치료 3년 후(C, D)의 임상소견 및 방사선학적 소견

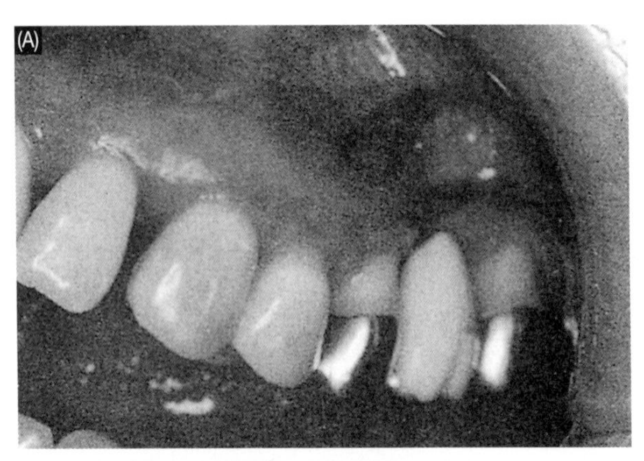

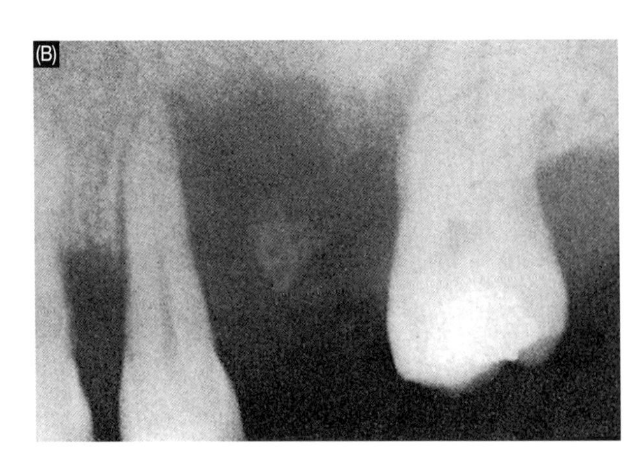

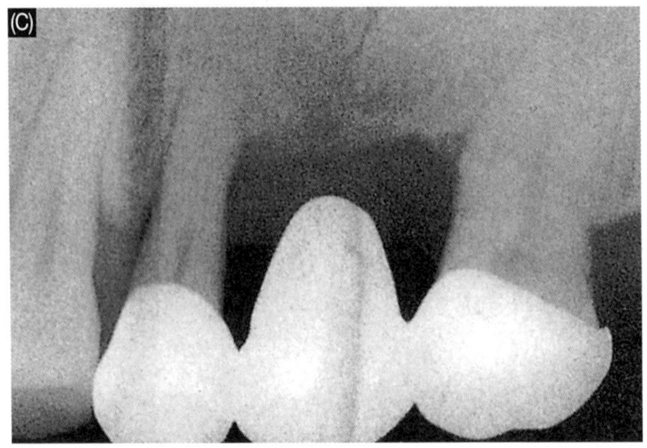

그림 26-6. 상황 3의 증례
치료 전(B), 치료 수 년 후(A, C)의 임상소견 및 방사선학적 소견

④ 상황 4. 치조골이 양적으로 퇴축되어 있고 치주인대의 폭경이 점차 증가되어 점진적으로 증가되는 과대치아동요도

만성 진행형 치주염에 이환된 치아의 치조골은 현저히 흡수되고 치주인대의 폭경은 증대되어 있어서 정상적 교합 기능을 수행하기 어려운 상태가 된다. 표 26-1에서 제시한 원리에 따라서 원인 요소의 제거를 통해 치아동요도를 감소시켜도 계속적으로 교합압에 저항하지 못하고 치아동요도가 점진적으로 증가되어 환자가 저작 불편감을 호소하고 과도한 교합압에 탈락될 우려가 있는 치아는 발거함이 바람직하다. 수 개의 잔존치아가 점차 교합압에 대해 저항하지 못하고 점진적으로 증가되는 치아동요도(progressively increasing tooth mobility)를 나타낼 가능성이 있을 때에는 고정장치를 함이 바람직하다. 상황 3과는 달리 이러한 경우에 전악에 걸쳐 몇 개의 치아만 잔존하게 되고 그 잔존치아마저 증가된 치아동요도를 가지고 있게 되므로 전악 계속금관가공의치(cross-arch fixed bridgework)로 수복하는 것이 바람직하며, 이때 수복에 의한 교합적 치료는 ① 동요치아에 대한 안정을 도모하고, ② 결손부위에 대한 수복의 의미를 가진다.

이러한 수복치료를 치주보철이라고 하기도 하는데 가공치-지대치간의 비율에 대한 개념을 적용하지 않고 또 지대치의 과대치아동요도를 전제로 하고 있어서 그 이론적인 배경과 기술적 측면, 치료계획 설정, 교합의 양상결정, 그리고 결과분석에 대한 내용은 연구가들의 발표를 참고로 할 것을 추천한다.[16,17]

과대치아동요도를 가진 지대치 4개를 이용하여 전악 계속금관가공의치로 교합적 보철치료를 시행한 환자의 치료 전, 임시장착 6개월, 그리고 영구장착 4년 후의 임상 및 방사선학적 소견을 예시해 놓았다(그림 26-7).

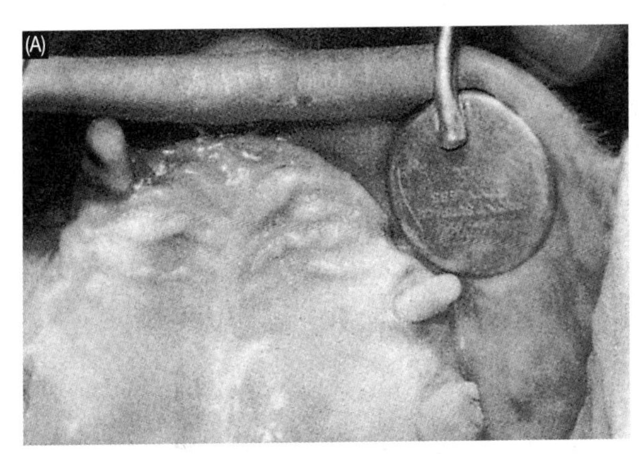
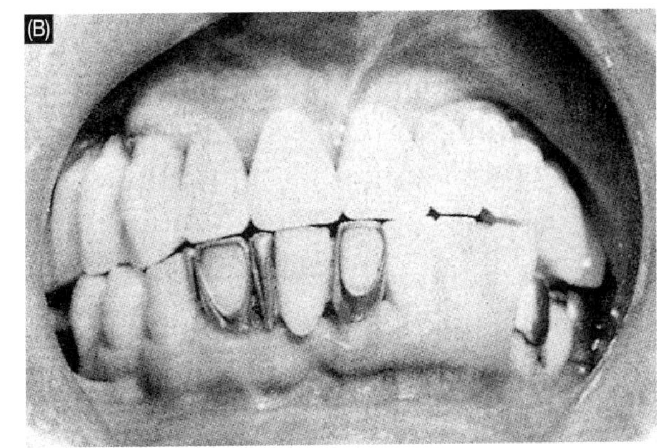
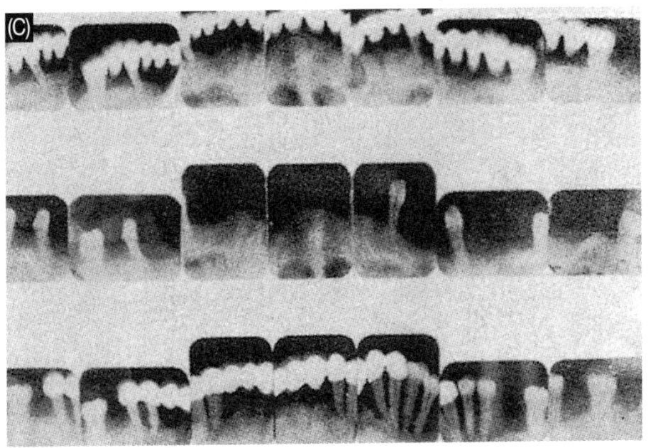
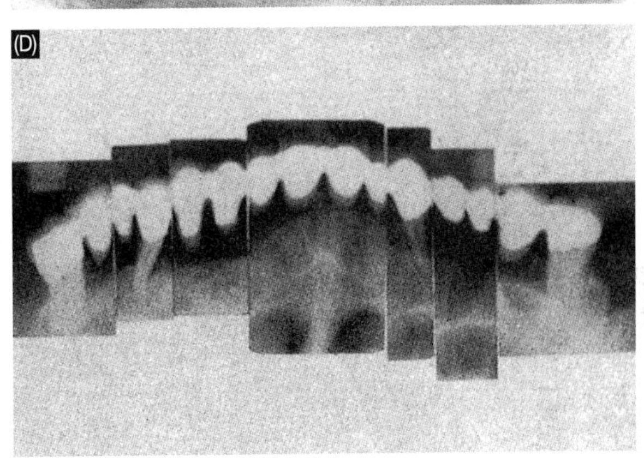

그림 26-7. 상황 4의 임상적 증례 치료 전(A, C), 치료 4년 후(B, D)의 임상소견 및 방사선학적 소견

⑤ 상황 5. 고정장치 후에도 증가되어 있는 계속금관가공의치의 과대동요도

전악계속금관가공의치를 치주보철학적 원리를 근거로 시행하였거나 부분적 계속금관가공의치를(상황3의 경우) 시행하였을 때, 수복물에 나타나는 동요도가 점차 증가되지 않거나 환자가 불편감 없이 저작기능을 수행할 수 있다면 생물학적으로 수용 가능한 현상이다. 이것은 치아에 나타나는 현상과 같은 의미로 해석할 수 있으며, 시간이 경과하더라도 환자의 저작기능과 조화를 이루어 나감이 연구결과를 통해 밝혀진 바 있다. 그러나 고정장치의 동요도가 계속 증가하고 환자가 저작불편감을 호소한다면 이 동요도는 재평가되어야 한다. 가장 주안점을 두고 검사해야 할 사항은 대합치와의 교합관계이다. 여러 가지 악기능운동에서 일어날 수 있는 조기접촉의 유무나 비기능적 습관(parafunctional habit)의 유무, 예를 들어 이갈이나 악물음(clenching habit) 등을 발견해 내는 일이 중요하다. 간단한 원인 요소는 제거하고 만일 광범위한 수정이 요구될 때에는 고정장치의 재제작이 필요하다.

4) 치주보철(Periodontal prosthesis)에 대한 간략한 개념

만성 진행성 치주염의 결과로 구강 내에는 상하악에 불과 수개의 잔존치아만 남게 되고 남아있는 치아도 현저하게 증가된 치아동요도를 가지게 된다. 이러한 치아에 대한 염증 및 교합성 외상 인자의 제거치료가 시행된 다음에 술자가 고려해야 할 사항은 결손부위에 대한 수복치료이다. 잔존치아는 대개 과대치아동요도를 그대로 가지고 있게 되므로 가철성 국소의치는 치료계획에서 제외되고, 남아있는 치료술식은 발거 후의 총의치나, 특수한 형태의 계속금관가공의치로 귀착된다. 후자의 치료술식은 치주보철학적인 개념을 도입함이 필요하고 이러한 원리는 전술한 치아동요도에 대한 전체적인 이해를 근거로 하고 있으며, 여기에 지대치-가공치간의 비율문제, 교합의 설계, 치료의 예후결정, 유지관리치료, 지대치형성의 기술적 고려사항의 많은 새로운 도입이 필요하다.

다양한 연구결과와 원리를 과학적으로 뒷받침하는 근거를 제시해주고 있는 구체적인 내용은 문헌을 참고로 할 것을 추천한다.

교합성 외상이 정상치주조직과 치주질환의 발생 및 진행에 미치는 영향에 관한 기본적 개념을 바탕으로 만성 진행성 치주염의 치료원리를 관찰해 보았다. 과대치아동요도를 다각적 측면에서 분석하고 해결하려는 교합적 치료가 치주치료의 한분야로서 제시되었고, 치주보철학에 대한 간략한 개념도 소개하였다.

교합과 치주질환에 대한 구체적이고 정확한 지식을 근거로 하여 과대치아동요도에 대한 임상가의 접근과 수복적 교합치료의 응용을 통해 합리적이고 과학적인 치주치료의 영역을 확정함이 바람직한 일이라 하겠다.

4. 교합조정

1) 정의

교합조정이란 일차성 교합성 외상이나 이차성 교합성 외상, 그리고 교합접촉 시의 장애에 의해 유발되는 다른 교합적인 문제 등 교합질환을 치료하는 방법의 한 가지로, 단순히 유해한 교합을 제거하기 보다는 건강한 치주조직의 유지에 필요한 기능적인 자극을 제공한다.[18]

2) 목적

- 기능적인 관계를 개선하고 전 저작계에 생리적인 자극을 부여한다.
- 외상성 교합을 제거한다.
- 비정상적인 근긴장, 이갈이, 그리고 이와 관련된 불편감이나 동통을 제거한다.
- 비정상적인 악관절의 불편감이나 동통을 제거한다.
- 수복치료 전에 최적의 교합상태를 유지한다.
- 저작효율을 높이고 치은을 보호하기 위해 치아의 형태를 재형성한다.
- 교정치료 시에 교합의 안정성을 부여한다.
- 비정상적인 연하습관을 수정한다.

3) 적응증

- 교합 시의 장애보다는 정상적인 치주조직에 과도한 교합력이 가해져서 교합성 병변을 야기하게 될 때 시행한다.
- 진행된 치주염으로 인해 치주조직의 파괴가 일어나 교합력에 의한 교합성 병변의 증상이 나타날 때 시행한다. 그런 증상들로는 치아동요도의 계속적인 증가, 저작 시의 불편감, 방사선 소견상의 골파괴, 명백한 골소실이 없는 상태에서의 과대동요도 등이다.
- 광범위한 수복치료를 하기전에 시행한다.
- 하악의 기능적인 운동에 제한이 오는 경우, 측두하악관절에 이상이 오는 경우에 시행한다.
- 교정치료나 다른 치과치료 후에 교합이 불안정한 경우에 시행한다.

4) 교합조정술식(Occlusal adjustment)

아래의 5단계로 나누어 시행한다.

- 초기삭제(initial grinding)
- 최후방위 교합(terminal hinge occlusion)에서의 교합조정
- 전방위 및 전방이동 시의 교합조정
- 측방교합위 및 측방이동 시의 교합조정
- 생리적 교합형태의 설정과 모든 삭제된 면의 연마

이들 교합조정의 단계는 환자가 비교적 정상적인 교합을 가지고 있거나, 1급 부정교합, 혹은 2급 부정교합 아류 1인 경우에 적합하다. 교합조정은 단순한 작업이 아니므로 반드시 계획을 세운 후에 철저히 시행해야 한다. 환자의 구강 내에서 직접 관찰하거나 모델을 제작한 후 교합기 상에서 살펴볼 수도 있다.

(1) 초기삭제

초기삭제는 다음과 같은 술식을 포함한다.

① 협설측 직경의 감소

치아의 협설측 직경을 감소시킴으로써 교합면이 작아지고 결과적으로 비트는 힘(torquing force)을 제거하며 교합력이 치아의 장축에 평행하게 전달되도록 한다(그림 26-8).

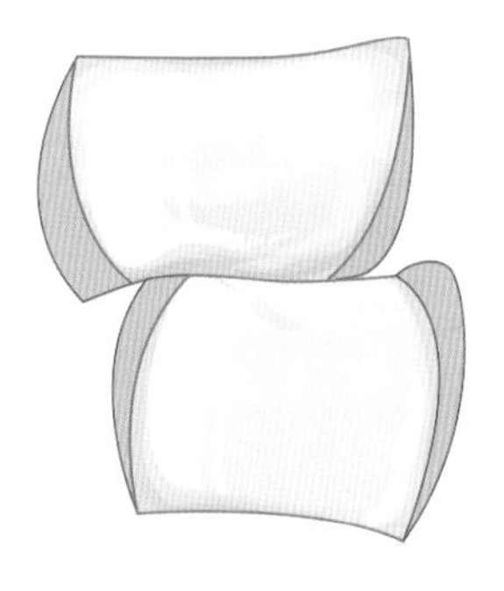

그림 26-8. 협설측 직경의 감소

② 정출된 치아의 삭제

정출된 치아는 비심미적이며 또한 여러 방향으로 운동 시에 조기접촉을 나타낼 수 있으므로 삭제가 필요하다(그림 26-9).

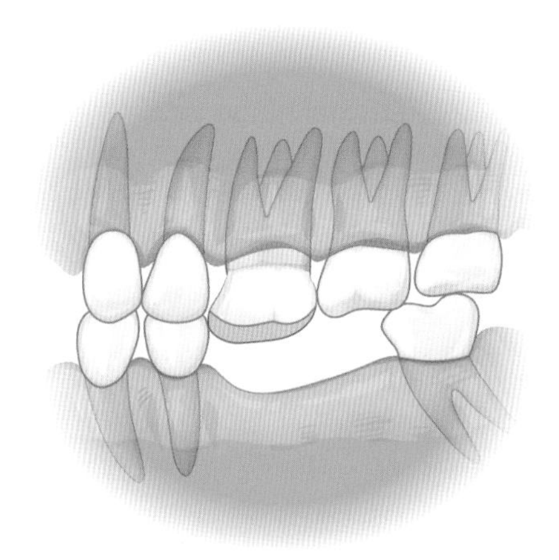

그림 26-9. 정출된 치아의 삭제

③ 심미성의 증진

정출된 치아를 삭제하고 나면 심미성이 향상되지만 여전히 고려해야 할 요소들이 남아 있을 수 있다. 가령, 전치 길이의 비대칭이나 거칠게 마모된 절단면을 나타나게 된다면 삭제를 필요로 한다(그림 26-10).

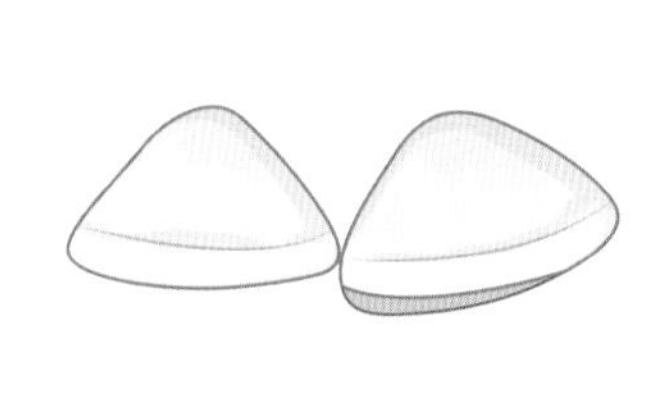

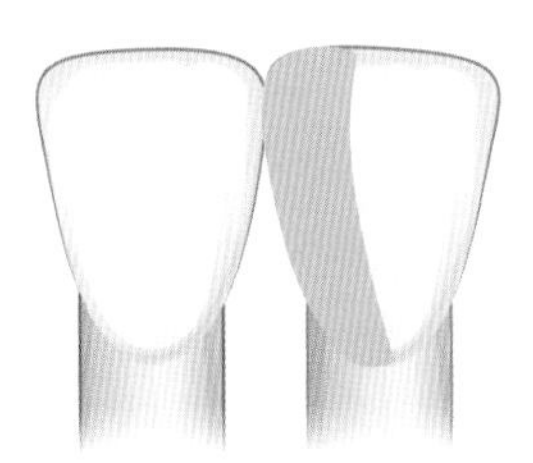

그림 26-10. 심미성의 증진

④ 변연융선관계의 수정

인접한 변연융선이 높이의 차이를 나타내거나, 부적절한 위치관계에 의해 접촉이 되지 않거나, 혹은 여러 원인에 따른 변연융선의 상실을 초래한 경우 이의 삭제나 수복이 필요하다(그림 26-11).

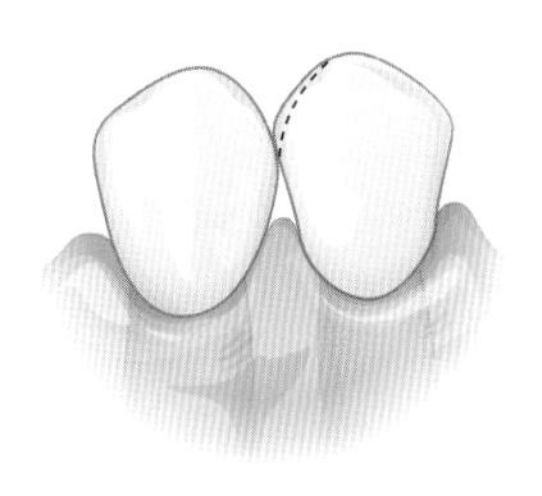

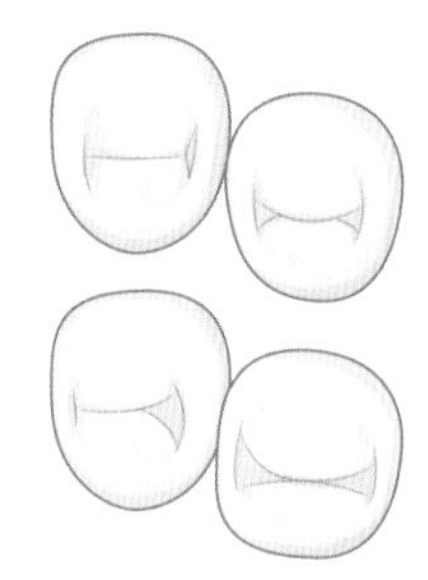

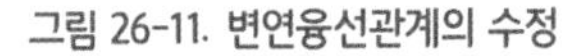

그림 26-11. 변연융선관계의 수정

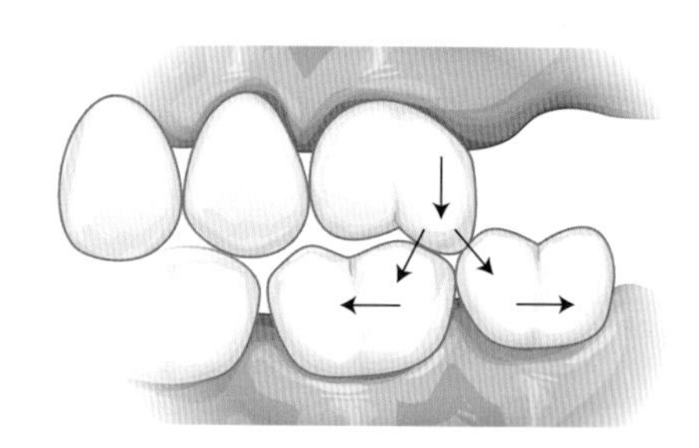
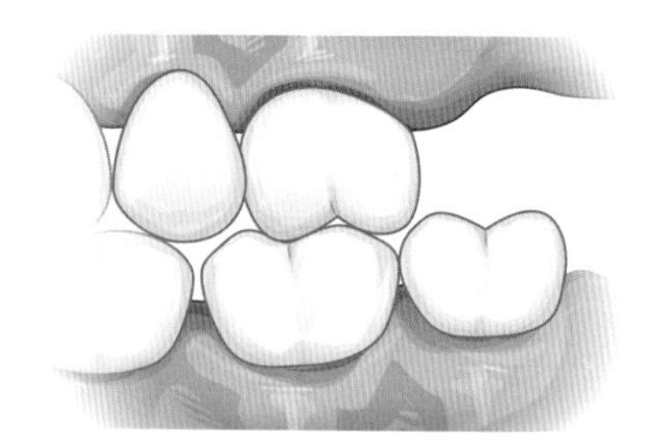

그림 26-12. 돌출 교두의 수정

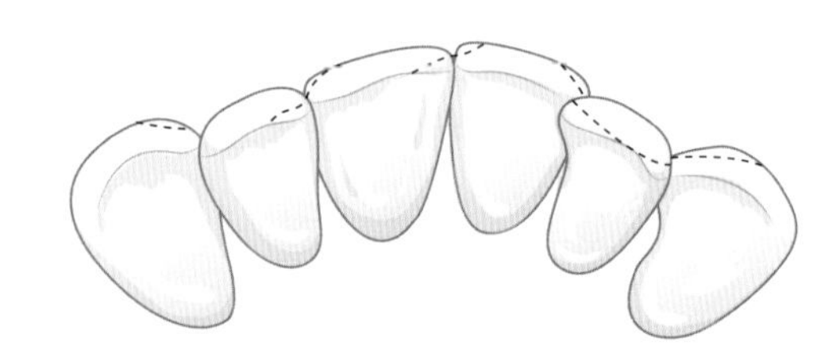

그림 26-13. 회전치, 변위치, 경사치의 수정

⑤ 돌출교두(Plunger cusp)의 수정

대합치의 변연융선 사이와 접촉되는 돌출된 교두가 인접한 두 개의 대합치를 서로 분리시키는 쐐기역할을 할 수 있다. 이것은 또한 식편압입을 유발시키므로 적절한 삭제가 필요하다(그림 26-12).

⑥ 회전치, 변위치, 경사치의 수정

이러한 치아들의 수정을 통해 심미성과 교합의 능률을 향상시킬 수 있다(그림 26-13).

⑦ 마모치(Facet, abraded tooth)의 수정

마모가 심한 치아는 저작 시에 더 많은 교합력이 요구되므로 이 변을 삭제해 주어야 한다(그림 26-14).

(2) 최후방위 교합(Terminal hinge occlusion)에서의 교합조정

① 일반원칙

교합조정은 중심위에서 중심교합으로의 진행 중에 조기접촉이 없도록 시행되어야 한다. 그리고 중심위와 중심교합사이에 자유운동(freedom of movement)이 되도록 한다.

② 중심위(Centric)의 중요성

일반적으로 건강한 사람의 치열에서, 중심위와 중심교합이 일치되지 않는다. 중심위와 중심교합사이의 교합장애는 저작 시보다는 연하 시에 신경근육계의 부조화를 초래하기 쉽다. 반면, 중심위와 측방 또는 전방위사이의 교합장애는 저작 시의 부조화를 일으키기가 쉽다.

측두하악관절이 정상이고 근육활성도가 평형을 유지하고 있으면 중심위는 안정적이며 재현가능하다. 중심위와 중심교합 사이가 작고 편평한 부위(long centric 또는 freedom in centric)로 존재하면 교합, 측두하악관절, 그리고 근육의 조화를 기대할 수 있다.

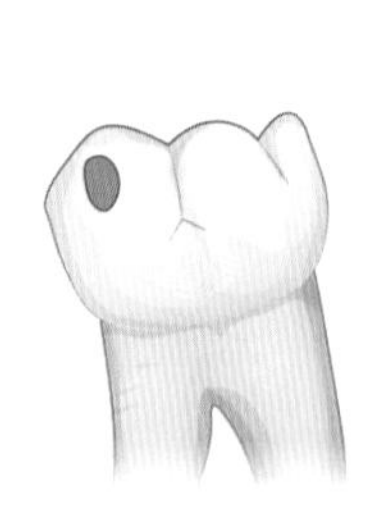
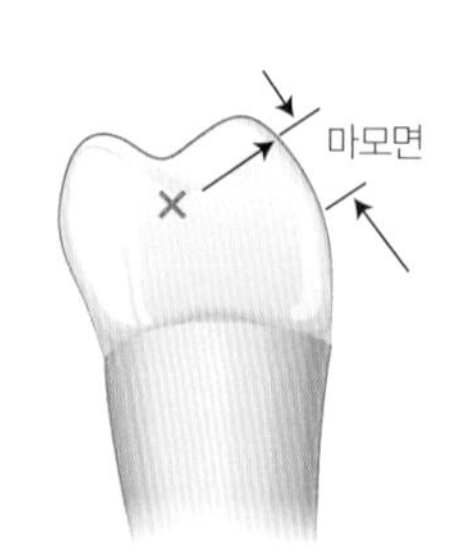

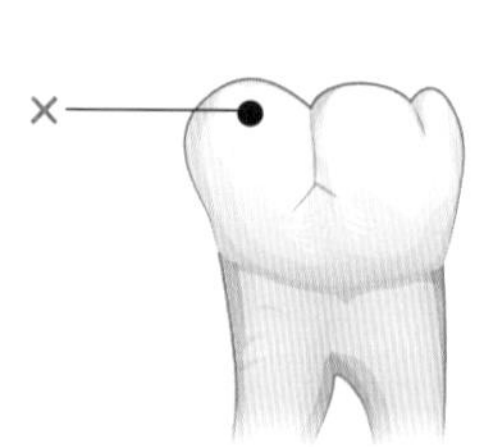
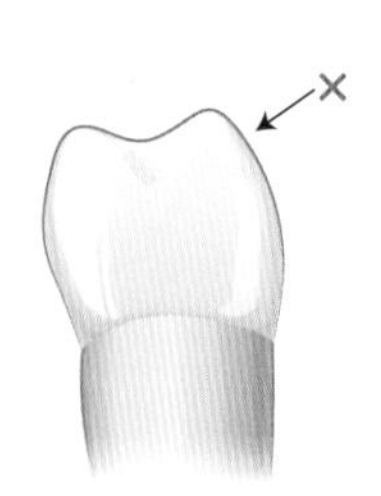

그림 26-14. 마모치의 수정

③ 교두 경사 간의 부조화 조정

개폐위(hinge position)와 정중교합위(median occlusal position) 사이에 부조화가 존재하면 교합장애는 대부분 상악치아의 근심경사와(보통 제1소구치의 설측교두), 하악치아의 원심교두경사 사이에 존재한다. 교두경사의 심도에 따라서 상악치아의 근심경사나 하악치아의 원심경사를 삭제한다(그림 26-15).

④ 교두와 와(Fossa) 간의 부조화 조정

교두와 대합치의 와(fossa) 사이에 부조화가 존재하고 측방운동(excursive movement)에서 교두의 교합장애가 없으면 와를 깊게 만들어 준다. 반면 교두의 장애가 존재하면 교두를 재조정한다(그림 26-16).

⑤ 전치 간의 부조화 수정

개폐위(hinge position)에서 전치 간의 교합장애가 존재하면 하악의 절단면을 수정한다(그림 26-17).

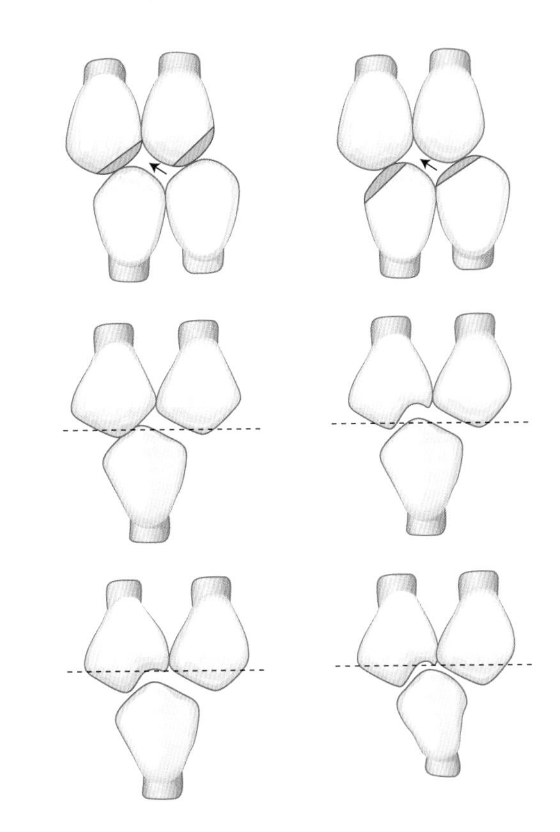

그림 26-15. 교두 경사 간의 부조화 조정

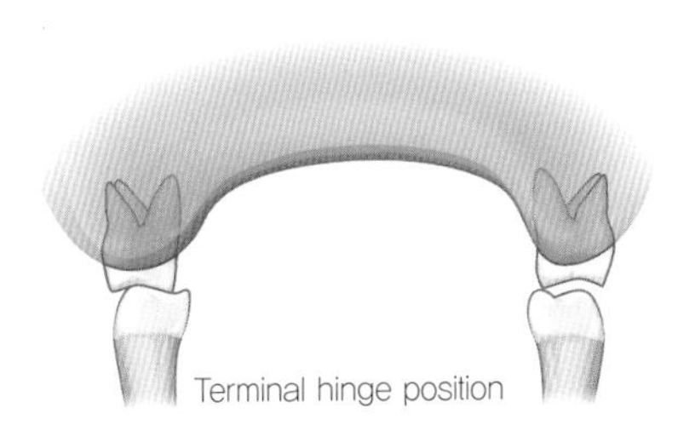

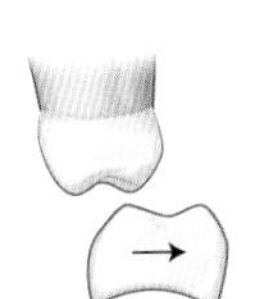

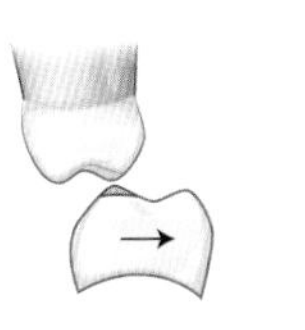

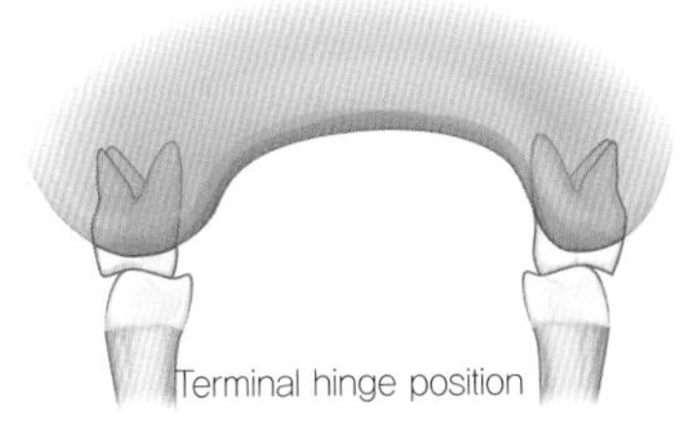

그림 26-16. 교두와 와(fossa) 간의 부조화 조정

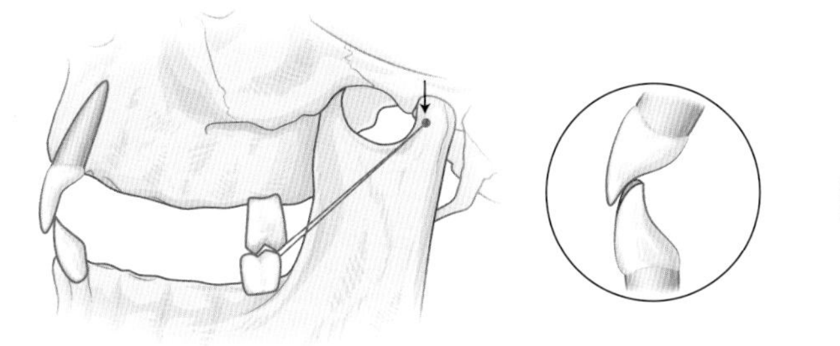

그림 26-17. 전치 간의 부조화 수정

(3) 전방위 및 전방이동 시의 교합조정

대개 측방운동 전에 전방위 및 전방운동 시의 조정을 하지만 순서가 바뀔 수도 있다. 수직피개도가 심한 경우에 발생하는 문제를 해결하기 위해 먼저 전방위에서 조정한다. 순서가 뒤바뀌어 불가피하게 고경을 낮추어야 할 경우에는 삭제를 통한 전치부 관계를 개선할 수 없고 교합 재수정이 필요하다.

① 절단교합관계(Edge to edge relationship)에서 절치군 접촉(Incisor group contact)의 수립

절단교합(edge to edge)위치에서 가능한 많은 전치가 교합되게 한다. 그러기 위해서는 제2급, 3급 부정교합 경우를 제외하고는 상악전치절단면을 삭제한다. 전치부가 돌출된 경우에는 하악전치의 절단을 삭제한다. 전치부 개교합일 때는 절단면삭제를 하지 않는다.

② 전방운동(Protrusive excursion)에서의 전치부 부조화(절치유도의 설립) 수정

전방운동 시 전방부의 조기접촉은 상악전치부의 설면경사도에 의해 야기된다. 이럴 때는 상악전치의 절치유도(incisal guidance)를 삭제한다(그림 26-18). 하악치아를 삭제하는 경우는 최후방위에서 안정된 접촉을 상실하고 다시 원래의 접촉위로 맹출하게 된다. 상악치아의 설면과 하악치아의 순면 사이에 긴 접촉(facet)이 일어나면 전방이동장애(protrusive interference)에서 하악전치를 삭제한다. 교합시 가장 첨단부까지 절단면을 삭제한다. 상악치아는 매끄러운 전방운동을 위해 삭제한다. 이 단계를 반복하면서 전방이동 시에 기능을 하게한다. 목적은 가능한 많은 전치가 접촉하게 하는 것이다. 견치의 원심경사가 전방운동 시 어느 정도의 힘을 받을 때가 이상적인 상태이다(그림 26-19).

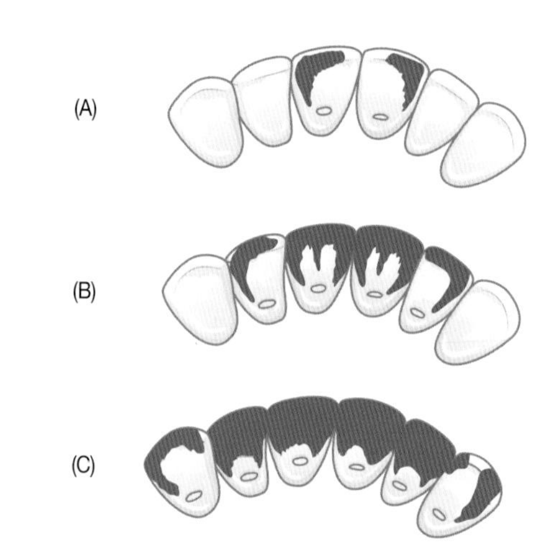

그림 26-19. 전치의 접촉양상 (C) 이상적인 형태

③ 전방운동 시 구치부 부조화 수정

전방이동 시 구치부의 조기접촉은 대개 하악교두(대개 설측교두임)의 근심경사와 상악교두(대개 협측교두임)의 원심경사에서 일어나고 경사가 심할수록 증가된다(그림 26-20). 가장 경사가 심한 면을 삭제해서 조기접촉을 없앤다. 과맹출된 제3대구치가 종종 이런 상황을 초래한다. 이 부위의 삭제로 인해 치질의 과잉소실이 초래되면 반대측 경사면에 구를 형성해서 전방운동 시에 교두가 빠져 나가도록 한다.

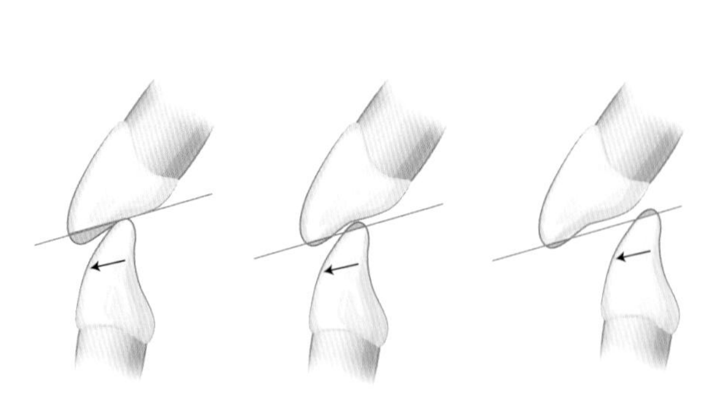

그림 26-18. 전방운동 시 전치부 부조화 수정

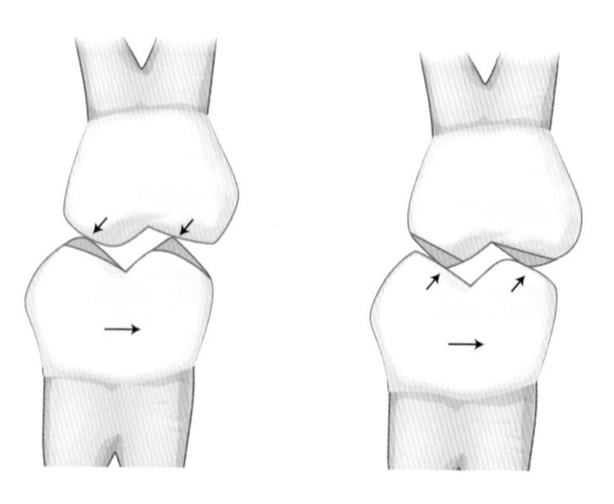

그림 26-20. 전방운동 시 구치부 부조화 수정

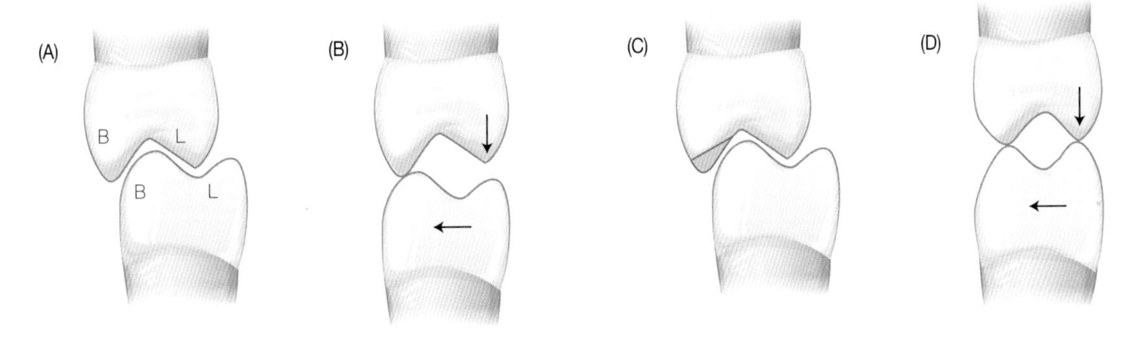

그림 26-21. 작업측에서의 대합치 교두경사의 부조화(오른쪽 측방운동 시) (A) 정상 (B) 비정상 (C) 삭제 부위 (D) 수정 후

④ 전치부 개교합

전치부 개교합은 농설벽(연하습관)에 의해 잘 일어난다. 전치부가 교합하도록 구치부를 삭제하는 것은 근본적인 문제가 남아있는 한 금지한다. 측방운동 시 occlusal scheme은 군기능(group function)으로 만들어 준다. 그러나 건강한 치열에서는 견치유도(canine guidance)를 이용하는 것이 더 좋다.

(4) 측방교합위 및 측방이동 시의 교합조정

견치유도와 구치부 개교합의 양은 작아야 한다. 그렇지 않으면 견치부에 가해지는 비트는 힘이 과도하게 된다.

① 작업측에서의 대합치 교두경사의 부조화

상하악치아의 교두경사가 조화를 이루는 것이 바람직하다. 하악의 오른쪽 측방운동시 협측교두는 닿고 설측교두는 닿지 않는다면 상악치아의 협측교두의 설측 경사를 삭제해서 경사면이 하악치아의 설측교두의 협측경사면과 같아지도록 한다. 그렇게 하면 교두와 와(fossa)가 안정된 관계를 이루고 오른쪽 측방운동 시 설측및 협측교두가 기능적 접촉을 할 것이다. 하악치아의 협측교두를 삭제하면 절단효과가 감소될 것이다. 교합되는 치아의 교두가 다른 경사도를 가질때 이와 같은 규칙을 적용한다. 이 규칙을 따르지 않으면 경사가 심한 교두를 가진 치아는 측방운동 시에 교합위를 넘어가고 평평한 경사면을 가진 치아는 접촉을 하지 않게 된다(그림 26-21).

② 작업측에서 인접치아의 경사면의 부조화

대합치 교두의 경사는 같으나 측방운동 시 장애가 있을 경우에는 상악치아의 협측교두, 하악치아의 설측교두를 삭제한다. 하악의 협측교두와 상악의 설측교두를 삭제하면 최후방위교합이 안되고 다시 부조화관계로 이동하게 된다. 하악의 협측교두와 상악치아의 설측교두는 고유의 위치를 지키고 고경을 결정하는 역할을 한다(그림 26-22).

③ 작업측과 비작업측 사이의 교두경사의 부조화 (비작업측 조기접촉)

적당한 교합접촉은 최후방위에서 나타나지만 오른쪽으로 측방운동 시 비작업측에 조기접촉이 일어난다. 이런 경우에는 작업측에서는 치아가 접촉하지 않는다(그림

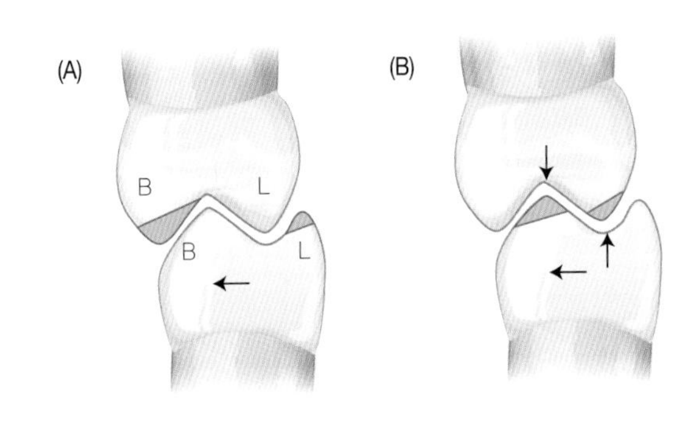

그림 26-22. 작업측에서 인접치아의 경사면의 부조화(오른쪽 측방운동 시). (A) 올바른 삭제 (B) 잘못된 삭제

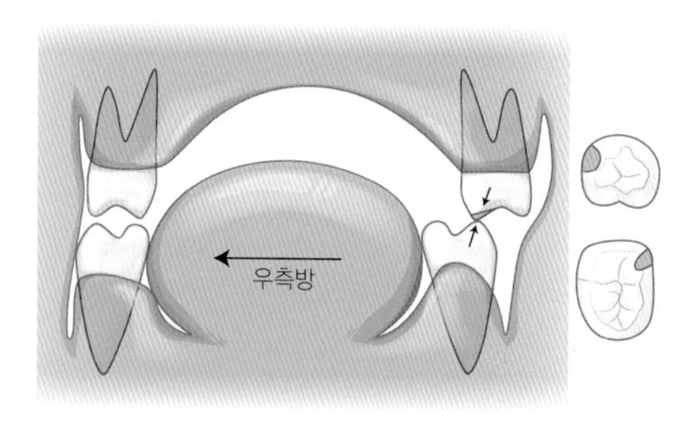

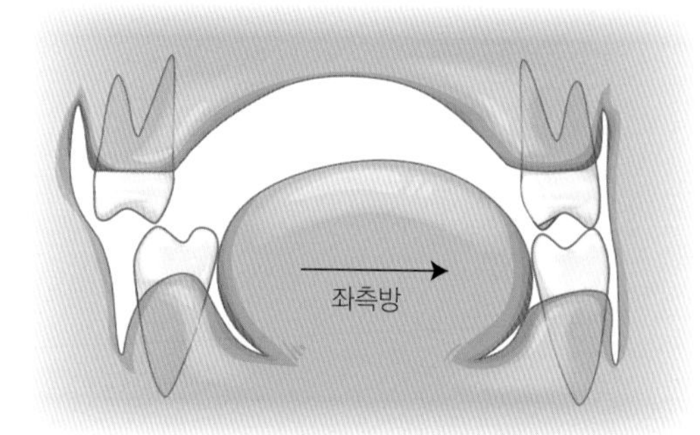

그림 26-23. 작업측과 비작업측 사이의 교두경사의 부조화

26-23). 삭제하기 전에 이 상황을 평가하기 위해 반대측(왼쪽)에서 치아가 작업측 측방접촉(working excursive contact)을 하도록 한다(그림 26-23). 어느 치아를 삭제할 것인가는 하악의 협측교두와 상악의 설측교두를 측방위(excursive position)로 하여 결정하며, 비교해 보아 힘이 치아장축을 따라 절단되는 교두는 보존한다. 비작업측의 접촉은 자연치에서 필요하지도 바람직하지도 않다. 비작업측의 조기접촉은 치주조직에 비틀림력을 전달해서 악관절에 손상을 가져온다.

(5) 생리적 교합형태의 설정과 모든 삭제된 면의 연마

교합면 삭제가 완성되면 교합면 형태를 재형성한다. 배출로(sluice way)와 치간공극(embrasure)을 형성하고 날카로운 절단면을 약간 둥글게 한다. 삭제한 모든 치면을 매끈하게 한다.

참고문헌

1. 홍삼표 역. In: 치의학 용어사전, 2002.
2. Lindhe J., Niklaus P. Lang. Clinical Periodontology and Implant Dentistry 6th edition, Part5. Influence of Occlusion.
3. Michael Newman Henry Takei Perry Klokkevold Fermin Carranza, Newman and Carranza's Clinical Periodontology 13th edition.
4. 최점일. 외상성 교합-최근의 개념과 향후 문제점. 대한치과의사협회지 1987;25:1111.
5. Nyman S., Karring T., Bergenholtz G. Bone regeneration in alveolar bone dehiscences produced by jiggling forces. Journal of Periodontology 1982;17:316.
6. Polson AM, Meitner SW, Zander HA. Trauma and progression marginal periodontitis in squirrel monkeys. IV. Reversibility of bone loss due to trauma alone and trauma superimposed upon periodontitis. Journal of Periodontal Research 1976;11:290.
7. Kantor M., Polson A., Zander HA. Alveolar bone regeneration after removal of inflammatory and traumatic factors. Journal of Periodontology 1976;47:687.
8. Polson AM Adams RA, Zander HA. Osseous repair in the presence of active tooth hypermobility. J Clin Periodontol Journal of Clinical Periodontology 1983;10:370.
9. 최점일. 외상성 교합 존재시 외과적 치주치료의 치유과정에 대한 임상적 연구. 대한치과의사협회지 1988;26.
10. Polson AM. Interrelationship of inflammation and tooth mobility(trauma) in pathogenesis of periodontal disease. Journal of Clinical Periodontology 1980;7:351.

11. Zander HA, Polson AM, Heijl LC. Goals of periodontal therapy. Journal of Periodontology 1976;47:261.
12. Perrier M., Polson AM. The effect of progressive and increasing tooth hypermobility on reduced but healthy periodontal supporting tissues. Journal of Periodontology 1982;53:152.
13. Lindhe J., Niklaus P. Lang, Thorkild Karring. Clinical Periodontology and Implant Dentistry 2008:1144.
14. Nyman S., Lindhe J. Persistent tooth hypermobility following completion of periodontal treatment. Journal of Clinical Periodontology 1976;3:81.
15. Nyman S., Lindhe J. A longitudinal study of periodontal and prosthetic treatment of patients with advanced periodontal disease. Journal of Periodontology 1979;50:163.
16. Ji-Young J, Eun-Young, Kwon, Ju-Youn, Lee. Intentional passive eruption combined with scaling and root planing of teeth with moderate chronic periodontitis and traumatic occlusion. Journal of Periodontal Implant Science 2014;44:20-24.

기타 참고문헌

- Lindhe J. Textbook of Clinical Periodontology: Copenhagen :Munksgaard, 1970.
- Lindhe J. Textbook of Clinical Periodontology: Copenhagen :Munksgaard, 1983.
- Lindhe J, Ericsson, I. The effect of elimination of jiggling force on periodontally exposed teeth in dog. Journal of Periodontology 1982;53:562.
- Lindhe J, Nyman, S. The role of occlusion in periodontal disease and biological rationale for splinting in the treatment of periodontitis. Oral Science Review 1982;53:562.
- Polson A, Zander, HA. Occlusal Traumatism. In Advances in Occlusion. Lundeen HC, Gibbs CH Messachusetts, John Wright 1982:143-148.
- Ramfjord S, Ash, MM. Significances of occlusion in the etiology and treatment of early, moderate and advanced periodontitis. Journal of Periodontology 1981;52:511.
- Zander H, Polson, AM. Present status of occlusion and occlusal theraphy in periodontitis. Journal of Periodontology 1977;48:540.

CHAPTER 27

화학요법제에 의한 치태조절 및 치주치료

서조영 · 김용건

성공적인 치주치료를 위해서는 철저한 구강위생교육과 치근면의 치은연하 세균을 제거하기 위한 외과적 처치 및 비외과적 치근활택, 그리고 3~6개월 간격의 주기적인 유지관리가 필요하다. 중증 만성 치주염, 급진성 치주염과 전신적인 질환과 연관된 치주염 등을 포함하는 특이 형태의 치주질환은 부가적인 화학요법이 질병진행을 조절하기 위해 필요하다.[1]

화학요법제(chemotherapeutic agent)란 치료 목적의 임상적 이득을 주는 화학물질을 이르는 일반적인 용어이다. 임상적 이득은 항균작용 또는 숙주의 방어능력 증가에 의해 얻어진다. 항균제(antimicrobial agent)란 존재하는 세균의 양을 줄여주는 화학요법제를 말한다. 항생제(antibiotics)란 항균제의 한 형태로서 미생물로부터 생산되거나 얻는 것으로써 다른 미생물을 죽이거나 자라나는 것을 방해하는 작용을 하는 것을 말한다. 소독제(antiseptics)란 화학적 항균제로 점막과 상처부위에 또는 손상받지 않은 피부에 국소적으로 적용되어 세균을 파괴하고 재집락과 세균대사를 억제한다.[2] 치의학에서 소독제는 치약과 항치은염 구강세정제와 항치태를 위해 광범위하게 사용된다.

화학요법제는 국소적으로 경구 또는 비경구로 투여할 수 있다. 이들의 궁극적인 목적은 치주낭에 존재하는 세균의 수를 줄이는 것이다. 전신적인 항생제의 투여는 기계적인 치료로 제거할 수 없는 세균을 제거하거나 줄이는데 사용된다.[3–5] 이는 치근 내로나 조직 내로 침투한 세균을 포함한다. 국소적인 투여는 일반적으로 치주낭에 직접적으로 작용하는데, 감염된 부위에 더 높은 농도로 존재하고 전신적인 부작용을 줄일 수 있는 장점을 갖는다.

1. 화학적 치태조절제 (Chemotherapeutic agents)

40년이 넘는 기간동안 치은염이나 치은연상치태조절에 대하여 화학제제의 역할이 큰 관심을 끌어 왔다. 다양하고 많은 수의 화학제제가 개발되어 왔지만 소독이나 항균에 대한 성공에 있어서 다양하게 평가되었다. 항균제는 치료효과보다는 예방효과가 더 크다는 점이 강조되어야 하는 것이 중요하다. 가장 효과적인 화학제제는 치은염과 치태의 형성을 억제하지만 이미 형성된 치태와 치은염에 대해서는 제한적인 효과를 갖는다고 밝혀졌다. 화학적 치태조절제는 1980년 이래 많은 논문의 주제로 채택되었다. Chlorhexidine에서 나온 지식에 근거하여 가장 효과적인 치태방지 약제는 구강 내에서 몇 시간 동안 항균작용을 지속할 수 있느냐를 보는 것이었다. 이러한 지속성은 몇 가지 요인에 의해 영향을 받고 'substantivity'로 명명되었다.

- Pellicle로 덮인 치아를 포함하는 구강 표면에 대한 흡착과 지속적인 유지
- 일차적인 치태형성 박테리아에 대한 제균성으로 인한 항균 활성의 유지

표 27-1. 치태 및 치은염의 조절에 사용되는 약제의 그룹들

Group	Example of agents	Action	Used now / product
Enzymes	Protease	Plaque removal	No
	Lipase	*Amyloglucosidase	*Amyloglucosidase
	Nuclease		*Amyloglucosidase
	Dextranase		
	Mutanase		
	*Glucose oxidase		
	*Amyloglucosidase		
Bisbiguanide antiseptics	*Chlorhexidine	Antimicrobial	*Yes
	Alexidine		Mouthrinse
	Octenidine		Spray
			Gel
			Toothpaste
			Chewing gum
			Varnish
Quaternary ammonium compounds	*Cetylpyridinium chloride	Antimicrobial	*Yes
	*Benzalconium chloride		Mouthrinse
Phenols and essential oils	*Thymol	*Antimicrobial	*Yes
	*Hexylresorcinol	+Anti-inflammatory	Mouthrinse
	*Ecalyptol		Toothpaste
	*Triclosan+		
Natural products	*Sanguinarine	Antimicrobial	No
Fluorides	(*)Sodium fluoride	*Antimicrobial	+*Yes
	(*)Sodium monofluoro-phosphate	( ) minimal	Toothpaste
	*Stannous fluoride+	+?	Mouthrinse
	+Amine fluoride		+Gel
Metal salts	*Tin+	Antimicrobial	*Yes
	*Zinc		Toothpaste
	Copper		Mouthrinse
			+Gel
Oxygenating agents	*Hydrogen peroxide	Antimicrobial	*Yes
	*Sodium peroxyborate	? plaque removal	Mouthrinse
	*Sodium peroxycarbonate		
Detergents	*Sodium lauryl sulfate	Antimicrobial	*Yes
		? plaque removal	Toothpaste
			Mouthrinse
Amine alcohols	Octapinol	Plaque matrix	No
	Delmopinol	Inhibition	Yes
			Toothpaste
			Mouthrinse
Salicylanide	Salifluor	Antimicrobial and anti-inflammatory	No

- 구강 내 환경에서 항균 활성이 미약하거나 느린 중성화 혹은 구강 표면으로부터의 느린 탈락

다음은 치태와 치은염을 조절하기 위해 사용되는 각각의 화학적 치태조절제에 대해 서술하고자 한다(표 27-1).

1) 효소들(Enzymes)

효소는 두 개의 그룹으로 나뉜다. 첫 번째 그룹은 실제적으로 항균제 약물이 아니라 치태를 더 많이 제거하는 약물이다. 그들은 잠재적으로 초기 치태 기질을 방해함으로써 세균이 치아 표면에서 떨어지게 한다. 1960년대 후반과 1970년대 초반에 dextranase, mutanase 그리고 다양한 protease는 치태조절에서 중요한 역할을 하는 것으로 생각되었고, 또한 그것들은 아마도 우식증과 치은염의 성장을 막을 것으로 생각되었다. 불행히도 이러한 약물들은 낮은 'substantivity'를 가졌고 국소적인 부작용이 있으며, 점막에 침궤양을 형성했다. 효소의 두 번째 그룹은 포도당산화제와 amyloglucosidase를 사용하여 숙주의 방어체계를 증가시키는 약물이다. 이것의 목적은 내인성과 외인성에서의 thiocyanate를 hypothiocyanate로 전환하며 salivary lactoperoxidase system을 촉진하는 것이다. Hypothiocyanite는 구강미생물 특히 streptococci의 대사작용을 방해하여 억제반응을 한다. 이러한 접근은 이론상으로 가능하고 화학반응은 실험실에서만 나타난다. 효소와 thiocyanate를 포함하는 치약은 치은염에 대한 이점이 불확실하고 효능에 대해 확신을 주는 장기간의 연구들이 없다.

2) Bisbiguanide antiseptics

Cationic bisbiguanide인 chlorhexidine gluconate는 오랫동안 가장 많이 연구되고 치태 제거와 치은염 예방에 효과적인 살균제이다. 다른 bisbiguanide를 예를 들어 alexidine, octenidine들은 chlorhexidine과 같거나 작은 활성을 가진다. 하지만 국소적 부작용을 키우지 않고 특성이 적다. 그래서 chlorhexidine은 많이 사용되고 상품화되는 bisbiguanide로 남아 있다.

Chlorhexidine은 digluconate, acetate, hydrochloride salt 세가지 형태로 사용 가능하다. 대부분의 연구와 대부분의 구강 물질과 제품들은 digluconate salt를 쓰고, digluconate salt는 20% V/V 응축되어 만들어진다.

Chlorhexidine은 1940년대에 England의 Imperial Chemical Industries에서 발명되었고 피부 상처에 대한 항균제로 1954년에 시장에 나왔다. 이후 chlorhexidine은 환자와 외과의사 모두를 위해 내과 산과, 부인과, 비뇨기과의 술전 피부 처치에 좀 더 널리 쓰였다. 치과에서는 구강의 술전 소독과 근관치료에서 처음 사용되었다. Chlorhexidine에 관한 최초의 확정 연구는 Löe와 Schiott[6]에 의해 수행되었다. 이 연구는 일반적인 치아세정을 하지 않는 상태에서 0.2% chlorhexidine gluconate (20 mg)를 매일 10 ml씩 두 번 60초 동안 세정하는 것이 치은염의 진행과 치태의 재성장을 억제하였다고 하였으며 이후 다른 임상실험을 통하여 그 효과를 확인하였다. 수 개월에 걸친 임상시험에서도 45~61%의 치태감소를 보였으며 치은염도 27~67%가 감소하였다. 미국에서는 0.12%가 현재 사용되고 우리나라에서는 0.1%의 chlorhexidine이 사용된다. Chlorhexidine은 피막(pellicle) 형성을 감소시키고 치아에 대한 세균의 부착기전의 변성, 세균 세포벽의 변성을 일으켜 세포용해를 일으킨다. 또한 여러 구강표면에 친화성이 있어 표면에 흡수되어 천천히 오랜 시간 동안 유효농도로 방출된다. 물체(substance)와 기질(substrate) 사이에 접촉시간이 길어지는 성질을 'substantivity'라 하는데 chlorhexidine은 이 성질이 우수하다.

Chlorhexidine을 구강세정 같은 구강에 사용 시 많은 국소적인 부작용이 있다고 보고되었다. 이런 부작용들은

- 치아와 수복물 재료와 혀의 배면의 갈색 착색
- 섞여 있는 맛에서 짠맛이 우선적으로 영향 받는 곳에서 미각의 혼란[7]
- 구강점막의 미란: 이것은 특이적 체질과 농도에 영향을 받기 때문에 0.2%를 0.1%로 희석해서 사용할 수 있으며, 0.12%를 15 ml 사용 시 미란이 드물게 관찰된다.
- 편측 혹은 양측 이하선 부종: 극히 드물게 관찰되며, 원인이 알려져 있지 않다.

- 증가된 치은연상치석 형성: 이것은 치아 표면에 단백질의 침전에 기인한다. 그러므로 pellicle 두께의 증가와 pellicle 층으로의 무기염 침전의 증가를 보인다.

3) Quaternary ammonium compounds

Benzalconium chloride와 좀 더 세분화된 cetylpyridinium chloride가 이 그룹의 살균제로 가장 많이 연구되었다. Cetylpyridinium chloride는 보통 0.05%의 농도로 구강 살균작용을 하는 데 널리 사용된다. 음이온이고, bisbiguanide 만큼 강하지는 않지만, 구강조직에 잘 결합한다. 이들은 chlorhexidine보다 더 빠르게 부착부에서 방출되지만 치태와 치면과의 결합력은 강하다.[8] 이러한 빠른 방출이 chlorhexidine 만큼 효과적이지 않은 이유 중의 하나다. 단기간 사용에서 치태의 25~35% 감소를 보였으나 6개월 사용 시 치태의 14%가 감소하였다는 보고가 있다.

부작용으로는 착색과 치석침착의 증가, 고농도 약제를 사용 시 화끈거림과 상피탈락이 생긴다. 작용기전은 세포벽의 파괴와 세포질의 변화와 관계있다. 상품명은 Cepacol (Marion Laboratories, Kansas City, MO)와 Scope (Procter & Gamble Co.) 등이 있으나 잘 사용되지 않는다.

4) Essential oils와 Phenols

Essential oil 구강세정제에는 thymol, eucalyptol, merrthol 그리고 methylsalicylate가 포함되어 있다. 구강위생의 수준에 관계없이 장, 단기 사용에서 효과가 보고되었는데, 치태감소는 20~35%, 치은염의 감소는 25~35%였다. 이 약제는 19세기 이래로 사용되어 안전성이 확립되어있으나 알콜이 24%나 포함되어있어 사람에 따라서는 사용 시 불편을 호소하기도 한다. 작용기전은 세포벽의 파괴와 효소의 억제이다. Chlorhexidine과 직접적으로 6개월 동안 비교 연구한 결과, 치태와 치은염에 대해 동등한 효과를 나타냈지만 chlorhexidine이 가진 고유의 부작용은 나타나지 않았으나, pH는 낮아(pH 4.3) in vitro와 in situ에서 법랑질과 상아질에 각각 부식을 야기하였다.[9] Essential oil을 cetylpyridinium chloride과 결합시키는 것이 시도되었으며 초기연구들로부터 좋은 결과가 기대되었다.

Non-ionic 항균 triclosan인 trichlora-2-hydroxyphenyl ether는 보통 phenol 그룹에 속한다. Triclosan을 상대적으로 높은 농도(0.2%)와 양(20 mg씩 하루에 두 번)으로 사용 시 5시간 정도에 적당한 치태억제작용과 항균효과를 보였다. 10 mg 용량과 비교했을 때 20 mg인 경우가 훨씬 효과가 있지만, 하루에 triclosan 단독으로 사용 시 치태에 반응하는 용량은 상대적으로 고정되어 있다. Triclosan은 강한 양이온이 없어서 구강 내에는 잘 부착하지 않지만 치태와 치아에 접착력을 증가시키도록 제조법이 발달했다. 항치태와 항치석 성질을 가지게 하기 위해 zinc citrate와 결합하기도 하고, 유지시간을 증가시키기 위해 methoxyethylene과 maleic acid의 copolymer 내에 triclosan을 혼합제작하기도 하고, 치석을 저하시키는 성질을 증가시키기 위해 pyrophosphate와 결합시키기도 한다. 항우식 효과를 위해 0.24%의 sodium fluoride와 silica base를 첨가시키기도 한다.

최근 장기간의 연구에서 triclosan을 함유하는 치약은 비록 효과는 작지만, 치주염의 진행을 줄일 수 있다고 보고하였으며, triclosan과 copolymer를 함유한 구강세정은 보통의 양치와 함께 사용할 때 구강위생과 치은건강에 부가적인 효과를 준다고 보고하였다. Triclosan과 copolymer 구강세정제의 치태억제 성질에 대한 다른 연구에서는 essential oil 구강세정제보다 효과를 덜 나타냈다.

5) 천연물(Natural products)

허브와 식물 추출물은 몇 년 동안 구강위생제품에 사용되었다. 불행하게도 적절한 데이터는 거의 없고 치약 제품은 불소치약과 비교했을 때 구강위생과 치은건강에 대해 큰 효과를 나타내지 못한다. 식물추출물 sanguinarine은 다양한 조성으로 사용되었다. Sanguinarine 단독의 효능성을 측정하기 어렵게 만드는 zinc salts가 또한 혼합되었다. 그러나 zinc와 혼합되었을 때 이득에 대한 데이터는 분명치 않다. Sanguinarine/zinc toothpaste와 구강세정제를 함께 사용하는 것에 대한 몇몇의 긍정적인 결과가 보고되었지만,[10] 이익 대비 비용에 대한 그 효율성은 낮다. 중요하게도 최근에 sanguinarine을 포함한 구강세정제는 구강세정제 사용을 중단한 후 전암 병소의 발생 가능성이 10배나 증가한다는 것을 보여주었다. 가장 잘 알려진 제품의 제조업자는 구강세정제의 sanguinarine을 대체물질로 바꾸었다. 더 최근에, tea tree oil을 도포하였을 때 치은염증을 감소시키는 데 긍정적인 효과가 있음을 발표하였으나 치태축적에 대한 명확한 증거는 아직 없다.

6) 불소(Fluoride)

많은 불소염의 우식예방효과는 잘 알려졌지만, 불소 이온의 경우 치석의 발생과 치은염에 대해서 아무런 효과가 없다. 불화아민과 불화주석은 약간의 치석형성 방해 작용을 하는 데, 특히 둘이 조합될 경우 그런 작용을 한다. 그러나 이러한 효과는 분자의 비불소 부분에서 유래된다. 불화아민과 불화주석을 포함하는 구강세정 제품이 시판중이며, 그러한 제품을 세정제로 사용할 경우에 치아우식에 관여하는 미생물을 감소시키고 치주병인균을 줄이고 부분적으로는 치태형성을 억제한다는 증거도 있으나,[11] chlorhexidine보다는 더 적은 효과를 보였다.

7) 금속염(Metal salts)

금속염에 의한 치석억제를 포함한 항균 작용은 수년 동안 인정받아 왔다. 대부분의 연구는 구리, 주석, 아연에 관심이 집중되었는데, 금속염의 농도와 사용빈도에 따라 무언가 모순되는 결과를 나타냈다. 특히 상대적으로 높은 농도의 다원자 금속염만을 사용할 경우, 치석억제는 효과적이나 맛의 이상과 독성 문제가 발생하였다. 불화주석은 예외지만, 물에 의해 가수분해가 일어나는 안정성 문제 때문에 구강위생 제품으로 만들기는 어려우나 치석과 치은염에 대한 효력이 입증된 안정적인 무수 겔이나 치약제품이 나와 있다.

1% stannous pyrophosphate가 불화주석에 첨가되어 좋은 효과를 나타내었으며, 주석이온의 농도가 효능에 가장 큰 영향을 미치는 요인으로 작용하였다.[12] 그러나 주석화합물에 의해 치아착색이 발생했으며, chlorhexidine이나 착색되는 음식을 포함한 기타 양성 살균제의 착색과 같은 기전으로 발생했다.

구리도 치아에 착색을 일으키지만, 구리는 구강위생제품에 사용되지 않는다. 아연은 적은 농도로 사용할 경우, 부작용이 없기 때문에 많은 수의 치약이나 구강세정제에 사용된다. 하지만 아연 단독으로는 높은 농도가 아니면, 치석에 별 효과가 없으며, 아연염은 구강악취와 관련된 휘발성의 황화합물의 감소에 효과적일 수 있다.

8) 산화 제제(Oxygenating agents)

산화 제제는 근관치료나 치주치료 등의 다양한 치과치료에서 살균제로 사용하곤 한다. 과산화수소는 치은연상치석의 제거와 최근에는 미백제로 치아를 하얗게 하는 데 중요하게 이용한다. 마찬가지로 peroxyborate는 급성 궤양성 치은염의 치료에 이용 된다.[13] 최근까지 유럽이나 영국에서는 peroxyborate나 peroxycarbonate가 함유된 제품이 항균작용과 치석억제 작용이 있는 것으로 알려져 있다.

9) 세정제(Detergents)

Sodium lauryl sulfate 같은 세정제는 치약이나 구강세정제품의 보편적인 함유물이며, 항균 작용을 가지지만 가장 미약한 치석억제 작용을 보인다. Sodium lauryl sulfate 단독으로는 5~7시간 비교적 효과적인 모습을 보였고,[14] triclosan과 비슷한 치석억제 작용을 가졌다. 세정제 단독으로 있는 화합물은 시판되지 않으며 오랜 기간의 연구도 수행되지 않았다.

10) Amine alcohols

사실 이 그룹의 복합체는 항균이나 살균의 범주에 들어가지는 않는다. 실제로 이것들은 미생물에 대해 최소한의 효과를 가진다. 이런 morpholinoethanol 유도체인 octopinol은 처음엔 치석억제제로 효과적인 것으로 보였으나, 독성문제 때문에 사용하지 않게 되었다. 다음으로 delmopinol이 개발되었고, 구강세정제에 0.1~0.2% 함유되어 치석과 치은염에 대해 효과적이었으며, 논란의 여지는 있지만 기존의 어떤 제제에 비해 chlorhexidine에 가까운 효과를 보였다. 최근 0.2%의 delmopinol이 7개의 독립된 그룹에서 수행한 8개의 연구에서 각각 다른 목적으로 분석되었다. Delmopinol이 최소의 화학적 치석억제제의 목적으로 쓰인 연구에서는, 치석과 심각한 치은염의 감소에 매우 효과적인 부가물이라는 것을 보여주었다.[15] 여러 연구에서의 치은염에 관한 자료는 미국치과협회(ADA)의 치은염 감소에 대한 효능의 기준을 충족시켰다.

Delmopinol의 작용 방식은 논의되어야 하나, 치석 기질의 형성을 방해하고 초기의 치석형성 박테리아의 응집을 감소시키는 것으로 보인다. 만일 그것이 맞다면, delmopinol은 항응집제제의 분류에 더 적합할 것이다. 치아착색이나 혀의 일시적인 감각이상, 그리고 구강내 작열감 등의 부작용을 가지며, 흥미롭게도 착색은 chlorhexidine보다 훨씬 적으며, 드물게 보고되었으며, 쉽게 제거되었다. 몇몇 나라에서는 0.2%의 delmopinol이 함유된 세정액을 사용한다.

11) Salifluor

Salifluor는 항균성과 항염성 성질을 모두 가진 salicylanide로서 치태억제와 치은염의 발병에 미치는 영향에 대해 연구되었다.[16] 구강 내에서의 유지를 증가시키고 흡착을 최대화하기 위해서 Gantrez (PVM/MA)가 salifluor 치약과 구강세정액 구성성분으로 포함되어 왔다. 치태형성 후 초기 4일 후의 치태 재형성과 14일의 치은염이 0.12% chlorohexidine 구강세정액과 동일한 효과를 보인 이래, 놀랍게도 salifluor는 충분히 연구되지 않았다. 이런 항치태성 물질 같은 화학물질의 잠재된 가치를 보여주는 증거가 있으므로 앞으로 더욱 많은 연구가 진행될 것으로 보인다.

12) Acidified sodium chlorite

이것은 표 27-1에 나열된 어떤 그룹에도 속하지는 않는다. 하지만 선택하는 산과 반응조건에 따라서 여러 가지 복잡한 반응산물이 일어날 수 있다. 항균작용을 위한 이상적인 조건에서 sodium chlorite는 protic acid와 반응을 해서 chlorous acid를 생산한다. 그러면 이것이 또 higher oxidant species로 나타나지만 chlorine dioxide의 양은 최소만 포함하게 된다. 이 higher oxidant species는 박테리아, 곰팡이, 효모, 바이러스 등의 넓은 범위의 항균활성을 가진다. 실험적으로 구강세정액으로 사용하였을 때 단기간의 치태 재형성과 타액의 박테리아 수에 대해 조사 해 본 결과, 놀랍게도, 만약 acid와 sodium chlorite가 세정 바로 직전에 섞이고, 그 화학적인 작용이 세정하는 시간으로 제한된다면, chlorohexidine만큼 치태 재형성에 좋은 효과를 나타내었고, 비슷한 지속성을 가진 것으로 나타났다.[17] 장기적인 실험을 해보진 않았지만 부작용, 특별한 탈색이나 미각변화는 acidified sodium chlorite가 들어간 구강세정제에서는 나타나지 않는 것으로 보인다. 불행히도 낮은 산도가 치아의 침식을 일으키기도 하나 단기간–중기간의 사용으로는 침식이 임상적으로 중요할 만큼 미치지는 않을 것이다. Acidified sodium chlorite 구강세정제는 chlorohexidine과 비슷하게 예방적 치과에도 적용될 만하며, 현재까지는 상업적인 생산품은 없다.

13) Other antiseptics

여러 가지 살균/항균제가 치태억제를 위해 연구되어 왔다. 대부분 생체실험에서는 영향이 거의 없거나 없는 것으로 나타났으나, povidone iodine과 hexetidine을 포함한 몇 개의 구강세정액 제품에 제조되었다. 1% Povidone iodine은 단지 60분의 지속력을 가지며 치태억제 작용이나 급성괴사성치은염 같은 급성감염에서의 작용은 부족하였다. Povidone iodine은 대부분 부작용이 없지만 갑상선의 기능에 영향을 줄 만한 잠재성은 있다.

Hexitidine은 포화된 pyrimidine으로, 0.1%에서 제한적인 치태억제 작용을 하는 것으로 나타났고, 구강위생을 위해 보조적으로 쓰일 경우에는 특별한 항치태 작용의 증거는 없었다. 치태에 대한 hexetidine의 작용은 zinc salts에 의해 강화되는 것으로 보이지만 그 자료들은 단기간에 의한 것이다. Hexitidine의 부작용은 치아착색과 점막궤양을 포함하지만 둘 다 흔하지는 않다. 그런데도 점막궤양은 만약 농도가 0.14%까지 높아진다면 크게 증가되었다.

구강세정액 제품은 0.1% hexitidine이 포함된 것이 몇 유럽국가에서 판매되고 있다. 최근 연구에 의하면 치태와 치은염에 호의적인 효과를 보이며, 0.1% chlorohexidine에 비교했을 때 감소된 착색 경향을 보인다.[18]

2. 항생제의 전신적 투여 (Systemic administration of antibiotics)

치주질환 치료 시 항생제의 사용은 치주질환이 감염의 성격을 가지고 있는데 기초한다(표 27-2). 이상적으로는 특정 원인 균을 밝히고 항생제의 민감성 검사를 통해서 그 특정 원인균에 맞는 항생제를 선택하여야 하겠으나, 다양한 치주질환과 단순히 연관된 세균보다는 특정한 원인세균을 찾아내는데 일차적인 어려움이 있다.

치주질환을 조절하는데 도움을 주기 위해서 복용하는 항생제는 임상적인 최대의 이점과 발생할 수 있는 부작용을 비교하여 결정해야 한다. 몇몇 부작용에는 알레르기 반응과 과민반응 기회감염, 내성균의 발현, 다른 약제와의 상호 작용, 구역질과 구토 등이 있다.[19] 전 세계적인 무분별한 항생제의 사용은 지난 15~20년간 내성균의 증가에 영향을 주었으며 이는 항생제의 사용이 전 세계적으로 남용되는 한 계속될 것이다. 항생제의 오남용과 예방적 항생제 사용은 내성균에 의한 응급상황이 발생하는데 중요한 요소가 된다. 치은연하 세균환경에서의 항생제에 대한 내성의 증가는 항생제 사용의 증가와 관계가 있다.[20]

치주질환의 치료와 예방을 위한 이상적인 항생제는 치주병 원인균에 특이성을 가져야 하며, 독성이 없어야 하고, 지속적인 효과를 발휘해야 하며, 다른 질환의 치료에는 일반적으로 사용되지 않으며 값싸야 한다. 구강내 세균이 항생제에 감수성을 가진다하여도 단독으로 모든 화농성의 치주 원인 균을 억제할 수 있는 항생제는 없다.[21] 실제로는 치주낭 내에 모든 화농성의 원인 균을 제거하기 위해서는 항생제의 복합처방이 필요하다(표 27-3).[22]

1) Tetracyclines

Tetracycline은 국소 급진성 치주염 치료를 포함한 난치성 치주염의 치료에 널리 이용된다. 이 약제는 치주조직에 고농도로 존재하고 특정 치주질환 원인균(aggregatibacter actinomycetemcomitans)에 효과적이며, 항교원질 분해효소 효과가 있다.

(1) 약리학

Tetracycline은 Streptomyces종에서 생산되거나 반합성

표 27-2. 치주질환 치료에서의 항생제 사용

종류	약제	주요 특징
Penicillin*	Amoxicillin	광범위한 항생작용: 구강 흡수 우수: 전신적 사용
	Augmentin+	penicillinase 분비하는 미생물에 효과적임: 전신적 사용
Tetracycline	Minocycline	넓은 범위의 미생물에 효과적임: 전신적 사용과 국소 적용(치은연하)
	Doxycycline	넓은 범위의 미생물에 효과적임: 전신적 사용과 국소 적용(치은연하)
		숙주 방어 작용을 위해 화학 치료 시 항생제 용량 이하로 사용(Periostat)
	Tetracycline	넓은 범위의 미생물에 효과적임
Quinolone	Ciprofloxacin	그람음성간균에 효과적임: 건강과 관련된 세균총 증가
Macrolide	Azithromycin	염증 부위에 집중, 전신적 사용
Lincomycin derivative	Clindamycin	penicillin 알러지 환자에 사용: 혐기성 세균에 효과적임, 전신적 사용
Nitroimidazole=	Metronidazole	혐기성 세균에 효과적임: 전신적 사용과 겔 형태의 국소 적용(치은연하)

* 적응증: 국소적 급진성 치주염, 전신적 급진성 치주염, 전신 질환과 연관된 치주염, 난치성 치주염
+Amoxicillin and clavulanate potassium.
=적응증: 국소적 급진성 치주염, 전신적 급진성 치주염, 전신 질환과 연관된 치주염, 난치성 치주염, 괴사성 궤양성 치주염

표 27-3. **치주질환 치료를 위한 일반적인 항생제 처방***

		용량	용법/간격
단독약제	Amoxicillin	500 mg	8일 동안 매일 3번씩
	Azithromycin	500 mg	4~7일 동안 매일 1번씩
	Ciprofloxacin	500 mg	8일 동안 매일 2번씩
	Clindamycin	300 mg	10일 동안 매일 3번씩
	Doxycycline or Minocycline	100~200 mg	21일 동안 매일 1번씩
	Metronidazole	500 mg	8일 동안 매일 3번씩
복합치료	Metronidazole+Amoxicillin	각각 250 mg	8일 동안 매일 3번씩
	Metronidazole+Ciprofloxacin	각각 500 mg	8일 동안 매일 2번씩

*Data from Jorgensen MG, Slots j: Compend Contin Educ Dent 21:111, 2000
*위 용량은 환자의 병력, 치주적 진단과 항생제 시험의 검사를 통해 처방된다.

적으로 생산 되는 항생제이다. 이 항생제는 정균작용(bacteriostatic action)이 있으며 급속히 증식하는 세균에 효과적이다. 일반적으로 그람음성 세균보다 그람양성 세균에 더 효과적이다. Tetracycline은 치주질환을 치료하는데 효과적인데 이는 tetracycline의 치은열구 내에서의 농도가 혈장보다 2~10배 정도 높게 나타나기 때문이며, 이로 인해 치주낭 내에 고농도로 존재한다.[23] 몇몇 연구에서는[21,24,25] 2~4 μg/ml의 낮은 치은열구액 농도에서도 많은 치주병원균에 대해서 대단히 효과적으로 작용함을 보고하였다.

(2) 임상적 사용

Tetracycline은 국소 급진성 치주염 치료에 있어서 보조제로 연구되었다. *A. actinomycetemcomitans*는 국소 급진성 치주염의 원인균이며 조직 침투성이 강하다. 그러므로 치근면으로부터 치석과 치태를 제거하는 것으로 이 세균을 치주조직으로부터 제거할 수는 없다. 치석제거와 치근활택을 동반한 tetracycline의 전신적 투여는 조직 내의 세균을 제거하고 골소실을 정지시키며 *A. actinomycetemcomitans*을 억제하게 된다.[26,27] 이와 같이 혼합하여 치료하면 치근면 부착물을 체계적으로 제거하게 되며 조직 내의 병원성 세균을 제거하게 된다. 이와 같은 방법을 사용하여 치료 후 골의 높이가 간혹 증가되는 것을 볼 수 있다.[26]

만성 치주염 치료에 있어서 치석제거 및 치근활택술의 보조제로서 tetracycline의 사용은 초기에 염증을 감소 시키나 몇 주 후에는 실질적인 임상적 이점이 없다. 과거에는 낮은 용량의 tetracycline을 오랫동안 사용하는 방법을 주장하였다. 적은 용량의 tetracycline (250 mg/day, 2~7년간)을 장기적으로 투여한 환자에 대한 연구에 의하면 탐침 시 출혈이 되지 않는 깊은 치주낭이 지속적으로 존재함을 보여주었다. 이러한 부위는 tetracycline에 내성이 있는 그람음성간균(예를 들어 *Fusobacterium nucleatum*)을 많이 포함하고 있다. 내성균의 발현가능성이 크므로 tetracycline은 오랜 기간 동안 사용하는 것은 추천되지 않는다. 비록 과거에 국소 급진성 치주염과 다른 급진성 치주염에서 일반적으로 사용되었지만, 현재는 효과적인 항생제를 복합적으로 사용하는 방법이 대신 사용되고 있다.[19]

(3) 개별 약제

Tetracycline, minocycline, doxycycline (tetracycline 그룹의 반합성물) 등이 치주치료에 사용되고 있다. Tetracycline은 하루에 네 번 250 mg씩 복용해야 한다. 값이 싼 반면 하루에 네 번 복용해야 하는 번거로움이 있다.

Minocycline은 광범위 영역의 세균에 대하여 효과적이다. 만성 치주염 환자에서 사용 시 나선균이나 운동성 간균은 치석제거술이나 치근활택술에서와 같이 억제되며 그 효과는 치료 후 3개월까지 남아있다. Minocycline은 하루에 두 번 복용하므로 tetracycline에 비해서 환자에게 편하다. Tetracycline보다 간독성이나 신독성이 덜하지만 가역적인 현기증을 일으킬 수 있다. 하루에 200 mg의 용량으로 1주일간 복용하면 전체 세균의 수가 감소하고, 2개월 후에는 나선균이 완전히 제거되며 모든 임상지수가 개선된다.[28]

Doxycycline은 minocycline과 사용범위가 비슷하며 효과도 똑같다. 하루에 한 번만 복용해도 되므로 환자의 만족도가 높다. 다른 tetracycline은 위장을 통한 흡수가 칼슘, 금속이온, 제산제 등에 의해서 방해를 받지만 doxycycline은 그렇지 않다. 추천되는 용량은 첫날은 100 mg을 하루에 두 번 복용하고 그 다음부터는 하루 100 mg씩 복용하면 된다. 위장장애를 줄이기 위해 50 mg을 하루에 두 번 복용해도 된다. Collagenase를 억제하기 위한 항균하(subantimicrobial) 농도로 사용될 때는, 20 mg을 하루에 두 번 복용하는 것이 추천된다.[29]

2) Metronidazole

(1) 약리학

Metronidazole은 원충류 감염을 치료하기 위해 프랑스에서 개발된 nitromidazole compound이다. 혐기성 균에 대해 bactericidal하며 세균의 DNA합성을 파괴하는 것으로 여겨진다. Metronidazole은 *A. actinomycetemcomitans*균을 치료하는데 일차적으로 선택되는 약물은 아니다. 그러나 다른 항생제와 같이 사용하면 *A. actinomycetemcomitans*의 치료에 효과적이다.[22] Metronidazole은 *Porphyromonas gingivalis*나 *Prevotella intermedia*와 같은 절대 무산소성균(obligate anaerobes)에 대해 효과적이다.

(2) 임상적 이용

Metronidazole은 임상적으로 치은염, 급성 괴사성 궤양성 치은염, 만성 치주염 그리고 급진성 치주염을 치료하는 데 사용되었다. 단독으로 이 약물만 투여하는 경우도 있고 치근활택술이나 수술과 병행하여 투여하는 경우도 있고 혹은 다른 항생제와 같이 투여하기도 한다. Metronidazole은 급성 괴사성 궤양성 치은염을 치료하는데 있어서 성공적으로 사용되어 왔다.[30]

치근활택술을 병행하지 않고 metronidazole만 단독으로 사용하여 치주염을 치료하는 경우 치근활택술의 효과와 비슷하거나 그보다 못한 결과가 나타난다. Metronidazole은 amoxicillin이나 amoxicillin–clavulanate potassium (Augmentin)과 혼합 투여하면 급진성 치주염 치료 시 좋은 효과가 있다는 것으로 알려져 있다.

(3) 부작용

부작용은 복용한 양에 비례해서 나타나며 심한 경련, 오심, 구토 등이 나타난다. 알코올을 포함하는 음식은 투약 도중과 투약 중지 후 적어도 하루 동안 금해야 한다. Metronidazole은 warfarin의 대사를 억제하므로, prothrombin time을 연장한다. 따라서 항응고 치료를 받고 있는 환자는 metronidazole을 피해야 한다.

3) Penicillins

(1) 약리학

Penicillin은 사람에 있어서 많은 심각한 감염의 치료에 선택되는 약물이며 또한 가장 널리 사용되는 약물이다. 페니실린은 Penicillium mold를 배양하여 자연적, 반합성적으로 얻어진다. 이는 세포벽의 생산을 방해하기 때문에 살균작용을 한다.

(2) 임상적 사용

Amoxicillin과 amoxicillin–clavulanate potassium (Augmentin) 이외의 페니실린은 평가가 되지 않았기 때문에 치주치료에 있어서의 사용은 적절치 않다.

(3) 부작용

알러지 반응을 보일 수 있으며 세균내성이 생길 수도 있다. 약 10% 정도의 환자가 페니실린에 알러지를 보인다.

(4) 개별약제

Amoxicillin은 그람양성균과 그람음성균을 포함하는 항균영역을 가지는 반합성 페니실린이며, 경구 복용 시 흡수가 좋다. Penicillinase에 민감한데, 특정세균에 의해 생산되는 β-lactamase가 penicillin ring structure를 파괴하여 penicillin의 효과를 억제한다. Amoxicillin은 국소적인 혹은 전반적인 진행형 치주염 환자 치료 시 유용하다. 추천되는 용량은 500 mg씩 하루에 세 번, 8일간 투여한다.

Amoxicillin-Clavulanate (Augmentin)는 amoxicillin을 clavulanate potassium과 혼합하여 만든 약제로서 세균에 의해 만들어지는 penicillinase enzyme의 영향을 받지 않게 된다. Augmentin은 난치성 치주염 환자나 국소 급진성 치주염 환자를 치료하는데 유용하게 쓰인다.[22] Bueno 등[31]은 tetracycline, metronidazole, clindamycin 같은 항생제로 치료가 되지 않는 치주염에 있어서 Augmentin이 치조골 소실을 중지시킨다고 발표하였다.[31]

4) Cephalosporins

(1) 약리학

Cephalosporin으로 알려진 β-lactam 군은 페니실린과 유사한 작용과 구조를 가진다. 내과에서 빈번히 사용되며 페니실린과는 달리 β-lactamase에 저항하여 정상적으로 작용한다.

(2) 임상적 사용

Cephalosporin은 일반적으로 치성감염의 치료에는 사용되지 않는다. 페니실린은 cephalosporin보다 치주병인균에 있어 더 넓은 범위를 갖는다.

(3) 부작용

페니실린에 알러지 반응을 보이는 환자는 모든 β-lactam 생산물에 알러지 반응을 보인다고 여겨진다. 발진, 두드러기, 발열, 그리고 위장장애 등이 나타날 수도 있다.[32]

5) Clindamycin

(1) 약리학

Clindamycin은 혐기성 세균에 유효하다. 페니실린에 알러지 반응을 보이는 환자에서 효과적이다.

(2) 임상적 사용

Tetracycline 치료에 낫지 않는 치주염에서 효능을 보인다. Walker 등은 안정화된 난치성 환자에서 효능을 보았다.[33] Jorgensen과 Slots은[34] 하루에 두 번 300 mg으로 8일간 복용하기를 추천하였다.

(3) 부작용

다른 항생제에 비해서 위막성 장염의 발생이 잦아서 사용에는 한계가 있다. 그러나 필요한 경우 주의 깊게 사용해야 한다. Clindamycin 사용 중에 생기는 설사나 경련은 대장염(Colitis)을 나타내며 이때에는 즉시 사용을 중지해야 한다. 증상이 지속되면 환자를 내과의사에게 의뢰해야 한다.

6) Ciprofloxacin

(1) 약리학

모든 통성의 혐기성 치주 병원균을 포함한 그람음성간균에 작용하는 quinolone제제이다.

(2) 임상적 사용

치주건강과 연관되는 *Streptococcus*에 대해서는 미약한 효과를 나타내기 때문에 Ciprofloxacin 치료는 치주건강과 연관되는 균주를 확립하는데 용이하다. 현재 ciprofloxacin은 치주치료에 있어서 모든 *A. actinomycetemcomitans*에 민감한 유일한 항생제이며, 메트로니다졸과 같이 투여되기도 한다.

(3) 부작용

구토, 두통, 그리고 복부 불편감이 나타날 수 있다. Quinolones은 theophylline의 대사를 억제하고, 카페인과 동시 복용 시 독성을 나타낼 수 있다. Quinolones은 또한 warfarin과 다른 항응고제의 효과를 증폭시킨다는 보고

가 있다.[32]

7) Macrolides

(1) 약리학

Macrolides 항생제는 하나 혹은 그 이상의 deoxy sugar가 붙어있는 많은 수의 lactone ring을 가진다. 이 제제는 미생물의 50s ribosomal subunits에 결합하여 단백질 합성을 방해하며, 농도와 미생물의 성질에 따라서 정균작용 혹은 살균작용을 할 수 있다.

(2) 임상적 사용

Erythromycin은 치은열구액에 농축되어 나타나지 않고 대부분의 추정되는 치주 병원균에 효과적이지 못하다. 이러한 이유로 치주치료 시 보조제로서 사용하지 않는다. Spiramycin은 그람양성균에 효과가 있는 macrolide 항생제이다. 타액으로 고농도가 배출된다. 캐나다와 유럽에서는 치주치료의 보조제로 사용이 되나 미국에서는 사용되지 않는다. 여러 연구결과에 의하면 진전된 치주질환에서의 spiramycin의 사용 시 치은지수, 치태지수, 치주낭 깊이, 치은열구액을 측정한 결과 여러 가지 이점을 얻을 수 있었다.[35] 또 이 약물은 부작용이 거의 없는 안전하고 독성이 없는 약물이며 의학적인 문제에는 일반적으로 잘 쓰이지 않는다.

Azithromycin (Zithromax)는 macrolides의 azalide 계열에 속한다. 혐기성, 그람음성 세균에 효과적이다. 3일간 하루 두 번 500 mg씩 구강으로 복용한 후, 7~10일 동안 대부분의 조직에서 높은 농도가 관찰되었다.[36] 정상 치은보다 치주질환이 있는 치은에서 훨씬 높은 농도로 나타났다. Azithromycin은 세포외 성분보다 섬유모세포와 탐식세포에 100~200배 더 높은 농도로 침투한다. 그리하여 탐식세포에 의해 염증 부위로 운송되고, 탐식세포가 식균작용을 하며 파멸되는 동안 염증 부위로 직접적으로 방출된다. 치료 용량으로 첫날 500 mg을 복용하고, 그 후 5일 동안 250 mg이 요구된다.[32]

3. 항생제의 순차처치 및 복합처치(Serial and combination antibiotic therapy)

1) 이론적 근거(Rationale)

치주감염은 다양한 세균을 포함하기 때문에 모든 추정되는 치주 병원균에 효과적인 단 하나의 항생제는 있을 수 없다. 다양한 치주질환 증상과 관련된 여러 세균집단의 차이가 존재한다.[33] 이와 같은 혼합감염은 호기성, 미세호기성, 그리고 혐기성, 그람음성 및 양성균을 포함하고 있다. 이런 경우에 있어서 하나 이상의 항생제를 연속적으로 혹은 복합적으로 사용하는 것이 필요하다.[22] 그러나 혼합한 항생제를 사용하기 전에 치료해야 할 치주 병원균을 확인하고 항생제 감수성 검사를 실시하여야 한다.

2) 임상적 사용(Clinical Usage)

Tetracycline과 같은 정균작용을 하는 항생제는 급속히 분열하는 미생물에 효과적이다. 만약에 amoxicillin과 같은 살균작용을 하는 항생제를 동시에 투여하면 제대로 작용을 하지 않는다. 따라서 이러한 두 가지 작용기전의 약물이 필요한 경우에는 혼합해서가 아니라 연속적으로 투여해야 좋다.

Rams와 Slots은 metronidazole을 amoxicillin, Augmentin 혹은 ciprofloxacin과 같이 전신적으로 투여하는 혼합치료에 대해 조사하였다.[22] Metronidazole과 amoxicillin 그리고 metronidazole과 Augmentin 조합은 tetracycline과 기계적인 제거로 성공적인 치료가 되지 않는 성인형 치주염과 국소적 진행형 치주염에서 많은 세균들을 효과적으로 제거하였다. 또 이 약물들은 *A. actinomycetemcomitans*를 억제하는데 있어서 부가적인 효과를 보였다. Tinoco 등은[37] metronidazole과 amoxicillin 조합으로 비록 50%의 환자에서는 1년 후에도 *A. actinomycetemcomitans*를 나타냈지만, 국소적 진행형 치주염에 임상적으로 효과적이라고 하였다. Metronidazole– ciprofloxacin 조합은 *A. actinomycetemcomitans*에 효과적이다. Metronidazole은 절대 무산소성균(obligate anaerobe)에 효과적이고, ciprofloxacin은

조건 무산소성균(facultative anaerobe)에 효과적이다. 이것은 혼합감염에 대한 강력한 조합이다. 난치성 치주염에 있어서 이 약물조합에 대한 연구는 뚜렷한 임상적인 개선을 나타냈다. 이 조합은 병원성 세균을 제거하거나 감소시킴으로써 치료적인 이점을 제공하고 streptococcal microflora를 우세하게 함으로써 예방적인 이점을 제공한다.

기계적 치료와 결합된 전신적 항생제 치료는 잘 낫지 않는 치주감염과 *A. actinomycetemcomitans*를 포함하는 국소 급진성 치주염을 치료하는데 있어서 상당히 효과가 있는 것처럼 보인다. 기존 치료로 잘 낫지 않는 치주환자를 위해 치은연하치태의 세균을 배양, 민감성 검사 결과에 의해 특정항생제의 선택이 결정되어진다.

4. 숙주 변화(Host Modulation)

1) Doxycycline hyclate

최근 미국 식품 의약청(FDA)에서는 치주염의 보조적 치료법으로 doxycycline (periostat)의 판매를 허가했다. Doxycycline 20 mg 용량으로 사용되는 Periostat는 하루 2번 먹도록 처방된다. 작용 기전은 교원질 효소 특히 다형핵 백혈구에 의해 생산되는 교원질 효소의 활동성을 억제하는 것이다. 치주질환의 진행에서 matrix metalloproteinase의 역할에 대한 개략적 도해는 그림 27–1에서 볼 수 있다. 비록 이 약물이 항생제에 속하지만 하루 두 번 20 mg의 용량은 박테리아에 영향을 미치기엔 너무 적은 용량이기 때문에 항균효과는 나타내지 않는다.

Caton의 최근 연구에서는 치근활택술만을 시행한 플라시보군과 3, 6, 9개월 간의 평가를 비교해볼 때 치근활택술과 함께 보조적으로 Periostat를 사용한 경우 통계적으로 중요한 탐침 깊이의 감소와 임상 부착 수준의 증가를 볼 수 있었다.[29] 통계적으로 중요할 지라도 중등도에서 심한 만성 치주염을 가진 환자에서 전체적으로 제한된 변화만을 가진다고 여겨진다.

안전성에 대한 연구 결과에서 기계적 치료(SRP)를 병행하거나 혹은 그렇지 않거나 간에 하루 두 번의 20 mg Periostat 복용은 치주질환 원인균에 항세균성 효과를 나타내지 않으며 정상균주에 해로운 변화를 나타내지 않았다. Doxycycline, tetracycline, minocycline, amoxicillin, erythromycin 혹은 clindamycin에 내성을 가지는 박테리아에 의한 치주낭의 균락화 혹은 과성장은 관찰되지 않았다. 게다가 다양한 항생제에 대한 내성 획득에 관한 어떤 증거도 발견되지 않았다.

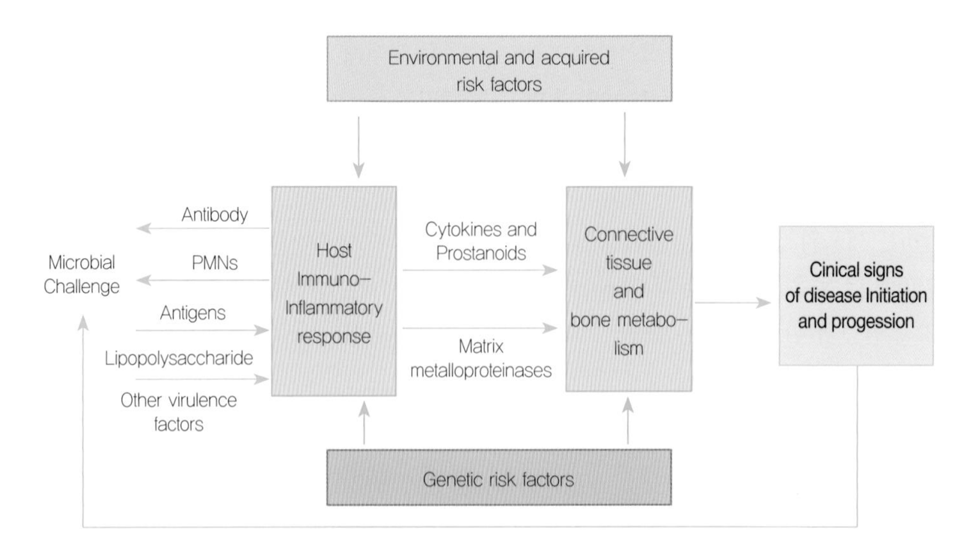

그림 27-1. 치주염의 병인론 From Page RC, Kornman KS: The pathogenesis of human periodontitis: an introduction, Periodontol 2000(4:9, 1997)

2) 비스테로이드성 소염제 (Nonsteroidal antiinflammatory drugs)

최근에 치주질환에서의 숙주의 면역염증계의 역할이 이해되기 시작하였다. 세균에 의해서 치주조직내 염증 세포가 활성화되면, 세포의 원형질막에 있는 인지질(phospholipids)이 phospholipase에 의해 활동을 할 수 있게 된다. 이것은 이 부위의 free arachidonic acid를 유도한다. 그 후 arachidonic acid는 enzyme cyclooxygenase에 의해 prostaglandin, thromboxane, prostacycline으로 대사되어 질 수 있다. 한편 Lipoxygenase pathway는 arachidonic acid로부터 leukotriene과 hydroxyeicosatetraenoic acid를 만들어 낼 수 있다. Cyclooxygenase pathway products (예: prostaglandins)가 치주질환에서 일어나는 병리적 사건의 중요한 매개자라는 강력한 증거가 있다. 그러므로 세균에 대한 숙주의 염증반응을 조절하는 것으로써 치주질환의 발생률과 심도를 변화시킬 수 있다. Nonsteroidal anti-inflammatory drugs (NSAIDs)은 arachidonic acids 대사를 방해하여 염증과정을 억제하기 때문에 치주질환을 치료하는데 있어서 치료적인 가치가 있다. 이와 같은 기대는 사람과 동물실험에서 확인되었다.[38] 약간의 NSAIDs는 prostaglandin 억제와 관계없이 다형핵 백혈구의 염증에 대한 반응에 영향을 미친다. 연구되고 있는 약물로는 flurbiprofen, ibuprofen, mefenamic acid, naproxen 등이다.

5. 항생제의 국소적 송달 (Local delivery of antibiotics)

구강 세정제와 세정의 한계로 대체 송달법의 발전에 대한 연구가 가속화되었다. 최근 송달법의 발전으로 약물의 유리를 조절할 수 있게 되었다(표 27-4). 치주질환을 치료하기 위한 약물의 요구조건은 항생물질이 감염부위에 정확히 작용하고 적절한 시간동안 효과적인 수준의 국소적 농도를 유지하면서 부작용은 적게 또는 전혀 일으키지 않는 것이다.

1) Tetracycline을 함유한 섬유

미국 내에서 최초의 국소 송달 제품은 광범위하게 연구된 ethylene/vinyl acetate copolymer fiber (직경 0.5 mm)를 함유하는 tetracycline이다(12.7 mg/9 inch). 치주낭 내로 삽입되면 구강조직에 의해 잘 유지되며 10일 동안 치주낭에서 병원균의 성장을 억제하는 데 필요한 32~64 μg/ml를 훨씬 넘는 1,300 μg/ml 이상의 tetracycline 농도를 유지한다.[39] 반면에 tetracycline을 하루에 250 mg씩 4번 10일(총 10 g) 동안 전신적으로 경구 투여한 경우 치은열구 내 농도는 4~8 μg/ml로 보고되고 있다.[40]

그간 이루어진 연구에 의하면 tetracycline 섬유는 치석제거술과 치근활택술의 병행 유무와 관계없이 탐침 깊이, 탐침 시 출혈 그리고 치주 병원균을 감소시키고 임상 부착 수준을 증가시킨다고 알려졌다. 이런 효과는 치석제거

표 27-4. **치주치료를 위해 현재 사용되고 조사된 국소적으로 송달되는 항생제**

항생제 약제	FDA 허가	복용 형태
2% Minocycline microspheres	Yes	Syringe 내 생체분해성 가루
10% Doxycycline gel	Yes	Syringe 내 생체분해성 혼합물
25% Metronidazole gel	No	Syringe 내 생체분해성 혼합물
Chlorhexidine (2.5 mg) in gelatin matrix	Yes	생체분해성 기질
Minocycline strip	No	생체분해성 기질
Minocycline (0.5 g) ointment(그림 27-2)	No	Syringe 내 생체분해성 혼합물

FDA: U.S. Food and Drug Administration

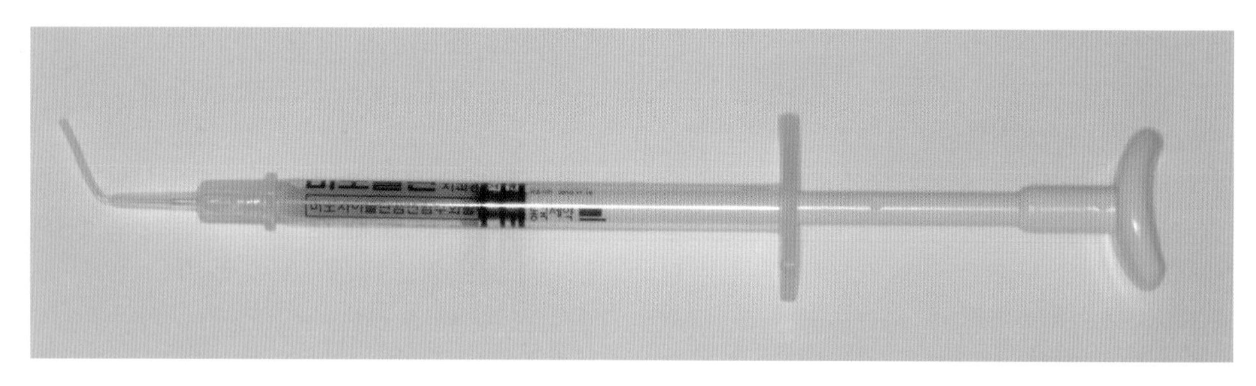

그림 27-2. Minocycline (0.5 g) ointment가 함유된 국소송달 주사기

술과 치근활택술만을 시행한 경우나 플라시보 섬유를 사용한 경우에 비해 훨씬 좋은 것이다. 치석제거술과 치근활택술과 비교한 2개월간의 연구에서 섬유만 단독으로 사용한 경우가 치석제거술만 시행한 경우보다 치주낭 깊이와 임상부착수준에서 60% 이상의 개선을 보였다.

추정되는 치주병원균에 대해 tetracycline 섬유를 이용한 치료 후 tetracycline에 대한 항생제 내성의 변화를 보이지 않았다. 이 섬유의 단점은 삽입하는데 시간이 걸린다는 것(10분 혹은 그 이상)과 삽입을 잘 하기 위해 만곡된 기구가 필요하며 10일 후 섬유를 제거하기 위해 환자가 한 번 더 내원해야 한다는 것이다. 또한 12개 이상의 치아에 섬유를 적용시킨 몇몇 경우에서 구강 칸디다증이 발생되었다.

다른 연구에서는 섬유 삽입 후 0.12% chlorhexidine으로 양치하는 것이 박테리아 병원균을 감소키는 데 기여해서 상승효과를 나타낸다고 하였다. 형광현미경과 주사전자현미경을 이용하여 치근면에 대한 tetracycline의 효과를 평가한 결과 약간의 상아세관 투과를 동반한 tetracycline의 표면 투과와 치근면 일부분의 탈회가 나타났다. 한 치근면에 대한 tetracycline 섬유의 효과에 대한 평가에서 비광화된 소수의 치근면과 상아세관의 작은 침투들과 함께 tetracycline이 표면적으로 침투됨을 볼 수 있었다. 또한 현미경 관찰 결과 대조군에 비해 섬유를 이용해 치료한 치근면에서 치은연하 미생물군의 감소가 나타났다.

2) Doxycycline의 치은연하 송달

FDA는 주사기를 이용한 젤 형태의 10% Doxycycline을 승인했다(atridox). 이는 미국 치과의사협회가 인정한 유일한 국소송달 시스템으로 미국과 몇몇 나라에서 사용되고 있다.

180명을 대상으로 9개월 동안 실시한 실험에서 10% doxycycline만으로 처치한 경우에, 3개월 후의 임상적 부착수준을 제외하고는 모든 기간 동안 다른 치료보다 효과적이었다. 10% doxycycline 환자군에서 9개월 때의 임상부착수준은 대조군과 비교 시 0.4 mm 증가되었고, 치주낭 깊이는 0.6 mm 감소하였으며, 탐침 시 출혈은 대조군과 비교 시 0.2 단위 정도 우수하였다. 임상적인 차이는 작았지만 통계학적으로는 의미 있는 결과였다. 이 실험에서는 내성에 대한 평가는 이루어지지 않았지만 doxycycline의 국소적 송달은 이미 앞선 연구에서 알려진 것처럼 일시적으로 구강내 병원균의 내성은 증가되었으나 다른 병원균의 과성장은 보이지 않았다.

3) Minocycline의 치은연하 송달

최근 FDA는 치석제거술 및 치근활택술에 병용하여 치은연하에 적용되는 용도로 minocycline microspheres (Arestin)을 승인했다. 2% minocycline이 생분해되는 젤 운반체 내에 캡슐화되어 들어가 있다. 대조군(치은연하 세정제로 비활성 운반체을 사용한 치석제거술 및 치근활택술)과 비교하였을 때, 6 mm 이상의 치주낭 깊이를 가지는 환자에서 통계적으로 유의한 임상부착수준의 증가를 나타냈다.

30명의 환자를 대상으로 2% minocycline의 30일간의 효과를 알아보기 위하여 치석제거술 및 치근활택술 직후와 2, 4주 후 활성 혹은 위약의 젤이 이중맹검법에 따라 치은연하에 적용되었다. 각 그룹 간 치주낭 깊이에서는 통계학적인 차이에 도달하지 못했지만, 임상부착수준에서는 minocycline 그룹에서 더 나은 결과를 나타내었다($p<0.05$). 12주에 탐침 후 출혈되는 부위의 수도 minocycline 그룹에서 나은 결과를 보였다($p<0.05$). 이 제품(2% minocycline)은 미국에서 사용되지 않는다.

4) Metronidazole의 치은연하 송달

오일을 기초로 한 25% metronidazole을 함유한 치과용 젤(glyceryl mono−oleate와 sesame oil)의 국소적 적용에 대한 많은 연구들이 이루어졌다. 이 제품은 미국에서 사용되지 않는다. 이 제품은 끈적거리는 상태로 치주낭 내에 적용되고 체열에 의해서 액화되고, 물과 접촉 시 다시 단단해지며 결정을 이룬다. 전구체는 metronidazole−benzonate를 함유하는데, 이는 치은열구액 내의 esterases에 의해 활성화된다. 일주일 간격으로 두 번의 25% 농도의 gel이 적용된다.[41]

연구 결과 metronidazole은 치석제거술 및 치근활택술과 동등한 효과를 나타내지만, 치석제거술 및 치근활택술에 함께 사용 시 부가적인 효과는 기대할 수 없었다.[42]

6. 항균제의 국소적 송달 (Local delivery of antiseptic agent)

Chlorhexidine을 이용한 흡수성재료의 송달체계(periochip)를 치은연하에 적용하여 시험한 결과 좋은 결과를 얻을 수 있었다. 이것은 chlorhexidine을 유리하여 적어도 7일간 치은열구액에 대부분의 구강내 세균의 내성 이상인 100 μg/ml 이상으로 약제 농도가 유지되도록 하며 제거를 위한 부가적인 약속은 필요치 않다.

"Chlorhexidine chip" 처치에 관한 몇몇 연구에서 착색의 소견은 착색 지수로 측정한 결과 관찰되지 않았다. 부작용은 최소한이었고, 몇몇의 환자가 chip 처치 첫 24시간 동안 약간의 동통과 부종을 호소하였다.[43]

7. 치은연상 및 치은연하 세정 (Supragingival and subgingival irrigation)

치주질환의 치료에 있어, 세정은 치주조직에 접촉해 있는 세균을 씻어버리는 것이다. 세정은 비특이적 치태세균을 감소시킨다. 세정의 두 가지 유형에는 치은연상, 그리고 치은연하 세정이 있다. 세정의 양상은 세척제가 치은이나 치주낭으로 내뿜어지는 깊이에 의해 다양하다. 치은연상 세정에서, 세정제는 얕은 치주낭에서는 29~71%까지 침투하며, 중등도나 깊은 치주낭에서는 44~68%까지 침투한다. 이것은 치은연하 세정에 의해 세정제가 치주낭의 75~93%까지 침투되는 것에 비교된다. 입안을 헹구는 방식은 치주낭의 단지 4%만 침투되므로 치은연상 부위에 국한된다.

1) 세정장치(Irrigator devices)

오늘날 세정압, 물분사 특성, 분사 유형에 따라 많은 다양한 세정기가 소개되었다. 주사기 또한 치주낭으로 세정액을 전하는데 사용될 수 있다. Monojet 혹은 multistreamed jet tip은 end 혹은 side part의 무딘 cannula로 치은연하 세정에 이용 가능할 뿐 아니라, 치은연상 세정에도 유용하다. 대부분 세정압은 전기적인 펌프에 의해 형성되고, 연속적인 혹은 맥동성의 분사로 세정액이 전달된다. 맥동성 세정기에서 교대로 발생하는 압축기와 감압기는 치태세균의 제거에 효과적일 수 있다. 세정 동안 계속적인 물의 분사는 일정한 조직 압축을 야기하고, 세균 제거에 부적절할 수 있다.

2) 치은연상 세정(Supragingival irrigation)

치은연상 세정은 보통 칫솔질과 치실사용에 부가적으로

하루에 한 번 혹은 두 번 행해진다. 세정기의 노즐은 세정액이 치은연하로 최대로 침투할 수 있도록 치은연에서 어느 정도의 거리에 위치하고, jet stream은 치아의 장축과 평행해야 한다. 54~620 kPa (80~90 psi)의 세정압이 부작용 없이 적용될 수 있다. 410 kPa (60 psi)의 세정압에서는 치은연상 세정 후 치은의 어떠한 조직적 변화도 관찰되지 않았다.

(1) 단일치료로써 치은연상 세정 (Supragingival Irrigation as a monotherapy)

물 단독의 치은연상 세정은 치태축적과 치은염의 예방에 불충분하다. 이런 관점에서 볼 때, 치은연상 세정은 일반적인 구강 위생 술식을 사용하는 것과 같은 기계적인 치태조절에 비해 분명히 하위개념이다. 그러므로 치은연상 세정은 칫솔질을 대체할 수 없고, 칫솔질과 치간청소에 부가적으로 단지 사용되어야 한다.

(2) 치은연상 세정과 칫솔질(Supragingival water irrigation and toothbrushing)

칫솔질 보조법으로서 치은연상 세정에 대한 초기 연구 결과에서 그 효용에 대해 논란 중임에도 불구하고, 최근 연구들은 칫솔질에 병행한 이 방법이 치은염, 치주염 특히 불량한 구강위생 상태와 관련한 치은염증의 임상 증상이 있는 환자에서 치주 건강을 증진시킬 수 있음을 명백히 보여주었다. 그러나 낮은 치태지수를 가진 환자에서는 아무런 이득이 없었다.

치은염증에 대한 물을 사용한 치은연상 세정의 치료 효과는 고려할만 하며 이는 치은염 환자들의 하루 2회 0.12% chlorhexidine 양치와 동일한 효과를 보였다. 치주염 환자에서도 초기치료 후 매일 물을 이용한 치은연상 세정은 치은 건강을 증진시킬 수 있다. 규칙적인 치주치료를 받는 환자에서, 매일 물을 이용한 치은연상 세정은 치은염증과 탐침 시 출혈을 현저히 감소시킬 수 있다. 흥미롭게도, 물을 이용한 치은연상 세정은 치태지수에 한정된 효과를 보인다.

초기 연구 결과, 세정의 세균량 감소 효과는 밝혀졌으나 직접적 살균효과에 대해서는 아직 확립되지 못했다. 그러므로 치은연상 세정이 치은연상–치은연하치태의 변화 없이 치은염증을 감소시키는 것이 가능할 것이다. 항염증효과의 발생 기전에 대해서는 아직 밝혀지지 않았으나, 치은연상 세정을 통해 세균성 독소의 희석 또는 제거, 치태 성장의 방해, 또는 비부착성 치태의 세정 등을 추정해 볼 수 있다. 치은연상 세정에 의한 부가적 균혈증이 치주 병인균에 대한 직접적 항체생산을 자극할 수도 있다는 것 또한 고찰되어야 한다. 이러한 항체는 치주질환 진행을 감소시키고 보호적 기능을 가짐이 증명되어 왔다.

(3) 항생제와 칫솔질

치은연상 세정으로 인해 치주낭 속으로의 증가된 항생제의 침투는 mouth rinsing과 비교하여 치은연하세균을 조절하는데 더 나은 결과를 보였다. Chlorhexidine digluconate를 하루에 한 번 치은연상 세정 시 효과를 나타내는 최소한의 용량은 0.02% 400 ml의 용량이 필요하다. 치은염 환자에서 0.06%, 200 ml 용량으로 치은연상 세정을 시행하였을 때, 물을 이용하여 세정시나 항생제를 이용하여 구강세정을 시행 시와 비교하여 치은염증이 더 많이 감소한다. 0.06% chlorhexidine digluconate를 사용한 치은연상 세정의 항염증효과는 치은연상치태와 black–pigmented bacteria의 감소와 더불어 치은연하치태의 다른 G(–) anaerobic rods의 감소를 보였다. 그러나 모든 항생제가 세정제로 효과가 있는 것은 아니다. 0.00225% sanguinaria 용액 또는 thymol, menthol, eucalyptus, methylsalicilate 용액의 사용은 물이나 placebo 세정제를 사용했을 때와 비교하여 더 나은 결과를 보여주지 못했다.

Chlorhexidine digluconate의 장기간 사용은 치석형성의 증가, 치아와 혀의 착색, 미각의 변화를 발생할 수 있다. 게다가, 환자에게서 연장된 사용으로 인해 심미적으로 문제를 일으키는 치아의 갈색 착색은 거의 모든 환자에게서 발생했다. Chlorhexidine digluconate가 장기간 적용에 안전할지는 모르지만, 일반적으로 그것의 부작용으로 인해 단기간 사용으로 제한된다.

3) 치은연하 세정

치주염의 치료에 있어서 세정제로 치은연하 세정을 하는 방법의 유용성에 대해 많은 연구가 이루어졌다. 그러나 상반되는 몇 가지 사실들로 인해 그 유용성이 의심되고 있다. 세정제가 치주낭 기저부의 75~93%에 이르기 위해 rubber tip의 입구가 치은의 경계부에 있어야 하고, 뭉툭한 부분이나 날의 끝 혹은 side가 치주낭 내에 위치되어져야 한다. 여러 가지 tip의 끝모양에 따른 배출압력은 0.7~32 kPa로 다양하고, side port system에서 가장 낮은 것으로 알려져 있다. Tip의 입구가 막혀서 많은 압력이 가해지는 것을 막기 위해 많은 주의를 해야 한다. 치은연상 세정에 사용되는 도구나 syringe같은 기구들이 세정용액의 운반에 사용된다. 치은연하 세정과 유사하게 cannula의 끝부분이나 옆 부분이 이용될 수도 있다.

세정제가 치주낭이 바닥에 도달하는데 여러 가지 장애가 되는 부분이 있다. 세정액이 측면방향으로 분사된다거나 치석 침착으로 치주낭의 7~10 mm 정도 도달하는데 어려움이 있을 수도 있다. 세정액을 치근의 모든 면에 닿게 하기 위해 세정에 앞서서 치석제거술과 치근활택술이 선행되어야 하고, 치근주위를 모두 돌아가며 모든 방향으로 세정해야 한다. 환자에 의해 이루어지는 세정은 매일 이루어지는 반면, 전문가에 의해 이루어지는 치은연하 세정은 환자가 치과에 내원할 때만 이루어진다. 따라서 1년에 몇 번씩 치과에 내원해야만 하는 한계점을 가지고 있다.

(1) 치주염에 대한 단일치료의 치은연하 세정

몇몇 연구에서는 항세균제(0.2% chlorhexidine digluconate 용액, 1% chlorhexidine digluconate gel, 0.4% 또는 1.6% stannous fluoride, 0.5% tetracycline HCl, 7% tetrapotassium peroxydiphosphate, 3% hydrogen peroxide, 또는 0.5% metronidazole)으로 치은연하 세정하면 치은연하 치태 내의 spirochetes, motile bacteria, black-pigmented anaerobic rod가 점차적으로 줄어든다고 한다.

그러나 1~8주 내로 치료 전 상태로 다시 돌아간다. 임상적으로 치은연하 세정 후 치은연상치석지수는 감소되고, 치주건강은 어느 정도 개선된다. 그러나 치은연하 세정제로 항세균제를 쓰는 경우와 식염수를 쓰는 경우 차이가 없다. 치석제거술과 치근활택술과 비교했을 때 단독 치료법으로 치은연하 세정은 낮은 임상적 효과와 함께 치은연하세균에는 단지 제한된 효과를 가진다. 그러므로 유일한 치료수단으로 물이나, 항세균제로 치은연하 세정을 시행하는 것은 치주염을 치료하는데 불충분하고, 치석제거술이나 치근활택술 대신에 행해져서는 안된다.

(2) 항미생물제재와 치석제거술과 치근활택술

깊은 치주낭에 대한 기계적인 처치는 종종 잔존 치주낭 내 치은연하치태, 치석을 남기는 등 그 불완전한 효과를 보임이 익히 알려져 있다. 치석제거, 치근활택술 후 항균제를 이용한 치은연하 세정의 이론적 근거는 기계적인 처치 후 남은 세균을 항균제를 이용하여 제거할 수 있다는 가정에 기초한다. 그러나 몇몇 요인들이 치주낭 내 적용된 항균제의 효능을 방해한다.

외부로 방출되는 치은열구액으로 인해 치은연하로 관주된 항균제는 그 효과를 발휘할 만큼 충분히 긴 시간 동안 치은연하 세균총과 접촉하지 못할 것이다. 치은연하로 관주된 항균제의 반감기는 대략 13분으로 나타났다. 0.12% chlorhexidine 치은연하 관주 5분 후, 치주낭 내에는 항균 효능을 발휘할 수 있는 chlorhexidine이 잔존하지 않았다.

Chlorhexidine은 생체에서 얻을 수 있는 농도 하에서 in vitro에서 치은연하세균의 대부분을 억제하고, 치주낭 내 혈액성분과 접촉 시 불활성화될 것이다. 0.5% chlorhexidine 용액은 혈청 존재 하에서 치주병인 제거에 더 긴 접촉시간을 필요로 하였다. 치은연하치태의 생체막 구조와 항균제 활성에 이것이 미치는 영향을 고려할 때, 치은연하 관주된 용액이 치은연하 세균총에 충분한 효과를 가진다고 보기는 어려워진다. 예를 들면, 부유하는 *Streptococcus sanguis*를 0.2% chlorhexidine digluconate 또는 0.05% cetylpyridinium chloride에 노출시켰을 때, 5분 후에는 살아있는 세균을 찾을 수가 없다. 그러나 같은 세균을 같은 항균제에 노출시켰을 때, 생체막 내에서는 4시간 후에도 생존함이 입증되었다. 또한 부유하는 세균에 비해 생체막내 세균을 살균하는 데 50~5,000배 높은 농도의 항균제가 요구되었다. 치석제거술과 치근활택술에 병행한 0.12% chlorhexidine digluconate 치은연하 세정법이 제한된 효과를 갖는 이유가 이러한 요인들로 설명이 된다.

치석제거, 치근활택술 후 각 치아마다 5분간 50 µg/ml에서 100 µg/ml 범위의 tetracycline HCl의 치은연하 세정법만이 치근표면에 Tetracycline의 결합 후 4~7일간 유효한 항균 농도로 방출될 수 있도록 해 준다. 어느 정도 임상부착증진 효과 또한 보고되어 왔다. 그러나 현재까지 사용가능한 정보들로는 치은연하 세정법이 치석제거, 치근활택술의 보조적 수단 외 그 이상의 실제적 장기간 효과를 가진다고 보기는 어렵다.

3) 세정의 안전성

치은연상 세정은 안전한 방법으로 나타났다. 매일 물을 이용한 치은연하 세정은 장기간 동안 아무런 유의한 임상 부작용을 나타내지 않았다. 부가적으로 치은연상 세정 후 치주조직의 미세형태 변화도 없었다. 최근 2% stannous fluoride를 이용한 치은연하 세정을 연구한 한 보고에서만 과도한 조직괴사와 영구적인 치조골 소실이 보고되었을 뿐이다. 칫솔질과 치은연하치석제거와 마찬가지로 관주기 사용 시에도 일시적 균혈증이 유발될 수 있음을 아는 것이 중요하다. 비록 치은연하치석제거술 후 치은연상 또는 치은연하 세정에 의해 일시적 균혈증의 발생이 뚜렷이 증가하지는 않지만, 세균성 심내막염의 예방적 항생제를 필요로 하는 환자에서는 세정을 추천하지 않는 것이 현명할 것이다.

참고문헌

1. Parameter on comprehensive periodontal examination. American Academy of Periodontology. Journal of periodontology 2000;71:847–848.
2. Ciancio SG. Antiseptics and antibiotics as chemotherapeutic agents for periodontitis management. Compend Contin Educ Dent 2000;21:59–62, 64, 66 passim; quiz 78. review.
3. Carranza FA, Jr., Saglie R, Newman MG, Valentin PL. Scanning and transmission electron microscopic study of tissue–invading microorganisms in localized juvenile periodontitis. Journal of periodontology 1983;54:598–617.
4. Christersson LA, Slots J, Rosling BG, Genco RJ. Microbiological and clinical effects of surgical treatment of localized juvenile periodontitis. Journal of clinical periodontology 1985;12:465–476.
5. Saglie FR, Carranza FA, Jr., Newman MG, Cheng L, Lewin KJ. Identification of tissue–invading bacteria in human periodontal disease. Journal of periodontal research 1982;17:452–455.
6. Löe H, Schiott CR. The effect of mouth rinses and topical application of chlorhexidine on the development of dental plaque and gingivitis in man. Journal of periodontal research 1970;5:79–83.
7. Lang NP, Catalanotto FA, Knopfli RU, Antczak AA. Quality–specific taste impairment following the application of chlorhexidine digluconate mouthrinses. Journal of clinical periodontology 1988;15:43–48.
8. Bonesvoll P, Gjermo P. A comparision between chlorhexidine and some quaternary ammonium compounds with regard to retention, salivary concentration and plaque–inhibiting effect in the human mouth after mouth rinses. Archives of oral biology 1978;23:289–294.
9. Pontefract H, Hughes J, Kemp K, Yates R, Newcombe RG, Addy M. The erosive effects of some mouthrinses on enamel. A study in situ. Journal of clinical periodontology 2001;28:319–324.
10. Kopczyk RA, Abrams H, Brown AT, Matheny JL, Kaplan AL. Clinical and microbiological effects of a sanguinaria–containing mouthrinse and dentifrice with and without fluoride during 6 months of use. Journal of periodontology 1991;62:617–622.
11. Brecx M, Brownstone E, MacDonald L, Gelskey S, Cheang M. Efficacy of Listerine, Meridol and chlorhexidine mouthrinses as supplements to regular tooth cleaning measures. Journal of clinical periodontology 1992;19:202–207.
12. B S. plaque inhibitory effect of dentifrices comtaining stannous flouride Acta Odontologia scandinavica 1978:205–210.

13. Wade AB, Blake GC, Mirza KB. Effectiveness of metronidazole in treating the acute phase of ulcerative gingivitis. The Dental practitioner and dental record 1966;16:440–443.
14. S J, Addy M, Newcombe RG. triclosan and sodium lauryl sulphate mouthrinses I. effect on salivary bacterial counts Journal of clinical periodontology 1991b:140–144.
15. Addy M, Moran J, Newcombe RG. Meta-analyses of studies of 0.2% delmopinol mouth rinse as an adjunct to gingival health and plaque control measures. Journal of clinical periodontology 2007;34:58–65.
16. Furuichi Y, Ramberg P, Lindhe J, Nabi N, Gaffar A. Some effects of mouthrinses containing salifluor on de novo plaque formation and developing gingivitis. Journal of clinical periodontology 1996;23:795–802.
17. Yates R, Moran J, Addy M, Mullan PJ, Wade WG, Newcombe R. The comparative effect of acidified sodium chlorite and chlorhexidine mouthrinses on plaque regrowth and salivary bacterial counts. Journal of clinical periodontology 1997;24:603–609.
18. Ernst CP, Canbek K, Dillenburger A, Willershausen B. Clinical study on the effectiveness and side effects of hexetidine and chlorhexidine mouthrinses versus a negative control. Quintessence Int 2005;36:641–652.
19. Jorgensen MG, Slots J. Practical antimicrobial periodontal therapy. Compend Contin Educ Dent 2000;21:111–114, 116, 118–120 passim; quiz 124.
20. van Winkelhoff AJ, Herrera Gonzales D, Winkel EG, Dellemijn-Kippuw N, Vandenbroucke-Grauls CM, Sanz M. Antimicrobial resistance in the subgingival microflora in patients with adult periodontitis. A comparison between The Netherlands and Spain. Journal of clinical periodontology 2000;27:79–86.
21. Walker CB, Gordon JM, Socransky SS. Antibiotic susceptibility testing of subgingival plaque samples. Journal of clinical periodontology 1983;10:422–432.
22. Rams TE, Slots J. Antibiotics in periodontal therapy: An update. Compend Contin Educ Dent:13:1330.
23. Gordon JM, Walker CB, Murphy JC, Goodson JM, Socransky SS. Concentration of tetracycline in human gingival fluid after single doses. Journal of clinical periodontology 1981;8:117–121.
24. Baker PJ, Evans RT, Slots J, Genco RJ. Antibiotic susceptibility of anaerobic bacteria from the human oral cavity. Journal of dental research 1985;64:1233–1244.
25. Baker PJ, Evans RT, Slots J, Genco RJ. Susceptibility of human oral anaerobic bacteria to antibiotics suitable for topical use. Journal of clinical periodontology 1985;12:201–208.
26. Slots J, Rams TE. Antibiotics in periodontal therapy: advantages and disadvantages. Journal of clinical periodontology 1990;17:479–493.
27. Slots J, Rosling BG. Suppression of the periodontopathic microflora in localized juvenile periodontitis by systemic tetracycline. Journal of clinical periodontology 1983;10:465–486.
28. Ciancio SG, Slots J, Reynolds HS, Zambon JJ, McKenna JD. The effect of short-term administration of minocycline HCl on gingival inflammation and subgingival microflora. Journal of periodontology 1982;53:557–561.
29. Caton JG, Ciancio SG, Blieden TM, et al. Treatment with subantimicrobial dose doxycycline improves the efficacy of scaling and root planing in patients with adult periodontitis. Journal of periodontology 2000;71:521–532.
30. Lozdan J, Sheiham A, Pearlman BA, Keiser B, Rachanis CC, Meyer R. The use of nitrimidazine in the treatment of acute ulcerative gingivitis. A double-blind controlled trial. British dental journal 1971;130:294–296.
31. Bueno L WC, Van Ness W. Effect of augmentin on microbiota associated with refractory periodontitis. Journal of dental research:67:246.
32. Walker CB. Selected antimicrobial agents: mechanisms of action, side effects and drug interactions. Periodontology 2000 1996;10:12–28.
33. Walker CB, Gordon JM, Magnusson I, Clark WB. A role for antibiotics in the treatment of refractory periodontitis. Journal of periodontology 1993;64:772–781.
34. Jorgensen MG, Slots J. Responsible use of antimicrobials in periodontics. Journal of the California Dental Association 2000;28:185–193.
35. Mills WH, Thompson GW, Beagrie GS. Clinical evaluation of spiramycin and erythromycin in control of periodontal disease. Journal of clinical periodontology 1979;6:308–316.
36. Blandizzi C, Malizia T, Lupetti A, et al. Periodontal tissue disposition of azithromycin in patients affected by chronic inflammatory periodontal diseases. Journal of periodontology 1999;70:960–966.
37. Tinoco EM, Beldi MI, Campedelli F, et al. Clinical and microbiological effects of adjunctive antibiotics in treatment of localized juvenile periodontitis. A controlled clinical trial. Journal of periodontology 1998;69:1355–1363.

38. Offenbacher S, Braswell LD, Loos AS, et al. Effects of flurbiprofen on the progression of periodontitis in Macaca mulatta. Journal of periodontal research 1987;22:473–481.
39. Tonetti M, Cugini MA, Goodson JM. Zero-order delivery with periodontal placement of tetracycline-loaded ethylene vinyl acetate fibers. Journal of periodontal research 1990;25:243–249.
40. Gordon JM, Walker CB, Murphy JC, Goodson JM, Socransky SS. Tetracycline: levels achievable in gingival crevice fluid and in vitro effect on subgingival organisms. Part I. Concentrations in crevicular fluid after repeated doses. Journal of periodontology 1981;52:609–612.
41. Klinge B, Attstrom R, Karring T, Kisch J, Lewin B, Stoltze K. 3 regimens of topical metronidazole compared with subgingival scaling on periodontal pathology in adults. Journal of clinical periodontology 1992;19:708–714.
42. Stelzel M, Flores-de-Jacoby L. Topical metronidazole application compared with subgingival scaling. A clinical and microbiological study on recall patients. Journal of clinical periodontology 1996;23:24–29.
43. Jeffcoat MK, Bray KS, Ciancio SG, et al. Adjunctive use of a subgingival controlled-release chlorhexidine chip reduces probing depth and improves attachment level compared with scaling and root planing alone. Journal of periodontology 1998;69:989–997.

PART 03

외과적 치주치료

1. 치주수술의 목적[1]

1) 치주수술의 정의

치주수술이란 치주영역의 연조직과 경조직에 대한 외과적 처치를 의미하며, 일반적으로 치석제거술이나 치근면 활택술을 제외한 출혈을 동반하는 관혈적(觀血的) 술식을 뜻한다. 치아와 수복물의 예후를 향상시키고 심미성을 증진시키기 위해 치주낭과 형태학적 변형문제를 해결하는 술식이다.

2) 치주수술에 대한 개념 변화

치주과학 발전의 초기에 있어서는 질환에 이환된 치은조직의 절제와 치주낭의 제거 및 치주낭에 노출된 치아표면의 국소요인 제거 그리고 괴사된 골의 제거를 통하여 치주염을 치료하려 하였다. 그러나 치은염증이 질병 자체라기보다 방어반응으로 개념이 변하여 단순한 조직절제의 의미는 퇴색되었다.

3) 치주낭 평가의 시기와 의미

70년대 초반까지 치주낭의 제거가 치주치료의 주목적이었으나, 측정하는 시점에 따라 치주낭 깊이가 변화한다는 점이 중요하다. 즉 치은염증이 심한 경우에는 치주낭 기저부의 상피세포를 관통하여 더 하방부까지 측정되고 건강한 치은인 경우에는 말단부까지 도달하기가 어렵기 때문에 항상 치은염증이 소실된 후의 재평가가 필요하다. 그러므로 진단 시 치주낭의 측정 시기를 고려해야 한다.

치주낭 처치는 활성화된 치주낭 하방에는 골소실이 동반되므로 조기치료를 통해 병소부를 비활성화한다는 점에서 임상적으로 중요하다. 치주낭의 활성여부는 환자의 전신상태에 따라서도 다양한 반응이 나타나므로 종합적인 판단이 필요하다.

4) 치주낭 치료법의 선택

치주낭 제거방법 결정에는 다음의 요인을 고려해야 한다.

(1) 치주낭 연조직 벽의 형태, 두께와 지속적인 염증 정도 평가
(2) 치아표면 침착물 존재 여부와 치근표면 변화, 기구의 접근도
(3) 치주낭에 접한 치조골의 형태와 높이에 대한 임상 소견과 방사선학적 평가
(4) 부착치은의 유무 및 폭경

5) 외과적 처치의 개념

외과적 처치의 기본개념은 치아와 치주조직의 보존에 있다. 이를 위해서 시술 후 구강 내의 상태는 치은연하 및 연상치태가 없어야 하며, 병적 치주낭이 없어야 하고, 치은변연 관계에서 수복물 등으로 인한 치태침착요소가 제거되어야 한다.

6) 치주수술의 주된 목적

(1) 치주판막을 이개하므로 시야를 좋게 하고 기구의 접근도를 높여 전문적인 치석제거술(professional scaling)과 치근활택술이 효과적으로 수행될 수 있도록 한다.
(2) 치은 외형을 재형성하여 환자 스스로 치태조절을 용이하게 할 수 있도록 한다.
(3) 수복 보철 처치에 적합한 치주환경을 만들어 주위조직이 개선되어 지대치의 생존연장 가능성을 높인다.
(4) 파괴된 치주조직의 부착기구를 재생시킨다.
(5) 보다 나은 심미적인 상태를 회복한다.
(6) 치은치조점막의 문제를 해결한다.

7) 적응증

(1) 불규칙한 골 외형, 깊은 분화구양 골결손 등이 있는 경우
(2) 임상적으로 자극인자가 제거되지 않는 치주낭
(3) 2급, 3급 이개부 병소
(4) 최후방 구치 원심면의 골연하 치주낭
(5) 중등도에서 심한 정도의 치주낭 부위의 지속적 염증
(6) 치은치조점막에 문제가 있을 때

2. 외과적 치주치료의 종류

1) 치은소파술(Gingival curettage)

치주질환으로 인해 발생한 치주낭의 병든 조직측벽을 긁어내어 질병에 이환된 연조직을 분리, 제거하는 술식을 의미한다.

2) 치은절제술(Gingivectomy)과 치은성형술(Gingivoplasty)

(1) 치은절제술(Gingivectomy)

질환에 이환된 치은조직을 절제하여 시야를 보다 좋게 하고 기구의 접근도를 용이하게 하는 술식으로 치주낭의 제거를 목적으로 시행되며, 치은의 외형을 다듬는 과정이 포함된다.

(2) 치은성형술(Gingivoplasty)

대개 치은절제술의 마지막 단계에서 시행되며 치은을 생리학적 외형이 되도록 다듬는 과정이다. 치은에서 멜라닌착색(melanin pigmentation)을 제거하는 경우에도 이용된다.

3) 치주판막술(Periodontal flap operation)

치주낭을 제거하기 위해 치주낭의 연조직 벽면을 제거하고, 치은 및 치조점막을 하방 조직으로부터 외과적으로 절제 후 분리하여 치조골과 치근면에 대한 시야와 기구의 접근을 확보하고 치조골의 외형을 변화시키는데 사용되며, 판막의 위치를 바꾸지 않아 비변위판막술이라고도 한다.

4) 삭제형 골수술(Resective osseous surgery)

치주질환에 의한 골흡수는 치조정의 불규칙한 변연을 초래하며 치은의 형태 변화에 밀접한 관계가 있다는 개념 하에 골의 외형을 다듬어 술후 생리학적 형태의 치은과 얕은 치주낭을 확보하려는 술식이다.

(1) 골절제술(Ostectomy)

변연골과 치간골 부위에서 치주염에 의해 야기된 골결손부를 수정하기 위해 치아지지 골조직까지 포함한 치조골을 삭제하는 술식이다.

(2) 골성형술(Osteoplasty)

치아지지 골조직의 삭제없이 치조골의 외형을 재형성하는 술식이다.

5) 재생형 골수술(Regenerative osseous surgery)

(1) 비이식재생술(Non-bone graft-associated reconstructive procedures, guided tissue regeneration (GTR))

3벽성 골내낭이나 치주농양 등의 치료를 위하여, 모든 국소적 인자를 제거하고 치유기간 동안 상피세포의 빠른 근단 방향 이주를 차단하며 선택적으로 치조골과 치주인대 세포들의 증식을 유도하여 조직 재생을 기대하는 술식이다.

(2) 골이식재생술(Graft-associated reconstructive procedures, Bone graft)

파괴된 골조직을 재생하기 위해 골결손부 내에 이식재를 삽입하여 치유를 도모하는 술식이다.

(3) 생물학적 매개체를 이용한 조직 공학(Tissue engineering with biological mediators)

자연적 치유과정(natural healing process)을 거치면 대개 상흔이 남거나 완전한 재생이 이뤄지지 않고 치유(repair)된다. 조직 공학을 이용하여 완전히 재생되도록 상처 치유 과정을 조작할 수 있다. 이때, 신호전달물질(signaling molecules), 비계(scaffold) 또는 지지 구조체(supporting matrices), 세포(cells)가 3가지 핵심 요소이다. 현재 치주조직 재생을 위해 상업적으로 이용 가능한 물질로, 법랑 기질 유도체(enamel matrix derivative, EMD)와 혈소판 유래 성장인자 BB-베타 인산삼석회(platelet-derived growth factor (PDGF)-BB-β-tricalcium phosphate)가 있다.

6) 치주성형수술(Periodontal plastic surgery)

(1) 변위판막술(Positioned flap operation)

치은치조점막부의 이상을 수정하거나 노출된 치근면을 피개하기 위하여 치은조직을 원래의 위치에서 다른 부위로 이동, 접합시키는 술식이다.

(2) 소대절제술(Frenectomy, Frenulectomy)

순소대나 설소대의 형태 및 부착 이상 시 이를 절제하거나 절단하여 생리학적 형태로 수정하는 술식이다.

(3) 구강전정성형술(Vestibular extension surgery)

얕은 구강전정으로 인해 음식물이 잔류되거나 의치의 접합이 불량한 경우 전정을 깊게 형성하는 술식이다.

(4) 치은이식술(Gingival graft)

부족하거나 아예 존재하지 않는 부착치은의 폭경을 넓히기 위하여 타 부위의 치은을 이식하는 술식이다.

(5) 치근피개술(Root coverage)

심미적 요구나 과민성 치근 및 치태조절을 위해 변연연조직의 변화가 필요한 경우, 연조직으로 치은퇴축 부위의 치근면을 피개하는 술식이다.

(6) 치간유두재건술 (Interdental papilla reconstruction)

치간유두 높이의 상실과 치아 사이의 'black triangle'이 발생한 경우에 부족한 치간유두를 재건하기 위한 외과적 술식이다.

(7) 치관연장술(Crown lengthening)

임상적 치아 길이가 짧아서 많은 치은이 보이거나 건전치질의 노출이 필요한 경우, 또는 비정상적 위치로 맹출되는 치아에서 임상적 치관 길이를 연장시키는 술식이다.

(8) 치조제 증대술(Ridge augmentation)

치아 사이 골 융기가 없어지고 치간유두가 사라진 변형된 무치악 치조융선에서 자연 치아의 심미와 기능을 재현하기 위한 외과적 술식이다. 발치 후 연조직 흡수를 예방하거나 연조직 또는 경조직을 이식하여 변형된 융선을 수정, 치조제를 증대시키기 위한 술식이다.

7) 이개부의 외과적 처치(Surgical treatment of Furcation-involved teeth)

(1) 이개부성형술(Furcation plasty)

① 치은성형술(gingivoplasty): 이개부를 피개하는 치은의 해부학적 구조를 개선하는 술식이다.
② 골성형술(osteoplasty): 삭제형 골수술과 아울러 이개부에 인접한 치조골을 재형성하여 이개부 병변을 치료하는 술식이다.
③ 치아성형술(odontoplasty): 발육구(developmental groove)나 법랑돌기 등이 존재하는 경우 술후 예후가 불량하므로 이를 제거하여 생리학적 외형을 형성하는 술식이다.

(2) 터널화(Tunnel preparation, tunneling)

이개부 병변이 존재하는 다근치의 경우 치은 및 치조골을 절제하여 협설측으로 관통시키는 술식이다.

(3) 치근분리 및 절제술 (Root separation and resection, RSR)

① 치근분리술(root separation, dicuspidization or tricuspidization): 터널화가 어려운 이개부 병변 시, root trunk와 root cone으로 이루어지는 치근 복합체(root comlex)를 절단, 분리 후 모든 치근을 유지하여 2개 또는 3개의 치아로 재형성하는 술식이다.

② 치근절제술(root resection, root amputation, radisectomy): 다근치의 어느 하나 혹은 두 개의 치근을 제거하는 술식이다.

③ 편측절단술(hemisection): 다근치의 치근 중 하나가 완전히 병소부에 이환된 경우, 이환된 치근과 그 상부 치관을 절단하여 제거하는 술식이다.

(4) 이개부 결손부의 재생 (Regeneration of furcation defects)

(5) 발치(Extraction)

8) 인공치아매식술(Dental implant)

발거된 치아의 해당 치조골에 타이타늄 자체나 다양한 표면 처리가 이루어진 타이타늄 매식체(fixture) 등의 인공물질을 삽입하여 고정시키고, 매식체와 골 사이의 유착(osseointegration)이 이루어지면 이로부터 지지를 얻어 상부구조물인 치관을 형성하는 술식이다.

3. 수술 전 고려사항

1) 금기증과 관련한 전신적 병력

(1) 환자의 협조도

술후 치태조절이 치주치료의 성공을 위한 결정적 요인이므로 원인인자와 연관된 치료동안 협조되지 않은 환자는 외과적 시술 후 치유효과를 기대할 수 없다.[2] 비록 치료술식이 이루어지는 짧은 기간 동안에는 술자에 의해 치태조절이 잘 이루어지지만 궁극적으로 오랜 기간 동안 좋은 구강청결상태를 유지하기 위해서는 결국 책임은 환자에게 달려있다. 이론적으로 아주 나쁜 구강청결상태는 빈번한 검진에 의해 보상될 수 있으나 실제적으로 대부분의 환자에게서 이 방법은 효과적이지 못하다. 치주환자를 위한 전형적인 검진계획은 환자의 상태에 따라 약간의 차이는 있으나 3개월에 1회씩 전문적인 평가가 바람직하다. 3개월 간격으로 만족스러운 구강청결을 유지할 수 없는 환자는 치주수술에 적합하지 않다.

(2) 심장 혈관 계통의 질환

① 고혈압: 수축기 혈압이 120 mm Hg 미만이고 이완기 혈압이 80 mm Hg 미만이면 정상 혈압이다. 수축기 혈압이 140 mm Hg 이상이거나 이완기 혈압이 90 mm Hg 이상이면 고혈압 환자이며, 수축기 혈압 159 mm Hg 또는 이완기 혈압 99 mm Hg까지의 상태는 환자에게 알리고 의사에게 일상적 의뢰를 하며 스트레스를 최소화하며 정상적 치과치료를 한다. 수축기 혈압이 180 mm Hg 미만이고 이완기 혈압이 110 mm Hg 미만이면 선별적 치과치료(정기적 검사, 세마, 비외과적 치료 등)를 해야 하며, 수축기 혈압 180 mm Hg 이상, 이완기 혈압 110 mm Hg 이상이면 즉시 의사에게 의뢰해야 하며 응급 치과 처치(통증완화, 지혈, 감염 방지)만 시행한다. 대개 심리적 안정을 유도하고 통증을 최소로 한다. 한때 오전 진료가 추천되었으나 최근 일반적으로 혈압이 기상 시 올라가고 오전 중 최고에 달하며 오후에 떨어진다고 알려져서, 오후 치과진료가 선호되기도 한다.[3,4]
동맥성 고혈압은 정상적인 치주수술을 방해하지는 않는다. 환자의 전신 상태는 국소마취에 대한 이상 반응 유무를 알아보기 위해서 검사해야 한다. 에피네프린이 적거나 미함유된 국소마취제를 사용하여야 하며 흡인용 주사기를 사용하여 약제의 혈관내

주입을 예방하여야 한다.[5]

② 협심증: 협심증은 치주수술의 절대금기증은 아니다. 사용되는 약제와 협심증 횟수가 질환의 심도를 나타내므로 확인할 필요가 있으며 진정제의 사전 투약과 에피네프린이 적은 국소마취제가 추천된다.[6]

③ 심근경색증: 심근경색증 환자는 입원 후 6개월까지 치주수술을 받지 못하며 내과의와 상의 후에야 가능하다.

④ 항응고 치료는 출혈 가능성을 증가시킨다. 치주수술은 내과의와 상의 후에 계획한다.

⑤ 살리실레이트는 출혈 경향을 증가시키므로 술후 동통을 감소시키기 위해 사용하지 않는다.

⑥ 류마티스성 심내막염, 선천성 심장질환, 심판막 이식 환자는 치주낭 치료 후 일시적인 균혈증으로 심장과 인공판막에 세균의 이동이 우려되므로 무균성 조작을 위해 chlorhexidine과 같은 구강세정액 등으로 깨끗이 세척하고 적절한 항생제를 처방하여 수술 몇 시간 전에 투여해야 한다.[7,8,9] 미국 심장학회의 추천에 의하면 수술 1시간 전에 Amoxicillin 2 g을 복용하며 penicillin에 알러지가 있는 경우 erythromycin이나 clindamycin을 복용한다.[10,11] Tetracycline은 사용하지 않는다.

(3) 혈액 질환

① 전신상태 검사 시 혈액 이상이 발견된다면 정확한 특성을 파악하여 급성 백혈병, 무백혈구증, 림프육아증가증 등을 가진 환자는 치주수술을 하여서는 안된다.

② 빈혈은 경한 경우 외과적 처치를 방해하지는 않는다. 그러나 심한 형태는 출혈 경향 증가와 감염에 대한 저항력 감소를 나타낸다.

③ Heparin, Dicumarol, Warfarin, Sodium cyclomarol 등 항응고제를 복용하는 환자에게는 아스피린의 사용을 금지하고 술후 출혈의 위험이 있으므로 완전한 지혈을 확인한 후 치주포대를 부착한다.[12] 이런 경우 치주수술은 내과의와 상의하여 결정한다. Tetracycline은 prothrombin 형성을 방해하기 때문에 항응고 치료환자에는 금기증이다.

(4) 신장 질환

구강위생관리가 깨끗하게 유지되어야 하고 신장 이식 후 질환이 치료된 상태인 환자는 통법에 의한 치료가 가능하다.

(5) 간 질환

치과에서 주로 사용되는 약제 중 간에서 대사되는 약제의 종류로는 lidocaine, mepivacaine, procaine 등 마취제가 있으며, 이 중 procaine이 비교적 독성이 적다. 또 aspirin, acetaminophen, codeine, meperidine 등의 진통제와 diazepam과 barbiturate 등의 진정제, 그리고 ampicillin과 tetracycline 등의 항생제도 간에서 대사되므로 사용에 주의가 필요하다.

(6) 호르몬 질환(Hormonal disease)

① Fasting blood glucose가 120 mg/100 ml 이상인 당뇨병은 감염에 대한 저항성이 낮고 창상 치유가 지연되며 동맥경화 성향을 나타낸다. 그러나 잘 조절된 환자는 치주수술을 받을 수 있다.[13,14,15]

② 에디슨씨 질환(Addison's disease)처럼 오랜 기간 다량의 코티코스테로이드를 복용한 환자에서는 부신기능이 약화된다. 이런 상태에서는 물리적, 정신적 스트레스에 대한 저항 감소가 야기되므로 이 경우 치주수술 기간 동안 코티코스테로이드의 용량을 조절하여야 하며 환자의 내과주치의와 상의함이 좋다.

(7) 신경성 질환(Neurologic disease)

다발성 경화증과 Parkinson씨 질환(Parkinson's disease)은 심한 경우 치과에 내원하여 치주수술을 받는 것이 불가능할 수 있다. 국소마비, 근육기능이상, 떨림, 비조절성 반사는 전신 마취 하의 치료를 필요로 한다. 간질 치료를 위해 딜란틴을 복용하는 환자들의 50% 정도에서 치은증식이 나타난다. 이러한 경우 특별한 제한이 없는 환자들은 증식을 수정하기 위해 치주수술을 할 수 있다.

2) 금기증과 관련한 국소적 요인

외과적 처치의 적응증과 금기증에 관해서는 각 시술마다 상세히 기술하겠지만 기본적인 원칙을 살펴보면 아래와 같다.

(1) 치태조절이 어려운 경우

치태조절의 상태는 환자의 관심과 수행능력에 의해 결정될 뿐 아니라 치은의 형태에 의해서도 영향을 받는다. 치태조절 프로그램에는 치은열구 변연부는 물론이고 치은연 상피면의 청결도 포함해야 하며 이는 술자가 아닌 환자 스스로 책임져야 할 치료의 일부분이기도 하다.

치은증식과 치은분화구는 적절한 치태조절을 방해하는 형태 이상의 예이며, 치은변연에 역형태와 부적절한 변연적합을 가진 수복물도 치태제거를 방해하는 요인이다.

결론적으로 초기 단계 치료 동안 치태조절방법을 습득하게 해야 하며 그렇지 못할 경우 치주수술은 환자 스스로에 의해 적절한 치태조절이 가능할 때까지 연기해야 한다.

(2) 환부 접근이 불량한 경우

환부 접근이 어려운 경우 치석제거술과 치근활택술은 그 목적을 달성하기 어렵다. 특히 깊은 치주낭과 치면 폭경 증가, 치근구, 치근굴곡면, 분지부, 치은연하 부위의 부적절한 수복물의 변연 등이 존재하면 적절한 잔사제거가 더욱 어려워진다.

시술자의 숙련도에 따라 차이는 있겠지만 올바른 기술과 알맞은 기구가 사용되면 5 mm 깊이까지의 치주낭 잔사 제거는 가능하다. 치근의 형태가 양호하고 기구접근이 적절한 곳에서는 더 깊은 치주낭에서도 확실한 잔사 제거가 가능하다. 그러나 임상적인 의미에서 보면 치은연하에서의 기구조작이 치은연상에서와 같이 적절히 수행될 것인지 확실하지 않다.

치석제거와 치근활택술 후의 치근면은 매끈하고 단단해야 하는데 만약 거친 면이 감지된다면 치은연하치석의 잔존을 의미한다. 임상적인 검사 시 염증이 계속 잔존하고 치은연하 탐침 시 출혈이 나타난다면 치은연하 침착물의 존재를 예측할 수 있다. 그러한 증상이 치근활택술의 반복치료에도 불구하고 계속 존재한다면 외과적 술식이 수행되어야 하며, 이 과정에서 시술을 확실히 하기 위하여 치근면을 노출시켜야 한다.

3) 각종 검사자료의 분석

적절한 시술을 선택하기 위해서 방사선학적 사진, 진단용 모형, 치주낭 깊이 측정 검사지 등은 필수적으로 요구된다. 방사선학적 사진은 치근의 길이, 모양, 상악동과의 근접정도, 골파괴 형태와 양 등을 분석할 수 있고, 진단용 모형은 골융기, 내외사능, 구강전정의 형태 등의 정보를 제공해주며, 탐침기록은 골결손부의 위치와 길이 등을 알 수 있는 자료가 된다.

4) 혈액과 수분 공급

수술 부위의 판막으로 혈류 및 수분의 공급이 적절히 유지되어야 한다. 형성된 판막의 기저부는 변연의 생존력을 증강시키기에 충분한 혈액공급선이 되어야 하며 이를 위해 결합조직을 포함할 수 있도록 충분히 두꺼워야 한다.

또한 수술이 진행되는 동안 조직을 건조시키거나 거칠게 다루면 조직빈혈이 발생하고 수일 이내에 괴사된다. 그러므로 조직의 건조를 막기 위해 수술 시 습한 상태를 유지해야 하며 박리되어 있는 시간도 가급적 줄여야 한다.

(1) 출혈의 조절

대개 마취약 내에 포함된 혈관수축제에 의해 충분한 지혈이 된다. 그러나 육아조직이 다량 존재하고 염증상태가 심하면 특별한 지혈방법을 사용할 필요가 있다.

(2) 사강(Dead space)

판막을 봉합하기 전에 사강이 존재하는가 여부를 확인하여야 한다. 만약 사강이 존재하면 혈괴가 형성될 우려가 있고 이는 세균성장요인이 되어 효과적인 치유를 방해한다.

4. 해부학적 고려사항

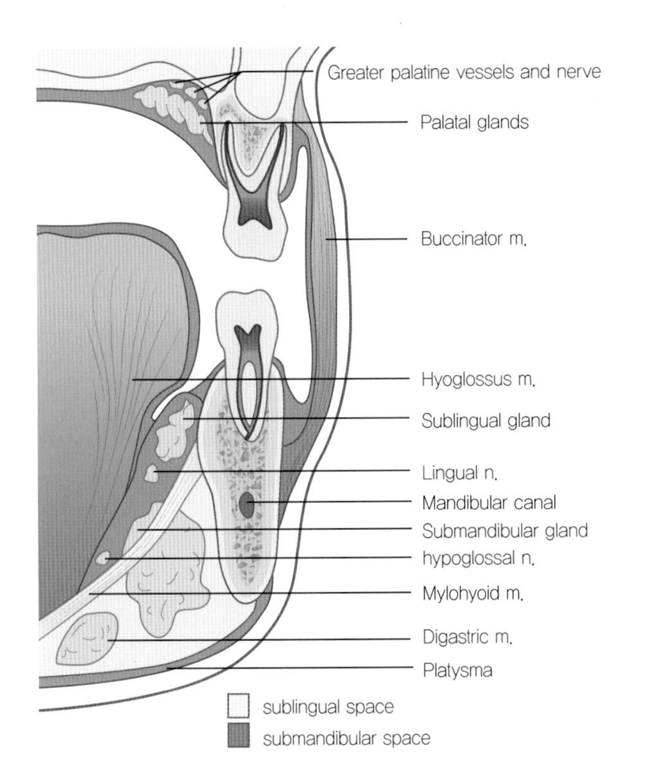

그림 28-1. 치주수술 시 고려해야 할 중요한 해부학적 구조물

외과적 치주수술에 앞서 임상의는 해부학적 구조에 대해 충분히 숙지할 필요가 있다. 골구조와 아울러 신경과 혈관의 위치와 분포에 대해 완전히 이해하면 시술 도중에 야기될 수 있는 합병증의 위험을 최소화할 수 있다(그림 28-1).

1) 부착치은

어떠한 치주판막을 형성할 때라도 부착치은의 폭경은 중요하다. 절개선의 설계에 있어 가급적 부착치은을 보존하는 것은 치주수술에 있어서 가장 중요한 원칙 중의 하나이다.

2) 상악 협순측 관점

상악궁의 전후방 협순측에는 중요한 혈관이나 신경의 분포는 적다. 상악골의 측면에는 협치조능(zygomaticoalveolar crest)이 존재하여 제1대구치의 치조골까지 연장된다. 골치조제(ridge)의 형태와 치조돌기와의 상호관계에 의해 상악구치부의 구강전정의 깊이가 결정된다. 협치조능이 치조골능(alveolar crest)에 가깝게 위치하면 치주

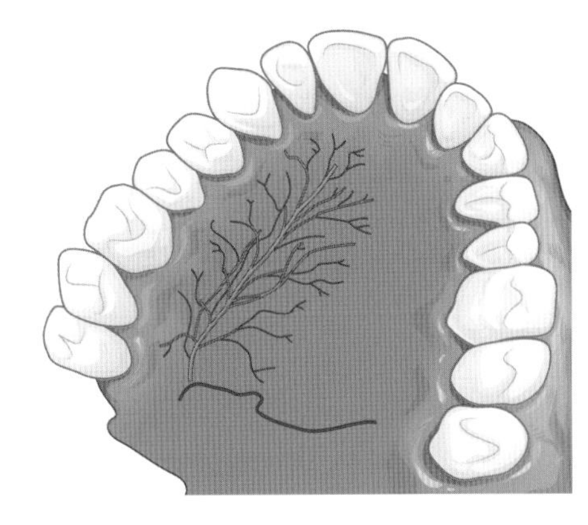

그림 28-2. 대구개신경과 동맥

판막의 이개나 재접합 시 방해가 된다.

상악동이 가끔 치조돌기까지 연장되는 경우가 있다. 상악소구치나 대구치부위에서 치조와의 피질골과 상악동 사이에 망상골(cancellous bone)이 거의 존재하지 않는 경우도 자주 발견된다. 그러므로 시술 전에 정확한 해부학적 구조를 확인하는 것이 중요하다.

3) 구개부

(1) 대구개신경 및 동맥 (Greater palatine nerve and artery)

대구개신경 및 동맥은 경구개의 후방경계로부터 약 3~4 mm 전방에 위치하며 전형적으로는 치조돌기와 구개돌기의 경계부에 존재한다. 분포는 기시부로부터 전방으로 확산되면서 경구개의 점막하 조직을 피개하여 점막을 지배하고, 경구개의 각종 선조직, 상악견치부까지의 상악치조돌기의 구개부측 치은을 지배한다. 따라서 치은판막술 시 육아조직을 제거하면서 구개부측 판막을 정중부까지 지나치게 얇게 하거나 치은이식시 공여부에서 치은을 채취할 때 너무 깊게 절개하면 동맥을 절단할 위험이 있다(그림 28-2).

(2) 비구개신경 및 동맥 (Nasopalatine nerve and artery)

비구개신경 및 동맥은 상악중절치 직후 부위에서 기시하여 견치를 포함한 전치 구개부를 지배한다. 임상에서

종종 본 신경을 절단하는 경우가 있으며 이로 인해 일시적인 마비현상(paresthesia)이 나타나기도 한다.

4) 하악

(1) 전치부 순면

이근(mentalis muscle)의 부착위치는 얕은 구강전정을 야기하고 수술하는 동안 접근도를 좋게 하기 위하여 근육을 거상하면 측인두 간극(lateral pharyngeal space)으로 감염이 확산될 우려가 높다.

(2) 구치부 순면

① 전형적인 이공(mental foramen)은 수평적으로는 양 소구치 사이, 수직적으로는 치조골능과 하악골 하연 사이에 위치한다. 만약 이신경(mental nerve) 혹은 동맥이 손상을 받으면 입술과 치은에 마비현상과 심한 출혈이 야기된다. 치은치조점막수술과 근단변위 판막수술 시 수직으로 절개하는 이완절개의 길이에 조심하여야 한다.

② 외사능(external oblique ridge)의 돌출과 위치는 구치부 구강전정의 깊이를 결정한다. 골결손부가 외사능 하방까지 연장된 경우 이를 제거하기 위한 골절제술은 금기이다.

③ 측두정(temporal crest)과 하악지의 전방부가 최후방 구치에 밀접한 경우도 고려해야 할 사항이다.

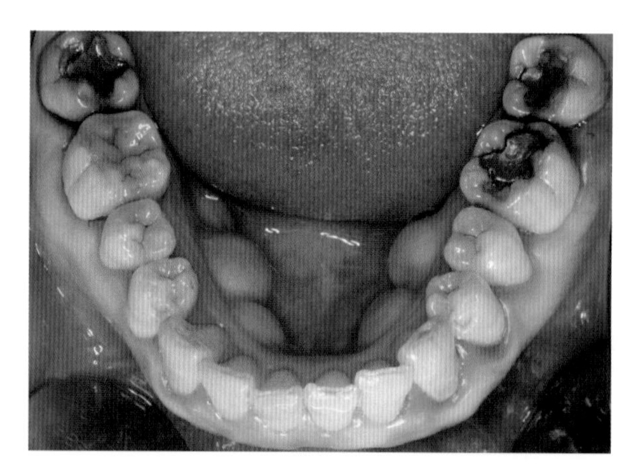

그림 28-3. 하악 설측의 골융기(torus)

(3) 하악 설면

① 전치부에서는 희귀하지만 가끔 genial tubercle이 치조돌기 상방부에 위치한 경우가 있으며 혀의 움직임에 방해가 되기도 한다.

② 구치부에서는 골융기(torus)가 견치와 소구치 사이의 악설골근(mylohyoid muscle) 상방부위에 존재하는 수가 있다(그림 28-3). 가끔 악설골근이 하악체 상방에 부착하거나 골내낭이 심한 경우 깊은 치은판막을 형성하게 되는데 이때에 간혹 감염이 되어 경부(neck)로 직접 연결되기도 한다.

5) 설신경 및 동맥(Lingual nerve and artery)

하악에서의 판막수술 시 주의해야 할 사항은 설신경 및 동맥에 손상을 피하는 것이다. 제2, 3대구치의 설측에 위치하며 전층판막수술을 선택하거나 둔개하면 이 위험은 피할 수 있으며 이완절개는 제한적으로 사용해야 한다.

6) 후구치삼각부

가끔 이 부위에 선조직이 다량 존재할 수가 있다. 치주낭을 제거하기 위해 distal wedge incision이 사용되며, 시술 전에 항상 하악지를 촉진하여 설신경과 동맥을 손상하지 않을 정도의 위치선정에 주의하여야 한다.

5. 치료방법의 선택

치주질환은 병의 발생과정이나 성격에 있어서 복잡한 양상을 나타내기 때문에 그 치료에 있어서도 외과적 및 비외과적인 방법에 의한 다양한 시도가 가능하며, 각 경우에 따라 개개의 요소를 고려해야 하는 등 단순하지가 않다. 또한 시술자의 능력과 치료에 접근하는 개념 및 철학에 따라 치료방법도 변할 수 있는 바, 하나의 문제점을 해결하는 데에도 방법의 선택이 절대적이지 않다. 여러 술식 중에서 문제점을 효과적으로 해결하고 부작용이 최소인 술식을 선택하여야 한다.

1) 치료방법의 결정에 앞서 고려할 점

(1) 환자의 연령과 전신 건강도를 검사하여 절대적 금기증은 피하도록 하며 시술 전 혈압은 필수적으로 파악되어야 한다.[16]

(2) 치료계획을 설정하는데 있어서 치료에 대한 환자의 기대는 중요하며 환자와의 대화가 우선되어야 한다.

(3) 치근처치를 위한 접근용이, 연조직 절단, 연조직 대체, 신부착의 획득을 포함한 완전한 항감염 처치 등 외과적 처치의 목적이 무엇인가를 판단하여야 한다.

(4) 외과적 처치는 적당한 치태조절, 치석제거, 치근활택, 치주고정, 근관치료 및 대략적인 교합조정이 종료된 후에 상황을 재평가하여 결정되어야 한다.

(5) 유지치주 치료계획: 시술 후 정기적 소환에 의해 유지치주 치료계획에 적응하여 환자 스스로가 구강청결을 유지할 수 있는가, 선택된 시술을 시행 후 병원성 미생물을 억제할 수 있는가, 혹 시술 후 염증의 감소가 가능한가의 여부를 판단해야 한다.

(6) 인접 조직과의 연결: 건강한 조직과 인접한 부위에 치주질환이 심할 경우 이환부와 미이환부에 대해 수술을 결정하기가 힘들다. 치조골과 연조직의 절제는 연조직, 경조직의 증식이나 치관연장술 및 단근치에 적절한 판막적합을 위해 사용된다. 골내낭의 치료에 조직유도재생술이나 치근탈회가 사용될 수도 있다.

(7) 수복 치료계획: 중증으로 진행된 치주염의 수술 후에는 연조직과 경조직의 소실이 수반된다. 이러한 경우 치아 안정성의 감소에는 수복처치가 효과적이다.

(8) 부착의 적절성: 수복치료를 위한 치아의 안정성 증진과 유지는 이를 충족시킬 수 있는 만큼의 부착량을 회복시킬 수 있는 수술 방법의 선택과 연관되어 있다. 술식의 선택은 치료목적과 필요성에 가장 만족을 가져올 수 있는 간단하고도 예견이 확실한 방법으로 시도해야 한다.

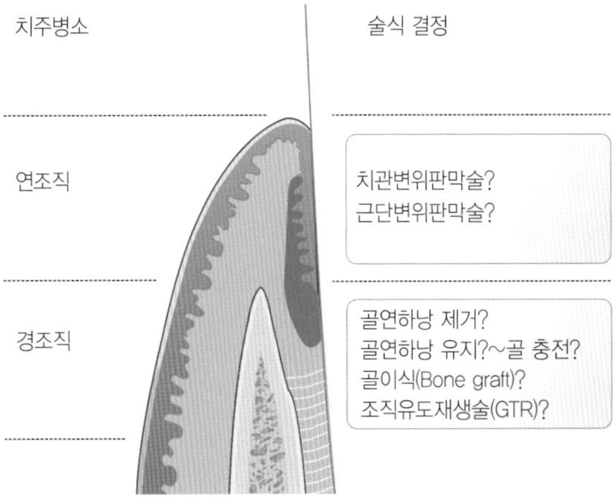

(9) 감염의 억제: 수술방법의 선택에 앞서 치석제거, 치근활택술, 구강위생 확립, 모든 치태 축적 부위의 제거 및 항미생물 치료 등을 시행하여 감염에 대한 처치가 완전한 후에 결정해야 한다.[17,18] 이러한 술식은 초기 단계 치료로서 시행될 수 있으며 경우에 따라 수 개월씩 소요될 때도 있다.

그림 28-4. 치주낭의 연조직과 경조직 부위에서의 치료 술식 결정

2) 술식 선정의 국소적 인자(그림 28-4)

(1) 치은낭(Gingival pocket)

치은낭인 경우, 치은낭 내벽의 성질과 접근도에 따라 다르다. 부종성 조직인 경우는 국소적 인자를 제거하면 치유과정에서 수축으로 인하여 치은낭의 깊이가 부분적 혹은 전체적으로 소실될 것으로 기대할 수 있으나, 섬유

표 28-1. 부착치은의 폭경과 골변화 필요 여부에 따른 치주치료 술식

부착치은이 충분한 경우		부착치은이 부족한 경우	
골변화 불필요	골변화 필요	골변화 불필요	골변화 필요
• 폐쇄형 혹은 개방형 치근활택술 • 치은절제술	• 골외형 변화를 포함한 비변위판막술	• 근단변위판막술 • 유리치은이식술을 이용한 부착치 은확장술	• 골외형변화를 포함한 전층근단 변위판막술

성 조직인 경우는 치석제거나 치근면활택술로 제거되지 않는다. 이런 경우는 치은절제술이 유용하게 사용될 수 있다.[19,20]

(2) 골연상낭(Suprabony pocket)

골연상낭이 존재하는 경우, 부착치은의 넓이와 골변형의 존재 여부에 따라 적용가능한 술식이 결정되며 그 내용은 표와 같다(표 28-1).[21]

(3) 골연하낭(Infrabony pocket)

골연하낭이 존재하는 경우, 파괴된 골의 재생이나 재부착 혹은 잔존골의 형태를 변형시킬 필요가 있을 때 외과적 술식이 시행되며 이때는 골결손 형태, 골벽수, 넓이와 전반적인 외형에 좌우된다. 결국은 골정형술을 동반한 전층판막술이 필요하며 경우에 따라 치은점막술(mucogingival procedure)도 이용하게 된다.

참고문헌

1. 구영, 김병옥, 박준봉, 이재목, 장범석, 정현주, 최점일. 임상치주학 11판. 서울: 지성출판사; 2012.
2. Axelsson P, Lindhe J. The significance of maintenance care in the treatment of periodontal disease. Journal of Clinical Peiodontology 1981;8:281-294.
3. 이해영. 고혈압의 새로운 진단기준. 대한의사협회지 2018;61:485-492.
4. 구영, 김병옥, 박준봉, 유형근, 이재목, 장범석, 정현주, 최성호, 최점일. 임상치주학 12판. 서울: 지성출판사;2016.
5. 정형태, 최상묵, 치은판막수술시 혈관수축제가 실혐량에 미치는 임상적 비교연구. 대한치주과학회지 1982;128:1109-1120.
6. Replogle K, Reader A, Nist R, Beck M, Weaver J, Meyers WJ. Cardiovascular effects of intraossous injections of 2 percent lidocaine with 1:100,000 epinephrine and 3 percent mepivacaine. J Am Dent Assoc 1999;130:649-657.
7. 김우성. 측방판막술시 수종 약물이 치은 재부착촉진에 대한 실험적 연구. 대한치주과학회지 1982;11:5-24.
8. 류인철, 손성희, 정종평. Tixocortol pivalate를 함유한 Chlorhexidine이 치근연하 치태세균 및 치은각화에 미치는 영향. 대한치주과학회지 1985;15:113.
9. 윤경호. 염화아연을 포함하는 함수제가 치아균태 침착에 미치는 영향에 관한 임상적 연구. 대한치주과학회지 1979;9:521.
10. Dajani AS, Taubert KA, Wilson W, Bolger AF, Bayer A, Ferrieri P, Gewitz MH, Shulman ST, Nouri S, Newburger JW, Hutto C, Pallasch TJ, Gage TW, Levison ME, Peter G, Zuccaro GJ. Prevention of bacterial endocarditis. Recommendations by the American Heart Association. J AM Dent Assoc 1997;128:1142.
11. American Dental Association; American Academy of Orthopaedic Surgeons. Advisory statement – Antibiotic prophylaxis for dental patients with total joint replacements. Journal of the American Dental Association 1997;128:1004-1008.
12. 김경진, 최상묵, 치은절제술 후 Periodontal Pack이 치은 치유에 미치는 영향. 대한치주과학회지 1997;17:1.
13. Christgau M, Palitzsch KD, Schmalz G, Kreiner U, Frenzel S. Healing response to non-surgical periodontal therapy in patients with diabets mellitus: clinical, microbiological, and immunological results. J Clin Periodontol 1998;25:112-124.
14. Tervonen T, Karjalainen K. Periodontal disease related to diabetic status. A Pilot study of the response to periodontal therapy in type 1 diabetes. J Clin Peiodontol 1997;24:505-510.
15. Westfelt E, Rylander H, BlohméG, Jonasson P, Lindhe J. The effect of periodontal therapy in diabetics. Results after 5 years. J Clin Peiodontol 1996;23:92-100.
16. Raab FJ, Schaffer EM, Guillaume-Gornelissen G, Halberg F. Interpreting vital sign profiles for maximizing patient safety during dental visits. J Am Dent Assoc 1998;129:461-469.
17. 손성희, 식염을 함유한 치약의 염증억제효과에 대한 임상적 연구. 대한치주과학회지 1983;13:38.
18. 최길수, 최상묵. 메트로니다졸 국소투여가 치주농양시 치은연하 치태 세균분포 및 염증정도에 미치는 영향에 관한 연구. 대한치주과학회지 1983;13:119.
19. 이공림, 재래의 Blade 및 Electrome에 의한 치은절제술 시행에 따르는 치주조직의 치유과정에 대한 조직화학적 비교연구. 대한치주과학회지 1979;9:82.
20. 최점일. Electrosurgery를 이용한 치은절제술이 치은창상치유에 미치는 영향에 관한 전자현미경적 연구. 대한치주과학회지 1979;9:82.
21. 강창권, 손성희. 치은판막술에 있어 치간골 노출 및 치간피개시의 임상적 비교연구. 대한치주과학회지 1982;12:69.

급성 감염이라는 용어는 임상적인 면에서 두 가지 양상을 나타내지만 반면에 증상과 원인 치료에 있어서는 매우 다양하다. '급성'이라는 의미는 그 증상이 갑자기 일어나며 동통이 수반되고 정상기능이 방해되는 것을 말하는데, 심한 증상이 다양하게 나타나며 즉각적인 치료가 필요하다. '감염'이라는 의미는 인체 내에 세균 및 바이러스(virus)가 침입하여 발생되는 증상을 말하는데 급성 감염으로 인한 치주질환의 치료는 우선 동통과 출혈 같은 급성 증상을 완화시켜야하며 급성 치주질환으로 분류될 수 있는 질병은 다음과 같다.

- 치주농양(periodontal abscess)
- 급성 괴사성 궤양성 치은염
  (acute necrotizing ulcerative gingivitis)
- 급성 포진성 치은구내염
  (acute herpetic gingivostomatitis)
- 치관주위염(pericoronitis)
- 급성 재발성 치주증상을 가지는 감염

1. 출혈에 대한 처치

1) 경미한 출혈의 관리 (Control of superficial bleeding)

(1) 직접적인 압박 지혈(Direct digital pressure)

5~8분 정도 출혈부위를 소독된 거즈로 압박시킨다(그림 29-1A).

(2) 전기소작 응고(Electrocoagulation)

Ball electrode를 사용한다(그림 29-1B).

(3) 초음파 소작(Ultrasonic cautery)

고주파(high frequency)로 물분사 없이 사용한다(그림 29-1C).

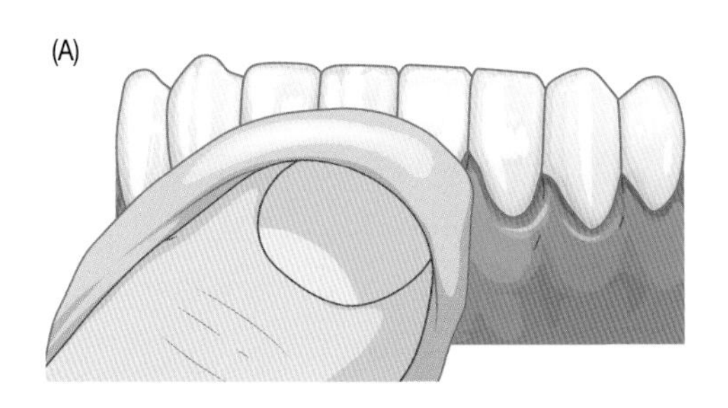

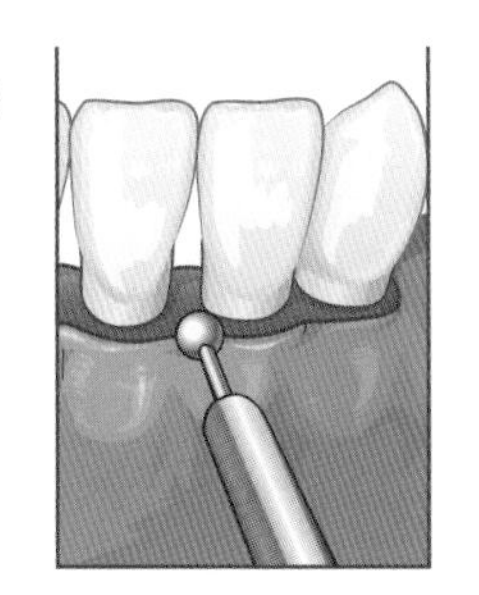

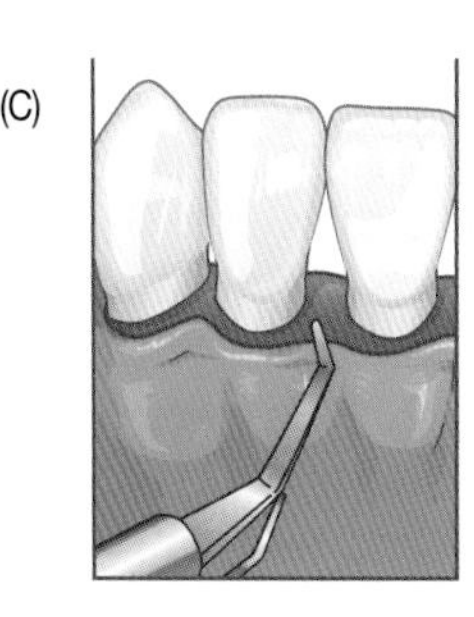

그림 29-1. 경미한 출혈의 관리
(A) 직접적인 압박지혈 (B) 전기소작응고 (C) 초음파 소작

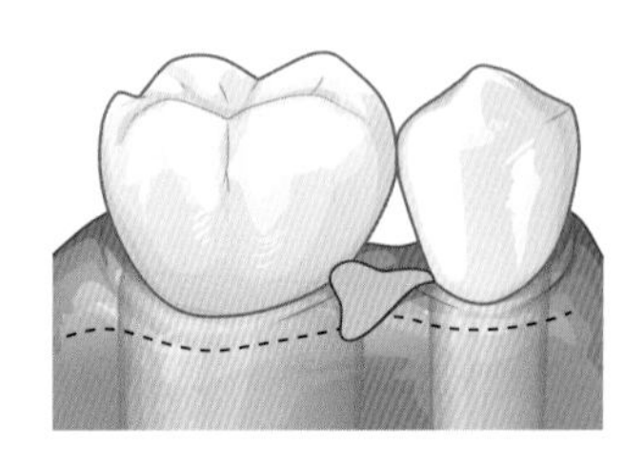

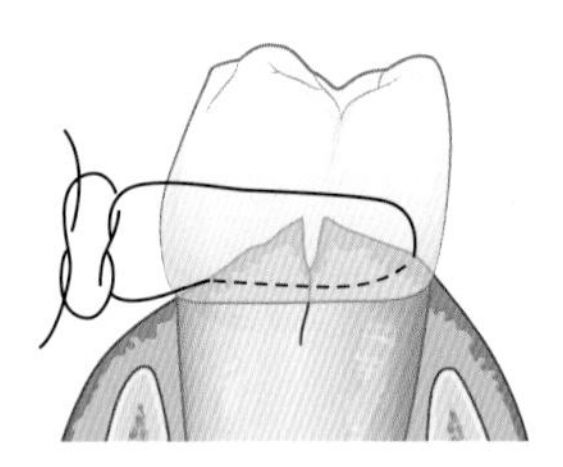

그림 29-2. 봉합사에 의한 관리법

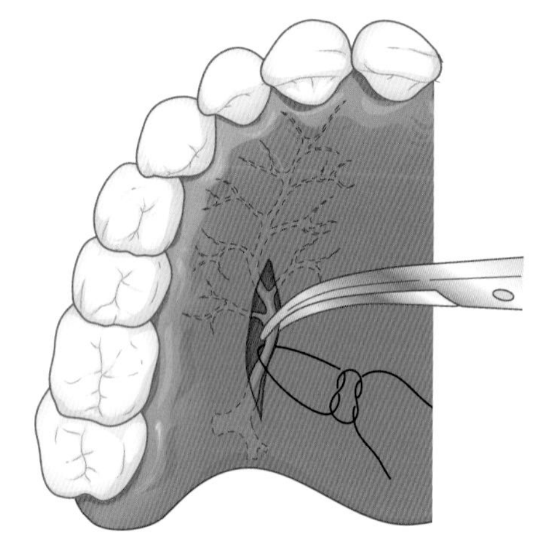

그림 29-3. 지혈 겸자를 이용한 지혈법

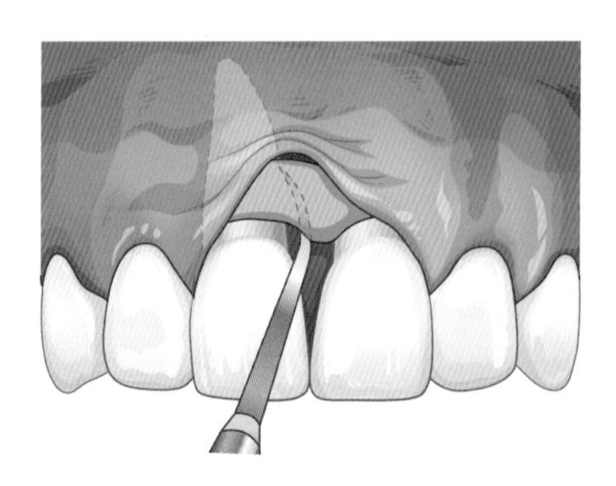

그림 29-4. 골편을 이용한 출혈 부위 지혈법

2) 중등도 출혈의 관리 (Control of moderate bleeding)

직접 봉합을 시행한다(그림 29-2).

3) 심한 출혈의 관리(Control of severe bleeding)

(1) 겸착자 사용술 및 결찰술(Clamping and tying)

지혈겸자(hemostat)를 이용하여 5~8분 동안 가벼운 압력으로 쥐어준다. 겸착자 사용술(clamping)로 지혈이 되지 않을 경우 흡수성 봉합사를 이용하여 혈관을 묶어준다(그림 29-3).

(2) 압좌술 및 채워놓기(Crushing and packing)

둔한 끌(chisel)로 골편을 잘게 만들어 출혈되고 있는 osseous vessel 위에 채워 넣어준다(그림 29-4).

2. 치주농양(Periodontal abscess)[1-4]

치주조직 내에 국한된 화농성 염증으로 '측방 및 두정농양(lateral or parietal abscess)'이라고도 불리며, 주로 그람음성 혐기성 세균에 의해 야기된다. 이 치주농양은 배농이 이루어지기 전까지는 동통이 심하며, 치아는 타진반응에 민감하다.

치주농양은 대개 깊은 치주낭을 가진 환자에게서 나타난다. 치주농양은 배농로가 없는 치주낭 내에서 저류된 삼출물과 화농성 물질 등으로 인해 나타나게 되는 기존 치주낭의 악화인 것이다.

1) 원인

① 부종과 염증에 의해서 치주낭 입구가 좁아짐으로 인해 치주낭으로부터 염증성 삼출물의 배농이 폐쇄되었을 때 발생한다.

② 세균상의 변화, 즉 갑자기 발병력이 높은 미생물의 증가로 인해 발생한다.

③ 조직 저항성의 저하, 즉 숙주 방어기전이 박테리아의 침입에 대해 충분히 저항하지 못할 때 나타난다.

④ 교합외상은 치주인대의 결합조직과 치조골 특히 구치부의 치근이개부에 손상을 주어 치주낭이 없이도 쉽게 농양을 형성하게 된다.
⑤ 근관치료 시 치아에 외상을 준 경우에도 발생한다.

위와 같은 원인들에 의해 발생한 치주농양은 급성 또는 만성일 수 있으며 급성 농양은 동통이 있고, 부종(swelling), 발적(redness), 광택이 있는 난원형의 융기(shiny ovoid elevation) 등의 증상을 수반한다. 급성 농양의 경우 화농물질(purulent content)이 부분적으로 배농되고 난 후에는 만성으로 되는데, 이 만성 농양은 둔통이 있으며 때로는 다시 급성화된다. 표 29-1은 급성 농양과 만성 농양을 비교하고 있다.

표 29-1. 급성 농양과 만성 농양의 증후와 증상

급성 농양	만성 농양
• 중등도 이상의 불편감 • 국소적인 붉은 색조의 타원형 부종 • 치주낭의 형성 • 치아동요도 • 발치와내에서 치아가 정출됨 • 타진반응이나 저작 시 민감 • 삼출(exudation) • 체온 상승 • 국소적인 임파선염	• 동통은 없거나 둔통이 나타남 • 국소적인 염증 소견 • 미약한 치아 정출 • 간헐적인 삼출 • 깊은 치주낭과 연관된 누공의 형성 • 전신적인 문제는 거의 없음

(1) 급성 치주농양

적절한 치료의 과정을 수행하기 위해서 치주농양과 치수농양을 감별 진단하는 것이 필수적이다. 표 29-2는 치주농양과 치수농양에 연관된 증상을 비교하고 있다.

① 치료

급성 농양의 치료목적은 동통을 완화시키고 감염 확산을 막고 배농을 시키는 것이다. 우선 환자의 전신적 상태를 평가해야 한다. 체온상승, 열병성 발현, 전신적 무력감 등이 특징적으로 관찰된다. 다음의 경우에는 항생제 투여가 필요하다.[5]

- 감염을 동반한 봉와직염(cellulitis)
- 접근이 어려운 깊은 치주낭
- 발열
- 국소적인 임파선염(lymphadenopathy)
- 면역체계가 손상된 환자인 경우

배농은 치주낭을 통해서 혹은 외부로부터 절개를 통해서 할 수 있는데 전자가 더 바람직하다.

- 치주낭을 통한 배농: 도포마취를 시행한 후 필요하다면 농양의 경계 주위로 국소 마취를 시행한다. 농양의 부종 부위에 직접 마취하지 않도록 주의해야 한다. 편평한 기구나 탐침을 조심스럽게 치주낭 내로 삽입하여 치주낭 벽을 확장시킨 다음, 큐렛을 치주낭

표 29-2. 치주농양과 치수농양의 차이

치주농양	치수농양
• 농양은 기존의 치주낭, 우식 혹은 두 가지 모두에 연관되어 있다. • 치수검사 시 생활력이 있다. • 종창이 산재하며 연관치아와 치은변연 주위에 나타나며 누공은 거의 존재하지 않는다. • 동통은 대개 무디고 지속적이며 치근단농양보다 덜하다. 동통이 국소화되어 있고 환자들은 대개 아픈 치아를 쉽게 찾아낼 수 있다. 움직이거나 타진 시 동통은 치수농양만큼 심하진 않다.	• 농양은 깊은 수복물에 연관되어 있다. • 치수검사 시 생활력이 없다. • 종창이 국소화되어 있으며, 흔히 치근단부에 누공이 존재한다. 누공은 원인 치아로부터 멀리 위치해 있을 수 있다. • 동통은 대개 심하며 찌르는 듯하며 며칠 동안 지속될 수 있다. 환자는 원인 치아를 찾지 못할 수 있다. • 움직이거나 타진 시 동통은 심할 수 있다.

내로 부드럽게 집어넣어 배농을 시키고 내부 조직덩어리를 부드럽게 소파한다(그림 29-5).

- 누공을 통한 배농: 수술도를 이용하여 병소를 천공 또는 절개한 다음 조심스럽게 육아조직과 잔사물들을 긁어내고 치은열구를 통한 배농에서와 같은 방법을 시행한다(그림 29-6).

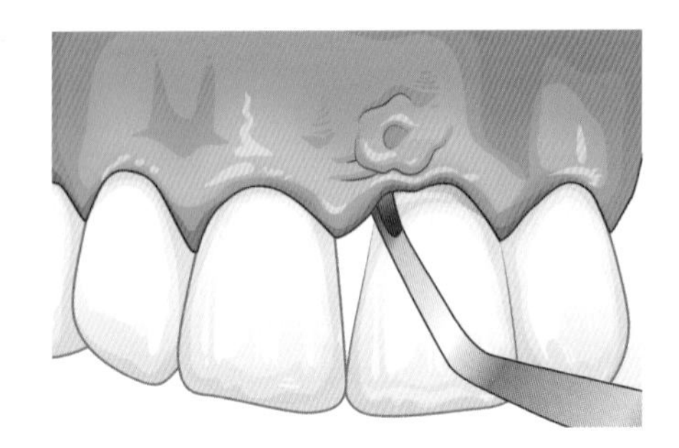

그림 29-5. 열구를 통해서 배농

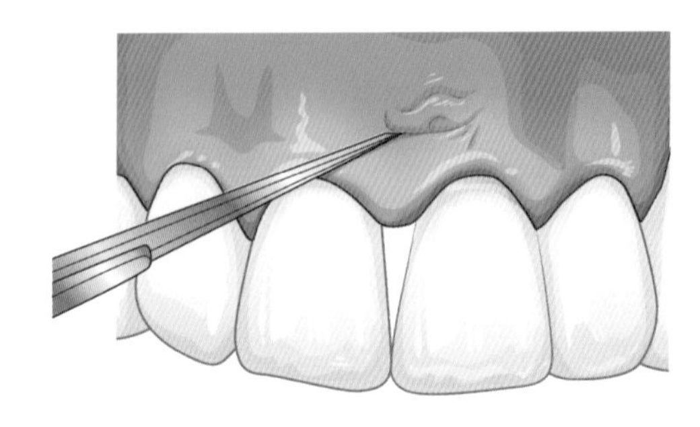

그림 29-6. 누공을 통한 배농

- 외사절개를 통한 배농(surgical excision): 농양을 격리시킨 후 거즈로 건조시킨다. 도포마취한 후 농양경계부 주위로 국소마취를 시행한다. 종창의 가장 파동성이 있는 부위에서 농양의 바로 치근측 부위까지 수직절개를 가하기 위해 #15 blade를 주로 사용한다. 큐렛이나 골막기자가 사용하여 조직을 부드럽게 거상시키고 배농로를 만든 후 농양 내부의 육아종성 조직을 소파한다. 농양의 외부는 부드럽게 눌러서 잔존하는 화농성 물질을 배농시키면서 상처의 경계 부위까지 도달한다. 봉합은 대개 필요로 하지 않는다. 배농이 멈춘 후에 배농 부위를 건조시킨 후 항생제를 바른다. 전신적 질환이 없는 환자는 24시간 동안 티스푼 1숟가락의 소금물로 자주 양치하도록 지시하고 다음날 다시 내원하도록 한다.

체온이 상승한 환자는 소금물 양치 외에 페니실린이나 다른 항생제를 처방한다. 또한 환자는 힘든 일을 삼가게 하고 풍부한 유동식을 먹게 한다. 필요하다면 안정을 권하고 진통제를 처방한다. 다음날이면 일반적으로 종창은 상당히 가라앉거나 없어지며 증상도 가라앉는다. 만약 증상이 지속되면 전날 처방한 약을 복용하도록 하고 다음날 다시 내원하도록 한다. 이때쯤이면 증상은 반드시 사라지고 병소는 통상적인 만성 농양의 치료 방법으로 치료를 시작한다.[6]

- 판막술(flap procedure)을 통한 사출(evacuation)과 육아조직 제거(debridement): 반월형 판막(semilunar

(A)

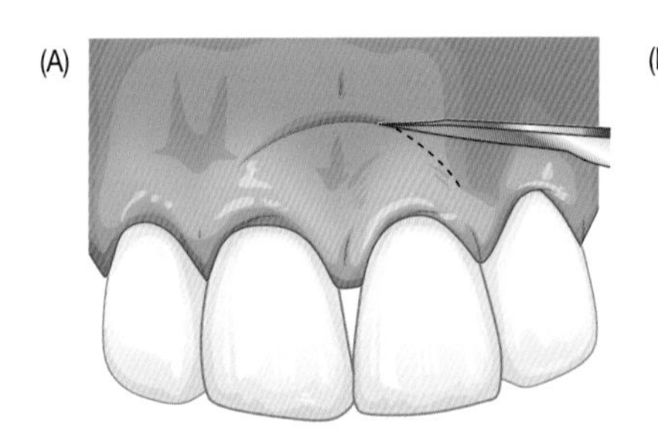

(B)

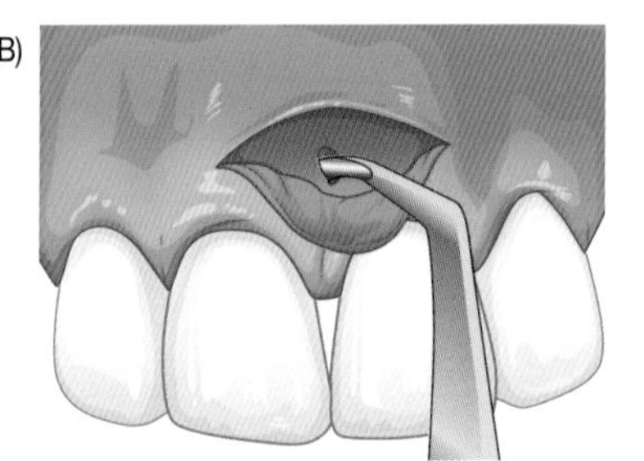

(C)

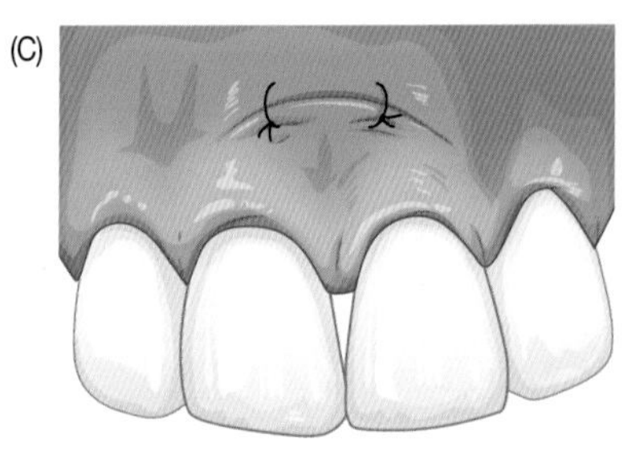

그림 29-7. 반월형 판막술을 통한 사출

(A) 치은연을 포함시키지 않고 농양부의 상단부를 절개한다. (B) 판막 형성 후 소파술을 실시한다. 농양의 개구부(orifice)도 윤상으로 절개하거나 소파한다. (C) 판막을 재위치시키고 봉합한 후 치주팩을 붙이고 1주 후 발사한다.

flap)이나 수직 이완 절개(vertical releasing incision)같은 방법으로 외과적 판막(surgical flap)을 형성하여 조직을 제거한다(그림 29-7).

(2) 치은농양

지지조직을 포함하는 치주농양과 달리 치은농양은 변연치은이나 치간유두를 포함하는 병소이며 대개 식편압입에 의해 유발된다. 치료는 다음과 같다. 도포마취와 국소침윤마취 하에 #15 blade로 병소의 파동성 부위를 절개한 후 배농을 시키기 위해 절개부위를 부드럽게 넓혀준다. 따뜻한 물로 세척한 후 거즈로 압박한다. 출혈이 멈춘 후, 환자는 2시간마다 따뜻한 물로 양치하도록 지시한 후 보낸다. 다음날 내원시 병소는 대개 크기가 감소하고 증상이 사라진다. 이때 도포마취하고 치석제거를 한다. 잔존 병소의 크기가 너무 크면 외과적으로 제거한다.

(3) 만성 치주농양

적절한 배농, 항생제 치료 또는 둘 다 시행한 후에 급성 농양은 만성이 된다. 몇몇 경우는 자발적으로 배농이 되며 환자는 그 때에 만성 농양으로 진단된다. 후속 치료는 치주낭의 치료와 유사하다.

3. 급성 괴사성 궤양성 치은염(Acute necrotizing ulcerative gingivitis)[7]

빈센트씨 감염(Vincent's infection)이라고도 불리는 급성 염증이며 파괴성 질환이다. 대개 20~30세 사이에 많이 발병하고 대부분 급성으로 발생한다. 비교적 심하지 않은 지속적인 형태는 아급성으로 분류된다. 재발성 질환은 악화와 진정의 시기를 뚜렷하게 가진다. 가장 뚜렷한 증상으로는 치간 유두의 전형적인 괴사성인 'punched out'한 형태이며, 연조직에 분화구(crater)를 형성하는 것이다. 치은의 분화구 같은 표면은 회색의 위막으로 덮여 있고 잔존 치은점막은 뚜렷한 선상의 홍반(erythema)으로 구별된다. 위막이 벗겨진 경우 치은변연이 드러나며 붉고 광택이 있으며 출혈을 보인다. 자발적 치은출혈과 구취 및 타액 분비의 증가가 특징적인 징후이다. 또한 치간골이 노출되기도 하며 노출된 골은 부골이라는 전형적인 국소적 치간골수염이 되기도 한다.

1) 원인

(1) 세균의 역할[8]

질병이 진행되는 동안 *P. intermedia*, *Fusobacterium nucleatum*과 spirochetes가 엄청나게 증가된다. 질환의 병인론에서 중요한 것은 숙주 조직에 침입하는 세균의 능력이다. 괴사병소에서 추출한 세균 중 spirochetes와 fusiform bacteria는 상피에 침투한다. Spirochetes는 생체의 결체 조직에 침투할 수 있다. Fusobacteria와 spirochetes는 endotoxin을 분비하여 질환을 일으킨다.

(2) 국소인자(Local predisposing factor)

기존의 치은염, 치은에 손상을 줄 때, 흡연 등이 이 질환에 영향을 미치게 된다. 대개는 기존의 만성 치은질환이나 치주낭에 복합되어 나타난다.

(3) 전신인자(Systemic predisposing factor)

- 영양 결핍(예: 비타민 B 복합체와 비타민 C)
- 소모성 질환
- 정서적인 문제(예: emotional stress, acute anxiety 등)

2) 치료[9]

(1) 첫 번째 방문(First appointment)

환자의 병력을 조사한 후 우선 급성 증상부터 완화시켜 준다. 국소 요인을 제거하고, 국소적 임파선 병변이나 전신증상이 나타날 때는 항생제 요법을 시행한다. 과산화수소를 묻힌 면봉으로 괴사성 위막을 부드럽게 제거해 준다.

3% 과산화수소와 따뜻한 물을 1:4로 희석하여 매 2시간마다 양치하게 한다. Chlorhexidine으로 하루 두 번 양치질하는 것도 매우 효과적이다. 술, 담배, 자극성 음식을 피하게 하며 비타민 B와 C를 섭취하게 한다.

충분한 휴식을 권유하고, metronidazole (메트로니다졸) 등의 항생제 처방과 효과적인 구강위생 술식을 교육시킨다.

(2) 두 번째 방문(Second appointment) (24~48시간 후)

하루나 이틀 후 환자의 상태는 개선되고 통증은 대부분 감소되거나 사라진다.

치은연상치석제거와 치은연하 육아조직제거(debridement)를 반복 시행하여 원인요소를 제거해주고 구강을 세척한다.

정확한 칫솔질 방법을 교육시킨다.

(3) 세 번째 방문(Third appointment)(1주일 후)

치은연하치석제거술과 치근활택술을 실시하고 치면세마(prophylaxis) 후 구강위생 상태를 평가한다. Black hairy tongue 발생을 예방하기 위해 과산화수소 양치용액 사용을 줄이거나 중지시키며, chlorhexidine 양치는 2~3주간 계속하게 한다.

(4) 후속 방문(Subsequent visit)

재발의 가능성을 점검한다. 구강위생을 평가하고 재교육시킨다.

한 달 후에 재내원시켜서 치은의 형태가 좋지 않거나 치주낭이 존재한다면 치주외과 수술을 해준다(그림 29-8).

4. 급성 포진성 치은 구내염 (Acute herpetic gingivostomatitis)[10]

어린 아이(대개 6세 이하)에서 구강증상을 보이는 바이러스성 감염으로 herpes simplex virus type 1(HSV−1)이 원인균이며 전염성이 있다. 자연치유 되는 질환이지만 동통을 수반하며 구강에 심한 불쾌감을 호소한다. 이 질환은 수포(vesicle)를 형성하는데 이것이 파열되어 2~6 mm 정도의 달무리 모양으로 된 궤양을 형성하여 대개 7~10일이면 자연적으로 치유된다. 이 질환은 나이의 상호관계, 이전에 원발성 포진성 구내염에 이환되지 않은 병력, 임상적 증상과 징후, 갑작스런 발병에 대한 특별한 관심이 진단에 도움이 된다.

1) 치료

치료는 초기 진단과 즉각적인 항바이러스 치료(antiviral therapy)가 필요하다. 자연 치유되는 질환이므로 단지 징후를 완화시키는 치료만을 하였으나, 최근에는 항바이러스제재를 이용한 치료가 사용된다. 3일 이내에 발병한 경우 acyclovir 제재를 15 mg/kg으로 하루 5회씩 7일 동안 사용하도록 처방하고, 발병 후 3일이 지난 경우에 acyclovir는 제한적인 효과를 나타낸다.[11]

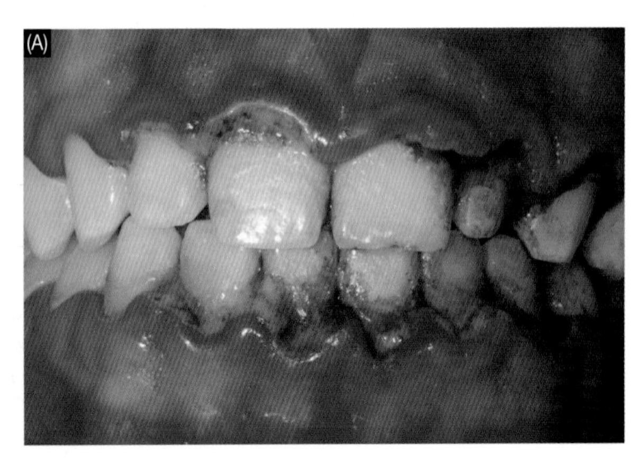

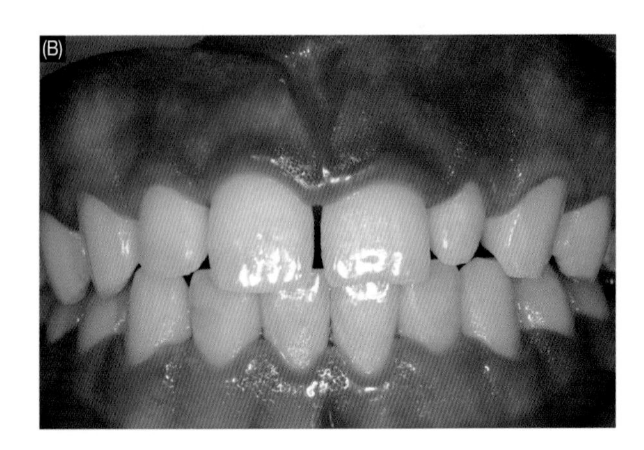

그림 29-8. 급성 괴사성 궤양성 치은염의 치료 후 치은의 생리적인 외형과 신부착
(A) 표면위막을 동반한 분화구형태의 치은변연이 특징인 급성 괴사성 궤양성 치은염 (B) 치료 후 하악치은의 생리적인 외형과 신부착의 회복

그 외의 전통적인 치료법은 다음과 같다.

- 구강 세척(mouth wash); 따뜻한 물과 중탄산염을 혼합해서 구강을 세척해준다.
- 방부제 도포(antiseptic application); albothyl concentrate를 주로 많이 이용한다.
- 마취연고 도포(anesthetic ointment application); xylocaine gel을 이용하여 병소에 발라준다.
- Yeast, riboflavin, vitamin B complex, thiamine, milk diet를 섭취하게 한다.
- 술을 삼가하게 한다.
- 충분한 휴식을 취하게 한다.
  (그림 29-9, 치료 전·후의 임상사진)

5. 치관주위염(Pericoronitis)

이 질환은 완전 또는 불완전하게 맹출한 치아의 치관을 둘러싸고 있는 치은과 지지조직에 염증이 있는 상태를 말하며 흔히 하악 제3대구치 부위에서 가장 호발한다. 특징적인 증상으로는 판개(operculum)의 종창과 발적이 있으며 이로 인해 저작시 동통을 수반하여 구취가 나고 임파선증(lymphadenopathy)과 발열(fever)을 수반한다.

1) 원인

- 세균성 치태
- 음식물 잔사
- 저작압에 의한 계속적인 기계적 자극 등이 있다.

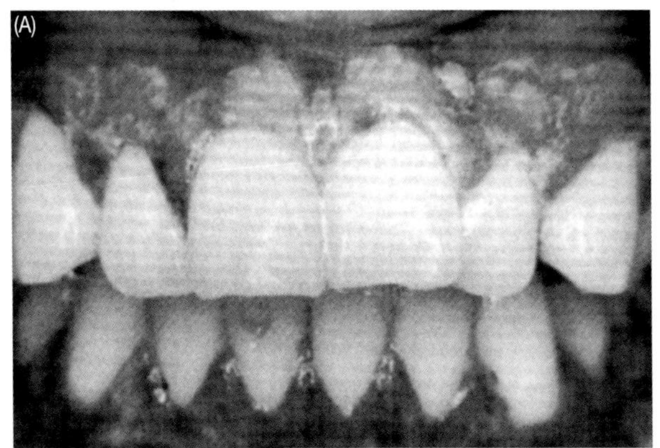

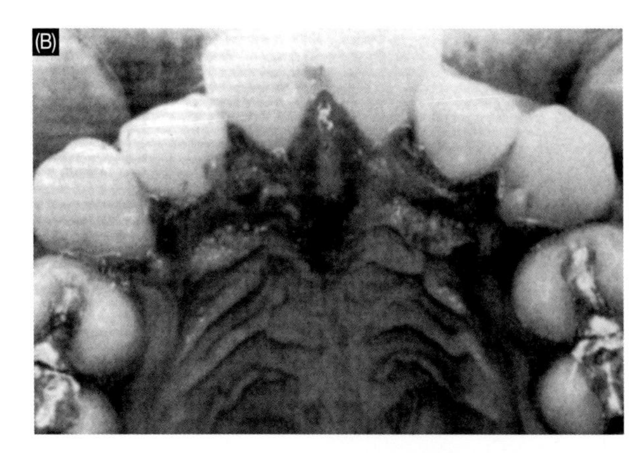

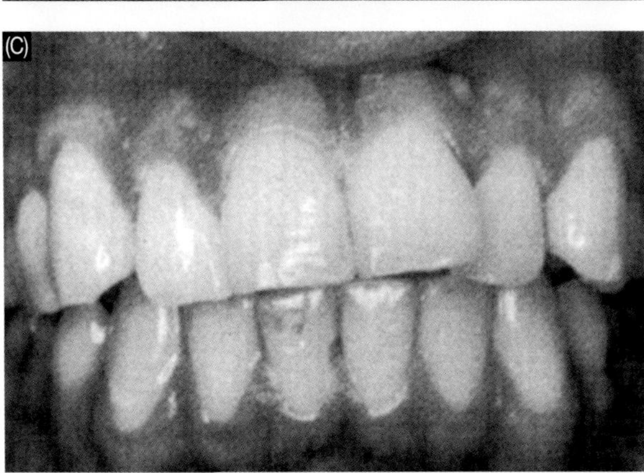

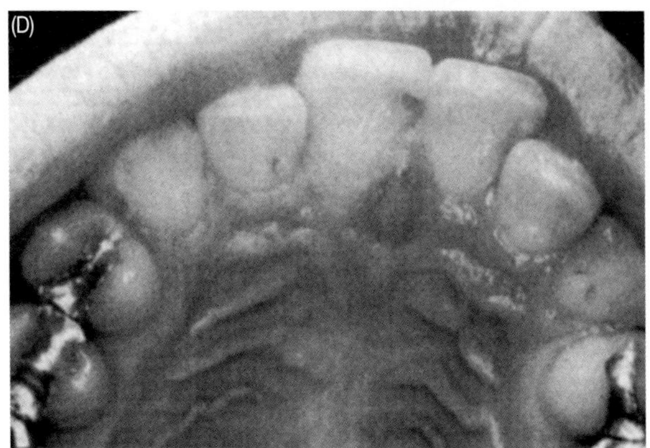

그림 29-9. 급성 포진성 치은 구내염의 치료
(A) 치료 전 미만형 홍반과 표면 수포 (B) 치료 전 구개면, 치은 부종과 구개의 파열된 수포 (C) 치료 1개월 후, 정상적인 치은 외형과 점몰의 회복 (D) 치료 1개월 뒤, 구개면

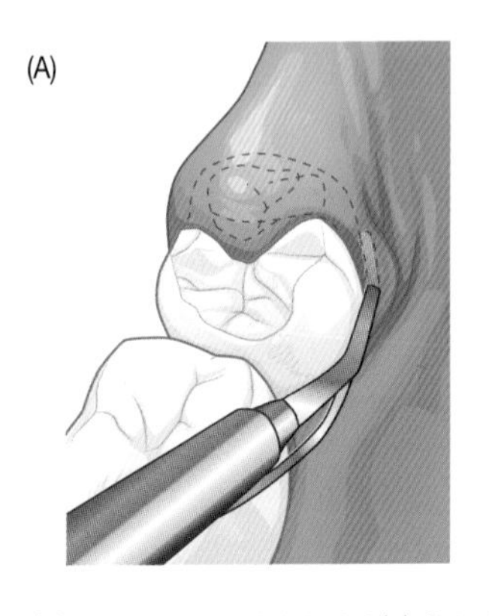

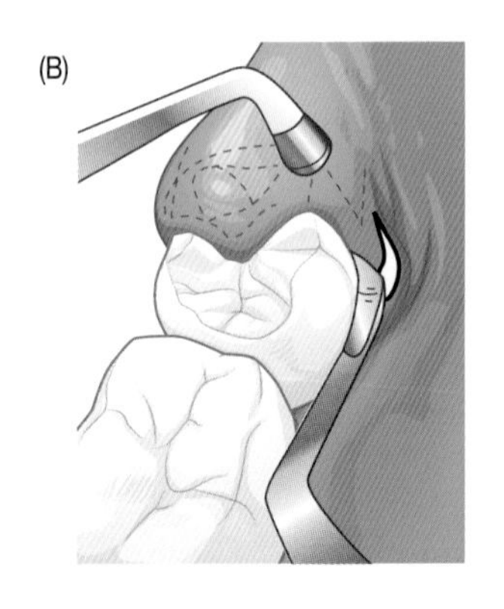

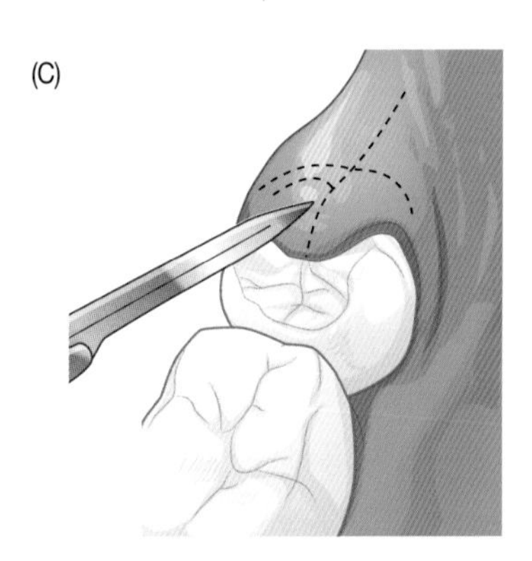

그림 29-10. (A) 시술 부위의 조직잔사 제거 (B) 온수세정과 소파술 (C) 전후방 절개

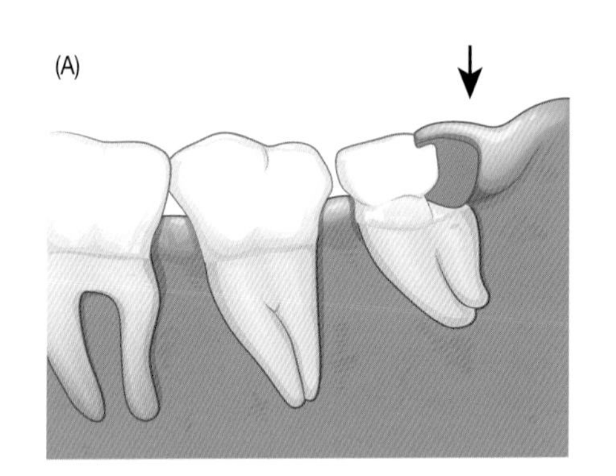

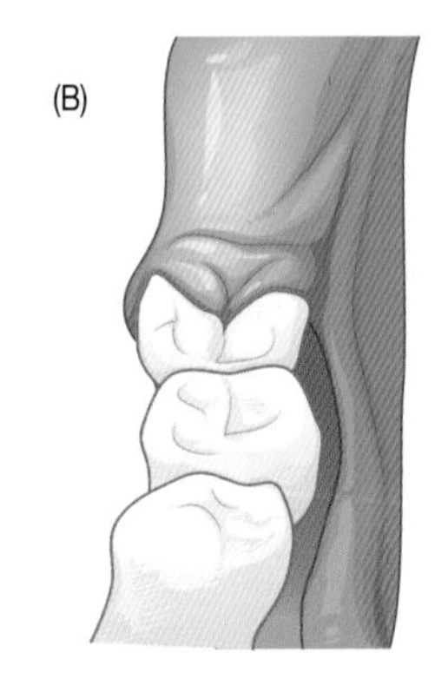

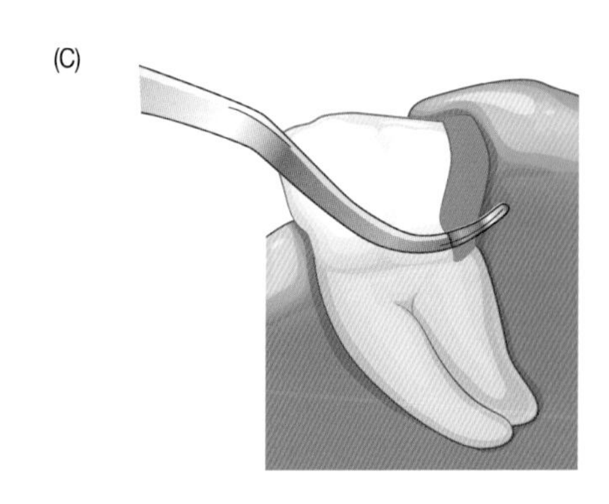

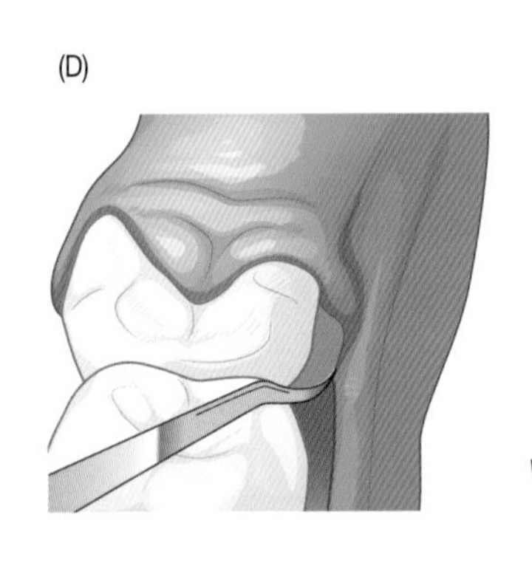

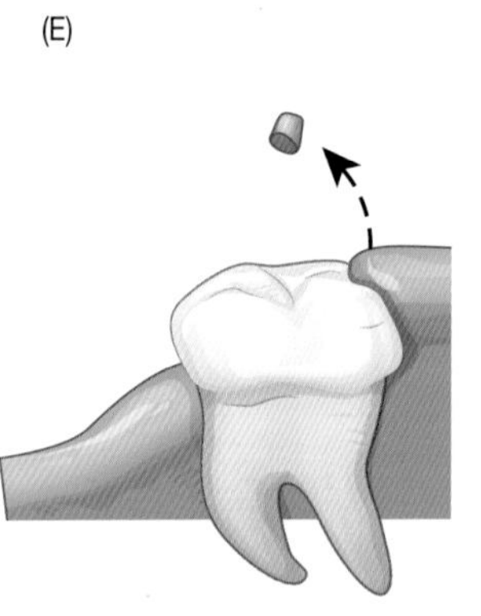

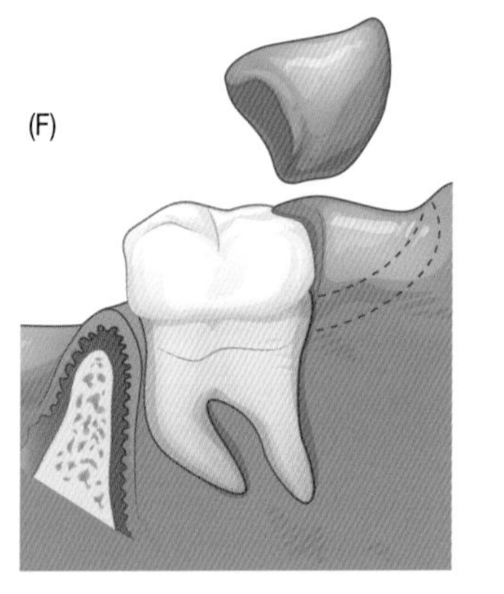

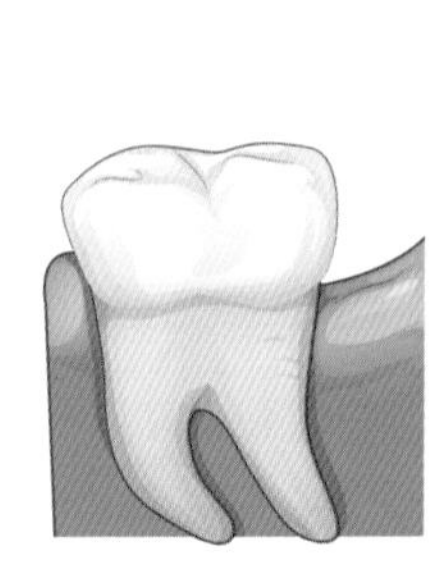

그림 29-11. 급성 치관주위염의 치료

(A) 하악 제3대구치와 관련된 염증성의 치관주위 판막 (B) 제3대구치와 판막의 전방면 (C) 판막 하방의 잔사를 조심스럽게 제거하기 위한 위치의 scaler의 측면 (D) Scaler의 전방면 (E) 판막 끝을 부적절하게 제거 시 대구치 원심에 깊은 치주낭을 남김

(F) 급성 증상 완화 후 제3대구치의 원심 치은의 제거. 절개선은 점선으로 표시됨 (G) 치유 부위의 외형

2) 치료

(1) 첫째날(First appointment)

① 포함된 인접조직의 정도와 심도 및 전신적인 합병증 상태를 관찰한다.

② 표층의 잔사와 표면 삼출물을 제거하기 위해 세정(irrigation)을 하고 마취를 실시한다.

③ 잔사를 제거한 후 따뜻한 물로 씻어낸다. 열이나 전신 증상이 있을 경우 전처방(premedication)을 해준다.

④ 만약 치은이 부어오르면 절개(anteroposterior incision)하고 1/4 inch gauze를 삽입해준다.

⑤ 24시간 후에 약속을 하고 돌려보낸다(그림 29-10, 11).

(2) 둘째날(Second appointment)

① Drain을 제거한다.

② 치아로부터 판막을 들어 올려 세정하고 환자에게 전날의 지시사항을 계속 유지하도록 하고 24시간 후에 다시 내원하라고 한다.

(3) 셋째날(Third appointment)

치아를 유지시킬 것인지 발치할 것인지를 결정한다.

참고문헌

1. Herrera D, Alonso B, de Arriba L, Santa Cruz I, Serrano C, Sanz M. Acute periodontal lesions. Periodontol 2000 2014;65:149-177.
2. Dahlen G. Microbiology and treatment of dental abscesses and periodontal-endodontic lesions. Periodontol 2000 2002;28:206-239.
3. Sanz M, Herrera D, van Winkelhoff AJ. The periodontal abscess. In Clinical periodontology, Copenhagen, 2000, Munksgaard.
4. Meng HX. Periodontal abscess. Ann Periodontol 1999;4:79-83.
5. American Academy of Periodontology. Position paper: Systemic antibiotics in periodontics. J Periodontol 2004;75:1553-1565.
6. Goldberg HM. The changing biologic nature of acute dental infection. J Am Dent Assoc 1970;80:1048-1051.
7. Barnes GP, Bowles WF, Cater HG. Acute necrotizing ulcerative gingivitis: a survey of 218 case. J Periodontol 1973;44:35-42.
8. Listgarten MA. Electron microscopic observations on the bacterial flora of acute necrotizing ulcerative gingivitis. J Periodontol 1965;36:328-339.
9. Newman MG, Takei HH, Klokkevold PR, Carranza FA. Treatment of acute gingival disease. : 11th, ed. Carranza's Clinical periodontology: Saunders Elsevier, 2012:437-438.
10. Weathers DR, Griffin JW. : Two distinct clinical entities. J Am Dent Assoc 1970;81:81-87.
11. Amir J, Harel L, Smetana Z, Varsano I. Treatment of herpes simplex gingivostomatitis with acyclovir in children: a randomised double-blind placebo-controlled study. BMJ 1997;314:1800-1803.

기타 참고문헌

- 이만섭. 치주과학. 송산출판사. 1984.
- Coolidge ED, Tabak L, Miller R, Salkind A, Oshrain H. Limulus lysate activity in adherent and non-adherent plaque. IDAR Abstracts 1976;596. J Dent Res 1976;55:Special issue B, B211.
- Glickman I. Clinical periodontology. 4th Ed. Philadelphia: WB Saunder Co. 1972:643.
- Goldman HM, Cohen DW. Periodontal therapy. 5th Ed. St.Louis: CV Mosby Co. 1973:1018.
- Grant DA, Stern IB, Everett FG. Orban's Periodontics. 3rd Ed. St. Louis: CV Mosby Co 1968:363.
- Naber JM. Treatment of symptomatic periodontal lesion. D Clin North America 1969;13:165.
- Ramfiord SP. Recurrent herpetic gingivostomatitis treated with gamma globulin. Oral Surg 1960;13:165.
- Shafer WG, Hine MK, Levy BM. A textbook of oral pathology. 2nd Ed. Philadelphia: WB Saunders Co. 1963;740.
- Skach M, Zabrodsky S, Mrklas L. A study of the effect of age and season on the incidence of ulcerative gingivitis. J Periodontol Res 1970;5:187.
- Stafne CS. Oral Roentgenograghic Diagnosis. 3rd Ed. Philadelphia: WB Saunders Co. 1969.

1. 정의와 구분

치주과 영역에서 소파술(curettage)이란 치주낭의 조직 측벽을 긁어내어 질병에 이환된 연조직을 분리 제거하는 것을 의미하며, 치주낭의 상피벽을 제거함으로써 치주섬유들이 치근면에 재부착하는 데 방해가 되는 요소를 제거하는 술식이다.

치주낭 측벽의 염증성 연조직만을 제거하는 치은소파술(gingival curettage)과 치주낭 내의 치조골 부위까지 기구를 도달시켜 치주낭 측벽의 염증성 연조직은 물론 접합상피와 치조골 부위의 염증성 결합조직까지 제거함으로써 건강한 치주결합조직에 의한 재부착을 도모하는 치은연하 소파술(subgingival curettage)로 구분되는데, 폐쇄 치은소파술(closed gingival curettage)의 단점을 보완하여 치주낭 상피와 염증성 결합조직을 보다 확실히 제거하기 위하여 큐렛대신 수술도를 사용하는 절제형 신부착술(excisional new attachment procedure)도 소파술에 포함된다(그림 30-1).[1]

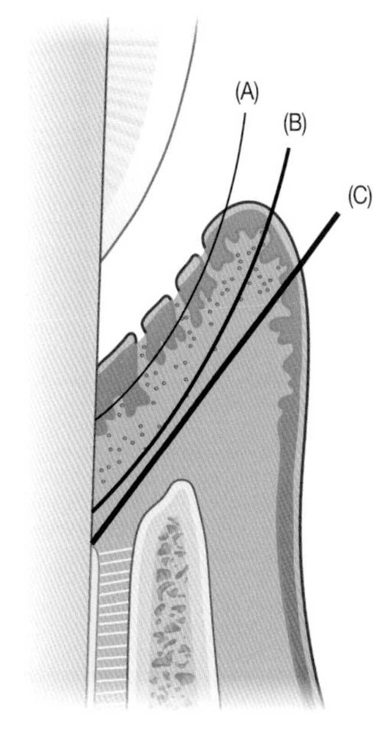

그림 30-1. 소파술의 범위
(A) 치은소파술 (B) 치은연하 소파술 (C) 절제형 신부착술

2. 치료 원리

치은소파술은 치주낭 내의 조직 잔사와 만성 염증성 육아조직을 제거함으로써 치유를 촉진시키고 치은수축을 가속화시켜 결국 치주낭을 제거하게 된다.

치은연하 소파술은 접합상피와 하부 염증성 조직을 제거함으로써 치주섬유들이 치근면에 대한 기존 위치보다 치관 쪽으로 재부착하도록 하여 치주낭을 제거하게 된다.

그러나, 소파술이란 세균성 치태나 침착물과 같은 염증의 유발요인을 제거하는 것이 아니기 때문에 치주치료의 기본 술식인 치석제거술과 치근활택술이 반드시 선행되어야 한다.

3. 적응증

치은연하 소파술은 ① 깊지 않는 골연상 및 골연하 치주낭을 제거하는 경우 ② 치료 후에 수축되어 정상 치은열구 깊이로 회복이 예상되는 부종성 치은염을 치료하고자 하는 경우 ③ 적극적인 치주수술이 요구되나 연령, 전신건강, 정신상태 등의 전신조건 때문에 수술이 불가능한 경우 ④ 치주낭 제거수술을 시행한 후 정기적인 재검사 시에 치은염증이나 치주낭이 재발된 경우 등에 시술될 수 있다.

4. 금기증

① 복잡치주낭이나 치근이개부병소가 존재할 경우
② 치석제거술와 치근활택술을 시행하기 용이하지 않은 부위

5. 기본 술식(Basic technique)

1) 기구 준비

치은연하 소파술을 시행하기 위해서는 구내경, 핀셋, 탐침소자(explorer), 치주낭 측정기(periodontal probe), 스케일러 1조 및 큐렛 1조, 국소 마취액 및 주사기, 세척용 주사기, 수술용 장갑과 구멍포(hole towel), 그리고 치주포대(periodontal pack) 등을 준비하여야 한다(그림 30-2).

2) 시술 부위의 소독과 마취

구강 내를 구내용 소독액(아이오다인, 클로르헥시딘 등)으로 양치시켜 세척한다.

시술 부위를 전달 및 침윤 마취시키고 다시 소독액으로 양치하게 한 다음 구강 내와 입술 주위를 포타딘 솜구 등으로 닦아내고 소독된 구멍포를 덮어 입부분만을 노출시킨다.

3) 치은연하 소파술

시술하고자 하는 부위에 적합한 큐렛을 선택한 후 치주낭 측벽을 잘 제거할 수 있도록 큐렛의 날을 치주낭 내벽 상피에 접하게 하고 치주낭 기저부까지 깊게 삽입한다. 수평으로 끌어 당겨서(pull motion) 먼저 치주낭 내벽 상피를 제거한 후(그림 30-3) 부착상피의 절단면 하방에 큐렛을 위치시켜 접합상피를 제거한 다음, 치주낭 기저부와 치조정 사이의 염증성 결합조직을 퍼내는 동작(scooping motion)으로 제거한다(그림 30-4).

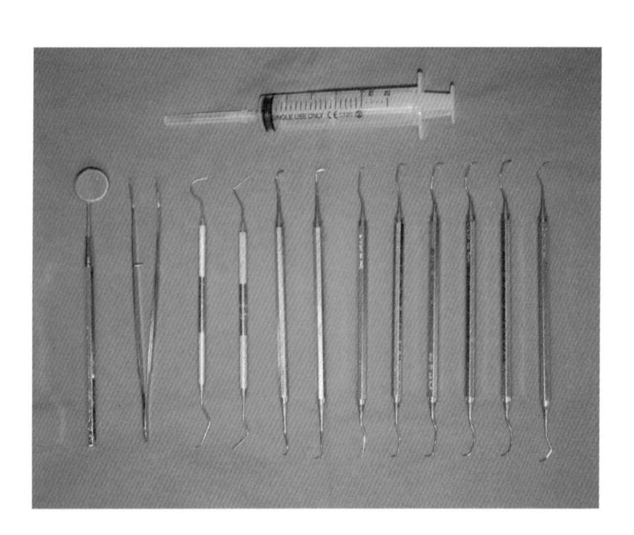

그림 30-2. 치은연하 소파술을 위한 기구
왼쪽부터 구내경, 핀셋, 탐침소자, 치주낭 측정기, 스케일러 1조 및 큐렛 1조

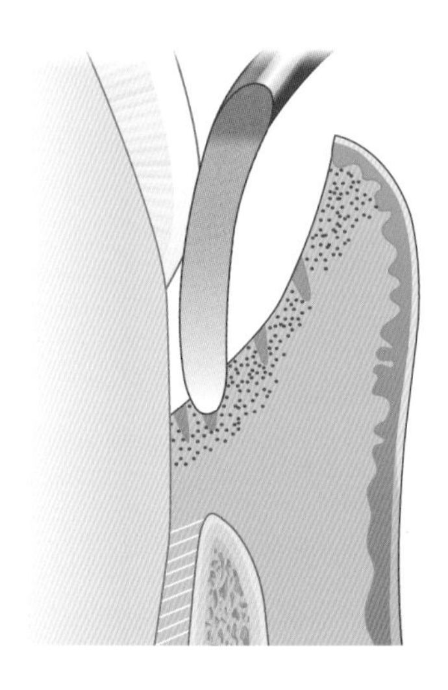

그림 30-3. 치은소파술
큐렛의 날을 치주낭 내벽상피에 접하게 하여 깊게 삽입한 후 수평으로 끌어당기면서 치주낭 상피벽을 제거한다.

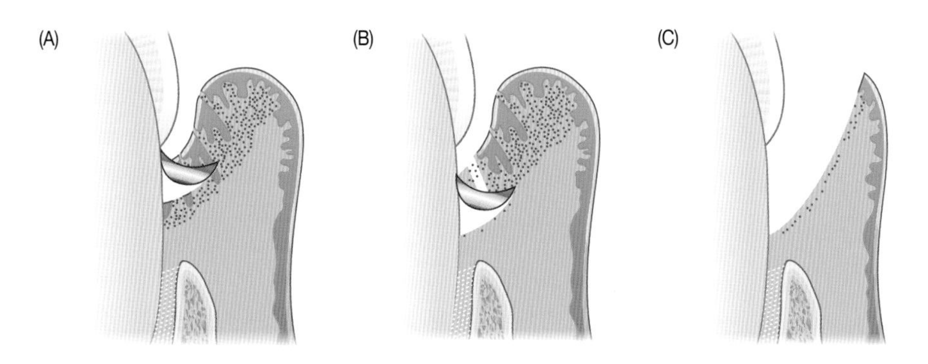

그림 30-4. 치은연하 소파술. (A) 치주낭 상피를 제거한다. (B) 접합상피 및 육아조직을 제거한다. (C) 시술이 완료된 상태

이때 큐렛의 날은 반드시 날카로워야 하며, 또한 치주낭 외측을 손가락으로 가볍게 누르면서 시술하면 연조직 제거가 보다 용이하다(그림 30-5).

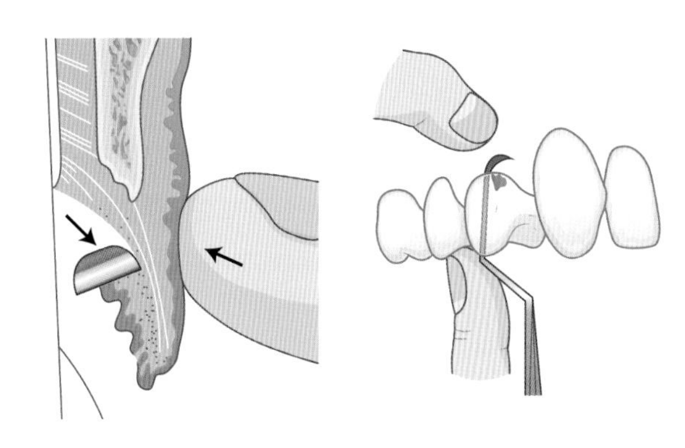

그림 30-5. 치주낭 조직을 제거할 때 치주낭 외측을 손가락으로 가볍게 받쳐주면서 시술하면 연조직 제거가 보다 용이하다.

4) 시술부위의 세척 및 검사

분리된 채로 치주낭 내에 잔류하는 염증 조직이나 치석 등을 세척용 주사기를 이용하여 생리 식염수로 세척하여 치주낭 밖으로 제거해 내고, 출혈 때문에 흐려진 시술 부위를 세척하여 치석과 염증조직의 잔존 여부를 확인하고 완전히 제거한 다음 치은의 형태를 다듬는다.

5) 치은접합(Gingival adaptation)

치면과 분리되어 들떠 있는 치은 위에 생리식염수에 적신 거즈를 대고 손가락으로 가볍게 눌러줌으로써 치면에 대한 치은의 접합과 지혈효과를 얻는다(그림 30-6). 치간 유두가 절단된 경우는 봉합을 해주는 것이 좋다.

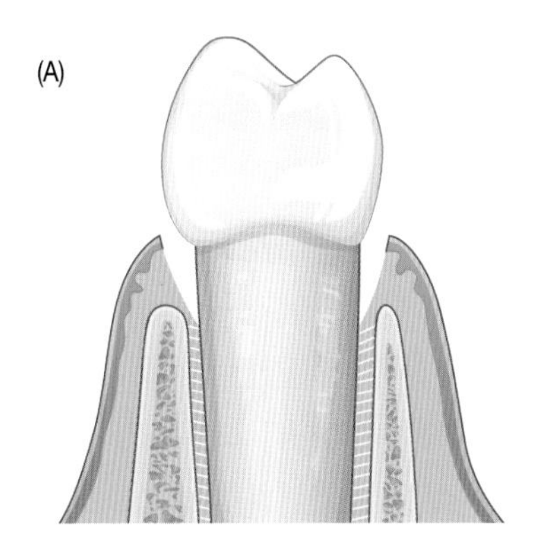

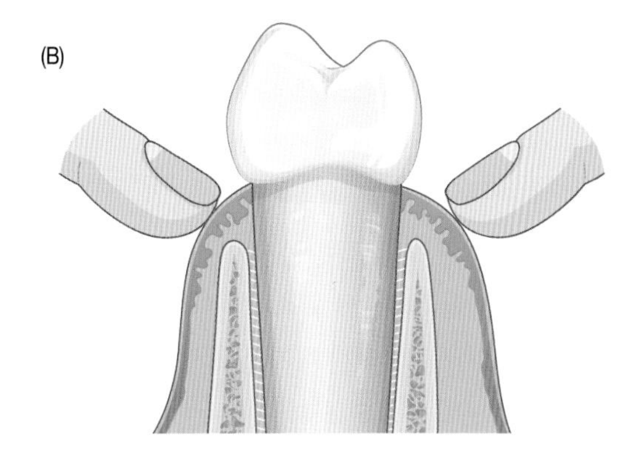

그림 30-6. 치은접합
(A) 치은연하 소파술이 완료된 상태 (B) 양측에서 손가락으로 치은을 치근면에 밀착시켜 1~3분간 압박함으로써 치은접합과 지혈효과를 얻는다.

6) 치주포대(Periodontal pack)

치은조직이 너무 연약하거나 접합상태가 불량한 경우에는 치주포대를 붙여주는 것이 좋으나 보통의 경우 적용하지 않아도 무방하다. 치주포대를 한 경우에는 1주일 후에 제거한다.

6. 치유(Healing)

소파술 직후에는 상피벽이 제거된 치은열구 내에 혈병이 채워지고, 확장된 말초혈관때문에 조직 내에 출혈이 발생하며 상처 표면에 수많은 다형핵 백혈구가 나타난다. 조직이 성숙함에 따라 소혈관의 수가 감소되고 육아조직이 급속히 증식된다. 2~7일 후면 일반적으로 치은열구가 회복되어 상피화된다. 동물실험에서는 치료 후 5일이면 접합상피가 회복되었으며, 결합조직의 치유는 치료 후 2~3일 후에 가장 활발하게 일어났고, 21일 이내에 미성숙 교원섬유들이 나타났다.[2-5]

치석제거술, 치근활택술 그리고 소파술 시에 치면으로부터 불가피하게 절단된 건강한 치은섬유나 찢겨진 열구 상피부위도 치유과정 중에 회복된다. 많은 학자들은 치석제거술과 소파술 후에 신생 결합조직에 의한 부착이 일어나지 않으며 얇고 긴 접합상피(thin, long junctional epithelium)를 형성함으로써 치유된다고 지적하고 있다.[6] 그런데 이 긴 접합상피는 가끔 결합조직의 치근 부착을 방해한다. 치석제거술과 소파술을 실시하여 치주낭 상피와 접합상피를 일관성 있게 제거할 수 있는 가에 대하여는 의견이 분분한데, 치석제거술과 치근활택술이 치주낭 상피나 접합상피를 제거하지 못한 채 찢기만 한다는 보고들이 있는가 하면, 소파술에 의하여 가끔 하부 염증성 결합조직을 포함하여 두 상피조직 모두 제거된다는 보고도 있다. 그러나 소파술에 의해서는 치주낭 상피와 접합상피의 제거가 완전하지 못함을 지적한 학자들이 많다. 소파술 후 치은의 임상적 변화를 보면 소파술 직후에는 치은이 출혈성이고 밝은 적색을 보이며, 1주일 후에는 치은변연이 근단 이동되어 치은의 높이가 낮아지고 치은의 색조는 아직도 정상보다 다소 붉은 색을 띤다. 환자가 구강위생관리를 철저히 하였다면 2주일 후에는 치은의 색이나 외형이 정상적이고 생리적인 형태를 이루게 되며 치은변연부도 치면에 잘 적합하게 된다.

7. 절제형 신부착술(Excisional new attachment procedure, ENAP)

1) 정의

골연상 치주낭(suprabony pocket)을 치료하는데 있어서 치은연하 소파술이 가장 보편적으로 이용되어 왔으나, 1976년 Yukna에 의하여 기술된 절제형 신부착술(ENAP)은 큐렛대신에 수술도를 사용하여 치주낭 상피, 접합상피, 육아조직 및 염증성 치주결합조직을 보다 확실히 제거함으로써 폐쇄 치은소파술(closed gingival curettage)의 단점을 보완하고 치면과 하부결합조직 간에 신부착(new attachment)을 도모하는 소파술이다.[7,8]

2) 적응증

절제형 신부착술은 치은점막 경계부를 넘지 않는 중등도의 골연상 치주낭을 제거하고자 하는 경우, 각화치은조직이 충분한 경우, 그리고 심미성이 중시되는 부위에서 적용된다.

3) 금기증

치주낭이 치은점막경계부를 넘어 깊게 연장된 경우, 치은조직이 종창성이거나 증식된 경우, 각화치은조직이 불충분한 경우, 그리고 골내 결손에 대한 치료가 요구되는 경우 등이 있다.

4) 술식

① 구강내 소독과 적절한 마취를 시행한 후 치주낭 측정기로 치주낭 깊이를 측정하고 치주낭 외면에 치주낭 기저부를 표시한다(그림 30-7). 치석제거술과 치근활택술을 실시한 후 최소 1주일이 경과한 후에 시술하여야 치유능력이 증진된다.

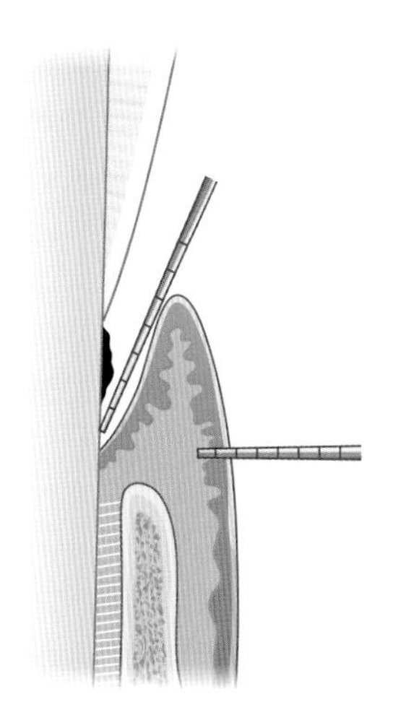

그림 30-7. 치주낭 깊이의 표시

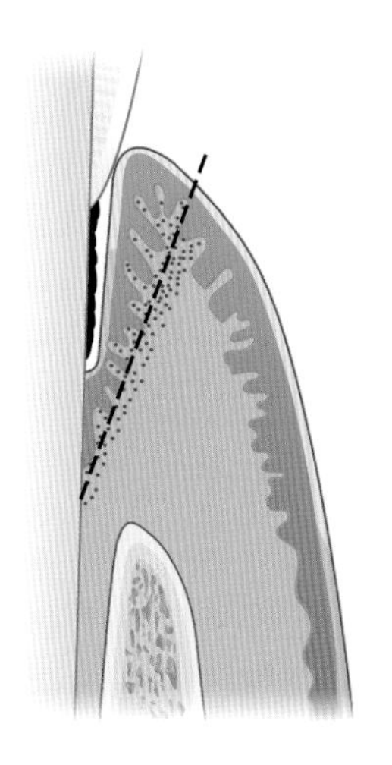

그림 30-8. 치주낭 상피벽의 절개

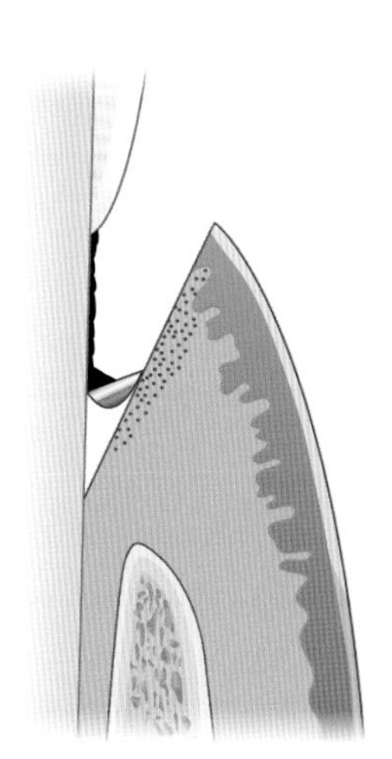

그림 30-9. 절개된 염증조직을 제거하고 치근활택술을 시행

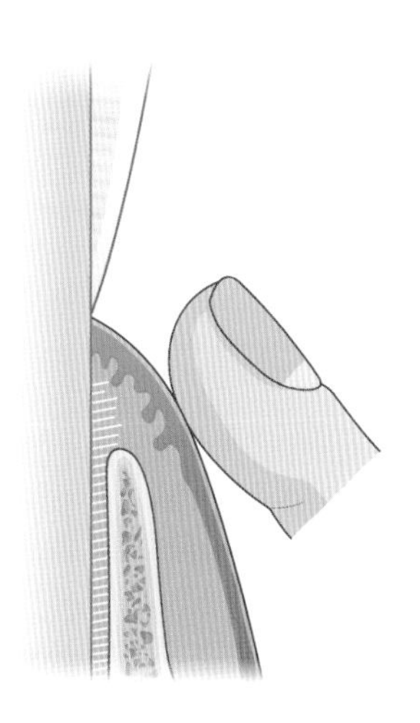

그림 30-10. 치은 접합

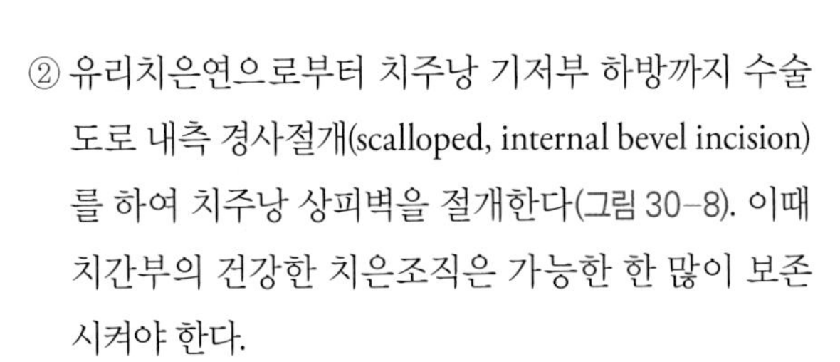

② 유리치은연으로부터 치주낭 기저부 하방까지 수술도로 내측 경사절개(scalloped, internal bevel incision)를 하여 치주낭 상피벽을 절개한다(그림 30-8). 이때 치간부의 건강한 치은조직은 가능한 한 많이 보존시켜야 한다.

③ 절개된 염증조직을 큐렛으로 제거한 다음 치근면의 치석등을 제거하고 치근활택술을 시행한다(그림 30-9). 이때 치근면에 부착된 채 남아있는 건강한 결합조직섬유는 보존시켜야 한다.

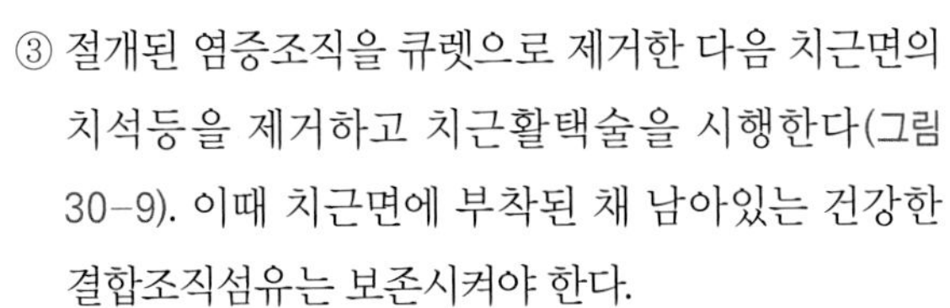

④ 생리식염수로 세척하면서 치석 등의 잔존여부를 확인하고 과도한 혈병을 제거한다.

⑤ 협설측 치은변연부를 접합시켜 보아 치면에 밀착되는지를 확인하고 필요하면 치간봉합을 시행하여 조직을 술전 위치에서 치경부에 밀착시키도록 한다.

⑥ 생리식염수에 적신 거즈를 시술부위에 대고 2~3분간 지압하여 치은결합조직을 치근면에 밀착시키고 혈병을 얇게 하며 지혈효과를 얻는다(그림 30-10).

⑦ 치주포대를 붙여준다.

8. 기타 술식

1) 초음파 소파술(Ultrasonic curettage)

초음파 소파술은 통상의 초음파 치석제거기를 이용하는 것으로써 물분사량(water spray)을 감소시키면 열이 발생되어 치주낭 상피의 응고(coagulation)를 일으키고 기구 끝의 진동에 의하여 괴사조직을 기계적으로 제거하여 평활한 창상면을 얻음으로써 치유를 도모하는 술식인데, 결합조직을 제거하는 면에서는 큐렛을 사용하는 일반적인 소파술만큼 효과적이라고 할 수는 없으나 치주낭 상피를 제거하는 면에서는 이용할만한 하다.

그런데 초음파 치석제거기는 골괴사 및 부골형성(sequestration) 때문에 골과 접촉시키지 말아야 하며, 성장중인 신생세포들에 대하여 위해작용을 줄 수 있기 때문에 소아의 치료에는 추천되지 않는다. 또한 초음파 소파술은 기구가 너무 크고 치면을 거칠게 한다는 단점 때문에 치은연하 소파술 보다는 치은소파술에 더 적당하다.

2) 화학적 소파술(Chemical curettage)

Sodium sulfide, alkaline sodium hypochlorite solution (antiformin)[9]이나 phenol과 같은 부식제를 이용한 화학적 소파술이 소개되었으나 연구결과 비효과적임이 판명된 이래 이용되지 않고 있다. 화학적 소파술의 보다 큰 문제점은 이들 부식제에 의한 조직파괴 범위를 조절할 수 없다는 점과 또한 효소나 식세포들이 제거해야 할 조직을 오히려 증가시킨다는 점이다.

참고문헌

1. Sanz I, Alonso B, Carasol M, Herrera D, Sanz M. Nonsurgical treatment of periodontitis. J Evid Based Dent Pract 2012;12:76–86.
2. Aleo JJ, De Renzis FA, Farber PA. In vitro attachment of human gingival fibroblasts to root surfaces. J Periodontol 1975;46:639–645.
3. Caton JG, Zander HA. The attachment between tooth and gingival tissues after periodic root planing and soft tissue curettage. J Periodontol 1979;50:462–466.
4. Stahl SS. Repair potential of the soft tissue–root interface. J Periodontol 1977;48:545–552.
5. Waerhaug J. Healing of the dento-epithelial junction following subgingival plaque control. I. As observed in human biopsy material. J Periodontol 1978;49:1–8.
6. Garnick JJ. Long junctional epithelium: epithelial reattachment in the rat. J Periodontol 1977;48:722–729.
7. Yukna RA. A clinical and histologic study of healing following the excisional new attachment procedure in rhesus monkeys. J Periodontol 1976;47:701–709.
8. Yukna RA, Bowers GM, Lawrence JJ, Fedi PF, Jr. A clinical study of healing in humans following the excisional new attachment procedure. J Periodontol 1976;47:696–700.
9. Kalkwarf KL, Tussing GJ, Davis MJ. Histologic evaluation of gingival curettage facilitated by sodium hypochlorite solution. J Periodontol 1982;53:63–70.

1. 정의와 목적

치은절제술과 치은성형술은 목적이 다를 뿐 시술과정은 유사하다(그림 31-1).

1) 치은절제술(Gingivectomy)

치은절제술이란 근본적으로 치주낭의 제거를 목적으로 하는 외과적 술식으로 질병에 이환된 치주낭 조직을 절제해냄으로써 시술시야를 좋게 하고, 기구 사용을 용이하게 하여 치근면에 부착된 국소자극인자를 완벽하게 제거하게 하고, 치근활택술을 철저히 할 수 있도록 한다. 치은의 치유를 돕고 생리적 치은형태를 조성하기 위한 치은성형술을 포함한다.[1]

2) 치은성형술(Gingivoplasty)

치주질환에 의하여 야기된 치은열(gingival cleft), 치은함몰(gingival crater)이나 치은비대와 같은 치은형태의 이상은 세균성 치태와 음식물 잔사의 축적을 용이하게 하여 치주질환을 더욱 악화시키는 데, 이러한 치은형태의 이상을 생리적 치은형태로 재형성시키는 외과적 술식을 치은성형술이라 한다.[1] 이는 치주낭이 없는 상태에서 치은의 형태를 생리적으로 재형성시키는데 주목적을 두고 치주수술도(periodontal knife), 수술도, 다이아몬드 스톤 혹은 전기응용수술(electrosurgery)을 이용하여 시술한다.[2,3] 즉, 치은변연의 끝을 뾰족하게(tapering)하고, 외형을 부채꼴모양(scalloping)으로 형성하고, 저작 시 음식물이 잘 빠져나올 수 있도록 치간유두 형태를 다듬으며 치간구(interdental groove)를 형성하는 과정으로 이루어진다.

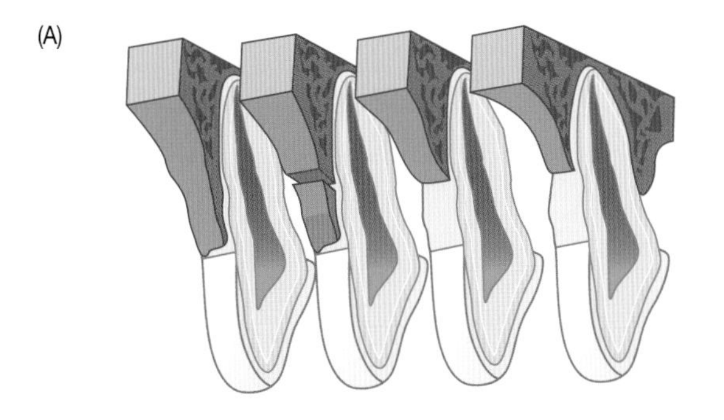

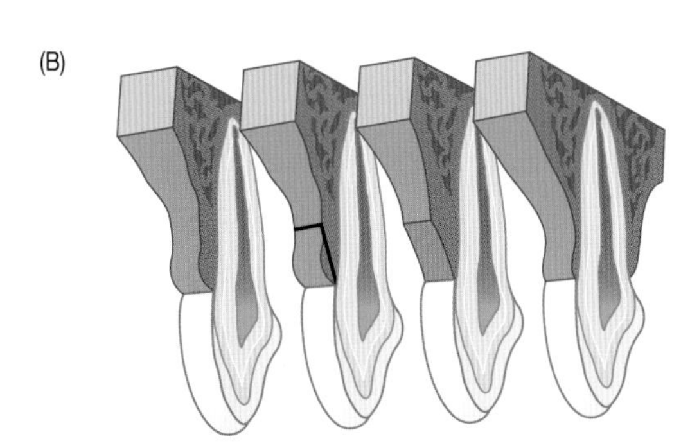

그림 31-1 치은절제술과 치은성형술의 모식도.
(A) 치주낭의 제거를 목적으로 시행하는 치은절제술 (B) 치주낭이 없는 상태에서 치은의 형태를 생리적으로 재형성시키는 치은성형술

2. 치은절제술의 선행조건

치은절제술을 시행하기 전에, 치은절제술 후에도 부착치은대(zone of attached gingiva)가 충분히 남아있을 수 있는 경우인지, 또는 치조골의 파괴가 없거나, 치조골 파괴가 있더라도 치조골의 높이가 수평으로 조화를 이루어 거의 정상 형태에 가까운 경우로 치조골 수술이 불필요한 경우인지, 그리고 골내낭 형성이 없는지 등을 고려해야 한다.

3. 적응증

치은절제술은 치석제거술, 치근활택술, 치은연하 소파술 후에 조직의 수축이 일어나지 않는 단단하고 섬유화된 골연상낭(fibrous suprabony pocket)과 위낭(pseudopocket)을 제거하는 경우, 증식된 치은조직을 제거하는 경우, 골연상 치주농양(suprabony peridontal abscess)을 제거하는 경우, 치은연하 치아우식증의 치료나 치은연하로 치관이 파절된 경우 혹은 보철물의 유지력을 강화시키기 위하여 임상적 치관(clinical crown)의 길이를 증가시키고자 하는 경우, 치아의 변형 피동맹출(altered passive eruption)의 경우로서 해부학적 치관(anatomical crown)을 노출시켜 심미성 회복이 요구되는 경우, 그리고 치근이개부병소에 대한 치료법의 하나로 이용될 수 있다.[4]

4. 금기증

환자의 전신조건이 외과적 치주치료가 불가능한 상태이거나 환자의 구강위생관리 상태가 극히 불량한 경우, 골내낭이 존재하거나 치조골 수술이 요구되는 경우, 치주낭 기저부가 치은점막경계부를 초과하여 치은절제술 후 부착치은의 완전상실이 예상되는 경우, 치주낭의 깊이가 불규칙한 경우, 치은절제술 후에 심미적인 문제가 예상되는 경우, 치아우식증 이환율이 매우 높은 환자와 지각과민성 치근을 가지고 있는 환자인 경우 등에서 치은절제술을 시행해서는 안 된다.

5. 장점

치은절제술은 기술적으로 단순하고, 특히 순면에서 좋은 수술시야를 확보할 수 있으며, 치주낭의 완전 제거가 가능하고, 치유 후의 치은의 형태적 결과를 예측할 수 있다.

6. 단점

골 노출의 위험성, 부착치은의 소실, 치근 지각과민증의 증가, 치근면 우식증의 증가, 임상적 치관의 증대, 그리고 구개측에서 시행될 경우 발음장애를 초래할 수도 있다.

7. 술식

1) 시술 전 투약(Premedication)과 마취(Anesthesia)

필요한 경우 시술 전 투약을 하고 구강내 소독을 철저히 한 다음 수술 부위에 적절한 마취를 실시한다. 마취방법으로는 전달마취가 자입횟수를 줄이는 장점이 있으나 침윤마취가 더 자주 이용되며, 보조적으로 수술 부위 각각의 치간유두에 소량의 국소마취를 시행하면(그림 31-2) 급속한 마취효과와 출혈 억제 및 조직이 단단해져 절개와 형태조성이 용이하다.

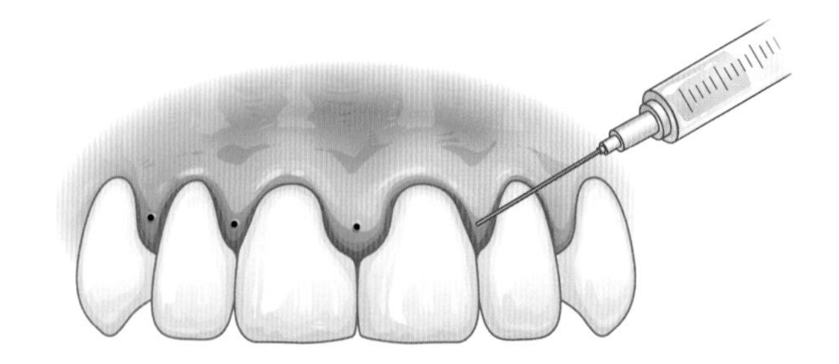

그림 31-2. 보조적으로 수술 부위 치간유두 각각에 소량의 국소마취를 시행하면 조직이 단단해져 절개와 형태조성이 용이하며 출혈 억제효과를 얻을 수 있다.

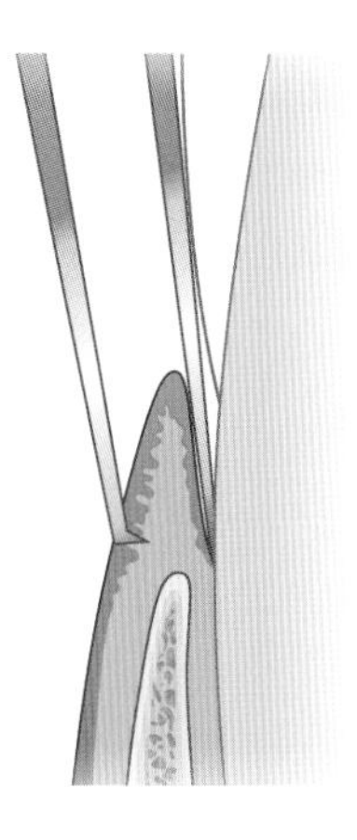

그림 31-3. 치주낭 깊이의 표시
치주낭 표시기로 치주낭 외면에 출혈점을 만들어 치주낭 깊이를 표시한다.

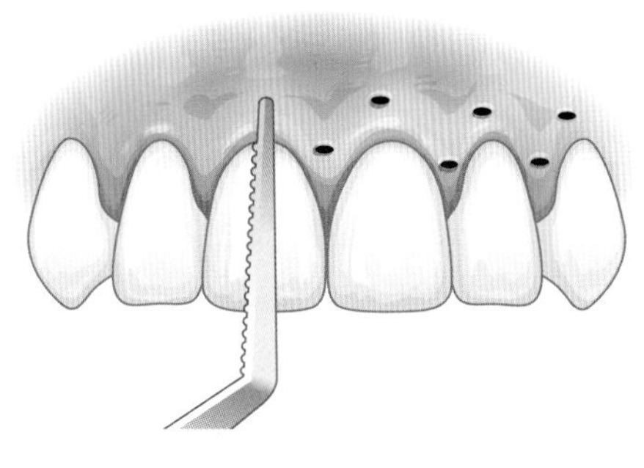

그림 31-4. 치주낭 주행의 윤곽을 알 수 있도록 각 치면의 치주낭 깊이를 여러 군데 표시하는 것이 바람직하다.

2) 치주낭의 표시

치주낭 측정기로 각 치주낭의 깊이를 측정한 후 치아장축과 평행하게 치주낭 기저부까지 삽입한 치주낭 표시기(pocket marker)로 치주낭 외면에 출혈점을 만들어 치주낭을 표시한다(그림 31-3).

이때 최후방 치아의 원심면으로부터 시작하여 점차 전치부쪽으로 이동하면서 협,순측 치주낭을 순서대로 표시한 후 설측 치주낭도 같은 방법으로 체계적으로 표시하는 것이 효율적이며, 치주낭 주행의 윤곽을 알 수 있도록 각 치면에 치주낭을 여러 군데 표시하는 것이 바람직하다(그림 31-4).

3) 치은의 절제

(1) 기구의 선택

치은조직을 절제하는 데는 치주수술도, 외과용 수술도, 또는 수술용 가위 등이 사용되며 치은절제술에서는 질병에 이환된 치은조직을 제거하는 것이 무엇보다 중요하기 때문에 술자의 경험과 기호에 따라 특히 익숙하고 편리한 기구를 선택하여 시술하면 된다(그림 31-5).

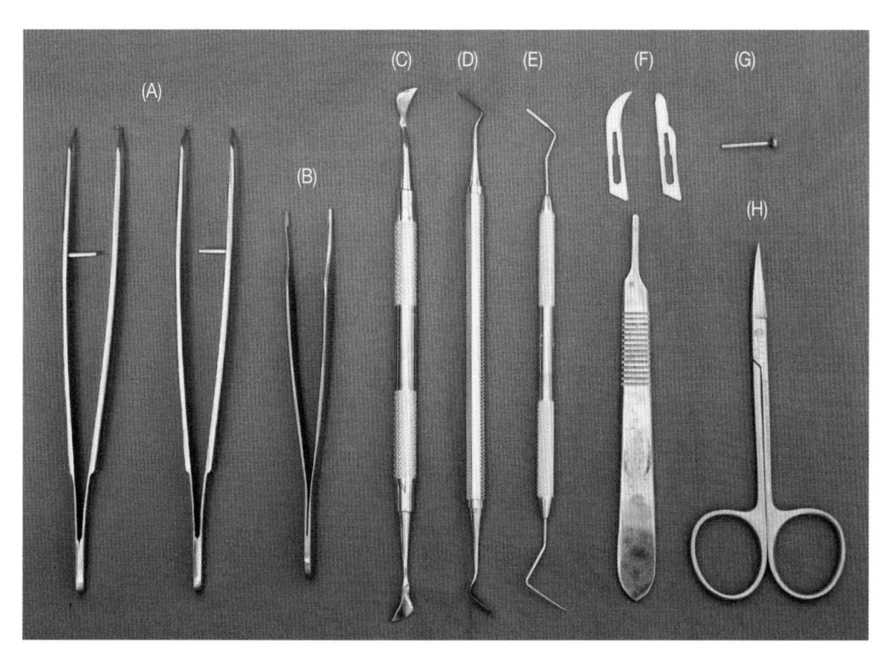

그림 31-5. 치은절제술에 사용되는 기구들
(A) 치주낭 표시기(좌우측)(pocket markers)
(B) 조직집게(tissue forceps)
(C) 치주수술도(Periodontal knives, Kirkland knives)
(D) Orban의 치간수술도(interdental knife)
(E) 치주낭 측정기(periodontal probe)
(F) 외과용 수술도(Bard-Parker blades, No.12, 15)
(G) 다이아몬드 스톤(diamond stone)
(H) 수술용 가위

일반적으로 치주수술도(periodontal knives, Kirkland knives)는 순·협면측이나 설측 치은조직의 절개와 최후방 치아의 원심면 치은조직을 절개하는데 적절하며, Orban의 치간수술도(interdental knife)는 치간유두를 절개하는데 유용하고, 외과용 수술도(Bard−Parker blade No. 11,12,15)와 수술용 가위는 보조적으로 이용된다.

(2) 절개 방법과 원칙

① 출혈로 인한 시야 방해를 방지하기 위하여 최후방 치아의 원심면에서부터 시작하여 근심방향으로 순서대로 협측 치은을 절개한 후 동일한 방법으로 설측 치은을 순서대로 절개한다. 이때 상악전치부 구개측 치은 절개 시 절치관(incisive canal)의 혈관이나 신경에 손상을 주지 않도록 주의하면서 절치유두의 측면을 따라 절제하여야 한다(그림 31−6).

② 수술 부위의 치은을 각 치아마다 하나씩 절개하여 수술 부위의 모든 치은을 절개하는 불연속 절개법(discontinuous incision: 그림 31−7)과 수술 부위의 치은을 연속적으로 절개하는 연속절개법(continuous incision: 그림 31−8)이 이용될 수 있는데 수술 경험이 많지 않은 경우 불연속 절개법이 보다 용이하다.

③ 치주낭 출혈점보다 치근단쪽으로 기구날을 자입하여 치주낭 기저부와 치조골 사이를 절개한다(그림 31−9). 즉 치조골이 노출되지 않는 범위 내에서 가능한한 치조골에 가깝게 절개한다. 이는 모든 접합상피를 제거할 수 있고 치주낭 기저부의 모든 치근 침착물을 노출시킬 수 있으며 또한 생리적인 치은 형태로 치유되는데 방해가 될 수 있는 과도한 섬유성 조직을 제거한다는 점에서 중요한 의미가 있다.

④ 치면에 대해서 약 45° 각도의 외사절개(external beveled incision) 방법으로 절개하는 것이 생리적인 치은 형태를 형성하는데 용이하다(그림 31−10). 이때 치은의 형태가 생리적인 형태로 재형성되는 것이 가장 좋으나, 치은의 형태보다는 질병에 이환된 치주낭 조직을 완전히 제거하는데 주안점을 둘 필요가 있다. 따라서 절개방법이 부적당하여 치주낭 벽의 완

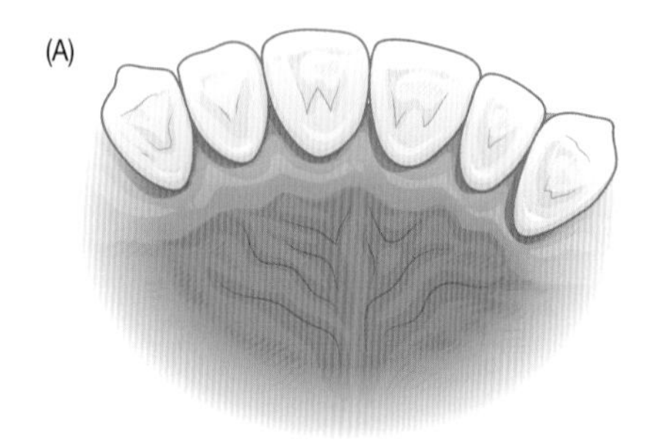

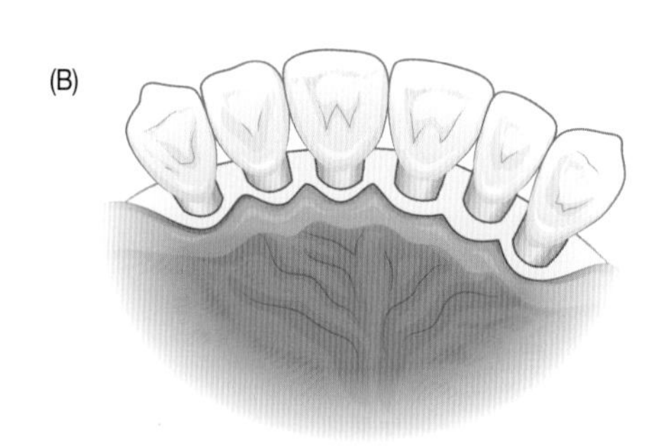

그림 31-6. 상악전치부 구개측 치은 절개 시에는 절치관의 혈관이나 신경에 손상을 주지 않도록 주의하면서 절치 유두(incisive papilla)의 측면을 따라 절개하여야 한다. (A) 상악전치부 구개면의 치은을 절개하기 전 (B) 절개된 치은조직을 제거한 후

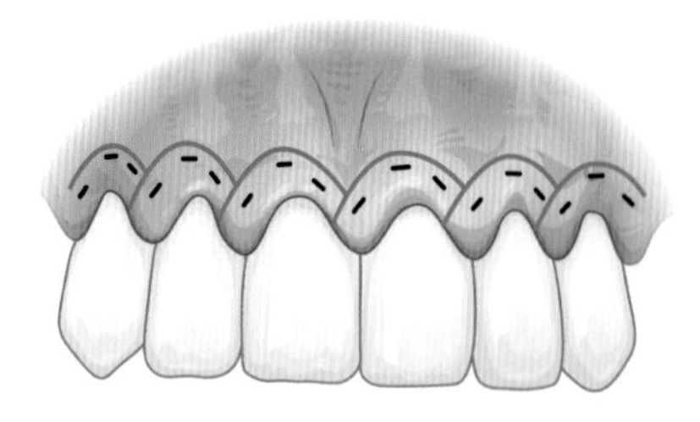

그림 31-7. 불연속 절개법

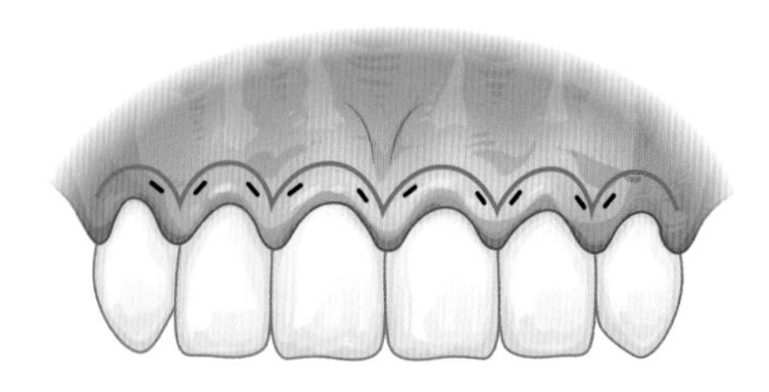

그림 31-8. 연속 절개법

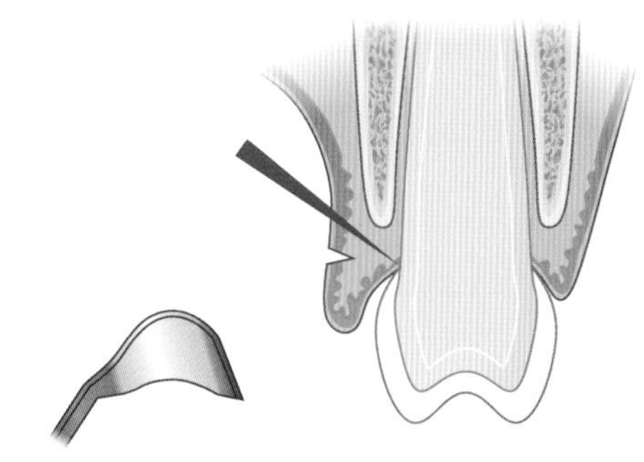

그림 31-9. 치주낭 출혈점보다 치근단 쪽으로 기구날을 자입하여 치주낭 기저부와 치조골 사이를 절개한다.

전 제거나 심부 치근면 침착물의 노출이 불충분할 것으로 판단되면, 보다 적절한 절개방법을 선택하여 시술해야 한다.

⑤ 절개 시에 기구날이 연조직을 관통하여 치면까지 닿게 함으로써 절개된 조직편의 제거를 용이하게 한다(그림 31-11).

⑥ 최후방 치아의 원심면 치은절개(distal incision)는 협측 및 설측 치은 절개가 완전히 끝난 후에 치주수술도를 치주낭 기저부 하방으로 자입하여 외사절개 방법으로 절개하는데 이미 절개된 순·협측 및 설측 치

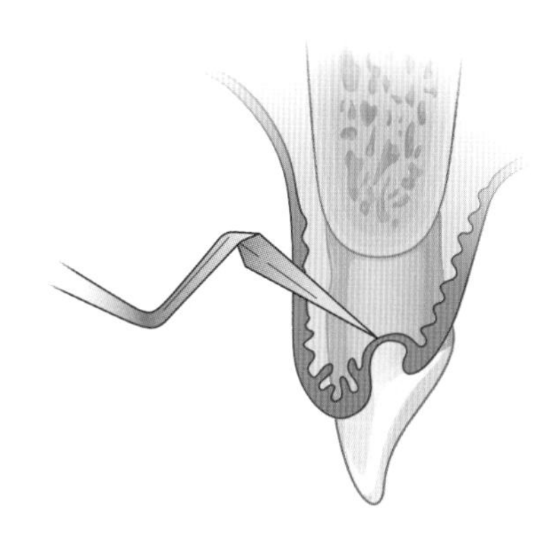

그림 31-10. 치면에 대하여 약 45° 각도로 외사절개(external beveled incision)를 함으로써 생리적인 치은 형태를 부여한다.

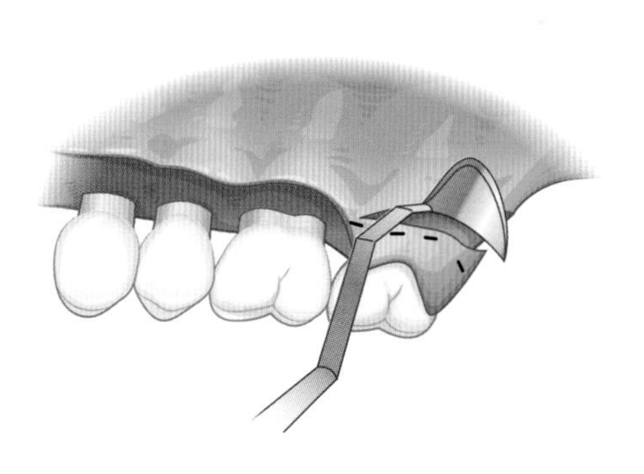

그림 31-12. 상악 최후방치아의 원심면
치은을 치주수술도(periodontal knife)로 외사절개하는 모식도

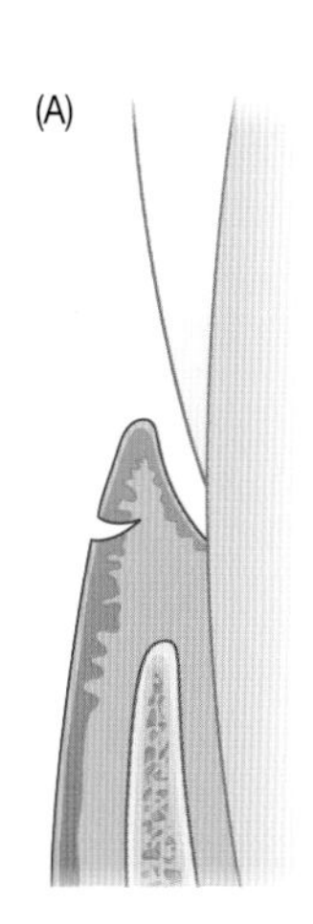

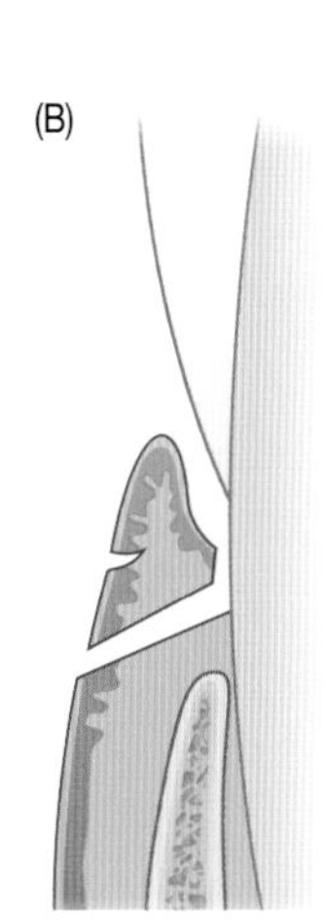

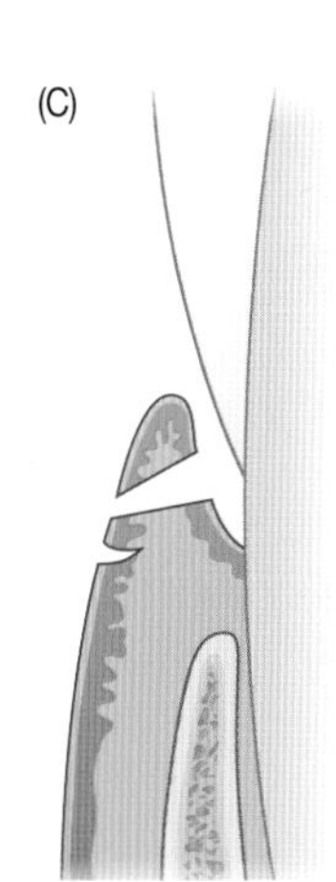

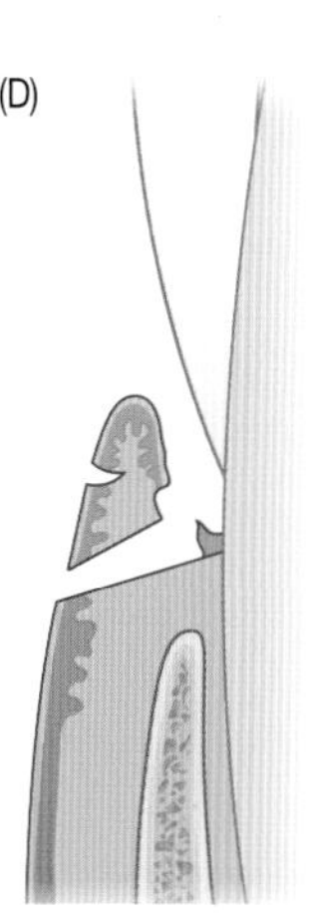

그림 31-11. 바른 절개방법과 잘못된 절개방법
(A) 치주낭의 깊이를 표시한 출혈점 (B) 바른절개방법: 치주낭의 기저부인 출혈점보다 치근단쪽에 기구날을 자입하고 치주낭 조직을 완전히 관통하여 외사절개한다. (C) 잘못된 절개방법: 출혈점보다 치관쪽으로 외사절개하면 치주낭 조직을 남기게 된다. (D) 잘못된 절개방법: 절개 시에 치주낭 조직을 완전히 관통하지 않으면 부착성 조직잔사가 치면에 남게된다.

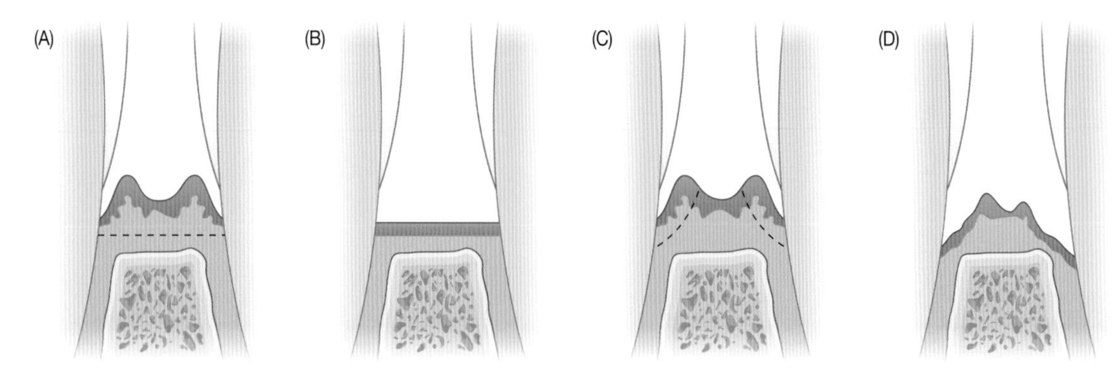

그림 31-13. 치아 결손부 치조제(edentulous ridge)의 치은절제술
(A, B) 바른 절개방법: 치주낭 기저부 하방에서부터 치조골에 가깝게 치아결손부 치조제를 가로질러 절개하여 치조제의 섬유성 조직을 제거하여야 치유 결과가 바람직하다. (C, D) 잘못된 절개방법: 치조제의 섬유성 조직을 남긴 채 치주낭 조직을 각각 제거하면 치유 후에 치근면에 접하여 홈통(troughs)이 형성되어 바람직하지 못하다.

은 절개면과 잘 조화되도록 연결시킨다(그림 31-12).

⑦ 치아 결손부에 인접한 치아의 치은을 절개할 때도 협측과 설측 치은절개는 통법대로 시행하는데, 치아 결손부 치조제(edentulous ridge)에서는 부가적으로 치주낭 기저부 하방에서부터 치조골에 가깝게 치아 결손부 치조제를 가로질러 절개한다(그림 31-13).

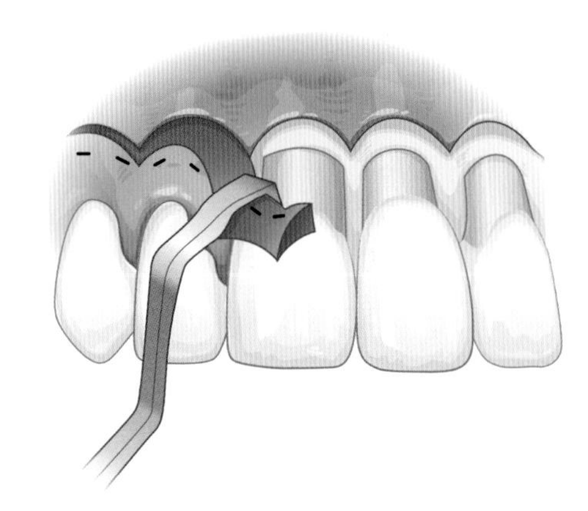

그림 31-14. 절개된 변연치간 유두의 제거
기구날이 치면에 닿도록 깊게 넣어 절개된 치은조직을 제거한다.

4) 절개된 변연치은과 치간유두의 제거

최후방 치아의 원심면 치은부터 순서대로 제거하는데 외과용 호(hoe), 스케일러, 큐렛을 절개선 내로 깊게 넣고 치면까지 닿게 하여 절개된 치은조직을 분리 제거한다(그림 31-14). 질병에 이환된 치은조직을 제거하면 육아조직과 치근면에 잔존한 치석 그리고 치주낭 기저부가 부착되어 있었던 띠 모양의 연한 대(bandlike light zone)를 볼 수 있다.

5) 육아조직(Granulation tissue)의 제거

육아조직으로부터의 출혈이 치석제거술과 치근활택술을 방해하기 때문에 큐렛을 이용하여 육아조직부터 먼저 제거한다.

6) 치석과 괴사성 치근물질 (Necrotic root substance)의 제거

스케일러와 큐렛들을 이용하여 치근면에 잔존한 치석을 제거하고 생리적 식염수로 세척하여 완전제거를 확인

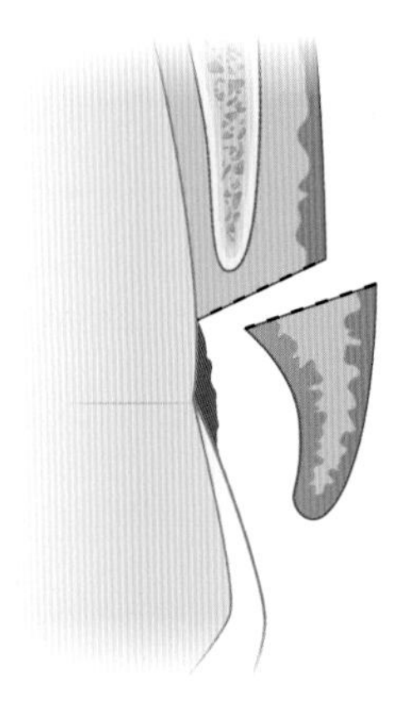

그림 31-15. 치주낭 벽을 완전히 제거하고 나면 치근면에 잔존한 치석의 제거와 치근활택술을 시행하기가 용이하다.

하고 괴사성 백악질을 제거하며 치근면을 활택시킨다(그림 31-15). 치은절제술의 성공여부도 치근면에 잔존한 치석의 제거와 치근활택술을 얼마나 철저히 하였는가에 좌우되기 때문에 육아조직을 제거한 직후 치석제거와 치근면 활택술을 철저히 하여야 한다.

7) 생리적 치은 형태의 형성

외사절개된 치은형태를 검사하고 필요하면 치주수술도, 수술용 가위, 다이아몬드 스톤(diamond stone)을 이용하여 생리적 치은형태를 만들어 준다(그림 31-16, 17).

8) 치주포대(Periodontal pack)의 부착

치주포대는 붙이기 전에 수술 부위를 생리식염수로 여러 차례 세척하면서 모든 치아의 각 면에 대하여 치석이나 연조직 찌꺼기의 잔존여부를 다시 한 번 확인하고 생리식염수에 적신 거즈로 가벼운 압박을 가하여 지혈을 확인한 후 치주포대를 붙여준다.

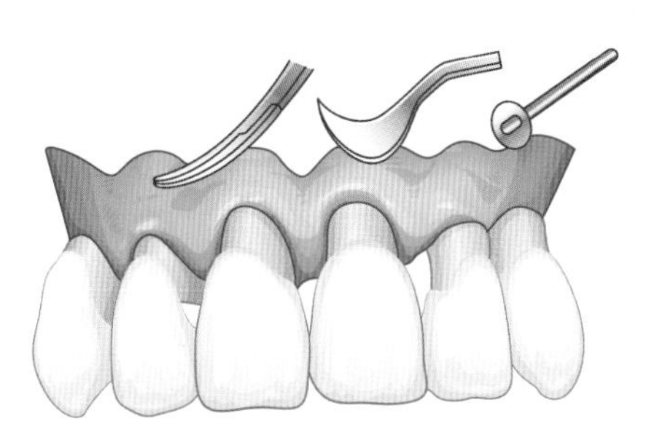

그림 31-16. 생리적 치은형태의 형성
수술용 가위나 치주수술도(Periodontal knife) 또는 다이아몬드 스톤을 이용하여 치은 형태를 생리적으로 형성해 준다.

8. 치유(Healing)

치은절제술 후 초기반응으로 표층에는 혈병이 형성되고, 심부 조직은 다소의 괴사상과 함께 급성 염증소견을 보인다. 적당한 두께의 혈병은 상처를 보호해주고 치유과정에 혈관과 결합조직 세포들이 새롭게 형성될 수 있는 발판을 제공해 준다.

그러나 과도한 혈병은 치주포대의 부착력을 악화시킬 뿐만 아니라 오히려 세균번식에 아주 좋은 배지로서 기여하여 감염되기 쉽게 하고 치유를 지연시킨다. 또한 상피조직의 하방증식(down growth)을 초래하여 결과적으로 치면에 대한 결합조직의 부착을 방해하게 된다. 혈병은 육아조직으로 대치되며, 12~24시간 후 창상변연부에 있는 상피세포에서 글라이코겐과 DNA합성이 증가되고 이러한 상피세포들이 육아조직으로 이주하여 혈병의 오염된 표층을 분리시킨다. 상피세포 활성은 24~36시간 경과할 때 최고에 이르며, 24시간이 경과할 때 주로 혈관모세포(angioblast)들인

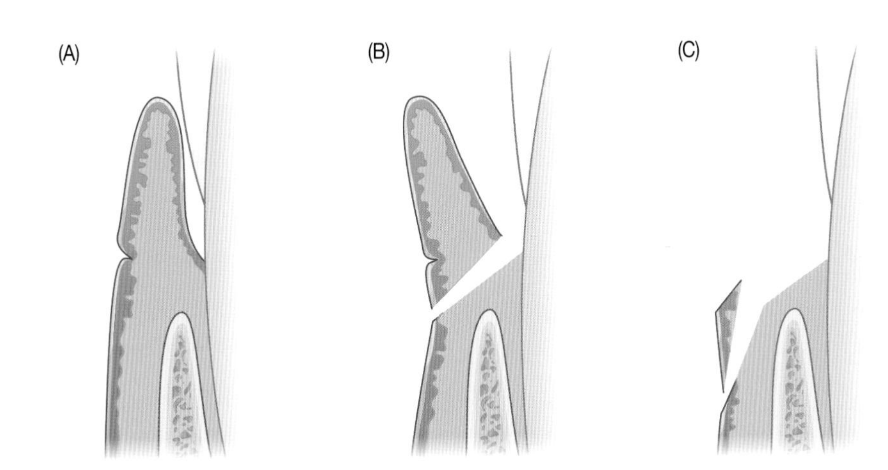

그림 31-17. 두꺼운 섬유성 치주낭 제거를 위한 치은절제술
(A) 치주낭 위치의 표시 (B) 일차 절개 (C) 이차 절개

새로운 결합조직 세포들이 증가된다. 3일째에 새로운 섬유모세포들이 무수히 나타나고 육아조직이 치관방향으로 자라서 새로운 유리치은과 치은열구를 형성한다. 치주인대로부터 나온 모세혈관들은 육아조직 내로 이주하여 2주 이내에 치은혈관들과 연결된다.[2,5,6] 창상표면의 상피형성은 5~14일에, 치은열구의 상피는 3~5주 후에 치유된다.

치은절제술 후 처음 12시간까지는 백악모세포(cementoblasts)가 다소 감소되고 치조정 외면의 골모세포층의 연속성이 다소 결여되나, 4일쯤이면 치조정에 신생골이 형성되고 10~15일이면 백악질이 새로 형성된다. 치은절제술 후 상피가 완전히 치유되는 데는 평균 32일이 소요되고, 결합조직의 완전 치유에는 평균 49일이 소요되는 것으로 평가되었다.[7]

치은절제술 후 조직이 치관방향으로 재생되어 유리치은이 신생되는데, 제거된 조직의 치관-근단 높이(corono-apical height)의 약 1/2 정도가 회복될 수 있다.

치은열구 삼출액은 치은절제술 후 염증반응이 최고에 이르는 1주까지는 증가하다가 치유과정에 따라 점차 감소된다.[7] 치은절제술 후 치유과정에서 나타나는 조직변화는 누구나 같지만 완전히 치유되는데 까지 소요되는 기간에는 절개된 창상표면의 상태나 국소적 자극 및 감염에 의한 치유방해 여부에 따라 상당한 차이가 있다.

치은에 멜라닌 색소 침착(physiologic melanosis)이 현저한 환자에서 치은절제술 후 치유된 치은조직에는 멜라닌 색소 침착이 감소되어 나타난다.

접합상피의 상피형성과 재형성 그리고 치은 섬유계와 치조정 섬유계의 재조성에 소요되는 기간은 외과적 치은절제술에서보다 화학적 치은절제술을 시행한 경우에서 더 지연된다.

9. 치유촉진요건

치은절제술 후 조직의 치유를 촉진시키려면 외과적 시술을 매우 조심스럽게 하여 조직의 손상을 최소화하여야 하고, 무균적 처치에 세심한 주의를 함으로써 세균감염을 방지하여야 하며, 혈병을 가능한 한 작게 하여야 한다. 또한 치주포대를 적용하여 시술부위를 보호하고, 3~5일마다 새로운 치주포대로 교환하는 것도 좋으며, 잔존치석이나 음식물 잔사 등의 국소자극요소를 철저히 제거하여야 한다.

10. 외과적 시술의 실패원인

치주조직에서 외과적 시술 후 치유 결과가 좋지 않게 되는 원인으로는 치주탐침의 잘못된 사용이나 치주낭 깊이의 표시를 잘못하여 치주낭을 완전히 제거하지 못한 경우, 절개 시에 조직을 완전히 관통하지 않아 치주낭 조직을 남기게 된 경우, 수술 후에 치주낭의 잔존여부에 대한 검사를 소홀히 한 경우, 외사절개가 부적당하여 치은변연부가 생리적 치은형태로 회복되지 못한 경우, 최종 단계에서 치은성형술을 소홀히 한 경우, 수술방법의 선택이 잘못된 경우, 기술적으로 숙달되지 못한 경우, 그리고 예리하지 않은 기구날을 사용하였거나 치석제거술 및 치근활택술을 철저하게 하지 않은 경우 또는 과도한 혈병이 형성되었거나 치주포대 부착이 잘못된 경우 등이 있다.

11. 화학요법에 의한 치은절제술 (Gingivectomy by chemotherapy)

외과적으로 치은조직을 절개하는 방법 대신에 화학물질을 치은변연부와 치주낭 내에 작용시켜 치은절제술 효과를 얻는 술식인데, 이용되는 화학물질로는 zinc-oxide eugenol paste에 5% paraformaldehyde (trioxymethylene)를 섞은 약제 또는 potassium hydroxide가 이용되기도 한다.

화학적 방법은 화학물질의 작용범위를 조절할 수 없어 건강한 부착조직까지 손상을 주게 되며 치은 형태를 생리적으로 개선하는데 있어서 비효과적이라는 단점들 때문에 최근에는 사용되고 있지 않다.

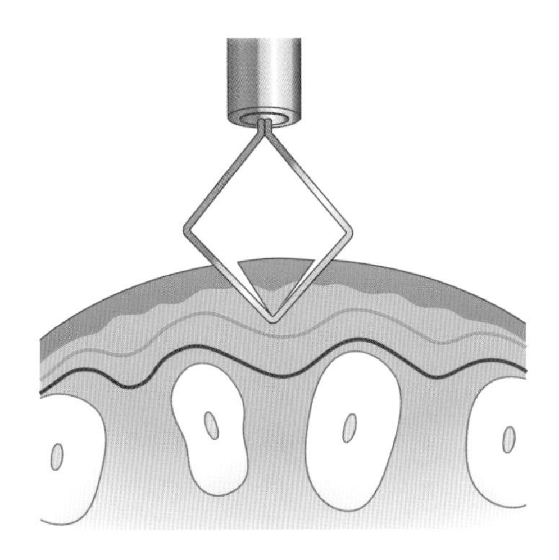

그림 31-18. 전기 응용 외과수술(electrosurgery)에 의한 치은절제술은 표층 시술에만 국한하여 이용되어야 한다.

12. 전기응용 외과수술에 의한 치은절제술 (Gingivectomy by electrosurgery)

전기응용 외과수술(electrosurgery)이란 초당 150만~750만 주파수(cycles)범주로 조절된 고주파 전류를 이용하여 연조직에서 시술되는 외과 술식을 일컫는다. 이 술식은 치은의 형태를 적절히 형성하기에 용이하며 출혈을 억제할 수 있다는 장점이 있으나, 치료 중 고약한 냄새가 나고, 심박조정기(cardiac pacemaker)를 장착한 환자에서는 이용할 수 없으며, 치료 중에 기구 끝(point)이 치조골이나 치근면에 닿으면 치명적인 손상을 야기할 수 있다는 단점이 있다.[8] 따라서 이 술식은 치은비대의 제거, 치은성형술, 소대(frenum)와 근부착관계(muscle attachment)의 개선, 치주농양의 절개 등과 같은 표층 시술에만 국한하여 이용되어야 한다(그림 31-18). 즉 치조골에 근접한 시술에 이용되어서는 안 된다.

1) 응용

(1) 치은절제술과 치은성형술

주로 바늘형전극(needle electrode)를 사용하여 시술한다. 보조적으로 작은 난원형의 고리(loop)형이나 다이아몬드형의 전극을 사용할 수 있다.

(2) 급성 치주농양의 배농

압력을 가하지 않고 바늘형 전극으로 절개함으로써 배농시킨다. 물론 급성 증상이 완화된 후에는 일반적인 치주농양 치료술식이 수반되어야 한다.

(3) 지혈

끝이 둥근 구형전극(ball electrode)이 주로 이용되며 치간부 출혈점에는 끝이 얇은 막대형전극(bar-shaped electrode)이 이용되는데, 우선적으로 지압 등에 의하여 지혈을 시도한 후 응고용 전류(coagulating current)하에서 표면에 가볍게 접촉시킨다.

(4) 소대와 근부착관계의 개선

응고용 전류하에서 고리형 전극을 이용하여 소대와 근육을 잡아당긴 후 절개한다.

(5) 급성 치관주위염의 처치

휘어진 바늘형전극을 이용하여 판막을 절개하여 배농시키고, 급성증상이 완화된 후에는 고리형 전극으로 판막을 절제한다.

2) 치유

전기응용 외과수술에 의하여 치은절제술을 시행한 경우 중에서 치은절제량이 많고 치조골에 근접하여 시술한 경우에는 많은 부작용 즉 치은퇴축, 치조골의 괴사와 부골형성 및 치조골 높이의 감소, 치근이개부의 노출 그리고 치아동요도 등 일반적인 외과적 절제술에서는 발생되지 않는 여러 가지 문제점들이 발생될 수 있다.

13. 레이저를 이용한 치은절제술

레이저는 1960년대에 의학적으로 사용이 되기 시작되어, 현재는 안과, 이비인후과에서 많이 쓰이고 있으며, 치과에서도 1985년 치주치료에 적용이 소개 된 이후 외과적 치주수술 및 구강점막질환의 치료 등에 사용이 되고 있다.

외과적 치주수술에서 레이저를 사용할 때의 장점은 지혈(hemostasis), 부종의 감소, 수술 부위의 세균집락의 감소, 봉합의 필요성 감소, 빠른 치유, 술후 통증이 심하지 않다는 것이다. 레이저를 이용하여 치은절제술을 시행할 때는 치아나 골조직에 닿지 않도록 주의하여야 한다.[9] 임상에서는 CO_2, Nd:YAG (neodymium-doped yttrium-aluminum-garnet), Er:YAG (erbium: yttrium-aluminum-garnet), diode 레이저 등이 사용되고 있다.

참고문헌

1. Newman MG, Takei HH, Klokkevold PR, Carranza FA. Gingival surgical techniques. In: 11th, ed. Carranza's Clinical periodontology: Saunders Elsevier, 2012:544–561.
2. Engler WO, Ramfjord SP, Hiniker JJ. Healing following simple gingivectomy. A tritiated thymidine radioautographic study. I. Epithelialization. J Periodontol 1966;37:298–308.
3. Pope JW, Gargiulo AW, Staffileno H, Levy S. Effects of electrosurgery on wound healing in dogs. Periodontics 1968;6:30–37.
4. Glickman I. The results obtained with an unembellished gingivectomy technic in a clinical study in humans. J Periodontol 1956;27:247–255.
5. Innes PB. An electron microscopic study of the regeneration of gingival epithelium following gingivectomy in the dog. Journal of periodontal research 1970;5:196–204.
6. Ramfjord SP, Engler WO, Hiniker JJ. A radioautographic study of healing following simple gingivectomy. II. The connective tissue. J Periodontol 1966;37:179–189.
7. Sandalli P, Wade AB. Alterations in crevicular fluid flow during healing following gingivectomy and flap procedures. Journal of periodontal research 1969;4:314–318.
8. Flocken JE. Electrosurgical management of soft tissues and restorative dentistry. Dental clinics of North America 1980;24:247–269.
9. Coleton S. Lasers in surgical periodontics and oral medicine. Dental clinics of North America 2004;48:937–962, vii.

1. 치주판막

1) 판막의 분류

치주판막이란 치조골과 치근면에 대한 시야와 기구도달을 위한 접근도를 증진시키기 위해 하부조직으로부터 분리해낸 치은과 점막의 조직편으로 정의된다. 치주판막의 기본술식은 치주낭 제거를 목적으로 1918년 Widman에 의하여 기술되었으며[28] 그 후 많이 변형되어 최근과 같은 술식으로 발전되었다. 판막술은 판막의 거상정도, 거상조직 양, 사용된 절개방법, 그리고 최종고정위치에 따라 다양하게 분류된다.

치주판막은 포함조직 양과 거상 후 골노출 여부에 따라 전층판막(mucoperiosteal full-thickness flap)과 분할층판막(partial thickness flap, mucosal flap)으로 구분된다(그림 32-1).

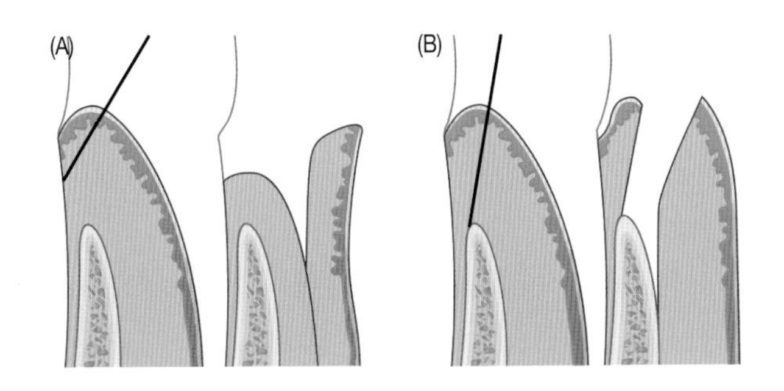

그림 32-1. 분할층판막(A)과 전층판막(B)

전층판막은 하부 치조골을 노출시키기 위해 골막을 포함한 연조직을 골막기자를 이용하여 둔개(blunt dissection)법으로 판막을 젖히는 경우이며 치조골 노출이 필요할 때 이용한다.

필요하지 않은 경우 야기된 골노출의 영향에 대해 다른 결과들이 보고되었다. 일반적으로 골막이 분리되면 변연골이 소실될 수 있어 골막을 남겨두어야 한다.[5,11] 대개는 골소실 정도가 경미하여 임상적 의의를 나타내지 않지만,[31] 어떤 경우에는 확실한 차이를 나타내기도 한다.

분할층판막은 치조골 표면에 골막과 결합조직의 일부를 남겨 놓고 외과용 칼로 예개(sharp dissection)를 하며 상피와 일부 결합조직만으로 판막을 형성해주는데 치조골 노출이 필요하지 않거나 골이 얇거나 열개, 천공이 있는 경우, 그리고 근단변위판막의 봉합을 위하여 이용한다.

또한 수술 후 판막의 위치에 따라 비변위판막술(unrepositioned, undisplaced flap)과 변위판막술(repositioned, positioned, displaced flap)로 구분된다. 비변위판막술은 판막을 수술 전과 동일한 위치에 위치시키는 방법으로 대부분의 치은박리소파술(flap curettage)과 치조골재생을 기대할 때 이용된다. 변위판막술은 수술 후 판막을 원래 위치로부터 상방, 하방 또는 측방으로 위치시키는 방법이며 치은점막수술에서 이용된다. 변위판막술은 조직의 유동성을 이용하므로 구개점막에서는 불가능하다. 근단변위판막술 시 치주낭벽의 외부를 부착치은화하여 보

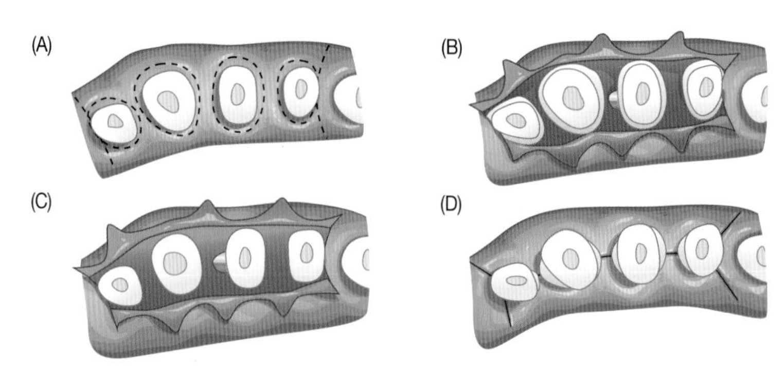

그림 32-2. 전형적 치주판막술에서의 판막설계
(A) 내사면절개 및 수직절개선 (B) 판막거상 후 상태 (C) 염증 및 육아조직의 제거 후 상태 (D) 판막의 치면 접합 후 상태

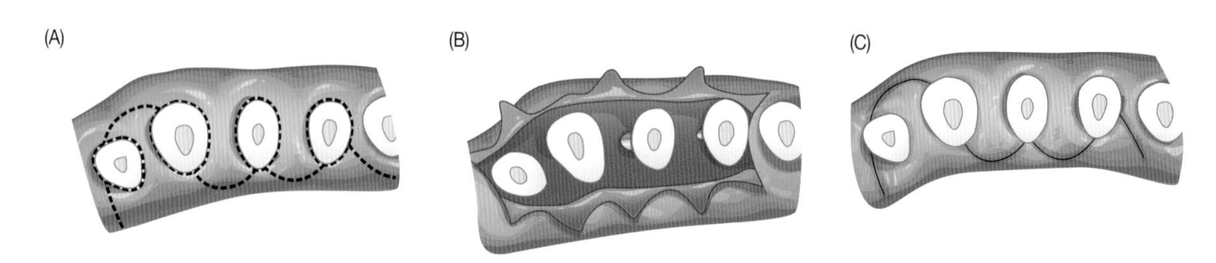

그림 32-3. 유두보전판막술에서의 판막설계
(A) 절개선 (B) 판막의 거상 후 상태 (C) 판막의 접합 후 상태

전하게 되어 치주낭을 제거하고 부착치은을 증가시키는 두 가지 목적을 달성할 수 있다.

치간유두의 처리방식에 따라 전형적 치주판막술과 유두보전판막술(papilla preservation flap)이 이용된다(그림 32-2, 3). 전형적 치주판막술에서는 치간유두를 치은외형을 따라 절개하여 순측과 설측으로 분할하고 각각을 순측 및 설측의 판막에 포함시키는 것으로, 치간간격이 너무 좁아 유두부의 보전이 곤란한 경우와 비변위판막술, 변형 Widman 판막술, 하방변위판막술 등에 이용된다. 유두보전판막술에서는 열구내절개로 결합조직성 부착을 분리하고 유두기저부에서 수평절개하여 치간유두 전체가 한쪽 판막편에 포함되게 하는 방법으로 술후 심미적 후유증을 방지하고 골재생 술식을 시행할 때 중요한 치간골을 보호하는 이점이 있다. 한편 치간노출술(interdental denudation procedure)[1,7,21,22]은 수평절개로 non-scalloped한 내사면 절개를 행하여 치간유두를 제거함으로써 염증성 치간조직을 완전히 제거하고 치간골을 노출하여 2차적 조직유합(secondary intention)을 통한 치유로 치은외형이 개선되지만 골이식술에는 사용할 수 없다.

2) 판막의 설계

판막 설계는 술자의 판단에 준하여 시술 목적에 따라 이루어지는데 치근면과 하부 치조골에 대한 접근도, 판막의 최종위치, 그리고 판막으로의 혈관분포를 고려해야 한다.

전체시술과정은 시술 시작 전에 판막의 형태, 절개위치와 형태, 하부치조골의 조작여부, 그리고 판막의 최종고정위치와 봉합법에 대해 미리 상세하게 계획되어 있어야 임상적으로 양호한 결과를 얻을 수 있다.

3) 절개

처치부위의 치주낭 깊이를 치주낭 측정기로 측정하고 부착치은 상태를 관찰한 다음 치조골 상태를 치은관통검사(sounding)로 진단한 후 판막의 두께, 범위 등을 고려하여 절제한다.

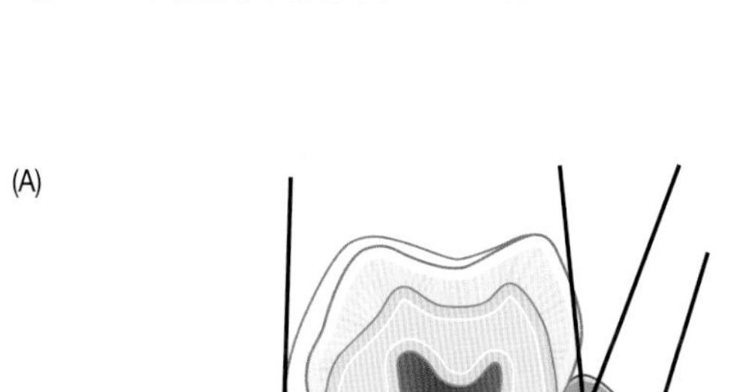
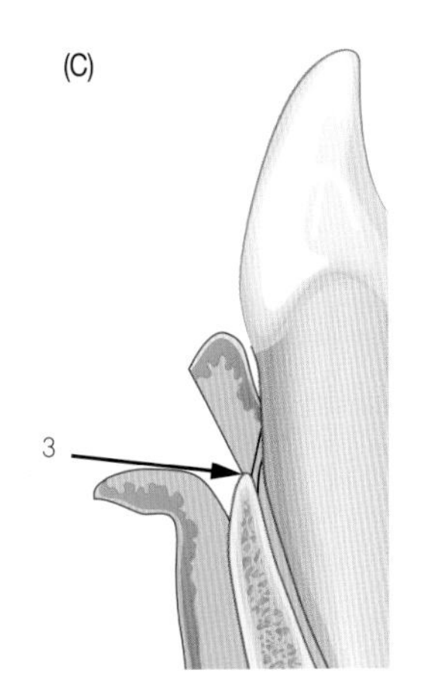

그림 32-4. 수평절개의 방법. (A) 1차절개 (B) 2차절개 (C) 3차절개

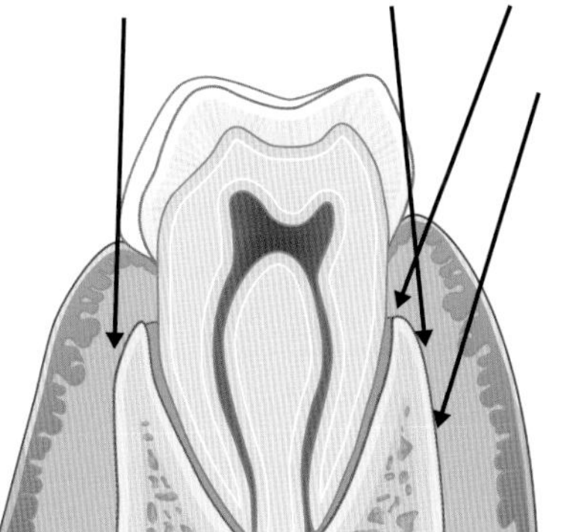
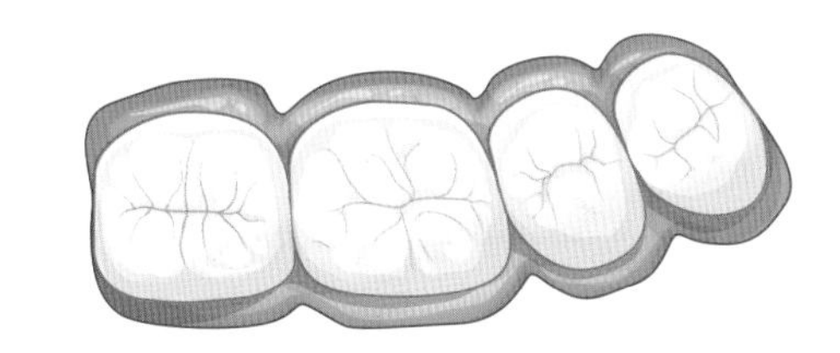

그림 32-5. 수평절개 시 기시 부위(A)와 scalloped incision의 양(B)

(1) 수평절개(Horizontal incision)

치은변연을 따라 근, 원심으로 시행되는 수평절개의 방법은 주로 내사면절개(internal bevel incision, reverse bevel incision)와 열구내절개(crevicular incision)로서 치주판막을 젖히기 위한 1차절개로 행해진다. 내사면절개는 #11나 #15 외과용 칼을 이용하여 치주낭 깊이에 준해 치은변연 하방부에서 치조골능까지 절개하는 것으로 ① 치은의 외면은 보존하고 ② 치주낭 상피를 제거하며[2,14] ③ 골-치아경계부에 밀착이 용이하도록 얇은 변연을 형성해준다(그림 32-4, 5).

치은변연으로부터 약 0.5 mm 떨어져서 절개를 시작하나 치주낭 깊이, 부착치은 양, 그리고 치조골수술 계획 시 삭제될 골의 양을 고려하여 치은변연으로부터의 거리를 결정한다(그림 32-4A, 그림 32-5A). 이때 치관의 형태에 따라 scalloped incision을 시행하여 치간골을 피개할 수 있게 한다(그림 32-5B).

치면에 남아있는 치주낭 상피 및 육아조직은 2차, 3차 절개를 이용하여 제거할 수 있다. 2차절개는 #12D 외과용 칼날로 치주낭 기저부로부터 치조골능까지 열구내절개를 행하여 치주낭 상피와 염증조직의 제거를 용이하게 한다(그림 32-4B). 3차절개는 치간절개(interdental incision)로 판막을 거상한 후 Orban knife를 이용하여 치간부 협설측 잔여조직을 연결하여 절개하며 치간 치주낭벽 및 육아조직 제거를 용이하게 한다(그림 32-4C).

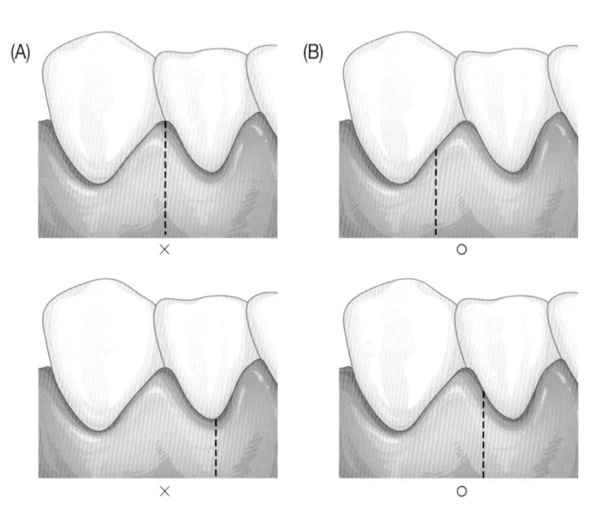

그림 32-6. 수직절개 위치
(A) 치간 유두부나 치근면 중앙은 피한다. (B) 선각(Line angle) 부위에서 절개한다.

(2) 수직절개(Vertical incision)

치주판막의 설계와 목적에 따라 수평절개의 한쪽이나 양쪽 끝에 시행하며 양쪽에 수직절개를 시행한 경우 full flap이라 하고 수평절개만으로 접근도와 시야가 확보되고 판막변위가 불필요한 경우의 판막은 envelope flap이라고 한다. 구개 및 설측에서는 수직절개를 피하여 점막 내 혈관의 손상을 방지해야 하며 순, 협측에 행할 때에도 치간유두나 치근의 중앙부위를 피하여 치아 선각(line angle)부에 절개를 해주어야 한다(그림 32-6). 판막변위를 위한 수직절개가 필요한 경우 치은-점막경계부를 지나 치조점막 내로 절개를 연장해 주어야 한다. 수직절개의 설계 시 근원심적으로 짧고 근단측으로 긴 판막은 혈액공급이 불량할 수 있으므로 피해야 한다. 판막위치를 변화시키지 않고 수평절개만으로 시야나 접근도가 좋은 경우에는 수직절개를 시행할 필요가 없다.

4) 판막의 거상

전층판막을 위한 둔개(blunt dissection)는 골막기자를 사용하여 치근면 및 치조골로의 시야와 접근도가 충분하도록 치은조직과 골막을 포함한 점막-골막성 판막을 젖힌다(그림 32-7). 완전히 젖히기 전에 판막 두께를 검사하여 두꺼우면 외과용 수술도나 외과용 가위로 얇게 내면조직을 절제한다. 분할층판막을 위한 예개(sharp dissection)는 외과용 수술도(#11,15)로 상피와 일부 결합조직만으로

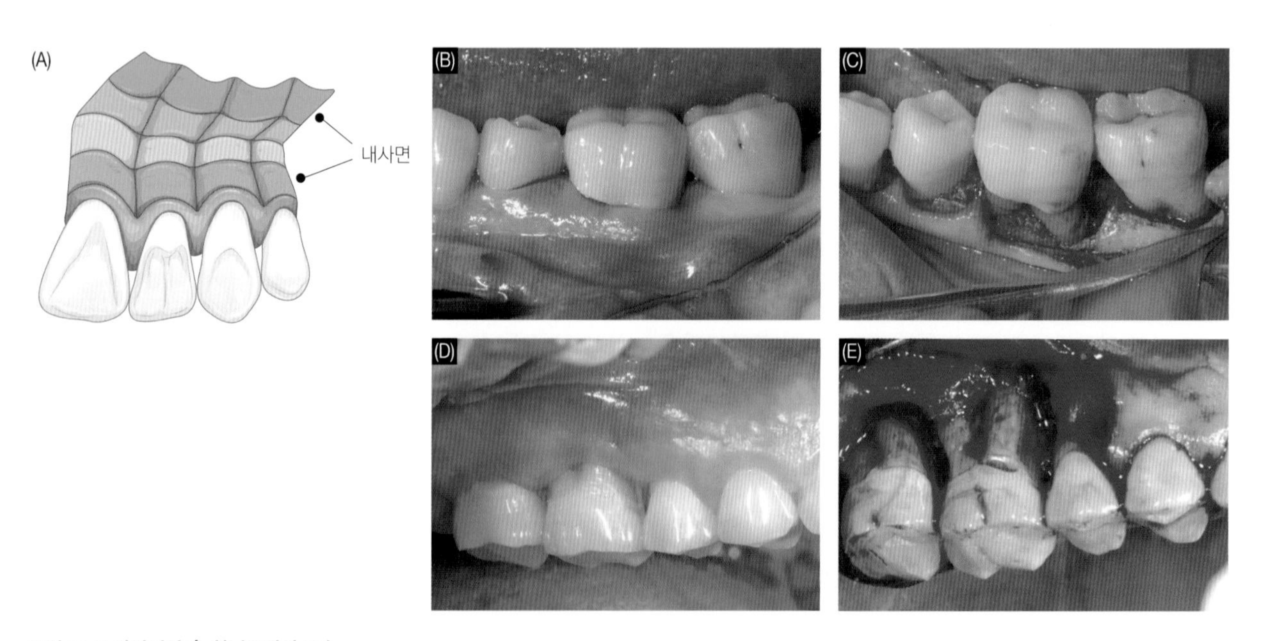

그림 32-7 판막거상 후 하방조직의 모습
(A)치근면측에 내사면 절개된 치주낭벽 조직이 부착되어있고 그 하방은 전층판막으로 골면이 노출된 도해. (B)구강내 수술 전 협측 임상사진과 (C) 판막(envelope flap)을 거상하고 치주낭벽과 육아조직을 제거한 후 제1대구치 협면 원심치근면 치석과 치간 치조골 결손부가 보인다. (D) 다른 환자의 상악구치부 수술 전 협측 임상사진과 (E) 소구치 근심 선각부에 수직절개를 동반하는 판막(full flap)을 거상하고 육아조직을 제거한 후 심한 골결손부가 보인다.

구성된 치은판막을 형성해 주는데 치조골 노출이 필요치 않거나, 또는 골이 얇거나 열개, 천공이 있는 경우, 판막의 근단변위 시 봉합을 쉽게 하기 위하여 이용한다.

두 술식의 장점을 취하는 복합술식도 이용되는데 치조정 부위에서는 치조골 재형성을 위해 골면을 노출시키는 전층판막을, 하방의 골면에서는 골막에 의하여 보호되도록 분할층판막을 시행하기도 한다.

5) 봉합

(1) 봉합사

여러 유형의 봉합사와 봉합침이 있다. 봉합재는 비흡수성이거나 흡수성이며, 꼰사(braided)나 단일사(monofilament) 유형이 있다. 최근에는 환자 불편감과 내원 회수를 줄일 수 있는 흡수성 봉합사가 선호되며, 비흡수성의 경우 심지효과(wicking)에 의하여 창상 심부로 세균감염이 될 수 있는 꼰사보다 단일사가 유리하다(표 32-1). 봉합사는 보통 4/0와 5/0을 많이 사용하지만, 미세 치주수술과 치주 성형술에서 더 얇은 봉합사(6/0 또는 7/0)도 사용할 수 있다. 바늘의 절단면은 원형(non-cutting)이거나 역절단면 (reverse cutting)인 봉합침을 선택한다. 봉합사는 대개 7~14일 후 제거한다

(2) 술식

봉합의 목적은 봉합이 필요하지 않은 시기까지 치유가 진행되는 동안 판막을 제 위치에 유지시켜주는 것이다.

봉합침은 needle holder로 잡고 절개선에서 2~3 mm 지점의 조직에 직각으로 들어가 봉합침의 만곡을 따라 통과시켜 매듭을 절개선으로부터 비껴서 둔다.

치주판막의 봉합은 치간결찰이나 연속독립부유형봉합으로 행한다. 후자의 방법은 협설측 판막을 서로 당기지 않게 하는 대신 치아를 고정원으로 걸어 판막의 장력이 잘 분배되게 한다. 치간유두에 위치한 봉합은 유두삼각 기저부 가상선 하부에서 나오도록 한다(그림 32-8). 구개부 판막의 폐쇄는 판막거상 양에 따라 봉합위치가 달라지는데, 거상 양이 많으면 구개중앙부측으로, 그 양이 적으면 치은변연에 근접하게 봉합한다.

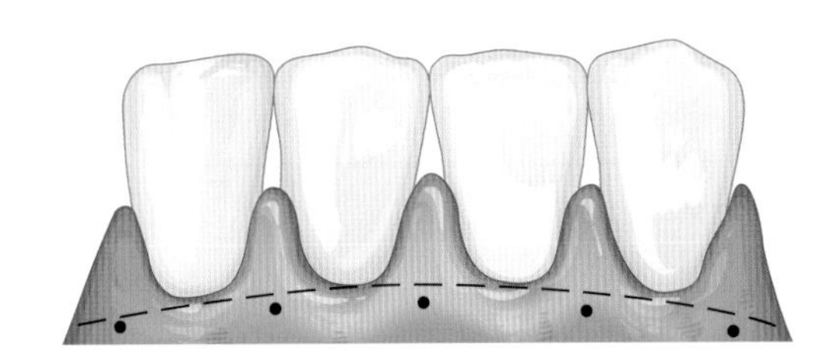

그림 32-8. 치주판막술 후 봉합침 위치

표 32-1. 치주판막술용 봉합사

	종류	상품명
비흡수성	Silk; 꼰사	
	Nylon; 단일사	Ethilon
	e-PTFE; 단일사	Gore-tex
	Polyester; 꼰사	Ethibond
흡수성	Surgical; gut	
	Plain gut; 단일사(30일)	
	Chromic gut; 단일사(45~60일)	
합성사	Polyglycolic; 꼰사(16~20일)	Vicryl; Ethicon Dexon; Davis & Geck
	Polyglecaprone; 단일사(90~120일)	Monocryl; Ethicon
	Polyglyconate; 단일사	Maxon

흡수성 봉합사와 합성사인 경우 ( )는 흡수기간

(3) 결찰 및 봉합 유형

① 단속치간봉합(Interrupted interdental suture)

- 직접결찰(Direct loop suture)

  치간유두의 접합상태가 좋으므로 치조골이식술이나 scalloped incision 후 긴밀한 적합이 필요할 때 이용된다(그림 32-9).

- 8자형봉합(Figure 8 suture)

  판막의 긴밀한 적합이 필요치 않거나 근단변위판막술을 시행한 후 사용된다(그림 32-10).

② 부유형봉합(Sling, Suspensory suture)

순·설측 한쪽에만 2개의 치간유두를 포함한 판막을 만들었을 때 또는 설측과 순측 판막을 서로 다른 위치에 고정할 때 이용한다(그림 32-11).

③ 연속독립부유형봉합 (Continuous independent sling suture)

여러 치아가 협설측 판막에 포함된 경우 이용하며 판막을 근단측 변위시킬 때에도 이용한다(그림 32-12).

④ 수평누상봉합(Horizontal mattress suture)

정중이개가 있거나 치간 간격이 넓은 경우, 또는 치조골이식술이나 신부착수술을 시행한 후 사용한다(그림 32-13). 판막변연의 밀접한 적합과 판막변연의 치관측 이동에 유리한 변형누상봉합도 필요한 경우 사용될 수 있다.

⑤ 고정봉합(Anchor suture, Distal wedge suture)

Wedge procedure에서와 같이 치아의 근·원심측 판막을 치면에 긴밀하게 적합시킬 때 이용한다. 판막이 치아 선각부에 위치하도록 봉합침을 통과시켜 치면에 적합시킨 다음 매듭을 만든다(그림 32-14).

⑥ 폐쇄성 고정봉합(Closed anchor suture)

무치악부 판막을 직접 결찰하여 폐쇄시키면서 치면에 밀접하게 적합시키고자 할 때 사용한다(그림 32-15).

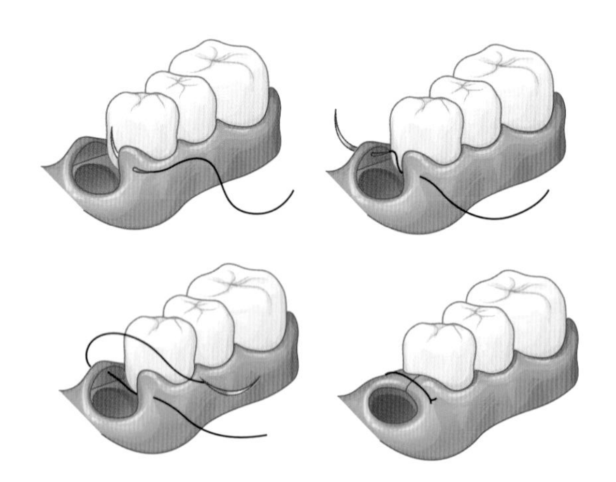

그림 32-9. 직접결찰

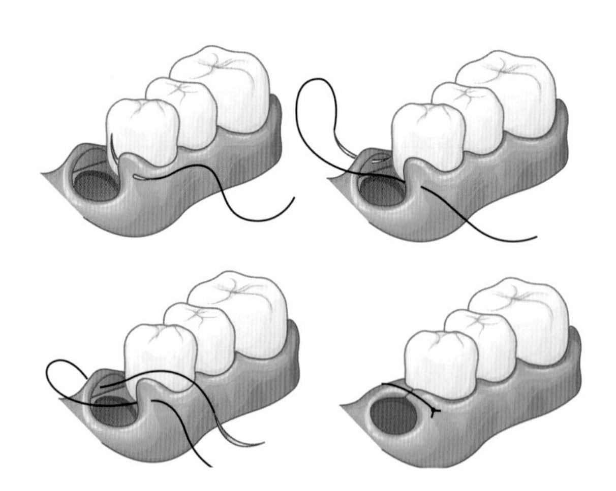

그림 32-10. 8자형봉합

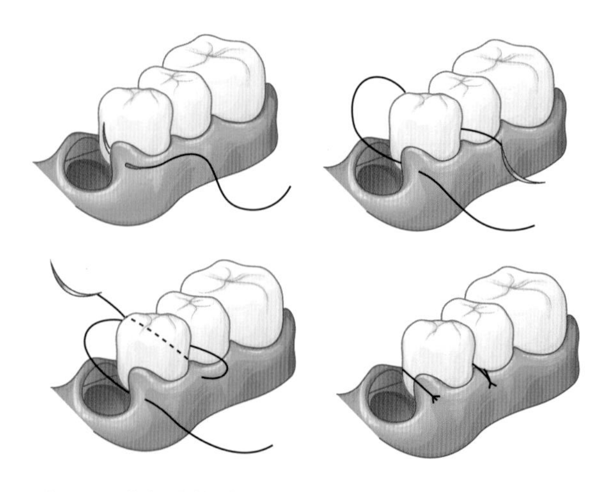

그림 32-11. 단일부유형봉합

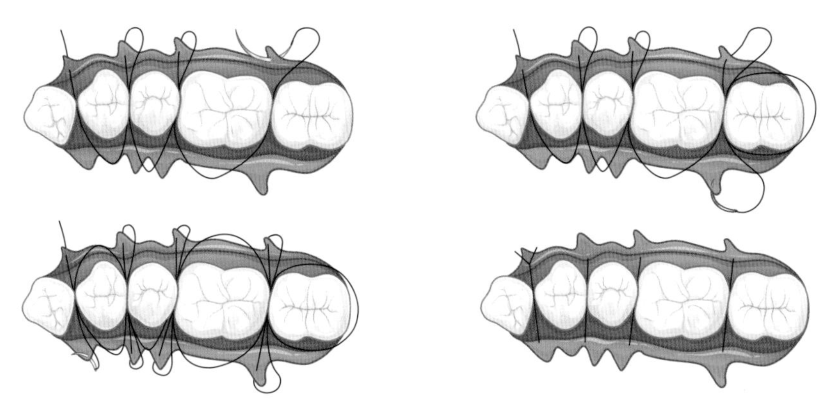

그림 32-12. 연속부유형봉합

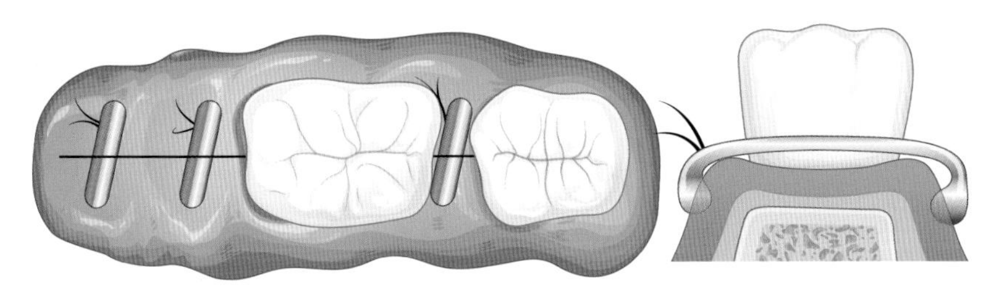

그림 32-13. 수평누상봉합

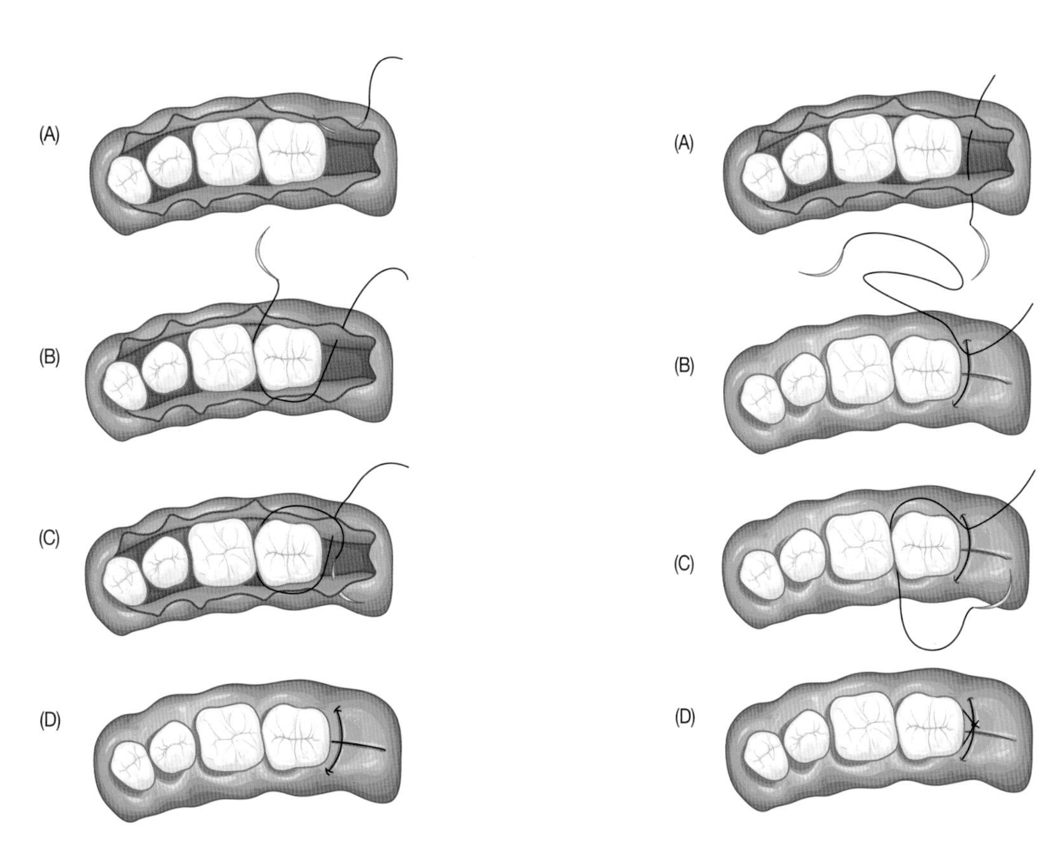

그림 32-14. 고정봉합

그림 32-15. 폐쇄성 고정봉합

⑦ 골막봉합법(Periosteal suture)

근단변위판막의 봉합 시 holding suture와 closing suture가 이용된다. 전자는 변위된 판막의 기저부를 새로운 위치에 수평누상봉합으로 고정하며 후자는 판막변연을 골막에 고정한다(그림 32-16).

6) 판막술 후 치유

상피와 결합조직의 치유 양상은 유사하나 조직거상 방법에 따른 전층판막과 분할층판막 간에 치조골 반응의 차이가 있다.[5,9] 즉 골 흡수가 전자에서 심하여 치조골 두께가 얇은 경우 치유 중 골이 소실될 수 있으나 그 차이가 임상적으로 확인될 정도는 아니다.

(1) 치은과 치근면의 유합

치은이 치근면상에서 치유될 때에는 두 조직 간의 밀착 정도에 의존한다. 초기(1일 후)에 치은은 혈병 내 섬유소에 의해 치근면에 일시적으로 부착한다. 상피는 2일 후 이주가 시작되어 3일 후 치근면에 부착하고 경미한 염증상을 보이여 5~7일 후에는 정상적인 반교소체(hemidesmosome)와 기저층판(basal lamina)이 관찰되며 하부는 치은결합조직, 골수, 치주인대로부터 기원한 육아조직으로 대체된다. 교원섬유는 2주에 걸쳐 섬유소를 대치하며 이때의 섬유는 정상적인 기능적 배열 양상을 보이지 않고 치근면에 평행하다.[10] 그러나 임상양상은 정상적으로 보인다.

치근면에 거친 면이 나타나며 여기에 신생교원섬유가 삽입한다. 신생백악질의 형성은 치근면의 조작이나 흡수 과정 중에 야기된 nick나 함몰부를 제외하고는 거의 관찰되지 않는다.

연조직만의 절상과는 달리 치주수술 부위는 창상의 한 면은 치근면이므로 치유가 더디고 성공의 조건이 훨씬 중요하다. 즉 연조직면이 치근면에 밀착되도록 해야 하며 그렇지 못한 경우 상피가 하방으로 성장하여 결합조직성 부착을 방해한다.

2주 후에야 결합조직부착에 의한 견고성과 충분한 장력이 발달하므로 이 동안에는 외부의 견인력이 가해지지 않도록 주의를 요한다. 1개월 후 완전히 상피화된 치은열구가 관찰되며 골상 치은섬유의 기능적 배열상이 관찰된다(그림 32-17).

(2) 치조골과 골막에 대한 치은판막의 유합

이 부위에서는 치유를 위한 혈관 및 결합조직세포가 치조골, 골막, 상피하 결합조직 등에서 제공되므로 치유과정에 훨씬 유리하다.

골막이 분리된 치조골은 처음에는 피질골판이 노출되어 있어 별 반응을 보이지 않으나 시간이 지나면서 골 흡수와 함께 골수강이 노출되면 치유과정에 기여한다. 골조직의 반응은 손상의 양, 골의 두께, 치유요소의 제공원으로서

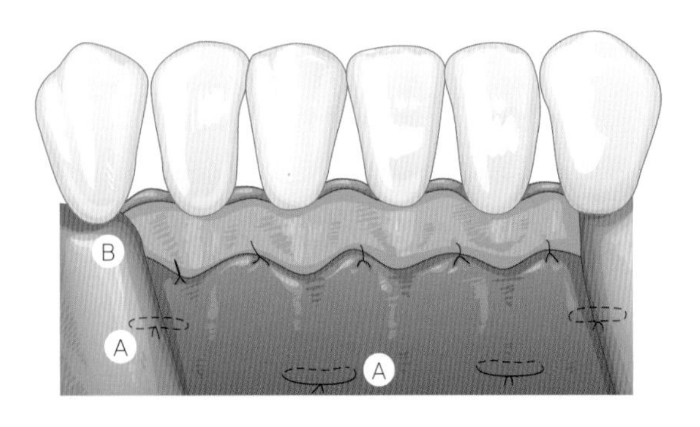

그림 32-16. 골막봉합. (A) holding suture (B) closing suture

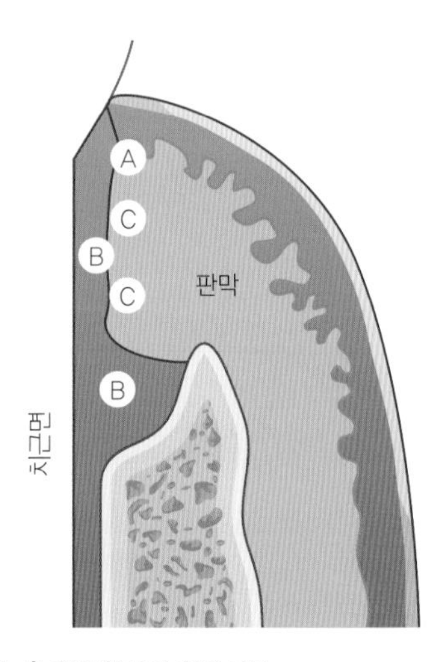

그림 32-17. 판막술 후 치주창상의 치유성분
(A) 상피와의 경계부로 상피증식에 의한 치유 (B) 치근-판막, 창상 내에 혈병이 차 있으며 육아조직, 섬유성조직으로 점차 치유 (C) 결합조직과의 경계부로 각종 성장요인이 존재하여 치유성분과 기질생성에 기여한다.

결합조직의 효용성에 의존한다. 골의 손상은 국소적인 골세포의 괴사와 인접기질의 흡수, 그 후의 재생과정으로 진행된다. 치조골 손상이 크고 골이 얇은 경우 치조능은 완전히 소실되며 치간중격골은 재생되나 순, 설측의 치근면 노출 시에는 영구적 골소실이 야기될 수 있다(그림 32-18).

① 분할층판막

이 경우의 판막은 최소의 손상을 야기한다. 판막을 고정한 2일 후에 섬유모세포와 내피세포의 성장이 시작되고 4~6일 후에는 골면에 평행하게 배열된 미성숙 교원섬유가 창상결합에 기여하게 된다. 골반응으로서 파골세포성 흡수는 4~8일경에 나타나며 2주 동안 골재생이 시작된다. 골반응의 정도와 깊이는 골면에 잔존하는 결합조직의 두께에 의존하는데 조직이 두꺼울수록 손상과 염증 반응은 골막하층에 국한되며 얇으면 골수강까지 포함한다.[5,9,27,31]

3주 후에는 교원질이 성숙하지만 2개월이 지난 후에야 소실된 치조정 재생과 함께 완전한 수복이 이루어진다. 따라서 판막수술 후 2개월간은 국소 조작을 피해야 한다.

② 전층판막

전층판막은 골조직을 완전히 노출시키므로 조직손상 및 반응이 최대로 나타난다.[3,9]

전층판막술을 시행한 경우 조직반응은 골막에 국한되지 않고 골수강이나 치주간격(periodontal space)에서 관찰되는 골과 백악질의 흡수를 수반한다. 1~3일간 골괴사가 일어나고 파골세포성 골 흡수가 4~6일경에 최대가 되며 그 이후에는 감소한다.[26] 골소실은 1 mm^3 정도이며 골질이 얇은 경우 더 심하다.[29,30] 3~4주에는 신생골 침착이 최고에 이른다. 일반적으로 경미한 치조골의 흡수는 완전히 수복되지만 전체 치유과정은 2개월 후에 완성된다.

골성형술 시 골을 제거한 부분에서 골괴사가 야기되나 나중에 신생골 형성에 의하여 골개조가 일어난다.[16,18] 최종적인 골외형은 외과적 성형술보다는 골개조에 의하여 결정되는데. 망상골이 많은 치간골에서는 골소실이 일어나지만 수복으로 회복되고, 치근 변연골에서는 망상골이 적어 변연골 소실이 초래된다.[11,30,31]

2. 치주낭 처치를 위한 판막술

치주판막술은 구치부에서 중등도 및 심도의 치주낭 처치에 흔히 이용한다.

치주낭 처치에 이용되는 치주판막은 다음 목적을 갖는다.

- 치근면 부착물에 대한 접근도 증진

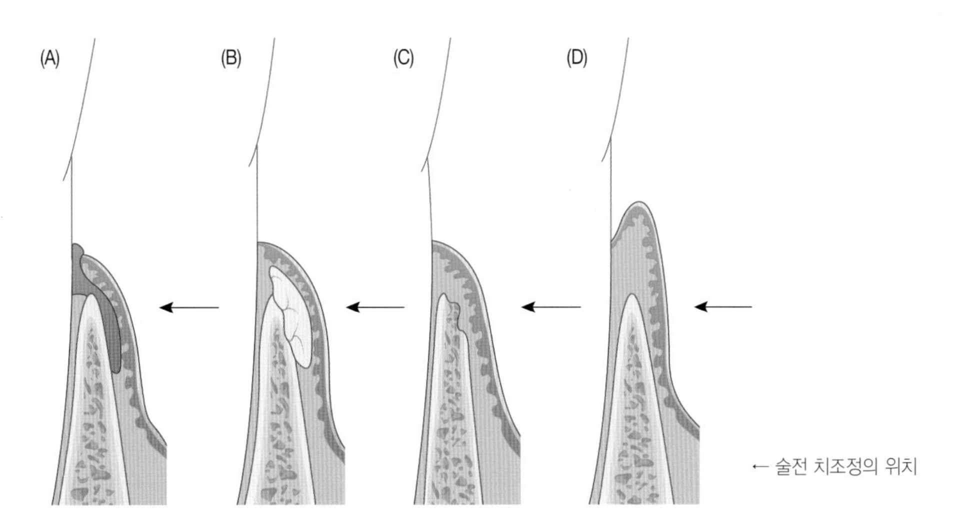

그림 32-18. 판막술 후 치유과정에 대한 도해
(A) 혈병내 섬유소에 의한 치근면-판막 부착 (B) 섬유성 육아조직으로 연결 (C) 치조정 골 흡수 (D) 신생골형성과 함께 치조정 골재생과 치은열구의 재형성이 일어난다.

- 치주낭벽의 절제를 통한 치주낭 제거나 감소
- 필요한 골삭제를 위한 접근도 확보
- 재생술식의 시행을 위한 골 결손부의 노출

이들 목적을 위하여 흔히 사용되는 치주낭 제거방법에는 변형 Widman 판막술, 비변위판막술과 근단변위판막술이 있다. 어느 술식을 사용할지는 부착치은의 유무와 그 폭경을 구성하는 다음 두 요소에 대한 해부학적 기준에 근거하여 선택한다: 치주낭 깊이와 치은-점막경계부(MGJ)의 위치.

변형 Widman 판막술(modified Widman flap)은 철저한 기구조작을 위한 치근면 노출이 1차적 시술목적이다.[23,24] 치주낭벽을 제거하지만 절개를 통해 치주낭 깊이를 줄이고자 하는 시도는 하지 않고 조직수축에 의한 감소에 목표를 둔다.

비변위판막술(undisplaced, unrepositioned flap)은 치주기구 조작을 위한 접근도 증진과 함께 치주낭벽을 제거함으로써 치주낭을 제거하거나 감소시키는 절제적 술식이다.[4,19] 비변위판막술에서는 치주낭 기저부 위치의 치은 외면에서 내사면절개를 시작한다. 절개선 하방의 부착치은이 충분한 경우에만 시행할 수 있다. 따라서 절개 후 남아있을 부착치은의 양을 평가하기 위하여 치주낭 깊이와 MGJ의 두 경계점을 고려해야 한다. 치주낭벽을 변위시키지 않으므로 최초 절개 시 치주낭을 제거하여야 한다. 절개가 치아에 너무 근접하게 이루어진 경우 치주낭벽이 완전히 제거되지 못하여 연조직낭이 잔존할 수 있다. 조직이 너무 두꺼우면 판막폐쇄 시 골을 적절하게 피개할 수 있도록 1차절개 시행 시에 조직두께를 얇게 해주어야 한다. 내사면절개는 가능하면 치간유두를 보호하기 위하여 scalloped 되어야 하며 그래야 치근면 및 치간부에서 판막에 의한 골면피개가 쉬워진다. 술자가 골수술을 고려하고 있다면 1차절개는 골을 제거한 후 판막이 치아-골경계부에서 끝나 잘 맞도록 조정되어야 한다.

근단변위판막술(apically displaced flap)도 접근도 증진과 치주낭 제거를 위한 것으로 치주낭 연조직벽을 근단측으로 변위시켜 치주낭을 줄여준다.[15,20] 그 결과 이전에 치주낭벽을 이루던 비부착성 각화치은을 부착조직으로 전환시켜 부착치은을 보전하거나 그 폭경을 증가시킨다. 부착치은의 증가는 MGJ의 근단측 이동에 기인한다. 근단변위판막술 시행 후 18년간 관찰한 Ainamo 등(1992)[6]의 연구에서 MGJ의 영구적 변위는 관찰되지 않았다. 변위판막술에서는 판막을 근단측으로 이동시켜 치아-골 경계부에 위치시키고 판막의 최종위치가 절개위치에 의하여 결정되지 않으므로 비변위판막술에서처럼 절개시 치주낭기저부 위치를 고려할 필요가 없다.

재생을 위한 술식은 유두보전판막술[12,13,27]과 열구내/치주낭절개를 이용한 판막술이다. 이런 술식은 이식골이나 차폐막의 피개를 위하여 유두를 포함한 최대한의 치은조직을 보전하는 데에 주안점을 둔다.

1) 변형 Widman 판막술(Modified Widman flap)

1918년 Widman이 소개한 Widman 판막술을 1965년 Morris가 unrepositioned mucoperiosteal flap으로 부활시켰고[19] 1974년 Ramfjord와 Nissle은 modified Widman flap으로 변형하여 소개하였으며[24] 치은연하 소파술의 변형인 open flap curettage로 알려져 있다. 치근면에 건강한 치주 연조직을 긴밀하게 접착시켜 최대한의 신부착(new attachment)을 기대하는 시술이다.[17,23,24]

(1) 적응증 및 장단점

주로 상악전치부와 같이 심미성이 중요한 부위에 중등도 깊이의 치주낭이 존재하거나 중등도의 분지부 병소가 있는 경우 또는 치아 우식률이 높고 지각과민 증상이 있는 환자에 시행된다.

수술 후 치근면에 건강한 교원조직이 긴밀하게 적합되게 하여 신부착의 가능성을 높이며 치주조직을 최대로 보전하는 반면 치조골소실을 최소화하고 폐쇄소파술보다 조직의 기계적 손상이 적다. 심미적으로도 유리하며 치근노출이 적고 지각과민을 최소화하여 구강위생에도 유리하다.

한편 단점으로 기술을 요하며 치은판막의 정확한 위치 고정이 필요하고 치유초기에 치간유두 외형이 불량할 수 있다.

(2) 술식

① 1차절개(Initial incision)

외과용 수술도로 치은변연에서 0.5~1.0 mm 떨어진 위치에서 치아장축에 평행하게 내사면절개를 scalloping을 강조하면서 시행한다. 절개시 치간유두부위도 순측판막과 동일한 두께가 되도록 주의해야하며 수직감압절개는 필요하지 않다(그림 32-19, 20A).

② 판막의 형성

골막기자를 이용하여 순, 설측의 판막을 치조골능이 1~2 mm만 노출되도록 젖힌다.

③ 2차절개
(Second incision, Intracrevicular incision)

외과용 수술도를 이용하여 치근으로부터 치주낭 상피와 염증 및 육아조직을 제거하기 쉽도록 치주낭 기저부로부터 치조골능까지 열구내절개를 시행한다(그림 32-20B).

④ 3차절개(Third incision, Interdental incision)

치조골상의 연조직을 보호하고 치근에 부착된 연조직

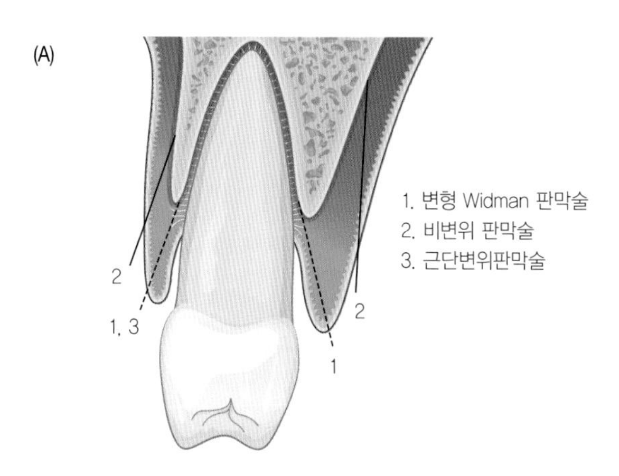

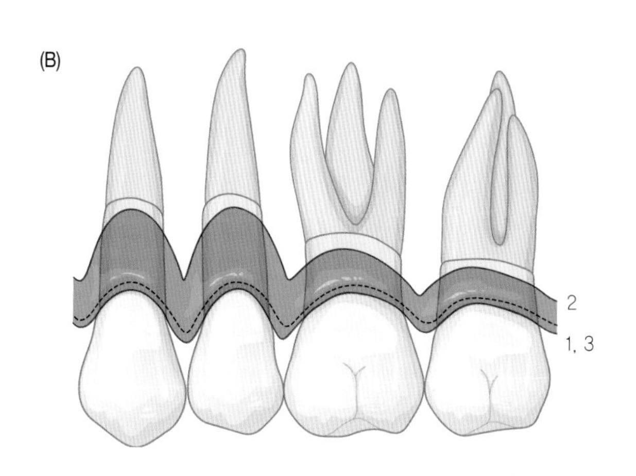

그림 32-19. (A) 여러 판막술식에서 내사면절개의 위치 (B) scalloping 정도

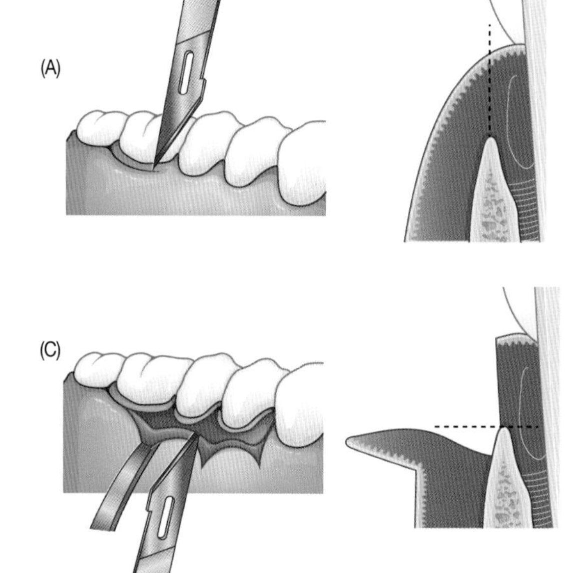

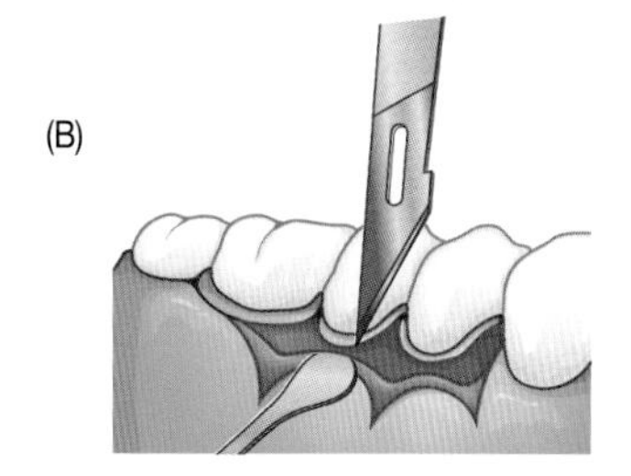

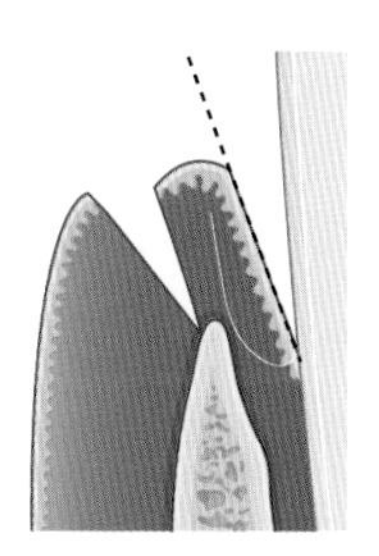

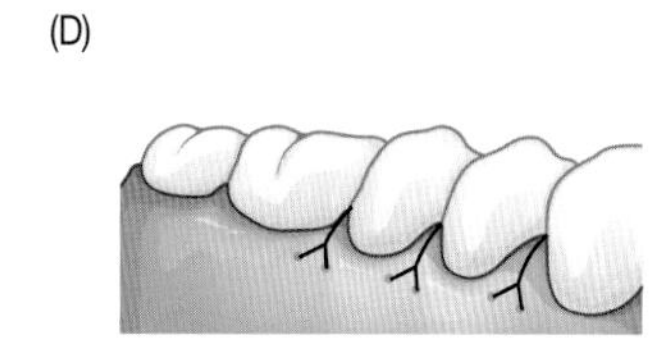

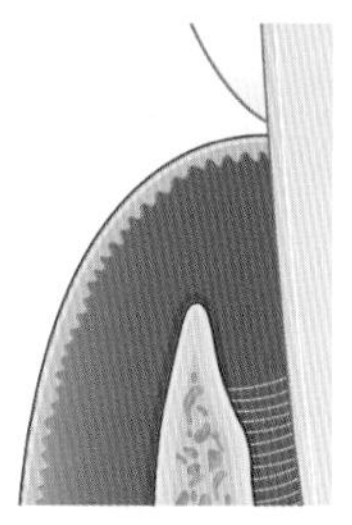

그림 32-20. 변형 Widman 판막술 (A) 1차 내사면절개 (B) 2차 열구내절개 (C) 3차절개 (D) 판막 적합 및 봉합

을 치조골로부터 분리시키기 위해 판막을 젖힌 상태에서 interproximal knife나 Orban knife를 이용하여 치조골능을 따라 치근측으로 수평절개를 해준다(그림 32-20C).

⑤ 절개조직 및 육아조직의 제거

Scaler나 curette을 이용하여 절개된 조직과 육아조직을 제거하고 골내 결손부도 소파한다.

⑥ 치석제거 및 치근활택

Scaler나 curette을 이용하여 노출된 치근면에 붙어있는 치석을 제거하고 괴사된 백악질을 제거하여 치근을 활택하게 만든다. 이때 치조골능 직상부의 치근면에 부착된 건강한 치주섬유는 보존한다.

⑦ 판막의 접합 및 봉합

치간부 치조골을 판막으로 완전히 피개하기 위해 판막을 조정하며 연조직 조정만으로 긴밀한 접합이 곤란한 경우에는 하부 치조골의 외면을 수정할 수 있다. 단속치간봉합이나 연속부유형봉합으로 각 치간 부위를 폐쇄봉합하고 지혈한 다음 치주포대를 붙인다(그림 32-20D).

(3) Widman 판막술과 변형 Widman 판막술의 비교

각 술식의 목적과 술식과정의 차이를 비교하면 표 32-2와 같다.

Ramfjord와 Nissle[24]이 변형 Widman 판막술을 치은소파술과 치주낭제거 판막수술과 비교한 7년간 장기연구를 수행한 결과는 유사하였다. 치주낭 깊이는 모든 방법에서 처음엔 유사하였으나 변형 Widman 판막술에서 더 얕게 유지되었고 부착수준은 높게 유지되었다.

2) 비변위판막술 (Undisplaced flap, unrepositioned flap)

Widman 판막술을 1965년 Morris가 unrepositioned mucoperiosteal flap으로 부활시켰으며[19] 오늘날 가장 많이 이용되는 치주판막술 형태이다. 치주낭의 연조직 벽을 1차절개 단계에서 제거한다는 점에서 내사면 치은절제술(internal bevel gingivectomy)이며 이 점에서 변형 Widman 판막술과 구별된다. 비변위판막술과 치은절제술은 치주낭벽을 외과적으로 제거하는 술식이다. 이런 술식을 시행한 후 치은-점막문제를 초래하지 않도록, 술자는 시술 후 부착치은이 충분히 남을 것인지 시술하기 전에 미리 평가해야 한다.

(1) 적응증 및 장점

비변위 치주판막술은 주로 진행된 치주염 환자에서 깊은 치주낭이 있거나, 치조골수술이나 골이식을 위해 치조골을 노출해야 하는 경우, 또는 이개부병소의 치료를 위한 시야를 확보해야 하는 경우에 시행된다.

장점은 치주낭을 제거하면서 잔존하는 각화치은을 보존하고 치근면의 치석제거나 표면활택을 위한 시야와 접근도를 증진시킴과 동시에 치조골에 대한 시야와 접근도도 증가시키며 1차유합에 의한 치유가 가능하다는 점이다.

표 32-2. Widman 판막술과 변형 Widman 판막술의 비교

Widman 판막술	변형 Widman 판막술
치주낭의 제거가 목적	신부착이 목적
치근면 부착조직을 소파·제거	조직을 외과용 칼로 절개한 후 제거
판막거상량이 많음	최소의 판막거상
판막이 치간골을 덮지 않음	치간판막의 긴밀접합·폐쇄
치조골 노출	치조골의 노출이 없음

(Dental Clinic of North America, 24:751-766,1980)[10]

(2) 술식

① **절개**

처치부위의 치주낭 깊이를 치주낭 측정기로 측정하고 부착치은의 상태를 관찰한 후 치조골 상태를 치은관통탐침으로 진단한 후 판막의 두께, 범위 등을 고려한 절개를 시행한다.

- 수평절개(horizontal incision): 치은변연을 따라 근, 원심으로 시행되는 수평절개 방법은 주로 내사면절개(internal bevel incision, reverse bevel incision)로서 치주판막을 젖히기 위한 1차절개로 행해진다. 외과용 수술도를 이용하여 치주낭 깊이에 준해 치주낭기저부 수준이나 약간 치관측의 치은변연 하방부에서 시작하여 치조골능 하방으로 절개하는 것으로 치은 외면은 보존하고 치주낭 상피를 제거하며 골-치아경계부에 판막의 밀착이 용이하도록 얇은 변연을 형성해준다(그림 32-19 A, B). 일반적으로 1 mm 정도 치은변연에서 떨어져 절개하나 치주낭의 깊이, 판막조직의 두께, 부착치은의 양, 그리고 치조골수술이 계획된 경우 삭제될 골의 양을 고려하여 치은변연으로부터의 거리를 결정한다(그림 32-21). 이때 치관의 형태에 따라 scalloped incision을 시행하여 치간골을 피개시킬 수 있게 한다. 조직이 두꺼우면 치조정에 대해 좀 더 근단측으로 향하게 절개하며 판막거상 후에는 조직유동성이 있으므로 초기 절개 시 판막조직의 두께를 조절해주어야 한다.

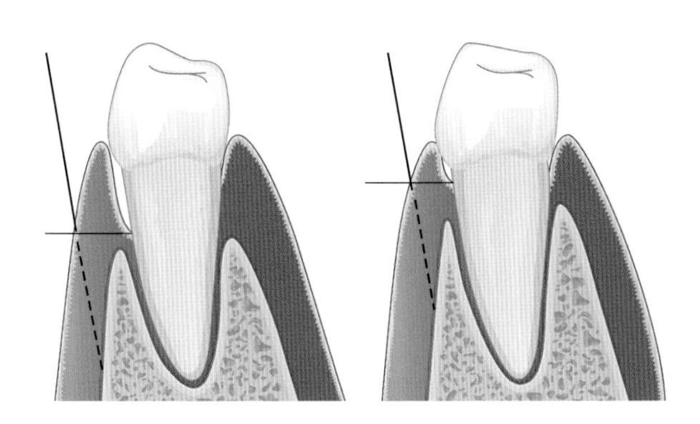

그림 32-21. 비변위판막술에서 내사면절개가 이루어지는 위치
내사면절개는 부착치은이 충분한 경우 치주낭기저부 치관측의 조직을 제거할 수 있도록 행한다.

다음 단계는 2차절개로서 치주낭 기저부로 부터 치조골능까지 열구내절개(crevicular incision)를 시행하여 치주낭 상피와 염증조직의 제거를 용이하게 한다.

- 수직절개(vertical incision): 치주판막의 목적에 따라 수평절개의 한쪽이나 양쪽 끝에 시행하며 양쪽에 수직절개 시에는 full flap(그림 32-7E), 수평절개만 시행한 판막은 envelope flap(그림 32-7C)이라고 한다. 수직절개 시에는 가능하면 구개 및 설측은 피하여 점막 내 혈관의 손상을 방지해야 하며 순,협측에 행할 때에도 치간유두나 치근의 중앙부위를 피하여 치아의 선각부에 절개를 해주며 치은점막경계부를 지나 치조점막까지 절개를 확장해주어야 한다. 수직절개를 설계하는 경우 근원심적으로 짧고 근단측으로 긴 판막은 혈액공급이 불량할 수 있으므로 피해야 한다.

판막 위치를 변화시키지 않고 수평절개만으로 시야나 접근도가 좋은 경우나 판막을 근단측으로 변위시키지 않는다면 수직절개가 불필요하다.

② **구개부 판막(Palatal flap)**

구개부는 해부학적 구조와 조직의 특성상 외과적 술식이 다른 부위와 상이하다. 구개부 조직은 하부골에 부착된 각화조직이며 치은과 달리 탄성이 없으므로 절개 후 판막을 변위시킬 수 없고 해부학적으로 분할층판막을 형성하기가 곤란하다. 따라서 1차절개의 위치가 판막수술 후 최종 위치를 결정하므로 판막봉합 후 판막변연이 치근-골 경계부에 정확히 적합되도록 절개가 이루어져야 한다. 구개조직이 얇거나 두꺼울 수 있고 골결손이 있거나 없을 수 있으며 구개천장이 높거나 낮을 수 있다. 이러한 해부학적 다양성 때문에 절개의 위치, 각도, 설계를 변경해야 하는 경우가 있다.

절개하기 전에 구개판막의 목적을 고려한다. 수술의도가 병소 세정이라면 내사면절개를 시행하여 판막적합이 잘되게 하고, 골수술이 목적이라면 술후 낮아진 골수준

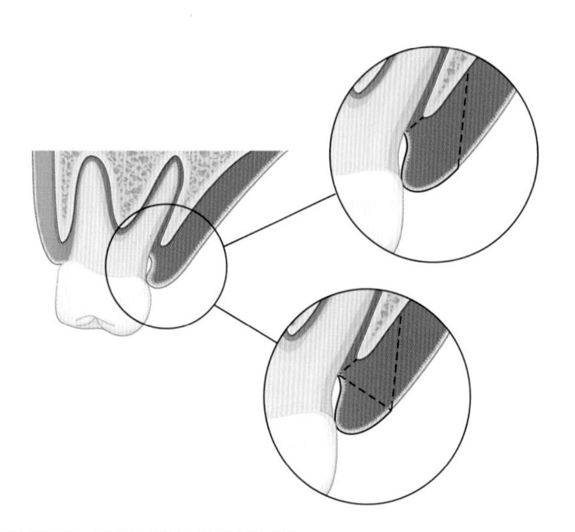

그림 32-22. 구개부 치주낭의 제거방법
치주낭기저부까지 내사면절개하는 방법과 수평적 치은절제술 후 내사면절개하는 방법이 있다.

에 맞게 판막이 적합되도록 설계되어야 한다. 이 때 치주낭 탐침 및 치은관통검사가 필요하다. 구개부 판막의 목적이 치조골 삭제라면 제거될 골의 양을 고려하여 판막의 변연위치가 술후 낮아진 치조골의 높이에 적합되도록 1차절개를 시행해야 한다.

1차절개는 대개 내사면절개이며, 조직이 매우 두꺼운 경우에는 먼저 수평으로 치은절제술을 시행하고 절제한 치은변연에서 치조골 측면을 향해 내사면절개를 행한다(그림 32-22).

판막거상과 골결손 처치 전에 조직 두께를 점검하고 하부 골조직에 잘 적합되고 변연치은연이 얇아지도록 판막을 얇게 조정해주어야 한다. 판막이 너무 두꺼우면 치면에서 분리되어 치유지연이 있을 수 있다. 연조직 치주낭의 재발을 막기 위하여 완전 거상이전에 판막내면을 외과용 수술도로 내면 결합조직을 절제하여 판막을 얇게 하고 치간부에 얇은 유두가 치아–골경계면에 위치하도록 하는 것이 필요하다(그림 32-23). 또한 구개치근이 근단측으로 좁아짐으로 scalloped incision 시 근단측이 치아의 선각부 폭보다 좁게 절개되어야 시술한 후 판막을 고정할 때 적합성이 양호하다. 반원형으로 절개하면 판막변연이 치근에 잘 맞지 않는다.

가끔 판막을 젖힌 다음 판막두께를 조정해야 하는 경우 판막 내면을 지혈감자나 Adson forcep 기구로 잡고 #15 외과용 수술도로 절제하여 시행할 수 있다. 이때 판막이 관통되거나 너무 얇아지지 않도록 주의한다. 수직 감압절개의 사용원칙은 다른 부위와 동일하다. 구개부에 존재하는 많은 혈관을 피하기 위하여 수직절개의 길이는 최소여야 한다.

③ 가공치 하부의 절개

조직상태에 따라 절개방법이 상이하다. 연조직이 두꺼운 경우, 가공치의 순설측 치은에서 각각 치조골면을 향해 절개하고 wedge를 만들어 제거하며(그림 32-24), 조직이 얇은 경우에는 협측이나 설측 한 면에서 절개하여 가공치 하부를 따라 판막을 젖힌다.

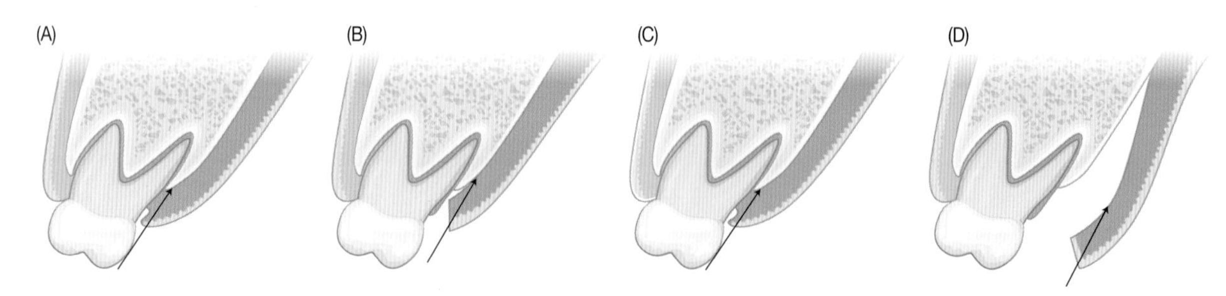

그림 32-23. 구개부에서 내사면절개 각도와 구개판막을 얇게 조정하는 방법
(A) 일반적 각도와 절개방향 (B) 2차절개와 약간의 판막거상 후 조정 (C) 치아위치와 외형이 허용하는 경우 1차절개 시 내사면절개방향을 조절하여 판막을 얇게 조정 (D) 판막거상 후 조정하면 판막이 너무 유동적이어서 조정하기가 매우 어렵다.

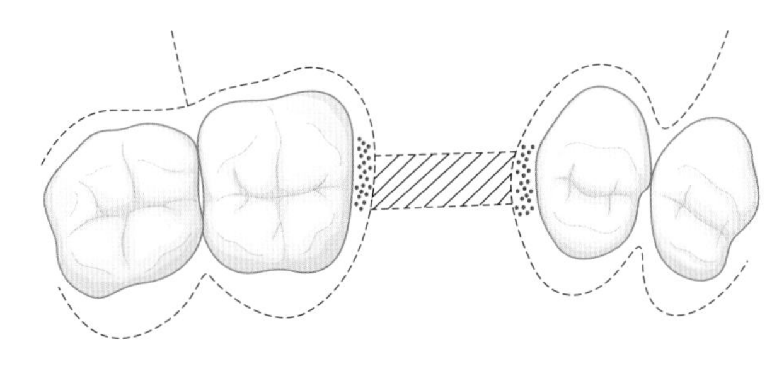

그림 32-24. 가공치 하부의 절개모습

④ 판막거상

절개가 완료되면 골막기자를 사용하여 치근면 및 치조골로의 시야와 접근도가 충분하도록 판막을 젖힌다. 완전히 젖히기 전 판막의 두께를 검사하여 두꺼우면 얇게 내면조직을 절제한다.

⑤ 염증 및 육아조직의 제거

치아주위의 치주낭 상피와 염증 및 육아조직을 curette이나 scaler를 이용하여 제거하며 이 때 조직이 쉽게 제거되도록 치간치은절제용 칼(Orban knife)로 치조골능을 따라 수평으로 절개한다(치간절개, 3차절개). 골내병소에 남아있는 섬유성조직도 완전히 소파하여 치아와 골에 대한 시야를 좋게 해준다.

⑥ 치석제거 및 치근면 활택

조직재생을 위해 가장 중요한 단계이다. Scaler와 curette을 이용하여 치근면에 부착된 치석이나 괴사되거나 변질된 백악질을 제거하고 치근면을 단단하고 편평하게 해준다.

⑦ 치조골수술

하부 치조골의 형태를 관찰하여 필요하면 치조골수술을 시행한다.

⑧ 조직접합

판막조직을 적합해보아 필요한 경우 판막변연을 더 scallop시키고 치근-골 경계부에 접합되게 조정한다.

⑨ 봉합 및 치주포대 부착

지혈한 후 불필요한 치조골 노출을 막고 1차유합(primary intention)에 의한 치유과정을 유도하기 위해 봉합해준다. 봉합이 끝난 후 판막을 치아와 치조골에 밀착시키기 위해 3~5분 동안 수술 부위를 거즈로 가볍게 압박하고 치주포대를 붙인다. 1주일 후 봉합사를 제거한다.

3) 근단변위판막술(Apically displaced flap)

이 술식은 각화성 부착치은이 최소인 경우 치주낭을 제거하고 부착치은을 증대하는 여러 목적으로 이용된다. 목적에 따라 전층판막이나 분할층판막으로 시행될 수 있다. 분할층판막은 정확성과 시간이 요구되며, 치은이 충분히 두꺼운 경우 시행될 수 있고, 골막봉합을 통하여 근단측변위시 정확한 위치에 봉합할 수 있다.

시술과정은 다음과 같다.

① 내사면절개

각화성 부착치은을 최대한 보전하기 위하여 치은변연에서 0.5~1 mm 이내로 가깝게 치조정까지 scalloping하면서 내사면절개를 시행한다. 이때 절개는 치주낭 기저부 위치와 무관하므로 치주낭 기저부를 치은외면에 표시할 필요는 없으며, 판막을 변위시키므로 치간부 적합이 요구되지 않아 과도하게 유두부를 강조하면서 scalloping할 필요도 없다(그림 32-19A, B-3).

② 수직절개

치은점막경계(mucogingival junction, MGJ) 내로 수직절개를 시행한 후 전층판막을 형성하고자 한다면 골막기자를 사용하여 둔개방식으로 거상하고, 분할층판막의 형성이 목적이라면 외과용 수술도를 이용하여 예개방식으로 거상한다(그림 32-25A).

③ 염증 및 육아조직제거

열구내절개 후 판막을 거상하며 치간절개를 시행한 후 치주낭벽을 포함하는 조직편을 제거한다(그림 32-25B).

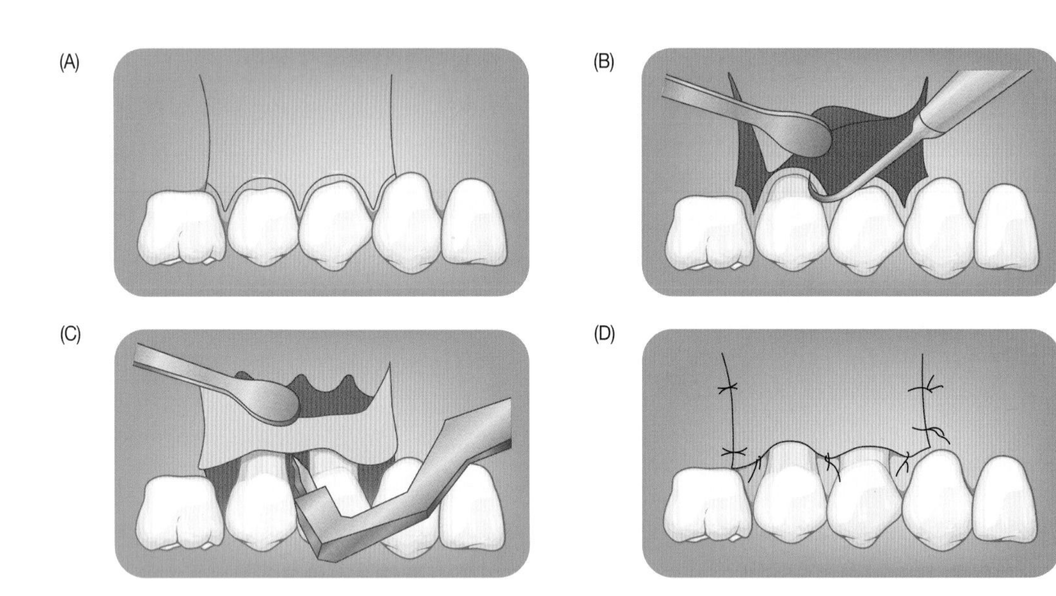

그림 32-25. 근단변위판막술의 시술과정

④ **병소세정**

육아조직을 제거한 후 치석제거 및 치근활택술을 시행하고 필요한 경우 골수술을 행한다(그림 32-25C).

⑤ **판막변위 봉합 및 포대부착**

MGJ 내로 수직절개를 시행하여 판막이 근단측으로 이동될 수 있게 유동성을 갖도록 해야 한다. 전층판막의 경우 치아 주위에 부유형봉합으로 걸어 판막이 더 근단측으로 가지 않도록 유지하며 포대는 판막이 치관측으로 움직이지 않게 해준다. 분할층판막은 직접결찰이나 고정봉합으로 골막에 봉합하고 박막(foil)을 위치시킨 후 포대를 부착한다(그림 32-25D).

⑥ **관리**

술후 1주에 포대와 봉합을 제거한 다음 1주일간 포대를 재부착한다. Chlorhexidine 구강세정액을 2~3주간 사용하도록 권한다.

4) 재생수술을 위한 판막술

최근에는 재생술식에 골이식이나 차폐막이 이용된다. 치은조직과 유두부가 최대로 유지되어 치주결손부에 위치된 물질들을 피개할 수 있도록 판막설계가 이루어져야 한다. 재생술식에는 유두보전판막술과 전형적 판막술의 두 가지가 활용된다. 최선의 술식은 정상적인 유두가 병소를 피개하는 유두보전판막술이다(그림 32-3).[12,13,27] 치간이 매우 좁아 유두보전판막술이 불가능한 경우 열구내절개를 통한 전형적 판막술이 이용된다(그림 32-2).

(1) 유두보전판막술(Papilla preservation flap)

① 치간유두부를 분할하는 절개를 피하고 치아 주위로 열구내절개를 행한다.

② 보전된 유두는 협측이나 구개측 판막에 포함되게 한다(일반적으로 협측에 포함). 이 경우 구개측이나 설측절개는 구개/설측에 반달형 절개(semilunar incision)를 행하며 치아의 선각부에서 근단측으로 유두정에서 최소한 5 mm 위치에 유두절개를 행한다.

③ Orban knife (치은절제용 수술도)를 이용하여 치간유두 기저부의 1/2~2/3 부위까지 절개를 행한다. 유두는 설측/구개측에서 분리되어 협측판막에 포함되게 한다.

④ 판막조직을 얇게 조정하지 않고 거상한다.

(2) 재생수술을 위한 전형적 판막술

① #12 외과용 수술도를 이용하여 치주낭 기저부에서 치조정 방향으로 조직을 열구내로 절개하여 접촉면 하방 유두를 분할한다. 이때 수술 부위를 잘 피개하도록 가능한 한 많은 조직을 보전하도록 주의한다.

② 판막의 두께를 유지하면서 거상한다. 이때 판막 두께는 이식골이나 차폐막이 노출되지 않고 판막변연이 괴사되지 않도록 잘 유지되어야 한다.

5) 후구치수술 (Distal molar surgery, Distal wedge procedure)

최후방구치 원심측의 치주낭 치료는 상악결절부(maxillary tuberosity)나 하악 구후삼각부(retromolar pad area)에 존재하는 구근상 섬유조직 때문에 복잡해진다. 깊은 수직성 골결손은 흔하게 과도한 섬유성조직의 존재를 동반한다. 이러한 골결손은 매복된 제3대구치를 발거한 후 치유가 불완전하여 야기되는 경우가 빈번하다(그림 32-26). 원심측 치주낭의 제거를 위하여, 치조골 결손이 없고 부착치은이 충분한 상악 최후방구치에서는 치은절제술이 흔히 사용되지만, 부착치은 양이 부족하거나 치조골내 결손을 치료해야 할 경우 판막술을 시행한다.[8,25]

후구치수술은 골내 결손부에 기구도달을 용이하게 하며 부착치은과 점막을 보존하는 시술법이다. 후구치수술에서 절개위치를 결정하는 요인은 병소로의 접근도, 부착치은 양, 치주낭 깊이, 최후방구치 원심면에서 상악결절부나 구후삼각부까지의 거리이다.

(1) 상악구치부

상악결절에는 섬유성 부착치은의 양이 많고 결절부가 후방으로 연장되어 있는 해부형태로 하악보다 시술하기가 용이하다. 그러나 접근도, 치주낭 깊이, 부착치은의 양, 그리고 결절 길이를 고려하여 절개위치를 결정하여야 한다. 부착치은이 좁거나 상악결절부가 급하게 상승하는 경우 처치가 복잡해진다(그림 32-27).

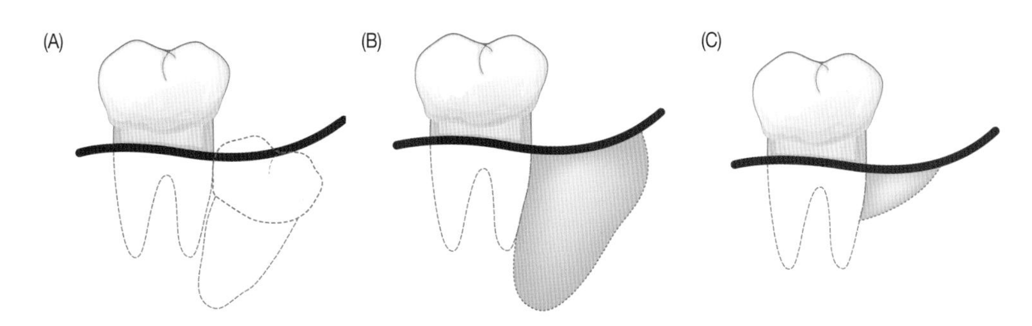

그림 32-26. (A) 제2대구치 원심측에 제3대구치가 매복되어 두 치아 간 치간골이 거의 없다. (B) 제3대구치 발거 후 제2대구치 후방에 골이 없어 치주낭이 초래된다. (C) 이런 경우 제2대구치 후방에 심한 수직성 골결손이 야기된다.

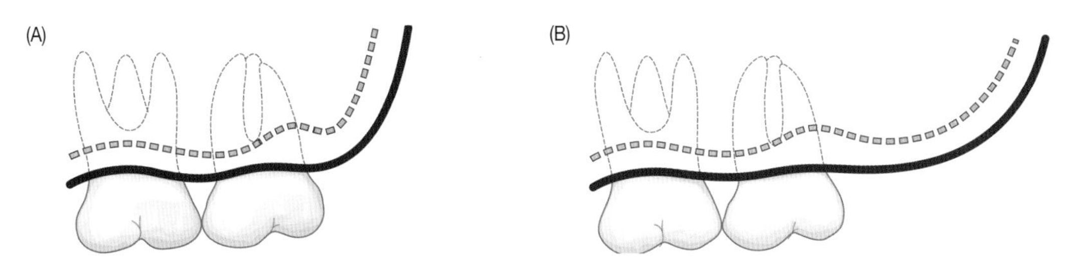

그림 32-27. 상악 최후방구치 후방의 처치

(A) 상악 제2대구치 후방의 치주낭 처치는 부착치은 양이 적은 경우 복잡해진다. 상악결절부가 급히 상승하는 경우 골질을 제거해야 처치하기 쉽다. (B) 부착치은이 충분하고 후방 결절이 근원심으로 길면 치주낭 처치가 용이하다.

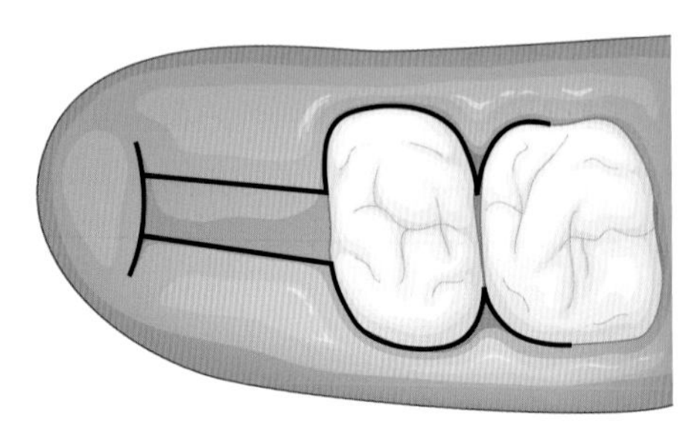

그림 32-28. 상악 제2대구치 후방의 치주낭을 제거하기 위한 전형적 절개방법

① 술식

최후방치아 원심면에서 상악결절 원심부 MGJ까지 두 평행절개선을 연장한다. 두 절개선간 거리는 치주낭 깊이와 섬유성조직의 양에 따른다. 치주낭이 깊을수록 거리는 멀어지며 조직제거 시 판막을 얇게 조절하여 두 판막 변연이 겹치지 않고 새로운 위치에서 잘 밀착시켜야 한다.

치주낭 깊이를 평가하기가 곤란한 경우에는 판막이 모자란 경우보다는 중첩되는 게 낫다. 중첩시킨 후 중첩부분을 잡고 외과용 수술도나 가위로 과도한 양을 잘라낸다. 두 평행절개의 원심측에 횡단절개를 하여 긴 장방형 조직편을 제거할 수 있다. 평행절개의 원심부는 부착치은 내에 위치되어야 하는데 그래야만 치조점막 내로 연장하는 경우 나타나는 출혈이나 판막조작상의 문제를 피할 수 있다. 치아로부터 MGJ까지의 거리가 짧아 접근이 어

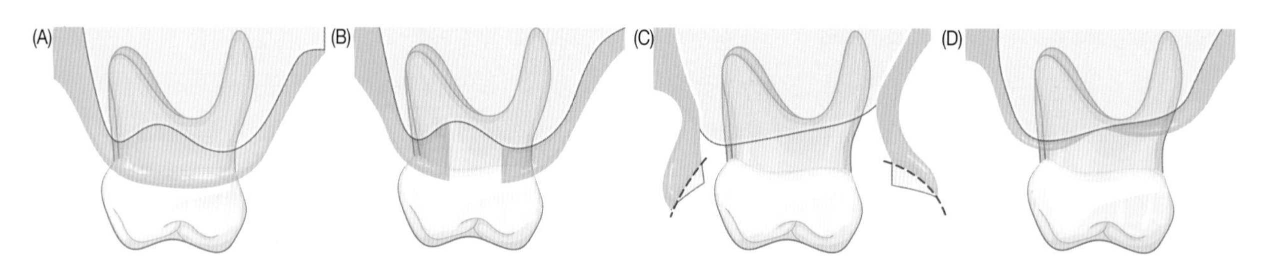

그림 32-29. 제2대구치 후방의 치주낭제거를 위한 절개방법

(A) 처치 전 (B) 두 개의 평행절개 후 중간조직의 절제 (C) 판막을 얇게 조정하고 치조골을 성형 (D) 협측과 구개측 판막의 적합

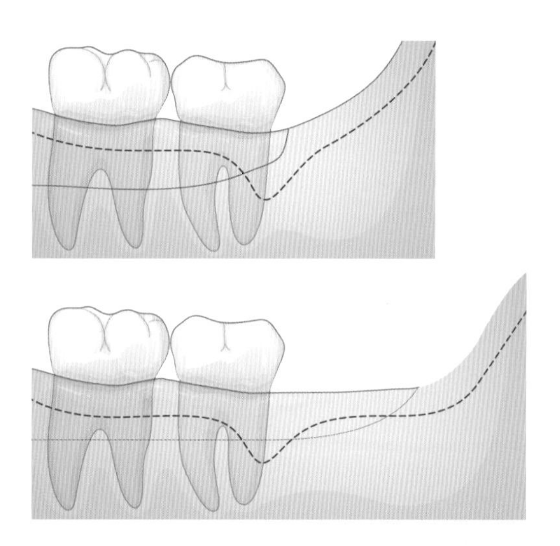

그림 32-30. (A) 부착치은이 거의 없고 하악상승지에 근접한 하악 제2대구치 원심치주낭의 제거는 매우 어렵다. (B) 부착치은과 후방 원심공간이 충분한 하악 제2대구치 원심치주낭의 제거는 용이하다.

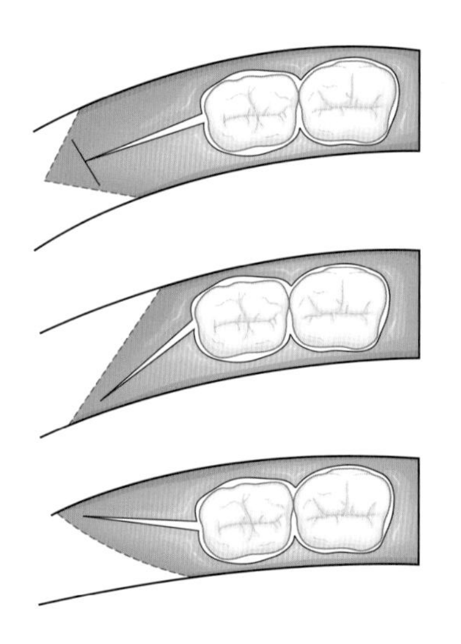

그림 32-31. 하악 제2대구치 원심부에서의 외과적 시술을 위한 절개선의 설계. 부착치은과 하부 치조골이 충분한 쪽으로 절개선을 둔다.

려우면 두 평행절개의 원심측에 수직절개를 둘 수 있다.

상악결절부 처치 시 두 원심절개를 결절부 중간에 둔다(그림 32-28). 절개 시 #12B 수술도를 이용하며 판막거상 후 하방의 과도한 조직을 절제하는 것이 더 쉽다. 원심측 판막을 골면에 적합시킬 때 두 판막변연을 접합시킨다(그림 32-29).

(2) 하악구치부

해부형태와 조직소견이 다른 하악에서의 절개는 상악결절과는 상이하다. 하악 구후삼각부에는 대개 섬유성 부착치은이 없으며, 존재한다 해도 부착치은이 치아에 원심측 치조골능에 있지 않고 원심의 설측이나 협측에 있다. 그리고 하악 상승지로 인하여 최후방치아 원심부 수평거리가 짧으면 깊은 원심측 치주낭을 처치하는데 어려움이 있다(그림 32-30).

절개선은 부착치은이 많은 방향으로 향하게 하며(그림 32-31) 판막을 완전히 거상하기 전에 #15 수술도로 얇게 판막두께를 조정해둔다. 판막을 거상하여 과도한 판막조직을 절제해낸 다음 필요한 골수술을 행하고 상악결절에서와 같은 방법으로 판막변연을 적합시킨다.

참고문헌

1. 강창권, 손성희. 치은판막술에 있어 치간골노출 및 치간피개시의 임상적 비교연구. 대한치주과학회지 1982;12:69-78.
2. 박중호, 류선열. 치주수술시 절개방법이 치주상피제거에 미치는 영향에 관한 연구. 대한치주과학회지 1986;16:97-116.
3. 배상렬, 박진우, 서조영, 이재목. 치주판막술에 의해 치료된 골연하 결손부의 장기적 방사선학적 변화 양상의 관찰. 대한치주과학회지 2008;38: 429-436.
4. 장용성, 황광세. 치주판막술 후의 치유에 관한 임상적 연구. 대한치주과학회지 1982;12:189-200.
5. 최광춘. Partial thickness flap과 전층판막시의 치유과정에 관한 광학 및 전자 현미경적 연구. 대한치주과학회지 1980;10:10-18.
6. Ainamo A, Bergenholtz A, Hugoson A, Ainamo J. Location of the mucogingival junction 18 years after apically repositioned flap surgery. J Clin Periodontol 1992;19:49-52.
7. Beube FE. Interdental tissue resection: an experimental study of a surgical technique which aids in repair of the periodontal tissues to their original contour and function Oral Surg Oral Med Oral Pathol 1947;33:497-504.
8. Braden BE. Deep distal pocket adjacent to terminal teeth. Dent Clin North Am 1969;13:161-168.
9. Caffesse RG, Ramfjord SP, Nasjleti CE. Reverse bevel periodontal flaps in monkeys. J Periodontol 1968;39:219-235.
10. Caffesse RG. Longitudinal evaluation of periodontal surgery. Dent Clin Nor Am 1980;24:751-766.
11. Carranza Jr FA, Carraro JJ. Effect of removal of periosteum on postoperative result of mucogingival surgery. J Periodontol 1963;34:223.
12. Cortellini P, Pini Prato G, Tonetti M. The modified papilla preservation technique. A new surgical approach for interproximal regenerative procedures. J Periodontol 1995:66:261-266.
13. Cortellini P, Pini Prato G, Tonetti M. The simplified papilla preservation flap. A novel surgical approach for the management of soft tissues in regenerative procedures. Int J Periodonti Restor Dent 1999:19:589-599.
14. Dahlberg WH. Incisions and suturing: some basic considerations about each in periodontal flap surgery Dent Clin North Am 1969;13:149-159
15. Friedman N. Mucogingival surgery. The apically positioned flap. J Periodontol 1962;33:328.
16. Lobene RR, Glickman I. The response of alveolar bone to grinding with rotary stones J Periodontol 1963;34:105.
17. Matelski DE, Hurt WC. The corrective phase: the modified Widman flap. In: Hurt WC, ed. Periodontics in general practice. Springfield,Ill: Charles C Thomas; 1976.
18. Matherson DG. An evaluation of healing following periodontal osseous surgery in monkeys Int J Periodont Restor Dent 1988;8:8-39.
19. Morris ML. The unrepositioned mucoperiosteal flap. Periodontics 1965;3:147- 151.

20. Nabers CL. Repositioning the attached gingiva. J Periodontol 1954;25:38–39.
21. Prichard JF. Present state of the interdental denudation procedure. J Periodontol 1977;48:566–569.
22. Ratcliff PA, Raust GT. Interproximal denudation: a conservative approach to osseous surgery. Dent Clin North Am 1964;8:121.
23. Ramfjord SP. Present status of the modified Widman flap procedure J Periodontol 1977;48:558–565.
24. Ramfjord SP, Nossle RR. The modified Widman flap. J Periodontol 1974;45:601–607.
25. Robinson RE. The distal wedge operation. Periodontics 1966;4:256–264.
26. Staffileno H, Wentz FE, Orban BJ. Histologic study of healing of split thickness flap surgery in dogs. J Periodontol 1962;33:56–69.
27. Takei HH, Han TJ, Carranza FA Jr, Kenney EB, Lekovic V. Flap technique for periodontal bone implants. Papilla preservation technique. J Periodontol 1985;56:204–210.
28. Widman L. The operative treatment of pyorrhea alveolaris. A new surgical method. Svensk Tandlakaretidskrift.(Reviewed in British Dent J 1920;1:293).
29. Wilderman MN. Exposure of bone in periodontal surgery Dent Clin North Am 1964;8:23.
30. Wilderman MN, Pennel BM, King K, et al. Histogenesis of repair following osseous surgery J Periodontol 1970;41:551–565.
31. Wood DL, Hoag PM, Donnenfeld OW, Rosenfeld LD. Alveolar crest reduction following full and partial thickness flaps. J Periodontol 1972;42:141–144.

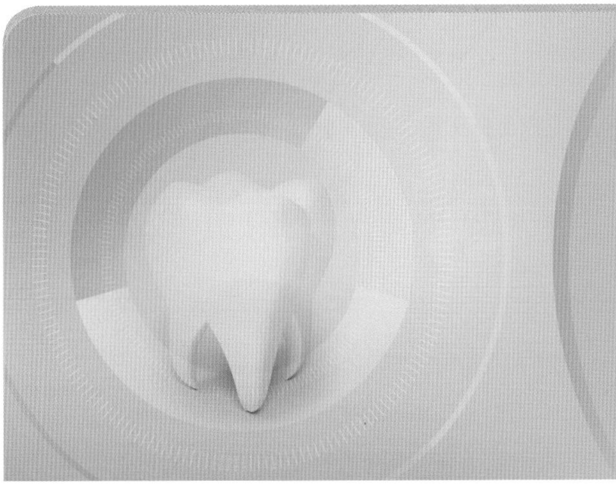

CHAPTER 33

삭제형 골수술

김영준

치주질환이 중증으로 진행되면 치조골의 파괴는 피할 수 없으며 치아를 구강 내에서 장기간 유지하는 데는 무엇보다도 파괴된 골조직의 회복이 중요함은 말할 나위가 없다. 치조골 파괴는 그 형태에 따라 수평적 파괴와 수직적 파괴로 구분할 수 있다.

치조골 정형술(整形術)의 개념은 단순히 세균에 감염되었거나 괴사된 골조직을 제거한다는 의미와 형성된 치주낭을 제거한다는 생각으로 시행되었으나, 현재에는 시술 후 재발예방의 목적으로 구강위생청결상태를 보다 용이하게 유지할 수 있도록 생리적인 형태재현까지 고려하게 되었다.[1]

골내낭의 치료방법에는 골 절제술, 골 성형술, 골 이식술 등이 있으며, 이를 총칭하여 치조골 정형술이라 한다. 변형된 치조골이 인접 골조직과 조화를 이루도록 치조골을 제거하는 삭제형 골수술과 소실된 골조직을 재형성하고자 하는 재생형 골 수술로 구분하며 절제형 수술은 거의 대부분 골 성형술과 동시에 시술된다.

1. 치조골의 진단

1) 이상적인 치조골 형태

치조골은 상하악골의 말단부로 치아를 둘러싸고 교합력에 대해 지지하는 골조직이며, 아래의 형태를 지니고 있는 것이 이상적이다.

① 치간부 치조정(alveolar crest)이 협측 및 설측보다 치관쪽에 위치하는 즉 양형골(positive bone shape)이어야 한다(그림 33-1).

② 치조정(alveolar crest)의 연장선은 백악법랑경계의 가상 연장선과 평행해야 한다. 전치부와 소구치부위의 치조골변연은 백악 법랑 경계부 외형에 따라 만곡되어 있고 구치부는 비교적 편평하다(그림 33-2).

③ 치조골의 두께는 협설측으로 치관측의 치조골 변연은 얇고(0.5~1.0 mm) 치근중앙부를 지나 근첨단부로 갈수록 점차 두꺼워진다(그림 33-3).

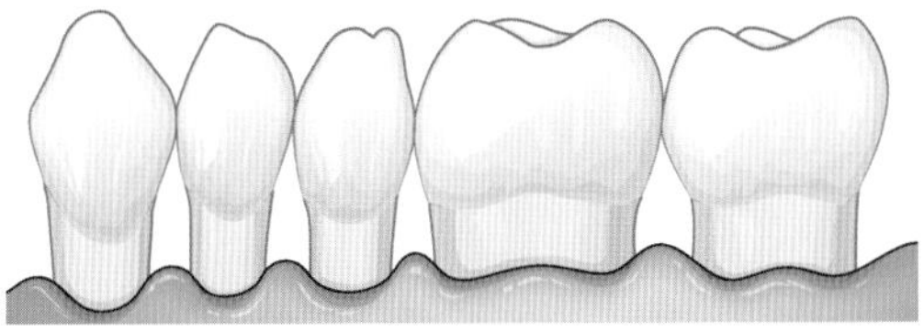

그림 33-1. 치조정의 양형 상태

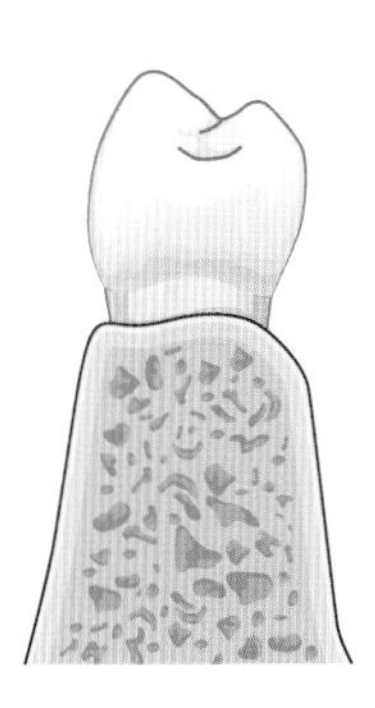

그림 33-2. 치조골 변연과 백악법랑질 경계부의 관계

④ 교합면측에서 관찰할 때 치간부 치조골은 치근의 외형에 따라 만곡되기 때문에 전체적으로는 구(groove)의 형태를 보이며 특히 상하악구치부는 이개부에도 함몰형태로 되어 있다(그림 33-4).

⑤ 각 치아에 따른 골 형태의 특징

전치부는 치간면(interdental surface)의 경부(cervical area)가 더욱 풍융하여 치간골은 원추모양의 형태를 보이며, 소구치에서는 경부가 전치부만큼 풍융하지는 않으며 치간골도 원추형태가 비교적 심하지 않다. 구치부에서는 경부의 풍융성이 미약하여 치간골이 편평하고, 말안장 형태를 나타낸다.

2) 치조골의 형태이상

(1) 잔존 골벽수에 의한 분류[2]

① **3벽성 치조골**: 파괴된 골 결손부 모양이 3면의 골벽으로 이루어진 형태

② **2벽성 치조골**: 파괴된 골 결손부 모양이 2면의 골벽으로 이루어진 형태

③ **1벽성 치조골**: 파괴된 골 결손부 모양이 1면의 골벽으로 이루어진 형태

④ **복합성 치조골**: ①, ②, ③의 형태가 혼합된 것을 의미한다.

(2) 치조골의 형태이상

① **선반골(Bone Ledge)과 치조골 변연 비후**

치은의 염증이 미처치된 상태로 장기화되었을 때 하방 치조골은 대개 수평적 골 파괴 양상을 이루어 시상면(sagittal plane)으로 보았을 때 각 치아별로는 선반형태를 나타낸다. 또한 경우에 따라 변연골이 비후된 양상이 나타나기도 한다(그림 33-5).

② **음형골(Negative bone shape)**

치간부의 치조정이 협설측의 치조골의 높이보다 치관쪽에 만곡되며 위치하는 것이 정상이나 그 반대의 형태를

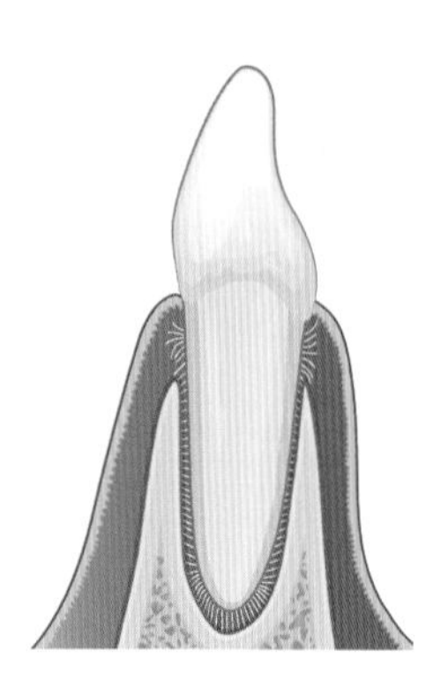

그림 33-3. 치조골 변연은 얇고 근단을 향할수록 점차 두꺼워진다.

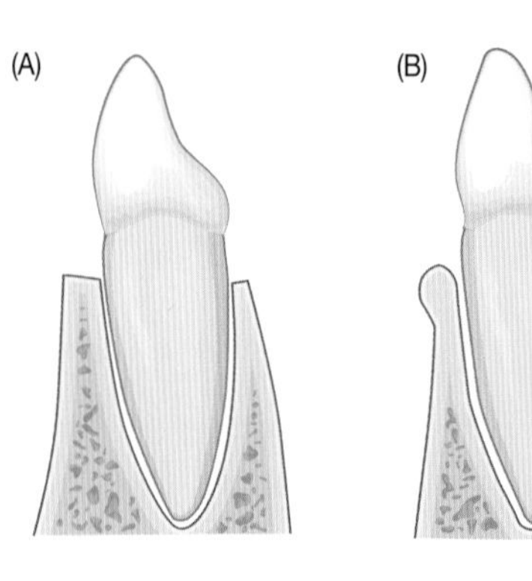

그림 33-5. (A) 선반골 (B) 치조골 변연 비후

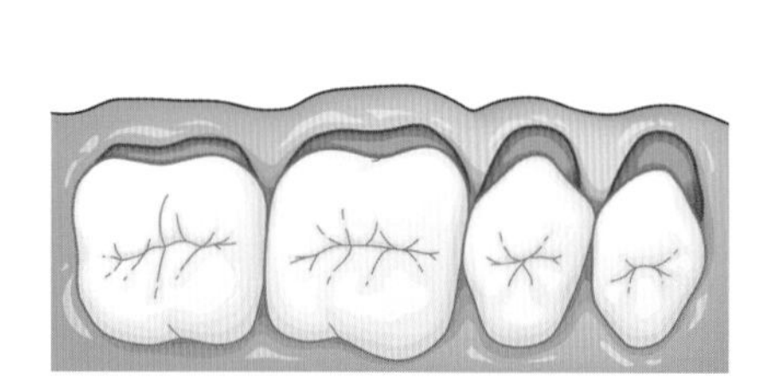

그림 33-4. 치근 형태에 따른 치조골의 외형

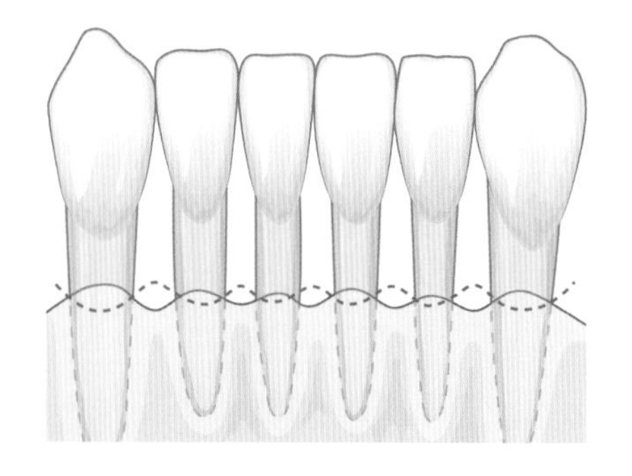

그림 33-6. 양형골(점선)과 음형골(연속선)

나타내는 경우 이를 음형골이라 한다. 이는 치간부에서의 염증발생빈도가 협설부보다 높기 때문에 야기된다(그림 33-6).[3]

③ **골융기(Torus)**

골융기는 상악 구개부 정중선과 하악의 설측에 빈발한다. 원인은 불명이나 유전적인 요소가 있을 것으로 추정되며 필요에 의해서만 외과적으로 제거한다(그림 33-7).

④ **다발 돌출골(Multiple exostosis)**

이는 골융기보다 발생빈도가 낮게 나타나고 상악구치부에서 협점막 하방에 빈발하며 원인불명이다. 가끔 보철물 장착에 장애요인이 되기도 한다(그림 33-8).

⑤ **분화구양 치조골(Osseous crater)**

치간골에서 협설측 골벽으로 인해 발생된 분화구모양의 골파괴 양상이다. 구치부에서의 발생빈도가 전치부보다 2배 정도 높다(그림 33-9).

⑥ **일, 이, 삼벽성 골내낭(One, two, three wall pocket)**

골 결손부가 1개 혹은 2, 3개의 골벽으로 이루어진 골파괴 양상이다(그림 33-10).

⑦ **편중격(Hemiseptum)**

인접치아는 치조골로 둘러싸이고 다른 치아에서는 치조골이 완전히 소실되어 수직형으로 파괴되는 골 파괴 양상 중 하나이다(그림 33-11).

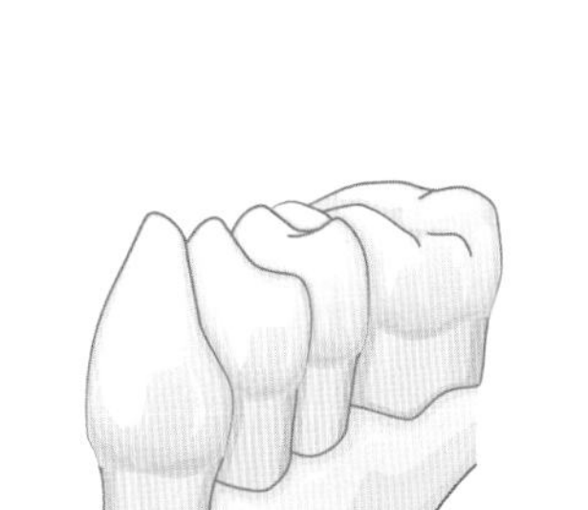

그림 33-7. 골융기(torus)

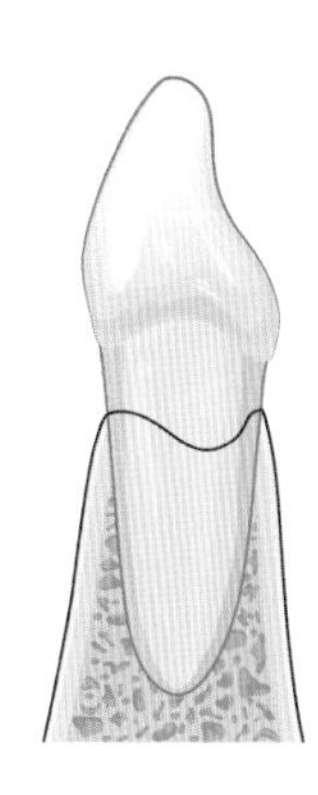

그림 33-9. 분화구양 치조골

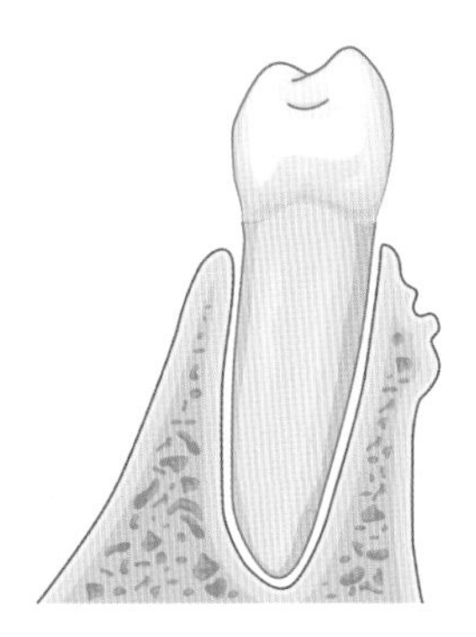

그림 33-8. 돌출골(exostosis)

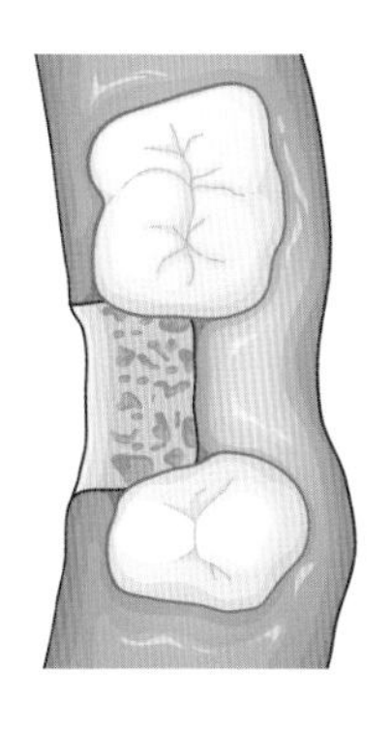

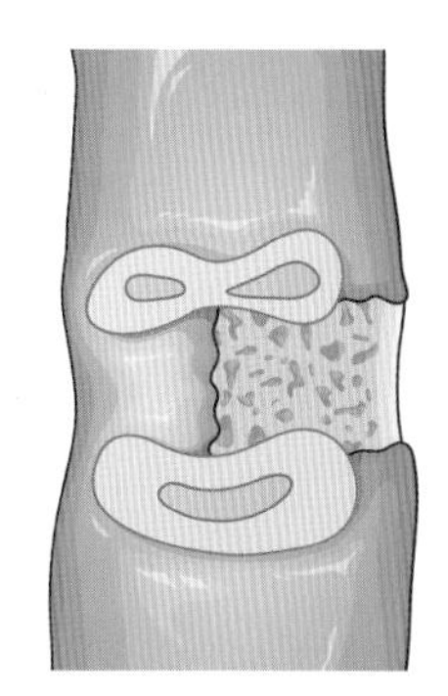

그림 33-10. 일벽성 골내낭

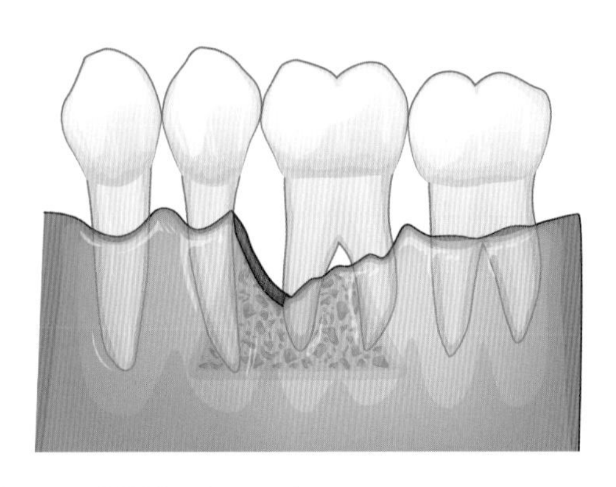

그림 33-11. 편중격(hemiseptum)

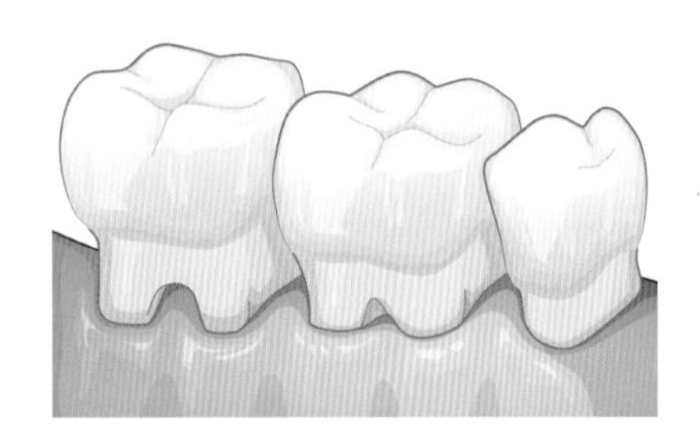

그림 33-12. 치근이개부병소(Class Ⅰ·Ⅱ)

⑧ Ⅰ, Ⅱ급 이개부 병변 (Class Ⅰ, Ⅱ furcation involvement)

치조골의 파괴가 치근이개부까지 연장되어 Glickman 씨 분류 I, Ⅱ급 정도의 치조골 파괴가 된 경우이다(그림 33-12).

⑨ 편평골(Flat architecture)

치은염증이 전 구강에 확산되어 하방 치조골의 고저가 없이 편평한 양상으로 파괴된 치조골이다(그림 33-13).

3) 골 형태에 영향을 주는 요인

염증의 진행과정에서 궁극적으로 잔존 치조골의 형태가 결정되는 것에는 이전에 존재하던 골조직의 형태, 음식물 압입, 파괴되는 골조직을 보상하려는 골 성장, 해부학적 치관의 형태의 다양성, 치근의 형태와 위치, 치조골의 두께 등 여러 가지 요인들이 복합적으로 작용한다.

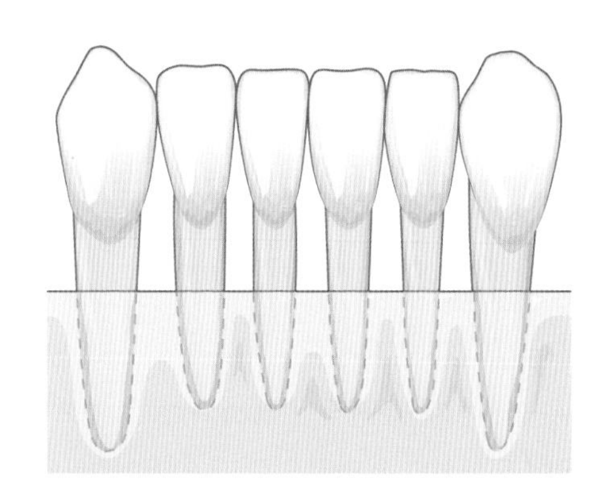

그림 33-13. 편평골

특히 치근의 외형과 위치는 많은 영향을 미친다. 치근의 해부학적 형태는 치주질환에 직접적인 효과를 가지며 치료방법 선택에 영향을 미친다. 치근면 함요부는 환자에게 적절한 구강위생 관리와 치태조절을 어렵게 하며, 지대치 형성을 복잡하게 하고 치수 질환, 치아 파절, 천공 등을 유발시킨다.

다음은 다른 치아들과는 달리 치주질환의 진행에 악영향을 줄 수 있는 해부학적 구조물을 가진 몇몇 치아들의 치근의 특징적 형태이다.

(1) 상악 제1소구치

55% 정도에서 두 개의 치근을 가지며, 치근 중간부에서 치근 분지부가 시작되며 이개부가 질환에 이환된 경우 예후가 좋지 않다. 치근 근심 몸통(trunk) 홈이 질환에 이환된 경우 치태조절을 어렵게 하며 치주질환을 진행시켜 이개부와 견치 원심부를 쉽게 질환에 이환시킬 수 있다. 40% 정도가 단근치를 가지고 있는데 인접면 중간부에서 근첨단까지 연장되는 깊은 발육상의 함몰(depression)이 이환되면 치주질환이 더욱 촉진된다.

(2) 하악 제1소구치

근심면 백악법랑경계부에서 구벽(fluting)으로 시작하여 하방으로 이동하면서 함몰부가 깊어진다. 이것이 치료와 치태조절을 어렵게 한다.

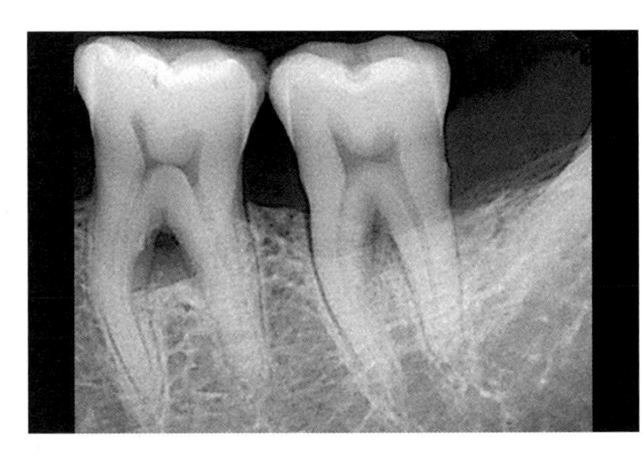

그림 33-14. 방사선 사진을 이용한 치조골 파괴 양상 관찰

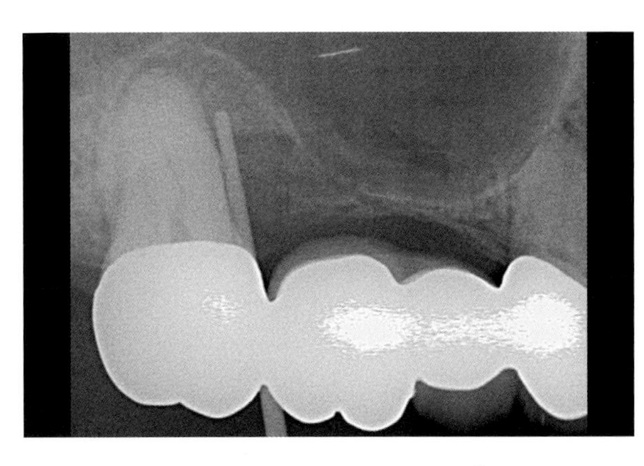

그림 33-15. Gutter percha cone을 이용한 치주낭 측정

(3) 상악 측절치

2% 정도에서 구개-치은구(palatogingival groove)가 발달되어 있으며 질환의 진행에 큰 요인이 된다.

부가적으로 골질환의 형태와 위치에 영향을 주는 해부학적 요소로는 외사주능(external oblique ridge), mylohyoid ridge, 치조정 상의 돌출골 등이 있다.

4) 치조골 형태이상의 진단법

(1) 방사선학적 검사(Radiographic examination)

치조골 파괴 양상을 가장 쉽게 알 수 있는 방법은 방사선 사진으로 이는 수평적 골소실량과 근원심면의 상태는 측정할 수 있으나 결손부의 골벽수를 알 수 없고 협설측의 위치판단에 어려운 점이 있다(그림 33-14). 이런 경우는 치주낭 속에 gutta percha cone이나 치주낭 측정기를 삽입하여 수평각의 변화를 주어 방사선 사진을 촬영하면 정확히 알 수 있다(그림 33-15).

방사선학적 검사는 치조골의 양과 형태를 측정하는데 필수적이기는 하지만 방사선학적 검사 자체로만은 완전한 자료를 제공할 수는 없다. 따라서 정확한 검사법은 임상적 양상, 치주낭 측정, 그리고 방사선학적인 검사결과를 종합하여 판정하는 것이 바람직하다.[4]

(2) 임상적 검사(Clinical examination)

치주낭 측정기로 탐침 시 파괴된 치조골의 이환면의 수와 그 깊이를 측정할 수 있으며 이때 치주조직 파괴 원인 중 하나인 치근면에 부착된 치석의 존재도 확인할 수 있다. 또한 연조직을 촉진하여 간접적인 골 파괴 양상을 알 수도 있으나 정확하지는 않다.[5]

(3) 치은관통 탐침 (Transgingival probing, Bone sounding)

이 방법은 수술 바로 직전에 시행되며 마취된 상태에서 치주낭 측정기를 이용하여 수평방향으로 치은에 자입하여 닿게 되는 부위에서 인지되는 정도로 치조골과 치근면을 구별하는 방법이다(그림 33-16). 그러나 가장 정확한 방법은 치은박리 소파술의 목적 중의 하나인 직접 육안으로 확인하는 것이다.[6]

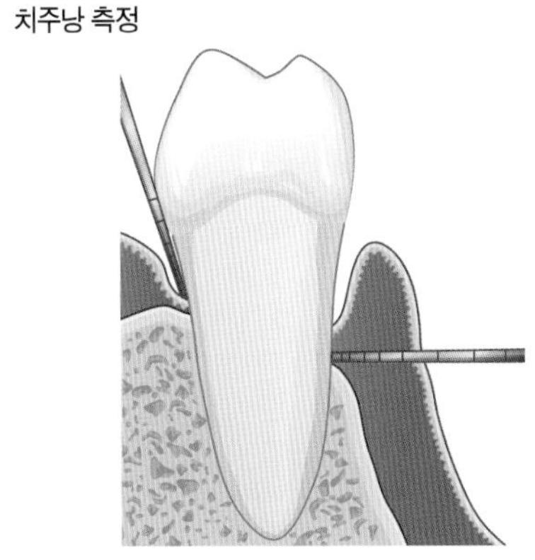

치주낭 측정

치은관통 탐침

그림 33-16. 치은관통탐침(Transgingival probing)

2. 치조골 외과적 처치의 금기증 (국소적 금기증)

전신적 금기증은 치과영역에서 일반적인 외과적 처치의 금기증과 유사하며 특별히 구강내 요인으로는 해부학적 인자들을 고려해야 한다. 즉 명확한 외사주능, 상악동 등이 고려되어야 하고 인접 다근치의 근첨단부까지 이환된 경우, 인접치아 사이에 치근이 너무 근접하여 치간골이 부족한 경우, 치아 우식증 발병률이 높은 환자와 치경부 지각과민증이 있는 경우, 시술 후 심미적인 문제가 야기되는 경우, 진행성 치주염인 경우 그리고 시술 후 치아의 지지가 약해지는 경우를 들 수 있다.[7,8]

3. 치조골 수술 시에 사용되는 기구

치조골 수술 시에 사용되는 기구들은 일반적인 치주수술 시에 필요한 모든 기구들이 소요되며 술자에 따라 특별하게 고안된 기구들이 이용되기도 한다. 치조골 수술 시에 요구되는 기구들은 아래와 같다.

- 골 겸자(bone rongeur) (그림 33-17A)
- Carbide round Bur(# 6, 8)(그림 33-17B) 및 diamond bur(그림 33-17C)
- Bone file–Schluger, Sugarman(그림 33-17D)
- Bone chisel–Back–action, Ochsenbein(그림 33-17E)
- Bone trephine bur(그림 33-17F)
- Amalgam carrier

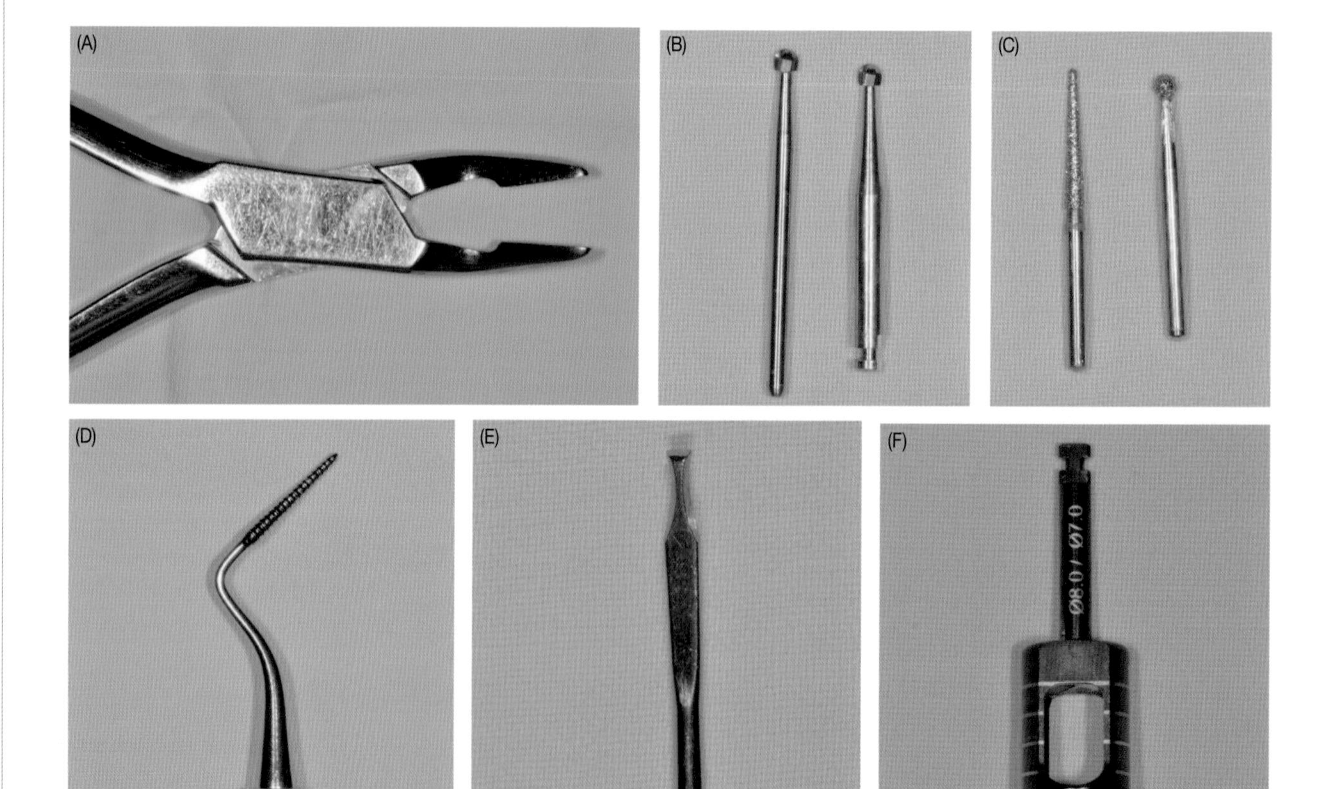

그림 33-17. 치조골 수술 시에 사용되는 기구
(A) 골 겸자(bone rongeur) (B) Carbidge round bur (C)Diamond bur (D) Bone file (E) Micro bone chisel (F) Bone trephine bur

4. 삭제형 골수술 (Osseous resective surgery)

감염 혹은 괴사된 조직을 제거함은 물론 생리학적 치조골의 형태 재현을 목적으로 하며, 치조골의 외과적 처치를 위해서는 필수적으로 전층 판막수술, 내사면 절개, 골점막 판막형성을 수반해야 하며 시술은 치조골 성형술(osteoplasty)과 치조골 절제술(ostectomy)로 구분할 수 있다.[9]

치조골 성형술은 골융기, 돌출골, 비후된 골변연, 둔화된 치간골, 경사진 하악 대구치 그리고 얕게 형성된 분화구양 치조골 등이 존재하는 부위의 치주낭을 위해 골 외형을 수정하거나 생리적인 치은구조를 재현하기 위해 비지지골(non-supporting bone)을 성형하는 술식을 의미한다.

치조골 성형술에 해당되는 술식으로는 골구형성(grooving)과 치근부 혼화(radicular bone blending)가 있다. 또한 골 절제술은 형태이상의 골조직을 제거하기 위하여 치근골(radicular)이나 치근간 지지골(interradicular supporting bone)을 제거하는 술식을 의미하며 적응이 되는 경우는 분화구양 골형태, 골내낭 결손, 편중격, 분지부 병변 등을 수정하고자 할 때 사용되며 술식으로는 구상형성(spheroiding or parabolizing)이 있다.

치조골 절제술은 치주낭을 제거하기 위하여 치조골을 삭제하는 술식으로 종종 인접치의 지지골까지 삭제해야 하므로 골 결손부를 수술할 때는 신중히 생각해야 한다.

삭제형 골수술은 치조골 성형술과 치조골 절제술로 나누어 생각할 수 있으나 대부분의 임상 시술에서는 연결하여 사용하고 있다.

적응증으로, 경증, 중등도 골 연하 결손이 존재하는 경우, 비심미적인 치은형태, 보철수복을 용이하게 하기 위해, 구강 청결 유지가 용이하게 하기 위해 주로 이용된다. 이 술식은 치주낭 감소, 치은보존, 노출된 치근면 재 검사 용이, 보존, 보철적 수복처치가 용이하다는 장점이 있으나 섬세한 기술이 요구되며, 비심미적, 혹은 과량의 부착소실이 유발될 수 있는 단점이 있다.

1) 삭제형 골수술의 술식

(1) 수직골구 형성(Vertical grooving)

치조골의 두께를 감소시키고 치근에 해당하는 치조골 돌출량을 조절하여 상대적인 외형을 형성하며 어느 정도의 치간면(interproximal surface)의 연속성을 유지하기 위하여 시행된다(그림 33-18A, B). 적응증으로는 대개 비후된 변연골과 얕은 분화구양 파괴(shallow crater formation)가 있는 경우이다. 치근단측의 연장한계는 구강 전정판(vestibular plate)의 가장 뚜렷한 부위의 기저부 까지가 된다. 날카로운 골조직을 가진 경우나 상대적으로 밀접한 치근의 경우에 유효하게 사용될 수 있다.

(2) 치근부 혼화(Radicular blending)

형성된 수직골구들을 서로 자연스럽게 연결하여 치은

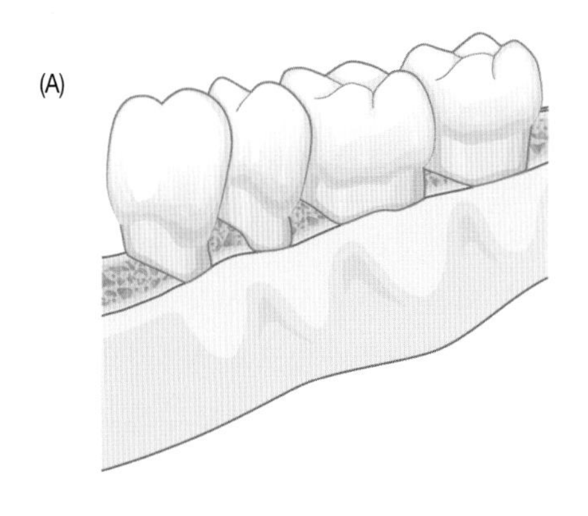

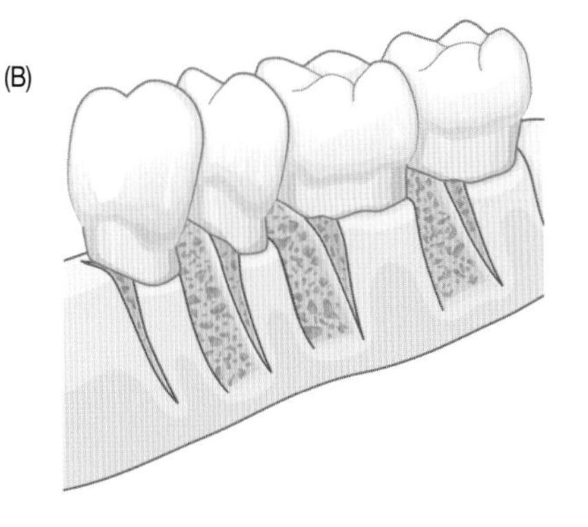

그림 33-18. (A) 절제형 치조골 성형술 시술 전 모습 (B) 수직구 형성

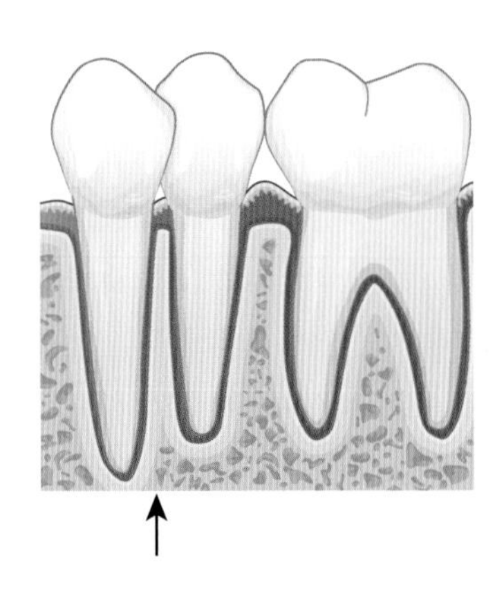

그림 33-19. 치간골이 얇은 경우

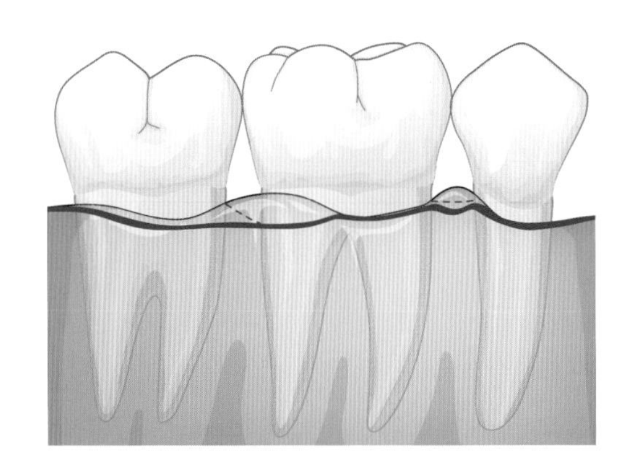

그림 33-20. 굵은선: 치간골 평편화와 후 치조정 치간골

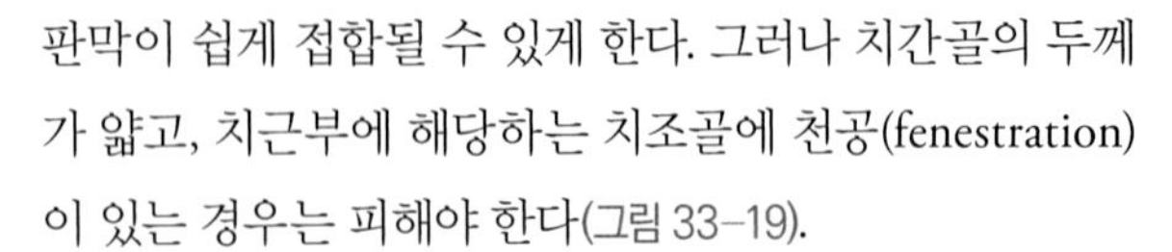

판막이 쉽게 접합될 수 있게 한다. 그러나 치간골의 두께가 얇고, 치근부에 해당하는 치조골에 천공(fenestration)이 있는 경우는 피해야 한다(그림 33-19).

대개 수직골구 형성과 치근부 혼화로 치조골 형태 재형성의 수술은 충분하다. 이러한 시술이 적용되는 경우로는 얕은 분화구양 골파괴가 있는 경우, 변연골이 비후되어 피개된 치은의 형태가 구강위생청결에 방해가 되는 경우와 1급 및 초기 2급 이개부 병변이 있는 경우가 있다.

(3) 치간골 평편화(Flattening interproximal bone)

파괴된 치간골의 위치가 수평적으로 잔존한 경우와 편중격 결손(hemiseptal defects)이 있는 경우에 시행되며 치주낭 기저부가 치근 첨단부 가까이에 존재할 때는 수술할 수 없다(그림 33-20).

(4) 변연골 점진화(Gradualizing marginal bone)

절제형 치조골 정형술의 마지막 단계로 다양한 기구를 사용하여 변연골을 치관측에서 근첨단부로 향해 서서히 두꺼운 모양이 되도록 수정한다. 이 시술도 치근부 치조골의 두께가 충분하지 않을 경우에는 시행할 수 없다.[10]

2) 무치조능선의 치료

(1) 목적

무치조능과 인접한 치아의 치주낭을 제거하고, 치주낭의 협설측 거리를 감소시키며, 인접치아의 인접면으로 접근함에 따라 무치조능이 점진적으로 거상하여 가공치 설계를 위해 적절한 환경을 제공하고, 치태조절을 용이하게 하기 위하여 시행한다.

(2) 분류(Seibert씨 분류)

① I급: 치관치조단(apicocoronal) 방향으로는 정상인 치조능 고경을 가진 조직에서의 협설측으로의 결손된 경우

② Ⅱ급: 협설측 거리는 정상인 조직에서의 치관치조단(apicocoronal) 방향으로는 결손된 경우

③ Ⅲ급: 협설측 및 치관치조단(apicocoronal) 방향 결손의 혼합형

3) 삭제형 치조골 수술 시 주의사항

① 삭제형 치조골수술을 시행하기 위해서는 전층 판막수술을 해야 한다.

② 판막 부채꼴 절개(scalloping)는 예상되는 최종 골 형태에 따라서 조절하고 건강한 치은외형을 반영하여 절개한다.

③ 가능한 양형골 형태의 결과가 되어야 한다.

④ 고속 회전용 기구 사용 시 발생되는 열로 인하여 치아에 손상을 주지 않도록 특히 주의한다.

⑤ 최종적인 골 형태는 예상할 수 있는 술후 치은 형태와 유사하게 조절한다.[11]

4) 삭제형 치조골 수술 후 치유과정

치조골 수술 후에는 어느 정도의 골 소실이 따르는데 원인으로는 치조골을 삭제한 경우, 시술 후 연조직에 의해 치조골이 불완전히 덮여진 경우, 골조직이 괴사한 경우가 있다. 괴사된 골조직은 주위골수강이나 하버시안계(harversian system) 내에 있던 다능성 간엽세포(pluripotent mesenchymal cell)로부터 분화된 파골세포에 의해 흡수된다.

육아조직은 치근막과 창상부에 접한 고정된 연조직으로 부터 야기되고 시술 골면은 젊고 증식이 왕성한 결합조직에 의해 덮인다. 그러한 육아조직은 생명력이 있는 골이나 치근막으로부터 생겨나고 창상 가장자리 연조직이 흡수하여 괴사골을 흡수한다. 이에 연이어 조골성 활성이 신생골을 형성한다. 골조직의 치유단계는 아래와 같다.

파골 단계(2~10일), 조골 단계(1~4주), 기능회복 단계(1~6 개월)로 대별된다.

① 파골 단계는 파골세포의 분화와 창상부 내 골 흡수를 포함한 급성염증 상태로서, 분할층판막으로 수술한 경우 치조골 손상을 줄일 수 있다. 첫 4~6일까지는 섬유망이 형성되고 교원질로 대치되는 시기이며 1주 내에 상피부착이 일어나고 그 후 약 2주 동안 골 흡수가 진행된다.

② 조골 단계는 3 내지 4주에 재생이 일어나고 흡수된 골은 완전히 회복된다. 골 외형이 약간은 재형성되기도 하고 어느 정도는 새로이 침착되기도 한다.

③ 결합조직의 완전 성숙은 약 6개월이 소요된다. 모든 골 수술에는 항상 어느 정도의 골 소실이 수반되며 그 과정에서 보상적 골 침착이 야기되는 경우 재생단계라 할 수 있다. 그러나 소실된 동일량이 재생되는 것은 아니다. 골 수술 시 치조골이 노출되면 파골단계가 10일 가량 지연되고 연이어 재생 혹은 조골단계는 30일 가량으로 길어진다. 또한 치간부의 골수강은 소실된 골을 회복하는데 필요한 세포성 인자를 제공하는 부위로 치근을 덮는 골이 얇을 경우 치조골이 완전히 소실될 수도 있다.[12]

5) 수술 후 평가

Matherson에 의하면 술후 6개월에서 다음의 결론을 내리고 있다.[13]

(1) 치근골 부위(Radicular area)

① 수술 후 치조정의 위치는 피질골판(cortical plate) 과 고유 치조골 사이의 지지골의 양에 의존한다.

② 외과적으로 재현된 골형태는 치조정의 위치에 상관없이 모든 치근골에서 그대로 유지되었다.

③ 전층 판막의 거상(elevation)과 변위(replacement)는 6개월 후 치조정 위치에 큰 영향을 주지 못한다.

④ 절제의 여부에 관계없이 연조직의 양은 유사하였다.

(2) 치간골 부위(Interdental area)

① 외과적으로 형성된 골형태는 치간부에서도 유지되었다.

② 치간부 골성형은 col에서의 연조직 형태를 변경시키지 않았다.

③ 치간 연조직은 접촉부와 치조돌기 사이에 충분한 양의 인접 공간이 존재할 때 하방 골형태를 반영하였다.

6) 치조골 수술 후 실패원인

주원인으로는 수술 후 치태조절의 실패, 불완전한 치주낭의 제거, 이상적인 골 형태 재현의 실패 등을 들 수 있고 그 외 부적절한 치은판막의 처리, 과도한 외과적 손상으로 인해 부골 형성 혹은 골 흡수 초래, 부적절한 치주 포대의 처리, 얇은 골조직의 노출, 수술 후 감염, 불완전한 치석제거, 치근 우식증이나 치수 문제의 존재 등을 부수적인 요인으로 들 수 있다.[14]

참고문헌

1. Easley J. Methods of determining alveolar osseous form. J Periodontol 1967;38:112.
2. Goldman HM, Cohen DW. The infrabony pocket: classification and treatment. J Periodontol 1958;29:272.
3. Ochsenbein C. A primer for osseous surgery. Int J Periodont Restor Dent 1986;6:9.
4. Dahlberg WH. Incisions and suturing: some basic considerations about each in periodontal surgery. Dent Clin North Am 1969;13:149.
5. Easley J. Methods of determining alveolar osseous form. J Periodontol 1967;38:112.
6. Mealey BL, Beybayer MF, Butzin CA. Use of furcal bone sounding to improve the accuracy of furcation diagnosis. J Periodontol 1994;65:649.
7. Dahlberg WH. Incisions and suturing: some basic considerations about each in periodontal surgery. Dent Clin North Am 1969;13:149.
8. Selipsky HS. Osseous surgery: how much need we compromise?. Dent Clin North Am 1976;20:79.
9. Friedman N. Periodontal osseous surgery: osteoplasty and osteoectomy. J periodontol 1955;26:257.
10. Carranza FA, Glickman's Clinical Periodontology 11th ed.:W.B. Saunder Co. 2011.
11. Schluger S. Osseous resection: a basic principle in periodontal surgery. Oral Surg Oral Med Oral pathol 1949;2:316.
12. Jan Lindhe, Niklaus P. Lang Thorkild Karring. Clinical Periodontology and Implant Dentistry 5th edition Blackwell 2008.
13. Matherson, D. G. and Zander, H. A. Evaluation of osseous srugery in Monkeys. IADR 1963;14:116.
14. Knowles J. Burgett F. Nissle R. Result of periodontal treatment related to pocket depth and attachment level: eight years. J periodontol 1979;50:225.

1. 개요

치주질환은 치태내 치주 병원균에 의한 만성 질환으로서 치아 주위조직의 염증과 부착 상실, 치조골과 결합조직의 상실을 동반한 치주낭 형성을 통해 치주조직 파괴가 수반된다. 치주치료의 중요한 목적 중의 하나는 질환의 진행을 막기 위해 치주낭 깊이를 줄이는 데 있다. 일반적으로, 중등도의 치주염에서는 비외과적인 치주치료가 수행되고, 더 심한 경우, 특히 골내낭이 존재하거나, 치근이개부병소가 있는 경우에는 치주수술을 통해 치료를 진행한다. 치주수술 과정 중 치주낭 부위의 연조직이 제거되고, 또한 경우에 따라 치조골 삭제를 통해 생리적 형태를 얻게 되는데, 이렇게 소실된 연, 경조직은 술후, 심미적, 기능적 문제를 일으킬 수 있다. 이를 극복하기 위해, 치주치료의 궁극적인 목적이라 할 수 있는, 파괴된 치주조직을 원상태로 재건(reconstruction)하고 복원(reconstitution)하려는 재생형 치주수술(regeneative periodontal surgery)에 관심이 높아지고 있다.

이러한 재생 술식으로는 치은박리 소파술 등의 기계적인 치주치료, 차폐막을 사용하는 조직유도재생술(guided tissue regeneration, GTR), 골대체 물질의 이식, 성장인자와 분화인자를 이용한 유도성 조직 재생술 등이 있다. 하지만, 현재까지 알려진 여러 술식과 재료들 모두 아직 제한점이 있으므로, 성공적인 치료를 위해, 각각의 환자에 맞는 다양한 진단과 치료계획이 수립되어져야 할 것이다.

1) 재생형 치료술식의 기본 개념

치주조직의 재생은 소실되거나 손상된 조직의 구조와 기능을 완전히 회복시키는 방식으로 원래대로 재건 및 복원하는 것으로 정의된다. 이는 치주 지지 기반인 치조골이 재형성되면서 이로부터 교원질 섬유가 신생 백악질에 매입되어 완전한 신부착이 형성되는 것을 의미한다. 성공적인 재생의 평가는 치주탐침, 방사선학적 분석, 신생골의 직접적인 측정, 그리고 조직학적 방법을 통해 이루어질 수 있다. 반면, repair는 상피 혹은 결합조직이, 일종의 비기능성의 흉터(scar) 조직과 같은 형태로 손상부위를 채우는 치유 양상을 말한다. 긴 접합상피(long junctional epithelium), 유착(ankylosis), 치은퇴축(gingival recession), 치주낭의 재발 등이 이에 해당한다.

1976년에 Melcher[1]는 치주수술 후 치근표면으로 유입되는 세포의 종류가 부착 형태를 결정한다고 제안했다.

(1) 상피세포

가장 증식 속도가 빠른 세포로서, 치유 초기단계에서 치근면을 따라 치근단 방향으로 증식되어 긴 접합상피(long junctional epithelium)를 형성한다 상피세포 이주는 치주인대 세포가 치근면에 이주하는 것에 비해 빠르게 일어나기 때문에, 신부착 양을 감소시킨다.

(2) 치은결합조직으로부터 유래된 세포

Nyman 등[2]의 실험을 통해, 치은결합조직은 신부착을 형성할 능력을 가진 세포가 없었으며, 치은결합조직을 치근면에 직접 접한 경우, 대부분 치근흡수가 발생하였다.

(3) 골조직으로부터 유래된 세포

Karring 등[3]의 실험에서, 치근활택술을 통해 치주인대를 제거한 치근을 수술적으로 형성한 발치와에 위치시킨 경우, 치근유착과 치근흡수가 발생하였다. 이로써, 골에서 유래된 세포에서는 신부착을 형성할 능력이 부족함을 알 수 있다.

(4) 치주인대로부터 유래된 세포

Karring 등의 실험을 통해, 손상받지 않은 치주인대를 가진 치근을 재식립했을 때 신부착이 일어남을 증명하였다. 이는 치주인대 조직에 신부착을 위한 세포들을 함유하고 있음을 의미한다.

2) 재생형 수술 기법

재생형 치주수술은 비골이식형 신부착술(non-bone graft-associated new attachment)과 골이식형 신부착술(bone graft-associated new attachment)로 세분할 수 있으며 조직유도재생술도 다른 의미로 추가할 수 있다.

모든 술식은 모든 원인인자를 완전히 제거하는 것을 전제 조건으로 한다. 대부분의 술식은 골을 노출시키는 판막 수술을 이용하기 때문에, 적절한 판막 디자인과 절개법을 선택해야 한다. 또한 술후 관리 중 외상성 교합과 같은 유해한 요소들은 사전에 미리 조정이 필요하다. 명확한 근거는 부족하지만, 일반적으로 술후에 전신적 항생제를 투여한다.

3벽성 골내낭 혹은 치근단 병소와 같은 결손부(contained defect)에서는 부가적인 골이식 없이도 원인요소 제거 후 재생이 일어날 수 있다(그림 34-1).[4] 급성 치주농양(acute periodontal abscess)이나 급성 괴사성 병소(acute necrotizing ulcerative lesion)와 같이 질환의 진행이나 파괴 속도가 빠르게 일어난 경우에도, 치료 후 신부착이 더 잘 일어나는 경향이 있다.[5]

3) 골결손부의 분류와 진단

Goldman과 Cohen[6]은 치주조직 골 결손부를 골연상낭(수평적 골결손), 골연하낭(수직적 골결손), 그리고 이개부 결손부로 분류하였다.

골연상낭은 치주낭의 기저가 치조골정보다 치관쪽에 위치하는 것을 의미하며, 골연하낭은 치주낭의 기저가 치조골정보다 근단측에 위치하는 것을 의미한다. 골연하낭은 다시 골내낭과 함몰부로 분류되는데, 골내낭은 다시 잔존골의 형태, 결손부의 폭, 치아를 둘러싼 정도 등에 따라 분류될 수 있다. 골내낭 주변골의 벽수에 따라 3벽성, 2벽성, 1벽성낭으로 분류할 수 있으며, 벽수가 줄어듦에 따라 치

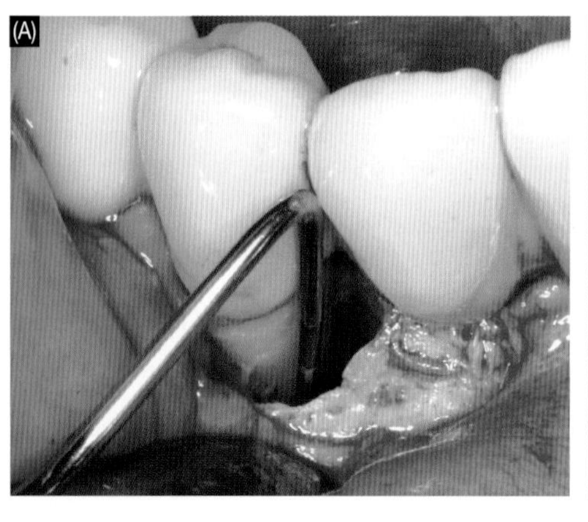

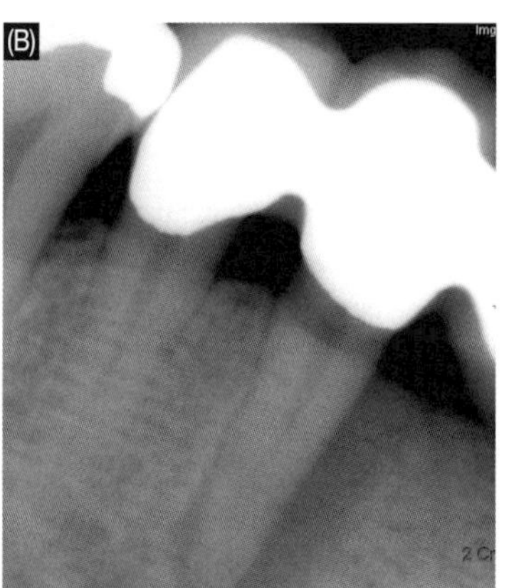

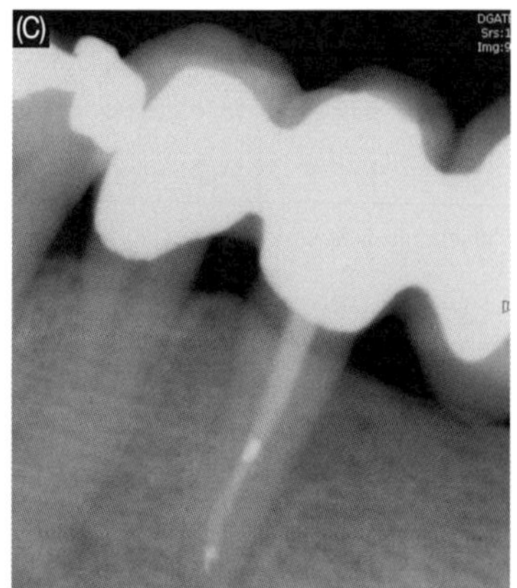

그림 34-1. 치근단-치주 복합병소
주원인이 치수 기원이며 삼벽성 골결손부 형태 (A) 판막거상 후 삼벽성 골 결손부 임상소견 (B) 초진 방사선 소견 (C) 치주수술 및 신경치료하고 4년 후 방사선 소견. 골이식 없이도 치주조직 재생을 보이고 있다.

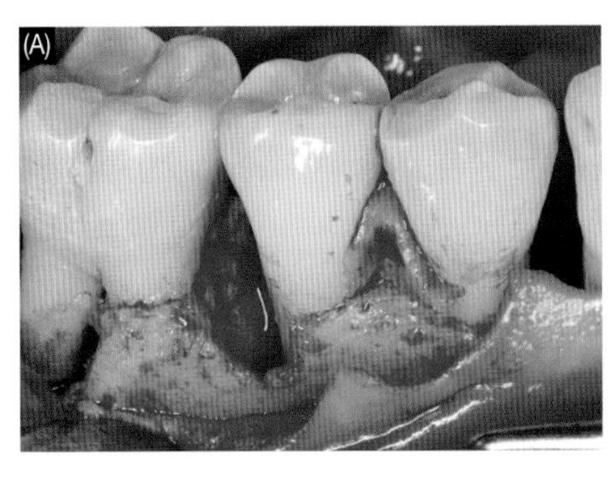

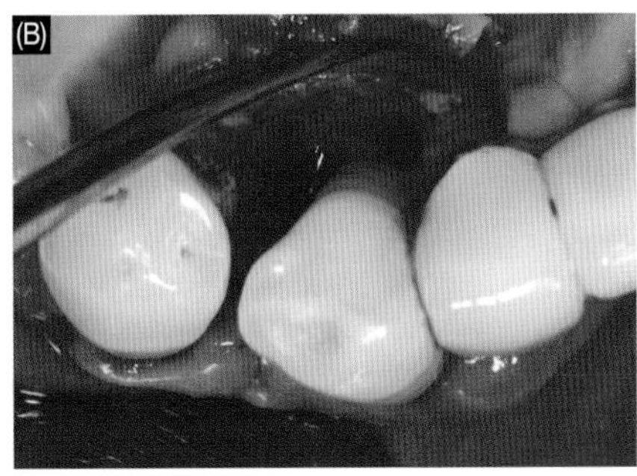

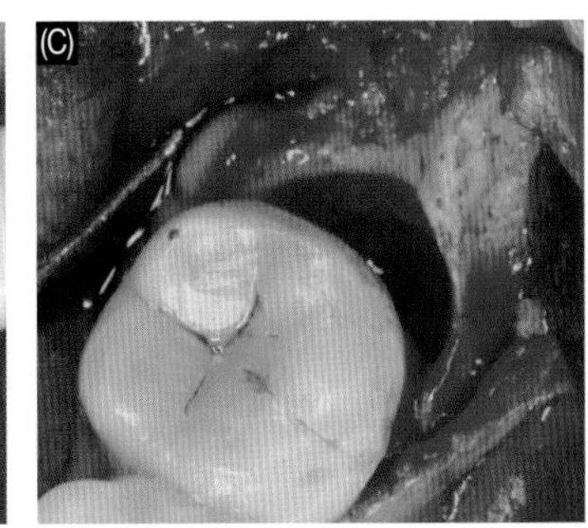

그림 34-2. 치조골 결손부의 분류 (A) 일벽성 (B) 이벽성 (C) 삼벽성 골내낭

료의 예후도 불량해진다(그림 34-2).

4) 적응증

치주질환의 심도가 깊을수록, 치료 후 치은퇴축으로 인한 심미적 문제 및 지각과민증이 심각해진다. 전치부 치주치료의 경우, 이러한 문제를 최소화시키기 위해, 재생형 치주치료가 시도될 수 있다.

다른 적응증으로는, 초기 다근치 이개부 병소의 처치이다. 이개부 이환 시, 술후에도 노출된 이개부의 치태 관리가 어려워 장기적인 예후가 불량할 수 있는데, 재생형 치주수술을 통해 상당히 개선될 수 있다.[7]

또한 좁고, 깊은 수직적 골결손부에서도 재생형 치주수술을 시도할 수 있다.

이외에 환자의 호응도, 경제적 요소, 이식재의 유용성, 골이식의 경험, 환자 선택 등이 고려될 수 있다. 환자는 동기부여가 잘 되어있어야 하고, 치태를 효과적으로 제거할 수 있어야 하며, 치료에 대한 환자의 태도는 긍정적이어야 한다. 환자의 건강, 나이, 감정상태, 흡연 등의 습관, 긴 약속시간에 대한 참을성 등을 고려하여야 한다.

2. 치근표면처치(Root surface conditioning)

치근표면처치(root surface conditioning)는 치주 재생 치료의 한 부분으로서 테트라사이클린이나 구연산 용액을 이용하여 치근표면을 처리하는 술식이 널리 이용되어 왔다.[8,9] 이러한 산 용액의 적용은 치근표면을 해독(detoxifying)함으로써 치근표면을 변화시키는 기능은 물론, 백악질이나 상아질 구조 내의 교원질 섬유를 노출시킴으로써 결합조직의 부착을 용이하게 만드는 부가적인 효과가 있다. 하지만 동물 실험에서는 치근막 산화 탈회 후에 새로운 결합조직의 부착이 나타났으나 사람의 치근막 구연산 산화탈회 실험에서는 결합조직 부착과 재생이 제한적으로만 나타났다.[10] 약산인 EDTA를 이용한 연구에서는 주변 조직에의 유해 작용 없이 교원질 섬유가 노출되고 세포 부착을 증가시키는 결과가 제시되었으나 이 역시 큰 차이를 보이지는 않았다. 결론적으로 여러 종류의 치근표면 처리제를 사용한 연구 결과를 종합해보면, 어떤 치근표면 처리제도 다른 것 보다 더 나은 결과를 보이지 않았고, 임상적으로 구연산, 테트라사이클린, EDTA를 만성 치주염 환자의 치근표면에 사용한 최근 연구에서는 어떤 재료도 임상적으로 유의할 만한 장점을 보이지 못했다.

3. 골이식(Bone graft)

치주질환으로 인하여 파괴된 치주조직의 재생을 위하여 치은소파술, 치은판막술 등 여러 가지 치료방법이 이용되어 왔으나 많은 경우에 있어서 골내낭의 치유에 많은 문제점이 제시되었다. 그리하여 1960년경부터 치조골의 재생과 보다 많은 신생결합조직의 부착을 위하여 이식골을 골내낭에 넣는 골이식술이 이용되어 오기 시작하였다.

Levin[11]은 이상적인 이식재의 구비조건으로 골형성 유도능력, 백악질 재생능력, 상피의 상향부착력, 숙주에 대한 친화성 및 채취의 용이성이 있어야 하고 발암성, 독성, 면역 거부반응과 염증반응 및 환자와 술자에게 불편감이 없어야 한다고 제안하였다. Schallhorn[12]은 이식재료의 선택에 있어서 몇 가지 조건을 내세웠다. 생물학적 적합성, 예측성, 임상적 실행 가능성, 최소한의 수술 위험성 및 후유증 등 여러 가지 조건을 내세웠으나 이상과 같은 모든 조건을 만족시켜주는 이식물질을 찾는다는 것은 어렵다고 하였다.

Ellegaard 등[13-16]과 Nielsen 등[17]은 치조골 결손부에 골이식을 시행했을 때 이식재의 치유 성질을 다음과 같이 분류하였다.

- 골형성능(osteoproliferative, osteogenic): 이식재 내부에 골 형성 세포를 내포하여 신생골을 형성하는 것을 의미한다.
- 골전도능(osteoconductive): 이식재 자체가 골형성을 일으키진 않지만, 골형성을 위한 공간을 만들어 주위골조직으로부터 신생골이 유입될 수 있는 환경을 제공하는 것을 의미한다.
- 골유도능(osteoinductive): 골형성이 이식재 주변의 연조직으로부터 즉시 유도되는 것을 의미한다.

많은 임상적인 시도와 동물 실험에서 치유를 증진하기 위해 치은박리소파술을 시행한 골병소에 여러 종류의 이식물을 넣어 치주 재생술식을 실험하였다. 여러 연구에서 이식을 하지 않은 경우보다 이식한 경우에 더 나은 신부착의 결과가 보고되었다.

치주치료에 사용되어지는 이식재는 다음과 같이 4가지로 분류되며, 이에 대해 자세히 알아보겠다.

1) 자가골 이식(Autogenous bone graft)

(1) 개요

환자의 몸의 일부분에서 얻어온 골을 이용하는 술식이다. 골형성능(osteogenesis)을 지녀 치유가 빠르게 잘 일어나고 항원-항체 반응을 일으키지 않는다는 장점이 있다. 하지만, 골채취를 위해 또 다른 부위에 창상이 형성된다는 점과 부가적 시술로 비용이 증가되며 아울러 골채취량에 있어 제한이 있어 다량의 이식골 채취가 곤란하다는 단점이 있다. 채취부위에 따라서 구강내 자가골과 구강외 자가골로 나눌 수 있다. 주로 치주학 분야에서는 구강내 자가골을 이용하며, 구강외 자가골 이식은 보고된 증례가 드물다.

(2) 구강내 자가골(Bone from Intraoral site)

치유된 발치와(extraction socket), 무치악융선(edentulous ridge), 치근과 상관없는 부위에서 트레핀 버(trephine bur)를 이용하여 채취한 골, 악골내 치근사이, 특별한 목적으로 형성된 신생골, 골절제술이나 골성형술 시 얻어진 골편 등을 이용할 수 있다.[18-21]

① 골응괴(Osseous coagulum)

Robinson[22]이 주장한 골응괴는 구강 내에서 채취한 피질골편을 혈액과 혼합한 것으로 하악 설융기, 외골증, 무치악융선 등에서 채취한다. 이 술식은 이미 노출된 수술부위에서 쉽게 골채취를 할 수 있다는 장점이 있으나 채취할 수 있는 골량이 제한되고 상대적으로 예지성이 낮다는 단점도 있다.[16]

② 골혼합(Bone blend)

골응괴를 만들때 흡입하지 못하는 단점을 보완하기 위해 Diem, Bowers, Moffitt 등[23]이 고안한 방법으로 골수술 시 수집된 피질골과 망상골(cancellous bone)편을 생리식염수와 함께 아말감 혼합기를 이용해 혼합하여 골결손부에 삽입하는 방법이다. 골 채취가 용이하고 동일 시술부에서 시술되어 더 이상의 창상을 만들 필요가 없으며 망상골(cancellous bone)이나 피질골(cortical bone) 모두를 이용할 수 있다. 60초 동안 혼합하게 되며 exostosis같이 골편이 치밀한 경우에는 더 많은 혼합 시간이 요구된다.

③ 구내 망상골수강 이식 (Intraoral cancellous bone marrow transplants)

Hiatt, Schallhorn[24]이 시도한 방법으로 상악결절(tuberosity), 무치악융선(edentulous ridge), 치유된 발치와등에서 curved & cutting rongeur, curette and trephine 등을 이용해서 망상골과 골수강만을 채취하여 이용한 것으로 발치와인 경우 8주 내지 12주간의 치유기간이 필요하며 비교적 높은 골유도 능력이 있다.

④ 골압인(Bone swaging)

Ewen[25]과 Ross 그리고 Malamed와 Amsterdam[26]이 제시한 골압인 혹은 연결형 골이식은 골결손부에 인접한 무치악상의 치조골을 상층부만 박리시키고 하층부는 부착되도록 하여 치근면에 압접함으로써 혈액공급을 원활히 하는 시술이다. 이 술식을 사용하는데는 골결손부에 인접하여 무치악상이 존재해야 하며 골조직의 탄성정도에 따라 영향을 받게되므로 피질골이 아닌 망상골질이 풍부해야 하는 한계성이 있다.

(3) 구강외골(Bone from extraoral site)

① 장골의 자가골이식(Iliac bone autograft)

장골의 망상골수강을 이용하여 골 결손부를 충전하는 술식으로 치조골 결손부를 재생시키는데 가장 높은 성공율을 보이는 술식이지만 Schallhorn 등[27]은 수술 후 감염의 합병증, 다양한 치유속도, 치근의 흡수, 골 결손부의 급속한 재발 등을 관찰 보고하였고 수술비용의 증가와 공급부 조달의 어려움 등 이상적인 적용에 있어서 여러가지 제한점이 있다.

2) 동종골이식(Allograft)

(1) 개요

자가골 이식의 경우 구강내 공급부가 충분하지 못하고 구강외나 구강내 이식재를 얻기 위해 이차적인 외과술식이 필요하다는 단점을 보완하기 위해 종(species)이 같은 타 개체로부터 채취한 동종골 이식이 연구되었다. 그러나 이 방법은 질환을 전염시킬 가능성이 있고 골 은행(bone bank)이 필요하며 신선동종골 이식 후에 면역학적 거부반응을 야기할 가능성이 있다. 이러한 질환 전염의 가능성 및 면역학적 거부현상을 감소하기 위해 γ-ray에 노출시키거나 냉동 혹은 화학 처리를 하는데 이러한 과정은 골 형성 능력을 다소 감퇴시킬 수 있다. 이를 방지하기 위해 Schallhorn과 Hiatt는 1972년 조직 적합성검사(HL-A 항원검사)를 실시하였고 동결 건조하여 이식항원을 제거하는 방법도 개발되어 현재 가장 널리 사용되고 있다.

자가골과는 달리 함유되어있는 골모세포가 없기 때문에 자가골과 같은 골유도성(osteoinduction)에 의한 골형성능(osteogenesis)은 기대할 수 없다. 동종골에 의하여 신생골이 형성되는 것은 골 결손부에 이식되었을 때 인접 조직의 골전구세포를 자극하여 신생골을 형성할 수 있는 골모세포로 성숙될 수 있게 하는 골전도성(osteoconduction)을 발휘하거나 인접 조직의 골세포가 자라 들어올 수 있는 수동적인 기질(passive matrix)의 역할을 하기 때문이다.

동종골 이식에는 골조직 처치과정에 따라 다음과 같이 분류된다.

(2) 동종골의 종류

① 비탈회 냉동 건조 동종골(Undecalcified Freeze-dried Bone Allograft, FDBA)

FDBA를 이용하여 골이식을 시행했을 때, 50~67% 정도의 골충전을 보고하였고, 자가골과 함께 사용했을 때 78%의 골충전을 보고한 바 있다.[28-31]

DFDBA는 골유도능을 가진 것으로 보나, FDBA는 골전도능만 가진 것으로 알려져 있다. 따라서, DFDBA가 선호되어 진다.[32-34]

② 탈회 냉동 건조 동종골 (Decalcified Freeze-dried Bone Allograft, DFDBA)

Urist[35]의 실험에 의해 DFDBA의 골형성능이 알려졌다. 냉각 희석된 염산으로 탈회시킴으로써 골기질 성분을 노출시키는데, 이는 교원질 섬유와 연관이 깊으며, 골형성 단백질(bone morphogenetic proteins, BMPs)로 명명되었다.[36,37]

몇몇 증례보고에서, 골내낭 결손에 DFDBA를 적용 시, 임상적 개선과 골충전을 보고하였다. 조직학적 분석을 통해, 치주인대와 백악질을 포함한 완전한 재생이 일어났으며, 80%의 골충전을 보였다고 보고하였다.[38] 현재 유통되는 DFDBA의 골유도능은 제품에 따라 다양하며, 논란의 여지가 있고, 질병의 전염 가능성 때문에 임상적 어려움이 있다.

3) 이종골 이식(Heterogenous bone graft, Xenogenous bone graft)

(1) 개요

자가골이나 동종골은 골형성능(osteogenic activity)은 우수하나 널리 사용하기에는 여러 가지 문제점이 많았다. 즉, 골채취를 위한 부가적인 수술의 필요성, 시술 후의 합병증 발생, 항원성 문제, 부가적 수술로 인한 부담 가중, 이식골 채취의 제한성, 시술비용의 증대 등 임상에 상용하기에는 많은 어려움이 있었다. 이를 보완하기 위해 동물 특히 소나 송아지의 뼈를 이용하는 이종골 이식이 연구되었다. 이종골 이식은 개체 간에 유전적인 이식항원의 문제점이 있어 많은 연구들은 이종골을 다양하게 처리하여 면역반응을 최소로 경감시키는데 중점을 두었다. 이러한 면역반응에서는 항원, 항체반응에 의한 세포독성항체의 역할이 크다.

(2) 이종골의 종류

① 송아지 골(Calf bone)

1966년 Morgan이 처음으로 사용하였으며 송아지의 뼈를 무균적으로 채취하여 동결 건조시킨 것이다. Kiel Bone은 1972년에 Sigurdson에 의해 처음 소개되었고 소나 송아지 뼈를 채취하여 20% H_2O_2로 변성시키고 acetone으로 건조시켜 ethylene dioxide로 멸균시킨 것이나, 현재 사용되고 있지 않다.

② 우 탈단백 무기질 골 (Anorganic, bovine-derived bone)

현재 치주 및 임플란트 영역에서 가장 많이 사용되고 있는 재료로서, 소의 피질골과 수질골로부터 기인한 골전도성이 있는 다공성의 골 광물기질이다. 골의 유기성분은 제거되고, 골의 구조적 형태와 다공성은 유지된 것이다(그림 34-3).[39,40]

4) 합성골이식(Alloplast or Synthetic graft)

(1) 개요

앞서 설명한 자가골, 동종골 및 이종골은 각각의 단점을 지니고 있으며, 이를 보완하기 위해 이를 대체할 수 있는 이식재가 연구, 개발되어 왔다. 이를 골대체물(bone substitute) 혹은 합성물질(synthetic materials)이라 하고 이들을 총칭하여 합성골(synthetic bone)이라 한다.

몇 가지 합성골 이식재가 임상적 상태를 개선하고, 골내 결손부의 골재생을 위해 사용되었으나, 가장 성공적인 것은 ceramic이었다. Calcium phosphate를 사용한 초기의 연구는 그 부위에서 골형성을 자극한 칼슘 이온의 국소적인 유리에 초점을 맞추었으며, 후에는 tricalcium phosphate와 변형된 형태의 Hydroxyapatite가 연구되었다.

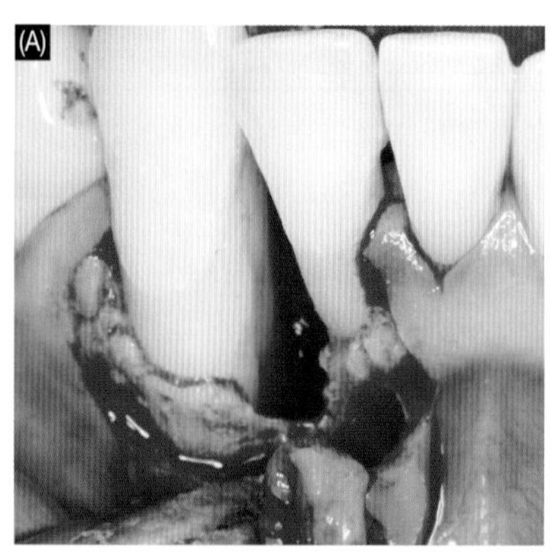

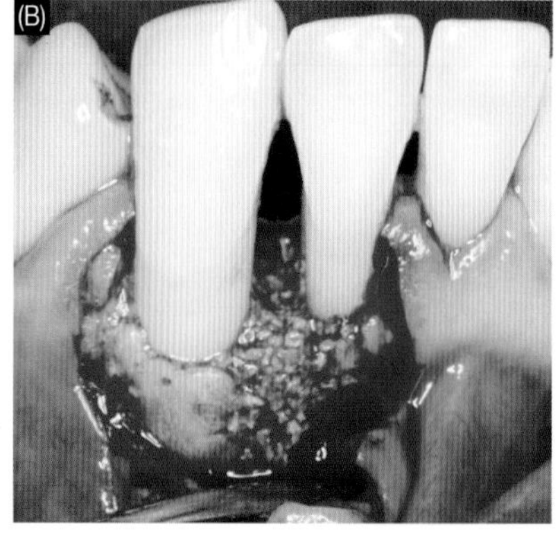

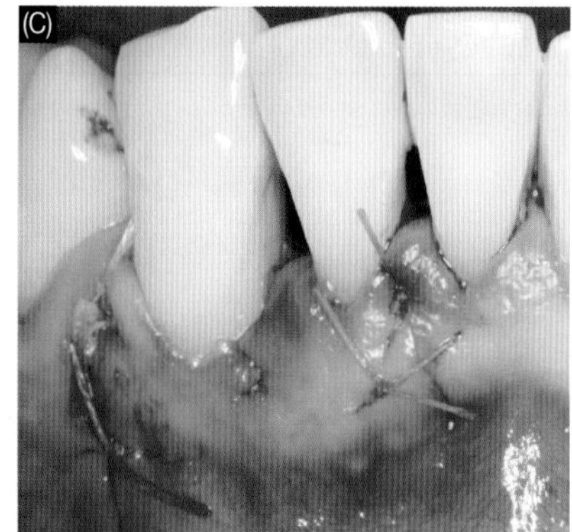

그림 34-3. 이종골 이식 (A) 하악견치 근심부에 이벽성 골내낭 (B) 이종골 이식 소견 (C) 판막 봉합 후 소견

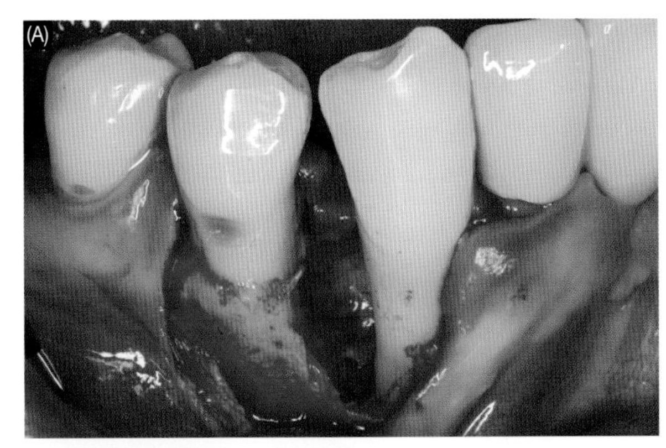

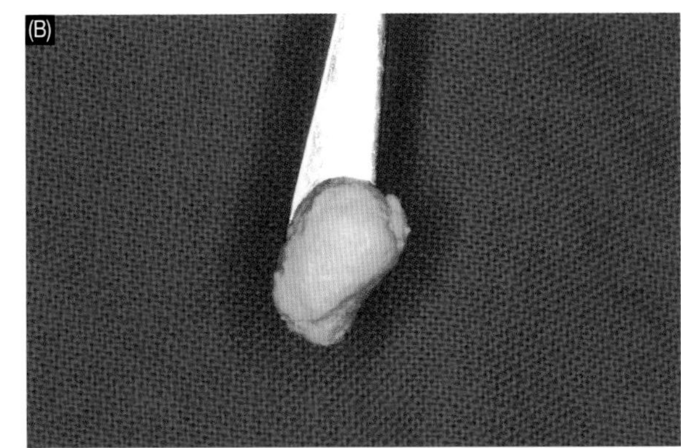

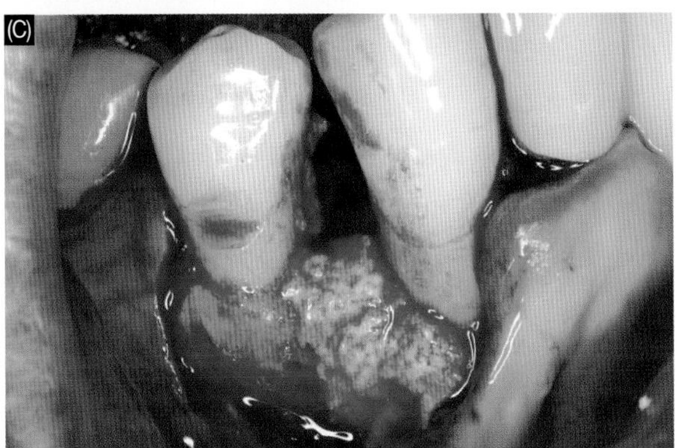

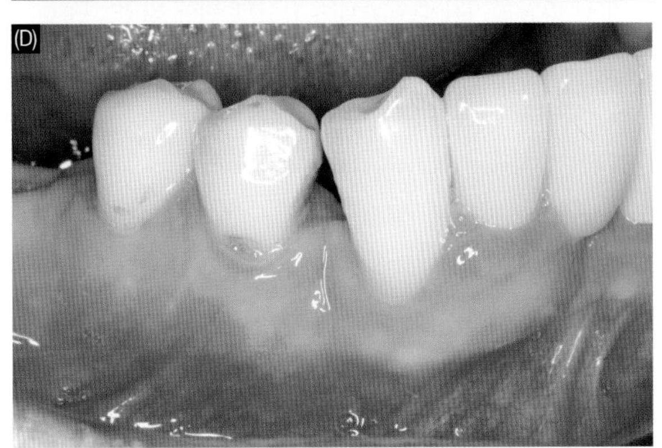

그림 34-4. 이식용 석고 이식재 (A) 이벽성 골내낭 (B) 반죽된 이식용 석고 (C) 결손부에 이식된 소견 (D) 3개월 후 임상소견

합성골 이식재를 사용하여 얻어진 결과는 기본적으로 자가골 혹은 동종골을 사용한 경우와 유사하다. 따라서 이식재의 선택은 임상적 우수성보다는 생체적합성, 조작성, 물리적 성질, 가격 등을 고려해 보아야 한다. 석고(plaster of paris)를 제외한 모든 상업적으로 유용한 합성골 이식재는 300~500 μm 직경의 크기를 가지는데, 이것이 치주영역에서 사용하기에 가장 적합하다고 알려져 있다.

(2) 합성골의 종류

① 석고(Plaster of paris)

Calcium sulfate 제재로서 이식 후 보통 1주 내지 2주 후에 완전히 흡수된다. 과거 많은 연구가들에 의하여 골조직 재생 술식에 있어 임상적 적용 가능성이 타진되었으나, 사람을 대상으로 한 증례에서 그 유용성은 아직 명확히 검증된 바 없다(그림 34-4).

② β-Tricalcium phosphate (β-TCP)

칼슘 대 인의 비율이 1.5로서 β-whitlockite이며 생체 내에서 분해된다. 이 재료를 이식했을 때 주위조직은 양호한 반응을 보이며 독성반응의 증가도 없고 시간이 경과하면서 점차 흡수가 일어나 골조직으로 대체가 된다. 골형성의 보고는 있으나 새로운 백악질의 부착은 일어나지 않았다. 임상연구에서는 치주낭의 깊이가 감소하고 골결손부도 감소가 일어나는 것으로 알려져 있다. 잔존하는 골조직의 크기를 증가시키지만 근본적인 치주조직 부착기구의 재생은 유도하지 않는다. 이 재료는 골 결손부에 이식되었을 때 일부에서는 골과 긴밀한 접촉이 이루어진다고 하지만 일반적으로는 섬유성 결체 조직에 의해 둘러싸이는 것으로 보아 직접적인 골 형성 능력은 결여되어 있는 것으로 알려져 있다.[11]

③ 수산화인회석(Hydroxyapatite, HA)

치주 영역에서 사용되는 HA 제품은 크게 비흡수성(Periograf®, Calcitite®)과 흡수성(Osteograf®)으로 나뉜다. 칼슘 대 인의 비율이 1.67로서 골조직과 유사하다. 비흡수성의 경우, 조직의 치유에 의해 콜라젠으로 둘러싸이게 된다. 다공형의 HA는 재료 자체의 소공 내에서 골조직과 유사한 물질이 형성되고 결손부의 주변부에서 새로이 형성된 골조직과 결합한다. 결손부의 폐쇄는 치주조직의 재생 없이 긴 접합상피와 결합조직의 밀착에 의해 일어난다.

④ Polymer (HTR polymer)

HTR 합성골은 polymethylmethacrylate, polyhydroxylethylmethacrylate와 calcium hydroxide의 중합체로서 생체 적합한 미세다공성 형태를 가진다. 골내낭 및 이개부 병소에서 우수한 치료 효과를 나타낼 수 있다고 보고된다.[41]

⑤ Bioactive glasses

Bioactive glasses는 CaO, Na_2O, SiO_2, P_2O_5 등의 성분으로 구성되어 있으며 carbonated hydroxyapatite의 표면층을 통하여 골과 결합하게 된다. 조직액에 노출되었을 때 bioactive glasses는 silica gel과 calcium phosphate rich (apatite) 층의 두층으로 덮이게 된다. 이 재료는 골모세포를 활성화시켜 광화된 세포외 기질을 형성하며 이러한 생체 활성도는 골형성능을 조절하거나 촉진한다는 이론을 가지고 있다.[42] 임상적으로 우수한 결과가 보고되어 있다.

⑥ 산호 제재(Coral-derived materials)

이는 calcium carbonate 재료로서, 현재 두 가지 산호 이식재가 임상에서 이용되고 있는데, 하나는 자연 산호를 이용한 것이고, 다른 하나는 산호에서 추출한 다공성의 HA 제재이다. 천연 산호는 수 개월에 걸쳐 천천히 흡수되는 반면, 다공성 HA는 거의 흡수되지 않는다. 차폐막과 함께 사용되었을 때 우수한 결과를 보이나, 낮은 흡수율이 장기간의 임상적 성공에 저해 요인으로 작용한다.

5) 골이식 술식

(1) 환자 선택

재생형 골술식을 받을 예정의 환자는 일반적으로 양호한 상태의 전신 건강을 보여야 하며 기준 이상의 구강위생 상태를 보여야 하며 장기간의 유지 관리 프로그램에 협조적인 환자를 선택해야 한다. 이상적으로는 비흡연자이어야 하는데 이는 흡연이 일반적인 치주수술 및 재생술식의 결과에 영향을 미치기 때문이다.

(2) 골 결손부 선택

일반적으로 잔존되는 골 결손부의 벽이 많아질수록 재생술식의 결과에 대하여 예후가 좋아진다. 3벽성 골내낭의 경우 치료 결과가 가장 우수하며 1벽성 골내낭 또는 골 연상 결손부의 경우 예후는 급격히 나빠진다. 술식 전에 임상적 그리고 방사선적 평가는 골 결손부의 특징을 파악하는데 큰 도움을 준다.

수술 후 유지 관리에 있어 치은 피개는 상당히 중요한 부분이다. 따라서 술전에 치은퇴축 등 치은 형태의 평가가 선행되어야 한다.

(3) 마취

전달마취 혹은 침윤마취를 통상 시행하며 경우에 따라 치주인대내 마취가 사용되는 경우도 있다. 마취액에는 epinephrine이 반드시 함유되어 있어야 하는데 이는 양호한 지혈상태의 유지로 시야를 좋게 하여 골 결손부와 치근면 관찰을 용이하게 함으로써 성공적 수술이 가능하기 때문이다.

(4) 절개 및 판막박리

① 절개

역사면 절개(reverse bevel incision)를 협측과 설측의 변연치은에서부터 치조정을 향해 시행한다. 이때 치간유두를 보존하기 위해 인접치간 깊은 부위까지 가능하면 연장 절개한다. 조직을 최대로 보존하는 것이 바람직하므로 치은을 얇게 하는 술식은 피해야 한다. 기구의 접근도와 병소부의 시야를 좋게 하기 위하여 이식부위에서 최소한 한 치아 정도 근심과 원심으로 떨어진 부위에서 절개를 시행하며 상처의 치유를 촉진하고 이식재의 유출을 예방하기 위해 수직절개는 가급적 피하는 것이 좋다.

② 판막의 박리

골막겸자(periosteal elevator)를 이용하여 치간유두가 충분히 움직일 수 있도록 과도하지 않은 힘으로 판막을 거상한다. 충분한 시야를 얻을 수 있고 골결손부로의 접근을 확보할 수 있는 최소한의 거리만 판막을 박리하여 치조골을 노출시키며 통상 치조정에서 2~3 mm 떨어지게 한다.

(5) 연조직 제거

① 육아조직과 부착된 결체조직 잔사를 판막과 치간유두 내면으로부터 조심스럽게 제거한다. 이때 이식재를 덮게 될 치간유두가 두꺼우면 이식재에 영향을 미치게 되어 상처부위의 적절한 폐쇄를 방해하므로 주의해야 한다. 그러나 너무 얇은 판막은 혈액공급을 저해하므로 주의해야 한다.

② 골병소 기저부에 있는 횡중격섬유군(transseptal fiber group)을 포함한 모든 육아조직은 제거되어야 한다. 육아조직이 제거되면 병소내 출혈은 신속하게 줄어든다. 만일 출혈이 지속되면 손가락을 이용한 압박과 생리식염수를 적신 거즈나 혹은 지혈제로 지혈한다.

③ 심한 출혈은 이식재 삽입을 방해하므로 출혈이 계속되면 다른 치료방법을 고려한다.

(6) 치근면 활택술

① 경화된 이물질, 연조직 부착물 및 변질된 백악질을 모두 제거하는 것이 신부착 성공에 필수적 요인이다.

② 치근활택술 최종 상태는 희고 깨끗한 양상이 되어야 하며 손끝에 매끈하고 단단한 감촉이 있어야 한다.

③ 치주낭 측정기로 확실한 기준점으로 활용할 수 있는 백악법랑경계선, 보철물 혹은 레진장치물 등에서 치조정과 병소의 기저부까지의 거리를 측정하여 치조정의 흡수정도와 치유될 골의 양을 측정하는 것이 술후 평가를 위해 바람직하다.

(7) 결손부내 골피질박리(Decortication)

① 파괴된 치조골 결손부위에 존재하는 염증성 육아조직을 완전히 제거하고 골벽에는 fresh bone이 나타날 때까지 소파술을 시행한다. 이 술식은 병소내 골벽면의 특성에 따라 시행할 수도, 시행하지 않을 수도 있다.

② 경우에 따라 병소부위가 피질골로 피개되어 있으면 1/2 round bur나 예리한 기구로 피질골 벽면에 구멍을 형성한다. 이론적으로 혈류가 쉽게 형성되고, 골수강에서 미분화 간엽세포가 빠져나와 성숙하도록 하며 궁극적으로 골형성세포의 증식이 가능하다. 또한 이식재에 혈관의 재형성에도 도움을 주게된다.

③ 만일 결손부의 골벽면이 망상골로 구성되어 있다면 하방 골수강은 이미 노출되어 있으므로 이 과정은 필요가 없다.

(8) 이식재 삽입

① Dappen dish에 이식재를 넣고 소독된 생리식염수를 혼합한다. 잉여 식염수는 이식재를 넣기 전에 건조거즈로 흡수하여 제거한다.

② 과거 존재했던 골벽 높이까지 이식재로 채워지도록 결손부에 한 단계씩 이식재를 삽입한다.

③ 이식재를 다져 넣는데 도움이 되도록 이식재를 매번 삽입할 때마다 식염수에 적신 거즈로 잉여액을 흡수한다.

④ 치조정 상방부까지 골의 재피개를 얻고자 할 때에는 치조정 높이 이상으로 삽입할 수도 있으나 결과를 예측하기가 어렵고 잉여이식재는 치주판막의 폐쇄를 저해하므로 신중을 기하여야 한다.

⑤ 이식재의 삽입에는 아말감 압접기(amalgam condenser)나 plugger 등을 사용하여 다져 넣는다.

(9) 판막의 폐쇄

① 이식부를 연조직으로 완전히 폐쇄하는 것은 이식술

에 있어 무엇보다 중요하다.

② 봉합 시 과도한 인장력이 발생하지 않도록, 신장 절개(releasing incision)를 통해 판막을 충분히 늘려준다.

(10) 봉합

① 주로 사용되는 봉합법은 vertical mattress 혹은 interrupted suture 법을 많이 사용한다.

② 봉합재료로는 나일론과 같은 monofilament suture material을 사용하는 것이 바람직하다.

③ 협설측 판막 양측에 생리식염수를 적신 거즈로 압접한 후 봉합한다. 이는 치아와 판막사이에 얇은 혈병을 형성하여 치유를 최적화하기 위함이다.

(11) 치주포대

수술 후 주의사항을 주지시키고 필요한 경우 항생제와 진통제 등을 처방한다. 전신적 항생제 투여는 콜라젠이 성숙되는 동안에 중요한 병원성 세균치태를 억제하는데 도움이 된다. 예를 들어, 수술하기 1~2일 전부터 tetracycline을 1 g/day로 매 6시간마다 10일간 투여하기도 한다.

(12) 수술 후 처치

① 1주 후 첫 번째 방문 시 발사 및 치주포대 교환을 시행하고 치태와 약하게 부착된 잔사들을 과산화수소로 조심스럽게 세척하여 제거한다.

② 2주 후 방문 시에는 치주포대를 제거하고 시술부를 주의 깊게 관찰한다. 연조직의 분화구양 변화가 일부에서 뚜렷하게 나타난다. 이 부위에 대한 특별한 치태조절법 교육을 시행하여 치태조절이 적절하게 된다면 적당한 외형으로 다시 차오른다.

③ Chlorhexidine은 치은연상치태를 조절하는데 탁월한 화학요법제이므로 치주포대를 제거한 후 처방을 내야 한다. 만일 연조직의 분화구양 변화가 6개월 후에도 그대로 지속된다면 치은성형술을 시행한다.

(13) 유지 및 관리

① 처음 6개월 동안에는 2개월마다 방문하고 치과의사의 관리가 필요한 상태에서는 매 3개월마다 방문하도록 한다.

② 수술 후 6개월째에는 어떤 보철치료든 필요한 경우에 할 수 있다.

③ 치태조절의 재강조, 치석제거술과 치근활택술 그리고 필요에 따라 일반적인 치과치료를 할 수 있다.

(14) 재평가

골이식부가 완전히 신생골로 채워지지 않았을 경우 2차 골이식 수술을 하거나 잔존 병소를 제거하기 위해 골외형을 수정하기도 한다.

6) 이식술 성공에 영향을 주는 요소

성공적인 이식술을 위해서는 다음 사항들을 원활히 수행하여야 한다.

① 효율적인 치태조절 교육 및 정기적인 환자 점검
② 환자의 선택
③ 결손부를 최대로 피개할 수 있는 판막의 형태
④ 완전한 치근활택
⑤ 골피질박리(decortication)의 정도
⑥ 결손부를 충전하기에 충분한 양의 망상골과 골수
⑦ 예방적인 항생제 투여
⑧ 효율적인 치태조절
⑨ 정기적인 점검
⑩ 구강내 제환경의 조절
⑪ 교합조정

4. 조직유도재생술 (Guided tissue regeneration procedure)

1) 개요

1976년 Melcher가 치주조직에는 치은진피(gingival corneum), 백악질, 치주인대 및 골조직등 4가지의 결합조직 구성요소가 존재한다고 생각했다. 이러한 구성 내에 존재하는 결합조직 세포는 각기 다른 표현형(phenotype)을 나타내며 상처가 생긴 후 해당부위에 재집결하는 세포들의 표현형에 따라 재생반응이 결정된다고 하였다. 치주인대의 재생은 단지 치주인대로부터만 유래한다고 가정하고 치주인대에서는 치주인대를 재형성하는 전구세포(progenitor cell)가 존재한다고 주장하였다.

치유과정 동안 노출된 치근면이 치주인대와 분리되면 치근흡수와 긴 접합상피가 형성된다. 따라서 중요한 점은 치주조직 내에는 다양한 섬유모세포 표현형이 존재한다는 사실과 그 분포 위치에 따라 회복(repair), 재생(regeneration), 또는 재부착(reattachment)의 기전에 대한 설명이 가능하다는 점이다. 표현형이 확인되고 이들 세포의 특징을 알게 되면 이들을 치주조직의 특정 부위로 재분포하는 방법이 평가될 수 있다.

현재까지 치유과정에 관여하는 섬유모세포의 2가지 표현형이 발견되었는데, 그 하나는 백악질과 접합상피의 접촉부에서 발견되어 부착과정에 관여하는 종류이며 또 다른 표현형은 치은유두부 중에서 가장 근단부 가까이서 발견되는것이다.

Stahl's 분석에 의한 연조직–치아관계의 재생능력분석법에 의하면 만일 치유과정 동안에 무세포성 백악질이 거의 형성되지 않는다면 그 결과는 재생(regeneration)이라기보다 회복(repair)이라는 것이 더 정확하다. 적절한 결체조직 재분포가 자극을 받는다면 무세포성 백악질은 형성될 수 있다.

즉 세포성이든 무세포성이든 간에 신생 백악질의 형성과 치주인대의 섬유가 삽입된다는 것은 재생의 부분적인 증거이다. 신생 백악질의 형성과 치주인대섬유의 삽입이 치근면–연조직관계에서 나타나야 한다.

2) 조직유도재생술에 대한 연구

1) 조직유도재생술

조직유도재생술이란 조직반응의 차이를 이용하여 치주조직의 재생을 도모하는 술식이다. 치주조직 창상의 치유과정 중 고려해야 하는 사항은 치은의 상피가 빠르게 증식하여 결손부 기저부까지 증식한다는 점이다. 이로 인하여 치아와 연조직이 정상적인 위치로 치유되는데에 지장을 초래한다. 만성 파괴성 치주질환의 결과로 치주조직의 구조에서 형태학적 변화가 일어난 경우 치근면과 인접한 다른 결체조직 구성성분을 분리시키는 막을 위치시켜 그 결과 특정한 세포만을 재분포시킬 수 있도록 한다.

(2) 상피세포 배제를 위한 연구

초기의 연구들은 골이식술의 사용유무와 관계없이 유리치은이식술술로 골결손부를 피개하여 골조직이 재충전되는것을 관찰하였다. 이때 상피의 근단이주가 10~12일 지연되는 사실을 확인하였다.

또 다른 연구에서 치료 후 치아를 침강(submerge) 시킨 경우 치근면을 따라 가는 상피이주가 배제되고 결체조직의 반응을 관찰할 수 있었고 신부착도 가능하였다. 그러나 이러한 시도는 치유과정의 상처부에서 상피세포는 배제할 수 있더라도 치은결체조직 구성성분은 분리하지는 못하였다.

(3) Millipore filter의 응용

치은결체조직으로부터 치근면을 분리시키기 위해 millipore filter를 응용하는 연구들이 지속되어 치주인대와 치조골 세포들의 재분포에서 양호하게 반응을 하는 신부착을 관찰하였다. 또한 최대의 재생효과는 창상부의 근단부에서 나타났으며, 치유과정 중인 창상에 재분포하는 세포는 치조골과 치주인대로부터 공급되는 사실이 확인되었다.

(4) 흡수성 및 비흡수성 차폐막

① 흔히 흡수성 및 비흡수성 차단막이 차폐막으로 사용되며, 이들간의 큰 차이는 발견되지 않는다. 가장 흔히 사용되는 비흡수성 차단막은 ePTFE (expanded polytetrafluoroethylene)로서 두 부분으로 구성되어 있다. 상방은 결합조직이 자라 들어갈 수 있는 open microstructure 형태이며, 상피의 치근 방향 이주를 막는다. 하방은 치근표면의 치유과정을 방해하는 치은조직을 배제하는 occlusive microstructure를 가지고 있다. 골내 병소를 치료하기 위해 ePTFE를 사용한 연구에 따르면 이식재의 유무와 상관 없이 평균 3.0~5.0 mm의 골 생성을 보였고, 결과는 골내병소의 형태에 따라 매우 다양하게 나타났으나 3벽성 병소가 가장 좋은

결과를 보였다.

② 흡수성 차폐막은 흡수과정 동안 세포 재분포 반응과 조화를 이루어야 하기 때문에 더 많은 연구가 필요하다. 최근 polylactic acid 와 교원질 차단막이 비흡수성 차단막과 비교해 부족하지 않을 만큼 임상적으로 개선되었다. 흡수성 차단막의 주 장점은 2차 수술이 필요하지 않다는 점이며 교원질 차단막은 상피의 이주를 막는데 효과적으로 새로운 결합조직의 부착을 증가시킨다. 또한 혈소판 응집을 유도하여 이른 혈병 형성과 상처 안정화 등의 지혈효과를 나타낼 수 있다. 위와 같은 지혈 효과는 성공적 재생을 위해 필수적이라고 알려져 있다. 교원질은 또한 섬유모세포에 대한 화학주성을 가지고 있어, 1차 창상폐쇄에 관여하는 세포의 이주를 유도한다. 이식재와 흡수성 차단막을 함께 사용하는 경우, 이개부 병변에서는 좋은 결과를 보이지만 골내 병소에서는 그렇지 않았다. 최근 골내 병소에 사용되는 polyglycolic acid에 polylactic acid를 첨가한 차단막과 1형 콜라젠 차폐막을 비교한 연구는 비슷한 임상적인 결과를 보였다.

3) 최대의 치료 효과를 목적으로 하는 차폐막의 디자인 원칙

(1) Biocompatibility

차단막은 생체 친화성이 있는 재료로 제조되어 조직과 상호작용 시에 부작용을 일으켜서는 안되고 치유를 방해하거나 환자의 전반적인 건강에 유해하지 않아야 한다.

(2) Occlusive property

차단막은 적당한 차단성을 가지고 있어 인접 연조직으로부터 유래되는 결합조직의 침입을 막고 막의 노출이 있더라도 세균의 침입을 어느 정도는 막아주어야 한다.

(3) Space making

차단막은 반드시 골재생을 위한 적절한 공간을 형성해야 하고 기능적 재건에 알맞게 특정한 형태를 형성할 수 있어야 한다.

(4) Tissue integration

차단막은 주변조직과 잘 부착되어 차단막과 골사이를 밀착시켜 줌으로써 혈병의 안정된 치유를 도모해야 하고 막이 노출되더라도 상피 또는 결합조직의 이동을 지연시켜야 한다.

(5) Clinical manageability

차단막은 임상적 조작이 수월해야 한다.

4) 조직유도재생술의 적응증

(1) 가장 적합한 경우

① Ⅱ급 이개부 병변 root trunk가 긴 경우보다 중간 정도가 효과가 더 좋다.

② 2 혹은 3벽성의 골결손부

③ 부착치은이 충분한 골결손부

(2) 부작용이 일어나기 쉬운 경우

① Ⅲ급 이개부 병변

② 상악전치부

③ 좁게 형성된 치간 결손부

④ 부착치은이 거의 존재하지 않는 결손부

5) 조직유도재생술의 술식(그림 34-5)

(1) 시술 전 준비

① 적절한 구강위생 유지계획을 설정

② 술후 평가자료로 술전 부착기준을 측정

③ 치석제거술이나 치근활택술과 같은 술전 처치를 시행

④ 기구의 소독 및 무균적 상태의 수술 준비

(2) 절개

① 열구절개로 전층판막을 형성하며 치간유두를 남겨두어야 한다. 이는 차폐막을 치간부에 피개하기 위함이다.

② 가능하면 부착 및 각화치은 내에서 판막을 형성한다.

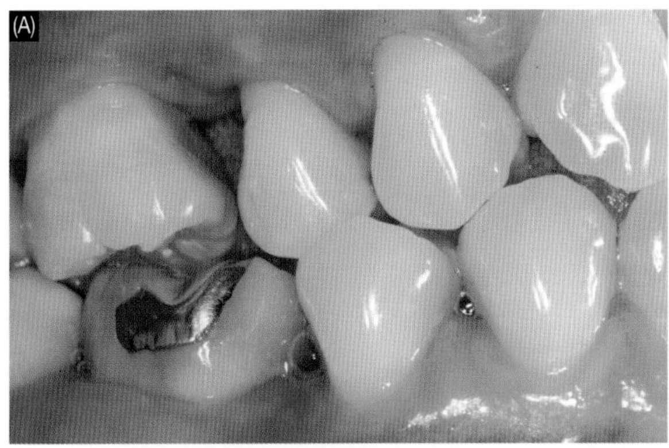

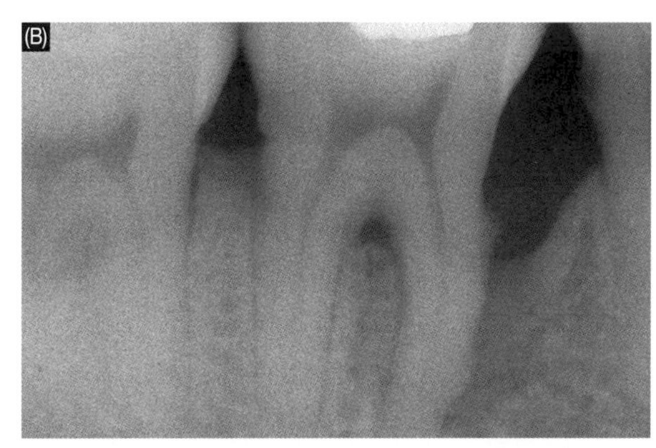

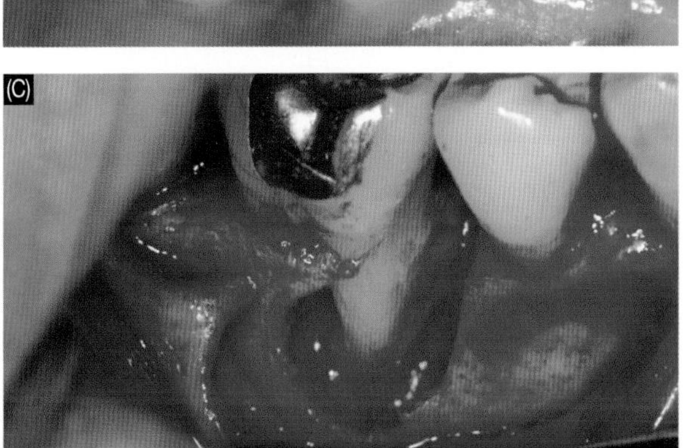

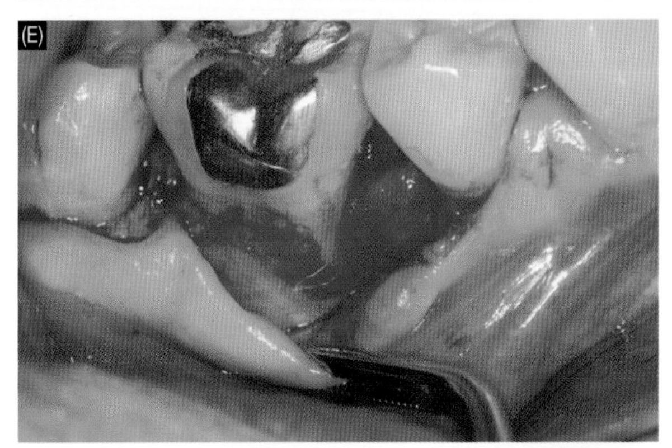

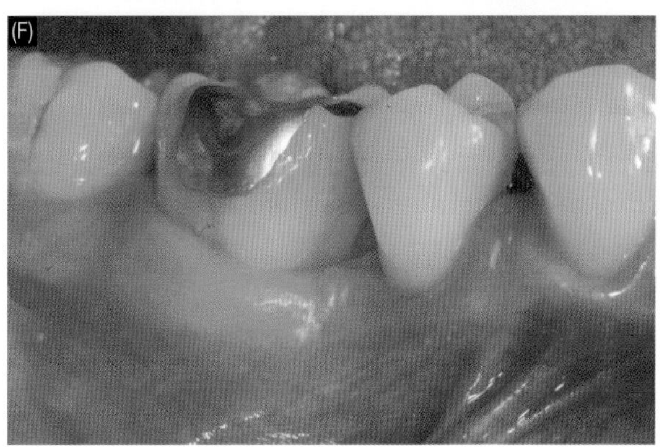

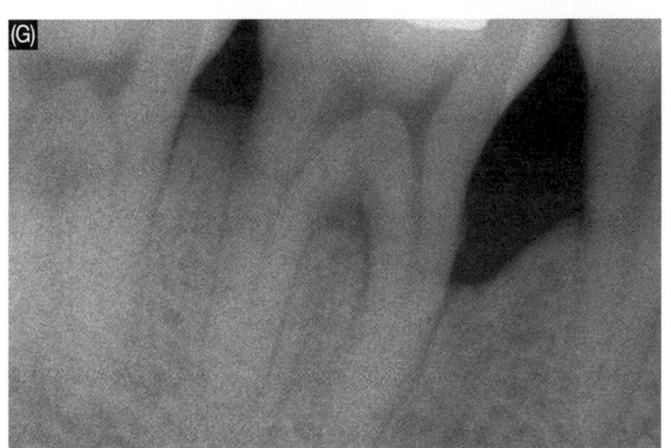

그림 34-5. 비흡수성 차폐막을 이용한 조직유도재생술
(A) 하악우측 제1대구치 근심으로 깊은 치주낭이 형성됨 (B) 방사선 소견 (C) 근심 치근 부위로 환상형의 심한 골결손이 관찰됨 (D) 비흡수성 차폐막 적용 (E) 1개월 후 차폐막 제거 소견. 근심치근 주변으로 골재생이 확인됨 (F) 7개월 후 임상소견 (G) 7개월 후 방사선 소견

③ 협측 및 설측 판막을 박리하고 모든 치주낭 상피를 제거하여 차폐막과 치주판막의 결체조직 사이의 성장 및 결합이 가능하도록 한다.
④ 치료부의 근심에 수직이완절개(releasing incisioin)을 형성하여 차폐막을 충분히 피개할 수 있도록 한다. 봉합 후 이 절개선 직하방에 차폐막이 위치하지 않도록 해야 한다.

(3) 결손부의 처치

① 결손부의 모든 육아조직을 제거하고 깨끗한 삽입부위를 형성한다.
② 타액에 의한 오염을 최소화한다.
③ 이개부 병소를 치료할 경우에는 법랑돌기를 제거하여 상아질을 노출시킨다. 법랑질상에서는 재생이 일어나지 않기 때문이다.

(4) 적절한 막의 선택 및 모양의 형성

① 결손부의 크기와 형태에 적절하게 형태를 조절한다. 측면과 근단측은 외과용 가위로 잘라야 하며 그 과정에서 예리한 각이 잔존하지 않도록 한다.
② 결손부를 완전히 피개할 뿐만 아니라 결손부의 측면과 근단측으로 최소 3 mm 이상 연장되도록 한다.
③ 중첩이나 겹쳐지지 않게 하여 편평하고 형태에 맞게 주위 잔존치조골에 잘 적합시킨다.

(5) 봉합

① 차폐막의 종류에 적합한 봉합재료를 선택 사용한다.
② 봉합은 치유과정동안 치아에 밀접하게 적합하도록 단단히 봉합한다.
③ 차폐막의 흡수여부에 따라 봉합사도 흡수여부가 결정되어진다. 그렇지 않으면 흡수과정에서 차폐막이 치아면에 긴밀하게 접촉되지 않기 때문이다.
④ Sling suture를 이용해서 치아둘레로 바로 차폐막을 봉합한다.
⑤ 봉합매듭은 치간선각상에 위치하도록 하여 막의 장력(tension)으로 치아에 견고하게 부착되도록 한다. 이렇게 하여 환자에 미치는 위해반응을 최소로 한다.
⑥ 치주판막에서 2~3 mm 치근단 쪽에 위치하도록 하여 구강내 노출을 방지한다.
⑦ 먼저 치간부를 봉합하고 그 후에 수직이완절개를 봉합한다.

6) 수술 후 고려사항

(1) 수술 후 점검사항

① 적절한 항생제를 선택한다.
② 시술 후 2일이 지나기까지 수술 부위에는 칫솔질을 하지 못하도록 한다. 그 후 연한 강도의 칫솔로 가볍게 칫솔질을 하도록 한다.
③ 막이 들어있는 부위에는 치실을 사용하지 않도록 한다.
④ 치주포대는 사용하지 않도록 한다. 치주포대로 인하여 차폐막이 하방으로 밀려들어가 치유를 방해할 수 있다.
⑤ 치은연상치석제거술과 치관 광택을 시행한다.
⑥ 최소 2주에 한 번씩 내원하게 하여 막이 제 위치에 있는지 확인한다.
⑦ 삽입 후 4~6주만에 차폐막을 제거한다. 부작용이 발생하였을 경우에는 좀더 일찍 제거할 수도 있다.

(2) 차폐막의 노출

① 삽입 시에나 시술 후에 재료가 노출되었을 경우 부드럽게 물리적 치태조절이나 화학적 치태조절을 시행하여야 한다.
② 재료가 노출되었을 때 즉시 내원하게 하고 최소 일주일에 한 번씩 환자를 점검한다.
③ 부작용을 최소화하기 위해 노출된 차폐막을 피개해서는 안된다.
④ 정상적인 구강위생유지가 곤란하지 않다면 노출된 차폐막을 다듬을 필요가 없다.
⑤ 차폐막을 다듬을 때에는 예리한 수술용 가위로 시행한다.

(3) 차폐막의 제거

표 34-1. **치유 양상의 분류(by Schallhorn and McClain)**

분류	급속 치유 (Rapid healing type)	전형적 치유 (Typical healing type)	지연형 치유 (Delayed healing type)	부정적 치유 (Adverse healing type)
빈도	13%	76%	8%	3%
조직 소견	골 유사 형태	선홍색 고무 유사 형태	미성숙 육아 조직 형태	취약한 조직 양상
임상 소견	6~8주 뒤 제거 시까지 잘 유지됨	조기에 막이 노출될 수 있으며 막이 쉽게 하방조직으로부터 분리됨	조기에 막이 노출되며 조직 염증 및 탐침 시 출혈이나 배농 소견 보일 수 있음	농 형성 및 환자의 불편 증상 발생

① 삽입 후 4~6주만에 제거한다. 만일 부작용이 생겼을 경우에는 좀 더 일찍 제거하는 것도 고려할 수 있다.

② 치주판막에서 막을 제거하기 위해 가급적 작은 부위의 접근절개를 시행한다.

③ 치근에 형성된 조직에 손상이 가지 않도록 주의해야 한다.

④ 재료가 삽입되어 있었던 시간에 따라 치주판막의 상피를 제거하기 위해 큐렛 등의 처리가 필요할 수 있다.

⑤ 재생된 신생조직을 완전히 피개하는지 확인한다(그림 34-5).

(4) 치유 양상의 분류

Schallhorn과 McClain에 의하면 조직재생술 이후 치유 양상은 크게 4가지로 나뉠 수 있으며 분류의 가장 중요한 기준은 차폐막 제거 시 하방의 골의 양상이다(표 34-1).

5. 치주조직 재생을 위한 새로운 시도

1) 법랑기질유도체(Enamel matrix derivative, EMD)

(1) 정의 및 배경

주로 amelogenin인 법랑기질 단백질은 치아 발달 동안에 Hertwig's epithelial root sheath에 의해 분비되고 무세포성 백악질 형성을 유도한다. 이러한 관찰에 근거하여 치주조직 재생에 효과가 있을 거라 믿어졌다.[43] 돼지 치아 발달과정에서 얻어진 법랑기질단백질 유도체는 Emdogain®으로 판매되고 있다. 대개는 양호한 신생결합조직 부착을 위하여 치근활택술로 세균과 치석, 내독소를 제거한 후 citric acid, tetracycline 등으로 치근면을 탈회하여 교원섬유노출 후 적용하게 된다.

(2) 임상연구

34쌍의 골내결손부(33환자)를 이용한 임상연구에서, EMD의 적용은 36개월 후에 임상적, 방사선학적 평가시 판막술(open flap debridement)보다 많은 양의 부착수준 개선(2.2 mm), 그리고 통계학적으로 유의하게 더 많은 골 획득(2.6 mm)을 야기하였다.[44] 그러나 개를 통한 연구에서 발치 후 백악모세포를 제거하고 EMD로 처치 후 재이식한 치근에서 유착과 치근흡수가 확인되었는데, 이것은 치근면에 백악질을 형성할 수 있는 세포가 재집락화하지 못했다는 것을 의미한다.[45] 따라서 다양한 결손부에서의 사용에 대한 효과와 복합술식에서 효과를 향상시키는 가능성에 대한 부가적인 연구가 필요하다.

2) 성장인자 및 분화 인자 (Growth factors and differentiation factors)

성장인자란 증식, 화학 주성, 분화, 세포외 기질 단백질의 생산과 같은 광범위한 세포활동을 자극하는 일종의 polypeptide hormones을 일컫는다. 성장인자는 치주인대 재생을 위한 섬유모세포의 이주, 증식을 촉진하고 골모세포의 분화를 유도하여 골재생을 도모한다. 이런 성장인자에는 platelet–derived growth factor (PDGF), insulin–like growth factor (IGF), fibroblast growth factor

(FGF), bone morphogenetic protein (BMP), transforming growth factor (TGF) 등이 있으며, 대식세포(macrophage), 혈관내피세포(endothelial cell), 섬유모세포(fibroblast), 혈소판(platelet) 에서 분비된다.

(1) Platelet-derived growth factor (PDGF)

Lynch 등[46,47]은 개에서 자연적으로 발생한 치주 결손부에서 PDGF와 IGF를 혼합하여 치료하였을 때의 효과를 연구하여 치주부착의 재생을 관찰하였다.

(2) Bone morphogenetic protein (BMP)

골형성 단백질은 간엽세포를 골형성 세포로 분화시키는 능력을 가진 골유도인자이다. 치주결손부 치주부착 재생과 부족한 치조제 증강을 위해 활발한 동물실험과 임상실험이 진행 중이다.

3) 줄기세포(Stem cells)의 응용

(1) 치주인대 줄기세포

치주조직에 줄기세포가 있다는 개념은 20년 전 Melcher에 의하여 가장 처음 제안되었다. 치주조직은 발달과정에서 dental follicle에 함유되어 있는 세포들이 cementoblast, fibroblast, osteoblast 로 분화하는 과정이 진행되며, 그 이후에는 치주인대에 남아있는 mesenchymal stem cell (MSC)이 조직의 항상성을 유지하게 되고, renewable progenitor cell로 작용하게 된다.

MSC를 가장 처음 검증한 사람은 Friedenstein이며, 줄기세포의 clonogenic capacity와 분화 능력을 이용하여 치주인대 줄기세포를 분리하였다. 치주인대 줄기세포는 치주인대에서 유래하는 mesenchymal stem cell이며, 세포집락을 형성하는 능력이 있다. 흥미로운 점은, 섬유모세포 집락을 형성하는 정도가 골수에 비해 치주인대에서 더 많다는 점이다.

(2) 치주인대 줄기세포의 분화능

Gronthos 등[48,49]의 연구에서 골수 줄기세포가 hydroxyapatite와 유사한 광화 물질을 만드는 능력이 있다는 것이 보고되어 왔고, Bartold 등[50]의 연구에서 치주인대 줄기세포 역시 이와 유사하게 alizarin red 염색에 양성 반응을 보이는 광화물질을 만드는 것이 확인된 바 있다.

치주인대에서 유래한 fibroblastic colony forming unit에는 서로 다른 잠재력과 증식 능력을 가진 전구세포가 혼합되어 있다. 그러나 이렇게 다양한 능력을 지닌 치주인대 줄기세포가 생체 내에 이식되었을 때 조직화된 기능적인 조직을 형성할 수 있느냐는 것이 치주재생을 위해 가장 중요한 문제이다.

(3) 치주재생을 위한 치주인대 줄기세포의 이용

치주재생을 위한 새로운 시도는 치주인대 줄기세포를 적절한 scaffold에 배양하여 성장인자나 분화인자와 결합하여 적용하는 것이다.

면역 억제된 쥐에 양의 PDLSC을 이식하여 8주 후에 관찰한 결과, cementum과 유사한 물질이 형성되었으며, Sharpey's fiber와 유사한 구조도 관찰할 수 있었다. 최근의 연구에 따르면 치주인대 줄기세포와 치근첨에서 추출한 줄기세포을 혼합하여 치근 모양의 구조물에 담아 mini-pig mandible에 적용시켰을 때, 백악질과 치주인대가 형성됨을 발견하였다.

또한 최근에 유전자 치료(gene therapy)는 질환을 치료하기 위한 새로운 접근방식으로, therapuetic transgene의 전달 세포로 줄기세포(stem cell)를 이용하는 방법이 대두되었다. 줄기세포는 유전자 치료에서 적합한 매개체로 사용될 수 있는데, 이는 줄기세포가 끊임없이 재생을 위한 성장인자들을 생산할 수 있기 때문이다. 이러한 점은 치주질환에도 적용할 수 있을 것이다.[51]

(4) 앞으로의 과제

줄기세포을 이용한 조직재생은 몇 가지 과제들을 안고 있다. 먼저 생물학적인 문제점으로 현재 조직 재생의 원리는 치주조직 발생과정을 다시 일어나게 한다는 가정하에 진행되는데, 아직 백악질 등의 치주조직 발생과정이 명확히 밝혀지지 못했다는 점이다. 두 번째는 scaffold는 생체적합성을 가져야 하며 줄기세포가 잘 생착되어 잘 기능하도록 해야 하는 기술적인 문제이다. 마지막으로 임상적으로 인간 줄기세포를 이식한 후 면역계의 반응이 어떻게 일어나는지 명확히 밝혀지지 않았다는 점이다. 또한 앞으로 줄기세포가 종양을 생성하지 않는지, 인간줄기세포가 발현하여 이식부에 잘 적응하는지, 그리고 과거 소실된 조직과 같은 기능을 하는지에 대한 연구가 필요할 것이다.

앞으로 줄기세포를 이용한 치주조직 재생을 위해 많은 연구가 더 필요하지만, 인간줄기세포의 발견은 치주조직 재생을 약속하는 효과적인 술식 개발로 이어질 것이다.

참고문헌

1. Melcher AH. On the repair potential of periodontal tissues. Journal of periodontology 1976;47:256–260.
2. Karring T, Nyman S, Lindhe J. Healing following implantation of periodontitis affected roots into bone tissue. Journal of clinical periodontology 1980;7:96–105.
3. Nyman S, Karring T, Lindhe J, Planten S. Healing following implantation of periodontitis–affected roots into gingival connective tissue. Journal of clinical periodontology 1980;7:394–401.
4. FASr C. A Technic for Reattachment. Journal of periodontology 1954;25:272–278.
5. Nabers JM, Meador HL, Nabers CL. Chronology, an important factor in the repair of osseous defects. Periodontics 1964;2:304.
6. H G, DW C. the intrabony pocket: classification and treatment. Journal of periodontology 1958;29:272–291.
7. Hamp SE, Nyman S, Lindhe J. Periodontal treatment of multirooted teeth. Results after 5 years. Journal of clinical periodontology 1975;2:126–135.
8. Crigger M, Bogle G, Nilveus R, Egelberg J, Selvig KA. The effect of topical citric acid application on the healing of experimental furcation defects in dogs. Journal of periodontal research 1978;13:538–549.
9. Register AA, Burdick FA. Accelerated reattachment with cementogenesis to dentin, demineralized in situ. II. Defect repair. Journal of periodontology 1976;47:497–505.
10. Stahl SS, Froum SJ, Kushner L. Healing responses of human intraosseous lesions following the use of debridement, grafting and citric acid root treatment. II. Clinical and histologic observations: one year postsurgery. Journal of periodontology 1983;54:325–338.
11. Levin MP, Getter L, Adrian J, Cutright DE. Healing of periodontal defects with ceramic implants. Journal of clinical periodontology 1974;1:197–205.
12. Schallohorn RG. Osseous grafts in the treatment of periodontal osseous defects; 1976.
13. Ellegaard B, Karring T, Listgarten M, Löe H. New attachment after treatment of interradicular lesions. Journal of periodontology 1973;44:209–217.
14. Ellegaard B, Karring T, Davies R, Löe H. New attachment after treatment of intrabony defects in monkeys. Journal of periodontology 1974;45:368–377.
15. Ellegaard B, Karring T, Löe H. The fate of vital and devitalized bone grafts in the healing of interradicular lesions. Journal of periodontal research 1975;10:88–97.
16. Ellegaard B, Karring T, Löe H. Retardation of epithelial migration in new attachment attempts in intrabony defects in monkeys. Journal of clinical periodontology 1976;3:23–37.
17. Nielsen IM, Glavind L, Karring T. Interproximal periodontal intrabony defects. Prevalence, localization and etiological factors. Journal of clinical periodontology 1980;7:187–198.
18. Carraro JJ, Sznajder N, Alonso CA. Intraoral cancellous bone autografts in the treatment of infrabony pockets. Journal of clinical periodontology 1976;3:104–109.
19. Halliday DG. The grafting of newly formed autogenous bone in the treatment of osseous defects. Journal of periodontology 1969;40:511–514.
20. Hiatt WH, Schallhorn RG, Aaronian AJ. The induction of new bone and cementum formation. IV. Microscopic examination of the periodontium following human bone and marrow allograft, autograft and nongraft periodontal regenerative procedures. Journal of periodontology 1978;49:495–512.
21. Robinson RE. The osseous coagulum for bone induction technique. A review. Journal – California Dental Association 1970;46:18–27.
22. Robinson E. Osseous coagulum for bone induction. Journal of periodontology 1969;40:503–510.
23. Diem CR, Bowers GM, Moffitt WC. Bone blending: a technique for osseous implants. Journal of periodontology 1972;43:295–297.

24. Hiatt WH, Schallhorn RG. Intraoral transplants of cancellous bone and marrow in periodontal lesions. Journal of periodontology 1973;44:194–208.
25. Ewen SJ. Bone Swaging. Journal of periodontology 1965;36:57–63.
26. Ross SE, Malamed EH, Amsterdam M. The contiguous autogenous transplant—its rationale, indications and technique. Periodontics 1966;4:246–255.
27. Schallhorn RG, Hiatt WH, Boyce W. Iliac transplants in periodontal therapy. Journal of periodontology 1970;41:566–580.
28. Mellonig JT, Bowers GM, Bright RW, Lawrence JJ. Clinical evaluation of freeze–dried bone allografts in periodontal osseous defects. Journal of periodontology 1976;47:125–131.
29. Nabers CL, O'Leary TJ. Autogenous Bone Transplants in the Treatment of Osseous Defects. Journal of periodontology 1965;36:5–14.
30. Sanders JJ, Sepe WW, Bowers GM, et al. Clinical evaluation of freeze–dried bone allografts in periodontal osseous defects. Part III. Composite freeze–dried bone allografts with and without autogenous bone grafts. Journal of periodontology 1983;54:1–8.
31. Sepe WW, Bowers GM, Lawrence JJ, Friedlaender GE, Koch RW. Clinical evaluation of freeze–dried bone allografts in periodontal osseous defects—part II. Journal of periodontology 1978;49:9–14.
32. Mellonig JT. Freeze–dried bone allografts in periodontal reconstructive surgery. Dental clinics of North America 1991;35:505–520.
33. Mellonig JT, Bowers GM, Bailey RC. Comparison of bone graft materials. Part I. New bone formation with autografts and allografts determined by Strontium–85. Journal of periodontology 1981;52:291–296.
34. JT M, Bowers GM, Bailey RC. Comparison of Bone Graft Materials: Part II. New Bone Formation With Autografts and Allografts: A Histological Evaluation. Journal of periodontology 1981;52:297–302.
35. Urist MR. Bone: formation by autoinduction. Science 1965;150:893–899.
36. Chen D, Zhao M, Mundy GR. Bone morphogenetic proteins. Growth Factors 2004;22:233–241.
37. Urist MR, Strates BS. Bone morphogenetic protein. Journal of dental research 1971;50:1392–1406.
38. Bowers GM, Chadroff B, Carnevale R, et al. Histologic evaluation of new attachment apparatus formation in humans. Part III. Journal of periodontology 1989;60:683–693.
39. Camelo M, Nevins ML, Schenk RK, et al. Clinical, radiographic, and histologic evaluation of human periodontal defects treated with Bio–Oss and Bio–Gide. The International journal of periodontics & restorative dentistry 1998;18:321–331.
40. Melcher AH, Dent HD. The use of heterogenous anorganic bone as an implant material in oral procedures. Oral surgery, oral medicine, and oral pathology 1962;15:996–1000.
41. Yukna RA. Clinical evaluation of HTR polymer bone replacement grafts in human mandibular Class II molar furcations. Journal of periodontology 1994;65:342–349.
42. Hench LL, Splinter RJ, Allen WC, Greenlee TL. Bonding mechanism at the interface of ceramic prosthetic materials. Journal of Biomedical Materials Research 1971;5:117–141.
43. Hammarstrom L. Enamel matrix, cementum development and regeneration. Journal of clinical periodontology 1997;24:658–668.
44. Heijl L, Heden G, Svardstrom G, Ostgren A. Enamel matrix derivative (EMDOGAIN) in the treatment of intrabony periodontal defects. Journal of clinical periodontology 1997;24:705–714.
45. Araujo M, Hayacibara R, Sonohara M, Cardaropoli G, Lindhe J. Effect of enamel matrix proteins (Emdogain') on healing after re–implantation of "periodontally compromised" roots. An experimental study in the dog. Journal of clinical periodontology 2003;30:855–861.
46. Lynch SE, de Castilla GR, Williams RC, et al. The effects of short–term application of a combination of platelet–derived and insulin–like growth factors on periodontal wound healing. Journal of periodontology 1991;62:458–467.
47. Lynch SE, Williams RC, Polson AM, et al. A combination of platelet–derived and insulin–like growth factors enhances periodontal regeneration. Journal of clinical periodontology 1989;16:545–548.
48. Gronthos S, Graves SE, Ohta S, Simmons PJ. The STRO–1+ fraction of adult human bone marrow contains the osteogenic precursors. Blood 1994;84:4164–4173.
49. Gronthos S, Mankani M, Brahim J, Robey PG, Shi S. Postnatal human dental pulp stem cells (DPSCs) in vitro and in vivo. Proceedings of the National Academy of Sciences of the United States of America 2000;97:13625–13630.
50. Bartold PM, Shi S, Gronthos S. Stem cells and periodontal regeneration. Periodontology 2000 2006;40:164–172.
51. Ramseier CA, Abramson ZR, Jin Q, Giannobile WV. Gene therapeutics for periodontal regenerative medicine. Dental clinics of North America 2006;50:245–263, ix.

1. 서론

다근치에 있어서 미생물에 의한 염증성 치주질환이 치료되지 않고 계속 진행한다면 결과적으로 다근치에 존재하는 치근이개부의 부착상실이 일어나게 된다. 이렇게 치주염이 다근치의 치근이개부까지 포함된 경우를 치근이개부병소라고 한다. 즉 치근이개부병소란 다근치 치근이개부에 생긴 부착상실을 말한다. 이 병변은 치주염이 진행하여 다근치 주위의 치주낭이 깊어진 결과로 생기게 된다. 그러므로 치근이개부병소란 다근치에서 치주염에 의해 부착상실이 진행하는 과정에서 나타나는 현상이며, 일반적인 치주염과 특별히 다른 것은 아니다. 그래서 치근이개부병소의 치료원칙은 일반적인 치주질환의 치료원칙과 같다고 할 수 있다고 할 수 있다.

그러나 치근이개부는 매우 복잡한 해부학적 구조를 갖기 때문에, 환자와 술자에 의한 접근이 어려워, 완전히 청결한 상태로 유지하기 힘들다. 또한 치근이개부병소의 원인으로는 염증성 치주질환의 진행 외에도 치주염증과 동반된 외상성 교합이나 치수질환이 있을 수 있다. 그러므로 치근이개부병소는 진단에 있어 치주염 이외의 원인을 고려해야 하는 것은 물론이고, 치근이개부병소가 있다는 사실만으로도 고도의 치주염이 있는 것으로 진단할 수 있는 임상적 소견이며, 다른 부위에 비해 예후 또한 양호하지 않기 때문에, 진단과 치료에 있어서도 단근치에 비해 많은 문제점을 내포하고 있다.

2. 치근이개부의 구조

다근치의 치근은 root trunk와 root cone으로 구성된다. Root trunk는 치근이 갈라지지 않은 부분을 말한다. Root trunk의 길이는 백악 법랑경계(CEJ)에서 두 개의 root cone 사이의 갈라진 부분까지를 말한다. 그 길이는 각각의 대구치나 소구치에서도 해당면에 따라 다르다.

Root cone은 다근치의 치근에서 갈라져 있는 부위를 말한다. Root cone은 그 크기와 위치가 치아마다 서로 다

표 35-1. 상하악 제1대구치의 해부학적 구조[1-5]

	Maxillary 1st molar	Mandibular 1st molar
Furcation entrance	M: 3.6 mm B: 4.2 mm D: 4.8 mm	B: 2.4 mm L: 2.5 mm
Root separation	MB: 5.0 mm DB: 5.5 mm	B: 3.0 mm L: 4.0 mm
Furcation roof	4.6 mm	4.6 mm
Root depression	M: 0.3 mm(94%) D: 0.1 mm(31%) P: 0.1 mm(17%)	M: 0.7 mm(100%) D: 0.5 mm(99%)
Root surface area (% of total RSA)	DB: 19% MB: 25% P: 24% root trunk: 32%	M: 37% D: 32% root trunk: 31%

르며, 서로 다른 수준에서 인접 cone과 연결되어 있거나 분리되어 있다. 2개 이상의 root cone이 치근이개부를 이루게 된다.

치근이개부는 각각의 root cone 사이에 위치하는 부위이다. 그리고 치근이 갈라지지 않은 부위와 갈라진 부위의 이행부를 furcation entrance라고 한다.

상악 제1대구치의 경우 root trunk의 면적이 다른 root cone의 면적보다 큰 것으로 보고되어 있다. 즉 root trunk는 전체 치근면적의 32%인 반면, 근심협측 치근은 25%, 구개면 치근은 24%, 원심협측 치근은 19%에 불과하다. 하악 제1대구치의 경우에는 근심 치근의 면적이 가장 크다.[5] 하악 제1대구치의 경우에는 전체치근면적에서 근심치근, 원심치근, root trunk가 차지하는 비율이 각각 37%, 32%, 31%이다.[4] 임상적으로 혹은 방사선 사진에서는 하악의 원심치근이 크게 보이지만, 실제로는 근심치근이 가장 크다. 즉 대구치에서 수평적인 지지상실로 치근이개부가 노출된 경우라면 전체의 약 30% 이상의 부착상실을 의미한다.[6] 그러므로 치근절제나 치근분리를 시행하는 많은 경우에 잔존치조골의 지지양은 상대적으로 교합압을 견딜 만큼 충분하지 않을 것으로 예상할 수 있다.

또한 상악 제1대구치의 근심협측 치근의 94%, 원심협측 치근의 31%, 구개측 치근의 17%에서는 치근이개부 쪽을 향해 치근함요가 있는 것으로 보고 되고 있다. 하악 제1대구치의 경우에는 근심 치근은 100% 그리고 원심치근에서는 99%에서 치근함요가 관찰된다.[3] 이런 치근함요의 존재는 구강위생기구나 치주기구의 접근을 방해하고, 지대치 형성이나 적절한 post 형성을 어렵게 하며 치료 후의 유지관리도 곤란하게 한다.

상악 제1대구치의 경우 치근이개부는 CEJ에서 평균 4~6 mm 근단측으로 위치하며, 근심 치근이개부는 CEJ에 가깝게 위치하고, 상대적으로 원심 치근이개부는 근단측에 가깝게 위치한다. 하악 제1대구치의 경우에도 협측과 설측의 치근이개부는 CEJ에서 서로 다른 거리에 위치한다. 대개는 설측이 협측보다 근단측에 위치하며 그 거리는 평균 3~5 mm이다. 그러므로 대구치에서 치근이개부 부위의 치주낭이 5 mm 이상인 경우에는 치근이개부병소를 의심하여야 한다. 약 40%의 상악 제1소구치에서 2개의 root cone이 나타나며, CEJ에서 치근이개부까지의 거리는 약 8 mm 정도이다.

그리고 대부분의 치근이개부의 폭은 1 mm 이하이며, 0.75 mm 이하인 경우도 절반 이상이다. 우리가 보통 사용하는 큐렛의 폭이 0.75 mm에서 1 mm 정도인 것을 감안한다면, 큐렛만으로는 치근이개부 부위를 적절히 debridement할 수 없다는 결론을 내릴 수 있다(그림 35-1). 그러므로 치근이개부의 적절한 기구조작을 위해서는 통상적으로 사용하는 큐렛을 연마하여 blade의 폭을 줄여서 사용하거나, tip이 일반적인 큐렛보다 작게 특별히 고안된 초음파기구를 사용하는 것이 바람직하다(그림 35-2, 3).

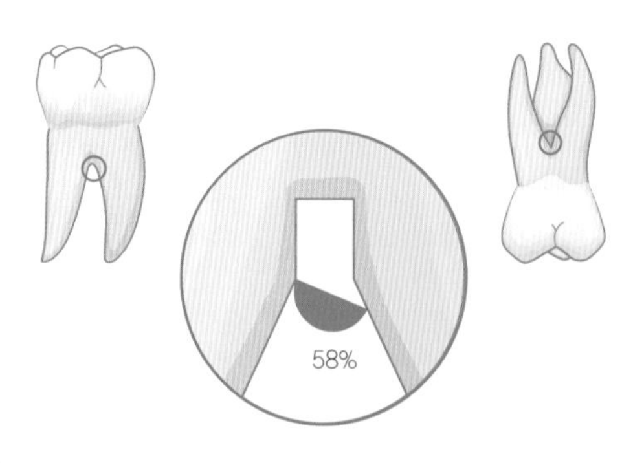

그림 35-1. 상하악 제1대구치의 58%에서 furcation enterance는 일반적인 curette의 폭보다 좁다.

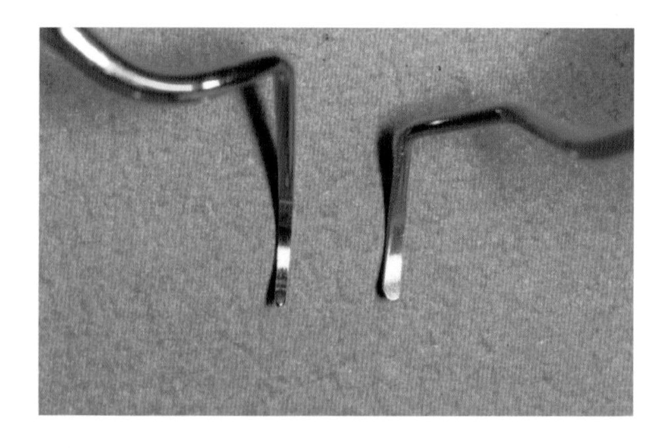

그림 35-2. Microultrasonic tip과 Gracey curette의 폭의 비교
좌측은 microultrasonic tip인 Satelec사의 H40이고, 우측은 Gracey 13/14 curette으로, microultrasonic tip이 일반적인 curette보다 폭이 좁은 것을 알 수 있다.

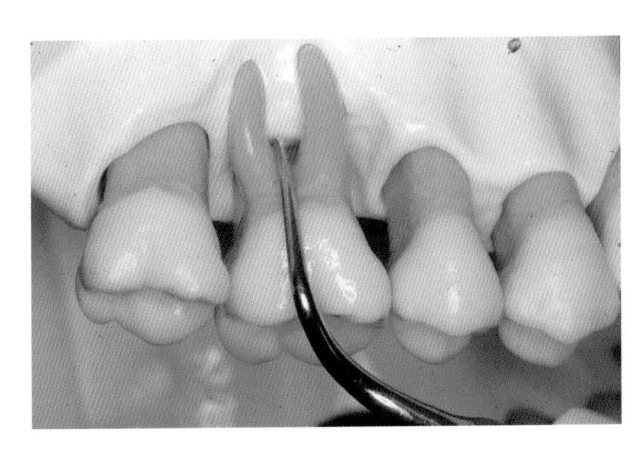

그림 35-3. Microultrasonic tip은 일반적인 curette에 비해 폭이 좁기 때문에 치근이개부에 대한 접근에 있어 일반적인 curette보다 우수하다.

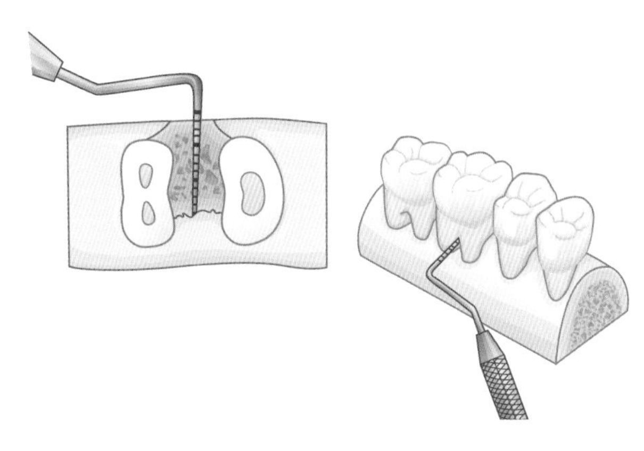

그림 35-4. 하악 대구치의 degree 2 furcation involvement

3. 진단[7]

일반적인 치주진단에 필요한 기구를 사용하지만, 소구치와 대구치에서는 치근이개부병소의 존재와 정도를 알기 위해서는, 치주 탐침에서 얻은 정보와 방사선 사진의 분석에 보다 주의를 기울여야만 한다.

학자에 따라 여러 가지의 분류가 가능하지만, 치근이개부병소의 분류는 치근사이 치주조직의 파괴정도에 비례하여야 하며, 문제를 해결하기 위한 치료의 개념과도 일치하는 것이 바람직하다. 이런 의미에서 Hamp[8] 등의 분류가 임상적으로 널리 사용된다. 즉 치근이개부병소에서 수평적 요소를 감소시키는 것이 바로 치근이개부의 치료가 되는 것이며, 치료 후에 환자에 의한 구강위생을 용이하게 하는 중요한 요인인 것이다. Hamp 등에 의한 치근이개부병소의 분류는 다음과 같다.

- 1도: 치주지지의 수평적인 파괴가 치아 폭의 1/3을 넘지 않는 경우
- 2도: 치주지지의 수평적인 파괴가 치아 폭의 1/3은 넘지만 치근이개부 전체를 완전히 개통하지 않은 경우(그림 35-4)
- 3도: 치주지지의 수평적인 파괴가 수평적으로 완전히 개통한 경우(그림 35-5)

한 가지 중요한 것은 치아 당 임상지수를 측정하는 것이 아니라, 모든 치근이개부를 조사하여 각각의 치근이개부에 대해 위의 지수를 적용한다는 것이다.

1) Probing (치주 탐침)

상악의 협측 치근이개부나 하악의 협측과 설측 치근이개부는 Nabers probe, explorer, 큐렛을 이용하여 접근할 수

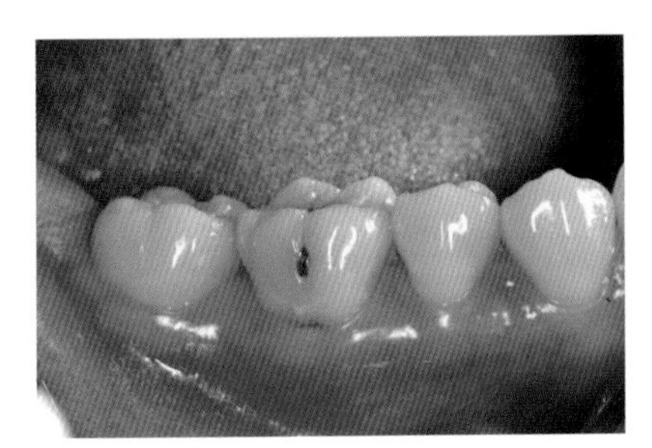
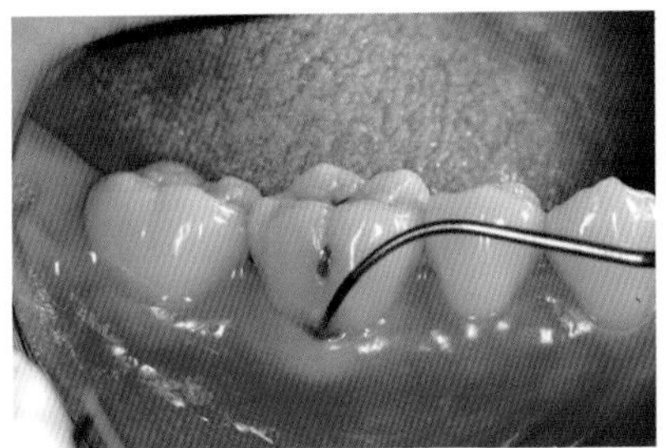
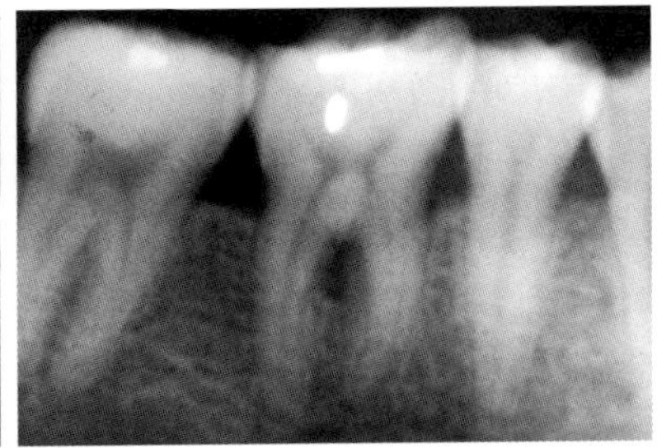

그림 35-5. Nabers probe를 이용하여 grade 3의 furcation involvement를 확인할 수 있다.

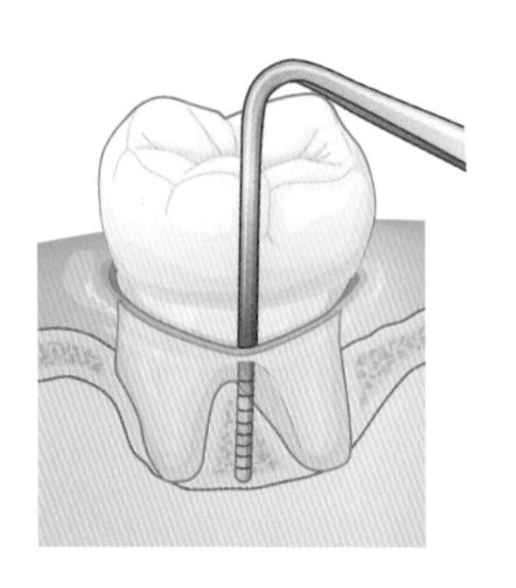
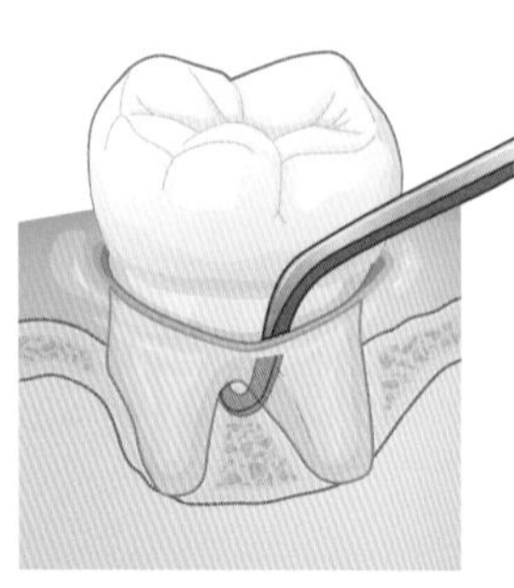

그림 35-6. Furcation involvement의 수평적 요소를 측정하기 위해서는 우측의 그림과 같이 Nabers probe를 사용한다.

있다(그림 35-5, 6). 그러나 근원심부의 치근이개부는 접근이 어렵고 특히 인접치가 있는 경우에는 더욱 어렵다.

상악구치의 경우에는 근심 치근이개부가 협측보다는 구개측으로 치우쳐 있다. 그러므로 근심 치근이개부는 구개측에서 접근해야 한다. 상악구치의 원심 이개부는 협측과 구개측 중간에 위치하므로 협측이나 구개측 모두에서 접근할 수 있다.

상악소구치의 경우는 접근이 매우 곤란한 경우가 많으며, 어떤 경우에는 외과 수술 중에 치근이개를 발견하는 경우도 있다.

2) 방사선 사진

치근이개부의 진단에는 방사선 사진의 촬영이 필수적이다. 방사선 사진은 평행촬영 치근단사진이나 교익촬영법을 주로 사용한다. 그러나 임상적 소견과 방사선 사진이 일치하지 않는 경우도 있는데 이는 특히 상악에서 국소적으로 상당한 부착상실이 있는 경우에 나타나는 현상이며, 구개측 치근이 중첩되거나 잔존골이 중첩되어 나타날 수 있다. 이런 경우에는 방사선 조사각을 변화시켜 확인할 필요가 있다.

3) 감별진단

치근이개부의 병소는 치수병소나 과도한 교합압에 의해 나타날 수도 있다. 그러므로 치근이개부의 치료는 적절한 감별진단 후에 시행하는 것이 바람직하다.

치수병소는 치근이개부병소의 원인이 될 수 있다. 이런 경우에는 방사선 사진에서 치주염에서 기인한 치근이개부병소와 유사한 소견을 보인다. 이 두 가지 병소를 감별하기 위해서는 치수의 생활력 검사가 필수적이다. 치수병소가 있더라도 치수의 부분괴사가 있는 경우에는 치수의 생활력이 있는 것으로 알려져 있지만, 치아가 실활치인 경우에는 치근이개부병소가 치수병소에서 기인한 것으로 진단할 수 있다.[9] 그러므로 적절한 근관치료가 선행되어야만 한다. 실제로 근관치료 후 이런 병소가 소실되는 것을 볼 수 있다. 만일 근관치료 2개월 후에도 병소가 줄어드는 것을 볼 수 없다면, 치근이개부병소는 치주염에 기인한 것으로 진단할 수 있다. 만일 치수병소의 경우에 치주치료를 먼저 시행한다면, 건전한 백악질의 제거로 인해, 치주조직재생의 가능성이 줄어들게 된다.

4) 외상성 교합

이미 부착상실이 있는 상황에서 교합간섭에서 기인한 부적절한 힘이 가해진다면, 다근치의 치근이개부의 조직의 파괴나 적응이 일어나 동요도가 증가하게 된다.[10] 이런 경우에도 방사선 사진상에서 방사선투과성이 나타나며, 치주낭 탐침이 치근이개부까지 삽입되지 않는다. 이런 경우라면 교합조정이 치주치료보다 선행되어야 한다. 만일 치근이개부의 병소가 교합에서 비롯된 것이라면 교합조정 후 수 주 내에 치아 동요도가 감소하고 방사선 사진상의 방사선 투과성은 사라지는 것을 볼 수 있다.

4. 치료[11]

치근이개부의 치료는 일반적인 치주치료와 마찬가지로 다음의 목적으로 시행한다.

① 치근이개부의 노출된 부위에서 치태(혹은 biofilm)를 제거한다.

② 환자에 의한 구강위생을 적절히 시행하기 용이한 형태로 만들어 준다.

이를 위해서는 임상지수에 따라 다른 방법의 치료가

적용된다.

- 1도 치근이개부병소의 치료: Scaling and root planing (비외과적 처치), furcation plasty (치근이개부 성형)
- 2도 치근이개부병소의 치료: 치근이개부 성형, tunnel preparation (터널화), root resection (치근절제술), 발치, 하악구치부에서 조직유도재생술
- 3도 치근이개부병소의 치료: tunnel preparation (터널화), root resection (치근절제술), 발치

1) 비외과적 치료

협측이나 설측에서 1도의 치근이개 병소가 있는 경우 대개는 구강위생과 염증치료를 위한 칫솔질이나 폭이 작은 치주기구의 접근이 용이하다. 또한 인접면 이개부, 특히 치근이개부병소가 다만 치은염증 때문에 치주낭 깊이가 증가하여 생긴 경우라면, 구강위생과 치근활택으로 충분한 치료가 된다. 치료 후 치유는 연조직이 치근이개부의 경조직벽에 적절하게 적합하는 정상적인 치은의 형태를 재형성하게 된다. 예후에서 언급하겠지만, 장기간에 걸친 연구의 결과는 많은 치아가 비외과적 처치만으로도 충분히 유지될 수 있다는 것을 재확인시켜 준다.

그렇다면 언제 수술을 시행하는가? 물론 환자에 의한 구강위생이 적절히 시행되어야 하는 것은 물론이고, 외과적 처치는 key tooth에서만 시행해야 한다. Key tooth란 그 치아가 치열 전체의 연속성을 유지하는데 중요한 경우, 교합의 유지 및 안정에 중요한 경우, 치열을 유지하는데 중요한 경우, 혹은 보철처치 시 지대치로 꼭 필요한 경우를 말한다. 그리고 일부는 이미 지대치인 경우가 많다.

2) 외과적 치료

(1) 치근이개부 성형

2도 이개의 경우, 혹은 1도의 경우라도 치조골의 형태가 기구의 접근을 방해하는 경우라면, 외과적 처치를 한다. 대개 절제적인 치료방법인 치근이개부 성형을 사용하여 치근이개부의 형태 이상을 제거한다. 치근이개부 수준에서 치아를 성형하고 치조골정의 형태를 수정하게 된다. 통상적인 치근면의 debridement와 인접 연조직의 제거와 함께, 치태조절을 위한 접근을 양호하게 하기 위해, 치근이개부병소의 수평적 요소를 제거하거나 줄이고 치근이개부를 넓히기 위한 치아성형의 술식을 시행한다(그림 35-7). 대부분의 치근이개부 표면은 매우 불규칙하므로 구강위생을 방해하고, debridement를 어렵게 한다. 그러므로 이런 부위를 bur 등을 이용하여 평탄하게 해준다. 그러나 치근이개부의 치아성형 후 지각과민을 야기할 수 있으므로, 치수와의 거리를 고려하여 주의 깊게 시행되어야만 한다. 그리고 치근이개부 부위의 골결손의 협설 폭을 줄이기 위해 골성형술로 치조골정의 형태를 변화시킨다(그림 35-8).

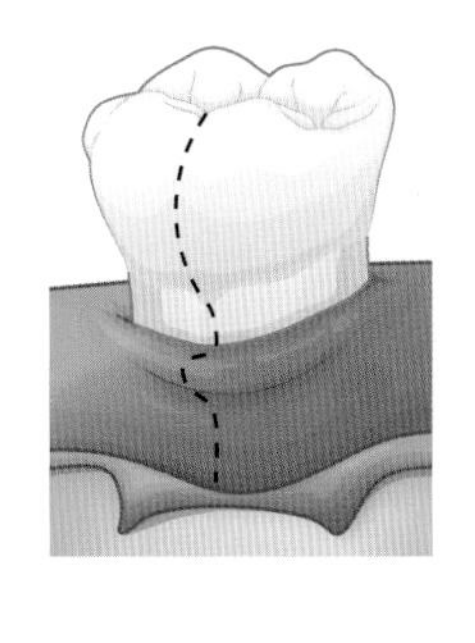
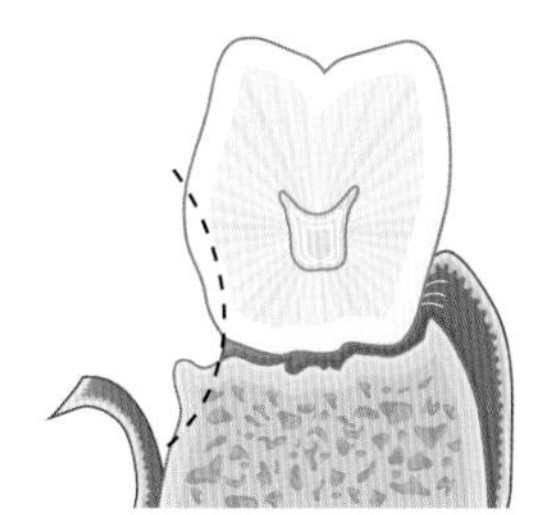
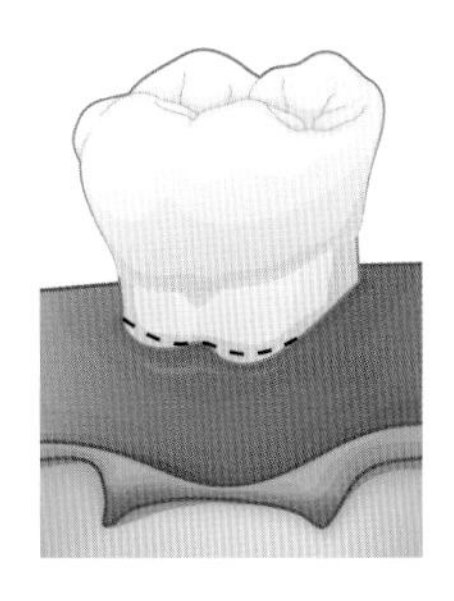
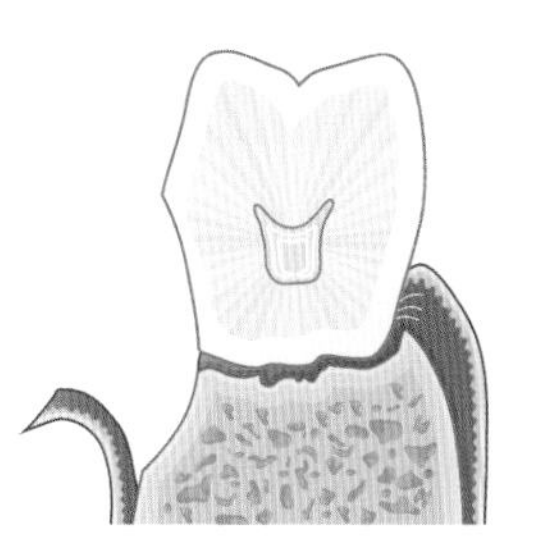

그림 35-7. 위의 그림은 치근이개부 부위에서의 치근과 골면의 이행부로 수평적 요소가 남아 있기 때문에 환자에 의한 구강위생이 적절하게 이루어지기 힘들다. 반대로 아래 그림은 치근이개부 성형 후의 상태로 환자에 의한 구강위생이 용이하게 된다.

(2) 조직유도재생술

조직유도재생술(GTR)을 위한 차폐막의 사용이 하악대구치의 2도 치근이개부병소에서 여러 가지 임상지표상 장점이 있다는 연구 보고가 있다.[11] 그러나 3도의 치근이

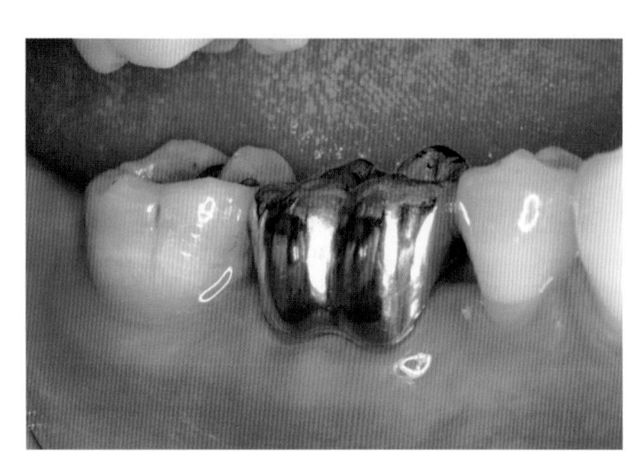

그림 35-8. 치근이개부병소가 있는 하악 제1대구치에 지대치 형성을 주어 치근이개부병소의 수평적 요소를 감소시킨 최종 보철물로 환자에 의한 구강위생을 용이하게 할 수 있다.

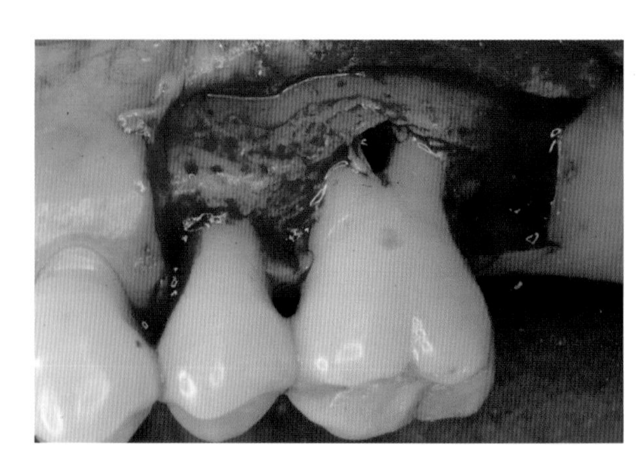

그림 35-9. 조직유도재생술은 하악의 경우 1도 혹은 2도의 치근이개부병소와 상악의 경우, 1도의 치근이개부병소가 그 적응증이 될 수 있다.

개부병소나, 상악 대구치의 2도의 치근이개부병소에서는 조직유도재생술의 치료로 좋은 결과를 기대하기 힘들다(그림 35-9).[12] 이것은 치근이개부의 해부학적인 구조상 완전한 debridement가 어렵고, 차폐막을 연조직으로 완전히 피개하기가 힘든 것 이외에도, 조직재생에 필요한 치주인대조직의 치관측 성장을 위해 혈액공급을 담당할 충분한 골벽이 부족한 것이 원인이 된다.

그러므로 다른 외과적 수술과 마찬가지로 치근이개부에서도 깊은 2벽성 혹은 3벽성 골결손은 조직유도재생술의 좋은 적응증이 된다. 그러나 3도의 치근이개부병소나 상악의 치근이개부병소는 인접 치근으로 구성되어있고, 상대적으로 혈액공급을 담당할 골벽이 매우 적어 조직재생의 가능성이 떨어진다.

(3) 터널화

3도 이개의 경우에 있어, 터널화는 어떤 경우 비외과적 처치를 받은 환자 자신에 의해서 완성될 수도 있고, 혹은 외과수술의 결과로도 생길 수 있다. 치은판막을 열고 debridement와 치아성형을 한다. 필요하면 골절제술의 원칙에 따라 치조골을 삭제한다. 치은판막을 적절하게 위치시키기 위해 봉합사를 치근이개부로 관통하게 하기도 한다.

터널화는 치근 우식의 위험성이 높은 약점이 있다. 초기 연구에서 소수의 터널 대부분에서 이런 부작용이 일어난다고 보고되었다.[8] 하지만 이후의 보다 많은 증례를 사용한 논문에서 우식위험도는 훨씬 낮아서 약 25% 정도였다.[13] 칫솔을 이용하여 환자자신이 불소도포를 하는 것이 이런 위험을 막을 것으로 본다.

다른 부위와 마찬가지로 치근이개부를 유지하기 위해 사용하는 치간칫솔은 삽입 가능한 것 중 가장 큰 것을 사용해야 한다. 어떤 환자는 이쑤시개를 선호하지만 이쑤시개로는 치간이개부의 형태를 따라가지 못하므로 치태를 완전히 제거할 수 없다.

(4) 치근절제술[11]

치근절제술은 2도 혹은 3도의 치근이개부 치료에 사용되는 치료방법이다. 그러나 치근절제술을 시행하기 전에 다음의 사항을 반드시 고려하여야만 한다.

① Root trunk의 길이

치주염이 있는 환자에서 root trunk가 짧다면 치근이개부병소는 빨리 일어날 수밖에 없다.[11] Root trunk가 짧은 치아는 치근절제술의 좋은 적응증이 된다. 왜냐하면 치근절제술 후에 남는 치주지지의 양이 남아 있는 root cone의 안정성을 유지하기 충분하기 때문이다. 만일 root trunk가 길다면, 치근이개부병소는 부착상실이 상당히 진행한 다음에 일어나지만 남아 있는 치주지지가 너무 적기 때문에 치근절제술을 시행할 수 없다.

② Root cone 사이의 이개도

Root cone 사이의 거리를 고려해야만 한다. 이개도가 작다면 이개도가 큰 경우보다 시술에 어려움이 있다. 또한 이개도가 작을수록 치근간거리가 작게 된다. 시술 후 보철적 처치를 시행하기 위해서는 치근간의 거리가 2~3 mm 정도의 충분한 공간이 있어야 적절한 수복물 변연의 형성이 가능하며, 보철치료 후 해당 치아의 유지관리가 가능하다. 이 정도의 거리가 나오지 않을 때는 교정적 처치로 치근간의 거리를 넓히는 치료를 고려해야 한다. 또한 다른 방법으로는 수술 중 시행되는 치아성형으로 치근간 거리를 증가시킬 수도 있다.

③ Root cone의 길이와 형태

짧고 작은 root cone은 분리 후 치아동요도가 나타날 가능성이 높다. 이런 치근은 치수강도 좁기 때문에 근관치료의 어려움도 있다. 그러므로 짧고 작은 치근은 적응증으로 볼 수 없다.

④ 치근 주위의 남아 있는 지지의 양

국소적으로 깊은 부착상실이 있는 치근은 장기간의 예후가 그렇지 않은 치근에 비해 불량하다.

⑤ 잔존 치근의 동요도

치근절제 후 잔존치근의 동요도는 반드시 검사하여야 한다. 동요도가 있는 root cone은 치주조직의 지지가 작으므로 예후가 불량하다.

⑥ 구강위생을 위한 접근

치료 후 환자에 의한 구강위생이 가능해야 한다.

치근절제술(root resection)은 치간이개의 치료 중 가장 복잡하다. 이런 치료는 2도와 3도의 치근이개부병소의 경우에 발치가 부적절한 경우에만 시행해야 한다, 왜냐하면 부가적인 근관치료와 보철치료가 필요하고, 여러 가지 치료에 따른 실패의 가능성도 높아지기 때문이다.

치근절제술에서는 치관부를 전부 유지하는 반면, 편측절단술(hemisection)은 잘려진 치근에 유지되는 치관 부분도 동시에 상실하게 된다. 치근절제술의 경우에는 근관치료만으로 치료가 끝날 수 있으나, 편측절단의 경우에는 변형된 치관부의 수복이나 지대치로 사용하기 위한 작업이 필요하다(그림 35-10). 소구치화(premolarization)는 소구치를 닮은 치관부의 수복을 하는 2개의 대구치 치근이 모두 유지되는 경우에만 사용하는 용어이다.

선택적인 치근절제술은 일반적으로 근관치료 후에 시행한다. 이 치료는 통상적인 치은판막을 열고, 치근이개부를 정확히 확인해야 한다. 해당 치근의 발거를 용이하

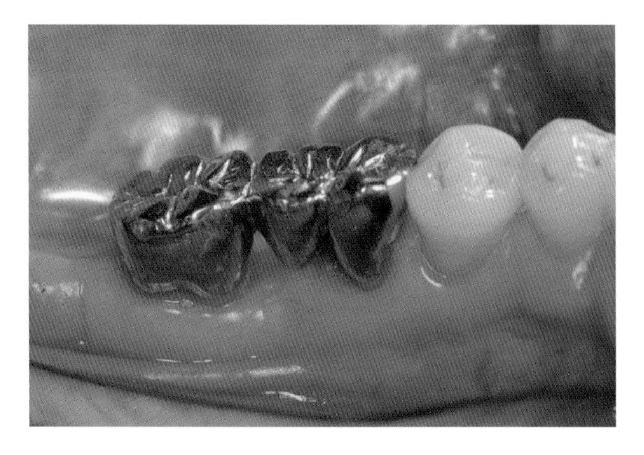

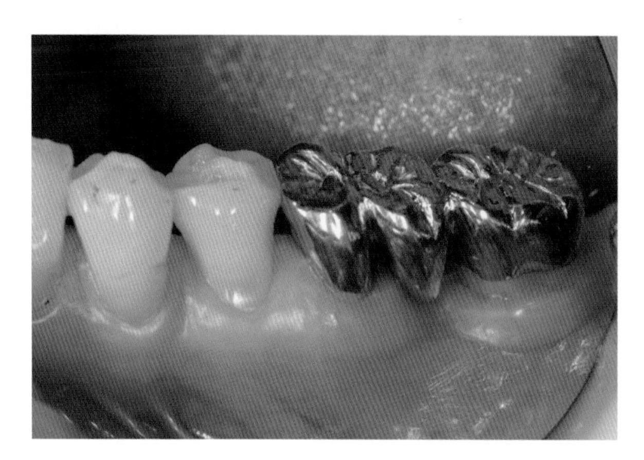

그림 35-10. 편측절단술 후에는 보철적 처치가 동반되어야 한다.

게 하기 위하여 발치할 치근 주위의 골을 삭제한다. 치근은 치근이개부의 외부에서부터 삭제를 시작하고 남아 있는 다른 부위는 건드리지 않아야 한다. 치근을 빼는 것은 쉽지만 나머지 치근을 덮고 있는 골을 조금씩 조심스럽게 형태 수정해야 하며, 치근 제거를 마친 치조골돌기의 협설적 폭을 줄이기 위해 치조골성형을 시행한다(그림 35-11). 삭제된 치아면은 구강위생이 용이한 형태를 부여해야 한다. 치근의 제거는 잔존치근에 가해지는 교합력의 분산에 변화를 초래하므로 필요하다면 교합조정을 시행한다. 삭제된 치근 상방에는 측방압이 가해지지 않도록 해야 한다.

경우에 따라서는 생활치도 치근절제술을 시행하기도 한다. 치은판막을 열기 전까지는 치근의 형태를 확인할 수 없는 경우가 있기 때문이다. 근관치료를 완료하고 재차 수술을 하는 대신 환자의 동의하에 치근을 제거하고 수산화칼슘을 치수노출부 위에 덮어준다. 이런 술식 후에 어떤 치아는 수 년간 생활력을 유지하기도 한다.[14] 그러나 수 주 내에 근관치료를 완료하는 것이 일반적인 방법이다.

치아의 남겨진 부분의 치주지지가 좋지 않다면, 치근절제술은 최선의 치료라고 볼 수 없다. 예를 들어 하악의 구치는 치근의 형태가 치근절제를 하기는 쉽지만, 터널화나, 편측절단술을 시행하고 보철 수복을 하는 것이 바람직하다.

치근절제술에 대한 장기간의 연구는 매우 적다. 그리고 치료의 복잡성 때문에 실패하는 것으로 보고하고 있다.

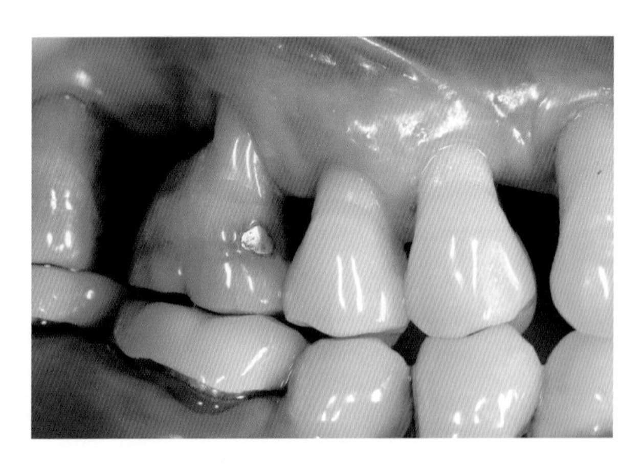

그림 35-11. 상악 제1대구치의 원심협측 치근에 대한 치근절제술을 시행한 환자의 5년 후 임상사진
환자에 의한 구강위생을 향상시키기 위해 수술 시 절제된 원심협측부에 치조골 절성형을 시행하여 협설적인 치조골의 폭을 줄여준다.

⑦ 발치

치주치료의 목적이 치주질환에 이환된 치아를 보존하는 것이지만, 그 결과로 치료를 복잡하게 하거나, 인접 치주조직을 위험하게 하고, 치조골의 흡수를 촉진하게 된다면 적절한 치료라고 생각할 수 없다. 그런 면에서 발치는 치료계획을 단순하게 하고, 치주조직을 최대한 보존한다는 면에서 치근이개부병소의 중요한 치료방법으로 고려해야만 한다. 치근이개부의 완전한 개통이 있거나, 심한 부착상실이 있는 환자에서는 발치가 좋은 치료법이 될 수 있다. 특히 적절한 구강위생을 시행하지 못하거나, 치아우식의 가능성이 높으며, 유지관리를 수행할 능력이 없고, 복잡한 치료와 치료비를 감당하지 못하는 경우에는 발치가 좋은 치료가 된다. 어떤 경우에는 환자가 장기간의 예후가 불량한 경우에도 마지못해 치주수술을 받는 경우도 있다. 이런 경우라면 오히려 비외과적 처치로 병소의 증상이 악화될 때까지 발치를 지연시키는 것도 좋은 치료방법이 된다. 비록 부착상실이 계속되더라도 이런 치아를 어느 정도 더 유지하는 것은 가능하기 때문이다.

또한 임플란트의 발전은 고도의 치근이개부 문제가 있는 치아의 유지에 대해 의문을 제기하게 한다. 임플란트는 예지성이 높기 때문에 해당 치아의 예후가 불확실한 경우에는 발치를 하고 임플란트를 이용한 보철치료의 방법을 모색하는 것이 바람직하다.

5. 예후

한때 치근이개부병소가 있는 다근치의 예후는 불량하기 때문에 발치가 바람직한 치료방법이라고 생각하던 때가 있었다. 그러나 Hirschfeld와 Wasserman[15]은 치료 후 20년 이상의 장기간 동안 관찰한 600명의 환자에서 치근이개부에 관한 상세한 보고를 했다. 이 중 치근절제를 시행한 치아는 겨우 17건에 지나지 않았다. 특별한 것은 상당수의 치근이개부병소를 갖는 치아가 비교적 간단한 그리고 대개는 수술을 하지 않고도 유지를 잘하는 군에 속한다는 것이다. Ross와 Thompson[16]은 치근이개부병소가 있는 100명의 환자의 387개의 상악대구치에 대해 구강위생교육, 치석제거, 교합조정, 골절제를 동반하지 않은 연조직 수술을 시행하고, 치료 후 5~24년의 관찰을 보고하였다. 387개의 치아 중 341개(88%)가 생존하였으며, 발치된 치아 46개 중 25개는 6~18년 동안 기능하였다고 하였다. 즉 보존적 처치만으로도 약 90%의 치아가 유지된 것을 알 수 있다.

위의 장기간의 연구는 치근이개부병소가 있는 많은 치아들이 치근절제 등의 복잡한 치료 없이도 장기간 생존할 수 있다는 것을 보여준다.

한편 Hamp 등[8]은 87개의 2~3도의 치근이개부병소가 있는 치아를 치근절제 후, 3~6개월마다 철저한 유지관리를 시행하였다. 5년 동안 발치된 치아는 없었고, 5년 후 87개 중 78개(약 90%)가 치주낭 3 mm 이하였으며, 7개가 4~6 mm로 아주 양호한 결과를 나타낸다고 보고하였다.

여러 조건이 다르기 때문에 위의 연구를 직접 비교한다는 것은 불가능하지만, 치근절제술이 치근이개부병소가 있는 치아의 수명을 연장시킨다는 결정적인 증거는 없다. 그러나 여러 임상연구에서 좋은 결과가 보고 되고 있으며, 이런 장기간에 걸친 성공을 위해서는 철저한 진단, 구강위생이 좋은 환자 및 적절한 치아의 선택, 세심한 치주수술과 수복처치가 중요하다고 하겠다.

참고문헌

1. Al Shammari KF, Kazor CE, Wang HL. Molar root anatomy and manegement of furcation defects. Journal of Clinical Periodontology 2001;28:730.
2. Bower RC. Furcation morphology relative to periodontal treatment: Furcation entrance architecture. Journal of Periodontology 1979;50:23.
3. Bower RC. Furcation morphology relative to periodontal treatment. Furcation root surface anatomy. Journal of Periodontology 1979;50:366.
4. Dunlap R, Gher M. Root surface measurements of the mandibular first molar. Journal of Periodontology 1985;56:234.
5. Gher ME., Dunlap R.Linear variation of the root surface area of the maxillary 1st molar. Journal of Periodontology 1985.
6. Hermann DW, Gher ME, Dunlap RMet al. The potential attachment area of the maxillary first molars. Journal of Periodontology 1983;54:431.
7. Lindhe J., Niklaus P. Lang, Thorkild Karring. Clinical Periodontology and Implant Dentistry: Wiley–Blackwell; 2008.
8. Hamp SE., Nyman S., Lindhe J. Periodontal treatment of multirooted teeth. Results after 5 years. Journal of Clinical Periodontology 1975;2:126.
9. Bender IB, Seltzer S. The effect of periodontal disease on the pulp. Oral Surgery, Oral Medicine, Oral Pathology, Oral Radiology 1972;33:458.
10. Lindhe J., Svanberg G. Influence of trauma from occlusion on progression of experimental periodontitis in the beagle dog. Journal of Clinical Periodontology 1974;3:110.
11. Pontoriero R., Lindhe J., Nyman S.et al. Guided tissue regeneration in degree II furcation involved mandibular molars. A clinical study. Journal of Clinical Periodontology 1988;15:247.
12. Pontoriero R., Lindhe J.Guided tissue regeneration in the treatment of degree II furcatons in maxillary molars. Journal of Clinical Periodontology 1995;22:756.
13. Hellden LB, Elliot A., Steffensen B.et al. The prognosis of tunnel preparations in treatment of class III furcations. Journal of Periodontology 1989;60:182.

14. Smukler H., Tagger M. Vital root amputation. A clinical and histologic study. Journal of Periodontology 1976;47:324.
15. Hirschfeld L, Wasserman B. A long-term suvery of tooth loss in 600 treated periodontal patients. Journal of Periodontology 1978;49:225.
16. Ross IF, Thompson RH. A long term study of root retention in the treatment of maxillary molars with furcation involvement. Journal of Periodontology 1978;49:238.

기타 참고문헌

- Kalkwarf K, Kaldahl, W., Patil, K., et al. Evaluation of furcation region response to periodontal therapy. Journal of Periodontology 1988;59:794.
- Rosenberg M. Furcationinvolvement: periodontic, endodontic and restorative interrelationships. In: Rosenberg MM, Kay HB, Keough BE, et al, eds. Periodontal and Prosthetic management for advanced cases. Chicago: Quintessence 1988;249.

치은치조점막수술(mucogingival surgery)이라는 용어는 Friedman에 의해 처음 소개되었으며 이는 치은과 구강점막 관계의 수정, 즉 부착치은, 얕은 구강전정, 변연치은 유지를 방해하는 소대 등 세 가지 영역에 관한 연조직의 수정 및 형태와 위치를 교정하는 외과적 수술을 의미하였다.[1] 그러나 치주외과수술법의 발전과 치주낭과 직접 관련되지 않은 범위의 처치에 대한 관심이 늘어남에 따라 과거에는 다루지 않았던 다양한 부분에 대한 수술법이 소개되었다. 따라서 1996년 국제회의에서는 치은치조점막수술을 1988년 Miller가 최초 제안하였던 대로 치주성형수술(periodontal plastic surgery)로 명칭을 바꾸게 되었다.[2]

치주성형수술은 치은과 치조점막의 해부학적 형태 또는 발육이상을 수정하거나 제거하는 수술로 정의할 수 있다. 치은치조점막수술은 교정이나 수복치료를 이용한 유두재건과 같은 비외과적 처치까지 포함하므로 더 넓은 의미를 포함한다. 치주성형수술은 치은치조점막의 외과적 수술만을 의미하는 것이다. 이 장에서는 부착치은 증대, 노출 치근의 피개, 구강전정을 깊게 하거나 또는 소대이상의 수정과 같은 전통적으로 치은치조점막수술에 포함되는 부분을 다루고 기타 치주-보철과 관련된 수술이나 심미수술 또는 임플란트와 관련되는 수술은 다른 장에서 언급될 것이다.

1. 원인[4,5]

1) 치아의 위치이상(Malposition)[6]

변위되어 있거나 총생(crowding)되어 있는 치아는 부착치은의 양이 충분하지 못하다.

2) 형성이상(Formational anomaly)[7]

치아맹출 때부터 부착치은이 없거나 소대가 변연치은 가까이 높게 붙어있을 때, 구강전정이 얕은 경우

3) 치주낭의 형성(Pocket formation)

치주낭의 깊이가 치은점막 경계부 하방까지 확장되어 있는 경우

4) 염증, 손상, 칫솔질로 인한 마모에 의한 치은퇴축[8]

치은염증이 치은퇴축을 일으킬 수 있으며, 치과치료나 칫솔질 시에 치은에 손상을 줄 수 있고, 치은이 얇고 부착치은의 폭이 좁으면 이러한 손상이 치은퇴축을 일으킬 수 있다.

5) 치주수술(Periodontal surgery)[9]

치은절제술 후 부착치은의 양이 적어질 수 있다.

6) 교정력에 의한 치아이동 (Orthodontic treatment)[10,11]

교정용 밴드도 치은에 손상을 주어 치은퇴축을 일으킬 수 있고, 치아를 협측이나 설측으로 무리하게 이동시킬 때도 치은퇴축을 일으킬 수 있다.

2. 목적 및 적응증

1) 치주낭의 기저부가 치은점막 경계부 하방에 위치하거나 치은점막 경계부 근처에 위치하는 경우 치주낭의 제거를 위해

치유된 치은열구를 치조점막으로부터 분리시키고 치주낭이 재발되는 것을 막기 위해서 부착치은을 형성시켜 주어야 한다. 치료술식으로는 근단변위판막술(apically positioned flap)이나 유리치은이식술(free gingival graft)을 해준다.

2) 치주낭의 형성 없이 부착치은이 적은 경우 부착치은을 형성해 주기 위해

임상적으로 건강한 치주조직을 유지하기 위해 필요한 부착치은의 양에 대해서는 여러 학자들 사이에 논란이 많다. 오랫동안 충분한 부착치은의 폭은 건강한 변연치은을 유지하고 결합조직 부착의 지속적인 상실을 막는데 중요하다고 여겨져 왔다.[12–16] 따라서 임상가들은 적은 부착치은의 양은 저작힘에 견디기 힘들고 소대나 근육이 당길 때 저항할 수 없으며,[1,13] 치태가 쉽게 근단 쪽으로 이동할 것이라고 생각하였다.[17–19] 더 나아가 얕은 구강전정은 치태 및 음식물의 침착을 유도하고 구강위생관리를 방해하는 것으로 생각되어 왔다.[20–23] 부착치은의 적절한 폭경에 대해서는 논란이 많으며 치은건강을 유지하기 위해서 Corn, Lang & Löe는 2 mm 이상의 부착치은이 있어야 한다고 하였으나,[21,23] Miyasato 등은 1 mm 이하의 부착치은을 가져도 건강한 변연치은을 유지할 수 있다고 하였다.[25] 또한 최소한의 치은폭경을 가진 환자에서 오랫동안 관찰한 결과 유리치은을 이식한 부위와 대조군 간에 임상적으로 유의성 있는 차이를 얻지 못했다.[26–28] 따라서, 임상적으로 건강한 치은을 가지고 있다면 치은의 건강을 위해 부착치은의 폭을 증가시킬 필요는 없으나, 치은에 염증이 계속 존재하고 환자의 구강청결이 어려운 경우와, 좁은 부착치은이 있는 치아에 치은연하변연이 필요한 치관 수복을 해주어야 할 때는 치은퇴축이 생기는 것을 막기 위해서 부착치은의 폭을 증가시키거나 부착치은을 형성해 주어야 한다. 수복물의 변연을 치은하방에 위치시킬 경우 치료 중 조직에 외상을 줄 뿐 아니라 치은연하 치태 침착을 용이하게 해 인접 치은의 염증성 변화를 일으키고 연조직 변연의 퇴축을 일으킬 수 있다.[29–32] 치료술식으로는 유리치은이식술(free gingival graft)이 사용된다.

3) 치은퇴축(Gingival recession)을 치료하기 위해

치은퇴축이 있는 경우 오래 전부터 존재하던 치은퇴축인지 또는 최근에 생긴 치은퇴축인지를 결정하는 것이 중요하며, 치은퇴축이 오래 전부터 존재하던 것이며 심미적인 문제로 환자가 노출된 치근면을 덮길 원하지 않으면 치은퇴축이 더 진행되는지 여부를 관찰한다. 그러나 최근에 생긴 치은퇴축이며 치은에 염증이 있거나 치은퇴축과 관련된 근육의 장력이 있는 경우에는 치료를 해주어야 한다. 치료술식으로는 측방변위판막술이나 치은이식술, 유리치은이식술을 겸한 치관변위판막술(coronally positioned flap combined with free gingival graft)이나 상피하 결합조직 이식술(subepithelial connective tissue graft), 조직유도재생술을 사용한다.

4) 소대나 근육부착부위의 위치를 수정시키기 위해

소대나 근육부착부가 치은변연에 가깝고 높게 위치한 경우에는 치은열구를 끌어당겨 치주질환을 일으키는 원인인자의 축적을 용이하게 해주며, 치주낭을 형성시키고, 이미 형성되어 있는 치주낭을 더 악화시키게 되며, 치료 후에도 치주낭의 재발을 일으키므로 위치를 수정시켜 주어야 한다.[7] 치료술식으로는 소대절제술(frenectomy)이 있다.

5) 구강전정을 깊게 해주기 위해

구강전정이 얕을 경우 환자가 구강청결을 하기 힘들고 치은퇴축을 일으킬 가능성이 높으므로 구강전정성형술(vestibuloplasty)을 해 준다.

3. 치은증강술 (Gingival augmentation procedures)

1) 치은확장술(Gingival extension procedure)[33]

골노출술식(denudation)은 치은변연으로부터 치은치조점막까지 모든 연조직을 제거하여 치조골을 완전히 노출시키는 것이다(그림 36-1). 그러나 치조골 노출로 인해 치조골의 소실을 일으킬 수 있고 치은퇴축도 일으킬 수 있으며 환자의 심각한 수술 후 동통으로 요즘은 많이 사용되지 않는다.

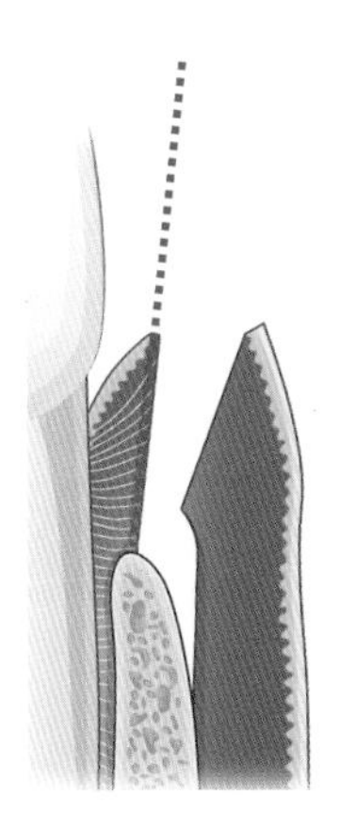

그림 36-1. 골노출술식은 모든 연조직을 제거하여 치조골을 노출시킨다.

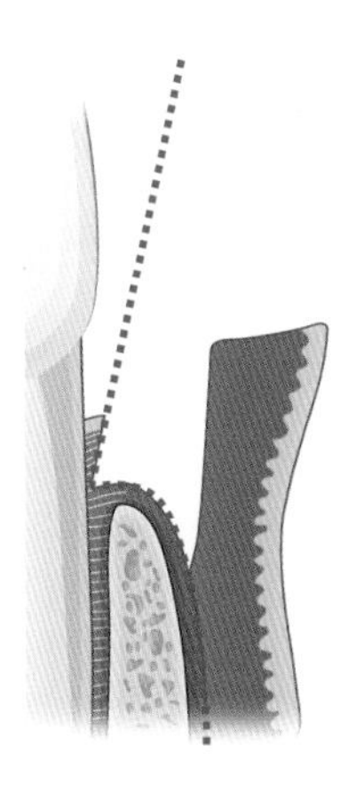

그림 36-2. 분할층판막술식은 구강 점막의 표층만 제거하여 결합조직을 남겨둔다.

골막유지 술식(periosteal retention)이나 분할층판막(split flap) 술식은 상처부위에서 구강점막의 표층만 제거해서 골막을 골에 남기는 술식이다(그림 36-2). 골막의 보존은 심각한 골 흡수가 골노출 술식보다 덜 일어날지라도 만약 두꺼운 결합조직층이 남아있지 못하면 골막의 결합조직은 괴사되고 치유과정은 앞의 골노출 술식과 동일하게 된다.

2) 근단변위판막술(Apically postioned flap)[34,35]

근단변위판막술은 전층 혹은 부분층 판막을 젖혀 근단변위시킴으로써 치주낭을 제거하고 부착치은의 폭을 넓힌다. 부분층 판막은 골을 노출시키지 않으므로 골 흡수를 줄이고 전층판막은 골을 재형성해줄 필요가 있을 때 시행한다. 부분층 판막은 더 많은 시간과 정확도를 요구하나 더 정확히 위치시킬 수 있고 골막하 봉합 방법을 사용해서 근첨으로 위치시켜 봉합할 수 있다.

판막의 끝은 골과 연관시켜 3가지 방법으로 위치시킬 수 있다.

- 치조정 상방: 이 경우, 치조정 상방의 섬유군의 부착을 보존할 수 있다는 장점이 있다. 하지만 두꺼운 치은연과 깊은 치은열구를 남기게 되므로 치주낭을 재발시킬 수 있다.
- 치조정 상: 이 위치에서는 판막을 적절히 얇게 형성해 줄 경우 바람직한 치은 외형을 얻을 수 있다.
- 치조정 하방 2 mm: 가장 만족스러운 치은 외형을 얻을 수 있으며 치조정 위치에 놓은 것과 거의 비슷한 양의 치은부착을 얻을 수 있으며, 새로운 조직이 치조정을 덮음으로써 단단하면서도 경사진 외형을 갖는 치은연이 형성된다. 비록 치조정 하방에 판막을 위치시키는 것이 골 흡수의 위험성을 약간 증가시키기는 하지만 이것은 치은 외형이 잘 형성되는 것으로 충분히 보상해 줄 수 있다(그림 36-3, 4).

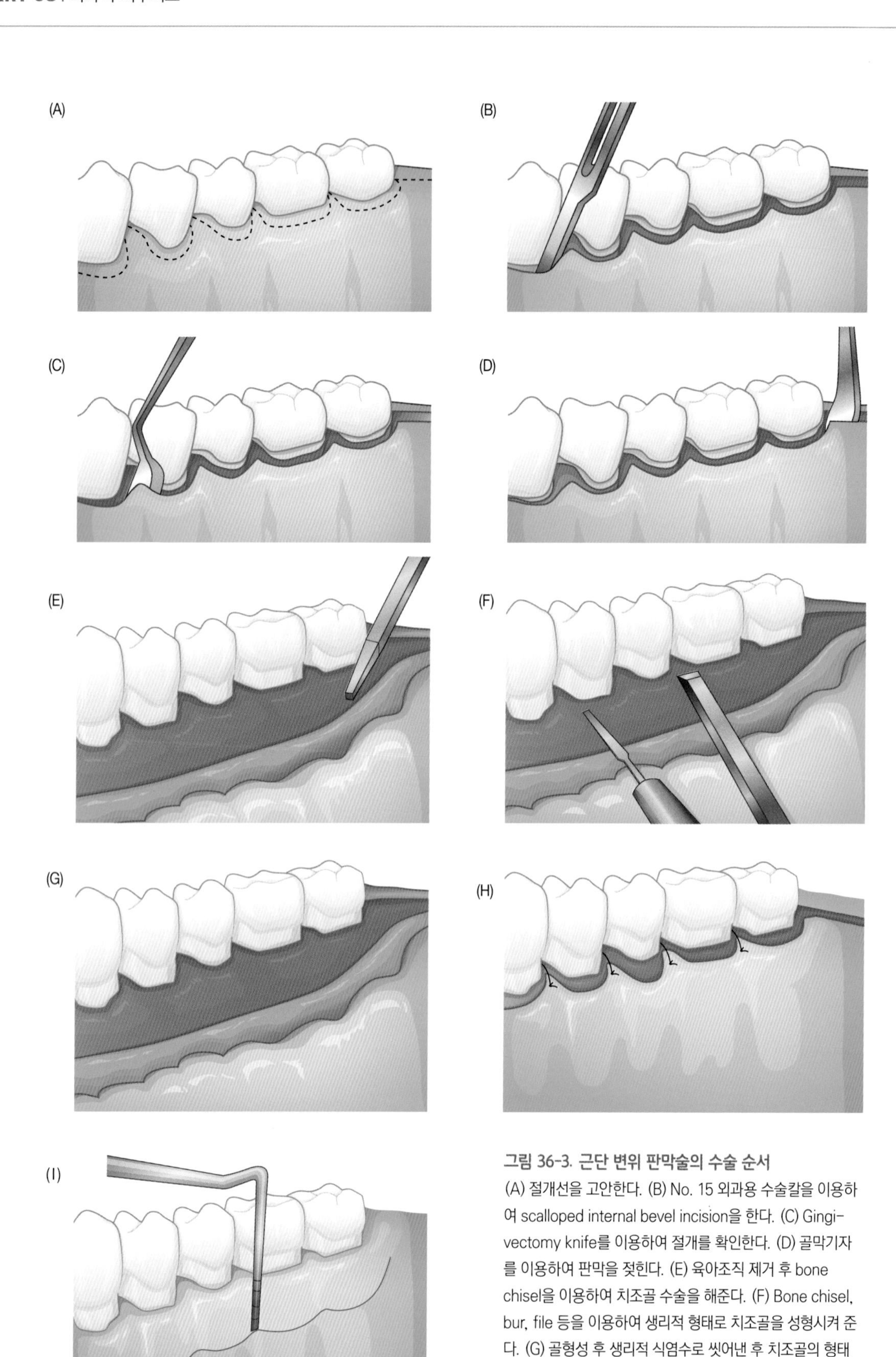

그림 36-3. 근단 변위 판막술의 수술 순서

(A) 절개선을 고안한다. (B) No. 15 외과용 수술칼을 이용하여 scalloped internal bevel incision을 한다. (C) Gingivectomy knife를 이용하여 절개를 확인한다. (D) 골막기자를 이용하여 판막을 젖힌다. (E) 육아조직 제거 후 bone chisel을 이용하여 치조골 수술을 해준다. (F) Bone chisel, bur, file 등을 이용하여 생리적 형태로 치조골을 성형시켜 준다. (G) 골형성 후 생리적 식염수로 씻어낸 후 치조골의 형태와 치근을 다시 관찰한다. (H) 부착치은을 증가시켜 주기 위해 치조정 2 mm 하방에 치은변연을 위치시켜 준다. (I) 부착치은이 증가한 것을 볼 수 있다.

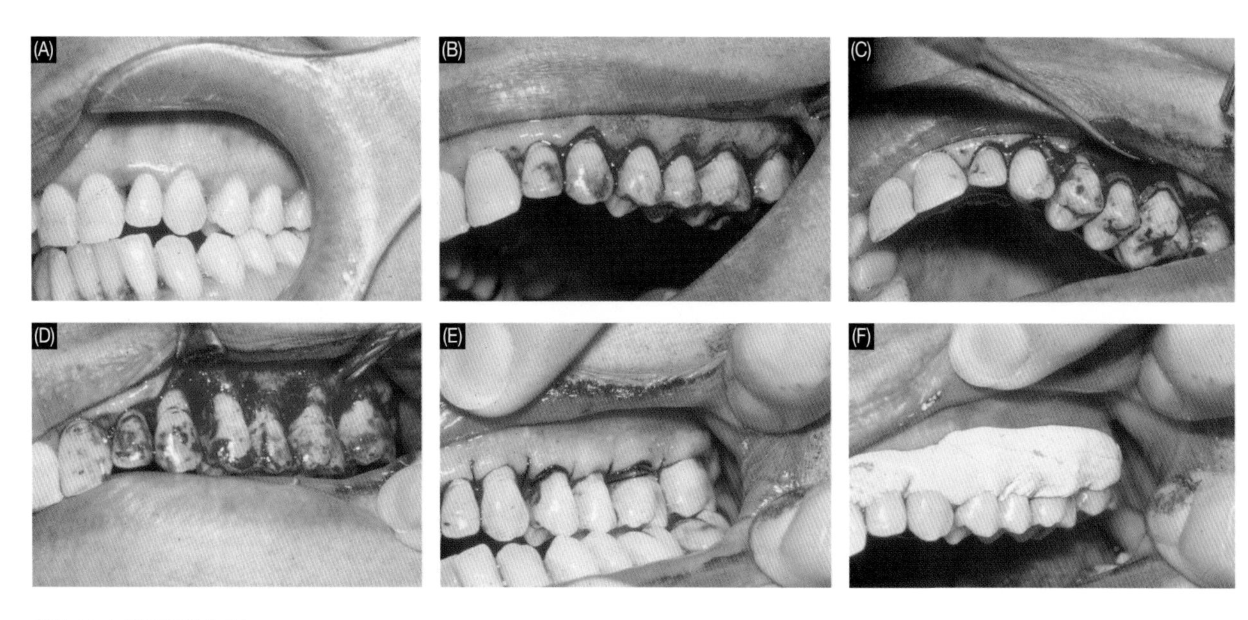

그림 36-4. 근단변위판막술
(A) 수술 전 임상사진 (B) Scalloped internal bevel incision을 한 상태 (C) 골막 기자를 이용하여 판막을 젖힌다. (D) 치조골 성형 및 치근 활택이 끝난 상태 (E) 봉합이 끝난 상태 (F) 치주포대를 붙힌 상태

3) 치은이식술(Gingival graft)[36-38]

치은이식술은 부착치은의 폭을 증가시키거나 치근 피개의 목적으로 사용되어 처음에 Bjorn에 의해 소개되었고 Sullivan과 Atkins에 의해 술식이 자세히 소개되었다.

(1) 술식

① 수부(Recipient site)의 준비

수술 부위의 치은점막경계부에서 No. 15 외과용 수술칼을 이용하여 치은점막경계부를 따라 내사절개를 해주고 치조골 위에 골막을 남겨놓고 예개(sharp dissection)를 하여 원하는 이식편의 크기보다 25% 정도 크게 수부를 형성해준다. 때로는 수부 양쪽에 수직절개를 치조점막까지 하기도 하며, 이식편이 위치할 수부 하부에 판막을 봉합해 주기도 한다. 가위나 tissue nipper를 이용하여 수부에 있는 여분의 연조직이나 근육섬유를 제거해주고 수부의 최하부에 골막을 천공(periosteal fenestration)시켜주기도 한다. 치은점막경계부 상부에 존재하는 치은조직을 관찰하여 잔존 부착치은이나 치간유두가 섬유증화(fibrotic)되어있고 구근모양(bulbous)을 가지고 있으면 nipper나 치은절제용 수술도로 섬유증화된 조직을 얇게 만들어주고 1차 절개에 의해 생긴 사면(bevel)을 문질러 준다. 이것은 이식된 조직과 잔존 치은과의 결합을 안전하게 해주고 이식편과 잔존 부착치은 사이에 수술 후 생길 수 있는 적색 점막선(red mucosal line)을 없애주기 위해서이다. 수부형성 후 정확한 크기를 측정하기 위해 석박(tin foil)이나 왁스를 이용하여 형판(template)을 만든다. 공여부위를 만들 때까지 지혈시킬 수 있도록 생리식염수에 적신 거즈로 가볍게 수부를 압박시켜 준다(그림 36-5, 6, 7, 8).

② 공여부위로부터 이식편의 준비

이식편을 얻기 위한 공여부위로는 부착치은, 구개점막, 무치악융선(edentulous ridge) 등의 저작점막(masticatory mucosa)이 사용된다. 가장 많이 사용되는 부위는 구개점막이며 추벽(rugae) 최원심에서부터 전구개공 앞까지의 치아에 인접해 있는 부위의 구개점막이 공여부위로 사용된다. 이식편의 곧은 부위(straight portion)가 치은변연으로부터 3 mm 정도 하부에 오도록 형판을 구개점막에 붙이

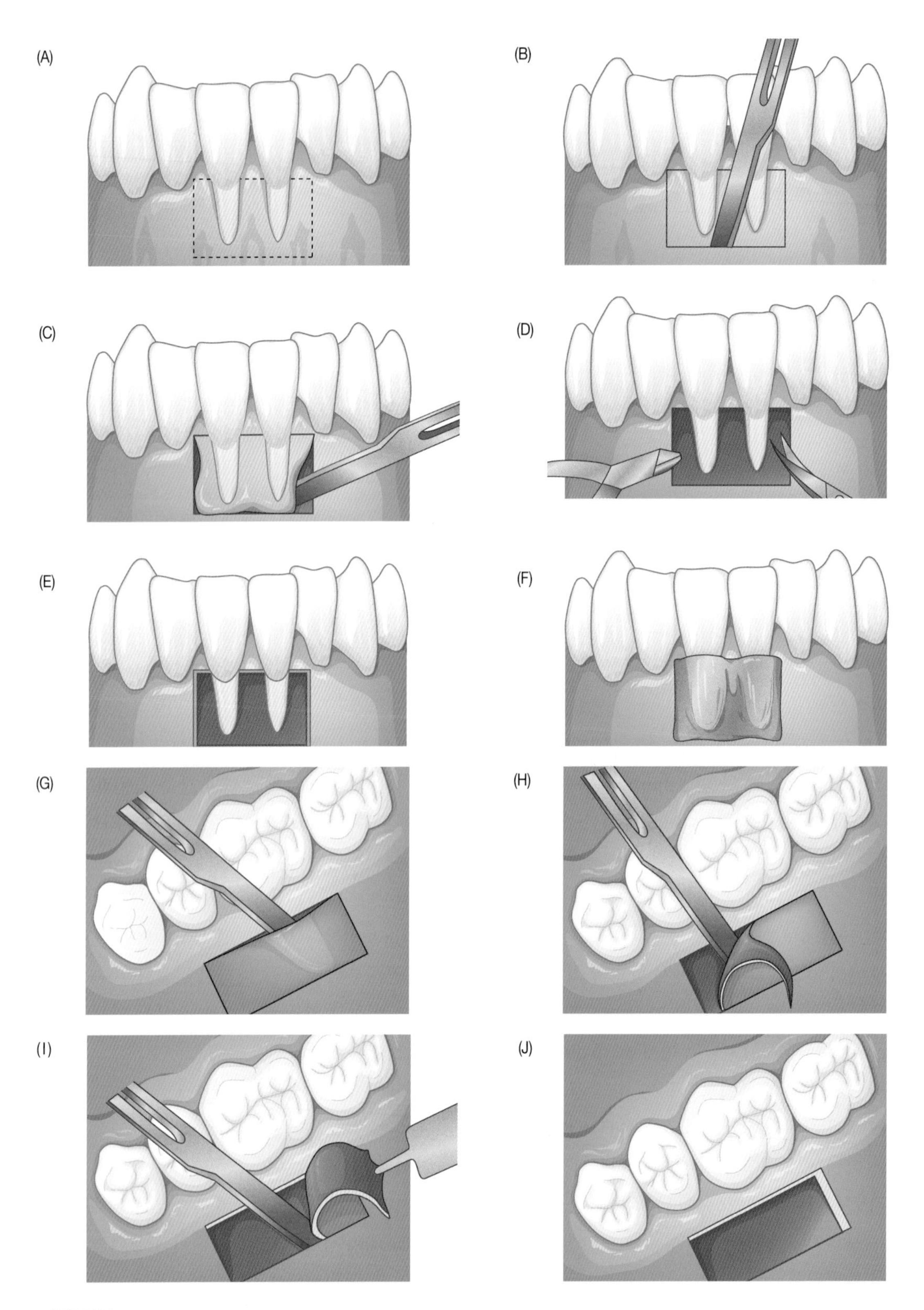

그림 36-5. 치은이식술

(A) 시술할 부위의 절개선을 고안한다. (B) No. 15 외과용 수술칼로 고안된 절개선을 따라 절개한다. (C) No. 15 외과용 수술칼을 이용하여 수부로부터 조직을 제거한다. (D) 가위나 tissue nipper로 수부에 남아있는 여분의 연조직이나 근육섬유를 제거하고 치근을 활택시켜 준다. (E) 잘 형성된 수부의 도해 (F) 석박이나 왁스를 이용하여 이식편의 형판을 만든다. (G) 형판을 구개부위에 위치시키고 외과용 수술칼로 절개한다. (H) 외과용 수술칼을 이용하여 구개부로부터 이식편을 분리시킨다. (I) 이식편을 분리시키는 도해 (J) 이식편이 분리된 후 공여부위의 도해 [계속]

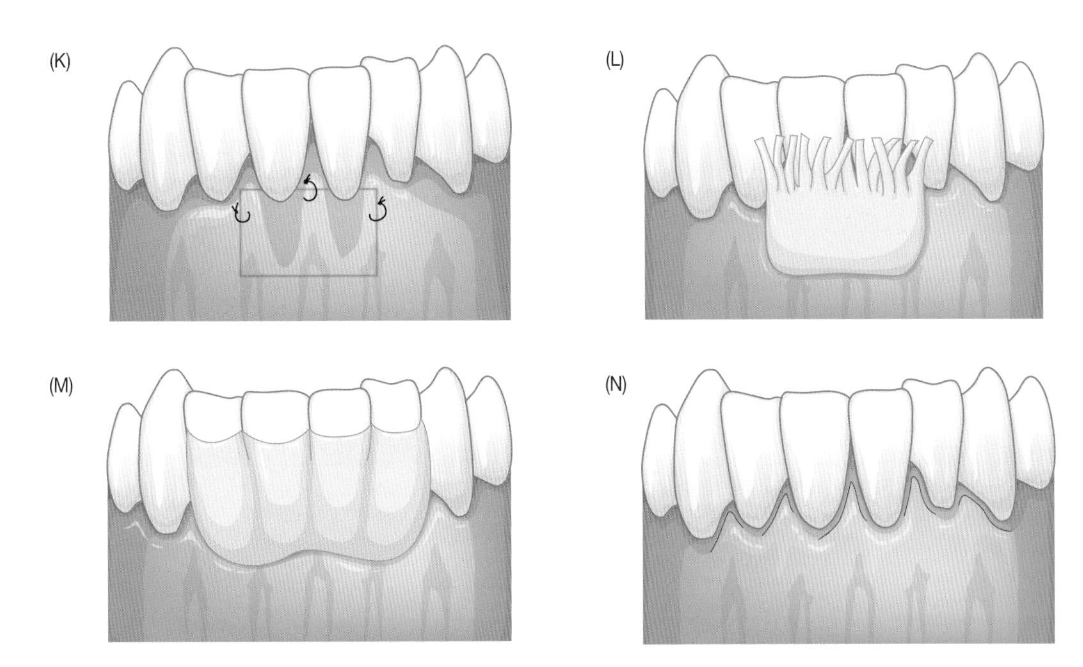

그림 36-5. [계속] 치은이식술
(K) 이식편을 수부에 위치시키고 봉합한 도해 (M) 치주포대를 덮는다. (N) 치유 후의 도해

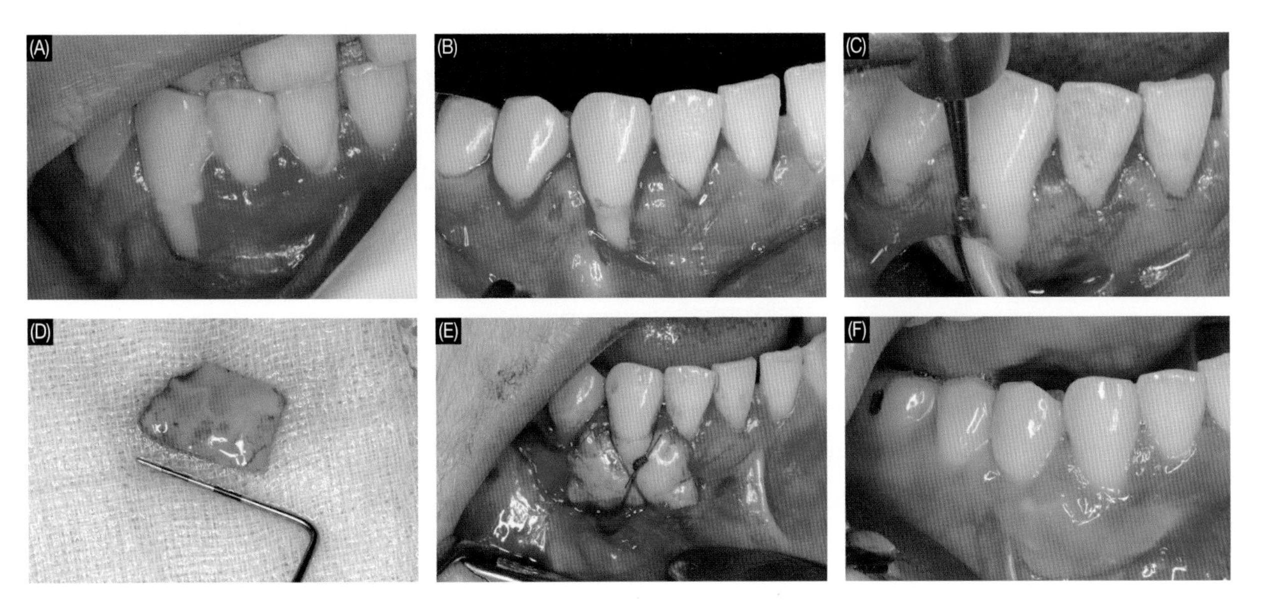

그림 36-6. 치은이식술. (A) 수술 전 임상 사진 (B) 치태조절의 시행 (C) 치근활택술의 시행 (D) 이식편 형성 (E) 이식 후 봉합한 상태 (F) 수술 6개월 후

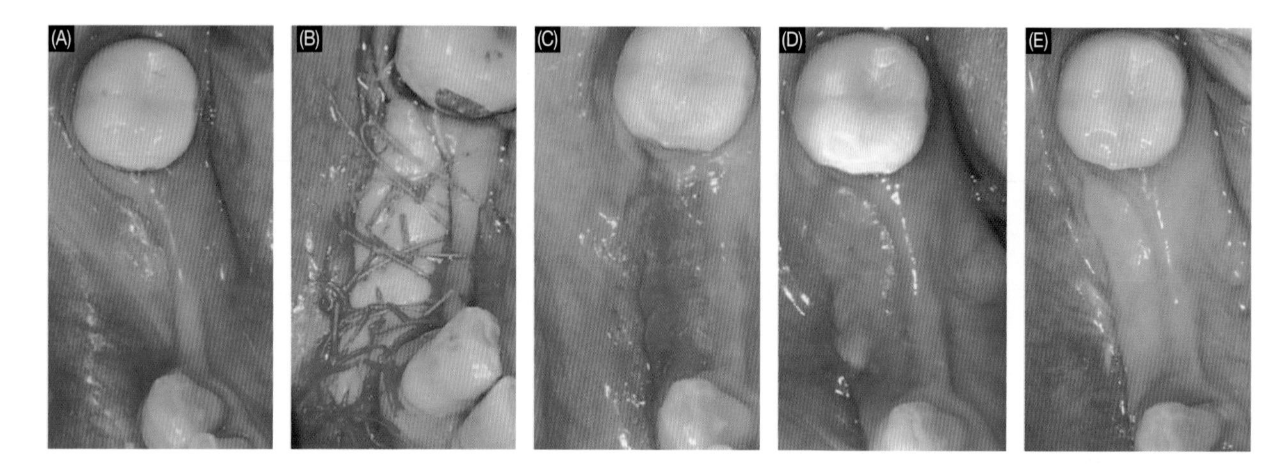

그림 36-7. 치은이식술. (A) 수술 전 임상사진 (B) 채득한 구개부 조직의 적용 (C) 수술 1주일 후 (D) 수술 2주일 후 (E) 수술 10주일 후

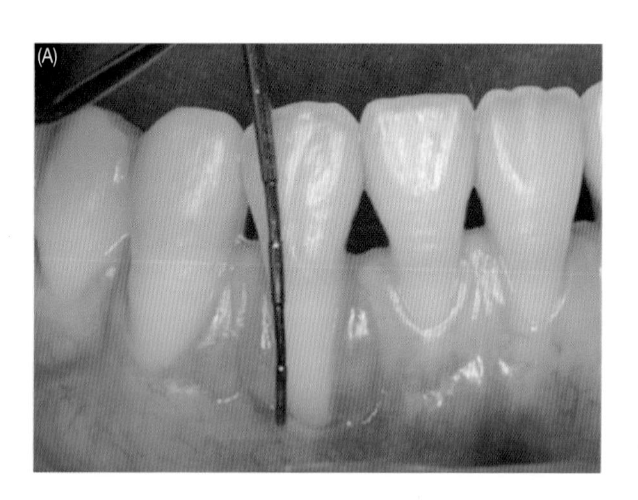

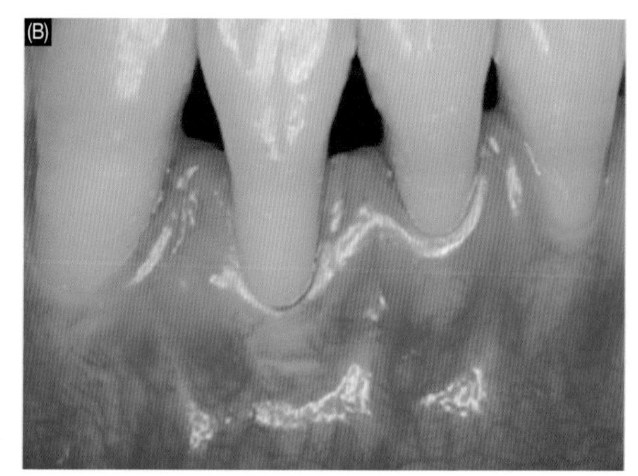

그림 36-8. (A) 부착치은 부족으로 인한 치은퇴축 발생 (B) 치은이식술 후의 치유 사진(2개월)

고 형판 주위에 국소마취를 한 후 형판 주위를 No. 15 외과용 수술칼로 원하는 깊이만큼 절개한다. 이식술에 사용되는 이식편의 두께는 1.0~2.0 mm 정도의 두께가 적당하며 너무 얇은 이식편을 사용하면 이식편이 수축하여 수부가 노출되고, 너무 두꺼운 이식편을 사용하면 이식편이 새로운 순환과 영양을 수부로부터 받지 못해 수부로부터 분리될 수 있다. 이식편을 분리시킬 때는 조직겸자로 이식편을 가볍게 잡고 No. 15 외과용 수술칼이나 치은절제용 나이프를 이용해 균일한 두께가 되도록 분리시키며, 이식편이 거의 분리되면 이식편의 한쪽 구석에 봉합을 해준다. 이는 이식편을 분리시킬 때나 이동시킬 때, 그리고 봉합시킬 때 도움을 주고 분리해낸 이식편의 내면쪽과 상피쪽을 구분하는 데도 도움을 준다. 이식편이 완전히 분리되면 생리식염수에 적신 거즈로 공여부위를 압박하여 지혈시킨다. 이식편의 분리 후 이식편의 내면에서 느슨한 조직들을 제거해주고 균일한 두께가 되도록 No. 15 외과용 수술칼이나 치은절제용 나이프로 다듬어준다(그림 36-5, 6, 7, 8).

③ 이식편의 이동 및 고정

수부에서 거즈를 제거하고 지혈이 된 것을 확인한 다음 과도한 혈병을 깨끗이 씻어낸다. 두꺼운 혈병은 이식편의 혈관신생에 장애를 주고 세균의 성장을 위한 좋은 배

지역할을 하여 감염이 잘 일어날 수 있다. 이식편을 제 위치에 봉합한 후 이식편과 수부 사이의 혈액과 삼출물을 제거하기 위해 약 5분간 압박을 한다. 이식편에 너무 긴장을 주지 않도록 주의하면서 봉합을 하며 불필요한 조직 손상을 피하기 위해 가능한 한 봉합은 적게 해준다(그림 36-5, 6, 7, 8).

④ 치주포대의 부착

공여부위에 출혈이 멈추었으면 치주포대를 붙여주는데, 그것으로 지지가 힘든 경우에는 plastic stent나 modified Howley retainer를 이용하여 포대를 붙여준다. 이식된 부위에도 이식편의 접착을 위해 가볍게 압박을 시켜주고 나서 포대를 붙인다(그림 36-5, 6, 7, 8).

(2) 치은이식술 후의 치유[39,40]

① 초기(0~3일)

초기에는 수부의 인접치은, 치조점막으로부터의 혈장성 순환에 의해 영양을 공급받으므로 수술 시의 이식편과 수부 사이의 긴밀한 접착에 의해 이식술의 성공여부가 결정된다. 노출된 치근 위에만 이식을 했을 경우 수부는 혈관이 없는 치근부위가 되므로 실패할 확률이 크며, 이식편은 노출된 치근주위의 결합조직 수부로부터 영양을 공급받아야 하므로 노출된 치근주위의 결합조직도 수부에 포함시켜야 하며, 혈관이 없는 치근은 좁을수록 좋으므로 치은퇴축이 좁은 경우에 이식술을 사용하는 것이 추천된다. 이식편의 상피는 초기에는 변성과 괴사 그리고 탈락 등이 일어난다.

② 맥관재생기(2~11일)

4~5일째 이식편과 수부의 혈관이 문합(anastomosis)되기 시작하며 혈액순환이 재형성된다. 이식편과 하부 결합조직 사이에 섬유성 결합(fibrous union)이 일어나고 인접조직의 상피가 증식하면서 재상피형성(reepithelization)이 일어난다. 노출된 치근면에 이식을 했을 경우에는 치근을 따라 상피가 증식하게 되므로 재부착보다는 상피 접착에 의해 치유가 된다.

③ 조직성숙기(11~42일)

이식편의 맥관계(vascular system)가 정상적으로 되며 상피의 각화층도 형성되며 조직이 성숙된다.

4. 치근피개 술식 (Root coverage procedure)

환자의 심미적인 요구, 치아과민증, 치경부마모증 등이 치근피개술식의 적응증이다. Miller는 치은퇴축을 다음과 같이 분류하였다(그림 36-9)[41].

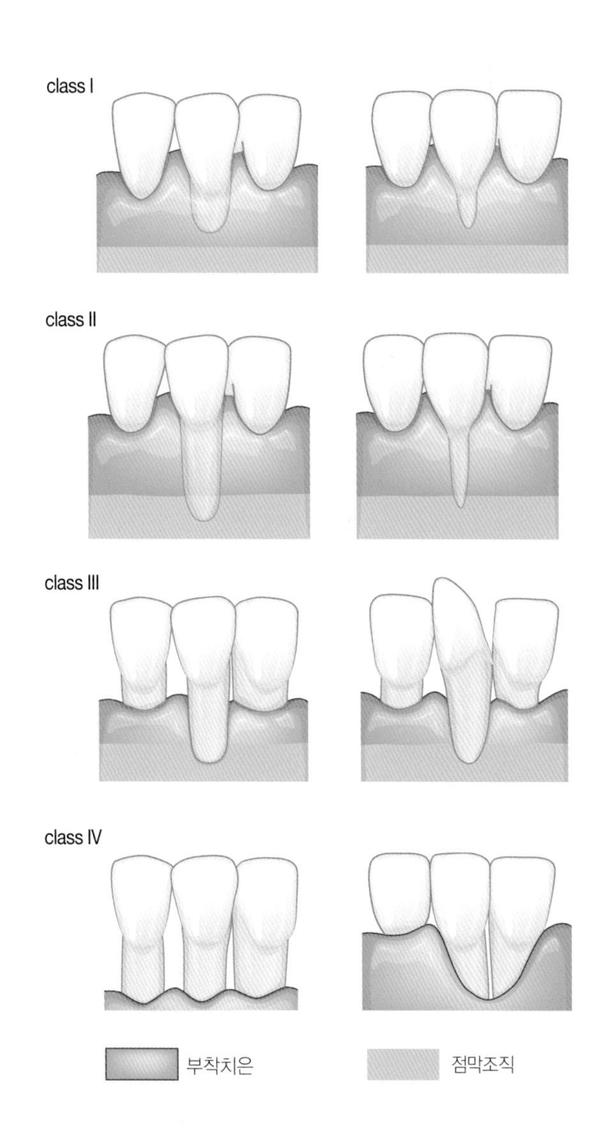

그림 36-9. 치은퇴축부의 Miller's classification

- Class I: 변연 조직 퇴축이 치은점막 경계부까지 연장되지 않은 경우. 치간골이나 연조직 상실은 없다.
- Class Ⅱ: 치은점막 경계부까지 퇴축이 연장된 경우. 치간골이나 연조직 상실은 없다.
- Class Ⅲ: 치은점막 경계부까지 퇴축이 연장된 경우. 치간골이나 연조직 상실 또는 치아위치이상이 존재한다.
- Class Ⅳ: 치은점막 경계부까지 퇴축이 연장된 경우. 심한 치간골이나 연조직 상실 또는 심한 치아위치이상이 존재한다.

1군과 2군은 완벽한 치근피개를 얻을 수 있는 반면, 3군은 부분적으로만 가능하다. 4군은 치근피개를 기대하기 어렵다. 따라서 치근피개의 결과에 영향을 주는 큰 변수는 치간 인접면의 치주조직의 유지 정도이다.

1) 측방변위판막술 (Laterally positioned flap, pedicle graft)[42]

치주질환에 의해 노출된 치아면을 덮어주기 위해서 또는 부착치은의 양을 증가시키기 위해서 사용되는 술식이다.

술식은 다음과 같다.

- 수부(recipient site)의 준비: 노출된 치근 주위의 치주낭과 변연치은을 장방형 절개(rectangular incision)를 하여 제거하며, 이때 판막이 부착될 수 있는 결합조직기부를 만들어 주기 위해 노출된 치근으로부터 근심, 원심, 치근단 쪽으로 각각 3 mm 정도 더 포함시켜서 골막까지 내사절개를 한다. 절개된 조직은 골막에 손상을 주지 않으면서 큐렛으로 제거하고 치근에 붙어 있는 치석을 제거하고 활택시켜 준다. 만약 치근이 돌출되어 있으면 chisel이나 diamond stone으로 편평하

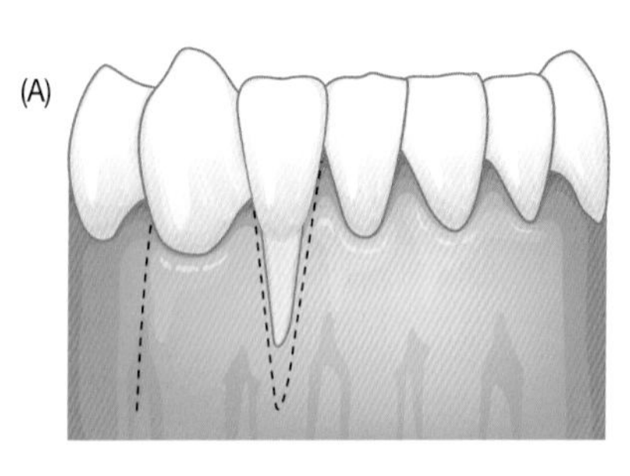
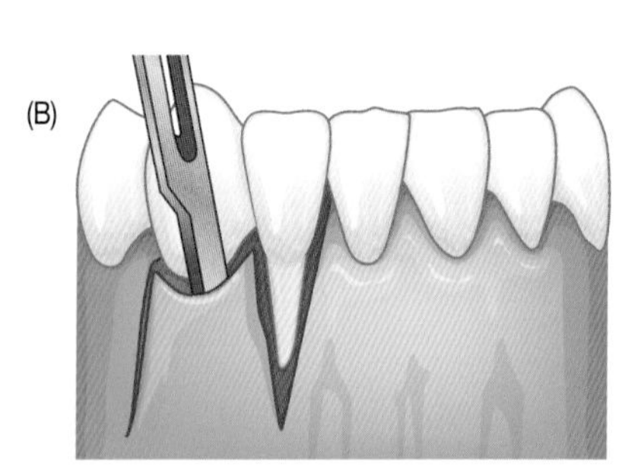
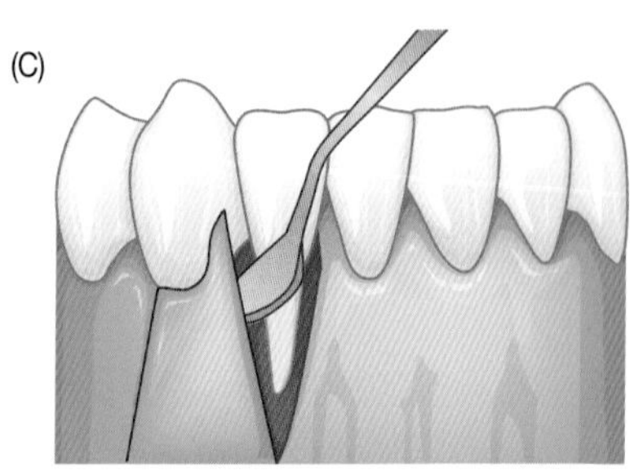
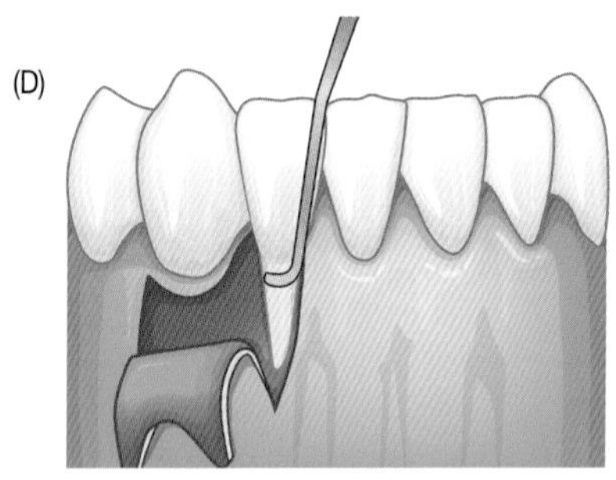
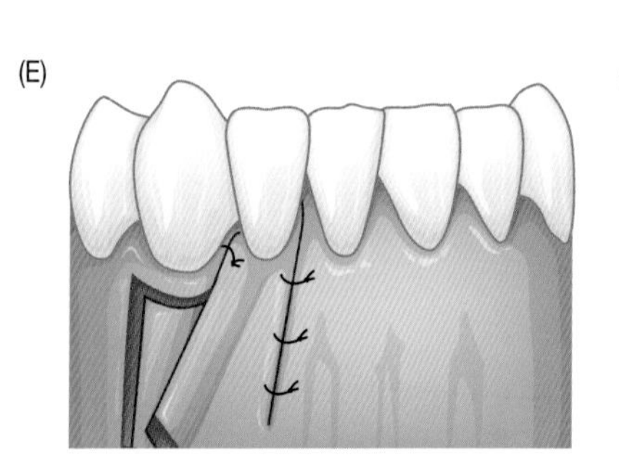
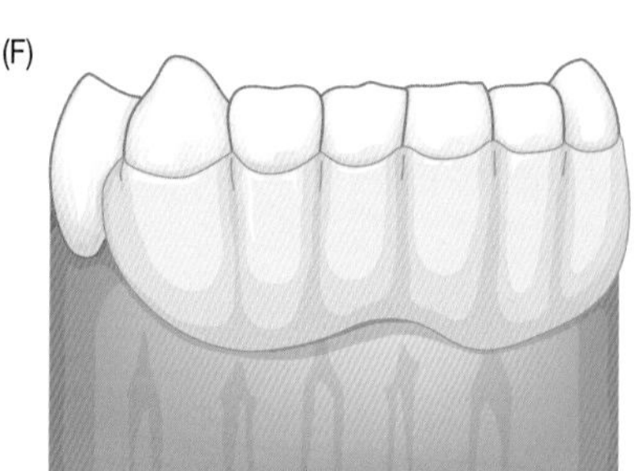
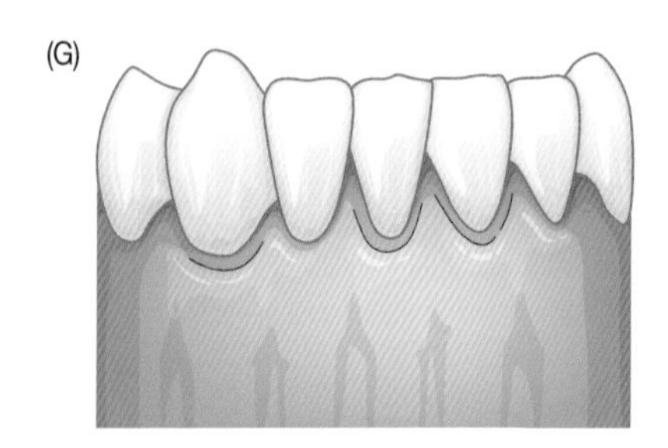

그림 36-10. 측방이동판막술

(A) 수술 부위의 절개선을 고안한다. (B) No. 15 외과용 수술칼을 이용하여 절개한다. (C) Gingivectomy knife를 이용하여 공여부위를 partial thickness flap으로 젖힌다. (D) 노출된 치근을 큐렛으로 철저히 활택한다. (E) 이동시킨 판막을 긴밀히 접착시키고 봉합한다. (F) 치주포대를 붙여준다. (G) 치유된 상태의 도해

게 만들어준다. 경우에 따라서 판막의 재부착을 도와주기 위해 활택된 치근면을 pH 1.0 구연산으로 3~5분 동안 치근면 처치(demineralization)를 시켜주기도 한다.

- 판막 형성: 공여부위의 치주조직은 건강하고 충분한 양의 부착치은을 가지고 있어야 하며, 치조골 소실이 없어야 하고 열개(dehiscence)나 천공(fenestration)이 없어야 한다. No. 15 외과용 수술칼로 수부의 절개선과 평행하게 절개를 해주며, 옮겨진 판막의 폭은 노출된 치근과 미리 형성해 준 치근 주위의 결합조직기부를 덮을 수 있을 정도로 충분히 넓어야 한다. 판막 형성 시 부분층 판막으로 박리하는 것이 공여부위의 치조골소실을 막을 수 있고 치유가 빨라서 더 많이 사용된다. 판막을 젖힌 후 판막을 측방으로 옮길 때 장력(tension)을 없애 주기 위해 판막의 하부에 사선절개(oblique incision)를 해준다. 공여부위로 선택한 인접치아에 충분한 양의 부착치은이 없을 때는 노출된 치근의 근심과 원심치아 양쪽에 공여부위를 만들어 노출된 치근을 덮어주기도 한다(double papillary positioned flap)(그림 36-13, 14).
- 판막의 이동: 판막을 측방으로 이동시키고 판막기저부에 장력이 없는가를 확인한 다음 단속봉합(interrupted suture) 방법으로 봉합한다.
- 치주포대 부착: 판막의 긴밀한 접착을 위해 생리식염수에 적신 거즈로 3~5분 동안 판막을 가볍게 압박해준 다음 치주포대를 붙여준다. 때로는 치주포대를 붙이기 전에 판막의 위치가 변하는 것을 막기 위하여 얇은 석박(tin foil)을 판막 위에 먼저 붙이고 치주포대를 붙인다(그림 36-10, 11, 12).

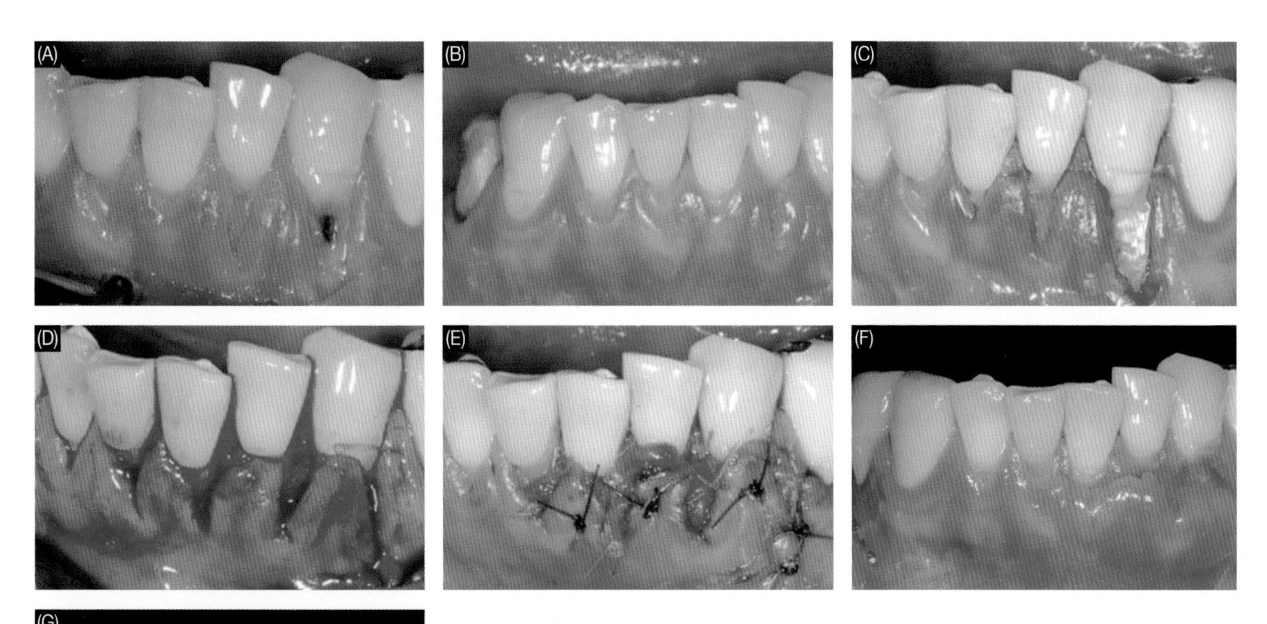

그림 36-11. 측방이동판막술
(A) 초진내원 (B) 치아우식의 제거 (C) 판막거상을 위한 절개 (D) 공여부로부터 판막을 이동시킨다. (E) 봉합 후 상태 (F) 수술 1개월 후 (G) 수술 2개월 후

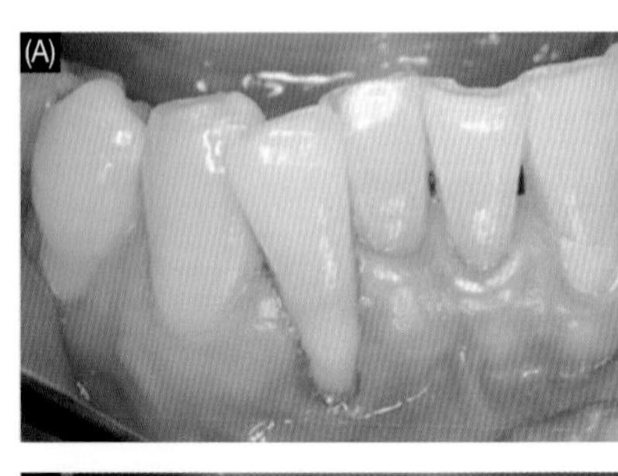

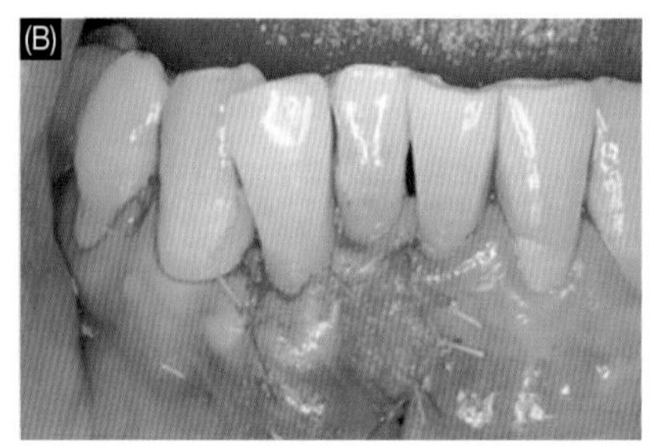

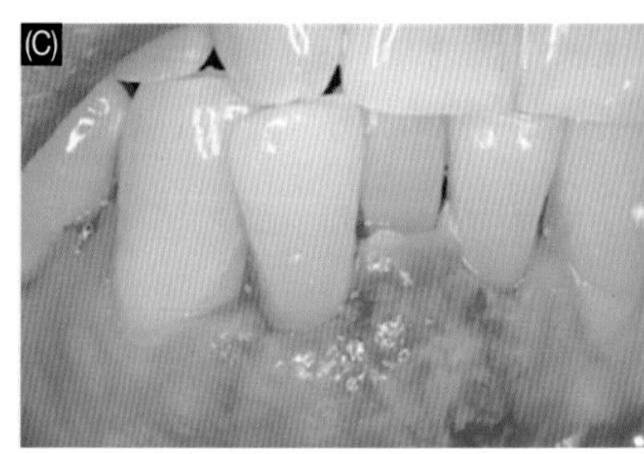

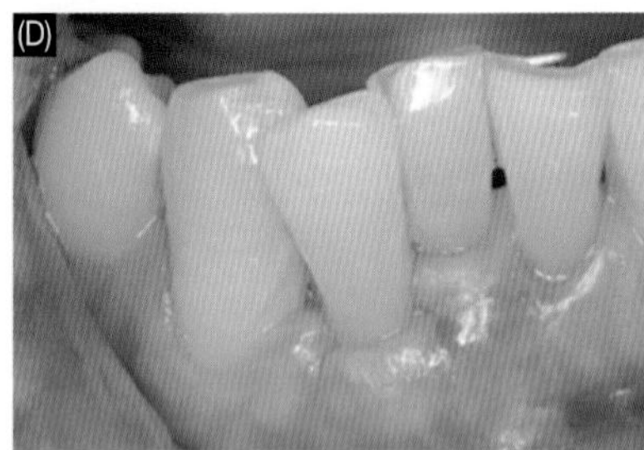

그림 36-12. 측방이동판막술. (A) 초진내원 (B) 수술 후 (C) 수술 1주일 후 (G) 수술 3주일 후

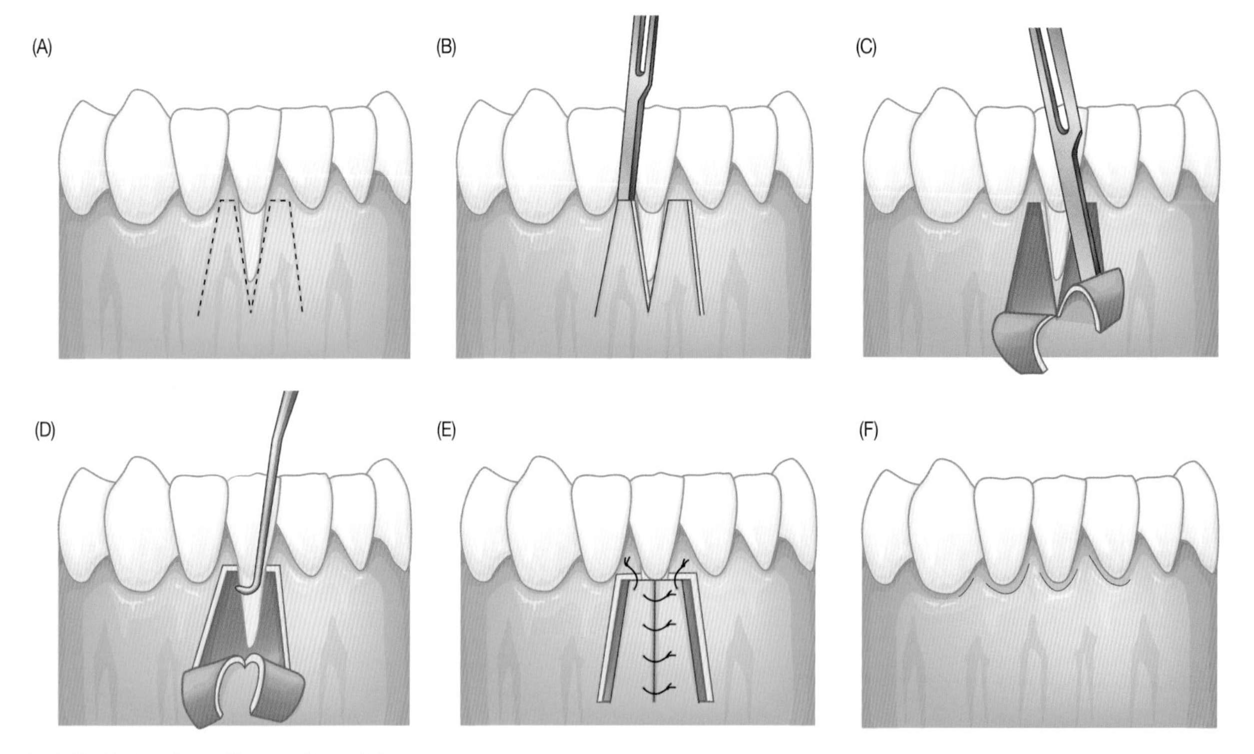

그림 36-13. Double papillary positioned flap

(A) Double papillary positioned flap의 절개선을 고안한다. (B) No. 15 외과용 수술칼을 이용하여 절개한다. (C) 예개 방법으로 판막을 젖힌다. (D) 노출된 치근면을 철저하게 활택한다. (E) 판막을 서로 봉합한다. (F) 치유상태의 도해

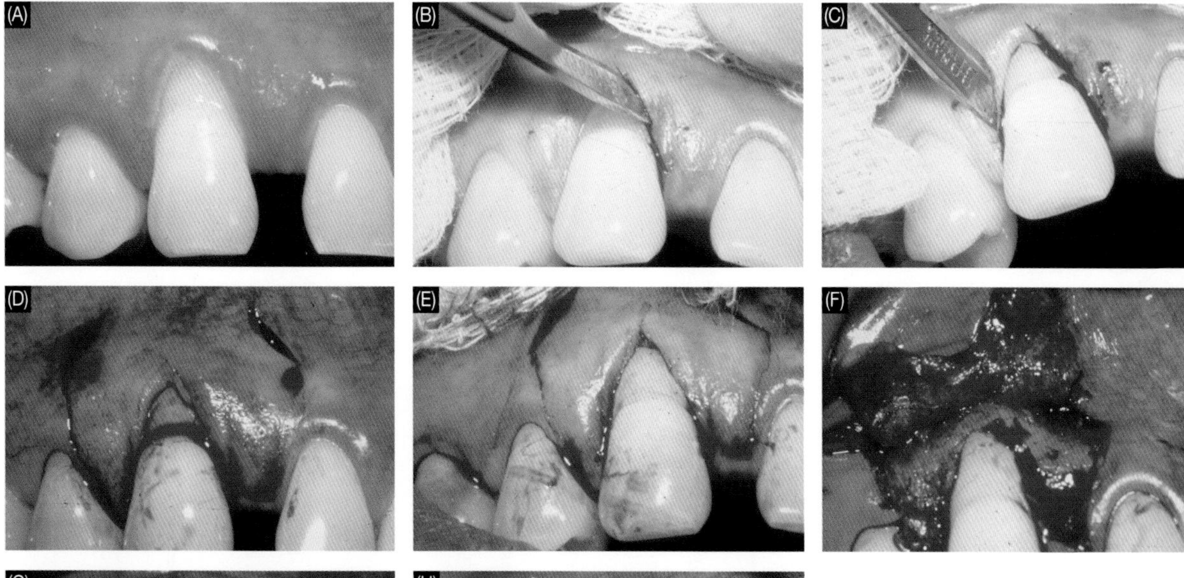

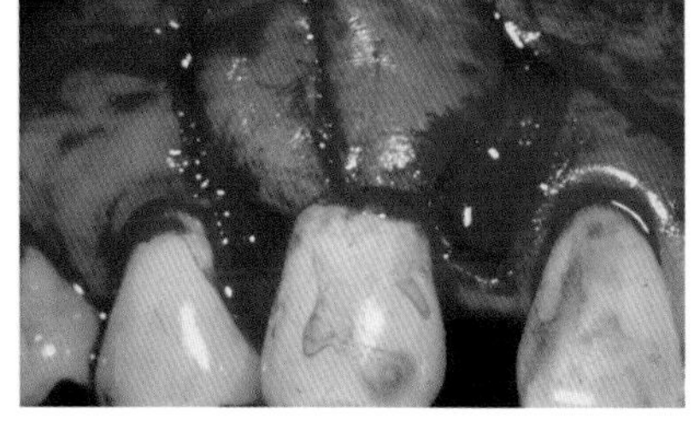

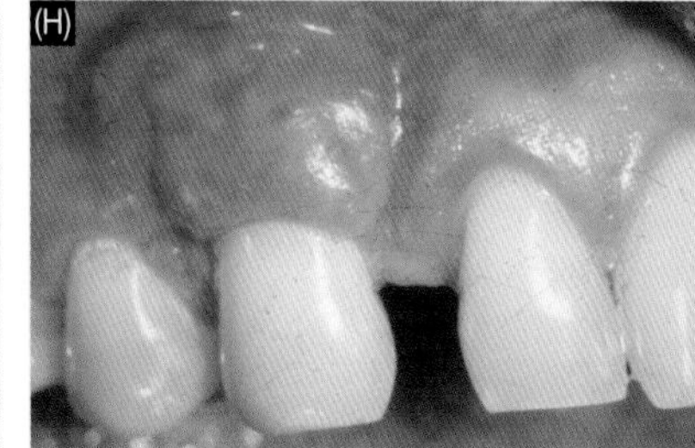

그림 36-14. (A) 수술 전 임상사진 (B) 수부를 형성하기 위해 절개한다. (C) 근심쪽에 행한 절개각도와 같은 각도로 원심쪽에 절개를 해준다. (D) 공여부위의 판막을 형성하기 위해 절개한다. (E) 근·원심 쪽으로 절개가 완성된 상태 (F) 판막을 이동시키기 위해 거상한 상태 (G) 근·원심쪽의 판막을 서로 긴밀히 접착시킨 상태 (H) 2주 후의 치유상태

(1) 치유과정[43]

① 접착기(Adaptation stage; 0~4일)

판막과 치근 사이에는 얇은 섬유소층이 생기며 판막을 덮고 있는 상피가 증식하기 시작하여 치아면에 도달한다.

② 증식기(Proliferation stage; 4~21일)

섬유소층에 결합조직이 증식되고 6~10일째에 섬유모세포가 치근면에 접착하며, 나중에는 백악세포로 분화한다. 얇은 교원섬유가 치근면 주위에 형성되나 섬유성 결합은 아직 일어나지 않고 창상의 상부변연에서부터 치근을 따라 상피가 증식하며 노출된 치근면의 중간부위에서 멈추어진다.

③ 부착기(Attachment stage; 27~28일)

얇은 교원섬유가 치근면에 형성된 새로운 백악질층 안으로 삽입된다.

④ 성숙기(Maturation stage)

지속적으로 교원섬유의 형성이 일어나며, 2~3개월 후에 교원섬유속(collagen fiber bundle)이 활택된 치근면의 백악질층 안으로 삽입된다.

2) 치관변위판막술(Coronally advanced flap)[44,45]

점막의 조직은 탄력성이 좋아 점막을 치은점막 경계를 넘어 박리하여 판막을 형성하면 판막을 노출된 치근을 덮을 수 있다. 치관변위판막술은 한 치아나 여러 치아에서 퇴축이 얕고 치주낭이 없는 부위의 치료에 적합하다.

술식은 다음과 같다.

- 두 개의 근단쪽 수직절개를 치아의 근심과 원심각에서 시작하여 치조점막을 넘어까지 연장한다.
- 퇴축부위의 근심과 원심면에 부분층 판막을 형성한다.
- 치근면을 활택한다.
- 판막을 치관쪽으로 이동시키고 치간 유두조직에 봉

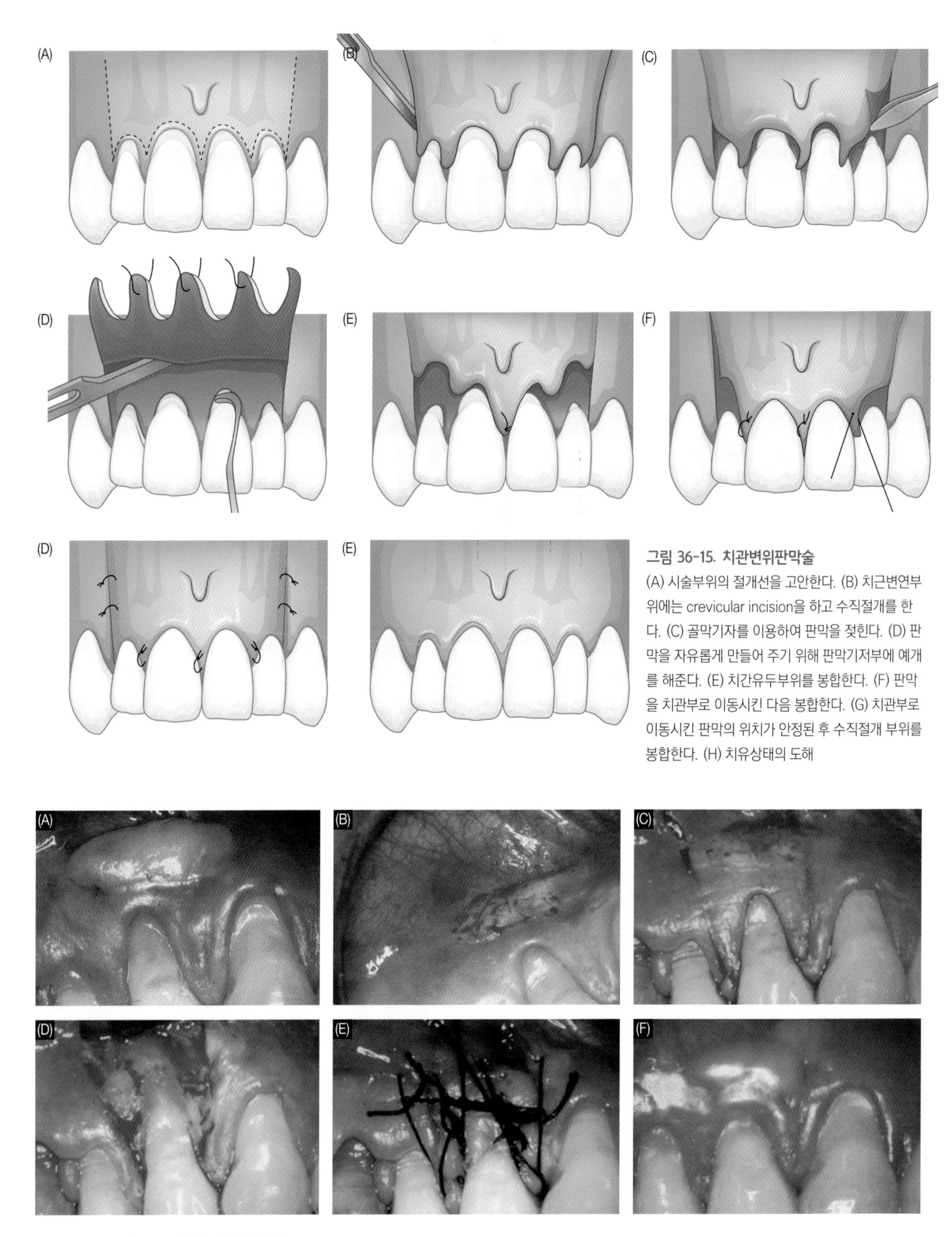

그림 36-15. 치관변위판막술

(A) 시술부위의 절개선을 고안한다. (B) 치근변연부위에는 crevicular incision을 하고 수직절개를 한다. (C) 골막기자를 이용하여 판막을 젖힌다. (D) 판막을 자유롭게 만들어 주기 위해 판막기저부에 예개를 해준다. (E) 치간유두부위를 봉합한다. (F) 판막을 치관부로 이동시킨 다음 봉합한다. (G) 치관부로 이동시킨 판막의 위치가 안정된 후 수직절개 부위를 봉합한다. (H) 치유상태의 도해

그림 36-16. 치은이식술 후 치관변위판막술

(A) 수술 전에 치은이식술을 시행 (B) 치은이식된 부위를 성형 (C) 수직절개를 시행 (D) 판막을 이동시키기 위해 판막을 거상 (E) 봉합 후의 상태 (F) 수술 후 상태

합을 한다. 측방에는 부가적인 봉합을 시행하여 판막을 고정시킨다. 최종적으로 초기 치유를 도모하기 위하여 포대로 덮는다. 그러나 상방으로 이동시킬 판막부위에 충분한 양의 부착치은이 없을 경우에는 먼저 노출된 치근면 하방에 부착치은을 형성시켜주기 위해 치은이식술을 시행한 다음 2개월 후에 상방으로 판막을 이동시키는 치은이식술을 겸한 치관변위 판막술이 이용된다(그림 36-15, 16).

3) 치은이식술

치은의 폭을 증가시켜주기 위해 사용되는 치은이식술의 경우에는 예후가 상당히 좋다. 치근피개를 하기 위해 치은이식술을 할 경우에는 노출된 치근부위가 혈관이 없는 부위이므로 예후가 좋지 않았었다. 그러나 Miller는 철저한 치근활택술 후 구연산을 이용해 5분 동안 치근면 처치를 하고 시술한 경우 좋은 결과를 보고하였다.[46,47] 또한 Holbrook과 Ochsenbein은 이식편을 봉합 시에 여러 봉합방법을 사용해 좋은 결과를 보고하였다.[48] 그러나 구개부위에서 두꺼운 이식편을 채득해야 하므로 수술 후 출혈, 동통 등이 일어날 수 있다(그림 36-17).

4) 상피하 결합조직 이식술 (Subepithelial connective tissue graft)[49]

상피하 결합조직 이식술은 결합조직 이식편으로 노출된 치근면을 덮고 이식편 위로 판막을 치관쪽으로 당겨서 위치시키는 술식이다. 또 다른 방법은 결합조직 이식편을 "envelope" 속에 넣어 치은연 상방의 노출된 치근면을 이식편의 일부가 덮이게 하는 술식이다.[50] 상피하 결합조직은 구개부위에서 "trap door"접근방법으로 채취한다. 치은이식술 보다 덜 손상을 입히는 술식이며, 심미성도 우수하다.

술식은 다음과 같다.

- 수여부 판막의 설계: 치료할 치아의 백악법랑경계부 상이나 조금 상방으로 유두부위를 들어올리지 않도록 주의하면서 수평절개를 시행한다. 그 후 절개선의 가장 끝부터 시작하여 근원심으로 두 개의 수직절개를 치은점막 경계를 지나도록 시행한다.
- 판막의 거상: 예개를 해서 부분층 판막을 형성하고 판막이 천공되지 않도록 조심하며 거상한다.
- 공여부 판막의 설계: 구개부위에서 견치에서 제1대구치까지의 치은연으로부터 3 mm 치근단 방향으로 떨어져 평행하게 두개의 수평경사절개를 한다. 이식할 결합조직의 두께는 1.5 mm로 한다. 이식편은 퇴축부위를 덮을 수 있을 정도로 충분히 커야 한다.
- 공여부 봉합: 공여부로부터 이식편을 채취한 후 즉시 구개측 판막을 다시 위치시키는 것이 혈병의 크기를 줄여 조직괴사를 방지하게 한다. 구개를 봉합하고, 출혈과 환자의 불편감을 줄이기 위해 stent를 이용한다.
- 이식편의 고정: 상피하 결합조직 이식편을 준비된 부위에 위치시키고 고정을 위해 봉합한다.
- 수여부에 판막의 봉합: 수여부의 판막은 상피하 결합조직 이식편을 덮을 수 있을 만큼 치관측으로 재위치시킨 후 봉합한다. 치주포대로 덮어준다(그림 36-18, 19, 20).

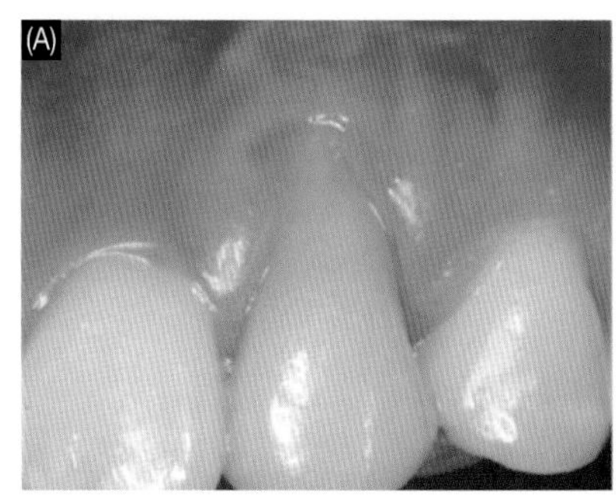

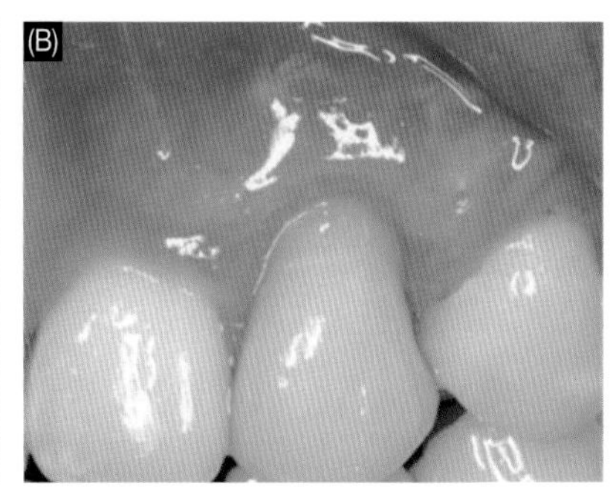

그림 36-17. (A) 부착치은 부족으로 인한 치은퇴축 발생 (B) 치은이식술 후의 치유 사진(3년)

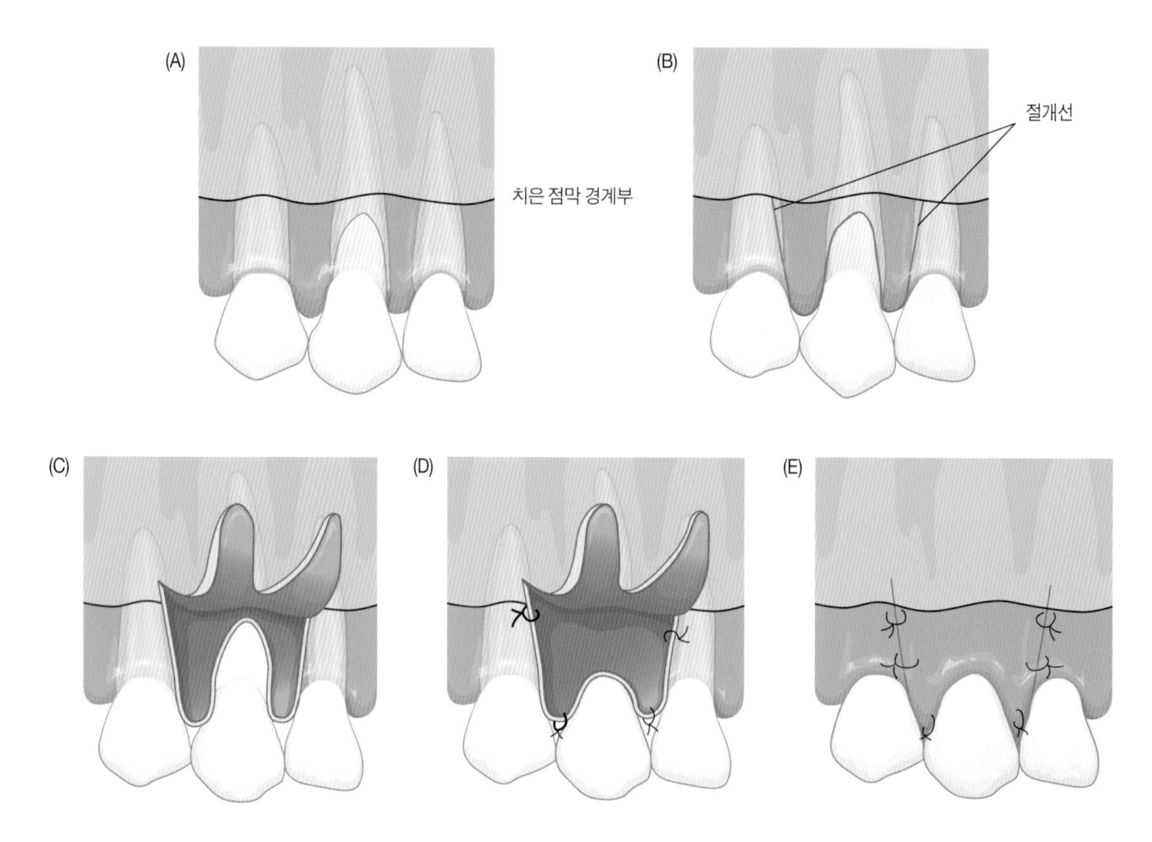

그림 36-18. 상피하 결합조직 이식술

(A) 순면에서 본 치은퇴축 (B) 수여부 형성을 위한 수직절개 (C) 부분층판막거상 (D) 결합조직이 노출된 치근면 위에 위치된 후 봉합 (E) 부분층판막이 공여 결합조직 위에 봉합

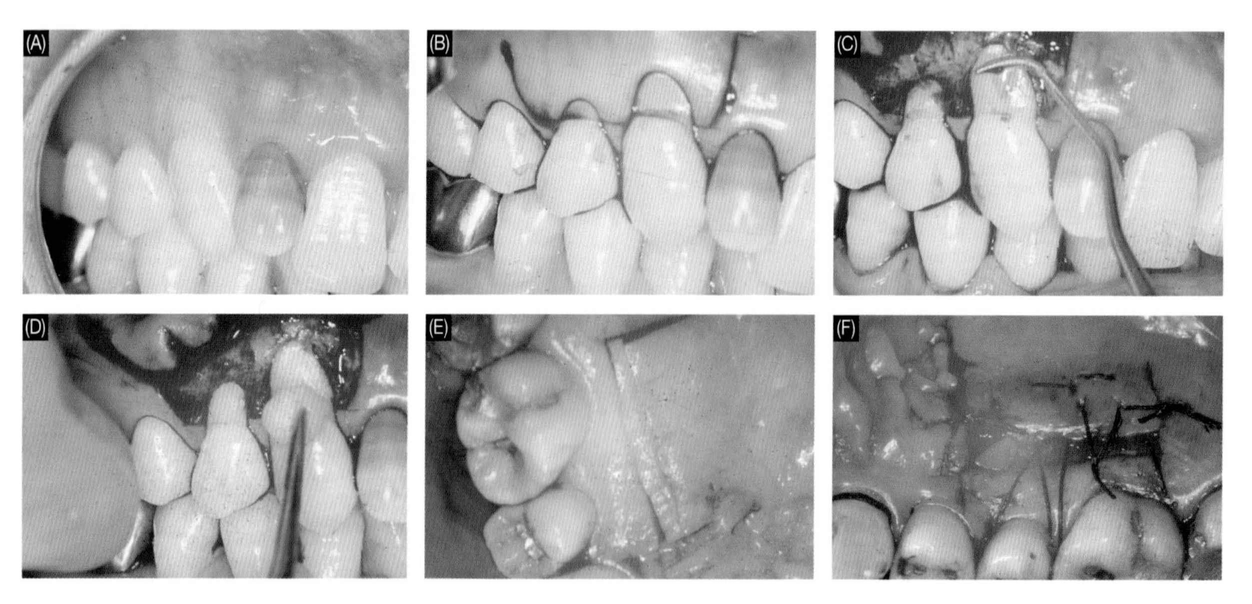

그림 36-19. 상피하 결합조직 이식술

(A) 수술 전 임상사진 (B) 절개 후 상태 (C) 치근면 활택 (D) 치근면 처치 (E) 결합조직을 얻기 위한 공여부위의 절개 (F) 공여부위 봉합 [계속]

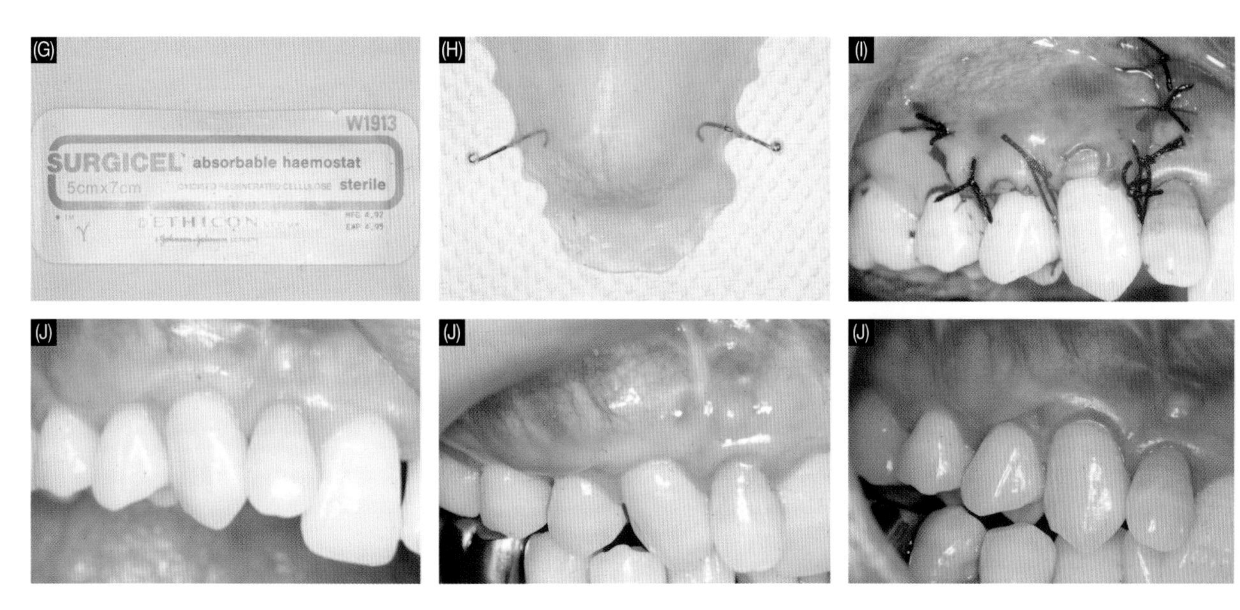

그림 36-19. [계속] 상피하 결합조직 이식술
(G) 공여부위의 출혈을 감소시키기 위해 Surgicel 사용 (H) 공여부위의 치유를 위해 stent사용 (I) 수여부의 판막을 봉합 (J) 수술 2개월 후 (K) 수술 1년 6개월 후 (L) 수술 3년 후

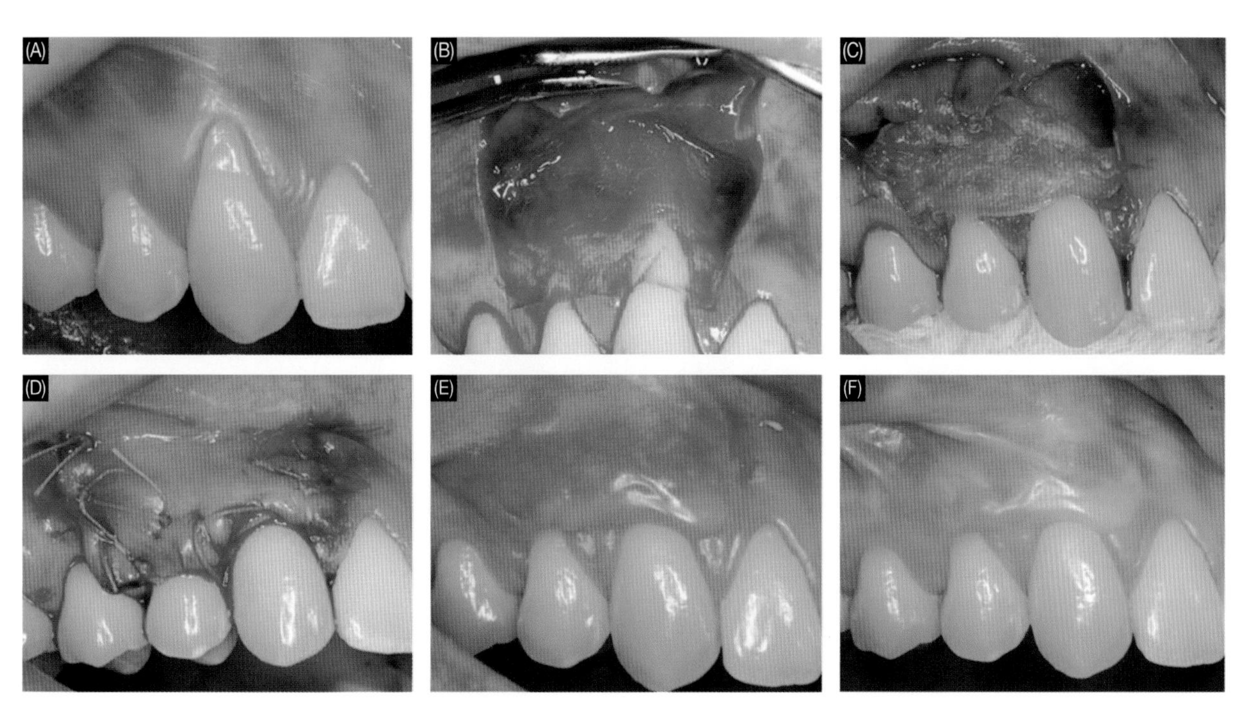

그림 36-20. 상피하 결합조직 이식술
(A) 수술 전 임상사진 (B) 수부의 형성 (C) 결합조직의 고정 (D) 수여부의 판막을 봉합 (E) 수술 2개월 후 (F) 수술 2년 후

5) 조직유도재생술(Guided tissue regeneration technique for root coverage)[51,52]

치근피개 술식 중에 최근에 소개된 것으로 조직유도재생 원리에 입각한 차폐막을 함께 사용하는 방법이다. 조직유도재생술에 원리에 따라 충분한 공간이 있어 여기에 새로운 조직이 성장하게 하기 위해 치근이 오목한 면이 되도록 치근활택을 하고, 차폐막을 구부려 위치시킨 후 근원심 방향으로 봉합하여 적절한 공간을 얻거나 또는 titanium이 보강된 차폐막을 이용하여 공간을 형성한다.

술식은 다음과 같다.

- 판막형성 시 열구내 절개를 사용하고 치은점막 경계를 지나도록 사선절개를 한다.
- 치은점막 경계까지 전층판막을 형성하고 경계부 아래는 부분층 판막을 형성한다.
- 노출시킨 치근면에 충분히 활택술을 시행하고 bur를 사용하여 부드러우면서도 오목한 면을 만든다.
- 차폐막을 바깥쪽에서 묶어 휘어지도록 하며 단단하게 조인다. 치근면에 차폐막을 위치시키고 조직이 재생되기 위한 공간을 형성한다.
- 차폐막을 부유형 봉합으로 봉합한다.
- 판막은 가능한 한 치관쪽으로 변위시켜 차단막이 충분히 덮이도록 한 후 봉합한다. 부가적으로 측방의 절개부위에도 단속봉합을 한다.
- 판막의 기저부에 골막하 봉합을 시행하며 치주포대는 하지 않는다.
- 4~6주 후에 이차수술을 시행하여 차폐막을 제거한다. 기계적인 구강청결은 4주 후에 실시하게 한다(그림 36-21).

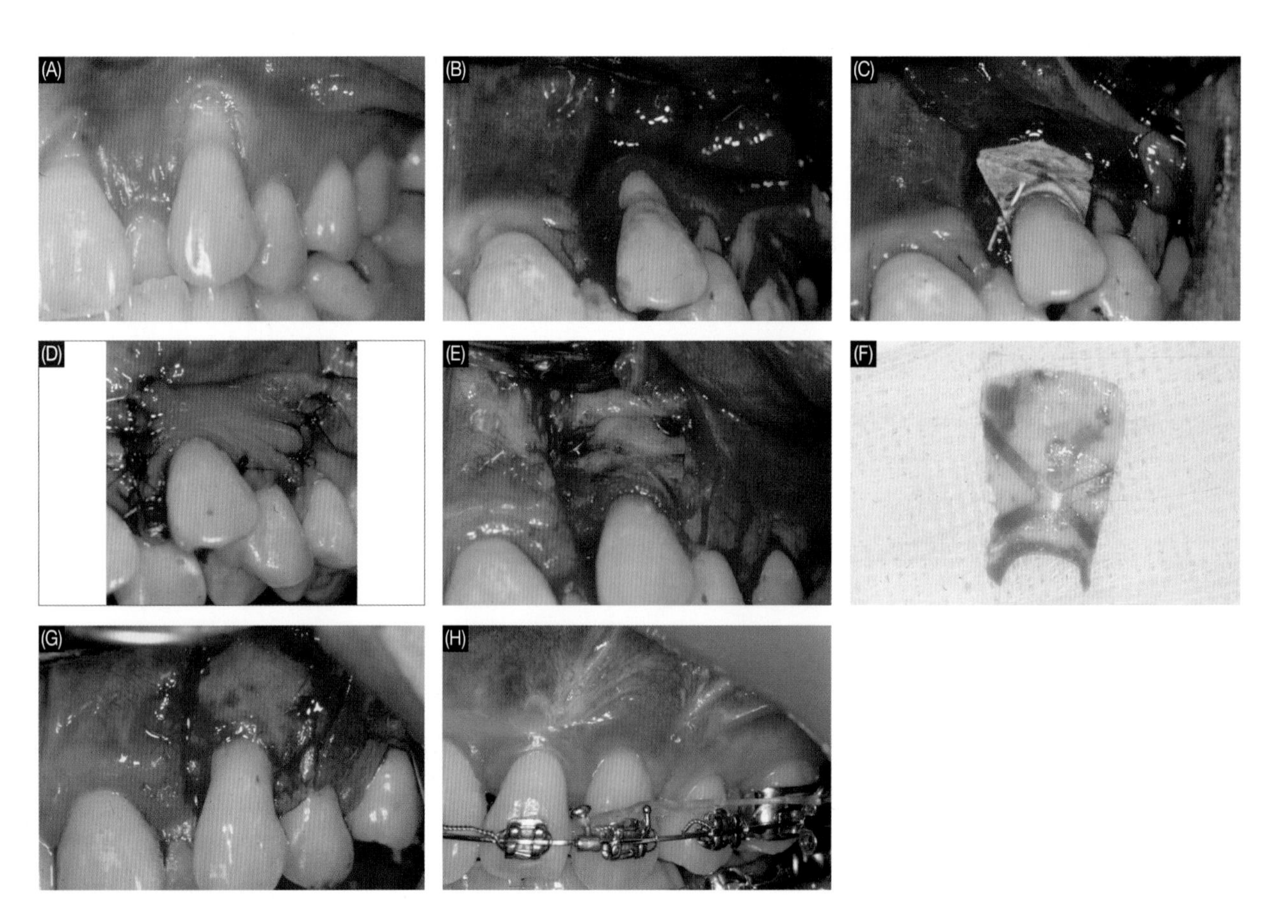

그림 36-21. 조직유도재생술

(A) 수술 전 임상사진 (B) 수부의 형성 (C) Titanium이 포함된 차폐막을 위치시킴 (D) 판막의 봉합 (E) 6주 후 이차수술 시 차폐막 (F) 이차수술 시 제거한 차폐막 (G) 차폐막 제거 후 사진 (H) 수술 3년 후

5. 소대절제술(Frenectomy, Frenotomy)[53,54]

소대는 변연치은과 너무 가깝게 높이 부착되어 있는 경우 문제를 야기할 수 있는데, 건강한 치은을 끌어당겨 치주질환의 국소적 원인인자의 축적을 초래하고, 치주낭을 더 악화시킨다. 또한, 치료 후 치근과의 밀접한 접착을 방해하고 환자의 구강청결도 방해한다. 이런 경우 하부치조골에 붙어 있는 소대의 부착부를 포함하여 소대를 완전히 제거하는 것을 소대절제술(frenectomy)이라 하고, 소대에 절개를 하여 소대를 부분적으로 제거하는 경우를 소대부분절제술(frenotomy)이라 하며, 치주낭제거수술과 병행하여 시술하기도 하고 단독으로 시행되기도 한다. 술식은 다음과 같다.

- 지혈겸자(hemostat)로 소대를 잡는다.
- 소대를 잡은 지혈겸자를 가볍게 잡아당기면서 No. 15 외과용 수술칼이나 치은절제용 나이프 또는 가위를 이용해 지혈겸자 위쪽과 아래쪽에 절개를 해준다.
- 절개된 소대를 제거하고 섬유를 분리시켜주기 위해 No. 15 외과용 수술칼로 수평절개를 해준다.
- 협측점막을 봉합시켜 준 후 지혈시키기 위해 생리식염수에 적신 거즈를 가볍게 압박시켜 준다.
- 치주포대를 붙여준다(그림 36-22, 23).

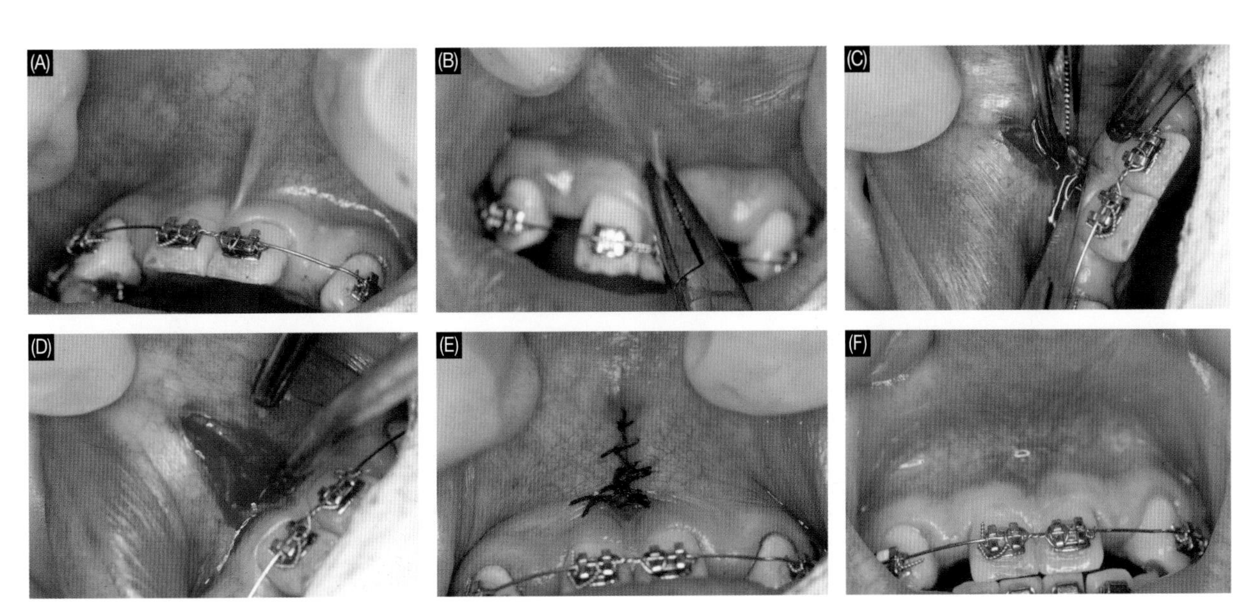

그림 36-22. 소대절제술
(A) 수술 전 임상사진 (B) 지혈겸자로 소대를 잡는다. (C) 소대를 절개한다. (D) 소대절개 후의 상태 (E) 봉합한 상태 (F) 수술 후 상태

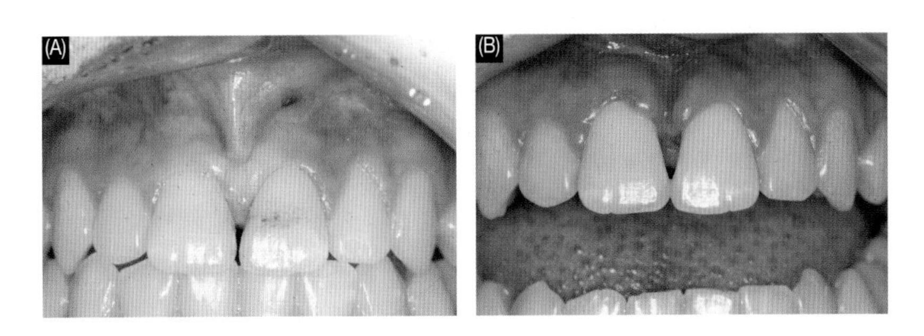

그림 36-23. 소대절제술. (A) 수술 전 임상사진 (B) 수술 후 2주 후 상태

6. 구강전정성형술(Vestibuloplasty, Vestibular extension procedure)[55]

구강전정의 깊이가 얕은 경우 변연치은에 장력을 주어 치은퇴축을 야기시킬 가능성이 있고 깊은 치주낭을 야기시킬 수 있으므로 구강전정을 깊게 만들어 주기 위해 구강전정성형술을 한다.

1) 골천공을 이용한 구강전정성형술

- No. 15 외과용 수술칼로 입술을 가볍게 끌어당기면서 치은점막 경계부에 수평절개를 하고 부분층으로 판막을 하방으로 젖힌다.
- 가위나 tissue nipper를 이용하여 골막으로부터 근육섬유를 제거한다.
- 판막을 새로 형성시킨 구강전정부위에 봉합한다.

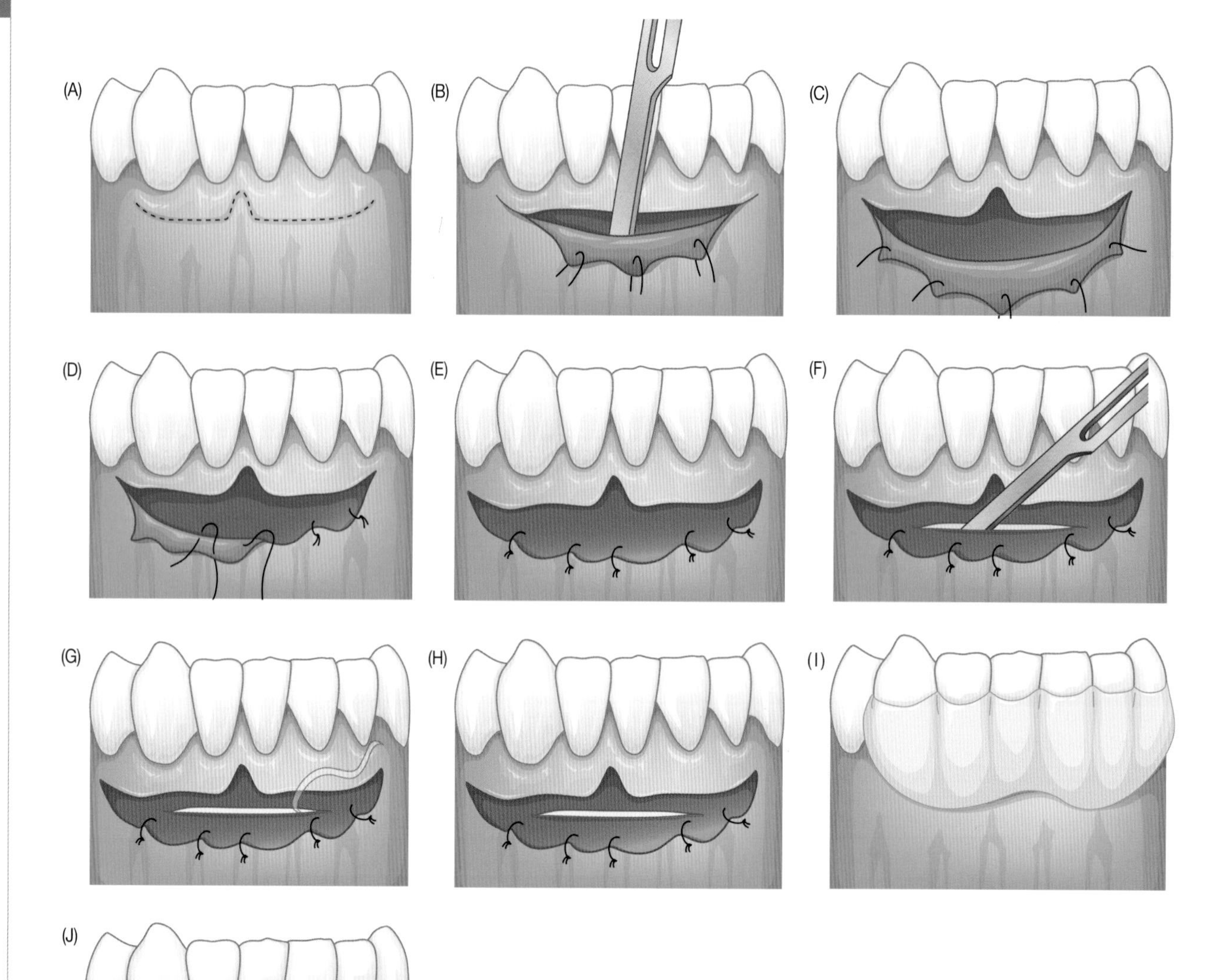

그림 36-24. 골천공을 이용한 구강전정성형술

(A) 시술할 부위의 절개선을 고안한다. (B) No. 15 외과용 수술칼을 이용하여 부분층 판막을 형성한다. (C) 가위나 tissue nipper 등을 이용하여 노출된 골막 위에 남아있는 조직편을 제거한다. (D) 형성된 판막의 변연을 원하는 깊이의 새로운 위치에 봉합한다. (E) 판막의 변연이 봉합된 상태 (F) No. 15 외과용 수술칼을 이용하여 골막을 통해 치조골까지 수평절개를 한다. (G) 큐렛으로 골막을 제거한다. (H) 골천공이 완성된 상태 (I) 치주포대를 붙여준다. (J) 치유상태의 도해

- 새로 형성된 구강전정 가장 깊은 곳에 수술 부위 길이만큼 No. 15 수술칼을 이용하여 골막을 통해 치조골까지 수평절개를 해준 다음 치조골로부터 골막을 제거한다(골천공, fenestration). 천공시킨 상부에는 반흔조직(scar tissue)이 형성되며, 이는 기능적으로 부착치은의 역할을 하게 되고 형성된 구강전정이 좁아지는 것을 막아준다.
- 치주포대를 붙여준다(그림 36-24).

2) 치은이식술을 이용한 구강전정성형술

천공술을 이용한 구강전정성형술의 술식과 동일하게 시행하나, 구강전정이 형성된 부위에 천공을 시키지 않고 치은이식편을 노출된 수술 부위의 골막에 위치시키는 술식이다.

참고문헌

1. Friedman N. Mucogingival surgery: Texas Dental Journal 1957;75:358–362.
2. Regenerative and reconstructive periodontal plastic surgery. Dental Clinics of North America 32:127–306.
3. Proceedings of the World Workshop in Periodontics 1996.
4. Moskow B, Bressman E. Localized gingival recession. Etiology and treatment. Dent Radiogr Photo 1965;38:3.
5. Gorman WJ. Prevalence and etiology of gingival recession. J Periodontol 1967;38:316.
6. Stahl S, Morris A. Fenestrations on the labial alveolar plate in human skulls. Periodontics 1963;1:99.
7. Trott JR. & Love B. An analysis of localized recession in 766 Winnipeg high school students. Dental Practice 1966;16:209–213.
8. Hirschfeld I. Toothbrush trauma recession: A clinical study. J Dent Res 1931;11:61.
9. Lindhe J. & Nyman S. Alterations of the position of the marginal soft tissue following periodontal surgery. Journal of Clinical Periodontology 1980;7:525–530.
10. Pearson L. Gingival height of lower central incisors, orthodontically treated and untreated. Angle Orthodont 1968;38:337.
11. Wingard C, Bowers G. The effects on facial bone from facial tipping of incisors in monkeys. J Periodontol 1976;47:450.
12. Nabers CL. Repositiong the attached gingiva. Journal of Periodontology 1954;25:38–39.
13. Ochsenbein C. Newer concept of mucogingival surgery. Journal of Periodontology 1960;31:175–195
14. Friedman N. & Levine HL. Mucogingival surgery: Current status. Journal of Periodontology. Journal of Periodontology 1964;35:5–21.
15. Hall WB. The current status of mucogingival problems and their therapy. Journal of Periodontology 1981;52:569–575.
16. Matter J. Free gingival grafts for the treatment of gingival recession. A review of some techniques. Journal of Clinical Periodontology 1982;9: 103–114.
17. Friedman N. Mucogingival surgery: The apically repositioned flap. Journal of Periodontology 1962;33:328–350.
18. Stern, J.B.(1976). Oral mucous membrane. In:Bhaskar, S.N.,ed. Orban's Oral Histology and Embryology. St. Louis: C.V.Mosby, Ch 8.
19. Ruben MP. A biological rationale for gingival reconstruction by grafting procedures. Quintessence International 1979;10:47–55.
20. Gottsegen R. Frenulum position and vestibular depth in relation to gingival health. Oral Surgery 1954;7:1069–1078.
21. Rosenberg NM. Vestibular alterations in periotontics. Journal of Periodontology 1960;31:231–237.
22. Corn H. Periosteal separation – its clinical significance. Journal of Periodontology 1962;33:140–152.
23. Carranza FA. & Carraro JJ. Mucogingival techniques in periodontal surgery. Journal of Periodontology 1970;41:294–299.
24. Lang NP. & Löe H. The relationship between the width of keratinized gingiva and gingival health. Journal of Periodontology 1972;43:623–627.
25. Miyasato M, Crigger M. & Egelberg J. Gingival condition in areas of minimal and appreciable width of keratinized gingiva. Journal of Clinical Periodontology 1977;4:200–209.

26. Dorfman HS, Kennedy JE, & Bird W. Longitudinal evaluation of free autogenous gingival grafts. Journal of Periodontology 1980;7:316–324.
27. Dorfman HS, Kennedy JE, & Bird WC. Longitudinal evaluation of free autogenous gingival grafts. A four–year report. Journal of Periodontology 1982;53:349–352.
28. Kennedy JE, Bird WC, Palcanis KG, & Dorfman HS. A longitudinal evaluation of varying width of attached gingiva. Journal of Clinical Periodontology 1985;12, 667–675.
29. Donaldson D. The etiology of gingival recession associated with temporary crowns. Journal of Periodontology 1974;45;468–471.
30. Parma–Benfenati S, Fugazzato PA, & Ruben MP. The effect of restorative margins on the postsurgical development and nature of the periodontium. International Journal of Periodontics & Restorative Dentistry 1985;5:31–51.
31. Lang NP. Periodontal consideration in prosthetic dentistry. Periodontology 2000 1995;9:118–131.
32. Gunay H, Tschernitschek H, & Geurtsen W. Placement of the preparation line and periodontal health – a prospective 2–year clinical study. International Journal of Periodontics & Restorative Dentistry 2000;20:173–181.
33. Wilderman MN. Exposure of bone in perdontal surgery. Dental Clinics of North America 1964;March:23.
34. Ainamo A, Bergenholtz A, Hugoson A, Ainamo J. Location of mucogingival junction 18 years after apically repositioned flap surgery. J Clin Periodontol 1992;19:49–52.
35. Donnenfeld OW, Marks R, Glickman I. The apically repositioned flap. A clinical study. J Periodontol 1964;35:381.
36. Bjorn, H.: Free transplantation of gingiva propria. Sveriges Tandlakarforbunds Tidning 55: 684. 1963.
37. Sullivan HC, Atkins JH. Free autogenous gingival grafts I. Periodontics 1963;1:99.
38. Sullivan HC, Atkins JH. Free autogenous gingival grafts III. Periodontics 1968b;6:152.
39. Oliver RG, Loe H, & Karring T. Microscopic evaluation of the healing and re–vascularization of free gingival grafts. Journal of Periodontal Research 1968;3:84–95
40. Nobuto T, Imai H, & Yamaoka, A. Microvascularization of the free gingival autograft. Journal of Periodontology 1988;59:639–646
41. Miller PD. A classification of marginal tissue recession. International Journal of Periodontics & Restorative Dentistry 1985a;5:9–13.
42. Groupe HE, Warren RF Jr. Repair of gingival defects by a sliding flap operation. J Periodontol 1956;27:92
43. Wilderman MN. & Wentz FM. Repair of a dentogingival defect with a pedical flap. Journal of Periodontology 1965;36:218–231
44. Bernimoulin JP, Loscher B, Muhlemann HR. Coronally repositioned periodontal flap. J Clin Periodontal 1975;2:1.
45. Gottlow J, Nyman S, Karring T, Lindhe J. Treatment of localized gingival recessions with coronally displaced flaps and citric acid. J Clinical Periodontol 1986;13:57.
46. Miller PD. Root coverage using a free soft tissue autograft following ciric acid application. Int J Periodont Rest Dent 1982;2:1:65–70
47. Miller PD Jr. Root coverage using the free soft tissue autograft following citric acid application. III. A successful and predictable procedure in areas of deep–wide recession. Int J Periodont Rest Dent 1985;5(5):14–37
48. Holbrook, T, Ochsenbein, C. Complete coverage of the denuded root surface with a One–stage gingival graft. International Journal of Periodontics and Restorative Dentistry 1983;3:9–27.
49. Langer B, Langer L. Subepithelial connective tissue graft technique for root coverage. J Periodontol. 1985:56(12):715–20
50. Ratzke PB. Covering localized area of root exposure employing the "envelope technique". J Periodontol 1985;56:397–402
51. Tinti G, Vincenzi G, Cocchetto R. Guided tissue regeneration in mucogingival surgery. J Periodontol 1993;64:1184–1191
52 Pini Prato GP, Tinti C, Vincezi G, Magnani C, Cortellini P, Clauser, C. Giuded tissue regeneration versus mucogingival surgery in the treatment of human buccal gingival recession. J Periodontol 1992;63:919–928.
53. Archer WH. Oral surgery – a step by step atlas of operative techniques. 3rd ed. Philedelphia: W B Saunders Co.; 1961.
54. Kruger GO. Oral and maxillofacial surgery. 2nd ed. St. Louis: The C.V. Mosby Co; 1964.
54. Edlan A, Mejchar B. Plastic surgery of the vestibulum in periodontal therapy. Int Dent J 1963;13:593.

CHAPTER 37

심미적 치주치료

서조영 · 김용건

치아우식, 치수질환, 치주질환, 악안면 외상 등의 치과 치료술식의 대부분은 직, 간접적으로 악안면의 심미성을 향상시키거나 떨어뜨리게 된다. 임플란트의 광범위한 시술과 그에 수반되는 문제점들은 악안면의 심미성에 대한 영향을 더욱 인식하고 향상시키기 위한 치과전문분야를 탄생하게 하였다. 치과재료의 계속적인 발전과 세분화, 악안면의 심미성 향상을 위한 기술 발전 등은 치료의 새로운 영역을 만들어냈다. 미래의 치과진료는 심미성에 더욱 가치를 둘 것이고, 따라서 악안면의 심미성을 향상시키기 위한 새로운 술식의 개발이 예상되며 이에 따른 전반적인 치료계획과 진료 순서의 변화가 고려되어야 할 것이다. 훌륭한 심미적 효과를 얻는 것은 우연이 아니라 치료 시작 전에 충분히 계획되어야 한다. 이 장에서는 심미평가, 치관 연장술, 치간 유두 재건 및 융선 재건을 위한 외과적 술식을 다룰 것이다. 심미 목적의 퇴축치은의 피개는 33장의 노출 치근 피개 부분을 참고하기 바란다.

1. 치료 전 심미평가 (Pretreatment esthetic evaluation)

임상가는 주의 깊게 전반적인 구강을 검사하고, 치주적인 건강을 유지하여야 한다. 치주질환, 치아우식, 근관치료가 요구되는 경우 등은 모두 성형술 전에 해결되어야 한다.

치료 전 심미적인 평가는 환자의 요구와 관심을 효과적으로 다루기 위해 다분야 협진 치료가 가능해야 하며, 치료의 결과를 고려한 실현가능한 기대를 제공해야 하며, 수술의 필요성을 명확히 하며, 관여하는 의사들의 책임감을 명확히 해야 한다.[1]

1) 얼굴의 수평적 수직적 분할

대부분의 임상가는 결손부위에만 집중하는 경향을 가지고 있다. 그러나 심미적인 문제에 직면한 경우, 임상가는 그의 관심부위를 넓힐 필요가 있다. 먼저 얼굴비율을 보아야 하고, 웃을 때의 비율도 고려해야 하며, 치아와 입술선, 치은–치조점막과의 관계도 보아야 한다.

치아–치은 관계의 심미적인 분석에 있어서, 얼굴의 중앙선, 전치부 절단면의 위치, 치은선은 중요한 기준점이다. 치은선은 상악 중절치와 견치의 치관의 가장 높은 곳을 연결한 선이며, 이것은 bipupillary line과 평행하고 전치부 절단면과 평행한 것이 이상적이다. 부가적으로 상악 중절치사이의 치간유두는 얼굴의 중앙선에 포함되어야 한다.

2) 입술선

얼굴의 비율을 평가한 후, 미소선을 치은선과 연관하여 분류하여야 한다. 가장 활짝 웃었을 때 평가해야 하며, high (많은 치은이 보일 경우), medium (vermilion border

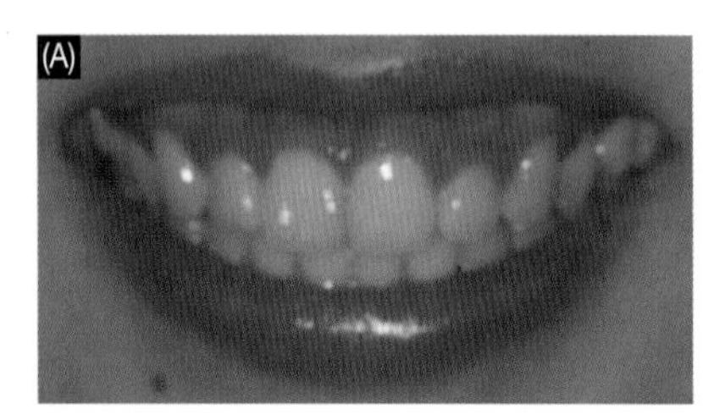

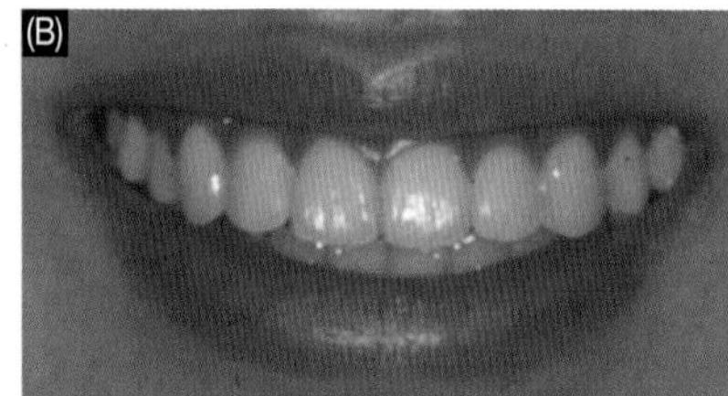

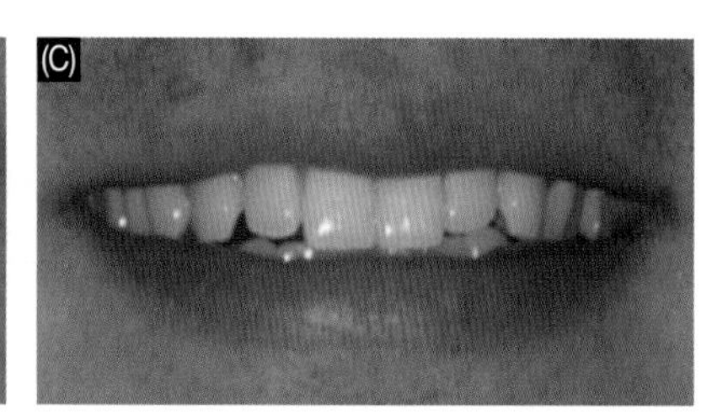

그림 37-1. 입술선의 분류 (A) High (B) Medium (C) Low

가 치은 선상 혹은 그 근처에 있을 때), low (치아만 보일 때)로 분류될 수 있다(그림 37-1). Medium 입술선이 일반적으로 이상적으로 여겨지며, 대부분의 임상적 기준선으로 여겨진다. 비록 분류가 다소 단순하지만 검사 시 환자들은 그들의 자연적인 미소선을 숨기려는 경향이 있어서 어려울 수도 있다.

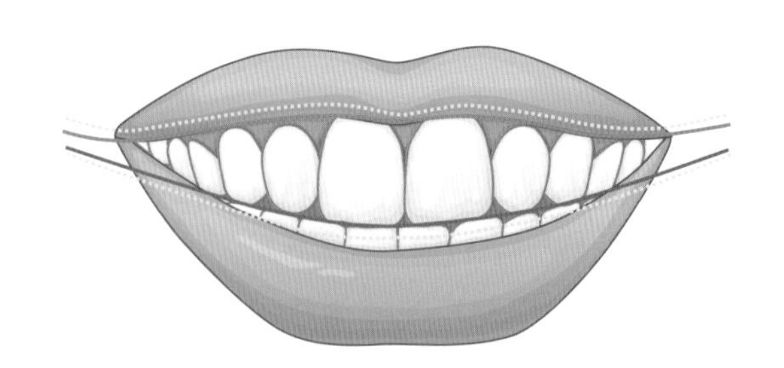

그림 37-2. 치은변연의 위치와 모양

3) 치은변연의 위치와 모양

이상적인 관계에 있어서 치은변연의 위치는 최대로 웃었을 때 윗입술의 vermilion border에 위치되어야 한다(그림 37-2). 측절치의 치은변연은 대게 중절치와 견치보다 1~2 mm 더 낮으며 치은변연의 가장 높은 점은 중절치와 견치는 원심부 선각부위이고, 측절치는 가운데 부위이다(그림 37-3). 치은변연의 부채꼴(scallop) 정도는 치주조직 체형(periodontal biotype)에 달려있다. 두꺼운 치주조직은 납작한 모양을 가지며, 얇은 치주조직은 부채꼴(scallop)한 모양을 가진다. 소구치와 대구치의 경우 치은변연의 가장 높은 곳은 뒤로 갈수록 점진적으로 교합면으로 내려간다. 최대로 웃었을 때 수평적 제한점과 수직적 제한점은 상악치은 혹은 치아, 혹은 둘 다 보이며, 상악 제1대구치가 보이게 된다. 미소의 적당한 깊이와 조화를 제공하기 위해 상악 제1대구치에서 제1대구치까지 일률적으로 치은이 보여야 한다.

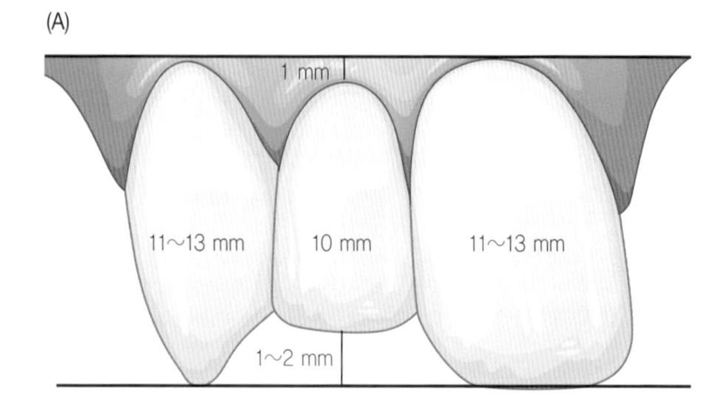

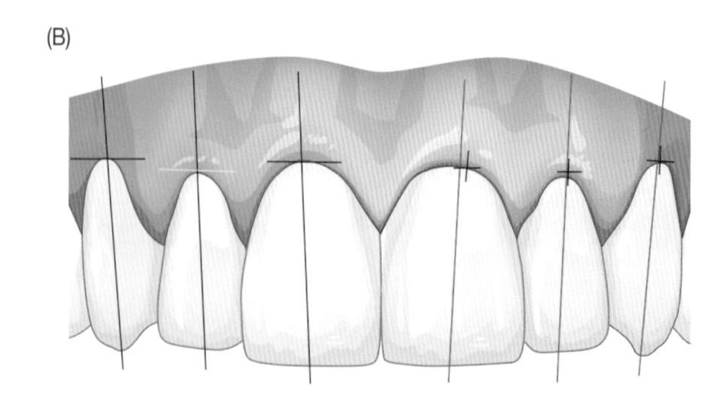

그림 37-3. 치은변연의 위치
(A) 상악 절치와 견치의 평균적 치아 길이 (B) 치은 만곡의 정점

4) 치은변연의 불일치

치은변연의 불일치를 해결하기 위해 두 가지 치료가 가능한데 그것은 교정적 재위치와 외과적 수술이다.[2] 임상

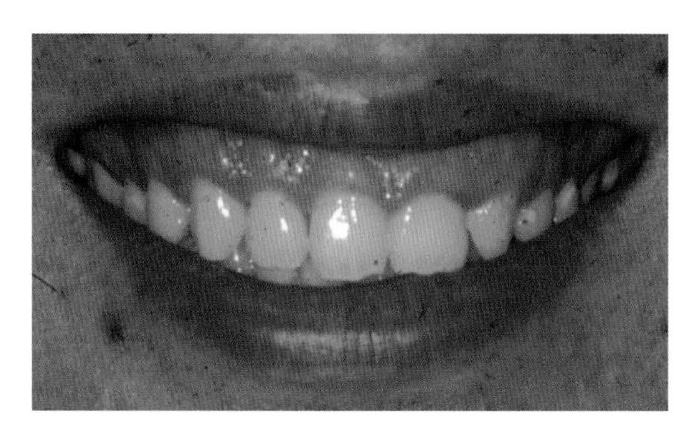

그림 37-4. 상악골의 과성장으로 인한 gummy smile

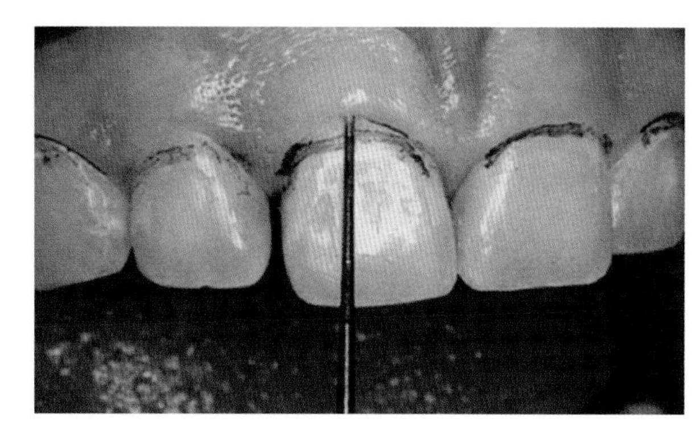

그림 37-5. 짧은 임상적 치관으로 인한 gummy smile

가는 적절한 치료를 선택해야 한다. 첫째, 치아의 열구깊이가 평가되어야 한다. 만일 치아열구가 백악법랑질경계부에 있어서 그 깊이가 3~4 mm 정도이면 외과적 치관연장술이 적절하다. 열구깊이가 얕다면 교정적 맹출로 치은변연을 재위치 시켜야 한다. 다음으로 임상가는 중절치와 측절치에 있어서 치은변연의 관계를 평가해야 한다. 만일 더 짧은 중절치의 치은변연이 측절치의 치은변연과 같은 수준 혹은 더 치근단 부위에 위치한다면, 적절한 치료로서 긴 중절치를 형성하기 위해 치아정출을 시도한다. 또한 전치부 절단면의 평가가 적절한 치료를 위해 필요하다. 만일 하나의 치아가 순설측으로 더 넓다면, 닳거나 과정출된 경우이므로 닳은 치아의 함입과 절단면의 수복이 적절한 치료법이 될 수 있다. 만일 잘못된 진단으로 외과적 치관연장술이 시행되면, 백악법랑질경계부나 치근면이 노출될 수 있으므로 주의하여야 한다.

5) 과다한 치은 노출

과다한 치은 노출 혹은 gummy smile은 많은 환자에 있어서 중대한 심미적인 문제이다. 과다한 치은 노출은 세 가지 요소에 의해 일어날 수 있고, 각각은 다르게 치료될 수 있으므로 진단이 대단히 중요하다. 첫째, 상악의 과성장이다(그림 37-4). 골격적인 기형을 진단해야 하며, 얼굴의 비율을 평가해야 한다. 이상적인 비율은, 머리카락 선에서 눈썹까지, 눈썹에서 코 밑부분, 코 밑부분에서 턱까지 같은 길이여야 한다. 만일, 세 번째 부분이 나머지 것들보다 더 길고, 윗입술이 정상 길이(18~21 mm)에 속한다면, 외과적 교정술과 교정치료가 요구된다.

둘째로, 치아의 부정확한 위치가 원인인 경우 과다한 치은 노출이 있을 수 있다. 그러나 이것은 그리 흔하지는 않다. 앞에서 언급한 것과 같이 진단되고 치료될 수 있다.

셋째로, 치은변연의 치근단 방향으로의 이동이 지연된 경우가 있는데(그림 37-5), 이것을 변형된 수동적 맹출(altered passive eruption)이라고 부른다. 치아가 정상적으로 맹출함에 따라 치은변연은 치근방향으로 이동하여 백악법랑질경계부에 위치하거나 백악법랑질 경계부에 대해 치관 방향으로 최소 1 mm 정도에 위치한다. 어떤 환자의 경우, 이러한 치근단 방향으로의 치은이 이동하지 않아 치은이 과다하게 보일 수 있다. 이것을 진단하기 위해서는 탐침을 해보고, 만일 치은이 두껍고, 섬유성으로 염증이 없이 열구깊이가 3~4 mm이면 외과적 치관연장술이 치료방법이 될 수 있다.

2. 치관 연장술 (Crown lengthening procedure)

순선(lip line)이 높고 웃을 때 치은이 많이 노출되어 보이는 경우를 일반적으로 "gummy smile" 혹은 고순선(high lip line)이라고 한다. 원인으로는 상악골의 과성장에 의한 골격이상과 상순이 짧음에 따른 연조직 이상으로 대별할 수 있으며, 이 두 경우가 혼합되어 나타나는 경우도 흔하다. 또 다른 원인은 짧은 임상적 치관이다. Gummy smile 환자의 임상적 치관길이의 평가는 가장 중요한 사항이며 이는 심미성에 유일한 원인이 되거나 주된 요소가 된다. 적당한 치관길이를 연장시켜 주었을 경우 상당량의 심미성이 회복되며 종종 골격이상으로 인한 gummy smile인 경우도 악교정 수술이 필요 없는 경우도 있다. 여러 술식들이 gummy smile를 처리하기 위해 고안되었으며 이들은 전치의 모양, 형태를 변형시키거나 치관을 연장시키는 술식으로서 치은노출을 감소시키고 임상적 치관의 길이와 연조직의 길이 비를 변화시킨다. 현재 많이 사용되고 있는 술식은 치은절제술, 근단 변위 판막술 그리고 골성형을 동반한 치은박리소파술 등이다.[3]

치아-치은단위(dentogingival unit)는 두 부류로 구분된다. 첫째는 결체조직의 부착부와 둘째는 상피의 부착부이다. Garguilo 등[4]은 임상적으로 건강한 사람 325명을 조사한 결과 치조골정, 결체조직의 부착 그리고 상피부착 사이에는 일정한 비율이 존재한다고 하였으며, 이때 치은열구는 평균 0.69 mm, 상피부착부는 평균 0.97 mm 그리고 결체조직부착부는 평균 1.07 mm라고 하였다(그림 37-6). 위 세 가지 조직 중에서 치조골정 상부의 결체조직 부착부는 거의 변화가 없는 부분이다. 일반적으로 상피

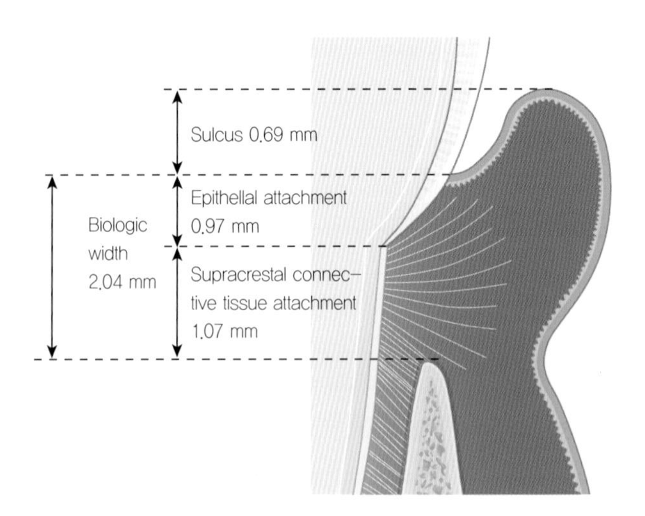

그림 37-6. 생물학적 폭경

생물학적 폭경은 평균 2.04 mm이며 결체조직부착이 1.07 mm, 그리고 상피의 부착이 0.97 mm 정도이다.

부착부와 결체조직부착부를 합한 것을 생물학적 폭경(biologic width)이라고 하고 평균 2.04 mm 정도이다. Ochsenbein과 Ross[5]는 생물학적 폭경은 침해되어서는 안된다고 하였으며 현재 보철물 변연이 생물학적 폭경을 침해하였을 경우 염증과 치은출혈을 피할 수 없으며 결국 부착소실과 치주낭이 형성된다. 그러므로 생물학적 폭경을 획득할 수 있도록 치관연장술을 시행하여야 한다.[6]

치관연장술 전에 필히 아래의 사항들을 고려해야 한다.[7]

- 해부학적 치관의 길이
- 치은변연에서 백악법랑 경계부까지의 거리
- 백악법랑 경계부에서 치조골정까지의 거리
- 상순의 크기와 형태
- 상순의 위치

1) 과다한 치은 노출이 있는 경우

외과적 치관연장술이 필요함을 확실히 하기 위해서 먼저 delayed apical migration의 경우인지를 평가해야 한다. Coslet[8] 등은 변형된 수동적 맹출(altered passive eruption)을 Type I과 Ⅱ, 그리고 subgroup A, subgroup B로 delayed apical migration을 분류하였다(그림 37-7). 그것은 치은의 양과 백악법랑질경계부와 치조정사이의 관계로 나누었다. Type I은 치은변연이 백악법랑질경계부에서 치관부 방향으로 위치하고, 넓은 부착치은을 가지며, 치은점막경계부가 치조정보다 치근단 방향으로 위치하는 경우이다. 이러한 경우 단순한 치은절제술로 해결될 수 있다. Type Ⅱ는 부착치은이 정상 폭을 가지며 치아에 상대적으로 치관부 방향으로 위치되는 경우로, 백악법랑질경계부 근처에 치은치조점막경계부가 있는 경우이다. 만일 Type Ⅱ의 경우에 치은절제술이 시행된다면, 부착치은이 제거되고, 심미적인-기능적인 문제가 생길 수 있으므로 이 경우는 부착치은을 유지하면서, 치은치조점막경계부를 재위치하면서 치료되어져야 한다.

Type I과 Ⅱ는 또다시 subgroup A와 B로 분류되며 Type IA와 IB가 가장 흔한 경우이다. Subgroup A는 백악법랑질경계부에서 치조정까지 최소 2 mm가 되는 경우이다. Type IA는 치은절제술에 의해 치료되고, 임상가는 백악

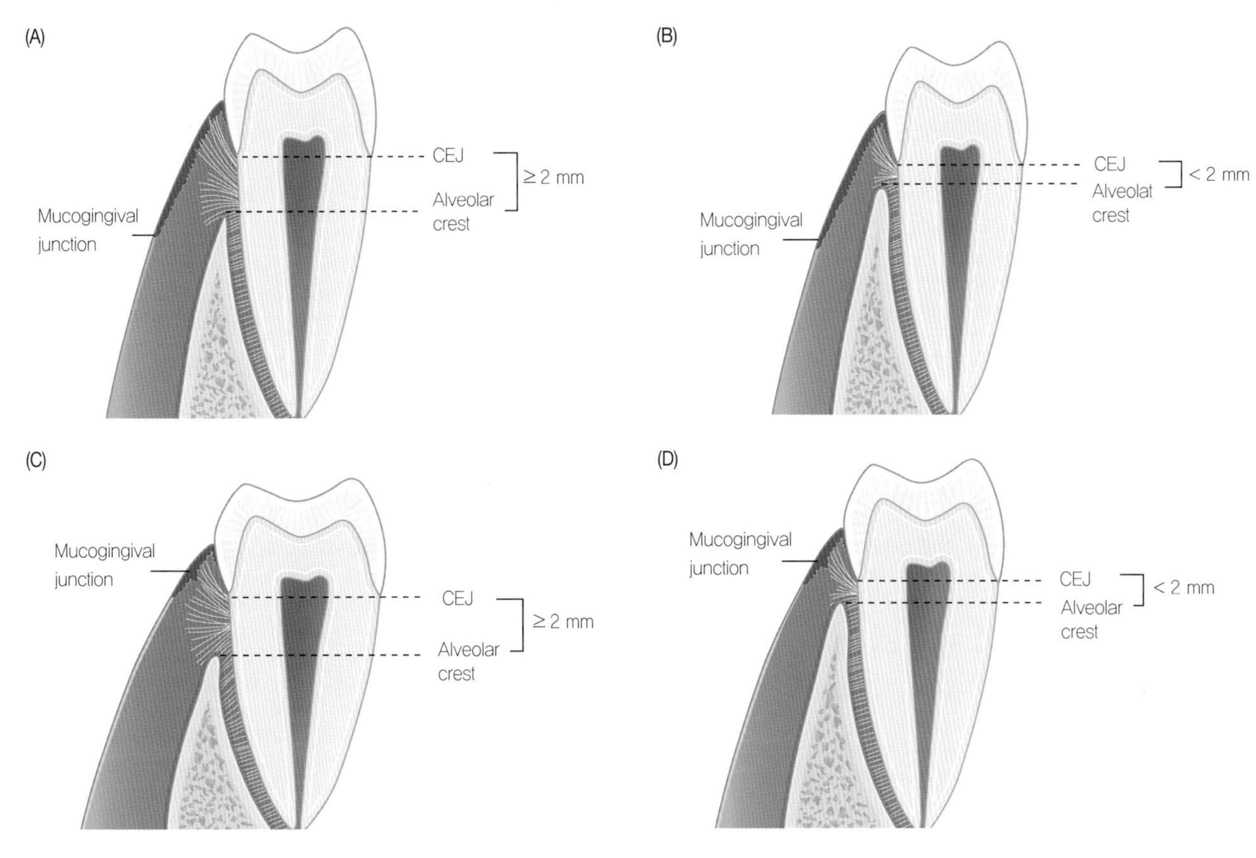

그림 37-7. Altered passive eruption의 분류 (A) Type IA (B) Type IB (C) Type IIA (D) Type IIB

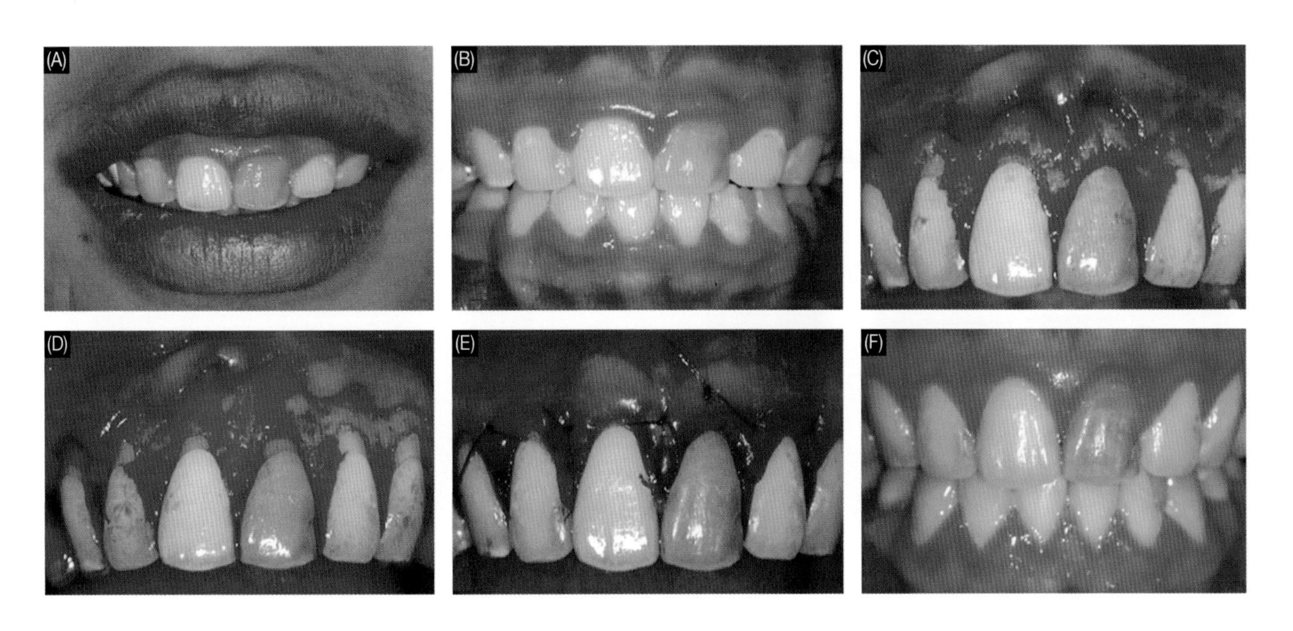

그림 37-8. Altered passive eruption Type IB의 치료 증례

(A) 술전 gummy smile이 관찰됨 (B) 임상치관이 짧아 보이며 Type IB로 진단 (C) 전층 판막을 형성하고 박리 한 결과 치조골이 백악법랑경계부에 근접해 있음이 관찰 (D) 생물학적 폭경을 획득하기 위해 치조골성형술과 치조골정형술을 시행 (E) 판막을 백악법랑경계부 약간 상부에 재위치 시킴 (F) 치료 후 16개월 후 모습

법랑질경계부에서 많은 치은을 제거할 수 있으며, 치조정 상방으로 충분한 공간이 남으므로 새로운 부착기구들의 삽입으로 인하여 유리치은변연을 만들어 낼 수 있다. 다시 말해, 생물학적 폭경(biologic width)이 보존된다는 것이다. 많은 연구에서 치조정 상방의 결체조직 부착을 위해 대략 2 mm의 공간이 필요하며 이 2 mm는 치주건강을 위해 요구되는 생리적인 공간이다.[9] Subgroup B에 있어서 치조정은 백악법랑질경계부 근처에 위치하는 경우이다. 만일 이 경우 치은절제술로 치료된다면, 임상가는 백악법랑질경계부에서 많은 치은을 제거할 것이며 생물학적 폭경은 없어진다. 부착기구를 위해 요구되는 2 mm를 얻기 위해서 얇은 치은의 경우 퇴축이 일어날 것이며, 두꺼운 치은의 경우 다시 치료 전 상태로 돌아갈 것이다. 이러한 것을 해결하기 위해, Type IB의 경우, 부착기구를 위한 필요한 공간을 만들기 위해 치은과 골의 제거가 같이 이뤄져야 한다(그림 37-8). 이것은 Type Ⅱ의 경우도 같이 적용될 것이다. Type ⅡB 경우에 있어서, 생물학적 폭경을 확립하기 위해 골삭제 뿐만 아니라, 부착치은을 유지하기 위해 근단변위판막술이 필요할 수 있다.

2) 우식병소, 치아의 파절선 그리고 잘못된 수복물이 치은연하에 위치한 경우

(1) 골성형술을 동반한 근단변위판막술

골성형술을 동반한 근단변위판막술은 여러 치아를 대상으로 치관연장술을 시행할 경우에 적용되며, 한 치아를 대상으로(특히 전치부의 경우) 치관연장술을 시행할 경우는 피하는 것이 좋다.

본 술식은 종종 건강한 치질을 노출시키고자 할 때도 사용된다. 일반적으로 치조골정과 파절선이나 우식병소 사이는 최소한 4 mm의 건강치질이 노출되어야 한다. 치유 동안 골상방으로 치근의 2~3 mm를 연조직이 덮게 되어 치은 위로 1~2 mm의 치질만이 남게 된다. 이 방법을 사용할 때 치은조직은 치조골정의 형태에 따라 원래대로 돌아가려는 경향이 있음을 상기해야 한다. 그래서 치은변연을 새로운 근단 부위에 위치시키고자 할 경우는 해당치아는 물론이고 인접치아도 함께 치조골성형술을 시행해야 한다(그림 37-9, 10). 본 술식을 시행하고자 할 때는 희생시켜야 할 부착부의 양을 결정해야 하며 악궁의 좌우 대칭성을 필히 고려해야 한다. 따라서 수술 시 해당치아보다 더 넓은 범위의 치아가 포함되어야 하며 수술대상치아의 전략적 가치를 충분히 평가해서 주변치아들의 지지구조를 희생시키고 심미성에 역행하는 단점을 감수하면서까지 치관확장술을 시행해야 하는지를 고려해야 한다. 만일 전략적 가치는 충분하지만 수술로 인하여 주변 지지조직의 소실과 비심미성이 문제가 된다면 교정력에 의한 강제 치아 맹출술(forced tooth eruption)을 선택한다.

(2) 강제 치아 맹출술

(A)

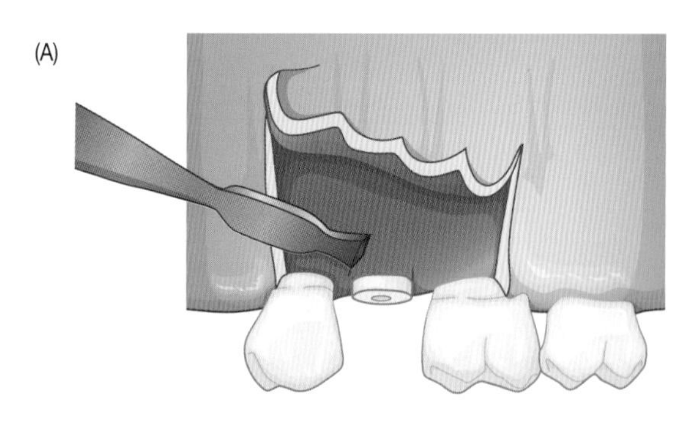

(B)

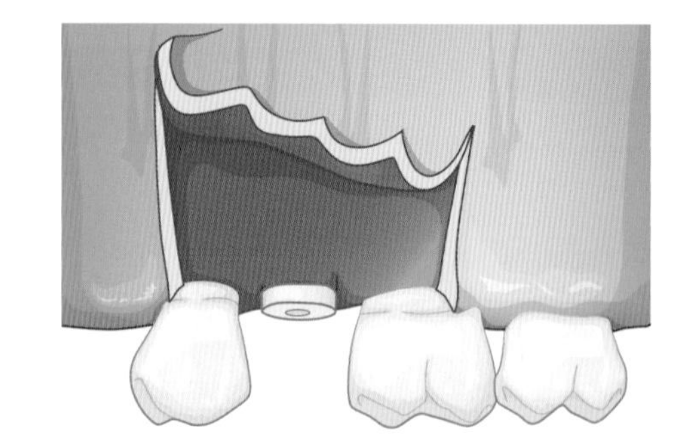

그림 37-9. 치관연장을 위한 치조골 성형술

(A) 치관 연장을 위한 삭제형 골 수술은 필요한 치아에만 국한될 수는 없다. 골 삭제는 인접치아까지 점진적으로 연장되어 자연스러운 치조골 정을 이루도록 해야 한다. (B) 이로써 인접치아에 부착소실과 퇴축을 야기한다.

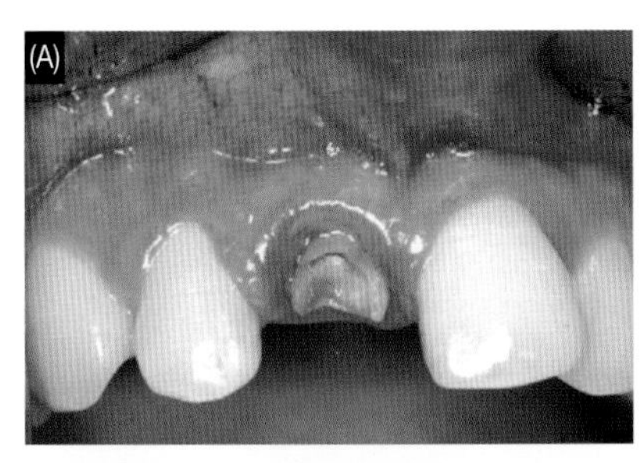

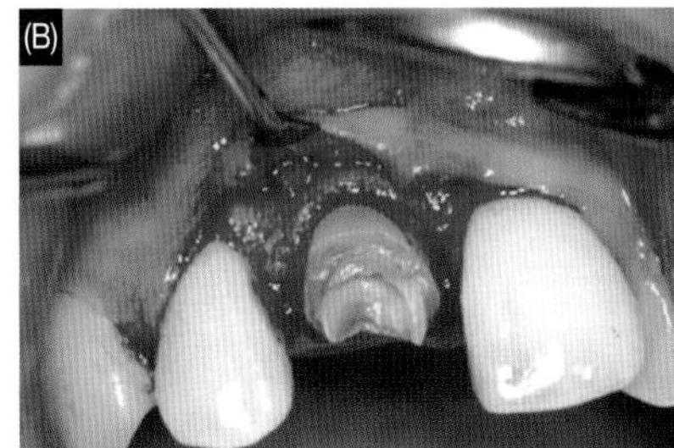

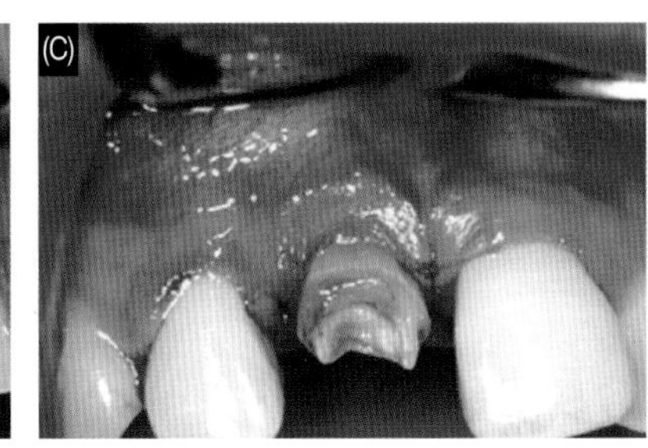

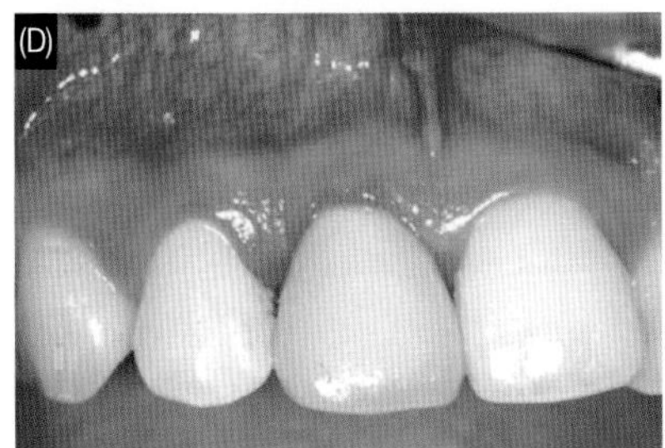

그림 37-10. 치조골성형술을 동반한 치관연장술
(A) 2차 우식병소에 의해 치관이 짧은 증례 (B) 전층판막을 박리 후 생물학적 폭경을 확보하기 위해 치관 연장술을 시행 (C) 봉합 (D) 치유 후 수복물 장착

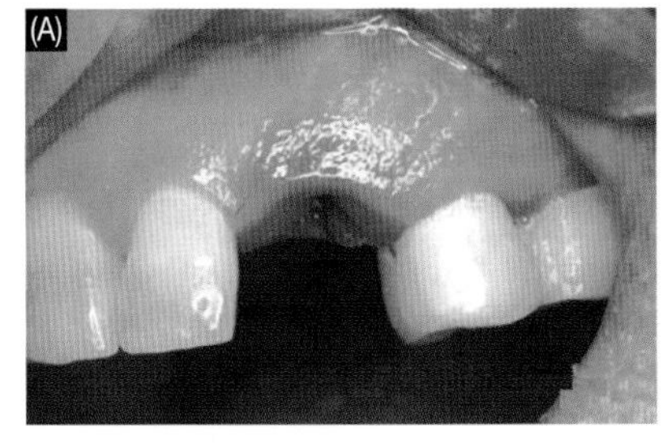

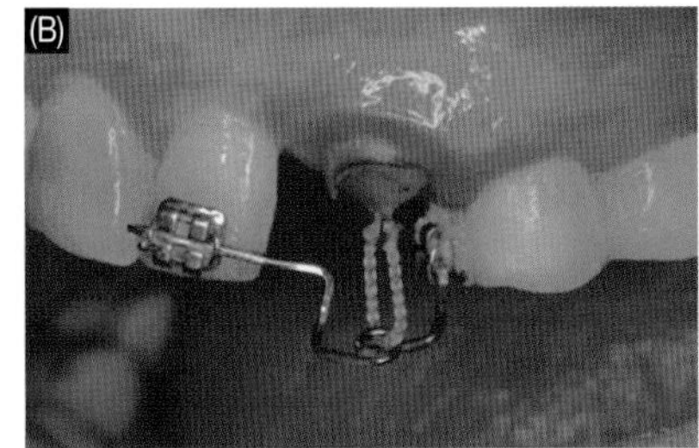

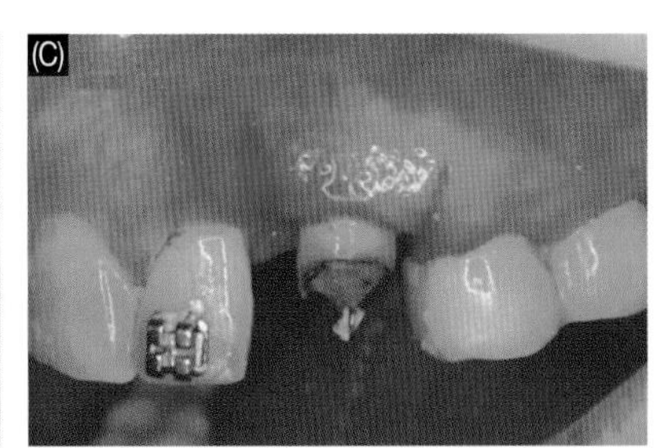

그림 37-11. 강제치아맹출을 이용한 치관연장술
(A) 짧은 치관 (B) 강제치아맹출 (C) 강제치아 맹출 후

강제 치아 맹출술(forced tooth eruption)은 치관 연장 시 인접치의 부착과 골 상실이 없어야 하는 경우와 치아 정출로 angular bony defect가 있는 깊은 치주낭을 감소시키는 경우에 적용되며,[10] 잔존치가 적은 환자에서는 다른 방법이 선택되어야 한다. 중등도의 교정력이 가해지면 전체 부착기구가 치아와 함께 이동될 것이다. 수술로 노출된 건전치질의 위치와 동일하게 또는 조금 더 많이 맹출시켜야 한다. 치아가 의도한 위치에 도달하면 고정시키고, 전층판막을 거상하여 골삭제를 시행하여 건전치질을 노출시킨다(그림 37-11). 심미적인 이유로 인접 치아의 골과 연조직의 위치를 변화시키지 않는 것이 중요하다.[11]

강제 치아 맹출술은 치은연 높이를 조정하고 치관의 심미적 조화를 이루기 위해 사용되므로 외과적 수술로 정상 치아의 치은이 치근단으로 퇴축되는 대신에 문제를 가진 치아만 정상적인 위치로 정출시키는 것이다.

술식은 교정용 브라켓을 정출시킬 치아와 인접치에 부착하고 arch wire를 끼운다. 다른 방법으로는 정출시킬 치아와 인접치에 구를 형성하고 두꺼운 bar 혹은 wire를 위치시키는 것이다. 치아를 치관 측으로 당길 수 있도록 브라켓에서 arch wire (혹은 bar)까지 power elastic을 묶는다. 치관의 대부분이 상실되어 근관치료가 필요한 경우에는 근관에 위치된 post에 power elastic이 맞춰져서 arch wire와 함께 적용된다. 이동 치아가 인접치면을 향하거나 기울어지지 않도록 이동 방향을 주의 깊게 점검해야 한다.

3. 치간유두 재건 (Interdental papilla reconstruction)

치간유두 높이의 상실과 치아 사이의 "black triangle"을 만드는 데는 여러 가지 원인이 있다. 성인에서 가장 흔한 원인은 치태로 인한 치주조직의 상실이다. 그러나 비정상적인 치아의 외형, 보철수복물의 부적절한 외형, 잘못된 구강위생을 통한 외상 역시 치간부 연조직에 좋지 않은 영향을 준다.

1) 치간유두의 높이에 대한 분류

Nordland와 Tarnow[12]는 3가지 해부학적 표지: 치간 접촉점, 순측의 백악법랑질경계부 근단으로의 연장 정도, 치간부 백악법랑질경계부의 치관으로의 연장과 관련하여 인접치와 연접한 치간유두의 높이를 분류하였다(그림 37-12).

- 정상: 치간유두가 치간부 접촉 부위 아래의 치간공극을 완전히 채움
- Class I: 치간유두의 끝 부위가 치간부 접촉점과 치아의 인접면 백악법랑질경계부 사이에 위치
- Class Ⅱ: 치간유두의 끝 부위가 치아의 인접면 백악법랑질경계부 높이이거나 하방에 위치하며 백악법랑질경계부 순측 중앙 높이보다 상방에 위치
- Class Ⅲ: 치간유두의 끝 부위가 백악법랑질경계부 순측 중앙 부위의 높이이거나 하방에 위치

인간에 대한 연구에서 Tarnow[13] 등은 치간유두의 존재와 접촉점과 치간골능 사이의 수직적 거리의 관계에 대하여 분석하였다. 치간골능과 접촉점 사이의 수직거리가 5 mm 이하인 경우에는 유두가 항상 100% 채워지지만, 6 mm 이상인 경우에는 치간부 공간이 부분적으로만 채워지는 것을 발견하였다. 치조정 상방의 결합조직의 부착부위가 1 mm 정도인 것을 감안하면 치간유두의 생물학적 높이는 4 mm 정도 된다. 이러한 설명은 근단변위판막술로 노출된 치간 부위가 수술 후 3년간 연조직이 약 4 mm 성장이 일어나는 것으로 뒷받침된다. 따라서 치간유두를 수술로 재생하기 전에 다음의 2가지를 주의 깊게 평가해야 한다. ① 치관 사이 접촉부의 근단점과 골능 사이의 수직거리, ② 치간부에서 연조직 높이. 만일 골능과 접촉점 사이의 거리가 5 mm 이하이고 유두 높이가 4 mm보다 작으면, 치간부 "black triangle"의 문제를 해결하기 위하여 유두의 부피를 증가시키기 위해 외과적 조정을 해

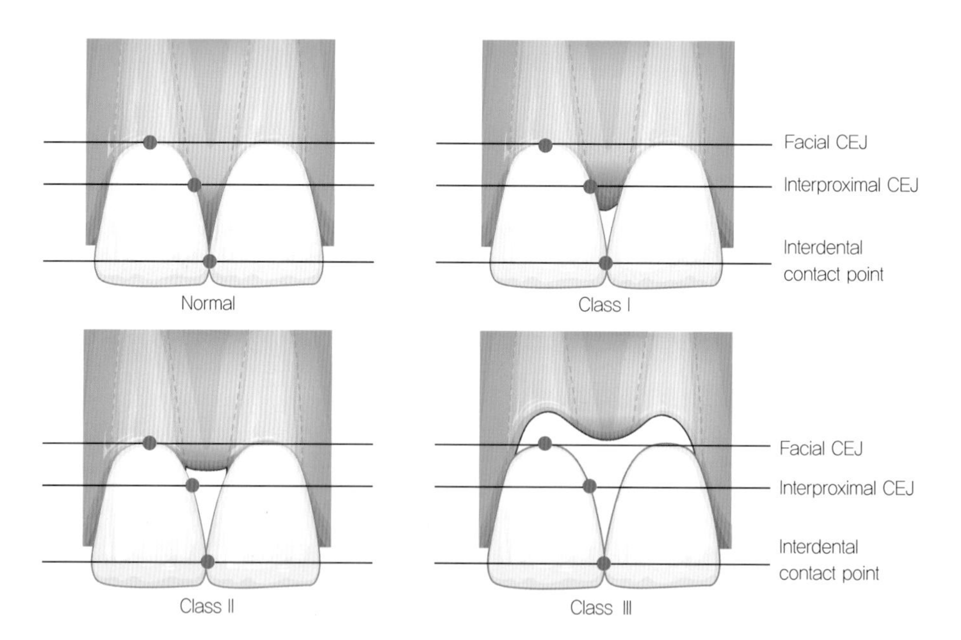

그림 37-12. 유두의 높이에 대한 분류를 보여주는 모식도[Nordland 와 Tarnow의 분류]

도 무방하다. 그러나 치주지지조직이 상실되었거나 치관 사이의 치간부 접촉관계가 부적절하거나 접촉점이 골능에서 5 mm 이상 위치해 있으면, 유두의 형태를 증진시키기 위해 외과적 시도보다는 치아 사이의 접촉점을 근단으로 내리는 것이 바람직하다.

만약, 유두높이의 소실이 구강위생 기구에 의한 연조직 손상에 의한 것이면, 우선 치간 위생 술식을 연조직 회복을 위하여 중단해야 하며 유두손상을 최소화하기 위해 수정되어야 한다.

2) 치간유두 재건술

부족한 치간유두의 재건을 위한 다수의 외과적 기술이 보고되었다. 그러나 이러한 술식에 대한 예지성은 확립되지 않았으며, 외과적으로 얻은 치간유두의 장기적인 안정성의 정보에 대한 자료가 부족하다.

Beagle[14]은 치간부의 구개부 연조직을 이용한 유경이식 술식을 기술하였다(그림 37-13). 부분층 판막을 치간유두 부위의 구개 측에서 거상한다. 판막이 순측으로 들려지고 접혀져서 치간부 순면에 새로운 유두를 만들기 위해 봉합된다. 치주포대는 치간유두의 지지를 위하여 구개 면에만 시행한다.

Han과 Takei[15]는 유리 결합조직 이식을 근거로 한 유두 재건술을 제안하였다("semilunar coronally repositioned papilla")(그림 37-14). 치조점막의 순측에서 치간부로 반월형 절개를 하고 치간부에는 주머니 모양을 형성한다. 결합조직을 치근면에서 자유롭게 하여 치은유두를 치관으로 이동시키기 위해 2개의 인접치아에 근원심의 반 정도 주위로 열구내 절개를 시행하고, 구개에서 얻은 결합조직

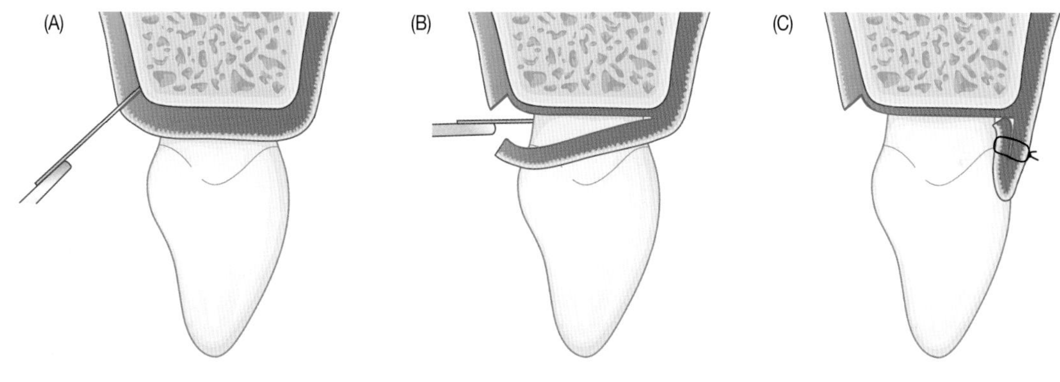

그림 37-13. 치간유두 재건술 유경이식술(pedicle flap)[14]

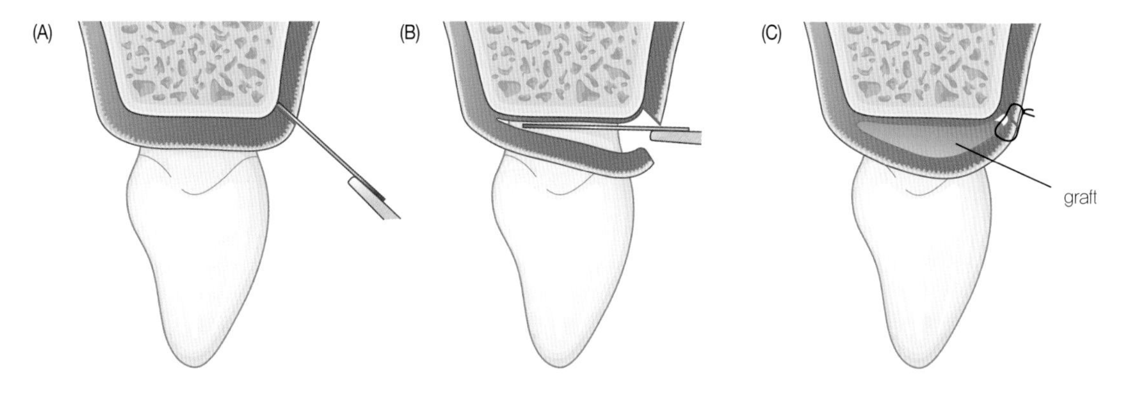

그림 37-14. 치간유두재건술 semilunar coronally repositioned papilla reconstruction[15]

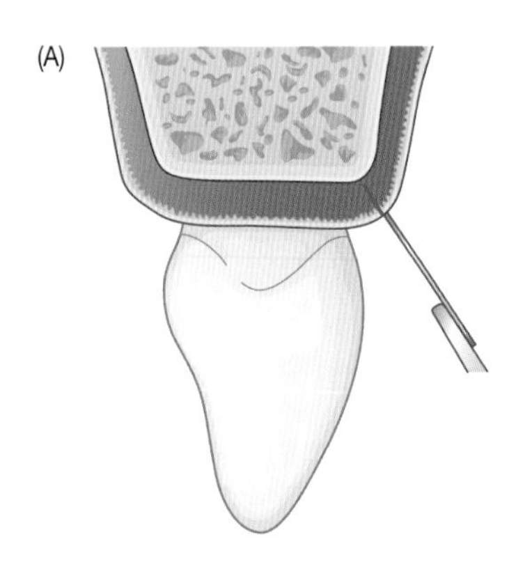

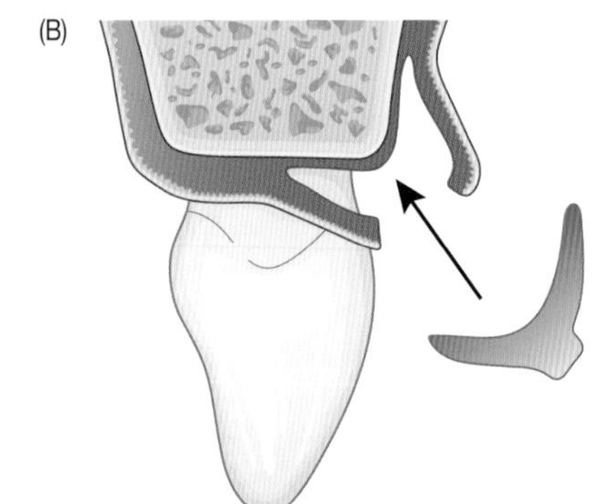

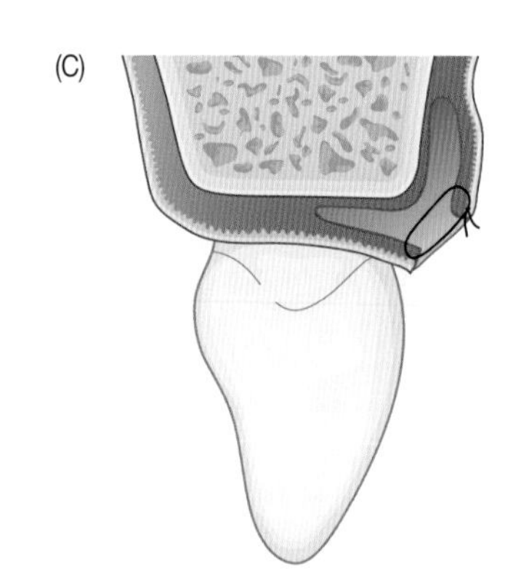

그림 37-15. **치간유두재건술** envelope-type[16]

이식편을 치관부로 위치시킨 치간부 조직을 지지하기 위해 주머니 내로 위치시킨다.

Azzi[16] 등은 결합조직 이식편을 덮기 위해 envelope-type 판막 기법을 서술하였다(그림 37-15). 재건할 치간부에 있는 치면에 열구 내 절개를 시행한다. 이어서, 치간부의 순면을 가로지르는 절개를 하고 envelope-type의 부분층 판막을 인접면뿐만 아니라 치은점막 경계를 넘어 근단측으로 연장하여 거상한다. 결합조직 이식편은 상악 결절 부위에서 채득하고 적당한 크기와 모양으로 다듬어서 치간부 판막 아래로 위치시킨다. 판막은 하부의 결합조직 이식편과 함께 봉합한다.

4. 융선재건을 위한 외과적 술식(Surgical procedure for ridge augmentation)

부분적이거나 전체적인 무치악부 융선은 치조골의 일반적 형태를 유지하고 있다. 이러한 융선을 정상융선이라고 한다. 그러나 정상융선은 치조돌기의 일정한 높이와 폭을 유지하고 있지만 여러 면에서 정상이라고 할 수 없다. 왜냐하면 치근을 덮고 있는 골의 융기부도 존재하지 않으며, 치간유두부도 존재하지 않기 때문이다. 따라서 자연치열의 심미성과 기능을 수복할 수 있는 고정성 보철물을 제작하는 것은 어렵거나 불가능하다고 할 수 있다. 무치악부 융선이 결손되지 않았다 하더라도 가공치와 지대치 사이 혹은 각 가공치 사이의 치간공극에는 항상 dark triangle이 존재한다. 이 dark triangle은 air seal이 부족하여 발음이 새고 타액이 튀게 되며 음식물이 정체하게 된다.

치조융선의 결손은 여러 원인에 의해 일어날 수 있다. 예를 들면 태생 시 유전적 결손에 의한 구개파열, 외상성 치아탈구, 악안면 외상, 근관치료된 치아의 수직파절, 중증 치주질환, 치주농양, 종양제거 그리고 매식술의 실패 등이 있다. Seibert[17]는 융선결손을 3분류로 구분하였으며 결손부의 깊이에 따라서 다시 3가지로 세분하였다(그림 37-16).

- Class I: 치조융선 높이는 정상이고 치조융선의 폭이 결손된 경우
- Class Ⅱ: 치조융선의 폭은 정상이고 치조융선의 높이가 결손된 경우
- Class Ⅲ: 치조융선의 폭과 높이가 모두 결손된 경우
- 경도: 융선결손이 3 mm 보다 작은 경우
- 중등도: 융선결손이 3~6 mm 사이인 경우
- 고도: 융선결손이 6 mm 이상인 경우

이 분류는 융선결손을 환자에게 설명하는 데 도움을 주며 결손부위를 외과적으로 재건할 때 치료술식의 선택과 술식의 순서를 정하는데 도움을 준다. 치료의 성공은 여러 결손부위의 이해와 독특한 해부학적 구조, 혈관분포 그리고 치유과정 등을 이해해야만 가능하다. 종종 여러 융선결손부를 수정하기 위해 다양한 술식이 요구될 수 있으며 수회의 재수술이 필요할 수도 있다.

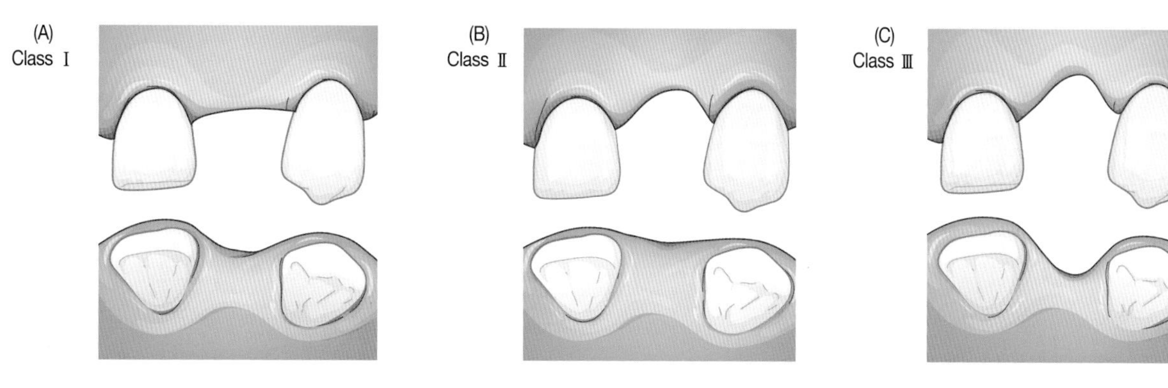

그림 37-16. 치조융선 결손에 대한 분류

1) Roll 술식

Abrams[18]이 고안한 술식으로서 상피를 박리시켜 결체조직 판막을 형성하고 이식편을 수용할 수 있는 pouch를 만든 후 결체조직 판막을 pouch 내 삽입 봉합하는 술식이다(그림 37-17). 이 술식은 경도나 중등도의 Class I 결손을 회복시킬 때 이용한다. 그러나 현존융선의 색조와 표면성질을 변경할 수 없으며 융선높이를 높이는 데도 한계가 있다. 그리고 융선조직과 인접 구개조직이 매우 얇을 경우는 사용할 수 없다.

(1) 술식

융선 재건에 필요한 정도의 결체조직을 노출시키기 위해 구개면에서 1 mm 정도의 상피층을 Bard-Parker #15 blade로 탈상피화를 시킨다. 구개면으로부터 유경의 결체조직판막을 형성한다. 이때 하부 골은 노출시키지 않도록 주의한다. 결체조직판막을 순측에 도달되도록 분할층 두께로 박리시켜 pouch를 형성한다. Pouch는 순면에 위치되도록 하고 이때 골막을 포함시킬 필요는 없다. 봉합방법으로 유경의 결체조직판막을 pouch 내로 삽입시킨다.

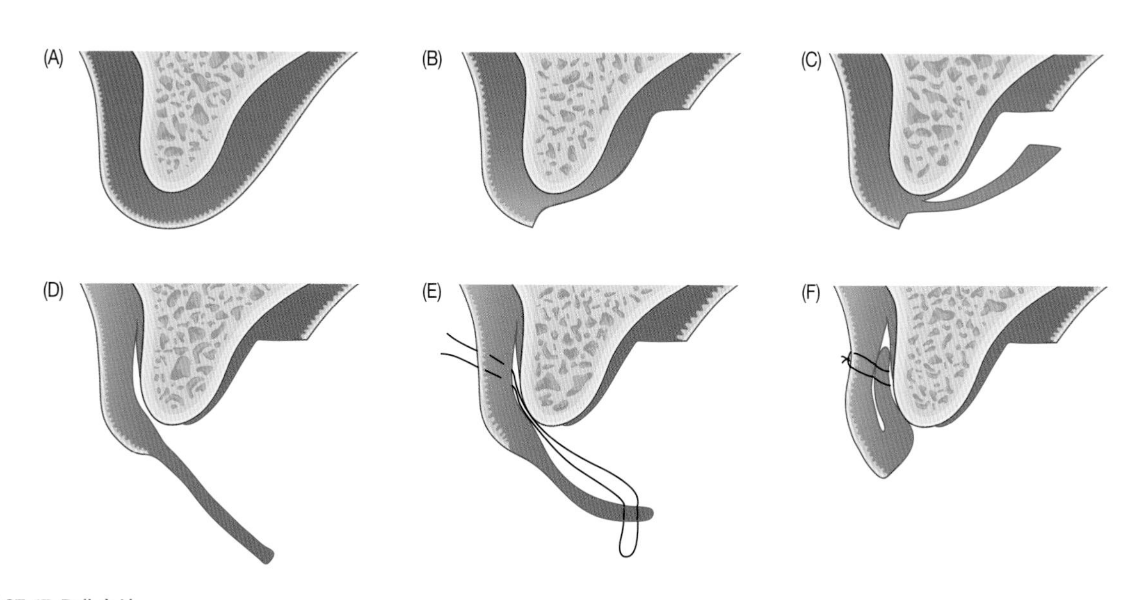

그림 37-17. Roll 술식

(A) 치료 전의 무치악부 절단면 (B) 구개부에서의 상피제거 (C) 유경판막의 박리거상 (D) 협부에 pouch의 형성 (E) 봉합방법으로 유경판막을 pouch 내로 당겨 치은점막경계부에 위치 (F) 판막을 고정

봉합의 입구점과 출구점은 협점막주름 가까이의 구강전정 깊은 부위에 위치되도록 한다. 이 봉합은 결체조직판막을 pouch 기저부에 위치시키도록 당기는 역할을 하게 된다. 임시의치를 위치시키고 결체조직판막과 가공치 표면이 접촉되는 상관성을 관찰한다.

① Modified Roll Technique

Scharf 등[19]이 고안한 변형 Roll법은 Abram의 roll technique의 변형으로 "trap–door" approach가 사용되어, 유경결체조직 위에 놓인 상피를 보존하여 공여부를 피개할 목적으로 사용된다(그림 37–18).

- 술식: 치은열구에서 2 mm 떨어져 치조융선에서 구개부 방향으로 평행하게 2개의 수직절개선을 가하여 전층 판막을 형성한다. 2개의 수직절개선이 치조융선을 따라 수평으로 얕게 가해진 절개된 선에 의해 연결된다. 이 얕은 수평 절개선은 유경상피를 박리시키기 위한 기시점이 된다. 상피판막이 수직절개선이 끝나는 부위까지 구개부 쪽으로 박리되고 상피판막 하방의 결체조직에서 상피를 완전히 제거하기 위해 최소 0.6 mm 두께가 되어야 한다. 유경결체조직의 하방부를 따라 절개선이 골조직까지 만들어지고 Merrifield or Kirkland knife 등을 이용하여 유경결체조직의 하방부에서 치관 방향으로 박리시켜서, 유경결체조직이 하방의 골조직으로부터 떨어지게 한다. 치조정 유경결체조직을 분리한 후 협측에 pouch를 형성하여, 유경결체조직을 pouch 내로 삽입시킨다. 협측 점막과 삽입된 유경판막이 잘 접촉하도록 봉합하고, 구개부는 상피판막을 재위치 시키고 봉합한다.

2) Pouch 술식

융선 함몰부 하방의 연조직에 외과적으로 pouch를 형성하여 결합조직 이식편을 넣고 원하는 형태로 만드는 pouch 술식은 Langer & Calagna[20,21]에 의해 처음 보고되었다. Class I 융선 결손 시 사용되고 융선조직의 색조와 표면성질이 그대로 유지시킬 필요가 있을 때 사용된다. 그러나 융선 높이를 수복하는데 한계가 있으며 현존하는 융선의 색조 및 표면성질을 변경할 수 없다. 또한 큰 함몰을 가진 환자는 함몰을 채우기에 충분하지 않은 얇은 구개조직을 가질 수 있으므로 이런 경우 경조직 증대를 위한 다양한 방법이 선택되어져야 한다.[22]

이 술식은 삽입 절개선(entrance incision)과 박리면(plane of dissection)을 다양한 방법으로 형성할 수 있다.

- Coronal–apically: 수평절개를 함몰부의 구개측 또는 설측에 시행하고 치근단 방향으로 박리를 진행한다.
- Apical–coronally: 수평절개를 mucobuccal fold 근처의 전정보다 높게 시행하고 치조제 정상 방향으로 박리를 진행한다.
- Laterally: 함몰부의 양쪽에 하나 또는 두 개의 수직절개를 시행한 후 함몰부를 가로질러 측방으로 박리를 진행한다.

(1) 술식

위에서 설명한대로 pouch를 형성한다. 수평절개는 융

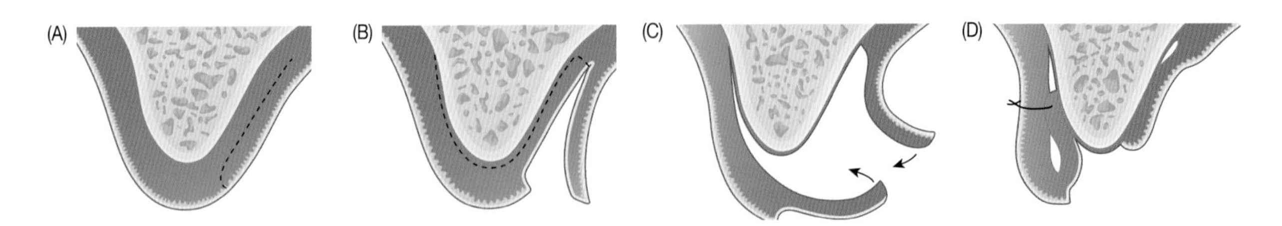

그림 37-18. Modified Roll 술식

(A) 치료 전의 무치악부 절단면 (B) 구개부에서의 부분층 판막 형성 (C) 구개골측 유경판막을 박리거상 후 협부에 pouch의 형성 (D) 유경판막을 pouch 내로 당겨 치은점막경계부에 고정하고 남은 부분층 판막으로 구개부 피개

선정에서 구개면쪽으로 6~12 mm 떨어져서 시작하고 근원심 절개를 사면을 주어 시행하는데, 그 이유는 pouch가 이식물로 채워진 후 협측 조직은 신장되므로 시작 절개의 긴 사면은 판막이 협측으로 미끄러져 절개선이 노출되지 않도록 할 것이다. 수직절개는 융선정을 넘어 순측의 치은점막경계부까지 충분히 연장시키며, 치은열구는 포함시키지 않는다. 구개판막을 예개법으로 분할층 두께를 형성하고 융선정까지 연장한 후 융선정부터 둔개 방법으로 전층판막을 형성하여 융선결손 부위에 pouch를 형성한다. 구개, 상악 결절부, 무치악부 등 적당한 공급부를 선택하여 'trap door' 방식으로 결합조직을 채득한다. 이식편은 즉시 수용부로 옮겨 적당한 부위에 위치시킨 후 구개측 절개와 수직절개를 봉합한다(그림 37-19).

3) Wedge & Inlay 술식(Interpositional graft 술식)

이술식은 현존 융선조직의 색조와 표면성질을 그대로 유지시키면서 Class I 결손과 중등도의 Class Ⅱ 결손인 경우 적용할 수 있다(그림 37-20). 그러나 inlay 술식은 융선 높이를 높이는데 도움을 주지만 onlay 술식처럼 유용하지는 않다.

(1) 술식

이 술식은 pouch 술식과 유사하나 다소 차이가 있다. Pouch의 입구는 폐쇄하지 않으며 wedge 형의 결체조직 이식편은 구개의 결절부위 혹은 무치악부 등에서 얻고 pouch의 순면은 융선결손부의 함요부를 제거시키기 위하여 협측으로 거상시킨다. 이때는 분할층 혹은 전층 두께로 한다. 그리고 Wedge 형의 유리결체조직 이식편을 pouch 내 삽입시킨다. Wedge 조직의 상피는 주변조직과 동일한 위치가 되게 한 후 봉합을 시행한다. 만일 치조융선 높이를 높이고자 할 때는 wedge의 일부를 거상시켜 주위조직보다 높게 위치시킨다(그림 37-21).

4) Onlay graft 술식

Onlay 이식술은 융선 높이를 치관-치근방향으로 증가시키는데 매우 효과적인 술식이며, 협/순면의 융선결손 시에도 사용되어 Class Ⅲ 융선결손 시 적당하다. 또한 이

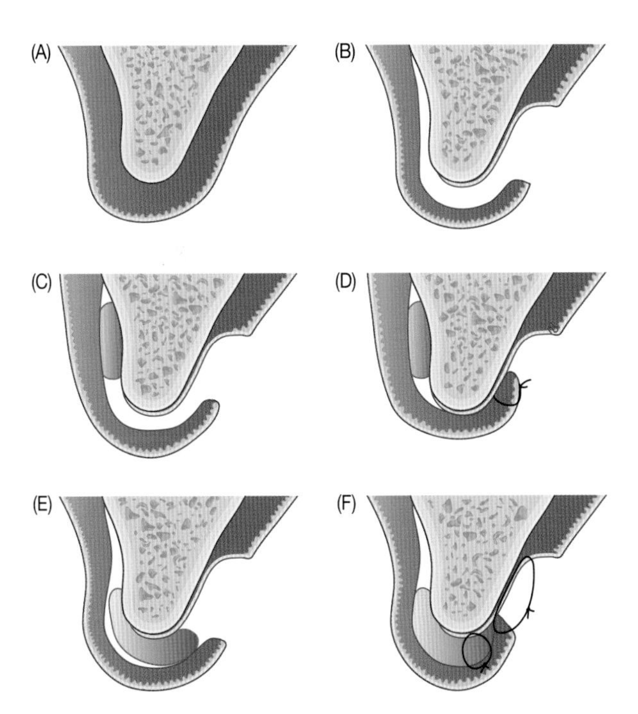

그림 37-19. 결합조직 이식술을 이용한 'Pouch graft 술식
(A) 술전 무치악 융선의 횡단면 (B) 결손부의 구개측에 pouch를 만들기 위한 수평절개를 넣고 부분 판막형성 dissection은 융선의 순측에 골막 상방으로 시행 (C, D) 결합조직은 협설 방향으로 최대한 증대될 수 있는 곳에 위치 (E, F) 수직 증대가 필요하면, 결합조직은 골정에 가까이 위치

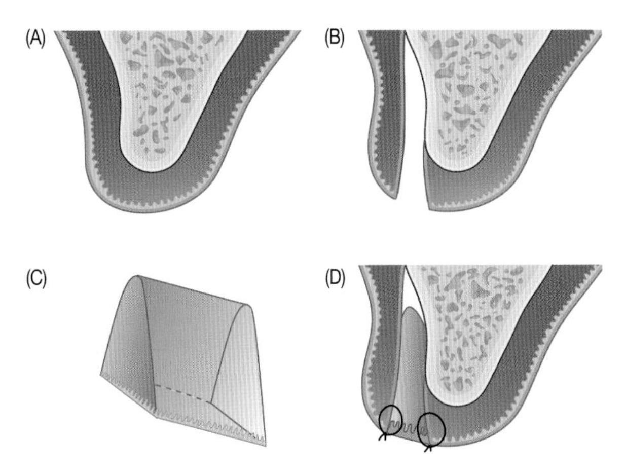

그림 37-20. Wedge & Inlay 술식(Interpositional graft 술식)
(A) Class I defect의 횡단면 (B) 순측 판막을 거상하여 pouch 형성 (C) 구개에서 쐐기 모양의 이식편 채득 (D) 이식편의 상피면이 pouch 주위조직과 봉합. 특히 융선 높이를 증가시키고자할 때는 이식편 상부를 노출시켜 고정

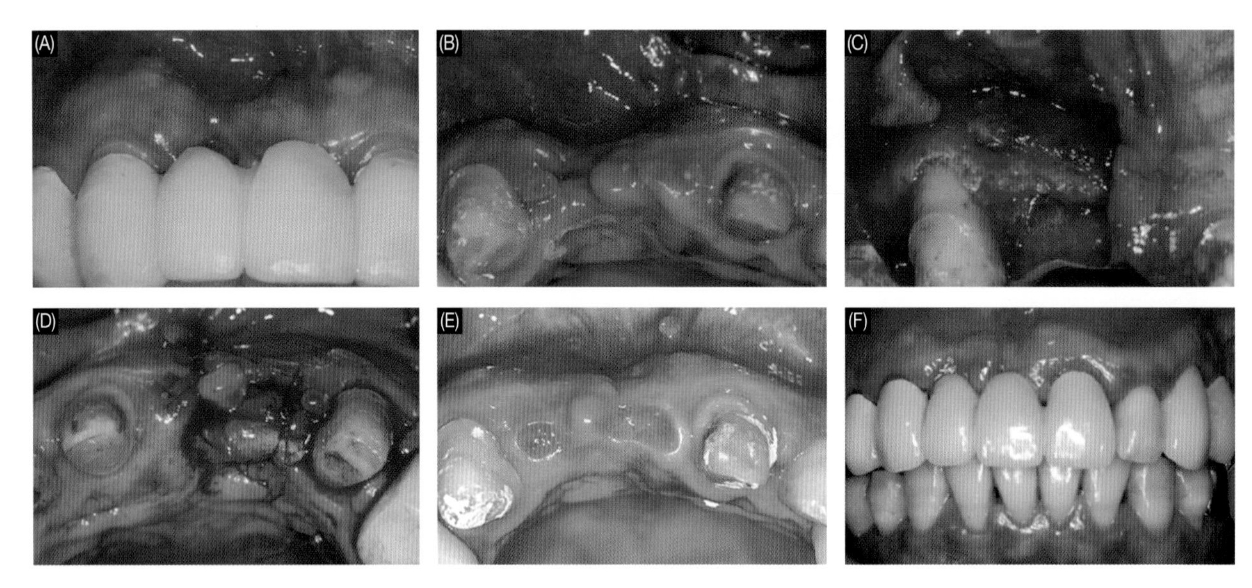

그림 37-21. Wedge & Inlay 술식(Interpositional graft 술식)
(A, B) 결손부의 술전 모습 (C) 결손부에 순측 판막을 거상하여 pouch 형성 (D) 쐐기 모양의 이식편을 pouch 내에 삽입하고 이식편의 상피면을 주위조직과 봉합 (E) 4개월 후 무치악의 순측면이 재건된 모습 (F) 6개월 후 완성된 보철물이 장착된 모습

술식은 조직내 비심미적인 색소침착이나 amalgam tattoo가 있을 때도 사용될 수 있다. 그러나 두꺼운 이식편은 충분한 혈액공급이 요구되고 빠른 모세혈관의 증식이 필요하다. 만일 이러한 상황이 어려울 경우에 이식편은 탈락한다. 그러므로 이식편수용부에 혈액공급을 받기 어려운 환경이거나 예전의 수술과 외상에 의해 반흔이 형성되었을 경우는 적당하지 않다.

(1) 술식

이식편의 수용부를 형성 시 수용부의 고유층(lamina propria)을 가급적이면 최대한 보존하여 형성한다. 마취액은 수용부와 가급적 떨어지게 전정과 구개구 깊은 부위에 주입하여, 수용부의 혈관수축을 최소화하도록 한다. 외과용 메스는 상피의 제거에 사용하며, 상피의 약 1 mm 하방의 위치에서 움직인다. 수용부의 끝은 Butt-joint 또는 사면변연(beveled margin)이 되도록 한다.

이 술식은 비교적 큰 이식편이 필요하다. 이식편은 동측 구개면의 소구치-제1대구치부, 치은연과 중앙봉합선(midline raphae)사이 중간부분에서 얻는다. 상악 제2, 3대구치 부위는 주요 구개동맥이 주행하므로 두꺼운 이식편의 공급부로 사용할 수 없다. 이식편의 기저부는 융선 결손부의 형태에 맞게 V-형 혹은 U-형이 되게 한다. 절개는 이식편 심부로 갈수록 수렴(converge)이 되는 방향으로 깊게 절개하되 이식편 변연부의 여러 방향에서 수술도로 각을 주면서 시행한다.

구개부의 공여부에는 치주팩의 고정이 어렵기 때문에 수술용 스텐트가 수술에 앞서 제작되어야 한다. 수술용 스텐트는 유지력을 얻고, 환자가 장착, 제거를 쉽게 하기 위해 wrought wire clasp를 이용하여 제작한다. 공여부는 동맥출혈이 있는지 주의 깊게 확인해야 한다. 출혈이 있는 경우는 봉합이나 지혈성 약제 등으로 처치하고 난 다음 스텐트를 장착한다.

채득된 이식편은 이식편 수용부 형태에 맞게 성형한다. 그리고 혈액공급을 극대화하고 이식편 수용부에 고유층을 노출시키기 위해 하방 1 mm 부위까지 그리고 2 mm간격으로 융선 표면에 직각으로 연속적인 절개(striation cut)를 시행한다(striation procedure). 이식편은 조직겸자를 이용하여 수용부에 가져가며, 수용부의 결합조직 면에 맞추어 조정한다. 이식편의 경계에 따라 2 mm 간격으로 5–0 봉합사를 사용하여 봉합하여 이식편을 단단히 고정하고 이식편의 가장자리에 "water–tight seal"을 시행하여 혈액이 이식편 내에 유지되도록 한다.

(2) 치유

수용부는 onlay graft 술식 후 1주간 부종이 발생한다. 이식편 위로 새로운 상피의 형성은 모세혈관의 순환이 이식편에서 재형성될 때 이뤄진다. 조직형태는 대개 3개월 후에 안정이 되며, 수개월에 걸쳐 수축이 진행되는 경우도 있다. 따라서 최종 보철물은 술 후 6개월 이후가 적절하다. 공여부는 1차로 육아조직으로 채워지며, 3~4주안에 초기 치유를 기대할 수 있으며, 약 3개월 후에 완전한 치유를 기대할 수 있다.

5) Onlay–interpositional graft 혼합 술식

Class Ⅲ 융선결손부를 치료하는것은 융선의 폭과 높이를 모두 증가시켜야 하기때문에 임상의에겐 어려운 술식이 될 수 있다. 필요한 양만큼의 수직적 증가를 얻기 위해서 연조직은 신장되거나 상당한 양만큼 확장되어야 한다. 결체조직 이식편을 피개하기 위해서 이동되어야 하는 연조직 판막의 이동 량에는 한계가 있다. 유경 판막의 과도한 신장은 종종 판막 내에 혈액공급을 제한하고 판막 내에 원치 않는 괴사를 일으키게 하거나 봉합을 당겨서 하방 이식편 조직을 노출시키는 응력을 일으킨다.

결체조직 이식술의 흔한 문제점은 이전의 양 만큼의 융선을 재건할 만큼의 충분한 양의 공여부 조직을 얻기가 불가능하다는 것이다. 구개부의 결체조직 이식편을 얻기 위해 사용되는 접근판막은 판막 내에 혈액공급을 유지하기 위해 충분한 두께의 결체조직을 가져야 한다. 판막을 너무 얇게 형성한다면 그것은 괴사될 것이고, 만일 혈액공급을 유지할 만큼 충분한 두께로 만들어진다면 이것은 얻을 수 있는 결체조직 양이 줄어 들 것이다.

융선 증가를 위해 onlay–interpositional graft 혼합 술식이 사용될 때, 재혈관화에 기여할 수 있는 결체조직의 면적은 상피하 결체조직이식술(subepithelial CT graft)보다

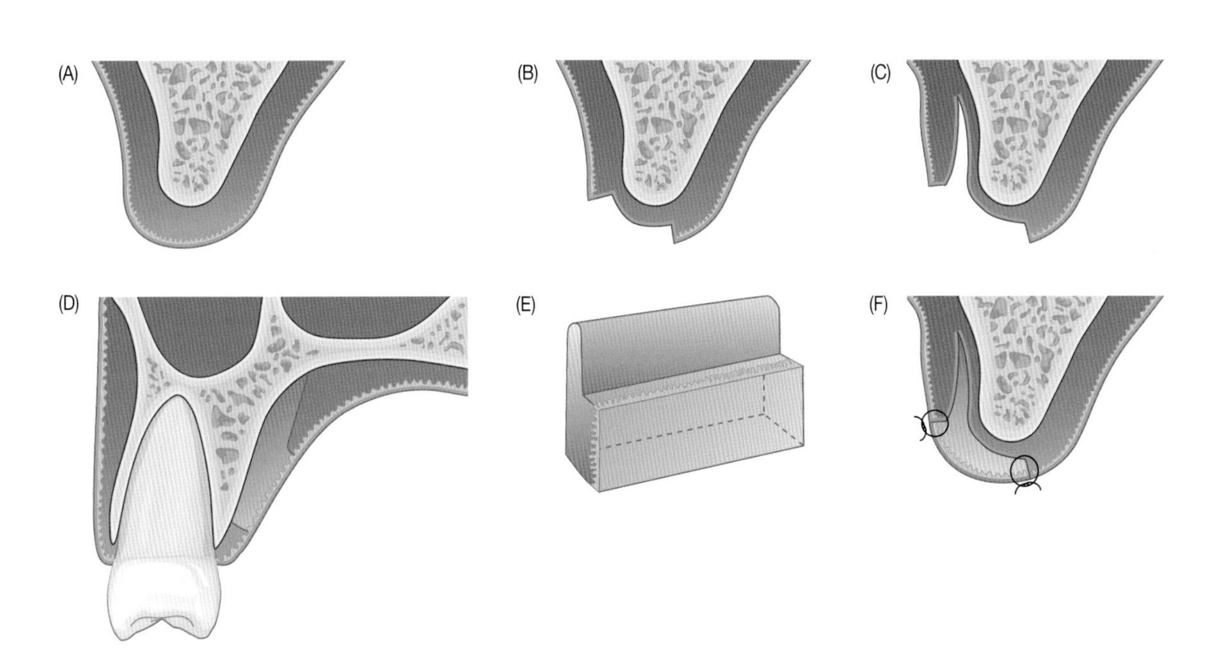

그림 37-22. Onlay-interpositional graft 혼합 술식

(A) ClassⅢ defect의 횡단면 (B) Onlay graft를 위한 수용부를 만들기 위해 융선의 협측과 치조정 부위의 상피를 제거 (C) 이식편의 interpositional 부분을 위해 협측에 부분층 절개를 시행하여 pouch 형성 (D) 이식편 채득을 위한 절개는 구개면에 수직으로 시작하여 각도를 주어 긴 결합조직을 채득 (E) 협설 측 증대를 위한 이식편의 onlay 부분과 결합조직의 삼차원적 모습 (F) 이식편을 위치하고 봉합

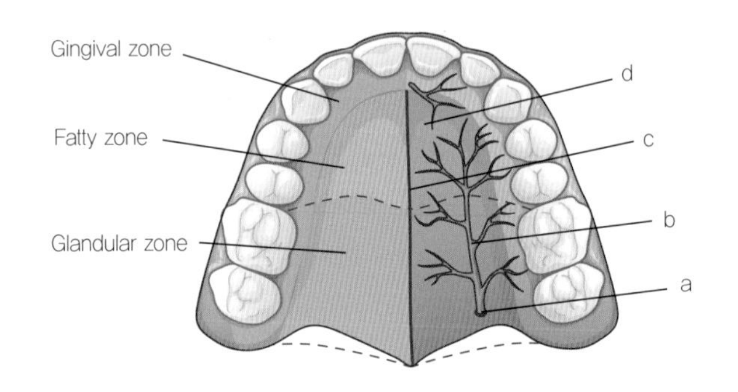

그림 37-23. 이식편제공부의 형성 시 고려해야 할 구개부의 조직학적, 해부학적 구조물들
(a) 대구개공 (b) 대구개동맥 (c) 구개봉선 (d) 구개추벽

적으나 onlay graft 술식과 비교 시 상당히 많은 혈액공급을 받을 수 있다. 또한 interpositional graft는 주로 협설측 치조증대에 기여할 것이다(그림 37-22).[23]

Onlay-interpositional graft 혼합 술식은 onlay graft의 가장 좋은 점들과 상피하 결체조직이식술의 가장 좋은 점들을 결합하기 위해 개발되었는데 다음과 같은 장점들을 가지고 있다.

- Interpositional graft의 함몰된 결체조직부위는 이식편의 onlay 부위의 재혈관화를 촉진시킨다. 이로써 전체 이식편에서 얻을 수 있는 혈액공급의 양이 증가된다.
- 공여부인 구개에는 보다 작은 개방창을 만든다.
- 환자에게 불편감을 적게 주면서 구개부 공여부의 빠른 치유를 기대할 수 있다.
- 한 술식에서 협설측과 높이의 증가 정도를 조절할 수 있다.
- 구강전정 깊이의 감소가 없으며 치은치조점막경계부가 치관방향으로 이동하지 않으므로 재내원 시 수정 술식의 필요성이 줄어든다.

6) 구개부에서의 이식편 제공부 형성과 고려해야 할 해부학적 구조물

구개면의 치은과 상악결절 부위(tuberosity area)의 섬유조직을 많이 이용한다. 이는 이 부위가 고유층의 두께가 두꺼우며 조직성분이 치밀한 결체조직으로 이루어져 있기 때문이다. 융선재건술은 통법의 유리치은이식술보다 많은 양의 이식편을 필요로 한다. 통법의 유리치은이식술은 0.75~1.5 mm 두께를 이용하고 이식편 내 존재하는 지방조직과 선조직은 모두 배제한다. Sullivan과 Atkins[24,25]는 이식편 내 지방조직과 선조직은 혈장의 유입을 방지하고 새로운 모세혈관의 성장을 방해한다고 하면서 이식술 실패의 주된 원인이 된다고 하였다. 따라서 이식술 시에 모든 지방조직과 선조직은 제거해야 한다고 하였다. 융선재건 시 필요로 하는 조직은 최소 2 mm 이상으로 두껍기 때문에 지방조직과 선조직의 유입이 필히 수반되게 된다. 그러나 Seibert[17]는 전층 두께의 이식편도 이식 술식에 사용될 수 있으며 지방조직과 선조직이 결코 이식편치유를 방해하지는 않는다고 하였다. 구개면에서 전층 이식편을 채득할 때 필히 고려해야 할 해부학적인 구조물은 대구개동맥(major palatine artery)이다(그림 37-23). 대구개동맥은 상악 제2대구치 원심면에 가까이에 위치해 있는 구개공(palatine foramen)에서 나와 상악 제2대구치의 구개면과 구개봉선(midline raphe) 사이의 중심부를 지나서 전방으로 주행하는데 구개골면에 근접해 위치해 있다. 따라서 전층 이식편을 채득할 경우는 제2대구치와 제3대구치 부위를 피하는 것이 좋으며 소구치와 제1대구치부위에서 얻는 것이 좋다.

7) 술후 이식편 제공부의 처치

이식편 제공부의 혈관박동 혹은 동맥성 출혈을 조심스럽게 관찰해야 한다.

만일 동맥성 출혈이 있을 경우는 출혈점 원심 쪽에 원주형봉합(circumferential suture)을 시행한다. 술후 보호는 여러 방법이 이용되고 있으며 대표적인 방법으로는 acrylic surgical stent, partial denture, 그리고 치주포대 이용법 등이 있다. 이식편 제공부의 치유는 육아조직이 증식함으로써 이루어지며 통법의 유리치은이식술(치유는 2~3주 걸림)보다 2주 정도 느리다.

전층 이식편의 수축은 3~6개월 사이에서 일어난다. 보철 수복은 4~6개월의 치유기간이 경과한 후에 하는 것이 바람직하다. 융선 재건을 한 번 더 시행하고자 할 때는 술후 2개월 후에 시행할 수 있다.

참고문헌

1. Goldstein RE. Change Your Smile. In. Chicago: Quintessence 1984.
2. Kokich VG. Esthetics: the orthodontic-periodontic restorative connection. Seminars in orthodontics 1996;2:21-30.
3. Tjan AH, Miller GD, The JG. Some esthetic factors in a smile. The Journal of prosthetic dentistry 1984;51:24-28.
4. Garguilo AW, Wentz FM, Orban B. Dimension and relations of the dentogingival junction in humans. Journal of periodontology 1961;32:261-267.
5. Ochsenbein C, Ross S. A reevaluation of osseous surgery. Dental clinics of North America 1969;13:87-102.
6. Lanning SK, Waldrop TC, Gunsolley JC, Maynard JG. Surgical crown lengthening: evaluation of the biological width. Journal of periodontology 2003;74:468-474.
7. Herrero F, Scott JB, Maropis PS, Yukna RA. Clinical comparison of desired versus actual amount of surgical crown lengthening. Journal of periodontology 1995;66:568-571.
8. Coslet JG, Vanarsdall R, Weisgold A. Diagnosis and classification of delayed passive eruption of the dentogingival junction in the adult. The Alpha omegan 1977;70:24-28.
9. Nevins M, Skurow HM. The intracrevicular restorative margin, the biologic width, and the maintenance of the gingival margin. The International journal of periodontics & restorative dentistry 1984;4:30-49.
10. Ingber JS. Forced eruption. I. A method of treating isolated one and two wall infrabony osseous defects-rationale and case report. Journal of periodontology 1974;45:199-206.
11. Ingber JS. Forced eruption: part II. A method of treating nonrestorable teeth--Periodontal and restorative considerations. Journal of periodontology 1976;47:203-216.
12. Nordland WP, Tarnow DP. A classification system for loss of papillary height. Journal of periodontology 1998;69:1124-1126.
13. Tarnow DP, Magner AW, Fletcher P. The effect of the distance from the contact point to the crest of bone on the presence or absence of the interproximal dental papilla. Journal of periodontology 1992;63:995-996.
14. Beagle JR. Surgical reconstruction of the interdental papilla: case report. The International journal of periodontics & restorative dentistry 1992;12:145-151.
15. Han TJ, Takei HH. Progress in gingival papilla reconstruction. Periodontology 2000 1996;11:65-68.
16. Azzi R, Etienne D, Carranza F. Surgical reconstruction of the interdental papilla. The International journal of periodontics & restorative dentistry 1998;18:466-473.
17. Seibert JS. Reconstruction of deformed, partially edentulous ridges, using full thickness onlay grafts. Part I. Technique and wound healing. The Compendium of continuing education in dentistry 1983;4:437-453.
18. Abrams L. Augmentation of the deformed residual edentulous ridge for fixed prosthesis. The Compendium on continuing education in general dentistry 1980;1:205-213.
19. Scharf DR, Tarnow DP. Modified roll technique for localized alveolar ridge augmentation. The International journal of periodontics & restorative dentistry 1992;12:415-425.
20. Langer B, Calagna L. The subepithelial connective tissue graft. The Journal of prosthetic dentistry 1980;44:363-367.
21. Langer B, Calagna LJ. The subepithelial connective tissue graft. A new approach to the enhancement of anterior cosmetics. The International journal of periodontics & restorative dentistry 1982;2:22-33.
22. Allen EP, Gainza CS, Farthing GG, Newbold DA. Improved technique for localized ridge augmentation. A report of 21 cases. Journal of periodontology 1985;56:195-199.
23. Seibert JS, Louis JV. Soft tissue ridge augmentation utilizing a combination onlay-interpositional graft procedure: a case report. The International journal of periodontics & restorative dentistry 1996;16:310-321.
24. Sullivan HC, Atkins JH. Free autogenous gingival grafts. I. Principles of successful grafting. Periodontics 1968;6:121-129.
25. Sullivan HC, Atkins JH. Free autogenous gingival grafts. 3. Utilization of grafts in the treatment of gingival recession. Periodontics 1968;6:152-160.

03

복합 및 특수치료

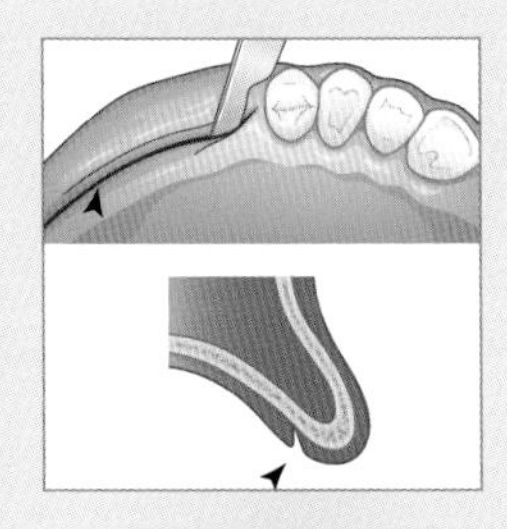

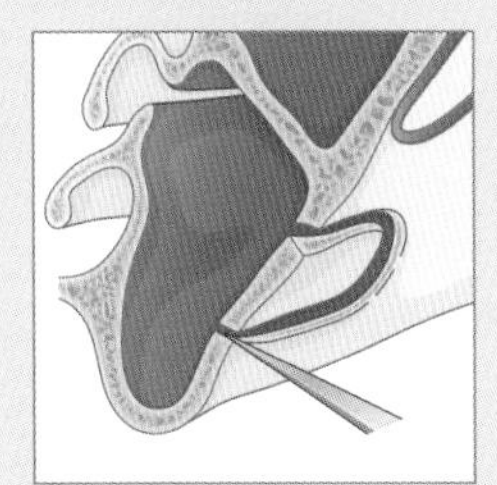

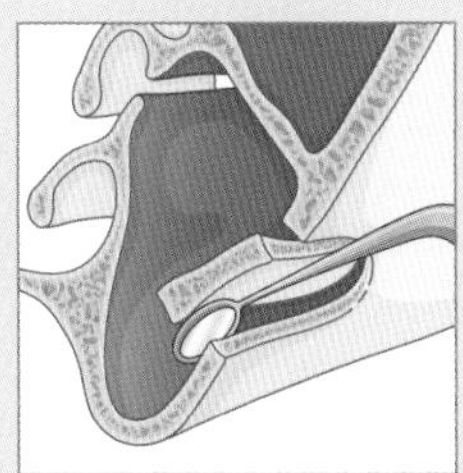

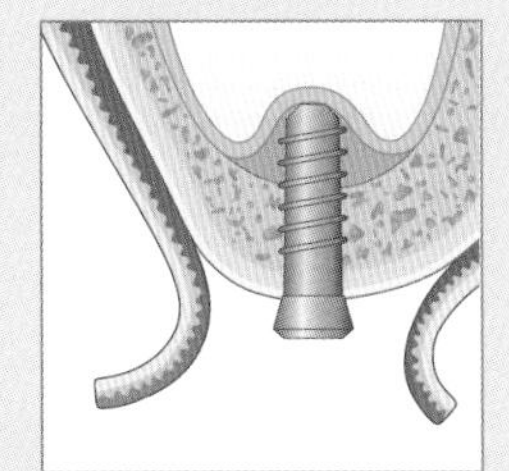

PART 01

복합치료

근관병소는 근관감염에 의해 근단부 치주조직에 유발된 염증병소이며, 치주병소는 치태로 인해 변연부 치주조직에 초래된 염증병소이다. 치주조직 또는 치수가 질환에 이환된 경우, 근단공 및 부속관 그리고 노출된 상아세관을 통하여 이 두 조직사이에 독성물질의 상호교환이 일어날 수 있다. 따라서, 치주조직이나 치수 어느 한 조직의 질환은 서로 다른 조직에 병변을 초래할 수도 있다.

근관병소는 대개 근단부 치주조직과 연관된 증상을 유발하고, 치주질환의 증상은 대부분 변연부 치주조직에 국한되어 나타나므로, 이 두 질환 간의 감별진단은 비교적 용이하다 할 수 있다. 그러나, 종종 임상 증상이 혼동되어 원인요소의 감별이 잘못되는 경우도 있다. 예를 들어, 치주병소로 보여지는 것이 실제로는 근관병소에 의한 것일 수 있고, 그 반대도 가능하다. 한편, 특정치아에 치주병소와 근관병소가 동시에 하나의 병소로 존재하는 경우가 있을 수 있는데 이를 치주-근관 복합병소라 한다.

1. 치주-근관 복합병소의 분류

치주-근관 복합병소는 3가지로 나눌 수 있는데, ① 1차 원인이 치수질환인 경우(retrograde periodontitis), ② 1차 원인이 치주질환인 경우(retrograde pulpitis), 그리고 ③ 진성 복합병소(true combined lesion)로 구분한다(그림 38-1). 이 세 경우 모두 치수병소와 치주병소가 동시에 존재하는 것은 마찬가지이다.

2. 1차적인 치수질환에 의한 복합병소 (Retrograde periodontitis)

치수질환은 치근단 병소뿐만 아니라, 부속관을 통해 병소가 확산되어 변연골과 다근치의 분지부에 골파괴를 초래할 수 있다. 이러한 병소는 방사선 사진에서 변연치주염의 경우와 유사한 소견을 보이며, 누공을 통해 치은열구나 기존의 치주낭과 교통할 수 있다.

1) 생활치수 병변의 영향

상아질이나 치수가 노출되는 경우 구강 내에 존재하는 세균 및 그 산물들이 치수에 병변을 일으킬 수 있다. 그러나, 생활력을 갖는 치수의 염증 병변은 인접 치주조직의 파괴를 거의 초래하지 않는다. 즉, 비록 염증상태일지라도 치수가 생활력을 유지하고 있는 경우에는 그것에 의해 치주조직의 파괴가 유발될 가능성은 거의 없다.

2) 치수괴사의 영향

생활력을 갖는 치수의 염증 병변과는 달리, 치수괴사는 치주조직의 염증성 병변과 흔히 관련이 있다. 괴사된 치수는 구강내 세균이 성장할 수 있는 좋은 조건이 되며, 감염된 괴사치수의 세균조성은 치주질환과 여러 측면에서 공통점이 있다. 그러나, 근관 내 세균조성은 치주염에서처럼 복잡하지는 않아 대개 제한된 수의 균종으로 구성되어 있으며, 그 중 한두개의 균종이 우세하다. 괴사된 치수에서 발견되는 대부분의 세균은 혐기성이다. *Fuso-*

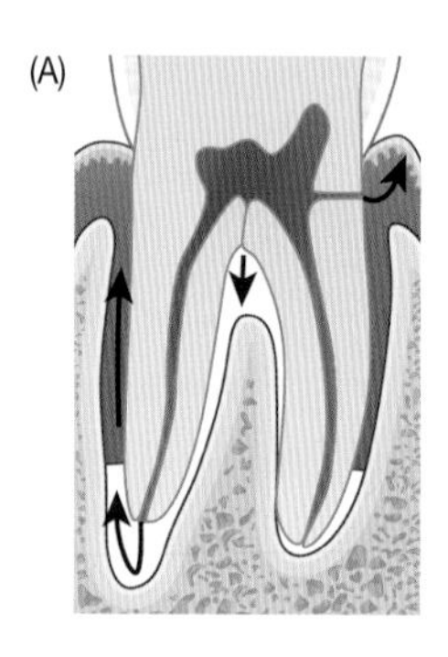

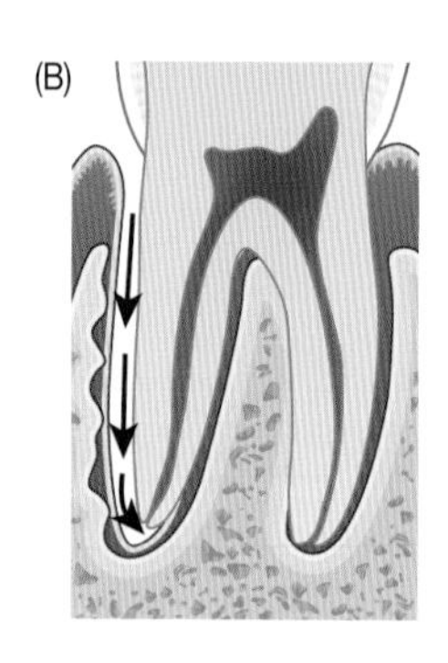

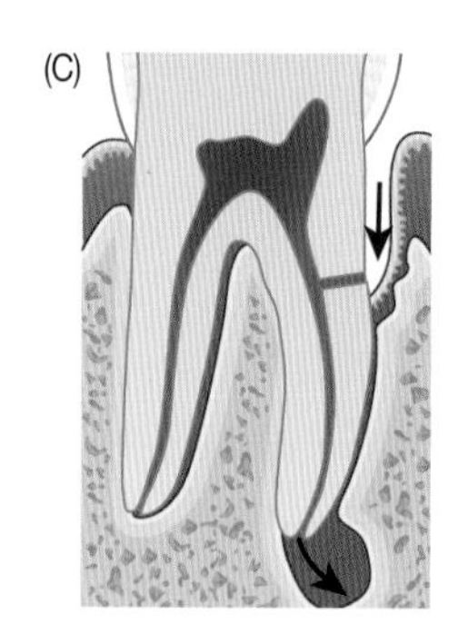

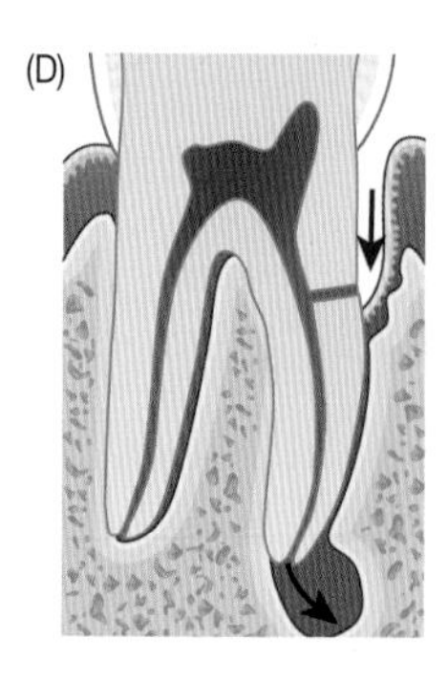

그림 38-1. 치주-근관 복합병소의 분류 (A) 1차적인 치수질환에 의한 복합병소(retrograde periodontitis) (B) 1차적인 치주질환에 의한 복합병소(retrograde pulpitis) (C) 치주낭의 깊이가 증가하여 부속관을 통한 치수감염을 일으켜 치근단 병소가 발생한 경우(retrograde pulpitis) (D) 별개의 치수질환과 치주질환이 존재하다가 궁극적으로 합쳐진 경우(true combined lesion)

bacterium, *Prevotella*, *Porphyromonas*, *Peptostreptococcus*, *Eubacterium*, *Capnocytophaga*, 그리고 *Lactobacillus* 등이 흔히 동정된다.[1-3] 나선균도 감염된 근관 내에서 흔히 발견된다.[4-6]

근관 내에서 세균이 성장하고 분해됨에 따라 효소, 대사물질, 항원 등이 치수강과 치주인대를 연결하는 관이나 공을 통해 치주조직 내로 유출되어 인접 치조골의 파괴를 초래한다. 측방관이나 분지부관이 치주조직으로 개방된 부위에서도 병소가 형성될 수 있으나, 흔히 치근단 주위에 염증병소가 유발된다. 근관감염으로 인한 치주조직의 파괴는 급성 또는 만성의 병소를 형성할 수 있는데, 이는 근관 내 세균의 질적 및 양적 측면 그리고 숙주의 방어기전 등에 의해 좌우된다.

3) 치근단농양

근관감염에 의해 유발된 치주조직의 염증성 병소는 흔히 치근단에 국한된다. 농양이 형성되는 경우 치주조직의 파괴가 급속하고 광범위하게 일어날 수 있다. 치근단 병소에서 유래된 농양은 다양한 방향으로 배농될 수 있으며, 그 중 치은열구나 치주낭 내로 농양이 배농되는 경우 변연치주조직이 영향을 받을 수 있다. 심한 동통, 타진 시의 통증, 치아동요도의 증가, 그리고 변연치은의 종창 등의 임상 증상이 있을 수 있으며, 이러한 증상은 치주농양 시에도 전형적으로 나타나는 것들이다.

치근단농양의 치은열구 또는 치주낭 내로의 배농은 치주인대 내로의 누공형성과 골 외부로의 누공 형성의 두 가지 중 하나의 경로를 따른다. 화농성 병소가 치주인대를 따라 배농되는 경우 치은열구나 치주낭 내로 좁은 입구를 갖는 누공이 형성된다. 이러한 누공은 치근단부까지 이르며, 해당 치아의 나머지 부위에서는 정상적인 얕은 치주낭 심도를 보인다. 다근치의 경우 분지부로 농양이 배농되어 마치 치주질환으로 인한 분지부 병소와 유사한 양상을 보일 수 있다(그림 38-2).

치근단농양이 치근단 인근 피질골판을 관통하여 골막 등의 연조직을 거상시키고, 치은열구나 치주낭 내로 배농될 수도 있다. 이 경우 누공은 치은열구나 치주낭 내에서 넓은 개구부를 가지며, 주로 해당치아의 협측에서 관찰된다. 이러한 양상의 누공은 치조골 내측에서의 골소실과는 무관하므로, 탐침이 치주인대 내로 통과하지는 않는다.

이 두 가지 양상의 병소는 모두 전적으로 근관병소에 기인한 것이다. 따라서 적절한 근관치료 후에는 누공이 소실되고 치주조직의 결손도 해소될 수 있다. 일반적으로 부가적인 치주처치를 시행할 필요는 없다. 만일 치주인대 내로의 누공을 방치하게 되면, 치태 및 상피가 치근면을 따라 증식하여 영구적인 치주낭이 형성될 수 있다. 이 경우 근관치료만으로는 소기의 성공을 거두기 어렵고 부가적인 치주처치가 요구될 수 있다.

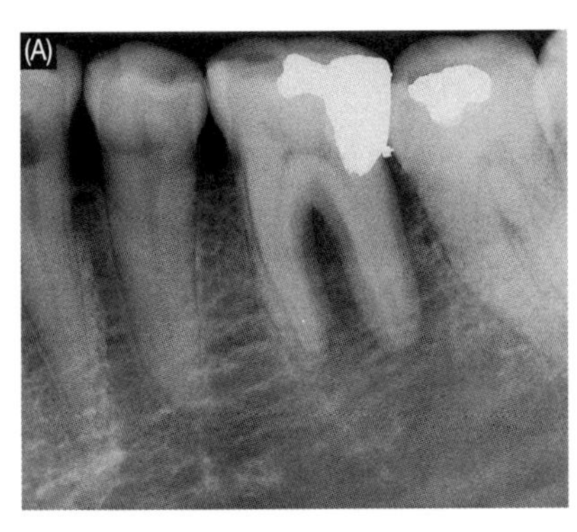
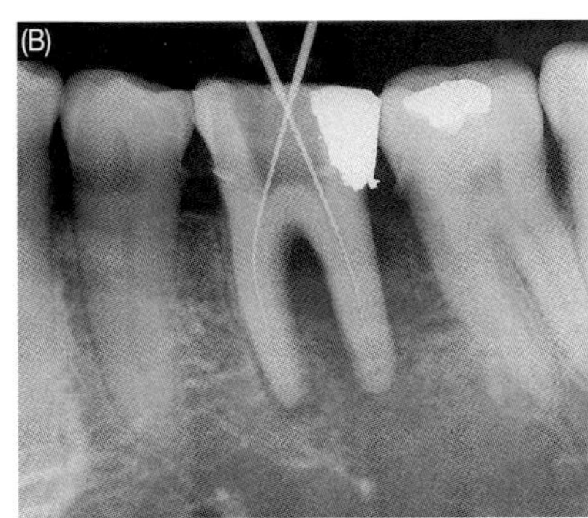
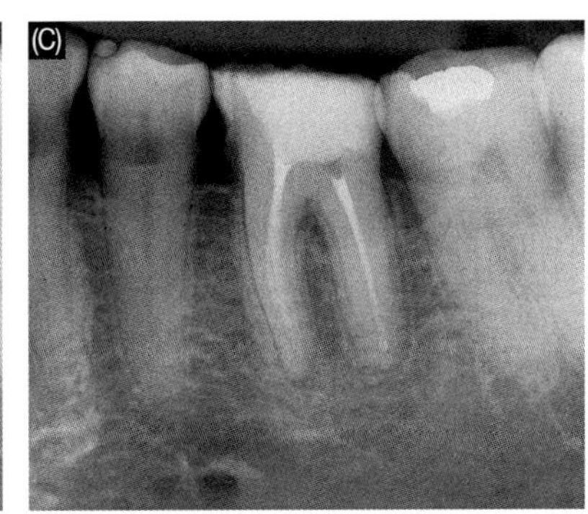

그림 38-2. 다근치의 치근단농양이 하악 제1대구치의 분지부로 배농되어 치주질환으로 인한 분지부 병소와 유사한 양상의 병소가 형성된 경우
(A) 초진 시 방사선 사진. 치근단병소가 원심치근에 존재하고 분지부에서의 골파괴가 현저하다. (B) 근관처치 시의 방사선 사진. 근심치근에도 치근단병소가 존재한다. (C) 근관치료 약 1년 후의 방사선 사진. 근관치료에 의해 치근단 병소 뿐 만 아니라 분지부의 골파괴도 해소되었다.

4) 측방병소

근관감염으로 인한 치주조직의 염증성 병변은 치근단 부위 뿐 만아니라 치근의 측방과 다근치의 분지부에서도 유발될 수 있다. 이러한 염증성 병변은 부속관을 통해 치주조직으로 세균의 산물이 확산되어 초래된다.

부속관은 치수와 치주인대를 연결하는 혈관을 포함하고 있으며, 이는 치아발생의 초기에 형성된다. 치근형성이 완료되면 상아질 및 백악질이 축적되어 관이 폐쇄되고 그 폭경이 감소된다. 그러나, 성인에 있어서도 치근의 다양한 부위에 다양한 크기와 수의 개통된 부속관이 존재할 수 있다. 부속관의 대부분은 치근단측에서 발견되며, 치근의 중앙부위와 치경부에는 낮은 빈도로 존재한다. DeDeus[7]는 발거한 1,140개의 성인치아를 대상으로 한 연구에서, 부속관의 빈도가 27%라 보고한 바 있다. 분지부의 부속관이 발거한 치아의 20~60%에 존재함이 보고된 바 있으나,[8-10] 몇몇 다른 보고에서는 분지부에서의 부속관의 존재를 증명할 수 없었다.[11,12]

근관치료에 의해 근관이 충전한 상태가 아니라면, 부속관의 존재를 임상적으로 확인하는 것은 거의 불가능하다(그림 38-3). 실활치의 측방에 방사선 사진 상 투과성이 존재하는 것은 부속관의 존재 가능성을 의미하는 것 일 수 있다. 부속관의 존재로 인해 변연 치주조직에 병소가 유발될 수 있으나 발생빈도가 높지는 않다.

괴사된 치수로부터의 감염물질이 상아질 및 백악질을 통해 치주조직에 영향을 미치지는 않는다. 상아세관의 폭경이 세균과 그들의 산물이 통과하기에 충분할지라도, 온전한 백악질층이 치주조직 내로의 확산을 저지하기 때문이다.

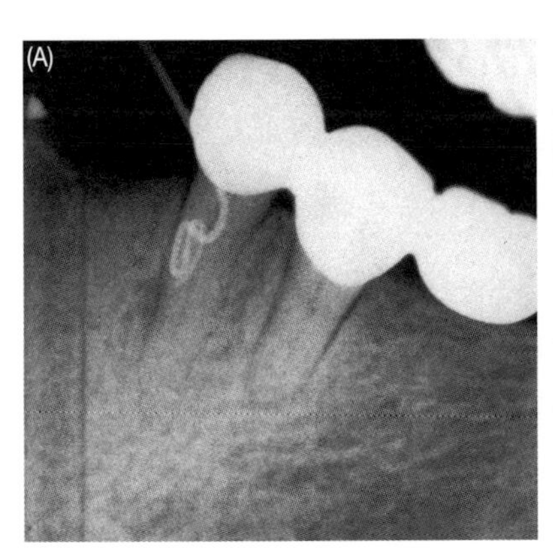
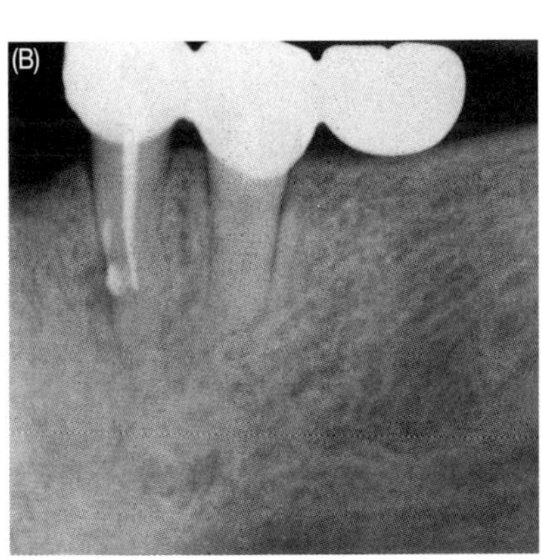

그림 38-3. 부속관에 의한 측방병소
(A) 하악 제1소구치의 근심측에 치은열구와 교통하는 측방병소가 존재한다. (B) 근관충전 직후의 방사선 사진. 부속관의 존재를 확인할 수 있다.

3. 1차적인 치주질환에 의한 복합병소 (Retrograde pulpitis)

치주질환에 의한 부착소실로 인해 구강내 환경에 노출된 치근면에 치태축적이 일어나고, 세균의 각종 산물이 부속관, 근단공, 그리고 상아세관 등을 통해 치수 내로 들어갈 수 있다(그림 38-4).

치주질환에 노출된 부속관에 인접한 치수에 국소적인 괴사와 염증 병변이 존재함이 보고된 바 있다.[13,14] Bergenhortz와 Lindhe[15]는 중등도의 부착소실을 갖는 치아에서의 치수 변화에 대해 보고한 바 있다. 대부분의 치아(70%)는 치수에 특별한 병변을 나타내지 않았으나, 약 30%의 치아에서는 치주조직 파괴에 의해 노출된 치근면에 인접한 치수에 소량의 염증세포 침윤과 불규칙한 2차 상아질의 형성을 보였다. 이러한 치수의 변화는 치근흡수와 흔히 연관이 있었으며, 이는 치근흡수로 인해 노출된 상아세관을 통해 치수에 대한 자극이 이루어졌음을 의미한다. 치태세균에 의해 생성된 독성물질들로부터 치수를 보호하는데 있어 백악질층의 존재가 중요한 것으로 여겨진다.

장기간 치주질환을 겪은 치아의 치수에 섬유화와 dystrophic calcification이 초래되고 혈관과 신경섬유 수가 감소될 수 있다.[16] 이러한 양상의 변화는 부속관이나 상아세관을 통하여 가해진 비교적 약하지만 반복적인 자극에 대한 치수의 누적된 반응에 기인하는 것으로 여겨진다.

요약하면, 치주질환이 치수에 현저한 병변을 초래하지는 않는다. 치주질환이 심하게 진행되어 치태가 근단공까지 확산된 경우를 제외하고는 치수의 심한 파괴가 일어나지는 않는다. 중등도의 부착소실을 보이는 치아의 경우 치수는 생활력을 유지하며 정상적인 기능을 하며, 치주병소가 근단공까지 진행되어 치수 내로의 혈액순환이 훼손되기 전까지는 치수의 생활력이 상실되지는 않는다. 치수는, 근단공을 통한 혈액 공급이 온전히 유지되는 한, 치태 내 세균과 치주질환 병소에서 유리되는 독성물질에 대한 방어가 가능하다.

4. 진성 복합병소(True combined lesion)

동일 치아에서 별개로 동시에 존재하던 근관 및 치주병소가 각기 진행되어 서로 병합된 경우를 말한다. 진성 복합병소의 경우 근관치료를 시행하더라도 치주질환에 의한 골결손은 회복되지 못한다. 치주병소를 제거하기 위해서는 별도의 치주처치가 요구된다.

진성 복합병소의 예후는 치주 또는 근관병소가 조직파괴에 기여한 정도에 따라 좌우된다. 근관치료를 우선 시행하여, 치수질환에 의한 조직파괴의 치유를 상당기간에 걸쳐 평가한 후, 치주병소에 의한 파괴의 정도와 그에 따른 성공적 치료 및 유지의 가능성을 판단해야 한다.

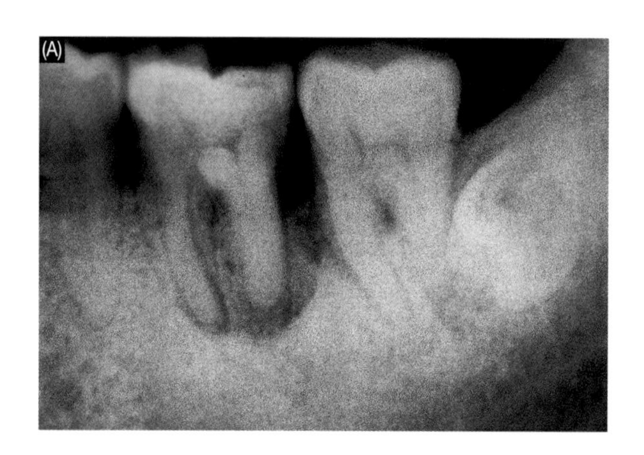

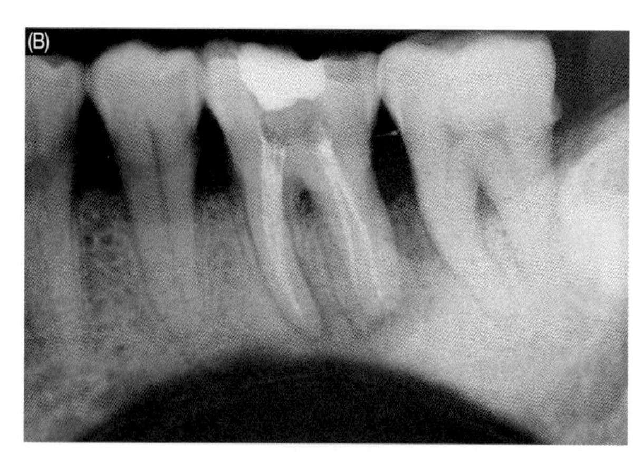

그림 38-4. 1차적인 치주질환에 의한 복합병소(retrograde pulpitis) (A) 치주염에 의한 골파괴가 하악 제1대구치의 근단부까지 진행되었다. (B) 치주처치와 근관치료를 수행하였다. 치주질환에 의한 골파괴는 비가역적임을 보여주고 있다.

5. 치주-근관 복합병소의 처치전략

치주질환(치주염)은 골연하낭과 급성 치주농양 등의 경우를 제외하고는 비가역적이다. 즉, 치주질환으로 인해 파괴된 조직의 재생 가능성은 일반적으로 높지 않다. 그러나 근관병소에 의한 치주조직의 파괴는 가역적이어서 근관치료 후 조직의 재생이 일어날 수 있다. 근관병소가 기존의 치주낭과 연결되어 있는 경우 병소의 가역성이 현저히 저하될 수 있으나, 근관병소가 누공을 통해 건강한 치은열구와 교통하는 경우에는 병소의 가역성이 현저히 증가할 수 있다.

복합병소의 처치는 각각의 질환을 별도로 처치하는 경우와 다르지 않다. 근관감염에 의한 병소는 적절한 근관치료 후 해소될 것이다. 치태감염에 의한 병소는 치주처치에 의해 치유될 것이나 조직의 재생은 거의 기대할 수 없다. 이는 치수감염에 의한 병소의 지분이 클수록 조직 재생의 예후가 더 양호함을 의미한다.[17]

근관 또는 치주질환이 치주조직의 파괴에 어느 정도의 영향을 미쳤는지를 임상적으로 파악하는 것은 용이하지 않다. 근관감염에 대한 처치를 우선적으로 시행하여 근관치료에 의한 치유의 양상을 평가해야 한다. 수 주 내에 치주낭 심도의 감소를 기대할 수 있으나, 골조직이 재생되어 방사선 사진 상에 관찰되기까지는 수 개월이 소요될 수도 있다. 치주처치는 근관치료의 결과를 평가한 후에 수행되어야 한다.

6. 근관치료가 치주조직에 미치는 영향

근관 충전이 되어 있는 치아에 치주조직의 파괴가 존재하는 경우, 근관측의 원인에 의한 조직파괴의 가능성을 염두에 두어야 하며, 이는 근관 충전이 불완전 할 때 특히 그렇다. 근관 내 미충전 부위로부터의 감염물질이 근단공이나 부속관을 통해 치주조직으로 누출될 수 있으며, 치근천공이나 치근파절 부위로부터 감염물질이 누출되어 치주병소가 초래될 수도 있다.

근관치료 시 근관형성 과정에서의 화학적 및 기계적 자극에 의해서도 치주조직에 염증병소가 초래될 수도 있다. 그러나, 오늘날 활용되고 있는 대부분의 근관세척 및 소독 약제와 충전재는, 그것이 근관치료 과정에서 치주인대 내로 침투되더라도, 치주조직에 위해한 영향을 미치지는 않는다. 그러나, 근관 소독과 치수의 실활에 사용되는 몇몇 강력한 소독 약제들이 치주조직 내로 누출되는 경우 심각한 손상이 초래될 수도 있다.

1) 치근천공

근관치료 중 치근의 천공이 초래되어 치주인대의 손상을 유발할 수 있다. 치근 천공은 치근의 측방벽 또는 다근치의 경우 치수강저를 통해 일어날 수 있으며, 그로인해 천공부위의 치주조직에 염증이 유발될 수 있다. 또한, 천공이 치은변연에 인접하여 발생하는 경우 치주낭의 형성을 초래할 수도 있다. 그밖에도 기존의 염증성 치주병소를 악화시켜 치주농양과 유사한 임상증상이 유발될 수 있다.

2) 수직 치근파절

수직 치근파절은 다양한 방향으로 일어날 수 있으며, 치근의 전 길이에 걸쳐 존재하여 치은열구나 치주낭을 포함할 수도 있고, 파절이 불완전하여 치조골 내에 국한되어 있을 수도 있다. 또한, 치근파절은 보통 치근의 양측을 모두 포함하며, 드물게는 치근의 한쪽만을 포함할 수도 있다(그림 38-5).

수직 치근파절의 원인과 빈도는 잘 알려져 있지 않다. 핀과 포스트의 장착, 근관충전 과정, 그리고 수복물의 장착 등과 관련하여 의원성으로 발생할 수도 있다. 또한, 특별한 원인 없이 수직 치근파절이 발생하는 경우도 있다. 수직 치근파절이 생활치수를 갖는 치아에서 보다는 근관충전된 치아에서 더 빈번한 것으로 보아, 근관충전된 치아는 시간의 경과에 따라 약해져 저작력에 대한 저항력이 떨어진다고 볼 수 있다. 이는 치근파절이 근관치료 및 최종 수복물의 장착 후 수 년 후에 흔히 발견되는 점에 의해 뒷받침 될 수 있다. 32개의 치근파절 치아를 대상으로 하여 수행된 한 연구는 근관치료 종료 후 치근파절이 발

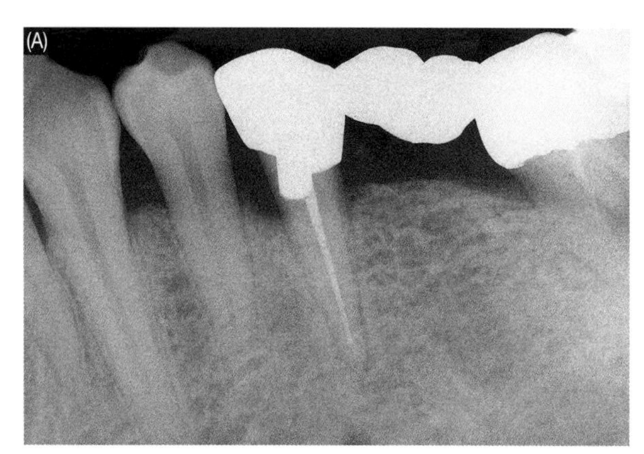

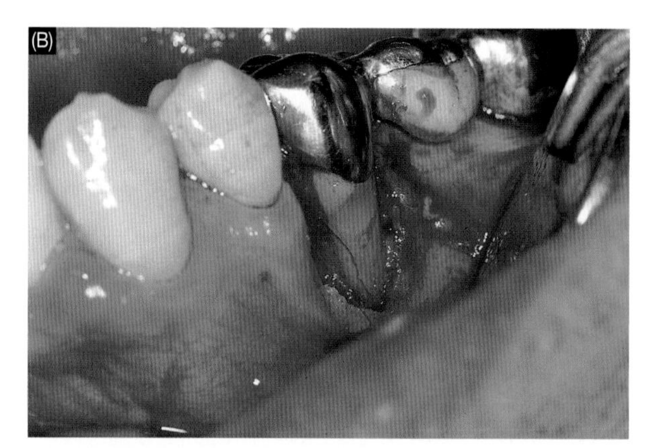

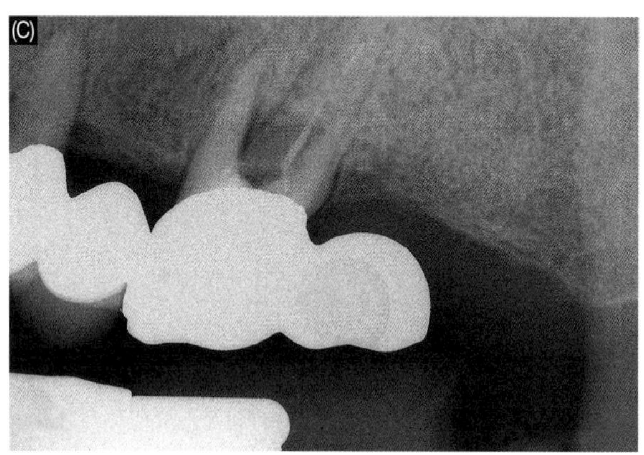

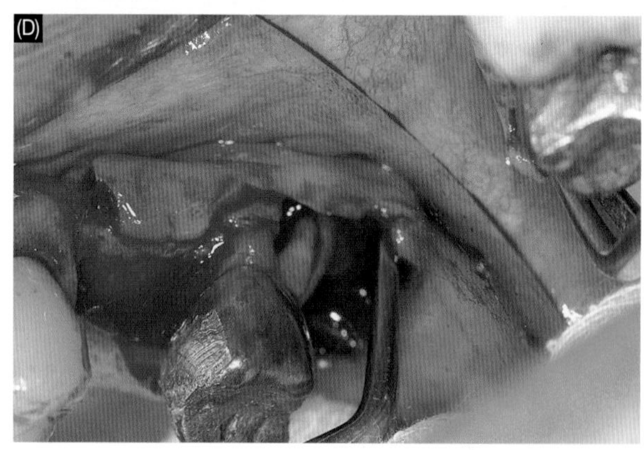

그림 38-5. 근관충전된 치아에서의 치근파절. (A) 하악 제2소구치의 방사선 사진. 치근파절은 관찰되지 않는다. (B) 판막박리 후의 모습으로 수직 및 수평의 파절선이 관찰되며, 인접 치조골의 소실이 현저하다. (C) 상악제2대구치의 방사선 사진. 분지부에서의 골파괴가 관찰된다. (D) 발거를 위해 판막을 박리한 후의 모습으로 원심협측치근의 수직파절이 관찰된다.

견되기까지의 평균 기간이 3.25년이었고, 그 범위는 3일에서 14년에 이르렀음을 보고한 바 있다.[18]

수직 치근파절 시 다양한 임상증상을 호소할 수 있다. 치주농양이나 치근단농양과 비슷한 증상을 초래하기도 하고, 좁고 깊은 치주낭의 형성만을 보이는 경우도 있다.

수직 치근파절은, 파절된 치근 조각이 현저히 분리된 경우를 제외하고는, 통상의 임상검사나 방사선 검사에 의해 발견되기가 용이하지 않은 경우가 많다. 근관병소나 치주병소에 의해 쉽게 설명될 수 없는 임상증상이 있는 경우 수직 치근파절을 의심해 볼 수 있다. 요오드액의 적용 그리고 광섬유광을 이용한 간접 조명의 적용 등 다양한 진단법이 활용될 수 있다. 치근을 외과적으로 노출시켜 직접 육안으로 확인하여 수직파절을 진단하는 경우도 종종 있다.[19]

파절된 공간 내에서의 세균 성장에 의해 인접 치주인대에 염증성 병소가 초래되어 결합조직 과 치조골의 파괴가 초래될 수 있다. 수직 치근파절이 치은열구나 치주낭을 포함하는 경우, 구강내 환경으로부터 파절된 공간 내로 지속적으로 세균의 침투가 일어나 예후가 불량하다. 단근치의 경우 발거를 요하며, 다근치의 경우에는 분할 절단 후 파절된 치근의 발거를 수행할 수도 있다.

7. 치주처치가 치수에 미치는 영향

치석제거술 및 치근활택술 과정에서 치근면의 세균 침착물 뿐만 아니라 백악질과 상아질의 표층도 제거되어, 상아세관이 구강내 환경에 노출될 수 있다. 노출된 상아질에 세균이 서식하게 되면 상아세관 내로 세균의 침투가 일어나 치수에 염증성 병변이 유발될 수도 있다.[15,20] 세균 침투와 치수의 손상 가능성은 치근면의 탈회를 위한 구연산의 무분별한 사용에 의해 증대될 수도 있다. 치주수술 시 구연산으로 처리한 치아는, 수술만 시행한 치아보다, 비정상적인 치수반응의 빈도와 심도가 증가됨이 보고된 바도 있다.[21]

치석제거술 및 치근활택술에 의해 치수의 생활력이 훼손되지는 않는다. 동물실험 연구에 의하면, 몇몇 치아에서 처치한 치근면에 인접한 치수에 국소적인 염증과 불규칙한 2차성 상아질의 형성이 관찰된 바는 있으나, 치석제거술 및 치근활택술에 의해 치수에 심각한 병변이 초래되지는 않았다.[15,22] 치주처치 후의 유지관리기 처치에 있어 치석제거술 및 치근활택술이 반복적으로 수행되어 상아질의 일부가 제거되어, 치아가 약해질 뿐만 아니라 불규칙한 2차성 상아질의 형성이 치수에 광범위하게 일어날 수 있다.

참고문헌

1. Baumgartner JC, Falkler WA. Bacteria in the apical 5 mm of infected root canals. J Endodont 1991;17:380–383.
2. Sundqvist G. Associations between microbial species in dental root canal infections. Oral Microbiol Immunol 1992;7:257–262.
3. Wasfy MO, McMahon KT, Minah GE, Falker WA. Microbiological evaluation of periapical infections in Egypt. Oral Microbiol Immunol 1992;7:100–105.
4. Thilo B, Baehni P, Holz J. Dark-field observation of the bacterial distribution in root canals following pulp necrosis. J Endodont 1986;12:202–205.
5. Molven O, Olsen I, Kerekes K. Scanning electron microscopy of bacteria in the apical part of root canals in permanent teeth with periapical lesions. Endodont Dent Traumatol 1991;7:226–229.
6. Dahle UR, Tronstad L, Olsen I. Spirochetes in oral infections. Endodont Dent Traumatol 1993;9:87–94.
7. DeDeus QD. Frequency, location, and direction of the lateral secondary and accessory canals. J Endodont 1975;1:361–366.
8. Lowman JV, Burke RS, Pelleu GB. Patent accessory canals: Incidence in molar furcation region. Oral Surg Oral Med Oral Pathol 1973;36:580–584.
9. Vertucci FJ, Williams RG. Furcation canals in the human mandibular first molar. Oral Surg Oral Med Oral Pathol 1974;38:308–314.
10. Gutmann JL. Prevalence, location and patency of accessory canals in the furcation region of permanent molars. J Periodontol 1978;49:21–26.
11. Pineda F, Kuttler Y. Mesiodistal and buccolingual roentgenographic investigation of 7,275 root canals. Oral Surg Oral Med Oral Pathol 1972;33:101–110.
12. Hession RW. Endodontic morphology. II. A radiographic analysis. Oral Surg Oral Med Oral Pathol 1977;44:610–620.
13. Seltzer S, Bender IB, Ziontz M. The interrelationship of pulp and periodontal disease. Oral Surg Oral Med Oral Pathol 1963;16:1474–1490.
14. Rubach WC, Mitchell DF. Periodontal disease, accessory canals and pulp pathosis. J Periodontol 1965;36:34–38.
15. Bergenhortz G, Lindhe J. Effect of experimentally induced marginal periodontitis and periodontal scaling on the dental pulp. J Clin Periodontol 1978;5:59–73.
16. Bender IB, Seltzer S. The effect of periodontal disease on the pulp. Oral Surg Oral Med Oral Pathol 1972;33:380–383.
17. Harrington GW. The perio-endo question: Differential diagnosis. Dent Clin North Am 1979;23:673–690.
18. Meister F, Lommel TJ, Gerstein H. Diagnosis and possible causes of vertical root fractures. Oral Surg Oral Med Oral Pathol 1980;49:243–253.
19. Walton RE, Michelich RJ, Smith GN. The histopathogenesis of vertical root fractures. J Endodont 1984;10:48–56.
20. Adriaens PA, De Boever JA, Loesche WJ. Bacterial invasion in root cementum and radicular dentin of periodontally diseased teeth in humans. J Periodontol 1988;59:222–230.
21. Ryan PC, Newcomb GM, Seymour GJ, Powell RN. The pulpal response to citric acid in cats. J Clin Periodontol 1984;11:633–643.
22. Hattler AB, Listgarten MA. Pulpal response to root planing in a rat model. J Endodont 1984;10:471–476.

기타 참고문헌

• Simon JHS. Periodontal-endodontic treatment. In Cohen S, Burns RC. Pathways of the pulp. St. Louis: Mosby, 1976;42.

1. 서론

바람직한 수복물과 건강한 치주조직과는 그 관계가 매우 밀접하여 상호 보호적이다. 건강한 치주조직은 예지성 높은 양호한 수복물의 장착을 가능하게 하고, 생체 친화적인 수복물은 치주건강이 장기적으로 유지되는 것을 가능하게 한다. 불량하게 제작된 수복물로 인한 치주조직 손상은 궁극적으로 치아상실의 결정적인 원인이 된다. 치주조직 건강의 유지라는 입장에서 보았을 때 수복물의 외형이 상당히 중요한 요소이다. 즉 적절한 접촉(contact), 외형(contour), 교합(occlusion), 변연적합도(marginal adaptation), 표면처리(surface finishing)가 중요한 요소로 작용한다. 이러한 요소들이 저작압의 방향이나 음식물의 자정작용에 의한 치은의 적당한 자극 여부나 치면세균막 침착 등에 영향을 줄 수가 있기 때문이다. 보철 치료를 시작하기 전에 치은염이나 치주염에 의해 야기된 치주조직에 존재하는 모든 질환을 인지하고 치료하여 건강한 치주조직에 기반을 둔 보철치료가 계획되어야 오랜 기간동안 적합한 기능을 수행할 수 있다. 치주조직의 상태를 평가하기 위해서는 치은연의 위치(gingival level), 치은퇴축, 이개부 병변, 치주낭 깊이, 치아동요도, 식편압입 부위, 외상성 교합 등을 판별하고, 보조적으로 전악 구강 방사선학적 사진에서 얻어진 정보가 필요하다.

2. 수복적 치료를 위한 지대치 및 무치악 부위의 치주처치

1) 제1단계 처치(Phase I therapy)

치은과 하부 지지조직의 염증성 요소들은 지대치가 원활한 기능을 수행하는데 방해하여 건강한 치주조직을 가진 인접 잔존치아에도 이차적인 기능적 손상을 파생시

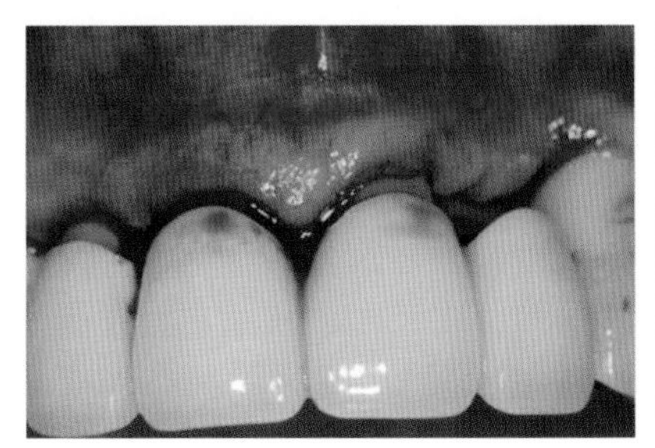
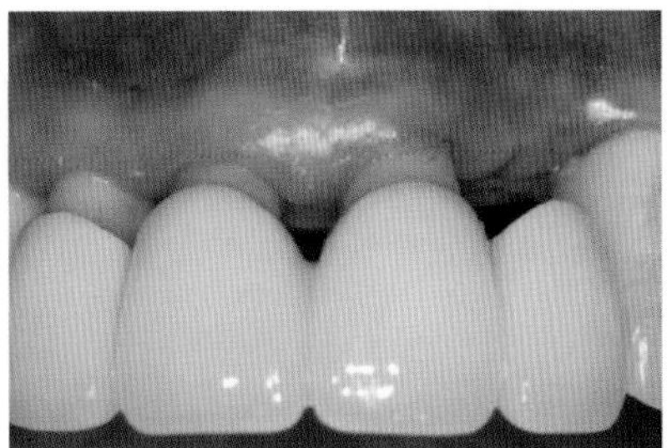
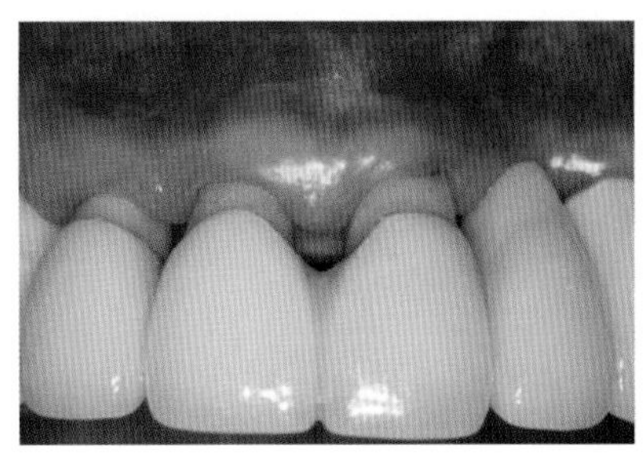

그림 39-1. 상악 전치부 보철물에서의 initial therapy. 전치부 심미를 고려하는 수복을 계획할 때 치근활택술은 치은퇴축을 최소화하고 scalloped form을 유지한 상태의 심미보철을 가능하게 한다.

키고, 이러한 환경하에 제작된 보철물은 이미 파괴된 치주조직에 악영향을 끼치게 되어서 지대치와 보철물의 수명을 단축시키게 된다. 치주치료에 있어 제일 중요한 것은 환자 자신의 치면세균막 제거 능력을 키워 주는 것이며, 이 목표를 달성하기 위해 치주질환의 원인인자가 무엇인지 환자에게 인식시켜 주고 세균막 제거가 왜 필요한지 설명을 해 줌으로써 환자 자신이 세균막 제거 능력을 갖추도록 도와주어야 한다. 환자의 세균막 제거 능력이 수립된 후, 1단계 초기 치료(initial therapy)로서 치석제거술, 치근활택술을 시행하게 된다(그림 39-1). 초기치료 4~6주 후에 치주낭 깊이, 치면세균막 축적도를 재평가하여 보철치료 단계로 진입 가능성 여부를 결정한다. 잔존 염증성 치주질환을 치료하기 위해 외과적 치주처치가 부가적으로 필요한지 여부를 판단한다.

2) 지대치 치주낭 제거를 위한 치주판막술

제1단계 치주치료에 의해 제거되지 않은 지대치 주위의 잔존치주낭의 제거와 골내낭의 치조골 성형을 위해 치주판막술을 이용한 외과적 접근이 요구된다. 이를 위한 치주판막술은 제29장에 서술되었다. 여러 가지 수술 기법이 있을 수 있는데, 특히 구치부 지대치 주위의 깊은 협설측 치주낭 감소는 치주판막술과 치조골 성형술에 의해 가장 탁월한 효과를 기대할 수 있다(그림 39-2). 지대치 최후방에 있는 두텁고 깊은 치주낭은 다양한 디자인을 이용한 후구치판막술을 사용하여 감소시킨다(그림 39-3). 지대치 주위의 치주낭 제거와 필요에 따라 골성형, 부착치은 폭경의 증폭, 그리고 임상치관 확장 등의 목적을 도모하기 위하여 근단변위판막술을 시행할 수도 있다(그림 39-4).[1-3]

3) 무치악 인접 치주낭 제거를 위한 치주수술 및 치은 치조점막 수술

치주낭은 무치악 부위 인접치아 주위에 흔히 발생할 수 있다. 이 경우 치주낭의 제거뿐만 아니라 무치악부 치조제의 점막에 대한 처치를 함께 고려해야 한다. 외사선 절개법에 의한 치은절제술은 치주낭 제거와 치조제 성형을 위해 효과적으로 사용될 수 있으나 무치악부위의 각화치은이 너무 많이 상실되고 넓은 창상면이 노출되는 단점이

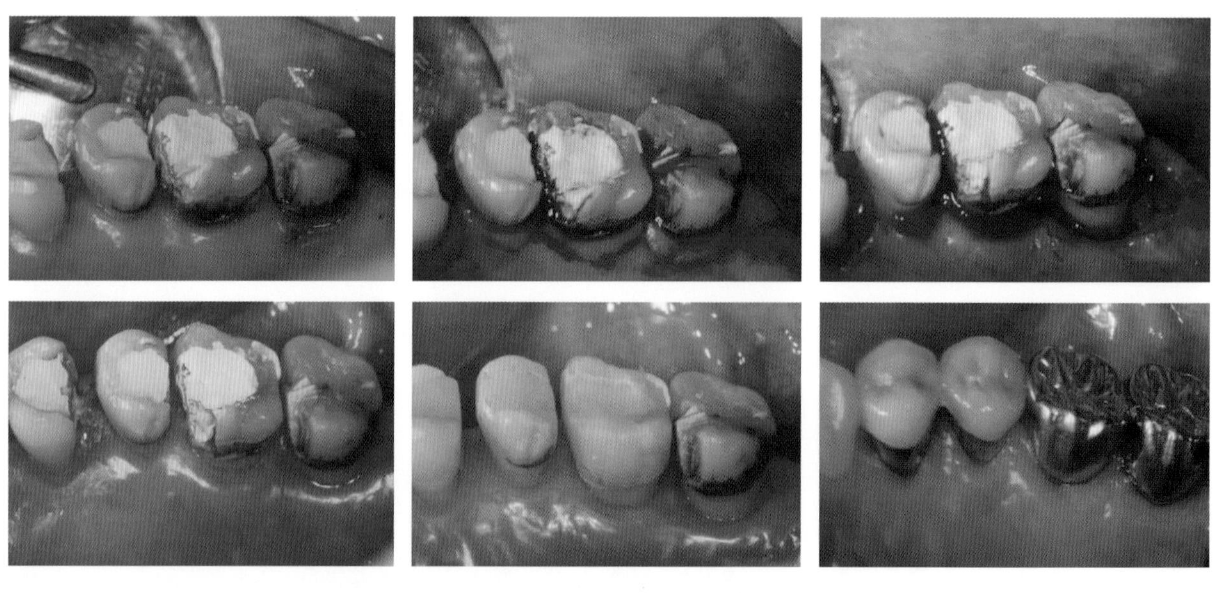

그림 39-2. 후구치판막술을 동반한 치주판막술을 시행하고 수복을 완료한 증례

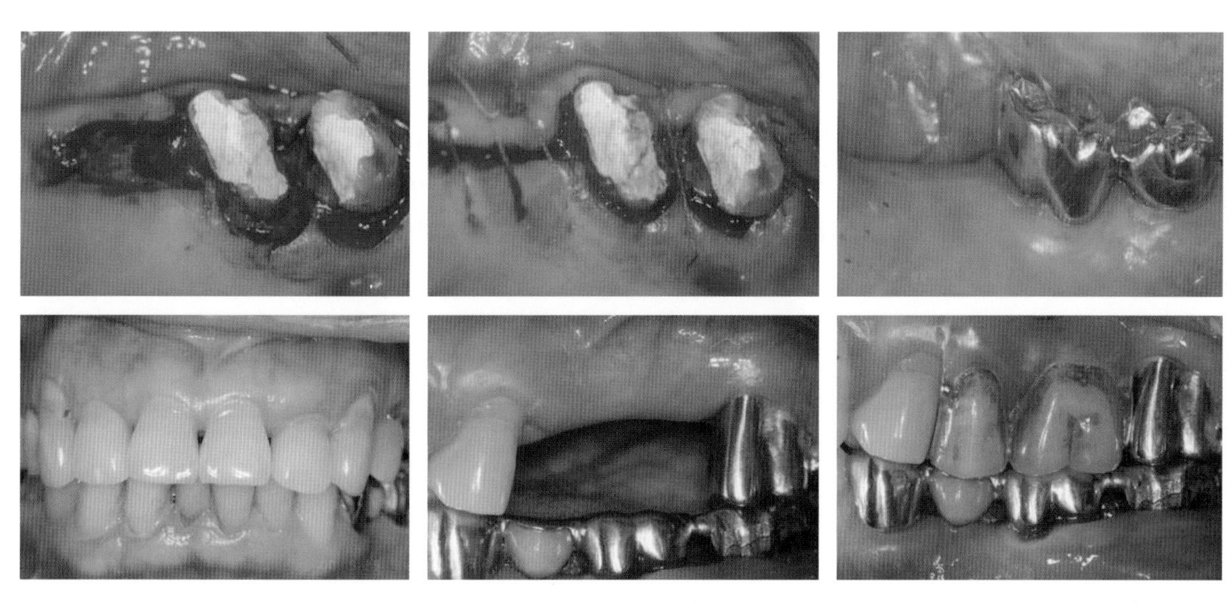

그림 39-3. 임상치관확장술을 시행한 지대치. 후구치 판막술을 이용하여 얻어진 임상치관의 확장. 연장된 지대치를 이용하여 가철성 의치의 장착이 가능하였다.

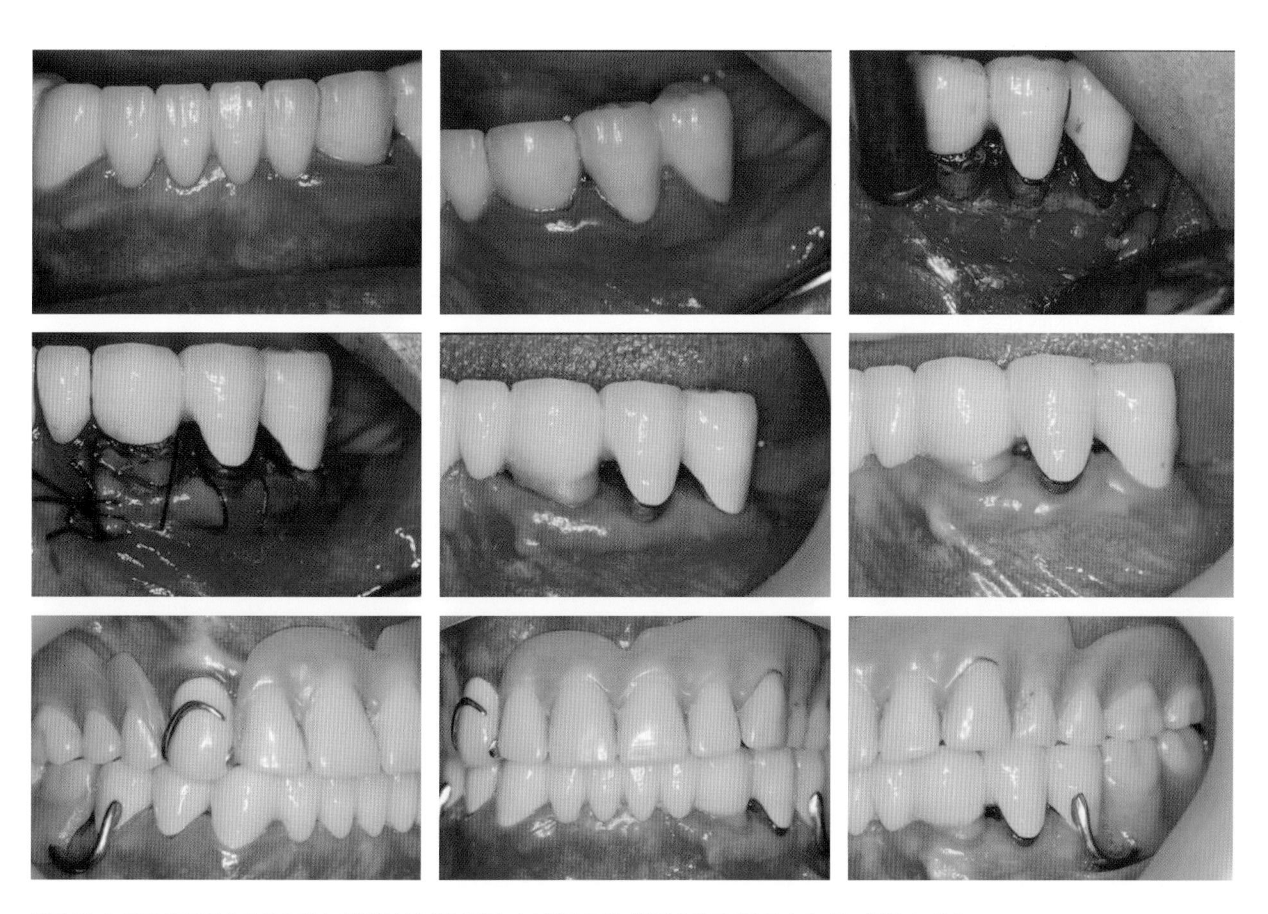

그림 39-4. 근단변위판막술을 이용하여 시행하여 임상치관확장 및 수복물 주위 각화치은의 폭경이 증가된 것을 관찰할 수 있다.

있다(그림 39-5, 6). 이런 경우 내사선 절개를 이용하는 치주판막술을 시행해야 한다(그림 39-7, 8). 그리고 치관의 변연이 설정될 지대치 주위의 부착치은이 좁은 경우에는 자가치은이식술을 시행하여 각화치은의 폭경을 확장시킴으로써 치관수복 후에 치관 주위 치은조직의 건강을 장기적으로 유지할 수 있다.

소대(frenum)나 근부착(muscle attachment)이 수복할 지대치의 치은변연에 견인력을 작동할 경우에는 이것이 치면세균막 축적이 용이한 환경을 제공하고 치주질환을 더 악화시키며 치주질환의 재발을 유발할 수 있으므로 소대부분절제술(frenotomy) 또는 소대절제술(frenectomy)을 시행한 후 보철치료를 해주어야 한다.

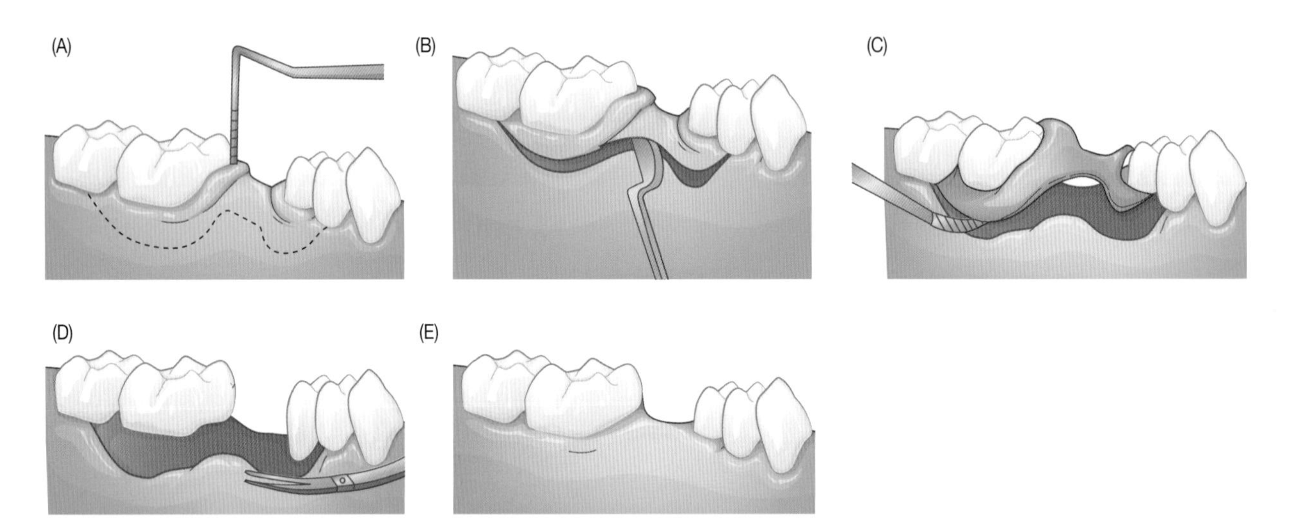

그림 39-5. 무치악부 인접 치아의 치은절제술을 이용한 치관연장술

(A) 치주낭 측정: 임상적 치관길이가 짧은 상태를 보이고 있음 (B) 외사면 절개를 시행 (C) 절개된 조직을 scaler로 제거 (D) Gingivectomy. knife와 scissors를 이용하여 치은성형을 시행 (E) 치유된 상태

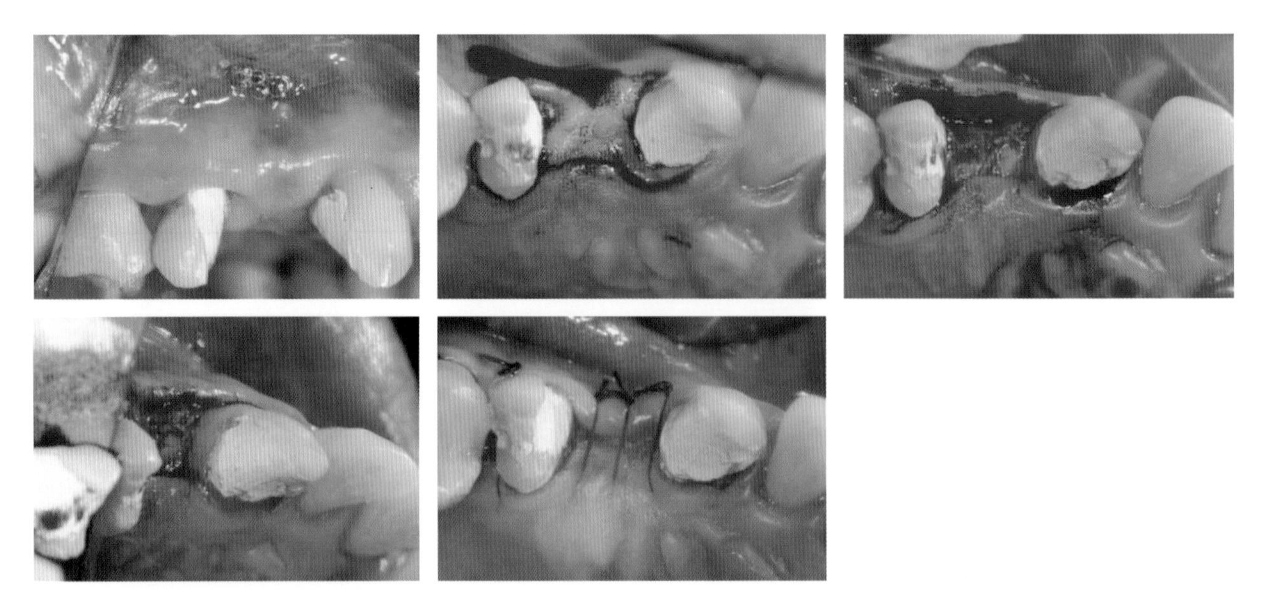

그림 39-6. 외사선 치은절제술을 이용하여 무치악치조제의 성형이 완료된 증례

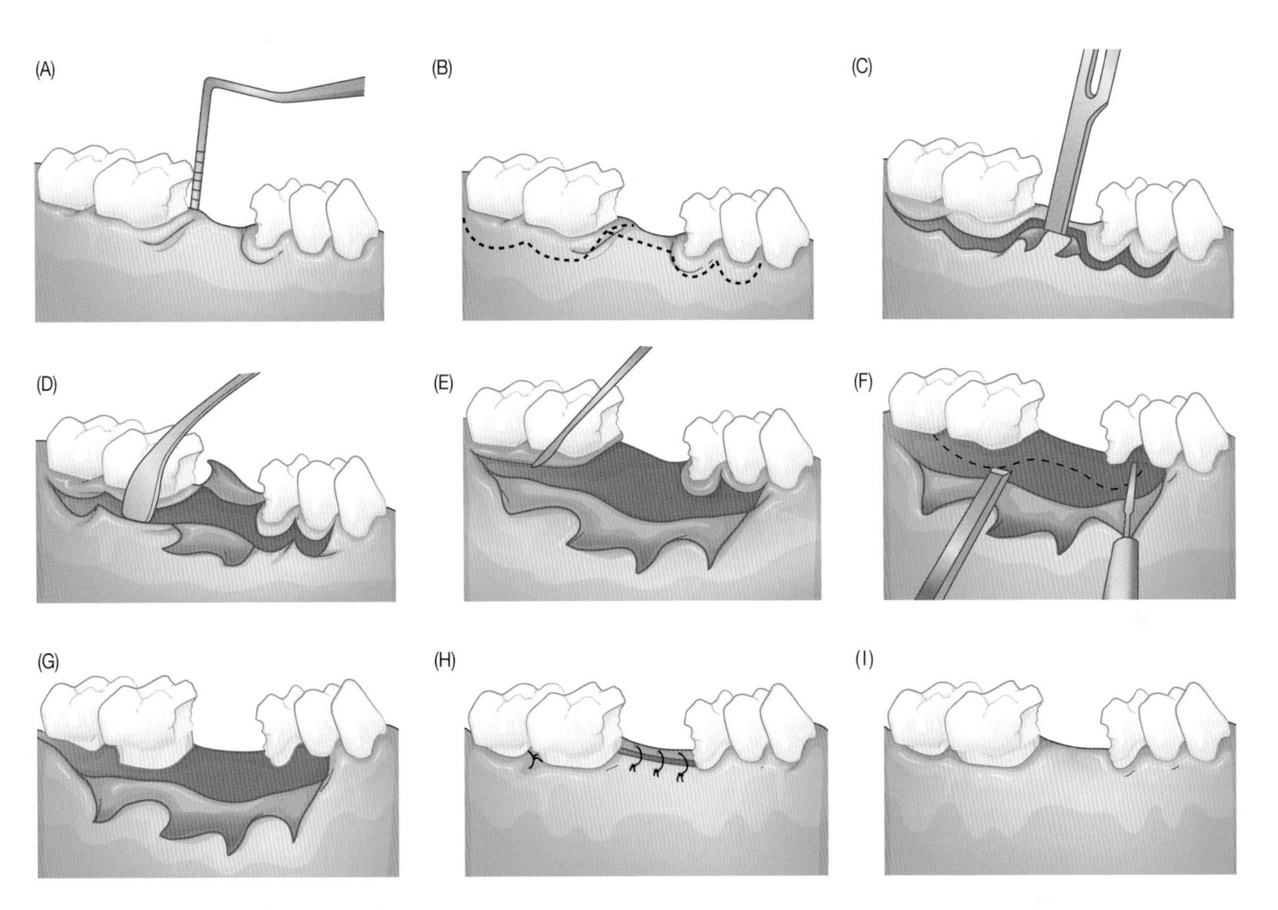

그림 39-7. 치주판막술을 이용한 치관연장술
(A) 치주낭의 측정: 제2소구치의 원심면과 제2대구치의 근심면에서 치은연하 부위까지 치아우식증이 진행된 상태 (B) 절개할 부위의 상태 (C) 내사면 절개를 실시 (D) Periosteal elevator로 치은판막을 거상 (E) Curette으로 변연치은을 제거 (F) Chisel이나 stone을 이용하여 골절제술을 시행 (G) 골절제술이 끝난 상태 (H) 봉합 (I) 치유된 상태

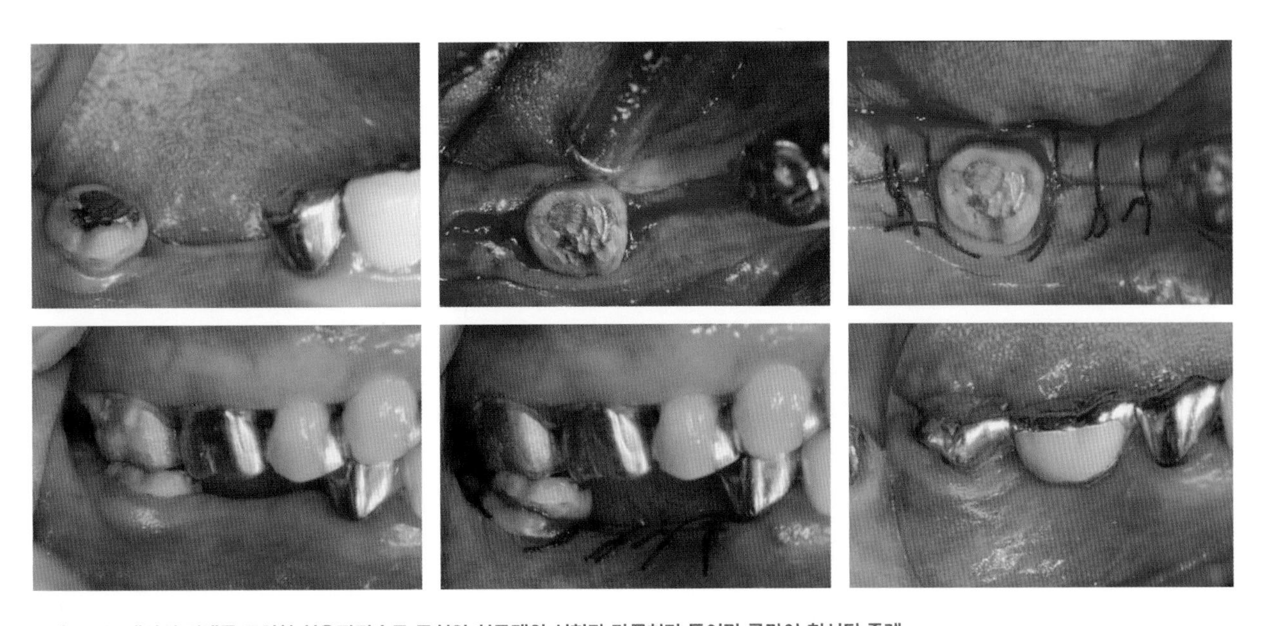

그림 39-8. 내사선 절개를 도입한 치은판막술로 무치악 치조제의 성형과 가공치가 들어갈 공간이 형성된 증례

4) 전치부 치주낭 처치를 위한 심미적 수술기법

(1) 치간유두보존술

전치부의 심미성을 고려하는 치주수술기법으로 치간의 유두를 최대한 보존하기 위한 치간유두보존 수술기법, 심미적 치관연장술, 치아정출유도술, 상실된 치조제의 재건술 등을 들 수 있다. 이 중에서 치간유두보존술은 이 책의 29장을 참조하기 바란다.

(2) 치관연장술

전치부의 심미성을 고려하는 전치부 임상치관연장술은 내사선 치은절제술을 이용하는 치주판막술(골성형술을 동반할 수 있음), 골성형술을 포함하는 근단변위판막술, 교정력을 동원하여 치은과 하부 골조직을 근단측 또는 치관측으로 재위치시키는 치아정출유도술/치아함입술 등의 다양한 방법들이 소개되었다. 이때 예상되는 결

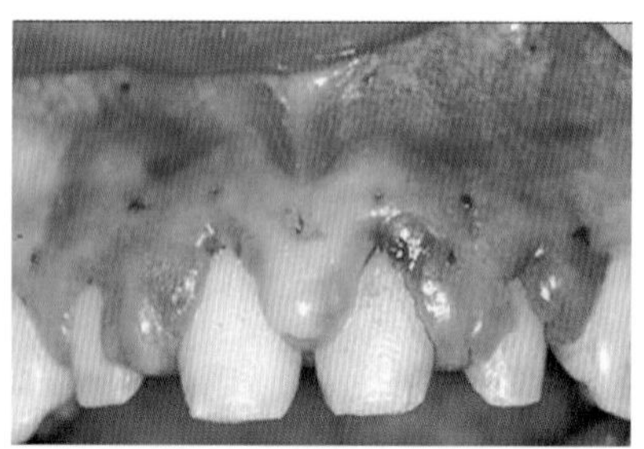
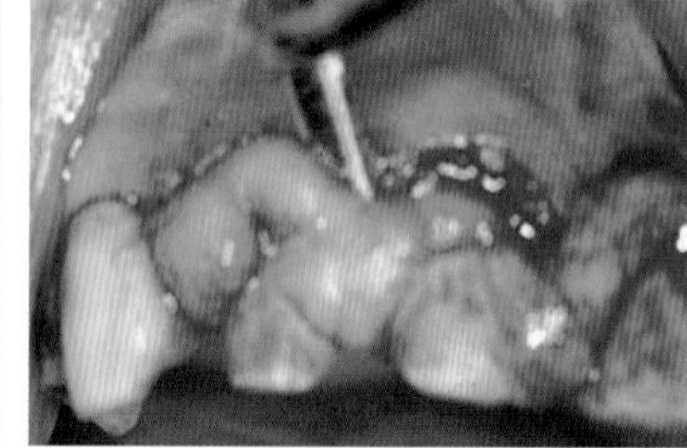
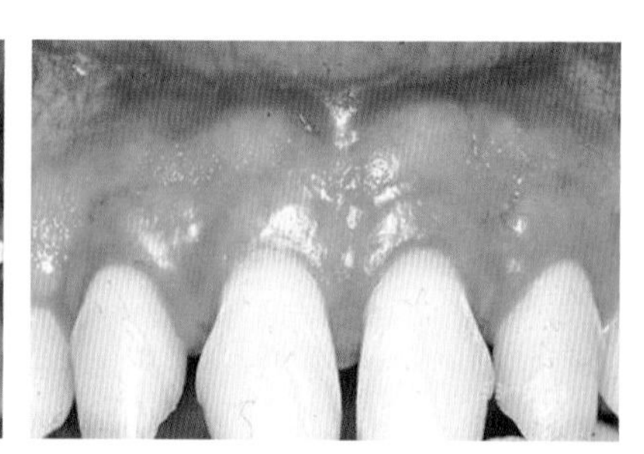
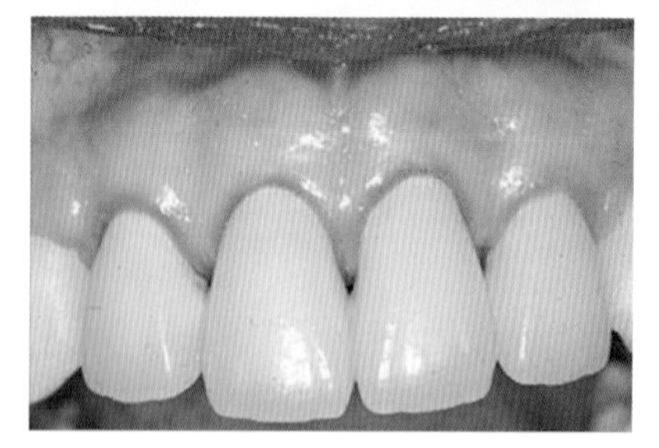

그림 39-9. 약물성 치은비대에서의 임상치관연장술. 외사선 치은절제술을 이용하여 치관을 연장한 후 수복물을 장착하였다.

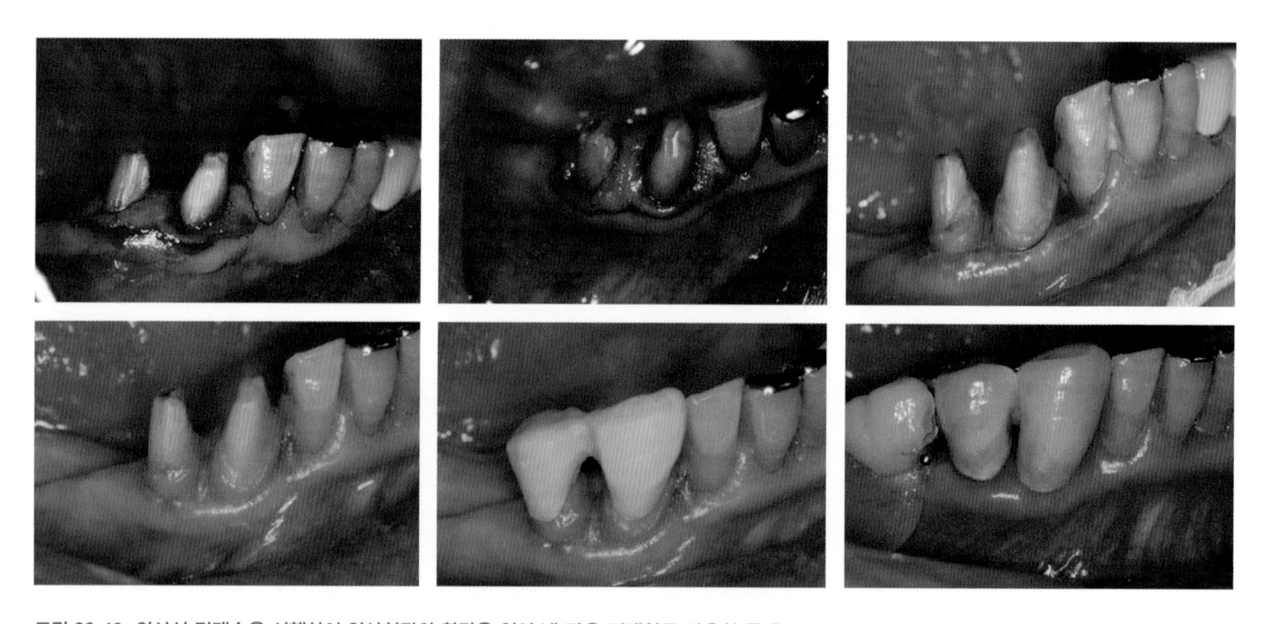

그림 39-10. 외사선 절제술을 시행하여 임상치관의 확장을 얻어 낸 다음 지대치로 사용한 증례

과에 대한 환자의 인식과 동의를 얻어 가장 적합한 방법을 개별적으로 적용해야 한다. 컴퓨터를 이용한 모의 형상을 미리 보여주는 것도 환자와의 의사소통에 도움이 된다. 창상을 크게 하고 각화치은의 많은 손상을 가져오는 외사선 절개법에 의한 치관연장술은 섬유증식성 치은비대의 경우에 주로 제한적으로 사용된다(그림 39-9, 10). 이에 반해 내사선 치은절제를 이용한 치주판막술은 협소한 각화치은을 최대한 보존하면서 치은창상면도 최소한 할 수 있는 장점을 가지고 있고 심미적인 치은 윤곽을 재구성할 수 있어 가장 선호되는 방법이다. 생물학적 폭경과 생리적인 골정의 윤곽을 재구성하면서 치조골 성형이 병행된다. 창상치유 약 6~8주 후에 수복을 위한 정상 치은열구가 재수립되므로 이 기간에 임시수복물을 장착하여 치은열구의 재위치화를 유도해야 한다(그림 39-11, 12).

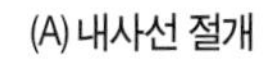

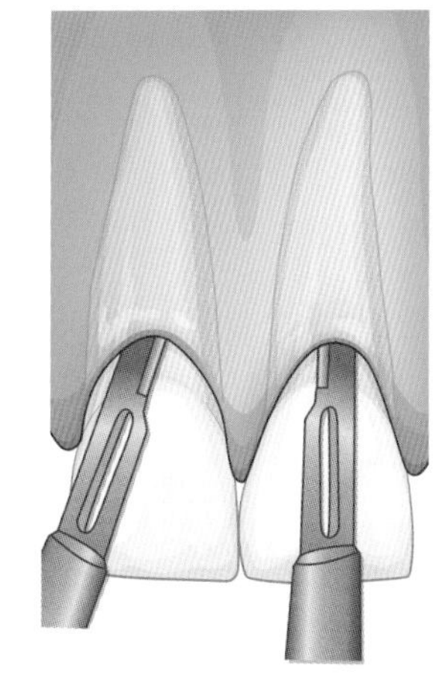

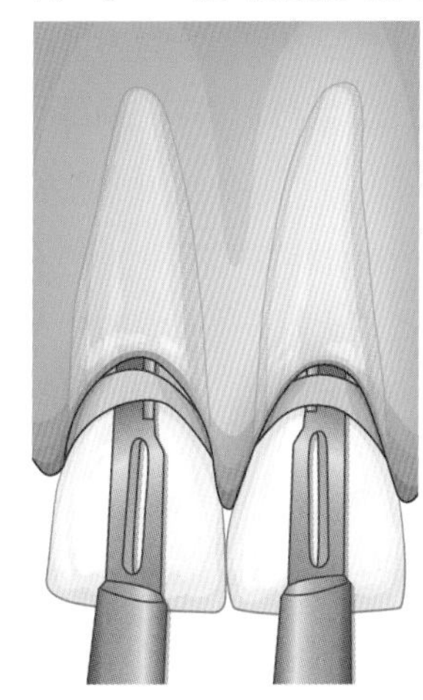

그림 39-11. 내사선 절개를 이용하여 임상치관 확장을 시행하는 모식도

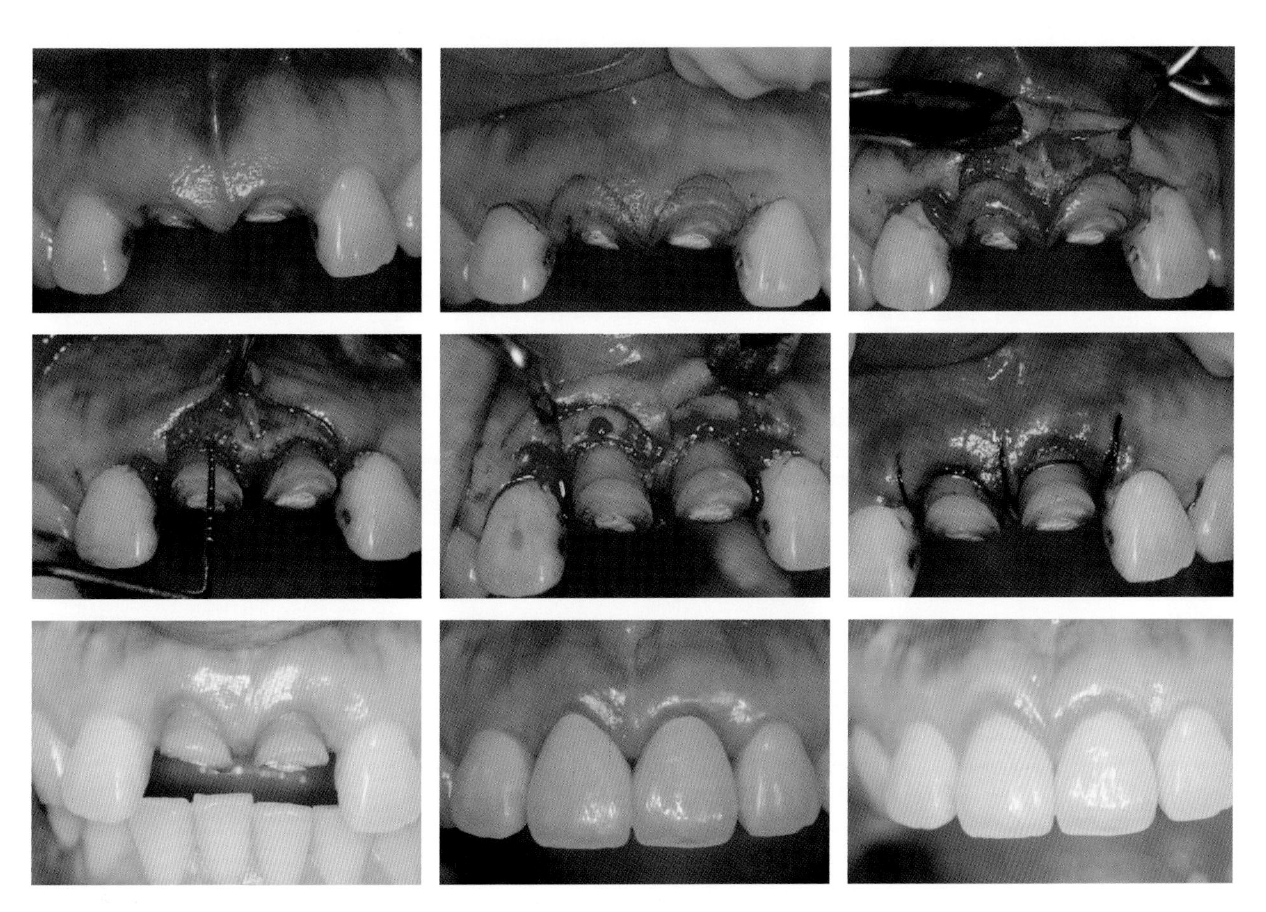

그림 39-12. 치은절제술과 골성형술을 동한 임상치관 확장. 짧게 반 남은 치근에 내사선 절개를 이용한 치은 절제술을 시행하면서 골성형술을 도입하여 생물학적 폭경(biologic width)을 고려하여 치관을 확장시킨 다음 최종 수복을 시행한 증례

근단변위판막술은 협소한 각화치은을 증대시키고 생물학적 폭경을 재구성하면서 임상치관확장효과를 최대화 할 목적으로 시행된다(그림 39-13). 통상적인 내사선 절개법과 부분층 판막법을 동원하여 판막을 근단측으로 재위치시킨 후 전술한 바와 같이 생물학적 폭경과 생리적인 윤곽을 창출할 목적으로 노출된 골정부위에 대한 골성형술이 병행될 수 있다(그림 39-13). 그러나 창상부위가 넓고 수술의 난이도가 비교적 높으며 술후 통증이 심하다는 단점이 있다. 또한 창상치유 기간이 상대적으로 길고 수복에 적합한 치은열구의 재구성이 약 8주 이상 소요되는 단점이 있다(표 39-1).[4-12] 단일치아의 임상치관을 연장할 경우 결과적으로 치은변연이 인접치아와 부조화를 이룰 경우가 생긴다. 이러한 경우 교정력을 이용하여 치아정출을 유도하면 치은과 골정을 치관측으로 평행이동시킬 수 있고 인

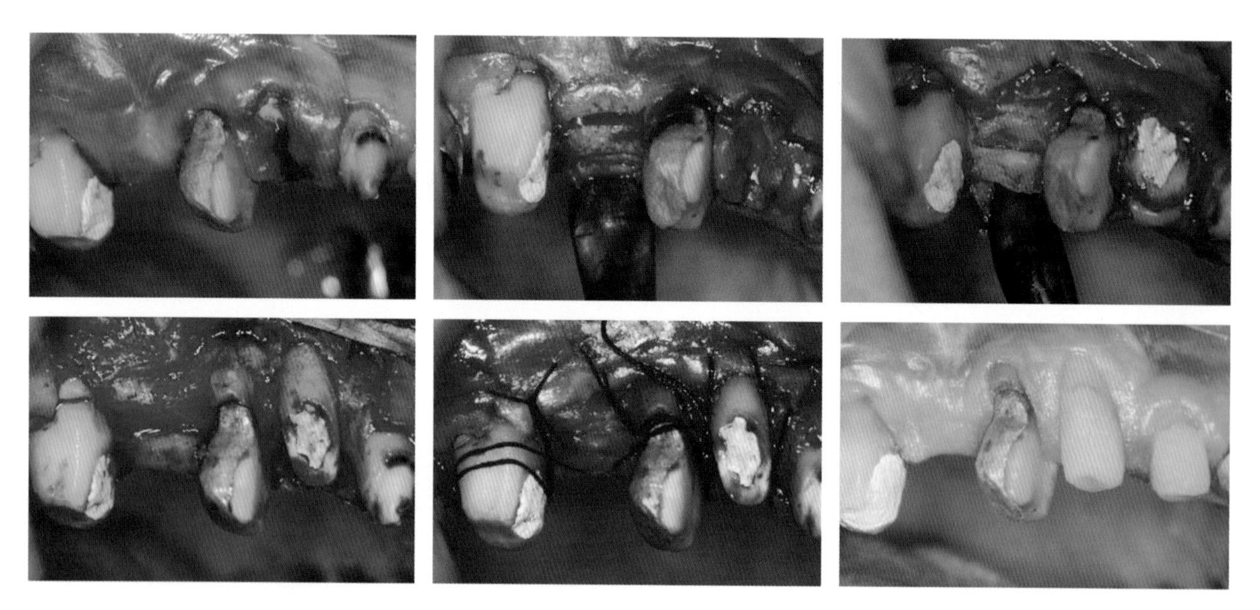

그림 39-13. 근단변위판막술과 치조골 성형술을 이용하여 임상치관확장과 치조제의 성형이 이루어진 증례

표 39-1. **치관확장술 시행 후 임시수복물 장착에 필요한 최소 기간**

Minimum period for provisionalization	Internal bevel gingivectomy (MWF)	Apically positioned flap with or without osseous resective surgery
Location of margin of restoration	6~8weeks margin located 0.3 mm subgingivally	0.3 mm provisional at 6months 0.5 mm provisional at 1year
Sulcus development	0.5 mm sulcus development	allow 6months for 0.5 mm sulcus development
		allow 1year for 1.0 mm sulcus development

Minimum period for provisionalization	FGG or CTG done equigingivally	FGG or CTG done submarginally
Location of margin of restoration	allow 6months for final restoration	no specified period
Sulcus development		

Minimum period for provisionalization	Pre-prosthetic CPF
Location of margin of restoration	similar to FGG equigingival
Sulcus development	

접치아와 조화를 이루면서 과도하게 이동된 치은연과 골정을 절제하면 임상치관을 확장하는 목적을 달성할 수 있다(그림 39-14).[13-17]

5) 지대치 주위의 조직재생술

지대치 주위의 깊은 치주낭을 수반하는 골결손을 치주조직 재생기법을 이용하여 회복한 다음 수복적 처치를 시행할 필요가 있다. 다양한 조직재생기법에 대한 내용은 이 책의 제34장을 참조하기 바란다. 가장 예지성이 높은 조직재생 기법으로는 자가골 이식술(그림 39-15, 16)과 조직유도재생술을 들 수 있는데, 특히 차단막을 이용하여 치주인대세포의 선택적인 군집을 유도하는 창상처치 기

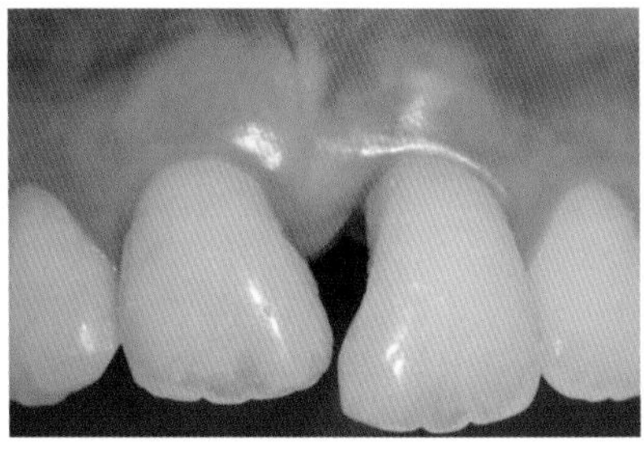
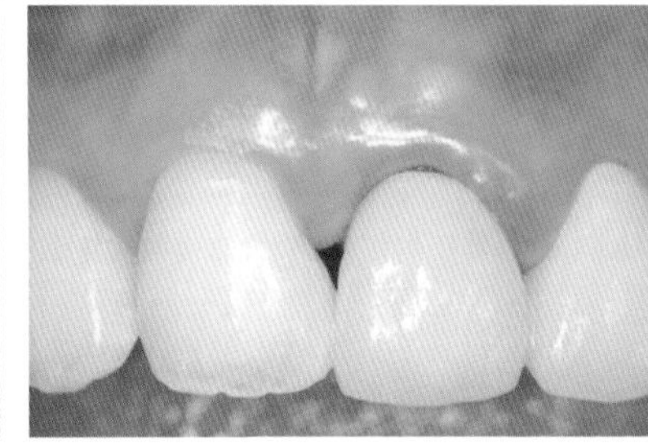
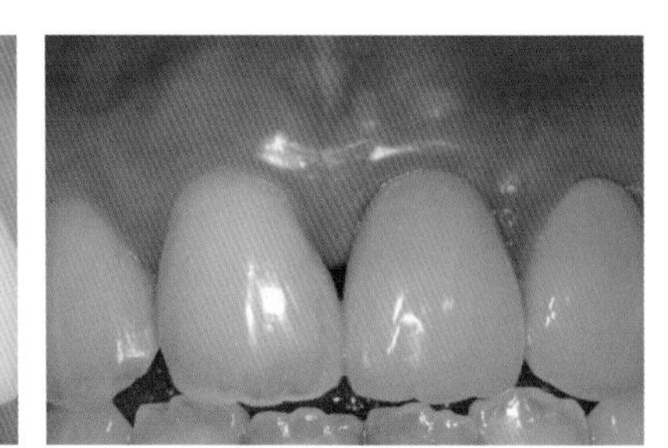

그림 39-14. 단일치아의 임상치관 확장을 위한 교정적 정출유도술을 시행하여 수복을 완료한 증례

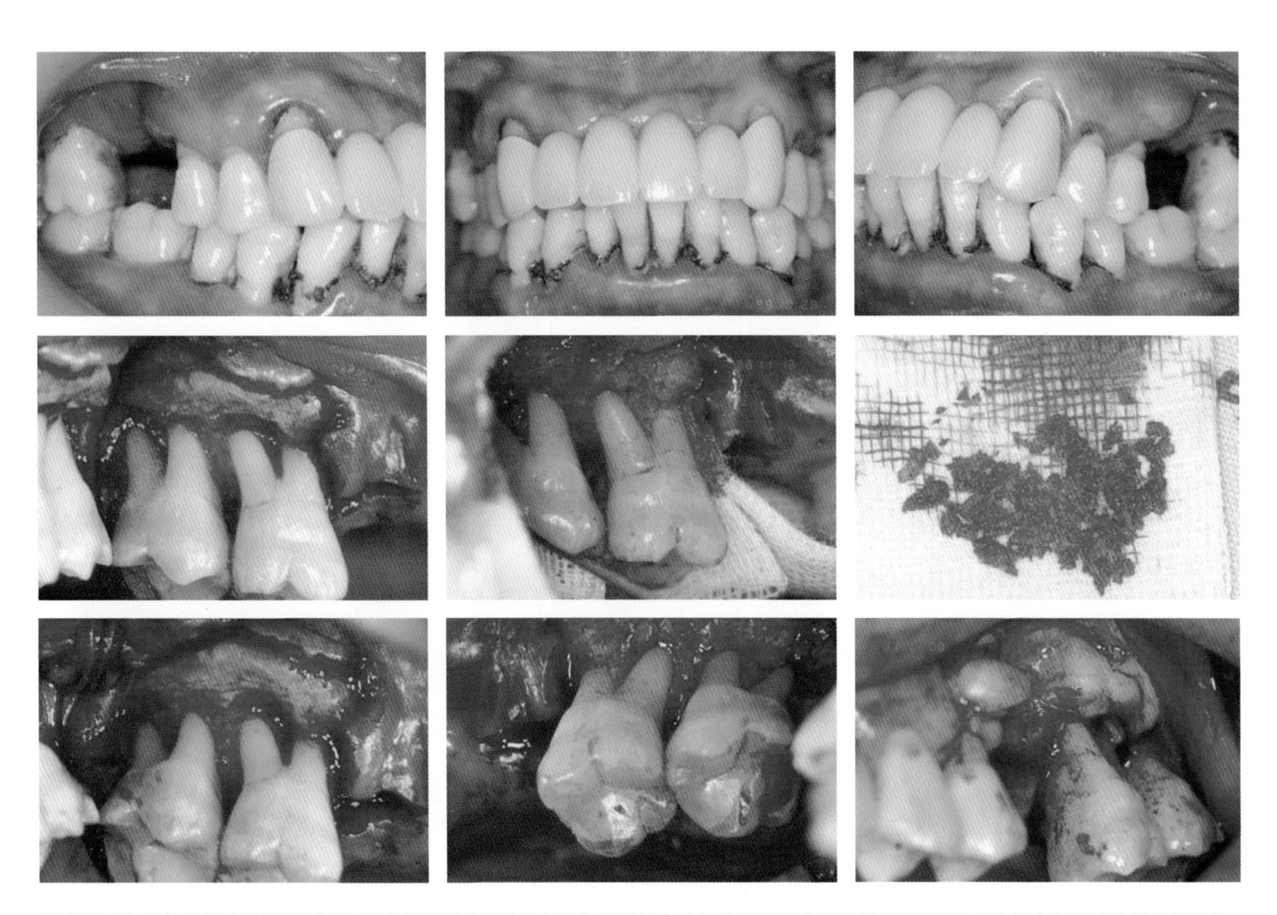

그림 39-15. 양측 구치부 분지부 병변을 가진 지대치에 자가골 이식을 시행한 후 수복을 완료한 증례로서 임상사진과 치료 전후의 방사선 사진 [계속]

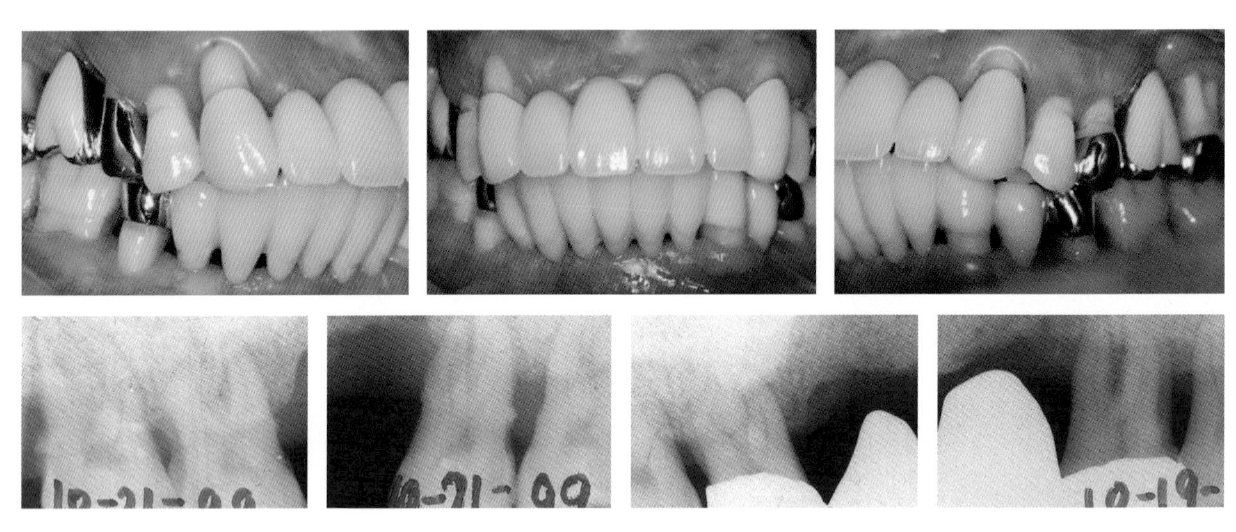

그림 39-15. [계속] 양측 구치부 분지부 병변을 가진 지대치에 자가골 이식을 시행한 후 수복을 완료한 증례로서 임상사진과 치료 전후의 방사선 사진

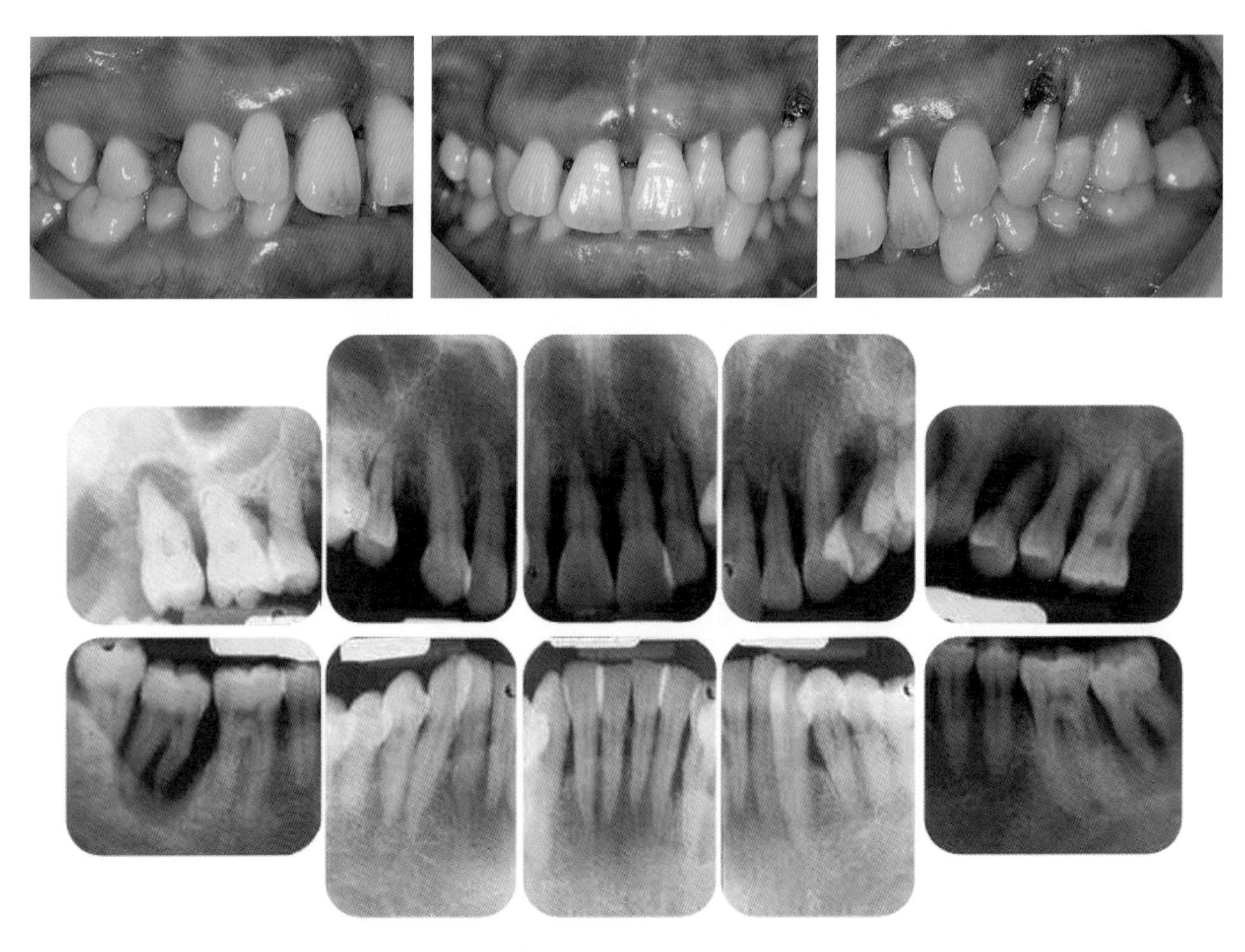

그림 39-16. 양측 제1대구치의 깊은 골내낭을 자가골 이식으로 처치한 후 전악 계속금관가공의치로 수복을 완료한 증례로서 임상사진과 치료 전후의 방사선 사진 [계속]

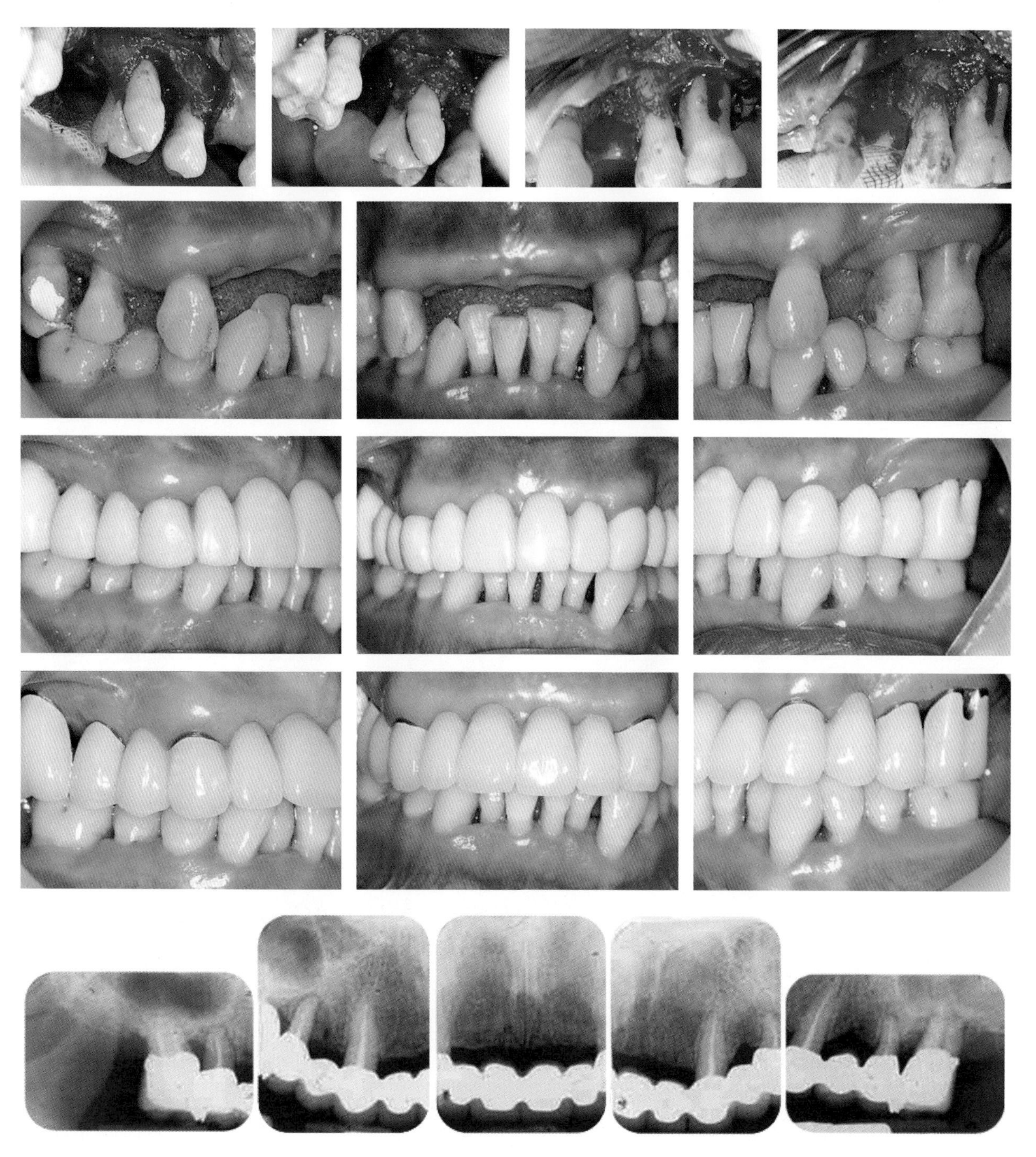

그림 39-16. [계속] 양측 제1대구치의 깊은 골내낭을 자가골 이식으로 처치한 후 전악 계속금관가공의치로 수복을 완료한 증례로서 임상사진과 치료 전후의 방사선 사진

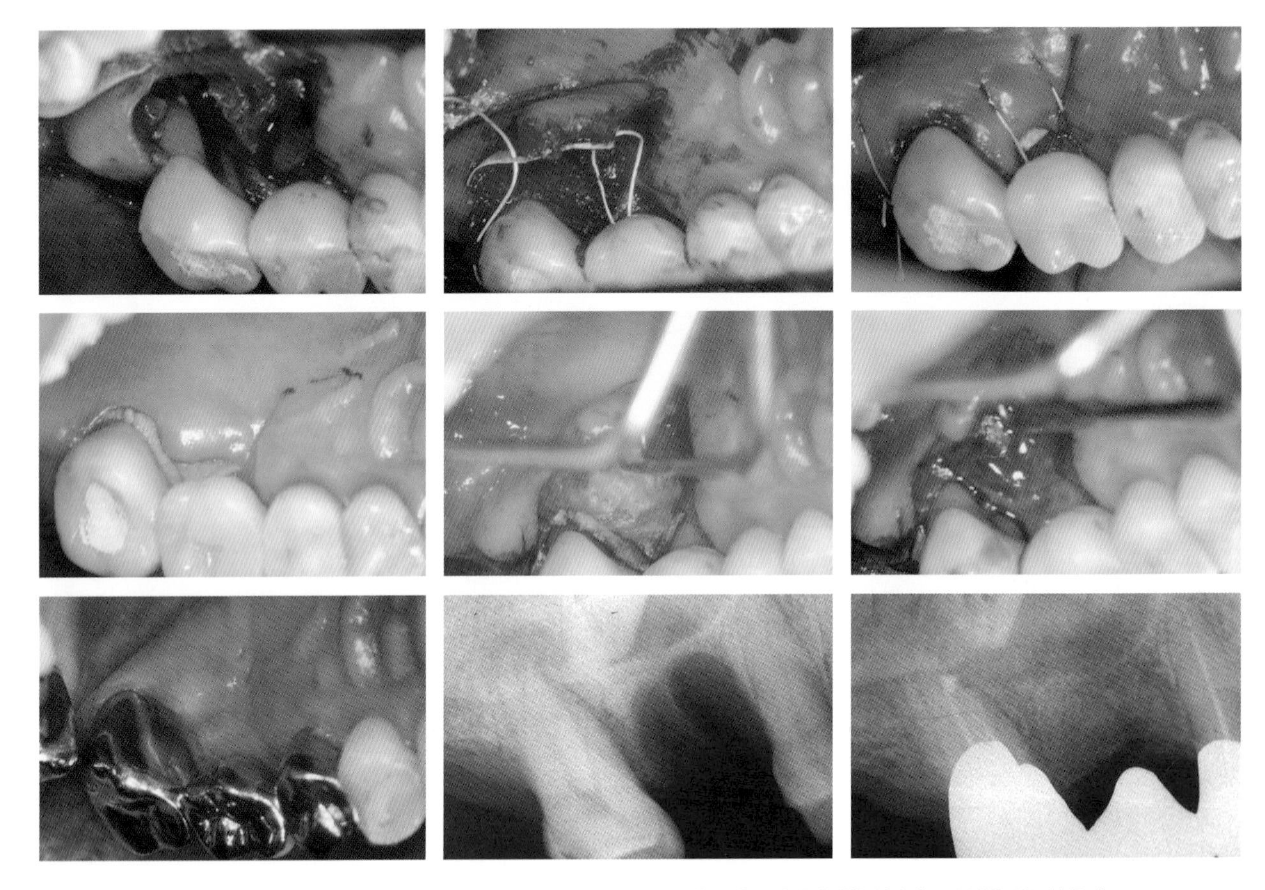

그림 39-17. 깊은 골내낭과 분지부 병소를 가진 지대치에 조직유도재생술과 골이식을 병용하여 골재생을 얻어내고 수복을 완료한 증례

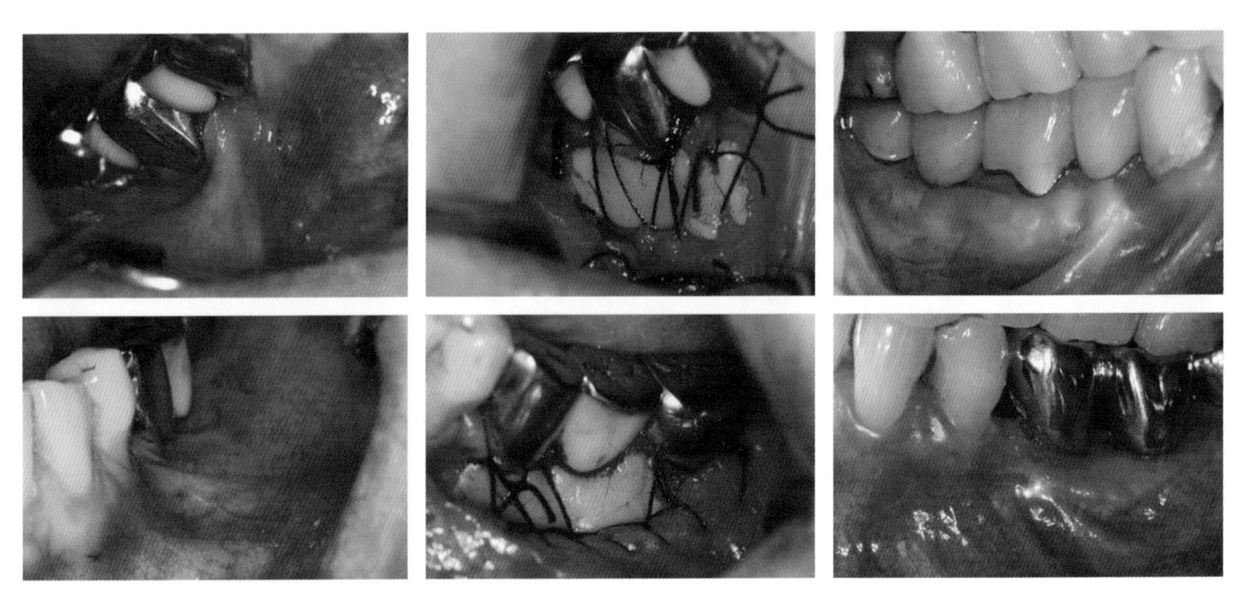

그림 39-18. 지대치 주위의 점막부위에 각화치은이 협소하여 유리치은을 이식한 후 수복을 완료한 증례

법인 조직유도재생술은 2급 분지부 병변을 가진 지대치의 치주조직 신부착과 골조직 재생에 비교적 예지성 있게 사용될 수 있는 검증된(evidence-based) 치주치료로 제시되었다(그림 39-17).

6) 지대치와 치조제 주위의 점막치은 수술

지대치 주위의 부족한 각화치은은 수복 후 치근의 노출, 통증, 치면세균막의 침착 등을 초래하므로 유리치은이식술을 통해 각화치은의 폭경을 증가시켜 줄 필요가 있다. 가장 보편적으로 사용하는 방법은 유리치은이식술술이며(그림 39-18), 임상치관의 연장과 각화치은의 폭경 증대를 동시에 얻고자 할 경우 근단변위판막술을 시행하는 경우도 있다(그림 39-4). 지대치 주위의 노출된 치근을 피개하기 위한 유리치은이식술, 결합조직이식술, 치관변위판막술, 또는 조직재생 유도술을 시행할 수 있는데, 이러한 술식에 대한 구체적인 내용은 이 책의 제33장을 참조하기 바란다.

3. 치주건강을 위한 수복물의 생리적/생물학적 고려

치주조직의 건강과 치아의 수복물 사이는 불가분의 관계이다. 장기간 수복물이 유지되기 위해서 치주조직은 치아가 유지될 수 있도록 건강하게 유지되어야 한다. 치주조직이 건강하게 유지되기 위해서는 수복물은 그들의 주위 치주조직과 조화를 이룰 수 있도록 정밀하게 조정되어야 한다. 다시 말해, 건강하고 자연스러운 치아/조직 계면을 형성해 줌으로써, 염증성 혹은 비염증성 파괴에 의한 심미적 손상이 없도록 주의해야 한다.

1) 생물학적 고려사항들

(1) 수복물 변연과 생물학적 폭경

건강한 치은조직을 유지하고 수복물 주위의 치은 형태를 조절하며 수복물 변연의 위치를 결정하는 생물학적 폭경의 역할을 이해해야 한다. 수복물의 변연은 치은연상(supragingival), 치은연(equigingival), 치은연하(subgingival)로 구분되는 세 가지의 위치 중 하나에 설정된다(그림 39-19). 치은연상 변연은 치주조직에 최소한의 영향을 미치는데 수복재료의 색조와 불투명도가 치아의 것과 현저한 대조를 이루기 때문에 심미성이 중요하지 않은 부위에 제한적으로 적용되어 왔다. 최근에 개발되는 투명한 수복재와 레진 접착제의 출현으로 심미성이 중요시 되는 전치부위에서도 치은연상 변연설정이 가능하게 되었다. 치

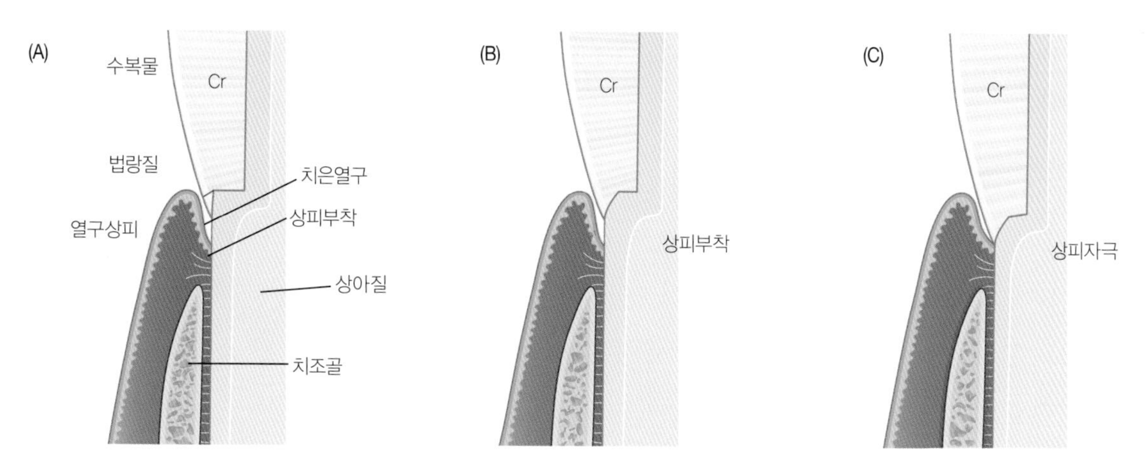

그림 39-19. 치관보철물의 치은연하변연의 위치
(A) 이상적인 위치(치은변연의 직하방) (B) 이상적인 위치(치은열구 깊이의 상부 1/2) (C) 부적절한 변연의 위치(상피자극)

은연과 동등한 위치에 수복물 변연이 위치하는 equigingival margin의 사용은 치은연상 또는 치은연하 변연보다 치면세균막이 더 잘 침착되고 따라서 치은염증이 증가된다는 생각 때문에 선호하지 않았다. 약간의 치은퇴축이 발생하면 향후 보기 싫은 수복물 변연이 노출되는 우려도 있을 수 있다. 최근에 들어서 이러한 관점은 수복물의 변연부가 치아와 심미적으로 조화될 수 있을 뿐 아니라 치은연에서 적합도를 증진시키기 위해 수복물 계면이 쉽게 마무리되고 연마되기 때문에 치은연상 및 치은연 수복물 변연은 치주적으로 모두 허용된다. 생물학적으로 가장 위험한 요소는 치은연하에 수복물의 변연이 위치했을 경우 발생한다. 이 경우에는 마무리 과정 동안 접근이 용이하지 않고 치은부착기구(gingival attachment apparatus)를 침해할 가능성이 높다.

치조골 상방을 덮고 있는 건강한 치은조직의 공간의 범위는 생물학적 폭경(biologic width)으로 정의된다. Gargiulo 등이 발표한 인간에서의 평균치는 결합조직 부착이 치조골 상방 1.07 mm, 접합상피가 결합조직 부착 상방의 0.97 mm를 각각 점유하고 있다. 이런 두 가지 측정치의 조합이 생물학적 폭경을 구성한다(그림 39-20). 수복물 변연이 치조골로부터 2 mm 또는 그 이하에 위치하였을 때, 생물학적 폭경의 침해여부를 판단함으로써 수복물 주변에 다른 원인요소 없이 발생한 치은염증을 진단할 수 있다.[18]

치아 삭제 시 적절한 저항력과 유지형태를 부여하기 위해서, 치아우식이나 다른 치아 결함 때문에 형태를 변화시키기 위해서, 또는 치아-수복물 계면을 덮기 위해 수복물의 변연을 치은연하 방향으로 확장시키는 경우가 많다. 수복물 변연부위가 치은정에서 과도하게 하방에 위치될 때 치은부착기구를 누르게 되고, 따라서 생물학적 폭경의 손상을 야기한다. 결과적으로 2가지 상이한 조직반응이 나타날 수 있는데 한 가지는 조직 재부착을 위한 공

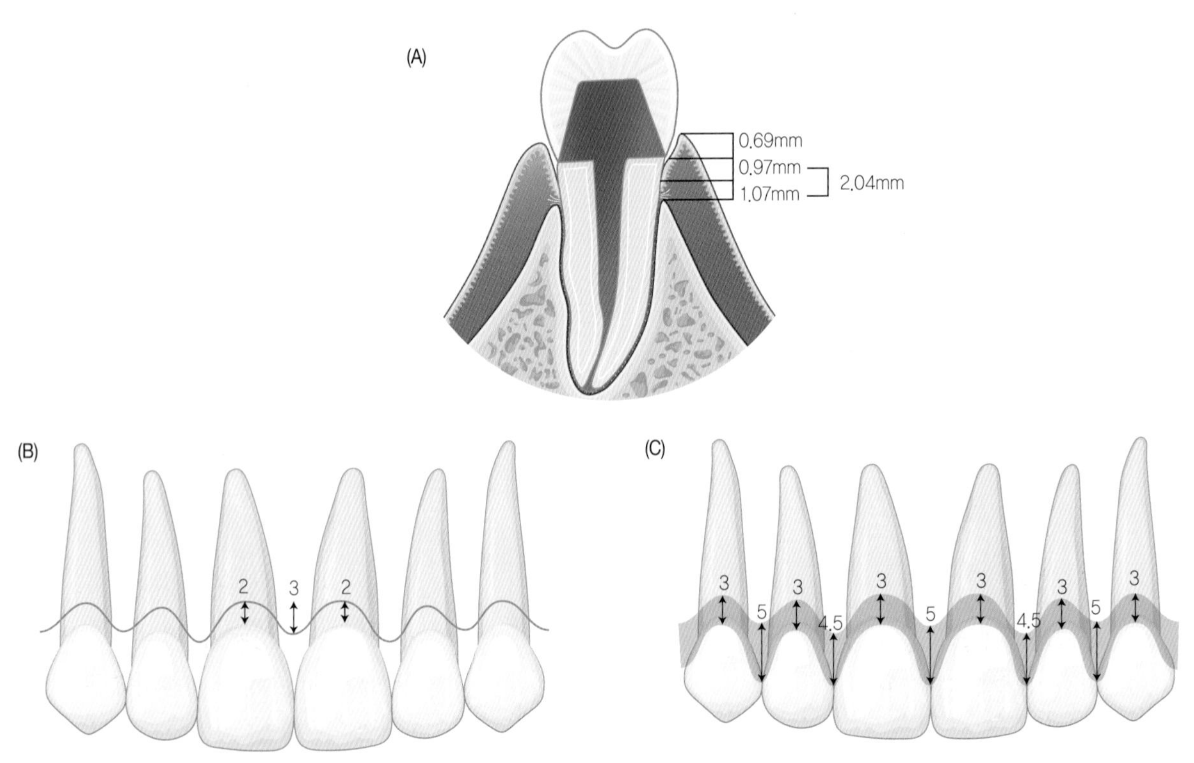

그림 39-20. 치조골 상방의 치은조직의 길이. (A) Biologic width (B) 자연치아의 치조골은 백악법랑경계부와 2~3 mm 거리를 두고 scallop 되어 있다. (C) 자연치아의 치은은 치조골과 3~5 mm 거리를 두고 scallop 되어 있고, 특히 치간치조골은 치간 접촉점이나 치간유두의 tip과 4.5~5 mm 거리를 두고 있다.

간을 재형성하기 위해 발생하는 치은퇴축과 골소실이다. 이런 증상은 치주조직이 얇은 부위(thin biotype)에서 흔히 발생할 수 있다. 한편, 비후한 섬유성 조직을 지닌 편평한 치주조직(thick biotype)에서는 골소실에 의한 치주낭 형성이 주로 일어난다. 곧, 치은의 비후 여부, 섬유성 정도, 치은의 부채꼴 모양의 정도등 치은의 생물학적 형태(gingival biotype)에 따라 다른 반응이 나타나게 되는 것이다.

생물학적 폭경의 침범 여부는 방사선학적인 검사, 수복물 변연 탐침 시의 불편감 등으로 확인할 수 있다. 마취 후 치주 탐침을 이용하여 치은열구에 압력을 가하여 관통함으로써 골과 수복물 변연 사이의 거리를 측정할 수 있다(bone sounding).

최근에는 치은의 생체형(gingival biotype)을 고려하는 수복물의 설계가 중요한 개념으로 대두되었다. 특히 전치부의 심미수복에 있어 치은의 퇴축을 예방하는 예지성 있는 수복을 위해 치은의 생체형을 두껍고 scallop이 잘 발달된 유형으로 만들기 위한 성형적 치은이식술을 수복 전에 도입하는 일이 고려되어야 한다.[19,20]

① 수복물 변연을 위치시키는 방법

보철물 변연을 치주조직 부착과 관련하여 어디에 위치시킬 것인가를 결정할 때, 치은열구 깊이가 그 환자를 위해서 요구되는 생물학적 폭경을 평가하는 지침으로 이용된다. 탐침 심도가 작은 경우(1~1.5 mm) 치은연하로 0.5 mm 이상 치아삭제를 연장하는 것은 치은부착을 손상시키는 위험이 있다. 더 깊은 치은열구에서는 치은변연 하방에 보철물 변연을 위치시키는 데 더 많은 융통성을 부여할 수 있다. 그러나, 대부분의 상황에서 치은열구가 더 깊을수록 치은퇴축의 위험성은 더 커진다. 열구 깊이를 변연 위치에 지침으로 이용할 때 첫 번째 단계는 치은건강을 측정하는 것이다. 일단 조직이 건강해지면, 다음의 3가지 원칙들이 열구 내 수복물 변연을 위치시키는 데 적용될 수 있다.

- 만일 치은열구가 1.5 mm 이하이면, 보철물 변연을 치은조직능의 0.5 mm 하방에 위치시킨다. 이것은 특히 순면에서 중요하고 생물학적 폭경을 침해할 위험성이 높은 환자에서 생물학적 폭경 침해를 막는다.
- 만약 치은열구가 1.5 mm 이상이면, 변연을 조직능 하방의 치은열구 깊이의 1/2에 둔다. 변연을 조직 하방 충분히 아래에 둠으로써 퇴축의 위험성이 높은 환자라도 조직이 여전히 수복물 변연을 덮도록 한다.
- 열구가 2 mm 이상이라고 확인되면, 특히 치아의 순면에서, 치아를 더 길게 하고 1.5 mm 깊이의 열구를 만들기 위해서 치은절제술이 시행될 수 있는지 평가하라. 그러면 규칙 1을 이용하여 치료될 수 있다.

② 수복물의 변연적합도

변연 적합도는 치주조직의 염증반응 생성과 연관이 있다. 치은염증의 정도는 수복물 변연 적합도에 따라 증가할 수 있다. 잘 적합되지 않은 변연은 많은 수의 세균을 서식하게 할 수 있어 이는 염증성 반응에 원인이 될 수 있다.

③ 임시수복물

심한 치주질환이 있는 환자를 보철해야 할 경우 치주낭을 제거하기 전에 임시 보철장치(temporary prosthesis)를 제작하여 준다. 이 경우 치아에는 잠정적 변연(provisional margin)으로 보철물을 시행하여 준 후에 치주치료를 하고 치유가 되면 다시 변연을 재위치 시킨다. 따라서 이 임시 보철장치가 교합관계를 증진시킬 수 있고 치유기간동안 고정(splinting)의 효과를 얻을 수 있다. 대개 치주치료 후 2개월에 치은건강이 회복되므로 이 시기에 보철물의 변연을 재위치시켜 최종수복물을 제작하게 된다. 생체친화적인 반응을 위해 임시수복물의 변연 적합, 외형, 표면 마무리는 3가지 중요한 요소이다. 변연 적합이 불량한 임시수복물은 과풍융, 저형성, 거칠고 다공성의 표면이 치은조직의 염증, 치은비대, 또는 퇴축을 일으킬 수 있다. 결과는 예측하기 어렵고 최종수복물의 성공에 영향을 주는 조직 구성에서 바람직하지 못하게 변화될 수 있다(표 39-1).

④ 수복물의 치관 윤곽

수복물의 외형은 치주 건강의 유지에 매우 중요한 것으

로 평가되어진다. 이상적인 외형은 구강위생을 위한 접근을 허용하고 바람직한 치은 형태를 만들어 내기에 충분하고 심미성이 중요시 되는 부위에서 만족스런 치아 외형을 만들어 낸다. 인간과 동물 연구에서 과풍융과 치은염증 사이의 상관관계가 분명히 입증되었다. 한편 저풍융은 치주에 해로운 영향을 끼치지 않는다. 과풍융된 수복물의 가장 흔한 원인은 불충분한 치아 삭제이다(그림 39-21).[21,22]

⑤ **치과 수복재에 대한 과민반응**

염증성 치은 반응은 치과 수복물의 비귀금속 합금 사용과 관계된다고 보고하고 있다. 대체로 니켈을 포함한 합금에서 반응이 일어난다. 귀금속 합금에 대한 과민 반응은 드물기 때문에 역으로 비귀금속 합금 사용 시에 직면하는 과민반응에 대한 쉬운 해결책이 될 수 있다. 조직은 재료의 구성보다는 재료 표면 거칠기 차이에 더 민감하게 반응한다. 치은연하 수복물의 표면이 더 거칠수록 치태축적과 치은염증이 더 커진다. 임상 연구에서 도재, 잘 연마된 금이나 레진은 모두 유사한 치면세균막 축적을 보여준다. 선택된 수복재료에 관계없이 매끈한 표면은 치은연하 모든 재료에서 필수적이다.

2) 치은조직의 심미적 처치에 있어서 고려할 사항들

(1) 치간부 공극의 윤곽형태

수복물과 치간부 유두의 형태로 만들어지는 치간공극은 독특하고 긴밀한 상관관계를 갖는다(그림 39-22). 이상적인 치간공극은 치은 유두를 침범하지 않으면서 수용해

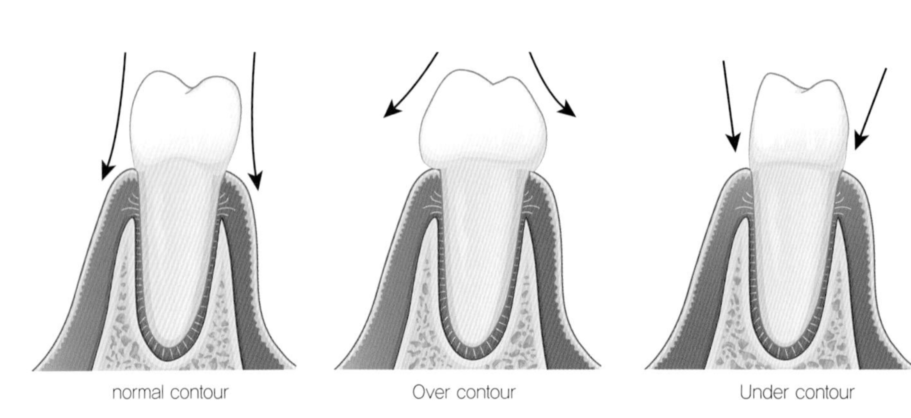

그림 39-21. 수복물의 contour와 치은조직과의 관계

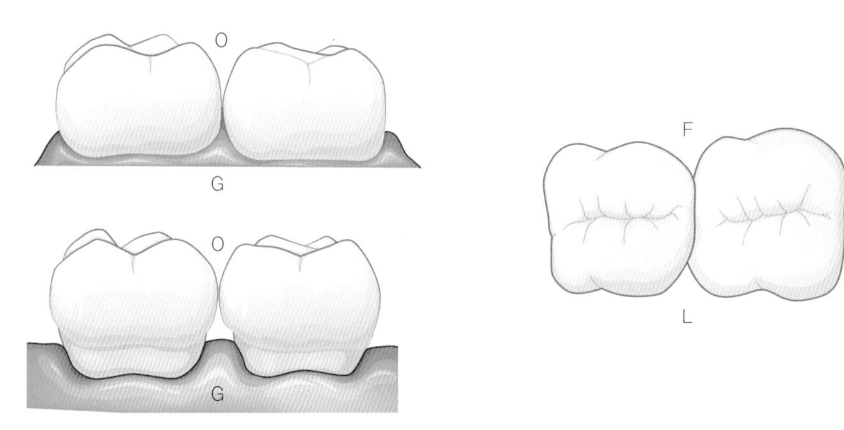

그림 39-22. 치간공극의 종류
O: occlusal embrasure G: gingival embrasure F: facial embrasure L: lingual embrasure

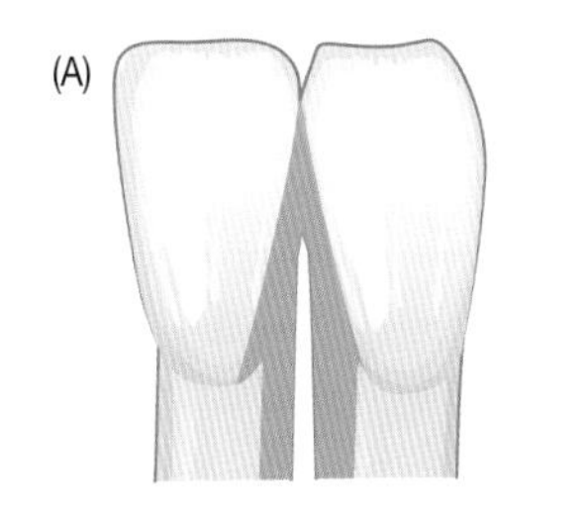

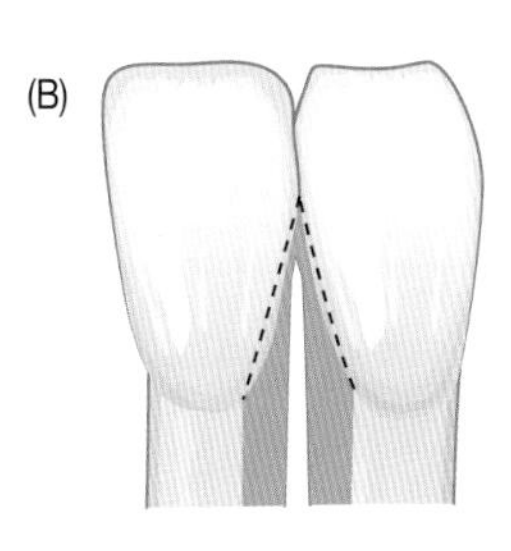

그림 39-23. 치간 부위의 치관 형태와 이에 따른 치은 유두의 형태.
(A) 옳은 방법 (B) 틀린 방법

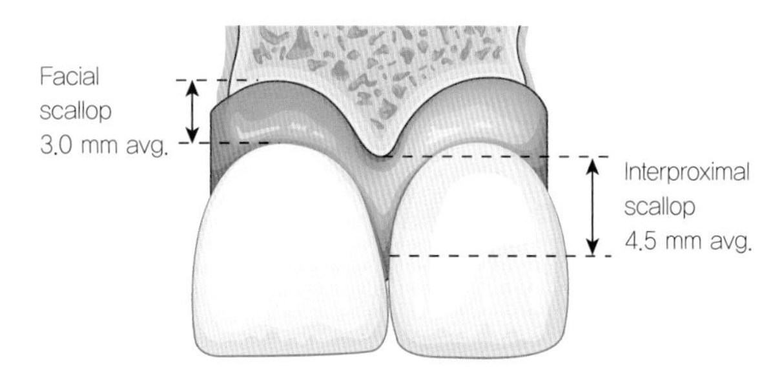

그림 39-24. 치간 유두의 평균 높이

야 하고 또한 식편이 삽입되거나 심미적으로 좋지 않은 여분의 공간이 발생하지 않도록 유두의 정상까지 치간 치아 접촉이 연장되어야 한다. 유두 높이는 골 수준, 생물학적 폭경, 치은 공극 형태에 의해 결정된다(그림 39-23). 공극 모양에 있어서 변화는 유두의 높이와 형태에 영향을 줄 수 있다. 유두의 첨단은 치아의 협측의 유리치은변연과 다르게 반응한다. 유리치은변연이 하부의 협측 골 위로 평균 3 mm에 위치하는 반면, 유두 첨단은 치간 골 위로 평균 4.5 mm에서 5 mm에 위치한다(그림 39-24).

치간 유두의 예상 위치는 Tarnow에 의해 보고 되었는데, 치간 접촉과 하부 골 사이의 거리와 치간 유두와의 상관관계를 연구한 결과 치간 치아 접촉이 치조골에서 5 mm 또는 그 이하로 측정될 때 유두는 항상 공간을 채우게된다. 접촉이 골로부터 6 mm일 때 단지 56%에서만 치간유두가 공간을 채울 수 있다. 또, 접촉이 골로부터 7 mm 떨어질 때 37%에서만 공간을 채울 수 있다.[23] 이상적인 접촉은 부착부에서 2~3 mm 치관 방향에 있어야 하고 이는 평균 치간열구의 깊이와 일치한다. 변연 위치를 위해 협측 조직을 평가할 때 조직이 정확한 탐침을 허용할 만큼 건강할 것을 요한다. 만일 열구가 3 mm보다 깊다면 수복 술식을 시행하는 도중에 유두가 퇴축될 위험성이 있다. 만일 공극이 너무 넓다면 풍선은 평평해지고 얕은 열구를 가지면서 무너진다. 만일 공극이 이상적인 폭이라면 유두는 날카로운 형태와 2.5~3 mm의 열구를 가지면서 건강하다. 만일 공극이 너무 좁다면 유두는 협측과 설측으로 퍼져 col을 형성하고 염증성을 유발할 수 있다.

(2) 개방형 치간윤곽에 대한 수복형태 수정

열린 치간공극에는 두 가지 이유가 있는데 치간 유두 높이가 골소실로 인해 부족하거나, 치간 접촉이 치관측으로 너무 높게 위치하기 때문이다. 높은 접촉이 문제라면 두 가지 가능한 이유가 있다. 치아들의 치근 각도가 벌어져 있다면 치간 접촉은 치관 쪽으로 이동하여 열린 치간공극을 만든다. 그러나 치근들이 평행하고 치간유두 형태가 정상이면서 열린 치간공극이 존재한다면 문제는 아마도 치아 형태 특히 과도하게 경사된 형태와 관련 있을 것이다. 수복치료는 접촉점을 치간유두 끝으로 이동시킴으로써 이 문제를 수정한다. 이것을 실시하기 위해서 수복물 경계부는 치은연하 1~1.5 mm로 옮겨져야 하고 수복물의 emergence profile은 그 형태가 조직 아래의 치아와 융합되면서 접촉점이 치간유두 쪽으로 이동하도록 디자인되어야 한다.[21,22]

(3) 치주조직 퇴축에 의한 치간부 윤곽변형의 처치

치은퇴축을 가지는 환자에서의 치간공극의 치료는 전치부와 구치부가 서로 다르다. 심미적인 부위에서는 큰 열린 공극을 없애기 위해 치간 접촉을 유두를 향해 근단측으로 옮길 필요가 있다. 여러 개의 수복물을 가진 경우에는 조직 색상의 세라믹을 이용하여 수복물 상에서 직접 도재 유두를 만드는 것도 가능하다. 치근간 폭이 매우 큰 구치부에서는 수복물에 큰 풍융부를 만들지 않으면서 조직과 접촉하도록 치간 접촉을 옮기는 것이 종종 불가능하다. 이러한 경우에는 구강위생을 위해 치간 칫솔이 접근하기에 편한 크기의 공극을 남기면서도 큰 음식물 잔사

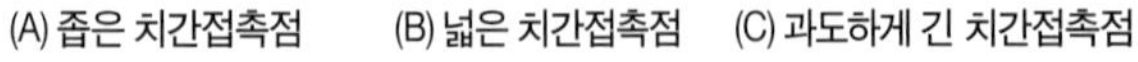

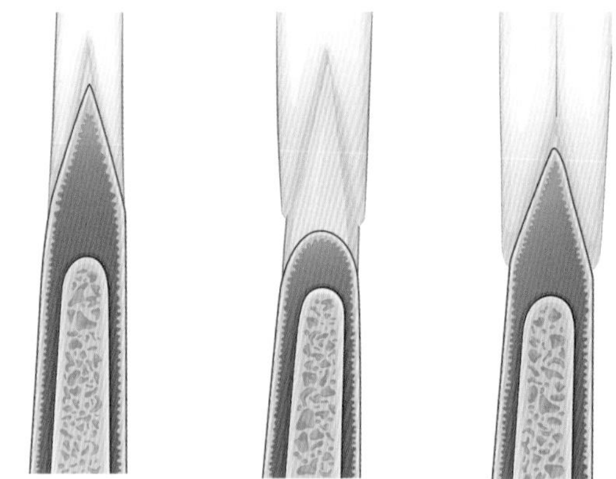

그림 39-25. 치간부 윤곽형태에 따른 치관의 형태

가 최소가 되도록 접촉점을 충분히 근단 쪽으로 이동시켜야 한다. 과도하게 긴 치간 접촉점을 만드는 것은, 전치든 구치든 간에, 어느 정도 비심미적인 치아 형태를 만든다는 것에 주의해야 한다(그림 39-25).[21,22]

(4) 가공치 형태의 고안

전통적으로 가공치 디자인을 평가할 때 4가지 선택 사항을 고려하여야 한다: Sanitary, ridge-lap, modified ridge-lap과 ovate pontic 디자인 등이 있다(그림 39-26, 27). 어느 디자인에서라도 가공치는 대합치를 안정화시키고 정상 저작을 허용하며 지대치에 과부하를 가하지 않는 교합면을 가져야 한다. 4가지 디자인에 모두 적합한 수복재로서 윤활된 도재, 연마된 금, 연마된 레진 등이 있어 매끄러운 표면 마무리를 가지는 한, 선택된 재료와 무관하게 접촉하는 조직의 수복물에 대한 생물학적 반응에는 아무런 차이가 없다. 4가지 가공치 디자인의 주 차이점은 심미와 구강위생을 위한 접근과 관계있다. 가공치 하방면을 청결하게 하는 일차적인 방법은 치실로 하방면을 따라 근원심으로 닦는 것이다. 이 하방면 형태가 효율적인 치면세균막과 음식 찌꺼기 제거를 결정한다. Sanitary와 ovate pontics은 세척을 용이하게 하는 볼록한 하방면을 가진다. Ridge-lap과 modified ridge-lap은 치실의 접근을 더 어렵게 하는 오목한 하방면을 가진다. Sanitary pontic 디자인이 위생 술식을 위한 가장 쉬운 접근을 제공하지만 그 비심미적인 형태와 열린 형태에 대한 환자의 다양한 수용도로 인해 거의 사용되지 않는다.

Ovate pontic은 심미적으로 이상적인 가공치 형태인데 무치악부에 다이아몬드버나 전기수술로 수여부를 형성한다. 상악전치부와 같은 매우 심미적인 부위에서는, 수여부를 안면측 조직 하방 1 mm에서 1.5 mm 아래로 형성할 필요가 있다. 이것은 자유 변연치은 경계부 형태를 만들고 최대의 심미성을 만든다(그림 39-28). 구치부에서는 이것은 치조제의 오목함을 없애고 편평하고 쉽게 청소할 수 있는 가공치의 조직면을 만든다(그림 39-29). Ovate pontic의 형태를 이상적으로 하기 위해서 세 가지의 연조직에 관련된 기준점이 있는데 첫째, ridge height는 interproximal embrasure가 계획되거나, pontic 사이에서 또는 지대치 인접면에서 치간유두의 이상적인 높이에 어울릴 필요가 있다. 둘째, 치은연의 높이 또한 이상적인 높이에 있어야 하며, 마지막

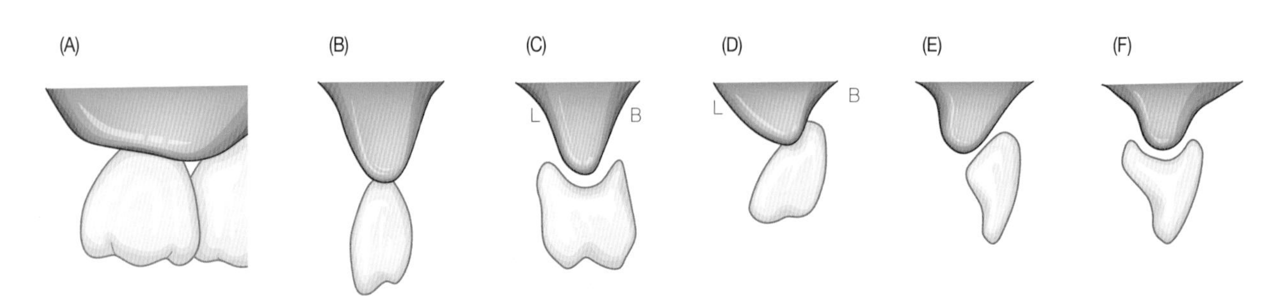

그림 39-26. 가공치의 설계

(A) 협측상태: modified bullet-shaped ridge lap (B) 옳은 가공치의 형태 (C) 틀린 가공치의 형태: ridge lap이 협설측으로 과다하게 치우친 경우 (D) 심미적인 면이 요구될 경우에 협측에만 약간의 modified ridge lap을 형성한 경우 (E, F) Anterior modified ridge lap (E: 옳은 방법, F: 틀린방법)

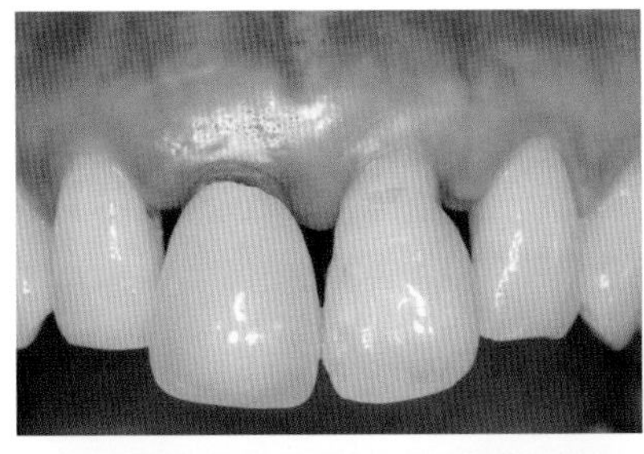
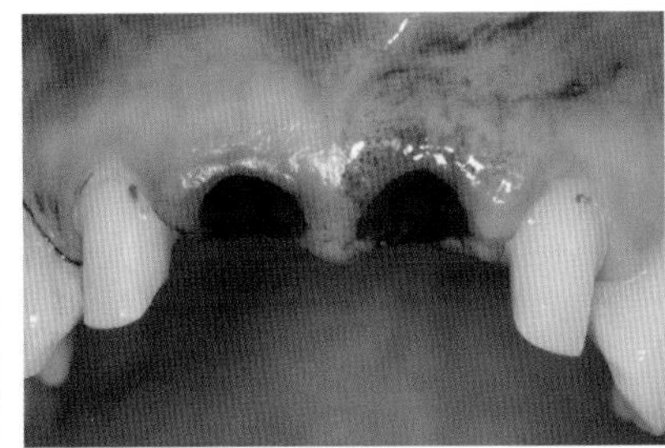
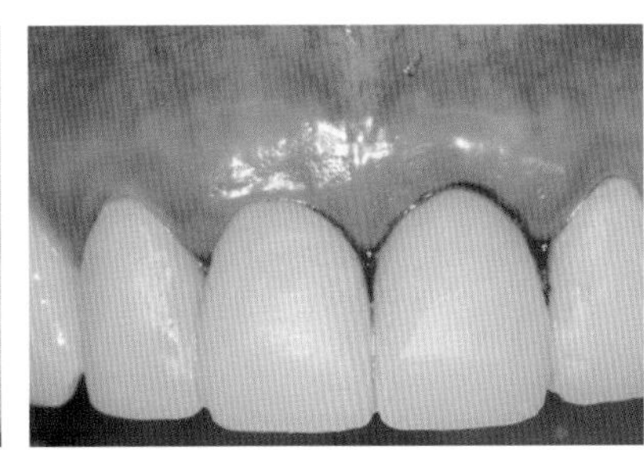
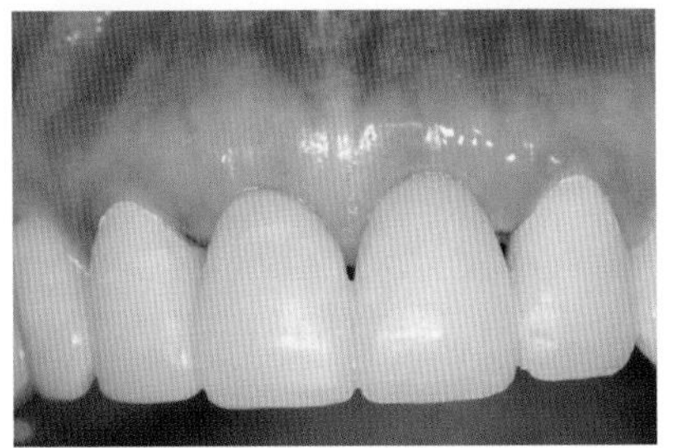

그림 39-27. 정출된 상악치에서의 심미적 보철물 수복. 전치부의 심한 골 소실로 치아가 정출된 경우 발치 후 즉시 ovate pontic을 삽입하여 치조제의 흡수와 치간유두의 퇴축을 예방함으로써 자연미를 재현하는 수복이 가능하다.

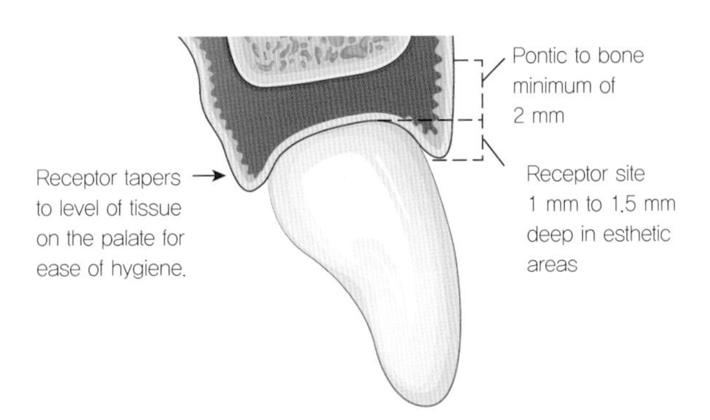

그림 39-28. 상악전치부에서의 가공치 형태

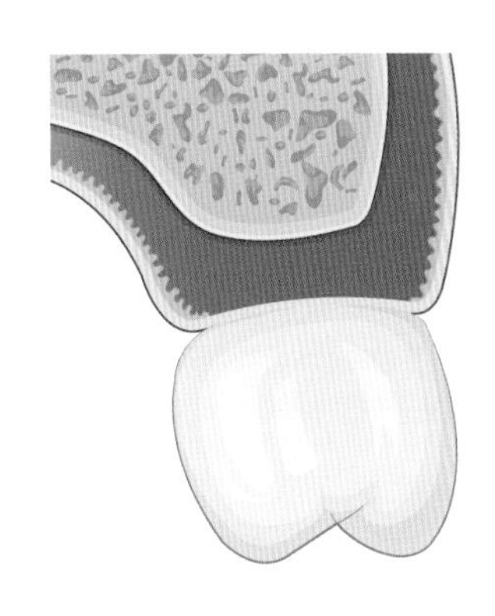

그림 39-29. 구치부에서의 가공치 형태

으로, 치조융선 조직은 pontic의 이상적인 치경부-순측 형태의 순측에 위치하고 있어야만 pontic은 조직으로부터 솟아나는 것처럼 보일 수 있다. Ovate pontic은 발치 후에 지대치 다음에 치간유두를 유지시킴으로써, 또 다른 중요한 치주적 기능을 제공할 수 있다. 치아가 발거되면 치은공극이 사라진다. 이런 공극 형태의 상실에 따른 정상적인 반응은 1.5~2 mm 움푹 들어가는 것으로, 이는 안면측과 비교해서 치간부의 골 상방에 존재하는 추가적인 연조직에 부합하게 된다. 그러나, 치아가 발거된 날에 발치와 안으로 정확한 pontic 형태를 2.5 mm 넣음으로써 치은 공극과 유두는 유지될 수 있다. 이러한 술식은 지대치상의 인접면 치조골이 발치 후에 정상적인 높이로 차오를 때까지 지대치에 인접한 유두를 유지할 수 있다(그림 39-30).[24]

4. 치주질환에 이환된 동요치아의 임시고정술

불안정한 치아는 골상실과 인접 치아상실로 인한 지지력의 부족으로 기인하며 가공치를 지지하기 위해 지대치를 고정하는 것이 필요하다. 고정의 적응증은 증가하는 치아의 동요, 환자의 불편, 치아의 이동, 다수의 지대치가

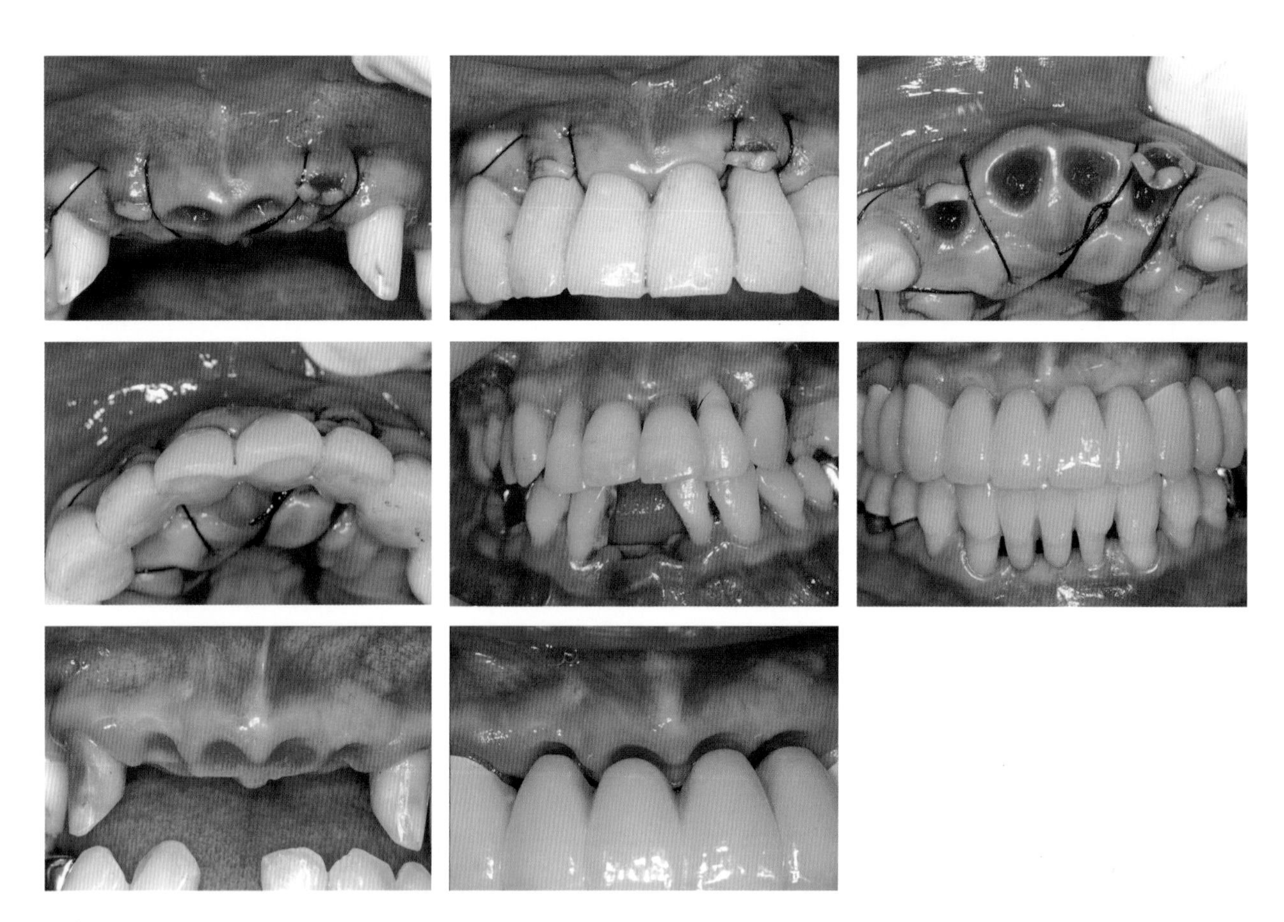

그림 39-30. 순측 골 흡수가 심한 상악전치부에서의 심미적 보철수복. 순측 골의 흡수가 심한 경우 발치 후 즉시 ovate pontic 삽입과 결합조직이식을 병행하면 풍융도를 재현하여 자연스러운 윤곽을 창출할 수 있다.

필요한 보철물 등이다. 비기능 혹은 치아의 편향접촉으로부터의 과도한 교합력이 동요의 빈번한 원인이다. 치은염증이 정상적인 교합력과 치주지지에서도 동요를 야기하기 때문에 고정치료를 결정하기 전에 치주지지 구조의 염증은 조절되어야 한다. 치아가 고정되면 고정된 모든 치아는 교합력을 일정 수준까지 분산시킨다. 고정의 견고도와 사용된 치아의 수는 힘이 어떻게 분배되는지를 결정한다. 전치부에 동요도가 있다면 동요도가 있는 치아를 고정하는 일반적인 적응증은 환자의 편안함을 증진시키고 보다 나은 교합의 조절을 제공하는 것이다. 인접 연결 부분이 치간유두를 압박하지 않도록 고정된 치아가 충분한 치관길이를 가지는 것이 임상적으로 중요하다. 연결부와 치간유두 사이에 전치부에서는 치실, 구치부에서는 치간칫솔을 위한 충분한 공간이 필요하다.

임상적으로 고정을 필요로 하는 경우들을 살펴보면 계속 가공금관 의치, 가철성 의치 등을 위한 지대치의 고정이나, 재생적 처치의 치유를 향상시키기 위한 치아의 안정을 위한 고정, 구치부 결손 시 대합치 정출등의 합병증 예방을 위한 고정, 과대 동요를 가진 소수의 잔존치아를 위한 전악고정(그림 39-31) 등을 들 수 있다.[25-28]

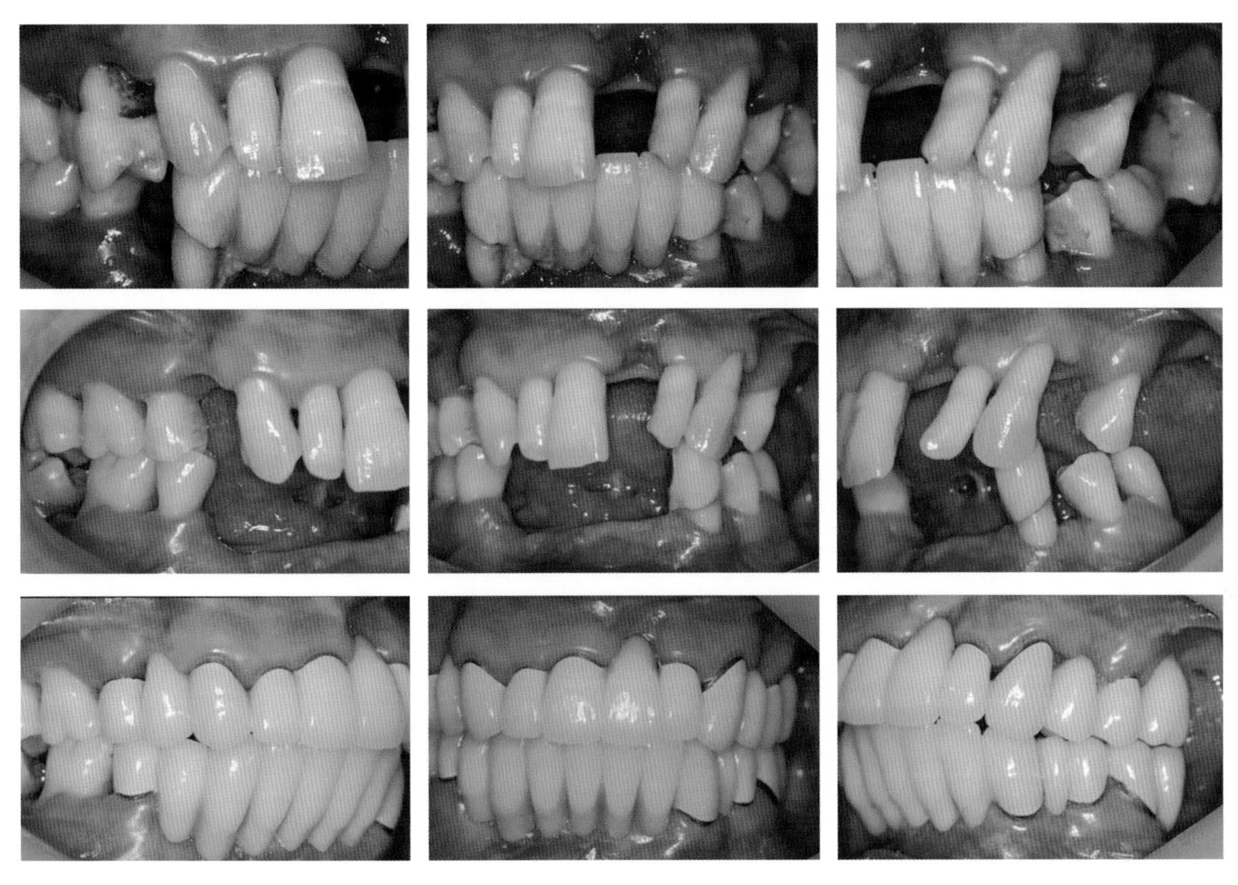

그림 39-31. 과대동요도를 가진 소수 잔존 지대치를 이용하여 전악에 걸친 임시고정술을 시행한 6개월 후 최종적으로 전악 계속금관가공의치를 장착한 증례

참고문헌

1. Carnevale G, Kaldahl WB. Osseous resective surgery. Periodontol 2000 2000;22:59–87.
2. Ochsenbein C. A primer for osseous surgery. Int J Periodontics Restorative Dent 1986;6:9–47.
3. Tibbetts L, Ochsenbein C, Loughlin D. Rationale for the lingual approach to mandibular osseous surgery. Dent Clin N Am 1976;20:61–78.
4. Camargo PM, Melnick PR, Camargo LM. Clinical crown lengthening in the esthetic zone. J Calif Dent Assoc 2007;35:487–498.
5. Coslet JG, Vanarsdall R, Weisgold A. Diagnosis and classification of delayed passive eruption of the dentogingival junction in the adult. Alpha Omegan 1977;3:24–28.
6. Kois JC. Altering gingival levels: The restorative connection Part I: Biologic variables. J Esthetic Dent 1994;6:3–9.
7. Kois JC. The restorative–periodontal interface: biological parameters. Periodontology 2000 1996;11:29–38.
8. Becker W, Ochsenbein C, Becker BE. Crown lengthening: the periodontal–restorative connection. Compend Contin Educ Dent 1998;19:239–246.
9. Lee EA. Aesthetic crown lengthening: classification, biologic rationale, and treatment planning considerations. Pract Proced Aesthet Dent 2004;16:769–778
10. Lee EA, Jun SK. Aesthetic design preservation in multidisciplinary therapy: philosophy and clinical execution. Pract Proced Aesthet Dent 2002;14:561–569.

11. Nemcovsky CE, Artzi Z, Moses O. Preprosthetic clinical crown lengthening procedures. Pract Proced Aesthet Dent 2001;13: 581–588.
12. Wagenberg BD, Eskow RN, Langer B. Exposing adequate tooth structure for restorative dentistry. Int J Periodontics Restorative Dent 1989;9:322–331.
13. Ingber JS et al. The "biologic width" a concept in periodontics and restorative dentistry. Alpha Omegan 1977;70:62–65.
14. Ingber JS. Forced eruption: Alteration of soft tissue cosmetic deformities. Int J Periodontics Restorative Dent 1989;9:417–425.
15. Salama H, Salama M. The role of orthodontic extrusive remodeling in the enhancement of soft and hard tissue profiles prior to implant placement: a systematic approach to the management of extraction site defects. Int J Periodontics Restorative Dent 1993;13:313–333.
16. Corrente G, Abundo R, Re S, Cardaropoli D, Cardaropoli G. Orthodontic movement into infrabony defects in patients with advanced periodontal disease: a clinical and radiological study. J Periodontol 2003;74:1104–1109.
17. Nevins M, Wise RJ. Use of orthodontic therapy to alter infrabony pockets.Int J Periodontics Restorative Dent 1990;10:198–207.
18. Maynard JG, Wilson RD. Physiologic dimensions of the periodontium significant to the restorative dentist.Periodontol 1979;50:170–174.
19. Kao RT, Dault S, Frangadakis K, Salehieh JJ. Esthetic crown lengthening. J Calif Dent Assoc 2008;36:187–191.
20. Kao RT, Pasquinelli K. Thick vs. thin gingival tissue. J Calif Dent Assoc 2002;30:521–526.
21. Kibayashi H. The interface of restorations and periodontal tissue: The verification of the subgingival contour which can achieve tissue stability. Quintessence (Korean edition) 2012;17:63–83.
22. Kibayashi H. The interface of restorations and periodontal tissue: Interdental papilla management and proximal contour. Quintessence (Korean edition) 2012;17:59–79.
23. Tarnow DP, Magner AW, Fletcher P. The effect of the distance from the contact point to the crest of bone on the presence or absence of the interproximal dental papilla. J Periodontol 1992;63:995–996.
24. Spear FM. Maintenance of the interdental papilla following anterior tooth removal. Pract Peri1. Carnevale G, Kaldahl WB. Osseous resective surgery. Periodontol 2000 2000;22:59–87.
25. Lindhe J, Nyman S. The role of occlusion in periodontal disease and the biological rationale for splinting in treatment of periodontitis. Oral Sci Rev 1977;10:11–43.
26. Nyman S, Lindhe J. A longitudinal study of combined periodontal and prosthetic treatment of patients with dvanced periodontal disease. J Periodontol. 1979;50:163–169.
27. Nyman S, Lindhe J. Prosthetic rehabilitation of patients with advanced periodontal disease. J Clin Periodontol. 1976;3(3):135–147.
28. Amsterdam M. Periodontal prosthesis: twenty–five years in retrospect. Part V. Final treatment plan. Compend Contin Educ Dent. 1984;5(7):577–589.

기타 참고문헌

- Nevins M, Mellonig JT. Periodontal Therapy. Quintessence. 1998.
- Ono. Predictable Periodontal Surgical Therapy (Korean edition). Quintessence. Seoul. 2002.
- Rosenberg MM, Kay HB, Keough BE, Holt RL. Periodontal and Prosthetic Management of Advanced Cases. Quintessence, 1988.
- Fradeani M. Esthetic Analysis. Quintessence Books. 2004.
- Shigeno K, Nishikawa Y. Illustrated Periodontal Plastic Surgery (Korean edition). Ishiyaku Publishers. Inc. 2005.
- Lee SG. Contemporary Esthetic Restoration (Korean). Dental Publishing Co. 2009.

치주염 환자의 교정치료는 치주와 교정의 협진으로 이루어지고 있다. 치조골 결손부, 치근이개부병소, 치근의 근접, 치아파절, 구치의 근심경사 등의 치료를 위해 교정치료가 이용될 뿐만 아니라, 치주염에 의한 병적 치아 이동(pathologic tooth migration)의 결과 치아 사이가 벌어지거나 정출되어 있는 환자를 심미적인 치아배열과 미소를 가진 환자로 바꿀 수 있다. 즉, 심한 치주질환이 있는 환자를 치료할 때는 교정치료를 치료계획 속에 포함시켜야 하며, 이는 교합관계, 심미성, 저작 시의 편안함을 증진시키기 위하여 꼭 필요하다.

대부분의 경우 교정치료는 간단한 방법으로 행해질 수 있으나, 치료 전에 정확한 분석과 치료계획 수립이 선행되어야 한다. 이러한 분석 없이는 간단한 치아 이동에도 여러 부작용이 뒤따를 수 있다. 또, 보통의 교정치료와 달리 환자가 성인이라는 점도 반드시 교정치료 전부터 고려되어야 한다.

1. 치주환자에 있어 교정 치료의 이점

① 부정교합의 상하악 치아들을 올바른 위치로 배열함으로써 치아의 청결을 용이하게 하여 치주염에 이환되기 쉬운 환자나 구강위생을 관리하기 어려운 환자들에게 도움이 된다.

② 수직적 치아 이동으로 일정한 골결손부를 개선시켜 삭제형 골수술(resective osseous surgery)의 필요성을 줄일 수 있다.

③ 수복치료를 하기 전에 교정치료를 통해 상악전치부의 치은변연(gingival margin)의 높이를 심미적으로 개선할 수 있다.

④ 파절이 심한 치아를 강제맹출(forced eruption)시켜 수복물의 유지(retention)를 개선할 수 있다.

⑤ 상악전치부에 심미적이지 못한 치간공극(gingival embrasure)이 있는 경우 교정치료, 치아형태 변경, 수복치료 등을 통해 보다 심미적인 치간유두로 회복시킬 수 있다.

⑥ 치아가 상실된 지 오래되어 이동했거나 경사진 인접치아를 임플란트나 수복치료 전에 적절한 위치로 바로 잡을 수 있다.

2. 치주환자에서의 교정 치료의 목표

치주 지지가 감소된 환자에서 교정치료는 포괄적이거나 보조적일 수 있다. 전자의 경우 치료의 목표는 치열과 안모의 심미성을 향상시키고, 안정적이면서 정적/동적인 1급 교합을 달성하는 것이다. 하지만 성인환자의 여러 한계점으로 인해 이상적인 1급 교합을 목적으로 하는 것은 부적절할 수도 있으며 여러 분야의 치료가 필요한 환자에선 과잉 치료로 간주될 수도 있기에 치주교정을 필요로 하는 대부분의 성인환자들의 치료는 보조적인 목표를 달성하도록 이루어진다. Tulloch가 제시한 보조적인 치주교정의 목적은 다음과 같다.

① 좀 더 이상적이고 보존적인 기법을 사용할 수 있도록 치아를 배열함으로써 수복치료를 손쉽게 한다.

② 치아 주변의 치조능 형태를 개선하고, 치태를 제거함으로써 치주 건강을 개선시킨다.

③ 치아 장축으로 교합력이 전달되도록 양호한 치관 대 치근의 비율을 만들고 치아를 배열한다.

3. 치료계획

1) 포괄적인 초기치료계획

치료계획을 세우기 전에 모형, 사진촬영, 구강내 방사선촬영과 같은 기록수집과 치태지수, 치은지수, 치주낭 깊이, 임상적 부착상태와 같은 치주임상검사를 철저히 해야 한다. 그리고 치료계획 내에는 다음과 같은 것이 포함되어야 한다.

- 치료목적
- 치료의 소기목적을 달성할 수 있는 가능성과 방법
- 수정치료시기(corrective therapy phase)와 치주상태
- 요구되는 기능적 및 심미적 개선점
- 치열의 안정성과 예후

2) 치주질환의 치료

교정치료 전에 치석제거술/치근활택술, 치주판막술 및 치은이식술 등을 통해 파괴적인 치주질환은 조절되어야만 한다. 그 후 염증 해소와 조직 치유를 위해 4~6개월 정도의 시간이 필요하다. 일부의 수술 술식은 교정적 치아 이동 전에 선행되어야 하는데 그 중 하나로 치아의 이동을 방해하는 과증식된 치은의 제거를 들 수 있다. 또 치근이개부와 골내 결손부에서의 비지지골 재형성은 치주건강을 회복하기 위한 수술적인 과정의 일부로 시행할 수 있다. 하지만 외과적 치주낭 제거(surgical pocket elimination)나 골수술(osseous surgery)은 교정치료 후로 연기되어야 하는데, 그 이유는 교정적 치아 이동 기간 동안 상당한 정도의 연조직과 골의 재형성이 일어나기 때문이다(그림 40-1).[1]

이런 준비 기간 동안 환자의 교정치료에 대한 열의와 구강위생 관리 능력 역시 평가되어야 한다. 환자의 동기 부여가 부족한 경우에는 치주 교정 치료로 좋은 결과를 얻을 수 없다.

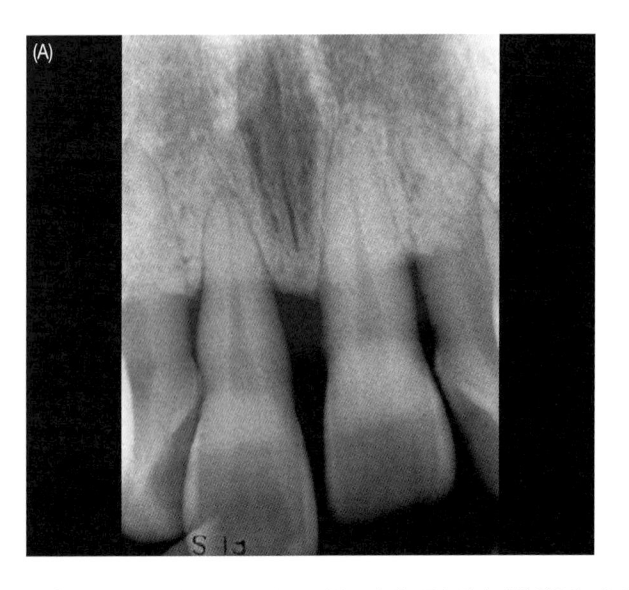

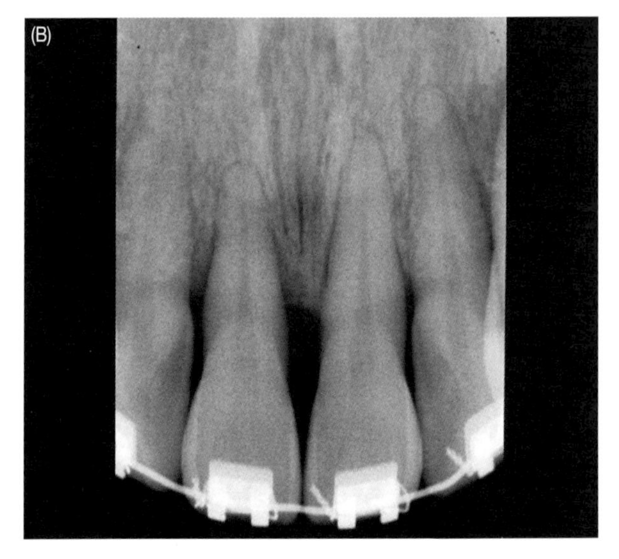

그림 40-1. 상악우측 중절치의 경우 교정치료 전 치조골 높이가 전체 치근의 1/3 정도 밖에 되지 않았으나, 교정치료 후 치조골 높이가 증가하였다.
(A) 교정 치료 전 (B) 교정 치료 후

3) 교정치료(교합형성)

(1) 장치의 선택

일반적으로 교정치료에서 고정원으로 사용되는 치아들은 치아 이동 중에 경사이동(tipping) 되어서는 안 된다. 이 원칙은 특히 치주질환에 이환된 환자에서 고정성 교정장치(fixed appliance)를 선택해야 하는 이유가 된다. 폭이 치관 폭경의 반 정도인 22–slot edgewise appliance가 추천되는데 이 장치를 사용함으로써 협설 경사(buccolingual inclination)의 조절이 용이해지고 원치 않는 회전, 경사이동을 막을 수 있고, 좀더 굵은 안정화 호선(stabilizing wire)을 사용할 수 있다.

심미적인 이유로 고정성 장치보다 가철식 장치를 선호하는 환자들이 많은 편이나, 가철식 장치는 단순한 경사이동으로 치아를 움직이며 치아의 정확한 위치 조절이 어려워서 만족스러운 결과를 얻기 어렵다. 또 잘 설계된 고정성 장치에 비해 발음이나 저작 문제도 더 많이 유발하는 경향이 있고, 지속적인 힘이 아니라 간헐적인 힘이 적용되기에 효율도 떨어진다. 그러므로 대개의 치주교정 환자에서는 고정성 장치가 추천되며, 다만 상실치가 많아서 고정원으로 쓰일 치아의 절대적 수가 부족한 경우에는 경구개나 치조점막에서 지지를 얻을 수 있는 가철식 장치가 유용할 수 있다.

(2) 브라켓의 위치

모든 치아에 브라켓을 이상적인 위치에 부착하는 것은 이상적인 교합을 이루고자 할 때 필요하나, 보조적인 교정치료를 목표로 하는 경우에는 제한적인 치아 이동만 관련되기에 모든 치아의 위치를 바꿀 필요는 없다. 이런 이유로 이동을 원하는 치아에는 이상적인 위치에 브라켓을 부착하고 고정원에 속하는 나머지 치아에는 호선이 수동적으로 들어갈 수 있도록 slot의 배열을 맞추어 부착한다.

4) 최종적인 보철/치주치료

교정치료가 끝난 후 보철치료가 필요 없는 경우라면 기능적 안정성을 확실히 하기 위해 교합조정을 해주어야 한다. 또한 경우에 따라서 교정치료 전에 고려되었던 외과적 치주낭 제거 및 골수술을 시행한다. 교정치료 후로 연기하였던 금관, 고정성계속가공의치, 가철식 의치 등의 제작은 치아이동 완료 후 3~4개월 후에 최종 치주평가를 한 후 시행하도록 한다. 이 시기에 이동되었던 치아의 주위골 생성이 완료되므로 교정치료 직후 보철물 제작은 서두르지 않는 것이 좋다.

5) 유지

치주인대의 주섬유(principal fiber)나 새로이 형성된 치조골의 다발골 내의 샤피섬유는 수개월 후까지 재배열을 하고 있다. 또, 상치조골 섬유(supra alveolar fiber)와 횡중격섬유(transseptal fiber)도 매우 천천히 변화한다.[2] 따라서 교정치료에 포함된 조직구조가 적절한 재배열을 이루는 데 충분한 시간이 필요하다.[3] 특히 성인의 유지기간은 보통 길게 잡는데, 이는 기계적 자극에 대한 치주조직의 반응이 감소되어 있기 때문이다.

조직의 재구성이 진전되고 있는 한 재발에 대한 위험은 상존한다. 따라서 종종 영구고정장치의 필요성도 생각해 볼 수 있다. 그래서 교정치료를 하기 전에 환자와 유지 기간에 대해 필히 논의를 해야 한다.[4–6]

어린이나 십대 환자의 교정치료에는 재발방지를 위해 과조정(overadjust)하는 것이 추천된다. 그러나 재발에 대한 과조정의 정도를 산출하기란 그리 쉬운 일이 아니다. 성인에서는 과조정이 별로 좋지 않은데, 특히 치주조직이 좋지 않은 환자에서는 더욱 그러하다.

유지장치는 가철식 유지장치, 임시유지장치(temporary retainer), 반영구 고정식 유지장치(semi–permanent retainer) 등 종류가 다양하며, 가능한 치아에 적은 힘을 가하고 구강위생 술식이 가능하게끔 설계되어야 한다.

가철식 유지장치의 사용 시에는 환자의 협조가 꼭 필요하다. Reitan의 실험에 의하면 장치를 제거하고 5시간 이내에 재발이 매우 많이 일어난다고 한다.[5] 그러므로 다소의 언어장애와 저작불편을 감수하고서라도 유지장치를 장착할 수 있어야 하며, 불편감 해소를 위해 밤에만 끼는 것은 유지 기간만 길어지는 결과를 빚게 된다.

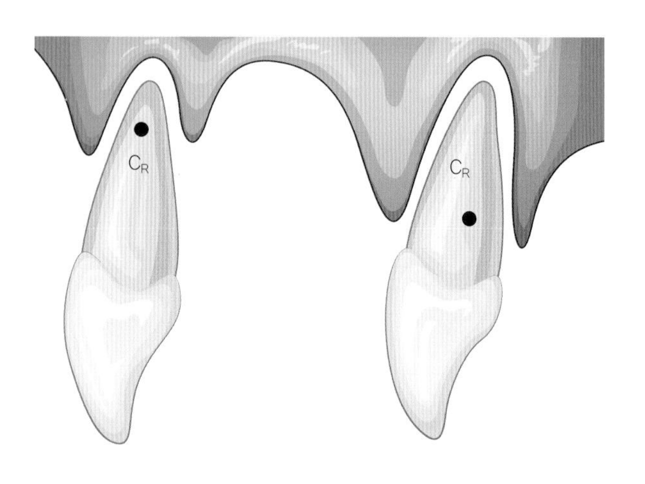

그림 40-2. 치조골의 높이가 달라짐에 따른 저항 중심의 위치변화(Center of rotation, CR)

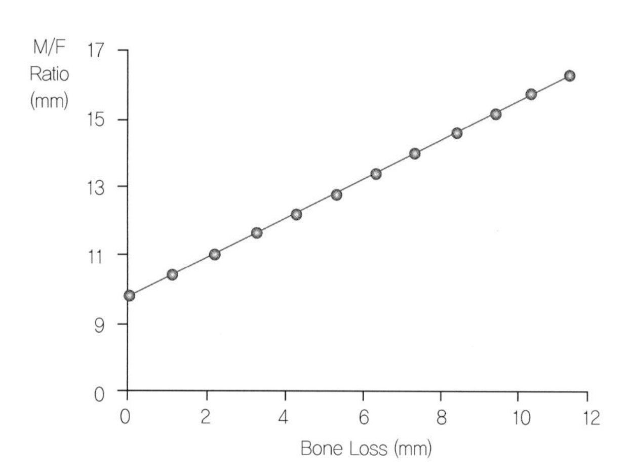

그림 40-3. 치체 이동을 얻기 위해서는 치조골의 높이가 감소함에 따라 모멘트-힘 비율의 증가가 필요하다.

4. 감소된 치주조직에서의 교정적 치아이동

치주지지 조직의 감소는 교정적 치아이동에 몇 가지 문제를 일으킬 수 있다. 우선 고려해야 할 사항은 치조골의 높이와 저항중심의 위치관계이다. 이 둘은 직접적인 비례관계를 가지기에 치조골의 지지가 감소할수록 저항 중심은 치근첨으로 이동하게 된다(그림 40-2).[7]

이는 치체이동(bodily movement)보다는 경사이동(tipping)을 쉽게 일으킬 수 있으므로 원하는 치아 이동 형태를 이루기 위해서는 치조골소실량에 따라 교정치료 중에 강해지는 힘의 강도와 적용방법을 고려하여 적절한 모멘트/힘 비율을 조절해야 한다. 또 치주환자는 부착소실로 인해 치주인대의 면적이 좁아진 상태이다. 따라서 사용되는 힘의 크기는 건강한 치주조직을 가진 환자에서 보다 적어야만 한다. 즉 치주조직의 소실이 일어났더라도 치아 이동은 가능하나, 적은 힘과 상대적으로 더 큰 모멘트가 필요함을 주지해야 한다(그림 40-3).[7]

전반적인 치조골소실 외에도 골연하 치주낭(infrabony pocket) 또한 주의를 요하는 상황이다. 대부분의 골연하 치주낭은 치주염에 의해 생기지만 교정력에 의한 치아의 경사나 치태에 노출된 치아의 압하(intrusion)에 의해서도 일어날 수 있다. 즉 치은연하 염증을 제거한 후 골연하 결손부로 치아를 이동시키면 골연하 치주낭이 제거된다.[8] 그러나 치태가 잔존한 상태나 염증이 있는 상태에서 치아를 이동시키면 치주조직의 파괴가 가속화될 수 있기에 교정치료 전의 치주치료에 각별한 주의를 기울여야 한다.[9]

5. 보조적인 교정치료 (Adjunctive orthodontic treatment)

1) 경사된 구치의 직립(Molar uprighting)[10]

경사된 구치는 대부분 바로 인접 부위에서 치열궁 완전성의 상실에 의한 것이다. 발치가 가장 흔한 이유이나 인접면 우식증이나 이소성 맹출도 요인이 될 수 있다. 하악 제2대구치가 가장 많이 이환되며 하악 제3대구치, 하악 제2소구치나 동명의 상악치아도 관련될 수 있다.

경사된 하악 제2대구치의 처치방법은 그 위치를 확인하고 주의관찰하거나, 교정적 직립 후 보철치료, 또는 직립 후 근심 이동을 통한 공간폐쇄 등 크게 세 가지로 나누어 생각할 수 있으며, 구치 직립의 장점으로 평행한 삽입로와 단순화된 지대치 형성, 개선된 가공치(pontic) 설계, 근심 치주 병소의 제거 또는 감소, 골내 치주낭의 감소, 그리고 치관 대 치근 비율의 개선 등을 들 수 있다(그림 40-4, 5).

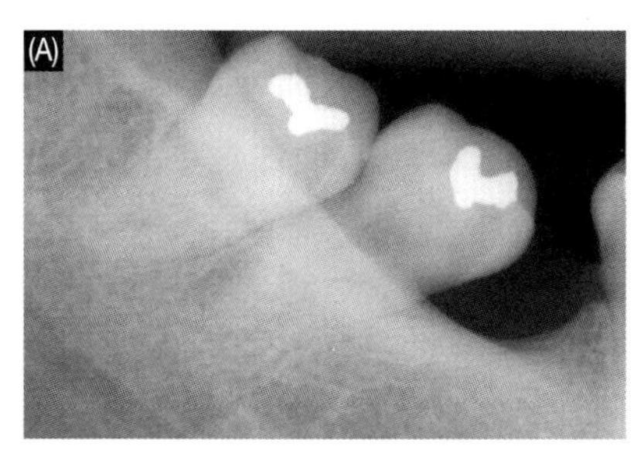

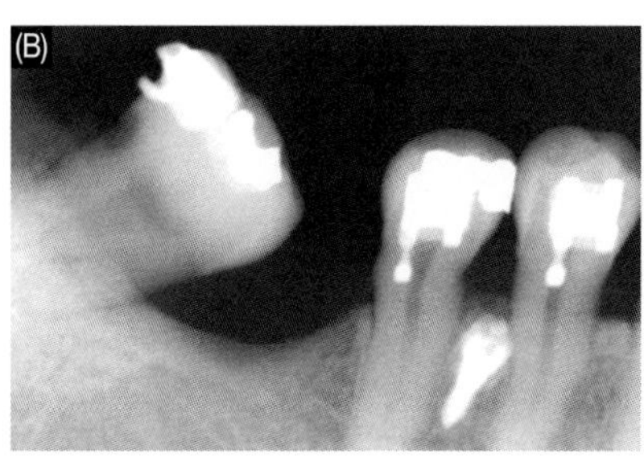

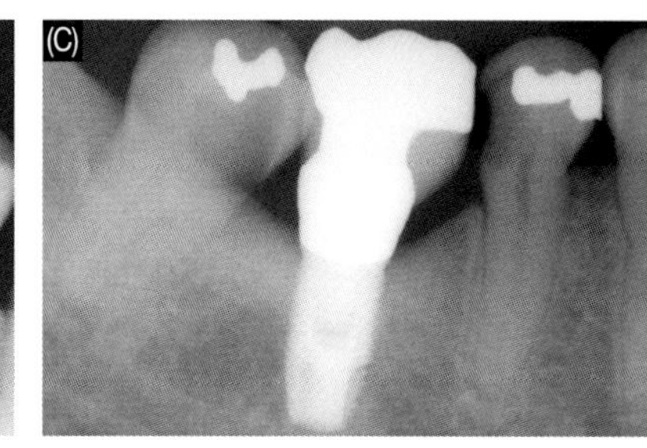

그림 40-4. 경사된 구치의 직립
하악 우측 제1대구치 상실 후 근심 경사된 제2대구치에 의해 가공치(pontic) 공간이 부족하며 제2대구치 근심으로 수직 골결손이 관찰된다. 구치 직립 후 보철하기 적당한 공간이 형성되었으며 근심의 골파괴 부위도 치유되고 있는 것이 관찰된다.
(A) 치료 전 (B) 구치직립을 위한 교정장치 장착 후 (C) 치료 후

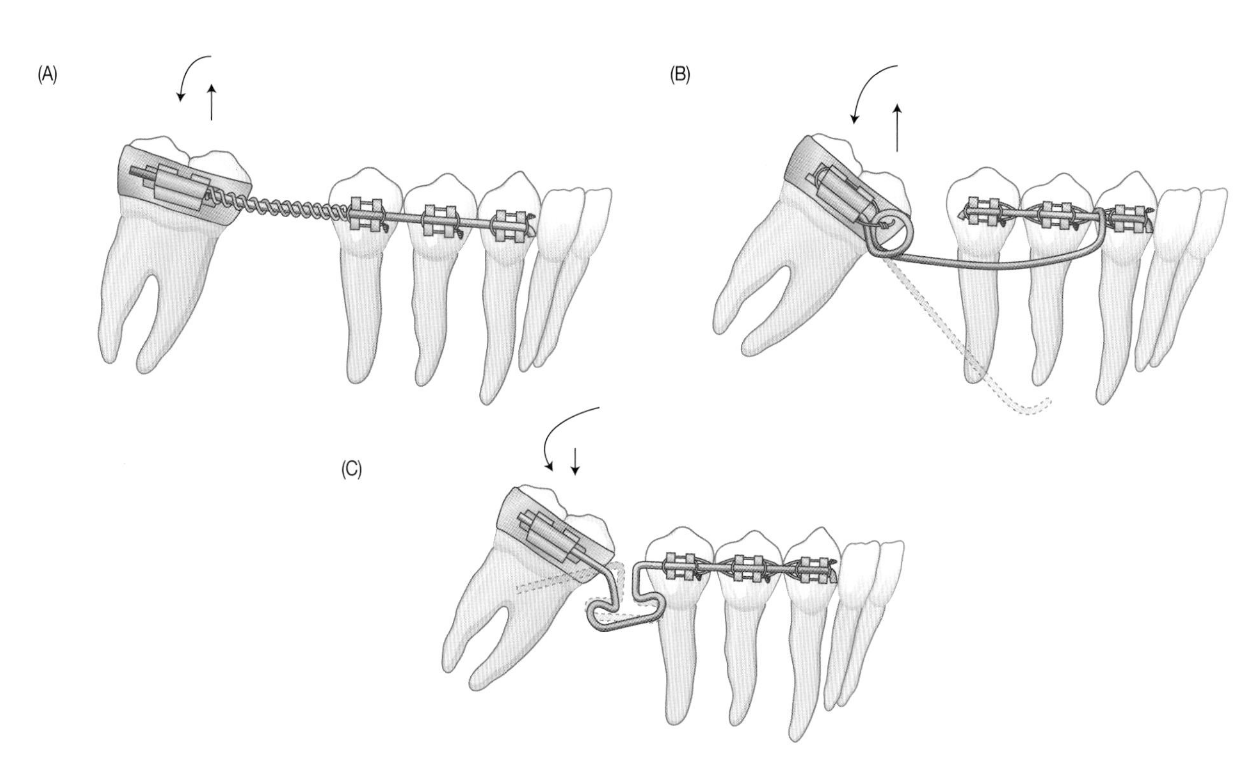

그림 40-5. 구치 직립에 사용되는 여러 장치들

2) 강제 맹출술(Forced eruption)

이 술식은 경도의 힘을 이용하여 수직면에서 맹출 중인 치아를 교정적으로 정출시키는 것으로, 치관파절이나 치경부 우식이 있는 경우에 외과적 임상 치관 연장술에 대한 대안으로 사용되거나 일벽성 또는 이벽성 골내낭을 가진 치아의 골결손부의 감소 및 제거를 위해 사용될 수 있다(그림 40-6)[11].

치아를 강제적으로 맹출시키면 치은섬유와 치주인대 섬유가 장력을 받아 치은과 치조골이 치관쪽으로 움직이게 되어, 치은변연부가 치관 쪽으로 이동하게 된다.[12] 하지만 점막치은 경계는 이동하지 않기에 결과적으로 부착치은의 폭경이 증가하고, 치조골의 높이가 증가하게 된다. 이를 통해 삭제형 골수술의 필요성을 감소시킬 수 있고, 만약 발치가 필요한 상태였더라도 이 술식을 통해 발치

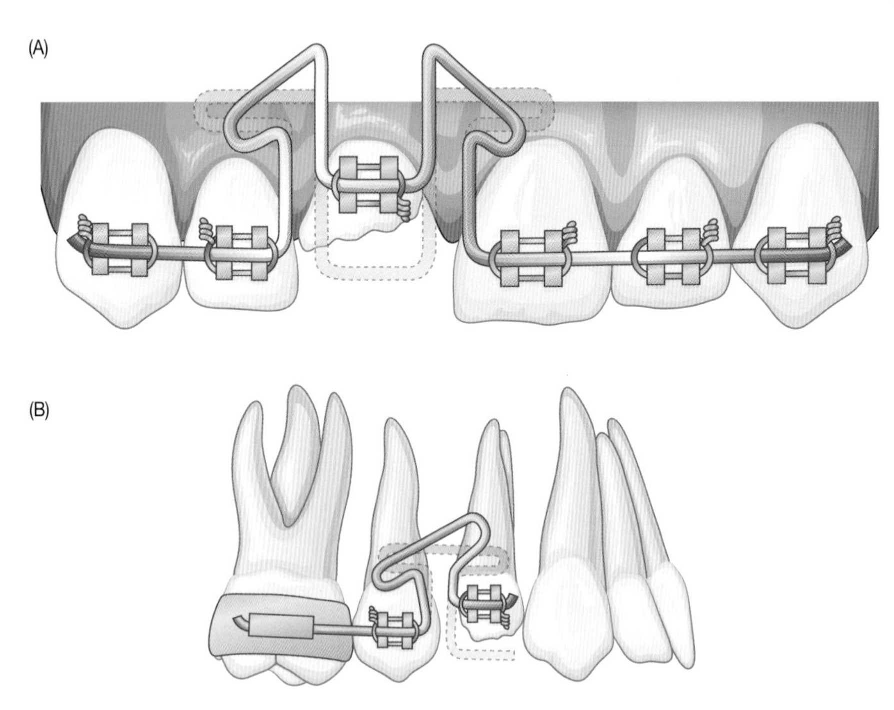

그림 40-6. 강제 맹출술의 예

후의 치조골 흡수를 최소화 할 수 있다.

임상 치관 연장이 필요한 경우, 치아와 함께 치은 및 치조골이 이동함에 따라 외형적인 치관 길이의 증가가 없는 경우도 있으며, 이런 경우에만 2차적인 수술을 통해 치은과 치조골을 필요한 만큼 제거하여 인접치와 조화되는 치은, 치조골의 높이 및 치관 길이를 얻을 수 있게 된다.[13]

3) 이동된 전치의 처치

치주염의 진행에 의한 병적치아이동은 치조골의 약화와 치아에 가해진 부적절한 힘에 의해서 일어날 수 있다. 병적치아이동은 구치부에서도 일어날 수 있지만 주로 전치부에서 일어나며 일반적으로 치아동요도 및 회전을 수반한다.[14] 가능한 초기에 발견하여 원인요소를 제거하면 심하게 진행되는 것을 차단할 수 있다.

임상적으로 상하악에서 치주염의 진행 정도에 따라 6전치에 국한되지 않은 치간이개 현상이 자주 관찰되며 견치와 제1소구치 사이에 빈번하다. 특히 제1대구치를 발거한 상태로 보철치료를 하지 않고 방치하게 되면 수직고경 감소, 소구치의 후방 경사, 전방 수직피개 교합이 깊어져 치은에 상처를 줄 수 있고, 결과적으로 상악 절치들은 순측 및 측방으로 밀려나 치간이개를 나타내게 된다.

치주질환이 있는 환자에게서 치아의 견인을 위한 과도한 경사이동은 치관의 길이를 늘리므로 추천되지 않는다. 즉 상악전치의 견인 전에 피개교합(deep bite)이 다루어져야 하며 관련된 역학은 환자의 연령과 피개교합 정도에 달려 있다.

치주조직의 염증에 의해 일어난 병적치아이동 vs. 병적치아전위의 경우 치주치료만으로도 해결되는 것을 종종 관찰할 수 있다. 병적 치아 이동은 대개 치주조직파괴가 가장 심한 부위와 반대 방향으로 일어나며, 염증 치료 후 치유과정 중 창상의 수축(wound contraction)에 의해 초기 치주낭 깊이가 가장 깊었던 부위로 치아가 이동함으로써 치간이개의 양이 감소하거나 완전 해소되는 것을 볼 수 있다(그림 40-8).

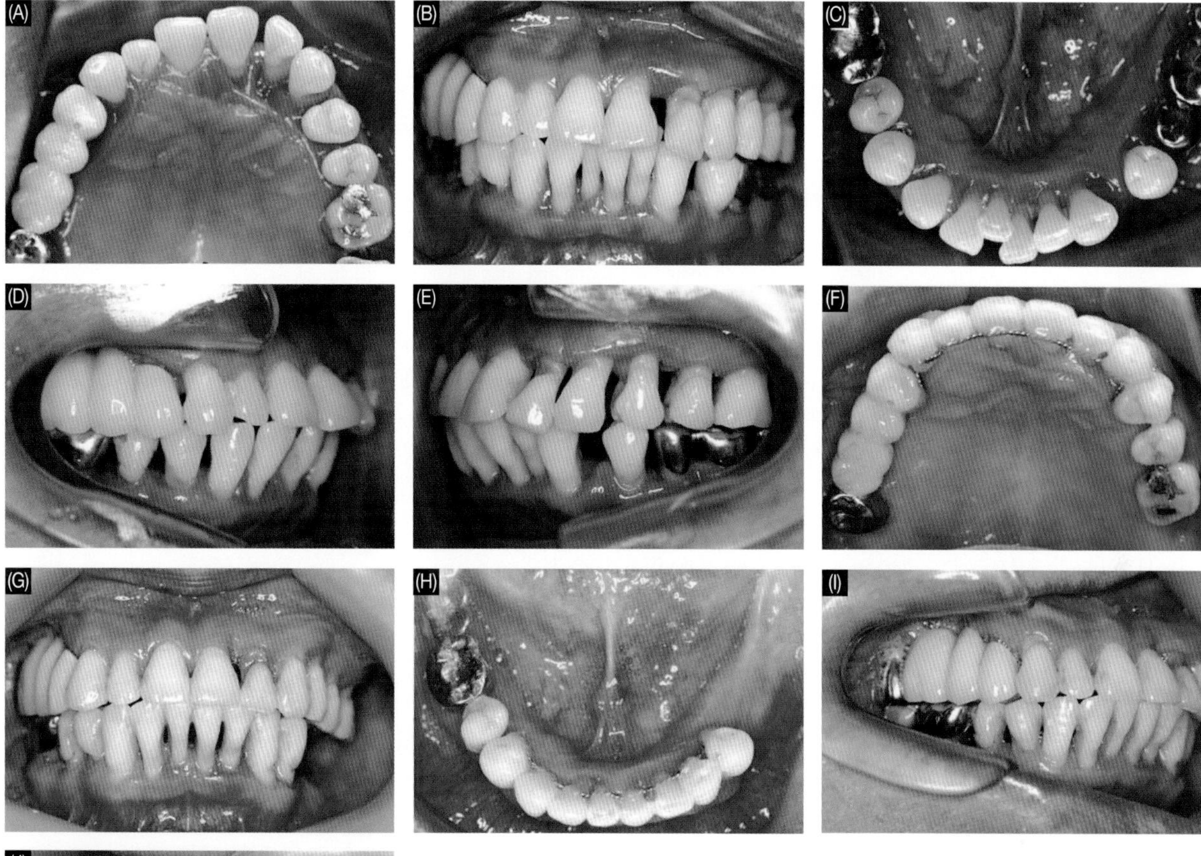

그림 40-7. 병적치아이동의 치료 예

(A)~(E) 치료 전, (F)~(J) 치료 후 치간 이개가 줄어들었고 전반적인 치아배열이 개선되었다.

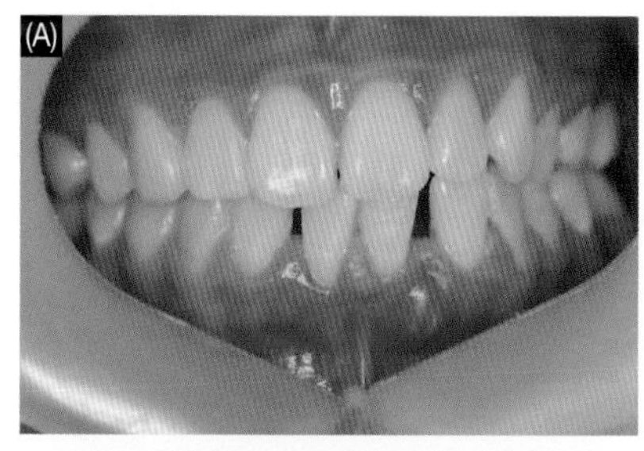

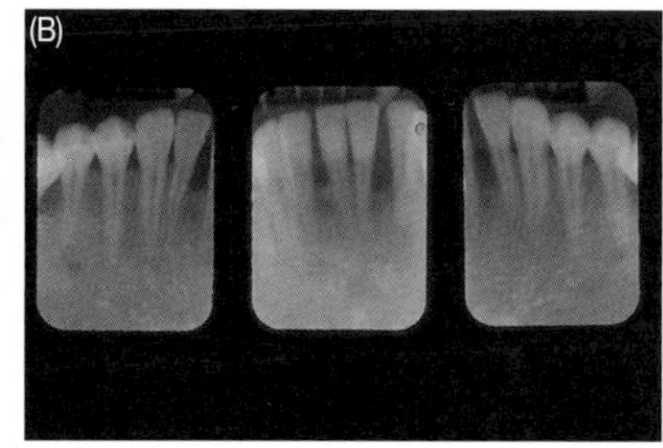

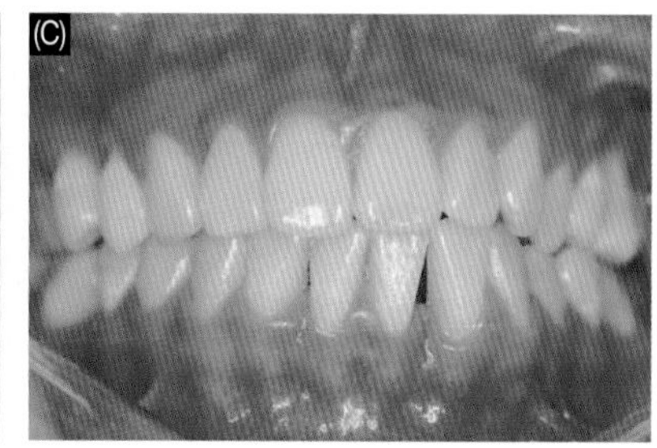

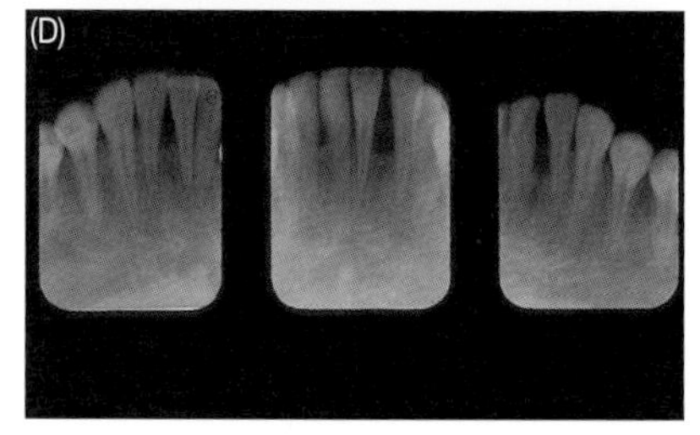

그림 40-8. 자발적인 치아이동

(A, B) 치료 전 (C, D) 치료 후 치주치료 전에 존재하던 하악전치 사이의 치간 이개 양이 치주치료만으로 감소되어 교정치료의 필요성이 없어졌다.

참고문헌

1. T. B. Infrabony pockets and reduced alveolar bone height in relation to orthodontic therapy. Sem Orthod 1996;2:55-61.
2. Batenhorst KF, Bowers GM, Williams JE, Jr. Tissue changes resulting from facial tipping and extrusion of incisors in monkeys. J Periodontol 1974;45:660-668.
3. Boese LR. Fiberotomy and reproximation without lower retention, nine years in retrospect: part I. The Angle orthodontist 1980;50:88-97.
4. K. R. Tissue rearrangement during retention of orthodontically rotated teeth. The Angle orthodontist 1959;20:106.
5. Reitan K. Clinical and histologic observations on tooth movement during and after orthodontic treatment. American journal of orthodontics 1967;53:721-745.
6. Reitan K. Principles of retention and avoidance of posttreatment relapse. American journal of orthodontics 1969;55:776-790.
7. Ericsson I, Thilander B, Lindhe J, Okamoto H. The effect of orthodontic tilting movements on the periodontal tissues of infected and non-infected dentitions in dogs. Journal of clinical periodontology 1977;4:278-293.
8. Polson A, Caton J, Polson AP, Nyman S, Novak J, Reed B. Periodontal response after tooth movement into intrabony defects. J Periodontol 1984;55:197-202.
9. Trosello VK GA. Orthodontic treatment and Periodontal status. J Periodontol 1979;50:665.
10. IS. B. The effect of orthodontic therapy on certain types of periodontal defects (1) Clinical findings. J Periodontol 1973;44:742.
11. Ingber JS. Forced eruption. I. A method of treating isolated one and two wall infrabony osseous defects-rationale and case report. J Periodontol 1974;45:199-206.
12. Ingber JS. Forced eruption: part II. A method of treating nonrestorable teeth--Periodontal and restorative considerations. J Periodontol 1976;47:203-216.
13. Kessler M. Interrelationships between orthodontics and periodontics. American journal of orthodontics 1976;70:154-172.
14. Lee JW, Lee SJ, Lee CK, Kim BO. Orthodontic treatment for maxillary anterior pathologic tooth migration by periodontitis using clear aligner. Journal of periodontal & implant science 2011;41:44-50.

기타 참고문헌

- Brain WE. The effect of surgical transsection of free gingival fibers on the regression of orthodontically rotated teeth in the dog. American journal of orthodontics 1969;55:50-70.
- Edwards JG. A study of the periodontium during orthodontic rotation of teeth. American journal of orthodontics 1968;54:441-461.
- Edwards JG. A surgical procedure to eliminate rotational relapse. American journal of orthodontics 1970;57:35-46.
- Kozlovsky A, Tal H, Lieberman M. Forced eruption combined with gingival fiberotomy. A technique for clinical crown lengthening. Journal of clinical periodontology 1988;15:534-538.
- Atherton JD. The gingival response to orthodontic tooth movement. American journal of orthodontics 1970;58:179-186.
- Chasens AI. Indications and contraindications for adult tooth movement. Dental clinics of North America 1972;16:423-437.
- Ericsson I TB, Lindhe J. Periodontal conditions after orthodontic treatment The Angle orthodontist 1978;48:210.
- Ericsson I TB. Orthodontic forces and recurrence of periodontal disease. American journal of orthodontics 1978;74:41.
- Kloehn JS, Pfeifer JS. The effect of orthodontic treatment on the periodontium. The Angle orthodontist 1974;44:127-134.
- Sadowsky C, BeGole EA. Long-term effects of orthodontic treatment on periodontal health. American journal of orthodontics 1981;80:156-172.
- Reitan K. Biochemical principles and reactions. In Current Orthodontic Concepts and Technique, ed. Graber and Swain, 2nd ed. Ch. 2. Philadelphia: W.B. Saunders Co. 1975.

PART 02

특수치료

CHAPTER 41

노인치주학

이재목 · 설양조

노화는 성숙한 유기체의 제반기능이 시간경과에 따라, 때로는 시간과는 별개로 비가역적으로 소진해가는 과정이다.[1] 인간의 노화를 말할 때는 생물학적, 심리적 및 사회적 관점 등으로 구분해서 생각하는 것이 바람직하다. 왜냐하면 노화과정은 이들 세 부분이 대개 일치해서 일어나기도 하지만 그렇지 않은 경우도 흔하기 때문이다. 생물학적 연령은 잔여수명을 의미하고, 심리적 연령은 개인의 행동 적응력을, 그리고 사회적 연령이란 특정 연령층에서 개인이 속한 집단이나 사회 내의 구성원으로 수행하는 역할을 말한다.

노인이란 노화과정이 상당히 진행된 사람이라고 말할 수 있다. 노화과정이 모든 사람에게 같은 속도로 진행하지는 않기 때문에 보통 노인이라고 말할 때는 65세 이상의 사람들을 의미한다. 노인병학 문헌에 나타난 바에 의하면 기능에 따라 노화정도를 다음과 같이 분류한다.[1]

① 기능적으로 의존적인 노인(질환이나 장애로 인하여)
② 허약하며 수용시설에 수용된 노인
③ 비교적 젊은 노인, 65세에서 70세까지(건강하며 정력적)
④ 노인, 75세에서 85세까지
⑤ 아주 늙은 노인, 85세 이상

본 장에서는 인구통계학적인 면과 노화의 원인, 노화에 따른 신체적 변화, 노인의 심리–사회학적 측면 및 노년기의 정신질환을 알아보고 노인환자에 있어서의 치주질환의 진단과 처치에 대하여 변화시켜야 할 사항과 주의사항들을 포함하여 살펴보았다. 치과치료는 환자가 상기 분류 중 어느 범주에 속하는가에 따라 혹은 이에 따른 심리적 및 감정적 상태여부에 따라 좌우된다.

1. 인구통계학

우리나라 노인인구는 국민소득의 증대, 생활환경의 향상, 건강에 대한 관심도 증가 등으로 인한 국민평균수명의 대폭적인 증가에 힘입어, 미국 등 여타 선진국에서와 마찬가지로 폭발적으로 증가되고 있다. 통계청 발표에 따르면 1960년 우리나라의 평균기대수명은 55.3세에 불과하였으나, 2008년에는 80.1세로 크게 증가하였다. 2001년도 우리나라 남성은 72.84세, 여성은 80.01세로 처음으로 여성평균수명이 80세를 넘었다. 이에 따라 65세 이상 노인인구는 1960년의 경우 약 73만명으로 전체인구의 약 2.9%에 불과하였으나, 1990년에는 214만명, 2000년에는 전체인구의 7.2%를 차지하여 유엔이 정의한 고령화사회(65세 이상이 7% 이상~14% 미만)에 이미 들어선데 이어, 2018년에는 65세 이상의 비율이 14.3%로 늘어나 고령사회(14% 이상~20% 미만)가 되고, 2026년 20.8%로 초고령사회(20% 이상)가 될 것으로 전망된다.[2]

한편 미국국립건강통계국은 치과관련 통계자료에서

무치악환자의 수는 감소하였으나 치과 진료를 받는 횟수는 과거와 비슷하며 보존 및 예방적 치료를 바라는 노인 환자의 수가 증가되었다고 보고하였다. 또한 과거에 비하여 노인들의 치은퇴축량이 크게 증가하였으나 평균치주낭 깊이와 평균부착상실 정도, 심각한 치주질환의 빈도는 감소하였다고 발표하였다.[3] 이는 노인들의 치주상태가 과거에 비하여 향상되었다는 것을 의미한다. 노인의 치주질환 유병률은 감소하고 있는 것으로 나타났으나 인구집단에 따라 큰 차이가 있고, 75세 이상의 노인은 65~74세의 노인보다 심각한 치주질환에 이환된 비율이 높다.

우리나라의 경우 2006년도 연구에서 65세 이상 노인의 자연치아 수가 17.2개로 2003년 조사의 12.1개보다 많은 것으로 조사되었으나 치주관련질환은 92~95%에서 나타났다고 보고되었다. 자연치아 수는 늘었지만, 치주치료가 필요한 경우가 49.7%이고 환자의 저작불편감 호소율이 53%에 이르고 있어 앞으로 이에 대한 치과치료의 요구도 증가할 것으로 예상된다.[4]

노화와 치주질환에 대한 역학연구를 살펴보면 노인에서 치주질환이 나타나는 빈도와 미래의 경향에 대한 의견은 아직 논란의 대상이 되고 있다. 노인에 있어서 무치악 빈도가 점차 감소되고 있음은 조사결과 밝혀졌으나, 이로 인해 치아가 구강 내에서 유지되는 시간이 길어짐에 따라 노인에게 있어서 치주질환이 증가될 가능성이 있다는 사실에 대해서는 별 다른 연구가 되어 있지 않다.[5,6] 젊은이에게서보다 노인에 있어서 상실치가 증가한다는 것은 명백하나 치은염과 진행된 치주염의 발생빈도는 반드시 일정치 않다. 노인은 연령증가에 따른 치근면마모, 치은퇴축, 타액분비저하, 인지장애로 인하여 치태조절에 어려움을 겪는데, Peterson은 노인의 치주질환이 불량한 구강위생과 밀접하게 관련이 있다고 하였다.[7]

65세 이상 유치악 환자의 95% 이상이 치주질환을 가지고 있다. Douglass 등에 따르면 향후 남은 20세기 동안은 노인인구 중 전문적인 치주치료를 받고자 하는 요구가 계속 증가할 것이나 오늘날의 젊은이들이 보다 나은 구강상태를 노년까지 유지한다면 2010년 이후에는 진행된 치주염을 가진 노인의 비율이 감소하기 시작할 것이라고 주장하였다.[8] 그러나 다른 학자들은 현재의 젊은이들이 과거에 비해 좋은 구강건강 상태를 유지하고 있지만 이들이 노인이 된 미래에도 치주치료를 요하는 수효는 계속 증가할 것이라고 믿고 있다. 치은퇴축, 치은부착의 상실 및 잔존치아의 감소 등은 생물학적인 연령(biologic age)과 더 밀접한 관계를 맺고 있으나 연대적 나이(chronologic age)에도 깊은 관계가 있다고 알려져 있다. 그러므로 노인 치주질환의 성질에 대해서 뿐만 아니라 노인들의 치주치료 수요에 대해서도 더 많은 연구가 있어야 할 것이다.

2. 노화의 원인

1) 적응론(Adaptation theory)

노화현상의 유발 원인에 관하여 여러 의견들이 있다. 그중에서 노화란 외계에 적응하는 능력 즉 adaptation energy의 소모에 의하여 야기된다는 주장이 널리 받아들여지고 있다. 스트레스를 계속 받게 되면 생체는 더 반응을 못하게 되고 노화되고 만다는 것이다.

2) 마모론(Wear and tear theory)

마모이론은 살아있는 유기체도 기계와 같다는 이론이다. 그러나 기계는 복구기전이 없기 때문에 계속 사용하면 부품들이 마모되고 결국은 정지하게 마련이지만 인체에는 새로운 세포가 늙은 세포를 대치하고 중추신경계에서도 새로운 세포가 재생되진 않지만 세포 내에 대사가 존재하기 때문에 기계와는 다르다. 최근의 마모이론은 DNA에 집중되어 체세포 돌연변이가 축적됨으로써 노화가 일어난다고 한다. 달리 표현하면 연령이 증가할수록 체세포에서는 유전적 손상이 많아져 점차 제대로 기능을 발휘하지 못한다는 뜻이다. 수명이 긴 종(species)일수록 체세포의 DNA 손상을 예방하고 복구하는 기전이 그만큼 더 발달되어 있다.

3) 축적론(Accumulation theory)

축적이론에 따르면 세포의 노화와 노쇠(senescence)는 해로운 물질들이 체내에 축적되기 때문이다. 연령이 증가함에 따라서 lipofuscin 입자들이 신경세포와 심장근섬유에 축적된다는 보고가 있으나 이 물질이 실제 세포에 유해한 노화물질인가에 대해서는 의문의 여지가 많다.

4) 기타

이외에도 유리기 이론(free radical theory), 교차결합이론(cross-linking theory), 노화의 프로그램 이론(programmed aging), 체세포 돌연변이-방사능 조사(somatic mutation-radiation) 이론, 착오이론(error theory) 등이 있다.

3. 노화에 따른 신체적 변화

연령증가에 따른 장기기능의 변화는 모든 장기에서 일어나고(universal), 점진적으로 진행하며(progressive), 비가역적이며(irreversible), 또 내용은 유기체에 유해한(detrimental) 것이다.

키는 40대에 줄어들기 시작해서 일생 동안 2~5 cm 정도 줄어드는데 추간원판이 위축되기 때문이다. 50세가 지나면 수족과 안면에는 피하지방이 소실되고 반면에 복부와 둔부에는 축적된다. 근육은 감소하고 힘도 떨어진다. 골격계에는 재생보다는 소실이 더 우세해진다. 주름살은 증가하고, 두발은 빠지고 색깔도 회백화되며, 피하조직의 위축을 보인다. 큰 동맥들은 길이가 늘어나고 곡절(tortuosity)이 생긴다. 고령에서는 대부분의 장기 무게가 감소하나 예외적으로 심장과 전립선은 커진다.

65세가 되면 안정 시 심박출량은 25세 때에 비해서 30~40%가 감소한다. 폐활량도 감소하고 잔류폐용량은 평생 동안 2배로 증가한다. 80세가 되면 최고 수의성 환기는 20세의 절반 밖에 되지 않는다. 환기-관기결손(ventilation-perfusion defects) 때문에 휴지기 동맥혈 산소분압이 낮아진다. 신장의 무게와 신세포(nephrons)의 숫자는 일생 동안 대략 30~40%까지 감소한다. 그 결과 90세 때의 사구체여과율은 20세때보다 45%나 감소한다. 신혈장유통량의 감소는 이보다 더 심하다. 노화된 신장이라도 일상상태에서는 creatinine과 같은 대사산물들의 배설능력이 장애되지 않으나 수액이나 염용액의 다량 주사와 같은 외부 스트레스 때에는 떨어진다.

80대에는 뇌의 무게가 성인기의 5~10%까지 줄어든다. 대뇌반구의 부피는 50세 이후에는 매 10년마다 약 2%씩 줄어드는데 이 현상은 회백질보다 백질에서 더 현저하다. 신경세포의 수는 연령이 증가할수록 감소하지만 뇌의 모든 부위에서 획일적인 것은 아니다. 가장 심한 부위는 대뇌피질이고 최고의 소실은 60~90대 사이에서 일어난다. 뇌에서 일어나는 퇴행성 변화 중에서 대표적인 것은 노인반(senile plaques)과 신경섬유 뭉치(neurofibrillary tangles)이다.

4. 노화의 심리-사회적 측면

1) 노화에 따른 심리적 변화[9,10]

(1) 인지기능

지능의 감퇴는 20대부터 시작하여 60대가 되면 가속화한다. 그러나 지능은 단일한 것이 아니고 여러 가지로 구성되는데 연령에 따른 변화도 상이하다. 지능도 언어성 지능은 연령이 증가해도 비교적 안정되어 있으나 비언어적인 시·공간적 기술에 주로 의존하는 동작성 지능은 감퇴한다. 이것을 지능의 고전적 노화양상(classic aging pattern)이라 한다.

젊은이들은 자극에 대한 반응을 결정할 때 정확성보다는 속도를 중시하는 데 반해 노인들은 정확성을 더 중시하는 경향이 있기 때문에 반응을 결정하는데 시간이 많이 걸리고 따라서 중추신경계에서 반응을 결정하는 과정이 지연된다. 일반적으로 노인들은 지능의 저하, 기억감퇴, 정보처리의 둔화 및 사고의 경직성과 추상적 사고의 장애 등으로 인해서 문제해결이 젊은이들에 비해서 덜 성공적이다.

기억력이 감퇴된다는 것도 널리 인정되는 사실이지만 감각기억, 1차기억(즉각기억력), 3차기억(원격기억)은 분명한 장애가 관찰되지 않는다. 다만 2차기억(지연회상력)은 젊은이들에 비해서 장애가 분명하다.

(2) 성격변화

노년기에 들면 이기주의, 의존성, 내향성, 독단적 태도, 경직성, 조심성, 순응주의 등의 경향이 뚜렷해지고 위험부담을 피하려고 애쓰며, 결정과정은 지연되고 성취욕, 창조성, 희망 등은 점차 감소한다. 주위환경과의 관계에서 적극적이던 자세가 소극적인 대처 방식으로 전환되고 외부 지향적인 태도에서 내부지향적으로 변한다. 또 노인들은 젊은이들에 비해서 역할수행의 수준이 낮아져서 사회적 역할에 자아의 투자가 적어진다.

(3) 자기애(Narcissism)

노년기는 제2의 유년기라고 할 만큼 자신에 대한 정서적 유대가 강해져서 자기중심적으로 변하고 남에게 의존적으로 된다. 애정의 대상을 상실하거나 혹은 자존심의 손상을 받으면 자기애적인 발달단계로 퇴행한다. 심리적인 갈등 때문에 성숙된 방어기구가 파괴되고 부인, 대인관계 위축 등 보다 원시적인 방어기구가 동원된다.

(4) 인생의 반추(Life review)

죽음이 임박해 온다는 사실을 실감하고 과거를 회상하는 버릇이 생긴다. 과거의 경험들을 점차 의식하고 미해결됐던 갈등이 부활된다. 이런 갈등이 해결되면 자기인생에 대한 의미와 중요성을 새로이 깨닫게 되고 죽음에 대한 불안을 완화하는데 많은 도움이 되기도 한다. 반대로 살아온 인생에 대해 실망하고 거역할 수 없는 죽음에 항거해 보기도 한다.

2) 노화의 사회학

(1) 사회적 이탈(Social disengagement)

노인들은 정신적 능력감퇴나 신체적 건강문제 외에도 직업 정년이라는 사회제도 때문에 사회의 주류에서 밀려나게 되면서 대인관계가 줄어든다. 산업사회에서는 가족이나 친지들도 자기들의 사회적 역할에 따라서 각기 흩어져 살게 되므로 상호방문도 어렵다. 이러한 사회적 여건 외에도 노인들은 더욱 소극적이고 내향적으로 변하고 성취욕구가 감소하므로 외부 세계에 대한 관심이 줄어들고 내적 생활에 점점 몰두한다.

(2) 경제적인 면

직장에서 은퇴하고 과거에 누리던 각종 특권들을 박탈당하므로 경제적으로 궁핍해진다. 이것은 노인의 상당수가 여자이고, 대개는 수입이 없거나 매우 적은 상태이며, 사회가 존중해 주는 육체적, 정신적 능력을 상실했으며, 권력이나 권위의 중심적인 위치에서 밀려났기 때문이다.

(3) 격리(Isolation)와 고독(Desolation)

육체적 무능이나 사회적 이탈때문에 노인들은 동년배의 사람들과 격리된다. 또 문화적인 차이나 사회적인 이동 때문에 젊은 사람들과의 접촉도 줄어들게 된다. 이처럼 사회적 접촉이 감소하는 것을 격리라고 한다. 고독이라고 함은 오랫동안 정서적 유대를 맺고 있던 사람을 사별하고 난 뒤의 슬픔으로 해석될 수 있다.

(4) 사회적 책임의 감소

첫째, 가족부양을 위한 재산의 필요성이 감소하고, 둘째, 여자들은 주부로서의 책임이 줄어들며, 셋째, 지도자의 위치를 다음 세대에게 물려줌으로써 사회생활에 참여할 기회가 감소하고, 넷째, 노인들은 고루하고 무능력하다고 믿는 사회적 태도 등으로 말미암아 노년기의 사회적 책임은 격감한다. 사회적 책임의 감소는 노인들에게 재산, 권위의식, 권력 등을 박탈하기도 하지만 반대로 과거에 감당해야 했던 각종 부담으로부터 해방시켜 주는 긍정적인 효과도 있다.

5. 노년기의 정신질환

1) 치매(Dementia)

치매는 정신박약이 아닌 사람에서 의식이 청명한 상태에서 통상적인 사회활동이나 대인관계에 장애를 초래할 정도로 기억을 비롯한 여러 인지기능의 장애가 있는 상태이다. 중요한 증상들로써는 기억, 추상적 사고, 판단 및 고등 대뇌피질 기능들의 장애이다. 여기에 성격변화, 불면, 망상, 행동장애 등도 흔히 동반된다. 역학적 조사에서 중등도 내지 중증 치매의 유병률은 65세 이상에서 5~7%인데 연령 증가에 따라서 유병률은 급증해서 80세 이상에서는 20%에 이른다. 중등도의 치매라면 정상적인 사회활동은 물론 개인위생에 관한 일까지도 어느 정도 타인의 도움이 필요한 상태이다. 우리나라의 농촌지역에서 조사된 바에 의하면 남자에서는 8%, 여자에서는 19%가 치매를 가진 것으로 추산된다.

2) 섬망(Delirium)

섬망에서도 인지기능이 전반적으로 황폐화되나 치매와의 차이점은 의식의 장애를 동반한다는 점이다. 그리고 착각이나 환각과 같은 지각장애, 피해망상 등의 사고장애, 수면-각성 주기의 변화, 시간과 장소에 대한 지남력장애(disorientation), 정신운동성 활동의 증가나 감소, 기억장애 등이 동반된다. 증상들은 변동이 심해서 시간마다 다를 수 있고 낮보다는 밤에 더 심하다. 지역사회에서 섬망의 유병률을 조사하기는 어려우나, 내외과 병실에 입원된 노인환자들에서 섬망의 발생은 14~30%이다.

3) 우울증(Depression)

여기에서 우울증이라 함은 기질적 원인이 밝혀지지 않은 기능성 정신장애를 의미한다. 슬픔, 죄책감, 죽음이나 자살에 대한 집착, 허무감, 무력감 등 우울에 따른 정서적 증상뿐만 아니고 질병망상, 빈곤망상, 허무망상 등의 정신병적 증상도 있고 식욕감퇴와 체중감소, 수면장애, 정신운동성 초조나 지연, 변비, 성욕감퇴 등 신체적인 증상도 흔히 동반한다. 노년기 우울증의 특징은 신체적 호소가 많고 자살위험성이 높으며 인지기능 장애를 동반하는 경우가 흔한 것이다. 기능성 우울증에 치매증상이 동반할 때를 우울성 가성치매라 한다. 우울증은 노인들의 정신질환 중에서 가장 흔한 것이다. 지역사회 노인중에서 우울증의 유병률은 10~15%이나 주요 우울증의 유병률은 1.8~2.9%이다. 남자들보다는 여자들에서 훨씬 많다. 그리고 신체질환이 있는 노인은 특히 위험집단이다.

4) 조증(Mania)

조증상태의 환자들은 근거없이 기분이 좋고 모든 것이 잘 될 것으로 느껴진다. 돈도 과도하게 허비하고 되지도 않을 사업에 거액을 투자하기도 한다. 행동도 많아지고 바쁘다. 사고의 흐름이 빨라서 말도 빨라진다. 사고장애로는 과대망상이 흔하다. 정도는 경조증으로부터 섬망과 유사할 정도의 중증까지 다양하다.

5) 후기 망상증(Late paraphrenia)

정신분열증과 비슷한 정신병적 증상이 60세 이후에 초발하고 병전(病前) 성격의 붕괴가 현저하지 않으며, 증상을 설명할 만한 기질적 원인이나 정서장애가 없을 때 이 진단을 붙이며 정신분열증, 정신분열형 정신병, 단기반응성 정신병, 혹은 편집증이 60세 이후에 초발했을 때는 여기에 해당할 것이다. 후기망상증은 여자들에게 훨씬 많고 약 3분의 1에서 청각장애가 발견된다. 노인정신과 병실에 입원하는 전체 환자들 중에서 약 10분의 1을 차지한다.

6. 노인환자의 임상적 평가

1) 신체적 및 의학적 평가

모든 환자들에 대해서도 마찬가지지만 노인환자에 대한 조사는 초진 시의 시진으로부터 시작된다. 치과의사는 환자의 자세, 걸음걸이, 안색, 움직임 및 표정의 특징 등에 주의해야 한다. 의학적 병력검사는 날카로운 시진에 의해 더욱 효과적일 수가 있다. 병력검사를 할 때 치과의사는 환자와 같은 눈높이에서 분명하게 이야기해야 하며, 유치한 방법이나 압도적인 어조로 이야기해서는 안된다. 또 검사의 속도를 적당히 조절해야 하며 환자의 시력 및 청력의 정확성이 일반적으로 떨어져 있음을 알아야 한다. 노인환자들은 자신의 의학적인 문제들을 기억하지 못하거나 숨기려고 하는 경향이 있다. 그러므로 검사자의 입장에서는 병력조

표 41-1. **노화의 신체적 현상**

외부신체	
머리카락	약하고, 수적으로 감소하며, 회색으로 변함
피부	건조화, 탄력성 감소, 온도에 민감
눈	시력 감소, 안구함몰, 노안
귀	청력 감퇴, 달팽이관의 신경세포 위축
코	후각 감퇴
분비기관	상피활동 감소(타액, 눈물, 위장관, 땀샘 및 피지선)
육체적 피로	항상성(homeostasis) 장애
내부신체	
비뇨기계	비뇨기계로의 혈류감소로 수분의 retention이 초래 노폐물이나 약물의 배설에 어려움. 야간뇨 증가 전립선 비대(남성). 당 배설에 대한 renal threshold 증가
혈관계	수축기 혈압의 점진적 증가. 이완기 혈압은 변화가 없어야 한다.
혈액	골수의 활동감소로 적혈구 수 및 헤모글로빈 수치가 다소 감소 적혈구 여림성(fragility) 증가, 여성에서는 빈혈이 흔함
소화기계	근육의 긴장저하로 인해 변비 및 가스 축적 공복수축(hunger contraction)감소, 소화능 감소
생식기계	단백대사의 장애로 estrogen과 androgen의 분비감소
간	간기능, 글리코겐 함량, 담즙 분비 감소. cholesterol 대사 부전
췌장	기능 감소(당뇨병에 걸리기 쉽다)

사에 대단한 시간과 노력을 할애하여야 한다.

수용시설에 수용되어 있지 않은 65세 이상의 노인 중 81%에서 한 가지 이상의 만성질환을 가지고 있다. 5분의 2에 해당하는 노인들이 기능적으로 의존적이거나 허약하여 적절한 구강위생을 유지하기 위한 능력에 문제가 있다(표 41-1).

대부분의 노인들은 한 가지 이상의 약을 복용하고 있으며 이로 인해 처방된 약제에 대해 왜곡된 대사 및 감수성을 보이고 있다. 환자에게 복용하고 있는 약을 병원으로 가져오게 하는 것이 좋다. 병력검사는 환자 자신이 허약하거나 기능적으로 문제가 있을 경우 친척, 배우자 혹은 기타 친지들로부터 하여도 좋다. 병력검사를 할 때는 환자의 움직임에 이상이 있는가를 살펴 그와 연관될 수 있는 의학적 문제

표 41-2. **노화에 따른 구강내 운동기능의 변화**[12]

변화된 기능	관련임상증상
입술의 위치	침을 흘림, 구각구순염(angular cheilitis)
저작근육	저작효율 감소
혀의 기능	언어 이상, 연하곤란, 혀깨물기, 코골이(snoring), 수면 무호흡(sleep apnea)
연하 기능	연하곤란, 토함(regurgitation), 숨막힘(choking)
미각 이상	미각장애(dysgeusia), 무미각(ageusia)
타액분비 이상	건강한 노인에서는 별다른 이상 없음

점들을 알아낼 수 있는 통찰력을 가져야 한다(표 41-2).

2) 사회적 및 정신적 평가

노인환자의 치료에 대한 태도는 치주치료의 성패에 중요한 영향을 준다. Freedman은 흔히 부딪치는 노인들의 행동유형을 다음과 같이 분류하였다.[11]

- 지나치게 의존적인 환자(overdependent): 요구가 많고, 성질이 급하고, 번거로운 환자
- 협조적인 척 하는 환자(pseudocooperative): 시간에 맞추어 내원하고, 치료비를 잘 지불하며, 주의사항들을 경청하지만, 결코 실행에 옮기지 않는 환자
- 완전주의적인 환자(perfectionist): 분명치 않은 협박과 함께 실현가능성이 없는 요구를 하며, 자신의 증상을 설명하고, 진단 및 치료계획에 까지 자신의 의견을 제시해 가면서, 쓰고 있는 자기의 의치를 조절하여, 자연치로도 먹기 힘든 것들을 의치를 사용하여 먹을 수 있게 해달라고 요구하는 환자 등이 있다.

어떤 노인환자들은 공포를 느끼는 치과의 환경 내에서 쉽게 좌절해 버리기도 하지만 치료에 잘 반응하여 오랜 과정을 견디어 내는 환자도 많이 있다. 치과의사는 치료하는 환자의 인생경험, 기대 및 요구에 대해 잘 알고 있어야 한다.

7. 노인환자의 치료

1) 구강내 검사(Intraoral examination)

노인의 구강상태는 흔히 젊은 사람들과는 다른 모습을 가진다. 보통 세포내 함수량, 피하지방, 탄성, 혈관분포, 근육의 긴장도 및 상하악의 고경 등이 감소되어 있으며, 비각화층에서는 얇아진 상피로 밀랍양상(waxy appearance)을 보이고, 각화층이 존재하는 곳에서는 과각화증(hyperkeratosis)을 나타낸다.

혀에는 유두(papillae)의 점진적인 탈락이 있을 수 있으며, 배면에는 균열이, 설면에는 정맥류가 존재한다. 비타민 B_{12} 결핍, 유주성홍반(erythema migrans), 지도설, 칸디다감염 등으로 인해 혀의 모양이 부드럽고 번들거리며 동통이 나타날 확률이 높다.

노화와 치주질환에 대한 자료에 따르면 연령이 증가함에 따라 치태세균에 대한 숙주의 반응이 변화한다고 한다. 변연치은의 염증반응이 특히 두드러지는데 이는 숙주의 면역반응이 효율적이지 못하거나 탐식작용에 있어서 다형핵 백혈구나 단핵구의 효율성이 떨어진 때문이라 추측된다. 그러나 심부 치주조직에서의 질환의 진행에서는 젊은이와 노인들 사이에 아무런 차이가 없었다.

2) 구강위생교육(Oral hygiene instructioin)

구강위생지도를 시작하기 전에 치과의사는 노인환자에 대해 특별한 배려를 해야 한다는 것을 알아야 한다. 분명하게 이야기하여야 하고, 서로 눈을 맞추어 가면서, 특히 보청기를 쓰는 환자에게는 음성을 높이지 말아야 한다. 다음의 사항들을 염두에 두면 노인환자의 구강위생교육에 도움이 된다.

- 환자는 보통의 일상생활을 하여야 한다.
- 불소치약을 사용하여야 한다.
- 필요하면 전동칫솔이나 치간 칫솔을 사용하는 등 다양한 구강위생기구들은 최대한 활용한다.

3) 노인환자에 대한 마취 시의 주의사항

노인에서는 고혈압증, 심질환등의 전신질환을 가진 환자가 많기 때문에 국소마취제 사용 시에 신중한 주의가 필요하다. 또 노인에서는 정신적 불안이나 긴장 등의 심인적인 현상에 대한 고려가 필요하다.

(1) 국소마취제 사용 전의 주의

우선 문진에 의해 국소마취제에 대한 부작용이 있었는지를 알아둔다. 알레르기가 의심되는 환자에서는 피부반응 테스트, 비점막 테스트 등을 통해 그 본질을 조사해 둔다.

불안, 긴장이 예상되는 환자와 심혈관계 환자에서는 전투약으로서 diazepam의 투여가 특히 유용하다. 이것은 상용량(1회 4~10 mg 내복)에서는 수면작용은 적고, 진정작용 특히 불안과 긴장의 제거작용이 현저하며, 심혈관계 질환 환자에서도 악영향이 없기 때문에 안심하고 사용할

수 있다. 또 최근에는 소기흡입(笑氣吸入, N_2O)을 이용한 진정법도 혈압환자의 혈압안정에 유용한 것으로 응용되고 있다.

(2) 국소마취제의 선택과 양

주사용 국소마취제는 에스테르(ester)형으로서 procaine, 아마이드(amide)형으로서 lidocaine (xylocaine)의 두 가지가 대표적이다. 현재는 아마이드형의 것이 가장 안정되어 있고, 효과도 확실하기 때문에 치과영역에서 빈번히 사용되고 있다. 이것은 치과외래에서 사용되고 있는 상용량에서는 고혈압이나 심질환 환자에 있어서도 거의 영향이 없다. 국소마취제의 1회 최대 사용량은 침윤마취와 전달마취에서는 lidocaine 500 mg, procaine 100 mg이며, lidocaine의 일회최대사용량은 0.5% 100 ml, 1.0% 50 ml, 2.0% 25 ml이 표준으로 간주되고 있다.

국소마취제의 독성은 농도의 제곱에 비례하는 것으로 생각되기 때문에 저농도의 마취제가 안전하다. 통상의 발치와 같은 외과처치에서는 1% lidocaine으로 충분한 마취효과를 얻을 수 있다. 또한 알레르기 등의 문제도 고려하여 2종류 이상의 마취제를 준비한다.

(3) 혈관수축제 함유 국소마취제 사용 시의 주의사항

일반적으로 치과용 국소마취제에 함유된 epinephrine (adrenaline)의 %는 5만 배에서 20만 배 정도로 혈관 내에 직접 주사되지 않으면 심혈관계질환의 합병환자에 대해서는 금기가 아닌 것으로 되어 있다. 따라서 특별한 환자 이외에서는 통상의 발치 등 처치에서는 침윤마취로 보통 시판되는 epinephrine 첨가 lidocaine을 통법과 같이 사용하여도 지장이 없다. 다만 하악공의 전달마취 등에서는 혈관에의 주입의 위험도 있기 때문에 전신에의 영향을 고려하여, 혈관수축제가 함유되어 있지 않은 국소마취제를 사용하는 것이 안전하다.

Epinephrine은 심한 관상동맥질환 환자에서는 40 μg 이상의 투여는 피해야 하나 국소마취제중에 함유되어 있는 epinephrine의 양은 5 μg/ml가 최고로, 그 정도의 함유량으로는 혈압상승이 적고, 국소 마취제의 흡수도 지연되어 혈중농도도 상승되지 않는 것으로 알려져 있다. 그러나 부작용이 예상되는 경우에는 혈관수축제도 20~40만 배 정도로 하고, 1% 정도의 저농도의 마취제를 필요최소량만 사용하여 부작용을 방지하도록 하여야 한다.

4) 노인환자에 대한 약물 투여 시 주의사항

(1) 기본적 투여법

60세 이상의 노인에서는, 신기능은 청장년의 약 1/2 정도, 간기능은 1/2~1/3 정도로 기능이 저하되어 있다. 따라서 노인의 약물투여량은 부작용의 예방이라는 측면에서 성인량의 1/2~1/3 정도에서 시작하여 서서히 증량하는 점증법을 사용한다. 그러나 급성염증 시에 항생제 사용은 앞서 언급한 투여법으로는 효과를 기대할 수 없기 때문에 매우 어렵다.

일률적으로 양을 규정하는 것은 곤란하지만, 증상이나 전신상태를 감안하여 적정량을 투여하되 장기간 사용하지 않는 것이 중요하다. 항생물질의 투여에는 청장년과 비교하여 혈중농도가 높아지기 쉬우므로 투여량, 투여간격에 충분한 주의를 할 필요가 있다.

(2) 약제의 중복투여와 부작용

노인은 다수의 질환을 가지고 있는 경우가 많기 때문에, 여러 의사로부터 여러 약제를 투여받기 쉬우므로, 부작용을 야기할 위험이 극히 높다. 그러므로 타과에서 진료 및 약제투여를 받고 있는지 충분히 확인한 다음, 필요하면 담당의사와 긴밀한 연락을 취해 부작용을 방지하도록 해야 한다.

5) 치주질환의 치료[13-15]

노인에서도 성공적으로 치주질환을 치료할 수 있다. 그러나 치과의사는 환자의 심리적, 감정적 상태뿐만 아니라 신체적 상태도 조사해서 그 환자가 어떤 범주에 속하는 환자인가를 알고 있어야 한다. 환자의 실제적이고도 확실한 요구에 부응하기 위해서 예후를 결정지어주고 치료계획을 세우는 것도 필요하다.

연령은 치주수술의 금기사항이 아니다(Holm–Pedersen

1986).[16] 다만 노인환자가 치주수술을 받아야 할 경우에는 다음의 사항들이 고려되어야 한다.

- 수술(혹은 보존치료)시간이 짧아야 한다.
- 대화를 통해 적절한 관계를 유지한다.
- 집에서 적절한 관리를 할 수 있는 능력이 있는가를 확인해 두어야 한다.
- 외상을 최소화시켜야 한다.
- 약제에 대한 감수성이 증가되어 있으므로 투약량을 조절해야 한다.
- 오전 중에 약속을 하는 것이 좋다.

허약하고 기능적으로 문제가 있거나, 관혈적 치주치료에 대하여 감정적, 심리적으로 잘 따르지 않는 노인환자들은 수술을 하기보다 scaling과 root planing 및 주기적인 관찰을 요구하기도 한다. 치료계획은 치료의 목표, 환자의 의학적 상태 및 치료에 대한 태도, 보호자, 적절한 구강위생을 유지할 수 있는 환자의 능력 등에 따라 달라진다. 선택할 수 있는 치료방법에는 일시적 완화요법(palliative therapy), 근치적(根治的)인 치료법(radical therapy, 발치 등), 혹은 단순히 치아를 유지시키는 치료 등도 포함된다.

6) 치근면 치아우식증(Root caries)[17]

노인환자들에게는 다시 증가된 우식 발병률로 인해 불소치료를 하여야 한다. 노인에서의 치아우식증은 대부분이 치근면 치아우식증으로서, 서서히 진행하며, 보통 치수를 침범하는 일이 적어서 동통은 거의 없다. 그러므로 우식다발 환자에서는 예방 및 유지를 위한 내원 뒤에 반드시 국소적으로 불소를 도포해 주어야 한다.

연구에 따르면 매일 불소치약을 사용하여 세심하게 구강관리를 하면 한 번의 국소적 불소 도포로 치근면 치아우식증을 멈출 수 있다고 한다.[18] 치근면 치아우식의 활성이 높은 환자에게는 다음의 처방이 추천된다. ① 불소치약이나 0.4% fluoride gel로 매일 양치할 것, ② 일주일에 한 번씩 acidulated phosphofluoride rinse에 이어 1.64% stannous fluoride rinse를 할 것. 이러한 불소치료는 기계적인 구강위생관리 후에 하도록 하여야 하며, 불소양치(fluoride rinsing) 후 30분간은 물로 씻거나, 먹고 마시는 것을 삼가도록 하여야 한다.

7) 구강건조증(Xerostomia)

타액의 기능에는 방어작용(protective cleanser), 완충작용(탈회작용을 억제), 윤활작용, 소화기능, 미뢰로의 전달매개(transport media) 역할 등이 있다. 구강건조증이 생기면 위의 기능들이 크게 바뀌어진다. 그 증상으로는 구강 내의 건조감, 작열감, 혀표면의 변형, 연하곤란, 구각구순염, 미각이상, 발음곤란, 치근면 우식증 등을 들 수 있다(그림 41-1).

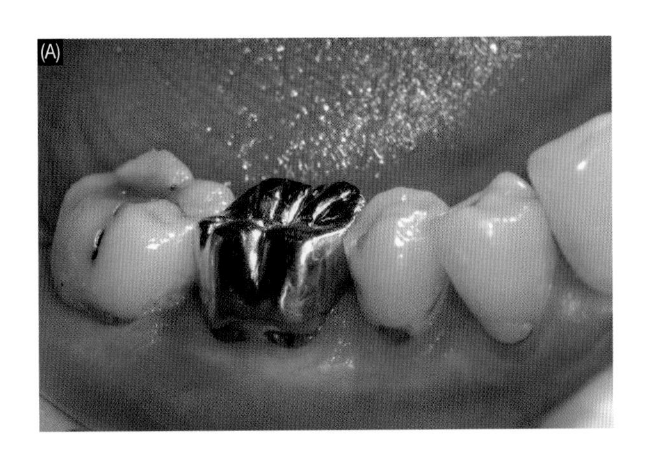

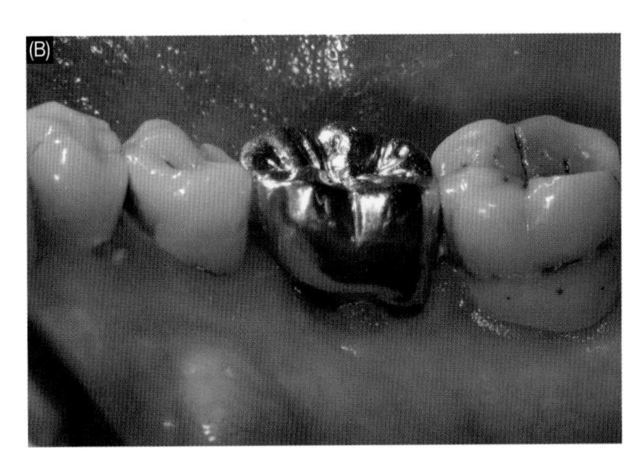

그림 41-1. 구강건조증으로 인한 치근면 우식증

노인환자의 80% 이상이 어떤 종류의 약이든 복용하고 있는데, 이들 약 중의 90% 정도가 구강건조증을 유발시킬 수 있다. 200종류 이상의 약들이 부작용으로 구강건조증을 나타낸다. 또한 방사선 치료와 화학요법, 심리적 상태, 내분비계의 이상, 영양결핍 등도 구강건조증을 일으킬 수 있다.

구강건조증의 치료에는 다음의 것들이 포함되어야 한다.

- 부드러운 칫솔을 사용한 꼼꼼한 구강위생관리
- 불소양치(fluoride rinses) 및 불소치약
- 술, 담배, 강산성의 음식물 섭취를 줄일 것
- 당분을 감소시키기 위해 수분의 섭취를 늘릴 것
- 인공 타액 대체물
- 점막염(mucositis)이나 칸디다증(candidiasis)이 지속되면 담당의사와 상의할 것
- 고알콜성분의 구강위생제에 대한 주의 깊은 사용
- 다음 중의 약제를 처방한다.
  타액대체물, diphenhydramine (Benadryl)과 kaolin (Kaopectate)를 동량씩 혼합한 용액, 혹은 lidocaine (Xylocaine viscous)로 양치

결론적으로 노인인구는 점점 증가되어가고 있고, 이들의 치주치료는 더욱 전문화된 접근이 필요하다. 노인환자에서 부딪히는 구강내적, 의학적, 사회적, 정신적 및 육체적인 다양한 변화들은 임상가들에게 끊임없는 도전이 되고 있다. 노인환자의 치료에는 일단 부작용이 일어나면 중대한 결과가 초래될 위험이 있기 때문에 마취, 치과 처치, 약제투여에 있어서 전신적인 측면을 고려해야 한다. 구강은 전신상태의 거울이 된다는 것을 명심하고 이에 따라서 치료방향을 접근시키도록 해야 한다.

8) 약 복용 관련 주의사항

일반적으로 노인들의 경우, 젊은이에 비해 상대적으로 다양한 종류의 약을 복용한다. 고혈압, 당뇨, 골다공증 등 성인성 질환의 경우와 심근경색, 뇌경색 예방 혹은 치료와 관련된 약들이 치주치료와 관련이 많을 수 있다. 이 중에서 발치 등 관혈적 치료 시에 정상적인 지혈이 되지 않게 하는 약으로 소아용 Aspirin, Wafarin, Pradaxa 등이 있는데, 치주치료 시에 이들 약을 복용 중지하도록 해야 하며, 복용 중지에는 반드시 담당 의사와 상의 후에 이루어져야 한다. 소아용 Aspirin의 경우 약 1주일 정도 복용 중지를 추천하며, 와파린 복용 중인 환자의 경우, 절대로 임의로 와파린 복용 중지를 해서는 안되며, 담당 의사와 상의 후에 복용을 중지하고 치료 후에 와파린을 복용해야 한다.

와파린 복용을 멈춘 후에 치료 전에 International normalized ratio (INR)을 확인하여 1.5 이하인 경우 관혈적 치료가 가능하며, 1.5 이상인 경우 관혈적 치료는 연기하여야 한다. 일반인의 경우 INR 수치는 0.9~1.2 사이이며, 심혈관계 질환자인 경우 평소에 INR이 2.0~3.0 정도로 유지되어야 혈전생성 등에 문제가 없다. 또, 골다공증과 관련하여 Bisphosphonate 계열의 약물을 장기간(약 3년 이상) 투여할 경우, 악골에 괴사가 일어난다는 보고가 있어, 이 약물의 복용 여부 또한 문진을 통해 확인하여야 한다.[19]

참고문헌

1. 대학노인병학회. 노인병학. 의학출판사. 2002.
2. 경제기획원. 장래인구추계. 1991.
3. Dye BA, Tan S, Smith V, et al. Trends in oral health status: United States, 1988–1994 and 1999–2004. Vital and health statistics Series 11. Data from the national health survey 2007:1–92.
4. 장문성 등. 한국노인의 자가보고 치주건강상태와 구강건강관련 삶의 질의 연관성. 대한치주과학회지 2006;36:591–600.
5. Russell A. Some epidemiologic characteristics of periodontal disease in series of urban populations. Journal of periodontology 1957;28:286.
6. Russell A. Epidemiology of periodontal disease. International dental journal 1967;17:282–296.
7. Petersen PE, Yamamoto T. Improving the oral health of older people: the approach of the WHO Global Oral Health Programme. Community dentistry and oral epidemiology 2005;33:81–92.
8. Douglass C., Gillings D., Sollecito W., Gammon M. The potential for increase in the periodontal diseases of the aged population. Journal of periodontology 1983;54:721–730.
9. 이정균. 노인정신의학. 정신의학. 일조각 1990:547–555.
10. 민성길. 노인정신의학. 최신정신의학. 일조각 1991:416–427.
11. Freedman KA. Management of the Geriatric Dental Patient. Chicago, Quintessence Publishing, 1979.
12. Baum B, Bodner, L. Aging and oral motor function: evidence for altered performance among older persons. J Dent Res 1983;62:2–6.
13. Roper R, Knerr, GW., Gocka, EF., Stahl, SS. Periodontal disease in aged individuals. Journal of periodontology 1972;43:304–310.
14. Robinson P. Periodontal therapy for the ageing mouth. International dental journal 1979;29:220–225.
15. Page R. Periodontal disease in the elderly: A critical evaluation of current information. Gerodontology 1984;3.
16. Holm–Pedersen. Pathology and treatment of periodontal disease. In Holm–Pederson P. and Löe H. Geriatric Dentistry StLouis,CV Mosby 1986.
17. Massler M. Geriatric dentistry: root caries in the elderly. The Journal of prosthetic dentistry 1980;44:147–149.
18. Nyvad B., Fejerskov O. Active root surface caries converted into inactive caries as a response to oral hygiene. Scandinavian journal of dental research 1986;94:281–284.
19. Khosla S., Burr D., Cauley J., et al. Bisphosphonate–associated osteonecrosis of the jaw: report of a task force of the American Society for Bone and Mineral Research. Journal of bone and mineral research : the official journal of the American Society for Bone and Mineral Research 2007;22:1479–1491.

기타 참고문헌

- 工藤逸郎. 高齢者の 歯科治療. 歯界展望/別冊 1981:321–330.
- Banting DW. A study of dental care cost, time and treatment requirements of older persons in the community. Canadian journal of public health = Revue canadienne desante publique 1972;63:508–514.
- Baum BJ. The dentistry–gerontology connection. J Am Dent Assoc 1984;109:899–900.
- Bossert WA, Marks HH. Prevalence and characteristics of periodontal disease in 12,800 persons under periodic dental observation. J Am Dent Assoc 1956;52:429–442.
- Smith JM, Sheiham A. Dental treatment needs and demands of an elderly population in England. Community dentistry and oral epidemiology 1980;8:360–364.

치주질환은 성인인구에 영향을 미치는 가장 흔한 구강병리 상태이지만, 장애인은 모든 연령대에 존재하며, 이들 역시 흔한 치과적 문제를 안고 있다. 이들은 심한 세균성 치태의 침착을 보이며 유년기의 수많은 정신지체 장애인에 있어서 특히 두드러지게 나타나고 있다.

다량의 치태침착이 장애인의 구강상태를 악화시키는 많은 인자들 중 하나가 될 수 있다. 예를 들어, 다운증후군 환자는 치주질환에 쉽게 이환된다. 장애인 환자의 이런 문제의 특수한 성격은 이와 같은 특수층의 치주질환 진행의 많은 병인, 진단, 치료, 예후에 대한 올바른 이해를 필요로 한다.

1. 치주치료에서 장애인의 문제점

장애인이라 함은 지체장애, 시각장애, 청각장애, 언어장애 또는 정신지체 등의 결함으로 인해 장기간에 걸쳐 일상생활 또는 사회생활에 상당한 제약을 받는 자로 장애인복지법에 정의되고 있으며 장애인은 일반적인 치과치료의 대상이 장애인일 뿐 정상인과 크게 다른 치료방법이 적용되는 것은 아니나 현재 장애인의 경우, 구강보건인식과 구강위생관리 능력부족 및 치주질환을 비롯한 구강영역 질환의 발생빈도와 심도가 높으며 치료과정에서도 행동조절 등 이에 따른 치과치료 과정에서도 많은 문제점을 내포하고 있으며, 아래와 같이 정리할 수가 있다.

- 치료 후 전신상태와 장애증상이 악화될 수 있다.
- 장애에 의해 치주치료가 악화될 수 있다.
- 치료과정에 협조가 잘 이루어지지 않는다.
- 장애인의 구강 내에 특수한 상황이 발생할 수 있다.
- 예방수단과 관리의 실천에 문제가 있다.

2. 장애의 분류 및 치주영역에 관련된 장애 질환

1) 질병특징에 의한 분류(WHO)

① 신체장애
② 정신지체
③ 선천적 결손
④ 대사 및 전신질환
⑤ 경련성 질환
⑥ 소아자폐증
⑦ 감각기능장애
⑧ 혈우병
⑨ 종양

2) 행동조절면에서의 분류

① 의사소통이 용이한 군
② 의사소통이 가능한 군
③ 의사소통이 곤란한 군

④ 전신관리가 필요한 군

3) 치과적 관리면에서 분류

① 장애로 치과진료 받기 어려운 경우: 전신관리, 행동수정, 행동조절을 위해 약물이나 기구, 장비가 필요하다.

② 장애로 구강 내에 문제가 있어 특수치료를 요하는 경우: 구강영역에 기형이나 기능에 이상, 또는 특정 질환이 자주 발생하는 경우로 특수치료가 필요하다.

③ 예방이나 관리가 어려운 경우: 기능과 전신장애가 있는 경우로 특수한 생활환경과 주변인의 협조가 필요하다.

3. 치과영역에 관련된 장애질환

1) 뇌성마비(Cerebral palsy)

출생 전·후에 뇌의 선천적 기형이나 손상, 또는 중추신경 질환에 의해 유발되는 영구적이며 비진행성인 운동신경장애와 정신장애를 말하며, 일반적으로 경련, 정신지체, 시각장애 및 청각장애, 언어, 정서장애를 보이며 구강내 소견으로는 치아우식 이환율이 높고 치주질환 발생율이 정상인에 비해 3배 이상 높은 것으로 알려져 있으며 올바른 구강위생관리가 어렵다. 그밖에 부정교합, 치아발육이상, 이갈이, 외상 등의 발생률이 높다. 이것은 양육기관에서의 불량한 구강위생관리가 주된 기여인자로 여겨진다.

2) 근이상증(Muscular dystrophy)

골격 근육의 진행성 위축과 허약증상으로 무력증과 변형이 나타나는 질환이며, 구강내 소견으로 치아우식증, 악골의 형태이상, 치은염, 부정교합, 치태와 치석의 과침착 등이 관찰된다.

3) 정신지체(Mental retardation)

지능발달이 지체되거나 정지되어 학습능력과 사회적응력이 정상인보다 떨어진 상태로 그 자체로는 질병이 아니고 중추신경계의 장애증상이며 대개 간질, 뇌성마비, 정서장애, 정신장애 등과 연관되어 나타난다. 말의 이해와 논리적 사고, 기억력 등이 부족하며, 공포감과 경계심이 강하다. 구강내 소견으로 치은염과 치주염의 발생빈도가 높고, 선천성 결손치, 맹출지연, 부정교합, 치아우식 이환율이 높다. 정신지체 장애를 가진 어린이, 특히 정신지체의 가장 흔한 질병인 다운증후군에서는 치주질환이 어린 나이에 시작되는데 지능저하, 특이한 안모와 손발이 특징이다.

4) 경련성 질환(Convulsive disorder)

뇌신경세포의 기능장애로 일어나는 경련은 대개 어린이에게서 열성질환으로 발생하는 급성 경련과 간질과 같이 무의식 혹은 부분의식상태에서 반복성으로 발생하는 만성경련이 있다. 구강내 소견으로 발작 중 돌발적 사고로 치아파절과 정출을 초래할 수 있고 약물복용으로 치은의 과증식이 관찰되기도 한다.

5) 선천성 심장질환(Congenital heart disease)

임신초기의 모체 내 감염, 풍진, 만성알콜중독, 비타민 결핍, 약물, 다인자유전 등에 의해 선천적으로 심장에 기형이 발생하여 나타나는 질환으로 비청색증형과 청색증형이 있다. 치과치료 전, 후의 감염이 문제가 되어 균혈증 등이 발생될 수 있으며 모든 치료에 예방적 항생제 투여가 필수적이다.

6) 자폐증(Autism)

출생 후 30개월 이내에 주로 나타나는 증후군으로 청각 또는 시각에 대한 반응에 이상을 보이며 의사소통에 현저한 장애가 있어 언어발달의 지체를 보인다. 구강내 소견으로 자해행위, 교통사고 등으로 나타나는 외상으로 골절, 치은손상, 구순궤양 등이 보이고 간혹 간질발작을 수반하는 환자에서 phenytoin 복용으로 인한 치은과증식이 보인다.

7) 청각장애

주로 주의가 산만하고 얼굴표정이 경직되고 대화에 반응이 느리며 대부분 언어장애를 보인다. 구강내 소견으로 특이증상은 없으나 조산이나 풍진으로 인한 법랑질 형성 부전이 나타난다. 의사소통방법으로 수화, 글, 보청기, 독순술 등이 필요하다.

8) 시각장애

출생에서 5세 이전에 시력 상실이 될 경우는 지적, 정서적 성장이 떨어지며, 생의 후반기에서 시력을 상실할 경우 정서적 손상이 크다. 지적 능력이 낮고 사회적응력이 떨어지며 자기중심적, 의존적 성향을 보인다. 구강내 소견으로 특이증상은 없고 잠재력과 확신에 의해 적절한 구강위생 상태로 유도할 수 있다.

이외에도 혈우병, 백혈병, AIDS, 간염 등도 장애질환으로 포함될 수 있다.

4. 장애인에서 치주질환 병인

1) 국소적 요인

(1) 치태

치태는 칫솔질과 혀와 볼, 음식물등에 의한 자정작용의 접근이 어려운 치면에 잘 형성되는데, 부적절한 구강위생, 세정 작용이 거의 없는 부드러운 음식의 섭취, 근육 운동 장애를 보이는 장애인의 치면에 과다한 치태의 침착이 나타난다. Cutress 등[1]은 다운증후군 환자, 다른 정신 장애 환자, 그리고 정상인의 치태내 세균총을 비교해서 정상인의 세균총과 두 장애 그룹의 치태내 세균 조성이 상당히 다르다는 것을 발견했다. 또 Meskin 등[2]은 다운 증후군과 뇌성마비의 어린 환자의 치은열구내 치태에서 P. melanin ogenica의 높은 비율을 관찰하여 이 미생물의 존재와 치주질환의 발병 사이에 관계가 있음을 보고하였다. 이들은 또 장애인과 정상인 사이의 구강위생, 식습관, 섭취 음식물의 유형에 따른 세균 구성의 차이가 있다고 하였다.

(2) 치석

많은 장애인 환자에서 교합면까지 침착된 치석을 관찰할 수 있다.

Cutress[3]는 다운증후군 환자보다 다른 정신지체 환자에서, 두군 사이의 이하선 유속은 비슷했지만 총타액의 생성속도가 더 빠르다고 보고하였고, Weiner 등과 Coburn 등[4]은 다운 증후군 환자에서 정상 이하의 타액 생성을 관찰하고 이하선 타액의 증가된 칼슘 농도와 상승된 pH를 관찰하였다. Cutress[3]는 이 환자들의 구강건조증 경향과 상피성 이상은 비타민 A의 이상흡수와 관련이 있다고 주장하여 이것과 치석 침착과 관련이 있을 것으로 사료된다.

Cutress는 비슷한 조건에서 다운증후군과 다른 정신 지체 장애 사이에 별다른 차이를 발견하지 못한 반면, Johnson[5]과 Young[6]은 다운증후군에서 훨씬 더 많은 치석 침착을 관찰했다. 또 Cutress는 시설에서 보호되는 장애인들이 (다운증후군 포함) 시설에서 보호되지 않는 장애인들보다 통계학적으로 훨씬 더 많은 양의 치석침착을 보였다고 보고하였으며, 그들의 구강위생과 잔사지수를 비교했을 때 현저한 차이는 없었다. 이 결과는 경우에 따라서는 치석 침착이 치태나 잔사의 침착과 관련이 없을 수도 있으며 환경적인 차이에 관련될 수도 있다는 것을 보여준다.

(3) 음식과 식습관

많은 장애인에 있어서 한정된 식사와 비정상적인 근육기능은 치아 지지구조의 기능적 자극을 감소시키고 유해한 치태의 침착을 증가시킬 수 있다. Swallow[7]는 많은 육체적 장애 아동들이 정상 아동보다 유동식을 더 많이 섭취한다는 것을 관찰했으며 Snyder, Knopp 그리고 Jordan[8]도 많은 어린 정신지체 아동들이 부드러운 음식을 섭취한다는 것을 발견했다. 뇌성마비, 파킨슨씨병, 다발성 경화증 그리고 근이영양증 같은 신경근육성 질환에 관계된 환자들의 구강 및 안면 근육 기능조화의 결여는 음식을 부드러운 것으로 제한하는데 이로 인한 부적절한 저작기능과 구강위생은 치주건강에 위해하게 작용할 것이다.

심한 정신지체 장애인들은, 근육기능이 정상이더라도 자정작용이 거의 없는 부드러운 음식을 섭취하는 경향이 있으며 낮은 지능에 의해 유아적 성향을 보이며, 저작을 거부하게 하기 때문에 대부분의 환자들의 음식종류와 비정상적 식습관은 바꾸기가 힘들다.

(4) 식편압입

무치악 부위, 수복이 잘못된 치아, 치료받지 않은 충치가 있는 부위에서는 음식물이 압입되어 심각한 치주적 문제를 야기하는데 만성적으로 음식물이 압입되는 것은 자신의 문제를 말로 표현할 수 없는 심각한 정신지체인에게서 진단이 어려울 수 있으며 장애인에게는 또 다른 고통을 야기한다.

(5) 부적절한 구강위생

장애인에게서 구강위생은 부적절한 경우가 많으며 이로 인해 음식물 잔사, 치태, 치석 등을 축적시킬 뿐만 아니라, 불충분한 치은 자극을 야기하여 표면 케라틴 생성과 혈액 순환이 감소하게 된다.

(6) 부적절한 치과치료

조기에 치료되지 않은 충치와 보철치료 없는 발치 부위에 의해 치간 사이 접촉이 없어지고, 음식물의 잔류가 유발되는데 이런 상태는 치과치료를 잘 받지 않는 장애인들에게서 쉽게 볼 수 있다. 만약 치료가 된다고 해도, 장애가 심하여 어쩔수 없이 치료의 범위를 제한하는 경우가 많으며 이런 요인이 장애인의 치주질환을 유발하는데 기여한다.

(7) 구호흡

구호흡은 정상인보다 장애인에게 더 많은데, 이유는 장애인의 근육 조절 능력이 떨어지기 때문이며 구호흡은 계속 공기가 유입되어 구강조직에 심각한 결과를 일으킨다. 치주조직의 건조는 질환의 자극원으로 작용하고 조직은 과증식으로 반응하기도 한다. 이런 과증식은 공기 흐름에 주로 노출되는 상악전치부의 순면에서 주로 관찰되며 이런 환자에서 구호흡의 중단은 보통 불가능하다. 따라서 치료는 petroleum jelly같은 보호재의 적용과 이차 감염을 방지하고 조직 증식을 막기 위한 구강위생방법을 적용해야 한다.

(8) 교합

과교합뿐만 아니라, 무교합 등이 장애인 환자에서 발견되며 이와 같은 저자극은 아주 부드러운 음식섭취나, 음식저작 없이 연하하는 데서 기인되는데 이런 상태는 치주조직에 적절한 교합자극을 주지 못하고 치태 축적을 증가시킨다.

2) 전신적 요인

호르몬불균형, 당뇨, 영양결핍, 혈액 질환, 무과립구증, hypophosphatasia, Papillon–Lefèvre syndrome, Down's syndrome, Acatalacemia, Hand–Schüer–Christian disease (histiocytosis X), Psychosomatic factors, 기타 유전 질환 등이 현존하는 장애와 더불어 치주질환에 영향을 미칠 수 있다.

5. 장애인의 행동조절

장애인은 검진과 치료과정에서 아무런 문제없이 적응 가능한 경우와, 행위를 거부하는 부적응 행동으로 인해 진료 자체가 불가능한 경우가 있으며 치료를 안전하고 신속하게 하기 위해 심리학적 접근, 신경생리학적, 물리적 혹은 약물요법 등을 사용하여 진료에 적응할 수 있도록 유도하는 것을 행동조절(behavior management)이라고 한다.

여기에는 환자의 장애 종류와 중증도, 치과의료기관의 설비와 주치의의 사고, 경험에 따라 여러 가지 행동조절법이 이용되고 있다(그림 42–1). 이중 인간의 학습능력을 이용하여 부적응행동을 적응행동으로 변용시키는 행동변용법을 응용하면 진료과정에서 많은 협조를 얻을 수 있으며 이에는 보상강화법, 단계적 탈감작법, 모방학습법 등이 있다.

1) 보상강화법

좋은 행동과 좋지 않은 행동을 명확히 구별하여 적응행동이 나타나면 구체적으로 칭찬해주는 긍정적 강화와 좋지 않은 행동에 대해서는 무시하거나, 엄한표정을 하여 부적응행동을 없애주는 부정적 강화를 적절히 이용하는 방법이다.

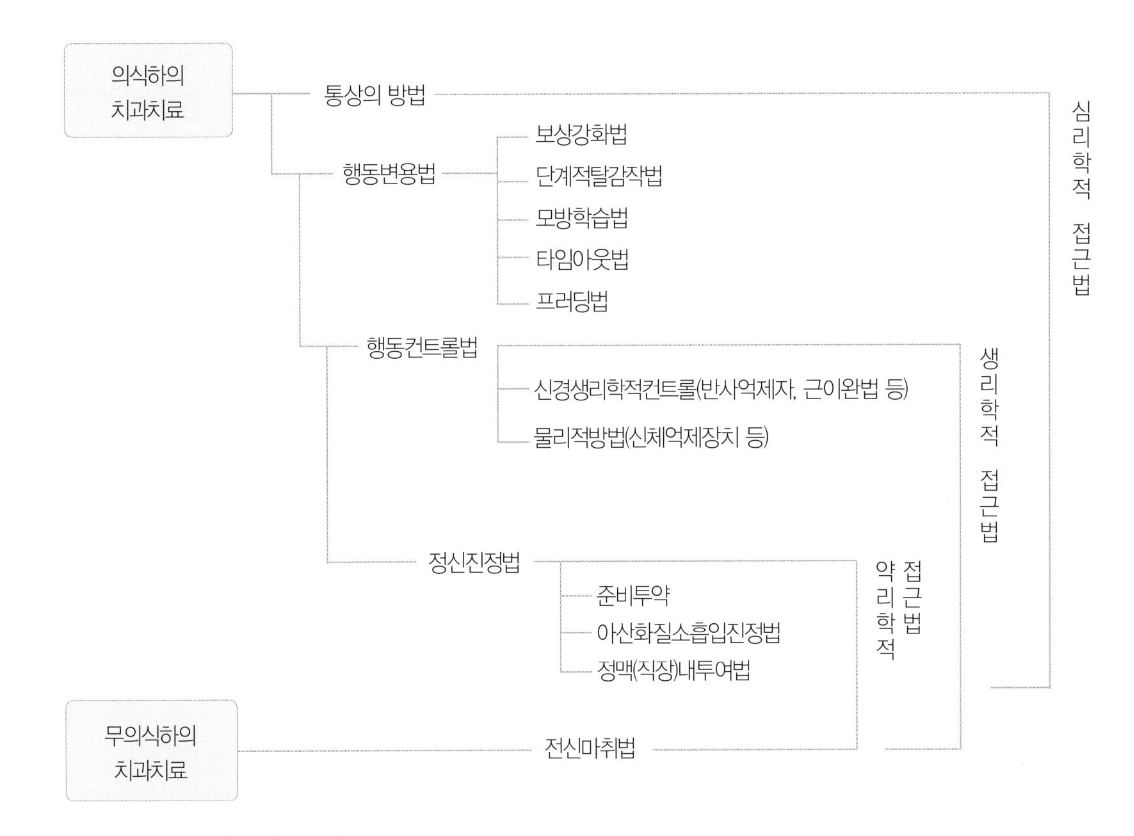

그림 42-1. 장애인 진료 시 이용되는 행동조절법

2) 단계적 탈감작

일반적인 공포반응을 몇 가지 상태별로 나누어 형상화해 가면서 자극이 약한 것부터 강한 것으로 적응을 시키면서 모든 자극에 익숙해지도록 하는 방법으로, 환자가 치료의자에 앉은 후 즉각적으로 기구를 사용하지 않고 칫솔질과 같은 일상적 자극부터 시작하여 미러, 탐침, 엔진, 터빈 등 강한 자극으로 진행하며 공포와 과민반응의 탈감작을 도모하는 방법이다.

이 방법에서 진료과정을 설명해주고, 실제로 보여주며, 시행하는 Tell-Show-Do법이 많이 이용되어진다.

3) 모방학습법(Modelling method)

다른 사람의 행동을 보고 행동을 모방하여 환자 자신의 행동을 변용시키는 방법으로 실제 진료장면을 보여주고 모방체험을 시키는 직접법과 그림, 사진, 비디오 등을 이용하는 간접법이 있다.

4) 타임아웃법

흥분하거나 정서적으로 혼란을 느끼는 환자에 대해 일시적으로 치료를 중단하여 환자를 안정화시키고 새롭게 상황판단을 하도록 하는 방법으로 환경을 바꿔 고립시키거나, 자극 없이 기다리는 방법 등이 있다.

5) Flooding법

공포감을 유발하는 여러 가지 자극을 모두 일단 노출시키고 그 공포를 강제적으로 경험하게 하여 공포를 극복시키는 방법으로 국소마취가 불가능한 환자에게 신체를 억제하여 국소마취를 시행하여 무통치료를 경험하게 한 후 향후에 치료가 가능할 수 있도록 유도하는 방법이다.

이상의 방법에서 주로 모방학습법과 단계적 탈감작법을 혼합하여 임상에 이용하는 경우가 많지만, 장애인 진료는 행동변용법이 한계가 있는 경우가 많으므로 환자의

표 42-1. **장애인 환자 진료 시 기본 대응법**

1. 구두설명을 이해 못하더라도 끈기 있게 커뮤니케이션에 노력한다.
2. 난폭해지거나 우는 경우에는 그 원인을 분석하여 대처한다.
3. 시각·청각장애인에 대해서는 가능한 커뮤니케이션 방법을 활용한다.
4. 한 가지 방법만 생각하지 말고 여러 가지 접근법을 시도한다.
5. 응급처치가 우선적으로 필요한 경우도 있다.
6. 지능평가만이 아니라 가정이나 시설에서의 행동과 생활도 참고하여 대응한다.
7. 약물에만 의존하지 말고 행동변용법을 활용한다.
8. 전문가에게도 상담, 조회하여 환자의 적응능력과 성향을 판단한다.
9. 치과의료인으로서 연수·노력을 게을리 하지 않는다.
10. 장애인의 학습적응능력에는 개인차가 크고 또한 행동요법에도 한계가 있다는 것을 인식하고 있어야 한다.

능력, 간병인의 희망, 술자의 능력 등을 고려하여 환자에 대응하는 기본사항을 숙지하고(표 42-1) 다른 방법으로 접근하는 것도 필요하다.

6. 진단(Diagnosis)

장애인에서는 구강상태뿐만 아니라 협조능력, 신체적 결함, 전신적 상태를 복합적으로 평가해야 한다. 각각의 요소가 적절히 평가될 때만 특수한 환자들을 위한 적절한 치과치료를 제공할 수 있기 때문이다.

1) 환자 면접(Patient interview)

초기 접촉 동안 지능 수준과 태도 등이 평가되어야 하고 대부분의 경우, 환자와의 의사소통은 어렵거나 혹은 불가능할 수도 있는데, 이런 경우 부모나 보호자와의 상담이 필요할 수도 있다. 일반적인 치과에 대한 태도와 구강건강에 대한 지식수준이 협조도 평가를 위한 척도로 사용된다.

2) 의과병력

치과의사에게는 환자의 특정 장애에 관련된 것보다 전신적인 상태에 대한 인식이 더 중요하다. 예를 들어, rheumatic fever에 대한 병력이 있다면, 치석제거술이나 다른 치주치료 전에 항생제를 투여해야 하고 혈액장애를 가진 환자들은 매우 제한된 치주관리만 받을 수 있다.

또한 환자가 복용하는 약들을 파악하고 있어야 한다. 많은 장애인 환자들은 coaltar 유도체(meprobamates, phenothiazines)라는 약제를 복용하기 때문에, 치과의사는 agranulocytosis가 생길수 있음을 인식해야 하고 그 결과로 인한 백혈구의 감소는 치은염을 쉽게 유발하게 한다. 환자와 내과의와의 상담은 환자가 복용하고 있는 약제의 부작용과 약리작용을 이해하고 총체적인 치과치료 시 필요한 부가적인 정보를 얻기 위해 필요하다.

3) 치과병력

기본적인 검진 외에 최근의 치석제거술 경험, 치은감염 경험, 치주질환으로 인한 발치경험, 칫솔질 가능정도, 치실, 구강 세척기, 전동치솔 등과 같은 구강위생보조기구의 사용유무, 이전의 치과치료에 대해 불만사항 등을 파악하여 진단, 치료계획, 환자관리에 이용한다.

4) 구강검사

구강검사의 정확성은 환자의 협조도에 크게 의존하며, 장애인 환자는 일반적으로 정신연령이 낮기 때문에 연령보다 정신수준에 맞추어 접근하는 것이 중요하다. 첫 번째 약속에서 장애인 환자가 치과의사와 진료실에 익숙해졌다면 행동적인 문제는 후에 감소될 것이다.

장애의 분류와 육체적 손상정도에 대한 이해가 중요하다. 예를 들어, 환자가 무정위운동증을 가지고 있다면, 그들은 운동 조절능력이 거의 없기 때문에 물리적 속박이 필요하다. 그러나 이러한 물리적 속박은 육체운동과 머리의 반사운동에 어려움이 있으므로, 검사나 치료가 불가능한 최악의 경우에만 제한적으로 사용해야 한다. 구강검사 시에 환자를 보호자의 무릎 위에(아이가 어린 경우) 두거나 또는 보조자나 어머니로 하여금 환자의 머리를 잡게 하는 것이 좋다. 이것은 환자의 움직임을 억제하고, 편안함과 안전을 제공하는 두 가지 목적이 있다. 또한 개구와 개구유지를 위

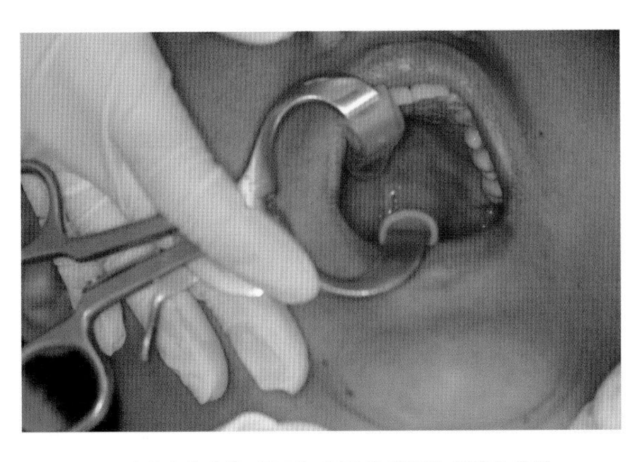

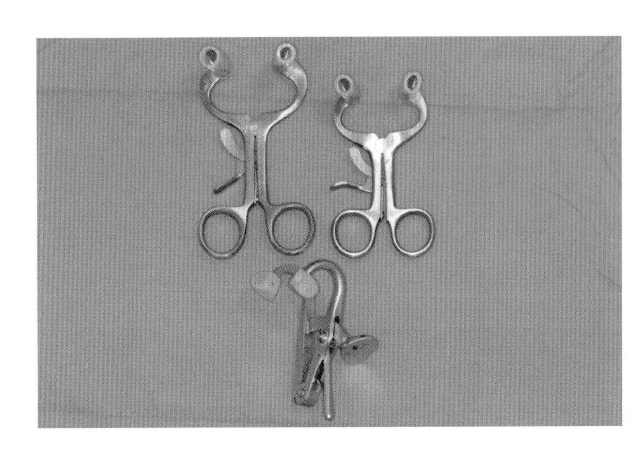

그림 42-2. 장애인 환자에 이용되는 다양한 개구기 사용과 종류

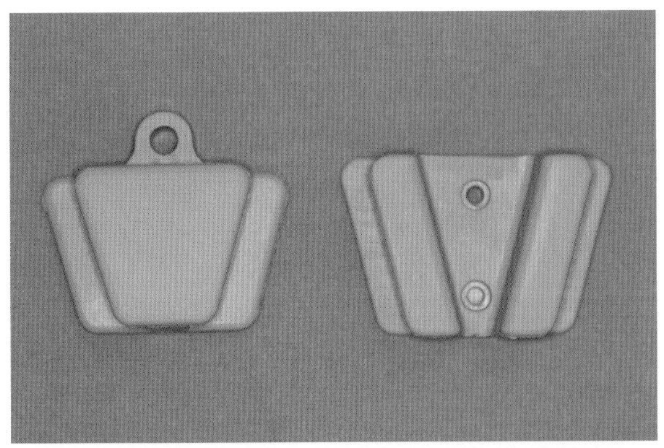

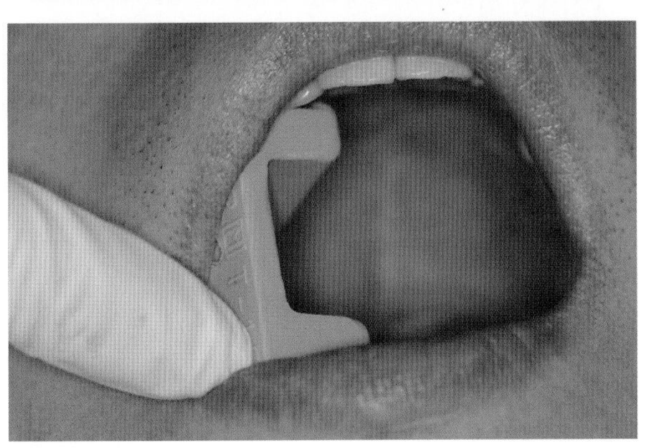

그림 42-3. 장애인 환자에 이용되는 다양한 개구기 사용과 종류

한 기구를 적절히 사용하는 것이 도움이 된다(그림 42-2, 3).

장애인 환자의 치주검사동안 플라스틱 구강경이나 반사경, short point를 가지는 탐침소자와 치주탐침기를 사용하는 것이 바람직하다. Rubber, mouth prop 또는 metal finger guard는 환자의 입을 지속적으로 벌리게 하는데 필요하며, 비협조적이라면 진정제나 nitrous oxide sedation을 사용할 수도 있다. 전반적인 구강상태, 부착치은의 양, 소대의 높이, 심한 치은퇴축, 구강위생, 치은의 색과 형태, 염증부위, 소실되거나 우식이 있는 치아를 기록한다. 치주탐침자로 치주낭, 치아동요도를 측정하는 것이 어려울 때는 방사선 사진에 의존할 수도 있다.

검사는 치주조직에 제한되어서는 안되며, 치아우식과 잘못된 수복, 그리고 교합이상 등을 모두 기록해야 하는데 이는 장애인 환자에서는 이러한 원인인자들이 일반환자에서보다 치주질환을 야기시키는데 더욱 큰 영향을 미치기 때문이다. 개교합과 위치이상, 회전치와 총생치 등과 같은 치아관계 등을 기록한다. 특히 개교합과 같은 비정상적인 교합관계는 혀내밀기 습관이나 대설증과 관계가 있을 수 있다. 상악 전방돌출은 구호흡과 연관되어 있을 수 있고 구호흡 또한 치은을 건조하게 만들고, 치은염증과 치은비대에 연관되어 있을 수도 있다. 이러한 교합적 문제는 환자의 협조가 양호하다면 교정적으로 치료될 수 있다.

가능하다면 좋은 구내 방사선 사진을 얻어야 하며 불가능한 경우, 파노라마 사진이 대용될 수도 있다. Steinberg[9]와 Bramer는 구내 방사선 사진 촬영이 성공하지 못하였을 때, 교합필름을 구외로 사용하거나, 또는 표준구내 필름을 전정(치아와 볼 사이)에 위치시키고 X-ray cone은 반대편 턱의 하악각 뒤쪽에 위치시키는 방법도 제시하고 있다.

방사선 사진은 치아 주위골의 상태를 평가할 수 있는 유일한 방법이기 때문에 완전한 치주조직을 검사하기 위해서는 필수적이다.

7. 치료계획과 예후

환자의 협조도에 따라서 두 번이나 세 번째 방문 시 진단과 치료계획이 결정된다. 이 기간 동안 정상치료에 대한 반응여부의 결정, 식습관의 분석, 구강위생교육 등이 진행된다. 환자와 부모의 협조가 좋고 치주조직파괴가 심하지 않다면 치주조직의 건강을 더 오랫동안 유지할 수 있다.[10,11] 행동조절이 너무 어려워 전신마취가 필요한 환자는 치료 후에도 적절한 구강물리요법을 시행할 수 없기 때문에 심각한 문제를 가지게 된다. 외과적 처치는 전신건강에 악영향을 주는 농양과 같은 응급상태가 아니라면 큰 의미가 없다. 환자의 상태가 가장 중요하지만 적절히 구강위생이 유지된다면 치주질환은 감소되며, 구강위생 프로그램 이행후 치주질환의 심도와 유병률이 모두 감소되어진다고 알려져 있다. 그러나 감소율은 다운증후군에서는 더 낮게 나타났다.

자신의 구강관리를 할 수 없는 장애인에서는 치태의 기계적 제거가 어려우며 이러한 경우 구강관리의 다른 접근이 필요하다. 즉, 항생제나 항균제와 같은 약물 이용방법이 있으며 이중 항생제는 많은 제약이 따르지만 chlorhexidine을 사용한 경우 치면에 선택적으로 흡착되어 항생제가 가지는 단점들을 보완해 준다.

8. 치료(Treatment)

장애인들은 사회적, 정신적으로 불리한 입장이 많고, 신체적, 정신적 손상으로 치료 받는데에서 어려움을 겪게 된다.

이러한 치과치료의 장애요인을 열거해 보면 아래와 같다.

- 신체적 이동의 어려움
- 경제적 어려움
- 부적절한 동기유발
- 숙련된 치과의사의 부족

치과진료 시 환자를 완전하게 이해하고 정신적 상태와 환자에 대한 자신의 태도에 대해 더 많이 알고 있다면 치료결과는 더욱 성공적으로 될 것이다. 특히 장애환자는 더욱 이러한 부분이 필요하므로 일반환자와 같이 품위와 존경을 가지고 관심을 가져야 하며 아래와 같은 일반 기준을 따르면 도움이 될 것이다.

치과치료 시 일반적인 고려사항

- 환자평가(patient assessment)
- 의과적 자문(medical consultation)
- 진료시간 결정(scheduling appointment)
- 신체적 편의 제공
- 치료계획과 치료에 대한 동의
- 의사소통(communication)
- 불안과 공포의 조절(managing anxiety and fear)
- 협동치료(the team approach)
- 예방적 관리(preventive strategies)

치과진료 시 위의 사항들을 우선적으로 고려한 후 아래와 같이 각각의 치주질환별로 치료방법을 접근해야 하겠다.

1) 치은염(Gingivitis)

치은염은 장애인 환자의 모든 연령에 걸쳐서 가장 흔히 발견되는 치주문제로 이는 열구 주위에 음식잔사나 치태가 침착된 결과이다. 염증이 치료되지 않으면 치은의 형태가 변하여 구강위생유지가 어려워지며 치태, 치석, 음식물 잔사의 침착이 용이해진다.

환자는 구강위생유지 방법을 이해해야 하고 또 그렇게 할 수 있도록 격려해야 한다. 초음파 치석제거기는 치석과 착색물 제거를 용이하게 하지만 많은 장애인들은 쉽게 구토를 하므로 상당한 양의 물을 분사하는 이 기구를 위해서는 좋은 흡입장치가 필요하다.

지혈의 문제가 있는 환자는 치료에 어려움이 있기 때문에 부드러운 나일론 솔과 러버컵으로 치주낭을 청소해야 하는데, 만약 치석제거술 시 출혈이나 외상이 예상된다면 환자의 주치의에게 문의해야 한다. 치석제거술과 소파술은 환자에게 큰 문제가 없다면 주된 치료방법이다. 뇌성마비가 있는 환자에 있어서 발작을 하는 환자는 페니토인을 복용하는 경우가 많기 때문에, 이들은 페니토인-유발성 치은비대로 인해 치은염 치료에 문제가 있을 수 있다. 치은증대, 출혈, 궤양증이 급성 백혈병 환자에서 있을 수 있고 이런 경우 무과립성 백혈병과 급성 괴사성 치은염의 감별진단이 필요하다. 이때 내과의의 정밀한 검진이 이루어지기 전에는 어떤 치주치료도 행해져서는 안 된다.

2) 괴사성 궤양성 치은염 (Necrotizing ulcerative gingivitis)

이 질환은 다운증후군의 어린 시기에 높은 발생률이 보고되고 있으며[12] 치료로는 전신적인 항생제 투여와 1.5% 과산화수소로 몇 시간마다 구강을 세척하고 치아를 조심스럽게 연마한다. 며칠 후에 염증이 감소되었다면 치석제거술을 시행하고, 과산화수소로 구강세척을 하는 것을 중단한다. 국소적 자극이 제거되고 치은조직의 치유가 완전해지면 치은의 재평가를 실시한다.

3) 치주농양(Periodontal abscess)

장애인 환자의 불량한 구강위생에 의해 생길 수 있는 또 하나의 급성상태로 응급처치에 의해 계속적인 배농이 되어야 하며 치아가 돌출되어 있다면 교합면조정이 필요하다.

4) 치관주위염(Pericoronitis)

부적절한 구강위생은 부분 맹출된 제3대구치의 연조직에 급성염증을 야기하며 이 때, 희석된 과산화수소로 치개(operculum)하방을 세척하거나 gention violet을 국소적으로 적용하는 것이 추천되며 감염제거를 위해 며칠동안 이 과정을 반복하는 것이 필요하다. 재발을 막기 위해서는 외과적으로 치개를 제거하거나 발치가 필요하다.

5) 급진성 및 만성 치주염(Aggressive and Chronic periodontitis)

일반 환자들에 비해 구강위생이 불량할수록 치주조직의 파괴가 심하다. 광범위한 골조직의 파괴가 다운증후군에서 많이 나타나는데 매우 어린나이에서도 발견된다. 치주염에 대한 치료는 간단한 소파술에서부터 골수술을 포함한 복잡한 치주수술까지 고려할 수 있다. 치주염 치료는 전신마취하에 외과적 수술까지 고려할 수 있지만 무엇보다도 철저한 유지관리가 필요하다. 재발방지를 위한 중증 다운증후군 환자에서는 청결한 구강상태유지와 소파술과 같은 간단한 치주치료에 국한하는 것이 좋다.

6) 전신질환과 연관된 급진성치주염(Aggressive periodontitis with systemic disease)

Papillon–Lefèvre syndrome, agranulocytosis, hypophosphatasia, mongolism 등과 같은 전신질환을 수반하는 경우 증폭되어 빠른 속도로 전체 치주조직에 영향을 미치게 된다. 장애인의 치료에는 비외과적 치료와 약물투여가 필요하며 예후는 불량하다.

7) 치은 과증식 (Gingival enlargement, or Gingival hyperplasia)

기계적인 방법으로 모든 국소 자극요인들을 제거한다. 치은성형술을 동반한 치은절제술이 통상적인 치료법이지만 외과적 술식은 원인요소가 제거되지 않으면 재발하는 것이 대부분이므로 가능한 연기한다. 수술은 물론 급성백혈병의 경우에는 부적응증이며 전문가 예방관리와 병행한 철저한 구강위생관리가 병소의 재발속도와 크기 증가를 감소시킬 수 있으며, 가압 장치물이 외과적 처치 후 재발방지에 도움을 줄 수도 있다.

8) 교합이상

적절한 교합을 만족시키기 위해서는 환자의 완전한 협조가 필요하나 장애인의 경우 대부분 교합조정을 할 수 없는 경우가 많다. 치주질환은 부착상실을야기하고 이로 인해 치아동요도와 치아이동을 야기하여 치주조직의 파괴가 악화된다. 필요한 경우 치아이동을 방지하기 위한 고정술을 이용하는 것이 도움된다.

장애인 환자에서 술자는 협조도라는 면에서 제한적이며, 교합조절장치나 이와 유사한 비부착성 장치물은 이갈이나 다른 교합문제의 처치에 있어서 어려운 점이 많으나, 장애인이지만 근육계통의 손상이 경미하고 협조하기에 지적수준이 충분한 경우에는 일반환자와 똑같이 술식을 적용할 수도 있다.

9. 장애인 치료에서의 치과종사자와 보호자의 역할

1) 치과의사의 역할

장애인 환자를 치료하는데 있어, 치과의사의 최대목표는 그 환자의 필요에 따른 최선의 치료를 제공하는 것이다. 타협과 변형이 있을 수 있고 치료는 이상적인 것에서 방향을 변경할 수도 있다. 변형에 있어서는 환자의 안녕을 마음에 두어야 하고 치과의사의 회피에 의해 행해져서는 안 된다.

치과의사는 심리적으로 장애 환자의 요구에 맞추어야 하는 두 가지 이유가 있는데, 환자와 보호자와의 대화향상을 위해, 그리고 진료실 내의 다른 환자에게 행동의 모델을 제시하기 위해서이다. 장애인 환자에 있어서 흥분과 분노가 가끔씩 최고조를 보이는데 내과학과 심리학 팀의 장애 환자에 대한 공동연구에서, 장애가 심할수록 덜 울부짖고 장애인에 대한 지식이 많을수록 장애인 환자를 더 쉽게 받아들인다고 주장하고 있다.

의사소통 장애와 신체적 장애로 인해 장애인 환자는 진료 시 정상인과 다르게 반응한다. 만약 치과의사가 이러한 반응을 이해하지 못하고 있었다면 저항감과 불편함이 생길 것이다. 이것은 환자를 흥분하게 하고 또 특정 공포를 야기해 결국은 악순환을 만들게 된다. 이 악순환을 최소화하기 위해 치과의사는 장애 상태에 대한 일반적 특징에 익숙해야 하고 치료 전에 환자에 대한 특징적인 정보를 알고 있어야 한다.

2) 치과보조인의 역할

치과보조인은 크게 다음 3가지로 분류한다.

- 치료를 하는데 도움을 줄 수 있는 보조인
- 예방에 대한 방법과 치료에 대해 설명을 해줄 수 있는 보조인
- 환자와 보호자, 치과의사 사이의 의사소통 역할을 할 수 있는 보조인

진료 시에 보조인의 역할은 매우 중요하다. 기술적, 심리적으로 보조인 없이 장애인 환자를 치료하는 것은 매우 어렵다. 보조인은 평상 시의 진료에 대해서 뿐 아니라 부가적

인 기술과 특이한 장비의 사용에 대해 친숙해야 한다. 그리고 치료과정에서 일어날 수 있는 비이성적인 행동의 조절을 도와줄 수 있어야 한다. 환자와 치과의사의 관점에서 치료과정이 가능한 빠르고 효율적인 것이 중요한데, 치과보조인은 이러한 측면에서 독특한 위치에 있다. 치과보조인은 환자와 보호자를 교육하는 역할로서도 중요하며, 많은 예방적 프로그램은 훈련된 보조인을 활용하는데 달려 있다. 아마 장애인 치료에 있어서 치과보조인의 가장 중요한 역할은 의사소통을 원활히 하는 것으로 보조자는 불안한 환자를 안정시키고 환자가 보다 편안하게 느끼는데 도움을 줄 수 있어야 하겠다. 치과보조인은 약속 전, 후에 부모가 가질 수 있는 질문들에 대해 대답을 해줄 수 있어야 하고 만약 치과의사가 무의식중에 대화를 꺼려한다면 치과보조자가 이러한 장벽을 없애는데 도움을 줄 수 있어야 하며 치과 내의 여러 상황속에서 치과의사, 부모, 환자가 필요로 하는 것을 예측하고 원활히 도울 수 있어야 한다.

3) 치과위생사의 역할

치과위생사는 치과직원 가운데서 치료제공자로서, 또한 의사소통자로서의 역할을 하는 중요한 사람이다. 위생사는 치과치료를 제공하지만 직접적으로 불안을 야기하는 시술은 행하지 않는 유일한 사람으로 위생사는 환자에게 즐거운 치과경험을 제공할 수 있다는 자신감을 가져야 한다.

치과위생사는 학습을 통해 특별한 장애환경과 이에 따른 치과적 대응기술의 지식을 숙지해야 하며, 특히 전투약의 효과와 물리적 속박기 등의 사용에 익숙해야 한다. 방사선 촬영 시에 장애인을 위해 적절한 방법을 적용해야 하고, 초음파 치석제거기 사용이나 예방 프로그램을 도입하여 적절히 제공할 수 있어야 한다.

위생사 역시 치과의사와 환자 또는 부모간의 의사소통을 원활히 할 수 있는데, 환자와 부모들의 긍정적 행동과 적절한 동기유발을 위해 도움이 될 수 있다.

4) 접수원(상담원)의 역할

장애인의 치과치료를 위한 접수원의 역할이 치과내 모든 직원 중에서 가장 중요하다. 적절한 지식을 가진 숙련된 접수원은 치과의사의 장애인 치료에 대한 철학을 반영하고 대화장애가 생기지 않도록 하는 것이 중요하다. 접수원은 장애인 치료와 관련된 지식을 알아야하고 불안하거나 조심스런 부모가 자신의 자녀를 위한 초진 예약 시 할 수 있는 질문에 답할 수 있어야 한다. 첫 전화접촉 시 접수원은 초진 전에 치과의사가 필요한 정보라던가 부모가 가질 수 있는 특별한 문제점을 파악해야 한다. 종종 부모들은 치과치료를 받기가 힘들기 때문에 장애상태에 대해 말하기를 꺼리게 되는데 이때에 장애의 특성상, 즉 의과적 치료를 담당하는 주치의의 이름 등을 알아내야 한다. 첫 번째 약속에 앞서 의학적 자문이 필요하기 때문에 이것이 중요하다.

접수원은 장애인이나 그 부모들과 친해야 하며, 필요시 추가 정보를 얻을 수 있어야 한다. 이런 정보는 적절한 치료를 위해 타 기관으로 보낼 수도 있다. 접수원의 역할은 장애인의 치료에 대한 병원전체의 인상을 반영하므로 매우 중요하다.

5) 보호자의 역할

장애인에서 구강관리를 피하는 이유는 구강관리에 대한 무관심 그리고 경제적, 사회적, 문화적 이유를 들 수 있다. 다른 일에 우선해서 구강관리를 하는 것이 가족들에게는 어렵지만 적절한 구강관리는 필수적이다. 부모들은 장애아를 과보호하게 되고, 치과치료 동안 눈에 보이는 위험을 피하려 한다. 가족의 신체적, 정신적 장애에 따르는 당황스러움과 모욕감을 느낄 수도 있다. 치과의사와 직원들은 이런 배경지식을 가지고, 장애인과 부모들에게 접근해야 한다. 믿음을 얻기 위해 매우 조심스럽게, 그리고 진심으로 행해져야 한다.

장벽이 극복되고 믿음이 생기면 부모의 도움은 치과치료에 매우 중요하다. 부모는 약속에 앞서 술전 투약을 시행하고 정신적 안정을 시키는데 많은 도움을 줄 수 있다. 물리적 억제가 필요한 경우 치료실에 남아서 의사의 지시를 대신 전달하는 등 정신적 안정에 도움을 주기도 한다. 또한 부모는 구강위생관리, 식이 조절, 불소 도포를 포함하는 가정 예방관리를 위해 동기유발이 되어야 하고 장애인과 치과 사이의 중요한 매개를 제공할 수 있어야 한다.

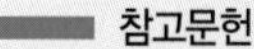

참고문헌

1. Cutress TW. Periodontal disease and oral hygiene in trisomy 21. Archives of oral biology 1971;16:1345–1355.
2. Meskin LH, Farsht EM, Anderson DL. Prevalence of Bacteroides melaninogenicus in the gingival crevice area of institutionalized trisomy 21 and cerebral palsy patients and normal children. Journal of periodontology 1968;39:326–328.
3. Cutress TW. Composition, flow–rate and pH of mixed and parotid salivas from trisomic 21 and other mentally retarded subjects. Archives of oral biology 1972;17:1081–1094.
4. Coburn SP SM, Smith CE, Mertz ET. Non–protein nitrogenous metabolites in saliva in Down's syndrome. Journal of dental research 1967:1476.
5. Johnson NP YM. Periodontal disease in mongols. Journal of periodontology 1963.
6. Fishman SR, Young WO, Haley JB. The status of oral health in cerebral palsy children and their siblings. Journal of dentistry for children 1967;34:219–227.
7. Swallow JN. Dental disease in handicapped children––an epidemiological study. Refuat Hapeh Vehashinayim 1972;21:41–51.
8. Keyes PH, Bellack S, Jordan HV. Studies on the pathogenesis of destructive lesions of the gums and teeth in mentally retarded children. I. Dentobacterial plaque infection in children with Down's syndrome. Clinical pediatrics 1971;10:711–718.
9. Steinberg AD, Alvarez J, Jeffay H. Lack of relationship between the degree of induced gingival hyperplasia and the concentration of diphenylhydantoin in various tissues of ferrets. Journal of dental research 1972;51:657–662.
10. 대한소아치과학회: 소아.청소년치과학. 서울. 1999. 신흥출판사.
11. 김영진 역: 장애인 치과 가이드북. 서울. 2001. 지성출판사.
12. Swallow JN. Dental disease in children with Down's syndrome. J Ment Defic Res 1964;8:102

기타 참고문헌

- Nowak AJ. Dentistry for the handicapped patient. Saint Louis, 1976. C.V. Mosby Co.
- Rosenstein SN. Dentistry in cerabral palsy and related handicapping conditions. Illinois, 1978. Charles C. Tomas, Publisher.
- American Dental Association: Accepted dental therapeutics, ed. 36. Chicago, 1975. American Dental Association.
- Baer PN, Benjamin SD. Periodontal disease in children and adolescents. Philadelphia, 1974. J. B. Lippincott Co.
- Baker E, Crook G, Schwabacker E. Personality correlates and periodontal disease. J Dent Res 1961;40:396.
- Baxter JA. Dental disease in the mentally handicapped. Dent Delineator 1969;20:7.
- Bogach S, Dreyfus J. The broad range of use of diphenylhydantoin: biography and review. Drefus Medical Foundation,1970.
- Burnett GW, Pennel BM. Dental integuments and deposits as etiological factors in periodontal desiase and dental caries. In Lasslo A, Quintanta RP, editors: Surface chemistry and dental integuments, Springfield, Ill., 1973 Charles C Thomas, Publisher.
- Butts JE. Dental status of mentally retarded children. II. A survey of the prevalence of certain dental conditions in mentally retarded children of Georgia. J Public Health Dent 1967;27:195.
- Chany TM. Effects of local applications of microencapsulated catalase on the response of oral lesions to hydrogen peroxide in acatalasemia. J Dent Res(Suppl) 1972;51:319.
- Davis RK, Baer PN, Palmer JH. A preliminary report on a new therapy for Dilantin gingival hyperplasia. J Periodontol 1963;34:17.
- Gibbons RJ, Van Houte J. On the formation of dental plaque. J Periodontol 1973;44:347.
- Gupta OP. Psychosomatic factors in periodontal disease. J Indian Dent Assoc 1968;12:101.
- Heling B, Shapiro S, Segal E, Hofman A. Periodontal and oral hygiene status of retarded children in Israel. Isr J Dent Med 1972;21:52.
- Jorgenson RJ, Levin LS, McKusick VA. Heritable oral handicaps. Dent Clin North Am 1974;18:579–595.
- Löe H. Plaque control in periodontal disease. J Am Dent Assoc 1973;87:1034.
- Swallow JN. Periodontal disease in children with Down's disease. J Dent Res 1963;42:1096.
- Szajdar N, Carrare JJ, Otere E, Carranza JA. Clinical periodontal findings in trisomy 21 (mongolism). J Periodont Res 1968;3:1.

PART 03

치과 임플란트 술식

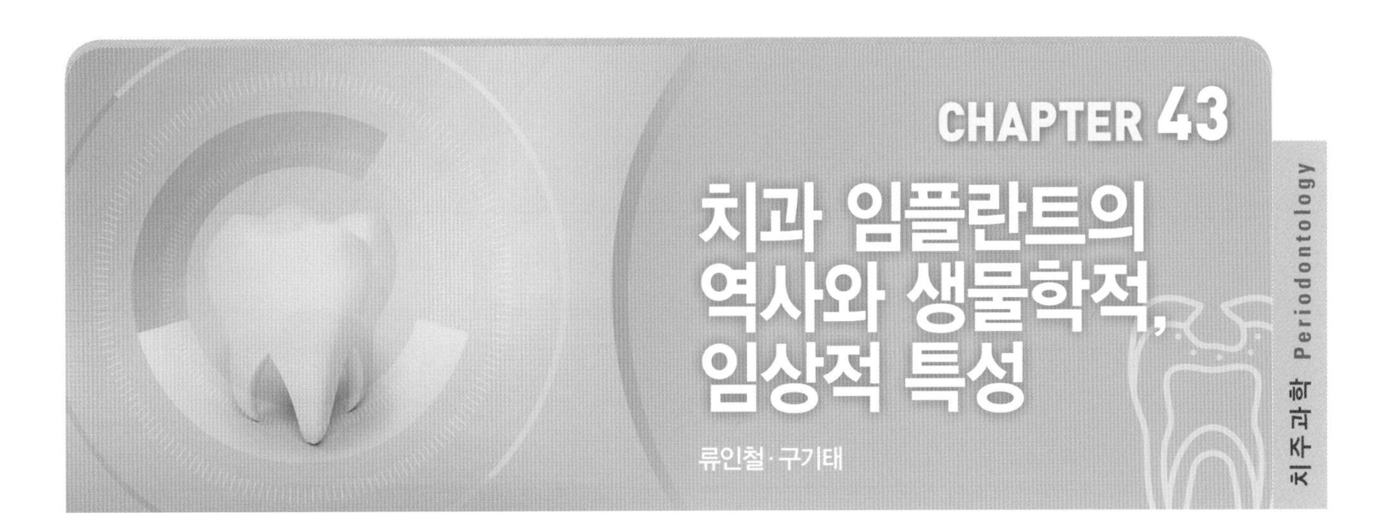

1. 임플란트의 역사

자연치아의 대체물을 찾기 위한 노력은 고대부터 인류의 과제였다. 임플란트 디자인의 원류는 고대 이집트나 중남미 문명까지 거슬러 올라갈 수 있으며, 이것이 현재의 구조로 발전되어 이용되고 있다. 현대 임플란트학은 1930년대 중반부터 시작되었다고 할 수 있으며, 이 시기에서부터 임플란트의 기본 개념이 변화하여 현재 이용되고 있는 것에 이르렀다. 이러한 방법 중에는 골막하, 골내 임플란트가 포함이 된다.

골 위에 놓이는 골막하 임플란트는 지난 30년간 성공적으로 이용되어 왔다. 첫 번째 골막하 임플란트는 1948년 처음으로 임상에서 사용되었으며, 이것은 1943년 Gustave Dahl[1]의 착안을 Aaron Gershkoff와 Norman Goldberg가 변형한 것으로 골내 임플란트를 식립할 만큼 충분한 뼈가 없을 때 사용할 수 있도록 견고한 판 모양의 요소를 포함하게 설계되었다.

Blade 임플란트도 환자의 치료에 이용 가능하다는 연구 보고가 있었다. 1967년 두 가지 변형이 소개되었는데, 하나는 Leonard Linkow[2]가 발표한 것이고, 다른 한 방식은 Ralph와 Harold Roberts[3]가 제안한 것이다. 이 blade 임플란트는 치근형 임플란트를 사용할 수 없을 만큼 치조골이 얕거나 얇을 때 이용할 수 있는 방법이다.

현재에도 이용되고 있는 또 다른 방식은 치근형, 또는 원통형의 골내 임플란트로서, 유구한 역사를 자랑하며, 고대 이집트와 남미 문명에서 처음 기록되었다.

이 방법의 발전은 1800년대 Maggiolo의 금 임플란트로 이어졌다. 마찬가지로 1800년대에 Edmunds라는 사람은 납을 치근 모양으로 만든 후 그 위에 백금 구조를 입혀 상방에 도재관은 축조하였다. 이 제품은 후에 Harris가 치근모양의 납 구조물에 백금 포스트를 추가한 후 도재관을 올린 임플란트로 이어졌다.

1952년 Brånemark는 수십 년 후 그의 디자인과 치료 개념을 보급시키게 되는 계기가 되는 원통형의 나사형 골내 임플란트의 대규모 전향적 연구를 시작하게 되었다. 이들은 골의 미세혈류 순환과 상처 치유기전에 관한 연구를 위해 생체 현미경을 고안하여 실험하였는데 이는 생체 밖에서 광학적으로 관찰 가능한 장치를 금속 내부에 위치시키고, 이 금속 chamber를 외과적 방법으로 실험동물의 골 내에 위치시켜 현미경으로 관찰하는 방법이었다. 이 방법은 전혀 새로운 것이 아니라 이미 다른 연구자들에 의해서 사용되었던 것이지만, 중요한 것은 금속 titanium이 관찰기구에 사용되었고 이를 골 내에 조심스러운 외과적 술식을 이용하여 위치시켰으며, 이 금속에 골이 아주 단단하게 부착되었다는 사실이다.

즉 전에는 불가능하다고 생각되었던 금속구조물이 살아있는 골 내 부착이 관찰된 것이다. Brånemark교수는 이 새로운 부착기전의 중요성을 인지하여 치과 임플란트뿐만 아니라 정형외과적 목적에도 사용될 수 있다고 보고, 이 현상을 골유착(osseointegration)이라고 명명하였다.[4]

1986년 미국 치과의사 협회에서 이를 일부 인정함에 따라 치과계에서 치과 임플란트를 널리 받아들이고 사용하게 되는데 기여하였다.

2. 골유착의 개념

골유착(osseointegration)은 생체의 일부인 골과 금속과의 결합을 의미하는 생물학적인 개념이다.[5,6] 이러한 고정기전은 보철물이 그 상부에 연결되는 것을 가능하게 하며, 치과 보철뿐만 아니라 악안면 보철, 병적 관절의 대치와, 인공관절의 부착 등 광범위하게 적용된다.

골유착이란 보철물을 지지할 수 있는 매식체와 골조직과의 직접적인 연결로서 교합력을 직접 골조직으로 전달하는 기능을 가진다(그림 43-1, 2).

구강내 매식체가 성공적인 골유착을 이루기 위해서는 몇 가지 전제 조건이 충족되어야 한다.[7]

첫째 요건은 재료의 특성에 있는데, 매식체는 생체적합성(biocompatibility)이 우수하여[8], 조직에 유해한 반응이나 이물질에 대한 거부반응을 일으키지 않아야 한다. 매식물의 표면은 철저하게 무균상태를 유지해야 하고, 이종 금속이나 단백질과 접촉해서는 안 된다.

둘째 요건은 매식체의 형태(design)이다. Carlsson[9] 등은 판(plate)형이나 다른 다양한 불규칙한 모양의 매식체보다 나사 형태가 더 우수하다고 보고하였으나, 현재 다양한 형태의 매식체이 고안되어 사용되고 있다.

세 번째 요건은 골을 삭제하는 과정에서 과도한 열의 발생을 방지하는데 있다. 만약 골조직이 43℃ 이상으로 가열되는 경우 염기성인산분해효소(alkaline phosphatase)가 파괴되기 시작하여 골조직의 활성도가 파괴되므로 가장 이상적인 형태는 열 발생을 39℃ 이하로 유지하는 것이다.[10]

네 번째 요건은 매식체를 일정 기간 동안 교합력이나 다른 어떤 부하가 가해지지 않는 상태로 골조직 내에 유지시키는 것이다. 일반적인 경우 상악은 6개월, 하악은 3~4개월 동안 매식체에 부하가 없는 상태를 유지해주어야 한다. 최근 이 기간보다 짧은 기간이 제안되고 있는데, 초기 고정 후에 일정 기간 외력이 작용되지 않도록 고려해줄 필요가 있음은 명백하다.

3. 임플란트의 종류

현재 수많은 임플란트 상품이 나와 있어 일일이 언급할 수는 없지만, 매식체는 매식되는 위치, 형태 등에 따라 분류된다.

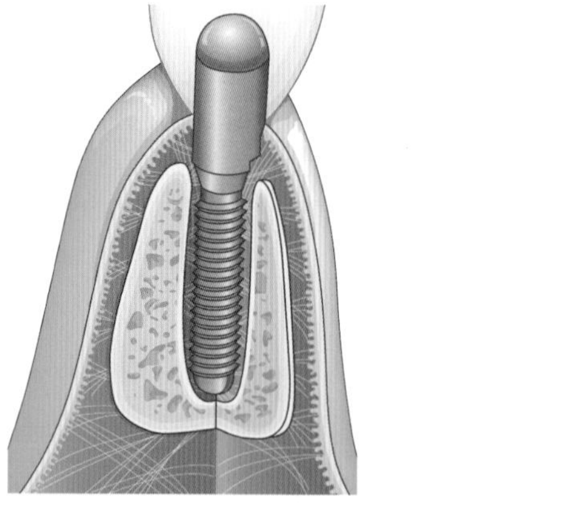

그림 43-1. 섬유성융합(fibrointegrations)의 모식도

매식체와 골 사이에 개재되어 있는 섬유성 교원조직은 치주인대와 같은 충격을 흡수하는 역할을 하지 못한다. 국소적인 염증의 결과로서 이 결합조직이 생겨나며 이로 인해 임플란트의 동요도가 서서히 증가한다.

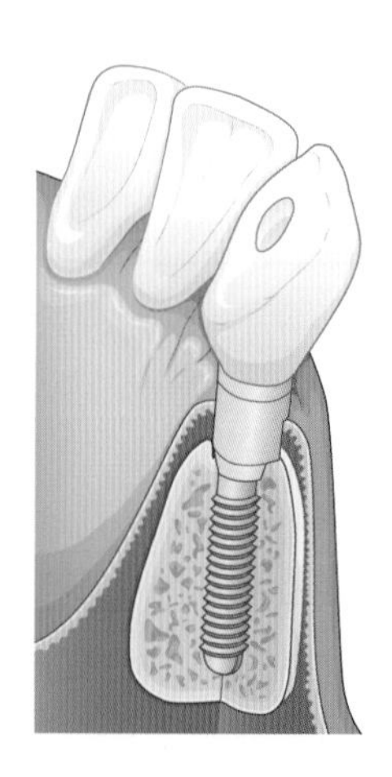

그림 43-2. 골유착(osseointegration)의 모식도

섬유성 조직의 개재 없이 골과 매식체가 직접 접촉하고 있다. 교합력에 조화를 이루며 매식체의 표면 주위에 피질골이 형성된다.

1) 위치에 따른 분류

임플란트는 매식되는 위치에 따라 골막하 임플란트, 골관통 임플란트, 골내 임플란트 등으로 분류된다.

(1) 골막하 임플란트(Subperiosteal implant)

골막하 임플란트는 악골 표면에 놓이는 비 골유착성 임플란트다. 보통 하악에 사용되나 상, 하악 모두에서 사용 가능하다. 이 구조물은 점막-골피판(mucoperiosteum) 하방에 기본구조물이 있고 그 위에 점막을 관통하는 post가 있으며, 이 post가 overdenture를 지지한다. 파생되는 문제점은 감염, 상피의 하방 성장에 의한 탈락과 기저골 손상 등이 있으며 문제 발생 시 제거도 어렵다(그림 43-3).

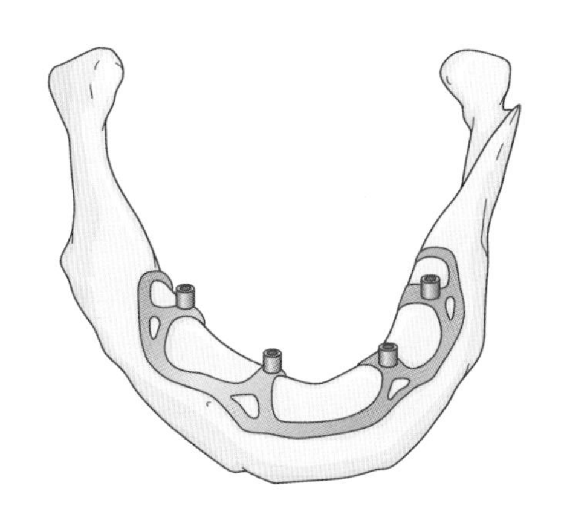

그림 43-3. 골막하 임플란트

(2) 골관통 임플란트(Transosseous implant)

이 임플란트의 가장 흔한 형태는 하악전치부에서 하악골을 관통하는 형태인데, 하악 전방 정중부의 하부 변연에 맞게 고안된 금속판(plate)과 post로 구성되어 있다. Post 중 일부는 악골 내에 있고 다른 Post는 악골을 통과하여 구강 내로 돌출되어, 이를 지주대로 사용하여 의치를 안정시킨다. 이용되는 재료로서는 vitallium, titanium 합금, 금합금 등이 있다. 하악에서만 사용되며, 주된 문제점은 post 주변의 골상실이다(그림 43-4).

(3) 골내 임플란트(Endosteal implant)

이 임플란트는 구강 내에서 골막까지 절개를 한 후, 골 내에 위치시키며 상, 하악 모두에 사용될 수 있다. 다양한 형태와 재료가 소개되어 있으며, 가장 흔히 사용되는 형태로서 임플란트 시장에서 빠른 성장을 하고 있다(그림 43-5).

2) 치근형 임플란트의 디자인에 따른 분류

많은 골내 임플란트는 tapered cylinder나 cylinder 형태로 제작되며, 외부표면에 나사선이 있는 것과 없는 것이 있다. 또한 cylinder 내부에 공간이 있고, 그 주위에 구멍이 있는 basket 형태도 있다. 편평한 판 형태도 있는데, 이것은 blade 임플란트라고 부른다. 현재 다양하게 표면처리를 한 임플란트들이 개발되고 있다(그림 43-6).

치근형 임플란트는 몸체형태(거시적 디자인)와 표면형

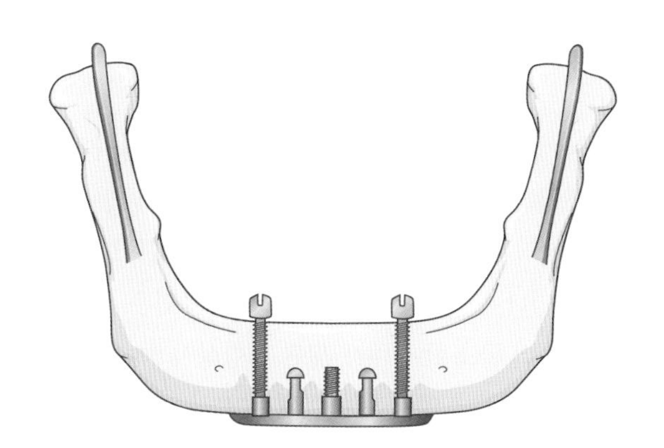

그림 43-4. 골관통 임플란트

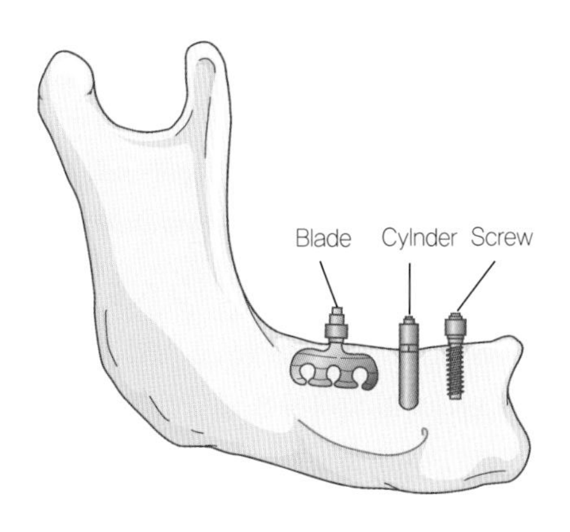

그림 43-5. 골내 임플란트

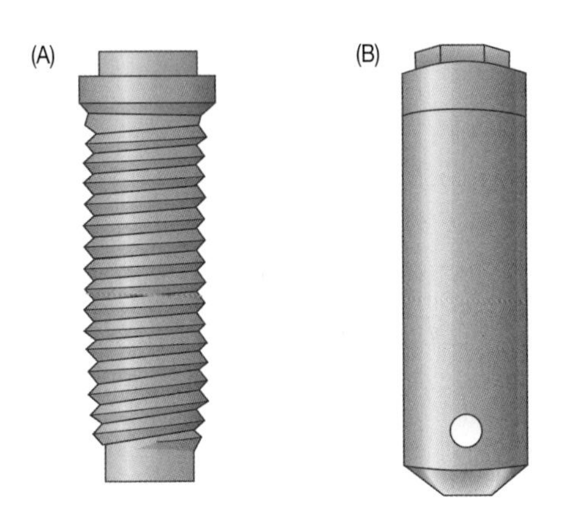

그림 43-6. 치근형의 임플란트의 두 가지 기본적 그룹(거시적 디자인)
(A) 나사형 임플란트 (B) 원통형 임플란트

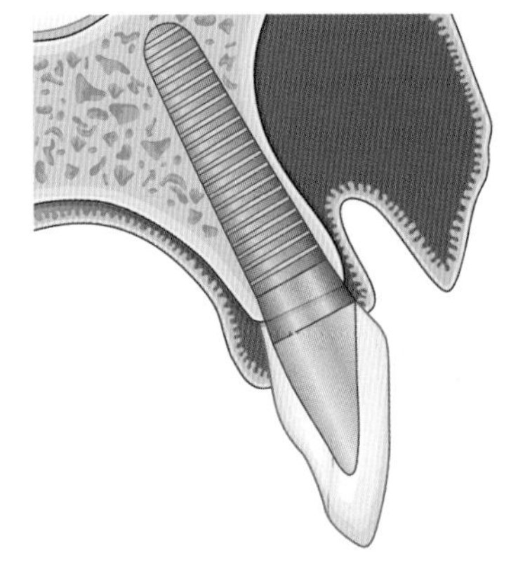

그림 43-7. 원추형의 임플란트는 치근단부위의 골 천공 발생이 최소화되도록 하는데 도움이 되며, 또한 발치와에 즉시 임플란트를 식립할 때도 유용하다 (Courtesy Nobel Biocare, Yorba Linda, CA).

태(미시적 디자인)에 따라 분류될 수 있다.

(1) 나사형(Screw-threaded) 임플란트와 원통형 (Threadless cylinder-shaped) 임플란트 (거시적 디자인)

수술의 원칙을 고려할 때 치근형 임플란트는 두 가지 기본적인 그룹으로 나눌 수 있다(그림 43-6). 하나는 나사산을 가지고 있고 다른 하나는 나사산을 갖고 있지 않으며 원통형이다. 첫 번째 형태는 임플란트 식립 부위에 임플란트보다 약간 작은 직경의 구멍을 형성한 다음 나사처럼 식립되는 형태이다. 원통형의 나사산이 없는 임플란트는 임플란트 매식체와 비슷한 직경의 구멍을 식립 부위에 형성한 후 두들겨서 식립하는 형태이다. 나사산이 있는 임플란트가 오늘날 더 널리 쓰이고 있는데 그 이유는 나사산이 있는 임플란트가 더 우수한 골내 초기 안정성을 보이고 식립 도중에 임플란트의 수직적인 위치 선정이 보다 정확하게 조절될 수 있기 때문이다. 높은 초기 안정성은 임플란트를 식립한 후 즉시 임플란트 위에 임시 보철물을 위치시킬 것을 고려할 때 매우 중요하다. 골 밀도가 높은 골에서는 식립을 보다 쉽게 하기 위해 골에 암나사의 나사산에 해당하는 부위를 만드는 "tapping"이라는 과정이 필요하다. 나사산이 있는 임플란트 중 일부는 치근단 쪽 골의 천공(fenestration)을 최소화하기 위해서 원추형으로 만들어져 있는데, 이것은 전치부의 발치와에 즉시 임플란트를 식립할 때 유용하다(그림 43-7).[11,12]

(2) 임플란트의 표면(미시적 디자인)

일반적으로 표면 처리가 되어있으면 생물학적으로 활성화된 골 성분의 흡수를 증진시켜 초기 치유 기간이 가속화되고, 임플란트와 골 간의 결합이 더 빨라진다. 티타늄 플라스마를 뿌린 표면(titanium plasma-sprayed surface)[13]과 수산화인회석(hydroxyapatite) 표면[14-19]은 매우 특징적인 표면으로 생각된다(그림 43-8A, B). 그러나 이차 안정성과 골유착(osseointegration)을 일찍 얻었다 할지라도 임플란트의 거친 표면이 구강내 타액과 세균에 노출되었을 경우 급진적인 골 소실이 일어날 수도 있다. 그러므로 이러한 표면을 가진 임플란트를 사용하였을 때는 임플란트의 거친 표면이 충분한 양의 치조골에 완전히 잠기게 하여야 한다.[20]

얇은 치조골은 기능 중에 흡수될 수 있고 결과적으로 구강 내에 임플란트의 거친 표면이 노출되어 급진적인 골 소실이 시작될 수 있으며 결과적으로는 임플란트가 실패할 수도 있다. 반면, 임플란트의 매끈한 표면은 세균 오염과 점진적인 골소실에 대해 훨씬 저항성이 강하지만 2차적인 안정성이 더 약하기 때문에 결과적으로는 무른 골이나 이식된 골에서 임플란트의 성공률이 낮아지게 된다(그림 43-8C). 그러므로 샌드 블라스팅(sand-blasting) 후

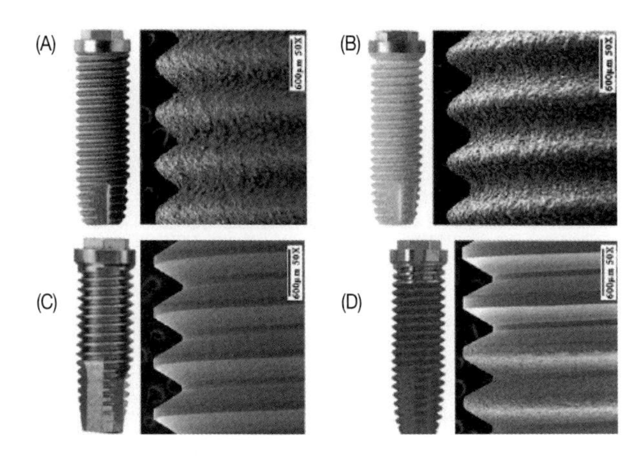

그림 43-8. 임플란트의 표면 특성(미시적 디자인)
(A) 티타늄 플라스마를 뿌린 표면(titanium plasma-sprayed surface) (B) 수산화인회석(hydroxyapatite)으로 코팅된 표면 (C) 매끈하게 처리된 표면 (D) 샌드블라스팅(sand blasting)/산부식시킨 표면

산 처리법(ITI system의 SLA 표면), calcium phosphate로 거칠기 증가(Lifecore system의 RBM표면), 염산이나 황산으로 산부식(3i System의 Osseotite 표면), 그리고 최근의 전기화학적으로 산화시켜 표면의 산화막 두께를 증가시키는 방법(예: Nobel biocare system의 Tiunite 표면, Nobel Biocare)에 이르기까지 다양한 표면 처리법이 소개되어 골-임플란트 접촉률을 높이고 치유를 촉진시킬 뿐만 아니라 세균 오염에 의한 급진적인 골 소실을 최소화 하는 강한 결합능력을 갖고 있기 때문이다(그림 43-8D).

4. 임플란트에 있어서의 생물학적 고려

1) 골-매식체 접합부

골조직은 피질골과 망상골로 분류되는데 피질골이 fixture 고정에 적당하다고 인정된 골이며 망상골에서는 골유착이 되면 매식체 표면에 밀도가 증가된 골조직이 형성된다.

2) 이물반응

매식재료가 생체에서 이물반응을 일으키는지의 여부는 상당히 중요하다. Titanium 같은 물질은 전혀 이물반응을 일으키지 않는 생불활성 물질이므로 매식재료로서 널리 사용되고 있다.

3) 골과 매식체의 관계

골과 매식체 표면은 섬유성 융합, 섬유-골유착, 골유착으로 분류할 수 있다. 이중 골유착만이 직접적인 골과 매식물 간의 접촉이며 구강내 저작압 등에 견딜 수 있게 된다. 적당한 재료를 선택하고 초기 치유과정 시에 부하를 주지 않으며, 골의 온도를 높이지 않도록 조심스럽게 시술했을 때 골유착이 일어날 수 있다(그림 43-1, 2).

골유착(osseointegration) 개념은 Brånemark에 의해 처음 제안된 것으로 광학현미경 수준에서 임플란트와 골간에 직접적인 접촉이 일어난 것을 나타낸다(그림 43-9). 이런한 골유착은 임플란트 표면 전체에서 일어나는 것은 아니다. 성공적인 임플란트에서도 직접적인 골유착이 임플란트 표면의 30~90%에서 일어나는 것으로 알려져 있다.[21] 골은 우수한 재생능력을 갖고 있어 매식체 나사의 산과 골 주변에서 성장하고, 재형성(remodelling) 과정이 지

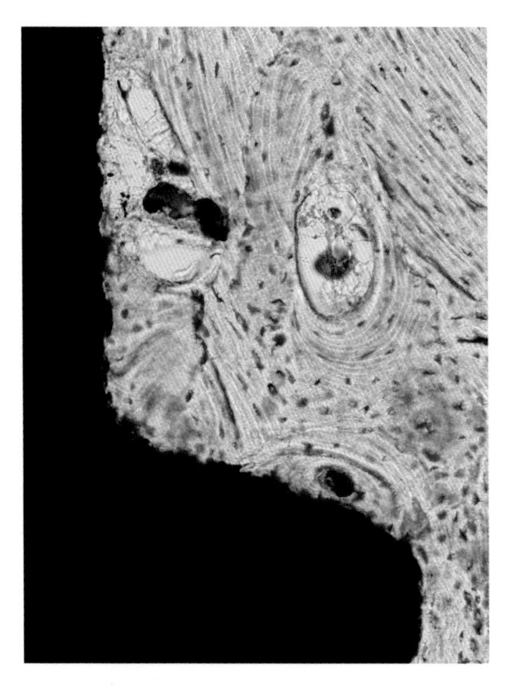

그림 43-9. 광학현미경상의 임플란트 주위조직
골과 임플란트 매식체(검은색)의 직접적인 접촉을 볼 수 있다.

속적으로 일어나게 된다.

임플란트와 골의 계면을 관찰하기 위한 조직절편의 두께는 대체로 20 내지 150 μm 정도여서 계면을 정확하게 관찰할 수가 없다. 초구조적(ultrastructural) 연구에서는 광물화된 기질(mineralized matrix)이 티타늄과 직접 접촉한다는 것과 임플란트와 골 사이에 결합조직이 개재되어 있다는 상반된 보고가 있다.[22]

전자현미경상에서 광물화된 조직이 임플란트 표면에 긴밀하게 접촉되어 있으나 이들 사이에 어떤 분자결합도 발견되지 않았다는 보고가 있다.[23] 이러한 결과와는 반대로, 무형질 무세포성의 glycosaminoglycans와 proteoglycans 층이 20 내지 1,000 nm 두께로 임플란트와 골 사이에 존재한다는 보고도 있다.[24]

산부식(acid etching)이나 blasting으로 임플란트의 표면적을 증가시키면 임플란트의 고정성을 높일 수 있다.[25,26] 22 nm이나 150 nm의 산화 알루미늄로 blasting을 한 타이타늄 임플란트가 그렇지 않은 것에 비해 임플란트 제거토크(removal torque)가 증가하는 것을 알 수 있다.

4) 골유착의 기전

매식 후의 골의 치유는 일반적인 골의 치유의 경우와 마찬가지로 일차적 치유나 이차적 치유로 치유가 된다. 골유착을 위해서는 감염되지 않고 괴사된 골조직이 없는 건강한 골에서 수술이 행해져야 한다. 치유과정은 초기에 매식체와 골 표면 사이에 혈병이 생겨 탐식세포에 의해 procallus가 생긴다. 이것이 치밀 결합조직과 간엽세포가 되고 다시 골모세포와 섬유모세포로 분화된다. 섬유조직은 골모세포가 골섬유를 형성해서 이것이 석회화가 되어 bony callus를 형성한다. 골유착이 되고 부하가 잘 배분되는 보철물을 제작했을 경우 매식체 표면에서 수 mm의 피질골이 형성된다. 두 표면 사이에 canaliculi가 산화막 근처에까지 뻗어 전해질 수송을 담당하며 골모세포를 싸고 있는 교원섬유다발은 당단백층까지 뻗어있다.[27]

5) 골유착의 파괴

매식체의 경우도 자연치와 마찬가지로 치태세균에 의한 염증의 진행과 과도한 교합력, 교합성 외상과 같은 지속적인 큰 자극에 의해 골 흡수가 일어난다.[28] 자연치에서는 과도한 자극이 제거되면 골의 재형성이 일어나지만 골유착 매식물에서는 일단 골이 흡수되면 재생이 잘 일어나지 않는다.

매식 후 첫해의 수직적 골소실은 대략 1.0~1.5 mm이고 그 후에는 1년에 대략 0.05~0.1 mm이다. 이보다 더한 흡수가 일어나면 염증에 의한 흡수나 교합성 외상을 검사해야 한다.[29-31]

6) 골유착 매식체에서의 근-신경계

자연치에서는 여러 수용기들이 치근막 내에 존재한다. 매식체 부위에는 치주인대는 없으나 주위에 신경말단이 있으므로 동통이나 온도를 감지할 수 있다. 최근에는 골조직의 감각(osseoperception)을 통해 임플란트가 위치한 골조직 부위를 통한 간접 감각에 대한 연구도 있다.

7) 임플란트 주위점막

임플란트 주위점막조직은 치밀한 교원질의 lamina propria를 덮고 있는 중층편평상피(stratified squamous epithelium)의 강한 부착성 띠로 이루어져 있다(그림 43-10, 11). 일반적으로 생물학적 폭경(biologic width)이란 임플란트를 둘러싸고 있는 연조직의 두께를 나타내는 용어이다.[32]

임플란트와 상피의 관계는 자연치에서와 유사하게 반교소체(hemidesmosome)와 기저판(basal lamina)에 의해 부착되어 있다.[33-35] 이는 임플란트와 상피세포들 사이에 생물학적 밀봉(biologic seal)이 존재하는 것을 의미한다. 임플란트 주위의 열구는 열구상피로 덮여 있고, 열구 깊이는 대략 1.5~2.5 mm로 여겨지고 있다.

임플란트에는 자연 치아에 존재하는 결합조직 부착이 없기 때문에 치주낭 탐침깊이(probing depth)가 자연 치아에 비해 약간 깊을 수 있다.[36] 임플란트 주위 점막이 건강한 상태에서는 가벼운 탐침 시에 출혈이 거의 일어나지 않는다. 출혈이 있다면 치태에 의해 유발된 염증의 존재를 나타내는 것이다.

임플란트에서 접합상피와 열구상피 하방의 결합조직에 존재하는 모세혈관 다발(capillary loops)은 자연치아

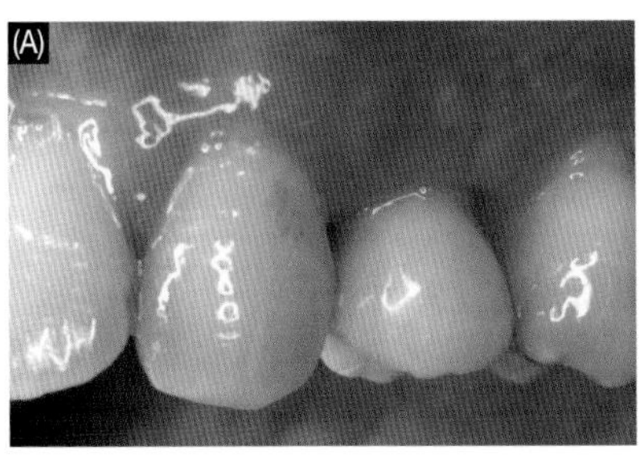
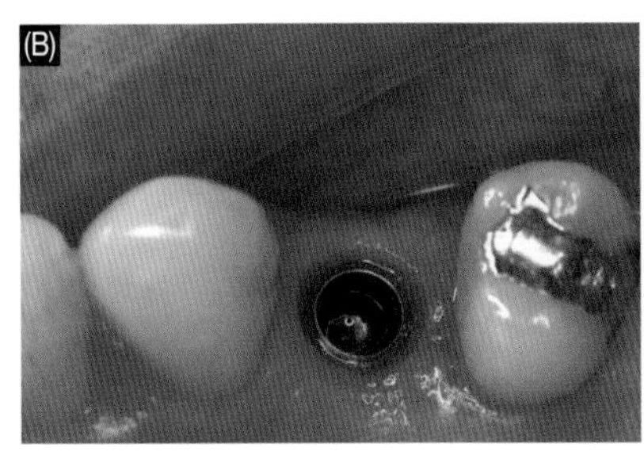
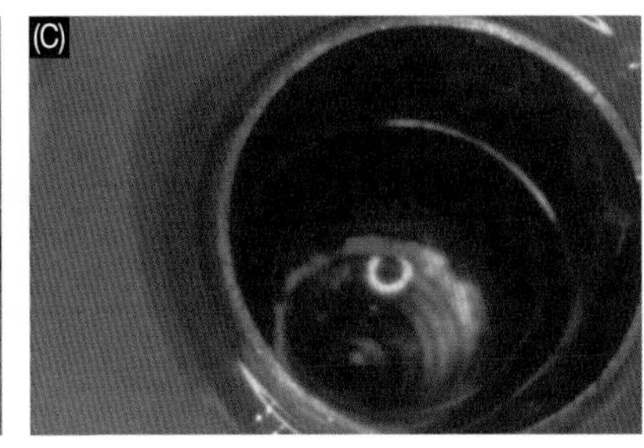

그림 43-10. 상악좌측 제일소구치를 임플란트를 통해 수복한 증례
임플란트 주위조직(A)과 치관부를 제거한 상태에서의 임플란트 주위점막(B)과 B그림의 매식체 주위 확대 사진(C)을 볼 수 있다.

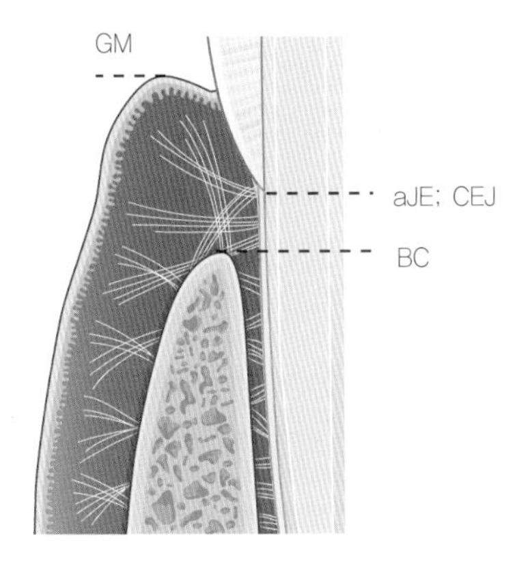

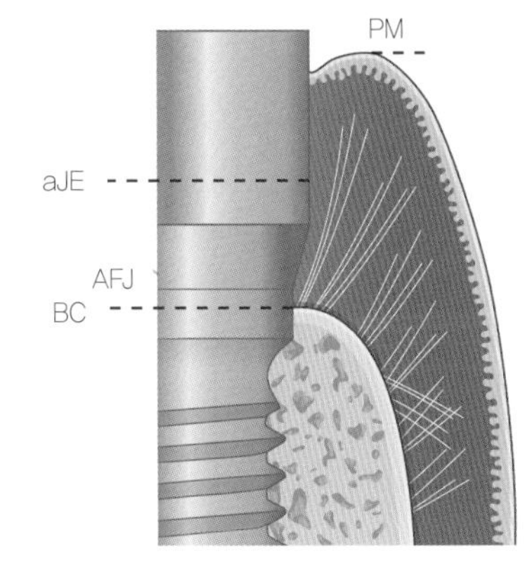

그림 43-11. 자연치아 주위조직과 임플란트 주위조직의 비교. 임플란트 표면에는 결합조직 부착이 없고, 치주인대가 없다.

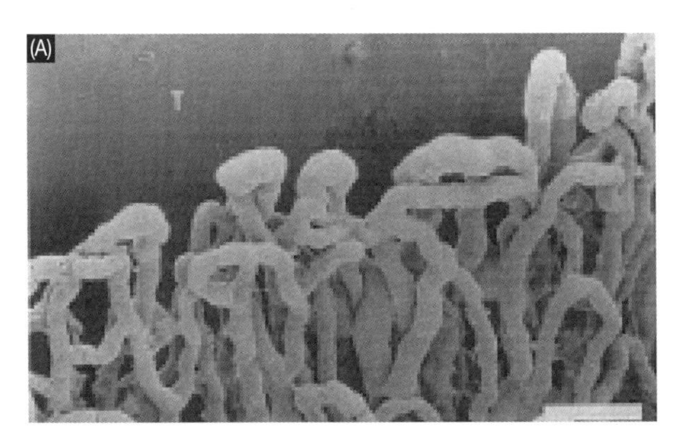
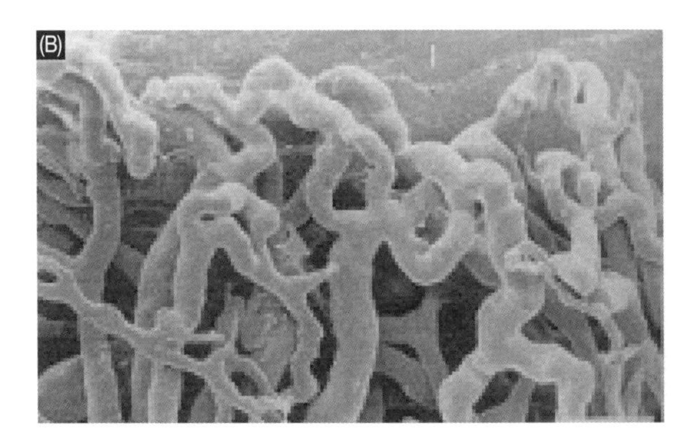

그림 43-12. 자연치아 주위조직(A)과 임플란트 주위조직(B)의 미세혈관 분포 양상
자연치아 주위조직에 미세혈관이 더 많이 분포한다.

주위조직에서와 해부학적으로 유사하나 임플란트와 근접한 조직에서는 자연치아 주위조직에 비해 혈관의 분포도(vascularity)가 낮은 것으로 알려져 있다(그림 43-12).[37] 이로 인해 임플란트 주위조직이 병인균의 공격에 취약할 수 있다는 견해가 있다.

임플란트 주위의 각화조직의 존재 유무에 따른 염증의 발생가능성에 대해서는 상반된 견해가 존재한다.[38]

임플란트에서는 자연치아와 달리 교원질섬유소들이 임

플란트 표면에 부착하지 않고 임플란트 표면과 평행하게 주행한다.[39] 또한 치은조직에 비해 교원질의 양은 훨씬 많고 섬유모세포의 수는 적어서 조직의 활성(turn-over)이 치은조직에 비해 낮다.[40]

5. 임상적 특성

1960년대에 Brånemark 그룹은 타이타늄 임플란트가 악골에 고정되어 무치악 환자에서 치아를 대신할 수 있음을 밝혀냈다.[41] 그는 임상연구를 통해 1982년 캐나다 토론토에서 열렸던 학술회의에서 처음으로 골유착에 관한 연구발표를 하였고 이것은 치과학의 새로운 시대를 여는 계기가 되었다.

1980년대 중반 이후로 새로운 여러 가지의 임플란트가 개발되고 임플란트 식립 수술법과 보철수복법 들이 소개되었다.

1) 임플란트의 임상적 관리

골유착된 임플란트가 높은 예견성(predictability)을 갖게 하기 위해서는 다음과 같은 사항들이 충족되어야 한다. ① 소독 등을 통한 무균적 시술, ② 타이타늄 같은 생체친화성이 높은 재료로 제작, ③ 외상을 주지 않는 수술법으로 매식, ④ 초기 안정성, ⑤ 치유 기간인 4~6 개월 동안 기능적 하중이 가해지지 않도록 해야 한다.

성공적으로 골유착이 이루어진 임플란트는 적절한 치태조절과 적합한 교합력하에서 임플란트 주변 골이 안정적으로 유지되는 것을 보여주었다. 임플란트 식립 후 처음 일년 동안은 1.0~1.5 mm 정도 골 흡수가 일어나고 그 이후는 매년 0.1 mm 정도의 골 흡수가 일어나는 안정성을 나타내었다.

한편, 골질(bone quality)이 임플란트와 골의 계면에 영향을 줄 수도 있다. 피질골이 성긴 골에 비해 높은 임플란트와 골의 접촉면적을 보여주었으며 골질이 우수할수록 임플란트의 성공률이 높았다.[42]

임플란트 수술과정도 골의 치유에 현저한 영향을 줄 수 있다. 임플란트 식립 시 충분한 냉각을 하지 않으면 열이 발생하여 골에 열손상(thermal injury)을 초래하게 되어 골유착 실패율이 증가한다.

(1) 적응증과 금기증

부분 무치악, 완전 무치악, 악안면 기형을 가진 환자들은 임플란트 치료의 적응증이 될 수 있다.[43] 부분의치를 장착할 수 없고 임플란트를 식립하기에 적합한 골양을 가진 환자는 임플란트 치료에 적합하지만, 모든 환자들은 개인별로 임상적 기준에 따라 평가를 받아야 한다. 중요한 기준으로는 구강위생, 치주건강, 완전 무치악 환자의 경우는 치주건강에 대한 병력, 치아의 위치, 치아 수복물, 치아우식의 활성 정도, 치아 상실의 원인, 골 양과 골질 , 환자의 동기유발 등이 있다.

임플란트 환자는 전신적으로 건강하여야 한다. 조절되지 않는 당뇨, 장기적인 스테로이드 치료, 방사선 치료를 받은 환자, 흡연과 알콜 중독은 임플란트의 초기 및 만기 부작용이 일어날 가능성이 높아진다. 환자의 건강에 어떤 의심이 있다면 철저한 신체검사가 필요하다.

임플란트를 식립하기 위해서는 구강내 연조직과 경조직에 어떤 병적 소견도 없어야 한다. 치주염을 유발하는 세균들이 임플란트 부위의 치유를 위험하게 하므로 치료되지 않은 치주염이나 성공적으로 치료되지 않는 치주염을 갖고 있을 때는 임플란트를 식립하지 않아야 한다. 임플란트 식립 부위에 있는 연조직의 양과 질 역시 중요하다. 왜냐하면 각화치은 점막이 임플란트 수복을 위해 기능적으로나 심미적으로 유리하기 때문이다.

이와 같이 전신건강, 구강건강, 수복물의 필요성 등에서 임플란트 치료를 하기에 좋은 상태라면 임플란트 환자 선택에 있어서 가용골의 양이 그 다음으로 중요한 기준이다. 직경 4 mm 임플란트를 식립한다면 최소한 6 mm 폭과 10 mm 높이의 악골의 크기가 필요하다. 최소한의 악골의 크기가 되더라도 보철적으로 적절한 위치에 식립을 하려고 하면 골이식 등이 필요한 경우가 있으므로 임플란트를 식립할 부위는 3차원적으로 평가해야 한다.[44,45]

치유된 악골에 임플란트를 심는 전통적인 방법 외에

발치를 하고 즉시 임플란트를 식립하는 방법도 성공적으로 이루어지고 있다. 심한 치조골 파괴, 치근파절, 근관치료 실패와 같은 경우 발치 후 즉시 식립을 위해서 다음과 같은 요건들이 갖추어져야 한다.

① 발치와의 골벽이 충분히 존재해야 한다.
② 발치와에 병적소견이 없어야 한다.
③ 임플란트의 초기고정을 위해 발치와의 근단부에 건강한 악골이 충분히 있어야 한다.

(2) 증례의 선택과 술전 진단

악골 구조를 분석한 후에 임플란트 치료의 가능성을 결정할 수 있다. 악골은 해부학적으로 다양한 변화가 있으므로 악안면과 구강내 해부학적 형태를 임상적, 방사선 검사를 통해 수술 전에 분석하는 것이 중요하다.[46]

가용골의 양과 임플란트 치료에 적합한 환자인가를 미리 평가하고 예견하기 위해 수술 전 진단이 필요하다. 수술할 부위의 연조직 두께를 알아보기 위해 촉진과 탐침 같은 임상검사를 한다. Periapical view, panoramic view, lateral cephalometric view 등의 방사선 사진을 이용하면 비강저, 상악동, 하악관, 이공 같은 중요한 해부학적 구조를 파악하는데 도움이 된다.

Panoramic view는 상악과 하악을 전체적으로 보는데 유용하다. 완전 무치악 환자에게는 lateral cephalometric view가 효과적인데 특히 하악에서는 하악골의 기울기(angulation), 두께, 수직골의 높이를 평가하는데 유리하다. 전통적인 linear tomogram과 computed tomogram scan 같은 새로운 진단 기법을 통해 수술 부위를 삼차원적으로 평가할 수 있고 다른 응용 프로그램을 이용하면 악골의 골질(bone quality)을 측정할 수도 있다.[47]

2) 다양한 임플란트 시스템

여러 가지 임플란트 사이에는 생체재료(biomaterial), 디자인, 수술법 등에 차이가 있다.

주로 사용되는 생체재료로는 순수 타이타늄, 미세개선 순수 타이타늄(micro-enhanced pure titanium), plasma sprayed titanium surfaces, plasma sprayed hydroxyapatite surfaces 등이 있다.

세 가지의 주된 디자인으로는 나사형(screw shaped form), 실린더형(cylinder shaped form), 치근형(tapered screw shaped form)이 있다.

수술법으로 1회법(one stage)과 2회법(two stage)이 있다. 2회법은 일차수술 시 임플란트를 식립하고 몇 개월 후 구강 내로 노출시켜 보철치료용 지대치를 연결하는 것이고 1회법은 처음 식립 시 구강 내로 노출시켜 힘을 받지 않게 하면서 치유를 유도하는 것이다.

대부분의 임플란트 시스템들은 6~15 mm 길이와 2.9~7 mm 직경을 가진 임플란트를 제공하고 있다. 세계적으로는 수 백 가지가 넘는 임플란트 시스템들이 사용되고 있으며 국산 제품도 상당히 많이 출시되어 있다.

3) 임플란트 수복과 심미 (Implant reconstruction and esthetics)

치과용 임플란트로 인해 가장 혜택을 받는 경우는 완전 무치악 환자들이다. 이들 환자에게 가철식 또는 고정식 보철물은 악구강 기능을 거의 정상적으로 회복시켜줄 수 있다. 완전무치악의 경우 본래의 디자인은 고정식 bone-anchored bridge로서 상하악의 전치부에 5~6개의 임플란트를 심어 후방으로 연장한 것이었다. 현재 사용되고 있는 대부분의 임플란트는 고정성 나사를 사용하여 보철물을 쉽게 고정하고 제거할 수 있는 특징이 있다.

완전 무치악 환자의 또 다른 치료법은 2~6개의 임플란트를 이용하여 ball이나 bar 형의 overdenture를 만드는 것이다. 안정성에 있어서 고정식에 비해 떨어지지만 통상적인 완전 틀니에 비해서는 우수하다.[48,49]

하나 이상의 치아를 상실한 부분 무치악 환자에게도 골유착 임플란트는 하나의 치료방법이다.[50,51] 교합, 치주 건강, 수직고경, 심미성 같은 자연 치아들의 상태가 장기적으로 성공적인 수복을 이루는데 애로사항이 될 수 있다. 일반적으로 임플란트는 계속가공의치를 지행할 수 있지만 해부학적인 구조물에 너무 가깝거나 골의 양이 부족한 경우가 있어 진단 및 치료계획 수립 시 주의해야 한다. 부분 무치악 환자에게서 임플란트 지지 보철물의 주된 장점은 인접 자연치아를 삭제하지 않아도 되고 긴 무치악 공간을 계속가공의치로 수복할 수 있다는 것이다.

임플란트를 이용하여 단일치 수복을 하기 위해서는 자연치아들과 완벽한 조화를 얻도록 조심스런 진단이 필요하다. 임플란트 위치, 골의 높이, 연조직의 심미성, 치아의 형태와 색깔 등이 적절해야 훌륭한 조화를 이루어낼 수 있다. 전통적인 방법에 비해 임플란트를 이용한 치아 수복은 주된 두 가지 장점을 갖고 있다. 첫째는 인접 치아를 삭제할 필요가 없고 둘째는 치조골을 유지할 수 있다는 것이다. 단일치아 임플란트를 하기에 가장 적합한 곳은 전치부와 소구치 부위이다.[52] 구치부는 스트레스가 집중되고 힘의 분산이 충분치 않아 골 흡수가 일어날 가능성이 높기 때문에 단일치아 임플란트를 하기에는 다소 불리하다.

(1) 부작용

임플란트의 10% 미만이 임플란트 수명 기간 중에 어떤 형태의 부작용을 보인다.[53,54] 치료기(treatment phase)에 나타나는 조기 부작용과 유지기(maintenance phase)에 나타나는 만기 부작용이 있다. 임플란트가 치유 기간이 지난 뒤에 동요를 보인다면 이것은 실패한 임플란트이다. 임플란트의 동요는 골유착이 일어나지 못한 섬유성 결합조직으로 둘러 싸여 있음을 나타낸다. 임플란트의 동요가 있으면 둘러싸고 있는 섬유성 결합조직을 완전히 제거하고 더 굵은 임플란트를 식립하거나, 기다렸다가 뼈가 다시 치유된 뒤에 임플란트를 식립하여야 한다.[55]

유지기 동안 골유착이 확립된 이후에 일어나는 부작용은 점막의 염증과 점진적 골 흡수 같은 조직의 역반응과 부품파절이나 나사풀림 같은 기계적 문제로 나누어진다.

(2) 유지관리(Maintenance phase)

적절한 구강위생과 교합이 임플란트의 장기적 안정에 대단히 중요한 요소이다. 부적절한 구강위생과 교합외상이 변연골 흡수와 관련 있기 때문이다. 치태조절은 임플란트가 구강 내로 노출되면 바로 시작해야 하며 임플란트 보철물이 종종 과풍융해지기 때문에 환자가 직접 관리하기에 어려움이 있다. 환자 리콜은 처음 일 년 동안은 3개월마다 실시하고 그 다음부터는 6개월마다 실시한다. 환자 리콜 시 구강위생 호응도, 교합조화, 임플란트와 보철물의 안정성, 전반적인 임플란트 주위 연조직과 경조직의 건강상태, 방사선 소견 등을 평가하여야 한다.[56]

참고문헌

1. Dahl C. Om möjligheten för implantation i käken av metallskelett som bas eller retention för fasta eller avtagbara proteser. Odont Tidskr 1943;51:440–449.
2. Linkow LI. The era of endosseous implants. District of Columbia Dental Society journal District of Columbia Dental Society 1967;42:46–47 passim.
3. Roberts HD, Roberts RA. The ramus endosseous implant. Oral implantology 1970;1:104–116.
4. Branemark PI. Osseointegration and its experimental background. The Journal of prosthetic dentistry 1983;50:399–410.
5. Albrektsson T, Brånemark P–, Hanson H. The interface zone of inorganic implants in–vivo: Titanium implants in bone. Ann Biomed Eng 1983;11:1–27.
6. Albrektsson T, Sennerby L. Direct bone anchorage of oral implants: clinical and experimental considerations of the concept of osseointegration. Parodontologie 1990;1:307–320.
7. Albrektsson T, Zarb G, Worthington P, Eriksson AR. The long–term efficacy of currently used dental implants: a review and proposed criteria of success. The International journal of oral & maxillofacial implants 1986;1:11–25.

8. Guglielmotti MB et al. Research on implants and osseointegration. Periodontol 2000. 2019;79(1):178–189.
9. Carlsson L, Rostlund T, Albrektsson B, Albrektsson T, Branemark PI. Osseointegration of titanium implants. Acta orthopaedica Scandinavica 1986;57:285–289.
10. Watanabe F, Tawada Y, Komatsu S, Hata Y. Heat distribution in bone during preparation of implant sites: heat analysis by real–time thermography. The International journal of oral & maxillofacial implants 1992;7:212–219.
11. Schiroli G. Immediate tooth extraction, placement of a Tapered Screw–Vent implant, and provisionalization in the esthetic zone: a case report. Implant Dent. 2003;12(2):123–31.
12. Jokstad A, Ganeles J. Systematic review of clinical and patient–reported outcomes following oral rehabilitation on dental implants with a tapered compared to a non–tapered implant design. Clin Oral Implants Res. 2018;29 Suppl 16:41–54.
13. Schroeder A, van der Zypen E, Stich H, Sutter F. The reactions of bone, connective tissue, and epithelium to endosteal implants with titanium–sprayed surfaces. Journal of maxillofacial surgery 1981;9:15–25.
14. Block MS, Gardiner D, Kent JN, Misiek DJ, Finger IM, Guerra L. Hydroxyapatite–coated cylindrical implants in the posterior mandible: 10–year observations. The International journal of oral & maxillofacial implants 1996;11:626–633.
15. Evian CI. A comparison of hydroxyapatite–coated Micro–Vent and pure titanium Swede–Vent implants. The International journal of oral & maxillofacial implants 1996;11:639–644.
16. Gotfredsen K, Wennerberg A, Johansson C, Skovgaard LT, Hjorting–Hansen E. Anchorage of TiO2–blasted, HA–coated, and machined implants: an experimental study with rabbits. Journal of biomedical materials research 1995;29:1223–1231.
17. Holden CM, Bernard GW. Ultrastructural in vitro characterization of a porous hydroxyapatite/bone cell interface. The Journal of oral implantology 1990;16:86–95.
18. Johnson BW. HA–coated dental implants: long–term consequences. Journal of the California Dental Association 1992;20:33–41.
19. Jung UW, Hwang JW, Choi DY, et al. Surface characteristics of a novel hydroxyapatite–coated dental implant. Journal of periodontal & implant science 2012;42:59–63.
20. Inoue T, Cox JE, Pilliar RM, Melcher AH. Effect of the surface geometry of smooth and porous–coated titanium alloy on the orientation of fibroblasts in vitro. Journal of biomedical materials research 1987;21:107–126.
21. Buser D, Schenk RK, Steinemann S, Fiorellini JP, Fox CH, Stich H. Influence of surface characteristics on bone integration of titanium implants. A histomorphometric study in miniature pigs. Journal of biomedical materials research 1991;25:889–902.
22. Listgarten MA, Lang NP, Schroeder HE, Schroeder A. Periodontal tissues and their counterparts around endosseous implants [corrected and republished with original paging, article orginally printed in Clin Oral Implants Res 1991 Jan–Mar;2(1):1–19]. Clinical oral implants research 1991;2:1–19.
23. Listgarten MA, Buser D,Steinemann SG, Donath K, Lang NP, Weber HP. Light and transmission electron microscopy of the intact interfaces between non–submerged titanium–coated epoxy resin implants and bone or gingiva. Journal of dental research 1992;71:364–371.
24. Sennerby L, Ericson LE, Thomsen P, Lekholm U, Astrand P. Structure of the bone–titanium interface in retrieved clinical oral implants. Clinical oral implants research 1991;2:103–111.
25. Buser D, Nydegger T, Oxland T, et al. Interface shear strength of titanium implants with a sandblasted and acid–etched surface: a biomechanical study in the maxilla of miniature pigs. Journal of biomedical materials research 1999;45:75–83.
26. Klokkevold PR, Nishimura RD, Adachi M, Caputo A. Osseointegration enhanced by chemical etching of the titanium surface. A torque removal study in the rabbit. Clinical oral implants research 1997;8:442–447.
27. P–1 B, GA Z, T A. Tissue–integrated prostheses. Chicago: Quintessence 1985.
28. Lindhe J, Berglundh T, Ericsson I, Liljenberg B, Marinello C. Experimental breakdown of peri–implant and periodontal tissues. A study in the beagle dog. Clinical oral implants research 1992;3:9–16.
29. Adell R, Eriksson B, Lekholm U, Branemark PI, Jemt T. Long–term follow–up study of osseointegrated implants in the treatment of totally edentulous jaws. The International journal of oral & maxillofacial implants1990;5:347–359.
30. Adell R, Lekholm U, Branemark PI, et al. Marginal tissue reactions at osseointegrated titanium fixtures. Swedish dental journal Supplement 1985;28:175–181.
31. Adell R, Lekholm U, Rockler B, Branemark PI. A 15–year study of osseointegrated implants in the treatment of the edentulous jaw. International journal of oral surgery 1981;10:387–416.

32. Cochran DL, Hermann JS, Schenk RK, HigginbottomFL, Buser D. Biologic width around titanium implants. A histometric analysis of the implanto-gingival junction around unloaded and loaded nonsubmerged implants in the canine mandible. Journal of periodontology 1997;68:186–198.
33. Gould TR, Brunette DM, Westbury L. The attachment mechanism of epithelial cells to titanium in vitro. Journal of periodontal research 1981;16:611–616.
34. Gould TR, Westbury L, Brunette DM. Ultrastructural study of the attachment of human gingiva to titanium in vivo. The Journal of prosthetic dentistry 1984;52:418–420.
35. James RA, Schultz RL. Hemidesmosomes and the adhesion of junctional epithelial cells to metal implants—a preliminary report. Oral implantology 1974;4:294–302.
36. Ericsson I, Lindhe J. Probing depth at implants and teeth. An experimental study in the dog. Journal of clinical periodontology 1993;20:623–627.
37. Berglundh T, Lindhe J, Jonsson K, Ericsson I. The topography of the vascular systems in the periodontal and peri-implant tissues in the dog. Journal of clinical periodontology 1994;21:189–193.
38. Wennstrom JL, Bengazi F, Lekholm U. The influence of the masticatory mucosa on the peri-implant soft tissue condition. Clinical oral implants research 1994;5:1–8.
39. Berglundh T, Lindhe J, Ericsson I, Marinello CP, Liljenberg B, Thomsen P. The soft tissue barrier at implants and teeth. Clinical oral implants research 1991;2:81–90.
40. Buser D, Weber HP, Donath K, Fiorellini JP, Paquette DW, Williams RC. Soft tissue reactions to non-submerged unloaded titanium implants in beagle dogs. Journal of periodontology 1992;63:225–235.
41. Branemark PI, Adell R, Breine U, Hansson BO, Lindstrom J, Ohlsson A. Intra-osseous anchorage of dental prostheses. I. Experimental studies. Scandinavian journal of plastic and reconstructive surgery 1969;3:81–100.
42. Jaffin RA, Berman CL. The excessive loss of Branemark fixtures in type IV bone: a 5-year analysis. Journal of periodontology 1991;62:2–4.
43. Belser UC, Buser D, Hess D, Schmid B, Bernard JP, Lang NP. Aesthetic implant restorations in partially edentulous patients—a critical appraisal. Periodontology 2000 1998;17:132–150.
44. Mecall RA, Rosenfeld AL. Influence of residual ridge resorption patterns on fixture placement and tooth position, Part III: Presurgical assessment of ridge augmentation requirements. The International journal of periodontics & restorative dentistry 1996;16:322–337.
45. Warrer L, Gotfredsen K, Hjøting-Hansen E, Karring T. Guided tissue regeneration ensures osseointegration of dental implants placed into extraction sockets. An experimental study in monkeys. Clinical oral implants research 1991;2:166–171.
46. Berman CL. Osseointegration. Complications, Prevention, recognition, treatment. Dental clinics of North America 1989;33:635–663.
47. Reddy MS, Mayfield-Donahoo T, Vanderven FJ, Jeffcoat MK. A comparison of the diagnostic advantages of panoramic radiography and computed tomography scanning for placement of root form dental implants. Clinical oral implants research 1994;5:229–238.
48. Gotfredsen K, Holm B, Sewerin I, et al. Marginal tissue response adjacent to Astra Dental Implants supporting overdentures in the mandible. Clinical oral implants research 1993;4:83–89.
49. Zitzmann NU, Marinello CP. Treatment plan for restoring the edentulous maxilla with implant-supported restorations: removable overdenture versus fixed partial denture design. The Journal of prosthetic dentistry 1999;82:188–196.
50. Lekholm U, van Steenberghe D, I H. Osseointegrated implants in the treatment of partially edentulous jaws: a prospective 5-year multicenter study. Int J Oarl Maxillofac Implants 1994;9:627–635.
51. Pylant T, Triplett RG, Key MC, Brunsvold MA. A retrospective evaluation of endosseous titanium implants in the partially edentulous patient. The International journal of oral & maxillofacial implants 1992;7:195–202.
52. Jovanovic SA, Paul SJ, Nishimura RD. Anterior implant-supported reconstructions: a surgical challenge. Practical periodontics and aesthetic dentistry : PPAD 1999;11:551–558; quiz 560.
53. Buser D, Mericske-Stern R, Bernard JP, et al. Long-term evaluation of non-submerged ITI implants. Part 1: 8-year life table analysis of a prospective multi-center study with 2359 implants. Clinical oral implants research 1997;8:161–172.
54. Lazzara R, Siddiqui AA, Binon P, et al. Retrospective multicenter analysis of 3i endosseous dental implants placed over a five-year period. Clinical oral implants research 1996;7:73–83.
55. Buser D, Warrer K, Karring T. Formation of a periodontal ligament around titanium implants. Journal of periodontology 1990;61:597–601.
56. Ekfeldt A, Carlsson GE, Borjesson G. Clinical evaluation of single-tooth restorations supported by osseointegrated implants: a retrospective study. The International journal of oral & maxillofacial implants 1994;9:179–183.

이 장에서는 임플란트를 위한 환자의 의학적 평가, 구강검사, 그리고 치과병력을 분석하여 치료계획을 수립하는 것을 기술한다. 환자의 모든 조건을 고려한 정확한 치료계획의 수립은 임플란트의 장기적 유지와 성공에 반드시 필요한 요소이다. 이를 위해 치과의사는 임플란트 치료를 위한 수술 전 여러 요소의 평가를 성공적으로 수행해야하며, 임플란트 관련분야의 발전에 따라 끊임없이 변화하고 있는 적응증, 비적응증, 위험요소, 수술방법 등을 치과의사는 충분히 숙지하고 술전 다양한 평가를 수행한 후 임플란트 치료계획에 반영해야 성공적 치료를 얻을 수 있다. 특히 임플란트 치료는 다른 치과치료보다 비교적 높은 연령의 환자에게 적용되고 있으며, 2018년에는 738만 1천명(14.3%)으로 고령사회로 진입하였다. 현재 추세로 고령화가 진행될 경우 2026년에는 초고령 사회(20.8%)로의 진입이 예상된다. 특히 한국 노인 인구의 86.7%가 각종 노인성 만성질환자로 이로 인한 전신상태와 치료 약물의 복용 등은 임플란트 치료와 유지관리를 더욱 복잡하게 할 것이다. 그러나, 이들 환자들은 현재 고전적인 가철성 보철물과 인접치의 치아삭제를 동반한 고정식 보철물보다는 임플란트를 최우선 치료방법으로 선택하고 있다. 또한 평균수명은 1980년 65.7세에서 2009년 79.1세로 증가하게 되어 모든 환자의 임플란트는 과거보다 더 오랜 기간동안 구강 내에서 유지되어야 한다. 임플란트의 장기적인 유지와 성공을 위해 과거보다 더욱 중요하게 환자의 모든 요소를 평가하여 반영한 치료계획을 수립해야 한다.

1. 진단

1) 전신적 평가

치주수술의 비적응증에 기초한 금기증에 해당하는 사람과 심한 전신질환으로 생명에 위협을 받고 있는 환자나 전신장애인, 약물중독자 등은 임플란트 치료에 적합하지 않

표 44-1. **임플란트와 관련된 위험요소**

의학적 고려	정신적 고려	습관	구강내 위험요소
당뇨 골대사이상 방사선치료 면역억제요법 면역관련질환 골대사약물치료	정신질환 비현실적 치료기대 심리	흡연 악습관 알코올 및 약물중독	악골흡수 염증상태 치주질환

다. 또한 조절되지 않는 심한 당뇨병[1]이나 면역저하 등은 치유능력에 장애를 초래하므로 임플란트의 골유착을 어렵게 한다. 이와 함께 보철적 고려가 임플란트의 절대적 및 상대적 적응증에 포함되며 다음과 같이 요약할 수 있다.

(1) 당뇨

당뇨는 치주질환뿐 아니라 임플란트의 예후에도 부정적인 영향을 미치는데 Moy 등은 21년간 동일한 술자가 1,140명의 환자에 식립한 임플란트 치료에 대한 후향적 연구에서, 당뇨가 있는 경우 정상군에 비해 임플란트 성공률이 낮았으며, 임플란트 실패는 식립 몇 개월 후부터 10년 후까지도 나타난다고 하였다.[1] 그러나 혈당조절이 잘되는 환자인 경우 실패율에 있어 정상인과 차이가 없으며 임플란트치료가 가능하다.

(2) 골다공증

골다공증은 가장 흔한 골대사 질환으로 60세 이후 인구의 1/3이 가지고 있으며, 여성이 남성보다 2배 많이 발생한다. 골대사의 이상으로 골다공증 환자의 임플란트 실패 위험성이 증가한다는 보고가 있다. 그러나, 골다공증이 상악골과 하악골의 골 밀도와 양을 감소시키다는 주장은 논란의 여지가 있으며 또한 골다공증 환자에게 임플란트가 성공적으로 식립되는 많은 임상보고가 있다.[2] 그러므로, 임플란트 식립의 절대적 금기증이 될 수 없다.[3–5] 특히 모든 여성들에게서 골다공증 유무와 상관없이 비슷한 임플란트 치료결과를 보여준다.

(3) 방사선치료

종양의 치료를 위해 시행되는 방사선 조사는 여러 연구에서 임플란트의 실패율을 증가시킨다고 보고되고 있다. 방사선요법은 혈관의 점진적 섬유화와 치유능을 감소시키기 때문에 골유착이 감소하며, 때로는 임플란트 수술 후 골괴사가 생긴다.[1]

(4) 면역억제치료

장기이식수술, 크론병, 류마티스 관절염 등의 질환의 치료를 위해 스테로이드와 기타 면역억제제를 복용하는 환자들의 치유능에 영향을 끼칠 가능성이 높아 임플란트 치료에 신중을 기해야 한다. 면역이 억제된 상태에서의 임플란트는 창상치유의 지연과 골대사의 이상으로 인해 동물실험에서 임플란트의 실패가 관찰되었으며, 코티코스테로이드를 장기간 복용한 경우 골다공증이 유발될 수 있다. 전신적으로 감염에 취약하기 때문에 임플란트 주위 감염이 쉽게 발생하며 또한 임플란트 주위 감염은 전신건강에 위험할 수 있으므로 임플란트가 적합하지 않다. 그러나, 과거에 치료를 받은 경우에는 문제가 되지 않는다.

(5) 정서 및 정신장애

정서 및 정신장애를 지니고 있는 환자는 임플란트의 골유착에 있어서 문제를 야기하지는 않지만, 임플란트의 치료와 관련된 여러 과정과 치료 이후의 유지관리를 수행할 수 없기 때문에 임플란트 치료가 적합하지 않다. 한국은 고령화 사회로 2008년 우리나라 노인치매 유병률은 65~69세가 3.64%, 70~74세는 5.19%, 80~84세는 17.08%, 85세 이상은 30.49%로 연령이 증가함에 따라 치매 유병률도 급격하게 증가하는 것으로 나타났다. 이와 같은 노화로 인해 증가하는 정신질환자의 임플란트 치료는 신중해야 한다.

(6) 흡연

여러 연구에서 흡연자가 비흡연자보다 임플란트의 장기적 성공률이 낮다고 보고되고 있지만 논란의 여지가 있다. 그러나, 흡연과 관련된 여러 요인들은 임플란트에 부정적 영향을 줄 수 있다. 일반적으로 흡연은 골의 질과 치유능에 감소를 야기하며 장기적으로는 이와 같은 요소로 인해 영향을 미칠 것이다. 그러므로, 임플란트의 절대적 금기는 아니지만 흡연 중인 환자에게 임플란트의 실패 위험성이 높다는 것을 알려주어야 하며,[6] 적어도 임플란트 수술 전 1주, 수술 후 8주간의 금연을 시행하는 것이 추천된다.

(7) 악습관

이갈이와 같은 악습관은 과도한 측방압을 임플란트에 가하므로 과부하에 의해 임플란트 실패를 야기한다. 또한, 치조정의 흡수, 임플란트 골유착의 파괴, 보철물의 파손, 임플란트 연결부의 파절 등을 일으키므로 임플란트 수의 증가, 임플란트 직경의 증가 등 같은 보철물과 임플란트의 교합력을 감소시키려는 노력이 필요하다.

(8) 알코올 및 약물중독

알코올 중독이 임플란트의 금기증에 해당된다는 증거는 미약하지만, 알코올의 과도한 섭취와 관련된 많은 질환들과 신체변화는 출혈, 면역 그리고 전신 영양상태에 영향을 주기 때문에 신중하게 평가되어야 한다. 특히 알코올은 백혈구의 항균능력과 골의 대사를 저해하여 치주질환을 심화시키고 골치유를 방해한다. 알코올중독과 약물중독 환자의 개인구강위생은 매우 불량하여 치주질환을 심화시킨다. 한국은 1인당 술 소비량이 세계 2위이며, 전체 인구의 10~20%가 알코올 중독자로 추산된다.

(9) 나이

임플란트는 골격의 성장이 완성된 후인 18~19세 이후에 식립되어야 한다. 성장 중인 악골에 식립된 임플란트는 치조 돌기와 함께 맹출될 수 없기 때문에 치은연과 절단연의 위치가 인접치아보다 하방에 위치된다. 반면, 고령의 나이는 임플란트 식립의 금기증이 되지 않는다.

이상과 같은 전신평가를 위해서는 병력의 청취가 중요하다. 초진 시 의학적 설문지를 이용하여 환자의 정보를 얻으며 이를 바탕으로 충분한 시간과 대화를 통해 환자의 의학적 상태와 이와 관련된 문제를 이해해야 한다.

2) 구강 검사

전신적 평가를 위한 대화와 병력의 수집을 마치고 나면 구강검사를 시행한다. 잔존치아의 치주상태는 임플란트의 치주조직에 영향을 미치므로 임플란트 치료는 자연치의 치주치료와 함께 수행되어야 한다. 치주질환이 있는 환자와 없는 환자의 임플란트의 기능 차이는 5년간 없다고 하였으나, 임플란트 주위골소실을 야기하는 임플란트 주위염과 실패는 장기간 관찰에서 치주질환자에게 증가하는 것으로 보고되어 장기간의 임플란트 유지에서 치주질환의 평가는 중요하다.

일단 환자가 선택되면 잔존치에 대한 치주검사와 함께 무치악부의 연조직과 골조직의 평가가 필요하다. 이를 위해 진단모형을 채득하고, 방사선학적 검사를 통해 경조직을 평가하고 구강검사를 통해 연조직의 평가를 한다.

치아상실은 부착치은의 감소와 치조골의 흡수를 야기하므로 두 치주조직의 양과 질에 대한 평가가 필수적이다. 경조직의 평가를 위한 주요 사항은 골의 형태, 골의 양, 골의 질, 중요 해부학적 구조물의 위치 등이며 이를 바탕으로 임상가는 임플란트의 위치, 수, 그리고 직경과 길이를 결정하게 되며[7] 식립에 충분한 치조골이 없는 경우 골이식술을 우선 시행하거나 임플란트 수술과 함께 행하여야 한다. 또한 악간관계와 치아 사이의 관계도 이때 평가되는데 external type 임플란트를 위해서는 최소 7 mm 이상이 있어야 임플란트의 치관부와 치근부를 연결할 수 있다. 치아사이 무치악공간의 근원심폭은 식립되는 임플란트의 수와 관련이 있는데 1개의 임플란트가 2개 자연치아 사이에 식립되기 위해서는 최소 7 mm 정도의 근원심폭이 확보되어야 한다.[8]

3) 치료 방법의 결정

환자에 대한 충분한 검사와 진단이 이루어지면 이후의 외과적 처치방법과 보철치료에 대한 계획을 세우게 되고 환자에게 치료계획과 더불어 발생 가능한 부작용과 합병증에 대해서 설명해 주고 동의서를 받는다. 일반적으로 임플란트 치료는 치료계획, 임플란트식립수술, 골유착치유기, 보철과정, 유지관리 순으로 진행되지만, 임플란트 수술방법은 발치 후 식립시기와 임플란트 식립 후의 2차 수술의 여부, 골이식술의 동반과 시기에 따라 다양하게 나뉜다.[9]

발치 전후 치조골의 상태에 따라 1차 수술의 시기가 결정되며 1차 수술의 시기에 따라 다음과 같이 나뉜다. 즉시식립(immediate implantation)은 치아의 발치 직후에 임플란트를 식립하는 것으로 치료기간이 짧고 수술 횟수가 적은 장점이 있으나, 초기고정을 얻기 어렵고 부가적인 연조직의 처치가 필요한, 비교적 수기에 민감한 술식이다. 조기 식립(early implantation)은 발치 후 발치와가 연조직으로 치유된 후에 임플란트를 식립하는 것으로 증가한 연조직으로 판막의 조작이 용이하지만, 발치 후부터 식립 전까지 발치와의 흡수가 발생한다. 지연 식립(delayed implantation)은 발치와가 골조직으로 치유된 후에 임플란트를 식립하는 것으로 발치와의 골화로 임플란트의 식립과 고정이 매우 용이하다. 그러나, 전체 치료기간이 늘어나고, 치조골의 흡수도 많이 발생하는 단점을 가지고 있다.

식립부위의 골의 양과 질의 평가를 통해 임플란트가 원래 골에 의해 충분히 지지받지 못하거나 식립 후 임플란트 주의의 골열개나 천공이 발생된 경우에는 골이식술을 고려해야 한다. 골이식술은 임플란트 식립 전 혹은 임플란트의 식립과 함께 하는데 골재생의 양과 골결손부의 형태에 따라 골이식재와 골이식방법을 결정해야 한다. 상악구치부인 경우에는 상악동을 이용한 상악동 거상술을 이용할 수 있다. 측방접근법과 치조정접근법이 있으며 잔존된 치조골의 높이와 이식하고자 하는 골의 양에 따라 수술법이 결정된다.

골질의 평가를 통해 알맞은 드릴링 과정을 선택해야 하며 이는 임플란트의 초기고정에 매우 중요한 요소이다. 골질은 피질골과 망상골의 분포에 의해 1형에서 4형으로 나뉘게 되는데 부드러운 골은 치밀한 골에 비해 임플란트 식립전 최종 단계의 드릴의 직경이 작아서 임플란트의 표면적이 보다 넓게 골조직에 접할 수 있게 하며, 반면 피질골에서의 최종 단계의 작은 드릴링 직경은 임플란트가 골을 불필요하게 압박하여 골유착을 방해하게 된다.

2. 치료계획

무치악의 상태에 따른 치료계획은 다음과 같다.

1) 완전 무치악 증례

완전 무치악 환자의 기능회복을 위해서는 임플란트 지지 가철성 보철물과 임플란트 지지 고정성 보철물을 선택할 수 있다. 이때 잔존치조제의 흡수정도, 환자의 경제적 상황을 고려하여 선택될 수 있다. 임플란트 지지 가철성 보철물은 하악의 구치부의 치조골이 기저골까지 흡수된 환자에게 사용할 수 있으며 하악의 양측 이공 사이에 임플란트를 식립하고 임플란트 사이를 bar로 연결하거나 어태치먼트를 연결하여 overdenture를 시술할 수 있다(그림 44-1). 상악은 견치부에 2개와 그 외 부위에 추가적 임플란트를 식립하여 overdenture를 제작한다. 임플란트 지지 고정성 보철물과 비교할 수는 없으나 전통적인 잇몸에 지지되는 총의치보다 임플란트 지지 가철성 보철물은 유지력과 안정성이 매우 우수하다.[10]

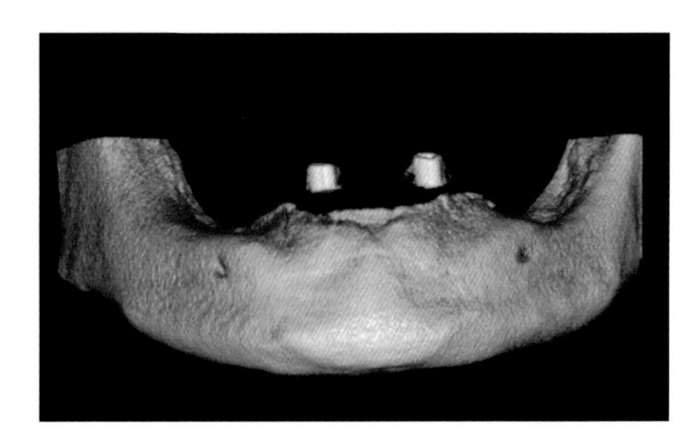

그림 44-1. 하악 완전 무치악의 3D 전방사진 하악구치부의 치조돌기의 흡수와 이공의 상대적 위치가 변하였다. 전치부 치조정 상방위 두 개의 원통은 임플란트 지지 가철성 보철물을 위한 임플란트 식립위치를 표시한 것이다.

임플란트 지지 고정성 보철물은 잔존골의 양, 악간 관계, 입술의 지지, 발음, 환자의 기대에 따라 식립되는 임플란트의 배열과 수가 결정된다.[11] 하악의 경우 심하게 흡수된 하악의 양측 이공 사이에 4~6개의 임플란트를 식립하고 후방으로 연장하여 고정성 가교의치를 시술할 수 있다.[12] 이 경우 적절한 구강위생을 위해 보철물과 잔존 치조제 사이에 어느 정도의 공간이 필요하며 심미적인 면을 위해 인공치은을 형성해줄 수도 있다.

2) 부분 무치악 증례

부분 무치악증례는 단일치가 상실된 경우와 다수치가 상실된 경우로 구분할 수 있다. 부분 무치악에 대한 평가

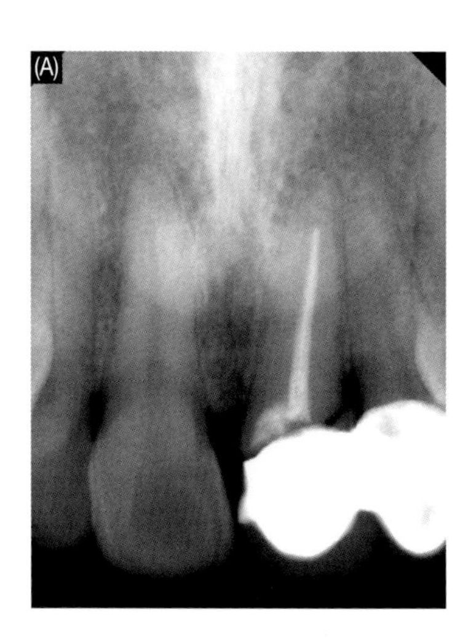

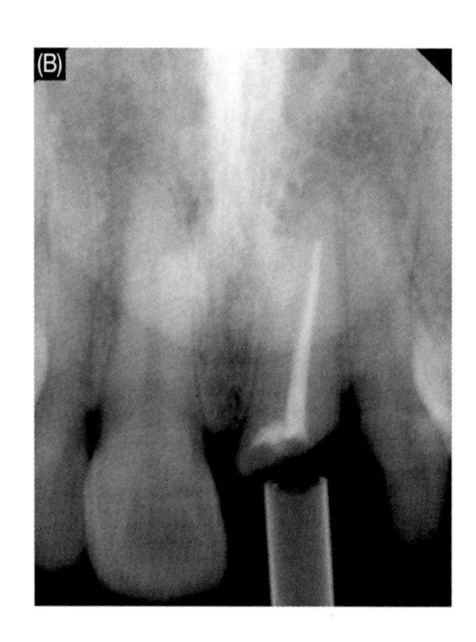

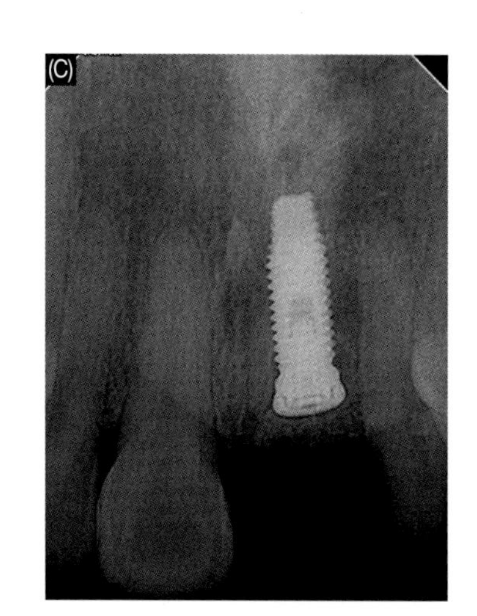

그림 44-2. (A) #21 치아 파절 (B) 임플란트를 위한 스텐트 (C) 임플란트 식립 후의 사진

중 인접자연치의 예후에 대한 평가는 임플란트 치료계획과 함께 수행되어야 하며 장기적인 예후가 확보되지 않는 치아인 경우 임플란트치료에 포함시켜 치료한다. 단일치가 상실된 경우의 임플란트의 장점은 인접자연치의 치질에 손상을 가하지 않아서 이로 인해 생길 수 있는 치태의 저류와 2차우식의 발생 등을 예방할 수 있다는 것이다. 식립 전 인접치, 대합치, 그리고 주변 중요 해부학적 구조물을 고려하여 식립 각도를 결정하고 인접자연치와의 간격, 치간치조골과 치간유두의 처리방법 등을 충분히 고려하여 임플란트의 형태와 수술방법을 결정해야 심미적이고 유지관리가 용이하여 전체적인 예후를 증진시킬 수 있다(그림 44-2).

다수치가 상실된 경우에는 상실 치아의 수와 위치 그리고, 치아의 수와 무치악부의 근원심 길이를 고려하여 임플란트의 수와 위치를 결정한다(그림 44-3, 4).[13] 긴 무치악부의 경우 적은 수의 임플란트를 식립하고 이들만으로 연결되는 고정성 가교의치를 시술할 수 있다. 그러나, 임플란트는 생리적 동요가 없으므로, 인접 자연치와의 연결은 피한다.

3) 골이식술을 이용하는 증례

무치악부의 골과 연조직의 상태는 이전 치아의 기왕력과 개개인의 특성을 반영하여 다양하게 존재하므로 임플란트 식립이 불가능하거나 초기고정을 얻기 어려울 정도

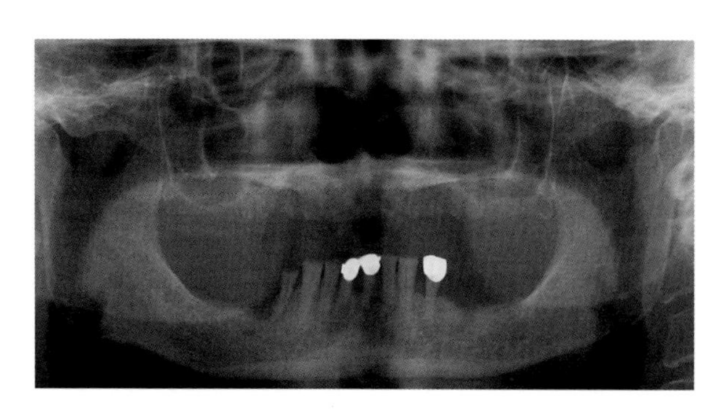

그림 44-3. 상악 완전 무치악과 하악 부분 무치악의 술전 방사선 사진
상악구치부 상악동하방의 얇은 치조제가 관찰되며 하악 #44는 치근단병소로 예후가 불량하다.

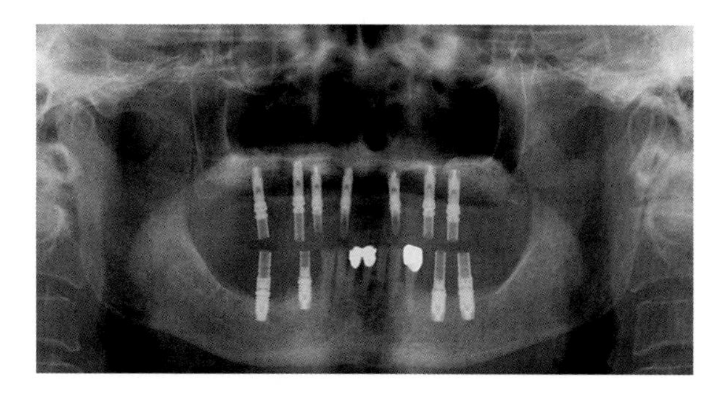

그림 44-4. 상악 완전 무치악은 임플란트 지지 고정성 보철물로 수복하기 위해 7개의 임플란트를 식립하였다. 그림 44-3와 달리 상악동하방에 치조제가 상악동이식술로 인해 증가되어 있는 것을 관찰할 수 있으며, 하악우측 구치부는 가교형태의 보철물이 임플란트 상부에 장착되는 것을 알 수 있다.

의 치조골을 갖고 있거나 부착치은이 완전히 상실된 경우가 있다. 골이식술, 골유도재생술, 상악동 거상술 등과 같은 다양한 골증강술이 임플란트 식립과 함께 혹은 임플란트 식립 전에 시술된다.

3. 임플란트의 외과적 시술과정[14]

임플란트 수술법은 2차 수술 여부에 따라 1회법 임플란트 수술과 2회법 임플란트 수술로 나뉘지만 판막의 거상과 골에 임플란트의 수용부를 형성하는 과정과 사용되는 기구는 동일하다.

2회법 임플란트 수술은 1차 수술 시에 임플란트 상방의 연조직을 완전히 봉합함으로써 끝난다. 이렇게 함으로써 임플란트는 구강내와는 분리된 채 존재하게 된다. 하악에서 임플란트는 2~3개월간 아무런 방해 없이 놔두게 되며 반면에 상악에서는 낮은 골질 때문에 치유가 더 느리므로 4~6개월간 연조직에 잠기게 놔두어야 한다. 이 기간 동안 골은 임플란트 표면과 직접적인 접촉으로 골유착이 일어나며 때때로 임플란트의 교합면으로 자라 올라가 교합면을 덮기도 한다. 2차 수술에서는 묻어놓은 임플란트를 노출시키고 지주대를 연결하여 구강 내에서 임플란트로의 접근이 가능하게 만든다. 그 후에 상부구조물을 제작한다.

외과적 수술법과 상관없이 임플란트를 건전한 골에 식립하여 골유착이 일어나게 해야 하고 외상을 감소시키려는 노력과 무균적인 기술을 이용하여 생체조직에 상해를 입히는 일이 없도록 해야 한다.[15] 일반적으로 임플란트 수술은 국소마취 하에서 시행되나 필요한 경우에는 전신마취 혹은 정맥내 진정을 이용할 수도 있다. 수술은 멸균원칙하에 수행되어야 하며, 모든 장비와 드릴은 멸균된 최상의 상태로 사용되어야 한다.[16]

여기에서는 일반적으로 고려되는 외과적 고려사항과 가장 흔하게 사용되는 임플란트 시스템을 위한 지침을 소개한다. 다양한 임플란트 시스템들은 각기 고유한 장비를 가지므로,[17] 각각의 경우에 상세하고 단계별로 만들어진 설명서를 따라야 한다. 이와 함께 치료계획을 통해 수립된 식립될 임플란트의 개수와 직경, 인접치와 대합치에 대한 상대적인 위치를 환자의 구강 내에 정확하게 실현하기 위해서는 많은 경험과 숙달이 필요하다. 수술은 판막의 형성과 골의 노출, 드릴링, 임플란트의 식립, 판막의 봉합의 과정으로 진행되지만 환자의 특수한 임상상황에 대처하기 위해 여러 임플란트 식립방법이 존재하므로 다른 과정이 추가되거나 빠지기도 한다. 이는 다음 장에서 다루어 지게 된다.

1) 임플란트 수술기구

임플란트 수술을 위해서는 기본적인 치주수술기구와 함께 골에 구멍을 형성하고 임플란트를 식립하기 위해 고안된 다양한 기구가 사용되며 여러 임상상황에 좀더 효과적으로 대응하기 위해 임상가들에 의해 새로운 기구와 장비들이 계속 개발되고 있다. 기본적으로 다음의 기구에 대한 이해와 숙달된 사용은 새로운 장비를 효과적으로 사용할 수 있게 한다(그림 44-5).

(1) 기본적 치주수술기구

판막의 형성과 봉합, 골 표면의 연조직을 제거하고, 골의 형태를 수정하기 위한 기구로 치주수술기구와 동일하다.

(2) Initial drill

피질골에 임플란트 식립부위를 표시하고 피질골을 천공하기 위해 사용되며 골 표면에서 미끄러지지 않게 하기 위해 고안되어 있다. Lancet drill, Round drill, Lindemann drill, Spiral drill 등이 사용된다.

(3) Twist drill

드릴의 끝과 옆면에 날이 있어 형성된 홀을 삽입되는 깊이와 드릴의 직경만큼 수직적, 수평적으로 확대한다. 골질과 식립임플란트의 직경에 따라 사용되는 Twist drill의 직경이 달라진다.

(4) Pilot drill

다음 단계의 Twist drill이 진입하기 쉽고 드릴링 중에

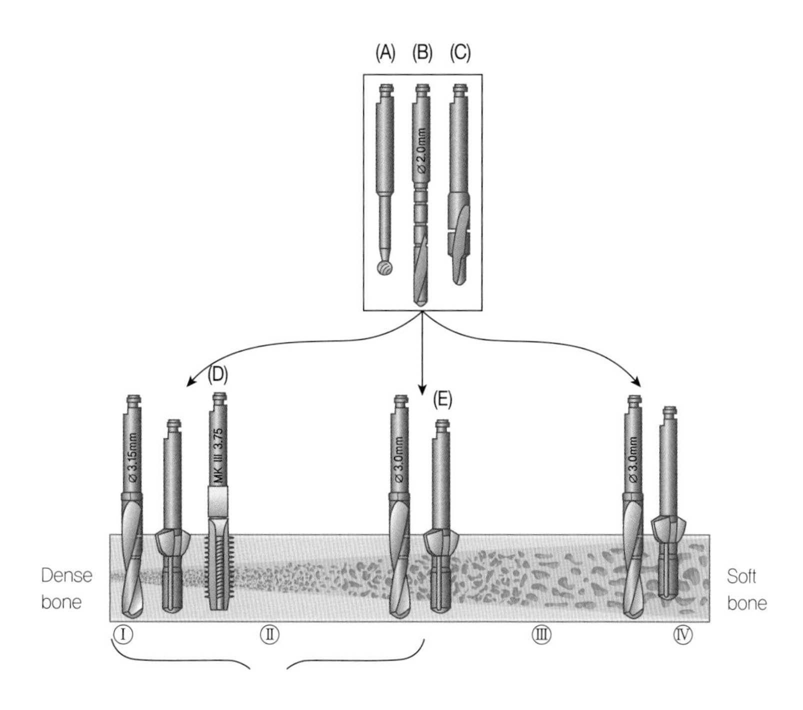

그림 44-5. (A) initial drill (B) twist drill (C) pilot drill (D) tapping drill (E) countersink drill 피질골과 망상골의 분포에 따라 다른 드릴과정을 적용한다.

방향이 바뀌는 것을 막아주기 위해 피질골을 넓혀준다. 사용을 위해서는 Pilot drill 하방과 상방의 직경을 알아야 한다.

(5) Countersink drill

임플란트를 깊게 심고자 하지만 임플란트의 shoulder가 임플란트의 직경보다 넓은 경우 피질골에 shoulder가 걸려 깊게 들어갈수 없다. 이때 피질골의 형태를 수정하기 위해 사용되며, 임플란트의 형태와 골질에 따라 사용하지 않는 경우가 있다.

(6) Screw tap

골에 형성된 구멍에 스크류형 임플란트가 삽입될 수 있도록 나사산을 형성하는 기구로 저속으로 사용한다.

(7) Driver

임플란트, cover screw, healing abutment 등을 조이거나 풀때 사용하며 핸드형, Torque wrench형, 핸드피스형이 있다.

(8) Parallel Pin

드릴링 후 구멍의 위치와 식립방향을 확인할 때 사용한다.

(9) Depth gauge

구멍의 깊이를 확인할 때 사용한다.

(10) Torque wrench

임플란트와 각종 스크류를 규정된 힘으로 조일 때 사용한다.

(11) Resonance frequency analysis device

자기공명주파수를 이용하여 임플란트의 고정을 평가하기 위한 기구이다. 식립 직후, 보철과정의 결정 전에 사용한다(그림 44-6).

2) 임플란트 수술과정

여기서는 가장 기본이 되는 스크류형태의 치근형 임플란트의 2회법과 1회법 수술과정을 설명하겠다.

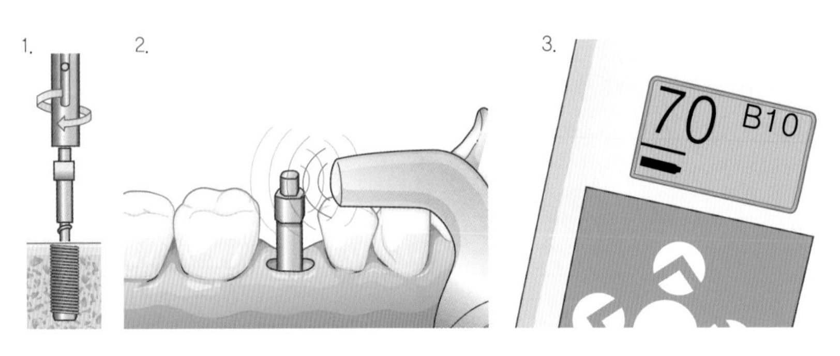

그림 44-6. Resonance frequency analysis device로 안정성이 있는 임플란트는 55~80 ISQ값을 보인다.

(1) 2회법 중 1차 수술

① 환자준비

환자에게 수술과정을 충분히 설명하고 임플란트 수술에 대한 동의서를 받는다. 임플란트 수술은 국소마취하에서 시술될 수 있으며, 환자의 전신상태와 수술과정의 복잡성에 따라 의식하 진정이나 전신마취가 사용된다. 환자를 적절히 준비하고 구강내 수술 과정을 위해 수술용 천을 덮어 주어야 한다. 환자는 수술 직전에 글루콘산 클로르헥시딘으로 30초 동안 구강 세정을 시켜주어야 한다. 수술용 장갑이나 수술 기구 흡입 튜브 또는 타액에 의해 임플란트 매식체의 표면이 오염되지 않도록 해야 한다.

② 판막의 형성

치조정 절개가 가장 일반으로 사용되며 각화치은의 중앙부를 양쪽으로 가르는 방법으로 절개를 시행한 후 골 표면을 노출시키기 위한 전층판막을 형성한다. 치조정절개는 형성이 쉽고 출혈과 술후 부종이 적으며, 더 빠른 치유과정을 보인다. 봉합사가 임플란트 상부에 위치하므로 임플란트 주위의 치유과정을 방해하지 않는다. 전층판막을 형성한 후 골상부의 모든 연조직은 완전하게 제거하며 이때 큐렛을 사용한다.

③ 임플란트 수여부의 형성

치조정 상부의 날카로운 부분은 편평하게 다듬으며, 만일 치조골이 부족한 경우 날카로운 부분을 남기고 골이식수술을 고려한다. 일련의 여러 드릴을 사용하는데 정확한 임플란트 위치를 잡기 위한 surgical stent나 guide를 구강 내에 위치시키고 사용한다.[18]

Initial drill과 surgical stent를 사용해서 골 표면에 매식물의 위치를 표시하기 위해 1~2 mm 정도의 깊이의 홈을 형성한다. Stent를 제거하고 표시된 위치가 협설, 근원심, 대합치와 인접치에 대하여 정확한지를 확인하고 부정확한 경우 위치를 수정한다. 2 mm twist drill로 임플란트의 식립 깊이만큼 확장한다. 열이 발생하는 것을 막기 위해 충분한 냉각수를 사용하며[19] 하방으로의 지속적인 압력이 가해지지 않도록 반복적인 펌프 동작을 사용한다. 이와 같은 동작을 통해 드릴 표면에 냉각수가 충분히 도달하고 골조각들이 효율적으로 배출된다. 이때 형성된 구멍에 Parallel Pin을 삽입하여 인접치아와 인접 임플란트 구멍 간의 배열과 평행 정도를 확인한다. 4 mm 직경의 임플란트를 식립한 경우 두 parallel pin 간의 거리는 7 mm 이상이 되어야 최소 3 mm의 임플란트 공간을 확보할 수 있다. 2 mm twist drill 다음은 pilot drill를 사용하여 3 mm twist drill이 정확한 위치와 방향으로 적용될 수 있게 한다. 3 mm twist drill을 사용하여 구멍을 3 mm 직경으로 확장한다. 4 mm 임플란트 식립을 위해서는 3 mm twist drill을 마지막으로 사용하게 되는 데 골질이 불량한 경우 초기고정을 확실하게 하기 위해 최종 깊이보다 얕게 드릴링하거나 3 mm 보다 작은 직경의 twist drill을 사용한다.

Countersink drill과 bone tap은 선택적인 과정으로 countersink를 사용해서 fixture와 피개나사를 위한 shoulder를 형성한다. Tapping은 매식물 위치에 나삿니를 형성하는 과정으로, self tapping 임플란트의 경우 불필요하지만 치밀한 피질골으로 이루진 치조골에는 임플란트가 끼일 수 있으므로 나사선을 형성한 후 임플란트를 식립한다. 나사선 형성은 임플란트 식립과정과 동일하게 24~30 rpm의 느린 속도로 사용하여 다른 과정의 800~ 1200 rpm의 빠른 속도와 구분된다.

임플란트 식립은 나사선 형성과 같은 저속의 핸드피스를 이용하거나 렌치를 이용하여 손으로 식립한다. 형성된 구멍의 방향과 일치될 수 있게 주의하며 여러개의 임플란트를 식립하는 경우 parallel pin을 사용하면 도움이 된다. 임플란트를 식립한 후에 초기고정에 대한 평가를 시행한다. 이는 이후 보철물의 제작시기의 결정, 임시보철물의 연결과 같은 앞으로의 치료와 치유 기간에 대한 기준이 될 수 있다. 임플란트 식립 시 토크와 Resonance frequency analysis가 초기고정의 평가를 위해 유용하게 사용될 수 있다.

④ 판막의 봉합

Screw driver를 이용해서 fixture 위에 피개나사를 끼우기 전에 멸균된 식염수로 충분히 세척한 후 연결한다. 판막은 긴장없이 일차봉합될 수 있게 해야 하며 이것이 어렵다면 판막내면의 골막에 수평절개를 가하여 판막의 긴장을 제거한다. 수평누상봉합과 단속봉합을 함께 사용하면 봉합 후 절개선이 융기하여 창상치유에 도움이 된다. 환자의 상태와 수술과정에 따라 흡수성과 비흡수성 봉합사를 선택적으로 사용한다.

⑤ 술후 관리

수술 후 부종을 막기 위해 20분 간격으로 24~48시간 동안 냉찜질을 시행한다. 술후 구강위생이 불량해지므로 클로르헥시딘을 이용하게 한다. 흡연과 알코올은 술후 1~2주간 제한 한다. 통증조절을 위해 진통제를 처방한다.

(2) 2회법 중 2차 수술

Fixture에 abutment를 연결하여 보철물을 제작할 수 있게 하는 것으로 주변조직의 손상없이 임플란트를 노출시키고, 임플란트 주변의 연조직의 두께를 조절하며, 각화치은을 보존 혹은 증가시키는 것이 고려되어야 한다. 1차 수술 후의 2차 수술의 시기는 골유착을 고려하여 하악의 경우 약 3개월, 상악의 경우 약 6개월의 치유 기간 후에 실시한다.

제2단계 수술에는 여러 가지 방법들이 있는데 이 장에서는 기본적인 술식들만을 언급하겠다.

① Punch법

Punch를 이용한 방법은 가장 간단하고도 편리한 2차 수술 방법이나 부착 치은이 충분한 경우에만 사용 가능한 방법이다. 2차 수술 시에 조직이 얇아서 cover screw가 비쳐 보이는 경우라면 punch를 선택하여 cover screw 위를 가볍게 누르면서 돌려주거나 임플란트 상부의 연조직을 수술도로 원형으로 절개한 후 임플란트 위의 연조직 덮개를 제거하면 된다. 조직이 두꺼워 cover screw가 비쳐 보이지 않는 경우라면 탐침 등을 이용하여 cover screw를 찾을 수도 있고, 또 surgical stent가 있다면 이것을 이용해서 cover screw를 찾을 수 있다.

② 전층판막법

어느 정도의 각화치은이 있을 경우 이용하며 치조정 상부에 부착치은을 양분하는 선에 절개선을 가하여 협측과 설측 판막을 전층판막으로 박리한다. 노출된 골의 형태가 healing abutment의 긴밀한 장착에 방해되는 경우 주의깊게 골을 제거한 후에 healing abutment를 연결한다. 임플란트 사이와 자연치 사이에 판막을 위치시킬 때 긴밀한 판막의 1차 치유가 불가능하기 때문에 심미적으로 중요한 부위인 경우 판막에 변형된 형태의 절개를 가한 후 돌려 치간부에 위치시킨 후 봉합하기도 한다. 그러나, 임플란트 사이는 1차 치유되지 못하더라도 2차 치유 부위는 어느 정도의 각화치은으로 치유되는 장점을 가지고 있다.

③ 근단변위판막법

협측과 순측에 각화치은의 양이 부족하며 각화치은이 치조정에 있는 경우에 사용한다. 치조정의 각화치은을 임플란트의 협측 부위에 이동하기 위해 치조정의 설측부위와 두 개의 수직절개를 가한 후 부분층 판막을 거상하는데, 판막을 원하는 부위로 이동시키기 위해서는 수직절개를 충분히 연장시켜 판막의 근단이동을 쉽게 하며, 하부 골막과 견고한 부착을 얻기 위해 부분층 판막이 박리된 후에 cover screw 상방에 남아있는 결합소직과 골막상부의 연조직은 제거한다. 부분층으로 박리된 판막은 하방에 남아있는 골막에 고정하여 원하는 위치에 판막을 놓을 수 있다.

④ 유리치은이식술

치주수술에서 치아 주위에 부착치은을 증대시키기 위한 수술을 임플란트에 응용하는 술식이다. 각화치은의 양이 부족하여 근단 방향으로 판막을 이동시키더라도 부착치은의 형성이 불가능한 경우에 이용하게 된다.

우선 부분층으로 판막을 거상하여 수용부를 형성하고 abutment를 연결한 후 palate에서 공여조직을 채득하여 이식, 고정시킨다.

이식조직의 고정은 골막 봉합을 통해 직접 골막에 고정할 수가 있고, 그렇지 않으면 골막에서부터 abutment까지 sling suture를 시행할 수도 있다.

(3) 1회법 임플란트 수술

1회법 임플란트 수술의 장점은 임플란트 주위의 치은점막 처리가 쉽고 임플란트는 수술 이후에 이미 노출되어 있기 때문에 2차 수술은 불필요하다는 것이다. 2단계 수술법과 마찬가지로 임플란트는 부하가 가지 않는 상태로 놔둔다. 수술의 횟수가 적으므로 환자의 부담이 적어지며 많은 경우에 심미적인 조작이 더 쉽다. 그러나 식립부에 광범한 골 소실이 있거나 수직적인 골 증대술이 필요하고, 인접치아의 치간골이 없고, 골질이 나쁜 경우에는 2회법 임플란트 수술이 추천된다.

① 판막 설계와 절개

1단계 수술의 판막의 설계는 항상 치조정 절개를 시행하여 기존의 각화조직을 반으로 나눈다. 수직절개는 필요한 경우에 한쪽이나 양쪽에 형성될 수 있다. 구치부에서 설측이나 협측의 판막은 거상 전에 조심스럽게 얇게 만들어주어서 연조직의 두께를 최소화한다. 전치부나 심미적인 위치에서는 연조직을 얇게 만들지 않아서 수복물의 금속변연이 보이지 않게 한다. 전층 판막을 협설측으로 거상한다.[20]

② 임플란트의 식립

1단계 수술원칙은 2단계 수술에서와 동일하다. 유일한 차이점은 임플란트나 healing abutment가 치조정에서 2~3 mm 정도 상방으로 돌출된다는 것이다.

③ 판막의 봉합

판막은 각각의 임플란트 주위에 봉합된다. 각화치은이 충분한 경우에는 판막의 적합을 유용하게 하기 위해서 임플란트 주위의 판막을 원형으로 제거할 수도 있다.

④ 술후 관리

1단계 수술과 2단계 수술의 술후 관리는 동일하다.

참고문헌

1. Moy PK, Medina D, Shetty V, Aghaloo TL. Dental implant failure rates and associated risk factors. Int J Oral Maxillofac Implants 2005;20:569–577.
2. Fujimoto T, Niimi A, Nakai H, Ueda M. Osseointegrated implants in a patient with osteoporosis: a case report. Int J Oral Maxillofac Implants 1996;11:539–542.
3. Mori H, Manabe M, Kurachi Y, Nagumo M. Osseointegration of dental implants in rabbit bone with low mineral density. J Oral Maxillofac Surg 1997;55:351–361; discussion 362.
4. Baxter JC, Fattore L. Osteoporosis and osseointegration of implants. J Prosthodont 1993;2:120–125.
5. Dao TT, Anderson JD, Zarb GA. Is osteoporosis a risk factor for osseointegration of dental implants? Int J Oral Maxillofac Implants 1993;8:137–144.
6. Minsk L, Polson AM. Dental implant outcomes in postmenopausal women undergoing hormone replacement. Compend Contin Educ Dent 1998;19:859–862, 864; quiz 866.
7. Wishan MS, Bahat O, Krane M. Computed tomography as an adjunct in dental implant surgery. Int J Periodontics Restorative Dent 1988;8:30–47.
8. Hu KS, Choi DY, Lee WJ, Kim HJ, Jung UW, Kim S. Reliability of two different presurgical preparation methods for implant dentistry based on panoramic radiography and cone–beam computed tomography in cadavers. J Periodontal Implant Sci 2012;42:39–44.
9. Lekholm U. Clinical procedures for treatment with osseointegrated dental implants. J Prosthet Dent 1983;50:116–120.
10. Adell R, Lekholm U, Rockler B, Branemark PI. A 15–year study of osseointegrated implants in the treatment of the edentulous jaw. International Journal of Oral Surgery 1981;10:387–416.
11. Engelman MJ, Sorensen JA, Moy P. Optimum placement of osseointegrated implants. J Prosthet Dent 1988;59:467–473.
12. Loos LG. A fixed prosthodontic technique for mandibular osseointegrated titanium implants. J Prosthet Dent 1986;55:232–242.
13. Zarb GA, Zarb FL, Schmitt A. Osseointegrated implants for partially edentulous patients. Interim considerations. Dent Clin North Am 1987;31:457–472.
14. Park JC, Hwang JW, Lee JS, Jung UW, Choi SH, Cho KS, Chai JK, Kim CS. Development of the implant surgical technique and assessment rating system. J Periodontal Implant Sci. 2012 Feb;42(1):25–29
15. Albrektsson T. Direct bone anchorage of dental implants. J Prosthet Dent 1983;50:255–261.
16. Mombelli A, van Oosten MA, Schurch E Jr., Land NP. The microbiota associated with successful or failing osseointegrated titanium implants. Oral Microbiol Immunol 1987;2:145–151.
17. H S. Peri–implant structure and characteristics of their receptors. Dent J 1987;25:597–605.
18. Blustein R, Jackson R, Rotskoff K, Coy RE, Godar D. Use of splint material in the placement of implants. Int J Oral Maxillofac Implants 1986;1:47–49.
19. Eriksson RA, Albrektsson T. The effect of heat on bone regeneration: an experimental study in the rabbit using the bone growth chamber. J Oral Maxillofac Surg 1984;42:705–711.
20. Hidaka T, Ueno D. Mucosal dehiscence coverage for dental implant using split pouch technique: a two–stage approach [corrected]. J Periodontal Implant Sci 2012;42:105–109.

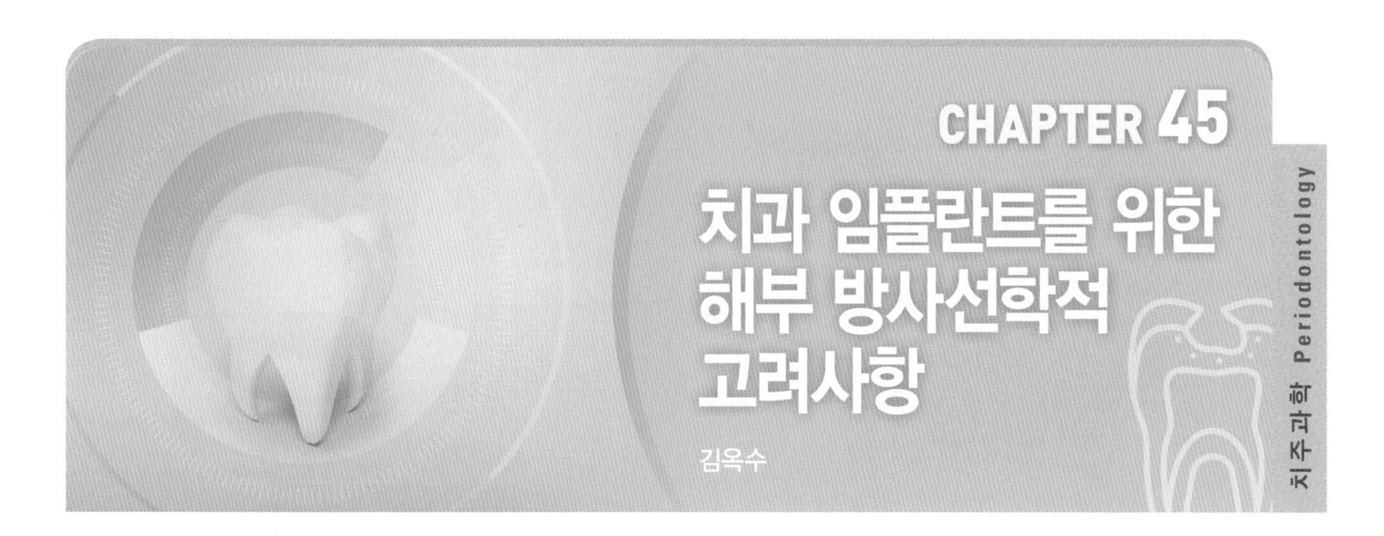

CHAPTER 45 치과 임플란트를 위한 해부 방사선학적 고려사항

김옥수

치과 임플란트를 안전하게 식립하기 위해서는 풍부한 해부학적 지식[1]과 진단 수립에 필수적인 방사선 검사를 이용할 수 있어야 한다. 이렇게 함으로써 혈관이나 신경 손상, 감염과 같은 술후 후유증 등 수술 중 발생 가능한 합병증을 방지하거나 줄일 수 있어 술자에게 자신감을 줄 수 있을 것이다.

치과 임플란트 환자의 진단 및 치료계획 수립에는 식립될 부위의 경조직의 상태를 포함한 임상검사 그리고 여러 방사선 검사들이 사용된다. 통상적으로 구내 방사선 사진과 콘빔 전산화 단층촬영(CBCT)과 같은 검사들을 조합하여 촬영하는데, 이는 한 가지 검사보다는 여러 가지 검사의 이용이 방사선학적 평가에 적합한 정보들을 더 많이 제공할 수 있기 때문이다. 방사선 검사는 비용, 이용 가능성, 방사선 노출량, 증례의 유형 등에 따라 선택되며 이러한 요소들과 합병증의 위험을 최소화하고자 하는 요구 사이의 균형에서 결정이 이루어진다. 주요 해부학적 구조물들을 정확히 파악하고 이러한 구조물들에 손상을 주지 않으면서 치과 임플란트 수술을 시행하는 것이 치료의 성공에 필수적이다. 방사선학적 검사는 항상 올바른 임상적 검사와 함께 연계하여 해석되어야 한다.

이 장에서는 치과 임플란트 환자의 해부학적 및 방사선학적 평가시 고려사항에 대하여 논의하였다.

1. 상하악골의 해부학

1) 상악골

상악골은 관골(zygoma)의 뿌리를 꼭지점으로 하는 피라미드 모양이며(그림 45-1, 2), 상악골의 협면은 피라미드의 전측면과 후측면으로 나누어진다. 피라미드의 세 번

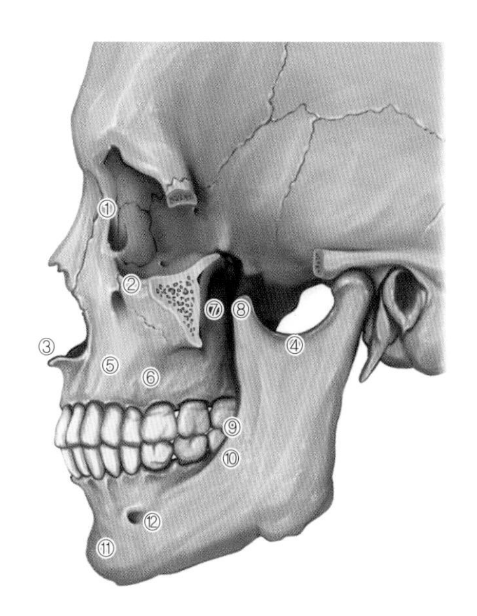

그림 45-1. 상악, 하악의 해부학적 중요 구조물
① Frontal process of maxilla ② Infraorbital foramen
③ Anterior nasal spine ④ Pterygomaxillary fissure
⑤ Canine eminence ⑥ Canine fossa
⑦ Posterolateral surface of maxilla ⑧ Coronoid process
⑨ Retromolar triangle ⑩ External obilque ridge
⑪ Mental eminence ⑫ Mental foramen

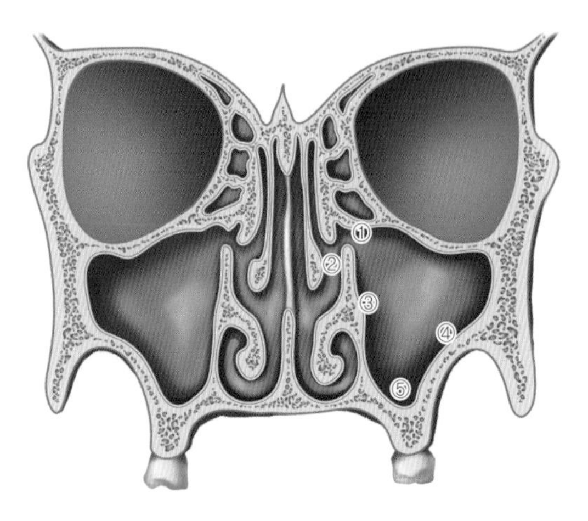

그림 45-2. 상악동의 해부학적 구조
① Maxillary sinus opening
② Middle meatus ③ Medial wall of sinus ④ Lateral wall of sinus
⑤ Floor of sinus and alveolar recess

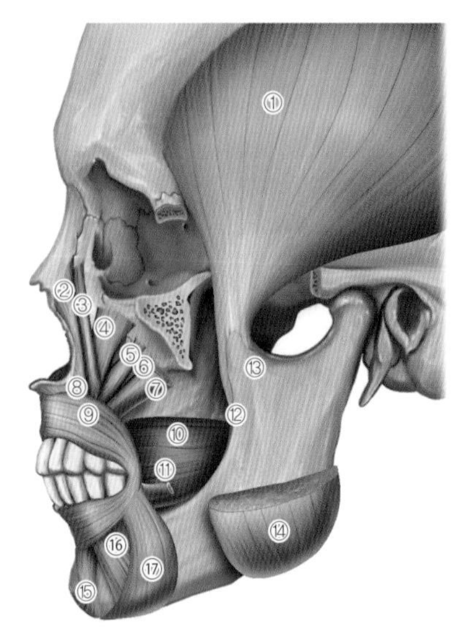

그림 45-3. 상하악에 부착된 근육들
① Temporalis ② Nasalis
③ Levator labii superioris alaque nasi ④ Levator labii superioris
⑤ Zygomaticus minor ⑥ Levator anguli oris ⑦ Zygomaticus major
⑧ Oblique portion of nasalis ⑨ Orbicularis oris ⑩ Buccinator
⑪ Risorius ⑫ Medial tendon of temporalis
⑬ Lateral tendon of temporalis ⑭ Masseter ⑮ Mentalis
⑯ Depressor labii inferioris ⑰ Depressor anguli oris

째 면은 상악골의 안와면(orbital plate)이다. 피라미드의 밑면은 비강의 측벽 또는 상악동의 내벽이고 내측면과 관련된 상악골의 치조돌기는 전치, 견치 및 소구치를 포함하고 있으며, 후측면은 대구치를 포함하고 상악결절(maxillary tuberosity)에서 끝난다.

상악골의 구강 내부는 협점막주름(mucobuccal fold)과 전방으로 구륜근(orbicularis oris muscle), 후방으로 협근(buccinator muscle)에 의해 경계를 갖는다. 협점막주름 상방의 후측면은 측두하와(infratemporal fossa)의 전방 벽을 형성하며 촉진은 어렵다. 하지만 협점막주름 하방의 상악 전측면은 피부 하방으로 전비극(anterior nasal spine), 전비공(anterior nasal aperture), 상악골의 전두돌기(frontal process) 등이 쉽게 촉진된다. 구강 내부로 견치융기(canine eminence), 견치와(canine fossa, 견치융기 후방과 상악동의 안면측 부위), 상악결절, 구절흔(hamular notch) 등이 촉진될 수 있다.[2]

상악골의 수평판은 경구개의 전방 2/3를 차지하고, 구개골의 수평판이 후방 1/3을 차지한다. 구개골은 상악골의 밑면과 접하는 수직판을 가지고 있으며 상악 결절과 접형골(sphenoid bone)의 익상판(pterygoid processes) 사이에 개입되어 있다. 구절흔까지 상악결절을 절개하면 구개골의 추체돌기(pyramidal process)가 노출될 수 있다. 이 지점에서 후방으로 내측 익돌근과 접형골의 익돌판 측면이 노출된다. 상악골의 내벽은 전비공의 가장자리에서 시작해서 견치 후방까지 이어지며 그 뒤로 상악동의 내벽을 형성하고 상악결절 뒤쪽까지 이어진다. 상악동의 내벽은 하비갑개(inferior nasal concha)와 구개골의 수직판에 부착하며 상악동의 입구는 안와저에 가까운 상악골의 내벽에 있으며 사골(ethmoid bone)의 구상돌기(uncinate process)에 의해 직경이 감소된다. 상악골의 안와판은 안와저를 형성하고 상악동 덮개를 형성하며 안와하관은 안와하신경과 혈관이 지나고 상악동 내부에서 보이는 융기를 형성한다.

(1) 상악골에 부착된 근육들

치조골이 흡수되면 잔존 치조정 높이가 감소하여 기저골에서 기시하는 근육의 부착부와 가까워지므로 임플란트 식립 시 다음과 같은 근육들을 고려해야 한다(그림 45-3).[3,4]

① 구륜근

구륜근(orbicularis oris)은 입꼬리에 있는 볼굴대(modiolus)에서 기시하여 윗입술과 아랫입술로 지나가며, 피부와 입술의 홍순경계(vermilion zone) 하방을 형성한다. 이 근육은 비록 상악골에 부착되지는 않지만 상·하 협측 전정의 깊이를 형성하며 안면신경의 협근지와 하악지의 지배를 받는다.

② 상순 절치근

상순 절치근(incisivus labii superioris muscle)은 측절치 융기의 상방 절치와에서 기시하여 입꼬리에 있는 다른 근육에 이어진다. 견치 사이에 있는 전상악골을 노출시키기 위해 점막골막피판 거상 시 상순 절치근과 비근의 중격 및 사선 섬유를 분리시켜야 한다. 중격 섬유는 비중격의 피부에 부착되어 있으며 사선 섬유는 코의 익부에 부착되어 있다. 이러한 작은 근육들은 판막을 재위치시킨 후 재부착된다.[5] 하지만 근육이 손상된다면 코의 중격이 늘어지거나 익부가 옆으로 퍼지는 결과가 초래될 것이다.

③ 협근, 내측익돌근

협근(buccinator muscle)은 상악과 하악의 대구치부 기저골 부위에서 기시하며 접형골의 내익상판의 구상돌기에서도 기시하여 상악돌기 후방과 구상돌기 전방의 공간을 채워준다. 상악돌기와 구상절흔 부위에서 점막을 박리할 때 구상돌기 주위를 지나가는 구개범장근의 건을 손상시키지 않도록 주의해야 한다. 협근과 내측익돌근의 근섬유는 점막 전반부에서도 나타난다. 내측익돌근(medial pterygoid muscle)의 근섬유 대부분은 상악돌기와 매우 근접한 접형골의 외익상판 내면에서 기시하여 구상돌기에 근접하여 주행하므로 섬유질의 조직 봉선이나 넓은 건막 구조가 협근과 상인두 수축근 사이에서 나타나기도 한다. 상인두 수축근은 구상돌기 구개측에서 점막 박리 시 포함되지 않도록 주의한다.

④ 상순거근

상순거근(levator labii superioris muscle)은 안와하골 상부의 안와하연에서 기시하므로 임플란트 시술과 큰 연관성은 없으며 안면신경의 관골지의 지배를 받는다.

⑤ 구각거근

구각거근(levator anguli oris muscle)은 안와하공 하방부의 상악골에서 기시하며 안면신경 관골지의 지배를 받는다. 구각거근과 상순거근 사이로 안와하신경과 혈관이 주행한다. Carwood와 Howell의 무치악 악골분류 D와 같이 심하게 위축된 상악골에서는 안와하공이 상대적으로 잔존 치조정에 근접되어 있다.[3] 이 부위에서 자가골이식과 임플란트 식립을 위해 점막을 박리할 때 안와하신경을 손상시키면 감각 이상을 초래할 수 있다.

(2) 상악골의 감각신경 분포

상악신경은 상악골을 지배하며 중두개와에서 나와 정원공(foramen rotundum)을 통과해 익구개와에서 나타나고, 측두하와로 들어간다.[6] 안와하열개를 통해 안와저 또는 상악동 덮개로 들어간다. 그 후 안와하공을 통해 안와에 존재한다. 상악신경의 익구개 부분은 하행구개가지와 접구개가지로 갈라진다. 접구개신경은 접구개공을 통해 익구개와(pterygopalatine fossa)로부터 비강으로 들어간다. 이것은 비강의 신경을 지배하며, 상악전치부의 구개점막을 지배하는 절치신경이 된다. 하행구개가지는 경구개의 점막을 지배하는 대구개신경과 연구개의 점막을 지배하는 소구개신경으로 끝난다. 이러한 감각신경은 구개의 점액선을 지배하는 접구개신경절로부터 나온 부교감신경 기능도 수행한다. 상악신경의 측두하 부분은 후치조신경 및 관골신경으로 나누어진다. 관골신경은 관골안면신경과 관골측두신경으로 분리된다. 후상치조신경은 협측 치은, 협측 치조돌기, 제2, 3대구치, 제1대구치의 2개 치근을 지배한다. 상악신경의 안와하 부분은 전상치조신경으로 주행하며 때로는 중상치조신경으로 분리된다. 이러한 신경은 상악동 점막 하방에 있는 상악동의 안면부 벽 내 골구를 따라가며 상악동 벽과 소구치를 지배하고, 동측의 전치부도 지배하나, 중절치는 반대편 신경에 의해서도 영향받는다. 안와하신경은 안와하공으로부터 상악골에 존재하며 하안검과 코의 측면, 상순을 지배한다.

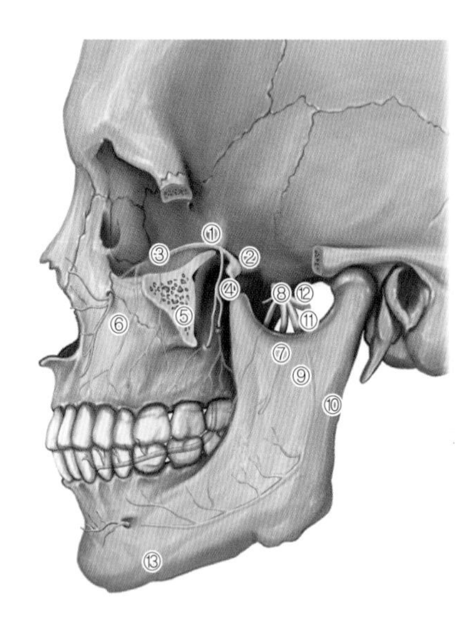

그림 45-4. 상하악의 감각지배
① Maxillary n. ② Pterygopalatine ganglion ③ Infraorbital n.
④ Posterior supperior alveolar n. ⑤ Middle superior alveolar n.
⑥ Anterior superior alveolar n. ⑦ Buccal n. ⑧ Mandibular n.
⑨ Lingual n. ⑩ Inferior alveolar n. ⑪ Nerve to mylohyoid
⑫ Auriculotemporal n. ⑬ Mental branch of inferior alveolar n.

임플란트 식립을 위한 상악신경 또는 그 가지들을 전달마취시 접구개와 쪽으로 상악골의 후측면의 경사를 따라가면 대구개공과 하행구개관 또는 익상악열(pterygomaxillary fissure)을 통해 상악신경에 접근할 수 있다(그림 45-4).

① 후상치조신경

후상치조신경(posterior superior alveolar nerve)은 익구개와에서 시작하여 익상악열 쪽으로 전하방으로 주행하다가 상악골 후연에서 골 내부로 들어와서 골과 상악동 점막 사이로 주행한다. 이 신경은 상악동, 상악구치부, 협측 치은 및 협점막의 연결부에 분포한다. 이 신경은 측방 접근을 통해 상악동 거상술을 시행할 때 손상되나 후유증은 거의 없다.

② 안와하신경

안와하신경(infraorbital nerve)은 상악신경의 종말지로 안와하열(inferior orbital fissure)을 통해 익구개와에서 나와서 안와저로 들어온다. 안와하구를 지나 안와하관을 통하여 안와하공을 나온 신경은 하안검, 비익, 입술과 뺨의 점막에 분포한다. 안와하공은 상방으로 상순거근, 하방으로 구각거근 사이에 존재하는데, 극심하게 퇴축된 상악 치조정으로부터 불과 5~10 mm 거리에 위치한다. Onlay graft를 시행할 경우 상악골을 모두 노출시키므로 시술자는 이 점을 주의해야 한다. 고정 나사나 임플란트에 의해 신경이 손상되어 감각 이상이 발생하지 않도록 주의를 기울여야 한다. 상악동에 이상이 있는 경우 주위의 염증으로 인하여 안와하공 주위에 압통을 느낄 수 있는데, 이는 상악동 거상술 이후에 일어날 수 있는 술후 합병증을 예상하는 데 중요한 진단 자료가 된다.[7]

③ 중상치조신경

중상치조신경(middle superior alveolar [dental] nerve)은 안와하신경이 안와하구를 지날 때 갈라져 나와 상악동의 측벽을 전하방으로 주행하여 상악소구치부위를 지배한다. 이 부위는 측방 접근을 통한 상악동 거상술 시 손상되나 후유증은 없다.

④ 전상치조신경

전상치조신경(anterior superior alveolar nerve)은 안와하신경이 안와하관을 지날 때 분지되어 나와 상악동벽을 측방으로 타고 내려오다가 안와하공 하방에서 내측으로 꺾어졌다가 다시 하방 주행하여 상악전치부에 분포한다. 진행 경로 중에 갈라져 나오는 비가지(nasal branch)는 비강의 점막에 분포한다. 비점막을 거상하고 골매식체를 식립할 때는 안와하신경이나 상악신경(V2)의 전달마취가 필요하다. 상악전치부에 임플란트 식립 시 이 신경에 마취해야 한다. 전·중·후 상치조신경은 상치조 신경총에서 서로 섞이며, 이들 모두 상악동(lining membrane)과 골 사이에서 상악동의 안면부 벽을 주행한다. 상악동 거상술 시 이러한 구조물을 주의해야 하며, 특히 이 구조물이 무치악 부위에도 존재하므로 주의해야 한다.

⑤ 구개신경

대구개신경과 소구개신경이 경구개와 연구개에 각각 분

포한다. 구개신경(palatine nerve)은 익구개와에서 구개관을 통해 하방 주행하여 대구개공 및 소구개공을 통해 구강으로 들어온다. 대구개신경은 경구개의 하면을 따라 존재하는 골구를 통해 전방으로 주행하여 전치부까지의 구개점막에 분포하고 구개신경과 혼합된다. 여기에서 신경은 비구개신경과 교통한다. 신경은 치은, 점막 그리고 경구개의 선조직에 분포되어 있다. 대구개동·정맥은 경구개 내에서 신경과 주행 경로를 함께 한다. 상악치조돌기가 퇴축함에 따라서 신경은 구개 쪽으로 이동하고 치조정은 대구개신경이 위치하는 공과 가까워진다. 퇴축된 상악에서 이 구조물에 손상을 주지 않기 위해 너무 구개 쪽으로 절개하지 않도록 주의해야 한다. 대구개공은 상악신경의 전달마취 시 이용되며 둔한 기구를 사용하거나 구개측의 치조골을 강하게 촉진함으로써 이를 찾아낼 수 있다.

⑥ 비구개신경

비구개신경(nasopalatine[sphenopalatine] nerve)은 접구개와를 거쳐 익구개와를 떠나 비강으로 들어가 비강의 측면과 상부에 분포한다. 가장 큰 가지는 비중격에 도달하여 전하방으로 꺾여 내려간다. 비중격 내에서 서골(vomer)에 홈을 형성한다. 신경은 비점막에 분포하여 비강저까지 내려가 절치공을 통과하여 경구개에 도달한다. 절치공은 절치유두 심부에 위치하고, 절치신경은 대구개신경과 교통한다. 절치신경은 비강하부 이식을 위한 비강저 점막 거상이나 비강저와 연관된 임플란트 시술 전에 마취되어야 한다.

2) 하악골

임상검사 시 정중결합, 하악체, 교근전부 절흔, 하악각(gonial angle), 과두 외측극 및 근돌기 모두가 피부 아래로 촉진 가능하다. 하악의 구내 촉진은 외사선(external oblique ridge), 후구치삼각, 근돌기, 외사선의 외측부, 내사주능선의 내측부를 포함한다. 내사선의 내측부는 측두정이라고 불리는데, 측두근의 내측건 기시부이기 때문이다. 이공은 소구치 치근단 하방에 위치한다. 설측에서는 내사선과 하악융기가 소구치 부위에서 촉진된다. 협점막주름을 넘어 전층 판막을 협측으로 거상하면 이신경, 이공, 하순하체근 그리고 소구치 부위의 하연 가까이에 있는 삼각부, 측두근건 등이 노출된다. 퇴축된 무치악의 하악골은 치조제의 상부조직이 느슨해지고, 치조정이 내·외사선과 같은 높이에서 발견되기도 한다. 치조정 절개하여 전층 판막 박리 후 이신경다발을 볼 수 있는데, 때로는 치조정 설측에 위치하기도 한다. 설신경은 제3대구치와 가까운 위치에 있는데, 무치악 치조정 가까이로 주행하기도 하여 때로는 후구치 삼각에서 발견되기도 한다.

(1) 하악골에 부착된 근육들

치아상실 후 치조골의 높이와 너비가 감소하며, 이에 따라 잔존치조제는 많은 근육 개시 및 부착 부위로 변화하게 된다(그림 45-5).

① 설측 또는 내측 근육 부착물 (Lingual or medial attachment)

• 악설골근

악설골근(mylohyoid muscle)은 구강저의 주요한 근육이다. 이것은 양측으로 하악내측 악설골선에서 기시하여(그림 45-5, D) 가장 후방의 근육섬유가 설골체에서 정지하고, 다른 섬유들은 중앙에서 만나 내측 봉합을 이루어 하악에서 설골까지 연장된다. 악설골근 상부의 구조물은 설하 또는 구내에 위치하고 악설골근 하부의 구조물은 구외 또는 표층에 위치한다. 심하게 흡수된 치조제에서 악설골근의

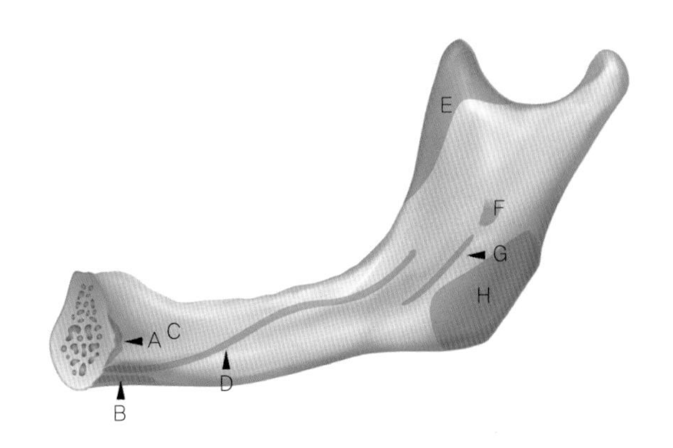

그림 45-5. (A) 이설근의 기시부인 이융기 (B) digastric fossa (C) 설하와(sublingual fossa) (D) mylohyoid line (E) 측두근의 medial tendon의 부착 (F) 하악공 (G) mylohyoid groove (F) 내측익돌근의 부착부

기시부는 치조정의 높이와 거의 같고, 특히 구치부에서 그러하다. 이러한 경우 치조정의 외과적 조작은 악설골근을 손상시킬 수 있다. 구강저의 외과적 조작은 설하공간(악설골근 상부)부위의 종창, 하악하 공간(악설골근 하부)의 종창 또는 둘 다를 일으킬 수 있다. 혈액 축적으로 인한 점상 출혈은 표층하부나 점막 하부에 나타날 수 있다. 때로 감염이 시작되어 설측으로 전파되어 감염 부위와 악설골근의 위치에 따라 농양이나 봉와직염을 설하(구내) 또는 하악하(구외)로 일으킬 수 있다. 광범위한 양측성 봉와직염은 혀를 후방으로 압박하거나 인두를 눌러 호흡 폐쇄를 일으키므로 기관절개술 또는 윤상기관절개술이 필요할 수도 있다. 기능적으로 악설골근은 설골과 구강저를 올리거나 하악을 내리기도 한다. 지배신경은 하치조신경의 운동신경 가지이다.

• 이설근

혀의 대부분이 이설근(genioglossus muscle)으로 되어있으며, 이융기(genial tubercle)에서 기시하여 설배에 정지하며, 후방섬유는 설골체에 정지한다 이설근은 혀를 나오게 하는 주된 근육이다. 이융기는 Carwood와 Howell의 무치악 악골분류 C~D의 퇴축된 하악에서 치조정 가까이에 위치한다. 설점막 거상과 임플란트를 위한 인상 채득 중 술자는 이 구조의 기시를 주의하여 손상을 방지해야 한다.[4] 이융기로부터 완전히 제거되지 않아야 하는데, 이는 혀의 후퇴와 호흡 곤란을 야기할 수 있기 때문이다. 설하신경(CN12) 분지가 이설근에 공급된다.

• 내측 익돌근(Medial pterygoid muscle)

이 근육의 대부분은 접형골의 외측 익돌판의 내측면에서 기시하나 일부는 상악결절에서 기시한다. 근육은 하악각 내측면에 부착되며 익상하악극과 내측에서 만난다. 하악신경 전달마취 시 이 공간으로 바늘이 침투한다. 이 공간으로의 감염은 매우 위험한데, 이는 부인두극과 가까워 중격으로 감염이 확산될 가능성이 있기 때문이다. 그러나 결절에서 기시하는 근섬유는 익돌판 내측면에서 기시하는 근섬유에 비해 적다. 하악신경이 근육으로 들어간다.

• 외측 익돌근

외측 익돌근(lateral pterygoid muscle)은 임플란트 수술 중 거의 관련되지 않지만, 하악구치부 임플란트를 전악 보철물로 연결하거나 임플란트 시술 또는 개구 시 하악의 내·외전 시의 가능한 작용으로 인해 고려해야 할 부위이다. 외측 익돌근은 상부와 하부로 구성된다. 상부는 하측두면과 접형골익에서 기시하는 반면 하부는 접형골의 외측익돌판 외측면에서 기인한다. 상부의 섬유는 아래로 주행하여 측두하악 관절판의 전방(15%의 섬유)과 하악 경부 익돌와에 부착한다. 하부의 섬유는 상부로 주행하여 익돌와에 부착하며, 근돌기의 내측, 낭내측, 측두하악 관절판의 내측 인대에 부착한다. 많은 학자들은 외측 익돌근의 경사로 인해 하악의 굴곡운동 시 하악궁 두께에 변이를 일으키며 전악 임플란트나 보철 스플린트 환자의 동통은 외측 익돌근의 수축 때문이라고 생각하였다.[8] 이 근육은 하악을 내밀 때 작용하며 하악신경의 분지가 연결된다.

• 측두근

측두근(temporalis muscle)은 부채모양의 저작근이다. 이 근육은 측두와에서 기시하여 하악의 근돌기와 하악지의 전연에 부착되어 후구치와까지 하방으로 연장된다. 측면에 두 개의 건을 가지는데 심부건은 내측으로 부착된다. 측두건과 관련된 근막은 전내측과 하방으로 진행하며, 상인두수축근과의 상호작용뿐만 아니라 측두근, 교근 및 내측익돌근의 부착부위로 작용한다. 장협신경과 혈관이 이 부위에 위치한다. 측두건-근막 복합체는 후구치삼각 부위까지 연장된다. 하악지 내측을 노출시킬 때 측두건-근막 복합체와 그 안에 포함된 근섬유, 신경, 혈관 등이 연관되어 상호작용과 술후 동통을 야기한다. 임플란트 식립이나 외사선 및 하악지로부터 골이식을 위한 상행 하악지 전연부위 절개는 두 개의 측두건 하방에서 이루어져야 한다. 측두근은 하악을 들어올리거나 후퇴시키는 강력한 근육이며 하악신경의 지배를 받는다.

② 협측 또는 안면 근육 부착

• 턱끝근

턱끝근(mentalis muscle)은 턱융기의 골막에서 기시하여 턱의 피부에 부착하며 하순의 구륜근에 융합된다(그림 45-3). 턱끝근의 기시부 위쪽으로 절치근이 절치와에서 기시한다. 임플란트 식립이나 구강내 정중부 골이식을 위하여 턱끝근을 완전히 거상하면 근육의 재부착 실패에 의해 '마녀의 턱(witch's chin)'이 야기된다. 이를 방지하기 위해 정중부의 노출 시 근육이 완전히 분리되면 근육의 재부착을 위해 고무 붕대를 4일간 구외로 턱 부위에 적용해야 한다. 또 다른 방법은 근육을 절개하여 근심측은 골에 붙어있게 하고 원심측만 거상하는 것이다. 이 때 원심과 근심측은 점막 봉합 전에 흡수사로 연결해야 한다. 이 근육은 안면신경의 하악 가지의 신경 지배를 받는다.

• 협근

협근(buccinator)의 상부와 하부의 근육은 상하순의 구륜근과 융합한다. 중심부 섬유는 구륜근에 부착되기 전에 볼굴대에서 십자형으로 교차한다. 볼굴대는 구각부의 거상근, 내림근들의 섬유들과 볼의 근육이 교차하며 섞이는 지점이다. 볼굴대는 상악 제1소구치 맞은편의 구각 부위에서 촉진 가능한 결절이다. 상악 제2대구치 맞은편의 이하선관은 이 근육을 관통한다. 협인두근막은 목의 내장측 근막의 일부인데 이 근육을 덮고 있으며 근막 외측은 협지방 덩어리이다.

하악 임플란트를 식립한 환자 중에서 심한 저작이나 이갈이 후 협근 기시 부위의 종창과 동통을 호소하며 종창 부위를 절개해도 농양이나 삼출물이 나오지 않는 경우가 있다. 이러한 증상은 온열팩, 약물 및 휴식 등으로 호전된다. 확실하지는 않으나 분리된 근육에 의한 근염이 원인일 것으로 추측된다. 안면신경의 협측 가지가 이 근육에 함입된다.

• 교근

교근(masseter muscle)은 하악지의 외측면과 하악각을 덮고 있으며 교근은 표층과 심부에 두개의 기시를 두고 있다. 표층은 관궁 하연 전방 2/3부위에서 기시하며, 심부는 관궁 후방 1/3과 관궁 심부면에서 기시한다. 이 근육은 하악지의 외측에서 S상 절흔으로부터 하악각 부위에 부착된다. 이 근육은 임플란트 식립 시 하악지의 골을 노출시키는 경우 쉽게 분리된다. 교근막과 근육 사이의 공간은 교근극으로 알려져 있고, 감염이 확산되면 근염이나 개구 제한 등이 발생할 수 있다. 교근은 주요 거상근 중 하나이며 하악신경과 연결된다.

(2) 하악과 관련 구조에 대한 신경 분포

① 하치조신경

하치조신경(inferior alveolar nerve)은 하측두와에서 하악신경(V3)의 가지로 분지되어 외측 익돌근의 하두하연에서 나타나 아래로 주행하여 하악지 내측면의 하악공으로 들어간다. 이 신경은 하악공으로 들어가기 전에 하악골에 분포하는 여러 신경 가지를 낸다. 이러한 작은 신경들은 신경혈관 통로로 작은 혈관들과 연결된다. 하치조신경은 소구치 부위에 도달할 때까지 하악관을 한 가지로 주행하며, 거기서 이신경(mental nerve)과 절치신경으로 분지된다. 이 신경은 이공으로 하악관을 빠져나온다. 하치조신경의 수직적, 협설측 위치에 대한 지식은 임플란트 식립을 위하여 매우 중요하다. 치조제가 심하게 흡수된 경우 이공과 신경 및 혈관구조물이 치조정에서 발견되므로 이 부위를 절개하여 거상할 때 이러한 구조물을 손상시키지 않도록 주의해야 한다. CT와 MRI의 재조합 기술 이용은 술자들이 하악골 내에 하치조신경의 정확한 위치를 감지하는데 도움이 된다. 파노라마 단층 영상도 사용가능하다. 어떤 경우에는 하치조신경이 두세 개의 분지로 나뉘어 하악골 내에서 분리된 하악관으로 주행한다(그림 45-6). 이러한 변이는 CT로 감지할 수 있으며, 술자는 신경 손상을 피하기 위해 수술 방법이나 임플란트 길이를 변경해야 한다. 퇴축된 골에 위치하고 연조직에 함입되지 않은 하치조신경의 손상은 덜 위험하다. 골 내의 신경이 임플란트와 접촉하고 있다면 임플란트가 견고하게 위치되어 있더라도 종종 압통을 야기할 수 있다. 게다가 신경 주위의 섬유조직은 이러한 구조와 접촉하고 있는 임플란트 주위에 섬유 구조의 양을 증가시킨다.

② 설신경

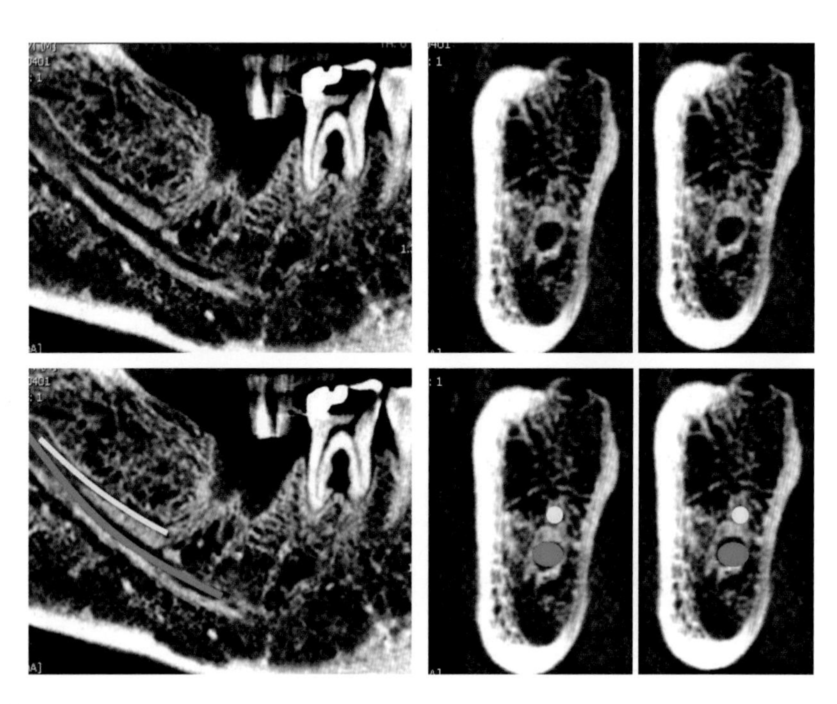

그림 45-6. 치과용 CBCT 영상
하악관의 주행 - 2개의 관으로 분리되어 있다. 그리고 상부의 관은 제2대구치 원심 발치와와 연결이 되어 있다.

설신경(lingual nerve)은 측두하와에서 나오는 하악신경의 가지로 하치조신경의 전방에서 외측 익돌근의 하두 하방에서 나타나 하악지와 내측익돌근의 사이를 전하방으로 주행한다. 그리고 설신경은 제3대구치 부위에서 악설골근의 기시부 가까이의 후방능 상방을 통해 구강 내로 들어간다. 설신경이 구후융기 바로 내측에 있기 때문에 신경손상을 방지하기 위해서 이 부위 절개 시에 구후융기 외측으로 시행해야 하며 점막 거상 시 골막 기자를 골에 접촉시켜 시행하도록 한다. 설신경은 설골설근(hypoglossus)의 표면에 주행하고 나서 구강저와 혀로 들어가기 위해 악하선 도관의 내측으로 통과한다. 측두하와 내에 있을 때에는 안면 신경의 가지인 고삭신경과 합쳐진다. 고삭신경은 혀의 전방 2/3 부위와 부교감성 절전 섬유로부터 악하 자율신경절로 미각 섬유를 나른다. 악하자율신경절은 설골설근의 표면에서 설신경과 연결된다. 악하신경절의 절후 신경원은 악하선과 설하선에 작용한다. 구강내 설신경의 가지는 설측 점막, 구강저의 점막, 혀의 전방 1/3의 감각 정보를 전달한다. 부주의하게 설측 점막골막피판을 거상하면 설신경이 손상되어 동측 점막의 마비 또는 무감각증, 미각 상실 및 타액 분비 감소가 야기될 수 있으며, 신경 손상의 정도에 따라 관련 범위가 결정된다.

③ 악설골 부위의 신경

하치조신경의 악설골 운동 가지는 하악공으로 들어가기 전에 분지되어 나와 하악지의 내측 표면의 홈을 따라 내려가 악설골근의 후면 가장자리의 악하선 삼각에서 나온다. 주로 악설골근에 분포하고, 이하동맥(안면동맥의 가지)과 함께 악설골근 표면을 따라 악이복근의 전복에 다다를 때까지 주행하여 악이복근에 분포한다. 하악지 부위에 가까이 위치하므로 외과적 술식에 의해 운동 신경이 손상될 수 있다.

④ 장협신경

하악신경의 감각 신경 가지로 뺨의 피부와 점막, 하악 제2, 3대구치 부위에 분포한다. 이 신경은 외측 익돌근의 두 머리 사이를 지나 협근의 표면에 닿기 위해 내측 측두건의 내측 또는 내부를 지난다. 장협신경(long buccal nerve)은 뺨의 피부에 분포된 후 하악 외사능 부위까지 하방 이동하여 협

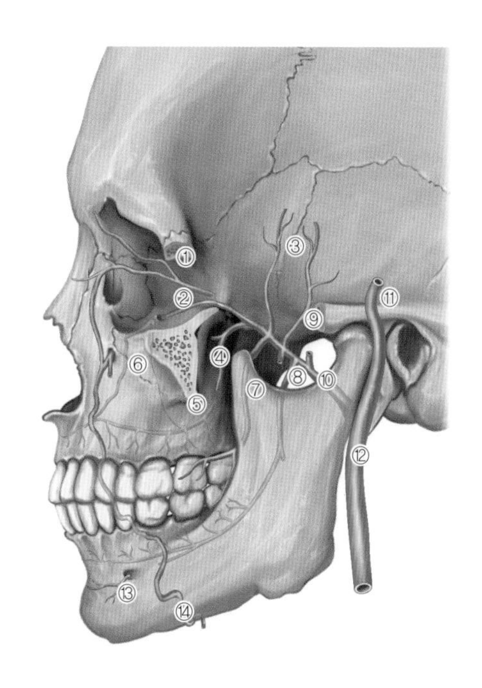

그림 45-7. 상하악의 동맥공급
① Ophthalmic a. ② Infraorbital a.
③ Deep temporal a. ④ Posterior superior alveolar a.
⑤ Middle superior alveolar a. ⑥ Anterior superiior alveolar a.
⑦ Buccal a. ⑧ Inferior alveolar a. ⑨ Middle meningeal a.
⑩ Maxillary a. ⑪ Superior temporal a. ⑫ External carotid a.
⑬ Mental branch of inferior alveolar a. ⑭ Facial a.

근으로 들어가고, 그 분지가 제2, 3대구치 부위의 협점막, 치조점막 및 부착치은으로 퍼진다. 블록골 이식을 위해 하악지 부위에 접근하고자 할 때는 협신경의 존재를 알고 그 손상을 피해야 한다.

3) 상악과 하악에서의 혈액공급

두경부는 풍부한 혈행을 가지며 많은 혈관 문합이 존재한다(그림 45-7). 상악과 하악은 모두 외경동맥에서 혈행을 받는데. 이는 몸 왼편의 대동맥궁과 오른편의 완두동맥에서 갈라져 나온 총경동맥의 가지이다.

하악의 주 동맥은 하치조동맥으로 이는 하악의 골과 주변 조직의 영양을 공급한다. 상악골은 후상치조동맥과 안와하동맥의 가지인 전상치조동맥이 상악골 혈행 공급에 주된 역할을 한다.

(1) 상악골

상악동맥에서 분지된 후상치조동맥은 상악의 측두하 부위를 지나면서 여러 갈래로 분지된다. 몇몇 갈래는 상악의 후방 부위 내의 치조관으로 들어가 골내 동맥이 되

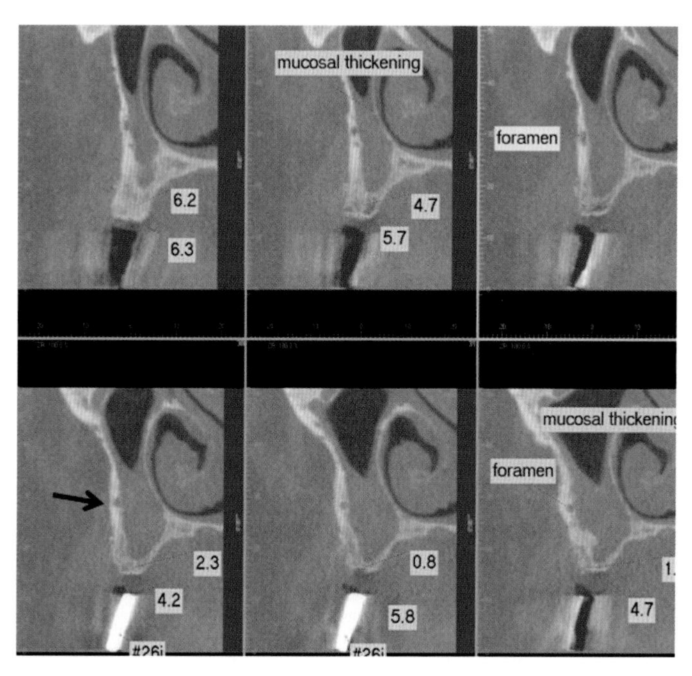

그림 45-8. 상악동의 CBCT 영상
상악동 내의 mucosal thickening과 후상치조동맥의 가지(검정색 화살표)가 관찰된다. 상악동 거상술의 개창부 형성 시 이런 부위의 주의가 필요하다.

어 구치와 소구치 및 상악동의 이장 상피에 혈액을 공급한다. 후상치조동맥의 다른 분지들은 상악골의 표면을 지나 상악 후방 치아들의 혈관 연결을 제공한다. 측방 접근법으로 상악동 거상술을 하는 동안 골 내의 동맥(그림 45-8)을 손상시킨 경우 출혈을 야기하게 되어 지혈이 필요하게 되며, 골 내 출혈을 조절하기 위해 골 왁스의 사용이 필요할 수 있다.

안와하관 내에서 안와하동맥은 전상치조동맥으로 분지되는데, 이는 전방 치조관을 통해 하방 주행하여 상악 전치나 상악동 점막에 분포한다. 전상치조동맥과 후상치조동맥은 함께 연결되어 동맥 고리를 형성한다. 중상치조동맥은 드물게 분리된 분지이다. 안와하 동맥도 상악동에 분지를 제공한다.

치은 혈관, 협측 혈관, 순측 혈관, 구개측 혈관, 비 혈관, 상악동 혈관들은 상악의 동맥망과 문합을 이룬다. 이러한 혈관들은 골막총과 연결되고 골 내로 들어가 골내총, 치주총들과도 연결된다. 또한 구개부와 안면에서 풍부한 정중 교차가 가능하다. 전방 상악골의 점막골막의 혈액 공급은 안와하동맥의 가지와 안면동맥의 주 가지인 순상동맥의 가지가 담당한다.

상악의 협측 점막골막은 후상치조동맥, 전상치조동맥, 협측동맥의 혈관이 담당한다. 대구개동맥(전방)과 비구개동맥의 분지가 경구개 부위의 점막골막의 혈행을 담당한다. 소구개 동맥(후방)은 연구개를 담당한다. 소구개동맥은 외경동맥의 상행 인두 분지와 상악동맥의 상행 구개 분지와 연결되는데 이는 상악에서 행해지는 많은 악정형수술에서 중요하다. 상악에서 외과적 술식이 행해지면 주 영양동맥은 가끔 끊어질 수 있으나 혈행은 연구개의 혈관 문합에 의해 유지된다. 연구개와 경구개의 혈관이 연결되고 나서 상악의 골막총, 치주총 및 골내총들과 연결된다. 따라서 상악 조직의 생활력은 연구개에 공급되는 혈관으로부터 분지되는 전체 동맥 혈관에 의해 유지된다.

(2) 하악골

하악골의 혈액 공급은 하치조동맥에 의해 주로 이루어진다. 하치조동맥은 하악지의 내측면에서 하악골 내로 들어가 하악관 내를 전하방 주행한다. 그리고 소구치 부위에서 이동맥(mental artery)과 절치동맥으로 말단 분지를 이룬다. 절치동맥은 하악골 내를 내측으로 계속 주행하여 반대편 절치 동맥과 문합을 이룬다. 이동맥은 흡수된 치조능 부위를 골이식하기 위해 하악골결합 부위에서 한 면의 피질골 블록을 채득할 때 종종 절단된다.[9] 출혈은 혈관 주위 압접이나 골 왁스를 사용하여 쉽게 조절된다. 이동맥은 이공을 통해 하악체에서 나와 턱 부위에 분포하고 턱밑동맥 및 하방 순측동맥과 연결된다. 하치조동맥은 그 기시부 근처에서 설측 분지를 내어 구강 점막에 분포한다.

동물 실험에서 근돌기, 관절돌기 및 하악각은 이 부위의 근육들에 분지하는 혈관에 의해 혈액을 공급받는다.[10] 사람의 사체를 대상으로 한 연구에서 관절돌기는 측두하악관절 캡슐과 외측 익돌근의 혈관망에서 혈행을 받는다.[11] 또한 측두근에 분포하는 혈관은 근돌기에 유일하게 혈액을 공급하며 하치조동맥은 하악각과 인접 근육에 혈액공급을 담당한다. 익교근 슬링(pterygomasseteric sling, 내측 익돌근과 교근)은 또한 하악지의 전방 혈행을 담당한다. 사람에서 하악골 절제 시 발견된 많은 사실이 이를 지지한다.[12] 따라서 임플란트 식립과 함께 하치조동맥의 외측 전위가 필요한 경우 이 부위 골의 혈행을 제거해서는 안된다.

(3) 연령에 따른 하악 혈행의 변화

하치조동맥은 나이가 듦에 따라 동맥경화성 변화가 나타나고 구불구불해지며 좁아진다. 하치조동맥의 폐쇄는 경동맥 폐쇄의 임상적 증거가 나타나기 몇 년 전에 나타난다.[13] 사람의 모든 연령에 대한 angiographic 연구에서 대상자의 79%에서 하치조동맥의 폐쇄가, 33%에서 동맥혈의 흐름이 없음이 관찰되었다.[14] 하치조동맥의 혈행의 부재는 나이에 따라 증가한다. 하치조동맥의 혈행 감소나 부재는 치아의 발거와 관계된다.[15] 완전 무치악의 사람 연구에서 하치조동맥은 하악의 혈액 공급의 측면에서 무시할 만한 정도로 퇴화한다. 이러한 경우 골과 내부 구조물의 혈액 공급은 하악의 골막과 연조직 혈관과의 연결에서 얻는다.[16] 하치조동맥의 혈행이 막힌 후 하악의 주 동맥의 역할은 이동맥, 설하동맥의 하악 분지, 안면동맥, 상악동맥의 근분지부들이 담당한다. 이러한 혈관의 문합은 하악에서 점막골막피판을 거상하는 외과적 술식의 경우 중요하다. 위축된 하악의 혈행의 변화는 임플란트와 관련하여 특별히 중요하다. 심하게 위축된 하악골에 장골능으로부터 골이식을 하는 경우 술후 절개선 열림 현상이 나타나는데 이는 위축된 골의 감소된 혈행이 기여요인으로 여겨진다. 골에 부착된 근육의 외과적 거상을 제한하면 혈행의 개선에 좋으나 장력 없이 일차 봉합을 이루는 데는 어려움이 있다. 골이식을 하지 않는 하악의 기저면의 근부착부는 외과적으로 거상하지 않는다. 덧붙여 위축된 하악골에 임플란트를 식립하는 경우 혈행이 적어 더 많이 기다려야 한다. Misch는 위축되고 매우 치밀한 하악골에서 5개월의 치유 기간을 주장하였다. 나이에 따른 하악골에서의 혈행의 역전 현상이 상악골에서는 보고되지 않았으나 명확한 결론을 위해 좀 더 연구가 필요할 것이다.[17,18]

임플란트를 심을 때 임상가는 신경혈관 다발을 만나게 되는데 그 종류로는 안와하신경, 절치신경, 대구개신경, 전·후상치조신경(예, 상악동 거상술과 점막골막피판 거상 시), 이신경, 하치조신경, 설신경(예, 치근형, 블레이드형 임플란트 식립과 점막골막피판 거상 시)을 들 수 있다. 신전, 압박, 부분적인 절개, 완전 절단은 기계적으로 신경을 손상시킬 수 있다.

말초신경계(PNS)의 신경 다발들은 중추신경계(CNS)의 신경 다발에 비해 재생능이 크다. PNS의 수초(myelin)로 싸인 축색과 싸이지 않은 축색들은 기저막에 의해 싸인 Schwann 세포에 의해 둘러싸여 있다.[19] 이들은 신경 다발이 원심부나 인접부에서 잘려진 후에도 계속적인 튜브를 제공한다. 인접부는 살아있는 신경세포체에 여전히 연결되어 있는 반면, 원심부는 점점 퇴화하여 마침내는 사라진다. 이는 Wallerian 변성으로 알려져 있다. 원심부의 Schwann 세포는 증식하여 기저막 튜브 내에 Schwann cell column 또는 band of Büngner로 알려진 세포줄을 만든다. Schwann 세포는 또한 식작용되고 대식세포는 변성된 신경원으로부터 원심부를 청소한다. 손상 후 4주에 새로운 신경원이 자라 나오며, 5주에 상당한 수의 신경원이 원심부를 채우게 된다. 과다 형성된 신경 싹들은 퇴화되고 하나의 다발이 원심부로 이양된다. 만약 재생되는 신경원이 Schwann cell column을 침범하거나 결합조직으로 들어가면 몇 mm 자란 후 성장을 멈춘다. Schwann 세포와 기저막은 성장 인자를 가지고 있기 때문에 신경원 성장에 필수적이다. Schwann 세포는 또한 유도능이 덜 효율적이고 기능적인 재생이 완벽하지는 않아도 재생하는 신경 다발에 미엘린을 제공한다. 신경 발생 단계에는 환자에게 동통이 야기될 수 있고 촉각에 민감할 수 있다. 회복 속도는 손상의 종류에 따라 다르다(예: 압접된 신경은 잘려진 신경보다 빨리 재생된다).

2. 환자 평가 시 고려사항

1) 병적 상태의 배제

건강한 골은 성공적인 골유착과 장기간의 임플란트 성공을 위한 선행 조건이다. 임플란트 식립 위치에 대한 방사선학적 평가의 첫 번째 단계는 특별한 검사에서 영상화된

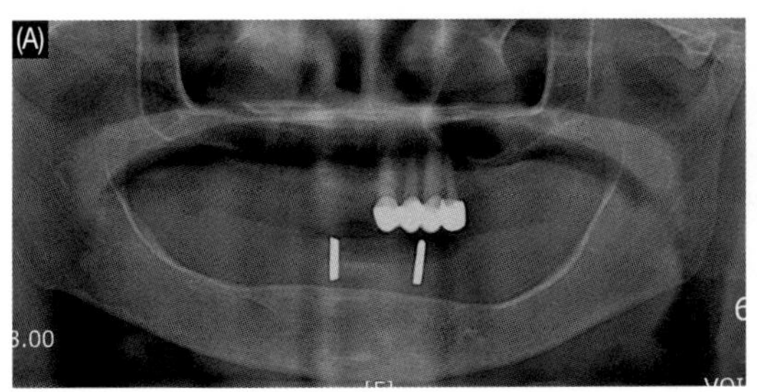

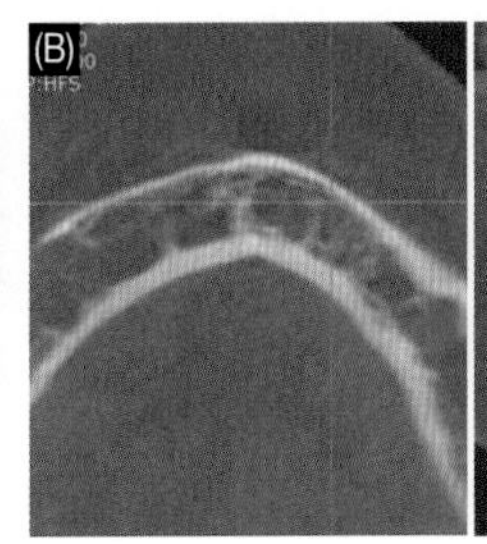

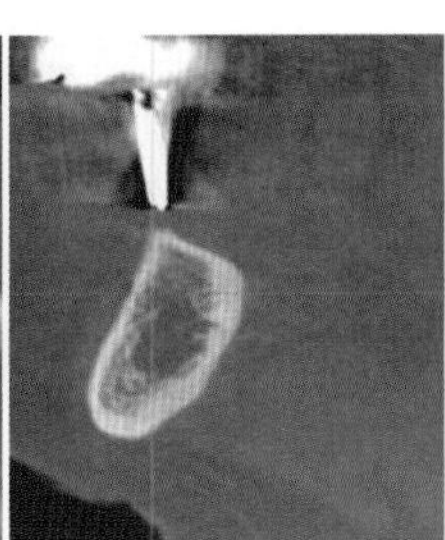
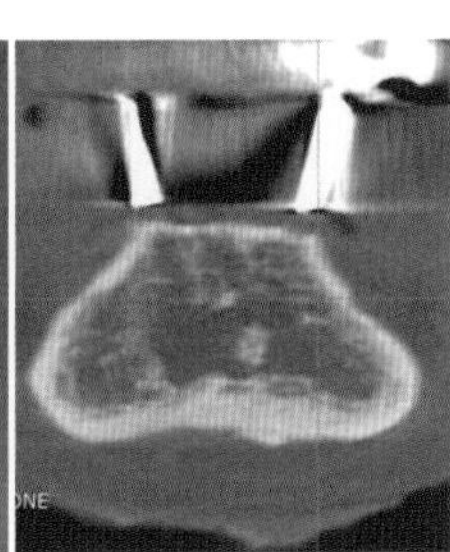

그림 45-9. (A) 골다공증 환자의 파노라마 영상 (B) 골다공증 환자의 치과용 CBCT 영상: 악골 내의 골소주가 거의 없는 것을 볼 수 있다. 그리고 피질골의 피막화가 관찰된다.

치조골과 주변 조직들의 건강을 확립하는 것이다.[20] 골의 항상성에 영향을 주는 국소적, 전신적 질환들은 제거 및 수정되어야 한다. 잔존 치근과 치주질환, 치근단 질환, 낭종과 종양들은 확인 후 임플란트 식립 전에 해결되어야 한다. 골다공증(그림 45-9A, B)과 부갑상선기능항진증과 같은 전신적 질환들은 골 대사를 변화시키고 임플란트의 골유착에 영향을 줄 수도 있다. 불량한 골질의 범위가 확인되어야 하며 가능하다면 치료계획의 조정이 이루어져야 한다. 상악동 거상술이 계획되었을 때 상악 후방부 상악동염, 폴립(polyp)이나 다른 상악동 병소와 질환이 진단되고 치료되어야 한다(그림 45-10).

2) 해부학적 구조의 확인

상악에서 중요한 해부학적 구조물로는 상악동저와 전

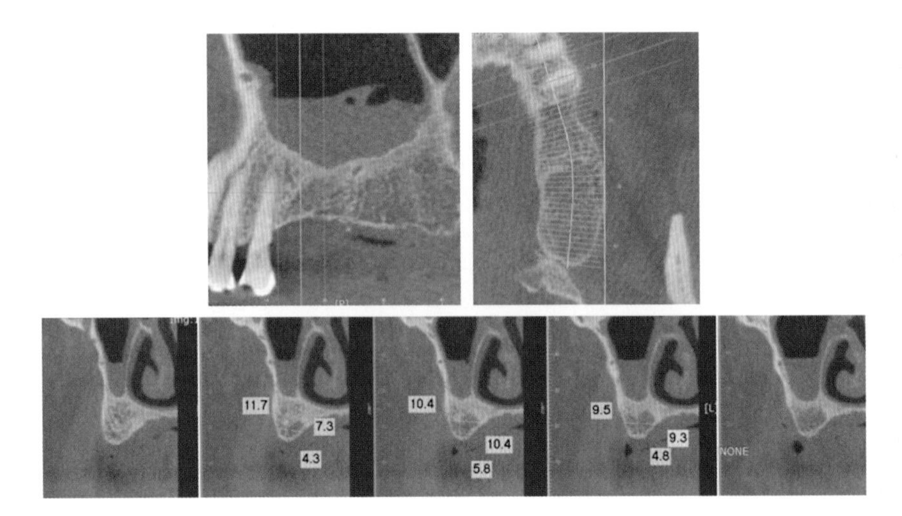

그림 45-10. 상악구치부의 치과용 CBCT 영상으로 상악동 내의 점막의 비후화를 볼 수 있다. 환자는 만성 상악동염을 가지고 있었다.

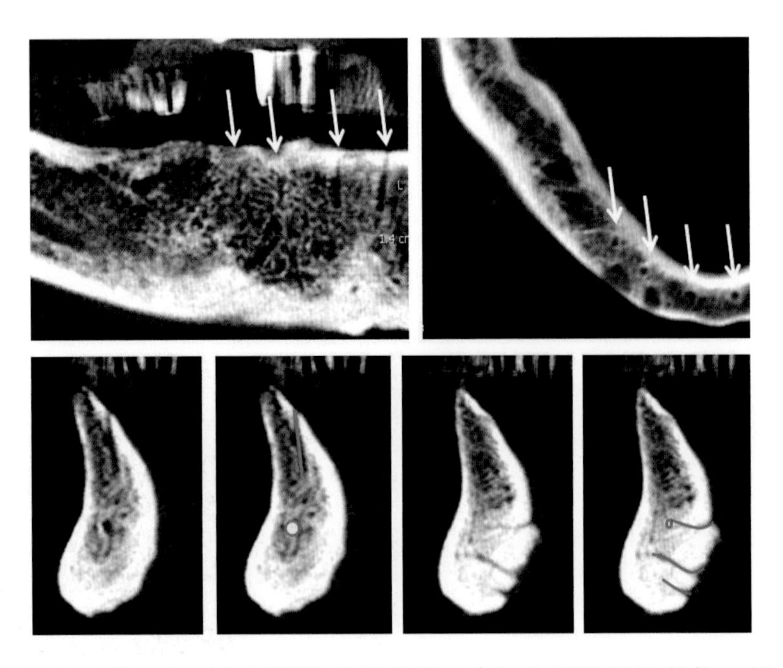

그림 45-11. 하악전치부의 영양관과 정중앙선 부위의 하악 절치관(노란 원) 그리고 그 후방으로 위치한 3개의 설공(lingual foramen). 이 구조물들은 하악전치부의 임플란트 식립이나 블록골 채취 시 심한 출혈을 야기할 수 있다

표 45-1. 임플란트 환자의 치료계획 시 중요한 해부학적 구조물[20]

상악	하악
상악동 비강 절치공 Nasopalatine duct 견치와 대구개공	하악관 하악관의 anterior loop 하악관의 anterior extension, 하악 절치관 이공 악하와(submandibular fossa) 치조정의 설측 경사 정중선의 설공 후구치관(retromolar canal)

벽, 절치공, 비구개관, 비강저와 측벽과 견치와, 대구개공이 포함된다. 하악에서 중요한 해부학적 구조들은 하악관, 하악관의 전방 루프, 이공, 하악관의 전방 연장인 하악 절치관,[21] 하악와, 그리고 정중선의 설공[22,23](그림 45-11), 후구치관(retromolar canal) 등이다. 발치와의 불완전한 치유, 상악동 중격과 소방(loculation), 이중 하악관(그림 45-6)이나 명확한 하악관 상부 피질판의 부재 등과 같은 해부학적 변이의 존재 또한 잘 인식되어야 한다(표 45-1).

3) 가용골에 대한 평가

임플란트 환자들을 위한 방사선 영상검사의 주요 목적은 원하는 위치에 임플란트 식립을 결정하기 위해 이용 가능한 골 부피를 평가하는 것이다.[24] 임상가는 중요한 해부학적 구조의 손상을 피하기 위해 정확한 높이, 너비, 골 밀도를 평가하고 확증하기를 원한다. 중요한 해부학적 구조의 위치를 정확히 평가하지 못하는 경우 부작용과 합병증을 야기할 수 있다. 예를 들어, 하치조신경의 부주의한 천공과 손상은 심각하고 즉각적(출혈과다)이거나 단기간, 또는 장기적인(신경 이상감각/무감각) 부작용을 일으킬 수 있다. 가용골의 높이와 너비는 정확히 산출되어야 한다.[25] 기술적인 면에 따라 진단 영상을 이용하여 두정부에서 첨부의 높이, 협설측 너비, 그리고 인접치나 다른 계획된 임플란트와의 관계를 고려했을 때 임플란트가 가능할만한 근원심부 공간을 평가하거나 측정할 수 있다.

임플란트를 식립할 부위가 좋은 골질이나 충분한 골부피를 가진 경우 진단이 단순해질 수 있지만 중등도 또는 심한 골 흡수가 있거나 치조골 결함, 최근 발치된 부위의 경우 명확하고 정확한 임상적 영상을 얻는 것은 더욱 어렵다. 진단 영상은 임플란트의 식립에 불충분한 골 부피를 밝힐 수 있고 골 결손의 심각성에 따라 환자를 임플란트 치료 가능성으로부터 배제시킬 수 있다.

추가로, 가용골의 골질도 평가되어야 한다. 균일하고 연속적인 피질의 외곽선과 레이스의 뚜렷한 골소주 양상은 임플란트 주위골의 반응에 필요한 정상적인 골의 항상성을 반영한다. 얇거나 단절된 피질, 성긴 골소주, 큰 골수강 그리고 변형된 골소주 구조는 기록되어야 하는데 이는 불량한 임플란트 안정성과 좋지 않은 골 반응을 예측할 수 있기 때문이다.

4) 이상적인 임플란트 식립 위치에 대한 평가

임플란트를 공간적 위치와 인접치, 그리고 교합면에 대한 기울기에 맞게 정확히 위치시키는 것은 임플란트의 성공과 장기간 예후에 많은 영향을 준다. Angled 또는 맞춤

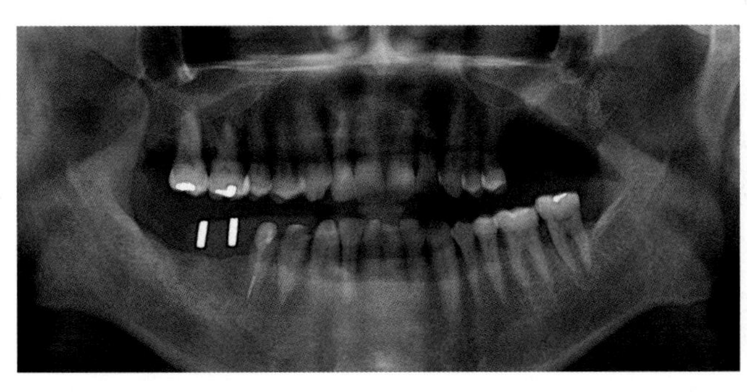
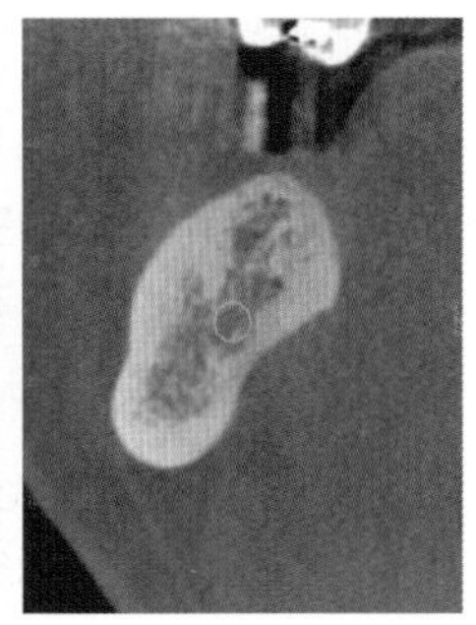

그림 45-12. 하악우측 구치부의 방사선학적 평가
파노라마 영상에서는 치조골의 높이가 흡수가 적거나 거의 없는 상태로 관찰된다. 그러나 치과용 CBCT 상에서는 치조능의 설측 방향으로 경사져 있음을 보인다.

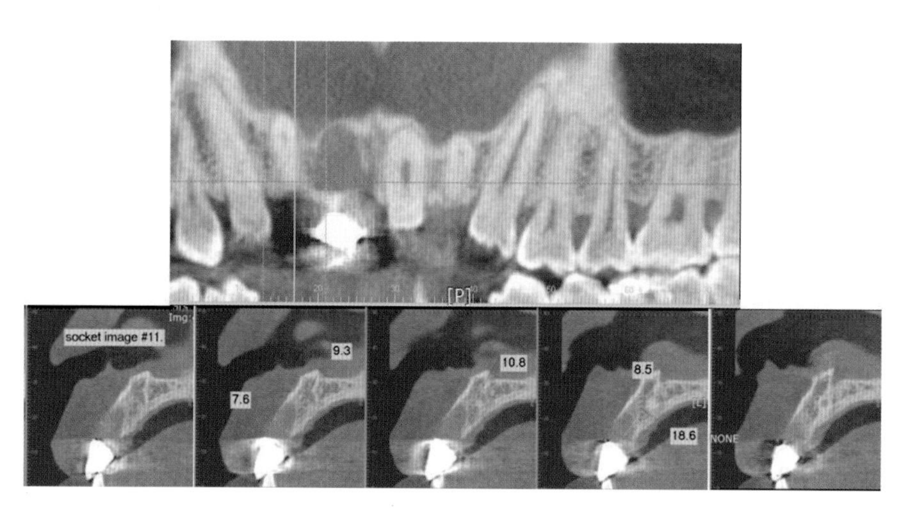

그림 45-13. 상악전치부의 치과용 CBCT 사진
치아모양의 표식(marker)은 치아의 형태와 위치를 보여 줌으로써 식립될 방향의 결정에 도움이 된다.

형 지대주의 이용으로 임플란트의 위치와 기울기에 대한 약간의 변화는 수용될 수 있지만 매우 심한 변화는 피해야 한다. 치아 상실 후 오랜 시간이 경과된 경우 상악에서는 치조골능 방향으로의 상악동저 함기화와 함께 치조골의 위축이 존재한다. 임플란트 환자의 치료계획을 세우는 동안 치조골의 설측 경사나 뾰족한 치조정 같은 해부학적 다양성이 고려되어야 한다(그림 45-12).

진단 영상의 중요한 부분으로서 보철적으로 유도된 임플란트 위치와 관련하여 이용 가능한 골의 평가가 포함되어야 한다. 이런 환자 평가는 대부분 진단 모형과 계획된 치아 부위의 wax-up, 방사선학적 표식(그림 45-12)에 의해 이뤄진다. 금속구와, 황동튜브, gutta percha는 잔존치조골과 관련되어 제안된 치아 위치를 평가하는데 사용된다. 이런 비해부학적 표식들은 특별한 해부학적 위치의 골의 높이와 너비를 평가하는데 도움이 되지만 치아의 외형을 정확하게 나타내지는 않는다. 그리고 임플란트 위치의 다양성과 위치에서 상대적인 기울임와 계획된 치아 대체물의 출현을 평가할 수 없다. 그렇기 때문에 방사선 불투과성의 치아 모양의 표식을 사용하는 것이 더 좋고 유익하며 이는 잔존치조골을 전체적인 치아 위치와 외형과 관련하여 평가할 수 있게 한다(그림 45-13). 특히 심미성이 요구되는 임플란트의 경우 더욱 중요하다. 환자는 항상 방사선학적 표식들을 구강 내에 위치시킨 후 식립부위를 영상화해야 한다.

3. 다양한 방사선 검사법의 활용

표준 진단적 방사선 검사에는 치근단, 파노라마, 측면 두부규격 그리고 교합 방사선 사진이 포함된다.[26] 각각의 검사법에 대한 특성은 표 45-2에 정리되어 있다.

1) 치근단 방사선 사진

치근단 방사선 사진은 무치악 치조제의 골질과 골량, 인접 치아들에 대한 전반적인 평가를 가능케 하며 치과에서 쉽게 시행할 수 있고 가격이 싸며 환자에게 적은 량의 방사선을 노출시킨다(표 45-3).[27] 구내 방사선 사진은 모든 방사선 검사법들 중 최상의 세밀성과 공간 해상도를 나타낸다(그림 45-14).[26] 그러므로, 이 검사법은 감지하기 힘든 병소(예컨데, 잔존 치근의 끝)를 찾아내고 평가할 때에 가장 좋은 선택이 된다.

치근단 방사선 사진은 쉽게 얻을 수 있기 때문에 임플란트 식립 시 수술 중 인접치 그리고 다른 중요한 해부학적 구조물들과의 근접도를 평가하기 위하여 매우 유용하게 시행될 수 있다.[28] 일련의 치근단 사진들은 임상가로 하여금 드릴링의 방향 및 깊이의 변화를 가시화해서 볼 수 있게 해준다(그림 45-14). 디지털 방사선 사진은 임플란

표 45-2. **다양한 방사선 사진의 특성**[20,26]

종류	장점	단점
치근단 및 교합 방사선 사진	고해상도 및 고정밀도, 쉽게 촬영, 낮은 노출(relative exposure:1-2.5), 낮은 가격	배율 계산 불가능, 작은 영역만 촬영 가능, 2차원 영상
파노라마 방사선 사진	쉽게 촬영, 전체 치조정을 관찰 가능, 낮은 노출(relative exposure:1-2), 낮은 가격, 중등도 해상도	배율 계산 불가능, 2차원 영상, 세밀하지 않음
측면 두부 규격 방사선 사진	쉽게 촬영, 배율 계산 가능, 낮은 노출(relative exposure:30), 낮은 가격, 중등도 해상도	정중선 영역에만 제한적으로 사용가능, 2차원 영상
단층촬영	3차원 영상, 배율 계산 가능, 중등도 정밀도, 낮은 노출(relative exposure:0.2-0.6)	특수장비 필요, 여러 부위 평가 시 부위별로 관심 부위만 촬영 환자가 자세를 바꿔야 하므로 촬영이 오래 걸림; 인접구조물에 따라 영상이 흐려짐; 높은 가격
전산화 단층촬영	3차원 영상, 배율 계산 가능, 높은 정밀도, 디지털 형식, 전악 촬영	특수장비 필요, 높은 가격, 높은 노출량(relative exposure:25-800), 전악 촬영
콘빔 전산화 단층촬영	3차원 영상, 배율 계산 가능, 중증도-높은 정밀도, 디지털 형식, 전악 촬영, 낮은 조사량(relative exposure:4-42)	특수장비 필요, 높은 가격, 전악 촬영

트 수술 중의 촬영 시 특히 큰 이점을 가지는데 영상이 즉각적으로 화면에 나타나며 가장 적절한 진단적 정보들을 도출할 수 있도록 조절할 수 있다는 것이다.

치근단 방사선 사진의 가장 중요한 단점은 해부학적 구조물의 예측 불가능한 확대가 발생할 수 있어 신뢰할 만한 측정이 안 된다는 점이다.[29] 평행 촬영법을 사용함으로써 단축 혹은 연장을 최소화할 수 있다. 그러나, 무치악 부위에서는 특히 왜곡이 심화되는데 필름(센서)을 위치시킬 때 결손된 치아와 치조골의 흡수로 인하여 필름(센서)이 치아의 장축 및 치조골과 상당한 각을 이루게 되기 때문이다. 게다가, 치근단 방사선 사진은 3차원적 구조물을 2차원적으로 표현한 것이기 때문에 치조제의 협설측 위치 관계에 대한 정보를 얻을 수 없으며 협설측으로 분리된 구조물은 겹쳐서 나타나기 쉽다. 또한, 치근단 사진은 사용하는 필름의 크기에 의해 제한을 받는다. 종종 잔존 치조제의 전체 높이를 다 포함하지 못하는 경우도 있고, 근원심적으로 광범위한 부위의 평가가 필요할 때에는 여러 장의 필름이 필요할 수도 있다.

2) 교합 방사선 사진

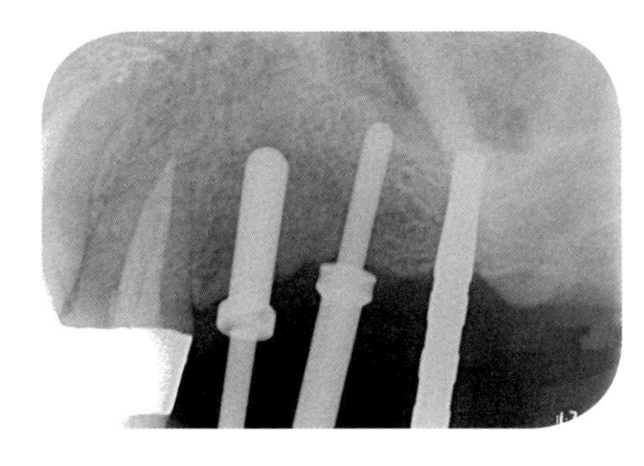
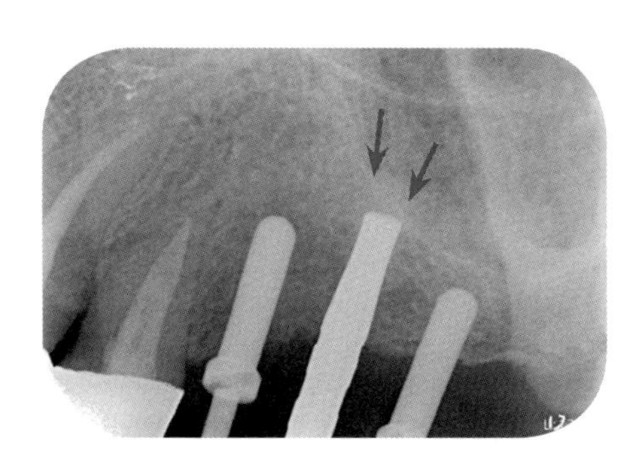

그림 45-14. 디지털 치근단 방사선 사진
수술 도중 인접치아와의 인접성을 평가할 수 있고 상악동 거상술 시 상악동의 위치(화살표)를 비교적 선명하게 보여준다.

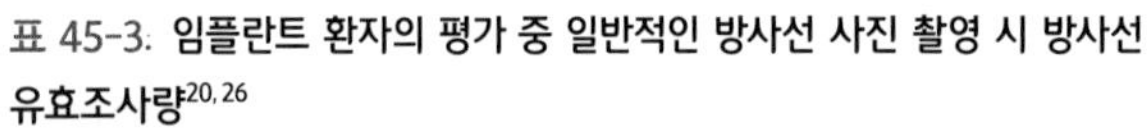
표 45-3. 임플란트 환자의 평가 중 일반적인 방사선 사진 촬영 시 방사선 유효조사량[20, 26]

종류	유효조사량 (μSv)	Equivalent background exposure (days)
전악 치근단 방사선 사진	177	4~21
파노라마 방사선 사진	20	1~3
전산화 단층촬영(head)	913	243
콘빔 전산화 단층촬영	47~117	3~75

교합 방사선 사진은 쉽고 경제적이며 적은 방사선 노출, 고해상도이며 치근단 방사선 사진에 비해 더 넓은 부분을 보여주는 구내 방사선 검사이다. 필름(센서)의 장착 및 엑스선 관구 위치에 각을 부여함으로써, 하악의 단면 영상을 제공하거나 무치악 치조제의 좀 더 광범위한 영역을 표시할 수도 있다. 단면적 교합 방사선 사진은 하악골의 협설적 위치 관계의 측정을 가능케 한다. 이것은 심하게 흡수된 하악골에 임플란트를 계획 시 중요한 고려점이 될 수 있다. 교합 방사선 검사는 치근단 방사선 검사와 마찬가지로 해부학적 구조의 왜곡 및 중첩이라는 제한점을 가진다.

3) 파노라마 방사선 사진

파노라마 방사선 사진은 다른 영상 기법들에 비해 여러 가지 장점들을 가지고 있어 임플란트 환자의 평가에 흔히 사용된다.[30,31] 파노라마 사진은 방사선 노출량이 적으며

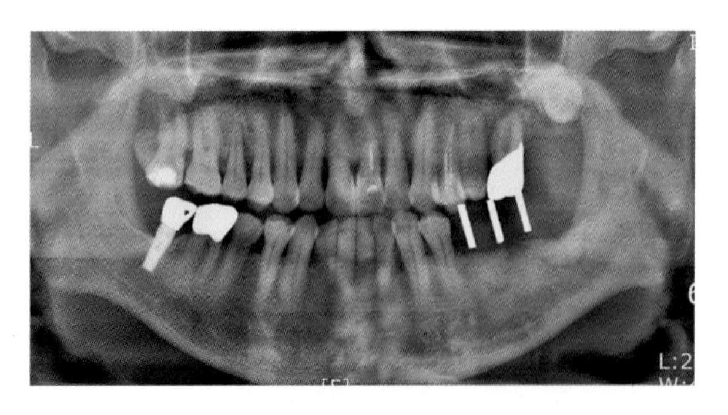

그림 45-15. 파노라마 방사선 사진
양악의 관찰이 한 사진에서 가능하며, 치조골능의 근원심과 교합면 높이를 측정할 수 있다. 그리고 상악동과 하악관과 같은 중요한 구조물을 구별해 낼 수 있다.

(표 45-3), 양 치열궁을 넓게 볼 수 있어서 광범위한 무치악 부위나 잔존 치아의 각도, 교합 평면 등을 평가할 수 있고 임플란트 치료계획 시 중요한 구조물들인 상악동, 비강, 이공, 하악관 등을 관찰할 수 있다(그림 45-15). 그러나, 파노라마 사진은 2차원적이므로 치조골의 협설적 폭에 관한 진단 정보는 얻을 수 없다.[32]

파노라마 사진은 익숙하게 사용하기 쉬우나 그것은 특징적인 물리적 및 방사선학적 원리들을 합친 것으로 다른 구내/구외 방사선 검사들과 차별된다.[33] 허상의 존재, 예측 불가의 수평/수직 확대, 초점층 바깥에서의 상의 왜곡, 엑스선속의 음성 수직각 형성에 의한 투사 기하구조, 환자 위치 선정 시의 오류 경향 등으로 인해 세밀하고 정확한 측정은 불가능하다. 결과적으로, 파노라마는 구내 방사선 사진과 같은 고도로 미세한 영상은 제공하지 못한다. 평균적으로, 파노라마 사진은 실제 크기에 비해 25% 확대되어 나타난다. 임플란트 제조사들은 종종 임플란트 외형의 25%를 확대한 투명 용지를 제공하기도 한다. 그러나, 25%의 확대가 추정치임을 아는 것이 중요하다. 실제 확대의 정도는 같은 영상이라도 부위에 따라 10~30%까지 다양하게 나타나며 파노라마 촬영 중 환자의 자세에 따라 크게 달라진다. 이러한 이유로 파노라마 사진상에서 정확한 측정을 한다는 것은 불가능하다. 그럼에도 불구하고, 파노라마 사진은 골 측정치를 추정하고 치아 및 기타 해부 구조물들간의 대략적 관계를 평가하는데 사용될 수 있는 상악골 및 하악골의 전반적인 영상을 제공한다. 또한 파노라마 사진에서 하악골의 변연에 대한 평가로 골다공증을 예측할 수 있다는 보고들이 있어 임플란트 식립 시 이에 대한 평가가 임상적으로 도움이 된다.[34,35]

4) 측면 두부규격 방사선 사진

측면 두부규격 방사선 사진이 종종 임플란트 환자의 평가에 사용된다.[36] 이 검사법은 상악 하악 간의 골격적 관계나 안면의 윤곽 뿐 아니라 중심선에서의 피질골의 두께, 치조제의 높이 및 폭경 등에 관한 유용한 정보들을 제공한다. 측면 두부규격 방사선 사진은 비용이 적고 쉽게 이용가능하며 판독이 쉽고 구조물의 확대율이 예측

가능하다는 여러 장점들을 가지고 있다. 그러나 임플란트 환자에서의 사용은 중심선 부위의 구조물들에 제한되며 악골의 다른 부위에서는 유용하지 않으므로 임플란트 치료계획에 있어서는 사용이 제한적이다.

5) 단층 방사선 검사법

단층 진단적 방사선 검사법들에는 일반 단층 방사선 사진, 전산화 단층 방사선 사진(CT), 치과용 CBCT가 포함된다.

(1) 일반 단층 방사선 촬영술

일반 단층 방사선 촬영술은 엑스선원과 필름이 연결되고 고정된 지점 주위를 회전하며, 흔히 단순(linear) 혹은 복잡(elliptic or hypocycloidal) 동작을 수행한다. 회전 평면 내의 구조물들은 관구 및 필름(센서)에서 일정한 위치에 있으므로 선명한 초점으로 묘사된다. 회전 평면 바깥의 구조물들은 초점 평면에서의 거리에 따라 점차적으로 희미해진다. 촬영 결과로서 영상 평면 내의 구조물에 대한 진성 단면상이 얻어지며, 이것은 엑스선속에 대하여 수직인 영상이다(그림 45-16).[37]

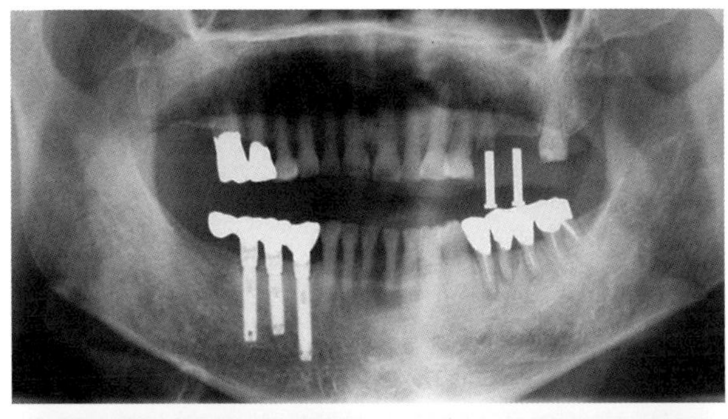

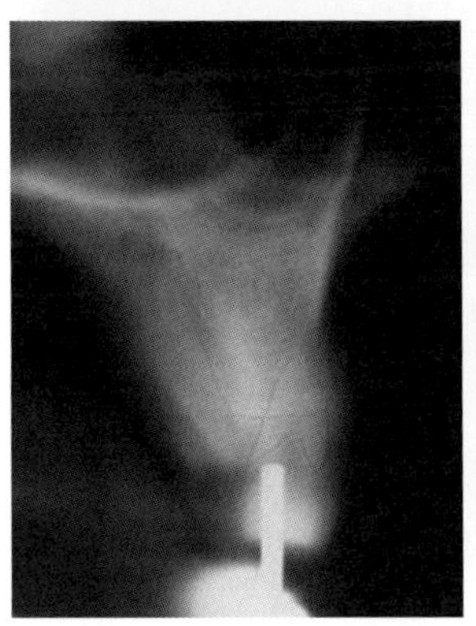

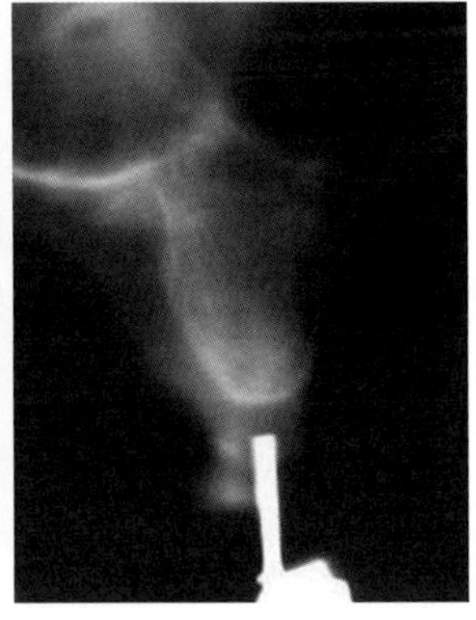

그림 45-16. 파노라마 사진과 일반단층 방사선 사진
골의 높이, 골질 및 상악동적의 피질골 윤곽을 평가할 수 있다. 그러나 특정부위에 초점이 맞춰지면 구조물의 흐려짐 때문에 상의 판독이 종종 어렵다.

적절한 환자의 자세는 임플란트 계획이 있는 부위에서 악골의 진성 단면을 형성하기 위하여 필수적이다. 보통 치조제의 만곡도는 일반적으로 submentovertex (SMV)나 occlusal projection 같은 촬영술이나 치아 모형으로 평가된다. 상의 두께와 구조물의 형태는 회전각과 운동의 형태(단순 vs 복합)에 따른다. 영상화된 구조물들은 항상 확대되지만, 배율은 일정하고 예측가능하며, 영상을 얻는데 사용된 장치에 따라 특수하다. 장비의 확대율에 맞는 확대치를 갖는 overlay template가 사진상에서 신뢰성 있는 수치를 측정하기 위해 사용될 수 있다.

일반 단층 방사선 촬영술은 임플란트를 식립할 환자의 평가에 있어 많은 장점을 제공한다.[38,39] 환자가 적절한 자세로 위치된다면 치조제의 진성 단면을 생성할 수 있으며 피질골의 두께, 망상골의 밀도, 치조골의 높이와 폭, 그리고 살아있는 해부학적 구조물의 위치 등의 진단학적 정보를 제공한다. 영상화된 구조물들은 예측 가능하게 확대되었기 때문에 단층 방사선 사진에 의한 측정이 정확한 각도와 선형 평가를 제공하기 위하여 조정될 수 있다. 일반적으로 단층촬영은 악골의 한정된 부분에서만 영상화했기 때문에 환자에 대한 방사선 노출이 제한적이다.

종종 영상의 해석이 어려울 때가 있는데, 특별히 외상을 주는 발치, 치조제의 흡수나 다른 상황들 때문에 턱의 해부학적 구조가 변화되었을 때가 그러하다. 영상들이 진성 단면들이라 하더라도 초점면 밖의 구조의 점진적인 흐려짐은 명확한 단층면을 만들어내지 못하고 두드러지게 불투과성인 구조물들은 'ghost' 그림자들을 만들어 영상을 복잡하게 만든다. 이는 관심있는 부분의 치아와 수복물이 있는 부분 무치악 환자에 있어서 더욱 문제가 된다. 이러한 문제들은 복잡 단층 촬영술(complex tomography)과 단층 촬영 간격의 다양한 폭의 선택으로 줄일 수 있다. 일반 단층 촬영면은 한 번에 하나씩 형성되고 각 영상을 위해서 환자가 재위치되는 것이 필요하다. 이는 한 개 또는 소수의 임플란트 부위가 영상화된다면 문제를 만들어내지 않는다. 하지만, 다수의 무치악 부위의 평가가 필요할 때는 이 과정이 다소 길어질 수가 있다. 또한 일반 단층 방사선 촬영술의 비용은 표준 구내와 구외 사진보다 더 높다.

(2) 전산화 단층 촬영술(Computed Tomography, CT)

전산화 단층 촬영술은 임플란트 환자의 평가에 널리 사용되고 있다.[40] 일반적으로 얇은 부채살의 방사선은 1회전당 조사 부위의 얇은(0.5~1.0 mm) 축 단면을 생성하면서 환자 주위를 회전한다. 다중 중복 축 단면은 모든 조사 범위가 포함될 때까지 방사선광의 여러 번의 회전에 의해 얻어진다. 이 단면들은 컴퓨터와 최신 알고리즘에 의해 이미지 상의 디지털 부피로 생성된다. 임플란트 환자를 평가하는 동안 악골의 3D 디지털 맵의 구성은 전산화 단층 촬영술의 장점이다. 전문적 소프트웨어가 악골의 면적과 중요한 해부학적 구조물의 위치를 가장 잘 묘사하는 적절한 영상을 만들어내는 데 사용된다.

전형적인 치과영상이 악골의 축, 파노라마, 횡단면상을 포함한 전산화 단층 촬영술에서 얻어질 수 있다. 관심있는 부위의 치조제의 적절한 축 단면이 탐색상(scout view)으로 선택된다. 상악 또는 하악 치조제의 만곡이 축 단면상 위에 그려지고, 그려진 선을 따라 파노라마 영상이 생성된다. 마지막으로 그려진 만곡선에 1~2 mm 간격으로 수직인 횡단면이 생성된다. 이들 평면의 2차원 영상, 그리고 표면이 표현되는 복잡한 3차원 영상도 CT 데이터로부터 만들어질 수 있다. 이런 영상들은 쉽게 파악될 수 있는 치조제 결손에 대한 유용한 정보를 제공하며 사진 또는 투명 필름에 인쇄되거나 컴퓨터 화면에 전시될 수 있다.[42]

전산화 단층 촬영술은 임플란트 환자 평가를 위하여 몇 가지 이점을 제공한다. 정확한 횡단면은 치조제의 높이와 폭에 대한 자세하고 세밀한 평가를 가능케 한다. 영상들은 확대나 보조적 도구 없이 인쇄물 또는 필름 위에 표준 자와 함께 직접 적용되거나 인쇄될 수 있다. 각 단면에 인접한 수직 및 수평 자(ruler)들은 임상의들이 확대를 확인하고 정확한 측정을 할 수 있도록 해준다. 디지털 포맷은 영상 관련 도구들이 영상의사와 수술의사 사이의 빠른 의사소통을 가능케 하고 여러 장의 복사본을 생성할 수 있도록 해준다. 다양한 해부학적 구조물은 상하, 전후와 같은 모든 세 개의 축에서 시각화되고 분석될 수 있고 협설측 위치는 세밀하게 분석될 수 있다. 전산화 단층 촬영술은 전체 악궁(대개 스캔 당 한 악궁)을 형상화하여 몇몇 무치악 부위가 단일 검사로 시각화될 수 있다. 골과 연조직 대조도와 해상도가 진단하기에 우수하다.

전산화 단층 촬영술은 전문화된 장비와 세트를 요구한다. 영상의사와 기술자는 해부학, 해부학적 변수, 악골의 병리학에 대해 아는 것이 필요하다. 또한 임플란트 치료계획의 타당성도 고려해서 최적의 시야를 제공해야 한다. 전산화 단층 촬영술은 임플란트 치료계획 동안 사용되는 다른 방법들에 비해 매우 많은 방사선 조사를 하게 된다. 전산화 단층상은 전악을 보여주므로 방사선이 실제로 필요한 부위가 많고 적음에 관계없이 전체 부위에 방사선이 조사된다. 금속 수복물은 진단의 질을 저하시키는 링 모양의 허상을 나타내므로 수복물이 많은 환자들에서 진단이 어려워진다. 일반적으로, 전산화 단층 촬영술의 비용은 일반 단층 촬영술이나 다른 표준 구내 혹은 구외 촬영에 비해 훨씬 비싸다.

(3) 치과용 CBCT (Dental Cone-beam CT)

CBCT는 임플란트 환자의 평가에 있어 중대한 이점들을 제공하는 영상법이다.[43] 이것은 1990년대 후반에 치과계에 도입되었다.[44,45] 전산화 단층 촬영술과 유사하게 엑스선 광원과 탐지기가 정반대에 위치되고 지지대 이내의 환자 두부 주위를 360도로 회전한다. 그러나 전산화 단층 촬영술에 의해 만들어지는 fan-beam CT와 대조적으로, CBCT 스캐너는 더 큰 부위의 영상을 보여주는 원뿔 모양의 방사선광을 만들어낸다. 1도씩 증가되면서 상이 만들어 지므로, 한 번의 완전한 회전의 끝에 그 부위의 360개의 영상이 만들어진다. 컴퓨터는 이 영상들을 이용해 안면의 디지털, 3차원적 지도를 제작한다.[46] 이러한 지도가 만들어지면 전산화 단층 촬영 영상과 비슷하게 다양한 두께의 축, 관상, 시상, 혹은 사면 절단면뿐 아니라 다면상을 재건할 수 있다(그림 45-17).

일반적으로, CBCT는 CT와 같은 장점과 단점을 제공

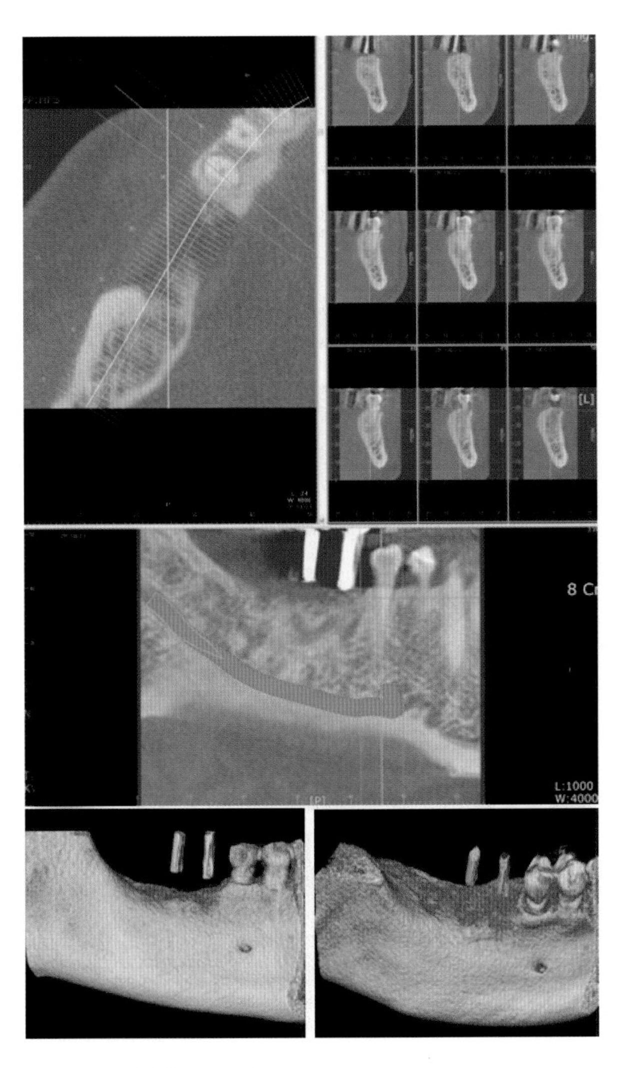

그림 45-17. 치과용 CBCT 상
하악우측 구치부의 임플란트 식립 전 평가

한다. 그러나 이 두 가지 방법은 상 획득 과정에서 이용된 다른 물리적 원리로 인해 몇 가지 기본적 차이점을 갖는다. CT 스캔은 더 훌륭한 대조 해상도, 즉 작은 밀도 차이를 가진 두 물체를 구분하는 능력을 가진다. CBCT 스캔은 CT 스캔과 비교했을 때 지방이나 결합조직으로부터 근육을 구분하는 데 있어 제한된 능력을 가진다. 다행히, 대조 해상도는 임플란트 평가에서 중요한 문제가 되지 않으며, 골이 주변 연조직보다 훨씬 고밀도이므로, CBCT와 CT는 골 형태와 구조를 선명하게 나타낸다. CT 스캔에 비해서 CBCT 스캔의 가장 중요한 장점 중 하나는 환자에 대한 방사선 조사량이 줄어든다는 것이다. CBCT는 종류에 따라 다르지만 전악 치근단 방사선 사진 한 벌(FMX)과 대략적으로 동등한 양 또는 그 이상의 유효 조사량을 낸다.[26] 이것은 전형적 CT 스캔 동안 나오는 방사선양보다 50~100배 적다. CT와 CBCT 스캔의 환자 비용은 거의 비슷하다.

(4) 쌍방향 시뮬레이션 소프트웨어 프로그램

많은 힘든 증례들의 경우 임플란트 치료계획에 특성화된 소프트웨어를 이용하면 진단에 큰 도움을 준다. 이러한 프로그램들은 CT 혹은 CBCT 스캔으로부터 얻어진 데이터를 이용하여 컴퓨터상에서 임플란트 식립과 수복의 시뮬레이션을 할 수 있고 골의 질과 양을 평가할 수 있다. 대중적인 임플란트(상업적 크기와 디자인) 영상들의 데이터베이스가 3차원적 영상과 함께 이용된다. 임플란트의 길이, 너비, 각도, 위치를 원하는 위치에서 시뮬레이션할 수 있다. 치조골이 부족하거나 결함이 있는 경우, 혹은 상악동 거상술이 필요한 경우에는 요구되는 부가적인 골 부피가 평가되고 측정될 수 있다.[47] 또한 임플란트의 수복물을 시뮬레이션할 수 있고 임플란트와 주위골에 퍼지는 기계적 힘도 예측할 수 있다.

OnDemand 3D (Cybermed, Korea, 그림 45-18)와 같이 임플란트 치료계획에 특성화된 소프트웨어 프로그램들은 CBCT와 CT 스캔 자료를 나타낼 수 있다. 임상가는 재설정된 영상들을 개인 컴퓨터에서 쌍방향으로 이용하여 계획된 임플란트의 위치와 치아 혹은 해부학적 구조들 간의 관계를 더 잘 파악할 수 있다.

4. 임플란트 식립을 위한 진단영상의 선택과정

1) 임상적 검사

방사선 사진을 촬영하기 전에 임플란트 환자의 완전한 임상 검사가 요구되는 데 치아 상실의 기간과 원인, 외상성 발치의 기왕력, 이전의 치과 기록과 방사선 사진의 평가가 포함되어야 한다. 잔존 치조제 부위와 해당 부위를

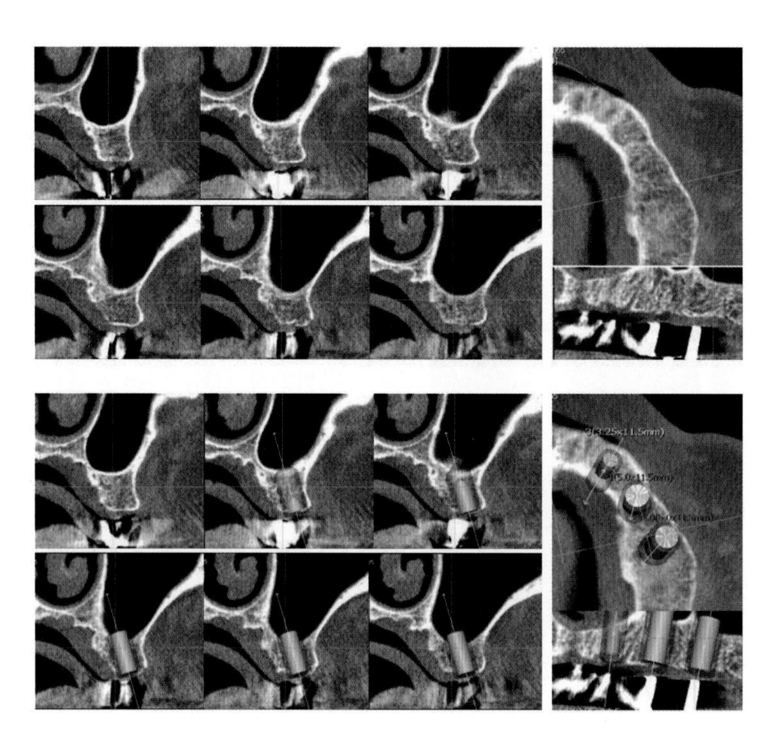

그림 45-18. OnDemand 3D 영상
이 소프트웨어를 이용하여 골높이, 폭, 밀도 부피가 측정가능하며 임플란트 위치를 수술 전에 시뮬레이션할 수 있다.

덮고 있는 점막, 인접치와 대합치, 교합 평면의 임상적 평가가 이뤄져야 하며 악관절 기능과 최대 하악 개구량, 전방이나 측방 움직임도 평가되어야 한다.

2) 선별 방사선 검사

이 시점에서 악골의 건강에 대한 전반적인 평가가 이뤄져야 한다. 치근주위 영상은 높은 해상도의 인접치를 포함하여 치조골과 주변 구조물의 영상을 제공한다. 광범위한 잔존 치조제 부위에 대해서는 파노라마, 측면 두부 규격 방사선 사진과 교합 방사선 사진이 골의 높이와 폭을 평가하는데 이용될 수 있다. 임플란트가 식립될 위치와 그 주변 구조물의 병소는 반드시 식별되고 치료되어야 한다.

3) 방사선적 및 외과용 가이드의 제작

연조직과 경조직의 건강이 확립되면 석고모형을 만들어 자세한 분석을 해야 한다. 임상가는 임플란트 갯수와 바람직한 위치를 결정해야하고 그 다음에 방사선적 가이드를 제작해야 한다. 이는 보통 투명한 아크릴을 이용한다. 임플란트의 바람직한 위치는 금속구나 황동튜브, 막대, gutta percha, 복합레진을 이용하여 표시한다. CT 영상을 찍을 경우에는 금속 표시자는 피해야 한다. 제안된 임플란트 부위의 정확한 위치를 표현하는 방사선학적 해부학과 관련되므로 이런 가이드의 고안은 방사선 사진을 통한 진단 정보를 상당량 증가시켜 준다.

4) 단층 방사선 사진

일반 단층 방사선 촬영, CT나 CBCT 같은 몇몇 종류의 교차 단면 영상은 악골의 어느 부위에서나 임플란트를 식립하기 전에 얻어져야 한다. 일부 임플란트의 경우 이차원의 일반적인 영상으로도 충분할 수 있다. 예를 들면 충분한 치아 공간과 골량이 존재하며, 위험성이 있는 중요한 해부학적 구조가 없는 상악전치부의 단일 공간은 단층상이 필요 없을 수도 있다. 반면에, 좋지 않은 상태의 해부학적 구조물, 잠재적인 병적 상태와 잘못된 시술과 잘못 위치된 임플란트의 잠재적 실패는 임플란트 치료계획의 많은 경우에서 단층사진을 이용하여 피할 수 있다.

단층상은 하악의 만곡에 수직적이고 계획된 임플란트에 평행하기 때문에 결정적이다. 적절하지 않은 환자의 위치는 이용할 골의 높이와 너비의 과대 평가를 야기할 수 있다. 만약 외과의가 단면이 잘못된 각도에서 얻어졌다고 판단한다면, 새로운 영상을 찍어야 한다. 다만 이 경우 환자가 방사선에 재노출될 수 있다.

참고문헌

1. Standring S. Gray's anatomy, ed 40, London, 2008, Churchill– Livingstone.
2. DuBrul EL. Sicher's oral anatomy, St Louis, 1982, Mosby.
3. Atwood DA. Reduction of residual ridges: a major oral disease entity. J Prosthet Dent 1971;29:266–279.
4. Hickey JC, Zarb GA, Bolender CL. Boucher's Prosthetic treatment for edentulous patients, ed 9, St Louis 1982, Mosby.
5. Bell WH. Biologic basis for maxillary osteotomies. Am J Phys Anthropol 1973;38:279–290.
6. Joo W1, Yoshioka F, Funaki T, Mizokami K, Rhoton AL Jr. Microsurgical anatomy of the trigeminal nerve. Clin Anat 2014;27(1):61–88.
7. Garges LM. Maxillary sinus barotrauma–case report and review. Aviat Space Environ Med 1985;56(8):796–802.
8. De Santis R1, Mollica F, Zarone F, Ambrosio L, Nicolais L. Biomechanical effects of titanium implants with full arch bridge rehabilitation on a synthetic model of the human jaw. Acta Biomater. 2007;3:121–6.
9. Rosano G, Taschieri S, Gaudy JF, Testori T, Del Fabbro M. Anatomic assessment of the anterior mandible and relative hemorrhage risk in implant dentistry: a cadeveric study. Clin Oral Implants Res 2009;20:791–795.
10. Hellem S, Ostrup LT. Normal and retrograde blood supply to the body of the mandible in the dog. II. The role played by periosteo–medullary and symphyseal anastomoses. Int J Oral Surg 1981;10:31–42.
11. Castelli W. Vascular architecture of the human adult mandible. J Dent Res 1963;42:786–792.
12. Bell WH. Biologic basis for modification of the sagittal ramus split operation. J Oral Surg 1977;35:362–369.
13. Bradley JC. Age changes in the vascular supply of the mandible. Br Dent J 1972;132:142–144.
14. Bradley JC. A radiological investigation into the age change of the inferior dental artery. Br J Oral Surg 1975;13:82–90.
15. Eiseman B1, Johnson LR, Coll JR. Ultrasound measurement of mandibular arterial blood supply: techniques for defining ischemia in the pathogenesis of alveolar ridge atrophy and tooth loss in the elderly? J Oral Maxillofac Surg. 2005;63(1):28–35.
16. Castelli WA, Nasjleti CE, Diaz–Perez R. Interruption of the arterial inferior alveolar flow and its effects on mandibular collateral circulation and dental tissues. J Dent Res 1975;54:708–715.
17. Misch CE. Density of bone, its effect on treatment planning, surgery, healing, and progressive bone loading. Int J Oral Implantol 1990;6:23–31
18. Misch CE. Contemporary Implant Dentistry, ed 3, 2008, Mosby.
19. Ide C. Peripheral nerve regeneraion. Neurosci Res 1996;25:101–121.
20. Newman MG, Takei HH, Klokkevold PR, Carranza's Clinical periodontology, ed 13, Philadelphia, 2018, Elsevier.
21. Pires CA, Bissada NF, Becker JJ, Kanawati A, Landers MA. Mandibular Incisive Canal: Cone Beam Computed Tomography. Clin Implant Dent Relat Res. 2012 Mar;14(1):67–73.
22. Katakami K, Mishima A, Kuribayashi A, Shimoda S, Hamada Y, Kobayashi K. Anatomical characteristics of the mandibular lingual foramina observed on limited cone–beam CT images. Clin Oral Imp Res 2009;20:386–390.
23. Lee GW, Kim OS. Anatomical Characteristics of the Mandibular Median Lingual Foramen; the Assessment of the CBCT. J Dent Rehab App Sci 2013:29(4):345–354.
24. Tyndall DA, Brooks SL. Selection criteria for dental implant site imaging: a position paper of the American Academy of Oral and Maxillofacial Radiology. Oral Surg Oral Med Oral Pathol Oral Radiol Endod 2000;89:630–637.
25. Lindh C, Petersson A, Klinge B. Measurements of distances related to the mandibular canal in radiographs. Clin Oral Implant Res 1995;6:96–103.

26. White SC, MallyaSM.. Update on the biological effects of ionizing radiation, relative dose factors and radiation hygiene. Aust Dent J2012;57(1 suppl):2–8.
27. Mallya SM. Intraoral projections. In White and Pharoah's Oral radiology: principles and interpretation, ed 8, St. Louis, 2019, Elsevier.
28. Whaites E. Periapical radiography. Inessentials of dental radiography and radiology, ed 3, London, 2002, Churchill Living stone.
29. Sewerin IP. Errors in radiographic assessment of marginal bone height around osseointegrated implants. Scand J Dent Res 1990;98:428–433.
30. Truhlar RS, Morris HF, Ochi S. A review of panoramic radiography and its potential use in implant dentistry. Implant Dent 1993;2:122–130.
31. Ramesh A. Panoramic imaging. In White and Pharoah's. Oral radiology: principles and interpretation, ed 8, St Louis, 2008, Elsevier.
32. Lindh C, Petersson A. Radiologic examination for location of the mandibular canal: a comparison between panoramic radiography and conventional tomography. Int J Oral Maxillofac Implants 1989;4:249–253.
33. Langland OE, Langlais RP, Preece JW. Panoramic and special imaging techniques. In Principles of dental imaging, ed 2, Baltimore, 2002, Lippincott, Williams & Wilkins.
34. Taguchi A. Triage screening for osteoporosis in dental clinics using panoramic radiographs. Oral Diseases 2010;16:316-327.
35. Horner K, Allen P, Graham J, Jacobs R, Boonen S, Pavitt S, Nackaerts O, Marjanovic E, Adams JE, Karyianni K, Lindh C, van der Stelt P, Devlin H. The relationship between the OSTEODENT index and hip fracture risk assessment using FRAX. Oral Surg Oral Med Oral Pathol Oral Radiol Endod 2010;110:243–249.
36. Atwood DA, Coy WA. Clinical cephalometric and densitometric study of reduction of residual ridge. J Prosthet Dent 1977;26:280–299.
37. Curry TS, Dowdey JE, Murry RC. Christensen's physics of diagnostic radiology, ed 4, Philadelphia, 1990, Lea & Febiger.
38. Kassebaum DK, Nummikoski PV, Triplett RG, Langlais RP. Cross-sectional radiography for implant site assessment. Oral Surg Oral Med Oral Pathol 1990;70:674–678.
39. Ekkestubbe A, Grondahl K, Grondahl HG. The use of tomography for dental implant planning. Dentomaxillofac Radiol 1997;26:206–213.
40. Cavalcanti MG, Yang J, Ruprecht A, Vannier MW. Validation of spiral computed tomography for dental implants. Dentomaxillofac Radiol 1998;27:329–333.
41. Kraut RA. Utilization of 3D/dental software for precise implant site selection: clinical reports. Implant Dent 1992;1:134–139.
42. Scaf G, Lurie AG, Mosier KM, et al. Dosimetry and cost of imaging osseointegrated implants with film-based and computed tomography. Oral Surg Oral Med Oral Pathol Oral Radiol Endod. 1997;83:41–48.
43. Hatcher DC, Dial C, Mayorga C. Cone beam CT for presurgical assessment of implant sites. J Calif Dent Assoc 2003;31:825–833.
44. Mozzo P, Procacci C, Tacconi A, et al. A new volumetric CT machine for dental imaging based on the cone-beam technique: preliminary results. Eur Radiol 1998;8:1558–1564.
45. Arai Y, Tammisalo E, Iwai K, et al. Development of compact computed tomographic apparatus for dental use. Dentomaxillofac Radiol 1998;8:1558–1564.
46. Schulze D, Heiland M, Blake F, et al. Evaluation of quality of reformatted images from two cone-beam computed tomographic systems. J Craniomaxillofac Surg 2005;33:19–23.
47. Kim ES, Moon SY, Kim SG, Park HC, Oh JS. Three-dimensional volumetric analysis after sinus grafts. Implant Dent, 2013;22:170–174.

1. 개요

성공적인 임플란트 치료 결과는 임플란트 시술부의 골질 및 골량과 밀접한 상관관계가 있다. 치조골량이 부족한 부분 무치악 또는 완전 무치악 환자에서 임플란트를 식립할 경우 임플란트 식립 전 또는 식립과 동시에 골결손을 회복하기 위한 골재건이 필요하다. 특히 심미성이 요구되는 전치부에서는 자연스러운 임플란트 수복물의 형성을 위해 골재건술이 더욱 중요하다. 임플란트 수복 시 가장 중요한 점은 본래 위치에 맞고 치은으로부터 자연스럽게 이행되는 수복물을 형성할 수 있도록 보철적으로 적절한 위치에 임플란트를 식립하는 것이다. 최적의 보철적 위치를 고려하지 않고 임플란트를 식립할 경우 수복물은 기능적, 심미적으로 만족스럽지 못한 결과를 초래할 수 있다. 따라서 심미적이고 기능적인 보철수복을 위해서 중요한 점은 보철을 위해 최적의 위치에 임플란트가 식립될 수 있도록 골재건을 시행하는 것이다.

치주질환, 발치, 외상, 장기간의 가철성 보철물 사용 등으로 인하여 심한 치조골소실이 있는 경우 보철수복을 위한 최적의 위치에 임플란트를 식립하기가 어렵다. 다행히 골재생에 관한 생물학적 이해와 더불어 외과적 술식 및 사용되는 생체재료의 개선으로 임플란트 시술을 위한 골재건술의 예지성이 증가하였다.[1,2]

44장에서 설명한 통상적인 임플란트 수술은 적절한 위치에 임플란트를 식립하기 위해 충분한 양과 질의 골이 존재해야 한다는 전제하에 가능하다. 이 장에서는 치조골 결손이 존재하는 경우 심미적, 기능적으로 이상적인 위치에 임플란트를 식립하기 위해 사용되는 골재건술 중 기본적인 골유도재생술 및 골이식술에 대하여 설명하고자 한다.

2. 골유도재생술

외상, 흡수, 발치 등으로 인하여 임플란트를 식립할 부위에 충분한 양의 골이 존재하지 않을 경우 골량 증가를 위해 골유도성 성장인자의 사용, 신생골 형성을 촉진하기 위한 비계(scaffold)로서 다양한 골이식재의 사용, 골신장술, 차단막을 이용한 골유도재생술이 가능한 접근법이 될 수 있다. 이중 골유도재생술은 임플란트 식립 시 부족한 골량을 회복하기 위한 치료법의 하나로서 임상에서 가장 많이 사용된 예지성 높은 치료방법이다. 현재 골유도재생술을 통해 증대된 이식부에 식립된 임플란트는 골재건술을 시행하지 않은 자연골에 식립된 임플란트와 유사한 성공률을 보인다. 환자의 전신적 상태, 협조도, 환경적 인자, 기타 치료에 영향을 미칠 수 있는 구강질환의 평가 및 세심한 치료계획의 설정을 통해서 성공적인 골유도재생술의 치료결과를 얻을 수 있다. 또한 양호한 골재생의 결과를 얻기 위해서는 관련 술식에 관한 기본적인 생물학적 이해가 필수적이다.

외상, 흡수, 발치로 인한 치조골소실의 회복이나 재생

은 임상가에게 큰 난제이다. 주위의 충분한 골조직이 존재하는 발치와에서도 재생 술식이 없으면 발치와가 충분히 골조직으로 채워지지 않고 섬유성 결합조직이나 반흔으로 채워질 수 있다. 발치 후 주위 연조직이 위축되고 치이가 위치하였던 부위의 해부학적 결손이 초래되며, 가철성 보철물 사용 시 치조제는 흡수가 더 진행된다.

지난 수십 년간의 연구를 통해 조직유도재생술이라는 새로운 치료기법이 개발되었다. 34장에서 설명된 바와 같이 이 이론은 특이 세포가 특이 조직을 형성한다는 원리에 근거를 두고 있다. 6~8주간 치주창상으로부터 성장속도가 빠른 상피와 결합조직의 이주를 차단하면 치아주위 공간으로 상대적으로 성장속도가 느린 재생에 관여하는 조직이 서서히 채워지게 된다. 그 후 골모세포, 백악모세포, 치주인대세포는 신생골 형성 및 결합조직이 신생백악질로 삽입되는 신부착을 유도한다.

조직유도재생술에서와 같은 원리가 골재생을 위해 치조골에도 적용된다.[3] Schenk 등[4]은 성견 모델에서 막으로 차단된 결손부에서 발치 후의 골형성과 유사한 과정으로 골이 재생됨을 발견하였다. 초기 혈병 형성 후 골재생은 결손부 주변의 신생 혈관계를 따라 교직골(woven bone) 형태로 시작되며, 교직골은 성숙골 형태인 층판골(lamellar bone)로 대체된다. 최종적으로 새로운 이차 골원 형성을 동반한 골개조가 일어난다. 특정 조직을 배제한다는 원리에서는 조직유도재생술과 동일하나 치아와 연관되지 않고 단지 골조직만을 재생하려는 것이기 때문에 이러한 술식을 골유도재생술이라 하며, 여러 조직의 조화로운 재생이 요구되는 조직유도재생술보다 이론적으로는 더 쉽다.

Murray와 Roschlau[5]는 골유도재생술의 개념이 소개되기 오래전에 인접 연조직을 결손부로부터 차단 시 골모세포와 혈류가 공급되는 결손부는 골로 채워지나, 재생을 위한 공간이 유지되지 않으면 섬유성 결합조직으로 채워짐을 발견하였다. 또한 결손부에 충진된 이식재는 최적의 신생골 형성을 이루기 위해서는 골형성 전에 흡수되어야 하므로 이식된 골이식재가 골형성을 방해할 수도 있음을 제시하였다.

골은 자체적으로 완전하게 재생되는 능력을 가진 독특한 조직이다. 그러나 견고한 석회화 구조로 인하여 재생을 위해서는 특수한 조건이 필요하다. 석회화 구조로 인해 내부로 관류가 일어나지 않음으로 신생 혈관계 형성을 통한 적절한 혈류공급이 이루어질 경우에만 신생골 형성이 가능하다. 또한 골형성을 위해서는 견고한 고정 및 안정화가 필수적이다. 만약 치유과정 동안 골절편에 가해지는 어떠한 움직임도 비록 미세적인 동요도라 할지라도 혈류공급을 방해하며 안정화되지 않은 결손부는 형성된 조직이 골조직이 아닌 섬유성 결합조직으로 변화된다. 표 46-1은 골재생을 위해 요구되는 골유도재생술의 생물학적 필요조건을 보여준다.

골결손의 양적 회복을 위해 차단막을 이용한 골유도재생술의 성공적인 치료결과를 얻기 위해서는 골이식술 후의 치유과정 및 사용되는 골이식재, 차단막의 특성에 관한 이해가 필수적이다. 여기서는 다양한 골이식재의 생물학적 특성 및 치유과정, 골유도재생술에 사용되는 차단막의 특성에 관해 우선 살펴보고자 한다.

1) 차단막

차단막은 연조직(상피와 결합조직) 세포가 골 결손부로 이주해오는 것을 차단함과 동시에 혈병을 보호하고, 골형성세포가 치유부로 이주할 수 있도록 하기 위해 사용되는 생체비활성(bioinert) 재료이다. 막은 흡수성 또는 비흡수성의 생체적합성 재료로 제조된다. 차단막에 요구되는 이상적인 특성은 생체적합성, 공간 유지력, 연조직세포 차단능, 우수한 조작성 및 흡수성이다. 차단막은 결손부의 크기 및

표 46-1. 골재생의 필요조건

필요조건	외과적 술식
혈류 공급	피질골 천공
안정화	차단막 고정용 screw 또는 고정핀
골모세포	자가골 이식재 또는 잔존골
제한된 공간	차단막
공간 유지	Tenting screw, 골이식재
창상 피개	판막 조작, 긴장 없는 봉합

형태에 따라 적절한 크기 및 형태를 지닌 것을 사용한다. 차단막 사용 시 기본적인 고려사항은 다음과 같다. 차단막은 골결손부를 완전히 피개해야 하고 결손부 변연을 지나 3~4 mm 정도 더 연장되도록 조정하여 사용한다. 차단막의 안정화는 성공적인 골재생의 결과를 위해 필수적이며 이를 위해 임플란트의 피개나사 또는 주위골에 고정하기 위한 screw나 핀을 사용함으로써 차단막을 결손부에 견고히 고정할 수 있다. 다음으로 골유도재생술에 사용되는 흡수성 및 비흡수성 차단막의 특성에 대해 설명하겠다.

(1) 비흡수성 차단막

① Polytetrafluoroethylene (PTFE) 소재

테프론 또는 expanded polytetrafluoroethylene (e-PTFE, Gore-Tex)막이 골유도재생술에서 사용되는 대표적인 비흡수성 소재이다. 조직유도재생술에서 연조직을 차단할 수 있는 라텍스, 알루미늄 포일 등의 사용이 일부 보고되었으나, 우수한 생체적합성 및 예지성 있는 치료결과를 위해서는 테프론 및 e-PTFE가 주된 비흡수성 차단막으로 사용되어 왔다. Gore-Tex차단막은 골유도재생술 개념의 도입과 더불어 임상에 소개된 대표적 소재로 우수한 골재생 결과가 보고되었다. 하지만 현재는 제조중단으로 인해 더 이상 공급되지 않는다. e-PTFE차단막에 비해 작은 단일 크기의 미세기공구조를 지닌 치밀구조 차단막(dense PTFE, Cytoplast)이 현재 PTFE조성의 비흡수성 차단막으로 사용되고 있다. 골재건수술 시 결손부의 크기 및 형태에 따라 적절히 선택할 수 있도록 다양한 형태 및 크기를 지닌 차단막이 시판된다. 비흡수성 차단막 사용 시의 단점은 제거를 위한 부가적인 외과적 시술이 필요하다는 것이다. 막의 제거는 단계적 접근법인 경우는 임플란트 식립 시, 임플란트 식립과 동시에 골유도재생술을 시행한 경우에서는 치유지대주 연결을 위한 이차수술 시 시행된다. 비흡수성 차단막이 지닌 장점은 결손부의 골재생을 위해 충분한 기간 동안 장시간에 걸쳐 연조직을 차단할 수 있다는데 있다. 골유도재생술에 사용되는 비흡수성 차단막은 일반적으로 6개월 후에 제거한다.

비흡수성 차단막 사용 시의 가장 큰 문제점은 막이 노출되면 연조직의 자발적인 폐쇄가 일어나지 않는다는 것이다. 일단 구강 내로 노출된 막은 구강내 세균에 의해 오염되어 시술부위의 감염을 초래한다. 이로 인해 골재생 과정을 저해하고 골 흡수를 일으킨다. 따라서 노출된 막은 세균감염을 막기 위해서 제거해야 하며, 노출된 막의 조기 제거는 결과적으로 골재생의 감소를 초래한다. 따라서 비흡수성 차단막 사용 시 연조직 천공을 방지하고 판막에 최대의 혈류 공급을 유지하며 긴장 없는 완전한 판막 피개를 위한 섬세한 연조직 조작이 매우 중요하다.

차단막은 결손부에 충진한 골이식재와 필요 시 공간유지를 위한 텐트 스크류(tenting screw)와 함께 사용하여 골재생을 위한 충분한 공간을 확보할 수 있다. 자체적으로 공간 유지능을 지닐 수 있도록 타이타늄이 차단막내 삽입된 타이타늄 강화(titanium-reinforced) 막의 사용은 결손부에 맞추어 형태부여가 가능하고 또한 공간유지를 위한 tenting screw 등의 사용이 없이도 자체적으로 골재생을 위한 충분한 공간을 확보할 수 있다는 장점을 지님으로써 예지성 있는 골재생의 결과를 얻을 수 있다.[4,6]

② 타이타늄 메쉬(Titanium mesh)

다양한 크기의 천공구조를 지닌 타이타늄 메쉬를 골유도재생술에 차단막으로 사용할 수 있다. 타이타늄 메쉬는 치유기간동안 이식부의 함몰 없이 견고히 유지할 수 있다는 장점이 있다. 하지만 조기노출의 위험성이 있으며 타이타늄 메쉬의 조기노출시 골재생의 결과가 저해될 수 있다. 이러한 이유로 임상에서는 타이타늄 메쉬의 조기노출 가능성을 줄이기 위해 흡수성 차단막을 병용하여 사용하기도 하며 비교적 우수한 골재생의 결과가 보고되고 있다.

(2) 흡수성 차단막

최근에는 흡수성 막의 사용에 대한 관심이 증가되고 있다. Polylactide와 polyglycolide 공중합체(PLA/PGA) 혹은 교원질(collagen) 등이 생분해성 막의 제조에 주된 소재로 사용된다. 흡수성 막의 장점은 막 제거를 위한 추가적인 외과적 시술이 필요없다는 것이다. 하지만 치유지대주 연결을 위한 임플란트 2차 수술이 필요한 경우에는 이것이 큰 장점이 되지는 않는다.

단점으로는 흡수성 막이 골형성이 완전히 이루어지기 전에 체내에서 분해되고, 소재에 따라 정도에 있어서 차이는 있지만 합성고분자 조성의 공중합체 차단막은 분해과정이 염증과 관련이 있다는 것이다.[7] 다행스럽게도, 교원질(콜라젠, collagen)로 제조된 생흡수성 막에 의해서 일어나는 경미한 염증은 골형성을 방해하지는 않는 것으로 보인다. 또 다른 단점으로 흡수성 막은 견고성이 부족하여 자체적으로 골재생을 위한 공간을 유지할 수 없다는 것인데, 이로 인해 결손부에서 막의 함몰이 발생할 수 있다.[8] 따라서 결손부 변연에 의해 흡수성막이 견고히 지지되는 경우에서만 양호한 결과를 얻을 수 있는 것으로 알려졌다.

현재 골유도재생술에서 흡수성 차단막을 사용 시 성공적인 골재생의 결과가 보고되고 있으며, 비흡수성 차단막을 대체할 수 있는 소재로 임상에서 많이 사용되고 있다. 현재 임상에서는 콜라젠 조성의 차단막이 주로 사용되고 있다. 현재 콜라젠 조성의 흡수성 차단막은 비흡수성 차단막과 비교 시 골재생의 결과에서 유의한 차이가 없는 것으로 보고되었다.

하지만 구조적 견고성이 타이타늄 강화 PTFE소재 및 타이타늄 메쉬 등의 비흡수성 차단막에 비해 떨어지며 이로인해 광범위한 골재생이 필요할 경우 이식부의 함몰을 방지하기 위한 부가적인 처치를 고려해야한다.

표 46-2. **다양한 골 이식재들의 기본 특성**

	골형성	골유도	골전도	안전성
자가골이식(Autograft)	+	+	+	+
동종골이식(Allograft)				
동결건조골	-	-	+	+/-
탈회동결건조골	-	+	+	+
이종골이식(Xenograft)	-	-	+	+/-
합성골이식(Alloplast)	-	-	+	+

2) 골이식재

차단막을 이용한 골유도재생술 시 상부 연조직으로부터 가해지는 압박으로 인해 차단막이 함몰된 경우 성공적인 골재생의 결과를 기대할 수 없다. 차단막과 같이 사용되는 골이식재는 기본적으로 신생골 형성을 위한 비계로 작용하고 또한 골재생을 위해 필요한 공간을 유지함으로써 차단막의 함몰을 방지하는 역할을 한다. 여러 종류의 골이식재들은 골재생을 위한 비계(scaffold)로 작용하는 골전도성의 기본적인 특성을 지니고 있다. 여기서는 골재생술에 사용되는 다양한 종류의 골이식재의 특성에 대해 살펴보고자 한다.

다른 조직들과는 달리, 골은 스스로 완전히 재생될 수 있는 독특한 능력을 지니지만 골량이 부족한 경우에 자발적인 골재생이 일어나기 위해서는 골형성을 위한 공간유지를 전제로 하는 경우에서만 가능하다. 따라서 골이식재는 대체골이 자라 들어올 수 있는 공간을 유지함으로써 자발적인 골형성을 촉진하기 위해 사용된다. 골이식재는 골전도(osteoconduction), 골유도(osteoinduction), 골형성(osteogenesis)의 세 가지 생물학적 기전을 가진다(표 46-2).

골전도(osteoconduction)는 결손부 변연에서 이주한 골모세포(osteoblast)에 의해 골이식재 표면으로 신생골이 형성되는 것이다. 골전도성을 지닌 재료는 골이 자라 들어올 수 있는 비계 역할을 한다. 골전도성 재료는 골형성을 방해하지는 않으나 또한 골의 형성을 유도하지도 않는다. 이 재료들은 단지 골모세포에 의해 이식재 표면에서의 정상적인 골형성을 허용할 뿐이다. 골전도성 이식재는 골이식을 하지 않았다면 자발적으로 골로 채워지지 않는 결손부를 기존골과 연결해주는 가교역할을 함으로써 골형성을 촉진한다.

골유도(osteoinduction)는 결손부 내에 존재하는 또는 혈행에서 유래한 골전구세포들을 골모세포로의 분화를 유도하여 신생골형성을 촉진함으로써 새로운 골을 형성하는 것을 말한다. 골유도는 골형성 세포의 활성화를 유도하는 중간매개체에 의해서 이루어진다. 골형성유도단백질(bone morphogenetic protein, BMP)이 골전구세포의 골모세포로의 분화를 유도함으로써 골재생을 촉진하는 매개체로서 가장 많은 연구가 이루어져 왔다.

골형성(osteogenesis)은 자가골 이식 시 내부에 존재하는 골모세포에 의해서 일어난다. 이식재 내부로의 적절한 혈류 공급과 골모세포의 생활성이 유지될 경우, 골모세포에 의해 이식부 내에서부터 새로운 골화의 중심이 형성된다. 결과적으로, 결손부 변연에 존재하는 골모세포에 의한 골형성과 더불어 결손부에 이식된 자가골 이식재 내의 골모세포가 또한 골화 중심으로 작용함으로써 전체적인 골형성력이 배가된다.

다양한 골이식재가 골결손의 재건을 위해 임상에서 사용되고 있다. 골이식재의 종류는 자가골이식재를 포함하여 동종골이식재, 이종골이식재, 합성골이식재로 다양하다. 최소한 골이식재는 골전도성이 있어야 한다. 골유도성이 있는 골이식재는 골전도성만을 가진 골이식재보다 더욱 좋은 재료라고 믿어지고 있다. 탈회동결건조 동종골(decalcified freezed–dried bone allograft, DFDBA)은 공여부의 조직 기질 내에 골형성유도단백질을 포함하고 있기 때문에 골유도 효과가 있다고 생각되어지고 있다.[9]

이런 관점과는 대조적으로 최근의 몇몇 보고들은 골증대술 시 탈회동결건조 동종골은 골형성을 유도하기 위해 필요한 적정량의 BMP가 없기 때문에 골유도 효과를 보이지 못한다고 말하고 있다.[10,11] Schwartz 등[12]은 골의 기원 및 처리과정에 따라 탈회동결건조 동종골 사용 시 골형성량이 다양하게 나타나는 것으로 보고하였다. 이식재의 제조를 위한 공여자의 나이가 어릴수록 많은 양의 BMP를 함유하는 것으로 알려졌기에 사용되는 골의 종류에 따라 골유도능에 많은 영향을 미칠 수 있는 것으로 보고되었다.[13]

차단막과 함께 사용된 골 이식재는 공간 유지에 도움을 주어 외부와 격리된 공간 내에서 골형성을 촉진하는 역할을 한다. 골이식재에 요구되는 더 중요한 고려사항으로서 신생혈관의 내부성장과 골형성전구세포들의 이주를 촉진해야 한다는 것이다. 골이식재의 입자 크기가 결과적으로 골 형성에 필요한 가용공간을 결정하기 때문에, 입자 크기 선택은 신중히 이루어져야 한다. 임상에서 사용되는 골이식재는 100~1,000 μm의 입자크기를 지니며, 이러한 크기의 입자사이에 생기는 입자간 공간(interparticle space)은 골이 자라 들어올 공간을 제공한다. 골은 중심부에서 혈류공급을 받는 골원(osteon)이라 불리는 원뿔형태로 형성된다. 반지름 100 μm의 골원의 크기는 중심부의 혈액공급이 세포에 영양분을 공급할 수 있는 범위에 의해 결정된다.

성공적인 골이식술의 결과를 위해서는 이식 후의 치유과정에 관한 생물학적 이해가 필수적이다. 자가골이식 후의 기본적인 치유과정을 살펴보면 다음과 같다.

자가골이식재는 골형성세포, 피브린, 혈소판 등을 내부에 함유하며 이식재 내의 골모세포 및 조혈모세포는 주위 조직으로부터 영양분을 흡수하여 이식 후 5일간 생존이 가능한 것으로 알려져 있다. 결손부에 자가골이식 후 나타나는 초기 재생과정은 이식재내 함유된 혈소판이 분해되면서 방출되는 혈소판유래성장인자(PDGF), 변형성장인자(TGF–β1) 등 성장인자의 작용에 의해 개시된다. PDGF는 내피세포에 의한 모세혈관 증식을 유도하고, TGF–β1은 이식재 내의 골모세포와 조혈모세포의 증식을 촉진된다. 이식 3일 후부터는 혈소판에서 방출된 성장인자에 의한 초기재생과정이 혈류를 따라 공급된 대식세포의 역할에 의해 대치된다. 대식세포가 분비하는 다양한 성장인자는 이 시기에 골치유를 조절하는 중심적인 역할을 한다. 이식 후 2주가 경과하게 되면 이식재의 완전한 재혈관화가 이루어지고 골모세포에 의한 골양조직 생성이 증가하며, 이로 인해 이식부 내에서 새로운 골화의 중심을 형성한다. 재혈관화의 결과로 혈류를 따라 이식부에 공급된 줄기세포의 골모세포로의 분화가 시작된다. 이식재내 함유된 골형성 세포에 의한 이러한 초기 골형성을 일단계 골(phase I bone)이라고 일컬으며 6주에 이러한 초기 골형성 단계가 완성된다. 이 시기의 골형성은 연골성침착(cartilagenous deposition)을 거치지 않기 때문에 교직골(woven)로 불린다. 하지만 교직골은 세포성분이 풍부하고 조직화가 미숙하여 구조적인 견고성을 지니지 못한다. 이후 층판골로 대체되는 이단계 골(phase Ⅱ bone)형성이 진행된다. 층판골은 교직골에 비해 세포성분이 적고 더 광물화된 구조적 견고성을 지닌다. 이후 정상적인 골조직과 유사한 순환을 보이는 골개조 단계가 진행된다. 일반적으로 이식부의 주위 잔존골상태가 양호할 경우 이러한 과정은 이식 4개월 후 완료될 수 있는 것으로 알려져 있으며, 이 시기에 이식부와 주위골과의 완전한 유합이 일어나며 형성된 망상골은 임플란트를 식립하기에 적절한 견고한 구조를 지닐 수 있게 된다.

자가골이식재를 제외한 다른 종류의 골이식재 사용 시 치유 과정에서의 차이점은 이식재내 골형성세포 및 혈소판이 없다는 것이다. 따라서 자가골이식재 내 함유된 혈소판에서 방출되는 성장인자에 의한 이식재 내부로의 모세혈관성장을 동반한 초기 재생과정은 결손부 주위의 잔존골에서 유래하는 성장인자에 의해 유도된다. 이 경우 향후 골형성 과정은 이식재 내로의 재혈관화가 이루어진 후 혈행에 의해 공급되는 골형성전구세포와 성장인자에 의해 진행되기때문에 자가골이식과 비교 시 결과적으로 골재생과정이 지연된다.

3) 자가골 채득

다른 골이식 재료들에 비해, 자가골은 골전도성뿐만 아니라, 골유도, 골형성능을 가지고 있기 때문에 가장 좋은 골이식재로 생각된다. 구강내 자가골 채득부위는 무치악부위, 상악결절, 하악지, 하악 정중결합부, 발치와 등이 있다. 최근에 발치한 부위내(6~12주)의 골은 안정적이고 골형성 활성도가 거의 없는 다른 부위와 비교시 골형성 활성이 증가되어 있다는 장점이 있다. 상악결절은 다른 부위보다 골형성세포 성분이 풍부한 장점을 지닌다. 하지만 이 부위는 망상골로 이루어져 있기 때문에 광물화된 기질의 양이 부족하여 경우에 따라 이식에 필요한 충분한 양의 이식재를 채득할 수 없다는 단점을 지닌다. 다량의 골을 채득하려면, 하악지와 정중결합부에서 채득하는 것이 바람직하다. 이 부위는 피질골 성분이 더 많으며, 채득된 자가골은 블록형(block graft)이나 작은 절편으로 분쇄하여 입자형 이식재(particulate graft)의 형태로 사용될 수 있다.

하악지나 정중결합부가 골이식을 위해 좋은 공여부가 될 수 있지만, 임상가들은 수술과정에서 발생하는 합병증의 가능성 때문에 꺼리는 경우가 있다. 하악 정중결합부에서 자가골채득을 위한 수술 시 술후 출혈, 좌상, 창상열개, 하악전치부 손상, 안면형태이상, 신경 손상 등의 위험성이 있을 수 있다. 특히 신경 손상은 장기간 지속되어 환자의 하순, 턱, 전치부, 치은 등의 감각이상을 일으킬 수 있으므로 큰 문제가 될 수 있다. 더욱 중요한 위험성은 안면 외형의 변형이다. 이는 안면 근육부착이 하부골로부터 하악 하연을 완전히 넘어서 거상될 때 일어난다. "witch's chin"이라 불리는 이러한 현상은 안면근육과 턱의 피부가 늘어져 술후 안면 조직의 변형을 야기하는 것이다.

Hunt와 Jovanovic은 48개 증례의 턱부위 이식편 채득 과정 후 발생할 수 있는 합병증에 대한 후향적 분석을 발표하였다.[14] 이들은 합병증 발생을 최소화하기 위해서는 이식편 채득부위와 하악전치부, 하악 하연부위, 이공 사이에 5 mm의 안전범위를 유지해야 함을 강조하였다. 안전범위를 준수한 경우 트레핀을 이용하거나 블록형으로 골 채득술식을 시행 후, 최소한의 술후 합병증 발생을 보고하였다. 48개 증례 중, 술후 후유증은 안면하방부위의 좌상(bruising)(48/48), 목 상방부위의 좌상(6/48), 하순과 전치부의 마비(6/48)가 있었다. 안면 형태이상이나 턱하

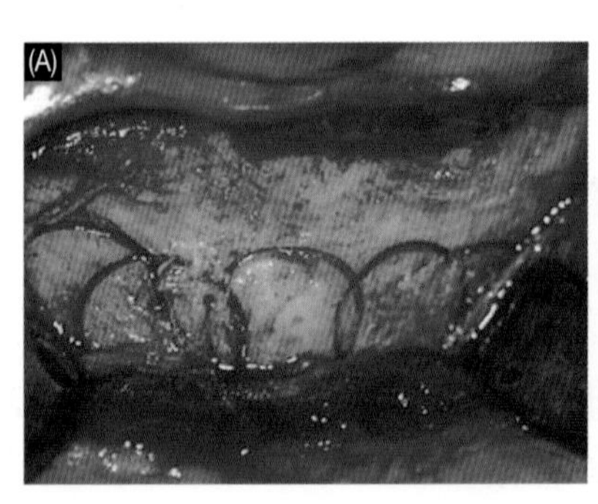

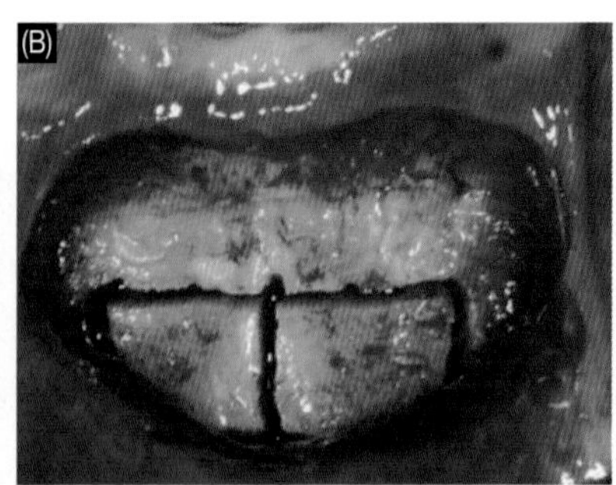

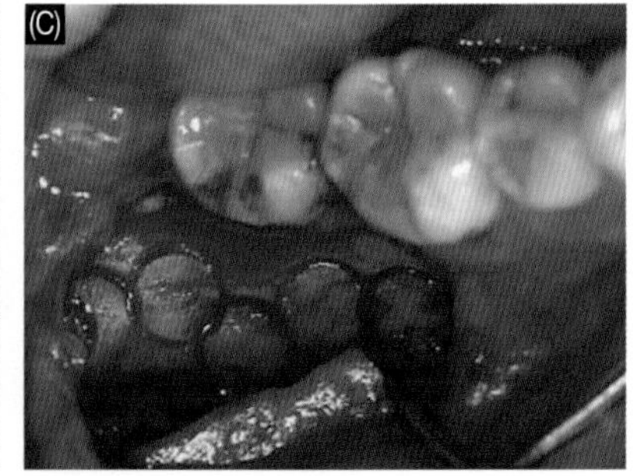

그림 46-1. 자가골 채득. (A) 정중결합부에서 트레핀으로 채득 (B) 정중결합부에서 블록형으로 채득 (C) 하악외사주융선에서 트레핀으로 채득

수(chin droop)같은 근육 탈출(muscle prolapse)은 발생하지 않았다. 마비증상을 나타낸 6명 중 3명은 일시적이어서 2개월 이내에 완전히 회복되었으나, 나머지 3명은 6개월 이상 지속되었다. 트레핀을 사용하여 자가골 채득 시 채득부위가 클수록 마비증상의 발생이 높았으며, 결손부 크기에 맞추어 블록형으로 자가골을 채득한 경우에서는 트레핀을 이용한 경우보다 채득부위가 작아서 마비증상은 발생하지 않았다.

하악 정중결합부에서 자가골 채득 시 술후 합병증 발생의 위험을 최소화하기 위해 다음의 기본적인 원칙을 준수하여야 한다.

- 잠재적인 위험성을 고려하여 채득 부위를 주의 깊게 평가한다. 반드시 술전 방사선적 평가를 통해 이공을 넘어 전치부로 확장된 하치조신경분지를 확인한다.
- 이신경 쪽으로 측방으로 절개시 주의하여야 하며, 이공의 위치를 무딘 기구를 이용하여 확인한다.
- 근육 부착부를 하악 하연을 넘어서 거상하지 않는다.
- 치근, 하악 하연, 이공에서부터 적어도 5 mm 떨어져서 자가골을 채득한다. 하악 정중결합부에서 골채득 시 골 삭제나 채득의 깊이를 6 mm 이상 확장하지 말아야 하며, 설측 피질골판이 포함되지 않도록 한다.
- 창상은 술후 창상 분리를 방지하기 위해 근육과 점막을 분리하여 층별 봉합(layered suture)한다.

자가골 채득 시 채득부위나 사용되는 술식에 관계없이 자가골을 채득할 때는 과열을 방지하고 골세포의 생활력을 유지하는 것이 특히 중요하다. 채득 시 열 발생이 47℃를 넘으면 골 괴사를 야기한다고 알려져 있으므로,[15] 골을 절제하기 위해 드릴, 트레핀, 수술용 톱을 사용할 때에는 항상 충분히 관주하여 기구와 골이 충분히 냉각될 수 있도록 하여야 한다.

하악지 또는 외사주융선(external oblique ridge)은 하악 정중결합부와 같이 구강내 자가골 채득을 위해 자주 이용된다(그림 46-1). 하악 정중결합부와 비교 시 신경손상 등을 포함한 술후 합병증발생의 위험성이 적다는 장점을 지닌다. 하지만 일반적으로 채득할 수 있는 이식편의 두께가 정중결합부와 비교시 얇고 주로 피질골로 구성되어 있으며, 또한 채득량이 적다. 이 부위에서 자가골 채득시 하치조신경관의 손상을 피하기 위해 주의가 필요하며, 하악 상행지에서 골편 제거 시 설신경이 손상되지 않도록 주의해야 한다. 트레핀을 이용하거나 블록형으로 이식편을 채득하여 사용할 수 있으며, 후구치부위를 포함할 경우 비교적 많은 양의 자가골이식편을 채득할 수도 있다.

3. 치조제 증대술

치아를 상실한 후 치조제가 흡수된 환자에서 임플란트를 식립할 경우 임상가는 임플란트를 보철적으로 적절한 위치에 식립하기 위하여 상실된 치조골을 증대시켜야 한다. 보철수복을 위해 적절하지 못한 위치에 임플란트가 식립될 경우 교합기능을 수행하기에 역학적으로 불리할 수 있고 특히 심미성이 요구되는 부위에서 부자연스러운 수복물이 형성될 수 있으므로 문제점을 초래할 수 있다.

치조제를 증대시키고 임플란트를 위치시키는 과정은 다양하고 복잡하다. 결손부의 크기나 형태에 따라 여러 가지 증대술이 사용될 수 있다. 기본적으로는 결손부의 형태에 따라 수평적 또는 수직적 골증대술로 분류할 수 있다. 수직뿐만 아니라 수평적 결손부를 증대시키는 방법으로 입자형 골이식재과 블록형 골이식을 사용할 수 있다. 모든 치조골 결손부에서 골재생을 증진하기 위해서 차단막을 함께 사용할 수 있다. 최근에는 골신장술을 이용하여 수직적으로 골을 증대시킬 수 있다.

양호한 골재생의 결과를 얻기 위해서는 골유도재생술의 원리나 판막 조작의 원칙을 항상 준수하여야 하는데, 이는 이식부 및 판막으로의 혈액공급이 원활해야 하고, 골 성장을 위한 공간을 부여하여야 하며, 긴장 없는 판막 폐쇄를 이루어야 한다는 것 등이다.

1) 치조제 증대술을 위한 판막 조작

골증대술에서 외상이 최소화된 연조직 조작이 매우 중요하므로, 절개, 거상, 조작은 혈류공급과 창상 폐쇄를 위해 최적화되도록 계획되어야 한다. 판막의 디자인과 조작

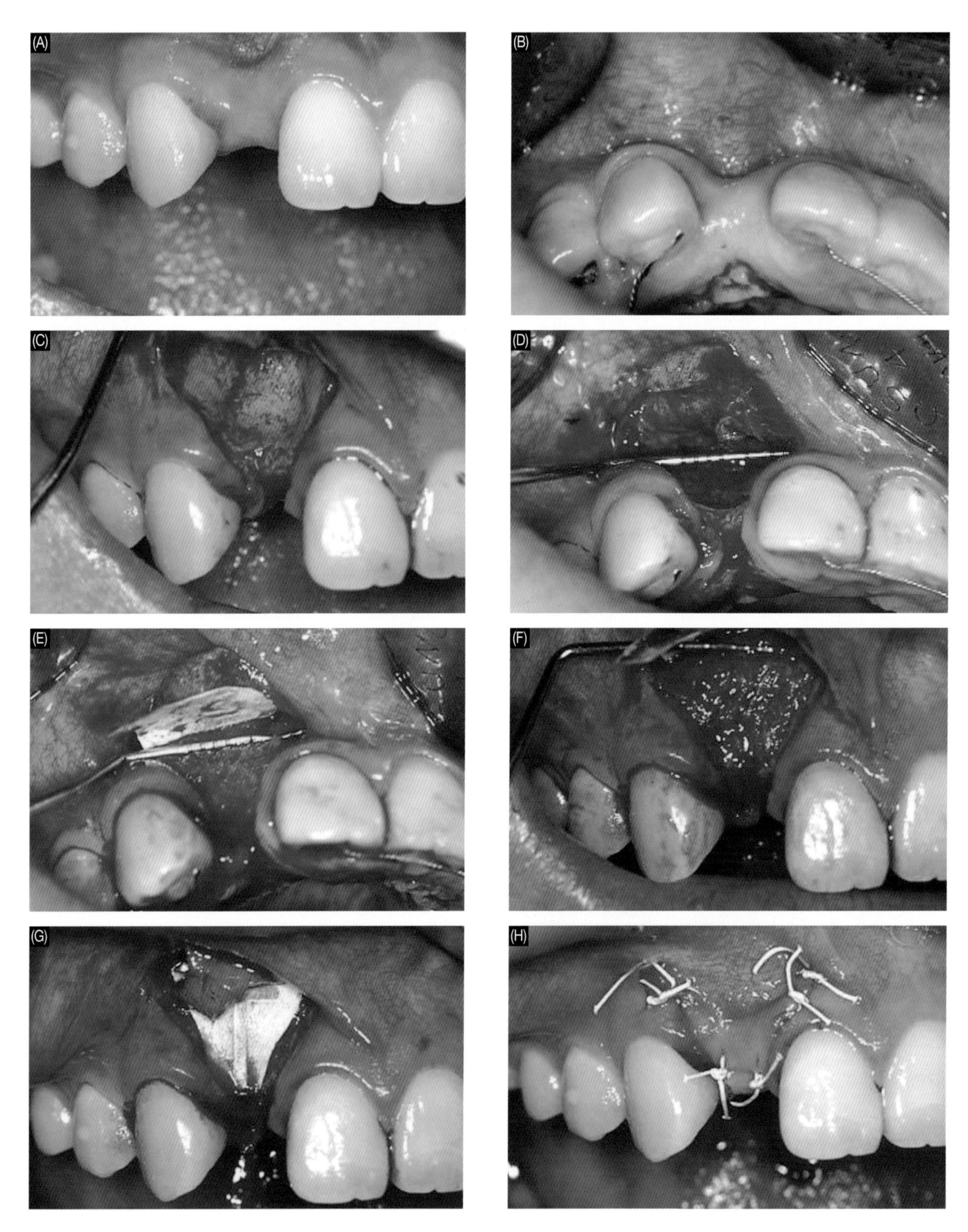

그림 46-2. 입자형 자가골이식재를 이용한 치조제 증대술

(A) 술전 협측소견 (B) 술전 교합면 소견 (C) 판막거상 후 협측소견 (D) 판막거상 후 교합면소견: 심한 치조제폭경 감소를 관찰할 수 있다. (E, F) 채득한 자가골을 분쇄하여 입자형 이식재의 형태로 결손부에 충진한다. (G) e-PTFE 차단막으로 이식부를 피개하고 고정용 screw로 차단막을 고정한다. (H) 골막이완 절개를 시행 후 긴장 없이 판막을 봉합한다. [계속]

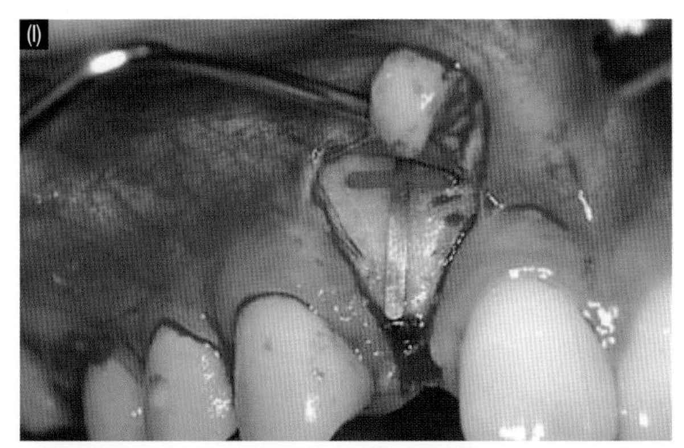

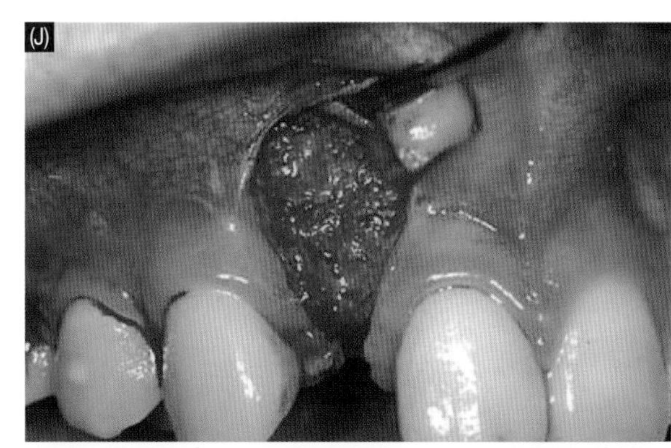

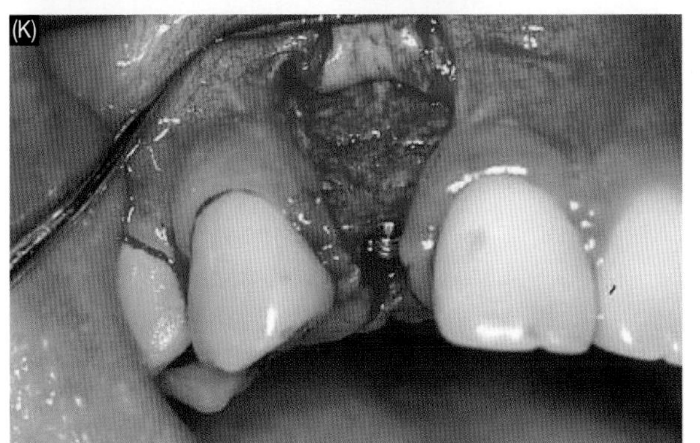

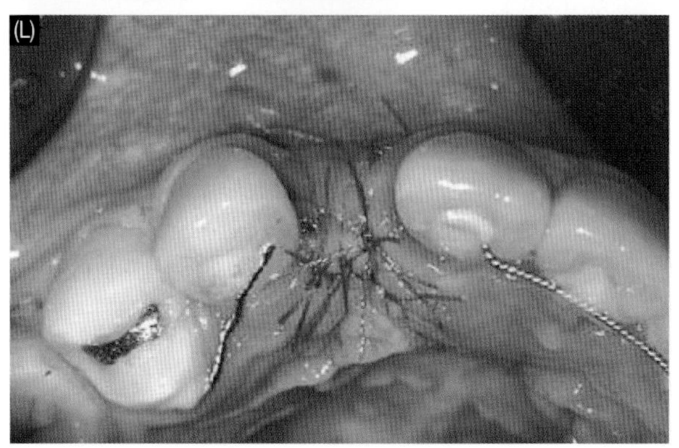

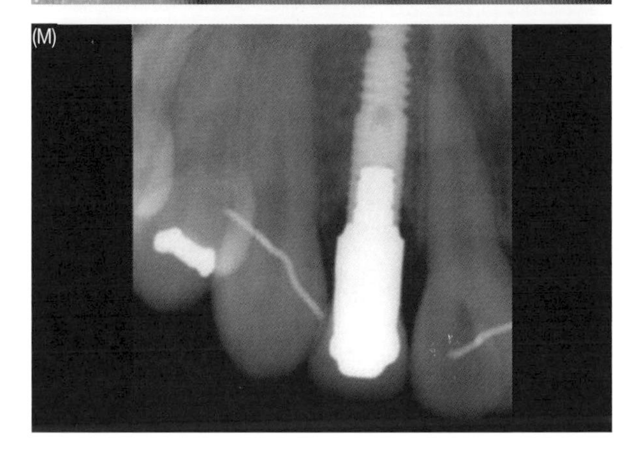

그림 46-2. [계속] 입자형 자가골이식재를 이용한 치조제 증대술
(I) 6개월 후 판막거상 시 차단막이 잘 유지되고 있다. (J) 차단막 제거 후 충분히 증대된 골조직을 관찰할 수 있다. (K) 임플란트 식립 (L) 봉합 (M) 술후 방사선 소견

은 심미성과 창상연의 긴밀한 접합뿐만 아니라 술후 증가된 치조제의 폭경을 고려하여야 한다. 모든 수술과정은 판막에 최대한의 혈행을 보존하고 조직 손상을 최소화하기 위해 세심한 주의가 요구된다.[16]

원거리 절개(remote incision), 전위 절개(displaced incision) 등을 이용한 판막술식을 통해 전체 치유기간 동안 골이식재와 차단막을 판막아래 보호하도록 유지시킨다.[17,18] 원거리 절개는 창상 변연을 이식부로부터 떨어져서 위치하게 한다. 큰 결손부에서도 골막 이완 절개(periosteal releasing incision)와 판막의 치관쪽 이동(coronal advancement)으로 긴장 없는 봉합이 가능하다면 통상적인 치조정 절개도 사용될 수 있다.[19] 봉합사 제거는 10~14일 이후에 하는 것이 권장된다. 술후 2~3주 동안은 초기 치유기간 동안 창상에 압박이 가해지는 것을 피하기 위해 가철성 보철물을 장착하지 않는 것이 권장된다.

치조제 증대술과 연관된 판막 조작의 일반적 개념은

다음과 같다.

- 골 결손부의 측방, 최하방 변연에서 적어도 5 mm 정도 떨어져서 전층판막을 거상하는 것이 바람직하다.
- 수술 부위의 접근성을 위해 수직절개가 필요할 수도 있지만 가능한 최소한으로 사용해야 한다. 수직절개가 필요할 경우 이식재가 위치될 부위에서 가능하면 최소 치아 하나 이상은 떨어져 시행한다. 상악전치부에서 원거리 수직절개를 시행하는 것은 심미적인 장점이 있다.
- 판막에 탄성을 부여하고 긴장 없는 창상연의 봉합을 위해 골막 이완 절개가 필수적이며, 이를 통해 긴장 없이 창상의 완전한 피개가 가능하다. 골막 이완 절개 없이 봉합만으로 창상을 완전히 피개하려고 할 경우 창상연의 과도한 긴장과 압박을 통한 허혈 상태를 초래하여 술후 창상연의 열개를 초래한다.
- 시술부위의 술후 손상을 피하기 위해 점막을 통해 압박을 초래할 수 있는 가철성 장치는 술후 2~3주간 사용하지 않는 것이 좋다.
- 창상봉합은 결합조직을 근접하게 하기 위해 누상봉합(mattress suture)과 창상연의 긴밀한 재접합을 위해 단속봉합(interrupted suture)을 함께 사용해야 한다.

2) 입자형 골이식재과 블록형 골이식

(1) 입자형 골이식재

블록형 골이식과 비교시 입자형 골이식재의 장점은 이식재 내로의 재혈관화가 빠르고, 표면적이 넓으며 이로 인해 자가골이식시 성장 인자가 더 많이 노출될 수 있고, 생물학적인 골개조가 더 용이하다는 것이다. 그러나 구조적으로 견고하지 못하여 이식부 내에서 변위되기가 쉽다.

자가골이식재 사용 시 입자형 자가골은 무치악 부위에서 작은 크기의 입자나 큰 블록형태로 채득하여 사용할 수 있다. 만약 블록형이나 트레핀을 이용하여 채취되었다면 입자형으로 분쇄하기 위해 골분쇄기(bone mill)가 필요하다. 입자형 이식재는 이식재를 자체적으로 유지할 수 있도록 충분한 골벽을 가진 결손부 또는 임플란트를 치조제 증대술과 동시에 식립하고자 할 때 열개나 천공이골결손이 있는 경우 좋은 적응증이 된다. 만약 결손부가 이식재를 유지할 충분한 골벽이 존재하지 않고 임플란트를 동시에 식립할 경우에서는 텐트 스크류(tenting screw)나 자체적으로 공간을 유지할 수 있는 차단막을 사용하여 골 형성을 위한 안정된 환경을 제공하여야 한다.

그림 46-2는 상악전치부에서 입자형 자가골이식재를 이용한 골유도재생술을 시행한 증례이다. 치아우식증으로 인하여 상악우측 측절치 발치 후 오랜 기간이 경과하여 심한 연조직 함몰을 관찰할 수 있다. 국소마취 후 판막

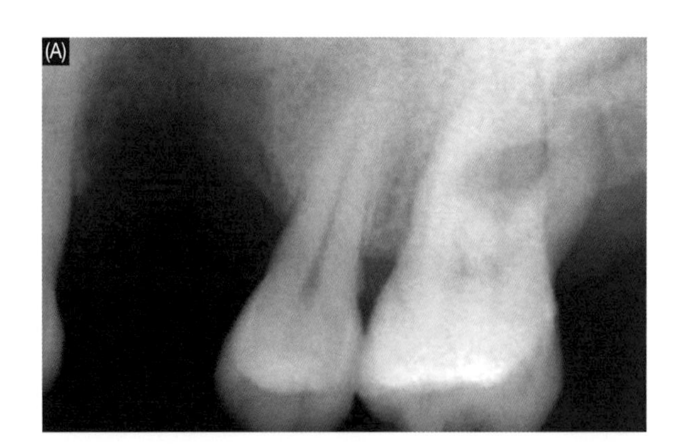

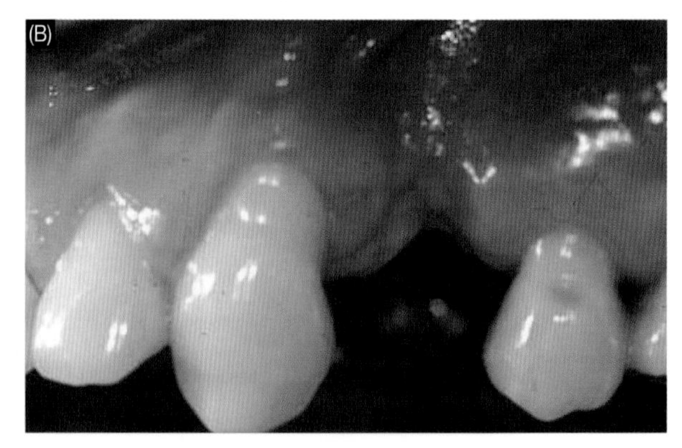

그림 46-3. 입자형 합성골이식재를 이용한 치조제 증대술
(A) 술전 방사선소견 (B, C) 술전 협측, 교합면 소견으로 심한 치조제 위축을 관찰할 수 있다. [계속]

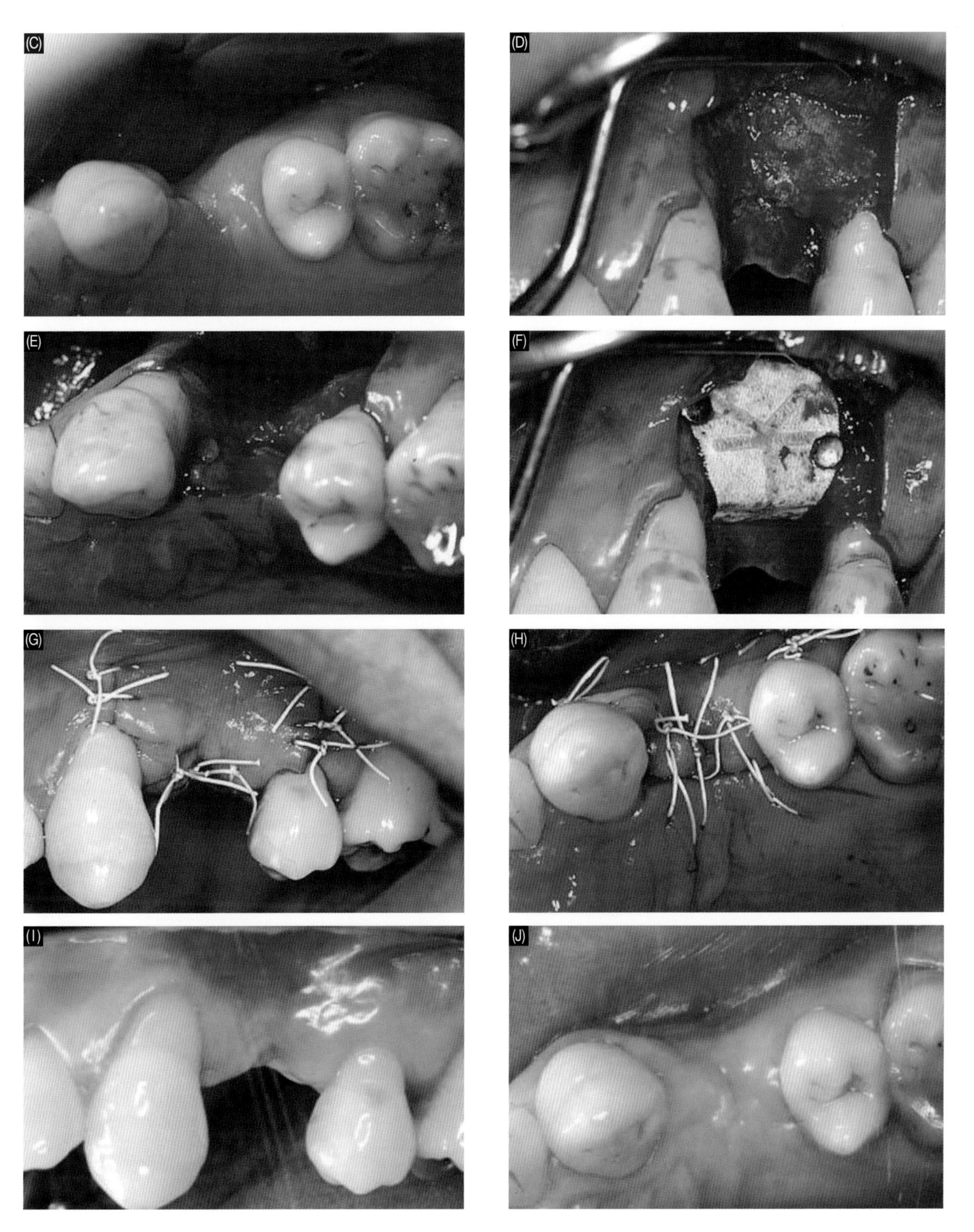

그림 46-3. [계속] 입자형 합성골이식재를 이용한 치조제 증대술

(D, E) 판막거상 후 협측, 교합면 소견으로 수평적으로 심한 치조제폭경 감소를 관찰할 수 있다. (F) 합성골이식재 충진 후 e-PTFE 차단막으로 이식부를 피개하고 고정용 핀으로 차단막을 고정한다. (G, H) 봉합 후 협측, 교합면소견, 골막이완절개를 통해 판막을 긴장 없이 봉합한다. (I, J) 6개월 후 임플란트 식립 시 협측, 교합면 소견, 수직적, 수평적으로 충분히 증대된 연조직 외형을 관찰할 수 있다.

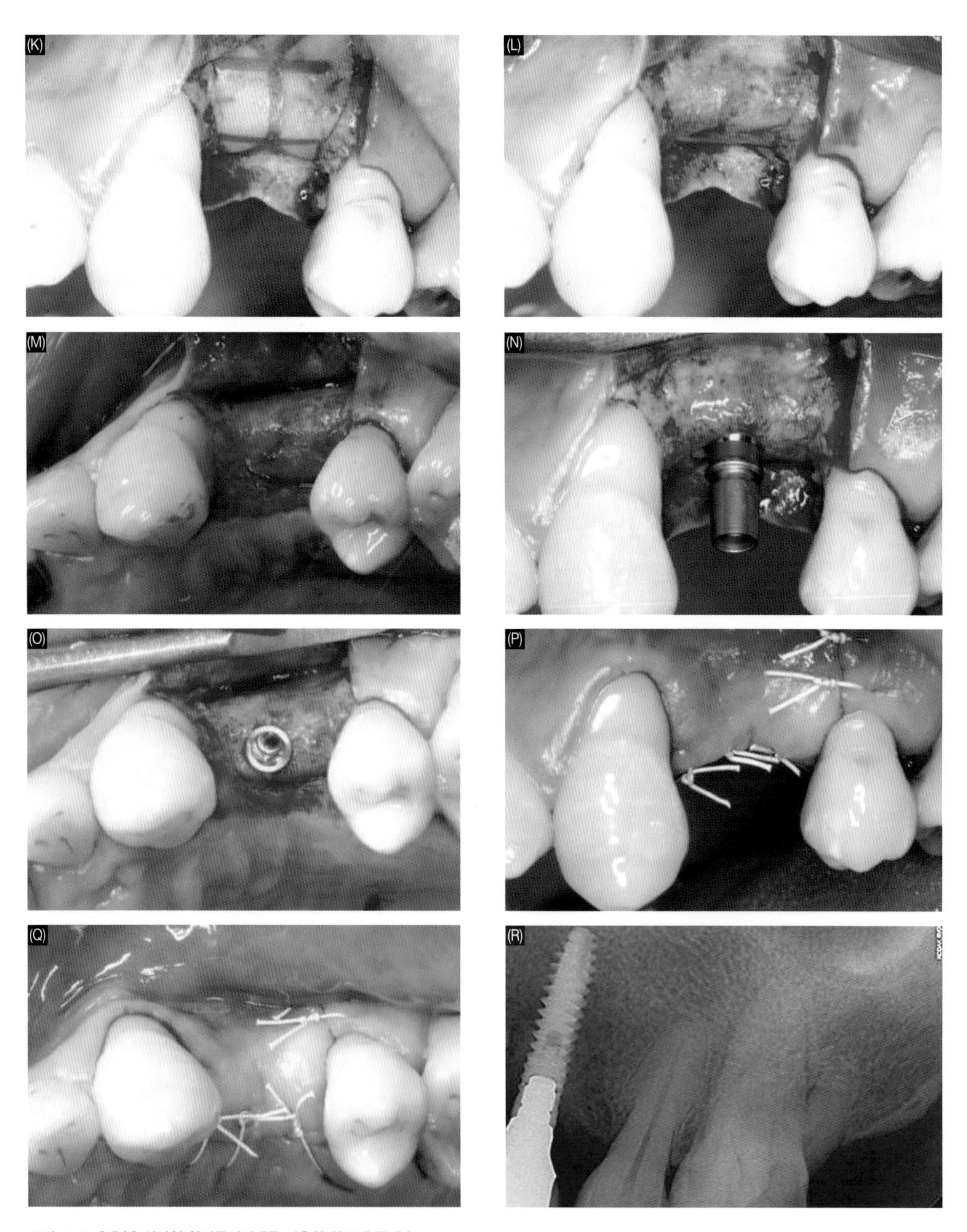

그림 46-3. [계속] 입자형 합성골이식재를 이용한 치조제 증대술
(K) 판막거상 시 차단막이 잘 유지되고 있다. (L, M) 차단막제거 후 협측, 교합면 소견, 충분히 증대된 조직을 관찰할 수 있다. (N, O) 임플란트 식립 후 협측, 교합면 소견 (P) 판막봉합 후 협측 소견 (Q) 판막봉합 후 교합면 소견 (R) 보철수복 완료 후 4년 경과 시 방사선소견

거상 후 치조제폭경이 매우 좁은 것을 관찰할 수 있다. 판막거상은 심미적인 부위에서 향후 치간부치은의 퇴축을 방치하기 위해 치간부치은을 절개에 포함하지 않고 거상하였다. 하악 후구치부에서 트레핀을 이용하여 자가골을 채득하여 입자형으로 분쇄하여 결손부에 충진 후 타이타늄 강화 e-PTFE막의 형태를 조정하여 이식부에 적합하였다. 고정용 스크류(screw)를 이용하여 차단막을 고정 후 골막이완절개를 통해 판막을 긴장없이 완전히 폐쇄하였다. 6개월의 치유기간 후 충분한 양의 골재생이 이루어졌다. 술후 방사선소견에서 임플란트는 양호한 골유착을 나타낸다.

그림 46-3은 상악소구치 부위에 합성골 이식재를 이

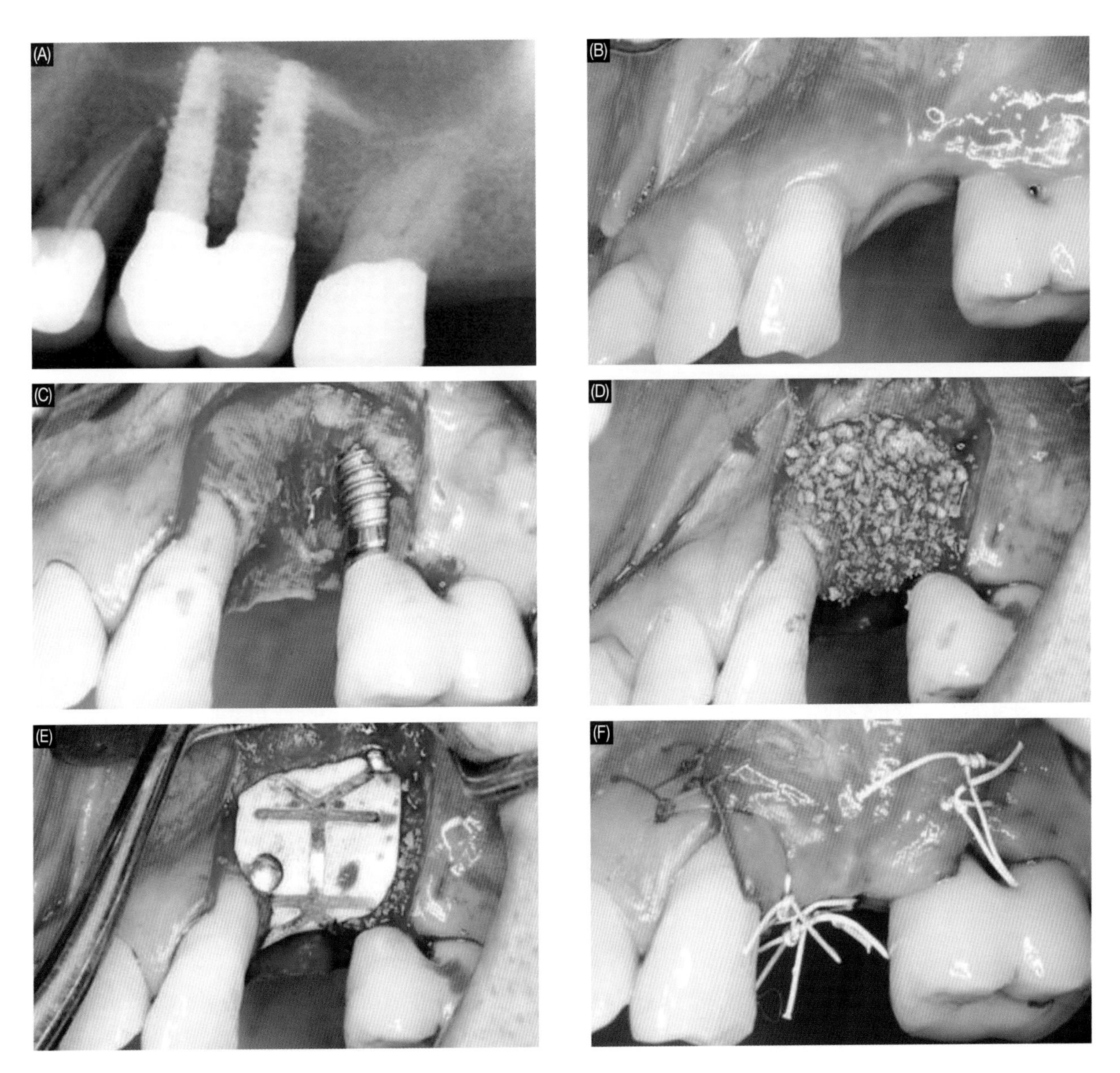

그림 46-4. 입자형 자가골이식재 및 이종골이식재를 이용한 치조제 증대술
(A) 술전 방사선소견, 근관치료의 실패로 인접 임플란트를 포함한 골 흡수가 관찰된다. (B) 술전 협측소견 (C) 판막거상 후 협측소견, 임플란트 나사산의 노출을 포함하여 치조골 흡수가 관찰된다. (D) 상악결절에서 채득한 자가골이식재를 이용하여 임플란트 나사산 및 결손부위를 충진 후 외부는 이종골이식재를 이용하여 충진하였다. (E) e-PTFE차단막으로 피개 후 고정용 핀으로 차단막을 고정하였다. (F) 골막이완절개 후 판막을 긴장 없이 봉합하였다. [계속]

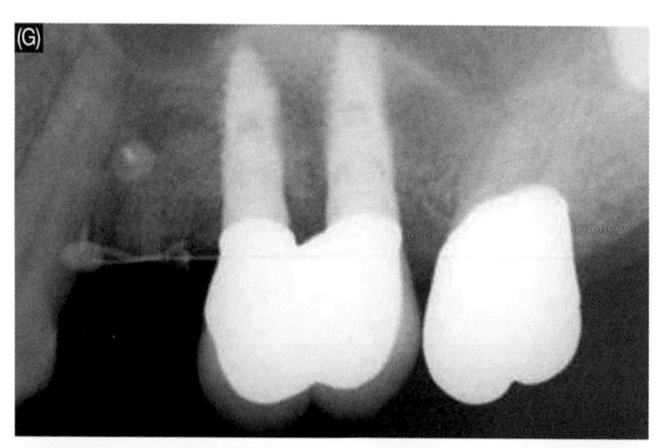

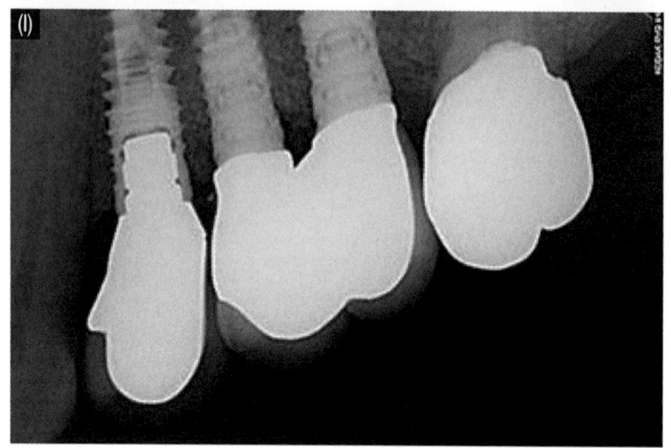

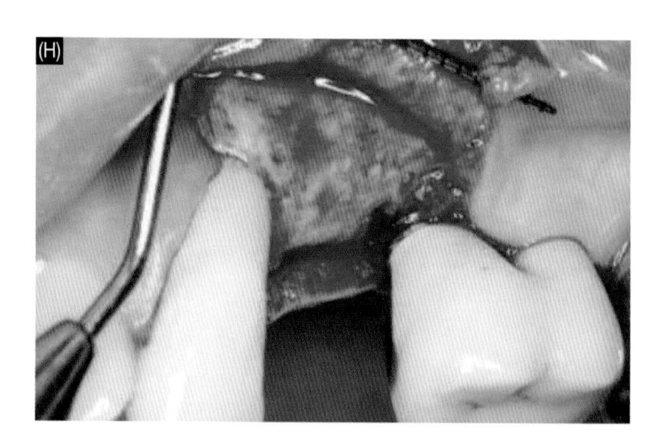

그림 46-4. [계속] 입자형 자가골이식재 및 이종골이식재를 이용한 치조제 증대술
(G) 골유도재생술 후 방사선소견 (H) 6개월 후 차단막 제거 시 충분히 증대된 조직을 관찰할 수 있다. (I) 보철수복 완료 1년 6개월 후 방사선소견

용하여 골유도재생술을 시행한 증례이다. 심한 치주염으로 인해 수년 전 발치 후 협설 및 수직적으로 심한 치조제 소실을 나타낸다. 판막거상 후 결손부에 합성골 이식재를 충진하고 타이타늄 강화 e-PTFE막을 이식부에 적합하고 고정용 핀을 이용하여 차단막을 주변골에 고정 후 골막이완절개를 시행하여 판막을 긴장없이 폐쇄하였다. 술 후 6개월에서 수직적, 수평적으로 증대된 연조직 외형을 관찰할 수 있으며, 판막거상 후 양호한 조직재생 양상을 나타내었다. 임플란트는 원래의 골결손부를 넘어 잔존 하방골에서 충분한 고정을 얻을 수 있도록 식립하였다. 보철수복 완료 후 추적 방사선검사에서 이식부는 원래의 잔존골과 융화된 양상을 관찰할 수 있다.

그림 46-4는 상악소구치부에서 입자형 자가골이식재 및 이종골이식재를 이용하여 골유도재생술을 시행한 증례이다. 상악좌측 제1소구치의 근관치료의 실패로 인접 임플란트 주위골조직까지 이환된 심한 골 흡수를 야기하였다. 발치 시 철저한 염증조직의 제거 후 2개월의 치유기간 후 골유도재생술을 시행하였다. 연조직 외형의 함몰과, 전층판막거상 후 인접 임플란트 표면의 노출 및 일부 수직적으로, 수평적으로 심한 골소실이 관찰된다. 상악결절에서 트레핀을 이용하여 채득한 자가골이식편을 분쇄하여 임플란트 표면 및 결손부에 충진 후 이종골이식재로 외층을 충진하였다. 타이타늄 강화 e-PTFE막을 이식부 상방으로 적합시키고 고정용핀을 이용하여 차단막을 고정하였다. 골막이완 절개를 시행하여 판막을 긴장없이 봉합하였다. 6개월의 치유기간 후 판막거상 시 차단막은 염증소견 없이 잘 유지되고 있었으며 수직적, 수평적으로 재생된 조직을 관찰할 수 있다. 방사선 소견에서 재생된 조직이 잘 유지되고 있으며 양호한 임플란트 골유착 소견을 관찰할 수 있다.

(2) 블록형 골이식

수평적 치조골 결손은 차단막 사용을 병용한 입자형

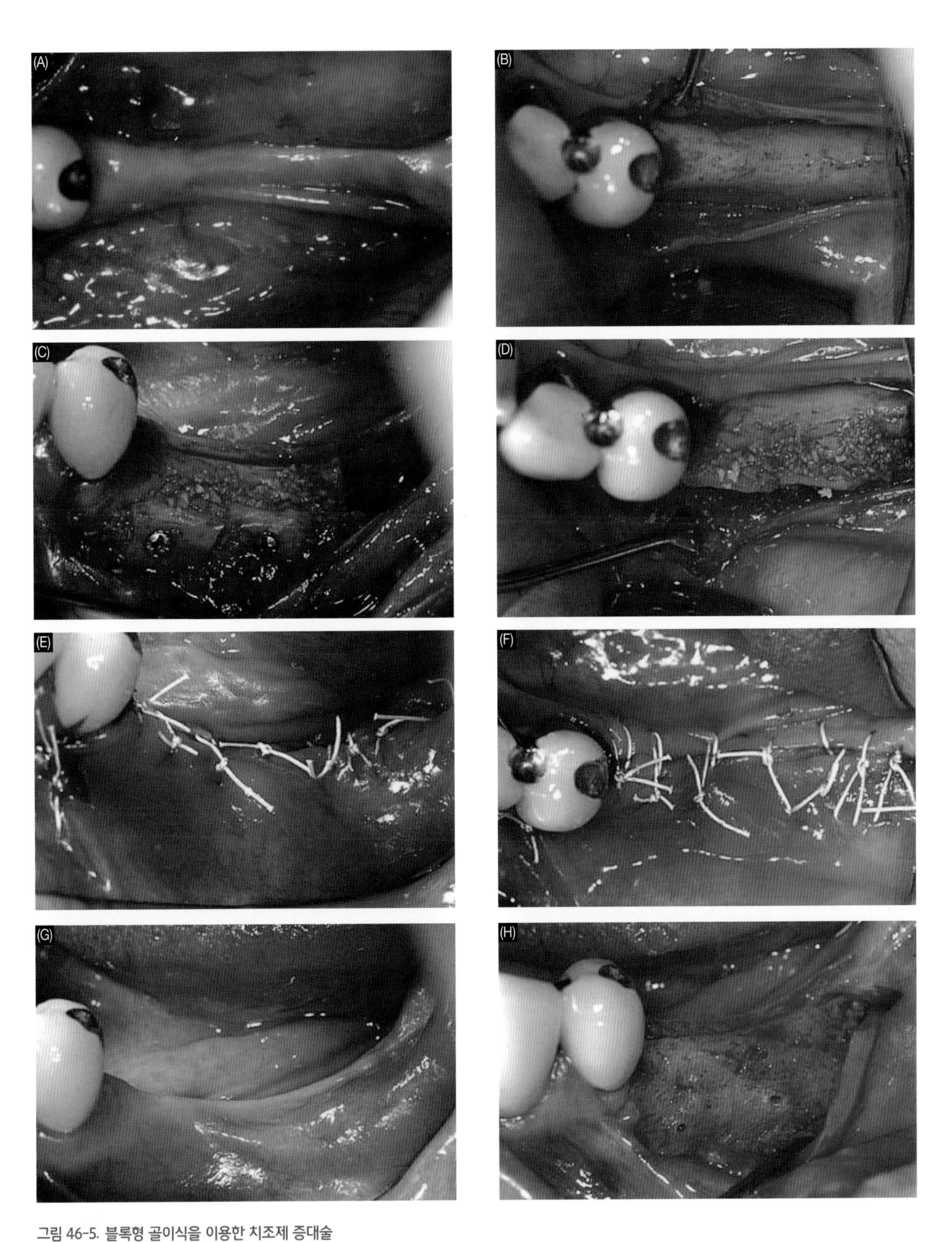

그림 46-5. 블록형 골이식을 이용한 치조제 증대술
(A) 술전 교합면 소견 (B) 판막거상 후 교합면소견 (C) 시술부위 동측후방 외사주융선에서 블록형으로 자가골이식편 채득 후 고정용 screw로 이식편을 협측에 견고히 고정하였다. (D) 고정 후 교합면 소견 [계속]

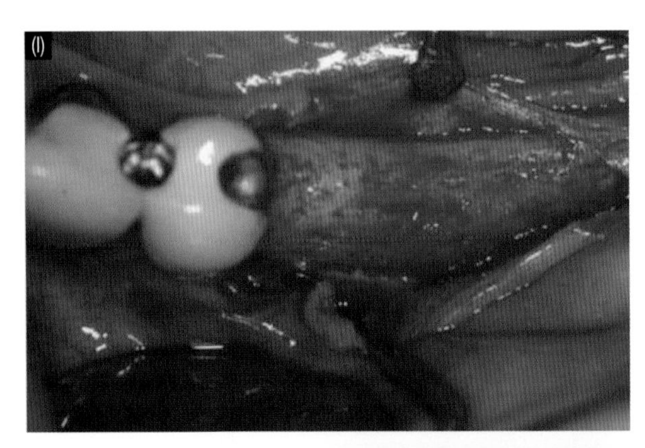

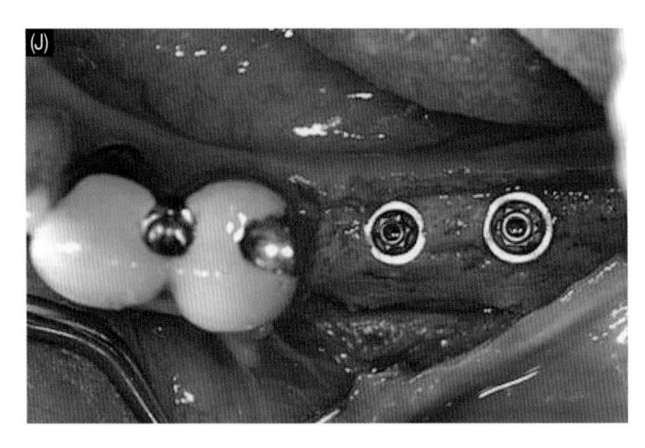

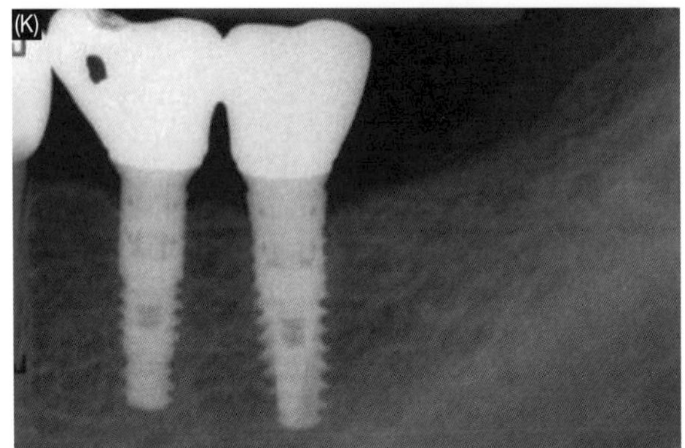

그림 46-5. [계속] 블록형 골이식을 이용한 치조제 증대술
(E, F) 봉합 후 협측, 교합면소견, 골막이완절개 실시 후 판막을 긴장없이 봉합하였다. (G) 5개월 후 임플란트 식립 시 협측소견 (H) 판막거상 시 협측 소견 (I) 판막거상 시 교합면 소견, 수평적으로 증대된 치조제를 관찰할 수 있다. (J) 임플란트 식립 (K) 술후 방사선소견

골이식재이나 블록형 골이식으로 쉽게 재건할 수 있다. 이 술식은 다른 부위에서 피질골 및 경우에 따라 망상골을 함유하는 이식편을 채득하여 치조제 폭을 넓히는데 이용한다. 대개 구강 내에서는 하악 정중결합부와 하악지, 구강 외에서는 장골능 또는 경골에서 채취하여 이식부에 나사로 견고히 고정된다. 성공적인 골재생의 결과를 위해서는 차단막을 이용하여 연조직을 배제하는 것이 추천되고, 경우에 따라서는 단순히 판막만으로 피개할 수도 있다. 블록형 골이식재의 고정을 위한 스크류 등의 고정용 장치는 약 6개월의 충분한 치유기간 후 제거한다. 최근에는 차단막을 사용하지 않은 경우 블록형 골이식재의 외부표면의 흡수를 막기 위해 3~4개월의 치유기간 후 임플란트를 식립하기도 한다. 임플란트 식립전에 고정용 스크류는 미리 제거하고, 골유도재생술에서도 동일하지만 잔존골과 이식골의 계면에서 파절이 일어나지 않도록 임플란트는 과도한 삽입력(insertion torque)으로 식립하면 안 된다. 필요할 경우 충분한 tapping을 시행 후 임플란트를 식립한다. 이 술식의 단점은 큰 블록형일 경우 입자형 골이식재과 비교 시 이식재 내부로의 재혈관화가 더디다는 점이다. 따라서 잔존골 및 블록형 골이식재의 표면에 충분한 양의 골형성 세포가 존재하는 경우에만 성공적인 결과를 얻을 수 있으며, 최소의 수직 결손이 있는 부위와 수평적 결손 부위에서만 사용해야 한다. 블록을 결손부에 고정하기 전에 라운드 버(round bur)를 이용하여 충분한 피질골 천공을 시행하여 이식재 내부로의 재혈관화를 촉진하는 것이 필요하며 계면에 형성된 신생골은 요철부로 인해서 이식재와 잔존골과의 기계적 결합을 증진함으로써 치유 후 이식재와 잔존골간의 결합력을 강화하는 데에도 기여할 수 있다.

그림 46-5는 하악좌측 구치부에서 블록형 골이식을 시행한 증례이다. 치주질환으로 인해 수년 전 제2소구치 및 제1대구치를 발치하였고, 통상적인 임플란트 식립을

위한 협설측 폭경이 부족하여 순측 결손부를 재건하기로 하였다. 국소 마취 후 치조정 절개를 시행 후, 판막의 치관측 이동을 위해 수직절개도 함께 행하였다. 전층 판막을 거상하여 치조골을 노출시킨 후 라운드 버를 이용하여 충분한 피질골 천공을 시행하였다. 외사주융선에서 다아아몬드 디스크(diamond disk) 및 카바이드 버(carbide bur)를 이용하여 블록형 골을 채취하고 적절한 크기로 자른 후 이식부에 잘 적합되도록 형태를 수정한다. 블록형 이식재를 고정용 스크류를 이용하여 결손부에 견고히 고정한다. 블록형 이식재와 잔존골의 경계부위를 입자형 자가골이식재로 충진한다. 차단막은 사용하지 않았고, 골막 이완절개를 시행하여 판막을 치관측으로 이동하여 긴장없이 봉합을 시행하였다. 5개월의 치유기간 후 고정용 나사를 제거하고 임플란트를 식립하였다. 임플란트 식립을 위한 드릴링을 시행하고 잔존골과 이식재 계면에서의 파절을 방지하기 위해 과도한 삽입력이 발생하지 않도록 주의하여 일반적인 직경의 임플란트를 식립하였다. 기능 중인 임플란트는 방사선소견에서 양호한 골유착 상태를 나타낸다.

3) 수평적 골증대술 (Horizontal bone augmentation)

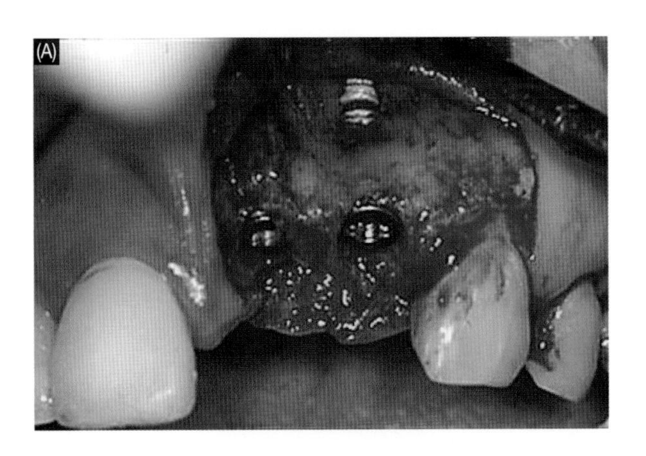
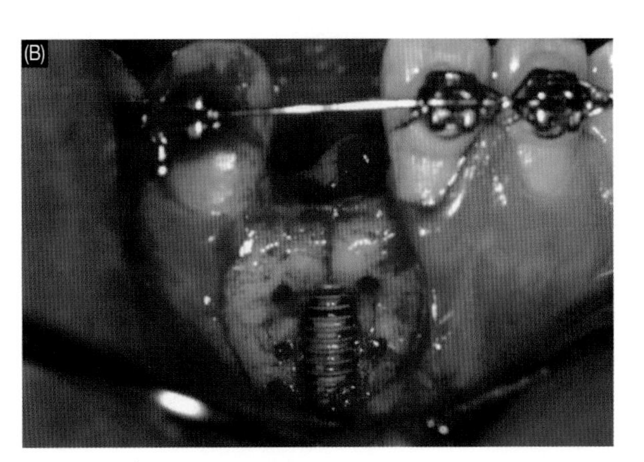

그림 46-6. 천공. (A) 상악전치부 천공 (B) 하악전치부 천공

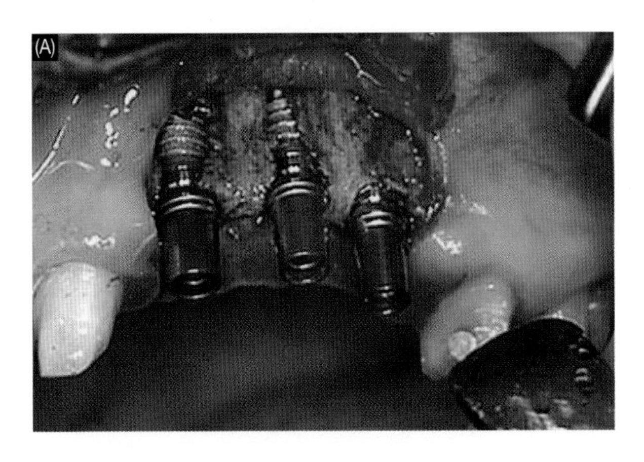
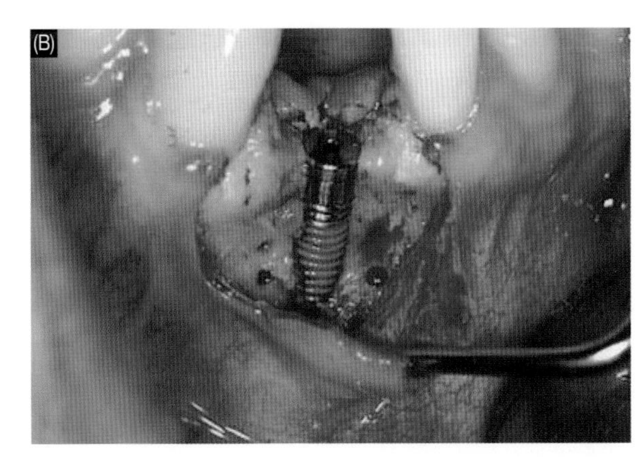

그림 46-7. 열개. (A) 상악전치부 열개 (B) 하악전치부 열개

수평적 골결손부는 임플란트 표면의 열개(dehiscence)나 천공(fenestration)과 같이 작은 경우도 있고, 한 면 이상의 임플란트의 전체측면이 노출된 큰 결손일 경우도 있다. 식립된 임플란트의 대부분이 잔존골로 덮여 견고한 고정을 얻을 수 있는 작은 열개나 천공의 경우에는 대개 임플란트 식립과 동시에 골증대술을 시행할 수 있지만, 임플란트의 충분한 초기고정을 얻을 수 없거나, 표면이 많이 노출될 정도로 치조제의 폭이 좁은 경우에서는 임플란트 식립전에 골을 재건하는 것이 추천된다. 이런 경우 일반적으로 임플란트 식립 전 6개월 이상의 치유기간을 필요로 한다.

골유도재생술과 동시에 임플란트 식립 시 잔존골의 하방 또는 측면에서 충분한 임플란트의 지지를 얻음으로써 초기고정을 획득하는 것이 골유착을 위해서 필수적이다.

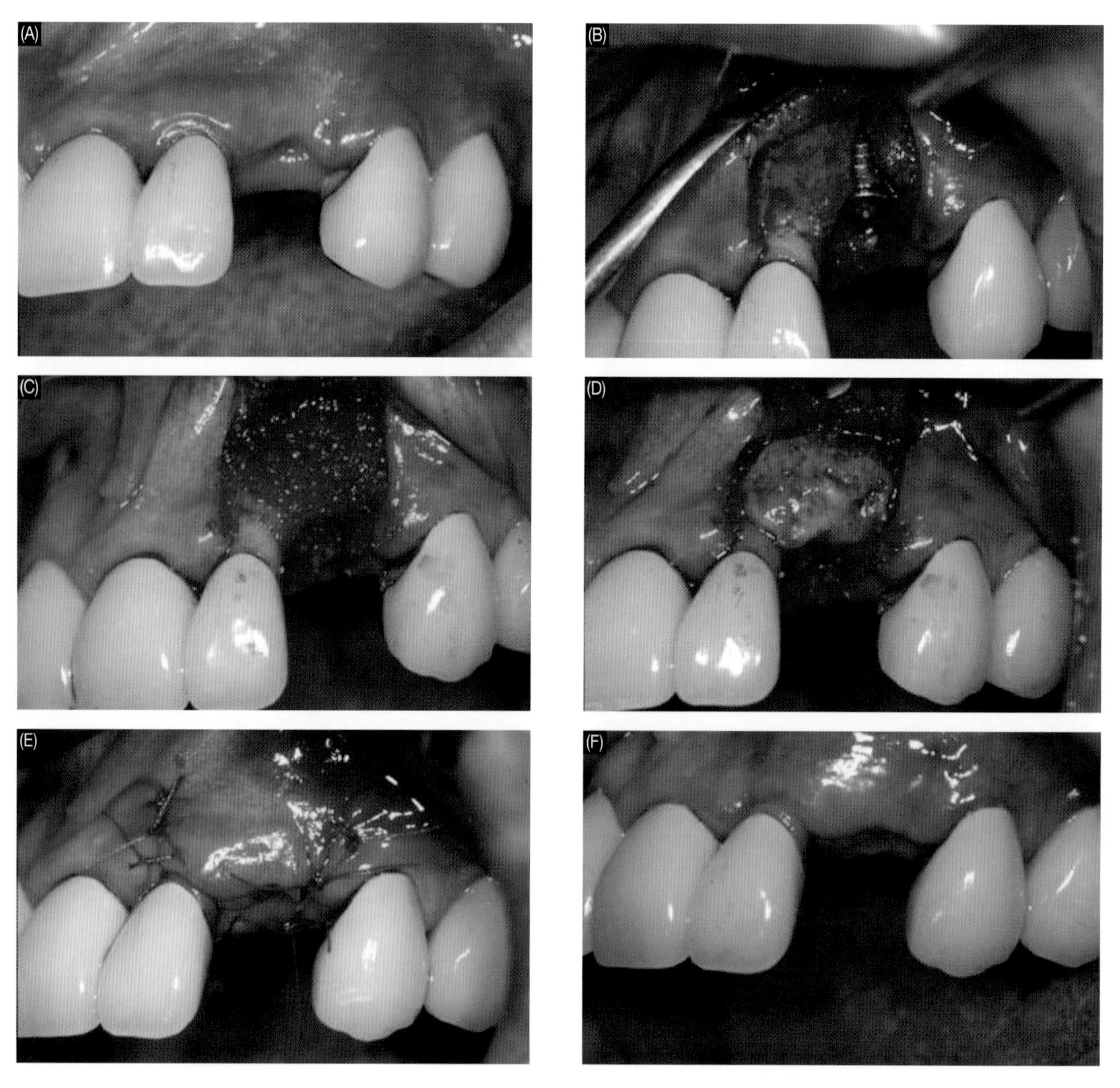

그림 46-8. 골이식 및 결합조직이식을 이용한 열개의 처치

(A) 술전 협측소견 (B) 임플란트 식립 후 작은 크기의 열개가 관찰된다. (C) 합성골 이식재 충진 (D) 결합조직이식편으로 이식부위를 피개한다. (E) 봉합 (F) 봉합사 제거 후 협측소견

즉시 임플란트 식립 시 가장 예지성 높은 골결손은 천공과 열개이다. 천공은 임플란트의 표면이 노출되는 것으로 임플란트의 치관부는 노출되지 않는 결손형태이다(그림 46-6). 천공은 상악전치부와 같이 하방치조골의 함몰이 심한 부위에서 주로 발생한다. 열개는 임플란트의 치관부까지 포함하여 임플란트의 표면이 노출되는 것으로, 치조골 폭경이 좁지만 임플란트 주위로 잔존골의 양이 충분한 경우에서 나타난다(그림 46-7). 대부분의 천공형 및 열개형 결손부의 경우 임플란트는 잔존골 내에서 충분한 고정을 얻을 수 있다.

열개나 천공은 결손부의 크기에 따라 차단막을 사용하거나 경우에 따라서 결손부 크기가 매우 작은 경우에는 단순히 판막을 이용하여 폐쇄시킬 수도 있으며, 골이식 또한 사용될 수 있다(그림 46-8). 결손부 크기가 매우 작을 경우에도 반드시 재생술식을 시행함으로써 과연 임플란트의 장기적 안정성을 증진하는데 기여를 할 수 있는지에 관해서는 의문이다. 하지만 심미성이 요구되는 부위에서는 재생술식을 시행함으로써 보다 심미적인 치료결과를 얻을 수 있다. 결손부의 크기와 형태에 따라서 차단막의 종류를 선택할 수 있다. 결손부의 재생을 위해서 공간유지가 매우 중요한 인자라면 비흡수성 e-PTFE막의 사용이 추천된다. 이에 비해 임플란트의 충분한 초기고정을 잔존골에서 얻을 수 있는 작은 크기의 열개형, 천공형 결손일 경우 흡수성 차단막을 사용할 경우 술후 연조직 열개 발생가능성이 낮아질 수 있고 차단막제거를 위한 과도한 판막거상 및 제거를 위한 이차수술이 필요 없기 때문에 장점을 지닐 것이다.

임플란트 식립 후 발생하는 열개형 골결손은 골이식재를 임플란트 표면 상방에 충진함으로써 차단막하방에 신생골 형성을 위한 공간을 유지하고 추후 자연스러운 연조직, 경조직 외형을 얻을 수 있다. 차단막을 사용할 경우 고정은 단순히 골결손부의 건전한 골벽에 적합시킬 수도 있고, 임플란트의 피개나사나 고정용 핀, 또는 봉합을 통해 얻을 수 있다. 4~6개월의 치유기간을 통해 결손부의 신생골 충진이 일어난다.

임플란트의 동시 식립이 불가능할 정도로 치조제의 폭이 좁은 경우에서는 임플란트 식립 전에 수평적인 골증대

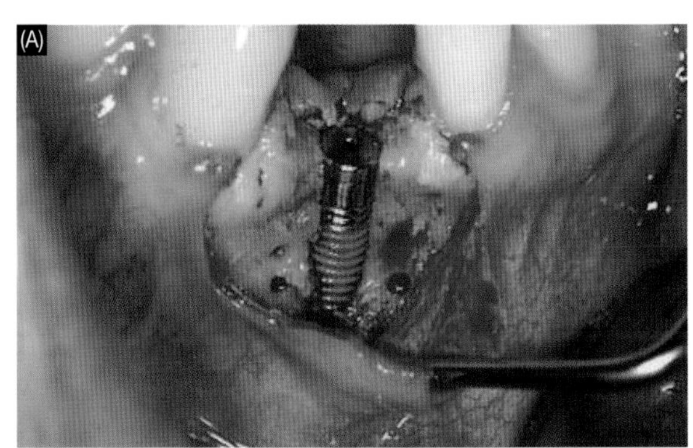

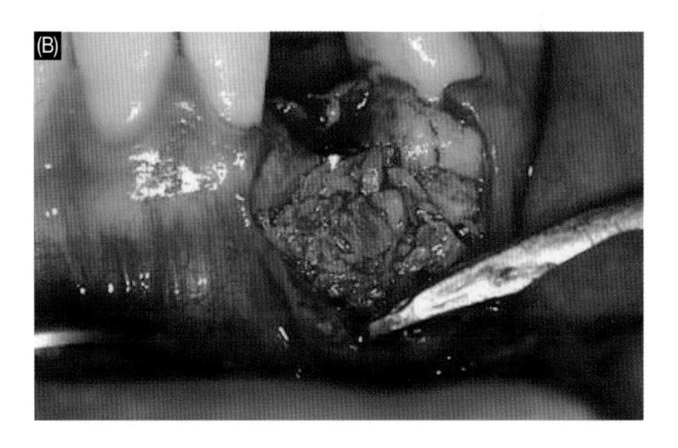

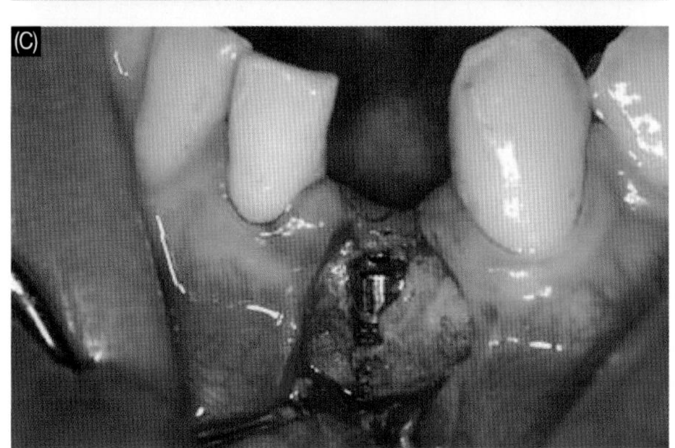

그림 46-9. 자가골이식재를 이용한 열개부 결손의 처치 후 불완전한 골재생
(A) 임플란트 식립 후 발생한 열개 (B) 입자형 자가골이식재 충진 (C) 5개월 후 이식재 흡수 및 불완전한 골재생이 관찰된다.

술을 시행하여야 한다. 차단막을 이용한 골유도재생술 시 입자형 골이식재재 또는 블록형 자가골이식재를 이용할 수 있다.

수평적 골증대술에서 결손부의 크기가 작을 경우에는 비록 차단막 없이 골이식만으로도 위축된 치조골을 효과적으로 재건할 수도 있는 것으로 보고되었지만, 이식골은 후에 다양한 정도로 흡수되는 것으로 알려져 있다(그림 46-9). 상악결절부의 자가골을 채취하여 이식한 뒤 1~3년 동안 연구한 결과를 보면 치조골 폭은 증가하였으나 이식된 골 부피의 50%가 흡수되었다고 한다.[20] 따라서 골재생량을 증가시키기 위해서는 차단막의 사용이 요구된다.

Buser 등은 40명의 환자에서 후구치 부위와 하악 정중결합부에서 채취한 자가골 이식재와 차단막을 사용한 측방 치조골 증대술에서 이식골이 흡수되었다는 임상적 징후는 보이지 않았다고 보고하였다.[17] 골유도재생술 시 중요한 고려 사항은 이식 부위에서 충분히 떨어져 원거리절개를 시행하고 피질골을 천공한 뒤 이식골을 안정되게 위치시킨 후 e-PTFE 차단막을 정확히 적용하고 마지막으로 긴장 없이 연조직을 봉합해야 한다는 것이다. 7~13개월 후 차단막 제거와 임플란트 식립을 위해 판막을 거상하였을 때 40명 중 38명의 환자가 매우 양호하게 치조골이 증대된 양상을 보였고, 두 명의 환자에서는 이식골이 연조직으로 일부 피막화된 양상이 관찰되었다.

Nevins과 Mellonig[21], Doblin 등[22]은 비록 막이 노출되더라도 막과 동결건조골을 함께 사용한다면, 많은 양의 신생골이 생성될 수도 있다는 임상연구결과를 발표하였다. 시술부위의 생검결과 생활력을 지닌 골세포를 관찰할 수 있었으며, 9개월 후 소견에서 동종골이식재는 남아있지 않았다. 하지만, 탈회동결건조골과 차단막을 이용한 다른 보고에서는 이와는 약간 상반되는 결과를 나타내었다.

1년간의 다기관 연구(multicenter study)에서 45명의 환자에서 55개의 열개형 결손부를 차단막만 사용하여 처치한 결과 평균 4.6 mm 크기의 초기 결손부에서 평균 82%의 골충진을 보였다. 1년간의 추적검사에서 임플란트는 적절한 교합기능을 수행하는 것으로 나타났다. 55개의 임플란트 중 6개가 실패하여, 누적 성공률은 상악이 84.7%, 하악은 95%로 이전에 발표된 결과와 유사하였다.[23]

큰 열개형 결손부 치료 시에는 공간유지력이 우수한 타이타늄 강화 차단막 사용이 효과적이다.[24] 4명의 환자에서 평균 8.2 mm (5~12 mm)의 비교적 큰 열개형 결손부에 타이타늄 강화 차단막만 사용한 연구에서 7~8개월의 치유기간 후에 임플란트의 완전한 골피개가 이루어짐을 볼 수 있었고, 1년 후 기능 중인 임플란트는 방사선학적 평가에서 정상적인 치조골 상태를 유지하는 것으로 보고되었다.

열개형 결손에서 임플란트 표면에 골이식재를 충진 후 차단막을 사용한 경우와 사용하지 않은 경우를 임상적으로 비교한 연구는 없다. 하지만 대부분의 연구결과가 골이식술 시 차단막 사용의 필요성을 강조하고 있다.[2,25,26]

그림 46-10은 하악좌측 구치부에서 합성골 이식재와 비흡수성 차단막을 이용하여 골유도재생술을 시행한 증례이다. 이 환자는 치주질환으로 인해 대구치 발치 후, 장기간의 무치악기간으로 인하여 통상적인 임플란트 식립을 위한 협설측 폭경이 부족하여 협측 결손부를 골유도재생술을 통해 재건하기로 하였다. 국소 마취 후 치조정 절개를 시행 후, 판막의 치관측 이동을 위해 수직절개도 함께 행하였다. 전층 판막을 형성하고 치조골을 노출시킨 후 라운드 버를 이용하여 충분한 피질골 천공을 시행하였다. 부가적인 공간유지를 위해 텐트 스크류를 협측에 설치하였다. 이후 합성골 이식재를 협측부위에 충진 후 타이타늄 강화형 e-PTFE막을 이용하여 이식부에 잘 적합되도록 설치하였다. 고정용 핀(pin)을 이용하여 차단막을 이식부에 견고히 고정하였고 골막 이완절개를 시행하여 판막을 치관측으로 이동하여 긴장없이 봉합하였다. 8개월 후 임플란트 식립을 위한 판막거상 시 치조제의 폭은 정상적인 직경의 임플란트를 식립하기에 충분히 증대되었다.

그림 46-11은 하악전치부에서 입자형 자가골이식재와 비흡수성 차단막을 이용하여 골유도재생술을 시행한 증례이다. 치근단 병소와 치주질환으로 인해 하악우측 중절치 및 측절치를 발치하였다. 치근단 감염의 해소를 위해서 발치 후 2개월의 치유기간 후 골유도재생술을 시행하기 위해 전층판막을 거상하였다. 해당부위에 좁은 치조제폭경 및 좌측 측절치에서 작은 수직적 골결손이 존

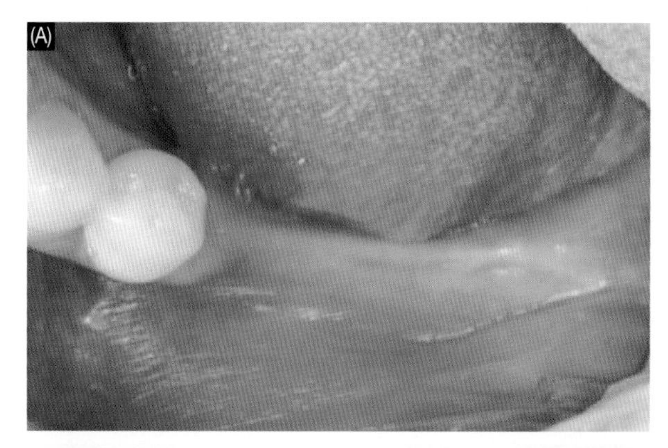

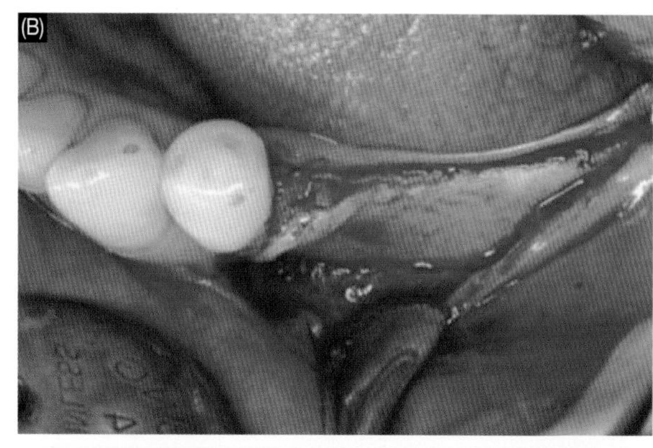

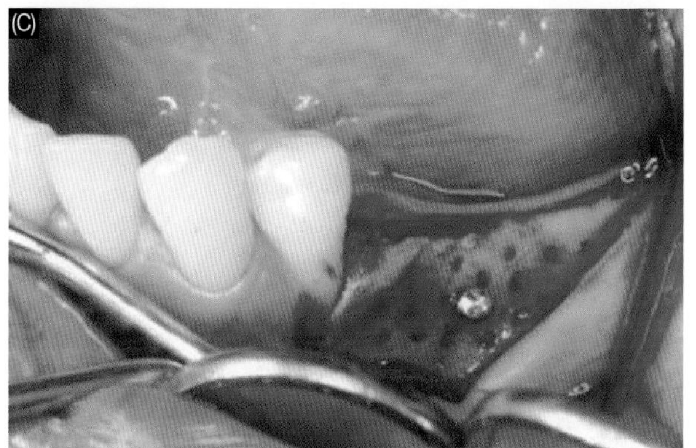

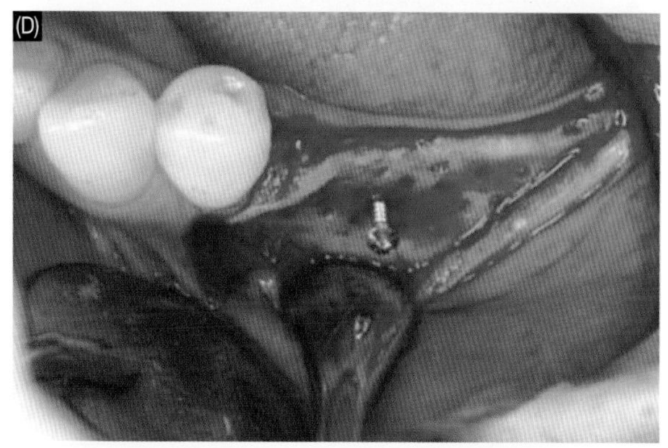

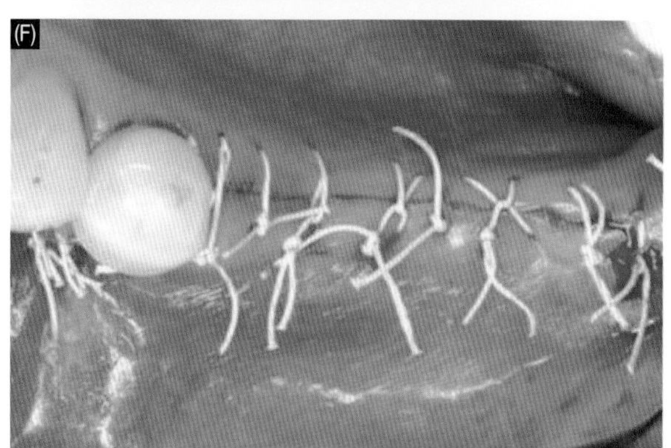

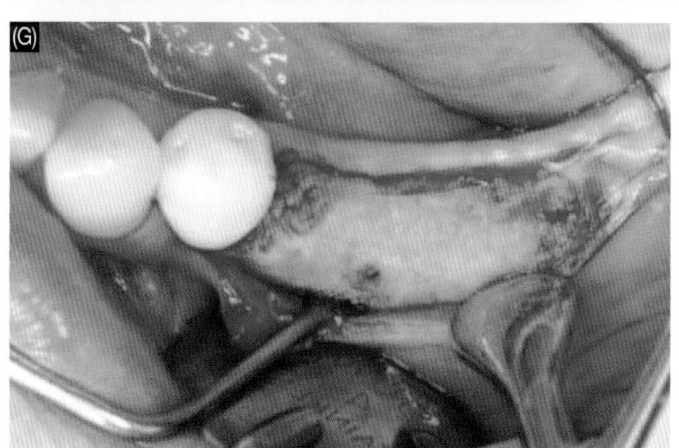

그림 46-10. 하악구치부에서 골유도재생술을 이용한 수평적 골증대술
(A) 술전 교합면소견, 심한 치조제 위축을 관찰할 수 있다. (B) 판막거상 후 교합면 소견 (C, D) 충분한 피질골 천공 후 tenting screw를 설치한다. (E) 합성골이식재 충진 후 e-PTFE 차단막을 피개하고 고정용 핀으로 차단막을 고정한다. (F) 골막이완절개를 통해 판막을 긴장 없이 봉합한다. (G) 8개월 후 수평적으로 충분히 재생된 조직을 관찰할 수 있다.

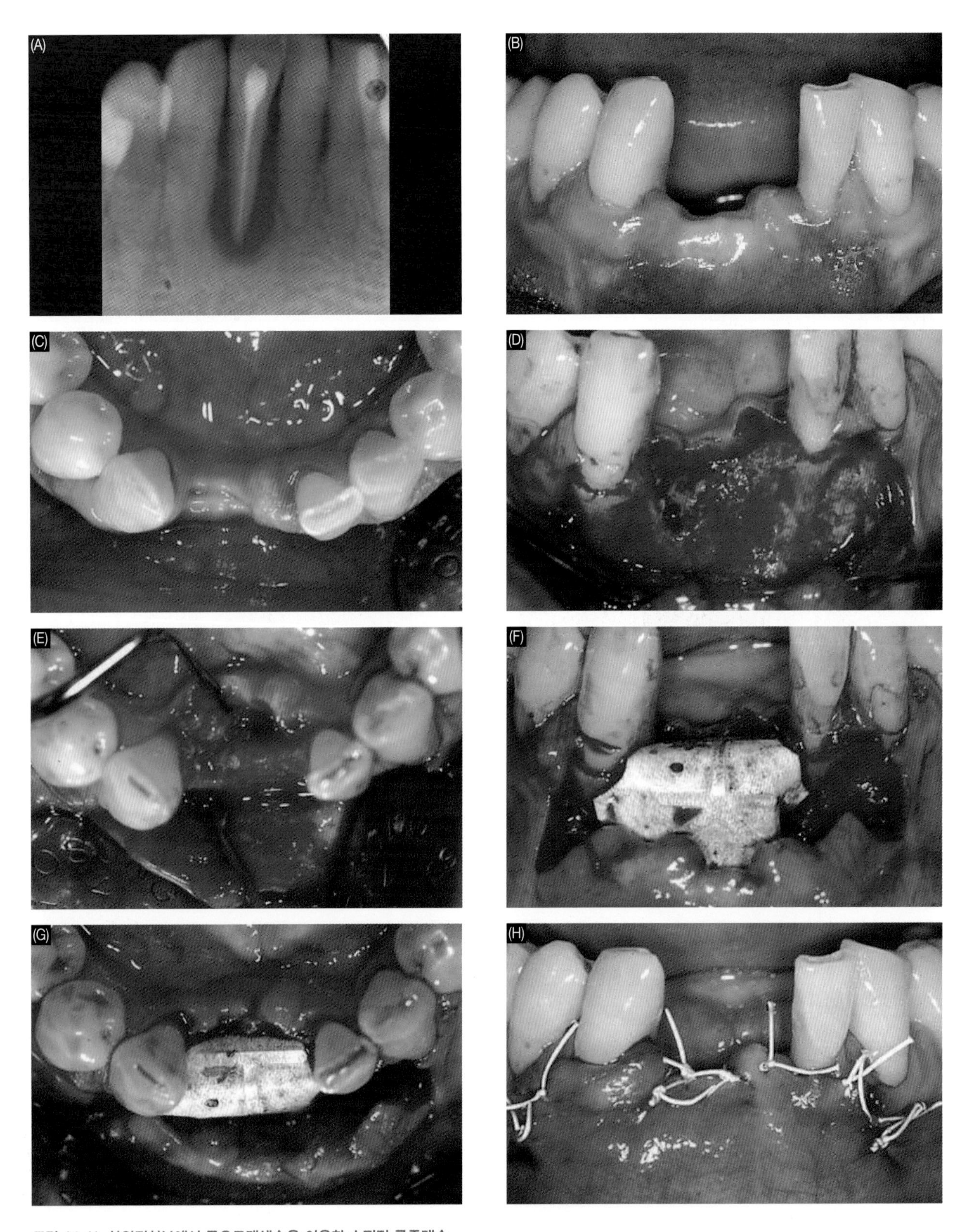

그림 46-11. 하악전치부에서 골유도재생술을 이용한 수평적 골증대술

(A) 발치 전 방사선소견 (B, C) 술전 협측, 교합면 소견, 수평적, 일부 수직적으로 치조제 위축을 관찰할 수 있다. (D, E) 판막거상 후 협측, 교합면 소견 (F, G) 하악외사주융선에서 채득한 자가골이식재로 결손부위 충진 후 e-PTFE 차단막을 고정한 협측, 교합면 소견 (H) 장력없이 판막을 봉합 [계속]

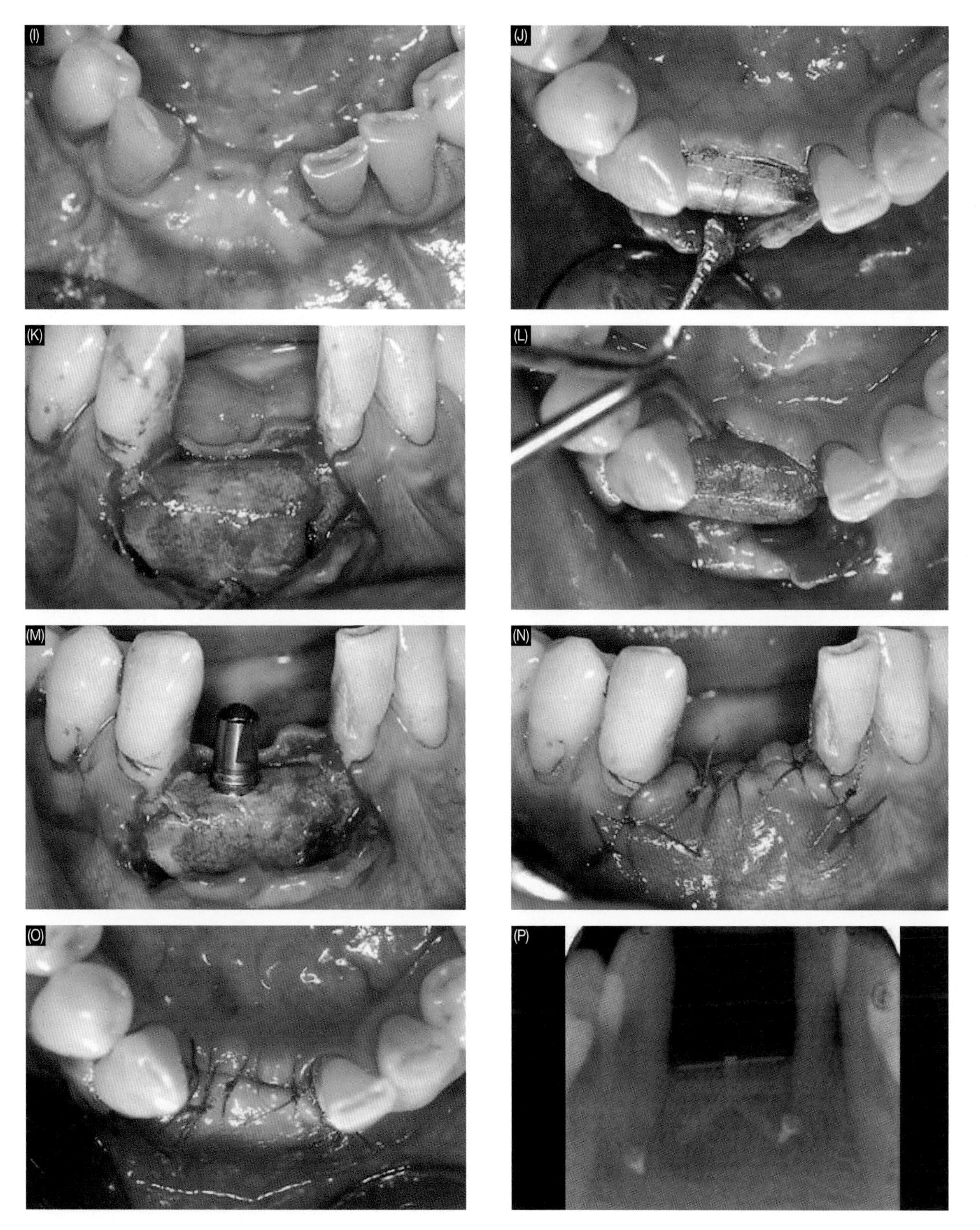

그림 46-11. [계속] 하악전치부에서 골유도재생술을 이용한 수평적 골증대술

(I) 6개월 후 교합면 소견, 수평적으로 증대된 연조직 외형을 관찰할 수 있다. (J) 판막거상 시 차단막은 잘 유지되고 있다. (K, L) 차단막 제거 후 협측, 교합면 소견, 수직적, 수평적으로 충분히 재생된 골조직을 관찰할 수 있다. (M) 임플란트 식립 (N, O) 봉합 후 협측, 교합면 소견 (P) 골유도재생술 후 방사선소견

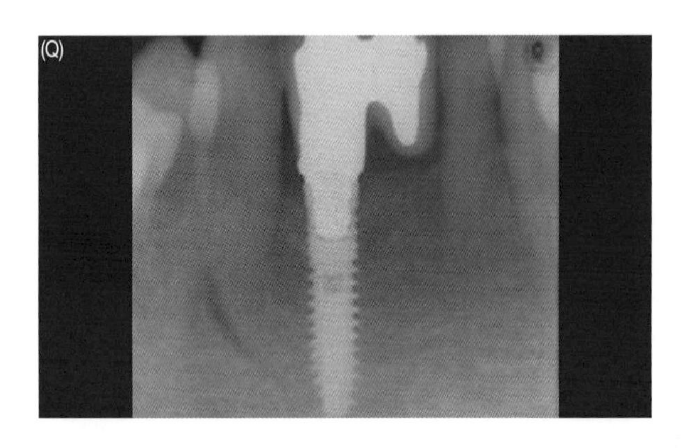

그림 46-11. [계속] 하악전치부에서 골유도재생술을 이용한 수평적 골증대술

(Q) 보철수복 후 방사선소견

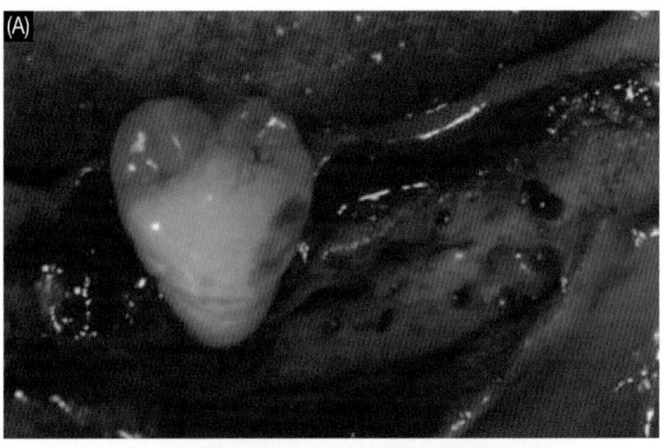

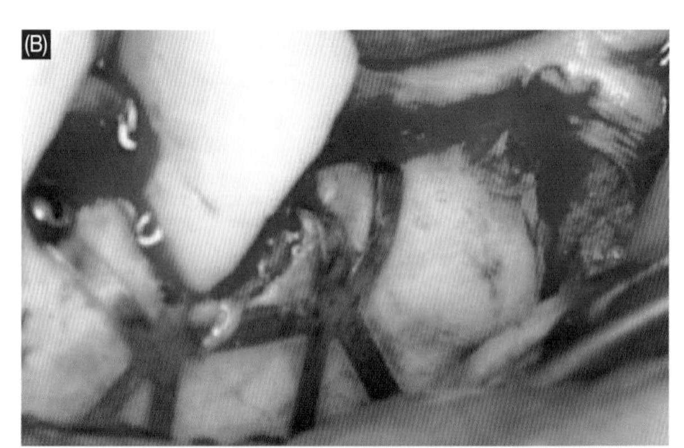

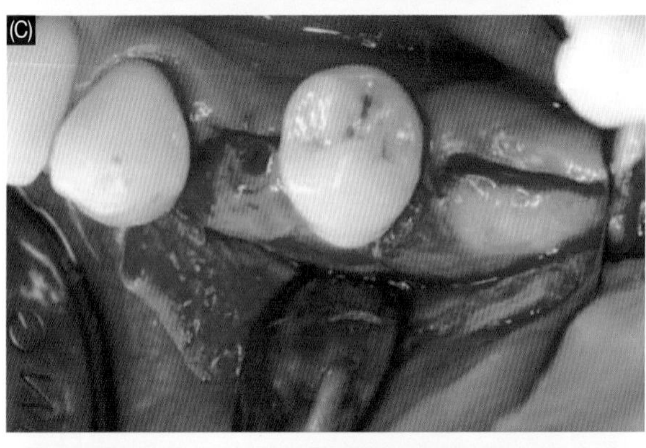

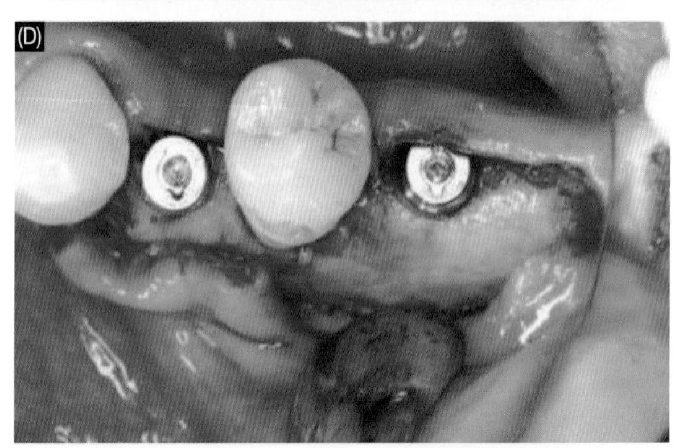

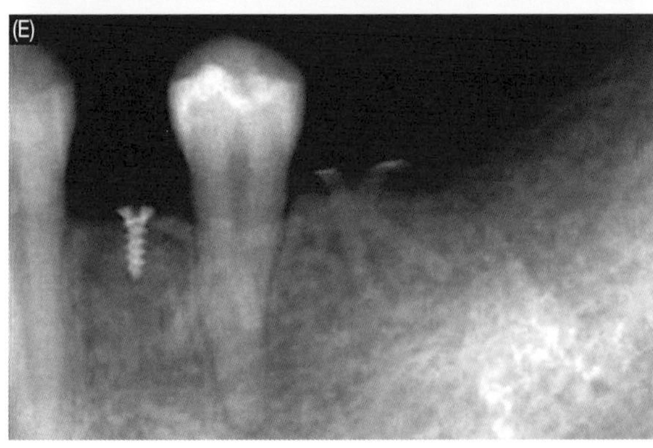

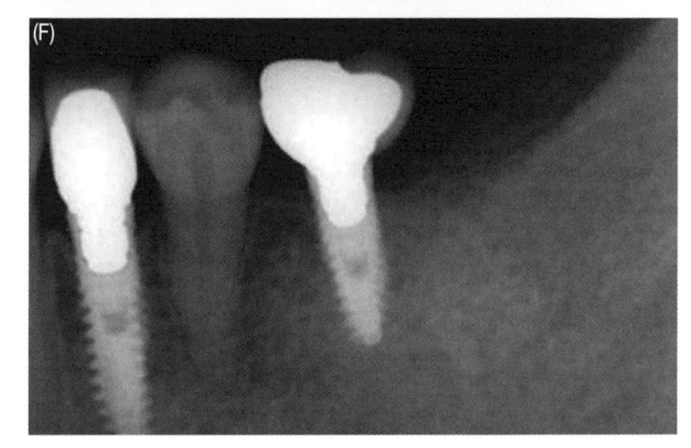

그림 46-12. 하악구치부에서 골유도재생술을 이용한 수평적 골증대술

(A) 판막거상 후 좁은 치조제 폭경을 관찰할 수 있다. (B) 골유도재생술 6개월 후 판막거상 시 차단막이 잘 유지되고 있다. (C) 수평적으로 증대된 조직을 관찰할 수 있다. (D) 임플란트 식립 (E) 골유도재생술 후 방사선 소견 (F) 보철완료 6년 후 방사선소견

재하였다. 동측 외사주융선에서 트레핀을 이용하여 자가골이식편을 채득 후 골분쇄기로 분쇄하여 입자형 이식재를 준비하였다. 이식재를 결손부에 충진 후 타이타늄강화 e-PTFE막을 적합시키고 스크류로 차단막을 견고히 고정하였다. 골막이완 절개를 통해 판막을 긴장 없이 봉합하였다. 6개월의 치유기간 후 수평적으로 충분히 증대된 연조직 외형을 관찰할 수 있다. 판막거상시 차단막은 염증소견 없이 잘 유지됨을 관찰할 수 있었고 수직적, 수평적으로 충분한 양의 골재생을 나타내었다. 보철수복 완료 5년 후 방사선소견에서 재생된 골은 안정적으로 유지됨을 나타내었고 임플란트는 양호한 골유착을 보인다.

그림 46-12는 하악좌측 제1소구치 및 제1대구치의 좁은 치조제 폭경으로 인하여 합성골이식재 및 타이타늄강화 e-PTFE막을 이용한 골유도재생술을 시행 후 임플란트를 식립한 증례로 보철완료 6년 후 방사선소견에서 기능중인 임플란트의 양호한 골유착 상태를 나타낸다.

4) 수직적 골증대술(Vertical bone augmentation)

잔존골 고경이 매우 부족하여 적절한 임플란트의 고정을 얻을 수 없거나 보철수복 시 치관/임플란트 비율이 좋지 않을 것으로 예상될 경우 수직적으로 골을 증대시키는 것이 필요하다. 치조제 상방 혹은 수직적으로 골증대가 필요할 경우에서 골재생은 임상에서 가장 큰 난제이다. 최근 임상에서는 수직적 골증대의 결과를 증진하기 위해 골유도재생술의 원리가 사용되고 있다. 하지만 골증대술을 통해 얻을 수 있는 최대의 수직적 골량에 관해서는 명확히 알려진 것이 없다. 현재로선 골유도재생술을 통해 임플란트를 치조골 상방으로 식립하는 것에 대한 근거는 많지 않다.

몇몇 논문에서 차단막만을 이용하거나 자가골 이식과 병용하여 수직적으로 공간을 부여하였을 때의 골재생 효과를 평가하였다. 성견 연구에서 수직적 결손부에 동시에 식립한 임플란트에서 치조골 상방으로 평균 2.7 mm(0.4~4.0 mm)의 수직적 골형성이 가능함을 보고하였다.27 5명의 환자에서 임플란트를 치조골 상방으로 평균 4.67 mm(3~7 mm) 노출시킨 경우에서 골유도재생술 시행 9개월 후에 평균 2.97 mm(0.5~4 mm)의 수직적인 골형성이 있었다고 보고하였다.[28] 차단막을 사용함으로써 미사용 시와 비교 시 이식부 부피가 70% 이상 더 잘 유지되었으며 또한 이식부의 골-임플란트의 접촉도 증가하는 것으로 알려졌다. Simion 등[29] 과 Jovanovic 등[27]은 임플란트 주위로 수직적 골재생을 위해 타이타늄 강화 차단막을 사용하여, 골이식재를 사용하지 않고, 공간을 피질골 천공을 통해 혈병으로 채우거나 정맥혈을 주사하여 채운 경우에서, 각각 3.3 mm와 1.82 mm의 치조골 상방 골재생이 일어난 것으로 보고하였다. 이러한 연구들을 살펴볼 때 차단막으로 보호된 혈병과 골유도재생술에 의해 치조골 상방으로 3 mm까지의 수직적 골형성은 예측 가능한 것으로 보여진다.

최근 연구에서 타이타늄 강화 차단막과 자가골이식재를 함께 사용함으로써 더 예지성 있는 치조골 상방 골 형성을 얻을 수 있는 것으로 알려졌다. 이에 따라 현재 임상에서는 수직적 골증대를 위해서 자가골과 비흡수성 타이타늄 강화 차단막을 같이 사용하게 되었고, 최근 임상연구에서 수직적으로 증대된 골은 임플란트 식립 후 하중이 가해져도 잘 유지되었으며, 자연골과 유사한 임플란트 주위골조직 구조를 유지하는 것으로 알려졌다.

Rocchietta 등[30]은 2007년도까지 발표된 수직적 골증대술에 관한 논문분석의 결과를 발표하였다. 골유도재생술, 블록형 골이식의 수직적 골증대에 있어서의 효용성에 관해 임상적, 조직학적 결과가 존재하지만 수직적인 골형성량 및 추후 골 흡수량은 다양한 것으로 나타났으며 현재로선 이러한 술식들이 수직적 골증대를 위한 일반적인 시술법으로 사용하기에는 체계적인 결과가 부족한 것으로 평가하였다.

그림 46-13은 상악좌측 구치부에서 입자형 자가골이식재와 타이타늄 강화 e-PTFE막을 이용하여 골유도재생술을 시행한 증례이다. 이 환자는 치주질환으로 수 년 전 대구치를 발치하였고, 임상소견에서 협설 및 수직적인 연조직 함몰과, 방사선 소견상 수직적으로 심한 치조골 결손을 보인다. 이 경우 상악동 골이식술을 시행함으로써 임플란트 식립을 위한 충분한 수직적 골증대가 가능하나, 치조정 상방으로 골 흡수가 심하고 보철수복 후 치관/임플란트 비율이 부적절하며 인접자연치와 치간공극

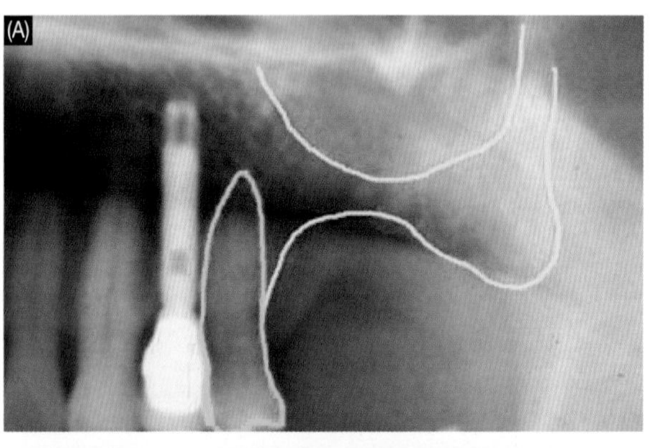

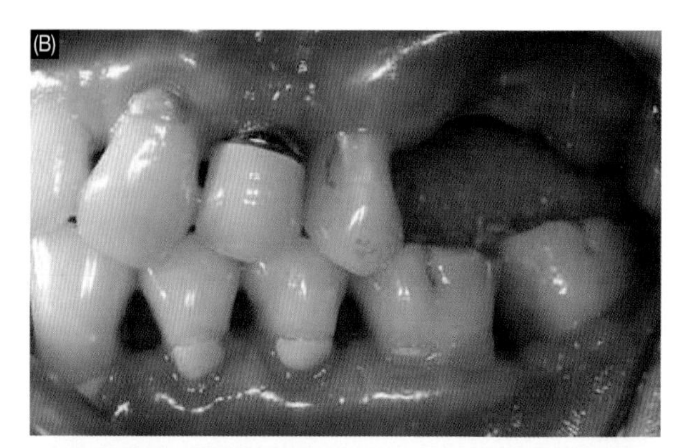

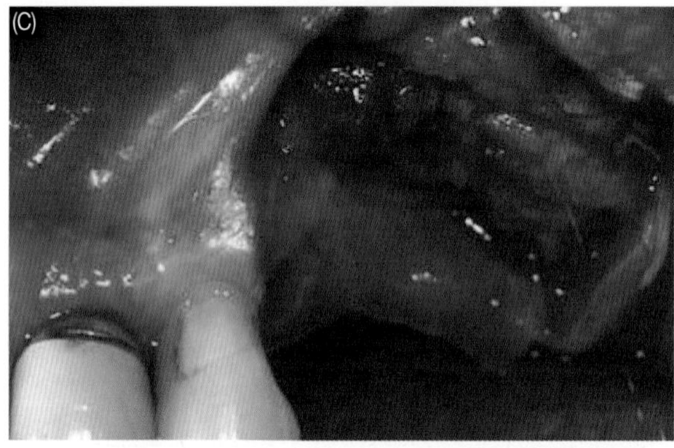

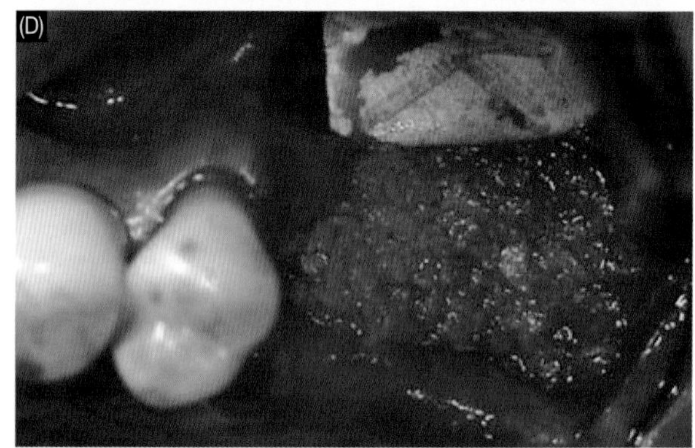

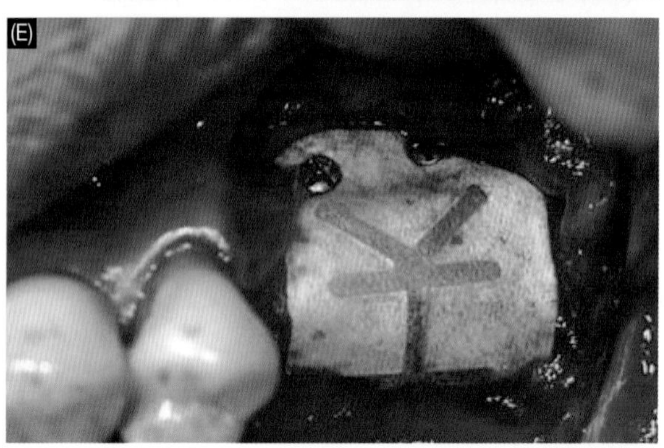

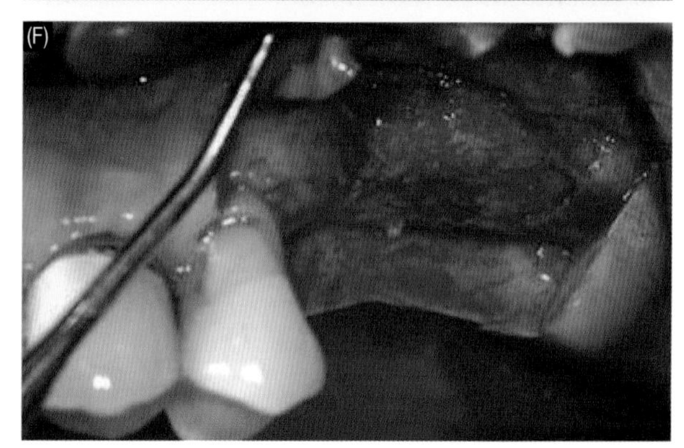

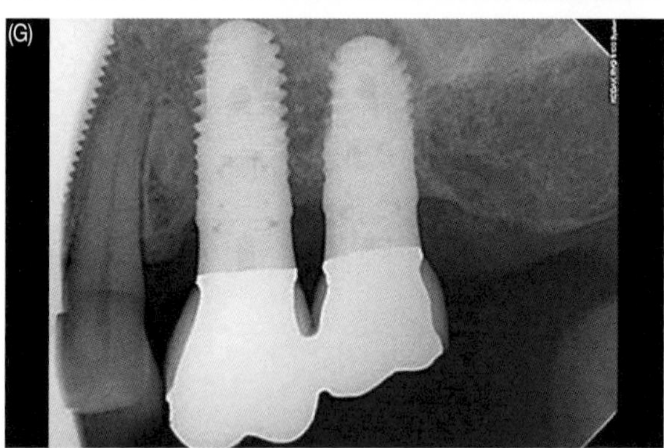

그림 46-13. 상악구치부에서 골유도재생술을 이용한 수직적 골증대술
(A) 술전 방사선 소견 (B) 술전 협측소견, 치조제 위축을 관찰할 수 있다. (C) 판막거상 후 수직적으로 심한 치조제 소실을 관찰할 수 있다. (D) 하악외사주융선에서 채득한 입자형 자가골이식재를 결손부에 충진하였다. (E) e-PTFE 차단막을 피개 후 고정용 screw로 차단막을 고정하였다. (F) 6개월 후 차단막제거 시 수직적으로 충분한 골재생을 관찰할 수 있다. (G) 보철완료 6년 후 방사선소견

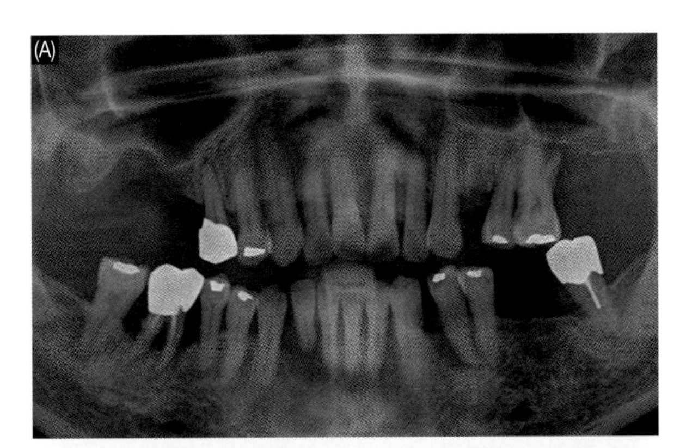
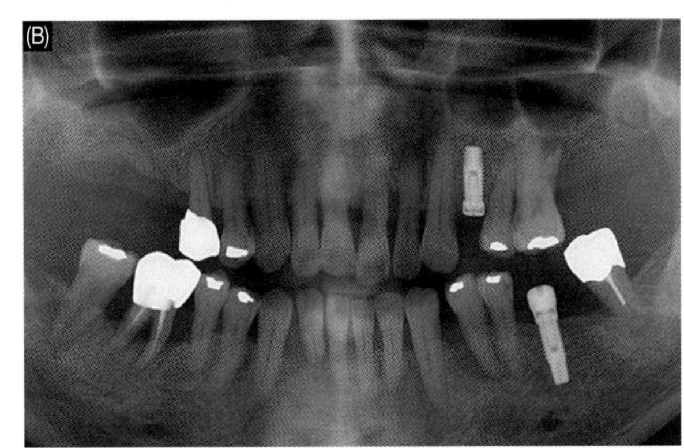
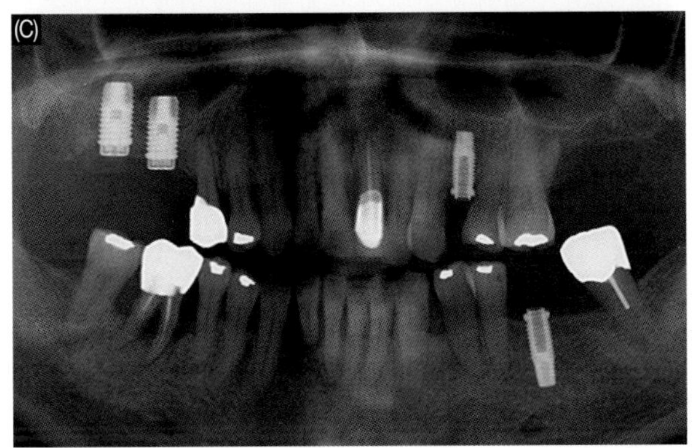
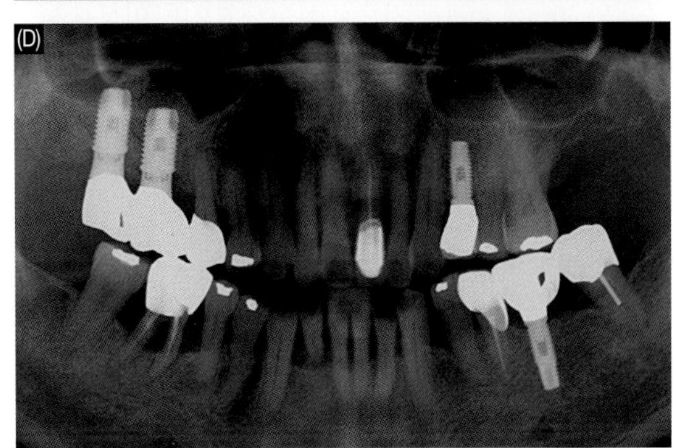

그림 46-14. 상악구치부에서 골유도재생술을 이용한 수직적 골증대술
(A) 술전 방사선 소견 (B) 골유도재생술을 시행한 방사선 소견 (C) 상악동저 거상술과 동반하여 임플란트 식립을 시행한 방사선 소견 (D) 보철완료 8년 후 방사선 소견

의 부조화로 인해 향후 적절한 치주건강 유지가 힘들 것으로 판단되어 치조제 상방으로 골증대술을 시행하였다. 국소 마취 후 구개측에 절개를 시행 후, 판막의 치관측 이동을 위해 수직절개도 함께 행하였다. 전층 판막을 거상 후 치조골을 노출시켜보니 수직적으로 심한 골 흡수가 관찰된다. 하악 후구치부위 및 하악지에서 트레핀을 이용하여 자가골 이식편을 채득 후 골분쇄기로 분쇄하여 입자형 이식재를 준비하였다. 이를 결손부에 치밀하게 충진한 후 타이타늄 강화 e-PTFE막을 적합시키고 스크류를 이용하여 차단막을 결손부에 견고히 고정하고 봉합하였다. 6개월 후 임플란트 식립을 위해 판막을 거상하고 막을 제거한 상태에서 관찰하였을 때 수직적으로 충분한 양의 신생골이 형성되었다. 보철수복완료 6년 후의 방사선소견에서 수직적으로 증대된 골의 높이가 안정적으로 유지됨을 관찰할 수 있다.

그림 46-14는 상악우측 구치부에서 수직적 골유도재생술을 시행 후 이차적으로 부족한 수직골량을 증가하기 위해서 임플란트 식립 시 상악동저 거상술을 동시에 시행한 증례이다. 이 환자는 방사선 소견상 임플란트 식립부에 수직적으로 심한 치조골 결손을 보인다. 정상적인 치조정 높이를 회복하기 위해 일차적으로 치조제 상방으로 이종골이식재(Bio-Oss) 및 콜라젠차단막(Bio-Gide)을 이용하여 골유도재생술을 시행한 후 6개월째 임플란트 식립 시 상악동저 거상술을 동시에 시행하였다. 보철완료 8년 후의 방사선소견으로 수직적으로 증대된 골의 높이가 안정적으로 유지됨을 관찰할 수 있다.

5) 국소적 치조제 증대술의 합병증

골유도재생술 및 골이식술을 이용한 치조제 증대술은 보철적으로 적합한 위치에 임플란트 식립이 가능하게 한다.[31] 하지만 수술로 인한 합병증 발생의 위험성이 증가하고 추후 연조직변화를 수정하기 위해 부가적인 수술이 필요할 수 있다.[32] 예를 들어 증가된 골조직을 피개하기 위해 각화조직의 변위가 필요하므로 비심미적인 결과와 점막 부조화를 야기할 수 있다. 이러한 문제점을 수정하기 위한 부가적인 수술의 필요성으로 전체적인 외과적 치료기간이 길어지고 임플란트 치료가 복잡해진다.

골재건술 후 다양한 수술 합병증들이 나타날 수 있다.[33] 심하게 흡수된 상악을 재건하기 위해 장골에서 자가골이식편을 채득하여 이식한 경우, 이식재 노출이 전체 증례의 30%에 이르는 것으로 보고되었으며, 이식재 노출은 결과적으로 이식된 조직의 흡수를 초래한다. 차단막 노출과 관련하여 천공 결손부가 막노출 발생율이 가장 적으며, 즉시 발치와에서 막노출 위험성이 가장 높다.

1976~1994년 사이에 발표된 임플란트 시술을 위한 골재건수술의 합병증의 빈도 및 형태에 관한 평가 논문에서 733증례에서 다양한 골이식재를 이용하여 2,315개의 임플란트를 식립한 결과 출혈, 술후 감염, 골절, 신경이상, 점막천공, 이식재 손실, 통증, 궤양, 상악동염, 판막열개와 같은 다양한 합병증이 나타나는 것으로 보고되었다.[34] 이 중 차단막을 이용한 골유도재생술 시 나타날 수 있는 가장 흔한 합병증은 판막열개 및 차단막 노출이다. 판막열개는 임플란트 생존에 가장 해로운 영향을 끼치는 것으로 나타났으며, 이는 골재건수술에서 판막조작이 매우 중요함을 시사한다. 차단막의 노출로 인해 막을 조기 제거한 경우 6~8개월간 막의 노출 없이 치유된 경우와 비교 시 골형성이 감소하는 것은 일반적인 결과이다.[18,35] 협설로 치조제 결손이 있는 19명의 환자에서 공간유지와 차단막 고정을 위해 e-PTFE막과 screw를 사용한 골유도재생술에 관한 전향적인 연구에서 막의 노출이 없는 군에서는 90~100%의 골재생이 일어났으나 막이 노출된 군에서는 0~62%의 골재생이 나타났다.[36] 막의 제거시기와 관련하여 비교적 늦게 막이 노출되어 제거된 경우에서는 (술후 3~5개월) 골재생이 42~62%로 나타났다. 결과적으로 막의 유지기간과 결손부의 크기가 신생골 형성량에 중요한 역할을 하는 것으로 생각된다.

차단막의 조기노출로 인해 막이 제거된 부위에서의 성공적인 골형성을 보고한 일부 연구결과도 있다.[37,38] 이 경우에서는 막 하방에 골 이식재를 사용할 경우 막 노출 시에도 비교적 양호한 골재생이 일어날 수도 있음을 보고하였다. 36명의 환자에서 23개의 TPS 임플란트와 HA 코팅된 임플란트를 발치와에 즉시 식립하고, 차단막만 사용한 군과 탈회동결건조골을 함께 사용한 군에서 평가를 시행하였다. 골형성량은 막이 노출된 군과 노출되지 않은 군 사이에서 현저한 차이를 보이지만, 탈회동결건조골을 이식한 군에서는 막이 노출된 군과 노출되지 않은 군 사이에 차이가 없었고 골이식을 시행한 부위에서는 골결손부가 현저하게 재생되었음이 보고되었다.

막의 노출은 임플란트의 식립시기(동시 식립 또는 단계적 식립)와 사용된 차단막의 종류에 관계없이 골재생 결과에 영향을 미치는 중요한 인자이다. 막의 노출이 골재생량에 미치는 영향에 관해서는 일부 논쟁의 여지가 있지만, 감염위험성, 연조직 및 심미적 문제 발생 가능성을 차단하기 위해 치유기간 동안에는 막이 노출되지 않은 채로 유지하는 것이 중요하다. 따라서 판막열개 및 차단막 노출을 방지하기 위해 치조제 증대술에 있어서 판막 조작의 중요성은 아무리 강조해도 지나치지 않을 것이다.

6) 골증대술을 시행한 부위에 식립된 임플란트의 장기간 결과

치조제 증대술을 시행한 부위에 식립된 임플란트의 5년 이상의 장기간 추적조사를 통한 체계적인 연구결과는 현재로는 부족하나, 많은 연구에서 자연골에 식립된 임플란트와 비교 시 생존율 및 성공률은 유의한 차이가 없는 것으로 보고되었다. 재생된 골이 임플란트의 하중 하에서 어떻게 기능하는지를 규명하기 위한 연구결과는 미흡하다. 다만 성견에서의 연구결과를 보면 재생된 골에 식립된 임플란트는 주변골과 정상적인 결합을 하고, 3개월 내에 임플란트가 골조직과 직접적인 결합을 이룰 수 있는 것으로 알려졌다. 6개월의 하중 후 재생된 골이 기능적 하중을 견딜 수 있으며, 하중이 부여되지 않은 재생골 부위에서와 유사하게 반응함을 보여준다. 하지만 임플란트가 식립되지 않은 재생골 부위는 차단막 하방에서 골위축을 보였다.

많은 임상연구가 재생된 골의 질적 재생여부와 관계없이 임플란트의 초기고정을 잔존치조골에서 획득할 수 있는 충분한 잔존골이 존재하는 골열개 또는 골천공이 있는 부위에서의 결과를 보고하고 있다. Buser 등은 골유도재생술을 시행한 부분 무치악 부위에 식립된 임플란트의 성공률에 관한 전향적 연구를 시행하였다.[17] 자가골이식재 및 비흡수성 차단막을 이용한 치조제 증대술을 시행하고 6~9개월 후 단계적 접근법을 통해 식립된 임플란트의 5년 후 누적 생존률 및 성공률은 각기 100%, 98.3%로 보고하였다. 최근 Donos 등은 수평적 골증대술을 시행한 부위에 식립된 임플란트의 성공률에 관한 체계적 논문고찰의 결과를 발표하였다.[39] 열개, 천공의 골결손으로 인해 골유도재생술과 동시에 임플란트가 식립된 경우에서, 한 연구에서는 임플란트의 5년 누적성공률이 96.1%, 다른 연구에서는 상악에서 76.8%, 하악에서 83.8%의 다양한 누적성공률이 보고되었다. 이에 비해 골유도재생술 후 단계적으로 임플란트를 식립한 경우에서 임플란트 성공률은 하중 22.4개월과 5년 후 각기 93.3%, 98.3%로 동시 식립된 임플란트에서보다 비교적 높은 것으로 나타났다. 따라서 골유도재생술 후 단계적 임플란트 식립 시 성공률이 더 높아질 수도 있음을 시사한다.

Simon 등은 1~5년의 임상 추적조사에서 수직적으로 재생된 골에 식립된 임플란트는 자연골에 식립된 임플란트와 유사하게 교합기능을 수행할 수 있으며, 임플란트 주변 골조직은 재생되지 않은 자연골에 식립된 임플란트와 비슷하게 유지된다고 하였다.[28] 하지만 수직적인 골증대술을 시행한 부위에 식립된 임플란트의 성공률에 관한 체계적인 임상연구는 현재로서는 부족하다. 골유도재생술을 이용한 수직적 치조골증대에서 대부분의 연구가 자가골이식재와 비흡수성 차단막을 사용하였다. 골유도재생술을 통해 얻을 수 있는 수직적 골재생량은 다양한 것으로 나타나며, 장골이식편을 이용한 경우 평균 4.22 mm, 구강내 이식편을 이용한 경우에 평균 4.6 mm의 수직적 골증대량을 보고하였다. 일반적으로 치조제 상방으로 4 mm까지는 수직적인 골재생이 가능할 수도 있는 것으로 알려졌다. 수직적 골증대술 후 1~7년의 추적검사에서 1.27~2 mm의 변연골 흡수가 나타났으며 76.3~97.5%의 임플란트 성공률이 보고되었다. 한 연구에서는 골유도재생술과 동시에 임플란트가 식립된 경우에서 61.5%, 단계적으로 식립된 경우에서 75%의 성공률을 보고하였다. 하악 정중결합부 및 상행지에서 채득된 블록형 이식을 이용한 수직적 골증대술에서 차단막을 사용하지 않은 경우 42%의 이식골부피의 감소를 나타내었다.[30] 블록형 골이식술 시 차단막을 사용함으로써 이식골 부피 감소를 최소화 할 수 있다.

골유도재생술을 이용하여 수직적으로 증대된 골에 식립된 임플란트에서 변연골 흡수는 일반적으로 자연골에 식립된 임플란트에서와 유사한 것으로 보고되었다. 구강내 블록형 자가골이식시 변연골 흡수는 2년 후 0~3.3 mm, 4년 후 1.3 mm로 다양하며, 장골이식편을 이용한 경우 변연골 흡수는 3년 후 4.88 mm로 비교적 높은 것으로 보고되었다. 블록형 골이식을 이용한 수직적 치조제 증대술 후 임플란트의 생존률은 76~100%로 다양하게 나타났다. 블록형 골이식 후 임플란트의 성공률을 평가한 두 임상논문은 1년 후 100%, 5년 후 89.5%의 성공률을 보고하였다.[30]

많은 임상연구가 골증대술을 시행한 부위에 식립된 임플란트의 성공율에 관해 호의적인 결과를 제시하지만, 차단막을 이용한 골유도재생술 및 블록형 골이식술을 통한 치조제 증대술의 결과는 술자의 숙련도 및 수술기법에 매우 의존적이며, 임플란트의 생존율은 임플란트의 골유착 및 기능에 필수적인 임플란트 주위 잔존골 상태에 의존할 수 있음을 고려해야 한다.

4. 발치 후 조작

발치 후 6~24개월 안에 최대의 골 흡수가 일어나며 결과적으로 임플란트 식립에 적절하지 못한 골량의 감소를 초래한다.[40] 상악전치부는 얇은 협측 치조골로 인해 발치 후 빠른 흡수가 일어나며 결과적으로 치조제 폭경의 현저한 감소를 초래한다. 정상적인 조직외형의 소실은 발치 후 1~3개월 사이에 가장 많이 일어나며 협측 연조직 함몰로 비심미적인 치은외형을 야기한다. 최근 연구에서 발치 1년 후 50%의 치조제 폭경의 감소가 일어나며 이러한 폭경 감소의 65% 이상이 3개월 내에 발생하는 것으로 알려졌다. 따라서 발치 시 골량을 보존하는 것이 바람직한 목표가 된다.

발치 시 치조제를 보존하거나 증대하기 위해서 이식재를 발치와에 충진 후 차단막을 이용해 피개하는 골유도재생술을 시행할 수 있다. 하지만 발치 후 시술부위를 완전히 피개할 수 있는 연조직량이 부족하여 판막의 치관측 이동이나 연조직 이식술이 필요하다. 경우에 따라 혈병을 안정화시킴으로써 단순히 발치 부위를 보호하는 접근법이 향후 골증대술의 필요성을 없애거나 경감시킬 수 있는 것으로 알려졌다. 발치와에 충진한 이식재를 피개하기 위해 차단막을 사용하지 않거나 판막으로 완전히 시술부를 피개하지 않은 경우에 이식재의 소실을 초래할 수 있다. 생검을 통한 조직계측학적 분석에서 아무런 처치를 시행하지 않은 발치와와 비교 시 골유도재생술을 시행한 부위에서 더 많은 골형성이 이루어짐을 보고하였다.[38,41] 현재 골유도재생술의 적용은 발치 후 치조제의 흡수를 막고 치조제량 감소를 방지하는 효과적인 방법이다. 하지만 치유기간이 증가하고, 결과가 술자의 숙련도에 의존하며 실패 시 심미적인 문제를 야기할 수 있다는 단점이 있다.

심미적인 손상을 줄이고 발치 시 외상을 최소화하여 치조골을 최대한 보존하는 것이 발치와내 양호한 골형성을 얻기 위해 매우 중요하다. 이를 위해 발치 시 준수해야 할 기본적인 원칙은 다음과 같다.

- 특히 심미성인 요구되는 부위에서는 절개가 필요한 경우 술후 퇴축을 방지하기 위하여 치간유두를 거상하지 않는다.
- 발치 시 얇은 periotome을 사용하여 탈구시키고 협측골 손상을 방지하기 위해서 협설측으로 힘을 가하지 않는다. 이는 협측 골벽이 얇은 경우 특히 중요하며, 필요시 외상을 최소화하기 위해서 치아를 절단하여 발치한다. 치근이 굽었거나, 발치를 어렵게 하는 다른 해부학적 형태를 갖는 경우에는 고속 드릴을 이용하여 치아를 절단하거나, 여러 조각으로 나누어 제거할 필요가 있다. 고속 드릴을 이용할 경우에는 치아만 절단해야 하며 골을 절단하거나 과열되면 안 된다.
- 발치와 내 모든 연조직을 수술용 큐렛을 이용하여 철저히 제거하고 혈병을 최대한 보존한다.

발치와 주변으로 충분한 지지골이 존재하는 경우 부가적인 이식술을 시행하지 않더라도 양호한 골형성이 일어날 수 있다. 하지만 잔존 골벽이 얇아 향후 흡수가 예상되거나 수직적으로도 결손이 존재하여 혈병을 충분히 보존하지 못할 것으로 예상되는 경우에서는 이식재를 충진하여 발치와벽을 지지할 필요성이 있다. 비록 임플란트의 고정을 위해서 충분한 지지골이 존재하더라도 협측골이 얇아 향후 흡수가 일어날 경우 심미적인 문제를 초래한다. 따라서 발치와에 충진하는 골이식재는 협측의 연조직, 경조직 외형을 유지함으로써 심미적인 보철수복을 가능하게 한다. 발치 시 잔존골벽의 형태를 면밀히 평가하여 단지 발치와를 보호하는 접근법을 선택할 것인지, 부가적인 골재생술이 필요할지를 결정하여야 한다. 발치와 골벽의 상태에 따라 다른 접근법을 선택하며, 이를 협, 설(구개), 근심, 원심 및 치근단부의 5가지 골벽의 상태에 따라 분류하면 다음과 같다.

(1) 5벽성 골벽인 경우

치조골 흡수를 초래하는 치주염이 아닌 원인으로, 예를 들어 치근파절이나 충치로 인하여 발치할 경우 치근측을 포함하여 협설측, 근원심으로 수직적으로 건전한 골벽이 존재하고, 또한 골벽이 충분히 두꺼울 경우에서는 임플란트 식립 시 부가적인 시술이 불필요할 경우도 있다. 이 경우 임플란트를 즉시 식립할 수 있다. 하지만 5벽성 골벽이더라도 골벽이 얇아서 향후 흡수가 예상될 경우에는 골이식이 필요하다. 발치와내 양호한 골형성을 위해서는 발치와를 판막을 이용하여 긴장 없이 완전히 피개하여 혈병 및 이식부를 보호하는 것이 중요하고, 골막 이완절개를 통해 판막을 치관측으로 변위하여 발치와를 폐쇄하거나 경우에 따라서 연조직이식술을 시행한다. 동물실험에서 차단막 사용은 발치부의 골형성을 촉진하며 판막으로만 피개한 경우와 비교하여 본래 골의 부피를 더 잘 유지할 수 있다고 알려졌다.[42] 임상연구에서도 발치부의 골재생술식의 장점을 보고하였는데, 비흡수성 차단막 사용 시 치조제의 형태변화와 크기 감소를 최소화할 수 있다고 알려졌다. 초기연구에서는 발치부의 판막을 완전히 폐쇄하지 않고 이식재를 덮은 차단막을 노출시키는 개념이 주장되었으나, 최근의 연구에서는 완전히 창상을 봉합하는 것이 더 많은 골 형성에 유리하다고 결론지었다. 따라서 골이식재를 사용할 경우 차단막을 사용함으로써 보다 양호한 골재생의 결과를 얻을 수 있다. 발치와에 골이식술을 시행한 경우 일반적으로 3~6개월 후 임플란트를 식립한다. 발치와 동시에 즉시 임플란트를 식립하지 않고, 이식재 사용 없이 단순히 발치와를 보존하는 시술만 시행한 경우에서는 3~4개월 후 임플란트를 식립할 수 있으나, 신생골이 완전히 성숙되지 않은 상태이므로 임플란트의 초기고정을 얻기 위해 하방골에서 임플란트의 지지를 얻을 수 있도록 식립한다.

(2) 3, 4벽성 골벽인 경우

한면 또는 두면의 골벽이 상실된 경우 임플란트 식립 전 또는 식립과 동시에 골이식이 요구된다. 임플란트를 식립하기에 치조제의 폭이 좁은 경우 골이식술을 시행하여 폭경을 증가시키고 연조직 함입을 막기 위해 차단막을 사용할 수 있다.

(3) 1, 2벽성 골벽인 경우

발치 후 장시간이 경과한 경우에서는 치조제가 매우 좁아지는 것을 흔히 관찰할 수 있다. 이 경우 골재건술 후 임플란트를 식립하는 단계적 접근이 필요하다. 또한 발치 시 심한 치조골 흡수가 인지되는 경우 치조제의 폭경을 증가하고 일부 수직적 결손을 회복하기 위해 입자형 또는 블록형 골이식을 동반한 골유도재생술이 요구된다.

일반적으로 발치 후 치조골을 최대한 보존하기 위해서는 골이식이 필요하다. 또한 예지성 있는 골형성의 결과를 얻기 위해서는 판막을 완전히 폐쇄하거나 연조직 이식술을 통하여 발치와를 피개하는 것이 중요하다. 이는 연조직 침투를 막고 골형성을 증진함으로써 발치와를 최대한 보존할 수 있는 접근법이 된다. 또한 충분한 발치와벽이 존재하더라도 차단막의 사용 시 골재생량이 더 증진될 수 있다.

발치시기와 연관한 임플란트 식립시기에 관한 최근의 분류에서 2018년 유럽치주학회워크숍(European Workshop in Periodontology)에서는 발치 당일 또는 1주 이내 시행하는 즉시(immediate) 식립(Type 1), 발치 후 상당량의 연조직 치유가 이루어진 4–8주에 시행하는 조기(early) 식립(Type 2), 발치 후 부분적인 골치유가 이루어진 3–4개월에 시행하는 지연(delayed) 식립(Type 3) 및 통상적으로 발치와의 완전한 골치유가 이루어진 4개월 이후 시행하는 임플란트 식립(Type 4)의 네 가지로 분류하였다.

임플란트 식립 시 잔존 골벽의 상태에 따라 치조제 보존술(alveolar ridge preservation)을 추가적으로 시행할 수 있다. 골이식술을 동반한 치조제 보존술은 추가적 처치 없이 단순히 발치만 시행한 경우에 비해 수평, 수직적으로 골흡수를 현저히 감소하는 효과가 있는 것으로 보고되었다. 치조제 보존술은 발치 후 상당량의 골흡수가 예상되어 보철물의 심미성이 저해될 수 있는 얇은 협측골판이 존재하는 경우 적응증이 되며, 경우에 따라 환자의 나이가 임플란트를 하기에는 어려서 상당기간 임플란트 치료를 연기해야 하는 경우에 시행될 수 있다. 발치와의 치조제 보존술을 시행한 경우 임플란트 식립을 위한 충분한 골형성의 결과를

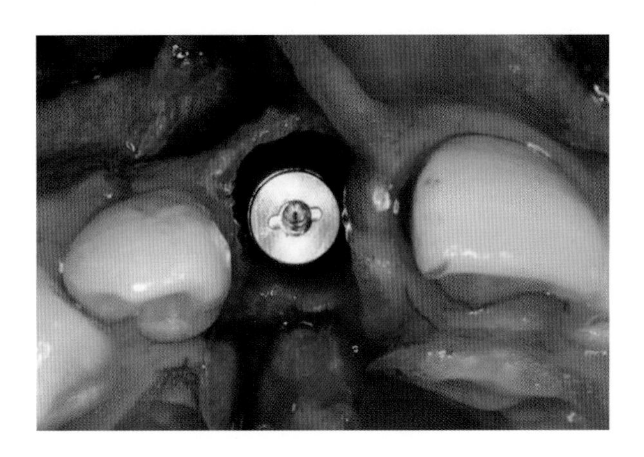

그림 46-15. 발치와 즉시 임플란트 식립 후 발치와벽 및 임플란트 사이의 공간

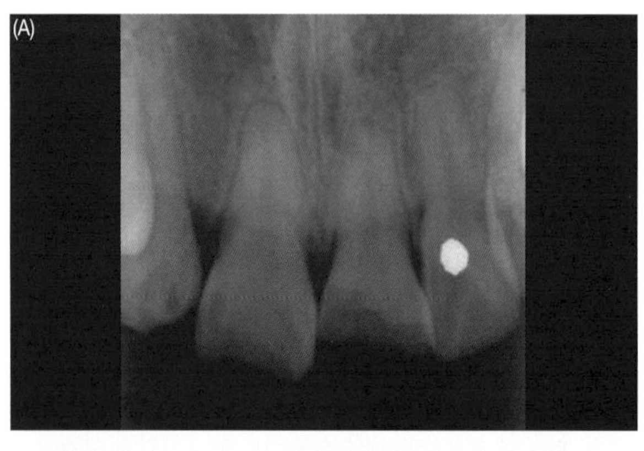

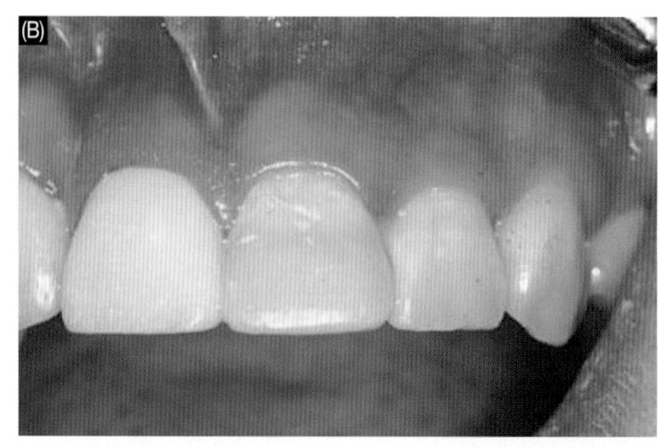

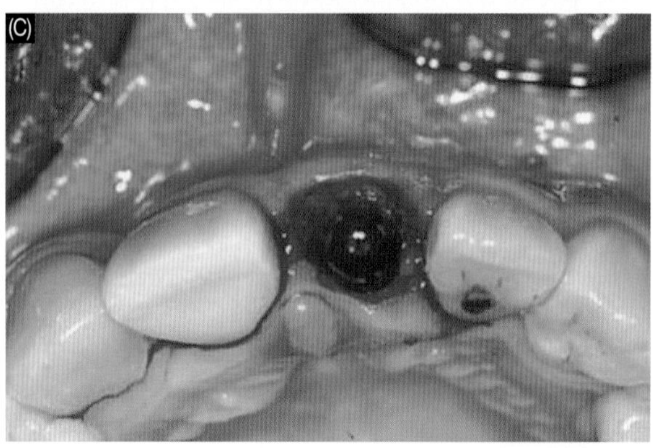

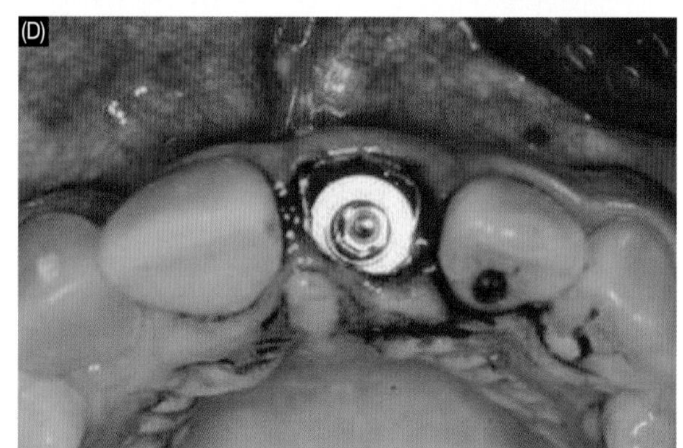

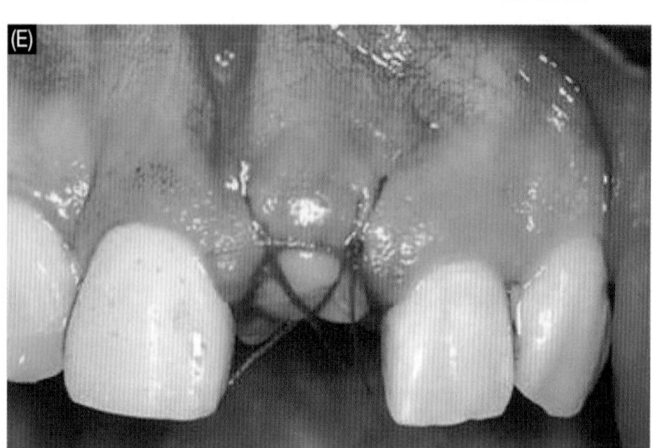

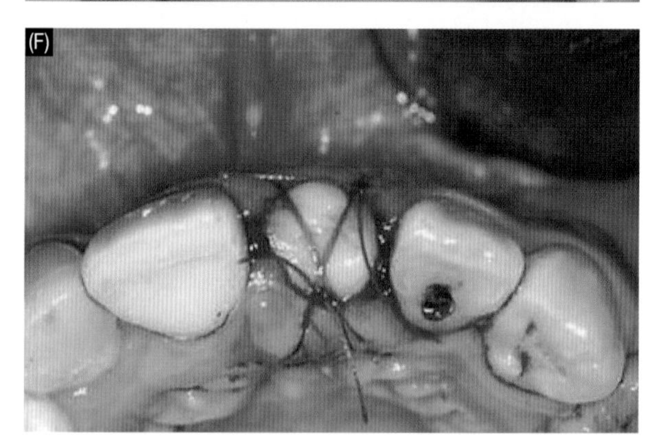

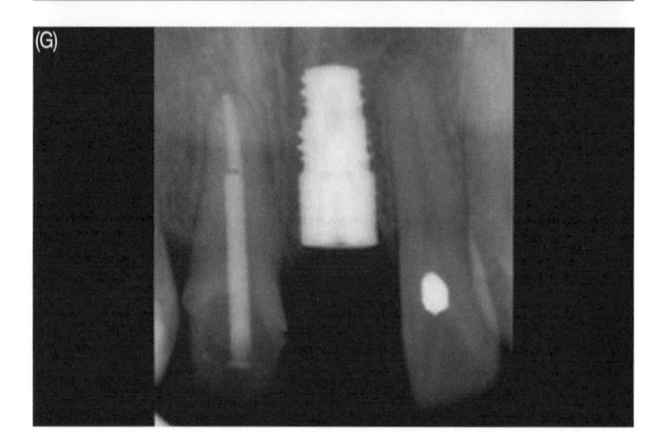

그림 46-16. 즉시 임플란트 식립 후 연조직이식편을 이용한 폐쇄
(A) 술전 방사선소견 (B) 술전 협측소견 (C) 발치 후 교합면소견 (D) 임플란트 식립 (E, F) 구개측에서 채득한 상피-결합조직이식편을 이용하여 시술부를 피개하였다. (G) 임플란트 식립 직후 방사선 소견

기대하기 위해서는 일반적으로 최소 3-4개월 이상의 치유 기간이 필요한 것으로 제시되었다.

1) 즉시 임플란트 식립 (Immediate implant placement)

임플란트의 충분한 초기고정을 얻을 수 있고 이상적인 위치에 식립이 가능하도록 충분한 골량이 존재할 경우 골 이식과 병용하여 임플란트를 발치와 동시에 식립할 수 있다. 즉시 임플란트 식립의 장점은 치유기간을 감소시킬 수 있다는 것이며 발치와 동시에 임플란트가 식립될 경우 임플란트의 골유착이 발치와의 치유와 동시에 일어난다.[19,43-45] 발치와는 골형성 활성이 높기 때문에 다른 부위와 비교하여 골과 임플란트 간의 접촉을 더 향상시킬 수 있다. 발치와내 골모세포에 의한 골형성 활성도는 발치 후 4~6주에 최대로 나타나며 8주가 지나면 골형성 활성도가 떨어져 16주가 되면 활성도가 없는 것으로 알려졌다.

즉시 임플란트 식립의 단점으로는 임플란트 주위에 골 이식과 치은치조점막수술이 필요하다는 것이다. 발치와의 크기와 임플란트 직경의 차이로 인하여 임플란트 주위로 공간이 생긴다(그림 46-15). 연조직으로 임플란트를 완전히 피개하지 못할 경우 골형성이 저해될 수 있다. 임플란트와 발치와벽 사이의 공간에 골이식을 시행함으로써 연조직 침투를 막을 수 있다.[44] 이단계용(two-stage) 임플란트를 식립할 경우 임플란트의 완전한 피개를 위한 판막 디자인이 요구되며 연조직 이식이나(그림 46-16) 차단막의 사용이 필요하다. 판막을 이용한 완전폐쇄를 위해서 골막이완 절개와 수직절개를 이용하여 협측판막을 치관부위로 이동하여 긴장 없이 완전한 폐쇄를 시행한다. 이 경우 단점은 판막의 치관부 이동으로 인하여 인접부와 비교시 치은점막경계의 위치가 달라져서, 심미적인 문제점을 해결하기 위해 추후 부가적인 처치가 필요할 수 있다는 것이다.

즉시 임플란트 식립 시 차단막만 사용한 49개 증례의 1년 연구에서 93.6%의 발치와 골충진을 보였고 부하 1년 후 임플란트의 성공률은 93.9%로 나타났다.[41] 차단막을 이용한 즉시 임플란트 식립에서 21개의 플라즈마용사 표면을 지닌 점막관통형(transmucosal) 임플란트의 성공률과 발치와의 골충진양을 평가하였다.[46] 21개 중 20개에서 발치와의 완전한 골충진과 전체 임플란트 표면을 따라 완전한 골접촉을 보였다. 하지만 진행된 골결손을 가진 발치와에서 점막관통형 임플란트를 이용한 즉시 임플란트 식립의 예지성에 관해서는 더 많은 임상 연구가 필요하다. 현재로서는 이단계용 임플란트의 사용이 더 추천된다.

발치부 임플란트 시 흡수성 콜라젠막을 사용한 9명의 임상 연구에서 다양한 정도의 발치와 골충진이 보고되었다.[47] 발치와 임플란트시 흡수성막의 예지성을 평가하기에는 개체수가 불충분하므로 발치와 골재생을 위한 흡수성막의 임상 연구는 더 이루어져야 한다.

만일 임플란트의 초기고정을 위해 충분한 양의 골이 없다면, 즉시 임플란트는 추천되지 않는다. 일반적으로 하나 또는 그 이상의 골벽이 50%이상 상실된 경우, 보철적으로 부적절한 위치에 임플란트를 식립할 수 밖에 없는 경우, 그리고 발치와내 임플란트의 초기 고정을 확보하기 위해 부적절하게 큰 직경의 임플란트를 식립해야 할 경우에 즉시 임플란트식립은 추천되지 않는다. 또한 기존 치아와 관련된 감염은 치유를 저해하고 임플란트의 성공에 위해를 줄 수 있으므로, 급성 또는 아급성 감염은 즉시 임플란트 식립의 금기증이 된다.

30명의 환자의 54부위의 발치와에 즉시 임플란트 식립을 시행한 연구에서, 임플란트가 발치와벽에 의해 완전히 둘러싸인 경우에서는 자가골 이식만 시행하더라도 매우 효과적인 것으로 나타났다.[48] 이 연구에서 협측 열개형 골 결손부가 있더라도, 자가골 이식만으로 처치가 가능한 것으로 나타났다. 다른 연구에서 발치와에 임플란트를 식립한 후 동종골 단독사용, 차단막 단독사용 또는 이를 병용한 경우에서 각기 골재생력을 평가하였는데 DFDB만 사용한 군에서 골벽이 없는 부위에 식립된 하나의 임플란트를 제외하고 모든 임플란트에서 100%의 나사산 피개가 이루어졌다.[49]

발치와에 즉시 임플란트 식립과 함께 여러 가지 골이식을 시행한 5명의 환자의 임상연구가 시행되었다.[50] 이 연구에서, 자체적으로 공간 확보가 되지 않는 골결손부는 자가골 또는 동종골을 차단막과 병용한 경우에서 가장

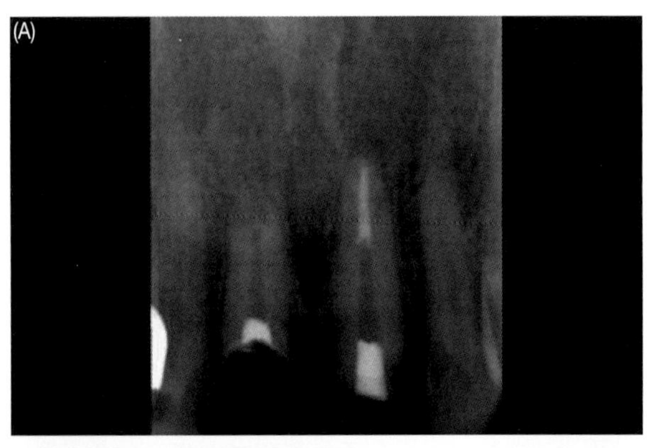

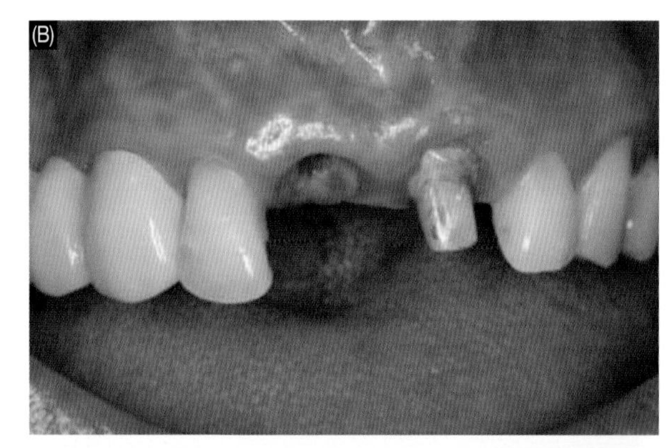

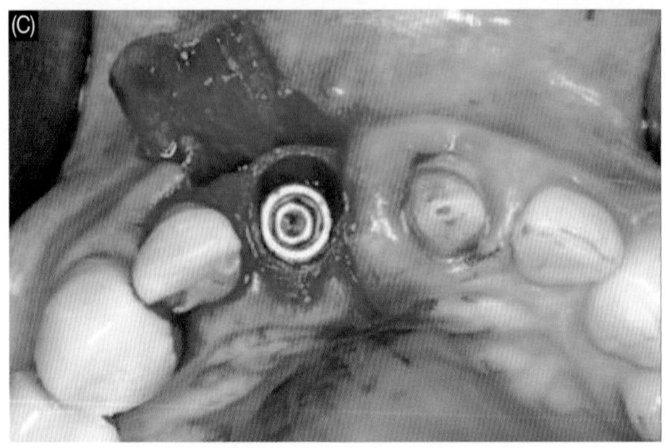

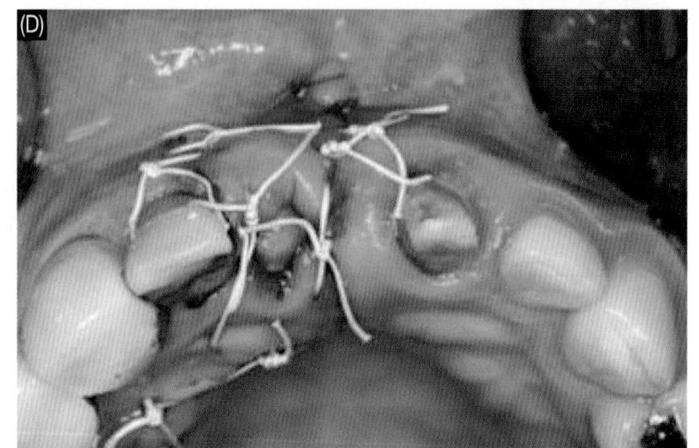

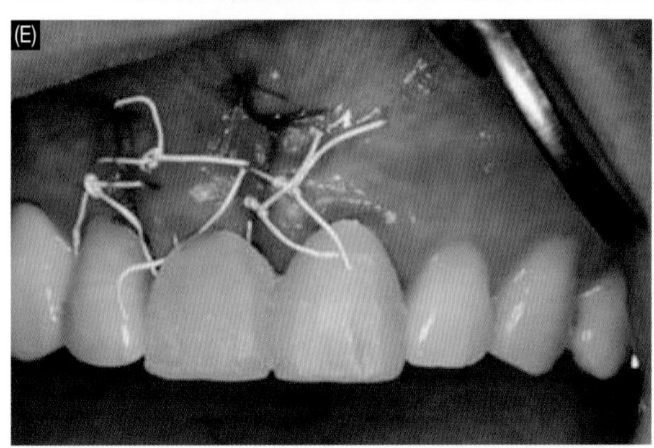

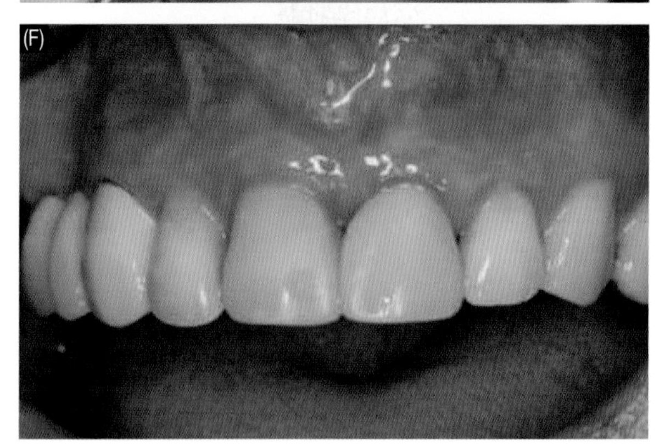

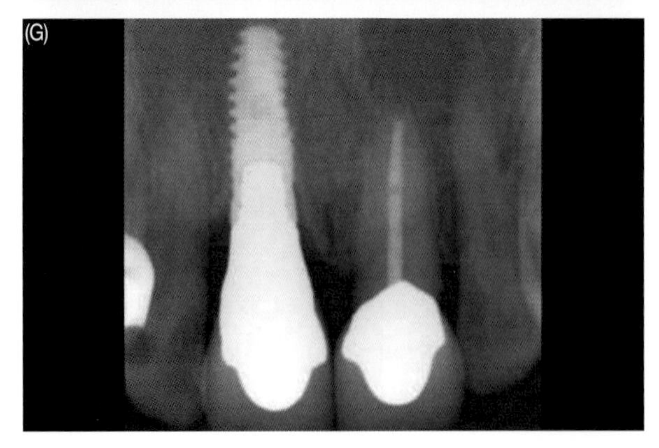

그림 46-17. 발치와 즉시 임플란트 식립
(A) 술전 방사선소견 (B) 술전 협측소견 (C) 발치 후 즉시 임플란트 식립 (D, E) 결합조직이식편을 이용한 폐쇄 및 봉합 (F) 보철 후 협측소견 (G) 보철수복 완료 후 방사선소견

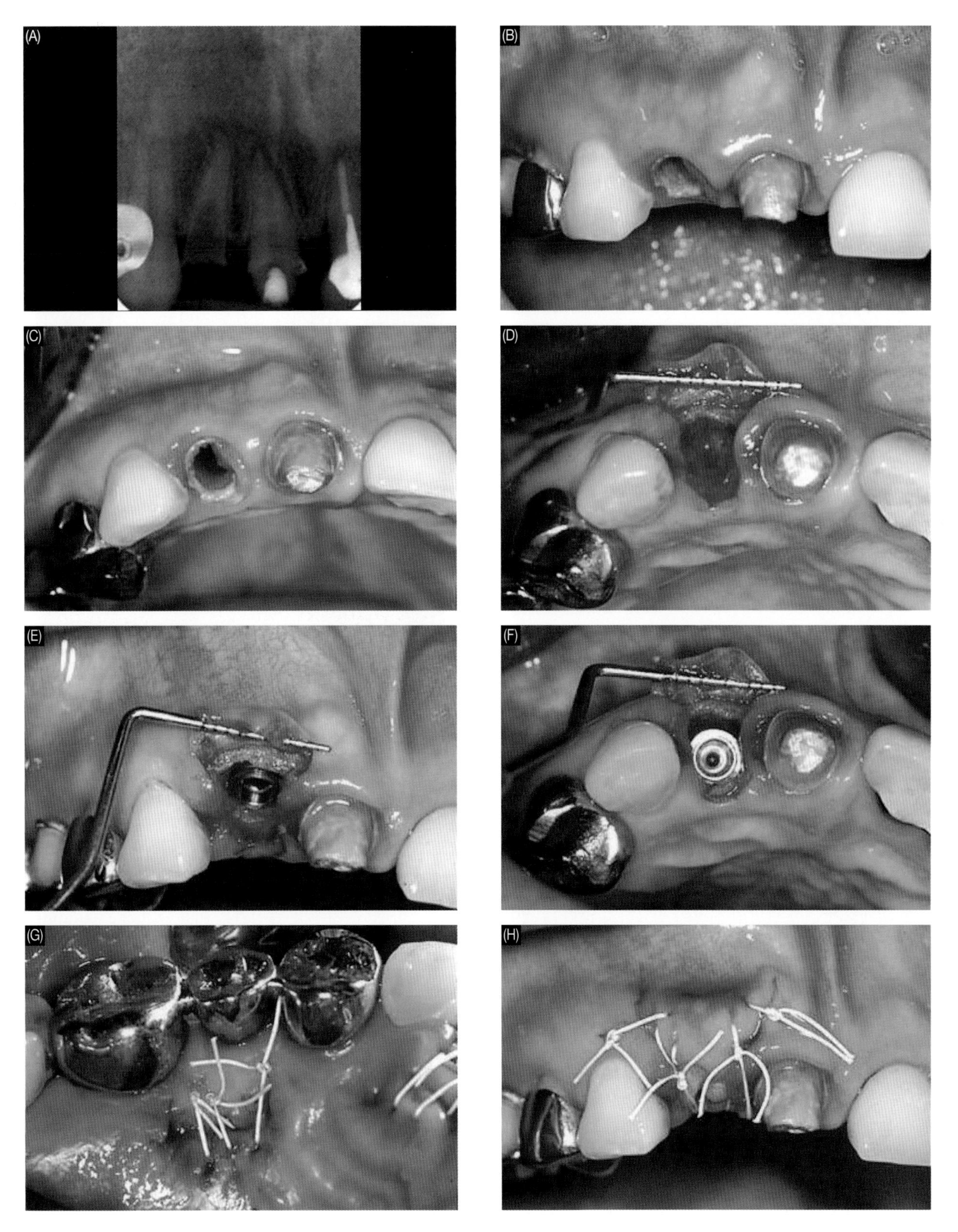

그림 46-18. 발치와 즉시 임플란트 식립

(A) 술전 방사선소견 (B, C) 술전 협측, 교합면 소견 (D) 발치 후 교합면소견 (E, F) 즉시 임플란트 식립 (G) 구개측에서 결합조직이식편 채득 (H) 결합조직이식편을 이용한 폐쇄 후 봉합 [계속]

좋은 결과를 나타내었으며, 골이식 없이 강화되지 않은 차단막만 사용한 경우보다 좋은 결과를 보였다. 최근 연구에서 미세표면거칠기를 지닌 임플란트는 임플란트와 발치와벽 사이에 존재하는 어느 정도 크기의 공간까지는 부가적인 골재생술 없이도 혈병이 적절히 보호된다면 양호한 골충진 및 임플란트의 골유착을 얻을 수 있는 것으로도 알려졌다(jumping distance).

2) 조기/지연 임플란트 식립 (Early/Delayed implant placement)

조기 임플란트 식립은 연조직 치유기간을 부여하기 위해 발치 후 4–8주에 시행한다. 지연 임플란트 식립은 발치 후 3–4개월에 시행하며 연조직 치유가 완성된 장점을 지니면서 조기 임플란트 식립에 비해 발치와내 부분적인 골치유가 이루어져서 임플란트의 초기 고정이 증가할 수 있다는 장점을 지닌다. 즉시 임플란트 식립에서는 시술부의 완전한 피개를 위한 연조직양이 부족하지만, 조기/지연 임플란트 식립에서는 연조직 치유를 위한 기간을 부여할 수 있다.[51] 또한 발치와의 완전한 골치유가 이루어지기 전에 임플란트를 식립함으로써 전체 치료기간을 수개월 정도 단축시킬 수 있다. 발치 후 초기기간 동안은 골형성 활성도가 높기 때문에, 조기 임플란트 식립 시에도 임플란트 주위의 골형성이 촉진되는 즉시 임플란트 식립에서의 장점을 지닌다. 조기/지연 임플란트 식립의 가장 큰 장점은 발치와 부위의 연조직이 치유되었기 때문에, 임플란트를 피개하기 위한 판막의 신장이 필요하지 않다는 것이다. 따라서 치은점막의 부조화를 수정하기 위한 부가적인 외과적 술식이 필요하지 않다. 지연 임플란트 식립은 발치와에 잔존해 있을 수 있는 감염의 자발적 해소를 위한 충분한 기간을 부여할 수 있다. 하지만 조기 임플란트 식립에서 4–8주의 치유기간은 치조제의 골형성 및 형태에 큰 영향을 미치지 않으므로 즉시 임플란트와 비슷한 정도의 골지지를 가진다는 한계점이 있다. 따라서 지지골의 상태와 발치와에서 얻을 수 있는 임플란트의 고정은 즉시 임플란트에서와 유사하다.

3) 단계적/통상적 임플란트 식립 (Staged/Conventional implant placement)

단계적 임플란트 식립은 연조직과 골조직의 완전한 치유가 일어난 발치 4개월 이후 임플란트를 식립하는 것이며 보철수복을 위한 이상적인 위치에 임플란트를 식립할 수 있다. 충분한 연조직 및 경조직으로 임플란트가 피개된다. 따라서 판막의 변위가 필요 없고, 잔존염증의 자연해소가 가능하며, 연조직의 개입을 방지할 수 있다는 지연 임플란트 식립에서의 장점을 지니고, 연장된 치유기간으로 인해 최대의 골재생을 얻을 수 있다는 장점이 있다.[31] 주변골의 지지가 양호할 경우 골이식 없이 또는 골이식을 시행한 후 발치와의 완전한 골치유가 이루어진 상태에서 임플란트를 단계적으로 식립한다. 치유 기간이 연장됨에 따라 발치와에 이식된 골의 충분한 재혈관화를 이룰 수 있는데, 임플란트의 식립과 동시에 골이식을 시행한 경우에는 이러한 장점을 얻을 수 없다. 주된 단점은 전체 치료기간이 오래 걸린다는 것이며 임플란트 식립을 위한 외과시술이 따로 시행되어야 한다는 것이다.

지연 임플란트 또는 단계적 임플란트 식립 술식은 보철적으로 적절한 위치에 심미적인 임플란트의 식립을 용이하게 한다. 이들은 치조골의 양을 유지하고 골증대술의 필요성을 감소시키며, 치은치조점막수술의 필요성을 감소시킨다. 둘 중 어떤 술식을 선택할 것인지 결정하기 위해서는 발치 후 잔존골의 양과 위치를 면밀히 평가하는 것이 필요하다. 이를 위한 기본적인 평가사항은 다음과 같다.

국소마취 후 치주낭 측정기를 이용한 "bone sounding"을 통해 치아 주위의 지지골의 형태를 파악할 수 있다. 발치와 주위의 지지골 형태는 발치 후 촉진, 탐침 그리고 판막거상 후 직접 확인할 수 있다. 만약 발치 부위가 사방에서 충분한 지지골이 있을 경우 순측 골이 매우 얇은 경우를 제외하고는 부가적인 골증대술 없이도 발치와가 골로 채워질 수 있을 것이다. 단순발치 후 4~6개월이면 완전한 골치유에 충분하며, 골증대술 없이 통법대로 임플란트의 식립이 가능하다. 반대로 순측에 골이 적거나 없을 때에는 임플란트 식립을 위해서 골 증대술이 필요하다. 이러한 경우에 발치 시 골이식을 시행함으로써 치아에 의

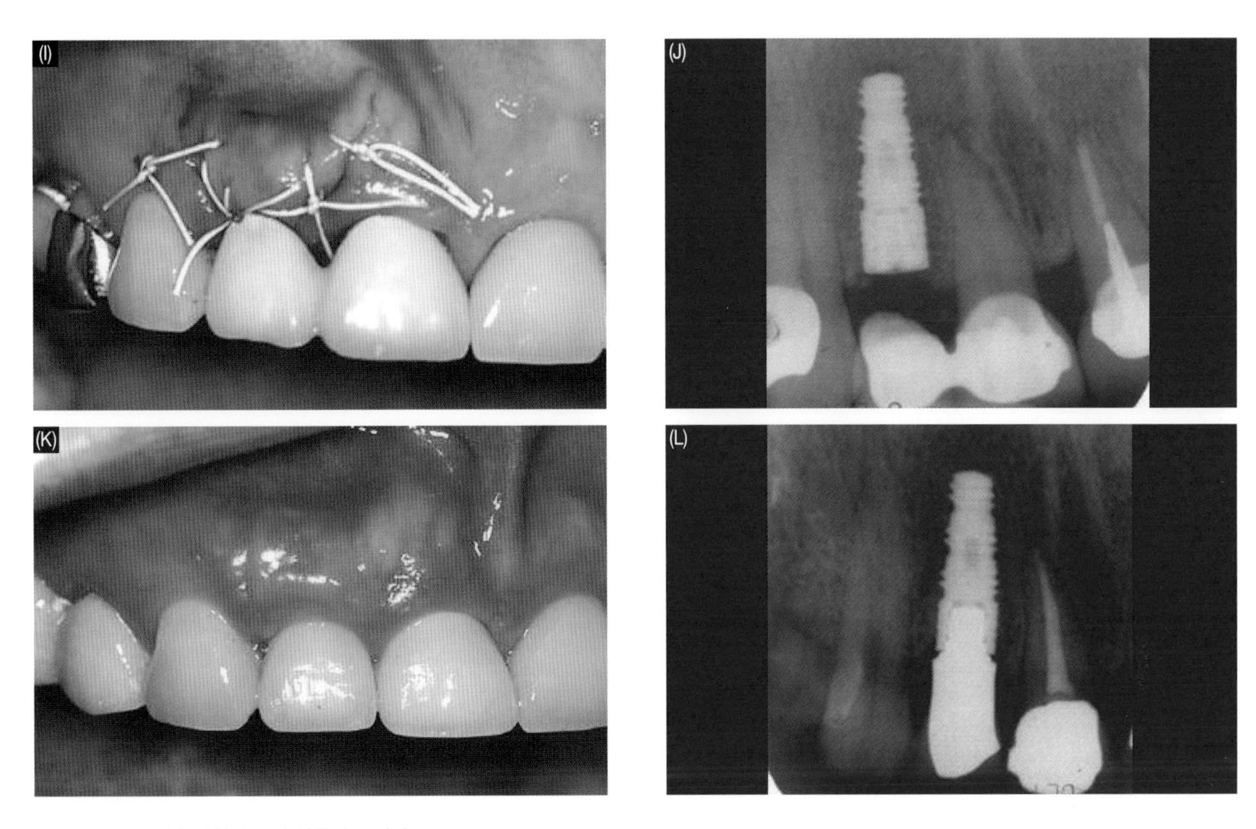

그림 46-18. [계속] 발치와 즉시 임플란트 식립
(I) 결합조직이식편을 이용한 폐쇄 후 봉합 (J) 임플란트 식립 직후 방사선소견 (K) 보철수복 완료 후 협측소견 (L) 보철수복 완료 후 방사선 소견

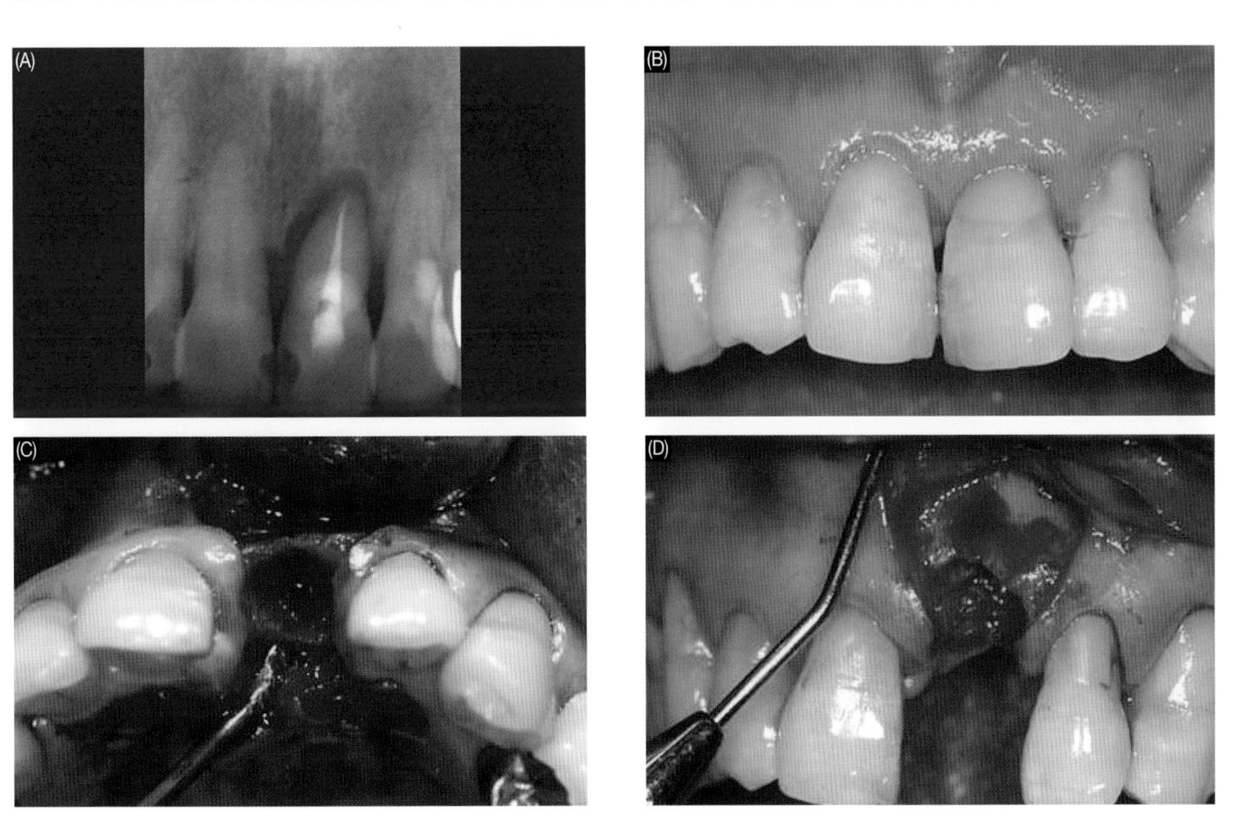

그림 46-19. 발치와 즉시 임플란트 식립. (A) 술전 방사선소견 (B) 술전 협측소견 (C, D) 발치 후 협측, 교합면소견 [계속]

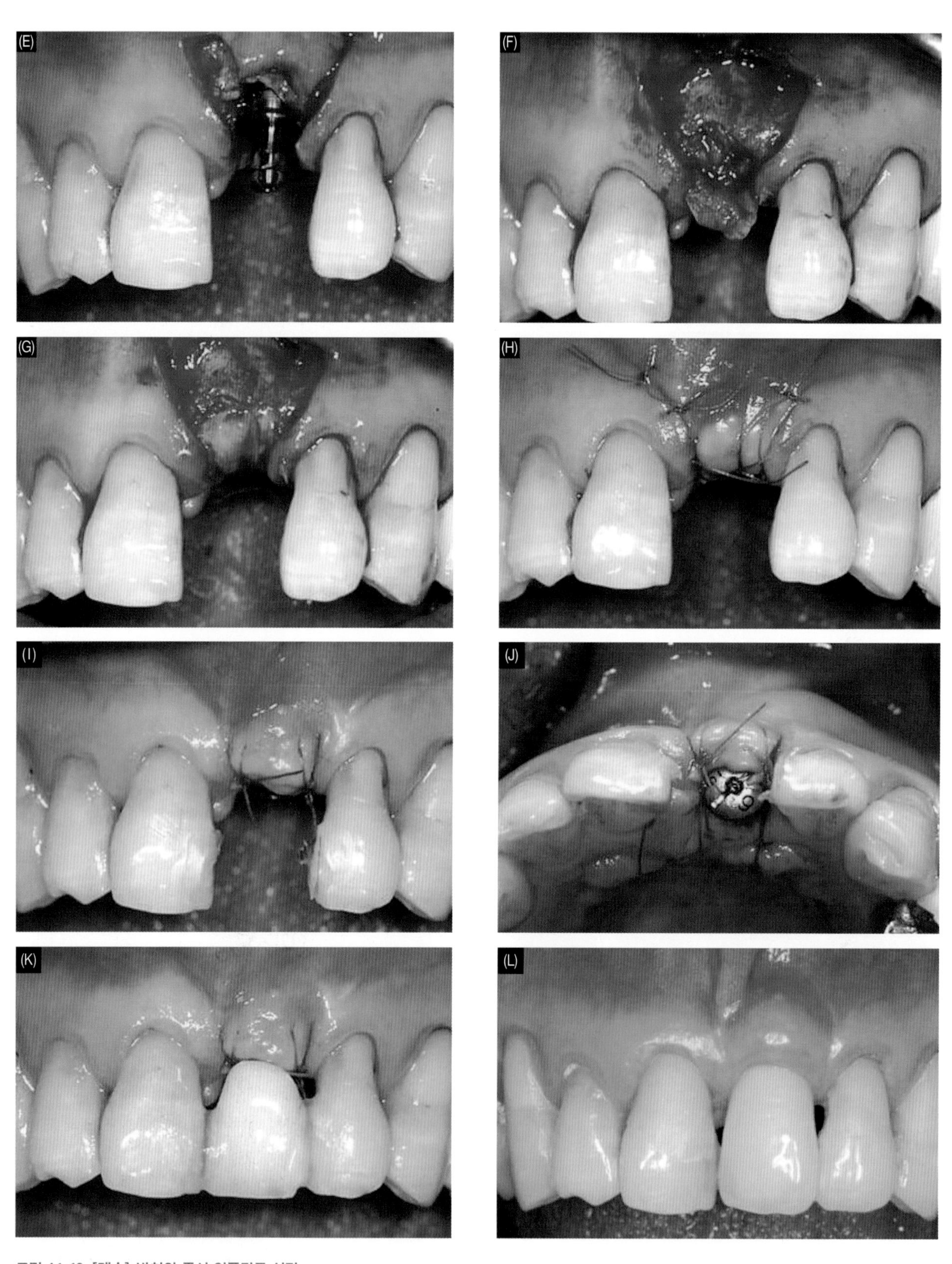

그림 46-19. [계속] 발치와 즉시 임플란트 식립

(E) 임플란트 식립 (F, G) 입자형 자가골이식재 충진 후 결합조직이식편으로 피개 (H) 봉합 (I, J) 이차수술 후 봉합시행 후 협측, 교합면 소견 (K) 임시치아를 인접치아에 고정 (L) 보철완료 7년 후 협측소견

해 유지되던 치조제를 유지할 수 있다. 비록 잔존골에 의해 임플란트의 충분한 지지를 얻을 수 있는 경우에도 순측골이 얇아 향후 흡수가 일어난다면 결과적으로 협측 연조직 및 경조직의 함몰을 초래하여 비심미적인 결과가 나타난다. 따라서 이 경우 협측으로 연조직 및 경조직 외형을 보존하기 위한 골재생수술이 필요하다.

그림 46-17과 그림 46-18은 상악전치 발치와 동시에 즉시 임플란트를 시행한 증례이다. 포스트를 시행한 치관의 파절 및 근관치료가 불가능한 상악중절치와 보존 불가능한 치근우식을 가진 상악측절치 발치 후 즉시 임플란트를 식립하기로 하였다. Periotome을 이용하여 외상없이 치근을 발치 후 발치와벽의 상태는 수직적으로 양호하였으며, 협측골의 두께도 비교적 두꺼웠다. 임플란트를 식립 후 임플란트와 발치와 사이의 공간을 합성골이식재로 충진하고 구개측에서 채득한 결합조직이식편으로 임플란트와 발치와를 완전히 피개하였다. 보철수복 후 수복물의 형태는 치은퇴축 없이 심미적이며 양호한 연조직 외형을 관찰할 수 있다.

그림 46-19는 상악좌측 중절치의 치근단병소 및 치주염으로 인해 발치와 동시에 임플란트를 시행한 증례이다. 발치 즉시 식립된 임플란트는 하방 지지골에 의해 충분한 고정을 얻을 수 있었다. 향후 시술부의 퇴축을 방지하기 위해서 입자형 자가골이식재로 충진 후 결합조직이식편으로 시술부를 피개 후 판막을 봉합하였다. 보철완료 7년 후 임상소견에서 인접 중절치와 비교 시 더 이상의 치간부치은의 퇴축이 발생하지 않았고 비교적 심미적인 협측 연조직외형을 유지함을 관찰할 수 있다.

5. 결론

임플란트 치료의 최종적인 목표는 최적의 심미성 및 기능성을 둘 다 충족하는 임플란트 수복을 시행하는 것이다. 초기 임플란트 치료에서는 적응증이 되지 못하였던 심한 골결손부에서도 수술기법의 발달과 더불어 현재 임상에서는 예지성 있는 골재생의 결과를 얻을 수 있게 되었다. 입자형 골이식재 및 블록형 골이식을 동반한 골유도재생술을 포함한 골재건술은 치조골 결손을 회복하고 보철적으로 적절한 위치에 임플란트를 식립하게 함으로써 심미적이고 기능적인 임플란트 치료를 가능하게 하였다. 예지성 있는 골재생의 결과를 얻기 위해서는 생물학적 원리를 이해하고 이러한 원칙들을 반드시 준수해야 한다. 정확한 진단, 치료계획, 수술 시 주의 깊은 처치와 술후 추적평가, 적절한 임플란트 하중 등이 성공을 위한 중요한 요소로 작용한다.

참고문헌

1. Klokkevold PR, Newman MG. Current status of dental implants: a periodontal perspective. The International journal of oral & maxillofacial implants 2000;15:56-65.
2. Mellonig JT, Nevins M. Guided bone regeneration of bone defects associated with implants: an evidence-based outcome assessment. The International journal of periodontics & restorative dentistry 1995;15:168-185.
3. Dahlin C, Linde A, Gottlow J, Nyman S. Healing of bone defects by guided tissue regeneration. Plastic and reconstructive surgery 1988;81:672-676.
4. Schenk RK, Buser D, Hardwick WR, Dahlin C. Healing pattern of bone regeneration in membrane-protected defects: a histologic study in the canine mandible. The International journal of oral & maxillofacial implants 1994;9:13-29.
5. Murray G, Holden R, Roschlau W. Experimental and clinical study of new growth of bone in a cavity. American journal of surgery 1957;93:385-387.
6. Linde A, Thoren C, Dahlin C, Sandberg E. Creation of new bone by an osteopromotive membrane technique: an experimental study in rats. Journal of oral and maxillofacial surgery : official journal of the American Association of Oral and Maxillofacial Surgeons 1993;51:892-897.
7. Zellin G, Gritli-Linde A, Linde A. Healing of mandibular defects with different biodegradable and non-biodegradable membranes: an experimental

9. Urist MR. Bone: formation by autoinduction. Science 1965;150:893–899.
10. Becker W, Clokie C, Sennerby L, Urist MR, Becker BE. Histologic findings after implantation and evaluation of different grafting materials and titanium micro screws into extraction sockets: case reports. Journal of periodontology 1998;69:414–421.
11. Becker W, Urist MR, Tucker LM, Becker BE, Ochsenbein C. Human demineralized freeze–dried bone: inadequate induced bone formation in athymic mice. A preliminary report. Journal of periodontology 1995;66:822–828.
12. Schwartz Z, Mellonig JT, Carnes DL, Jr., et al. Ability of commercial demineralized freeze–dried bone allograft to induce new bone formation. Journal of periodontology 1996;67:918–926.
13. Schwartz Z, Somers A, Mellonig JT, et al. Ability of commercial demineralized freeze–dried bone allograft to induce new bone formation is dependent on donor age but not gender. Journal of periodontology 1998;69:470–478.
14. Hunt DR, Jovanovic SA. Autogenous bone harvesting: a chin graft technique for particulate and monocortical bone blocks. The International journal of periodontics & restorative dentistry 1999;19:165–173.
15. Eriksson AR, Albrektsson T. Temperature threshold levels for heat–induced bone tissue injury: a vital–microscopic study in the rabbit. The Journal of prosthetic dentistry 1983;50:101–107.
16. Bahat O, Handelsman M. Periodontal reconstructive flaps––classification and surgical considerations. The International journal of periodontics & restorative dentistry 1991;11:480–487.
17. Buser D, Dula K, Hirt HP, Schenk RK. Lateral ridge augmentation using autografts and barrier membranes: a clinical study with 40 partially edentulous patients. Journal of oral and maxillofacial surgery : official journal of the American Association of Oral and Maxillofacial Surgeons 1996;54:420–432; discussion 432–423.
18. Jovanovic SA, Spiekermann H, Richter EJ. Bone regeneration around titanium dental implants in dehisced defect sites: a clinical study. The International journal of oral & maxillofacial implants 1992;7:233–245.
19. J. LC, Ayala G, Miron W. Clinical and Biologic Observations of Demineralized Freeze–Dried Bone Allografts in Augmentation Procedures Around Dental Implants. The International journal of oral & maxillofacial implants 1994;9:586–592.
20. ten Bruggenkate CM, Kraaijenhagen HA, van der Kwast WA, Krekeler G, Oosterbeek HS. Autogenous maxillary bone grafts in conjunction with placement of I.T.I. endosseous implants. A preliminary report. International journal of oral and maxillofacial surgery 1992;21:81–84.
21. Nevins M, Mellonig JT. The advantages of localized ridge augmentation prior to implant placement: a staged event. The International journal of periodontics & restorative dentistry 1994;14:96–111.
22. Doblin JM, Salkin LM, Mellado JR, Freedman AL, Stein MD. A histologic evaluation of localized ridge augmentation utilizing DFDBA in combination with e–PTFE membranes and stainless steel bone pins in humans. The International journal of periodontics & restorative dentistry 1996;16:120–129.
23. Dahlin C, Lekholm U, Becker W, et al. Treatment of fenestration and dehiscence bone defects around oral implants using the guided tissue regeneration technique: a prospective multicenter study. The International journal of oral & maxillofacial implants 1995;10:312–318.
24. Jovanovic SA, Nevins M. Bone formation utilizing titanium–reinforced barrier membranes. The International journal of periodontics & restorative dentistry 1995;15:56–69.
25. Dahlin C, Andersson L, Linde A. Bone augmentation at fenestrated implants by an osteopromotive membrane technique. A controlled clinical study. Clinical oral implants research 1991;2:159–165.
26. Palmer RM, Floyd PD, Palmer PJ, Smith BJ, Johansson CB, Albrektsson T. Healing of implant dehiscence defects with and without expanded polytetrafluoroethylene membranes: a controlled clinical and histological study. Clinical oral implants research 1994;5:98–104.
27. Jovanovic SA, Schenk RK, Orsini M, Kenney EB. Supracrestal bone formation around dental implants: an experimental dog study. The International journal of oral & maxillofacial implants 1995;10:23–31.
28. Simion M, Jovanovic SA, Tinti C, Benfenati SP. Long–term evaluation of osseointegrated implants inserted at the time or after vertical ridge augmentation. A retrospective study on 123 implants with 1–5 year follow–up. Clinical oral implants research 2001;12:35–45.
29. Simion M, Trisi P, Piattelli A. Vertical ridge augmentation using a membrane technique associated with osseointegrated implants. The International journal of periodontics & restorative dentistry 1994;14:496–511.
30. Rocchietta I, Fontana F, Simion M. Clinical outcomes of vertical bone augmentation to enable dental implant placement: a systematic review. Journal of clinical periodontology 2008;35:203–215.
31. Shanaman RH. The use of guided tissue regeneration to facilitate ideal prosthetic placement of implants. The International journal of periodontics

& restorative dentistry 1992;12:256–265.

32. Yildirim M, Hanisch O, Spiekermann H. Simultaneous hard and soft tissue augmentation for implant–supported single–tooth restorations. Practical periodontics and aesthetic dentistry : PPAD 1997;9:1023–1031;quiz 1032.
33. Donovan MG, Dickerson NC, Hanson LJ, Gustafson RB. Maxillary and mandibular reconstruction using calvarial bone grafts and Branemark implants: a preliminary report. Journal of oral and maxillofacial surgery : official journal of the American Association of Oral and Maxillofacial Surgeons 1994;52:588–594.
34. Tolman DE. Reconstructive procedures with endosseous implants in grafted bone: a review of the literature. The International journal of oral & maxillofacial implants 1995;10:275–294.
35. Simion M, Baldoni M, Rossi P, Zaffe D. A comparative study of the effectiveness of e–PTFE membranes with and without early exposure during
36. Lang NP, Hammerle CH, Bragger U, Lehmann B, Nyman SR. Guided tissue regeneration in jawbone defects prior to implant placement. Clinical oral implants research 1994;5:92–97.
37. Rominger JW, Triplett RG. The use of guided tissue regeneration to improve implant osseointegration. Journal of oral and maxillofacial surgery : official journal of the American Association of Oral and Maxillofacial Surgeons 1994;52:106–112; discussion 112–103.
38. Shanaman RH. A retrospective study of 237 sites treated consecutively with guided tissue regeneration. The International journal of periodontics & restorative dentistry 1994;14:292–301.
39. Donos N, Mardas N, Chadha V. Clinical outcomes of implants following lateral bone augmentation: systematic assessment of available options (barrier membranes, bone grafts, split osteotomy). Journal of clinical periodontology 2008;35:173–202.
40. Carlsson GE, Persson G. Morphologic changes of the mandible after extraction and wearing of dentures. A longitudinal, clinical, and x–ray cephalometric study covering 5 years. Odontologisk revy 1967;18:27–54.
41. Becker W, Dahlin C, Becker BE, et al. The use of e–PTFE barrier membranes for bone promotion around titanium implants placed into extraction sockets: a prospective multicenter study. The International journal of oral & maxillofacial implants 1994;9:31–40.
42. Becker W, Schenk R, Higuchi K, Lekholm U, Becker BE. Variations in bone regeneration adjacent to implants augmented with barrier membranes alone or with demineralized freeze–dried bone or autologous grafts: a study in dogs. The International journal of oral & maxillofacial implants 1995;10:143–154.
43. Missika P, Abbou M, Rahal B. Osseous regeneration in immediate postextraction implant placement: a literature review and clinical evaluation. Practical periodontics and aesthetic dentistry : PPAD 1997;9:165–175; quiz 176.
44. Schwartz–Arad D, Chaushu G. Placement of implants into fresh extraction sites: 4 to 7 years retrospective evaluation of 95 immediate implants. Journal of periodontology 1997;68:1110–1116.
45. Wilson TG, Jr., Schenk R, Buser D, Cochran D. Implants placed in immediate extraction sites: a report of histologic and histometric analyses of human biopsies. The International journal of oral & maxillofacial implants 1998;13:333–341.
46. Lang NP, Bragger U, Hammerle CH, Sutter F. Immediate transmucosal implants using the principle of guided tissue regeneration. I. Rationale, clinical procedures and 30–month results. Clinical oral implants research 1994;5:154–163.
47. Parodi R, Santarelli G, Carusi G. Application of slow–resorbing collagen membrane to periodontal and peri–implant guided tissue regeneration. The International journal of periodontics & restorative dentistry 1996;16:174–185.
48. William B, E, BB, Giovani P, Christina B. Autogenous Bone Grafting of Bone Defects Adjacent to Implants Placed Into Immediate Extraction Sockets in Patients: A Prospective Study. The International journal of oral & maxillofacial implants 1994;9:389–396.
49. Gelb DA. Immediate implant surgery: three–year retrospective evaluation of 50 consecutive cases. The International journal of oral & maxillofacial implants 1993;8:388–399.
50. Simion M, Dahlin C, Trisi P, Piattelli A. Qualitative and quantitative comparative study on different filling materials used in bone tissue regeneration: a controlled clinical study. The International journal of periodontics & restorative dentistry 1994;14:198–215.
51. Buser D, Dahlin C. Guided bone Regeneration in Implant Dentistry. In: Quintessence, 1994.

CHAPTER 47

상악동저 거상술과 상악동 골이식술

조규성 · 최성호 · 김창성 · 정의원

상악동저 거상(Maxillary sinus life, Maxillary sinus augmentation)은 Boyne이 1960년대에 소개하였고, 15년 후 Boyne과 James는 블레이드 임플란트를 식립하기 위한 준비과정으로 크고 함기화된 상악동을 가진 환자에서 상악동저 거상을 보고하였다.[7] 상악구치부는 잔존 수직골 높이가 감소되어 표준형 임플란트 식립에 제한이 되는 부위임이 분명하다. 특히, 상악동의 확장과 치조제의 흡수로 인한 골량의 부족으로 어려워지는 경우가 있다. 상악은 하악의 어떤 부위보다 더 얇은 피질골을 가지고 있고 치아가 상실된 후 다른 부위보다 폭은 더 빠르게 감소될 뿐만 아니라 골질은 구강 내에 다른 부위와 비교했을 때 상악의 후방부위가 가장 나쁘다.[5] 그리고 치조골 혈관의 감소와 망상골 형태의 감소에 의해 흡수현상은 가속화된다. 상악동저의 거상은 이 문제를 해결하는 한 가지 치료 방법으로 상악동강에 접근하여 상악동 막을 거상하고 골이식재를 채우는 방법이다.

상악동저를 거상한 직후에 임플란트를 식립하는 치조정 접근법이 처음으로 Tatum에 의해 제안되었는데, 이 방법은 임플란트 크기에 맞는 '소켓 형성자(socket former)'로 임플란트 식립부를 형성한다. 손으로 두드려 상악동저를 수직 방향으로 불완전굴곡골절(greenstick fracture)시킨다. 임플란트 식립부 형성 이후 치근형 임플란트를 식립하고 판막하 치유(submerged)되도록 하였다.[35] 치조정 접근법에 대해 기술한 또 다른 임상가인 Summers는 쐐기형 오스테오톰으로 임플란트 식립부의 직경을 증가시켰으며, 이 방법은 드릴과정이 없어 뼈를 보존할 수 있다. 인접골은 상악동 막이 거상되는 과정의 압박과 두드림(pushing and tapping)에 의해 압축된다. 이후 거상된 상악동 막 하방에 부피증가를 위하여 자가골이나 동종골 혹은 이종골을 넣는다.[40,53]

이처럼 임플란트 식립을 위한 상악동저 거상술식은 주로 두 가지 접근법이 있다. 첫 번째로 측방개창 접근법(lateral window approach)을 이용한 2단계 접근법과, 측방 혹은 치조정 접근법(lateral or crestal approach)을 이용한 1단계 접근법이다.[12,46,47] 1단계 혹은 2단계 접근법은 이용 가능한 잔존골의 양과 식립된 임플란트의 일차 안정성(primary stability)을 얻을 수 있는지 여부로 결정된다.[3,6]

1. 상악구치부의 치료법 선택

상악구치부의 임플란트 식립은 치조골 흡수와 상악동의 함기화로 인한 골 높이의 감소로 임플란트를 식립하기 어려운 경우가 많다. 불충분한 골량을 극복하기 위해 몇 가지 방법이 사용되는데, 가장 보존적 선택은 상악동을 피하기 위하여 짧은 임플란트를 식립하는 것이다.[23,25,27] 하지만 이를 위해 잔존골 높이가 최소한 6 mm 이상 있어야 한다. 상악동을 피하기 위한 다른 방법으로 임플란트를 골량이 충분한 근심 혹은 원심으로 기울여 심는 것이다(그림 47-1). 또한 매우 긴 관골(zygomatic) 임플란트를

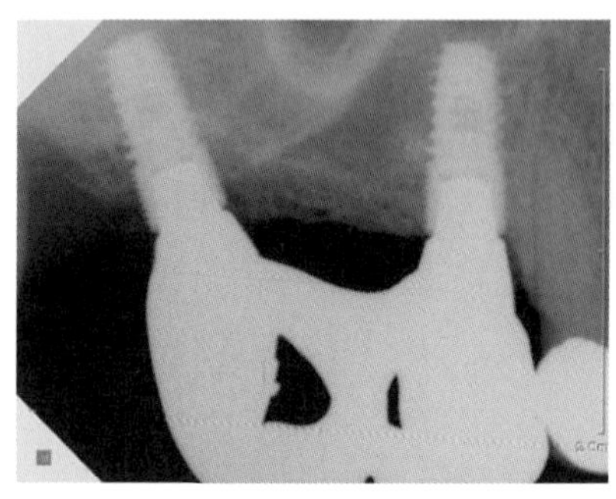
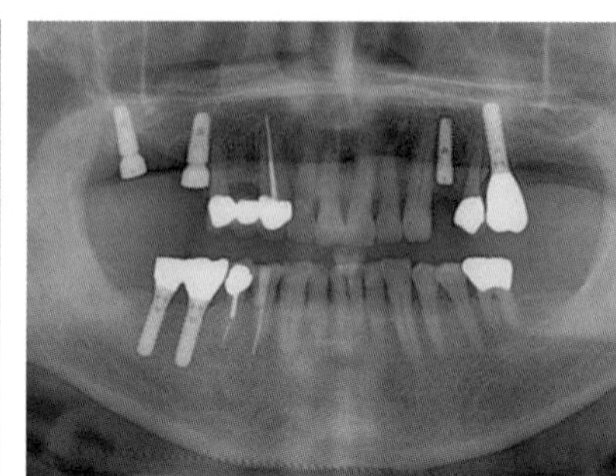
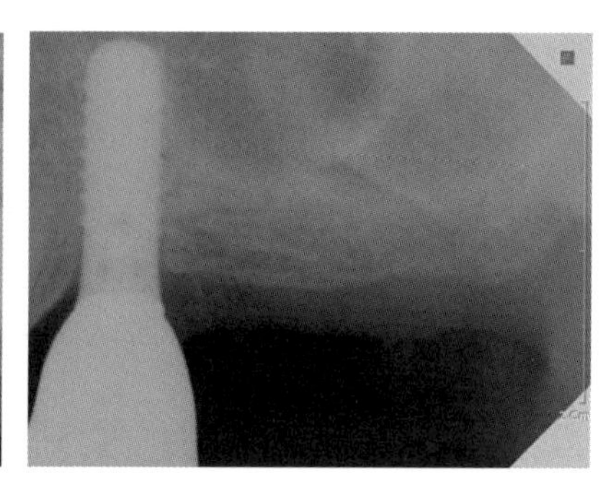

그림 47-1. 측방개창접근법에 의한 과도한 외상을 피하기 위해 상악동의 근심이나 원심측으로 임플란트를 기울여 심은 사례

관골의 측방부에 식립할 수도 있다.

그러나 적절한 잔존골이 있는 환자에서 상악동저를 거상시켜 골높이를 소량 증가시키는 오스테오톰법을 이용한 치조정 접근법으로 가능하다. 불충분한 골 높이에서도 폐쇄적 접근법으로 상악동저를 거상하여 적절한 임플란트 식립을 위한 충분한 골량을 얻을 수 있다.

상악구치부의 가장 침습적인 치료법은 측방 접근법을 통한 1단계 혹은 2단계 접근법이다. 서로 다른 방법을 숙달함으로써 대부분의 상악 무치악부를 임플란트 지지 수복물로 수복할 수 있다. 짧은 악궁(shortened dental arch)의 개념 또한 잊지 말아야 한다. Kayser의 연구에서 소구치 교합만으로도 충분한 저작능력(50~80%)을 유지할 수 있음을 보여주었다.[38]

2. 상악동의 해부학적 형태와 상악동저 거상술 시 유의해야 할 구조물

상악골은 상악동, 비강 측벽, 익상판 등과 관련된 혈관 구조와 치아 등의 다양한 구조물로 구성되어 있다. 상악동은 피라미드 모양이다. 피라미드의 기저부는 비강의 측벽이기도 한 상악동의 중앙 측벽이며, 첨부는 관골을 향해 있다. 상악동의 천정은 안와저이기도 하다. 상악동은 중앙 측벽 상부에 비생리적인 배출로(상악골 구멍, maxillary ostium)가 있으며, 이는 비강의 중앙과 하부 비갑개(conchae) 사이에 개구부가 위치한다.[13,19]

상악동은 상악구치가 기능하는 동안은 전체적인 크기를 유지한다. 그러나 상악동은 연령 증가에 따라 커지고, 특히 구치가 소실된 경우 더욱 그렇다. 완전히 발달된 상악동의 평균 체적은 약 15 ml (4.5~35.2 ml)이다. 상악동은 하방과 측방으로 확장되며, 견치부까지 확장되기도 한다.

상악동은 성기고 혈관분포가 많은 결합조직을 덮는 호흡상피(가성중층섬모원주상피, PCCE)로 이장되어 있다. 상악동의 골벽에 바로 인접한 결합조직 하방은 골막이다. 이 구조물(상피, 결합조직과 골막)을 총칭하여 Schneiderian membrane이라고 부른다.[14]

상악동 거상술 시 측방창 형성 후 상악동 막을 거상하게 되는데, 격벽(Septum)이 존재하는 경우 격벽으로 인하여 거상이 어려워지고, 경우에 따라 막의 천공을 유발하기도 한다. 또한 격벽의 존재 및 위치 파악이 정확히 되지 않은 경우, 경첩에 의한 측방창이 불가능해지기도 한다. 따라서, CT를 통한 분석을 통해 격벽의 위치와 크기 형태를 사전에 파악하는것이 중요하다. 경우에 따라 격벽을 피해 두 개의 측방창을 형성해야 할 경우도 있다. 상악동 격벽의 빈도는 16~58%로 다양하며, 한국인의 CT 자료 분석에 의한 연구에 따르면 26.5%에서 존재하는 것으로 보고되었다(그림 47-2). 이들 중 50.8%가 중간 부위에서 발견되었으며, 평균 높이는 외측에서 1.63 mm, 중간부위에서 3.55 mm, 내측에서 5.46 mm였다.[39]

그리고 상악동 주변에서는 후상치조동맥과 안와하동맥이 상악동 주변 골 내, 골 외측 또는 상악동측에서 서로 동정맥 문합(anastomosis)을 이루는 경우가 빈번하다

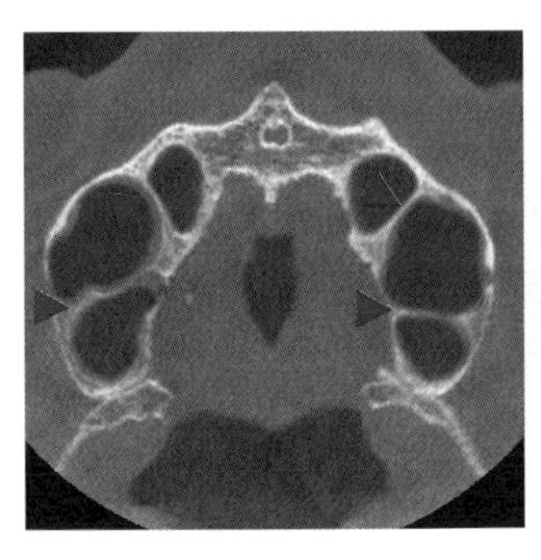
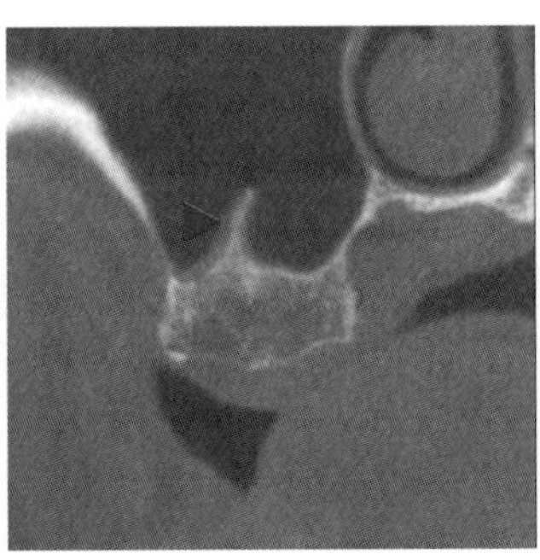
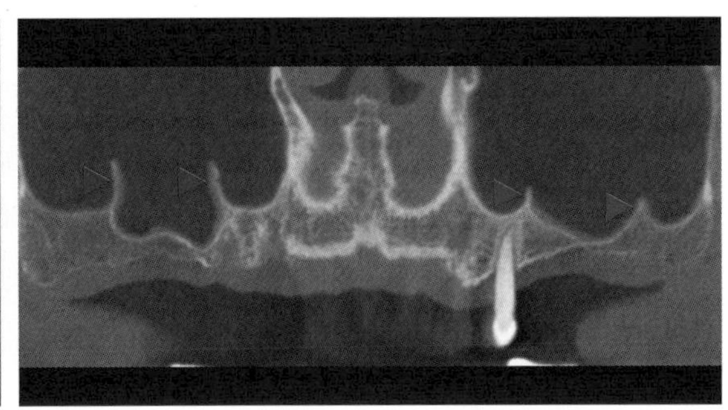

그림 47-2. CT 단면상에서 양측 각각 2개의 상악동 불완전 격벽이 관찰된다.

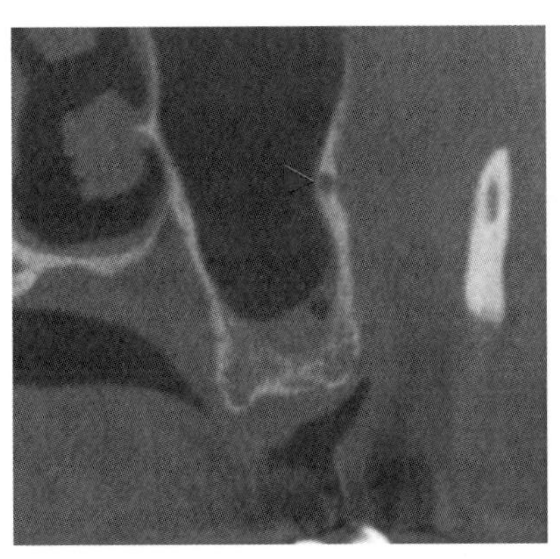
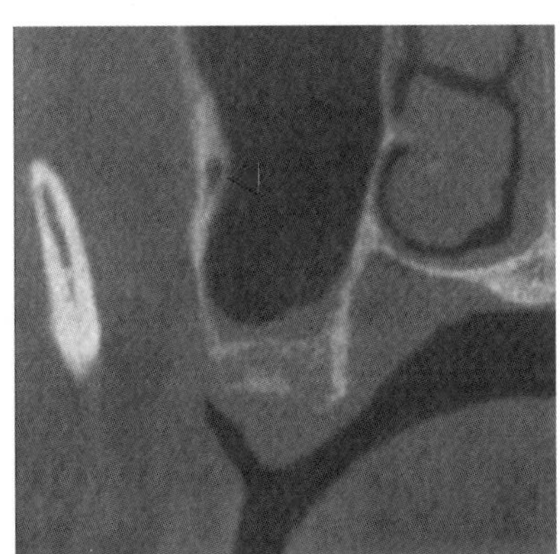

그림 47-3. CT 단면상에서 상악동 외측 골판내 혈관이 관찰된다.

(그림 47-3). 골 내로 주행하는 경우, CT 단면상을 통해 발견하고 미연에 술합병증을 방지할 수 있지만, 골 외측이나 상악동측으로 주행하는 경우에는 방사선 사진으로 파악할 수 없다. 따라서 판막 형성 시 되도록 수직절개를 너무 높이 연장하지 않도록 하며, 판막 연장을 위한 골막 절개 시에도 출혈에 주의하며 시행해야 한다.[19,52]

1) 측방개창 접근법으로 상악동저 거상

측방 접근법을 이용한 상악동저 거상술의 주 적응증은 치조제의 수직고경이 감소되어 표준 임플란트를 식립하기 어려운 경우, 오스테오톰(osteotome)법을 이용하여 상악동저를 약간 거상하고 동시에 임플란트를 식립할 수 없는 경우이다.[5] 상악동저 거상술의 절대적 국소 금기증은 급성 부비동염, 알러지성 비염과 만성 재발성 부비동염, 반흔성과 저기능성 점막, 국소 급진성 양성종양, 악성종양이다. 내과적 금기증은 두경부에 화학요법이나 방사선 요법을 시술 6개월 이내에 경험한 자, 면역억제 환자, 골대사에 영향을 미치는 내과적 상태, 비조절성 당뇨, 정신과 문제가 있는 경우다. 흡연 여부가 시술의 절대적 금기증인지는 아직 논란 중에 있다.[10,26,45]

(1) 외과적 술식

술전 0.1%의 클로르헥시딘으로 1분간 세정하고 수술 부위의 협, 구개측에 국소마취를 시행한다. 초기 절개선은 치조정 중앙에 두며, 계획된 측방창을 넘어가도록 한다. 절개는 전방으로 상악동의 전방 경계를 넘기고 이완 절개는 전방에서 협측 전정까지 확장하여 판막의 거상을 용이하게 한다. 점막골막판막을 계획한 측방 창의 높이보다 약간 상방까지 박리한다. 측방 상악동벽이 노출되면 스트레이트 앵글을 이용하여 원형 카바이드버로 골절단선의 외형을 표기한다. 상악동 막의 푸른 색조가 관찰될 때까지 스트레이트 앵글을 이용하여 다이아몬드버로 형성을 계속한다. 이 때 측방창 형성의 전체적인 디자인은 상악동의 측벽, 치조제의 정상에서 상악동저의 위치, 치아와 관계 있는 전방벽의 후방부 등을 검토 후에 결정된다. 협측 피질골판을 처리하는 세 가지 방법이 제안되어 있다. 첫 번째로 라운드버로 협측 골판을 종이처럼 얇게 하여 상악동 막을 거상하기 전에 제거하는 것이다. 두 번째 방법은 트랩도어처럼 피질골을 골절시켜 하방의 골막에 부착된 채로 상악동의 상연으로 사용하는 것이다. 피질골판은 흡수에 저항하므로 이식재를 보호할 수 있다. 세 번째 방법은 피질골판을 막 거상 중에 제거하고 이식 완료 후 재위치시키는 것이다. 이 방법의 근거는 측방 창이 원래의 피질골 판으로 완전히 치유되지 않는다는 것이다. 그러나 피질골판을 재위치시키지 않아도 골침착에 의한 측방창의 치유가 일어난다는 보고가 있다.[8] 그 다음 단계부터는 임상 조건과 술자의 선호도에 따라 2단계법 혹은 임플란트 식립과 동시에 시행하는 1단계법의 상악동저 거상술을 시행한다(그림 47-4).

• 2단계 상악동 거상(임플란트의 지연식립)

이식재를 상악동 거상 후 생긴 공간에 채운다. 이 때 신생골의 내부 성장을 위한 공간이 감소될 수 있으므로 빽빽하게 채우지 않는다. 거상된 공간에 이식재를 채운 후 측방창을 흡수성 혹은 비흡수성 차폐막으로 피개한 후, 판막을 장력 없이 봉합한다(그림 47-5).[37]

• 1단계 상악동 거상

상악동 막 거상 후 임플란트 식립부를 형성한다. 회전기구

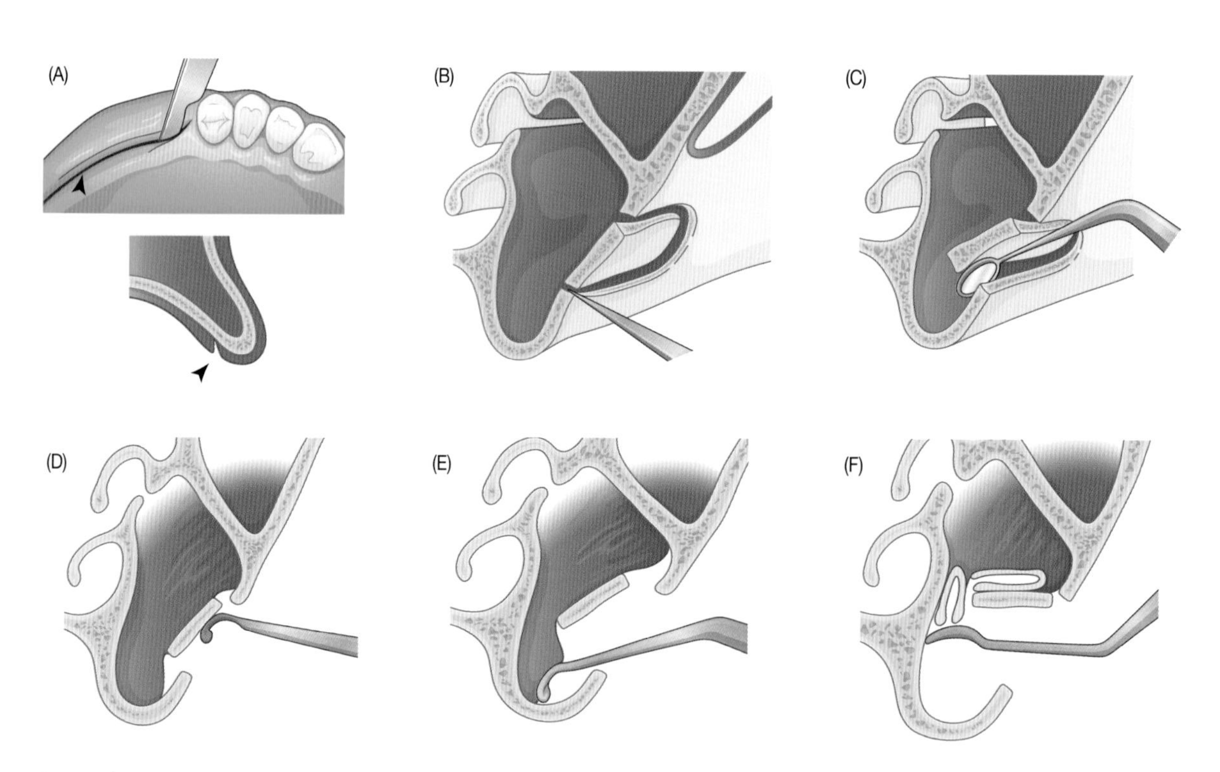

그림 47-4. 측방개창접근법

(A) 전층골막판막의 거상 (B) 측방창의 외형을 상악동 막의 천공을 피해 형성 (C, D, E) 뭉툭한 기구를 이용하여 상악동 막을 조심스럽게 거상시킨다. 천공을 피하기 위해 모든 술식 동안에는 기구가 항상 하방 골에 접촉된 상태를 유지해야 한다. (F) 협측 피질골판을 골절시켜 "trap-door"처럼 상악동 내부 및 상방으로 이동시킨다.

를 사용하는 경우 골막기자로 상악동 막을 보호하여 천공을 방지한다. 적절한 임플란트의 길이를 깊이 측정기로 측정하고 임플란트 식립 전 이식재를 상악동 내측 벽에 위치시킨다. 임플란트 식립 후 상악동 막 거상공간의 측방부를 이식재로 채운다. 이후의 과정은 2단계와 동일하다(그림 47-6).

(2) 술후 관리

술후 동통과 불편을 최소화하기 위해 최대한 외상을 주지 않도록 해야 하며, 판막과 상악동 막을 천공시키지 않도록 주의한다. 수술 중 골은 젖은 상태를 유지하도록 하며 장력 없는 봉합이 필수적이다. 환자가 경험하는 통증은 대부분 수술 후 하루 동안에만 발생한다. 종창과 좌상은 가장 흔한 술후 합병증이다. 종창을 줄이기 위해 냉찜질을 최소 술후 첫 한 시간동안 시행한다. 때때로 가벼운 출혈이 코에서 나올 수 있다. 환자에게 코 부분이 약간 자극될 수 있음을 알리고 재채기할 때 코를 막지 않도록 하여 압력이 배출될 수 있도록 한다. 수술 후 항생제를 투여하고 0.1~0.2%의 클로르헥시딘 등의 항균 세정제를 수술 후 초기 3주간 사용하도록 한다.

(3) 합병증

가장 흔한 술중 합병증은 상악동 막 천공이다. 이것은 이미 천공이 존재하거나, 점막을 거상할 때 일어날 수 있으며 이러한 합병증은 약 10~34% 정도 발생한다. 천공시 외과적 접근은 뚫린 곳보다 원심 상악동 점막을 거상한다. 천공이 작은 경우(5 mm 이하) 조직 피브린 글루나 봉합, 흡수성 차폐막으로 폐쇄할 수 있다. 보다 큰 천공인 경우, 큰 차폐막, 층판골판 혹은 봉합을 단독으로 혹은 피브린 글루와 함께 적용한다. 안정적인 상부 경계를 만들 수 없는 큰 천공인 경우 이식을 포기하고 6~9개월 후 재시도한

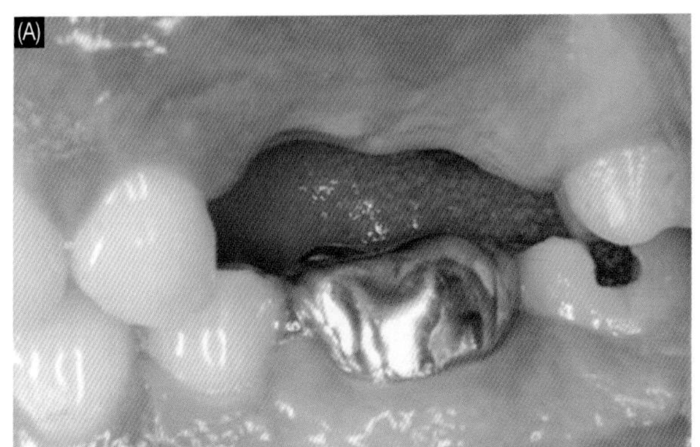

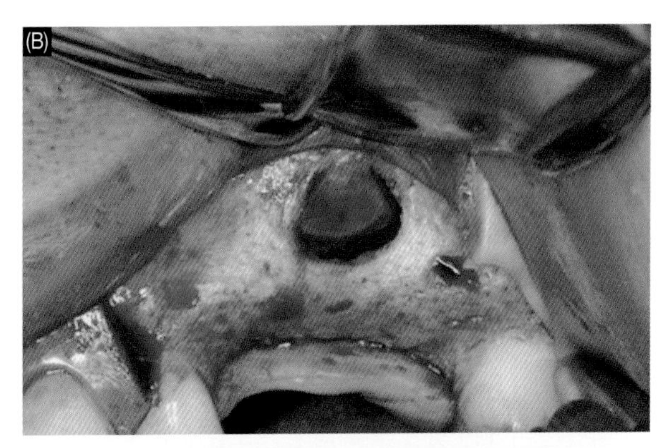

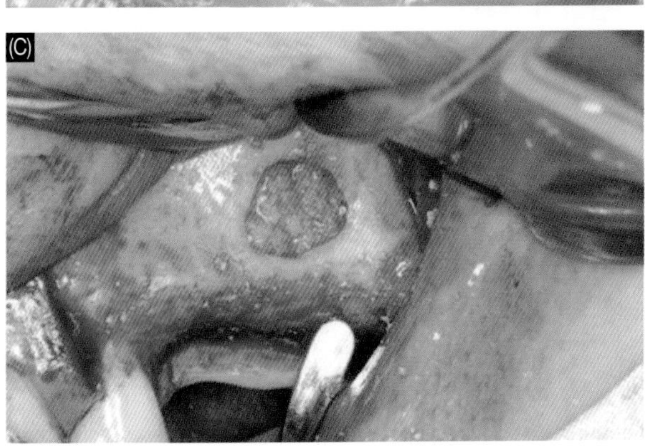

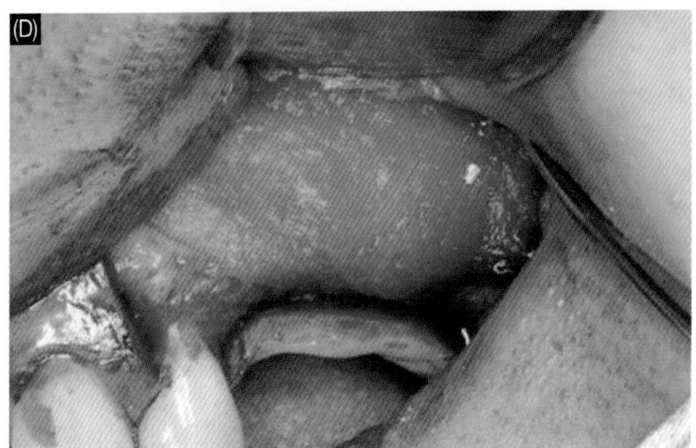

그림 47-5. 2단계 상악동 거상
(A) 초진사진 (B) 협측 피질골판을 골절시켜 "trap door"처럼 상악동 내부 및 상방으로 이동 (C) 상악동 내부를 골 이식재로 성기게 채운다. (D) 측방 창을 한 겹 또는 두 겹의 흡수성 막으로 덮는다.

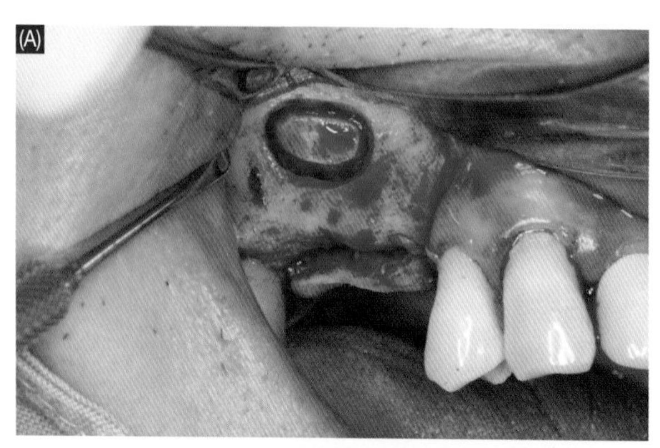

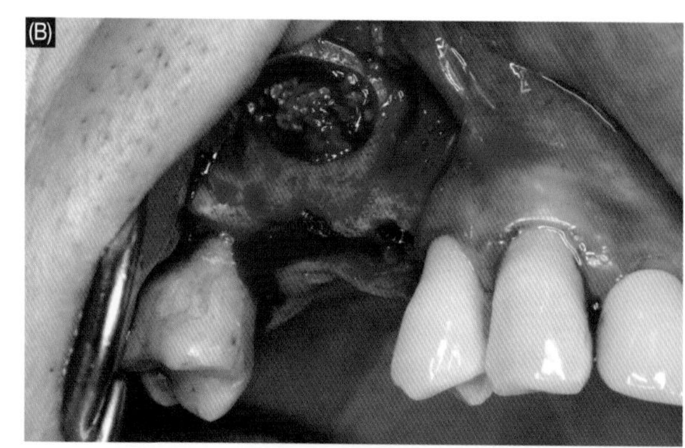

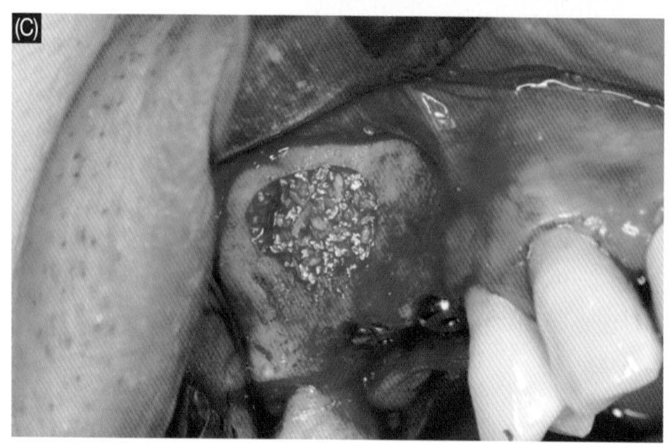

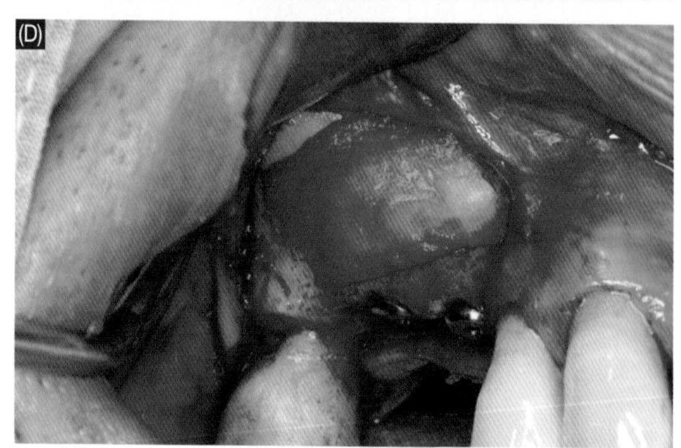

그림 47-6. 1단계 상악동 거상

(A) 임플란트 식립을 위해 측방창 형성 (B, C) 임플란트 식립 전 이식재를 상악동 내측벽에 위치시키고 임플란트 식립 후 상악동 막 거상공간의 측방부를 이식재로 채운다. (D) 흡수성 막으로 덮는다.

다. 수술 중에 발생할 수 있는 다른 합병증으로 골 창이나 상악동 막에서 기원한 과다출혈과 창상열개가 있다. 이식한 상악동의 감염은 드문 합병증이며 천공 시에 보다 높은 빈도로 나타난다. 따라서 이 경우 이식과 임플란트 동시 식립은 피하는 것이 좋다. 감염은 보통 술후 3~7일째에 나타나며 이식이 실패할 수 있다. 상악동 이식 후 감염 시에는 반드시 즉각적이고 적극적으로 처치해야 하고 반드시 상악동 내의 이식재를 외과적으로 완전히 제거하고 고용량의 항생제를 투여한다. 시술 전 해부학적 혹은 기능적 이상이 있는 환자에서는 부비동염 같은 합병증이 발견되기도 한다. 그 외에 만성 감염, 이식재 노출, 전체 이식재 소실, 구강-상악동 누공, 측방 창을 통한 연조직의 내부성장, 이식재의 육아조직으로의 대체와 상악동 낭종과 같은 지연성 실패도 보고되었다.[49]

(4) 이식재

경화기 동안 신생골 형성량보다 흡수량이 더 많으면 치유중 자가골의 소실이 일어난다. 따라서 자가골의 과도한 흡수를 방지하기 위해 흡수가 느린 골대체재와 자가골을 혼합하여 경화기 중 이식재의 안정성을 증가시킬 수 있다. 인산 삼칼슘(tricalcium phosphate, TCP)은 상악동저 거상술에 성공적으로 적용된 최초의 골대체재였다.[35] 그 후 다양한 형태의 동종골, 무생물 이식재(alloplast)와 이종골이 단독으로 혹은 자가골과 혼합하여 사용되었다.[42,44,48] 동물실험에서 우골 광물질과 같은 골대체재를 단독 혹은 자가골과 혼합하여 사용한 경우, 시간경과에 따른 이식재의 수직적 높이가 유지되었다. 상악동저 거상술을 이종골 단독 혹은 자가골 그리고/혹은 탈회 동결건조 동종골과의 혼합이식한 인체연구에서, 골 대체재에 최소 20%의 자가골을 혼합한 경우 유의하게 많은 양의 활성골 형성을 보였다. 6~9개월 후 평균 활성골 형성량은 27.1%였다. 그러나 비교연구에서는 이종골만 100% 이식한 경우 100% 자가골이나 자가골/이종골 혼합이식보다 높은 임플란트 생존율을 보고하였다.[21,28,29,31]

Hatano 등에 의하면 상악동 거상술 후 재생된 조직은 양호한 골질을 보였고 이것은 임플란트 식립 시 초기고정을 얻기에 충분히 훌륭하다고 보고하였다. 방사선학적으로 수직적인 골높이의 감소나 이식된 부위의 부피의 감소는 발견되지 않았다. 합성골 단독 혹은 탈회 동결건조 동종골과 합성골의 혼합이식, 그리고 합성골과 자가골의 혼합이식의 3개의 그룹 간의 재생된 골의 양에는 유의성 있는 차이는 없었다(그림 47-7, 8).[30]

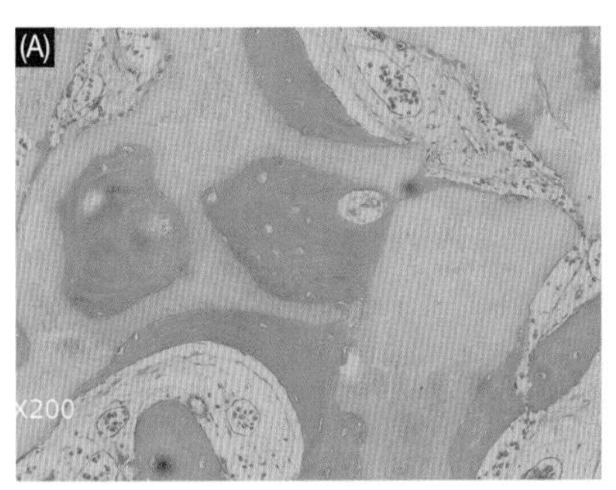

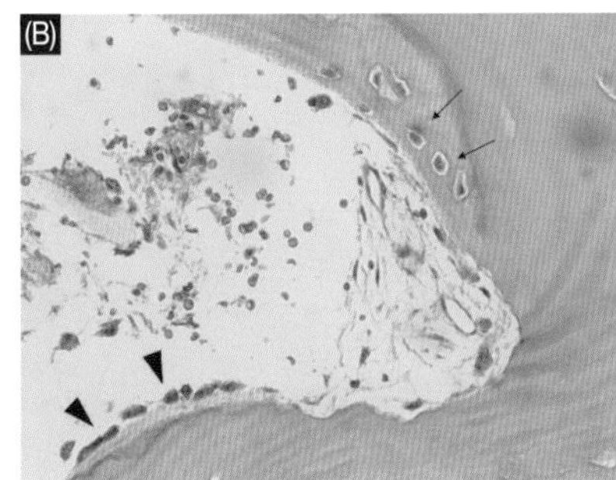

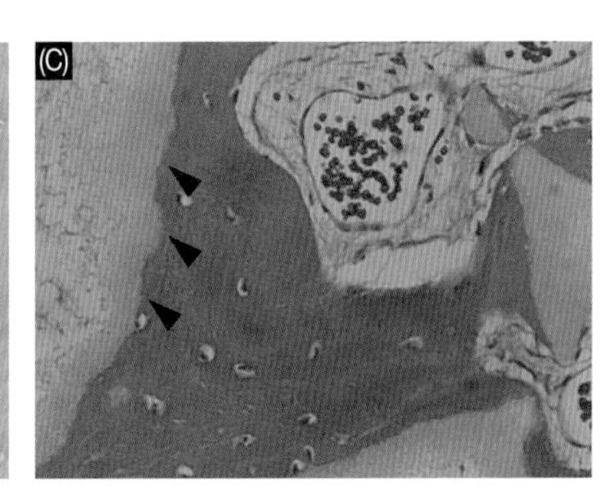

그림 47-7. 상악동 거상술 후 재생된 조직 관찰
(A) 합성골 단독 혹은 (B) 탈회 동결건조 동종골과 합성골의 혼합이식 그리고 (C) 합성골과 자가골의 혼합이식의 조직학적 관찰

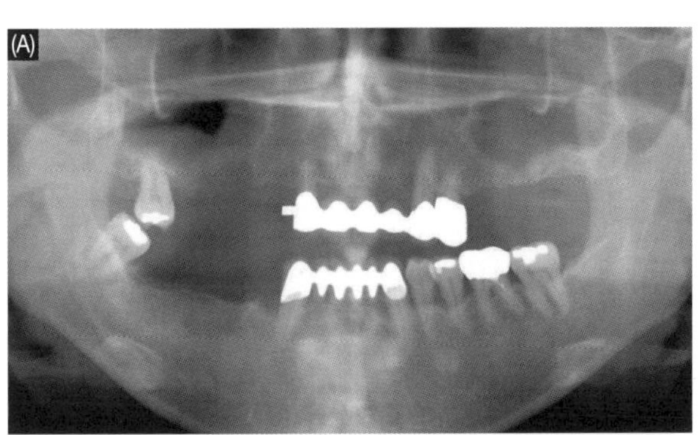

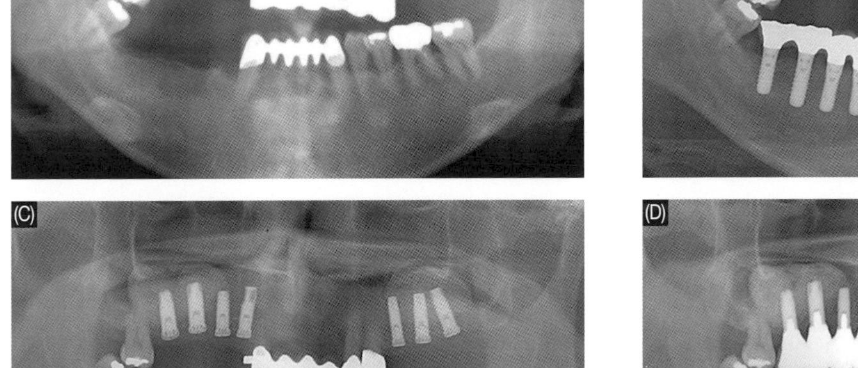
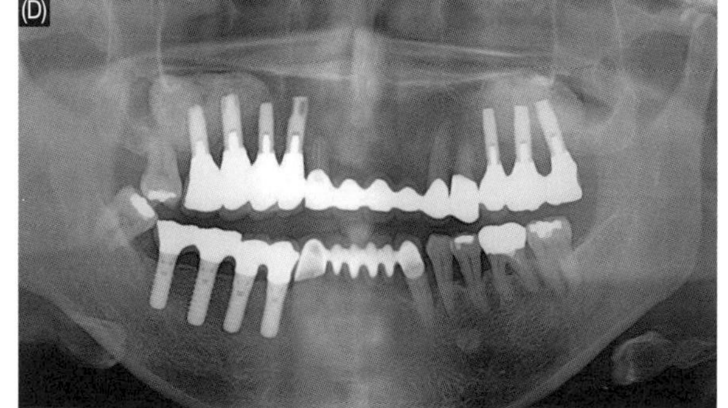

그림 47-8. 측방개창접근법을 통해 임플란트 식립한 환자
수술 2년 후까지 방사선학적으로 수직적 골 높이 및 임플란트가 잘 유지되는 모습이 관찰된다. (A) 초진 (B) 상악동저 거상술 직후 (C) 상악동저 거상술 6개월 후 임플란트 식립 (D) 상악동저 거상술 2년 후 방사선 사진

(5) 상악동저 거상술 후 식립된 임플란트의 생존 (2003년 Wallace 와 Forum)[11]

① 선정기준

최소 20회의 시술, 1년 이상의 기능적 부하를 가한 사람을 대상으로, 임플란트 생존율을 조사

- 측방 접근법으로 시행된 상악동저 거상술과 함께 식립된 임플란트 생존율은 평균 91.8%(61.7~100%)였다.
- 이식된 상악동에서 이식하지 않은 상악동보다 더 좋은 생존율을 보였다.
- 이식된 상악동에서 거친 표면의 임플란트는 기계절삭된 표면의 임플란트보다 높은 생존율을 보였다.
- 이식된 상악동에서 식립된 임플란트 중 block 이식보다 분쇄자가골이식을 시행한 경우 더 높은 생존율을 보였다.
- 측방 창에 차폐막을 적용한 경우가 임플란트 생존율이 높았다.
- 100% 자가골을 사용한 것과 자가골을 복합 이식한 것은 임플란트 생존율에 영향을 미치지 않았다.

2) 치조정 접근법(Osteotome)으로 상악동저 거상

오스테오톰법은 무른 Ⅲ, Ⅳ형의 상악골을 압축하기 위해 처음 사용되었고, 이것은 상악골의 밀도를 증가시켜 초기 안정성을 증가시키려는 것이었다.[34,35] 상악에서 무치악 치조정은 보통 협구개 측 방향으로 좁아지는데, 이 경우 표준 드릴로 임플란트 식립부를 형성하는 데 제약이 발생한다. 이런 문제를 해결하기 위해 점점 큰 직경의 쐐기형의 둥근 오스테오톰으로 압축하여 해면성 상악골을 확장하여 부드럽게 측방으로 이동시켜 치조정 폭을 증가시킨다.[9,20,41]

Tatum은 상악동저 거상을 위한 치조정 접근법을 제시하였고 Summers는 임플란트 위치 선정과 드릴 과정의 어려움을 해결하기 위해 오스테오톰 술식을 개발하였다.[35,40] 오스테오톰법 목적은 잔존하는 골을 측방이나 상방으로 재위치시켜서 모두 보존하는 것이며 무른 골질의 상악골이 압축되어서 좀 더 초기고정을 좋게 해줄 수 있다(그림 47-9). 그리고 다양한 부위에 좀 더 많은 임플란트를 식립할 수 있게 해주며 복잡한 수술과정을 피함으로써 외상을 줄여준다. Riser 등은 사람의 시신을 통한 연구에서 상악동 점막이 최소한의 천공을 보이며 4~5 mm에서 6~8 mm까지 거상될 수 있다고 하였다.

적응증은 최소 5 mm의 골높이와 충분한 골폭을 가진 편평한 상악동저이다. 금기증은 측방 접근법과 유사하지만 추가로 내이의 문제가 있는 병력을 가진 경우와 위치성 현기증을 가진 사람도 포함된다. 국소 금기증은 45° 이상의 사선형 상악동저를 보이는 경우이다. 그 이유는 상악동저의 하연이 사선형인 경우 오스테오톰에 대한 골 저항이 높기 때문이다. 이러한 상황에서 오스테오톰의 날카로운 변연과 인접한 상악동 막은 천공의 위험이 높아진다.

(1) 외과적 술식

술전 0.1% 클로르헥시딘으로 1분간 세정하고 수술 부

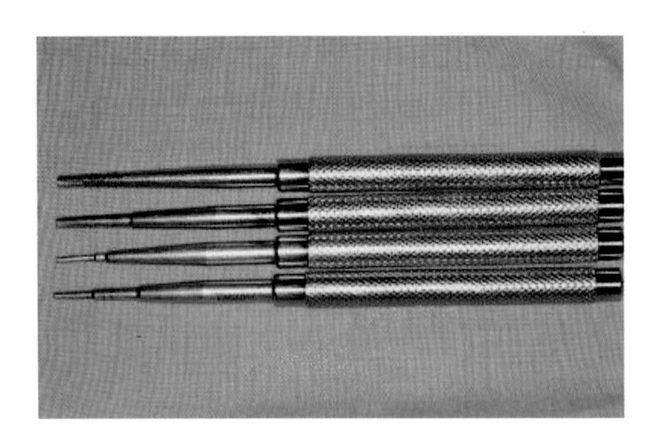

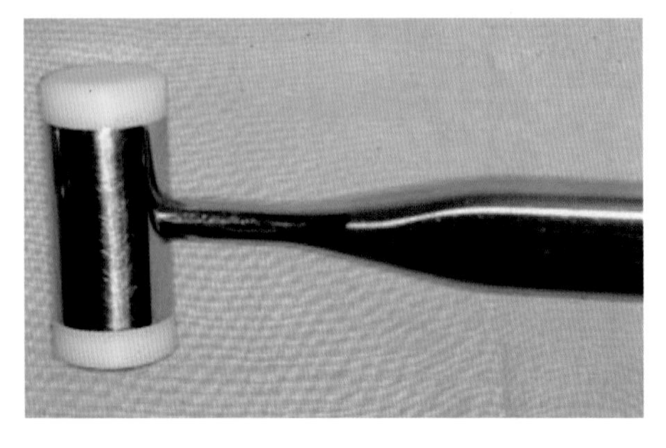

그림 47-9. 상악동 거상 및 임플란트 식립 부위 형성에 사용되는 오스테오톰 세트 및 mallet

위의 협, 구개 측에 국소마취를 시행한다. 치조정 중앙에 절개선을 위치시키고 전층 점막골막판막을 거상하고 임플란트 식립할 위치를 작은 라운드버(#1)로 치조정에 표기한다. 임플란트 위치를 정확히 한 후 형성부의 입구를 두 가지 크기의 라운드버(#2,#3)로 선택된 임플란트보다 약 0.5 mm 작게 확장한다. 술전 방사선 사진에서 측정한 치조제부터 상악동저까지 거리는 대부분의 경우 수술 중 치주탐침으로 무른 망상골(Ⅲ형이나 Ⅳ형)을 관통하여 관찰된다. 상악동저까지의 거리를 확인한 후 임플란트 직경보다 1~1.5 mm 작은 직경의 파일럿 드릴로 상악동저 2 mm 하방까지 임플란트 식립부를 형성한다. 무른 Ⅳ형 골을 가지고 잔존골이 5~6 mm인 경우 보통 파일럿 드릴은 필요없고 치조제의 피질골만 라운드버로 천공시켜도 충분하다. 처음에는 작은 직경의 쐐기형 오스테오톰을 가벼운 망치질을 통해 상악동저에 접근한 후 상악동저의 피질골을 greenstick 골절시키기 위해 오스테오톰을 1 mm 더 밀어넣는다. 피질골을 파절시키기 위한 힘을 최소화하기 위해 작은 직경의 쐐기형 오스테오톰을 사용한다.

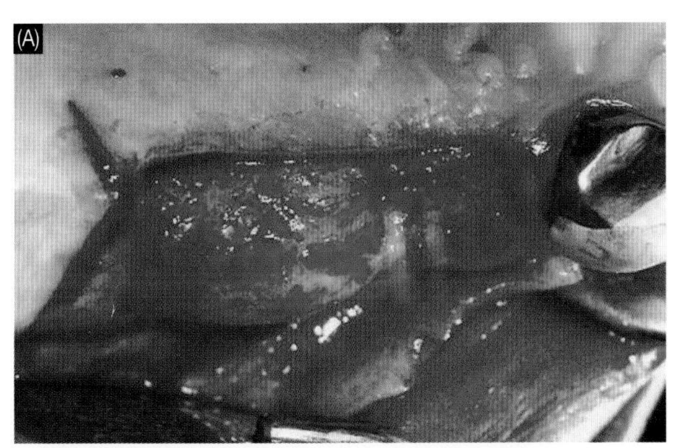

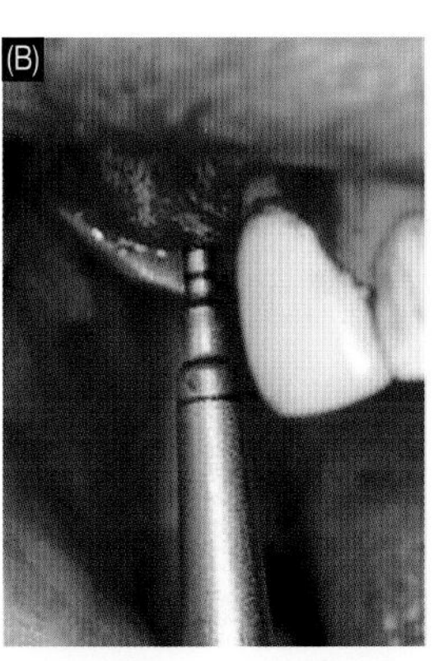

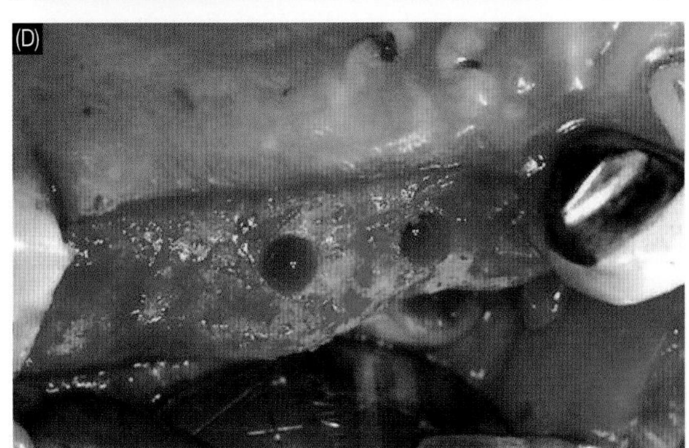

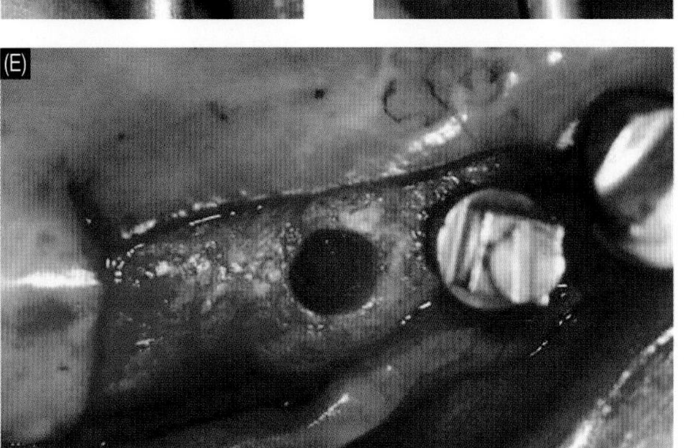

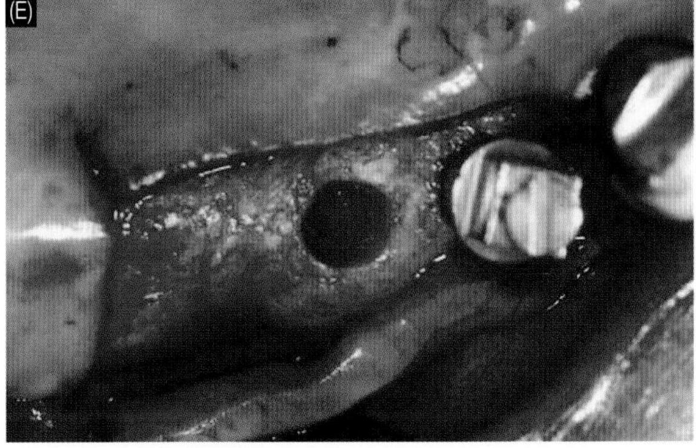

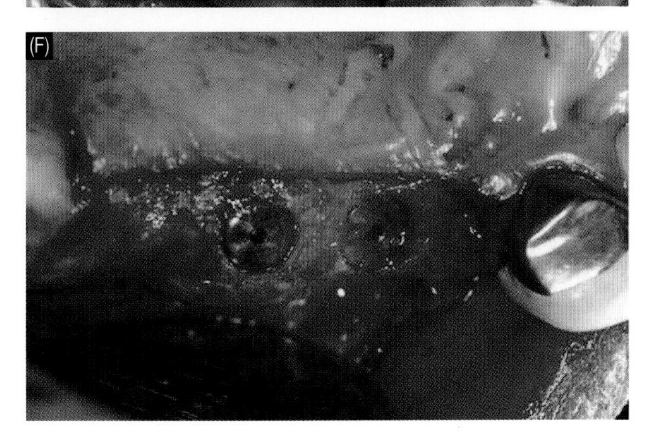

그림 47-10. 오스테오톰법으로 상악동저 거상

(A) 전층판막을 거상한다. (B, C) 오스테오톰을 이용하여 식립될 임플란트 부위 형성한다. 처음 사용하는 오스테오톰은 작은 직경의 taper 오스테오톰이며 이와 같은 오스테오톰은 피질골을 골절시키는데 필요한 힘을 최소화하기 위해 선택한다. 마지막 오스테오톰은 식립될 임플란트의 직경과 모양에 맞는 형태를 가져야 한다. (D) 오스테오톰으로 형성된 임플란트 식립 부위 (E, F) 임플란트를 식립한다.

상악동저의 파절부를 확장하기 위해 직경이 보다 큰 두 번째 쐐기형 오스테오톰을 같은 길이로 적용한 후 식립될 임플란트보다 직경이 1~1.5 mm 작은 세 번째 직선형 오스테오톰을 사용한다. 여기부터 수술 술식은 골이식재의 사용 여부와 사용되는 재료에 따라 달라진다.[53]

① 골이식재 없이 임플란트 식립

식립할 임플란트보다 직경이 1~1.5 mm 작은 직선형 오스테오톰을 이식재를 적용하지 않고 상악동저를 관통한 후 좀 더 밀어넣는다. 최종 사용한 오스테오톰은 식립할 임플란트의 형태와 직경에 맞춰야 한다. 예를 들어 4.1 mm 직경의 원기둥형 임플란트에서 최종 오스테오톰은 임플란트 직경보다 약 0.5 mm 작은 직경 3.5 mm의 직선형 오스테오톰을 사용한다. 중요한 점은 최종 오스테오톰은 임플란트 식립부 형성 시에 한 번만 넣어야 한다는 것이다. 무른 골에 임플란트 식립부 형성을 몇 번에 걸쳐 시행한다면 식립부의 직경이 증가될 위험성이 높아지며 이는 일차 안정성을 얻기 힘들게 할 수 있다. 반면에 최종 오스테오톰 직경이 식립할 임플란트보다 너무 작으면 임플란트 식립 시 과다한 힘이 적용되어 골을 과도하게 압박하게 되고 보다 많은 골외상이 일어나게 되어 골유착 과정이 지연된다. 따라서 감소된 골량 부위에서 적절한 1차 안정성과 골외상이라는 점 사이에 적절한 균형을 유지하는 것이 중요하다(그림 47-10).[1,22]

② 골이식재를 이용한 임플란트 식립

골이식재를 사용하여 오스테오톰법을 시행할 때 오스테오톰 자체가 상악동 내로 들어가지 않게 한다. 관통 과정에서 제위치에서 이동된 골편, 이식재, 그리고 체액이 정수압 효과(hydraulic effect)를 만들며, 이는 파절된 상악동저와 상악동 막을 상방으로 들어 올린다. 상악동 막은 이러한 유압 하에서는 잘 찢어지지 않는다. 세 번째 오스테오톰을 상악동저까지 밀어 넣은 후 그리고 이식재를 넣기 전 Valsalva법(콧바람 불기)으로 상악동 막의 천공 여부를 확인한다. 환자의 코를 막은 후 저항감을 느끼며 콧바람을 분다. 만약 임플란트 식립 형성부로 바람이 샌다면 막천공이 있으며 이 경우 이식재를 넣지 않는다. 상악동 막에 이상이 없는 경우 임플란트 식립 형성부에 이식재를 채워넣고 동일한 세 번째 직선형 오스테오톰으로 천천히 밀어넣는다. 상악동 막 하방의 상악동에 0.2~0.3 g의 이식재가 위치하도록 이 과정을 4, 5회 반복한다. 네 번째와 다섯 번째 이식재를 적용할 때 임플란트 식립 형성부에 저항이 있는지 확인하기 위해 오스테오톰의 끝을 상악동 내로 1 mm 밀어 넣는다(그림 47-11, 12, 13).[15,53]

(2) 술후 관리

오스테오톰법으로 식립된 임플란트의 술후 관리는 표준 임플란트 식립 후와 유사하다. 추가로 0.1~0.2% 클로르헥시딘을 처음 3주 동안 하루에 1분간 2회 반복 실시하는 것을 권장한다. 골이식재를 사용한 경우 1주일간 항생제를 처방한다.

(3) 이식재

오스테오톰법으로 상악동 막 거상술을 시행한 후 신생골 형성을 위한 공간을 유지하기 위해 이식재를 사용하는 것이 필요한지 여부는 여전히 논란 중이다. Summers가 골이식재를 동반한 오스테오톰법을 소개한 직후 여덟 곳의 임상센터에서 다기관 후향적 연구가 시행되었다. 자가골, 동종골, 이종골이 단독 혹은 복합 사용하였는데, 저자는 이식재의 종류는 임플란트 생존에 영향을 미치지 않는다고 결론지었다.[53]

이식재를 사용하지 않은 경우 임플란트 식립 직후 임플란트의 끝에 치밀한 구조물이 관찰되는 경우가 있다. 그러나 최소 1년의 골개조 후 이 구조물은 더 이상 관찰되지 않을 수 있고, 근원심에 단지 어느 정도 획득된 골이 유지되는 것을 관찰할 수 있다. 이식재를 사용한 경우 흐릿한 경개를 가진 구름 같은 돔 모양의 구조가 임플란트 식립 후 관찰된다. 이 돔의 크기는 보통 골개조 후 감소되지만 술전에 비해 분명히 증가된 골량을 보인다(그림 47-12).[50,51]

(4) 성공과 임플란트 생존

상악동 이식술과 동반되거나, 이식된 상악동에 식립된

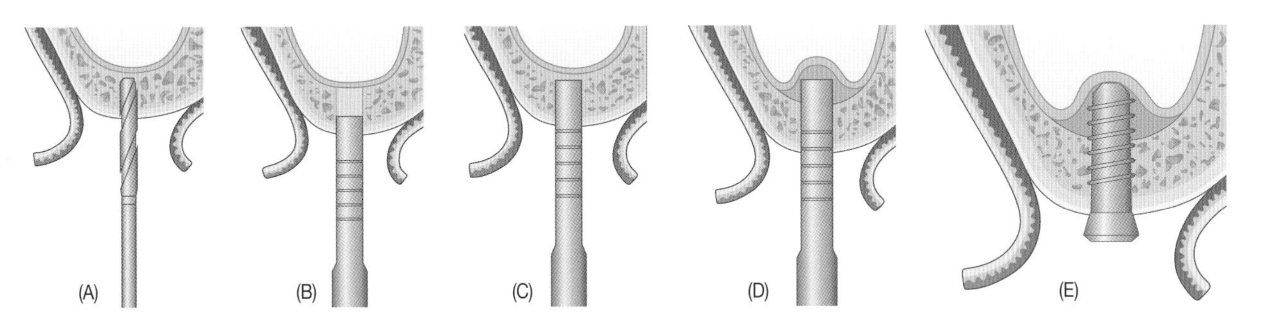

그림 47-11. 골이식재를 동반한 오스테오톰법

(A) 작은 직경의 pilot drill을 사용하여 임플란트 식립 부위를 상악동저에서 약 2 mm 하방까지 형성한다. (B) 상악동저에 도달한 후, 상악동저의 피질골을 "green-stick" 골절시키기 위해 오스테오톰을 가벼운 malleting으로 약 1 mm 더 밀어넣는다. (C) 이식재를 straight 오스테오톰을 이용하여 천천히 상악동 내로 밀어넣는다. (D) 이식재를 밀어넣은 후, 오직 오스테오톰의 tip만 상악동 내부로 들어가야 한다. (E) 상악동 막 하방에 식립된 임플란트와 이식된 골이 공간을 유지하고 있다.

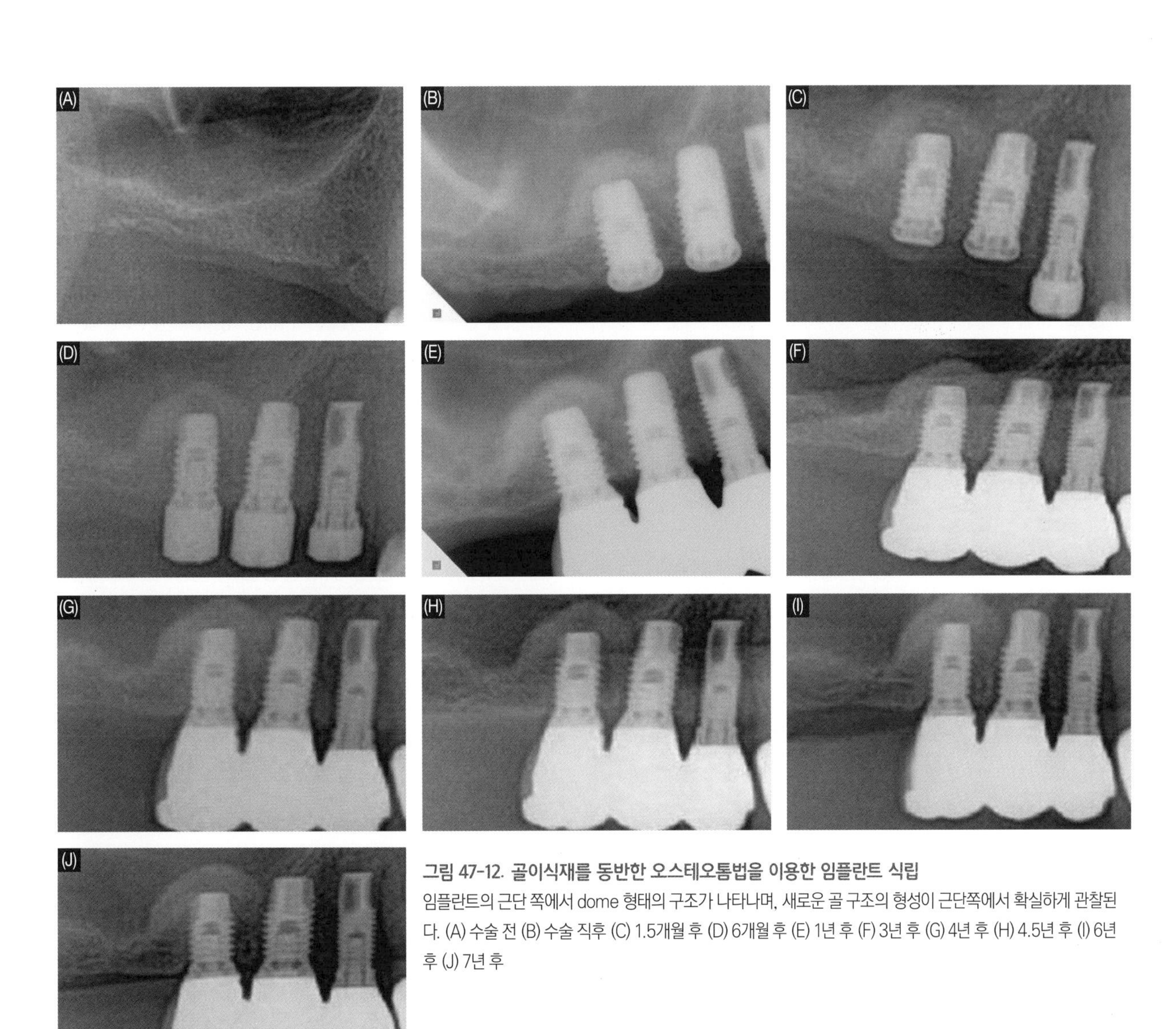

그림 47-12. 골이식재를 동반한 오스테오톰법을 이용한 임플란트 식립

임플란트의 근단 쪽에서 dome 형태의 구조가 나타나며, 새로운 골 구조의 형성이 근단쪽에서 확실하게 관찰된다. (A) 수술 전 (B) 수술 직후 (C) 1.5개월 후 (D) 6개월 후 (E) 1년 후 (F) 3년 후 (G) 4년 후 (H) 4.5년 후 (I) 6년 후 (J) 7년 후

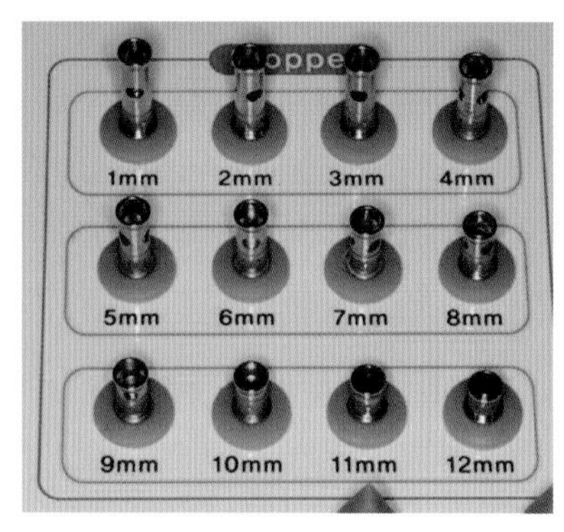

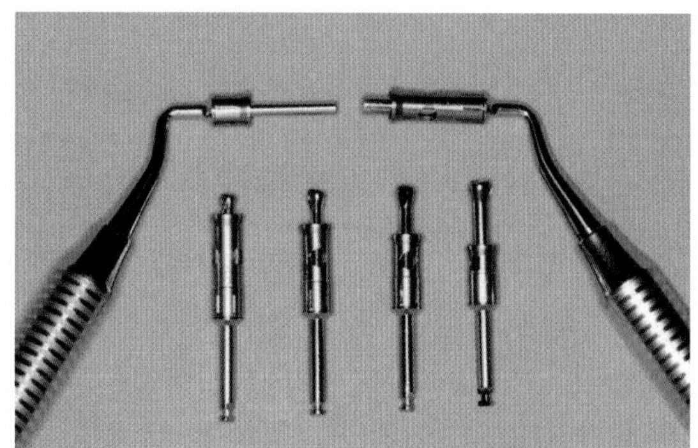

그림 47-13. 다양한 치조정 접근법을 위한 기구들

임플란트 단기 성공률은 일반적인 임플란트 식립과 유사(36개월 후 96.0%)하다. 그러나, 장기간의 관찰로 많은 환자를 대상으로 하는 연구가 부족하다. 오스테오톰법에 관한 5년을 초과하는 장기간의 결과는 여전히 드물며, 데이터베이스는 수술 기법이나 임플란트 유형, 이식재 등 매우 다양한 자료를 사용했기 때문에 통계적 분석은 하지 않았다.[20]

(5) 다양한 비침습적 치조정 접근법

최근 비침습적으로 치조정을 통해 상악동저를 거상하기 위한 다양한 기구와 방법들이 고안되어 임상에서 활발히 쓰이고 있다.

(6) 결론

높은 초기고정을 얻을 수 있는 형태와 거친 표면을 가진 임플란트를 사용한다면 초기 치유기간에 높은 골-임플란트 접촉을 얻을 수 있으므로, 상악구치부에서 고려할 수 있다. 잔존골과 연조직 높이가 감소된 경우 약간 깔대기 모양이거나 넓은 목을 가진 임플란트는 보다 양호한 초기고정을 보인다. 어떤 방법을 사용할지에 관한 임상 선택은 잔존치조골 높이와 술자의 선호도에 의한다. 따라서 다음의 추천을 제안한다.

① 잔존골이 8 mm 이상이고 편평한 상악동저: 표준 임플란트
② 잔존골이 8 mm 이상이고 사선의 상악동저: 짧은 표준 임플란트나 이식재를 사용하지 않는 치조정접근법을 통한 상악동저 거상술
③ 잔존골이 5~7 mm이고 편평한 상악동저: 흡수에 저항할 수 있는 이식재를 이용한 치조정접근법을 이용한 상악동저 거상술
④ 잔존골이 5~7 mm이고 사선의 상악동저: 이식재를 이용한 측방 접근법을 이용한 상악동저 거상술과 임플란트 동시식립(1단계법)
⑤ 잔존골이 3~4 mm이고 편평하거나 사선의 상악동저: 이식재를 이용한 측방 접근법을 이용한 상악동저 거상술과 임플란트 동시식립(1단계법)
⑥ 잔존골이 1~2 mm이고 편평하거나 사선의 상악동저: 이식재를 동반한 측방 접근법을 이용한 상악동저 거상술과 4~8개월 후 지연성 임플란트 식립(2단계법)

3. 골신장술(Distraction osteogenesis)

골신장술이란 골절단 후 점진적으로 벌려 양측의 혈행골(vascular bone)상에서 이루어지는 새로운 골의 생성을 말한다. 이러한 술식은 Ilizarov가 외상 후의 수족골 결함에서 근골격계를 치료하는 방법에서 개발되었다. 그는 인위적으로 갈라놓은 골편 사이에서 골형성이 유도된다는 것을 발견하였다.[32,33] 골신장술은 두개안면부의 골격계에서도 볼 수 있다. 이는 연속성이 소실된 골의 재건과 하악

의 길이 증가와 상악의 전진술에 사용된다. 최근에는 잔존치조제의 확장과 임플란트 식립에 이러한 골신장술의 효용성에 대한 관심이 집중되고 있다. 이러한 골신장골형성에 부수하는 연조직 신생과 점막의 신장으로, 임상적인 상황이 악조건일 때 치조골의 확장이 가능하게 되었다.[2,4] 골신장술의 다른 장점은 2차 외과적 부위가 필요 없고, 치조골의 상부에서의 신생골이 기존골이므로 완전히 재생된 골에 비해서 외력에 잘 견딜 수 있다는 것이다. 수직적 골증대술은 보철전 수술로 광범위하게 사용되어 좋은 예측성을 보인다.[16,17,18,36,43] 그러나 이 방법은 수평적 골재건을 얻는 데에는 한계가 있으며, 종종 심하게 흡수된 악골에서는 부가적인 골이식이 필요하다(그림 47-14, 15).

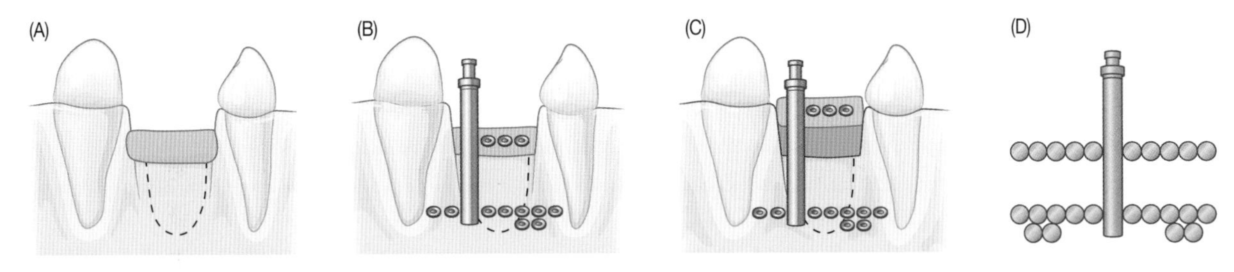

그림 47-14. 치조골 결손부에서 사용되는 골신장술. (A, B) 결손부에 골절단술을 시행하고 장치의 장착 (C) 장치를 통한 골신장 (D) distractor

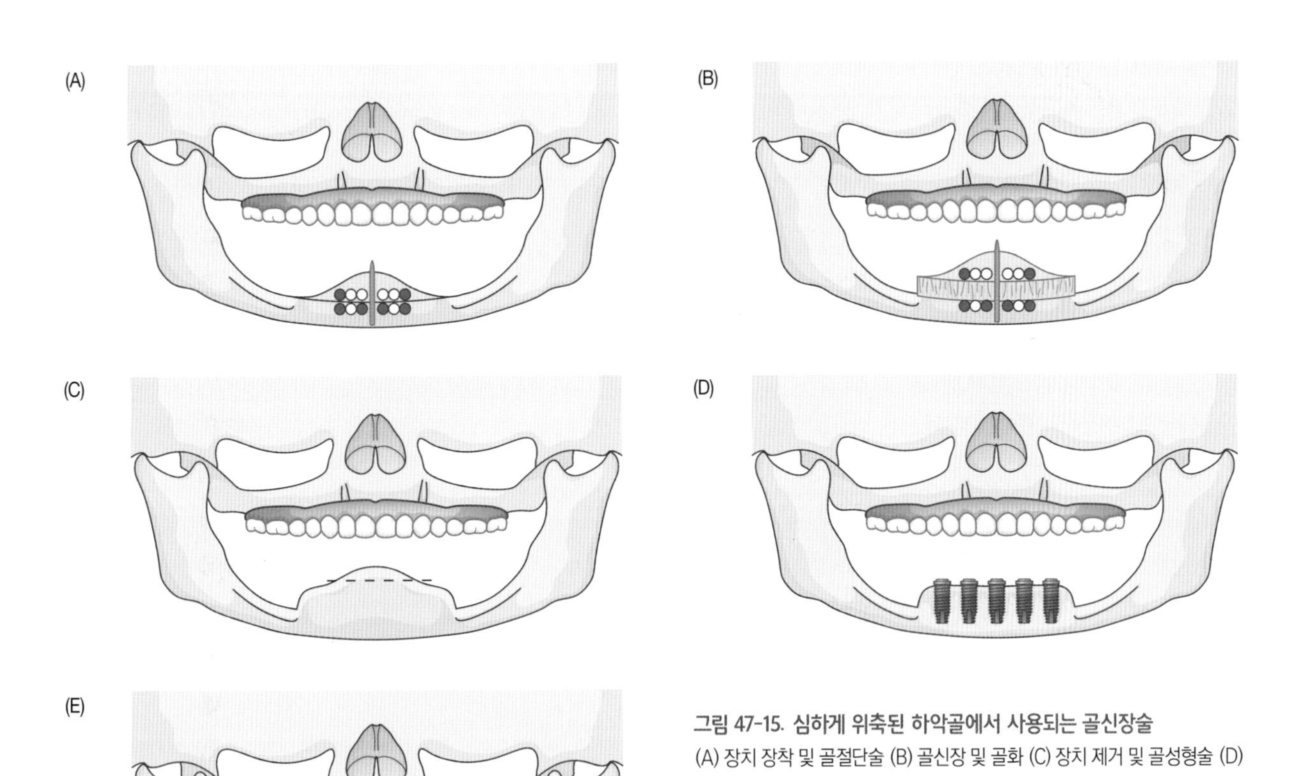

그림 47-15. 심하게 위축된 하악골에서 사용되는 골신장술
(A) 장치 장착 및 골절단술 (B) 골신장 및 골화 (C) 장치 제거 및 골성형술 (D) 임플란트 식립 (E) 임시 보철물 장착

참고문헌

1. Abrahamsson, I., Berglundh, T., Linder, E., Lang, N.P. & Lindhe, J. Early bone formation adjacent to rough and turned endosseous implant surfaces. An experimental study in the dog.Clinical oral implants Research 2004;15(4):381–392.
2. Aronson J: The biology of distraction osteogenesis. In Maiocchi AB, Aronson J, editors: Operative principles of Ilizarov: fracture treatment, nonunion, osteomyeleitis, lengthening, deformity correction, Baltimore 1191, Williams & Wilkins.
3. Zitzman, N. & Scharer, P. Sinus elexation procedures in the resorbed posterior maxilla: comparision of the crestal and lateral approaches. Oral surgery, Oral Medicine, Oral pathology, Oral radiology and Endodontics 1998;85:8–17.
4. Block MS, Chang A, Crawford C: Mandibular alveolar ridge augmentation in the dog using distraction osteogenesis, J Oral Maxillofac Surg 1996;54:309–314.
5. Block, M.S. & Kent, J.N. Sinus augmentation for dental implants: the use of autogenous bone. Journal of Oral and Maxillofacial Surgery 1997;55:1281–1286.
6. Wannfors, K. Johansson, B., Hallman, M & Strandkvist, T. Aprospective randomized study of 1– and 2–stage sinus inlay bone grafts: 1year follow up. International journal of oral and maxillofacial implants 2000;15:625–632.
7. Boyne, P.J. & James,R. Grafting of the maxillary sinus floor with autogenous marrow and bone. Journal of Oral Surgery 1980;38:613–618.
8. Boyne, P.J. Analysis of performance of root–form endosseous implants placed in the maxillary sinus. Journal of Long–Term Effects of Medical Implants 1993;3:143–159.
9. Bragger, U., Gerber, C., Joss, A., Haenni, S., Meier, A., Hashorva, E. & Lang, N.P. Patterns of tissue remodeling after placement of ITI dental implants using an osteotome technique: a longitudinal radiographic case cofort study. Clinical Oral implants research 2004;15(2):158–166.
10. Brain, C.A. & Moy, P.R. The association between the failure of dental implants and cigarette somking. International Journal of Oral and Maxillofacial Implants 1993;8:609–615.
11. Wallace, S.S. & Froum, S.J. Effects of maxillaty sinus augmentation of the survival of endosseous dental implants. A systematic review. Annals of periodontology 2004;8:328–343.
12. Bruser, D., Mericske–stern, R., Bernhard, J.P., Behneke, N., Hirt, H.P., Belser, U.C. & Lang, N.P. Long–term evaluation of non–submerged ITI implants. Clinical oral implants Research 1997;8:161–172.
13. Chanavaz, M. Maxillary sinus. Anatomy, physiology, surgery, and bone grafting relation to implantology–eleven years of clinical experience(1979–1990). Journal of oral implantology 1990;16(3):199–209.
14. Chanavaz, M. Anatomy and histophysiology of the periosteum: quantification of the periosteal blood supply to the adjacent bone with 85 Sr and gamma spectro metry. Journal of oaral implantolgy 1995;21(3):214–219.
15. Chen, L. & Cha, J. An 8–year retrospective study: 1,100 patients receiving 1557 implants using the minimally invasive hydraulic sinus condensing technique. Journal of periodontology 2005;76(3):482–491.
16. Chiapasco M, Lang NP, Bosshardt DD: Qulity and Quantity of bone following alveolar distraction osteogenesis in the human mandible, Clin Oral Implants Res 17:394–402, 2006.
17. Chiaspasco M, Consolo U, Bianchi A et al: Alveolar distraction osteogenesis for the correction of vertically deficient edentulous ridges: a multicenter prospective study on humans, Int J Oral Maxillofac implants 19:399–407, 2004.
18. Degidi M, Pieri F, Marchetti c et al: Immediate loading of dental implants placed in distracted bone a case report, Int J Oral Maxillofac implants 19;488–540.
19. Van den bergh, J.P., ten Bruggenkate, C.M., Disch, F.J. & Tuizing, D.B. Anatomical aspects of sinus floor elevations. Clinical oral implants research 2000;11(3):256–265.
20. Emmerich, D., Arr, W. & Stappert, C. Sinus floor elevation using osteotomes: a systematic review and meta analysis. Journal of Periodontology 2005;76(8):1237–1251.
21. Valentini, P. & Abensur, D.J. Maxillary sinus grafting with anorganic bovine bone: A clinical report of long term results. International journal of oral and maxillofacial implants 2003;18:556–560.
22. Ferrigno, N., Laureti, M. & Fanali, S. Dental implants placement in conjunction with osteotome sinus floor elevation: 12–year life–table analysis from aprospective study on 588 ITI implants. Clinical oral implants research 2006;17(2):194–205.
23. Ten Bruggenkate, C.M., Asikainen, P., Foizik, C., Krekeler, G. & Sutter, F. Short (6mm) nonsubmemrged dental implants: results of a multicenter linical trial of 1 to 7 years, 1998;791–798.

24. Froum, S.J., Tarnow, D.P., Wallace, S.S., Rohrer, M.D. & Cho, S.C Sinus floor elevation using anorganic bovine bone matrix (osteoGraf/N) with and without autogenous bone: a clinical, histologic, radiographic, and histomorphometric analysis. Part 2 of an ongoning prospectivestudy. International journal of periodontics and restorative dentistry 1998;18(6):528–543.
25. Fugazzotto, P.A., Beagle, J.R., Ganeles, J., Jaffin, R., Vlassis, J & Kumar, A. Success and failure rates of 9mm or shorter implants in the replacement of missing maxillary molars when restored with individual crowns: preliminary results 0 to 84 menths in function. A retrospective study. Journal of Periodontology 2004;75(2):327–332.
26. Gruica, B., Wang, H.Y., Lang, N.P. & Buser, D. Impact of IL–1 genotype and smoking status on the prognosis of osseointegrated implants. Clinical oral implants research 2004;15(4):393–400.
27. Hagi, D., Deporter, D.A., Pilliar, R.M. & Aremovich, T. 2004;A targeted review of study outcomes with short endosseous dental implants placed in partially edentulous patients. Journal of periodontology 75(6):798–804.
28. Hallman, M., Hedin, M., Sennerby, L. & Lundgren, S. A prospective 1–year clinical and radiographic study of implants placed after maxillary sinus floor augmentation with bovine hydroxyapatite and autogenous bone. Journal of oral and maxillofacial surgery 2002;60:277–284.
29. Hallman, M., Sennerby, L. & Lundgren, S. A clinical and histologic evaluation of implant integration in theposterior maxilla after sinus floor augmentation with autogenous bone, bovine hydroxyapatite, or a 20: 80 mixture. International journal of oral and maxillofacial implants 2002;17:635–643.
30. Hatano, N., Shimizu, Y. & Ooya, K. Aclinical long–term radiographic evaluation of graft height changes after maxillary sinus floor augmentation with a 2:1 autogenous bone/xenograft mixture and simultaneous placement of dental implants. Clinical oral implants research 2004;15:339–345.
31. Hising, P., Bolin, A. & branting, C. Reconstruction of severely resorbed alveolarcrests with dental implants using abovine mineral for augmentation. International Journal of oral and Maxillofacial Implants 2001;16:90–97.
32. Illizarov GA. The tension–stress effect on the genesis and growth of tissues. Part 1. The influence fo stability of fixation and soft tissue preservation. ClinOrtho 1987;238:249.
33. Illizarov GA. The tension–stress effect on the genesis and growth of tissues. Part 2. The influence of the rate and frequency of distraction. Clin Ortho 1989;239:263.
34. Jaffin, R.A. & Berman, C.L. The excessive loss of Branmerk fixtures in type IV bone: a 5–year analysis. Journal of periodontology 1991;62(1):2–4.
35. Tatum, H. Maxillary and sinus implant reconstructions. Dental Clinic of North America 1986;30(2):207–229.
36. Jensen OT, Cockrell R, Kuhlke L: Anterior Maxillary alveolar distraction osteogenesis: a 5 year study, Int J Oral Maxillofac Surg 17:52, 2002.
37. Tarnow, D.P., Wallace, S.S. & Froum, S.J. HIstologic and clinical comparison of bilateral sinus floor elevations with and without barrier membrane placement in 12 patients: part 3 an ongoing prospective sudy. International Journal of periodontics and restorative dentistry 2000;20(2):117–125.
38. Kayser, A.F. Shortened dental arches and oral function. Journal of oral Rehabilitation 1981;8(5):457–462.
39. Kim, M. J., Jung, U.W., Kim, C.S., Kim, K.D., Choi, S.H., Kim, C.K. & Cho, K.S. Maxillary sinus septa: prevalence, height, location, and morphology. Areformatted computed tomography scan analysis. Journal of periodontology 2006;77(5):903–908.
40. Summers, R.B. A new concept in maxillary implant surgery: the osteotome technique. The compendium of continuing education in dentistry 1994;15(2):152–162.
41. Leblebicioglu, B., Ersanli, S., Karabuda,C., Tosun, T. & Gokdeniz, H. Radiographic evaluation of dental implants placed using and osteotome technique. Journal of Periodontology 2005;76:385–390.
42. Lee JH, Jung UW, Kim CS, Choi SH, Cho KS. Histologic and clinical evaluation for maxillary sinus augmentation using macroporous biphasic calcium phosphate in human.Clinical Oral Implants Research 2008 Aug;19(8):767–71.
43. Marchetti C, Corinaldesi G, Pieri F et al: Alveolar distraction osteogenesis for bone augmentation of everly atrophic ridges in 10 consecutive cases: a histologic and histomorphometric study, J periodontol 78:260–266, 2007.
44. Mayfield, L.J., Skoglund, A, Hising, P ., Lang, N.P. & Attstrom, R. Evaluation following functional loading of titianium fixtures placed inridges augmented by deproteinized bone mineral. A human case study. Clinical oral implants research 2001;12(5):508–514.
45. Peleg, M., Garg, A.K. & Mazor, Z, Healing in smokers versus nonsmokers: survival rates for sinus floor augmentation with simultaneous implant placement. International journal of ora and maxillofacial implants 2006;21(4):551–559.
46. Peleg, M., Mazor, Z. & Garg, A.K. Augmentation grafting of the maxillary sinus and simultaneous implant placement in patients with 3 to 5 mm of residual alveolar bone height. International journal of oral and maxillofacial implants 1999;14:549–556.

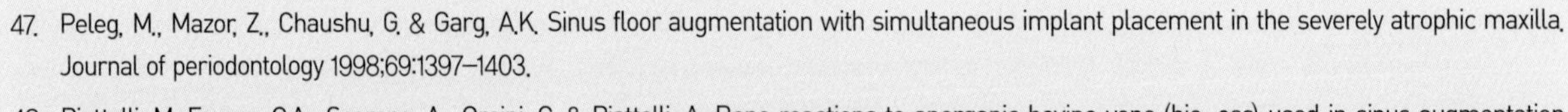

47. Peleg, M., Mazor, Z., Chaushu, G. & Garg, A.K. Sinus floor augmentation with simultaneous implant placement in the severely atrophic maxilla. Journal of periodontology 1998;69:1397–1403.
48. Piattelli, M, Favero, G.A., Scarano, A., Orsini, G. & Piattelli, A. Bone reactions to anorganic bovine vone (bio-oss) used in sinus augmentation procedures: a histologic long term report of 20 cases in humans. International journal of oral and maxillofacial implants 1999;14(6):835–840.
49. Pikos, MA.A. Maxillary sinus membrane repair: report of a technique for large perforations. Implant Dentistry 1999;8:29–33.
50. Pjetursson, B.E., Ignjatovic, D., MAtuliene, G., Bragger, U., Schmidlin, K. & Lang, N.P. Maxillary sinus floor elevation using the osteome technique with or without grafting material, Part II–Radiographic tissue remodilling. Clinical oral implants research 2008.
51. Pjetursson, B.E., Rast, C., Bragger, U., Zwahlen, M. & Lang, N.P. Maxillary sinus floor elevation using the osteome technique with or without grafting material, Part I–Implant survival and patient's perception. Clinical oral implants research (in press). 2008.
52. Solar, P., Geyerhofer, U., Traxier, H., Windisch, A., Ulm, C. & Watzek, G. Blood supply to the maxillary sinus relevant to sinus floor elevation procedures clinical oral implants research 1999;10(1):34–44.
53. Rosen, P.D., Summers, R., Mellado, J.R., Salkin, L.M., Shanaman, R.H., Marks, M. H. & Fugazzotto, P.A The bone– added osteotome sinus floor elevation technique: multicenter retrospective report of consecutively treated patients. International Journal of oral and maxillofacial implants 1999;14(6):853–858.

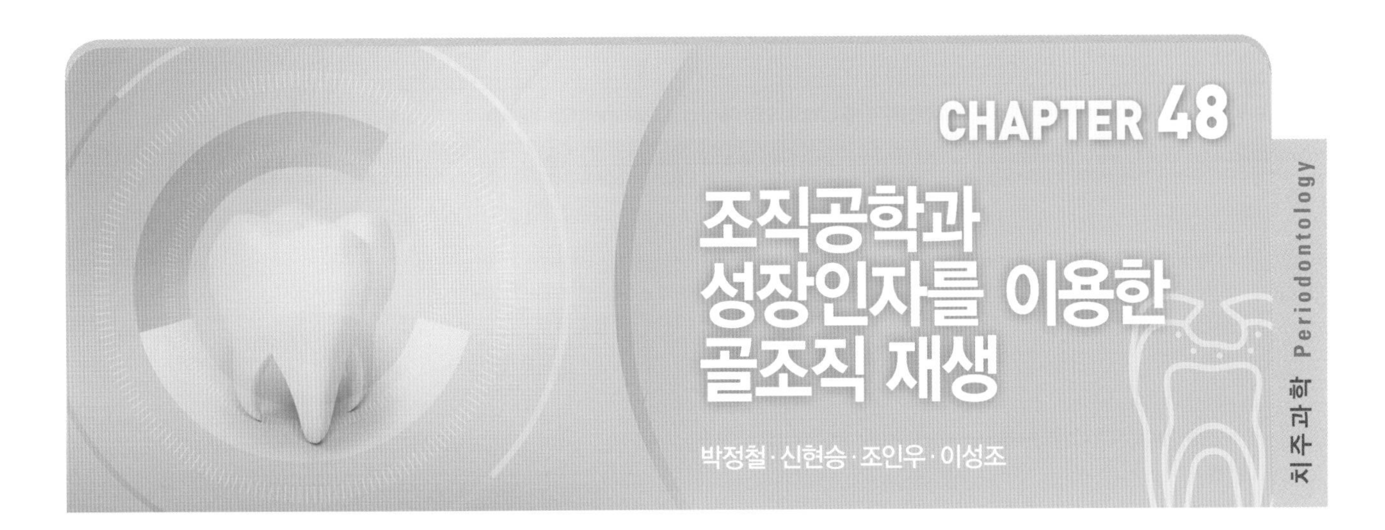

조직공학과 성장인자를 이용한 골조직 재생

박정철 · 신현승 · 조인우 · 이성조

1. 서론

조직공학은 외과학, 분자세포 생물학, 생리학등에서 최근 주목받고 있는 재건생물학의 한 분야로 지금까지 조직, 장기이식으로는 치유되지 않았던 질환에 대응할 수 있는 가능성을 가진 기술을 개발하는 학문이다.

조직공학을 이용한 생체조직의 재생에 고려해야 할 요소로는 기질, 신호전달 물질, 세포가 있으며, 기질에는 교원질, 골기질, 인공합성물질 등이 있고, 신호전달 물질로는 여러 성장인자 및 형성, 분화인자, 접착인자 등이 있다.

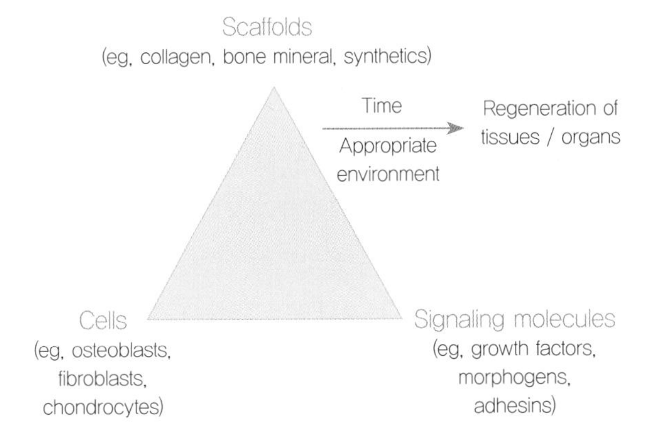

그림 48-1. 조직공학은 일반적으로 세 가지 중요한 요소들과 병행한다. 비계(기질), 신호전달 분자(성장인자) 그리고 세포 세 가지 요소들의 병행에 의해 조직재생은 일어날 수 있다.

또한 세포에는 골모세포, 섬유모세포나 연골세포등과 이러한 세포들의 전구세포 등이 있다(그림 48-1).[1]

의과영역에서는 이미 파괴된 슬관절 연골 재생에 연골조직 체외배양법으로 얻어진 인조조직을 생체 내에 되돌리는 기술이 현재 실시되기까지에 이르고 있다.[2] 또한 광범위한 염증환자의 피부이식에 소아의 표피에서 채취한 표피세포를 배양법에 의해 증식시킨 것(Apligraf, Organogenesis Inc., Canton, Mass., U.S.A)을 이용하는 방법이 실제로 FDA에서 인가되어 상품화되어 있다.[3]

치과영역에서 치주조직의 재생을 위한 방법으로 골대체제나 GTR (guided tissue regeneration), GBR (guided bone regeneration) 등 차폐막을 이용한 재생법등이 이용되고 있으며, 최근에는 폴리글리코르산과 법랑기질단백질을 이용한 조직 재생법 등이 임상에 응용되고 있다. 또한 아직 임상시험단계이지만, 교원질 기질에 BMP (bone morphogenetic protein)를 이용한 골조직 재생법도 연구되고 있다. 그러나 아직까지 세포를 이용한 조직재생에 대한 연구가 구체화되지 않아 앞으로 많은 연구가 필요할 것이다.

2. 조직공학의 세 요소

1) 기질

조작된 골과 연조직을 위한 기질에는 합성과 자연 인산

표 48-1. 조직공학에 이용되는 비계·세포·촉진인자의 예(Lynch, S.E., Genco, R.J.&Marx.R.Em 19993)

비계		세포	가용성 촉진 인자
흡수성 비계 1. 합성고분자 폴리유산 폴리글리코산 2. 천연고분자 교원질(I, II, III, IV형) 교원질-글리코사미노글리칸 복합체 키토산 피브린 3. 천연무기물 유연골조직	비흡수성 비계 1. 합성고분자 PTFE (polytetrafluoroethylene) 2. 합성세라믹스 인산칼슘	• 자기유래의 생체를 구성하고 있는 모든 세포·조직 • 이종유래의 생체를 구성하고 있는 모든 세포·조직 • 골수유래 줄기세포	성장인자 분화유도인자

칼슘(calcium phosphate)과 수많은 합성체(polylactic acid, polyglycolic acid) 그리고 자연 중합체(교원질, 섬유소) 등이 포함된다(표 48-1).

재생과정에 있어 기질의 역할은 다음과 같다.[4]

① 결손부 모양을 유지하고 주위조직의 비틀림을 방지하기 위해 결손부위를 구조적으로 강화시킨다.

② 재생과정을 방해하는 주위조직의 성장에 대한 방어벽 역할을 수행한다.

③ 재생에 필요한 세포의 이주와 증식에 대한 비계역할을 수행한다.

④ 몇몇 인테그린이나 다른 세포 수용기와의 상호작용을 통해서 불용성 세포기능 조절자로서의 역할을 할 수 있다.

(1) 흡수성 비계: 폴리유산, 폴리글리코르산

폴리유산, 폴리글리코르산은 생체 내에 이식된 후 크레브스 회로를 경유하여 H_2O와 CO_2로 분해된다(그림 48-2). 가공방법에 따라 스폰지처럼 생긴 것부터 딱딱한 플라스틱처럼 생긴 것까지 제작할 수 있어 응용범위가 넓다. 현재 치과영역에서는 GTR이나 GBR에 이용되는 차단막이 있고, GBR에 이용되는 차폐막의 고정원인 본택(골 표면에 박아넣어 차폐막을 고정하는 작은 핀처럼 생긴 것)도 이 소재가 응용되었다.

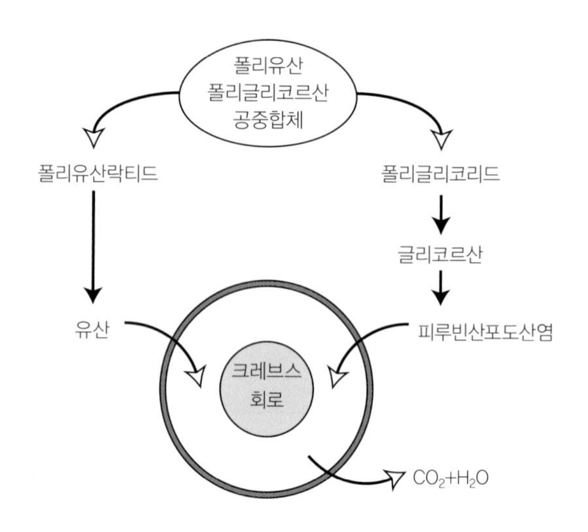

그림 48-2. 폴리유산, 폴리글리코르산의 분해과정

(2) 교원질

주로 소의 힘줄로 만들어진 I형 교원질이 이용되고 있다. 생체 내에 이식된 후 생체 내에서 생산되는 collagenase에 의해 섬유가 짧게 끊어져 젤라틴이 되며, 최종적으로는 아미노산으로 분해된다. 치과영역에서는 GTR에 이용하는 차폐막 등이 있다.

(3) 키토산

키틴-키토산은 셀루로스 다음으로 자연계에 풍부하게 존재하는 천연고분자로, 현재 의과영역에서는 주로 창상피복재, 지혈제 등으로 임상에 응용되고 있다. 작용은 진통, 지혈, 창상치유촉진과 면역부활작용이 있다. 치과영역에서는 상악동 수술 후의 창면 보호와 GTR 차폐막으로서의 임상 응용이 고려되고 있다.

(4) 피브린

그 성상에 따라 조직의 접착용으로 개발, 이용되고 있다. 흡수성 차폐막을 이용한 GTR에서도 봉합 대신 접착제로 이용하는 것이 고려되었다.[5]

(5) 합성 고분자

PTFE (polytetrafluoroethylene)는 사불화에틸렌을 고분자화한 것으로 생체 내에서의 안정성, 내식성 등이 우수한 재료이다. GTR이나 GBR에 이용되는 PTFE는 물리적으로 신전가공을 가한 것이며, expanded-PTFE (e-PTFE)라 불리고, 사용목적에 맞는 다공성 구조를 지니고 있다.[6]

(6) 합성 세라믹스

인산칼슘이나 HA (hydroxyapatite)가 이에 해당된다. HA는 통상 화학합성 후 고온열처리가 행해지며, 생체 내에 이식해도 흡수되지 않는다. 한편, 인산칼슘 중에서도 β-3 인산칼슘은 생체 내에서 그 일부가 용해되면서 흡수되는 것으로 보고 되었다.[7]

2) 신호전달물질

신호전달물질은 골조직 재생을 촉진하는 물질로, 여러 성장인자(growth factor) 및 TGF-β superfamily인 BMP 등을 들 수있다.[8]

(1) 골형성유도단백질(BMP-2)

Urist 등이 가정한 BMP (bone morphogenetic protein)는 현재 8종류로 보고되었는데, 그중에서도 Wang, E.A와 Rosen, V. 등에 의해 BMP-2, 4, 5, 7에는 각각 단독으로 골유도능력이 있는 것으로 확인되었다.[9] 이들 BMP 그룹의 in vivo에서의 작용 메카니즘을 알기 위해서는 대량의 BMP가 필요한데, 골샘플에서 직접 정제하거나 진핵세포에서 recombinant BMP를 채취하는 것은 매우 비효율적이다. 따라서 많은 연구자들에 의해 원핵세포로부터 recombinant BMP를 정제하려는 시도가 이루어지고 있다.

(2) 골형성유도단백질(BMP-7)

BMP-7은 osteogenic protein-1(OP-1)이라고도 불리며, 그 이름에서 알 수 있듯이 미분화 간엽계 세포를 골모세포로 분화 유도하는 인자이다. Recombinant human OP-1은 차이니즈 햄스터의 난소세포에서 추출정제 된 것이다. 이 OP-1을 c26이라는 다분화능력을 가진 세포에 첨가하면 골모세포로 분화되는 것이 확인되었다. OP-1을 치근이개부 골결손에 응용하면 저농도에서는 ankylosis를 수반하지 않고 골조직 재생을 얻을 수 있다고 보고되었다.

(3) 혈소판유래성장인자(PDGF)

PDGF (platelet-derived growth factor)는 창상치유 초기에 창상부위에서 확인되는 인자로, 섬유모세포와 골모세포 등의 다양한 종류의 세포를 국소부위에 이주시키는 작용을 가지고 있다.

(4) 인슐린유사성장인자(IGF)

골모세포에서 생산된 IGF-I (insulin-like growth factor)은 PTH와 estrogen에 의해 촉진되고, 글루코코르티코이드에 의해 억제된다. 통상 IGF는 생체 내에서 IGFBP라 불리는 IGF 결합단백질과 결합하며, 이 중 IGFBP-5는 골기질과의 친화성이 높기 때문에 골조직 중에도 IGF가 존재하고 있다.

(5) 섬유모세포성장인자(FGF)

FGF (fibroblast growth factor)는 산성과 염기성의 것이 있는데, 염기성의 FGF에 대해서는 이소성 골형성 능력을 가지는 것으로 확인되었다.

(6) 아멜로제닌(Amelogenin)

1997년 Hammarstr 등은 발생기의 사람 및 쥐의 치근형성 부위에서 법랑기질의 주요 단백인 아멜로제닌이 국소에 존재한다는 것을 발견하여, 법랑기질 단백이 백악질 발생에 관여한다는 사실이 밝혀지게 되었다. 또한 이 단백을 사용함으로써 무세포성 시멘트질의 재생치료 가능성을 시사했다.

또한 아멜로제닌을 치근표면에 적응시키기 위해서는 PGA (poly glycol acid)를 비계로 사용하면 치근표면에 단백이 응집되어 불용성 매트릭스를 형성한다는 것도 밝혀졌으며, 현재 임상 응용되어 양호한 결과를 얻고 있다.[10] 이 엠도게인의 골유도작용에 대해서는 미분화한 세포를 풍부하게 포함한 골수세포를 쥐의 골수에서 추출하고, 이 세포에 엠도게인을 첨가하여 검토하고 있다. 그 결과 골수세포에 미첨가군, 골수 세포에서 골형성세포를 유도하는 조건인 β-glycerophosphate, 아스코르빈산과 덱사메타손을 첨가하여 배양한 군, 엠도게인 첨가군으로 배양 실험한 결과 엠도게인 첨가군이 가장 석회침착양성부위가 많았다고 한다.

촉진인자 중에서 조직재생을 고려할 경우 다른 관점에서도 촉진인자라고 할 수 있는 물질이 주목되고 있다.

(7) 오스테오폰틴(Osteopontin, OPN)

오스테오폰틴은 골조직 중에 존재하는 비교원성 단백 중 하나로, 이제까지 골대사에 어떤 영향을 미치는 지는 밝혀져 있지 않지만, 최근 오스테오폰틴의 유전자 감작 쥐가 만들어져 그 기능과 역할이 빠르게 밝혀지고 있다. 그 결과 오스테오폰틴은 파골세포의 분화 유도 촉진에 작용하며, 골모세포에 대해서는 중요한 영향을 미치지 않는다. 또한 오스테오폰틴 유전자 감작 쥐에게 OVX (난소적출처치)를 했을 경우, 통상 발병하는 골 흡수가 억제되었다는 보고에서 골 흡수에 관해 파골세포의 기능 발현에 중요한 역할을 하고 있음을 알 수 있다. 이같은 점에서 흡수치환이 무난하게 이루어질 수 있도록 골이식 재료에 오스테오폰틴을 응용하는 시도도 시작되고 있다.

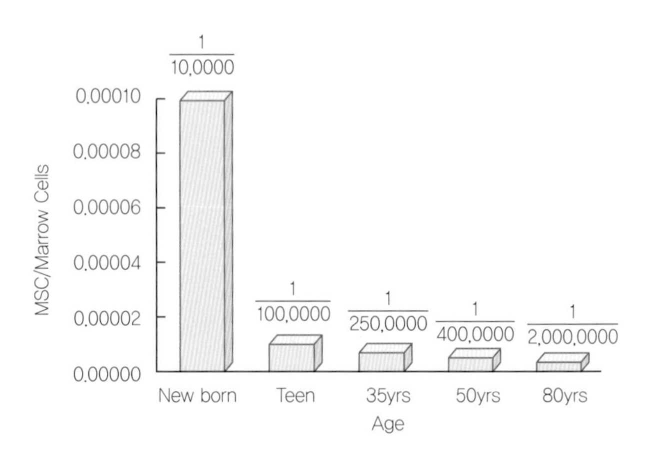

그림 48-3. 골수 내에서의 간엽계 간세포의 수(밀도)
나이가 들면서 간엽계 간세포의 수는 감소된다.

3) 세포

조직공학에 사용되는 세포는 기질 외에 유도인자가 포함되기 때문에 미분화한 세포를 이용하는 경우가 많다. 그 외에 세포를 증식시키기 위한 증식인자를 이용하는 경우는 재생시키고자 하는 조직을 구성하고 있는 세포를 사용하면 된다.[11]

미분화한 세포를 사용하는 경우에는 우선 연령에 주의해야 할 필요가 있다. 예를 들어, 골조직 재생을 목적으로 하는 것이라면, 그에 호응하는 미분화 간엽세포가 필요하다. 하지만 간엽계 줄기세포는 골수에서 얻어질 수 있으며, 세포의 수는 연령에 따라 폭이 다른데, 신생아의 경우는 1만의 골수세포당 하나의 간엽계 줄기세포가 존재하는 반면, 35세에는 25만 개당 1개, 50세에는 40만 개당 1개, 80세에는 200만 개에 1개의 비율로 존재한다[12](그림 48-3). 이를 고려하면, 골조직을 재생시키는 세포를 분화유도 시키는 인자를 사용하는 데에는 그 대상이 되는 환자의 연령을 충분히 고려할 필요가 있음을 알 수 있다. 최근 주목되고 있는 BMP에 대해서도 그 작용발현에 반드시 연령에 따른 개인차가 발생하는 것으로 고려된다.[13]

3. 골형성을 위한 증식인자의 임상응용

골형성을 위한 증식인자 중 대표적인 것은 BMP이다. BMP에 대한 연구는 1965년 Urist 등의 실험에서 시작되었다. 이들은 탈회처리한 뼈를 동물의 뱃속, 즉 뼈가 없는 곳에(이소성으로) 매식하여 거기에서 새롭게 뼈를 재생할 수 있음을 증명했다(이소성 골형성). 이 실험에 의해 뼈를 탈회한 것이 골을 새롭게 만드는 능력(골 유도능)이 있고, 뱃속에도 골모세포가 있다는 것을 알 수 있게 되었다. 당시에는 어떤 물질이 그러한 결과를 내는지 특정화하지 못했지만, Urist 등은 이를 BMP라고 명명했다.[14] 이후 BMP의 정제가 진행되어 1988년에는 Wozney 등에 의해 cDNA 복제에 성공하여 BMP의 전 염기 배열이 밝혀졌다.[15] 그리고 BMP에도 여러 종류가 있다는 것이 밝혀져서, 현재 20종류 이상의 BMP가 확인되었다.

현재 사용할 수 있는 BMP는 크게 나누어 2종류이다. 먼저, 정제된 BMP로 활성도 강하고 골을 확실하게 유도하는데, 정제가 복잡하며 불순물을 포함한다는 결점이 있다. 다른 하나는 재조합 BMP라고 불리는 것으로, 유전자 제조합기술을 이용하여 인공적으로 합성한 것이다. 이는 현재 공급량에 한계가 있으며 더구나 단독으로 사용할 경우 바로 대사되기 때문에 캐리어가 필요하다.

현재 사람의 재조합 BMP (rhBMP)가 만들어져 수 많은 실험과 임상시험이 이루어지고 있다. rhBMP를 사용할 경우 캐리어로서 고분자 재료와 세라믹, 금속 등이 검토되고 있다.

고분자재료에는 천연물과 합성물이 있다. 천연 고분자재료 중 가장 주목되고 있는 것은 collagen이며, 임상에서도 이미 사용되고 있다.[16] 골 유도능은 높지만 항원성이라는 문제가 있다. 그 외의 천연 고분자재료로는 셀룰로스류와 다당류, 피브린, 한천 등이 있다. 합성 고분자재료에는 폴리유산처럼 흡수성 고분자재료가 사용된다.[17] 이들은 흡수성 GTR막이나 봉합사 등으로도 사용되고 있어, 항원성이 낮은 것으로 나타나고 있다. 분자량을 조절함으로써 흡수속도를 조절할 수 있는데, monomer가 잔류하면 조직 위해성이 나타날 가능성이 있다.

세라믹은 생체 친화성이 뛰어난데 반해 충격성, 전연성이 결핍되어 있으며 기계적 성질이 떨어진다. 따라서 정형분야 등과 같은 소규모 골 재건용이라 할 수 있다.[18]

금속재료 중에는 세포 독성이 낮아 신생골 유도에 영향을 주지 않는 것으로는 Ti계 또는 Au−Pt계가 있다. 금속표면에 산화물 생성 층을 만들거나 세라믹을 소결하는 등의 처리를 한 후 BMP를 흡착시키는 방법 등이 유망하다. 대규모 골 재건과 임플란트 등에 대한 응용이 고려된다.

참고문헌

1. Chu CR, Coutts RD, Yoshioka M, Harwood FL, Monosov AZ, Amiel D. Articular cartilage repair using allogeneic perichondrocytes−seeded biodegradable porous polylactic acid(PLA): A tissue−engineering study. J Biomed Mater Res 1995;29:1147−1154.
2. Freed LJ, Vunjak−Novakovic G, Langer R. Cultivation of cell−polymer cartiage implants in bioreactors. J Cell Biochem 1993;51:257−264.
3. Hendrickson DA, Nixon AJ, Grande DA, Todhunter RJ, Minor RM, Erb H, Lust G. Chondrocyte−fibrin matrix transplants for resurfacing extensive articular cartilage defects. J Orthop Res 1994;12:485−497.
4. Jesen SS, Aaboe M, Pinholt EM, Hjorting−Hansen E, Melsen F, Ruyter IE. Tissue reaction and material characteristics of four bone substitutes. Int J Oral Maxillofac Implants 1996;11:55−66.
5. Kerenyi G. Properties and applications of Bioplast, an absorbable surgical implant material from fibrin. Biomaterials 1980;1:30−32.
6. Langer R, Vacanti JP, Vacanti CA, Atala A, Freed LE, Vunjak−Novakovic G. Tissue engineering: Biomedical applications. Tissue Eng 1995;1:151−161.
7. LeGeros RZ, Bautista C, Styner D, LeGeros JP, Vijiayaraghavan TV, Retino M, Valdecanas A. Comparative, properties of bioactive bone graft materials. In: Wilson J, Hech LL, Greenspan D(eds). Bioceramics. New York: Elsevier; 1995:81−87.

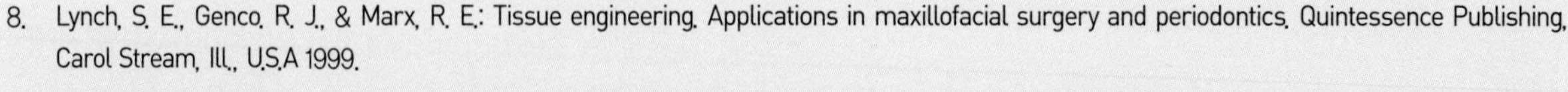

8. Lynch, S. E., Genco, R. J., & Marx, R. E.: Tissue engineering. Applications in maxillofacial surgery and periodontics. Quintessence Publishing, Carol Stream, Ill., U.S.A 1999.
9. Miyamoto S, Takaoka K, Okada T, Yoshikawa H, Hashimoto J, Suzuki S, Ono K. Evaluation of polylactic acid homopolymers as carriers for morphogenetic protein. Clin Orthop 1992;278:274–285.
10. Natsume T, Ike O, Okada T, Takimoto N, Shimizu Y, Ikada Y. Porous collagen sponge for esophageal replacement. J Biomed Mater Res 1993;27:867–875.
11. Nyman, S., Karring, T., Lindhe, J. & Planten, S.: Healing following implantation of periodontitis affected roots into gingival connective tissue. J. Clin. Periodontol 1980;7:394–401.
12. Caplan AI: Mesenchymal stem cells. J Orthop Res, 9:641, 1991.
13. Speer DP, Chvapil M, Volz RG, Holmes MD. Enhancement of healing in osteochondral defect by collagen sponge implantation. Clin Orthop 1979;144:326–335.
14. Urist, M. R: Bone formation by autoinduction. Science 1965;150: 893–899.
15. Wang EA, Rosen V, Cordes P, Hewick RM, Kriz MJ, Luxenberg DP, Sibley BS, Wozney JM. Purification and characterization of other distinct bone–inducing factors. Proc Natl Acad Sci U S A. 1988;Dec;85(24): 9444–9488
16. Arrabal PM, Visser R, Santos–Ruiz L, Becerra J, Cifuentes M. Osteogenic molecules for clinical applications: improving the BMP–collagen systems. Biol Res 2013;46(4):421–429
17. Iglhaut G, Schwarz F, Gründel M, Mihatovic I, Becker J, Schliephake H. Shell technique using a rigid resorbable barrier system for localized alveolar ridge augmentation. Clin Oral Implants Res 2014;Feb;25(2):e149–54.
18. Srinivasan S, Kumar PT, Nair SV, Nair SV, Chennazhi KP, Jayakumar R. Antibacterial and bioactive alpha– and beta–chitin hydrogel/nanobioactive glass ceramic/nano silver composite scaffolds for periodontal regeneration. J Biomed Nanotechnol 2013;Nov;9(11):1803–16.

CHAPTER 49 치과 임플란트 수술과 관련된 합병증

이재관

임플란트 수술과 관련된 직접적인 외과적 합병증의 발생은 일반적으로 드물다. 그러나 임플란트 치료의 특성상 외과적 수술에 따른 후유증을 피하는 것은 불가능하다. 어떠한 술식을 동반하든 임플란트 수술은 항상 합병증의 발생 위험(risk)이 동반된다. 이러한 합병증의 발생 위험을 감소시키기 위해서는 환자의 과거 의과병력 확인, 철저한 임상적·방사선학적 검사, 그리고 주의 깊은 외과적 수술이 요구된다.

임플란트 수술과 연관된 외과적 합병증은 수술 과정 중에 발생하는 합병증(intraoperative complications)과 수술 후 합병증(postoperative complications)으로 나눌 수 있다. 수술 과정 중에 발생하는 외과적 합병증으로는 출혈과 혈종, 감각신경 이상, 인접치의 손상, 상악동이나 비강 천공, 하악 골절, 골 열개와 골 천공, 임플란트의 일차 안정성 부족 등을 들 수 있으며, 수술 후 합병증으로는 출혈과 혈종, 부종, 감염, 창상의 열개, 만성 상악동염, 임플란트 치근단 병소 등이 있다. 대부분의 수술 후 합병증은 증상이 미약하거나 일시적이므로 쉽게 자가 치유가 가능하지만, 종종 심각하거나 영구적인 손상으로 인해 부가적인 치료가 필요할 수도 있다.[1]

1. 임플란트 수술의 외과적 합병증 (Surgical complications)

1) 수술 과정 중에 발생하는 합병증 (Intraoperative complications)

(1) 출혈과 혈종(Hemorrhage and Hematoma)

임플란트 수술 중 발생하는 일반적인 출혈은 쉽게 지혈이 가능하다.[1] 임플란트 수용부를 형성하는 과정에서 망상골(cancellous bone)에서 발생하는 출혈은 저절로 지혈이 되며, 임플란트가 완전히 안착이 되면 대부분 지혈이 된다. 그러나 상당한 크기의 혈관이 절개 과정에서 절단되거나, 수술 과정 중에 손상이 되면 지혈이 어려워 질 수 있다. 만약 출혈이 지속된다면 지혈을 위해 손상 부위에 압박을 가하거나, 출혈을 유발하는 혈관을 봉합해야 할 수도 있다. 구강저나 상악 구치부처럼 접근이 어려운 곳의 동맥 손상에 의한 출혈은 지혈이 특히 어렵다. 하악에 혈액을 공급하는 혈관들로는 하치조 동맥(inferior alveolar artery)과 지류인 악설골근 동맥(mylohyoid artery), 안면 동맥(facial artery)과 지류인 이하 동맥(submental artery) 그리고 설 동맥(lingual artery)과 지류인 설하 동맥(sublingual artery)이 있다.[2] 하악 대구치부 설측에서 발생하는 출혈은 주로 악설골근 동맥(mylohyoid artery)의 손상에 의한 경우가 많다. 이곳의 출혈은 출혈점을 손가락으로 강하게 압박하거나, 하악 제3대구치 치근부를 설측에서 강하게 압박하면 지혈이 가능하다. 이 부위는 혈관 봉합이 어렵고, 봉합에 의한 혈관 손상 가능성이 높은 지역이므로 손가락으로 악설골근 동맥(mylohyoid artery) 부위를 압박 지혈하는 것이 권장된다. 하악 소구치부 설측에서 발생하는 출혈은 주로 이하 동맥(submental artery)의 손상에 의한 경우가 많다. 이곳은 손가락을 이용한 압박 지혈보다는 안면 동맥(facial artery)과 설 동맥(lingual artery)의 외과적 혈관 봉합을 통한 지혈이 권장된다. 하악 전치부 설측의 출혈은 주로 설하 동맥(sublingual artery)과 이하 동맥(submental artery)의 말단부 손상에 의해 발생한다. 이러한 혈관 말단부는 혈관의 직경이 가늘기 때문에 압박 지혈이나 혈관 수축제, 혈관 봉합 등에 의해 보통 지혈이 가능하다. 상악의 출혈은 주로 하행구개 동맥(descending palatine artery)과 후구개 동맥(posterior palatine artery) 손상과 관련이 있다. 임플란트 수용부 형성 과정에서 구후삼각의 후구개 동맥 손상에 의한 출혈은 임플란트의 안착에 의해 지혈이 된다.

임플란트 수술과 관련하여 생명을 위협하는 혈종의 발생 빈도가 매우 낮을지라도 이러한 문제에 대해 충분한 주의가 요구된다. 임플란트 수술과 관련하여 보고된 가장 치명적인 합병증은 하악 전치부 구강저에 혈종이 발생한 경우이다. 구강저에는 많은 혈관들이 존재하기 때문에 기구에 의해 설측 피질골판이 천공되거나, 설측면을 따라 주행하는 동맥이 손상되면 커다란 내출혈이 발생할 수 있다.[2] 손상의 위치와 정도(severity)에 따라 출혈은 즉시 혹은 서서히 나타날 수 있다. 이러한 경우 혈종이 점차 커지면서 혀를 변위시키고 구강저의 연조직을 변위시키게 되어 결과적으로 상기도 폐쇄를 유발하여 생명을 위협할 수 있다.[3] 응급 치료법으로는 우선 기도를 확보하고 지혈을 위해 외과적 처치를 시행한 후 응급실로 이송해야 한다.[4] 임상가는 이러한 위험성을 미연에 숙지하고 재빨리 대처해야 한다. 컴퓨터 단층 촬영(computed tomography, CT)은 설면와(lingual fossa)의 유무, 신경관(canal)의 주행 방향과 변위 등의 해부학적 구조물을 3차원적으로 재현함으로써 이러한 합병증을 예방할 수 있는 가장 추천되는 방사선학적 검사이다. 몇몇 연구자들은 하악 설측 피질골판 천공의 위험성을 줄이기 위해 14 mm 길이 이하의 임플란트 식립을 권장한다.[2]

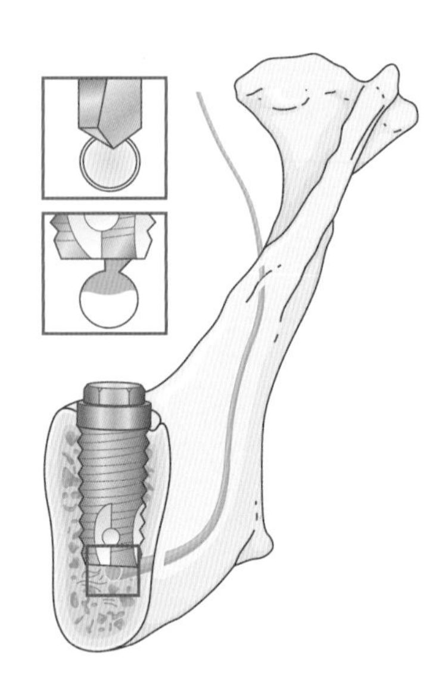

그림 49-1. 감각신경 이상을 유발할 수 있는 임플란트 고정체와 하치조 신경과의 관계

(2) 감각신경 이상(Neurosensory disturbances)

하악의 감각신경 이상은 하치조신경 전달 마취, 하치조신경 전위술, 방사선 사진 상에서 하악관이나 이공의 위치 계측 및 확대율을 잘못 계산하여 임플란트 수용부 형성 과정 중 과도한 드릴링에 의한 신경 손상, 식립된 임플란트에 의한 신경 압박(nerve compression) 현상에 의해 발생할 수 있다(그림 49-1).[1] 하치조신경에 외과적 손상이 가해지면 손상된 신경은 신경종(neuroma)을 형성하여 두 가지 패턴의 감각신경 이상을 보인다. 하나는 감각 기능이 저하되는 감각감퇴증(hypoesthesia)이고, 또 다른 증상은 최소한의 자극에도 통증을 느끼는 지각과민증(hyperesthesia)이다. 어떤 감각신경 이상은 저절로 사라지기도 하고 몇몇은 영구적으로 지속되기도 한다.[5] 위축된 하악구치부에 보다 긴 임플란트를 식립하기 위해 시행하는 하치조신경 전위술과 관련된 감각신경 이상이 가장 많이 보고되고 있으며 수술 후 심각한 감각신경 이상을 유발하는 것으로 알려

져 있다. 하치조신경 전위술을 동반한 임플란트 수술 직후에는 거의 100% 감각신경 이상이 나타나고, 이들 중 50% 이상에서 이러한 감각신경 이상이 영구적으로 지속된다고 알려져 있다.[6]

일단 환자가 감각 이상을 호소하면 방사선 검사를 통해 임플란트의 신경관 침범 정도를 확인한 후 임플란트가 신경관을 침범하거나, 신경 압박이 의심되는 경우에는 영구적인 감각신경 이상을 피하기 위해 임플란트를 제거하는 것이 권장된다.[2] 감각 이상 정도를 평가하기 위한 접촉인지 검사(light touch test, pin pricking test, two-point discrimination test)를 통해 주기적으로 시행하여 환자의 상태를 평가한 후 그에 상응하는 조치를 취해야 한다(그림 49-2).[7] Kraut와 Chahal[8]은 환자가 감각 이상을 호소하지만 임플란트가 정확하게 식립되었고, 방사선 검사 결과 하치조신경이 침범된 소견이 보이지 않으면 감각 이상 현상이 염증반응에 기인한다고 생각하여 스테로이드 또는 소염진통제(ibuprofen, 800 mg 3 times/day)를 3주간 처방할 것을 추천하였다.[12] 그러나 수술 2개월 후까지 증상의 개선이 없으면 미세신경 접합술을 위한 의뢰를 추천하였다.

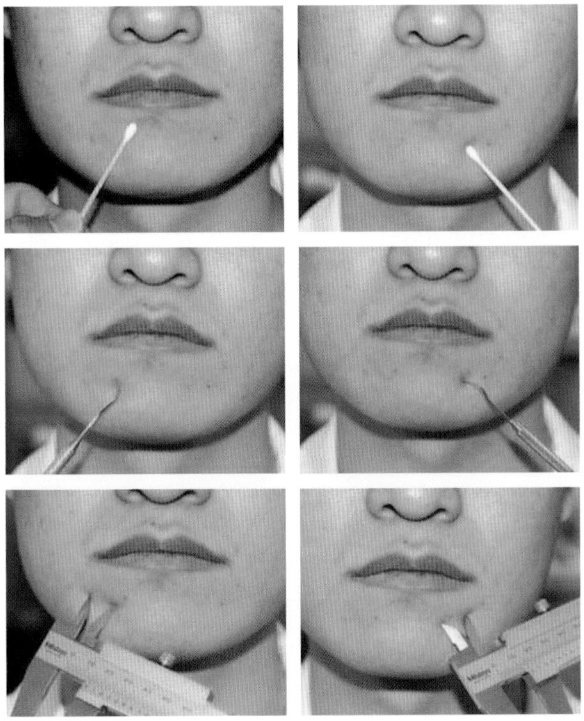

그림 49-2. 접촉인지 검사(light touch test, pin pricking test, two-point discrimination test)

임플란트 수술 후의 감각신경 이상은 최근의 문헌 보고보다 실제로 더 많이 발생하는 것 같다. 이는 몇 가지 이유를 생각해 볼 수 있는데, 첫째 이러한 감각신경 이상이 일시적으로 나타나는 경우가 많아서 대부분의 환자는 자연히 해소가 되거나, 일상생활에 불편감을 느끼지 못할 정도의 변화이기 때문이다. 둘째로는 임상가에 의해 수술 후 감각신경 이상에 대한 평가가 다양하게 이루어지기 때문이다. 어떤 임상가는 수술 후 감각신경 이상에 대해 확인도 하지 않거나 무시하기 때문에 이러한 합병증에 대해 인지하지 못하는 경우도 있다. 또는 일부 환자는 경미한 감각신경 이상은 수술 후 예상되는 현상의 하나로 생각하는 경우도 있다.

(3) 인접치의 손상(Damage to adjacent teeth)

임플란트 수용부 형성 중 드릴링 방향이 인접치쪽으로 치우치거나, 너무 근접하게 임플란트가 식립되면 직간접적으로 인접치나 인접치의 치주인대 혹은 인접치의 신경에 손상이 가해질 수 있다(그림 49-3). 임플란트와 인접치는 최소 1.5 mm의 거리를 유지해야 한다.[2] 손상이 가해지면 손상의 정도에 따라 근관치료, 치근단 절제술 또는 발치가 필요할 수 있다. 인접치의 손상은 충분히 예방 가능하다. 대

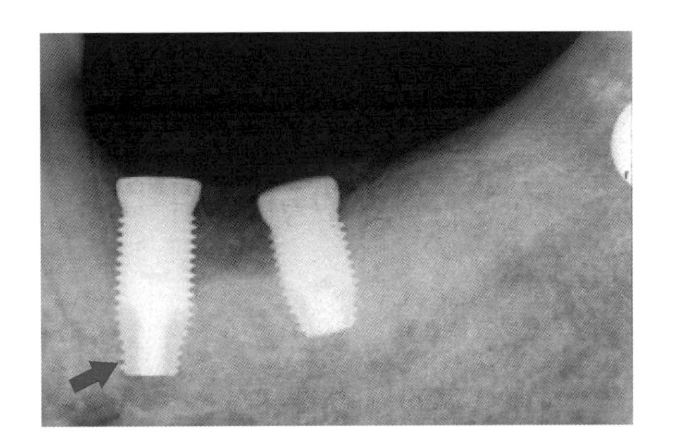

그림 49-3. 인접치의 손상

부분의 경우 이러한 손상이 적절한 해부학적 지식의 부족 또는 인접치의 치근 형태를 고려하지 않은 잘못된 드릴링 방향에 의해 발생한다. 따라서 이러한 인접치의 손상은 주의 깊은 치료계획 수립, 해부학적 지식의 숙지, 그리고 수술과정 중 치근단방사선 사진 촬영을 통해 예방할 수 있다.[1]

(4) 상악동이나 비강 천공 (Perforation of nasal or maxillary sinus)

상악 구치부에는 상악동이, 상악 전치부에는 비강이 해부학적 제한 부위이다. 상악동이나 비강 근처에 임플란트를 식립할 때는 임플란트 수용부를 최종적으로 형성한 후 임플란트용 탐침으로 상악동이나 비강의 천공 여부를 확인하여야 한다. 천공을 피하기 위해서는 사전에 잔존골의 양을 정확하게 계측하는 것이 가장 좋은 방법이다. 상악동 내에 감염이 없는 상태에서 상악동이 천공되면 시술 후 코나 목 뒤쪽으로 출혈이 있을 수 있으나, 별다른 합병증 없이 치유될 수도 있다. 그러나 상악동 내에 감염이 있으면 상악동염을 동반한 구강-상악동 누공을 형성하거나, 감염 및 상피 이입에 의한 골유착 실패의 가능성도 있다.[9]

(5) 하악 골절(Mandibular fractures)

최근에는 임플란트로 인한 하악 골절의 발생이 비교적 드물다. 그러나 노인 환자에서 위축된 하악골의 전치부에 여러 개의 임플란트를 식립할 때 골절이 유발될 수 있다. 하치조신경 전위술이나 치조제 분할 수술 시 골절이 되기 쉬우므로 주의가 필요하다. 임플란트와 연관된 하악 골절을 유발할 수 있는 소인으로는 골다공증, 임플란트의 위치에 따른 스트레스, 그리고 외상 등을 들 수 있다. 위축된 하악골에 길고, 두꺼운 임플란트를 식립하면 치조골을 약화시킬 수 있으므로 주의가 필요하다.[10]

(6) 골 열개와 천공 (Bony dehiscense and fenestration)

골 열개와 천공은 임플란트 수술 중에 자주 접하게 된다(그림 49-4). Goodacre 등[11]은 식립된 3,156개의 임플란트 중 7%에서 골 열개와 천공 등의 골 결손이 발생하였다고 보고하였다. 다른 연구들에서는 2~13%까지 다양한 발생 빈도를 보고하고 있다. 임플란트 수술 중 이러한 골 결손이 발생하면 자가골 또는 이종골과 차폐막을 동반한 골유도재생술이 추천된다.

(7) 임플란트의 일차 안정성 부족

임플란트의 일차 안정성은 임플란트의 골유착과 성공에 매우 중요한 요소로 여겨진다. 그러나 과도한 임플란트 수용부의 형성, 불량한 골질, 너무 짧은 임플란트 또는 발치후 즉시 식립된 임플란트의 경우 일차 안정성의 확보

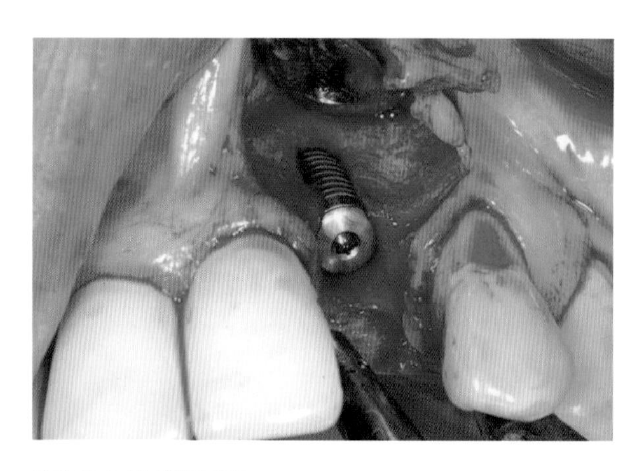

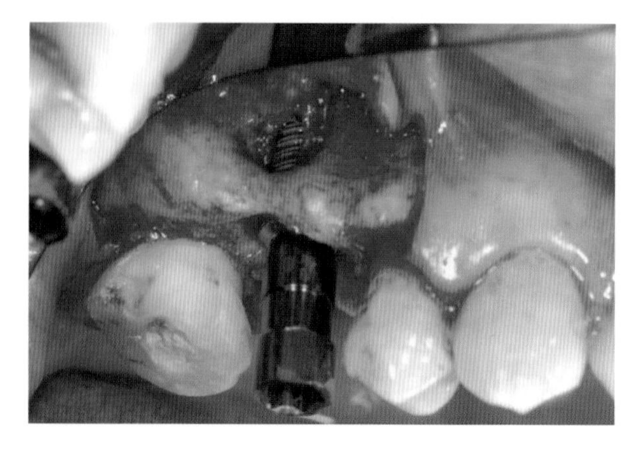

그림 49-4. 골 열개와 천공

가 어려울 수 있다. 식립된 임플란트가 회전 동요도(rotational mobility)를 보이는 경우에는 치유 기간을 연장하는 것이 바람직하며, 측방 동요도(lateral mobility)를 보이는 경우에는 일차 안정성을 얻기 위해 더 넓은 직경의 임플란트나 더 긴 임플란트로 기존의 임플란트를 대체하는 것이 추천된다.[7] 다른 방법으로는 형성된 임플란트 수용부를 이식골로 충전한 후 재식립을 시도할 수 있다. 그럼에도 불구하고 일차 안정성을 확보하지 못한 경우에는 골유도재생술을 시행한 후 몇 개월 후에 다시 식립해야 한다.

2) 수술 후 합병증(Postoperative complications)

(1) 출혈과 혈종(Hemorrhage and Hematoma)

수술 후 출혈(postoperative bleeding)에 대한 대처도 중요하다. 수술이 끝나고 수 시간 이후에 지연 출혈, 혈종, 출혈성 반점(hemorrhagic patches) 등이 생길 수 있다(그림 49-5). 수술 후의 출혈성 반점은 모세혈관의 손상 정도에 따라 직경 2 mm 이내의 점상출혈(petechiae), 직경 2~10 mm 정도의 자색반증(purpura), 직경 10 mm 이상의 반상출혈(ecchymosis)의 형태로 발생한다. Goodacre 등[11]은 수술 후 약 24%의 환자에게서 반상출혈이 나타났다고 보고하였다. 출혈성 반점은 특별한 치료가 필요하지는 않지만 이러한 현상에 대해 환자에게 교육을 해야 한다. 점막하 출혈이 결합조직이나 연조직 공간(space)으로 침투하여 혈액이 고이면 혈종이 발생할 수 있다. 혈종은 출혈성 반점과 달리 종창을 동반한다. 수술 후 냉찜질은 종창을 줄여주는데 도움이 된다.

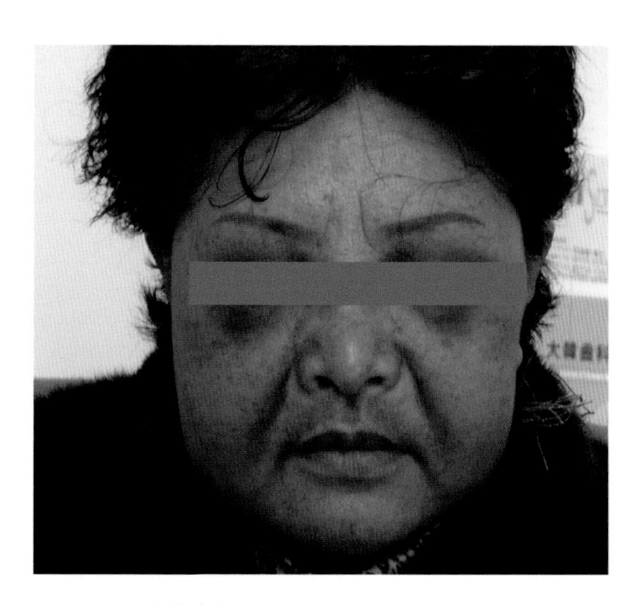

그림 49-5. 수술 후 출혈성 반점 및 혈종

혈종과 출혈성 반점이 치유될 때는 헤모글로빈의 파괴로 인해 피부색조의 변화가 일어난다. 초기에는 모여진 혈액 때문에 붉은색을 띠게 되고, 1~2일 후에는 검정이나 보라색을 보이다가, 6일 후에는 녹색으로 변하여, 8~9일이 지나면 노란빛을 보인다. 이러한 피부색조의 변화는 2~3주가 지나야 사라진다. 출혈성 반점의 발생을 줄여주기 위해서는 가급적 수술 부위에 수직절개를 피하고, 판막을 거상할 때 연조직에 손상을 줄여주며, 판막거상 후 혈병(blood clot)의 두께가 최소화되도록 수술 부위를 수분간 압박하면 반상출혈과 혈종의 발생 빈도를 줄일 수 있다.

(2) 부종(Edema)

수술 후 부종의 원인으로는 심한 외상이 가해진 경우, 출혈이 심한 경우, 혈관이 약해진 경우, 수술 후 처치를 충분히 못해준 경우 등이 있다. 수술 후 부종은 창상의 열개를 유발할 수 있다. 수술 전후 스테로이드나 소염제를 적절히 처방함으로써 부종의 양을 줄일 수 있다.

(3) 감염(Infection)

임플란트 수술 후 감염의 발생은 비교적 드물다. 그러나 식립된 임플란트 주위에 치성 감염이 있거나 기구의 소독이 불량할 때, 연조직 피개가 불완전할 때, 봉합부의 혈종 및 봉합사를 통한 감염, 골 삭제 과정 중의 과열(overheating)에 의한 골 괴사 등에 의해 발생할 수 있다. 감염이 발생하면 임상적으로 통증, 부종, 창상 부위에서의 화농성 삼출액 등이 나타난다. 최근 연구에는 감염을 예방하기 위해 수술 한 시간 전에 amoxicillin 2 g을 예방적 항생제 요법으로 처방 한 결과 수술 후 1주 간 항생제 처방과 유사한 결과를 보인다고 보고하였다.[12]

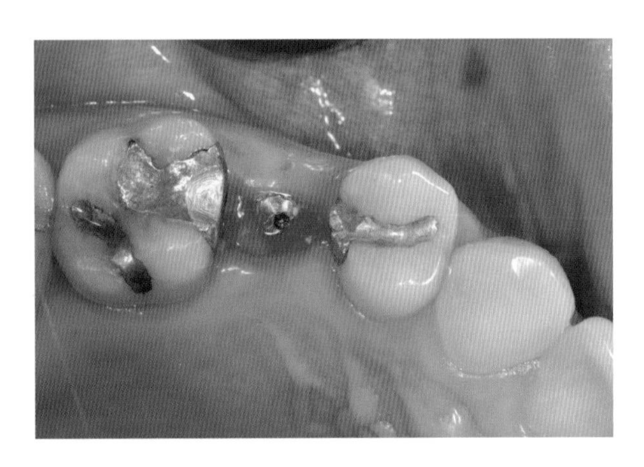

그림 49-6. 덮개 나사 조기 노출

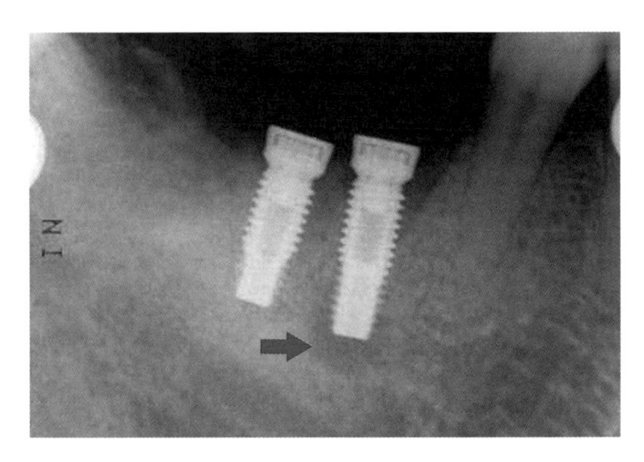

그림 49-7. 임플란트 치근단 병소

(4) 창상의 열개(Wound dehiscence)

2회법 임플란트 식립 후 가장 많이 발생하는 수술 후 합병증이 창상의 열개를 동반한 덮개 나사 조기 노출이다(그림 49-6). 일반적으로 4.6~13.7%의 발생 빈도가 보고되고 있다.[13] 이러한 덮개 나사 조기 노출은 봉합부에 긴장이 있거나, 잘못된 판막 설계, 임플란트 상부가 치조정보다 높게 식립되어 임시 국소 의치나 대합치에 의해 외상이 가해지면 창상 변연이 유합되지 않거나 얇아지면서 나타난다.[7]

이러한 국소의치에 의한 외상을 줄이기 위해서는 부드러운 이장재를 이용하여 주기적으로 국소의치를 이장해야 한다. 창상 열개로 인해 덮개 나사가 조기 노출되었을 때의 치료법으로는 재봉합법과 화학요법제를 이용한 방법이 있다. 48시간 이내에 발생하는 작은 열개는 즉시 재봉합하는 것이 추천된다.[5] 그러나 2~3일 경과 후 2~3 mm 크기의 열개가 발생한 경우에는 창상 변연을 절제하고 재봉합을 시도할 수 있으나 반복적인 열개가 발생할 수 있으므로, 하루 2번 화학요법제(chlorhexidine)를 이용한 철저한 구강위생 관리가 요구된다. 덮개 나사의 조기 노출이 임플란트의 생존율에 영향을 미치지는 않지만, 임플란트 변연골의 흡수를 유발할 수 있으므로 철저한 구강위생 관리가 추천된다.

(5) 임플란트 치근단 병소 (Implant periapical lesion)

임플란트 식립 후 발생하는 임플란트 치근단 병소의 원인으로는 식립 과정 중의 세균에 의한 감염 또는 골 삭제 과정 중의 과열로 인한 골 괴사, 그리고 골에 존재하는 잔존 이물질에 의해 발생할 수 있다(그림 49-7). Quirynen 등[14]은 5년간 약 1%의 임플란트 치근단 병소의 발생을 보고하였다. 이러한 병소는 증상을 보이는 활성형(active)과 증상이 없는 비활성형(inactive)으로 나눌 수 있다.[15] 증상을 보이지 않는 비활성형의 경우 특별한 치료 없이 주기적인 방사선 검사를 통해 병소의 크기 변화를 관찰하는 것이 추천된다. 그러나 통증과 부종, 누공을 동반하는 활성형 병소는 외과적 절제술과 항생제 처방이 필요하며 증상의 개선이 없으면 임플란트의 제거를 고려할 수 있다.

3) 상급 술식과 연관된 외과적 합병증

(1) 상악동저 거상술의 합병증 (Complications of sinus augmentation)

상악동저 거상술은 측벽 접근법과 치조정 접근법으로 나눌 수 있으나, 두 술식 모두에서 가장 많이 발생하는 수술 중 합병증이 상악동 점막 천공이다(그림 49-8).[16] 그 외에도 이식재의 감염, 임플란트의 상악동내 함입 등이 발생할 수 있다. 상악동 점막이 천공되면 천공의 크기에 따라 대처 방법이 달라진다. 천공의 크기가 작은 경우에는

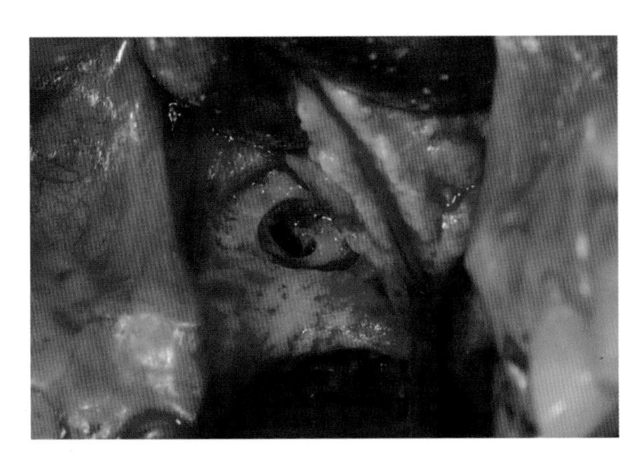
그림 49-8. 상악동 점막 천공

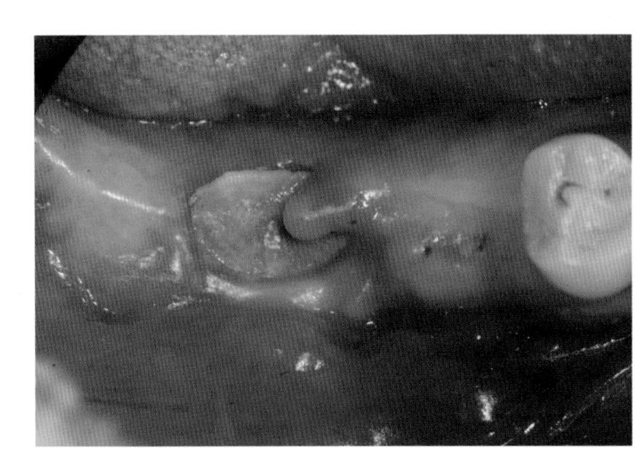
그림 49-9. 차폐막 노출

흡수성 차폐막으로 천공 부위를 피개한 후 골이식을 시행한다. 천공의 크기가 커서 흡수성 차폐막으로 피개가 어려운 경우에는 수술을 연기하는 것이 추천된다. 상악동저 거상술을 어렵게 만드는 요인 중의 하나가 격벽(septum)의 존재이다.[17] 환자의 31.7%에서 격벽이 존재하였으며, 주로 제2소구치와 제1대구치 사이에 존재한다. 격벽이 존재하면 상악동 점막의 천공이 더 쉽게 일어날 수 있다. 격벽이 존재하는 경우에 격벽이 앞쪽에 있으면 작은 치즐이나 hemostat 등으로 격벽을 제거하고, 격벽이 중간 정도에 위치하면 격벽을 포함하여 창을 크게 만들어서 상악동 점막을 거상하거나 격벽을 사이에 두고 두 개 이상의 창을 만들어 상악동 점막을 거상할 수 있다.[18] 상악동저 거상술 후 수술 부위가 파동성(fluctuance)을 보이지 않으며 감염 증상을 보이지 않는 경우에는 항생제만을 처방한다.[7] 그러나 파동성을 보이며 감염 증상을 보이면 절개 및 배농(I&D)을 시행하고 전신적 항생제를 투여해야 한다.[19,20] 이식재의 감염이 관찰되는 경우에는 이식재를 모두 제거하고 상악동 내를 깨끗이 세척하는 것이 추천된다.[21] 상악동염의 원인은 과도한 이식재의 삽입으로 인한 ostium의 자극과 차단에 의해 발생할 수 있으며, 상악동염이 발생하면 환자는 고열, 안면부 동통, 코를 통한 화농성 삼출물, 기침(cough)과 권태감(malaise), 이명 현상 등의 증상을 보일 수 있다.[22]

(2) 골유도재생술의 합병증 (Complications of guided bone regeneration)

골유도재생술을 위해 차폐막을 사용하는 경우 창상의 열개를 동반한 차폐막 노출의 빈도가 높아진다(그림 49-9). 이러한 현상을 예방하기 위해서는 협측 판막을 2~3 mm 정도 충분히 신전시켜 장력 없이 봉합을 시행해야 한다. 누상봉합(mattress suture)이 창상의 열개를 예방하기 위해 주로 많이 사용된다. 차폐막이 조기에 노출되면 하루 2번 화학요법제(chlorhexidine)를 이용한 철저한 구강위생 관리가 요구된다. 차폐막의 조기 노출은 불량한 골 재생을 유발할 수 있으므로 철저한 구강위생 관리가 추천된다.

참고문헌

1. Newman MG, Takei HH, Klokkevold PR, Carranza FA. Carranza's clinical periodontology. In:Froum SJ, Klokkevold PR, Cho SC, Froum SH. Implant-related complications and failures. 13th ed. P 846, Philadelphia, Saunders, 2019.
2. Lamas Pelayo J, Peñrrocha Diago M, MartíBowen E, Peñrrocha Diago M. Intraoperative complications during oral implantology. Med Oral Patol Oral Cir Bucal 2008;13:239–43.
3. Isaacson TJ. Sublingual hematoma formation during immediate placement of mandibular endosseous implants. J Am Dent Assoc 2004;135:168–72.
4. Mordenfeld A, Andersson L, Bergström B: Hemorrhage in the floor of the mouth during implant placement in the edentulous mandible. Int J Oral Maxillofac Implants 1997;12:558–61
5 Gregg JM. Neuropathic complications of mandibular implant surgery: review and case presentations. Ann R Australas Coll Dent Surg 2000;15:176–80.
6 Kan JY, Lozada JL, Goodacre CJ. Endosseous implant placement in conjunction with inferior alveolar nerve transposition: an evaluation of neurosensory disturbance. J Oral Maxillofac Surg 1997;12:463–71.
7 Greenstein G, Cavallaro J, Romanos G, Tarnow D. Clinical recommendations for avoiding and managing surgical complications associated with implant dentistry: a review. J Periodontol 2008;79:1317–29.
8 Kraut RA, Chahal O. Management of patients with trigeminal nerve injuries after mandibular implant placement. J Am Dent Assoc 2002;133:1351–4.
9 Katranji A. Sinus augmentation complications: etiology and treatment. Implant Dent 2008;17:339–49
10 Tolman DE, Keller EE. Management of mandibular fracture in patients with endosseous implants. Int J Oral Maxillofac Implants 1991;6:427–36.
11 Goodacre CJ, Bernal G, Rungcharassaeng K, Kan JY. Clinical complications with implants and implant prostheses. J Prosthet Dent 2003;90:121–32.
12 Hossein K, Pahlin C, Alseu B. Influence of different prophylactic antibiotic regimens on implant survival rate: a retrospective clinical study. Clin Implant Dent Relat Res 2005;7:32–5.
13 Tal H. Spontaneous early exposure of submerged implants: I. Classification and clinical observations. J Periodontol 1999;70:213–9.
14 Quirynen M, Gijbels F, Jacobs R. An infected jawbone site compromising successful osseointegration. Periodontol 2000 2003;33:129–44.
15 Reiser GM, Nevins M. The implant periapical lesion: etiology, prevention, and treatment. Compend Contin Educ Dent 1995;16:768–77
16 Proussaefs P. Repair of the perforated sinus membrane with a resorbable collagen membrane. Int J Oral Maxillofac Implants 2004;19:413–20.
17 Ulm CW. Incidence and suggested surgical management of septa in sinus lift procedure. Int J Oral Maxillofac Implants 1995;10:462–5.
18 Boyne PJ, James RA. Grafting of the maxillary sinus floor with autogenous marrow and bone. J Oral Surg 1980;38:613–6.
19 Barone A, Santini S, Sbordore L. A clinical study of the outcomes and complications associated with maxillary sinus augmentation. Int J Oral Maxillofac Implants 2006;21:81–5.
20 Regev E, Smith RA, Perrott DH, Pogrel MA. Maxillary sinus complications related to endosseous implants. Int J Oral Maxillofac Implants 1995;10:451–61.
21 Ah-See KW, Evans AS. Sinusitis and its management. BMJ 2007;334:358–361.
22 Sandler NA, Johns FR, Braun TW. Advances in the management of acute and chronic sinusitis. J Oral Maxillofac Surg 1996;54:1005–13.
23 Ivanoff CJ, Sennerby L, Lekholm U. Influence of initial implant mobility on the integration of titanium implants. An experimental study in rabbits. Clin Oral Implants Res 19967:120–7.
24 Sadig W, Almas K. Risk factors and management of dehiscent wounds in implant dentistry. Implant Dent 2004;13:140–7.

치과영역에서 임플란트의 도입은 치과치료의 패러다임에 급격한 변화를 가져 왔다. 구강이라는 복잡한 구조 속에서 이런 새로운 표면물질의 출현은 세균 번식과 치료의 측면에서 다양한 변화와 새로운 기회를 제공하게 되었다. 치아와 다른 물리적 특성을 가진 임플란트 표면의 출현으로 이 환경에 적응하는 새로운 세균종이 나타나, 결과적으로는 자연치아와는 다른 세균총이 형성될 것이라 생각할 수도 있지만, 초기 임플란트 표면에 집락화되는 특정 세균종들은 치아에 집락화되는 것들과 유사하며, 시간의 경과에 따라 임플란트 주위에 치주낭이 형성될 경우, orange와 red complex 종의 수와 비율이 증가하게 되어 인접 치아의 깊은 치주낭에서 증가되는 종들과 유사한 양상을 나타낸다.[1–3] 임플란트 주위염이 진행되면 치주질환에서 증가되었던 세균종들이 함께 증가하고 이런 세균종들에는 *Porphyromonas gingivalis, Tannerella forsythia, Aggregatibacter actinomycetemcomitans* 같은 치주질환 유발균주가 포함된다. 치주질환의 경력이 있는 부분 무치악 환자의 임플란트 세균총은 치주질환의 경력이 없는 부분 무치악 환자나 혹은 완전 무치악 환자의 임플란트 세균총에 비해 더 많은 치주 병원균이 번식하는 것으로 나타난다. 이런 종들의 출현이 치주질환 경력이 있는 환자에 있어, 장기적으로 임플란트 주위염의 발현 위험을 증가시킬 것으로 생각된다.

1. 임플란트 표면의 초기 바이오필름 형성

자연치에서는 수분 이내에 세균의 부착이 발생한다.[4] 깨끗하게 한 치아는 세균의 즉각적인 증식이 가능하고, 추후에 집락하는 종을 위한 부착표면을 제공하게 된다. 임플란트 표면에 나타나는 초기 바이오필름 형성은 구강 내 치아와 수복물 표면에서 관찰되는 것과 유사하다. 실험적인 치은염과 임플란트 주위점막염을 3주 동안 위상차현미경을 이용하여 관찰한 연구에서, 연구 시작일과 치태축적 3주째에 치아와 임플란트 표면 모두에서 구균, 운동성 간균, 나선균(spirochetes) 등이 유사한 분포를 나타내었다.[1] 이러한 결과는 자연치에서 실험적인 치은염 환자를 대상으로 한 연구의 결과와 유사하며, 치태축적 3주째에 운동성 간균과 나선균이 높게, 구균 세포는 낮은 비율로 나타난 사실 또한 비슷하다.[5,6] 이것은 치아와 임플란트 표면에 치태축적이 유사한 양상을 나타냄을 의미한다.

초기 바이오필름 형성의 첫 번째 단계로 타액의 단백질은 임플란트 표면에 획득피막(pellicle)을 형성하고, 이 막은 yellow complex (streptococci 종)와 Actinomyces 종들과 같은 초기 집락체(colonizer)의 표면에 adhesin을 위한 결합부위를 제공한다. 초기 집락체의 증식과 응집 이후 green과 purple complex 군들이 결합하여 응집체를 형성한다. 이후 orange complex들은 대부분 red complex로 구성된 바이오필름과 상피관련 바이오필름 사이에 산재되어 세균 덩어리를 형성하게 된다.[7,8]

Edgerton 등[9]의 임플란트 표면의 피막 형성과정에 대한 *in vitro* 연구에서 법랑질에 나타나는 피막과 같이 고분자량의 mucin, α–amylase, secretory IgA, proline–rich protein 등의 다양한 타액 구성물이 티타늄 표면에서도 나타남을 보고하였다. 그러나 cystatins와 저분자량의 mucins 같은 법랑질 표면에서는 흔하게 나타나는 것들이 티타늄 표면에서는 관찰되지 않았다. 이러한 피막의 조성 차이는 치아와 임플란트의 초기 바이오필름 형성에 질적인 차이를 나타나게 할 수 있을 것으로 보였다. 그러나 구강내 부위별로, 다른 물질표면의 시간에 따른 바이오필름 축적을 조사한 Leonhart 등[10]은 다른 물질 사이에 종의 집락화에는 유의한 차이가 없다고 하였다. 결론적으로 티타늄 표면에 형성되는 타액 피막은 법랑질 표면의 것과 다를 수 있으나, 이런 차이가 초기 바이오필름의 세균 조성에는 영향을 미치지 않는다고 볼 수 있다.

초기 바이오필름 형성 이후의 바이오필름의 세균분포는 시간이 지남에 따라 조금 복잡해진다. Quirynen 등[2]은 임플란트 식립이 필요한, 부분 무치악 환자를 대상으로 임플란트와 치아 표면으로부터 바이오필름 표본을 임플란트 노출 후 2, 4, 12, 26주째에 채취하였다. Checkerboard DNA–DNA hybridization을 이용하여 40가지 세균종의 분포를 평가하였다. 치아 표면에서는 red와 orange complex 종이 각 조사 시점마다 높게 나타났으며, 그중에서도 2주째에 더욱 높게 나타났다. 그 이후 시기에서는 red와 몇 가지 orange complex종이 여전히 높은 수치를 나타내었으나, 주목할 만한 차이를 나타내지는 않았다. 하지만 임플란트 표면에서는 *Fusobacterium nucleatum ss vincentii, Peptostreptococcus micros, Prevotella nigrescens, P. gingivalis*를 포함하는 몇 종의 개체수가 증가하였다. 또한, *Streptococcus mitis*와 *Streptococcus oralis* 같은 "초기 집락체"라 생각했던 종들이, 임플란트 표면에서는 2주째에 나타나 초기 수준이 26주째까지 유지된다는 사실은 매우 흥미롭다. *Fusobacterium, P. micros, P. gingivalis*와 같은 종들이 초기에 발견되기는 하였지만, 그 증가 속도가 시간이 지남에 따라 매우 완만하였다. *Eubacterium nodatum*과 *Treponema denticola* 같은 치주 병원균으로 간주되었던 몇몇 종은 초기에 임플란트 주위에 적은 수로 나타났으며, 이런 세균종들이 임상적으로 건강한 임플란트에서 6개월 동안 증가했다는 증거는 거의 없었다.

2. 구강 내에 노출된 임플란트 표면의 세균 분포

초기 치태 형성에 관한 연구를 통해 구강 내에 임플란트가 노출된 이후, 수 주 내에 임플란트 고정체에 다수의 종으로 구성된 치은연상, 연하 바이오필름이 형성된다는 것이 명백히 입증되었다. 또, 새로운 임플란트 표면에서 나타나는 세균번식의 형태와 과정에 있어서, 임플란트 표면에 나타나는 초기 집락화와 장기적으로 생존한 임플란트 세균총의 조성이 치아 표면과 유사하게 나타남이 여러 연구에서 제안되었다.[8,11] 하지만 여기서 간과하면 안되는 사실은 임플란트 표면에서 일어나는 이러한 일련의 과정들은 더욱 복합적으로 복잡하게 일어난다는 사실이다. 임플란트 바이오필름이 완전히 성숙되는 데는 년 단위는 아니지만 수 개월이 필요하다는 사실과 완전 무치악 환자의 구강내 환경과 부분 무치악 환자의 환경이 임플란트 바이오필름에 미치는 영향이 다르다는 것은 위와 같은 사실을 뒷받침해준다.

임플란트 표면의 세균총은 임플란트가 구강 내에 오래 잔존할수록 그 조성이 더욱 복잡해진다. 시간에 따라 세균총의 복잡성이 증가한다는 증거는 임플란트가 구강 환경에 노출된 기간에 따른 세균총의 변화를 비교하는 연구들을 통해 나타난다. George 등[12]은 구강 내에 노출된 기간이 길수록 *A. actinomycetemcomitans, P. gingivalis, Prevotella intermedia* 등의 집락화가 유의한 수준으로 더 빈번하게 나타났다고 보고하였으며, Mengel 등[13]은 시간 경과에 따른 운동성 간균, 방추상균, 나선균, 사상균 비율의 증가 및 구균 세포의 감소를 보고하였다. 다양한 기간 동안 checkerboard DNA–DNA hybridization을 사용한 Lee 등[14]의 연구에서 초기 집락체인 yellow와 green complex는 전 기간 동안 비교적 일정하게 유지되고, orange complex는 streptococci보다 낮은 수준으로 관찰되었으며, red complex는 구강내 임플란트 노출 3개월 동안은 나타나지 않거나 낮은 수준이다가 그 이후 증가하여 *P. gingivalis*와 *T. forsythia*는 부하 후 7~12개월에 최대치를 나타낸다고 보고하였다.

완전 무치악 환자의 임플란트 주위 세균총과 부분 무치악 환자의 세균총을 비교하는 문헌들을 살펴보면, 잔존하는 치열이 임플란트의 치주 병원균 집락화에 영향을 주는 주요 원인임을 알 수 있다. 완전 무치악, 부분 무치악 환자의 임플란트에서 채취한 표본을 통해 미생물학적 차이를 보고한 바가 있는데, 부분 무치악 환자의 임플란트 표면에서 "black-pigmented Bacteroides"가 높은 비율과 빈도로 나타난다는 반면,[15-17] 구균은 더 적게 나타나고, 운동성 간균, 나선균은 유의하게 많이 나타난다고 보고하였다.[18,19] 또한 *P. gingivalis*와 *P. intermedia*는 더 많은 빈도로 검출된다.[12,20] 인접치와 임플란트 주위의 세균총을 비교한 조사들에서도 두 군의 조성에서 여러 가지 유사점을 밝혔다. 예를 들어, 부분 무치악 환자의 인접치와 임플란트 치은연하 표본에서 검출된 다양한 형태의 개체수가 유의한 차이를 보이지 않았다.[19] 이와 같이 임플란트와 자연치 간의 치은연하 표본 유사성은 암시야 현미경이나 BANA (benzoyl-DL-arginine-naphthylamide) test를 이용한 방법에서도 나타난다.[21,22] 그러나 치아와 임플란트에서 세균총 조성의 유사성을 보고한 연구들은 치아가 임플란트 고정체의 미생물 집락화에 1차적 근원이라는 증거는 아직 완전하게 제시하지는 못하였다. 이 후 같은 환자의 임플란트와 자연치에서 분리된 *P. gingivalis*와 *P. intermedia*의 염색체 DNA 분절형태 비교연구 결과, 같은 환자 내에서 각각의 균주의 DNA 형태가 동일함을 보고하였다.[23,24] 즉 자연치로부터 임플란트로의 미생물 전이를 입증한 것이다. 그러나 치아 이외의 연조직 표면이나 타액 등의 감염원을 완전히 배제시킬 수는 없다.

3. 치주질환 병력이 있는 사람의 임플란트 주위 세균총

잔존치열은 치주낭 내의 세균의 전이를 통해 임플란트 주위 세균총을 집락화시키는 감염원이 될 수 있다. 이러한 사실은 치주감염 경력이 있는 환자의 임플란트에서 치주 병원균이 높은 수준으로 집락화 할 것임을 시사한다. 비록 대부분의 종이 임플란트에서 낮은 수준으로 관찰되기는 하지만, 부분 무치악 환자에서 임플란트 고정체의 세균총 조성이 잔존치의 치은연하 세균총과 유사하다는 것을 밝혀낸 연구들이 있다. 치주질환 치료를 받은 환자를 대상으로 임플란트가 구강환경에 노출된 6개월 후에, 임플란트와 잔존치의 치은연하에 *A. actinomycetemcomitans, P. gingivalis, P. intermedia*에 대한 발견 빈도가 유사하게 나타났다.[25] 이전에 치주질환으로 치료받은, 부분 무치악 환자의 임플란트 주위 집락화를 검사한 결과, 임플란트 주위 표본과 자연치의 가장 깊은 치주낭에서 채취한 표본의 세균종들의 형태형의 분포와 치주염유발 균주의 발현빈도가 유사함을 보고하였다.[26] 이런 결과들은 잔존 치주낭이 임플란트 표면 집락화에서 감염원 역할을 한다는 것을 의미한다.

전반적 급진성 치주염과 만성 치주염 경력이 있는 환자를 대상으로 식립된 임플란트의 임상적, 미생물학적 결과에 대한 전향적 연구가 실시되었다.[27,28] 질환이 있는 환자들은 몇 년에 걸쳐 광범위한 치료를 받았다. 그 결과 자연치에서 집락화된 세균총의 복합성과 개체수가 감소하였다. 이에 따라, 임플란트 식립 후에, 2가지 질환군과 치주적으로 건강한 군의 임플란트 주위 표본을 통해 나타난 세균총의 집락화의 조성은 모두 유사함이 보고되었으며, 또한 관찰 기간 3년 동안에 구균이 주류를 이루었다. 이는 적절한 치주치료가 임플란트 주위 세균총의 변화를 가져올 수 있다는 것을 제시한다. 그러나 조절되지 않는 전반적 급진성 치주염에서는 임플란트와 치아에서 지속적인 부착소실이 관찰되었으며 일부 5년간 관찰한 대상에서는 임플란트 주위 세균총에서 나선균, 운동성 간균,

사상균 등이 4~5년에 급격히 증가되었다. 이러한 군에서의 임플란트 성공률은 88.8%로서 전체표본의 3년간 임플란트 성공률인 97.9%와 비교되는 결과이다. 이상의 자료들을 고려할 때, 치주질환자의 임플란트 주위의 세균총은 같은 환자의 자연치 치주낭에서 채취한 표본과 유사하며, 치주질환이 없거나 미미한 환자에 비해 더 많은 병원균 종이 번식하게 되는 것이다.

4. 임플란트 주위염 부위의 세균총

건강한 사람의 안정적인 임플란트는 주로 구균(82%)에 의해 집락화되어 있으며 방추상균, 운동성 간균은 매우 낮은 수준으로 검출되며 나선균은 검출되지 않았다. 임플란트 주위염이 있는 곳의 세균총은 운동성 간균, 나선균, 방추상균이 매우 높은 수준으로 나타나는 반면, 구균은 49%만을 차지하였다.[29] 건전한 임플란트와 임플란트 주위염이 있는 임플란트를 대상으로 한 세균총 연구에서 40가지의 치은연하 분류군 중에 *P. nigrescens, P. micros, F. nucleatum ss vincentii, F. nucleatum ss nucleatum* 등 4가지만 건전한 임플란트와 비교하여 임플란트 주위염에서 양성반응을 보였다. 비록 유의한 차이는 없었지만, 대조군의 건강한 임플란트와 비교해서 failing implant가 있는 환자의 임플란트 주위에는 *P. gingivalis, T. forsythia, T. denticola*가 많이 출현하는 경향이 있었다.[30] 무치악 환자로부터 임플란트 주위염을 보이는 골내낭에서 18개의 표본을 얻어 배양법을 이용한 미생물 실험에서 가장 흔하게 분리된 종들은 Bacteroidaceae (16/18), *A. actinomycetemcomitans* (16/18), F. nucleatum (4/18), Capnocytophaga 종(5/18), Eikenella corrodens (3/18)로 보고되었다.[31]

대다수 문헌에 의하면, 치주감염과 연관된 종들의 개체수가 failing implant와 관련된 세균총에서 증가됨을 보고하고 있다. 또한 아직 이런 미생물체들과 임플란트 주위 감염 간의 인과관계는 불명확하지만, staphylococci, enteric rods, yeast 같은 흔히 치주질환과 연관 없는 다른 미생물들이 임플란트 주위 병소에서 종종 관찰되고 있어 지속적인 연구가 필요한 분야이다.

참고문헌

1. Pontoriero R, Tonelli MP, Carnevale G, Mombelli A, Nyman SR, Lang NP. Experimentally induced peri-implant mucositis. A clinical study in humans. Clin Oral Implants Res 1994;5:254-259.
2. Quirynen M, Vogels R, Peeters W, van Steenberghe D, Naert I, Haffajee A. Dynamics of initial subgingival colonization of "pristine" peri-implant pockets. Clin Oral Implants Res 2006;17:25-37.
3. van Winkelhoff AJ, Goene RJ, Benschop C, Folmer T. Early colonization of dental implants by putative periodontal pathogens in partially edentulous patients. Clin Oral Implants Res 2000;11:511-520.
4. Socransky SS, Manganiello AD, Propas D, Oram V, van Houte J. Bacteriological studies of developing supragingival dental plaque. J Periodontal Res 1977;12:90-106.
5. Löe H, Theilade E, Jensen SB. Experimental gingivitis in man. J Periodontol 1965;36:177-187.
6. Theilade E, Wright WH, Jensen SB, Löe H. Experimental gingivitis in man. II. A longitudinal clinical and bacteriological investigation. J Periodontal Res 1966;1:1-13.
7. Socransky SS, Haffajee AD, Cugini MA, Smith C, Kent RL Jr. Microbial complexes in subgingival plaque. J Clin Periodontol 1998;25:134-144.
8. Socransky SS, Haffajee AD. Periodontal microbial ecology. Periodontol 2000 2005;38:135-187.
9. Edgerton M, Lo SE, Scannapieco FA. Experimental salivary pellicles formed on titanium surfaces mediate adhesion of streptococci. Int J Oral Maxillofac Implants 1996;11:443-449.

10. Leonhardt A, Olsson J, Dahlen G. Bacterial colonization on titanium, hydroxyapatite, and amalgam surfaces in vivo. J Dent Res 1995;74:1607–1612.
11. Kolenbrander PE, Palmer RJ Jr., Rickard AH, Jakubovics NS, Chalmers NI, Diaz PI. Bacterial interactions and successions during plaque development. Periodontol 2000 2006;42:27–79.
12. George K, Zafiropoulos GG, Murat Y, Hubertus S, Nisengard RJ. Clinical and microbiological status of osseointegrated implants. J Periodontol 1994;65:766–770.
13. Mengel R, Schroder T, Flores-de-Jacoby L. Osseointergrated implants in patients treated for generalized chronic periodontitis and generalized aggressive periodontitis 3-and 5-year results of a prospective long-term study. J Periodontol 2001;72:977–989.
14. Lee KH, Maiden MF, Tanner AC, Weber HP. Microbiota of successful osseointegrated dental implants. J Periodontol 1999;70:131–138.
15. Apse P, Ellen RP, Overall CM, Zarb GA. Microbiota and crevicular fluid collagenase activity in the osseointergrated dental implant sulcus: a comparison of sites in edentulous and partially edentulous patients. J Periodontal Res 1989;24:96–105.
16. Hultin M, Bostrom L, Gustafsson A. Neutrophil response and microbiological findings around teeth and dental implants. J Periodontol 1998;69:1413–1418.
17. Nakou M, Mikx FH, Oosterwaal PJ, Kruijsen JC. Early microbial colonization of permucosal implants in edentulous patients. J Dent Res 1987;66:1654–1657.
18. Papaioannou W, Quirynen M, Nys M, van Steenberghe D. The effect of periodontal parameters on the subgingival microbiota around implants. Clin Oral Implants Res 1995;6:197–204.
19. Quirynen M, Listgarten MA. Distribution of bacterial morphotypes around natural teeth and titanium implants ad modum Branemark. Clin Oral Implants Res 1990;1:8–12.
20 Kalykakis GK, Mojon P, Nisengard R, Spiekermann H, Zafiropoulos GG. Clinical and microbial findings on osseointegrated implants; comparisons between partially dentate and edentulous subjects. Eur J Prosthodont Restor Dent 1998;6:155–159.
21. Palmisano DA, Mayo JA, Block MS, Lancaster DM. Subgingival bacteria associated with hydroxyapatite-coated dental implants: morphotypes and trypsin-like enzyme activity. Int J Oral Maxillofac Implants 1991;6:313–318.
22. Quirynen M, Papaioannou W, van Steenberghe D. Intraoral transmission and the colonization of oral hard surfaces. J Periodontol 1996;67:986–993.
23. Sumida S, Ishihara K, Kishi M, Okuda K. Transmission of periodontal disease-associated bacteria from teeth to osseointegrated implant regions. Int J Oral Maxillofac Implants 2002;17:696–702.
24. Takanashi K, Kishi M, Okuda K, Ishihara K. Colonization by Porphyromonas gingivalis and Prevotella intermedia from teeth to osseointegrated implant regions. Bull Tokyo Dent Coll 2004;45;77–85.
25. Leonhardt A, Adolfsson B, Lekholm U, Wikstrom M, Dahlen G. A longitudinal microbiological study on osseointergrated titanium implants in partially edentulous patients. Clin Oral Implants Res 1993;4:113–120.
26. Mombelli A, Marxer M, Gaberthuel T, Grunder U, Lang NP. The microbiota of osseointegrated implants in patients with a history of periodontal disease. J Clin Periodontol 1995;22:124–130.
27. Mengel R, Schroder T, Flores-de-Jacoby L. Osseointegrated implants in patients treated for generalized chronic periodontitis and generalized aggressive periodontitis: 3- and 5-year results of a prospective long-term study. J Periodontol 2001;71:977–989.
28. Mengel R, Flores-de-Jacoby L. Implants in patients treated for generalized aggressive and chronic periodontitis: a 3-year prospective longitudinal study. J Periodontol 2005;76:534–543.
29. Mombelli A, van Oosten MA, Schurch E Jr., Lang NP. The microbiota associated with successful or failing osseointegrated titanium implants. Oral Microbiol Immunol 1987;2:145–151.
30. Salcetti JN, Moriarty JD, Cooper LF, Smith FW, Collins JG, Socransky SS, Offenbacher S. The clinical, microbial, and host response characteristics of the failing implant. Int J Oral Maxillofac Implants 1997;12:32–42.
31. Augthun M, Conrads G. Microbial findings of deep peri-implant bone defects. Int J Oral Maxillofac Implants 1997;12:106–112.

골유착성 임플란트를 이용한 보철적 수복은 매우 신뢰할만한 술식이다. 그럼에도 불구하고, 골유착의 소실과 그로 인한 임플란트의 상실과 같은 합병증이 초래될 수 있다.[1,2] 임플란트 식립이 증가되고 임플란트의 기능기간이 길어짐에 따라 임플란트 관련 합병증의 발생도 불가피하게 증가될 것이다.

1. 치주조직과 임플란트 주위조직

치아 주위조직과 임플란트 주위조직(peri–implant tissue)은 몇 가지 측면에서 차이가 있다. 자연치의 치은섬유는 백악질에 수직으로 부착되어 있으나, 임플란트 주위 연조직의 교원섬유는 임플란트에 부착되어 있지 않고 표면에 평행하게 주행할 뿐이다. 또한, 임플란트 주위점막에는 치은조직에 비해 교원질의 함량이 현저히 증가되어 있고 섬유모세포의 수와 혈관 분포는 감소되어 있다.[3] 치주조직과의 이러한 차이점들은 임플란트 주위조직의 방어기전이 저하되어 있음을 시사하는 것일 수 있다.

치태 축적에 대한 반응에 있어서도 치아 주위조직과 임플란트 주위조직은 차이가 있다. 치아와 임플란트 각각에 치태를 축적시켜 실험적으로 유발한 주위조직의 병소를 비교한 연구에 의하면, 임플란트 주위에서 결합조직내 염증병소가 더 심하였다.[4–6] 한편, 치태가 근단측으로 확산됨에 따라 임플란트와 치아 모두에 있어 골파괴의 임상적 및 방사선학적 소견이 관찰되었다. 그러나, 변연골 파괴와 연조직 염증병소의 크기가 임플란트 주위조직에서 더 현저하였다. 임플란트 병소는 변연골 직상부의 결합조직에까지 확산되어 골수강 내로 침투하거나 그에 인접하였으나, 치아에서의 병소는 그렇지 아니하였다.[5,6]

2. 임플란트 주위질환

임플란트 주위조직의 병변을 통틀어 임플란트 주위질환(peri–implant disease)이라 한다. 그 중 염증 병변이 임플란트 주위 연조직에 국한된 경우를 임플란트 주위점막염(peri–implant mucositis)이라 하며, 연조직 병변과 함께 임플란트 주위골의 점진적인 소실을 동반한 경우를 임플란트 주위염(peri–implantitis)이라 한다.[7,8]

1) 임플란트 주위질환의 유병률

임플란트 주위질환의 유병률에 관한 보고는 매우 제한적이다. Roos–Jansåker 등[9]은 임플란트 주위점막염이 약 80%의 환자와 50%의 임플란트에서 발생하였음을 보고하였으며, Fransson 등[10]의 보고에 의하면 90% 이상의 임플란트에서 점막염이 발생하였다. 한편, Fransson 등[10,11]은 28%의 환자와 12%의 임플란트에서 임플란트 주위염이 발생하였음을 보고하였으며, Roos–Jansåker 등[9]의 보고에 의하면 56%의 환자와 43%의 임플란트에서 주위염이 발생하였다.

2) 원인요소

임플란트 주위질환은 자연치에서의 염증성 치주질환과 마찬가지로 세균과 숙주인자들 간의 복잡한 상호작용의 결과이다. 염증에 이환된 임플란트와 건강한 임플란트에서의 열구 내 세균 조성은 매우 다른 것으로 알려져 있다. 이러한 세균총의 변화는 자연치에서의 경우와 매우 유사하여, 치주염과 임플란트 주위염에서의 세균총은 상당한 공통점을 갖고 있다.

완전무치악과 부분무치악은 세균조성에 있어 현저한 차이가 있다.[12,13] 완전무치악 환자의 임플란트 열구 내에는 치주질환 병인균이 낮은 수준으로 존재한다. 그러나, 부분무치악 환자는 잔존치에 존재하는 치주질환 병인균주가 임플란트 부위에 용이하게 서식할 수 있으므로, 임플란트 주위염에 이환될 가능성이 완전무치악 환자에 비해 높을 수 있다. Leonhardt 등[14]은 3년간 0.5 mm 이상의 골소실을 보인 부분무치악 임플란트 부위에 치주질환 병인균주 중의 하나인 *Prevotella intermedia*가 존재함을 보고한 바 있다.

임플란트 주위 변연골 소실은 여러 인자에 의해 초래될 수 있다. 세균감염과 생역학적 하중이 중요한 원인 요소이나, 그밖에 외과술식 과정에서의 손상, 식립 부위에서의 골량의 부족, 그리고 숙주반응의 저하 등도 임플란트 주위질환의 발생에 있어 보조 요소로 작용할 수 있다.

3) 위험요인

임플란트 주위질환과 연관성이 높은 위험요소로는 불량한 구강위생, 치주염 병력, 흡연을 들 수 있으며, 당뇨병, 음주, 유전적 특성 등도 위험요소로 작용할 수 있는 것으로 제시된 바 있다.

4) 각화점막과 임플란트 주위질환

임플란트 주위질환에 있어 각화점막의 역할을 218명의 환자를 대상으로 하여 연구한 Roos-Jansåker 등[9]의 보고에 의하면 각화점막의 부재와 임플란트 주위질환 사이에는 관련성이 없는 것으로 여겨진다.

3. 임플란트 주위질환의 진단

수동 또는 자동의 치주탐침을 이용하여 임플란트 주위 연조직을 검사할 수 있다.[15-17] 그러나, 골유착 임플란트에서의 치주탐침의 유용성에 관하여 의문이 제기된 바 있다. 임플란트 주위점막은 치은에 비해 탐침에 대한 저항이 낮아, 탐침의 조직내 침투가 더 현저한 것으로 알려져 있다. 임플란트 열구 내를 통상적인 방법에 따라 탐침하였을 때, 탐침의 말단이 임플란트 주위 변연골 또는 그에 인접한 부위에까지 도달한다.[18] 따라서, 자연치에서의 탐침심도의 변화가 부착수준 및 염증 정도의 변화에 의한 것이라면, 임플란트에서의 탐침심도의 변화는 변연골 수준의 변화에 기인하는 것으로 보아야 할 것이다.[19] 임플란트에 있어 치주탐침에 의해 측정된 부착수준과 방사선 사진 상의 변연골 수준 사이에 높은 연관성을 가지고 있음이 보고된 바도 있다.[17] 탐침심도와 임상적 부착수준의 변화를 임플란트 주위에서 주의 깊게 모니터링하는 것은 유익할 수 있다. 한편, 탐침 시의 출혈은 치은 또는 임플란트 점막에 있어 염증의 주요 징후 중의 하나이다. 그러나, 임플란트의 경우 건강 부위에서도 탐침 시 출혈이 유발되는 경향이 있다.[18]

화농, 부종, 그리고 색조 변화 등도 임플란트 주위질환

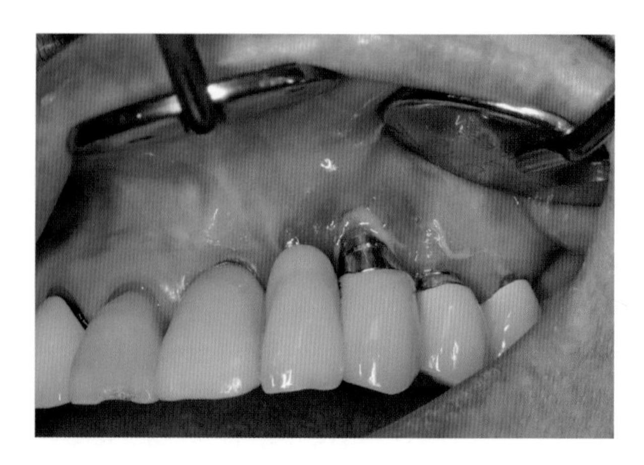

그림 51-1. 임플란트 주위점막의 발적 및 부종

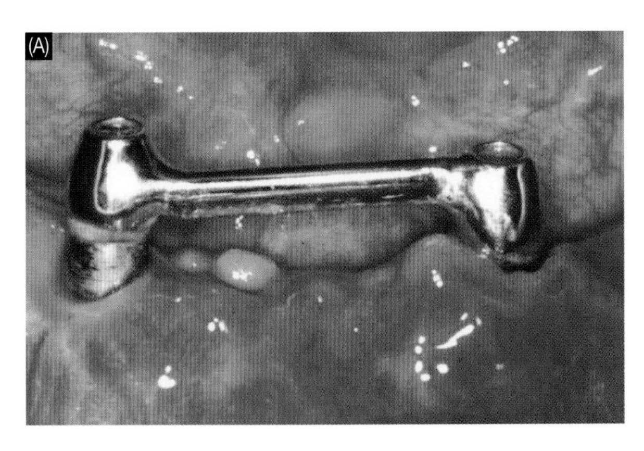

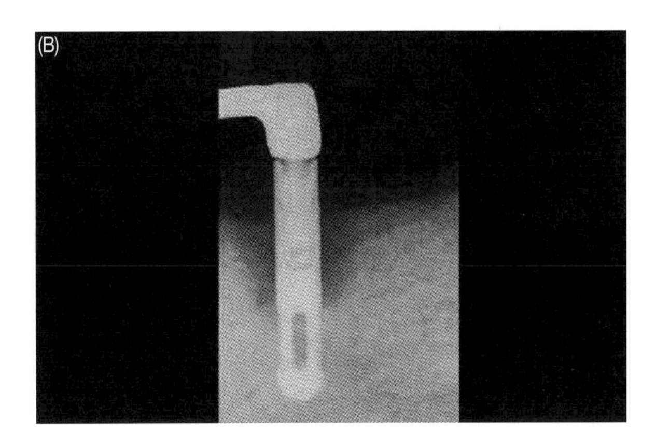

그림 51-2. 하악 임플란트지지 피개의치 증례 (A) 좌측 임플란트 주위의 농양 (B) 좌측 임플란트의 방사선 소견

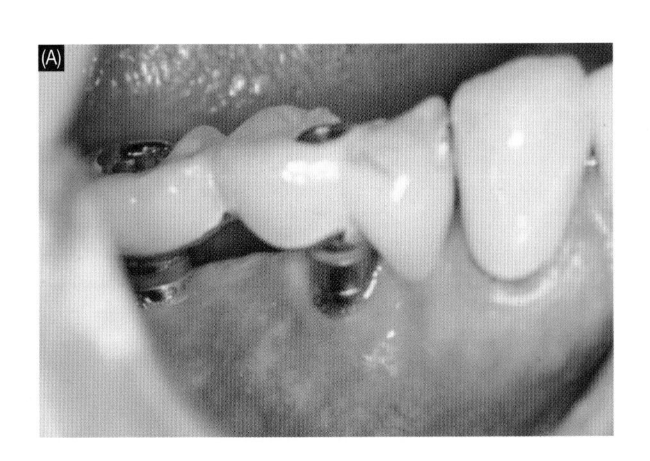

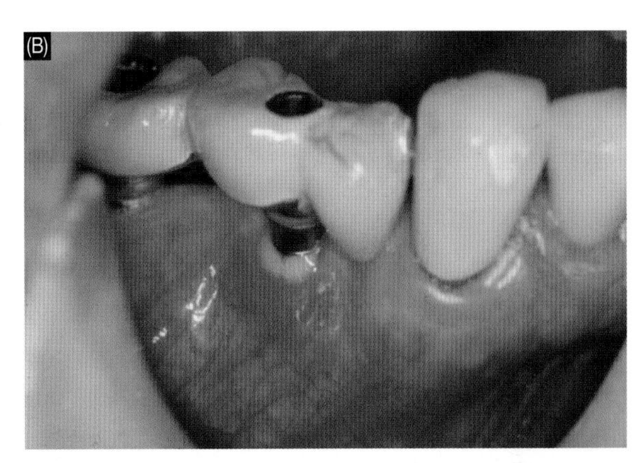

그림 51-3. 임플란트 열구에서의 출혈 및 화농성 삼출액 (A) 탐침 후의 출혈 (B) 열구 내에서의 화농성 삼출액

의 징후이다(그림 51-1, 2, 3).[20] 방사선 사진은 임플란트 주위 변연골의 수준 및 골 파괴의 양상을 평가하는데 있어 유용하다(그림 51-2, 4, 5, 6).[1,16,21]

동요도의 측정은 골유착의 상실을 진단하는데 있어 유용하여, 임플란트의 조기실패(early failure) 및 후기실패(late failurte)를 판정하는데 있어 활용될 수 있다.[1,22,23] 그러나, 동요도 측정을 위해 소개된 전자기기들은 변연골 소실만을 보이는 임플란트에서의 동요도 변화를 감지할 만큼 충분히 민감하지는 못하다. 미생물학적 검사는 임플란트 열구 내에서의 세균조성을 평가하고 적절한 항생제를 선택하는데 있어 유용할 수 있다.[23,24]

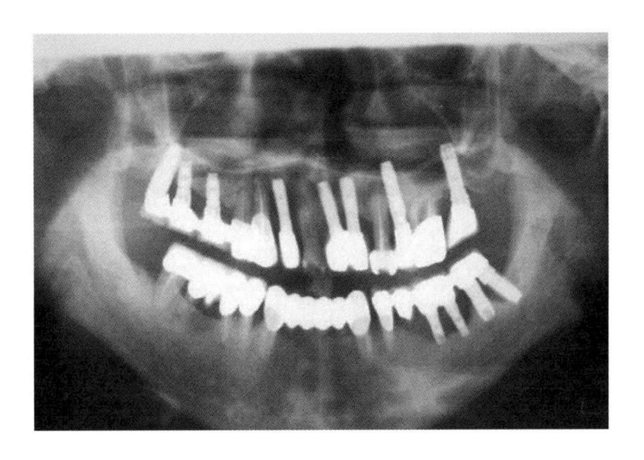

그림 51-4. 다발성의 임플란트 주위골소실

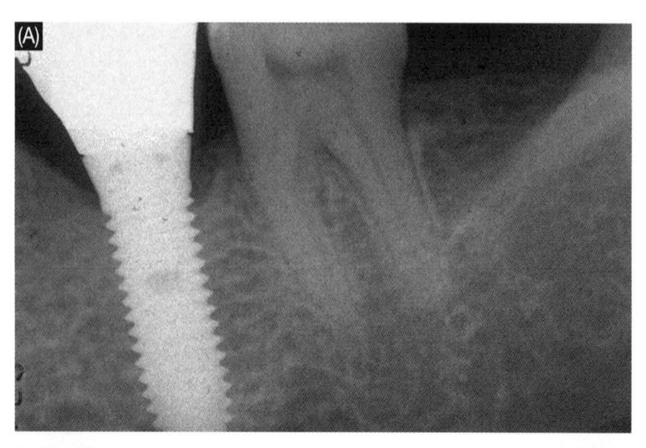

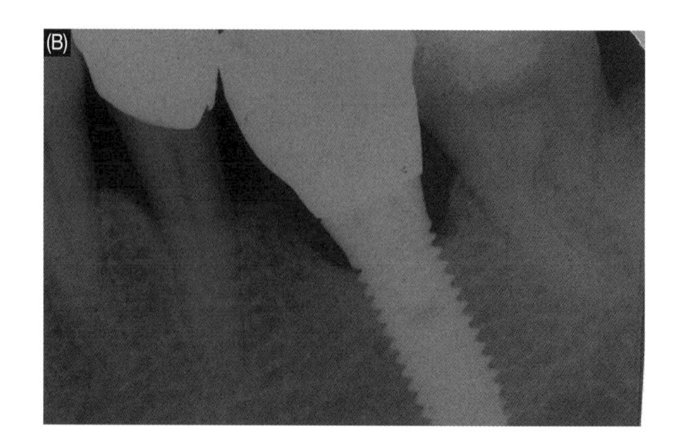

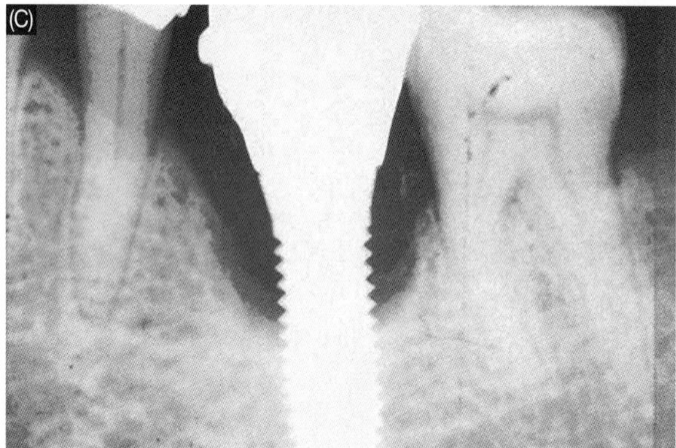

그림 51-5. 임플란트 주위골소실의 진행 (A) 보철처치 직후의 소견 (B) 2년 2개월 후의 소견 (C) 보철처치 5년 후의 수직골 파괴

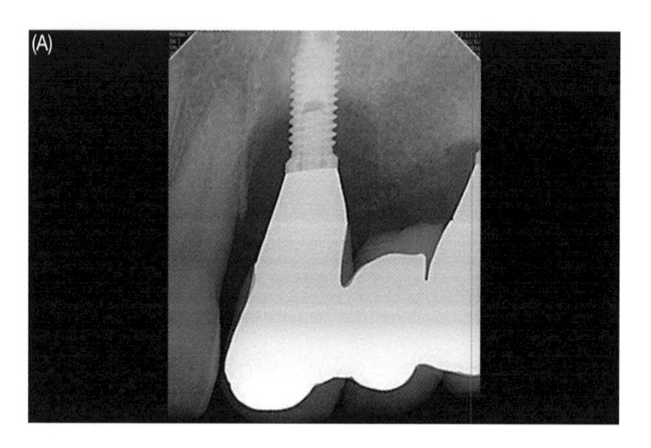

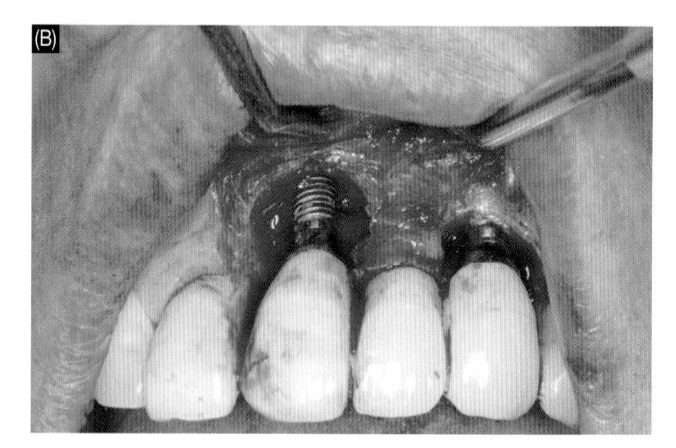

그림 51-6. 임플란트 주위골소실 (A) 임플란트 주위의 수직 골결손 소견 (B) 전층판막 박리 후의 소견

4. 임플란트 주위질환의 처치

1) 실패한 임플란트의 제거

골유착이 심히 상실되어 골소실이 임플란트의 근단측 1/3까지 진행되거나, 동요도를 보이는 임플란트는 정상 기능의 회복이 거의 불가능하므로 제거되어야 한다.[2,25] 임플란트 제거 후, 차폐막과 골이식술을 활용하여 골결손을 재건하고, 임플란트를 새로 식립할 수 있다.[25]

2) 비외과적 처치

보존적인 비외과적 처치술식이 임플란트 주위질환의 처치에 활용될 수 있다. 여기에는 플라스틱 기구 등을 이용한 기계적 처치, 국소적 또는 전신적인 항균요법, 그리고 구강위생의 증진 등이 포함된다. 비외과적 처치는 재생적 처치 등 향후의 외과적 처치의 전단계 처치로도 유용하다.

기계적 방법에 의한 비외과적 처치는 임플란트 주위점막염의 처치에 있어 유용할 수 있다. 또한, 항균제에 의한 구강세정을 부가적으로 활용함으로써 처치효과를 증진시킬 수 있다. 임플란트 주위염의 처치에 있어 비외과적 처치의 효과는 제한적인 것으로 여겨진다. Chlorhexidine을 부가적으로 활용하는 경우도 마찬가지인 것으로 판명되었다. 그러나, 항생제의 국소적 또는 전신적으로 투여를 병용하는 경우 탐침 시의 출혈과 탐침심도의 감소를 도모할 수 있다.

3) 외과적 처치

임플란트 주위병소의 처치에 있어 활용되는 각종 외과적 술식은 자연치 주위골결손의 처치에 활용되어온 술식들을 변형한 것들이다. 골파괴의 유형과 크기에 따라 절제형 또는 재생적 판막술이 적용될 수 있다. 임플란트 주위염에 의해 초래된 골파괴의 양상은 다양하며, 식립 시 존재하는 골조직의 양과 질환에 노출된 기간 및 심도에 의해 좌우된다. 임플란트 주위골결손은 아래와 같이 4개의 군으로 나누어질 수 있다.[7]

- 1군: 중등도의 수평골 소실을 보이며 수직골 소실은 거의 존재하지 않는다. 임플란트 식립 당시 협측 및 설측에 얇은 골조직이 존재한 경우이며, 임플란트 주위골파괴의 초기단계이다.
- 2군: 중등도 또는 중증의 수평 골소실을 보이나, 수직 골파괴는 미미한 경우이다. 1군보다 더 진전된 골결손이다.
- 3군: 중증의 환상형 수직 골결손과 함께 초기 또는 중등도의 수평 골소실을 보인다. 식립 당시 근단측에서는 넓은 폭경의 골을 가지고 있었으나, 치관측에는 얇은 골조직으로 덮여 있던 경우이다. 흔히 임플란트 전 둘레에 걸쳐 일정한 폭과 깊이를 갖는 환상의 구가 존재한다.
- 4군: 중등도의 수평 골소실과 중증의 환상 수직 골결손, 그리고 협측 또는 설측의 골판이 소실되어 있는 더 복잡한 임플란트 주위골결손이다. 식립 당시 얇은 골판을 갖고 있던 임플란트에서 흔히 발생한다.

임플란트 주위염의 외과적 처치에 있어 전신적인 항생제 투여가 보조요법으로 권장된다.[25-27] 이는 염증병소가 임플란트 및 골수와 긴밀하게 인접하여 있기 때문에 특히 중요하다. 감수성 검사 없이 흔히 활용되는 항생제로는 doxycycline과 metronidazole을 들 수 있다.[25-27] 세균 감수성 검사가 수행된 경우에는 검사의 결과에 의거하여 항생제 요법이 결정될 수 있다.

임플란트 주위염에 이환된 임플란트의 표면은 연조직 세포, 세균, 세균의 산물 등에 의해 오염되어 치유를 방해한다.[28,29] 신생골에 의한 골유착의 재형성(re-osseointegration)을 달성하기 위해서는 오염된 임플란트 표면에 대한 처치가 수행되어야 한다. Air-powder abrasion, 생리식염수 세척, 구연산 처치, 과산화수소 처치, 초음파 및 수동 세척, 그리고 레이저 조사 등의 다양한 방법이 활용될 수 있다.

Air-powder abrasive를 활용함으로써 세균 침착물을 타이타늄 표면에서 완전히 제거하여, 숙주세포의 부착을 증진할 수 있다. 몇몇 임상증례 보고들은, air-powder abrasive에 의한 표면처치를 활용함으로써, 임플란트 주위염이 성공적으로 처치될 수 있음을 제시하고 있다.[24,30,31] 그러나, 고압의 공기분사 기구를 외과수술 시 사용하는 경우 기종(emphysema)이 발생할 수도 있으니 유의해야 한다.[32]

과포화된 구연산 용액을 30~60초간 적용함으로써 hydroxyapatite 피복 표면 및 타이타늄 표면에서 세균내독소를 효과적으로 제거할 수 있다.[33,34] 또한, 몇몇 임상보고들은 약제를 활용하여 표면을 처치함으로써 임플란트 주위골결손이 성공적으로 치료될 수 있음을 제시하고 있다.[27,31]

표면처치를 동반한 open debridement에 의해 임플란트 주위염이 해소되고, 골재생이 촉진되며, 골유착이 재형성될 수 있다. 골유착의 재형성은 활택한 표면재질 보다는 거칠은 표면재질을 갖는 임플란트에서 더 현저하다.

4) 재생적 처치

임플란트 주위염의 처치를 위해 골유도재생술(guided bone regeneration, GBR) 또는 그와 병행한 골이식술이 적용될 수 있다. 그러나, 몇몇 보고들은 임플란트 주위염에 이환된 임플란트 주위에서의 골재생이 성공적이지 못하였음을 보고하고 있다.[35,36] 이는 차폐막의 초기 노출과 임플란트 주위골결손의 유형에 기인하는 것으로 여겨진다. 또한, 임플란트 표면 처치에 활용된 약제가 임플란트 주위골의 재생에 나쁜 영향을 미쳤을 수도 있다.

GBR은 임플란트 주위염의 재생적 처치에 있어 매우 신뢰할 만한 술식이다. 기능 중인 임플란트 주위에 초래된 중등도 이상의 수직 골파괴가 이 술식에 의해 성공적으로 처치될 수 있다.[26,37-39] 그러나, 임플란트 주위골결손에서의 골재생의 정도는 몇몇 임상적인 요인들과 술후의 경과에 따라 다양한 것으로 알려져 있다.

관통형(pergingival) GBR 처치는 임플란트의 상부구조를 유지한 상태에서 수행하는 술식이다. Kraut와 Judy[38]가 임플란트 주위염의 처치를 위해 임플란트의 transmucosal implant posts 주위에 e-PTFE막을 적용하여 최초로 그 결과를 보고한 바 있다. 방사선 검사에 의하면 골재생이 일어났으며, 골소실이 재발되지는 않았다.

Jovanovic 등[26]은 수직 골결손을 갖는 10개의 기능 중인 임플란트에서, 오염된 임플란트 표면에 sodium bicarbonate와 소독된 물의 혼합물을 air-powder abrasive unit을 이용하여 30~60초간 적용하고, 10% Chloramine-T 용액으로 처치하였다. 그 후 차폐막에 3 mm 직경의 구멍을 형성하여, 골결손이 격리되도록 임플란트에 위치시키고, 판막을 임플란트 주위에 긴밀하게 봉합하였다. Tetracycline HCl 250 mg을 매 6시간마다 1주간 투여하였으며, 5~8주 후 차폐막을 제거하고, 철저한 유지관리 프로그램을 수행하였다. 6개월 후의 결과에 의하면, 탐침심도가 2.7 mm 감소하였고, 10개의 임플란트 골결손 중 7개에서 방사선 사진 상 골재생이 일어났다. Hammerle 등[39]도 관통형 GBR을 활용하여 기능중인 임플란트에서의 골결손을 성공적으로 처치할 수 있었음을 보고한 바 있다.

한편, Jovanovic 등[37]은 성견에서 실험적으로 유발된 임플란트 주위 수직 골결손에 매몰형(submerged) GBR 술식을 적용하고 처치 결과를 평가한 바 있다. 차폐막을 점막 하방에 매몰하여 감염의 위험이 감소되었고, 치유 전기간에 걸쳐 차폐막을 유지함으로써 치유부위가 보호되었다. Air-powder abrasive unit과 과포화된 구연산 용액을 각각 30~60초간 적용하여 임플란트 표면을 처치하였으며, 보조요법으로 항생제를 술후 4일간 투여하였다. 2개월 후에 임상적으로 평가한 결과 임플란트 주위골결손이 완전히 해소되었다. 조직학적 분석에 의하면, 신속히 형성된 층판골이 다량 존재하였고, 차폐막 하부에서는 활발한 골형성이 일어나고 있었다. 종전에 오염되었던 임플란트 표면의 일부 부위에서는 골유착이 재형성되었다. 골유착의 재형성은 이전에 오염되었던 임플란트 표면에 결합조직의 개재 없이 신생골이 직접 접촉하여 형성된 것을 말한다.

구강내 환경으로부터 처치한 골 결손부를 격리함으로써 골 재생이 증진될 수 있다. 또한, 골조직이 성숙되기 위해서는 치유의 전 기간 동안 차폐막이 위치되고 있어야 한다. 차폐막이 연조직에 의해 피개되어 유지시키는데 있어 가장 효율적인 방법은 상부구조를 제거하여 임플란트를 다시 매몰시키는 것이다. 이를 위해, 재생적 외과술 6~8주 전에 임플란트 보철물과 지대주를 제거하고 커버 스크류를 위치시켜 연조직 병소의 치유를 도모해야 한다. 필요하면 국소적인 항균제 적용 및 전신적 항생제 투여를 병행한다. 이렇게 함으로써, 향후의 재생적 처치 시 건강한 연조직 판막의 활용이 가능하여, 치유 전 기간 동안 임플란트 주위조직을 효과적으로 봉쇄할 수 있다. 3~6개월의 치유기간이 경과한 후 판막을 박리하여 차폐막을 제거하고 지대주를 연결하고 판막을 봉합하며, 궁극적으로는 치관을 재위치시킨다. GBR 술식을 적절히 적용함으로써 파괴가 진행중인 임플란트(failing implant) 주위에 신생 골이 형성되고 골유착의 재형성이 일어날 수 있다(그림 51-7, 8).

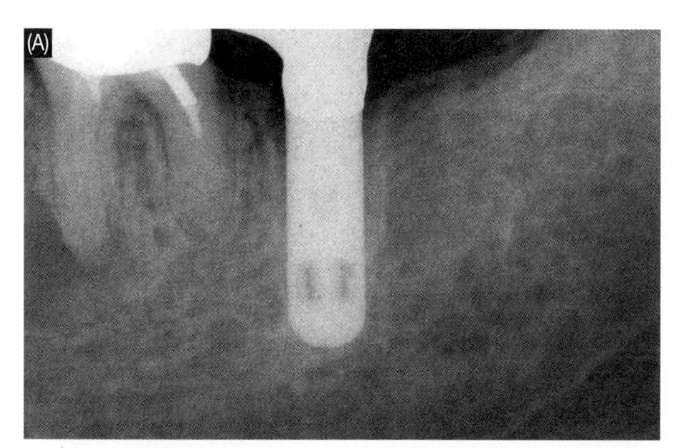

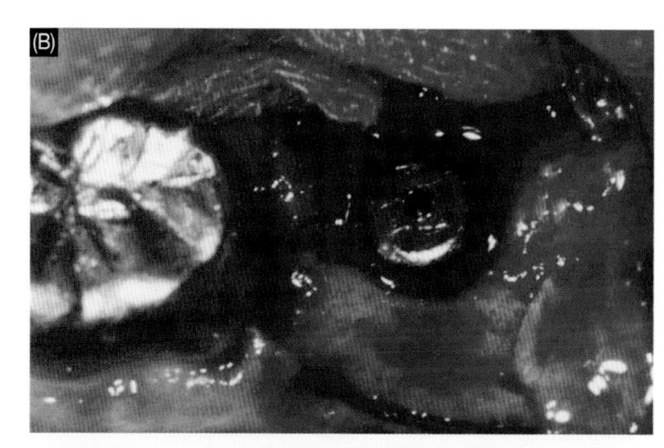

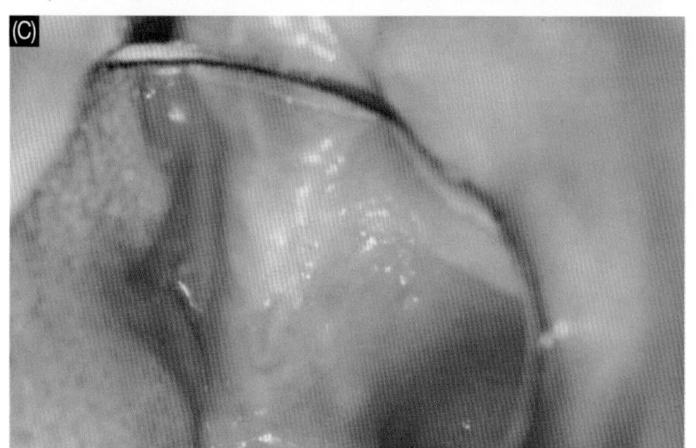

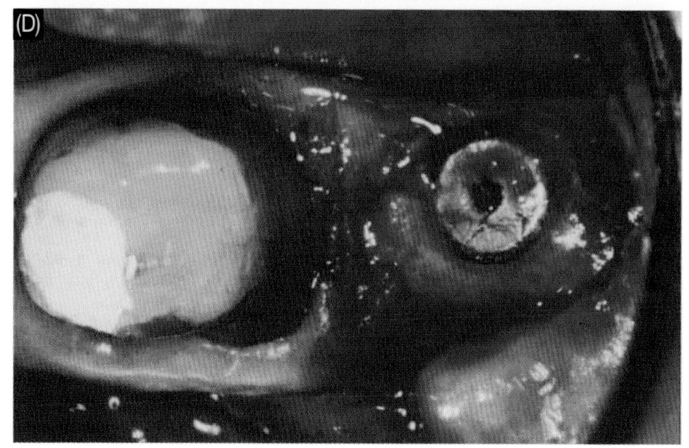

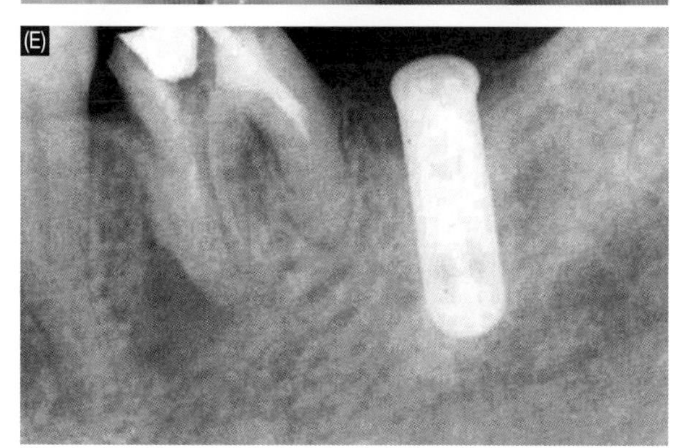

그림 51-7. 51개월 간 기능 중인 길이 11 mm 직경 4 mm의 임플란트에서의 매몰형 GBR 증례 (A) 술전 방사선 사진 (B) 육아조직 제거 후의 결손부 모습 (C) e-PTFE 차폐막 적용 6개월 경과 후의 소견 (D) 차폐막 제거 후의 결손부 소견 (E) GBR 6개월 후의 방사선 사진

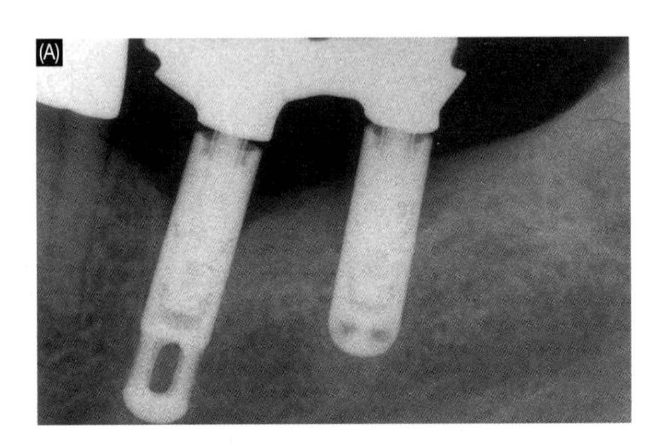

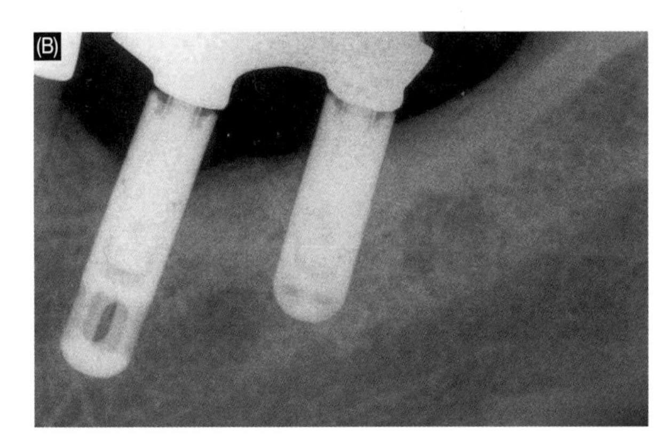

그림 51-8. 40개월간 기능 중인 임플란트에서의 매몰형 GBR 증례 (A) 술전 방사선 사진 (B) 술후 방사선 사진

참고문헌

1. Adell R, Lekholm U, Roskler BJ, Branemark PI. A 15-year study of oseointegrated implants in the treatment of edentulous jaw. Int J Oral Surg 1981;10:387-416.
2. Albrektsson T, Zarb G, Worthington P, Eriksson RA. The long-term efficacy of currently used dental implants. A review and prognosis criteria for success. Int J Oral Maxillofac Implants 1986;1:11-25.
3. Berglundh T, Lindhe J, Ericsson I. The soft tissue barrier at implants and teeth. Clin Oral Impl Res 1991;2:81-90.
4. Berglundh T, Lindhe J, Marinello C. Soft tissue reaction to de novo plaque formation on implants and teeth. Clin Oral Impl Res 1992;3:1-8.
5. Lindhe J, Berglundh T, Ericsson I, Lilenberg B, Marinello C. Experimental breakdown of periimplant and periodontal tissues. A study in the beagle dog. Clin Oral Impl Res 1992;3:9-16.
6. Lang NP, Bragger U, Walther D, Beamer B, Kornman KS. Ligature-induced peri-implant infection in Cynomolgus monkeys. I. Clinical and radiographic findings. Clin Oral Impl Res 1993;4:2-11.
7. Jovanovic SA. Diagnosis and treatment of peri-implant disease. Curr Opin Periodontol 1994;194-204.
8. Lindhe J, Meyle J. Peri-implant diseases: Consensus Report of the Sixth European Workshop on Periodontology. J Clin Periodontol 2008;35(Suppl. 8):282-285.
9. Roos-Jansåker AM, Lindahl C, Renvert H, Renvert S. Nine-to fourteen-year follow-up of implant treatment. Part II: presence of peri-implant lesions. J Clin Periodontol 2006;33:290-295.
10. Fransson C, Wennstrom J, Berglundh T. Clinical characteristics at implants with a history of progressive bone loss. Clin Oral Impl Res 2008;19:142-147.
11. Fransson C, Lekholm U, Jemt T, Berglundh T. Prevalence of subjects with progressive bone loss at implants. Clin Oral Impl Res 2005;16:440-446.
12. Apse P, Ellen RP, Overall CM, Zarb GA. Microbiota and crevicular fluid collagenase activity in the osseointegrated dental implant sulcus: A comparison of sites in edentulous and partially edentulous patients. J Periodontal Res 1989;24:96-105.
13. Quirynen M, Listgarten MA. Distribution of bacterial morphotypes around natural teeth and titanium implants ad modum Brånemark. Clin Oral Impl Res 1990;1:8-12.
14. Leonhardt A, Adolfsson B, Lekholm U, Wikstrom M, Dahlen G. A longitudinal microbiological study on osseointegrated titanium implants in partially edentulous patients. Clin Oral Impl Res 1993;4:113-120.
15. Stefani LA. The care and maintenance of the dental implant patient. J Dent Hyg 1988;62:447-466.

16. Buser D, Weber HP, Bragger U, Balsiger CH. Tissue integration of one stage ITI implants: 3-year results of a longitudinal study with hollow-cylinder and hollow-screw implants. Int J Oral Maxillofac Implants 1991;6:405-412.
17. Quirijnen M, van Steenberghe D, Jacobs R, Schotte A, Darius P. The reliability of pocket probing around screw-type implants. Clin Oral Impl Res 1991;2:186-192.
18. Ericsson I, Linhe J. Probing depth at implants and and teeth. An experimental study in the dog. J Clin Periodontol 1993;20:623-627.
19. Schou S, Holmstrup P, Stoltze K, Hyorting-Hansen E, Kornman KS. Ligature-induced marginal inflammation around osseointegrated impalnts and ankylosed teeth. Clinical and radiographic observations in Cynomolgus monkeys. Clin Oral Impl Res 1993;4:12-22.
20. Schou S, Holmstrup P, Hjorting-Hassen E, Lang NP. Plaque-induced marginal tissue reactions of osseointegrated oral implants: A review of the literature. Clin Oral Impl Res 1992;3:149-161.
21. Weber HP, Buser D, Fiorellini JP, Williams RC. Radiographic evaluation of crestal bone levels adjacent to nonsubmerged titanium implants. Clin Oral Impl Res 1992;3:181-188.
22. Quirynen M, Naert I, van Steenberghe D. Fixture design and overload influence marginal bone loss and fixture success in the Brånemark system. Clin Oral Impl Res 1992;3:104-111.
23. Rosenberg ES, Torosian JP, Slots J. Microbial differences in two clinically distinct types of failures of oseointegrated implants. Clin Oral Impl Res 1991;2:134-144.
24. Mombelli A, Lang NP. Antimicrobial treatment of peri-implant infections. Clin Oral Impl Res 1992;3:162-168.
25. Nevins M, Mellonig JT. Enhancement of the damaged edentulous ridge to receive dental implants: A combination of allograft and the Gore-Tex membrane. Int J Periodontics Restorative Dent 1992;12:97-111.
26. Jovanovic SA, Spiekermann H, Richter EJ, Koseoglu M. Guided tissue regeneration around titanium dental implants. In: Laney WR, Tolmen DE (1st ed). Tissue Integration in Oral and maxillofacial Reconstruction. Chicago: Quintessence 1992:208-215.
27. Lehmann B, Bragger U, Hammerle CHF, Fourmousis I, Lang NP. Treatment of an early failure according to the principles of guided tissue regeneration. Clin Oral Impl Res 1992;3:43-48.
28. Siegrist BE, Brecx MC, Gusberti FA. In vivo early human dental plaque formation on different supporting substances. Clin Oral Impl Res 1991;2:38-46.
29. Gatewood RR, Cobb CM, Killoy WJ. Microbial colonization on natural tooth structure compared with smooth and plasma sprayed dental implant surfaces. Clin Oral Impl Res 1993;4:53-64.
30. Lozada JL, James RA, Boskovic M, Cordova C, Emanueli S. Surgical repair of peri-implant defects. J Oral Implantol 1990;16:42-46.
31. Meffert RM. How to treat failing implants. Implant Dent 1992;1:25-33.
32. Brown FH, Ogletree RC, Houston GD. Pneumoparotitis associated with the use of an air-powder prophylaxis unit. J Periodontol 1992;63:642-644.
33. Zablotsky M, Diedrich D, Meffert R. The ability of various chemotherapeutic agents to detoxify the endotoxin infected HA-coated implant surface. Int J Oral Implantol 1991;8:45-50.
34. Zablotsky M, Diedrich D, Meffert R. Detoxificxation of endotoxin-contaminated titanium and hydroxyapatite-coated surfaces utilizing various chemotherapeutic and mechanical modalities. Implant Dent 1992;1:154-158.
35. Grunder U, Hurzeler MB, Schupbach P, Strub JR. Treatment of ligature-induced peri-implantitis using guided tissue regeneration: A clinical and histologic study in the beagle dog. Int J Oral Maxillofac Implants 1993;8:282-293.
36. Persson LG, Ericsson I, Berglundh T, Lindhe J. Guided bone regeneration in the treatment of periimplantitis. Clin Oral Impl Res 1996;7:366-372.
37. Jovanovic SA, Kenney EB, Carranza FA, Donath K. The regenerative potential of plaque-induced periimplant bone defects treated by a submerged membrane technique: an experimental study. Int J Oral Maxillofac Implants 1993;8:13-18.
38. Kraut RA, Judy KWM. Implant preservation using guided tissue augmentation membrane and porous hydroxyapatite. Int J Oral Implantol 1991;8:55-58.
39. Hammerle CH, Fourmousis I, Winkler JR, Weigel C, Brager U, Lang NP. Successful bone fill in late peri-implant defects using guided tissue regeneration. A short communication. J Periodontol 1995;66:303-308.

임플란트 보철에서 임상 조사는 적절한 환자의 선택, 양호한 교합 관계, 구강위생, 그리고 연·경조직의 조심스런 처치를 시행한 경우에서의 장기간에 걸친 훌륭한 결과들을 보여주고 있다. 이러한 임플란트의 식립은 완전 및 부분 무치악 환자들에 대해 삶의 질을 개선하고 상당한 심리적 효과를 제공해왔다.

임플란트 사용 1년 후, 대부분의 구강 임플란트 주위의 변연골 소실은 적다. 그러나 임상 연구에서 불충분한 구강위생 및 과도한 교합력이 임플란트 주위골 소실의 진행과 연관성이 있다는 것을 보여주었다. 일반적으로, 과도한 교합력은 임플란트학에서 임플란트와 보철 모두의 예후에 영향을 미칠 수 있다. 교합력은 골유착 구강 임플란트 및 보철물이 역학적·생물학적 힘을 견디는 능력을 초과할 수 있고, 이것은 역학적 실패 또는 골유착 실패의 원인이 된다.[1]

1. 임플란트 생역학(Implant biomechanics)

보철물을 지지하는 임플란트에 적용되는 하중이 임플란트의 하중–지탱력을 초과한다면, 임플란트에 과도한 하중을 초래하고, 임플란트 주위골의 개조 반응을 일으킨다.[3]

임플란트의 하중–지탱력에 영향을 미치는 요인으로는 (표 52–1) 임플란트 길이와 수, 배열, 교합평면과 관계된 임플란트의 각도들이 포함된다. 또한 골과 임플란트 경계면(골부착, 골 침착률)의 질이 임플란트 지지 보철물의 하중–지지력에 큰 영향을 미친다.

상악구치부에서의 임플란트의 골부착은 특히 하악전치부와 비교하면 떨어지는데, 상악구치부에 시술할 때, 골소주는 성글고, 피질골층은 더 얇으며, 상악구치부에서 골 침착률은 하악전치부에서 얻어지는 것의 1/3~1/2 정도이다. 뿐만 아니라, 상악동의 함기화(pneumatization)는 사

표 52-1. **임플란트 생체역학**

외부력에 대한 지지능
1. 임플란트 수 길이 배열 식립각
2. 골과 임플란트 계면의 질적 상태
예상 외부력(다음에 의해 영향을 받는)
1. 교합요소 교두각 교합면 폭경
2. 유도 형태 전치유도 Group function
3. 캔틸레버
4. 자연치와의 관계
5. 비기능적 습관(이갈이)[2]

용될 임플란트의 길이를 제한하고, 이 부위에 식립되는 임플란트의 하중 전달 능력을 감소시킨다.

임플란트의 수는 하중-지지력에 영향을 미치는데 1980년대와 1990년대 초에, 많은 상악구치 사분악이 1개 내지 2개의 임플란트로 수복되었고, 몇몇 환자들에서 이러한 임플란트 수복물이 3~4개의 치아 단위를 지지했다. 많은 경우에 있어서, 하중을 가한 뒤 바로 임플란트의 상실을 초래하는 골소실이 나타났으며 임플란트가 추가됨으로써 이런 임플란트 지지 고정부분의치의 생역학이 상당히 개선되었다. 오늘날, 상악구치 사분악이 수복될 때, 수복되어야 하는 모든 치아에 대해 임플란트가 식립된다.

또한 교합 평면과 관련된 임플란트의 각도와 교합 하중의 방향은 임플란트의 성공률을 예견하는 중요한 요소이다. 1980년대, 상악동 거상 및 이식술의 이용 전, 많은 임플란트가 과도한 협측 경사를 나타내는 상악구치부에 식립되었다. 더불어, 많은 임플란트가 과도한 원심 경사를 나타내는 하악에 식립되었다. 그러한 임플란트 중 많은 수가 보철물 수복 후 임플란트에 대한 과도한 하중(즉, 진행적이고 비가역적인 임플란트 상부 주위의 골소실)의 징후들을 나타냈다. 약간의 비스듬한 각도는 임상적으론 크게 중요치 않으나, 만약 하중이 임플란트 장축에 대해 20° 경사 또는 그 이상이면 하중의 확대를 초래할 수 있고, 이것은 인접골을 흡수하는 골개조 반응을 일으킨다. 임플란트 장축에 대해 20° 또는 더 큰 경사를 부여하는 질적으로 좋지 않은 골에 짧은 임플란트를 식립할 경우, 비가역적인 골소실 및 임플란트 실패를 초래하는 과도한 하중을 임플란트에 전달할 수 있다.

임상적 관점에서는, 임플란트에 가해지는 과부하를 교합면을 좁게 하거나, 교두각을 편평하게 한다거나, 보철물의 캔틸레버링을 줄이거나 잔존 전치부에서 제공되는 절치유도를 수정함으로써 최소화할 수 있으며 자연치와는 독립적인 디자인으로 수복함으로써 생역학관계를 단순화할 수 있다.

2. 상악 무치악부(Edentulous maxilla)

대부분의 상악 무치악 환자가 통상적인 의치를 만족스러워 하지만, 몇몇 경우엔 임플란트가 바람직할 수 있다. 만약 통상적인 상악의치가 변연만 안정적이라면, 하악의치가 불안정할 경우 상악의치의 문제를 알아채지 못할 수도 있다. 그러나 하악이 안정적인 임플란트지지 의치로 수복된다면 환자는 상악 의치의 부족함을 금세 알아차리게 될 것이고, 상악 의치를 하악과 똑같이 요구하게 될 것이다. 상악에서 임플란트를 위한 또 다른 적응증으로는 자연치를 가진 하악과 교합되는 상악 전방부에서의 점차적인 골파괴 경향을 절충해 줄 수 있기 때문이다.

많은 환자들이 구개면이 없는 의치나 유지력이 좋은 의치에 관해 필요성을 느끼고 있으며, 임플란트지지 의치들은 이런 환자들의 요구를 이상적으로 수용하고 있다(그림 52-2). 만일 치조골 양이 충분치 못하다면, 완전 무치악부에 고정

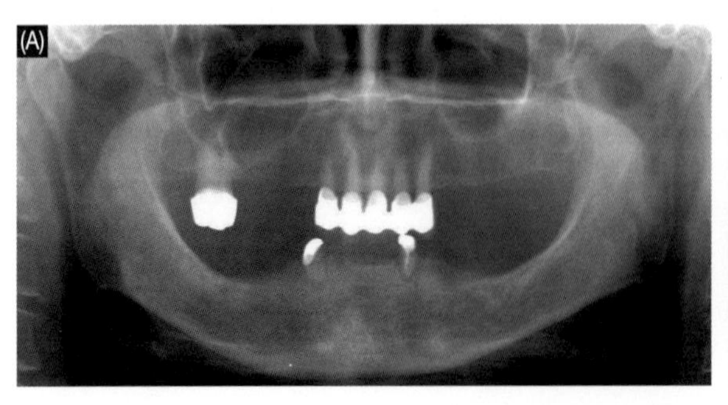

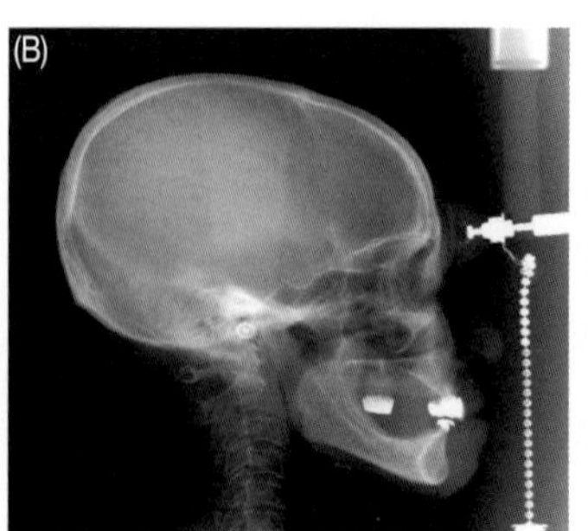

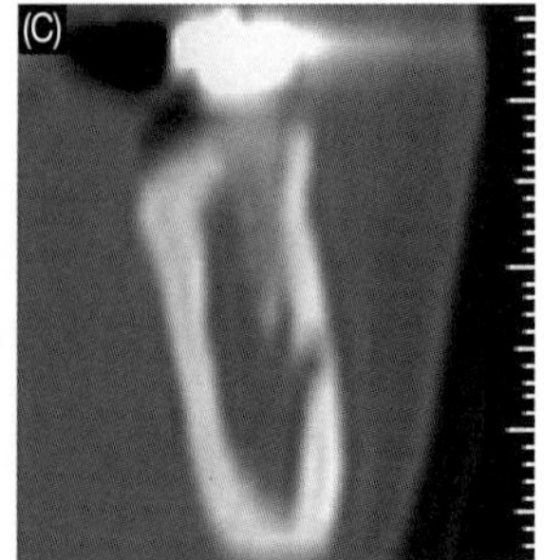

그림 52-1. 임플란트 치의학에서 사용되는 여러 가지의 방사선학적 과정 (A) 파노라마 사진 (B) 측방 두부규격 방사선 사진 (C) 하악소구치 부위의 단층촬영

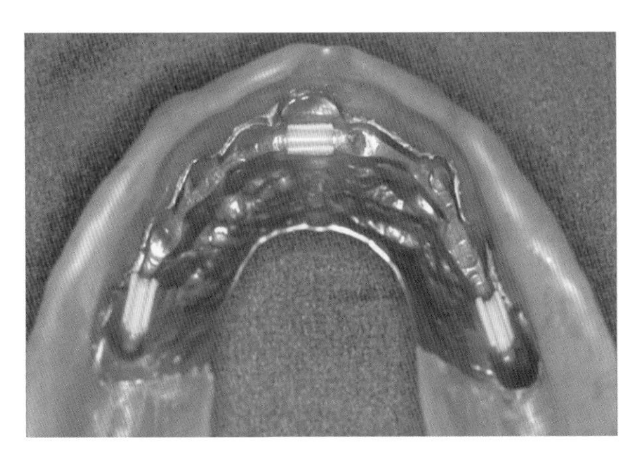
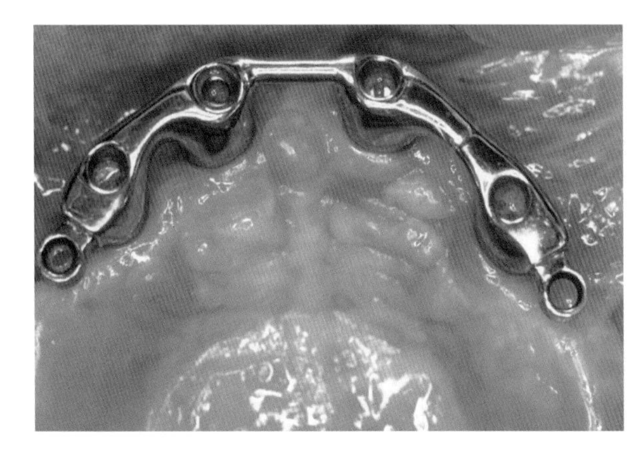

그림 52-2. 구개면이 없는 4개의 임플란트 디자인(자료제공: 단국대 치과대학 이종혁 교수)

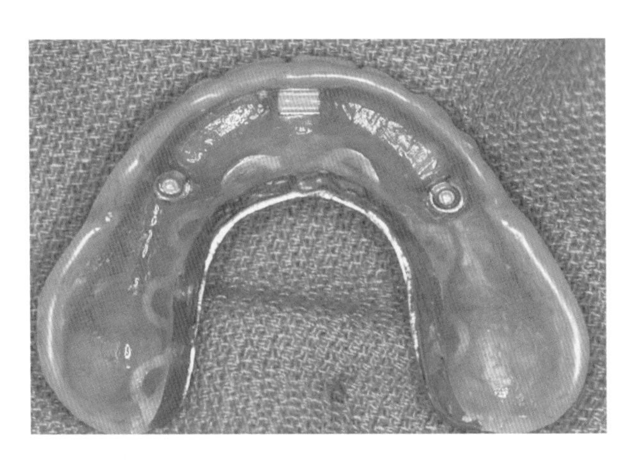

그림 52-3. Bar clip 디자인을 사용한 임플란트 지지 overdenture. 환자가 구치부에 교합력을 적용할 때 상방의 의치는 bar 주위로 회전하고 힘은 후방의 일차적 의치지지 표면에 의해 흡수된다(자료제공: 단국대 치과대학 이종혁 교수).

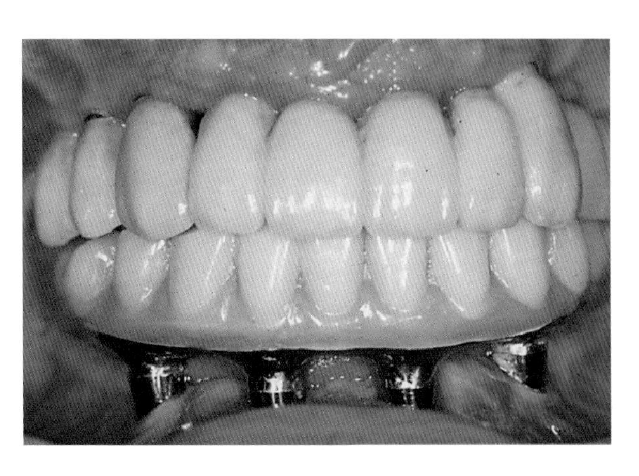

그림 52-4. 비귀금속 지지구조와 함께 아크릴릭 레진과 가공치로 제작된 고정성 복합 보철물(자료제공: 단국대 치과대학 이종혁 교수)

성 보철물의 수복은 힘들게 되며 치조골의 통상적인 흡수 패턴은 보철물 홍역의 치은 경계를 너무 높게 하거나, 너무 구개측으로 치우치게 한다. 환자의 미소선이 낮을 경우 코 하방의 입술 지지가 없어 비심미적일 수 있다. 이런 경우 대부분의 환자들은 임플란트지지 의치로 해결될 수 있다.

3. 하악 무치악부(Edentulous mandible)

임플란트지지 의치가 가장 일반적으로 적용될 수 있다. 임플란트지지 의치는 대부분의 저작력이 일차 의치지지대(후구치부, 협붕)에서 나온다. 일반적으로 전치부 두 개의 임플란트 사이에서는 바(bar)로 연결된다. 교합력이 구치부에 작용하면, 의치는 바(bar) 주위로 회전이 일어나며, 일차지지대에 직접 힘이 가해지게 된다(그림 52-3).

고정성 임플란트지지 보철물들은 치열궁의 곡선에 따라 적절히 배열된 4개에서 6개의 임플란트가 필요하다(그림 52-4). 많은 환자들이 심리적인 이유로 이런 치료방법을 더 선호하지만, 보철물에 의해 제공되는 저작효율은 임플란트지지 의치보다 더 나을 것이 없다. 그러나 고정성 보철물들은 하악구치부 치조제의 흡수를 멈추게 하며 어떤 경우에는 골 재생도 가능케 하는 증거들이 제시되고 있다.[4,5]

4. 부분 무치악 환자: 구치부 (Partially edentulous patients)

1) 해부학적 제한요소

구치부 결손에서 적절한 길이의 임플란트를 식립하는 데는 해부학적 제한 요소들이 존재하게 된다. 상악에서는 상악동이 하악에서는 하치조신경이 임플란트의 길이를 제한시킨다. 상악에서는 골질이 좋지 않기 때문에 골유착 임플란트를 위한 골계면이나 골지지가 문제가 되며 이 부위에서 임플란트의 초기고정은 상악동저와 치조골의 피질골을 통해 식립되었을 때 얻어진다. 대개 임플란트 주변의 골 접촉 계면에 골이 충분치 않아 만일 임플란트 첨부가 상악동저에 있는 피질골에 고정이 되지 않는다면, 교합력이 가해짐에 따라 실패할 수도 있다. 거친 면(rough surface)을 가진 임플란트의 사용으로 골질이 나쁜 곳에서의 골부착이 향상되긴 했지만, 임플란트가 짧을 경우 편측성 고정성 임플란트지지 의치를 지탱할 골부착을 얻기에는 여전히 부족하다.[6]

대부분 환자들이 상악구치부에 있어 적절한 길이의 임플란트를 식립하기에는 불충분한 골을 가지고 있기 때문에, 치조골 증대술이나 상악동 거상술이 시행되는데 골대체재와 혼합된, 턱끝이나 장골능 혹은 다른 부위에서 얻어진 자가골을 현재 이런 경우에 보충해오고 있다.[7]

상악구치부는 상악동막을 거상함으로써 증대될 수 있으며 여기에 골 이식재를 충전함으로써 대부분의 임플란트를 성공시킬 수 있다.

하악에서 임플란트 식립의 제한 요소는 하치조신경의 존재이다. 임상적 자료를 토대로 보면, 임플란트 폭경과는 관계없이, 하악구치부에 사용되는 최소한의 길이는 8 mm로 알려져 있다.

충분한 길이의 임플란트가 식립되기에 골이 부족할 경우에는 골이식을 하거나 몇몇 임상가들은 하치조신경의 측방 이동을 추천하기도 한다.[8] 그 후에 임플란트는 하악의 하연까지 식립될 수 있으며 양측 피질골을 통한 안정이 가능해진다. 이러한 술식을 통한 임플란트의 성공률은 매우 높지만 불행하게도 하치조신경의 손상에 대한 위험이 상당하다. 연구에 따르면 영구적 신경 손상의 가능성이 25%에 이른다. 전방부에 충분한 치아가 잔존해 있다면 후방 연장 가철성 국소의치 또한 좋은 선택이 된다. 적절히 연장되고 디자인된 후방연장 국소의치를 장착한 환자의 저작력이 후방 연장부를 임플란트지지 고정성 국소의치로 수복한 환자의 저작력과 동일하다는 사실을 기억해야 한다. 골 신장술(distraction osteogenesis)은 충분한 폭과 수직 높이를 가진 골을 생성하기 위한 새로운 접근법이다. 그러나 대부분의 경우에 있어서 골신장술을 완료한 후 그 부위의 수평적인 형태가 골이식술을 통해 증진되어야 한다. 또한 이 술식의 장기간의 임상적인 결과는 알려져 있지 않다.

2) 선상배열과 과부하 (Linear configuration and implant overload)

임플란트가 선상으로 배열되면 적절히 전·후방으로 펼쳐진 곡선상으로 배열된 임플란트에 비해 생역학적으로 좋지 않은 골의 반응이 나타난다.[9] 1980년대에는 임플란트가 골유착되면 교합력의 방향이 축방향이건 아니건 별로 문제가 되지 않는다고 하였으나 더 많은 임상 자료와 동물 실험 결과가 발표됨에 따라 측방력은 골-임플란트 계면에서 충분한 하중의 증폭을 야기할 수 있고 골 흡수를 일으키며 결과적으로 높은 임플란트 실패율을 나타낼 수 있다는 점이 대두되었다.[10]

Brunski는 임플란트에 과부하가 가해졌을 때 골에서 기시한 생역학에 따라 다음과 같은 가설을 제안하였다. 그는 과도한 교합력이 임플란트 주변의 골에 미세 손상(파절, 금, 갈라짐 등)을 야기하며 골의 흡수반응을 일으킬 수 있다고 제안하였다. 지속적인 과도한 교합력은 임플란트가 실패할 때까지 임플란트 주변골에 미세손상과 골 소실을 야기한다(표 52-2).

상하악구치부에서 임플란트의 선상 배열은 힘이 축방향이 아닌 방향으로 가해졌을 때 골 소실을 일으키기 쉽고, 교합력이 축방향으로 전달될 수 있도록 위치되어야 한다. 이는 임플란트의 고정성, 길이, 임플란트에 적용된 교합력의 크기 그리고 임플란트지지 보철물이 음식물을

표 52-2. **임플란트 과부하와 골 흡수**[11]

- 과도한 교합력
- 미세손상(파절, 갈라진 틈, 엽열(delamination))
- 골의 흡수성 재형성
- 골의 재형성에 따라 증가되는 다공성
- 임플란트가 실패할 정도로 계속되는 심한 부하에 의한 더 증가하는 미세 손상과 다공성

절단하는지, 저작하는지에 따라 영향을 받게 되므로 구치부에서 임플란트가 교합력을 축방향 또는 임플란트의 축을 따라서 전달될 수 있도록 위치하기 위해 외과적으로 모든 시도를 하여야 한다. 임플란트가 그렇게 위치한다면 보철은 매우 쉽고 제작하기에 효과적이며 더 좋은 장기간의 예후를 지니게 된다.

상하악구치부에서 캔틸레버 형태의 임플란트지지 보철물은 매우 부정적이다. 캔틸레버의 연장은 하중의 증폭을 야기하며 연장부 옆에 위치하는 임플란트에 과부하를 주게 되며 골소실과 임플란트의 실패를 일으킬 것이다.

임플란트를 자연치아에 연결할 때 나사유지 부착이나 영구 접착되는 coping과 같이 견고하게 이루어지는 것을 추천한다.

5. 즉시 또는 초기 부하: 구치부 (Immediate or early loading)

일반적으로 부분 무치악 환자의 구치부를 수복하는데 있어서 임플란트의 즉시 또는 초기 부하는 추천되지 않는데, 이는 임플란트가 골에 식립될 때, 초기고정이 좋지 않으며, 만약 부하가 가해질 경우 동요도가 증가함에 따라 결국엔 골유착이 실패하게 되기 때문이다.[12] 다시 말해서, 임플란트 매식체 주위에 섬유성 결합조직이 개재한다는 것이다. 골유착을 위해 필요한 생물학적 과정은 사람에서 약 4개월 정도 소요된다(표 52-3). 산 부식 표면 처리한 임플란트에서 주위골의 치유 속도를 더 빨라지게 하는 특별한 유전자형이 발현된다는 몇 가지 증거가 있다. 그러나, 이것은 동물 실험에서만 행해진 것으로 임상 연구에서는 아직 확인되지 않고 있다. 임플란트의 즉시 또는 초기 부하는 좋은 골질에 임플란트를 식립하는 경우와(예를 들어, 하악전치부) 임플란트지지 피개의치를 지지하기 위해 사용되는 경우 가능하다. 그러나, 골이 덜 밀집해 있고, 임플란트에 모든 교합 하중이 가해지는 부분 무치악 환자의 구치부에는 선택하지 않는 것이 좋다.

표 52-3. **임플란트 골유착에 필요한 생물학적 요소**

임플란트가 골에 견고하게 유지되기 전에 다음과 같은 생물학적 과정이 완료되어야 하는데, 이 과정은 사람에서 약 4개월 가량 소요된다.

- 혈병
- 혈관화
- 골 전구세포의 이주
- 망상골 형성
- 층판골의 침착
- 층판구조를 가지는 망상골의 2차적인 재형성

요약하면, 임플란트에 과부하가 가지 않도록 임플란트 지지 수복물을 디자인해야 한다는 것이다. 그러한 지침에 대한 요점이 표 52-4에 있는데, 임상가가 이러한 지침에 따라 임플란트를 식립한다면, ① 적절한 emergence profile을 형성하고, ② 구강위생을 위한 적절한 치간 공간 확보

표 52-4. **임플란트 과부하를 피하기 위한 지침**

다음은 부분 무치악 환자에서 구치부 임플란트에 과부하를 피하기 위한 지침들이다. 이러한 경우를 피하기 위해서는 가철성 부분의치가 추천된다.

- 교합면에 수직으로 임플란트를 위치시킨다(교합면은 편평하지 않다는 것에 주목. 예: Curve of Wilson, Curve of Spee).
- 하악 후방 결손부에서는 의심스러울 때, 항상 3개의 임플란트를 식립한다.
- 상악 후방 결손부에서 적어도 3개의 임플란트를 식립한다.
- 일직선상의 구조에서 cantilever는 피해야 한다.
- 임플란트를 자연치에 연결해야 할 경우, 견고 부착 시스템을 적용한다.
- 필요하다면 절치유도를 회복하고 교합적 요소(교두각과 교합면의 넓이)를 조절한다.

와 ③ 교합면 형태의 조절을 용이하게 할 수 있고(좁은 교합면과 편평한 교두각) ④ 교합력 부하를 치축방향으로 전달하고, ⑤ 지대치 선택이 간단해질 것이다(그림 52-5).

6. 구치부에서의 단일치 매식(Single-tooth implants in the posterior quadrants)

상악과 하악의 구치부에서 단일치 결손을 수복하기 위해 표준 직경의 임플란트를 사용한다. 1980년대, 임상가들은 하악 제1대구치를 수복하기 위해 통상적인 3.75 또는 4.0 mm 직경의 임플란트를 사용하였다. 그러나, 그 결과는 좋지 않았는데, 몇몇 환자에서는 교합력의 과부하로 인해 임플란트 주위골의 흡수가 발생하였고, 또 다른 환자들에서는 임플란트가 파절되었다. 그러나 이것은 드문 경우였고, 대부분의 흔한 문제는 보철물을 유지하는 나사의 풀림이었는데, 이는 임플란트 상부의 크기보다 교합면의 크기가 더 작은데 그 원인이 있다. 기능하는 동안 보철물이 기울어진다면 결국에는 과신장되어 임플란트를 유지하는 나사의 풀림을 야기할 것이다. 치관부의 협설 폭은 조절할 수 있고 크기는 최소한으로 유지할 수 있다. 그러나 근원심 크기는 딱 맞아야 하기 때문에 그 크기를 조절할 수 없다. 식편이 치관의 근심부에 위치했을 때, 경사력이 발생하여 결국엔 나사의 풀림을 야기한다. 이러한 문제는 넓은 직경의 임플란트를 사용함으로써 해결된다. 만약 제1대구치가 상실되고 양쪽에 적절한 지대치가 존재한다면, 통상적인 3-unit 고정성 보철물이 선호되는데 이것은 비용도 절감되고 예후도 좋은 편이다. 후방 무치악부위에서 하나의 구치부를 수복해야 하는 경우 표준 크기의 임플란트 두개를 서로 가깝게 식립하는 것이 추천된다. 이러한 보철 형태는 생역학적으로 효율적이며, 적절한 구강위생을 가능하게 한다.

단일 임플란트는 하악소구치 부위에서 높은 성공률을 보이는데, 이러한 부위에서 골과 임플란트 사이의 유착은 효과적이며, 교합면의 크기도 또한 적절히 작다.[2]

7. 심미적인 부위에서의 임플란트 (Implants in the esthetic zone)

부분 무치악 환자의 전치부에 식립하는 임플란트는 높은 성공률과 만족도를 보인다. 전치부에서 임플란트지지 수복물에 작용하는 힘과 굽힘력은 더 작고 골양은 구치부보다 더 많다. 그러므로 전치부에서는 길이가 좀 더 긴 임플란트를 사용함으로써 그 수를 줄일 수 있는데, 4전치의 수복을 위해 2개의 임플란트지지에 의한 4-unit 고정성 보철물을 사용하는 경우가 그 예이다. 상악에서는 협설과 근단부 크기의 부족함이 있음에도 불구하고 골의 질과 양은 식립 부위로서 양호한데, 차단막과 함께 또는 차단막 없이 자가골 이식에 의해 치조골 증대를 할 경우 좋은 결과를 기대할 수 있다. 심미적 결과는 골의 수복과 연조직 형태, 그리고 임플란트의 적절한 위치에 의해 영향받는다. 임플란트를 심미적으로 위치시키기 위해서는 근원심, 협설 그리고 근단 방향에서 이전 치아의 위치에 식립하는 것이 추천된다. 이것은 보철학적으로 의도되는 임플란트 식립을 의미하는 것으로 보철적인 면에서 이상적인 임플란트 식립 부위의 조성이 선행되어야 한다. 만약 인접치가 치주적으로 양호한 상태일 경우 임플란트 상부는 협측 치은변연 하방에서 2~3 mm에 위치된다. 임플란트지지 보철물은 연조직을 형성하고 자연치와 같은 생리적인 형태로 위치시켜야 한다. Buser 등은 전치부 임플란트 식립 시 이상적인 매식체의 위치를 임플란트와 치아는 1.5 mm 이상 거리가 있어야 하고 교합면에서 보았을 때 임플란트 shoulder는 인접치 보다 대략 1 mm 구개측으로 위치하며, 임플란트 식립 깊이는 대략 인접치 CEJ 1mm 하방에 위치해야 한다고 하였다.[13]

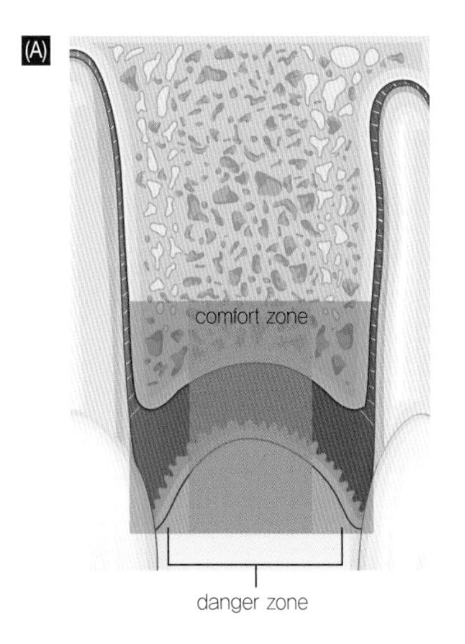

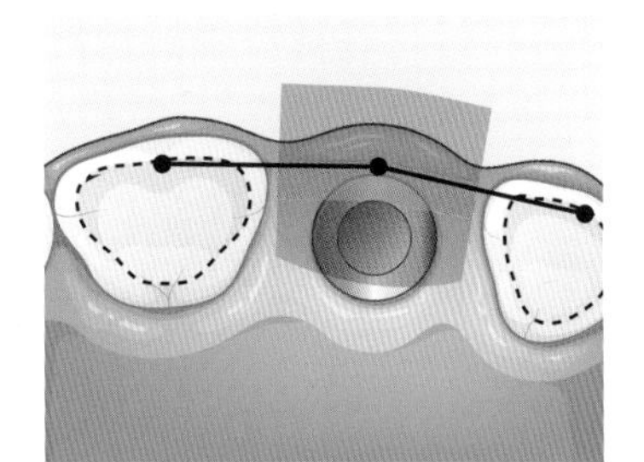

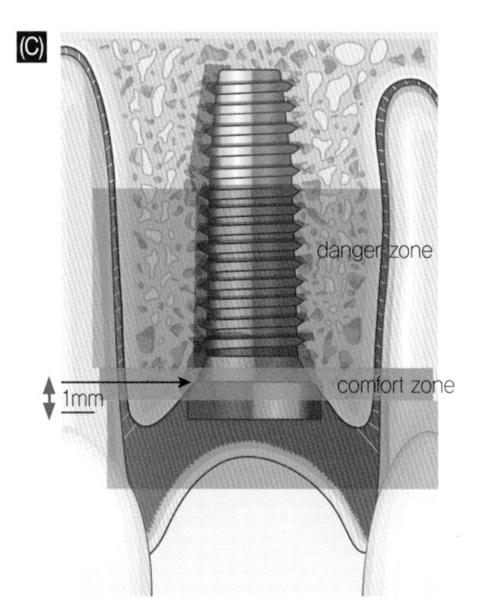

그림 52-5. 심미적인 전치부의 임플란트 수복을 위한 이상적인 매식체의 위치 (A) 인접치에서 1~1.5 mm 이상의 거리가 필요하다. (B) 인접치의 최대풍융부에서 약 1 mm 구개측에 식립되어야 한다. (C) 인접치의 CEJ보다 약 1 mm 깊게 식립되어야 한다.

참고문헌

1. Richter E. In vivo vertical forces on implants. Int J Oral Maxillofac Implants 1995;10:99.
2. Rangert B, Sullivan R, Jemt T. Load factor control for implants in the posterior partially edentulous segment. Int J Oral Maxillofac Implants 1997;12:360.
3. Hoshaw S, Brunski J, Cochran C. Mechanical loading of Bråemark implants affects interfacial bone modeling and remodeling. Int J Oral Maxillofac Implants 1994;9:345.
4. Jovanovic S, Schenk R, Orsini M, et al. Supracrestal bone formation around dental implants: an experimental dog study. Int J Oral Maxillofac Implants 1995;10:23.
5. Simion M, Jovanovic SA, Trisi P. Vertical ridge augmentation around dental implants using a membrane technique and bone auto or allografts in humans. Int J Periodont Restor Dent 1998;18:9–24.
6. Ogawa T, Ozawa S, Shin JH. Biomechanical evalution of osseous implants having different surface topographies in rat. J Dent Res 2000;79:1857.
7. Jovanovic SA, Spiekermann H, and Richter EJ. Bone regeneration on dehisced titanium dental implants. A clinical study. Int J Oral Maxillofac Implants 1992;7:233.
8. Jensen O, Nock D. Inferior alveolar nerve repositioning in conjunction with placement of osseointegrated implants: A case report. Oral Surg Oral Med Oral Path Oral Radiol 1987;63:263.
9. Rangert B, Krogh P, Langer B. Bending overload and implant fracture. A retrospective clinical analysis. Int J Oral Maxillofac Implants 1995;10:326.
10. Rangert B, Jemt T, Jorneus L. Forces and moments on Bråemark implants. Int J Oral Maxillofac Implants 1989;4:241.
11. Brunski J, Puelo D, Nanci A. Biomaterials and biomechanics of oral and maxillofacial implants: Current status and future developments. Int J Oral Maxillofac Imp 2000 1992;15.
12. Kinni B, Hokanas S, Caputo A. Force transfer by osseointegration. Int J Oral Maxillofac Implants 1998,1:11.
13. Buser D, Dent M, Martin W, Belser UC. Optimizing esthetics for implant restorations in the anterior maxilla: anatomic and surgical considerations. Int J Oral Maxillofac Implants 2004;19(suppl):43–61.

PART 04

치료 후의 유지관리법

CHAPTER 53

치주치료의 결과

이성조 · 신현승 · 박정철 · 조인우

1. 치은염증의 제거를 위한 치태조절법

깊은 치주낭에서 감염을 제거하기 위한 구강위생의 효과는 여러 연구결과 입증되었다.

Tagge 등은 골연상치주낭을 치석제거 및 치근면활택술과 치태조절의 두 방법으로 처치한 후 2개월 지나 임상조직학적으로 검사한 결과, 치태조절법만을 시행한 부위에서는 염증증상은 감소되었으나 치주낭 깊이와 임상적 부착위치의 개선은 거의 보이지 않았으며 치석제거 및 치근면활택술을 병행한 경우에는 치은염증, 치주낭 깊이 그리고 임상적 부착위치의 현저한 개선이 있음을 알아냈다.[1]

Listgarten 등은 진행성 병소에서 철저한 치태조절과 치은연하치태제거술의 효과를 25주간 관찰한 결과, 치석제거술 병행 시에 임상적으로 현저한 치은염증 및 치주낭 깊이의 개선이 있었으며, 치은연하 치태세균의 암시야 현미경상에서 치주건강과 관련된 구균 및 간균의 증가 및 운동성 간균과 나선균의 감소가 있었으나, 치주낭이 깊은 경우 치석의 제거 없이 치은연상치태만을 제거하는 것은 치은연하의 감염이나 치은염증을 제거하지 못하는 것으로 나타났다(표 53-1).[2]

수 년간 치주 전문의 사이에서는 치은염을 예방하고 치주치료의 성공을 위해 청결한 구강위생이 필수적이라는 사실이 널리 알려져 왔으며 역학적 연구를 통해 치은염의 빈도와 구강위생 사이에 밀접한 관계가 있음이 증명되었다. 장기간의 여러 연구는 효과적인 구강위생 유지와 치석제거술을 병행할 경우 치은건강이 유지될 수 있음을 보여주었다. 하지만, 치주낭이 깊은 경우, 치태조절(구강위생) 단독으로는 치은연하세균이나 치은염증, 치주낭의 감소에 한정된 효과를 가지므로 부가적인 처치가 필요하다.

표 53-1. **진행성 병소의 치주치료 후 임상적 양상의 변화 치은연하 치태세균 변화**

	검사	치태제거	치태제거+치석제거술
치태지수	0주	2	2
	8주	0	0
	25주	0	0
치은지수	0주	2	2
	8주	1	0.5
	25주	1.5	0
치주낭 깊이 (mm)	0주	7.0 ± 0.9	7.0 ± 0.6
	8주	6.5 ± 0.9	5.3 ± 1.0
	25주	6.5 ± 0.8	4.5 ± 0.9
구균+간균	0주	41%	42%
	8주	43%	82%
	25주	39%	75%
운동성 간균+ spirochetes	0주	55%	49%
	8주	48%	13%
	25주	51%	8%

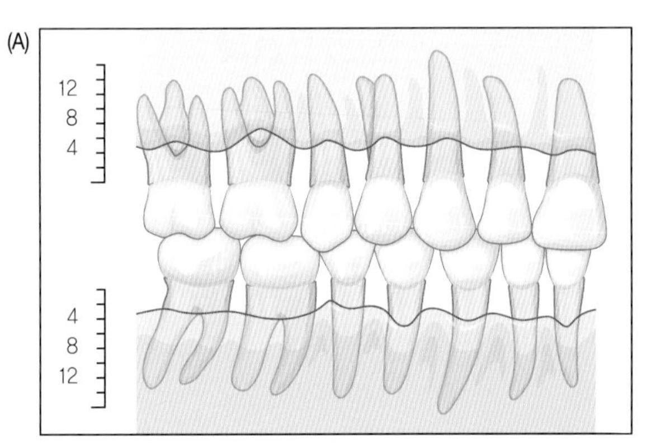

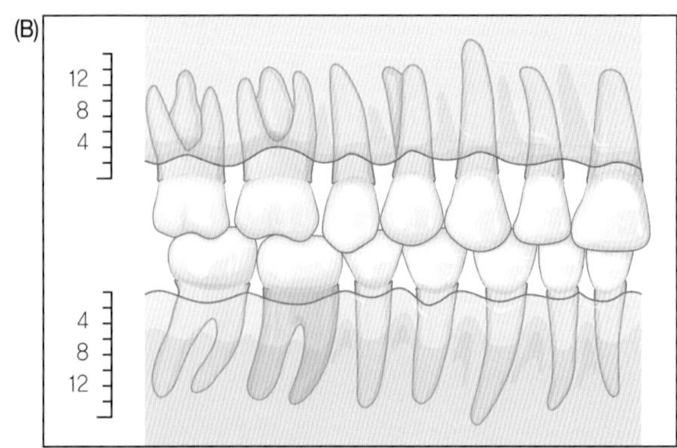

그림 53-1. (A) 40세의 스리랑카노동자의 평균치주조직지지량 (B) 40세의 노르웨이학자들의 평균치주조직지지량[3]

2. 치석제거 및 치근면활택술

Listgarten 등에 의해 이루어진 자연적인 치주질환의 발생과 진행에 대한 연구에서 치과처치의 공급이 원활한 노르웨이, 오슬로의 17~40세의 건강한 남학생 및 학자 565명(1969년)과 예방 및 치료목적의 치과처치를 전혀 받지 못하는 스리랑카의 15~40세의 건강한 농장 노동자 480명(1970년)을 대상으로 치주조직상실상태를 평가하였다. 그 결과는 노르웨이군에서는 40세에 도달하면서 치주부착상실이 약 1.5 mm이었고 평균 연간 상실률은 인접면에서 0.08 mm, 협측에서 0.10 mm인 반면, 스리랑카군에서는 40세 개인에서 치주부착상실이 4.50 mm, 연간 평균 상실률이 인접면에서 0.30 mm, 협측에서 0.20 mm로 관찰되어 계속적인 관리에 의해 치주병소의 진행이 감소, 예방될 수 있음을 나타냈다(그림 53-1).[3]

3~5년간 매년 2~4회의 치은연하치석제거와 철저한 치태조절의 병행 시 치은염증, 부착상실 그리고 치아상실률을 감소시켰으며 이 효과는 치태조절이 부적절한 경우에도 현저했다(그림 53-2).[2]

Hirschfeld 등은 치은연하치석제거 및 치근면활택술과 계속관리를 포함한 치주처치 후 치아의 상실률에 대한 23년간의 장기적인 연구결과, 비외과적인 치주처치에 의해 치은연하감염이 제거될 뿐 아니라 치아상실이 현저하게 감소함을 밝혔다.

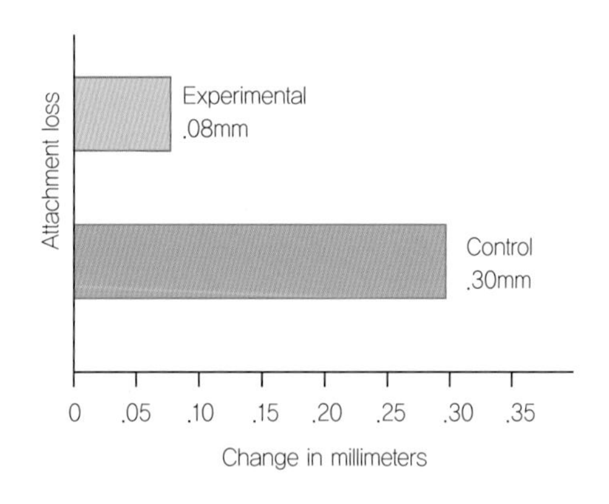

그림 53-2. 3년간 계속관리에 의한 치주부착상실률에 관한 비교[19]

결론적으로 치은연하치석제거 및 치근활택술은 깊은 치주낭 병소에서 염증을 완화시키며 임상적부착위치를 개선하는데 효과적임이 밝혀졌다. 그러나 치석제거 후에도 치주낭 내로의 탐침 시 출혈이 있거나 임상적 부착위치의 개선이 없다면 외과적 처치가 요구된다.[4]

3. 기구접근도 증진을 위한 외과적 치주처치

1) 치은연하 소파술/치은절제술/치은판막술

치근면으로의 기구의 접근도를 증진시키고 치태조절에 유리한 치은환경을 조성해 주는 데 있어서의 외과적 치주술식의 효과는 여러 임상연구에서 조사되었다.

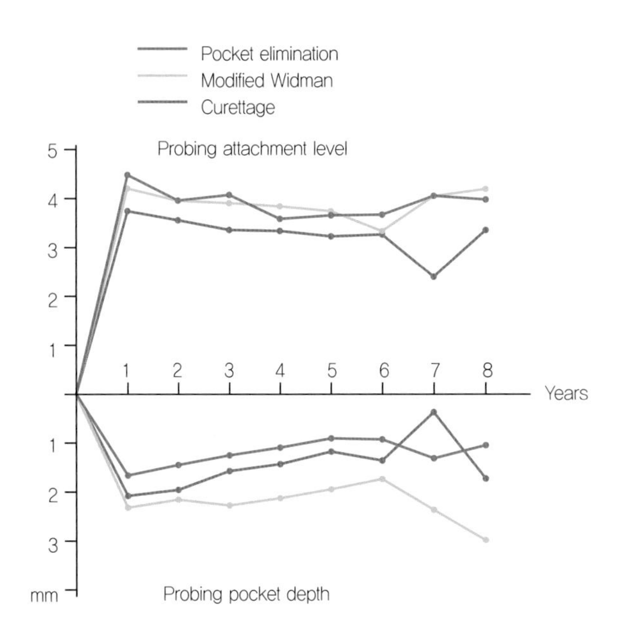

그림 53-3. 외과적 술식의 비교 치은연하 소파술, 변형 Widman씨 판막술, 치주낭 제거술을 시행한 후 매 3개월마다 구강 관리 후 8년간의 결과로서 3술식 모두 치주낭의 감소 및 부착증진 효과가 잘 유지되었다.[20]

Ramfjord 등은 진행성 치주질환에서 전처치후 치은연하 소파술, 변형 Widman씨 판막술과 하방변위판막술을 각각 시행한 후 3개월마다의 구강관리를 행한 효과를 8년간 관찰하여 매년 점차 치주낭의 깊이가 감소되고 임상적 부착 위치가 개선됨을 보고했다(그림 53-3).[5]

Lindhe와 Nyman은 치주지지조직의 50%가 상실된 치주질환자에서 전처치 후 골성형술을 포함한 하방변위판막술을 시행하고 3개월마다 예방처치를 행하여 치은염과 치주낭이 감소하고 치조골높이가 잘 유지됨을 보고하였다.[6]

Rosling 등은 골내결손부가 있는 진행성 치주질환자에서 전처치 후 하방변위판막술, 변형 Widman씨 판막술과 치은절제술을 시행한 결과 3술식 모두 치은염과 치주낭의 감소를 보였고, 인접면에서는 골성형술을 시행치 않은 경우 현저한 임상적 부착위치의 증가를 나타냈다.[7]

결론적으로 치주질환에서의 외과적 치주술식의 성공 여부는 치태조절을 포함한 유지단계에 의존하며 구강위생상태가 좋은 환자에서 외과적 치주술식 자체는 전체적 결과에 부분적인 기여를 하는 것으로 보인다.

2) 외과적 술식과 비외과적 술식의 비교

Lindhe 등이 중등도로 진행된 치주질환자에서 치석제거 및 치근면활택술만을 시행한 경우와 변형 Widman씨 판막술을 병행한 경우를 비교한 결과 염증제거 및 부착상실예방에 대한 효과는 두 술식이 동일하였다.[8]

미시간 대학에서 시행한 중등도 및 중도의 치주질환 환자를 대상으로 한 종적 연구에서는 치주질환이 치료 방법에 관계없이 치료 후 3년 동안 더 이상 진행되지 않음을 보였다. 장기간의 관찰에서도 7년이 지난 후 평균 부착 상실량은 0.3 mm에 불과했다. 이 결과들은 이전에 생각해왔던 것과는 달리 중증의 치주질환인 경우에도 치료 예후가 좋음을 시사하고 있다.

치아동요도의 감소를 비교할 때, 비외과적 술식에 의해 치아동요도가 감소될 수 있으며, 외과적 술식에 의해서 초기에는 치아동요도가 증가되나 차츰 감소된다.

치주낭 깊이의 감소는 깊은 치주낭일수록 현저하였고, 특히 외과적 술식을 시행한 경우 더욱 컸다. 임상적 부착위치는 초기 치주낭 깊이가 깊을수록 많은 개선이 있었으며 4 mm 이하의 치주낭에서 외과적술식을 행한 경우에는 심한 부착상실이 나타났다(그림 53-4).

3) 임계치주낭깊이(Critical probing depth)

비외과적 술식과 외과적 술식 간의 비교연구에서와 같이 초기에 치주낭이 깊을수록 임상적 부착이 증진되는 반면 얕은 치주낭은 부착상실을 보였으므로 Lindhe 등은 치주처치 후에 그 이상의 깊이에서는 부착증진이 그 이하에서는 부착상실이 유발되는 치주낭깊이를 소위 "임계치주낭깊이"라 하였다. 치석제거 및 치근면활택술에 의한 "임계치주낭깊이"는 변형 Widman씨 판막술을 병행한 경우에서보다 얕다(그림 53-5).

결론적으로 치주낭이 얕은 병소에서는 비외과적 술식이 유리하며 대부분의 깊은 치주낭 병소에서는 외과적 치주술식을 시행함이 임상적인 부착증진에 효과적이다.[9]

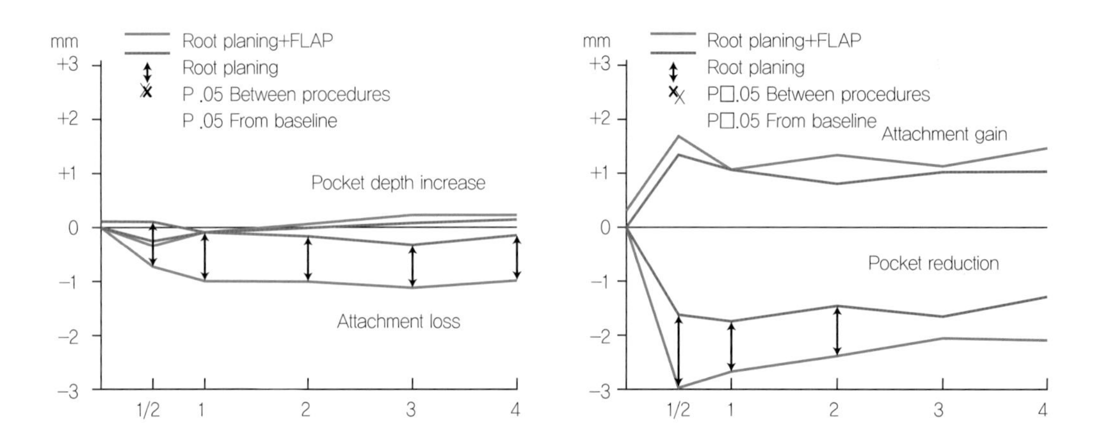

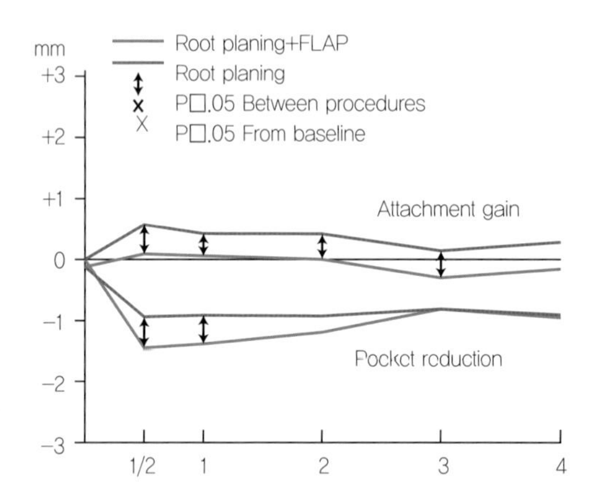

그림 53-4. 비외과적 술식과 외과적 술식의 비교. 술전 치주낭의 깊이에 따라 치주낭 깊이의 감소와 부착 증진의 양이 상이하다.[21]

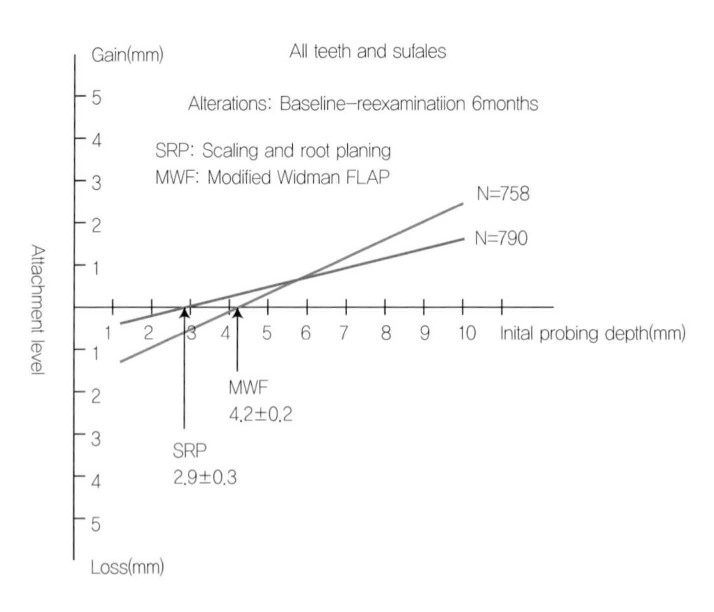

그림 53-5. 임계치주낭 깊이(critical probing depth)

비외과적 술식으로서 치석제거술 및 치근활택술(SRP)과 외과적 술식(MWF)을 시행한 후의 효과가 초기 치주낭 깊이에 따라 상이함을 보여준다.[6]

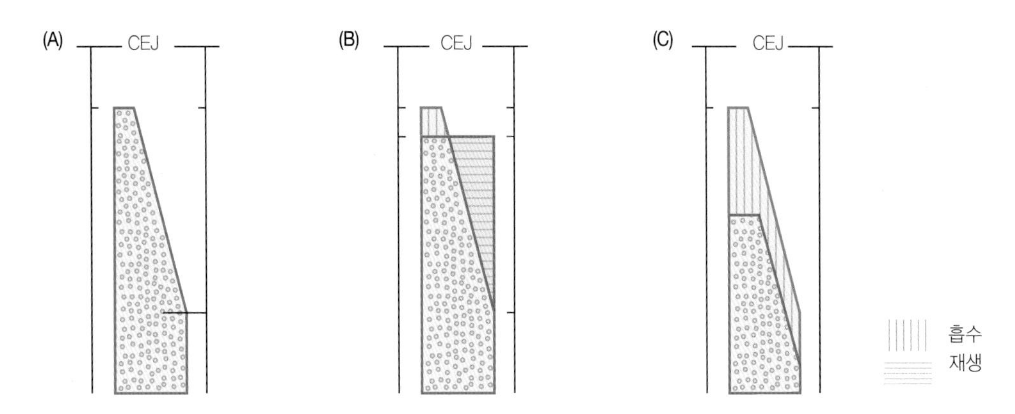

그림 53-6. 수직골결손부에 변형 Widman 판막술 시행 후 매 2주 간격의 계속유지단계를 거친 군(실험군 B)과 유지관리가 이루어지지 않은 대조군(C) reentry와 방사선검사에 의한 치조골정과 기저부 깊이 변화에 관한 비교(Rosling et al.1976). 그러나 치조골재생이 치근면과 신생조직간의 부착의 질, 즉 상피성부착 또는 결합조직성부착여부와는 무관하며 긴 접합상피(long junctional epithelium)의 부착이 수반될 수 있다.[22]

4. 지지치주조직의 재생을 위한 치주외과적 술식

1) 비골이식술(Non-bone graft)의 골연하 치주낭내 치주조직재생에 대한 효과

골연하 치주낭에서 치근면활택술 및 골내병소의 소파를 포함한 변형 Widman씨 판막술을 시행하고 계속적인 치태조절을 행한 경우 상당한 양의 치주조직의 재생이 관찰되었으며 reentry 결과 골결손부의 형태는 기저부의 골재생과 변연부의 골 흡수로 이루어져 있었다(그림 53-6).[10]

2) 골이식술의 골연하 치주낭내 치주조직재생에 대한 효과

신생부착을 위한 골이식술의 효과는 대개 치주탐침, 방사선학적 검사, reentry 등을 이용하여 평가되어 왔으며 조직학적 분석 시에도 조직표본상에서 처치전의 결합조직성 부착위치를 정확히 파악하기 곤란하므로 연구에 한계가 있다. 결론적으로 골이식 후 신생백악질, 신생치조골, 기능적으로 배열된 신생 치주인대 등의 부착장치(attachment apparatus)의 재생이 유도될 가능성은 아직 명확하게 밝혀지지 않고 있다.[11–14]

5. 치아상실에 대한 치주치료의 효과

치주치료의 효과에 대한 최종적인 평가는 치아상실이 방지될 수 있는가에 의한다.

3~6개월마다 치은연하치석제거와 철저한 치태조절을 시행하게 한 후 5년간 평가한 결과 모든 환자에서 치아상실률의 감소가 있었으며 구강위생이 불량한 경우에도 치석제거는 치아상실을 방지하는데 효과가 있었다(표 53-2).

진행성 치주염에서의 치주치료의 효과에 대한 연구에서는 지지조직이 50% 이상 상실된 환자에서 포괄적 치주치료 후 5년 후에도 치아상실이 없었으며, 구강위생 즉 치태제거의 중요성이 관찰되었다. 이 연구에서 한 가지 주

표 53-2. 정상적 치아상실률과 치석제거를 포함한 계속관리 후 5년 후의 치아상실률

	구강위생정도		
	상	중	하
정상적 치아상실률	1.1	1.4	1.8
5년간의 실질적 치아상실률	0.4	0.6	0.9

표 53-3. **치료하지 않은 치주질환자의 치아상실(치아/10y)**[16]

Becker	6
Lö (중등도 진행)	5
Lö (급속진행)	16

표 53-4. **치주치료 후의 치아상실(치아/10y)**

Hirschfeld	1.0[4]
McFall	1.4[17]
Oliver	0.72
Ross et al.	0.9[18]
Goldman et al.	1.6[18]

목해야 할 것은 반복된 구강위생교육 후 치태조절을 철저히 할 수 있는 환자만을 대상으로 선택했다는 점이다. 이는 연구의 타당성을 저해하는 것이라기보다는 치태가 치주질환의 중요한 원인이라는 사실을 다시 한 번 보여주는 것이다. 치주처치유무에 따른 치아상실률에 대한 연구결과를 종합하면 다음과 같다(표 53-3, 4).

치아상실의 원인에 대해 미시간학파가 104명의 치주질환자를 대상으로 연구한 바에 의하면, 1~7년 동안 53개의 치아가 발거되었는데 그 원인은 다양하여 치주치료 후 진행성 치주질환에 의한 원인은 1.15% 정도였다(표 53-5).[15]

결론적으로 치주질환의 유병률과 이에 의한 높은 치아상실률은 효과적인 처치의 필요성을 야기시킨다. 특히 이

표 53-5. **진행성 치주염의 처치 후 10년간의 치아상실(104명 환자, 2,604개 치아)**

상실치아(총 53)	원인
2	치수성 질환
3	사고
4	보철적 이유[15]
14	심미적 이유로 의치착용
30	치주적 문제

개부 병변을 가진 구치부의 경우 다른 치아들에 비해 치아상실률이 높기 때문에 이개부에 대한 세심한 고려가 필요하다. 따라서 치주질환이 존재할 경우 질환에 의한 치주조직 파괴를 중지시키기 위해 적절한 치주치료가 필요하다.

치주질환의 발생 빈도가 높고 이 질환으로 발치되는 치아가 많으므로 효과적인 치료의 필요성은 상대적으로 높다. 현재까지 알려진 치료를 통해 효과적으로 치주염을 예방할 수 있으며 치주염이 있는 경우에는 골 파괴를 중단시킬 수 있다. 또한 치주치료로 치아 발거율을 크게 감소시킬 수 있음을 입증해 주는 증거가 많이 나오고 있다. 따라서 모든 치과의사들은 치주치료에 대한 가치관을 갖고 치료 술식을 잘 알아야만 한다. 치주질환의 진단과 치료의 실패는 불필요한 치과 문제를 일으키고 치아의 상실을 가져온다.

참고문헌

1. Tagge DL, O'Leary TJ, El-Kafrawy AH. The clinical and histological response of periodontal pockets to root planing and oral hygiene. J Periodontol 1975;46:527–533.
2. Listgarten MA, Lindhe J, Hellden L. Effect of tetracycline and/or scaling on human periodontal disease. Clinical, microbiological, and histological observations. J Clin Periodontol 1978;5:246–271.
3. Löe H, Anerud A, Boysen H, Morrison E. Natural history of periodontal disease in man. J Clin Periodontol 1986;13:431.
4. Hirschfeld L, Wasserman B. A longterm survey of tooth loss in 600 treated periodontal patients. J Periodontol 1978;5:225–237.
5. Ramfjord SP, Knowles JW, Nissle RR, Burgett FG, Schick RA. Results following three modalities of periodontal therapy. J Periodontol 1975;46:522–526.
6. Lindhe J, Nyman S. The effect of plaque control and surgical pocket elimination on the establishment and maintenance of periodontal health. A longitudinal study of periodontal therapy in cases of advanced disease. J Clin Periodontol 1975;2:67–79.
7. Rosling B, Nyman S, Lindhe J, Jern B. The healing potential of the periodontal tissues following different techniques of periodontal surgery in plaque-free dentitions. A 2-year clinical study. J Clin Periodontol 1976;3:233–255.
8. Lindhe J, Westfelt E, Nyman S, Socransky SS, Heijl L, Bratthall G. Healing following surgical/non-surgical treatment of periodontal disease. A clinical study. J Clin Periodontol 1982;9:115–128.
9. Lindhe J, Socransky SS, Nyman S, Haffajee A, Westfelt E. 'Critical probing depth' in periodontal therapy. J Clin Periodontol 1982;9:115–128.
10. Polson AM, Heijl LC. Osseous repair in infrabony periodontal defects. J Clin Periodontol 1978;5:13–23.
11. Caton J, Zander HA. Osseous repair of an infrabony pocket without new attachment of connective tissue. J Clin Periodontol 1976;3:54–58.
12. Ellegaard B, Löe H. New attachment of periodontal tissues after treatment of intrabony lesions. J Periodontol 1971;42:648–652.
13. Moskow BS, Karsh F, Stein SD. Histological assessment of bone graft. A case report and critical evaluation. J Periodontol 1979;50:291–304.
14. Waerhaug J. Healing of the dento-epithelial junction following subgingival plaque control. II As observed on extracted teeth. J Periodontol 1978;49:119–134.
15. Ramfjord SP, Knowles JW, Nissle RR, Schick RA, Burgett FG. Longitudinal study of periodontal therapy. J Periodontol 1973;44:66–77.
16. Becker W, Berg L, Becker EB. Untreated periodontal disease: A longitudinal study. J Periodontol 1979;50:234.
17. McFall WT. Tooth loss with and without periodontal therapy. Periodont Abst 1969;17:8.
18. Goldman MJ, Ross IF, Goteiner D. Effect of periodontal therapy on patients maintained for 15 years or longer. J Periodontol 1986;57:347.
19. Suomi JD, Greene JC, Vermillion JR, Doyle J, Chang JJ, Leatherwood EC. The effect of controlled oral hygiene procedures on the progression of periodontal disease in adults: Results after third and final year. J Periodontol 1971;42:152–160.
20. Knowles JW, Burgett FG, Nissle RR, Schick RA, Morrisson EC, Ramfjord SP. Results of periodontal treatment related to pocket depth and attachment level. Eight years. J Periodontol 1979;5:225–233.
21. Philstrom BL, Ortiz-Campos C, Mc-Hugh RB. A randomized four-year study of periodontal therapy. J Periodontol 1981;52:227–242.
22. Rosling B, Nyman S, Lindhe J. The effect of systematic plaque control on bone regeneration in infrabony pockets. J Clin Periodontol 1976;3:38–53.

피성희 · 김윤상

치주치료로 회복된 건강한 치주조직을 유지하기 위해서는 치주질환의 재발을 예방하기 위한 적극적인 노력이 필요하다. 이를 위해 환자를 정기적으로 내원시켜 치주검사와 구강검사를 통해 치주질환의 초기단계를 발견하고 질환이 진행되지 않도록 보조치주치료(supportive periodontal therapy, SPT)를 시행해야 한다.[1,2] 보조치주치료의 필요성은 치주치료의 시작단계부터 환자가 잘 인지하도록 설명해야 하며, 적극적인 치주치료 이후에 치과의사와 치과위생사는 환자의 치주치료 중 알게 된 환자의 국소요인, 전신요인 등을 반영하여 계획된 유지관리를 시행한다. 치과의사와 치과위생사는 환자에게 보조치주치료의 설계와 환자에 대한 설명의 의무를 가지며, 환자는 치료결정권을 가지고 보조치주치료의 동의여부를 결정한다.

보조치주치료의 목표는 더 이상의 부착소실을 방지하여 궁극적으로 치아상실을 예방하는 데 있다. 여러 연구에서 정기적인 치과방문과 보조치주치료가 치아상실과 부착소실을 감소시킴을 공통적으로 보고하고 있어 보조치주치료 필요성의 논란은 없다.[3,4]

치주질환의 유병률과 치주치료 대상 환자군의 특성은 환자요인을 넘어서, 사회환경의 특수성을 반영하므로, 대한민국의 구강보건 실태와 전신건강 실태에 대한 지식을 가지고 있어야 한다. 우리나라는 노인인구의 비중이 급격히 증가하고, 만성질환의 유병률이 상승하고 있어 구강환경에 부정적인 영향을 미칠 수 있는 요소가 산재해 있다.[5,6] 환자의 노화, 전신질환의 변화 등을 고려한 역동적인 보조치주치료 내용의 결정은 현재 한국사회에서 그 중요성이 더욱 증가하고 있다.

보조치주치료를 위해 환자를 구분하고, 검사와 관찰을 통해 보조치주치료가 필요한 상태를 인지하고 적용할 수 있어야 하며, 이를 통해 건강한 구강환경을 유지시켜야 한다.

1. 치주치료 후의 치주질환의 재발

치주질환은 치료 후 재발할 수 있다. 이 중 치아상실의 가장 주요한 치주질환인 만성 치주염은 Walter T. 등의 연구에서 치주치료 후 15년 이상의 보조치주치료를 제공하였음에도 불구하고 환자소인, 치아의 위치, 치아형태 등의 다양한 원인요소로 인해 전체 치아의 9.8%가 치주질환으로 상실되었다고 하였다.[7] 치주질환의 재발에서 치태, 숙주, 세균 등의 치주질환의 직접적인 요인의 영향은 매우 중요하다. 치태는 구강 내에서 완벽하게 제거할 수 없으며, 전문가적인 치주치료 후의 적절한 개인구강위생을 시행하더라도 재침착된 치태를 치아의 모든 면에서 제거할 수 없다. 치주낭의 완벽한 제거 또한 불가능한데, 깊어진 치주낭을 절제, 재생, 신부착, 재부착 등으로 정상치은열구 깊이로 회복시키려는 노력으로 치료 후 치주낭의 깊이는 대부분 감소하지만, 치료의 한계, 오염된 치근면의 접근도의 한계 등으로 인해 일부 부위에서는 병적인 치주낭 깊이를 남겨두게

되고 이 부위는 치주 재발의 취약부위로 존재하게 된다.[8]

치석제거술, 치근활택술, 그리고 화학요법 등을 통해 치주낭 내에서 치주병원균을 제거할 수 있더라도 다른 부위 혹은 타인으로부터 감염될 수 있고, 치주치료로 얻은 치주조직의 구성세균의 긍정적인 변화는 일시적이어서 보조치주치료 없이는 영구적으로 지속될 수 없다.[9,10]

치주치료 후 남겨진 치석과 불량한 상태의 치근면은 치주질환 재발의 직접적인 원인이지만, 치주기구의 접근을 막는 치근의 복잡한 형태, 치주치료의 한계 등으로 치근에 남아있는 치석을 완벽하게 제거할 수 없다.[9] 불완전한 치은연하치태의 제거는 치주낭에서의 치태침착을 유도하고 서서히 증가시키지만 수개월 동안은 임상적으로 정상적인 치주조직 반응을 보이게 되므로, 진단을 어렵게 한다.[11] 또한, 긴 접합상피로의 치주낭 치유 등은 임상적으로 정상적인 치주조직의 반응을 보이지만, 치주질환에 취약하다.[12]

완벽한 치주치료를 얻기 위한 노력과 함께 보조치주치료가 뒷받침되어야 치주질환의 재발을 막을 수 있다.

2. 보조치주치료의 목표

치주치료의 목표는 시대에 따라 변화하고 있다. 과거에는 치주낭 상피를 제거하고 자연치아를 유지하는 것이 중요한 목표였지만, 전신적인 요소가 치주질환에 영향을 미친다는 것이 밝혀지고 치주재생에 대한 여러 방법들이 도입되면서 달성된 치주치료의 결과를 유지하는 것이 중요하게 되었다.

보조치주치료의 목적은 치주질환의 예방을 통해 건강한 치주조직을 유지하고 치주조직과 치아가 심미적으로 기능할 수 있는 것에 국한되는 것이 아니라, 모든 치과분야와 융합되어 구강과 신체에 대한 포괄적 건강함을 제공하는 것이다. 이를 위해서는 치주영역뿐만 아니라 치의학과 의학 전반에 대한 이해가 필요하다. 구체적인 보조치주치료의 목표는 치주질환의 재발을 막고 진행을 최소화시키며, 치아와 존재하는 보철물의 상태를 확인하여 치아상실을 줄이고, 구강 내에서 관찰되는 치주질환 이외의 질환도 조기에 발견하여 필요한 조치를 취하는 것이다.

하지만 아직도 치주치료와 보조치주치료의 목표는 달성되지 못하였으며, 치주질환은 치아상실의 가장 중요한 원인으로 이로 인한 저작기능의 상실과 임플란트 및 치과 보철물의 필요성이 증가하고 있다. 이는 치주치료와 보조치주치료가 효율적으로 수행되지 않기 때문이다. 치과의사에게 중요한 것은 평생 치주질환의 재발 위험성을 지니고 살아가는 환자가 건강한 구강환경을 유지하도록 친밀한 동반자가 되어야 한다는 것이다.

3. 보조치주치료의 내용

보조치주치료는 치주질환자의 전신, 구강 그리고 치주상태에 대하여 모든 정보를 수집하고 기존 정보의 비교를 통해 최적의 보조치주치료의 구성을 제공하는 행동으로써, 치과의사와 치과위생사의 보조치주치료에 대한 인식, 행동 그리고 분석에 의해 결정된다. 개개 환자에 대한 보조치주치료 내용의 결정은 1회성의 환자 진료가 아닌 이전의 적극적인 치주치료 과정과 반응 등이 축적된 산물이기 때문에 환자마다 시기에 따라 다를 수 밖에 없고, 획일적인 보조치주치료는 보조치주치료의 목적을 달성할 수 없다.

소환은 보조치주치료의 필수적인 요소이다. 환자를 소환하기 위한 여러 방법들이 과학기술의 발달로 실제 임상에서 효과적으로 적용되고 있다. 전자우편과 문자는 프로그램화되어 있어, 효과적으로 환자와 의료인에 보조치주치료를 위한 소환을 알려준다.

치주치료 후 재소환된 환자의 보조치주치료는 3단계로 구성된다. 제1단계는 환자의 현 구강건강에 대한 평가와 검사를 시행하고, 제2단계는 구강위생 치료를 적용하며, 제3단계는 다음 약속을 잡는 것과 더 심화된 치료 혹은 보존적 수복치료이다. 보조치주치료의 내용은 전신병력과 치과병력의 변화를 조사하고, 검사와 구강위생상태에 대한 평가를 통해 분석하고 필요한 처치와 치료를 수행한 후 다음 소환간격을 결정하는 것이다.

1) 전신병력과 치과병력의 변화

우리나라는 세계 최고 수준의 고령화 속도와 함께 만성 질환의 유병률, 사망률이 급격하게 증가하고 있어, 치과진료 중 전신병력의 파악이 매우 중요하다. 변화하는 환자의 전신상황을 계속적으로 관찰하고 가장 최근의 상황으로 새롭게 파악하여야 한다. 2017년 조사된 국민건강영양조사에 따른 우리나라 주요 만성질환 유병률을 보면 30세 이상 성인인구의 31.2%가 고혈압을, 12.4%가 당뇨를 앓고 있다. 또 70세 이상 인구에서는 고혈압 64.7%, 당뇨 27.9%로 그 유병률이 크게 증가하여 노인인구 10명 중 7명은 고혈압 또는 당뇨를 앓고 있다.[13] 즉 건강한 사람이라도 질병 상태로 쉽게 변화할 수 있다는 것으로, 짧은 소환간격의 보조치주치료라고 할지라도 환자의 혈압, 전신질환, 복용약물의 변화 등이 폭넓게 조사되어야 한다.

치과병력은 이전 치과진료의 시기와 목적, 진료 내용, 그리고 구강위생을 위해 사용하는 기구 등을 파악하여 이전 상황과 비교한다.

2) 검사

보조치주치료를 위한 재소환 검사는 환자의 첫 평가와 비슷하지만 환자가 처음 치과에 방문한 것이 아니기 때문에 치과의사는 일차적으로 지난번 검사 이후로 발생한 변화에 중점을 둔다. 치주검사를 포함한 구강검사는 필수적이며 치과수복물, 치아 우식증, 교합, 치아동요도, 타액분비, 구강점막, 치주연조직 반응, 치은상태, 치주낭의 평가 등이 시행된다. 또한 구강점막의 병적 상태에 대해 주의 깊게 검사해야 한다. 임플란트가 존재하는 경우 치주낭 깊이, 탐침 시 출혈, 삼출액, 보철물과 지대주의 상태, 임플란트의 안정도, 교합 검사를 시행한다.

방사선 사진은 반드시 환자의 상태에 따라 촬영한다. 우식위험이 있는 성인의 방사선 사진은 6~18개월 간격의 구치부 교익촬영, 우식위험이 없는 경우 24~36개월 간격의 구치부 교익촬영을 실시하며, 청소년의 경우 촬영간격을 단축한다. 치주질환자의 경우에는 촬영시기에 제한 없이 치주질환의 임상증상이 관찰된다면 교익촬영 혹은 치근단방사선 사진촬영을 실시한다. 촬영된 방사선 사진은 이전과 비교할 수 있도록 촬영되어야 하며, 치간골의 높이, 치근의 형태와 길이, 이개부, 치근단 병소, 치석 등을 확인 한다.[14]

3) 구강위생평가

치태는 치주질환의 인자로, 구취, 치석, 착색, 가철식 보철물의 세균증식 등을 야기하므로, 치주치료 후에도 질과 양을 조절하여 치태 내의 세균증식으로 발생하는 치아우식증, 치주염, 칸디다증 등의 문제를 예방해야 한다. 보조치주치료의 소환을 처음 계획하였을 때의 치주치료에서 환자 구강 내의 대부분의 치태는 제거되고 치면은 매끄러워야 하며, 환자는 개인구강위생법에 대하여 알고 있어야 한다. 치태조절을 효율적으로 수행하고 있는 환자에서 훨씬 적은 치태의 축적과 치아우식증의 발생을 보이며, 감소된 치은연상치태는 치은연하 혐기성 미생물의 조성에 영향을 미쳐 치주질환이 감소하게 된다.[15,16] 치주질환은 환자교육과 개인구강위생이 매우 중요한 질환이다. 개인구강위생은 치주치료의 일부가 아닌 치료 자체로 강조된다.

치과의사의 기대와 달리 환자의 구강위생능력을 향상시키는 것에는 한계가 있다는 것을 고려하여야 한다. 과거와 달리 다양한 구강위생용품을 쉽게 구할 수 있음에도 불구하고, 일부 환자는 과거의 잘못된 습관을 교정하지 않으려 한다. 이를 위해 소환간격을 조절하거나, 소환 시 치료방법을 수정한다. 환자에 의한 효과적인 치태조절을 방해하는 요소로는 구강용품의 사용을 어렵게 하는 운동능력과 감각능력의 저하, 타액분비 감소와 같은 자정능력의 저하, 심한 부착소실로 인한 치간공극, 보철물의 증가, 치태조절에 대한 동기유발 부족 등이 있다.

4) 치료

치은염의 예방뿐만 아니라 치주치료에도 불구하고 잔

존해 있는 치주낭에서 더이상의 부착소실이 발생하지 않고, 정상 치은열구도 치주낭으로 진행되지 않도록, 치과의사와 치과위생사에 의한 치태조절과 치석제거술을 시행한다. 검사를 통해 이전 검사와 비교하여 뚜렷한 치주질환의 재발이 관찰되거나 교합성 외상이 발생한 곳은 치근활택술, 교합조정 등의 필요한 치주처치를 시행하며, 재평가의 필요성을 결정한다. 치아우식증에 취약한 환자로 판단되는 경우 치주처치 후 불소바니쉬 혹은 불소도포를 함께 시행한다.[17]

보조치주치료에서 시행되는 치태조절과 치석제거술은 그 효과가 확실함에도 불구하고, 기구적용이 섬세하게 이루어지지 않거나 선택적으로 적용하지 않는 경우 의원성의 부착상실과 치질, 치주조직의 손상을 야기할 수 있다. 외과적 치주치료의 비적응증을 갖고 있어 제한적인 치주치료를 받았거나, 깊은 치주낭을 치료하기 위해 필요한 치주치료를 거부한 경우, 치주예후가 불량한 치아를 유지한 경우 등에는 보조치주치료를 통한 부착상실과 치아상실의 예방효과가 제한적이다라는 것을 환자에게 고지하고 시행하며, 깊은 치주낭이 관찰되는 경우 국소적 항생제를 투여하거나 세척한다.

5) 소환 간격 결정

보조치주치료의 마지막 단계는 다음 소환일을 결정하는 것이다. 환자의 변화하는 치주상태와 전신상태에 대응하기 위해서 소환간격의 변화를 줄 수도 있다. 치주질환 병력을 갖는 환자의 소환간격은 치주치료 종료 후에는 1~2개월 후로 결정되지만, 구강위생에 대한 환자의 협조도와 치주질환에 대한 취약성을 반영하여 6개월까지 점차 증가시키게 된다. 치은연하환경의 미생물의 변화는 치석제거술과 치근활택술 후 3~6개월 후에는 치료 전의 세균비율로 되돌아가므로 소환간격은 6개월을 넘기지 않는다. 실제로 경도와 중등도 치주염 환자를 대상으로 8년간 보조치주치료를 시행한 결과, 일년에 한 번 이하로 내원하는 경우에서 더 많은 부착 소실을 보였다.[18,19] 그러나, 환자의 일생을 통해 볼 때 구강질환의 취약성이 극단적으로 증가하는 노인환자들은 6개월에서 3개월 혹은 짧은 간격으로 소환 횟수를 증가시켜야 한다.

4. 보조치주치료의 실패

치주환자는 질환의 진행과정, 치료방법, 합병증, 예상되는 결과와 치료하지 않지 않을 경우 발생될 것에 대하여도 알고 있어야 한다. 치주치료를 하지 않는다면 앞으로 치주질환은 진행되고 치아가 상실될 것이다. 치주치료 후에도 여러 원인에 의해서 치주치료의 실패가 발생할 수 있는데 치주치료의 실패는 치주조직의 염증관련 증상 등의 치주질환 병소가 재발되는 것으로 이는 부착상실을 야기하여 저작기능의 저하와 치아상실을 초래한다. 만성 치주염의 치료 후에는 치주부착이 감소된 염증반응이 없는 정상치주 상태가 얻어지게 된다. 이러한 상태가 치태유도치은염 혹은 만성 치주염으로 재발하는 주된 원인은 환자의 국소적, 전신적 위험요소를 간과한 치과의사의 보조치주치료 내용의 부족과 환자의 부적절한 치태조절이다. 환자의 구강위생 방법을 조절하고 동기 유발과 구강위생관리를 교육하는 것은 치과의사의 의무이며, 환자의 실패는 곧 치과의사 자신의 실패라는 것을 알아야 한다. 재발의 다른 원인들을 살펴보면 다음과 같다.

- 부적절하거나 불충분한 치료: 치태 축적이 용이한 요인들을 제거하는데 실패한 경우나 접근이 어려운 부위에서의 불완전한 치석제거가 문제의 가장 일반적인 원인이다.
- 치주치료가 끝난 후 부적절한 수복물이 장착된 경우
- 환자가 정기적인 재소환 검사를 받으러 오지 않은 경우: 이런 경우는 계속적인 치료를 받지 않겠다는 환자의 결정과 치과 진료팀이 정기적인 검사의 필요성을 강조하지 않았기 때문이다.
- 이전에는 견딜만한 정도의 치태 수준이었지만 숙주의 저항에 영향을 미칠만한 전신질환이 생긴 경우

실패한 치료의 경우 다음과 같은 증상이 나타난다.

- 치은변화로 알 수 있는 재발성 염증과 탐침 시 치은

표 54-1. **질환의 재발원인과 증상**

증상	가능한 원인
증가된 동요도	염증상태 증가
	불량한 구강위생
	치은연하치석
	부적절한 수복물(restorations)
	잘못 고안된 보철물
	치태에 대한 숙주 반응을 변화시키는 전신질환
치은퇴축	칫솔에 의한 마모
	부착 치은의 부족
치주낭 깊이와 방사선 소견의 변화 없이 증가된 동요도	측방교합장애로 인한 교합성 외상, 이갈이
	높은 수복물
	잘못 고안된 보철물
	치관-치근비율 불량
방사선 소견의 변화 없이 증가된 치주낭	불량한 구강위생
	긴 재방문 간격
	치은연하치석
	잘 맞지 않는 가철식 부분의치
	무치악부위로 근심경사
	신부착수술 실패
	균열치
	발육구를 가진 치아
	새로운 치주질환
방사선소견상 골소실이 증가되고 치주낭 깊이가 증가	불량한 구강위생
	치은연하치석
	긴 재방문 간격
	불량한 수복물
	잘못 고안된 보철물
	부적절한 수술
	치태에 대한 숙주의 반응을 변화시키는 전신질환
	균열치
	발육구를 가진 치아
	새로운 치주질환

열구의 출혈
- 치은열구 깊이 증가로 치주낭의 재형성
- 방사선 사진에서 보이는 점차적인 골소실 증가
- 임상 검사로 확인되는 점차적인 치아동요도의 증가

치주진단과 치료, 적극적인 치주유지관리, 환자의 노력에도 불구하고, 치주부착상실이 발생하는 경우에 난치성 치주염으로 분류한다. 난치성 치주염은 정확하게 진단을 정의할 수 없는 임의적인 분류로 치주치료를 했음에도 불구하고 염증의 원인균을 제거하지 못한 경우로 추측되지만, 치주질환에 기여하는 밝혀지지 않은 숙주요인이 원인일 수 있다. 치료목표는 질환의 진행을 멈추게 하거나, 파괴속도를 늦추는 것으로, 진단의 복잡성과 알지 못하는 기여인자로 인해 목표를 달성하는 것은 매우 어렵기 때문에 진행의 속도를 늦추는 것이 합리적인 치료 목표이다.

재치주치료의 결정은 보조치주치료를 위한 방문 시 결정해서는 안되며 재평가의 원칙에 따라 1~2주 후에 하도록 한다.

5. 치료 후 환자의 분류

치주치료 전후, 환자는 치주질환 위험도에 따라 분류되어야 한다. 높은 위험도로 보이는 환자는 3개월보다 짧은 간격으로 보조치주치료를 시행하여야 한다. 보조치주치료 시 위험도 분류의 기준으로는 탐침 시 출혈부위, 4 mm 이상의 치주낭, 상실된 치아수, 환자의 나이를 고려한 상대적인 치주부착상실정도, 전신적 유전적 요인, 흡연과 같은 환경요인 등이다.[20]

치주치료 이후 첫 해는 구강위생을 강화하고 재방문 습관을 환자에게 주입시키기에 적절한 시기이다. 뿐만 아니라 치주수술의 결과를 정확하게 평가하는 데는 수개월이 필요하다. 어떤 부위는 결과가 좋지 않아 재치료를 하는 경우도 있다. 첫 일년 동안은 지나쳐버린 원인인자들을 그대로 가지고 있을 수 있으므로 이 같은 초기에 치료를 받게된다. 이러한 이유들로 첫 일년 동안은 재방문 간격이 3개월을 넘어서는 안 된다. 치주 재방문 계획을 가지는 환자군은 매우 다양하며, 표 54-2에 유지 단계의 환자의 여러 범주와 각각에 대한 재방문 간격을 나열해 놓았다. 치주질환의 감소 혹은 악화 여부에 따라 다른 분류로 이동하게 된다. 만약 상, 하악이 서로 다른 상태를 보인다면 상태가 심각한 쪽을 기준으로 분류한다. 만성 치주염의 적극적인 치료 후 불완전하지만 보조치주치료에 참여하는 환자는 47%에 불과하며, 그 중 28%만이 치과의사에 의해 제시된 보조치주관리 치료에 100%의 내원율을 보인다는 보고가 있어, 환자의 협조를 얻을 수 있는 교육과 동기부여 등의 효과적인 소환방법의 적용이 필요하다.[21,22]

표 54-2. 재방문 환자의 분류에 따른 재방문 간격

Merin 분류법	특징	재방문 간격
첫해 환자	첫 해 환자 - 일상적인 치료와 정상적인 치유	3개월
	첫 해 환자 - 불량 보철물, 이개부 병소, 치관 대 치근의 비율이 불량한 경우 환자의 협조가 불량한 경우	1~2개월
Class A	1년 또는 그 이상 잘 유지되어 양호한 결과인 경우 양호한 구강위생, 소량의 치석, 교합이나 보철물에 문제가 없고, 잔존 치주낭이 없거나 잔존 치조골이 50% 이하인 치아가 없는 경우	6개월~1년
Class B	1년 또는 그 이상 양호한 결과가 잘 유지되지만	3~4개월 (부정적 요인의 수나 심도에 따라 재방문 기간을 결정)
	다음과 같은 요인이 있는 경우 1. 불량한 구강위생상태 2. 과다한 치석 침착 3. 치주조직이 파괴되기 쉬운 전신질환 4. 잔존 치주낭 5. 교합문제 6. 불량한 보철물 7. 진행 중인 교정치료 8. 재발성 치아우식증 9. 치조골이 50% 이하인 치아가 약간 있음 10. 흡연 11. 유전 검사의 이상	
Class C	치주치료 후 불량한 결과 또는 다음과 같은 부정적 인자가 있는 경우 1. 불량한 구강위생상태 2. 과다한 치석 침착 3. 치주조직이 파괴되기 쉬운 전신질환 4. 잔존 치주낭 5. 교합문제 6. 불량한 보철물 7. 재발성 치아우식증 8. 치주수술이 필요하였으나 전신적, 정신적, 경제적인 이유로 시행하지 않은 경우 9. 치조골이 50% 이하인 치아가 다수 10. 치주수술로 개선되기 힘들 정도의 상태 11. 흡연 12. 유전 검사의 이상 13. 탐침 시 출혈을 보이는 치주낭이 20% 이상	1~3개월 (부정적 요인의 수나 심도에 따라 재방문 기간을 결정: 재치료를 고려하거나 심한 치아의 발치를 고려)

6. 임플란트 환자의 보조치주치료

임플란트를 식립한 환자들은 임플란트 주위염에 의해 치조골 상실이 더 잘 일어날 수 있으며, 자연치를 가지고 있는 환자들보다 치조골 상실을 수반하는 치태유발 치은염이 더 잘 발생하는 경향이 있다. 부분 무치악 환자의 임플란트 주위의 미생물 성분은 완전 무치악 환자와 다르며, 부분 무치악 환자의 자연치 경우와 비슷하다. 건강한 치주조직을 구성하는 자연 치아의 유지는 건강한 임플란트 주위조직 미생물계의 유지에 필수적이다.[23] 임플란트 주위염이 일단 발생하면 그 치료가 어렵기 때문에, 임플란트 식립 환자는 유지관리를 매우 잘 해 줘야 한다. 그러나, 임플란트로 기능을 회복한 후에는 자각증상이 없다는 이유로 소환에 응하지 않아 보조치주치료가 중단되는 환자가 있다. 이러한 환자의 일부는 수개월에서 수 년 후에 임플란트 주위염으로 다시 내원한다.

임플란트와 임플란트 지대주는 자연치와 달리 치은섬유가 표면에 매입될 수 없다. 치은치아 섬유군과 중격간 섬유군은 임플란트 주변에서 관찰되지 않는다.[24] 또한 교합성 외상에도 자연치처럼 적응하기 어렵다. 치과의사는 염증 소견과 교합성 외상의 유무를 긴밀하게 평가해야 한다.

임플란트 주위 연조직의 외형은 자연치아와 임상적으로 유사하지만 자연치아와 동일한 원칙으로 보조치료 시 치주탐침을 할 수 없다. 부드러운 탐침으로 치주낭 측정기의 끝이 접합상피와 결합조직을 관통하지 않도록 조심해야 한다.[25] 염증이 존재한다면 치주낭 측정기의 끝은 골근처까지 도달할 것이다. 탐침깊이가 증가하는 것은 임플란트의 중요한 판단기준이기는 하나 탐침 시 출혈, 열구의 삼출액, 이전 검사와 비교한 탐침깊이의 증가, 방사선 사진상 골 흡수 등이 관찰되지 않는다면 문제되지 않는다.

방사선 사진은 임플란트 보철구조물의 정확성을 판단하고 변연골 흡수를 평가하기 위해 반드시 평행촬영법으로 촬영한다. 임플란트는 올바르게 식립되고 교합력이 정상이라 할지라도 식립 후 처음 1년은 1.5 mm 정도의 골 흡수가 발생할 수 있다.[26]

또한 임플란트는 교합성 외상에 적응할 수 없기 때문에 교합면의 마모, 도재의 파절, 스크류의 풀림, 환자의 불편함 등을 면밀히 확인하는 것도 보조치주치료 시 함께 시행해야 할 사항이다.

구강보조용품의 처방과 교육은 환자와 부위마다 개별화 시켜 최적의 치태조절과 치은자극을 얻을 수 있게 한다. 치간칫솔, 화학요법제, 구강세정 장치 등을 사용한다. 임플란트 주변의 치태나 치석을 제거하기 위해서는, 치주병원균의 부착부위가 임플란트 나사선 혹은 임플란트 보철지대주인지, 치은연하 혹은 치은연상 인지를 구분하여 기구와 재료를 결정해야 한다. 플라스틱 소재, 탄소섬유 소재, 티타늄 소재의 수기구, 연마제를 분사하는 기구를 사용하며 티타늄 지대주(titanium abutment)의 표면에 손상을 주는 방법은 사용해서는 안 된다.[27]

7. 결론

보조치주치료는 매우 중요함에도 불구하고 중단되는 경우가 있다. 의료진의 노력을 통하여, 치주질환의 재발을 최소화 시켜야 한다. 환자의 태도나 성격을 고려하여 소환이 중단되었을 때 즉시 보조치주치료가 재시행 될 수 있는 방법을 강구한다. 치주질환자를 위한 진료 및 관리시스템을 치과의사와 치과위생사의 공동노력으로 확립하는 것은 치주치료의 중요한 일부분이다.

참고문헌

1. Axelsson P, Lindhe J. The significance of maintenance care in the treatment of periodontal diseases. J Clin Periodontol 1981;8:281–294.
2. Axelsson P, Nyström B, Lindhe J. The long-term effect of a plaque control program on tooth mortality, caries and periodontal disease in adults. Results after 30 years of maintenance. J Clin Periodontol 2004;31:749–757.
3. Shick RA. Maintenance phase of periodontal therapy. J Periodontol 1981;52:576–583.
4. Axellson P, Lindhe J. The significance of maintenance care in the treatment of periodontal disease. J Clin Periodontol 1981;8:281.
5. 2014 통계청. 간이생명표. 장래인구추계
6. 국민건강보험공단, 건강보험심사평가원 저 2012년 건강보험통계연보
7. Walter T. McFall, Jr Tooth Loss in 100 Treated Patients With Periodontal Disease: A Long-Term Study J Periodontol 1982;53:539–549.
8. Alijateeli M, Koticha T, Bashutski J, Sugai JV, Braun TM, Giannobile WV, Wang HL. Surgical periodontal therapy with and without initial scaling and root planing in the management of chronic periodontitis: a randomized clinical trial. J Clin Periodontol. 2014;Jul;41(7):693–700.
9. Hirschfeld L, Wasserman B. A long-term survey of tooth loss in 600 treated periodontal patients. J Periodontol 1978;49:225.
10. Listgarten MA, Hellden L. Relative distribution of bacteria at clinically healthy and periodontally diseased sites in humans. J Clin Periodontol 1978;5:115.
11. Withers JA et al. The relationship of palatogingival grooves to localized periodontal disease. J Periodontol 1981;52:41.
12. Caton JG, Zander HA. The attachment between tooth and gingival tissues after periodic root planning and soft tissue curettage. J Periodontol 1979;50:462.
13. 2017 보건복지부 질병관리본부 국민건강영양조사
14. DENTAL RADIOGRAPHIC EXAMINATIONS: RECOMMENDATIONS FOR PATIENT SELECTION AND LIMITING RADIATION EXPOSURE 2012 american dental association
15. Suomi JD, Greene JC, Vermillion et al. The effect of controlled oral hygiene on the progression of periodontal disease in adults: results after the third and final year. J Periodontol 1971;42:152.
16. Mousques T, Listgarten MA, Phhillips RW. Effect of the scaling and root planning on the composition of human subgingival microbial flora. J Periodont Res 1980;15:144.
17. I. Bignozzi, A. Crea, D. Capri, C. Littarru, C. Lajolo, and D. N. Tatakis, "Root caries: a periodontal perspective," Journal of Periodontal Research, vol. 49, no. 2, pp. 143~163, 2013.
18. Lightner LM, O'Leary JT, Drake RB, Crump PO, Allen MF. Preventive periodontic treatment procedures procedures: result over 46 months. J Periodontol 1971;42:555.
19. Brägger U, Håkanson D, Lang NP. Progression of periodontal disease in patients with mild to moderate adult periodontitis. J Clin Periodontol 1992;19:659–666.
20. Oral Health & Preventive Dentisty 1/2003, S. 7–16 .
Periodontal Risk Assessment (PRA) for Patients in Supportive Periodontal Therapy (SPT)
Niklaus P. Langa / Maurizio S. Tonettib
21. 박웅규, 이재관, 장범석, 엄흥식 유지치주치료의 환자 순응도에 대한 후향적 연구 대한치주과학회지 2009;39:59–70.
22. 이혜원, 박진우, 서조영, 이재목 유지 치주치료에 대한 환자 협조도 분석 대한치주과학회지 2009;39:193–198.
23. Renvert S, Lindhal C, Renvert H, Perrson GR. Clinical and microbiologic analysis of subjects treated with Br?nemark and AstraTech implants: a 7-year follow-up study. Clin Oral Implants Res. 2008;19(4):342–347.
24. Hansson HA , Albrektsson T, Br?nemark P. Structural aspects of the interface between tissue and titanium implants. J Prosthet Dent. 1983;50(1):108–113.
25. Ericcsson I, Lindhe J. Probing depth at implants and teeth. An experimental study in the dog. J Clin Periodontol.1993;20(9):623–627.
26. Adell R, Lekholm U, Rockler B, Br?nemark PI. A 15-year study of osseointegrated implants in the treatment of the edentulous jaw. Int J Oral Surg. 1981 Dec;10(6):387–416.
27. 1: Augthun M, Tinschert J, Huber A. In vitro studies on the effect of cleaningmethods on different implant surfaces. J Periodontol. 1998 Aug;69(8):857–64.: 9736367.

INDEX

찾아보기

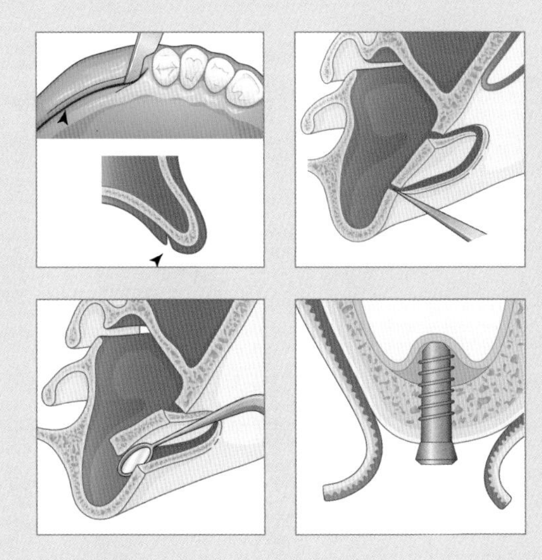

한글

ㄱ

ㄴ

ㄷ

ㄹ

ㅁ

ㅂ

ㅇ

ㅈ

ㅊ

영문

A

B

C

D

E

F

G

H

N

O

P

Q

R

S

T

U

V

W

X

Z

기호

번호